我妻・有泉
コンメンタール
民法

第8版

総則・物権・債権

我妻　榮
有泉　亨
清水　誠
田山輝明

[著]

日本評論社

は　し　が　き*

　民法の各条文について、まずそのなかに用いられている特別に意味のある言葉の内容をはっきりさせながら、その条文の趣旨を明らかにし、その上で、他の条文との関係を説き、さらに民法全体の構成のなかにおける条文の地位を明らかにするという、このコンメンタールの狙いは、事柄は簡単のようでも、やってみると、なかなか容易な仕事ではない。私ども著者のように、大学で講義をしたり、普通の教科書を書くことになれた者にとっては、事の取扱いの順序が逆になるような気がする。

　大学の講義ではもちろんのこと、普通の教科書を書く場合にも、まず民法全体の構成から説きおこし、次いで一つ一つの制度に入ってその本質を明らかにし、それから次第に細目に進んでいくから、各条文は、その末端を支える土台のような役目をすることになる。それに反し、このコンメンタールでは、各条文のなかの意味のある言葉の一つ一つの内容をまずしっかりと固めて、その上に立ってあたりを見まわしながら、他の条文との関係を説き、さらに全体との調和を明らかにすることになる。

　もちろん、講義や普通の教科書でまず全体の構成を説くといっても、講師や著者は、自分の頭のなかで各条文を十分に理解し、これを基礎とするのでなければ、全体的な構成を作り上げることはできないに相違ないのだし、このコンメンタールで各条文の言葉をまず説くといっても、それは、著者の頭のなかで全体の構成を考慮に入れていなければできないことなのだから、上にいったことは、結局は、程度の差になるかもしれない。しかし、それにしてもでき上ったものを利用する人の立場から見れば、上の二つの行き方のどちらによっているかは、相当大きな差であると思われる。講義や普通の教科書では、全体の構成や制度の本質ばかりが比較的よくわかって、かんじんの条文の意味がはっきりつかめない場合が少なくない。ことに、実際問題に当面して必要に迫られて法律を調べる場合には、なかなか適当な解答を得られないうらみがある。コンメンタールは、大学の講義や従来の教科書のそうした欠点を補うことを第一の目的としなければならないはずである。

　かようなことを意識した上で、われわれは、まず各条のそれぞれの言葉について注釈を書き、そこにできるだけ多くの内容を盛りこんだ上で、必要に応じて数か条をまとめた前注を加え、それから後に、各款、各節、各章、各編とだんだん遡って、最少限度に必要な一般的説明を加える方法をとってみた。これによって、読者は必要な条文の注釈さえ読めば、その条文の真意をはっきり理解することができ、全体との関連

は、必要に応じてそこに指示する一般的説明を参照しさえすれば、それで十分なようにしたつもりである。

　また、叙述はつとめて客観的な立場をとり、各条文の内容を決定するような重要性のある判決は洩らさずに収録することにつとめ、判例に反対する説は極めて有力なものを付記するにとどめた。また学説も、原則として、通説によって記述し、一般的な抽象論は、解釈に直接関係あるものだけを、それもできるだけ関係する条文の注釈のなかに説明するようにした。

　しかし、このような形式のコンメンタールは、ドイツでは非常に多いが、他の国にはあまり例がなく、わが国にも、その例が少ないものである。われわれは、この民法の一がこれから出版されるものの先陣をつとめることを考えて、相当苦心したつもりだが、このような狙いに的中していると誇るだけの自信はない。これから後に執筆される同僚諸君の研究に教えられ、また、読者諸君の忌憚ない批評に反省を重ねて、他日、一層完全なものとしたいと念願している。

　昭和25年3月

我　妻　　榮
有　泉　　亨

　　＊　コンメンタール『民法総則・物権法』の序文

は し が き**

　ここに債権法のコンメンタールを世に送る。われわれは、まさに《民法総則・物権法》のはしがきにおいて、つぎのように述べたのであった。

　〔この個所に、「はしがき*」本文の全文が引用されていたが、ここでは省略した。〕

　われわれの上に述べた気持は、本書の執筆に当たっても特に変わってはいない。ただ、読者諸君の要望に答えて、全般的にやや詳しい注釈をほどこした感がある。そのために簡潔という点で失うところがなかったかをおそれる。重ねて読者諸君の叱正をお願いしておきたい。

　昭和26年4月

我 妻 　 榮
有 泉 　 亨

＊＊　コンメンタール『債権法』の序文

は し が き
——新装版の刊行にあたって——

　我妻榮・有泉亨両先生の手になるコンメンタール『民法総則・物権法』、『債権法』
が、1950年9月と1951年6月に、日本評論社から法律学体系コンメンタール編2お
よび3として刊行されてから、半世紀余が経過した。私たちは、この著作（以下、原
著と呼ぶ）の不朽の価値を信じるので、2005年4月1日に施行された民法典のいわゆ
る「現代用語化」に当面して、それによる新規定に合わせた改訂が、民法学の伝統
（それは、いうまでもなく、旧条文に拠っている）と将来を結ぶという意味からも必須であ
るという認識に立ち、ここに上記の2冊を1冊にまとめた新装版をひろく学界、法曹
界、法学徒、一般市民読者に提供しようと考えた。そこで、両先生のご家族のご了承
をえて、本書を上梓するものである。

　それについては、原著についての今日までに至る経緯の概略を説明しておく必要が
あろう。
　原著を土台とした注釈書としては、周知のように、我妻先生の主導のもとに判例コ
ンメンタールのシリーズがコンメンタール刊行会（発売・日本評論社）から、我妻・有
泉・遠藤浩著『民法総則』（1963年2月）、我妻・有泉・遠藤・児玉敏著『物権法』
（1964年9月）、我妻・有泉・四宮和夫・三藤邦彦・清水誠著『担保物権法』（1968年8
月）、我妻・有泉・水本浩著『債権総論』（1965年8月）、我妻・有泉・水本・川井健著
『契約法』（1975年8月。第4節交換まで。そのあとは未刊）、我妻・有泉・四宮著『事務管
理・不当利得・不法行為』（1963年11月）として刊行された。
　このシリーズは、我妻先生もその冒頭のはしがきで述べておられるとおり、原著の
改訂版というよりは、「判例によって確定されている民法理論を明らかに」して、「学
界の共通財産」とすることを目的とするものであった。
　つぎに行われたのは、清水の手による補訂版のシリーズの作成である。これは、上
記の判例コンメンタールのシリーズとは異なり、今日の状況に合わせた最小限の補訂
を原著に加え、そのできるだけ忠実な再現を図るという意図をもつものであった。清
水が日本評論社・川崎猛彦氏の熱心なお勧めを受け、有泉先生のご指名をいただき、
我妻先生のご家族にもご了承をえて、微力を尽くして実現したものである。原著の2
冊が、日本評論社の「コンメンタール民法」シリーズのなかのつぎの6冊として刊行

(4)

された。

Ⅰ	民法総則	1996 年 11 月
Ⅱ	物権法	1997 年 3 月
Ⅲ	担保物権法	1997 年 3 月
Ⅳ	債権総則	1997 年 8 月
Ⅴ	契約法	1998 年 4 月
Ⅵ	事務管理・不当利得・不法行為	1998 年 11 月

　このうち、Ⅰは、2003 年 5 月に、Ⅲは 2004 年 10 月に、民法改正に伴って全面的に改訂を加え、他の巻についても、判例の追加などによる追補を行って、今日に至った。

　今回の新装版は、上記のように、民法の「現代用語化」をきっかけに着想されたものである。ドイツにおいて伝統的に重視され、今日でも盛んに利用されているハンディな注釈書（Handkommentar）を念頭においており、我妻先生もきっと賛成してくださるのではないかと考えている。そして、この機会に、ドイツの例にならって巻頭に我妻榮・有泉亨両先生の名を掲げさせていただくこととした。また、私たち両名による加筆がすでに原著の量を超えているという状況にかんがみ、責任を示す意味においても両先生と私たちとの共著という形をとらせていただいたものである。

　私たちが本書にどのような価値、すなわち特徴と存在意義を認めるかを述べておく必要があろう。

　第一に、私たちは、本書が教育的な観点からきわめて優れていることを指摘したい。

　本書（この場合、原著）の特徴（長所、真価といってもよいか）は、民法上の諸概念・論理を、さまざまな角度から、詳細にも、簡潔にも、また中間程度にもさまざまな形で適切に正確に表現するという両先生の優れた能力が示されているという点にある（最も詳密な議論は、いうまでもなく我妻榮『民法講義』で展開されており、そのような詳しい叙述は、本書では少ないが、その片鱗は示されている）。その能力は余人の及ぶところではないと思う。

　このような特色をもつ本書は、頭を使って読まないと、理解できない。つまり、読んで考えて理解し、納得するという過程を経ることにより、思考力を鍛えることができるのである。また、通り一遍の型にはまった表現にとらわれずに、豊かな表現力を身につけることができる（いわば、基礎的なデッサン力の習得ともいえる）。要するに、教育的意義がじつに優れている。私たちは、この特徴を最大限活かすべく努力したが、

非力のため原著のもっていた味わいを弱めてしまったのではないか、という憂いは尽きない。

　第二は、原著が掲げていた、判例・通説によって、民法の状況を客観的に記述するという方針が、両先生によって完全に貫かれているということである。逆にいうと、自分の意見の開陳の抑制ということであるが、両先生が守られたこの方針も守りたいと考えている。とはいえ、判例などの材料が増えてきて、記述は長くなり、判例の選択（精選？）も難しくなる。また、立法や判例で妙なものが登場すると、どうしても、論評として自分の意見を織り込まざるをえないということにも遭遇し、悩みの尽きないところである。

　しかし、この特徴は、今日の法学の状況においてはとくに重要なものであるといってよい、いや、いうべきではないだろうか。研究者も実務家も、教師も学習者も、みなが共通の基盤をもって、そのうえで自由闊達に意見を形成し、議論を交わしあうということが、これからの法的世界においては最も必要なことではないだろうか。そのような目的のために本書はじつに最適な拠り所となると私たちは考える。この点においても、私たちの非力のために原著の価値を低めているのではないかという危惧を抱きながら、なおあえてこの仕事に全力を費やしてみた。その成果は、読者によって判断していただくほかはない。

　以上の趣旨において、この名著に私たちの至らない筆を加えたものを、ここにあえて江湖に送り出す。遠慮のない批判を頂戴することを切望したい。

　最後に、新装版の作成にあたっては、編集担当の西川好量氏にひとかたならぬお世話になったことを記して、感謝の意を表したいと思う。

　2005 年 8 月

清水　　誠
田山　輝明

はしがき
──新装第2版の刊行にあたって──

　この新装版の第1版は、2005年8月に刊行された。さいわいにして多くの読者に支持していただいたことは、私たちの大きな喜びとするところである。

　第1版刊行後2年10か月を経て、ここに第2版を刊行する運びとなった。第1版後今日までの経緯をつぎに述べることとする。なお、以下においては、今回の版を単に第2版と呼ぶことにする。

　2006年5月には、前年の2005年7月26日法律86号による会社法の制定（施行は2006年5月1日）とそれに伴う整備法（2005年7月26日法律87号）による商法、民法の改正があり、それによって必要となった補正を加えた補訂版を刊行した。補訂版刊行の機会およびそれぞれの版の新しい刷を発行するときには、余白のスペース上可能な限りで、新しい判決を追加するなどの修正を行った。

　2006年6月2日に法律48号、49号、50号によって行われた法人制度の改正は、従来の制度に著しい改変をもたらすものであった。私たちは、その改正による変化の大きさにかんがみ、第2版の刊行がやむをえないものと判断した。この改正は2008年12月1日に施行される予定で、それまではまだ間があるが、本書では、この改正による新しい規定および状況を前提として解説を加えることとした。今回の法人制度の改正は、理論的にかなり多くの問題点を蔵し、かつ提起しているので、いまから周到な検討と学習を要すると考えるからである。

　私たちは、この改正全体について理論的な解析を行い、それを織り込んだ考察を試みることに力を注いだ。一例であるが、本文で取り上げる「行政法人」は、見方によっては民法の領域を離れて、行政法の分野に属すると考えた方がよいのかという問題を含んでいる。私たちはこれをも民法の体系に属させるという理解に基づいて解説を行った。この種の諸問題について、原著者である両先生がどのように考えられるだろうかを反芻しながら、注釈を加えてみた。読者にも大いに思考をめぐらせていただきたいと思う。

　なお、法人に関する改正前の民法の規定（本文では旧規定と呼んでいる）については、第1版の注釈をそのまま掲げることとした（第1編第3章後注）。2008年11月30日までは、旧規定が現行法であることに注意されたい。

　このほか、第2版においては、民法以外の法律の改正に基づく変更、第1版におけ

(7)

る記述の補充、修正、新しい判例の追加、索引の充実などを行った。

　熱心な読者からは多くのご意見、ご指摘を頂戴した。ここに厚くお礼を申し上げたい。また、第1版に引き続き、編集担当の西川好量氏からさまざまな配慮をいただいたことに対しても感謝したい。

　　2008年6月

　　　　　　　　　　　　　　　　　　　　　　　　　清　水　　　誠
　　　　　　　　　　　　　　　　　　　　　　　　　田　山　　輝明

は し が き
──第3版の刊行にあたって──

　新装版の第2版刊行後、関係法令の改正と新判例に対応するため、2010年7月に第2版追補版を刊行した。その後、3年が経過し、注釈の内容を最新のものにするために、下記の点を中心に改訂を行い、第3版として刊行することとした。

　第一に、第2版追補版刊行後の新しい判例を追加した。その際、第2版追補版では巻末に追補として収録されていた判例も本文注釈の中に組み込んだ。

　第二に、民法（未成年後見関連）および、家事事件手続法（旧家事審判法）、家事事件手続規則（旧家事審判規則）、非訟事件手続法、人事訴訟法など重要な関係法令の改正に対応した。それらの改正は多岐にわたり、また、必ずしも新旧対照表で示して足りるような単純な個別条文の改正ではなかったため、本書における修正箇所も分量も多くなった。

　なお、第2版追補版の刊行後に、清水誠先生が急逝されたため、今回の改訂は田山が行った。清水先生に対し、謹んで追悼の意を表するとともに、改訂の際には、従来の改訂方針を堅持し、全1巻の注釈書（清水先生が想定しておられたドイツのクルツ・コンメンタール）の良さを失わないように留意した。また、判例以外の新しい課題については、学生時代に徹底して我妻先生の『民法講義』を熟読した頃のことを思い出しながら、その課題を取り上げるか否かを含めて、原著者の考えを推測しつつ加筆した。

　最後に、第2版と同様に、編集担当の西川好量氏からさまざまな助言と配慮をいただいた。ここに記して感謝申し上げたい。

　　2013年6月

　　　　　　　　　　　　　　　　　　　　　　　　　田　山　　輝明

は し が き
——第4版の刊行にあたって——

　民法関連法の改正や新判例などについて、補正を必要としているが、民法（債権法）の大改正を控えて、版を改めることに躊躇を感じていた。しかし、消費者法や借地借家法、労働契約法の分野等での重要な法改正があったので、本書を利用いただく方々の便宜を考えると、これらの最近の法的状況の大きな変化に対応せざるをえないと考えた。そこで、出版社とも相談のうえ、単なる増補ではなく、第4版とすることにした。

　故清水誠先生の緻密な検討には及ばないが、私なりに読み返しをし、新しい立法と判例に一定の対応をした。もちろん、コメントの内容は、従来通り客観性を維持できるように配慮した。

　また、近く予想される債権法の改正案を見る限り、大改正ではあるが、法典の体系（総則・物権・債権）を維持しているので、本書としての対応は可能であると考えている。

　なお、本書の編集担当は、西川好量氏が退職され、中野芳明氏に交代されたので、第4版の刊行に際しては、中野氏のお世話になった。記して感謝申し上げる。

　2016年8月

田山　輝明

はしがき
――第 5 版の刊行にあたって――

　民法の債権法部分を中心として今日の社会経済情勢に適合させるための見直しを行うべきである、との指摘があることを踏まえて、2017 年までに抜本的な見直しがなされた。実際には、同時に行われた「総則の時効に関する規定の改正」も重要である。改正法の施行までには時間があるが、現行法のどの条文との関係で改正がなされるかについては、今から知っておくほうが良い。そこで、本書の今回の改訂に際しては、最小限度、従来の条文との関連が分かるような形で、改正条文の本書への「はめ込み」を行った。それと合わせて、改正の趣旨を簡潔に述べることにした。

　120 年ぶりといわれる民法の大改正であるが、法務省案の改正理由は、「理由：社会経済情勢の変化に鑑み、消滅時効の期間の統一化等の時効に関する規定の整備、法定利率を変動させる規定の新設、保証人の保護を図るための保証債務に関する規定の整備、定型約款に関する規定の新設等を行う必要がある。これが、この法律案を提出する理由である。」ということである。

　改正のための膨大な審議に関する記録を参照すると、関係者のご苦労・ご尽力はよくわかる。そのご努力に対しては、敬意を表したい。本書では、従来から、学説については、具体的な引用は行ってこなかったので、改正論議に関するご意見についても、本書の意見ではない場合には、区別するために客観的な表現または間接話法を用いているが、具体的な引用はしていない。ご了承をいただきたい。なお、今回の改正に直接関係する資料については、第 5 版凡例の「12」*において、掲げておいた。

　第 5 版の刊行に当たっては、民法（債権法）改正に対応するために、表現などを含めて試行錯誤を重ねたため、編集部の皆様には大変ご迷惑をおかけしてしまった。とりわけ、中野芳明氏と岡博之氏のご協力には、記して心より感謝申し上げる。

　2018 年 2 月

田山　輝明

＊第 8 版凡例の「12」

はしがき
——第6版の刊行にあたって——

　2017年の債権法等と2018年の相続法等の改正に携わった研究者および法務省等の関係者のご努力に衷心からの敬意を表したい。これは、昨年、コンメンタールの改訂をし、1年たってそれを見直してみてしみじみ感じたことである。そのうえで、民法のような基礎的な法典の大改正に際してのやり方について、若干の感想を述べたい。

　100年に一度であるからとはいえ、このような大規模な改正は、法律実務家にとっては、その対応に大きな困難を与えることになる。民法の研究者等はその分野に焦点を合わせて研究や改正作業をやることでよいが、一般の法律実務家にとっては、民法は重要ではあるが、対象分野の一つに過ぎないのである。この点を考慮して、私は、いよいよ始まる改正法の実施に際して、第6版の刊行の機会を与えられたので、新旧の規定の関係や削除条文やその解説を明示すること等によって、改正部分を多少でもわかりやすく解説することに尽力した。

　今後は、法律の改正等に際しても、高齢社会であることをも配慮し、改正の仕方については、体系性も重要であるが、段階的に行うことも必要であるのかもしれないと感じている。

　なお、第6版の刊行に当たっては、日本評論社、とりわけ編集部の中野芳明氏には大変なご配慮をいただいた。記して心より感謝申し上げる。

2019年7月

田山　輝明

はしがき
——第 7 版の刊行にあたって——

　昨年 4 月に改正債権法が施行されて、1 年が経とうとするので、本書においても、単に改正法の紹介をすることではなく、新法の解説をするという観点が、従来にもまして必要になる。もちろん、まだしばらくの間は、提起される訴訟も従来法に基づくものもあろうと思われるが、本書自体は新法のコンメンタールでなければならない。

　そこで、従来からの条文に関する「解説」の引用については、「新法の解説」と区別して、各引用箇所で「改正前」と明示した。また、「改正された条文」の引用については、条文の後に［改正に注意］（実際には［改注］）を挿入した。

　そのほか、既に新条文に関する「解釈論」が展開され始めているので、可能な範囲で、その解釈の要旨を紹介することにした。

　商法は、2017 年の債権法改正の際に、改正や条文の削除がなされたが、2018 年にも、商法及び国際海上物品運送法の一部を改正する法律（平成 30 年法律 29 号）が、制定され、2019 年 4 月施行されたので、引用条文については、従来法との対応関係を可能な限り紹介した。

　なお、第 7 版の刊行に当たっては、読者の方から多くの大変有益なご教示をいただいた。また、日本評論社、とりわけ、編集部の中野芳明氏には、細かいご指摘を含めて大変お世話になった。記して心よりの感謝を申し上げる。

　2021 年 2 月

田山　輝明

はしがき
——第8版の刊行にあたって——

　第8版は、2021年の民法・物権編の改正への対応が中心である。民法の大きな改正は、第二次大戦後に限ってもみても、何度かあったが、そのたびに、その全部か一部について、民法ではなく、特別法による対応が可能であったのではないかと思ったのは、私だけではないであろう。今回の物権編の改正についても、初めて改正案を見た時は、そのような感じを持ったが、所有者不明土地の問題等については、特別法による対応を経て今回の民法改正に至っていることや、単に経済社会の変遷に対応するだけではなく、全社会構造的変遷に対応せざるを得ない側面を有していることを考えると、民法本体で受け止めざるえないようである。少子化と同時に高齢化が急速に進行し、極端な場合には相続人の不存在という事態すら発生している。また、農村でも、農業の衰退が農地価格の下落をもたらし、その相続財産としての魅力を失わせてしまった。このような状況を考慮すると、今回の法改正については、民法の改正で対応したのは基本的に妥当であったように思う。

　なお、今回の改正によって、総則（特に、時効）、物権、債権の基本的な改正はひとまず完成したと考えて良いのだろうか。

　第8版の刊行に当たっても、従来と同様に、最判を中心に、新判例の採録には努力した。また、第8版の準備中に、読者の方々から多くの有益なご教示をいただいた。

　さらに、日本評論社編集部の中野芳明氏には、今回も細かいご指摘を含めて大変お世話になった。皆様に心より感謝申し上げる。

2022年8月

田山　輝明

目　　次

はしがき（コンメンタール『民法総則・物権法』）……………我妻榮・有泉亨（1）

はしがき（コンメンタール『債権法』）…………………………我妻榮・有泉亨（3）

はしがき――新装版の刊行にあたって――………………………清水誠・田山輝明（4）

はしがき――新装第2版の刊行にあたって――…………………清水誠・田山輝明（7）

はしがき――第3版の刊行にあたって――………………………………田山輝明（8）

はしがき――第4版の刊行にあたって――………………………………田山輝明（9）

はしがき――第5版の刊行にあたって――………………………………田山輝明（10）

はしがき――第6版の刊行にあたって――………………………………田山輝明（11）

はしがき――第7版の刊行にあたって――………………………………田山輝明（12）

はしがき――第8版の刊行にあたって――………………………………田山輝明（13）

原著凡例（23）

第8版凡例（24）

法令略語一覧（29）

財産法の体系（31）

総則・物権・債権編に関連する改正一覧（34）

民法［総説］………………………………………………………………… 3

第1編　総　則［解説］…………………………………………………18

第1章　通　則（§§1・2）……………………………………………20

第2章　人（§§3〜32の2）…………………………………………30

第1節　権利能力（§3）………………………………………………30

第2節　意思能力（§3の2）…………………………………………35

第3節　行為能力（§§4〜21）………………………………………37

未成年者［§§4〜6の前注］…………………………………………38

成年後見［§§7〜19の前注］………………………………………47

第4節　住　所（§§22〜24）…………………………………………86

第5節　不在者の財産の管理及び失踪の宣告（§§25〜32）…………89

不在者の財産管理［§§25〜29の前注］……………………………89

失踪宣告［§§30〜32の前注］………………………………………92

第6節　同時死亡の推定（§32の2）……………………………………96

第3章　法　人（§§33〜84の3）………………………………………98

　外国法人［§§35〜37の前注］ …………………………………… 126

　旧法人規定に関する第1版の注釈［第3章後注］………………… 130

第4章　物（§§85〜89）………………………………………………… 170

第5章　法律行為（§§90〜137）……………………………………… 182

　第1節　総　則（§§90〜92）……………………………………… 185

　第2節　意思表示（§§93〜98の2）………………………………… 199

　第3節　代　理（§§99〜118）……………………………………… 221

　　復代理人［§§104〜改正前法107の前注──2017年に改正された］ … 231

　　代理権の濫用……………………………………………………… 235

　　自己契約と双方代理［§108の前注］…………………………… 235

　　表見代理［§§109・110・112の前注］…………………………… 238

　　狭義の無権代理［§§113〜118の前注］ ………………………… 248

　第4節　無効及び取消し（§§119〜126）………………………… 258

　第5節　条件及び期限（§§127〜137）…………………………… 273

　　条　件［§§127〜134の前注］ ………………………………… 274

　　期　限［§§135〜137の前注］ ………………………………… 280

第6章　期間の計算（§§138〜143）………………………………… 284

第7章　時　効（§§144〜174の2（旧））………………………… 289

　第1節　総　則（§§144〜161）…………………………………… 292

　　時効の完成猶予及び更新（改正前・時効の中断）

　　　［改正前§§147〜157・新法の関連条文の前注］……………… 299

　　時効の完成猶予（改正前・時効の停止）

　　　［改正前§§158〜161の前注］………………………………… 320

　第2節　取得時効（§§162〜165）………………………………… 326

　第3節　消滅時効（§§166〜174の2（旧））…………………… 333

第2編　物　権［解説］………………………………………………… 354

第1章　総　則（§§175〜179）……………………………………… 363

第2章　占有権（§§180〜205）……………………………………… 401

　第1節　占有権の取得（§§180〜187）…………………………… 402

　第2節　占有権の効力（§§188〜202）…………………………… 415

　　善意取得（即時取得）［§§192〜194の前注］………………… 419

　　　　占有訴権［§§197～202 の前注］ ……………………………… 429

　第3節　占有権の消滅（§§203・204）………………………………… 437

　第4節　準占有（§205）………………………………………………… 439

第3章　所有権（§§206～264）…………………………………………… 441

　第1節　所有権の限界（§§206～238）………………………………… 445

　　第1款　所有権の内容及び範囲（§§206～208）…………………… 449

　　第2款　相隣関係（§§209～238）…………………………………… 452

　第2節　所有権の取得（§§239～248）………………………………… 473

　　　　添　付［§§242～248 の前注］ ……………………………… 476

　第3節　共　有（§§249～264）………………………………………… 482

　　　　入会権［§§263・294 の前注］ ……………………………… 500

　　　　準共有［§264 の前注］ ……………………………………… 505

　　　　非訟事件手続法の改正…………………………………………… 506

　第4節　所有者不明土地管理命令及び所有者不明建物管理命令

　　　　　（§§264 の 2～264 の 8）……………………………………… 507

　第5節　管理不全土地管理命令及び管理不全建物管理命令

　　　　　（§§264 の 9～264 の 14）……………………………………… 512

第4章　地上権（§§265～269 の 2）……………………………………… 515

第5章　永小作権（§§270～279）………………………………………… 524

第6章　地役権（§§280～294）…………………………………………… 529

第7章　留置権（§§295～302）…………………………………………… 541

第8章　先取特権（§§303～341）………………………………………… 549

　第1節　総　則（§§303～305）………………………………………… 551

　第2節　先取特権の種類（§§306～328）……………………………… 554

　　第1款　一般の先取特権（§§306～310）…………………………… 555

　　第2款　動産の先取特権（§§311～324）…………………………… 559

　　第3款　不動産の先取特権（§§325～328）………………………… 568

　第3節　先取特権の順位（§§329～332）……………………………… 571

　第4節　先取特権の効力（§§333～341）……………………………… 576

第9章　質　権（§§342～368）…………………………………………… 582

　第1節　総　則（§§342～351）………………………………………… 584

　第2節　動産質（§§352～355）………………………………………… 594

　第3節　不動産質（§§356～361）……………………………………… 597

第4節　権利質（§§362〜368）……………………………………………… 601

第10章　抵当権（§§369〜398の22）…………………………………… 611

第1節　総　則（§§369〜372）…………………………………………… 614

第2節　抵当権の効力（§§373〜395）…………………………………… 628

抵当権の処分［§§376・377の前注］…………………………… 635

代価弁済および抵当権消滅請求［§§378〜387の前注］………… 642

法定地上権・抵当土地上の建物の一括競売［§§388・389の前注］… 655

共同抵当［§§392・393の前注］………………………………… 662

競売建物の明渡しの猶予［§395の前注］……………………… 668

第3節　抵当権の消滅（§§396〜398）…………………………………… 671

第4節　根抵当（§§398の2〜398の22）……………………………… 675

根抵当権の変更［§§398の4〜398の6の前注］……………… 687

個別の被担保債権に関する当事者の変更［§398の7の前注］…… 691

根抵当権者・根抵当債務者の相続・合併・分割

　　　［§§398の8〜398の10の前注］………………………… 693

根抵当権の処分［§§398の11〜398の15の前注］…………… 698

共同根抵当権［§§398の16〜398の18の前注］……………… 703

根抵当権の確定・実行・消滅［§§398の19〜398の22の前注］…… 706

譲渡担保など［第10章後注］…………………………………… 715

第3編　債　権［解説］……………………………………………………… 730

第1章　総　則（§§399〜520の20）…………………………………… 736

第1節　債権の目的（§§399〜411）……………………………………… 738

金銭債権［§§402・403の前注］………………………………… 750

法定利率［§§404・405・417の2・419・722の前注］………… 754

選択債権および任意債権［§§406〜411の前注］……………… 765

第2節　債権の効力（§§412〜426）……………………………………… 772

第1款　債務不履行の責任等（§§412〜422の2）…………………… 780

債権者の受領遅滞［§413の前注］……………………………… 785

債務不履行［§§415〜422の前注］……………………………… 795

代償請求権………………………………………………………… 832

第2款　債権者代位権（§§423〜423の7）…………………………… 832

第3款　詐害行為取消権（§§424〜426）……………………………… 846

第1目　詐害行為取消権の要件（§§424〜424の5）……………… 846

(18)

　　　　特殊な詐害行為の類型［§§424 の 2〜4 の前注］ ………………… 857

　　　第 2 目　詐害行為取消権の行使の方法等（§§424 の 6〜424 の 9）……… 860

　　　第 3 目　詐害行為取消権の行使の効果（§§425〜425 の 4）…………… 862

　　　第 4 目　詐害行為取消権の期間の制限（§426）……………………… 866

　第 3 節　多数当事者の債権及び債務（§§427〜465 の 10）………………… 868

　　第 1 款　総　則（§427）……………………………………………………… 871

　　第 2 款　不可分債権及び不可分債務（§§428‐431）……………………… 873

　　第 3 款　連帯債権（§§432〜435 の 2）……………………………………… 878

　　第 4 款　連帯債務（§§436〜445）…………………………………………… 880

　　　　連帯債務者の求償権［§§442〜445 の前注］……………………… 893

　　第 5 款　保証債務（§§446〜465 の 10）…………………………………… 901

　　　第 1 目　総　則（§§446〜465）……………………………………… 905

　　　　保証人の求償権［§§459〜465 の前注］………………………… 924

　　　第 2 目　個人根保証契約（§§465 の 2〜465 の 5）…………………… 934

　　　第 3 目　事業に係る債務についての保証契約の特則

　　　　　　　（§§465 の 6〜465 の 10）…………………………………… 942

　第 4 節　債権の譲渡（§§466〜469）………………………………………… 948

　　旧第 469 条〜旧第 473 条の削除に関する前注

　　　　（§§469（旧）〜473（旧））………………………………………… 975

　第 5 節　債務の引受け（§§470〜472 の 4）………………………………… 981

　　第 1 款　併存的債務引受（§§470・471）…………………………………… 985

　　第 2 款　免責的債務引受（§§472〜472 の 4）……………………………… 986

　第 6 節　債権の消滅（§§473‐520）………………………………………… 990

　　第 1 款　弁　済（§§473〜504）……………………………………………… 991

　　　第 1 目　総　則（§§473〜493）……………………………………… 992

　　　　弁済の充当［§§488〜491 の前注］………………………………1014

　　　第 2 目　弁済の目的物の供託（§§494〜498）………………………1027

　　　第 3 目　弁済による代位（§§499〜504）……………………………1034

　　第 2 款　相　殺（§§505〜512 の 2）………………………………………1050

　　第 3 款　更　改（§§513〜518）……………………………………………1070

　　第 4 款　免　除（§519）……………………………………………………1078

　　第 5 款　混　同（§520）……………………………………………………1079

　第 7 節　有価証券（§§520 の 2〜520 の 20）………………………………1081

(19)

第1款　指図証券（§§520の2〜520の12）‥‥‥‥‥‥‥‥‥‥1081

第2款　記名式所持人払証券（§§520の13〜520の18）‥‥‥‥‥1084

第3款　その他の記名証券（§520の19）‥‥‥‥‥‥‥‥‥‥‥‥1086

第4款　無記名証券（§520の20）‥‥‥‥‥‥‥‥‥‥‥‥‥‥‥1086

第2章　契　約（§§521〜696）‥‥‥‥‥‥‥‥‥‥‥‥‥‥‥‥‥1088

第1節　総　則（§§521〜548の4）‥‥‥‥‥‥‥‥‥‥‥‥‥1100

第1款　契約の成立（§§521〜532）‥‥‥‥‥‥‥‥‥‥‥‥1101

懸賞広告［§§529〜532の前注］‥‥‥‥‥‥‥‥‥‥‥‥1121

第2款　契約の効力（§§533〜539）‥‥‥‥‥‥‥‥‥‥‥‥1127

同時履行の抗弁権［§533の前注］‥‥‥‥‥‥‥‥‥‥1135

双務契約における危険負担［§§534〜536の前注］‥‥‥1143

第三者のためにする契約［§§537〜539の前注］‥‥‥‥1153

第3款　契約上の地位の移転（§539の2）‥‥‥‥‥‥‥‥‥1160

第4款　契約の解除（§§540〜548）‥‥‥‥‥‥‥‥‥‥‥‥1160

第5款　定型約款（§§548の2〜548の4）‥‥‥‥‥‥‥‥‥1183

第2節　贈　与（§§549〜554）‥‥‥‥‥‥‥‥‥‥‥‥‥‥1187

第3節　売　買（§§555〜585）‥‥‥‥‥‥‥‥‥‥‥‥‥‥1196

第1款　総　則（§§555〜559）‥‥‥‥‥‥‥‥‥‥‥‥‥‥1204

第2款　売買の効力（§§560〜578）‥‥‥‥‥‥‥‥‥‥‥‥1214

第3款　買戻し（§§579〜585）‥‥‥‥‥‥‥‥‥‥‥‥‥‥1246

第4節　交　換（§586）‥‥‥‥‥‥‥‥‥‥‥‥‥‥‥‥‥‥1255

第5節　消費貸借（§§587〜592）‥‥‥‥‥‥‥‥‥‥‥‥‥1256

第6節　使用貸借（§§593〜600）‥‥‥‥‥‥‥‥‥‥‥‥‥1274

第7節　賃貸借（§§601〜622の2）‥‥‥‥‥‥‥‥‥‥‥‥1283

第1款　総　則（§§601〜604）‥‥‥‥‥‥‥‥‥‥‥‥‥‥1292

第2款　賃貸借の効力（§§605〜616）‥‥‥‥‥‥‥‥‥‥‥1300

第3款　賃貸借の終了（§§616の2〜622）‥‥‥‥‥‥‥‥‥1322

第4款　敷　金（§622の2）‥‥‥‥‥‥‥‥‥‥‥‥‥‥‥1332

第8節　雇　用（§§623〜631）‥‥‥‥‥‥‥‥‥‥‥‥‥‥1334

第9節　請　負（§§632〜642）‥‥‥‥‥‥‥‥‥‥‥‥‥‥1352

請負人の担保責任［§§634〜640の前注］‥‥‥‥‥‥‥‥1357

第10節　委　任（§§643〜656）‥‥‥‥‥‥‥‥‥‥‥‥‥‥1369

第11節　寄　託（§§657〜666）‥‥‥‥‥‥‥‥‥‥‥‥‥‥1385

第12節　組　合（§§667～688）······························1399

　　組合契約 ［§§667・667の2・667の3の前注］······················1401

　　組合財産 ［§§668・669・674・675・676・677の前注］·················1404

　　組合の業務の執行 ［§§670・670の2・671・672・673の前注］········1406

　　組合員の脱退・加入・交替 ［§§678～681の前注］·················1417

　　組合の解散 ［§§682～688の前注］·····························1422

第13節　終身定期金（§§689～694）···························1427

第14節　和　解（§§695～696）·······························1431

第3章　事務管理（§§697～702）······························1439

第4章　不当利得（§§703～708）······························1455

　　§703 ［不当利得の基本規定］の細目次 ·······················1462

　　非債弁済 ［§§705～707の前注］·····························1484

　　不法原因給付 ［§708の前注］·······························1489

第5章　不法行為（§§709～724の2）··························1500

　　§709 ［不法行為の基本規定］の細目次 ·······················1520

　　精神的損害の賠償 ［§§710・711の前注］······················1570

　　責任能力と監督者責任 ［§§712～714の前注］·················1582

　　使用者責任と注文者責任 ［§§715・716の前注］················1588

　　土地工作物責任 ［§717の前注］·····························1598

　　共同不法行為 ［§719の前注］·······························1604

判例索引1629

事項・人名索引1667

原著凡例

1. 各条文の注釈を必要とする言葉の傍に、1)2)……の付号を付し、これらをそれぞれ〔1〕〔2〕……において説明（注釈）した。その順序は必ずしも条文の文脈上の前後にとらわれず、読者の理解に役立つと思われる順によった。

   なお、各条文の右肩に、各条の内容を一読明瞭にするために〔 〕内に見出しをつけた。
2. 数か条が、ある一つの事項について規定されている場合には、それをひとまとめにして、これに共通の説明（前注）を付し、各款・各節・各章・各編にも最小限度に必要な一般的説明（解説）を付した。読者はこれを逆に遡って読むことによって、その条文と全体との関連を明らかにすることができる。
3. 各条文と関係の深い現行の諸法令はもれなく引用することにつとめた。
4. 判例はリーディング・ケースを選んで引用し、同趣旨のものを多く引用することは避けた。しかし、判例の動揺や判例相互の矛盾がある場合には、主要なものはもれなく指摘することにつとめた。
5. 諸外国の立法例は、その事項の理解にぜひとも必要と思われるものに限り言及した。
6. 関係法令および判例は、1950 年（昭和 25 年）3 月末現在によった。
7. 説明の重複はできる限りこれを避け、各条相互の引用を頻繁にした。

   ＊印のついているものは、条文や説明の中に出てくる法律用語で、本書の別の個所で解説がほどこされているものであって、読者は巻末の事項索引によってその個所を検出することができる。
8. 条文や他の個所の引用の方法については次のような方針に従った。
   1) 単に 5 条とあるのは民法第 5 条。
   2) 単に第 1 章、第 2 節、第 3 款などとあるのは、その解説の行われている個所が所属する編、章、節における第 1 章、第 2 節、第 3 款などを示す。
   3) 「第 1 章解説参照」とあるは、第 1 章そのものの解説を参照。
   4) 「第 x 条前注参照」は、第 x 条のすぐ前に付した「前注」を参照。たとえば、「§197 前注参照」とあるのは、「占有訴権（§§197〜202 の前注）参照」である。
   5) 「§192 参照」とあるときは、第 192 条の条文そのものを参照のこと。
   6) 「§177〔8〕参照」は、177 条の注釈〔8〕を参照。
9. 法令の引用には極端な略語は用いない方針をとった。ただし、民事訴訟法を民訴とする程度の略語は使用した。
10. 判例の引用には次の方式に従った。

    大判昭和 18・7・10 民集 22 巻 620 頁とあるは、昭和 18 年 7 月 10 日大審院判決、大審院民事判例集（大正 10 年以前は民事判決録）同年度 22 巻 620 頁（通し頁）所載を示す。

    〔以下、判例および判例集の略称の一覧があるが、これについては第 8 版凡例 15 参照〕

(23)

第8版凡例

1. 原著に付された凡例にできるだけ忠実に従ったが、以下には原著と違う点、原著の方針を修正した点、原著にはなかった新しい点を掲げる。

2. 原著は縦書きであったが、本書では横書きに改めた。

3. 関係法令は、2019年4月1日現在によった。判例については、原則として、ほぼ同日までに利用可能な出典に拠った。

4. 解説を加える民法の条文の掲出の仕方は、つぎのようにした。

   なお、2004年法律147号によるいわゆる「現代用語化」に関して行われた改正を示すときは、単に「2004年改正」と呼ぶことにする。同じ用語法については、後掲「総則・物権・債権編に関連する改正一覧」の末尾を参照。

   2017年法律44号による改正（債権法改正）については、12. を参照。

   a) まず、（　）内に、2004年改正以降に民法に付された表題を掲げた。民法に表題が付されていない場合は、〔　〕内に、著者が選んだ表題を示した。原著凡例1を参照。

   b) つぎに、条番号をゴチック体で示した。

   c) 条文の本文は、正文では条番号のあとに続けているが、改行して掲げた。条文が複数の項からなる場合には、正文では、第1項に項数が示されていないが、理解しやすいように、第1項にも1と数字を示した。

   d) 条文のうち、注釈を必要とする個所に、注の符号を1) 2) 3)・・・と付した。この点については、原著凡例1を参照。

   e) つぎに、[原条文] として、当該条文が、1898年（明治31年）に制定されたときの文章を示した。ここにとくに条番号を示していない場合は、当該条文と同じ条番号である。原条文と現在の条文で条番号が違う場合は、原条文の条番号が示してある。

   民法制定後に新設された条文については、この [原条文] はない。

   f) 民法制定から現在までに改正が行われた条文については、〈改正〉として、その改正の内容（新条文の追加もある）を説明した。ただし、「裁判所」を「家事審判所」に（1947年法律222号による）、さらに「家庭裁判所」に（1948年法律260号による）改め、「検事」を「検察官」に（1947年法律61号による）改めるような改正については、いちいちの説明は省略した。

   g) 改正が複雑であり、とくに必要と認められる場合は、[2004年改正前条文] として、2004年改正の前の条文を掲げた。[原条文] のない条文について、[1999年改正による2004年改正前条文] というように示した例もある。

5. 法令の引用に用いた略語を「法令略語一覧」に掲げた。ただし、なるべく法令のフルネームを示すようにした。

6. 条文の引用において法令名を示さないときは、民法の条文である。原則として、第何条、第何項、第何号の「第」は省いた。（　）内で条文を引用するときは、§を用いた。§§は、そのあとに複数の条文が引用されていることを示す。§1は第1条を、Ⅰは第1項を、

①は第1号を示す。

7. 民法第1編～第3編について行われた改正を、「総則・物権・債権編に関連する改正一覧」として示した。

8. ＊（原著凡例7参照）を付することは止めた。巻末の「事項・人名索引」を活用していただきたい。

9. 巻末にはまた、本書で引用されている判例の索引を「判例索引」として載せた。

10. 原著にあった「参考文献」は、現在ではあまりに大量になるので、載せないことにした。

11. 原著に従って、1890年の民法（いわゆるボアソナード民法。5編からなる）を「旧民法」と呼ぶ。1947年法律222号による改正（主として親族・相続編に関するが、それ以外の個所の条文についての改正もある）の前と後を区別する必要があるときは、改正前のものを「旧法」、改正後のものを「新法」と呼ぶ。

12. 2017年改正については、次のように対応した。

a) 本書では、これまでも民法の改正については、旧条文をフォローできるように、当該条文についてはいつ改正があったかを示し、原条文を掲載してきた。今回の改定に際しては、正条文の直後の［改正前条文］、「改正」、［改正の趣旨］は、いずれも2017年の改正を意味している。

b) 「改正前条文」は今回の改正前の直前の条文を意味し、改正後の新条文は、単に「新法」と表記した。

c) 今回の改正では、改正法において正式に「削除」とされている場合と、条文の内容は他の条文に分散されているような場合でも、読む場合には、「改正前条文」は削除されたと考える方が分かりやすいと思われるときには、あえて「削除」と表記した。

d) 改正された「改正前条文」は、新法の施行までは有効であるし、その後もそれに依拠した法律関係が訴訟においては登場しうるので、改正前法の解説もその間は残さざるを得ない。そこで、今回の改訂に当たっては、［改正前条文］の旧番号は原則としてそのままとし（解説も）、新条文にはゴチックで1] 2] 3]・・・と番号を付し、［改正の趣旨］の中で、その番号について簡潔に説明した。また、法文の内容が他の条文に移る等により、引用関係が不明確になっている場合および内容に重要な変更がある場合に限り、当該条文の前に「改正前」を挿入した。

なお、2017年に改正・削除された条文の解説は、［改正前条文の解説］［削除前条文の解説］として、冒頭にその旨を表示した。

e) 2017年の改正に関する［改正の趣旨］では、凡例6.の条文引用方式によらず、正確さとわかりやすさを優先して、「〇条〇項〇号」とした。

f) 各条文の改正は、条文の削除の場合から改正に伴う引用条文の変更のような些細な改正の場合までさまざまである。そこで、現時点で気を付けておく方がよいと思われる改正の場合には、条文の前に「改正前」、「削除前」を付した。各条文の形式的な改正の有無は、各章・節等の冒頭の〈改正〉において確認していただきたい。個別条文の改正については、原則として、各条文の後に［改注］（［改正に注意］の略）を付した。

g) 2017 年改正に関しての、基本的立法資料のみを掲げておく。

『債権法改正の基本方針』商事法務、別冊 NBL126 号、2009 年、「基本方針」として引用した。

金融財政事情研究会［編］『『民法（債権関係）の改正に関する中間的な論点整理』に対して寄せられた意見の概要』金融財政事情研究会、2012 年。

『民法（債権関係）の改正に関する中間試案（概要付き）』商事法務、別冊 NBL143 号、2013 年、「中間試案」として引用した。

商事法務編『民法（債権関係）部会資料集』商事法務、第 1 集第 1 巻～第 6 巻、第 2 集第 1 巻～第 12 巻、第 3 集第 1 巻～第 7 巻、2011 年～ 2017 年、「部会資料」は、主として第 3 集に掲げた巻を利用した。

h) 2018 年の相続法改正については、以下の資料（法務省民事局参事官室）を参照したが、本書の叙述とのバランスから、一部の引用や平易な表現に直した部分があり、それにより多少でも不正確な部分があれば、それは筆者の責任である。

2016 年 6 月 21 日の「民法（相続関係）等の改正に関する中間試案」

2016 年 7 月の「民法（相続関係）等の改正に関する中間試案の補足説明」

2017 年 7 月の「中間試案後に追加された民法（相続関係）等の改正に関する試案（追加試案）及びこれについての補足説明」

13. 本書が引用しているフランス民法の条文の中で、2016 年に改正されたものと、内容的には改正されないけれども、条文が移動したものがある。読者の手元の資料との関係では、旧条文もしばらくは残す方がよいと思われるので、「旧条文→新条文」と表記した。

14. 解説本文における漢字・仮名の使い方については、おおむねつぎのようにした。

a) 原著の旧漢字は現漢字、送り仮名は現在普通に行われるものに改めた。

b) 原著の「はしがき」には、a）を除いて、変更は加えなかった。

c) 原著が仮名を用いている場合は、原文を尊重した（ただし、原著でも、これらについて漢字を用いている場合もあり、その場合はそのままとした）。

　例 あげる（例をあげる）　あてる　あわれむ　いさぎよい　いらない　うける　おきる　おく　おちいる　おどす　かくす　きまる　さける　だます　つくる　つける（条件をつける）　つらぬく　はじめる　ふくむ　ほっておく　まかす　まもなく　みたす　やめる　ゆえん　ゆだねる

d) つぎのものは、原著の漢字を仮名に直した（例示）。

　予め→あらかじめ　言う→いう　如何→いかん　何れも→いずれも　一応→いちおう　今→いま　所謂→いわゆる　その上→そのうえ　得る→える、または、うる（できるという意味のとき）　及び→および（接続詞の場合）　脅かす→おびやかす　却って→かえって　拘らず→かかわらず　片付ける→片づける　且→かつ　気付く→気づく　嫌い→きらい　極めて→きわめて　覆す→くつがえす　来る→くる　蒙る→こうむる　如き→ごとき　悉く→ことごとく　際に→さいに　従って→（接続詞の場合）

したがって　退ける・斥ける→しりぞける　既に→すでに　総て→すべて　次→つぎ　常に→つねに　特に→とくに　捉える→とらえる　その中→そのなか　為す→なす　何→なに　何人→なにびと　何等の→なんらの　並びに→ならびに　初→はじめ　筈→はず　甚だ→はなはだ　敷衍→ふえん　する方が→するほうが　する外→するほか　その他→そのほか（「そのた」と読む場合はそのまま）　殆んど→ほとんど　又は→または　全く→まったく　自ら→みずから　見る→みる　若し→もし　若しくは→もしくは　尤も→もっとも　故に→ゆえに

e) つぎの種類の表現については、なるべく、つぎのようにした。

すべき→するべき　生ずる→生じる

　　法律用語の場合、申出る、差押える、届出る、引渡す、などとし、法律用語でない場合は、差し支える、引き揚げる、申し渡すなどとした。

　　名詞としては、申し出、届け出などとするが、法令が届出期間としているようなときはそのままとした。

15. 判例の引用の仕方については、つぎのようにした。

a) 判例の引用については、つぎの略語を用いた。

大判	大審院民事部判決	最判	最高裁判所判決
大連判	大審院民事連合部判決	最大判	最高裁判所大法廷判決
大刑判	大審院刑事部判決	東京高判	東京高等裁判所判決
大民刑連判	大審院民事刑事連合部判決	長崎地判	長崎地方裁判所判決

b) 判例の出典については、つぎの略語を用い、当該判例が載った最初の頁を示した。

民録	大審院民事判決録	下民	下級裁判所民事裁判例集
刑録	大審院刑事判決録	評論	法律評論
民集	大審院民事判例集または（1947年5月3日以降）最高裁判所民事判例集	新報	法律新報
		判決全集	大審院判決全集（法律新報付録）
刑集	大審院刑事判例集または（同前）最高裁判所刑事判例集	彙報	判例彙報
		家月	家庭裁判月報
集民	最高裁判所裁判集民事	訟月	訟務月報
裁時	裁判所時報	判時	判例時報
新聞	法律新聞（1944年まで）	判タ	判例タイムズ
法新	法律新聞（1956～1958年）	金法	金融法務事情
裁判例	大審院裁判例（法律新聞付録）	金判	金融・商事判例

法令略語一覧

「旧○○」とは、廃止された法令または全面改正されて改称された法令を示し、「新法」とは、法律の名称変更がないまま全面改正され、公布年月日および法律番号は新しくされたものを示す。

《あ行》

遺言準拠	遺言の方式の準拠法に関する法律
遺失	遺失物法（2006 年全面改正。新法）
意匠	意匠法
一般法人	一般社団法人及び一般財団法人に関する法律
医療	医療法
恩給	恩給法

《か行》

海岸	海岸法
会計	会計法
会更	会社更生法
会社	会社法（2005 年制定、2006 年 5 月 1 日施行）
外人土地	外国人土地法
外登	外国人登録法
介保	介護保険法
貸金業	貸金業法
家審	家事審判法（廃止）　→　家事
家審規	家事審判規則（廃止）　→　家事規
家事	家事事件手続法
家事規	家事事件手続規則
河川	河川法
学教	学校教育法
割賦	割賦販売法
仮登記担保	仮登記担保契約に関する法律
感染症	感染症の予防及び感染症の患者に対する医療に関する法律
偽造カード	偽造カード等及び盗難カード等を用いて行われる不正な機械式預貯金払戻し等からの預貯金者の保護等に関する法律
軌抵	軌道ノ抵当ニ関スル法律
旧貸金業	貸金業の規制等に関する法律　→　（改称）貸金業
旧借地	借地法（廃止）　→　借地借家
旧借家	借家法（廃止）　→　借地借家
旧証取	証券取引法　→　（改称）金融商取
旧建物保護	建物保護ニ関スル法律（廃止）　→　借地借家
旧信託	信託法（旧）　→　（改称）公益信託
旧訪販	訪問販売等に関する法律　→　（改称）特定商取引
旧法例	法例（廃止）　→　法適用通則
旧有	有限会社法（2006 年 5 月 1 日廃止）
旧罹災都市	罹災都市借地借家臨時処理法（廃止）
供	供託法
行服	行政不服審査法
漁業	漁業法
漁抵	漁業財団抵当法
銀行	銀行法
金融商取	金融商品取引法
金融商品販売	金融商品の販売に関する法律
区分所有	建物の区分所有等に関する法律
刑	刑法
刑施	刑法施行法
刑訴	刑事訴訟法

刑訴規	刑事訴訟規則
景表	不当景品類及び不当表示防止法
憲	日本国憲法
建基	建築基準法
建機抵	建設機械抵当法
建設	建設業法
健保	健康保険法
小	小切手法
戸	戸籍法
公益信託	公益信託に関する法律
公益認定	公益社団法人及び公益財団法人の認定に関する法律
公害紛争	公害紛争処理法
公害補償	公害健康被害の補償等に関する法律
鉱業	鉱業法
後見登記	後見登記等に関する法律
公示催告	公示催告手続ニ関スル法律
公質	公益質屋法（現在は廃止）
公証	公証人法
公選	公職選挙法
工抵	工場抵当法
航空	航空機抵当法
鉱抵	鉱業抵当法
厚年	厚生年金保険法
高齢者雇用安定	高齢者等の雇用の安定等に関する法律
高齢居住安定	高齢者の居住の安定確保に関する法律
国籍	国籍法
国年	国民年金法
国賠	国家賠償法
国民健保	国民健康保険法
戸施則	戸籍法施行規則
雇保	雇用保険法
雇用男女均等	雇用の分野における男女の均等な機会及び待遇の確保等に関する法律

《さ行》

裁	裁判所法
債権譲渡特	債権譲渡の対抗要件に関する民法の特例等に関する法律　→　動産等譲渡特
採石	採石法
砂防	砂防法
私学	私立学校法
司書	司法書士法
質屋	質屋営業法
失火	失火ノ責任ニ関スル法律
実用新案	実用新案法
自抵	自動車抵当法
自賠	自動車損害賠償保障法
児福	児童福祉法
借地借家	借地借家法
社債登録	社債等登録法（2002 年 6 月 12 日廃止）
社債振替	社債等の振替に関する法律
社福	社会福祉法
住宅品質確保	住宅の品質確保の促進等に関する法律
宗法	宗教法人法
住民台帳	住民基本台帳法
収用	土地収用法
祝日	国民の祝日に関する法律

出資取締	出資の受入れ、預り金及び金利等の取締りに関する法律	特許	特許法
商	商法（2005 年第 2 編削除。会社法となる）		《な行》
障害基	障害者基本法	日銀	日本銀行法
障害者雇用促進	障害者の雇用の促進等に関する法律	任意後見	任意後見制度に関する法律
障害福祉	身体障害者福祉法	年齢計算	年齢計算ニ関スル法律
証券決済	証券決済制度等の改革による証券市場の整備のための関係法律の整備等に関する法律	農協	農業協同組合法
		農地	農地法
		農動産	農業動産信用法
商登	商業登記法		
消費契約	消費者契約法		《は行》
所税	所得税法	破	破産法（2004 年全面改正。新法）
人訴	人事訴訟法	半導体	半導体集積回路の回路配置に関する法律
信託	信託法（新）（旧信託を参照）	非営利活動	特定非営利活動促進法
森林	森林法	被災地借地借家	大規模な災害の被災地における借地借家に関する特別措置法
水救	水難救助法		
精神保健福祉	精神保健及び精神障害者福祉に関する法律	非訟	非訟事件手続法（2011 年全面改正。新法）
		不正競争	不正競争防止法
製造物	製造物責任法	不登	不動産登記法（2004 年全面改正。新法）
整備法	民法の一部を改正する法律の施行に伴う関係法律の整備等に関する法律（2017 年改正に伴うもの、平成 29 年法律 45 号）	不登令	不動産登記令
		弁護	弁護士法
		弁理士	弁理士法
		法人整備	一般社団法人及び一般財団法人に関する法律及び公益社団法人及び公益財団法人の認定等に関する法律の施行に伴う関係法律の整備等に関する法律
税徴	国税徴収法		
税通	国税通則法		
税理士	税理士法		
船員	船員法	法適用通則	法の適用に関する通則法
臓器移植	臓器の移植に関する法律	訪販	（旧訪販を参照）
相税	相続税法	法例	（旧法例を参照）
	《た行》	保険	保険法（商法旧第 3 編第 10 章）
		保険業	保険業法
宅建業	宅地建物取引業法		《ま行》
担信	担保附社債信託法		
担保物権等改善	担保物権及び民事執行制度の改善のための民法等の一部を改正する法律	身元保証	身元保証ニ関スル法律
		民	民法
地自	地方自治法	民再	民事再生法
地上権	地上権ニ関スル法律	民施	民法施行法
地税	地方税法	民執	民事執行法
地独行法	地方独立行政法人法	民執規	民事執行規則
中間法人	中間法人法（2008 年 12 月 1 日廃止）	民執令	民事執行法施行令
仲裁	仲裁法	民訴	民事訴訟法
著作	著作権法	民訴規	民事訴訟規則
通貨	通貨の単位及び貨幣の発行等に関する法律	民訴費	民事訴訟費用等に関する法律
手	手形法	民調	民事調停法
抵証	抵当証券法	民調規	民事調停規則
鉄抵	鉄道抵当法	民保	民事保全法
電子記録債権	電子記録債権法	民保規	民事保全規則
電子消費者	電子消費者契約に関する民法の特例に関する法律	民保令	民事保全法施行令
			《や・ら・わ行》
典範	皇室典範		
動産等譲渡特	動産及び債権の譲渡の対抗要件に関する民法の特例等に関する法律	有	有限会社法　→　旧有
		有限組合	有限責任事業組合契約に関する法律
投資法人	投資信託及び投資法人に関する法律	利息	利息制限法
独行法	独立行政法人通則法	立木	立木ニ関スル法律
土改	土地改良法	立木先取	立木ノ先取特権ニ関スル法律
土区	土地区画整理法	旅行業	旅行業法
独禁	私的独占の禁止及び公正取引の確保に関する法律	労基	労働基準法
		労契	労働契約法
特定債権	特定債権等に係る事業の規制に関する法律（現在は廃止）	労審	労働審判法
		労組	労働組合法
特定住宅瑕疵担保	特定住宅瑕疵担保責任の履行確保等に関する法律	労働者派遣	労働者派遣事業の適正な運営の確保及び派遣労働者の保護等に関する法律
特定商取引	特定商取引に関する法律（旧訪販）	和	和議法（廃止）　→　民再
都計	都市計画法		

財産法の体系

第1編
総　則

- 第1章　通則　§§1〜2
- 第2章　人　§§3〜32の2
  - 第1節　権利能力　§3
  - 第2節　意思能力　§3の2
  - 第3節　行為能力　§§4〜21
  - 第4節　住所　§§22〜24
  - 第5節　不在者の財産の管理及び失踪の宣告　§§25〜32
  - 第6節　同時死亡の推定　§32の2
- 第3章　法人　§§33〜84
- 第4章　物　§§85〜89
- 第5章　法律行為　§§90〜137
  - 第1節　総則　§§90〜92
  - 第2節　意思表示　§§93〜98の2
  - 第3節　代理　§§99〜118
  - 第4節　無効及び取消し　§§119〜126
  - 第5節　条件及び期限　§§127〜137
- 第6章　期間の計算　§§138〜143
- 第7章　時効　§§144〜174の2
  - 第1節　総則　§§144〜161
  - 第2節　取得時効　§§162〜165
  - 第3節　消滅時効　§§166〜169

第2編
物　権

- 第1章　総則　§§175〜179
- 第2章　占有権　§§180〜205
  - 第1節　占有権の取得　§§180〜187
  - 第2節　占有権の効力　§§188〜202
  - 第3節　占有権の消滅　§§203・204
  - 第4節　準占有　§205
- 第3章　所有権　§§206〜264の14
  - 第1節　所有権の限界　§§206〜238
    - 第1款　所有権の内容及び範囲　§§206〜208
    - 第2款　相隣関係　§§209〜238
  - 第2節　所有権の取得　§§239〜248
  - 第3節　共有　§§249〜264
  - 第4節　所有者不明土地管理命令及び所有者不明建物管理命令　§§264の2〜264の8
  - 第5節　管理不全土地管理命令及び管理不全建物管理命令　§§264の9〜264の14
- 第4章　地上権　§§265〜269の2
- 第5章　永小作権　§§270〜279
- 第6章　地役権　§§280〜294
- 第7章　留置権　§§295〜302
- 第8章　先取特権　§§303〜341
  - 第1節　総則　§§303〜305

(31)

第2節　先取特権の種類　§§306〜328
第1款　一般の先取特権　§§306〜310
第2款　動産の先取特権　§§311〜324
第3款　不動産の先取特権　§§325〜328
第3節　先取特権の順位　§§329〜332
第4節　先取特権の効力　§§333〜341
第9章　質権　§§342〜368
第1節　総則　§§342〜351
第2節　動産質　§§352〜355
第3節　不動産質　§§356〜361
第4節　権利質　§§362〜368
第10章　抵当権　§§369〜398の22
第1節　総則　§§369〜372
第2節　抵当権の効力　§§373〜395
第3節　抵当権の消滅　§§396〜398
第4節　根抵当　§§398の2〜398の22

第1章　総則　§§399〜520の20
第1節　債権の目的　§§399〜411
第2節　債権の効力　§§412〜426
第1款　債務不履行の責任等　§§412〜422の2
第2款　債権者代位権　§§423〜423の7
第3款　詐害行為取消権　§§424〜426
第1目　詐害行為取消権の要件　§§424〜424の5
第2目　詐害行為取消権の行使の方法等　§§424の6
〜424の9
第3目　詐害行為取消権の行使の効果　§§425〜425
の4
第4目　詐害行為取消権の期間の制限　§426
第3節　多数当事者の債権及び債務　§§427〜465の10
第1款　総則　§427
第2款　不可分債権及び不可分債務　§§428〜431
第3款　連帯債権　§§432〜435の2
第4款　連帯債務　§§436〜445
第5款　保証債務　§§446〜465の10
第1目　総則　§§446〜465
第2目　個人根保証契約　§§465の2〜465の5
第3目　事業に係る債務についての保証契約の特則
§§465の6〜465の10
第4節　債権の譲渡　§§466〜469
第5節　債務の引受け　§§470〜472の4
第1款　併存的債務引受　§§470・471
第2款　免責的債務引受　§§472〜472の4

第3編
債　権

第6節　債権の消滅　§§473〜520
第1款　弁済　§§473〜504
第1目　総則　§§473〜493

第2目　弁済の目的物の供託　§§494〜498

第3目　弁済による代位　§§499〜504

第2款　相殺　§§505〜512の2

第3款　更改　§§513〜518

第4款　免除　§519

第5款　混同　§520

第7節　有価証券　§§520の2〜520の20

第1款　指図証券　§§520の2〜520の12

第2款　記名式所持人払証券　§§520の13〜520の18

第3款　その他の記名証券　§520の19

第4款　無記名証券　§520の20

── **第2章　契約**　§§521〜696

第1節　総則　§§521〜548の4

第1款　契約の成立　§§521〜532

第2款　契約の効力　§§533〜539

第3款　契約上の地位の移転　§539の2

第4款　契約の解除　§§540〜548

第5款　定型約款　§§548の2〜548の4

第2節　贈与　§§549〜554

第3節　売買　§§555〜585

第1款　総則　§§555〜559

第2款　売買の効力　§§560〜578

第3款　買戻し　§§579〜585

第4節　交換　§586

第5節　消費貸借　§§587〜592

第6節　使用貸借　§§593〜600

第7節　賃貸借　§§601〜622の2

第1款　総則　§§601〜604

第2款　賃貸借の効力　§§605〜616

第3款　賃貸借の終了　§§616の2〜622

第4款　敷金　§622の2

第8節　雇用　§§623〜631

第9節　請負　§§632〜642

第10節　委任　§§643〜656

第11節　寄託　§§657〜666

第12節　組合　§§667〜688

第13節　終身定期金　§§689〜694

第14節　和解　§§695〜696

── **第3章　事務管理**　§§697〜702

── **第4章　不当利得**　§§703〜708

── **第5章　不法行為**　§§709〜724の2

(33)

総則・物権・債権編に関連する改正一覧

番号	年	号	法律名	関係条文		
				追加	改正	削除
①	1901	36	民法中改正法律	§374 Ⅱ		
②	1926	69	民法中改正法律		§150	
③	1938	18	民法中改正法律	§§97の2、174の2	§§45 Ⅰ・Ⅲ、46 Ⅱ、48 Ⅰ、77	
④	1947	61	検察官法附則		「検事」を「検察官」に改める	
⑤	1947	222	民法の一部を改正する法律	§§1、1の2、159の2	§§7、10、12 Ⅱ、19 Ⅱ・Ⅳ、25～30 Ⅰ、32 Ⅰ、97の2 Ⅳ、124 Ⅲ、171、172、309、310、450 Ⅱ	§§14～18、120 Ⅱ、159 Ⅱ、450 Ⅰ③
⑥	1948	260	裁判所法の一部を改正する等の法律			
⑦	1949	115	民法の一部を改正する法律		§§306、308、309	
⑧	1958	5	遺失物法等の一部を改正する法律		§240	
⑨	1958	62	計量単位の統一に伴う関係法律の整備に関する法律		§§225 Ⅱ、234 Ⅰ、235 Ⅰ、237	
⑩	1962	40	民法の一部を改正する法律	§32の2	§§30 Ⅱ、31	
⑪	1962	69	建物の区分所有等に関する法律		§257	§208
⑫	1963	126	商業登記法の施行に伴う関係法令の整理等に関する法律		§48 Ⅰ	
⑬	1964	100	遺言の方式の準拠法に関する法律附則		§23	
⑭	1966	93	借地法等の一部を改正する法律	§269の2		
⑮	1966	111	執行官法附則		§§171、172	
⑯	1971	99	民法の一部を改正する法律	§§373 Ⅱ・Ⅲ、398の2～398の22		

⑰	1979	5	民事執行法の施行に伴う関係法律の整理等に関する法律		§§568、585	§§368、384Ⅲ
⑱	1979	68	民法及び民法施行法の一部を改正する法律	§§34の2、67Ⅱ、77Ⅲ、84③の2、84の2	§§11、71、77Ⅰ、84 §67Ⅱ→§67Ⅲ	
⑲	1989	91	民事保全法附則	§46Ⅲ		
⑳	1990	65	商法等の一部を改正する法律の施行に伴う関係法律の整備に関する法律		§364Ⅱ	
㉑	1991	79	行政事務に関する国と地方の関係等の整理及び合理化に関する法律	§83の2	§84	
㉒	1996	110	民事訴訟法の施行に伴う関係法律の整備等に関する法律		§150	
㉓	1999	87	地方分権の推進を図るための関係法律の整備等に関する法律	§83の3	§§83の2、84③・③の2・④	
㉔	1999	149	民法の一部を改正する法律	§§11の2、12Ⅲ、120Ⅱ	§§7、8、9、10、11、12Ⅰ・Ⅱ・Ⅳ、13〜18、19Ⅰ・Ⅱ・Ⅳ、20、98、111Ⅰ、120、121、124Ⅱ・Ⅲ、158、159、449、653、679③、713	
㉕	1999	225	民事再生法附則		§398の3Ⅱ	
㉖	2000	91	商法等の一部を改正する法律の施行に伴う関係法令の整備に関する法律	§398の10の2		
㉗	2001	41	弁護士法の一部を改正する法律附則		§§171、172	
㉘	2003	134	担保物権及び民事執行制度の改善のための民法等の一部を改正する法律	§§389Ⅱ、398の19Ⅲ	§§306、308、359、363、378〜380、382〜387、389Ⅰ、395、398の19Ⅰ・Ⅱ、398の20	§381
㉙	2003	138	仲裁法附則		§12Ⅰ⑥	
㉚	2004	76	破産法の施行に伴う関係法律の整備等に関する法律		§§398の3Ⅱ、398の20Ⅰ・Ⅱ	

㉛	2004	124	不動産登記法の施行に伴う関係法律の整備等に関する法律		§§383②	
㉜	2004	147	民法の一部を改正する法律	§§465の2～465の5	全条文 民法[総説]10参照	
㉝	2005	87	会社法の施行に伴う関係法律の整備等に関する法律	§§79Ⅳ、81Ⅳ	§§46Ⅰ・Ⅲ、47、49Ⅰ、366（→365）、367（→366）、368削除（→367・368削除）、398の3Ⅱ②、398の10Ⅰ・Ⅱ	§§364Ⅱ、365
㉞	2006	50	一般社団法人及び一般財団法人に関する法律及び公益社団法人及び公益財団法人の認定等に関する法律の施行に伴う関係法律の整備等に関する法律（38条）		§§33～37、688	§§38～84の3
㉟	2006	73	遺失物法附則		§240	
㊱	2006	78	法の適用に関する通則法附則		§23Ⅱ	
㊲	2011	53	非訟事件手続法及び家事事件手続法の施行に伴う関係法律の整備等		§§151、153	
㊳	2011	61	民法等の一部を改正する法律			
㊴	2013	94	民法の一部を改正する法律			§900④ただし書前半部分
㊵	2016	27	成年後見の事務の円滑化を図るための民法及び家事事件手続法の一部を改正する法律	§§860の2、860の3、873の2		
㊶	2016	29	成年後見制度の利用の促進に関する法律			
㊷	2016	71	民法の一部を改正する法律		§§733Ⅰ・Ⅱ、746	
㊸	2017	44	民法の一部を改正する法律	総則・物権・債権・相続編に関連する大改正		
㊹	2018	59	民法の一部を改正する法律		§§4、731、740、792、804	§§737、753

㊺	2018	72	民法及び家事事件手続法の一部を改正する法律	相続編に関連する大改正		
㊻	2018	73	法務局における遺言書の保管等に関する法律		§968（特別法）、§1004（適用除外）	
㊼	2021	24	民法等の一部を改正する法律	第2編第3章第1節（§§213の2、213の3）、同第3節（§§252の2、258の2、262の2、262の3）、同第4節（§§264の2〜264の8）、同第5節（§§264の9〜264の14）、第5編相続（§§897の2、904の3）	第2編第3章第1節（§§209、233）、同第3節（§§249、251、252、258、264）§392、第5編相続（§§898、907、908、926、936、940、952、953、954、955、956、957、958の2、958の3）	第5編相続（§§918Ⅱ・Ⅲ、958）

本書では、つぎの略称を用いる。

　1999年改正——㉔の改正（後見制度関係の改正）をいう。

　2003年改正——㉘の改正（担保制度関係の改正）をいう。

　2004年改正——㉜の改正（現代用語化のための全面改正）をいう。

　2006年改正——㉞の改正および「一般社団法人及び一般財団法人に関する法律」「公益社団法人及び公益財団法人の認定等に関する法律」の制定を総称する。

　2017年改正——㊸の改正（債権法改正）をいう。

　　　　　　　2017年12月20日に、民法の一部を改正する法律の施行期日を定める政令（政令309号）が公布され、施行日が2020年4月1日と定められた。

(37)

我妻・有泉コンメンタール民法

民法［総説］

民　法［総説］1・2

民　法［総説］

1　日本の民法典

わが民法典は、

(a)総則、物権、債権（以上3編は1896年〔明治29年〕4月27日に法律89号として公布され、1898年〔明治31年〕7月16日に施行された。2004年〔平成16年〕法律147号により、全面的に「現代用語化」された）、

(b)親族、相続（以上2編は1898年〔明治31年〕6月21日に法律9号として公布され、同年7月16日から施行されたが、1947年〔昭和22年〕12月22日法律222号により全部改正され、文章としても口語化された。改正法は翌年1948年〔昭和23年〕1月1日に施行された）の5編から成っている。しかし、われわれがこれだけの民法典を持つに至るまでには、明治初年からの長い紆余曲折を経てきたのである。2017年には、債権法などが全面的に改正され、2020年4月から施行された。以下、その次第を概説しておこう。

2　旧民法典の成立

1868年の戊辰の変革（明治維新と呼ばれた）の後、開国進取の機運に動かされて、新しい立法への模索も始められた。翌1869年には、太政官に制度局がおかれ、江藤新平（旧佐賀藩士。明治政府に出仕して、文部大輔、司法卿、参議などを歴任。佐賀の乱に連座して刑死）がその中弁（太政官に直属する令制上の官名の一つで、大弁に次ぐ）になり、民法会議を作って民法の編纂に着手した。これが民法編纂事業の端緒である。同じ年、箕作麟祥が制度局の御用掛となってこれに協力した。この制度局の草案が「民法決議」と題されるものである。

その後、担当部局は、太政官左院、司法省明法寮（フランス人のブスケ Georges Bousquet が1872年～1876年在職し、法学教育に当たり、民法草案にも関係した）など変遷があり、現在参照できる草案としては、左院草案（1872年）、「皇国民法仮規則」（1872年。明法寮草案）、「民法仮規則」（1873年3月）などが遺されている。

1873年（明治6年）4月、当時司法卿であった江藤が参議に昇任することになって、民法編纂の事業はその主宰者を失い、編纂事業は左院に引き継がれた。同年の10月に大木喬任参議が司法卿を兼任し、その年の11月に来日したフランス人ボアソナード（Gustave Emile Boissonade de Fontarabie1825-1910。フランスで大学教授資格を取得し、パリ大学正教授への就任も期待されていたが、日本政府の招請を承諾して来日し、法学教育、外交交渉などについての政府法律顧問、民刑事法などの立法作業などに携わった。後述する旧民法典の流産のあと帰国）などを賛助者として、五法（刑法、治罪法、民法、商法、民事訴訟法）編纂を開始し、民法については、1878年（明治11年）4月までに主として箕作の手になる一部の草案が大木司法卿に提出された（明治11年民法草案）。しかし、この草案は陽の目をみず、翌年3月から民法編纂事業は、ボアソナード原案起草による体制に移行することになった。

3

民　法［総説］

　その後、編纂事業は、太政官制の改正にともない法制部に移されたが、1880年(明治13年) 6月に太政官臨時官として設けられた民法編纂局(総裁は大木参議)が発足すると、ボアソナードを中心に、当時の元老院議官などを委員として仕事が進められ、1886年(明治19年) 3月にようやく一部草案を脱稿して内閣に提出した。民法編纂局は、太政官制度の廃止にともない、この月に廃止され、残りの部分を完成する作業は、司法省に引き継がれた。

　内閣に提出された民法草案は、元老院での審議にかけられたが、その後、1886年5月の条約改正会議の余波をこうむって、外務省に設けられた法律取調委員会で、ボアソナードによる原案をもとに、改めて民法編纂が行われることになった。しかし、井上馨外相の失脚により、1887年(明治20年) 11月には、法律取調委員会は司法省に移管されて、司法大臣山田顕義を委員長として立案作業を行うこととなった。

　司法省法律取調委員会では、人事編、財産編、財産取得編、債権担保編、証拠編の5編に分け、人事編と財産取得編中の相続・贈与・遺贈・夫婦財産契約に当たる部分、すなわち今日では家族法と呼ばれる部分を熊野敏三、磯部四郎、井上正一らが、その他の部分をボアソナードが担当して草案を完成した。そして、元老院の議定、枢密院への諮詢を経て法律として公布され(上記前の部分は明治23年4月法律28号、後の部分は10月法律98号として。同年11月29日の第1回帝国議会開会前のことである)、1893年(明治26年) 1月1日に施行されることになった。これが、いわゆる旧民法である(条文番号は各編ごとに付された)。財産法の部分をボアソナード民法と呼ぶこともある。この旧民法は、次項でみるように、施行されずに終わったが、それにもかかわらず、現行民法の成立までは、裁判などにおいて事実上の影響力をもったとされている。

3　民法典論争

　旧民法がフランス民法を手本としたものであることはいうまでもない。ボアソナードは日本の現実を重視し、それを踏まえて日本の将来のための民法典を作成するべく努力したが、それでもそこには民俗慣習に反する条項が多く、法体系としても種々の不備な点を持っていることも否定できなかった。そこで、従前から法典編纂事業が拙速主義で行われることを批判していた学者が、これを外来思想の直訳であるとして攻撃を加え、その施行の延期を強力に主張した。これに対して、実施論者もまた活発に応戦し、ここに朝野の法曹界を二分する大論争が展開された。そこには、旧民法を支持するフランス法派とこれに反対するイギリス法派の対立、不平等条約の改正(そのためには、基本的諸法典の整備が不可欠であった)をめぐる政治的対立などの背景もあった。これがいわゆる民法典論争である。

　この論争の結果、まず1891年(明治24年)に予定された商法の施行が、1890年(明治23年) 12月の議会で、民法施行の時期である1893年まで延期された。延期派はこれに勢いを得て、1892年(明治25年) 6月の議会で、民法・商法の施行延期の法律案を通過させた(天皇による裁可を経て、公布されたのは同年11月24日法律8号としてである)。このようにして論争は延期派の勝利に帰し、その結果、旧民法典は、ついに陽の目を見ないで葬り去られたのである。

民　法［総説］3〜5

4　現行民法典の編纂とその整備

旧民法の施行の延期は、もとより単なる延期ではなかった。その間に別個の民法典を編纂しようというのである。すなわち 1893 年(明治 26 年) 2 月の勅令によって、あらたに法典調査会(伊藤博文総裁)が設けられ、穂積陳重、富井政章、梅謙次郎の 3 名が起草委員に選ばれて、今度は、あたかも当時発表されたドイツ民法典の第一草案を主に参考にしながら、旧民法を土台としつつ、なおフランス民法その他世界の多くの民法典をも参考として、仕事が進められた。

起草委員の手になった草案は、順次、法典調査会において審議され、1896 年(明治 29 年) 12 月 16 日まで毎週にわたる会議およびその後の整理会を経て、ついに民法の全編を議了した。その間、総則、物権、債権の 3 編は 1895 年中に議了したので、これだけが切り離されて 1896 年(明治 29 年) 1 月に議会に提出されて通過し、同年 4 月 23 日法律 89 号として公布され、同時に旧民法中財産関係の部分が廃止された。つづいて親族、相続の 2 編も、1897 年(明治 30 年) 12 月にいったん議会に提出されたが、議会解散のため審議未了となり、1898 年(明治 31 年) 5 月に議会に改めて提出されて通過し、6 月 21 日法律 9 号として法例および民法施行法とともに公布され、同時に、旧民法中身分関係の部分が廃止された。このようにして民法全編は、同年勅令 123 号で同年 7 月 16 日から施行されたのである。これが 1947 年(昭和 22 年)に第 4 編と第 5 編とに大改正を受けるまでの民法典である。なお、**10**(4)を参照。

さて、このようにして民法典が施行されると同時に、これに付随して「民法施行法」、「法例」(2006 年に平成 18 年法律 78 号により全面改正され、「法の適用に関する通則法」と改称された)、「戸籍法」、「人事訴訟手続法」、「非訟事件手続法」、「競売法」などが制定・施行され、また、翌 1899 年には不動産登記法も整備された。これにつづいて付属法令の整備と若干の補正も行われた。

すなわち、1899 年(明治 32 年)には、「供託法」、「遺失物法」、「失火ノ責任ニ関スル法律」などが制定され、翌 1900 年には慣行とのはげしいまさつを緩和する趣旨で「地上権ニ関スル法律」を制定し(§265 参照)、また、永小作権に関して民法施行法 47 条に第 3 項を加えた(§278 参照)。さらに 1901 年には民法 374 条に第 2 項を追加し、翌 1902 年には「年齢計算ニ関スル法律」が出されている。このように付属法令の整備と若干の補正によって、民法典はいちおうその体裁をととのえたのである。

5　民法典の性格

上に述べたようにして成立した民法典は、形式的には、旧民法がフランス民法(1804 年)にならったインスチチチオネス式の編別であるのに対し(上記 **2** 参照)、ドイツ民法にならってパンデクテン(Pandekten)式編別を採用した。この二つの方式のうち、前者は、6 世紀に作られたローマ法大全(当時の皇帝の名前によりユスティニアヌス法典とも呼ばれる)のうち Institutiones (「法学提要」と訳される)と題された部分にならったものであり(基本的に、人・物・行為の各部分から構成される)、後者は、Pandectae (Digesta ともいう。「学説集成」と訳される)と題された部分にならったものである(基本的に、総則・各則という構成で組み立てられる)。

5

民　法［総説］

　すなわち、わが民法は、財産法として物権編と債権編（ドイツ民法では債権編・物権編の順だが）とを、家族法として親族編と相続編とをおき、これに共通の事項を規定するものとして総則編を前置しているのである。また、これをその内容についてみれば、19世紀の総決算として個人主義思想の爛熟を示すドイツ民法（1900年施行）に近い。しかもそれは、主にドイツ民法の第一草案（1888年）に範をとったので、その施行の時期はかえってドイツ民法に先立ち、その内容においても若干古い。ドイツ民法はさらに審議を重ね、確定案はいっそうその理論構成を精密にするとともに、一方、ドイツ固有法の思想をとり入れ、他方、19世紀末の新たな社会思想をもり込んでいる。そして、ドイツ民法のこの最後の傾向は、スイス民法（1907年、債務法は1911年、この2つは独立した法典である）において、さらに発展させられている。

　このようにわが民法を歴史的に位置づけてみれば、その性格がどのようなものであるかがほぼ了解されるであろう。すなわち、一言にしていえば、個人主義思想がその全面にいきわたっていて、そのなかから団体主義思想を盛った規定を拾い上げるのには困難を感じるのである。

　もっとも、家族法においては、わが民法も、わが国固有の民俗慣習を取り入れ、家族生活の団体性を強調していたのであるが、それは強大な戸主の統率権のもとにおかれた封建的家族制度であり、近代の個人解放以前の団体主義であった。したがって——制定以来、第二次大戦前においては、多くの人が民法は個人主義的であると非難していたのであるが——、家族法の領域では、むしろ個人の真の解放こそ必要とされたのである。

6　第二次大戦終結までの民法の修正と補充

　さて、これまで述べてきたような事情で、民法典はその成立の当初から、一面、その拙速主義に当然伴う欠陥として、従来の制度慣行を十分にそしゃく吸収していないという批判を受けていたのであるが、他面、近代民法の新たな理想の真髄を理解してこれを採用する態度においても不十分なものがあったので、新たな社会情勢に順応できないという批判をも受けていた。さらにまた、19世紀末から20世紀にかけて台頭した団体主義思想ないし社会思想のごときは、もとより十分にはとり入れていない。このような事情から、民法典がよく国民生活を実体に即して規律し、これから遊離することのないためには、立法および解釈による修正・補充を必要としたのである。

　そして、ごく大づかみにいうならば、従来の慣行を立法のなかに取り入れるということは、その後必ずしも十分に行われていない。わずかに、上に述べたような地上権と永小作権とに関して、民法が慣習を無視していたことの緩和（4の末尾参照）および「立木ニ関スル法律」の制定が、それらしいものとしてあげられる程度である。この部分は、むしろ必要に応じて学説・判例による解釈論が、ある程度その役割をつとめたのである。たとえば、慣習上の物権を認めうるかに関する議論（§175〔5〕参照）のごときがそれである。これに反し、資本主義経済の発展およびそれに伴う実社会の需要に対応するという点では、比較的多くの技術的な立法がなされている。各種の財団抵当法はそれの適例である。しかし、最も目立つものは、20世紀に入ってからの資

民　法［総説］**6**

本主義経済の行きすぎ、個人本位の権利思想の弊害を是正するための、いわゆる社会立法であろう。そして、それらの立法に伴って、学説もまた、新しい団体本位の社会思想の見地で、民法その他の従来から存する法を見直していくのである。

以下、まず、第二次大戦終結前までについて、民法典自体の改正の跡をながめ、ついで、特別立法による民法の補充修正を年代順に概観する。

(1)　民法典自体の修正

先に述べたように、1901年(明治34年)に、374条に第2項が追加され、また、1926年(大正15年)には150条が修正されたが、ともに技術的なものである。1938年(昭和13年)にいたって、はじめてやや実質的な修正が行われた。すなわち、公示による意思表示の方法を新設し(2004年の改正前§97の2)、また、判決によって確定した権利の消滅時効につき特則を設けた(改正前§174の2)。なお、同時に法人の登記期間を延長している(§§45 I・III・46 II・48 I・77 —— 2006年に削除)。1941年(昭和16年)には戸主の家族に対する居所指定権の行使に制限を加え(旧§971の2)、翌42年には父または母の死後にも3年間は認知請求をなしうる途を開き(旧§835、新§787)、これと同時に私生子という名称を、民法、戸籍法などの法文の上から抹消した。

さて、最も重要な家族法の分野について、つぎのことを一言しておこう。先に述べたように、民法が個人主義的だという非難は、とくに親族・相続の両編に向けられていたのであり、1919年(大正8年)に開かれた臨時教育会議は、民法のこの部分を「醇風美俗」に合致するよう改正するべきであると建議した。そこで、これに基づいて両編の全面的な改正事業が開始された。しかし、実際に作成された民法改正要綱(1925年および1927年に発表)は、決して形式的な家族制度を強化するものではなく、男女の不平等の緩和、戸主権の調整、家督相続の特異性の軽減などを含む進歩的なものであり、全体として小家族制への傾向を示すものであった。上記の戦時中の改正も、この要綱の趣旨に従ったものであり、それは戦後における大改正への先駆的意義を持つものなのである。

(2)　特別立法による民法の補充修正

年代に従って考察すると、この補充修正は期せずして社会経済の変動に若干のおくれをもって集約的に現れている点が注目される。

(ア)　日露戦争後　　民法がいちおう整備されたのち、日露戦争頃の経済の興隆に順応して、1905年(明治38年)には財団抵当に関する立法が三つ現れ(工場抵当法・鉱業抵当法・鉄道抵当法)、1909年(明治42年)には、さらにもう一つを追加している(軌道ノ抵当ニ関スル法律)。同じ年、地価の高騰からくる「地震売買」に備えて「建物保護ニ関スル法律」の制定がある。なお、この年には、わが国の立木売買の慣行を法制化する意味で「立木ニ関スル法律」の制定をみた(§86〔3〕(イ)参照)。また、日露戦争後の産業の発展に伴って1911年(明治44年)には「工場法」が制定・公布されている(施行は1916年)。

(イ)　第一次世界大戦後　　この時期の景気と不景気とから、多くの社会問題が発生し、これに対処するための社会立法の制定をうながした。まず第1に、住宅問題の調整のために1921年(大正10年)には「借地法」、「借家法」が、翌22年には「借地借家

民　法［総説］

調停法」が制定された。第2に、小作問題についても同様に小作法の制定が試みられたのであるが、これは成立せず、1924年（大正13年）に至って「小作調停法」が制定されたにすぎない。第3に、労働問題対策の根幹をなす労働組合法案も大正末期から昭和のはじめにかけていくたびか議会に現れたが、ついに成立せず、ただ、1926年（大正15年）に争議禁圧の根拠であった治安警察法17条が削除され、「労働争議調停法」が成立しただけである。もっとも、側面的な社会立法としては1922年（大正11年）に「健康保険法」が、1923年には「工業労働者最低年齢法」が公布され、また、「工場法」が改正されている。なお、この時期で注目するべきものには1922年に英米流の信託法理を成文化した「信託法」、および関東大震災後の住宅問題処理のために1924年に制定された「借地借家臨時処理法」がある。

　　　㈦　1930年前後の恐慌時代　　この時代の不景気、とくに農業恐慌に対処するための立法はきわめて緩慢であって、1931年（昭和6年）にまず農村金融の担当者たる地方銀行などの救済のために「抵当証券法」が制定され、1932年に「金銭債務臨時調停法」、1933年に「農業動産信用法」、「農村負債整理組合法」および「米穀統制法」が制定されている。しかも、1931年に提出された小作法案は議会を通過せず、1938年（昭和13年）に至って、小作権の保障の点ではきわめて消極的な「農地調整法」がようやく成立したのである。

　　　㈢　太平洋戦争期　　大戦中はあらゆる方面において統制立法がなされ、国民の日常生活の隅々にまでいきわたった。その結果、民法の規定がそのまま適用されるような生活関係は、これを発見することができないのではないかと疑われたほどである。いま、それらの戦時中の統制法規に言及することは省略したい。ただ、注目されるものに1941年（昭和16年）の借地法・借家法の改正がある。建築資材の統制、軍需産業の拡充は全国的な住宅払底を生じさせた。そこで両法を全国に施行し（それまでは施行地域が限られていた）、かつ、借地権・借家権の強化をはかったものである。

7　第二次大戦後の戦後期の変動

　戦時中には、上にも一言したように、まず「輸出入品等臨時措置法」（1937年）、ついで「国家総動員法」（1938年）、最後に「戦時緊急措置法」（1945年）によって政府に広範な立法権限が与えられ、それに基づいて無数の勅令が出されていた。終戦後は、まずこれらの法律に基づく政府の立法権限が停止され（1945年12月）、これに基づいて出された勅令の整理が行われた。その反面、「ポツダム宣言ノ受諾ニ伴ヒ発スル命令ニ関スル件」（1945年9月20日）が出されて、「連合国最高司令官ノ為ス要求ニ係ル事項ヲ実施スル為特ニ必要アル場合」には、いわゆるポツダム勅令によって、法律の改廃およびいわゆる立法事項の規定をすることができることとした。

　このような一般情勢のもとで、戦後10数年の間に民法に関係する分野においてつぎのような立法が行われた。

　第1に、借地・借家関係では、終戦の時には戦時緊急措置法に基づいて発せられた「戦時罹災土地物件令」（1945年7月12日）が、罹災都市の借地権を睡眠させて、現実に当該の土地を利用する必要と能力とがある者に軽易に利用権を認めていたが、これ

民　法［総説］7・8

を平時に切りかえて、「罹災都市借地借家臨時処理法」(1946年9月15日施行)が制定され、土地の利用促進、現実の土地利用者としての借家人の保護を中心として、罹災都市の借地借家関係の調整をはかってきた(同法は、政令でそのつど定める地震・大火などの災害時に適用されてきた。同法§25の2参照。1995年1月の阪神・淡路大震災には適用されたが、2011年3月の東日本大震災には、地元の意見も尊重して適用されなかった)。同法は2013年の大規模被災地借地借家法により廃止された(第3編第2章第7節解説④(2)(ニ)参照)。

第2に、小作関係については戦時中に多くの統制法令が出されていたが、終戦後、周知のように、第一次(1945年12月)、第二次(1946年12月)の農地改革が、農地調整法の改正と「自作農創設特別措置法」の制定によって行われた。その実施によって、農地の買収と売渡しによる自作農創設の措置がほぼ完了した。

第3に、労働関係については、周知のように「労働組合法」(1946年3月施行)、「労働関係調整法」(1946年10月施行)、「労働基準法」(1947年9月施行)などの諸立法によって、わが国の労働法はまったくその面目を一新し、失業・健康・厚生年金などの各種の社会保険制度の整備と相まって、この面においては、いちおう、近代国家としての水準に達したといってよかろう。

8　戦後の民法改正

つぎに、戦後現在までに行われた民法典自体に対する改正のうち主要なもの(呼称の変更など簡単なものは除く)を、ひとわたり眺めることとする。

(1)　親族・相続編の全面的改正

まず、親族編・相続編に加えられた大きな変更である。それは、改正という形をとってはいるが、全面的な新法の制定に等しい改変である。本書でも、これを「新法」と呼び、それ以前の親族編・相続編を「旧法」と呼ぶことにする。つぎに、この大改正の経緯を略述する。

日本国憲法の採った男女の平等と個人の尊厳の理想(憲§24)を家族生活のなかに実現するために、親族編と相続編の全面的改正を必要とすることは、既定の事実であった。政府は、臨時法律制度調査委員会と司法法制調査委員会に諮問して、その改正事業を急いだが、内外諸種の事情のために、ついに憲法実施の1947年(昭和22年)5月3日までに間に合わなかった。そこで、とりあえず「日本国憲法の施行に伴う民法の応急的措置に関する法律」を施行して、新憲法と民法との矛盾衝突を避けた。その後、成案を完成し、国会議決を経て1947年(昭和22年)12月22日に法律222号としてこれを公布し、1948年1月1日から施行した。なお、同時に民法の前3編にも、つぎのような若干の修正が加えられた。

(a)　1条および1条の2を追加した(第1編解説参照)。

(b)　親族・相続両編の改正に伴い、妻のいわゆる無能力制度(制限能力制度と呼ぶのが正しい)を廃止し(§§14〜18を削除した)、それに伴って関係規定を整理し(§§19Ⅱ・Ⅳ・120Ⅱ・124Ⅲ・159Ⅱなど)、また、戸主、家族という文字を削除した(§§7・308Ⅱ・310など)。

(c)　同時に、家事審判所(後に、改正により家庭裁判所)の設置に伴い一定の事項の

9

民　法［総説］

管轄をこれに移し、関係規定を整理した（当時の§7・10・12 II・19 II IV・25〜30・32 I・159・159の2〔追加〕など）。

なお、この民法の改正と同時に、「戸籍法」、「家事審判法」、「家事審判規則」などが修正ないし制定され、民法の施行と同時に施行された。

(2)　その後の民法の一部改正

上記の大改正の後、現在までに20回を超える中小の改正が民法に加えられた。そのうち、めぼしいものをつぎに掲げておこう。

(ア)　1949年の民法一部改正法により、先取特権の順位を変更した（§§306・309関係）。

(イ)　1958年遺失物法の一部改正により、遺失物の所有権取得までの期間を1年から6か月に短縮した（§240関係）。

(ウ)　1958年の計量単位の統一に伴う関係法律の整備に関する法律により、尺貫法からメートル法への換算が行われた。

(エ)　1962年の民法一部改正法により、同時死亡の推定規定（第1編第2章第5節、§32の2）が新設され、代襲相続に関する規定が変更された。

(オ)　1962年の「建物の区分所有等に関する法律」により、民法の建物区分所有に関する規定（§208）が削除された。

(カ)　1966年の借地法等の一部を改正する法律により、地下・空間の地上権の規定が新設された（§269の2）。

(キ)　1971年の民法一部改正法により、根抵当の規定が新設された（第2編第10章第4節新設、§§398の2〜398の22）。

(ク)　1976年の民法等一部改正法により、離婚による復氏の例外が規定された（§767）。

(ケ)　1979年に、「民事執行法」の施行に伴い、規定の改正が行われた（§§368削除・568・585。当時の§384 III削除）。

(コ)　1979年の民法・民法施行法の一部改正により、準禁治産者の規定から「聾者、唖者、盲者」が削除され（§11）、公益法人の監督規定が変更された。

(サ)　1980年の民法・家事審判法の一部改正により、法定相続分の変更などが行われた（§§889その他）。

(シ)　1987年の民法等一部改正法により、特別養子制度が設けられるなどの養子制度の改正が行われた（§§817の2〜）。

(ス)　1999年の民法一部改正法により、成年後見に関する規定が大幅に変更された（§§7〜20、その他関係条文多数）。

(セ)　2003年の民法一部改正法により、担保物権に関するいくつかの重要な点について変更された（§§306②・308・363・371・378〜387・389・395・398の19・398の20）。

(ソ)　2004年の「現代用語化」のための改正（後述 **10** 参照）のさいに、「貸金等根保証契約」と書面に関する条文が追加された（§§465の2〜465の5・446 I、II）。

(タ)　2005年の「会社法の施行に伴う関係法律の整備等に関する法律」により、若干の条文が修正された（施行は2006年5月1日）。

(チ)　2006年に従来の「法例」を「法の適用に関する通則法」に改正するのに伴っ

民　法［総説］9

て、23 条 2 項が改正された。

(ツ)　2006 年の法人制度の変更に伴って、大きな改正が行われた(2008 年 12 月 1 日施行)。

(テ)　2006 年の遺失物法の改正に伴って、240 条が改正された(2007 年 12 月 10 日施行)。

(ト)　2011 年に、児童虐待の防止等をはかり、児童の権利利益を擁護する観点から、親権の停止制度を新設し、法人または複数の未成年後見人を選任することができるようにすること等のための民法改正が行われた。その後の改正については、後述 **13** 以下を参照。

9　今日の法状況

このように、戦後 70 年を越える歳月における民法そのものの改正はかなり大きい。民法をめぐる法状況の変貌にはさらにいちじるしいものがある。

第 1 に、7 で考察した戦後期の立法については、とくに 1970 年前後から民法本来の自由主義的原理に回帰しようとする趨勢が顕著になってきた。借地借家法についていえば、借地権・借家権の保護の観点が後退し、借地・借家関係の両当事者の対等を前提として考えようとする傾向が強まり、1991 年の「借地借家法」(法律 90 号、1992年 8 月 1 日施行)はその路線上の立法ということができよう(旧法律関係への適用は留保して(附則 4 条)、借地法と借家法は廃止)。農地関係については、農地改革の結果として戦前の封建的小作関係はほぼ完全に姿を消し、むしろ農業の近代化の掛け声のもとにおける農業構造の変化が問題になっている(1966 年の「入会林野等に係る権利関係の近代化の助長に関する法律」、1995 年における食糧管理法の廃止と「主要食糧の需要及び価格の安定に関する法律」の制定など)。労働関係についても、かつての労働立法によって樹立された労働者の権利の空洞化が進んでいる。そして、これらの変化を、7 で述べたような戦後の状況は敗戦後の特殊な事情のせいであって、その異常さをその後の歩みのなかで是正しているのであるかのような論調で説明する姿勢が学界においてもいちじるしく目立っている。

しかし、そのような論調は正しくない。第 1 に、このような傾向を単にかつての(いわば「古典的」な)市民法原則への復帰として評価することは疑問である。まさに第二次大戦後の世界的な変動のなかでの日本の爛熟した資本主義のもとで生じている社会事象に対する対応として、問題を分析し、解決の方向を模索することが重要であると考えられる。第 2 に、自由・平等・友愛を柱とする近代市民法の基本原理こそ民法の基盤であるのであるから、改めて、また、繰り返し確認されなければならないのは、今日の民法関係がこの基本原理に忠実に構成されているかどうかという点でなければならない。ところが、最近の「自由化」、「民活化」、「規制緩和」などの掛け声のもとで推進されていることは、むしろこれらの基本原理に反するものであることのほうが多い。この点にとくに関係するのが、「約款(やっかん)」、「付合契約(ふごう)」、「普通契約条件」、「普通取引約款」(以上について、第 3 編第 2 章第 1 節第 2 款解説**5**参照)、「就業規則」(同第 2 章第 8 節解説**3**参照)、「取引約定書」(銀行などが取引先との取引開始に当たって、基本的な取

民　法［総説］

引条件について定めるもの。「基本約定書」という言葉も用いられる）などの問題であって、これらのすでに戦前から問題視されている事柄について、合意によってどのようなことを定めようと自由であるというような、単純粗雑な思考が通用しているように思われて、遺憾である。

　このような状況において、一方で正しい意味における法的主体の自由や行為の自由を追求するとともに、市民法が任務とすべき公正の実現を強く志向していくことが大切であると考えられる。

　この問題は、さらに、戦後ないし近時において新しく課題としてわれわれの前に登場してきた、独占や不正競争に対する民主的規制、国際化に伴う自由化・標準化などへの対応、消費者の立場を公正に守るための方策、公害・環境破壊に対する市民の防護などの問題との取り組みへとつながっていく。

　なお、8⑶および⑶に挙げた改正は、民法の将来を占うについて重要な意味をもつと考えられるので、次項以下を参照。

10　2004 年のいわゆる「現代用語化」について

　⑴　2004 年 11 月に第 161 臨時国会を通過し、12 月 1 日に公布された「民法の一部を改正する法律」（平成 16 年法律 147 号）により、民法の全部が、目次・章節款目の題名の一部も含めて、改正された。施行は、2005 年 4 月 1 日であった。

　この改正の主たる目的は、民法の第 1 編～第 3 編の「表記の現代用語化」（改正法を公布した平成 16 年 12 月 1 日官報 2 頁で用いられた言葉）にあるとされているが、第 4 編・第 5 編についても、条文の見出しを付するなど、表記の統一を図る整備がされている。しかし、その趣旨にとどまらず、根保証に関して、「貸金等根保証契約」の規定を設けるなどの、実質的な改正も含まれている。

　⑵　この改正は、従来の片仮名・文語体の文章を平仮名・口語体の文章に直すことにその目的を厳格に限定（1995 年の刑法改正が、文章の口語化および必須と考えられた条文削除に限定されていたように）するべきだったと思う。つぎのような問題点がある。

　㋐　成立した「民法の一部を改正する法律」は、かなり多くの個所において、章節款や条数を変更し（新旧条文の照合を困難にしている）、また、文章にも内容的変更を加えている。その変更が、従来学説・判例によって行われてきた解釈の努力に影響を与え、ときには、今後における解釈に拘束を与えるようなことがありはしないかと危惧される（たとえば、従来§478 に見られるように、原条文の「善意」要件について、学説・判例によって無過失も要件とする解釈が行われてきた。それは、いわば通説化しているといってよいが、だからといって、今回の改正のように、その無過失要件を安易に明文化するのが正しいとはいえない。他にも、「善意」の語句が用いられている条文が存在するが、それらに修正が行われていないと、その解釈としては、善意に限定され、無過失は排除されると考えられかねない）。そのようなことにならないように留意して、本書では叙述した。

　そのほか、問題の感じられる個所は多い。全体的な問題点としては、（ⅰ）原条文で「スルコトヲ要ス」とあった表現が、すべて「しなければならない」に改められた。前者は、要件規定の表現であり、後者は、義務規定の表現であるので、疑問である。

民　法［総説］**10**

「することを要する」と直して足りることと思われる。「コトヲ要セス」は、「ことを要しない」と直している（たとえば、改正前§§102・156・現行213）。表現を合わせれば、「しないことができる」とならなければならないところであろう。(ii)原条文のただし書（「但」）が、そのまま「ただし」とされた場合と、「この場合において」と改められた場合とがある。ただし書は、例外規定、制限規定、敷衍規定である場合があり、その論理的意味合いは微妙で難しい。原条文も、その意味合いを考慮して、「但」と「此場合ニ於テハ」（たとえば、§§213・348・354・367［2005年、→§366］・改正前§§420・496・585・627・631・642）を書き分けているが、それを変更してよいものであろうか。(iii)原条文の「準用ス」の規定がそのまま「準用する」とされた場合と、「その性質に反しない限り」を付加された場合とがある。「準用」が事柄の性質に反しない限り行われることは自明のことであるので、疑問である。以上の諸点については、それぞれの個所での言及はしない。その他、とくに気になる例としては、(a)自己契約と双方代理に関する108条、(b)代理権授与の表見代理に関する109条、(c)動産の善意取得に関する192条、(d)書面によらない贈与に関する550条、(e)不法行為に関する709条、などに加えられた変更、などが挙げられる（それぞれの注釈参照）。

　(イ)　なお、この改正法には、上述のように、根保証に関する改正（第3編第1章第3節第4款に第2目が設けられ、§§465の2〜465の5が新設された）が含まれている。「現代用語化」のための改正とこのような実質的改正が混在することは適切でない。

　「現代用語化」に関する部分は、「民法第1編、第2編、第3編の口語化のための修正およびそれに伴う法令の整備に関する法律」ともいうべき法律によって処理し、根保証に関する改正などは、別個に「民法の一部を改正する法律」として定めるのが適切であったのではなかろうか。そして、前者については、実質的な改正を含まないという原則を堅持するべきではなかったろうか。そうでないと、前3編のすべての条文は改正されたと説明することになり、単なる形式的な修正と実質的改正との区別がきわめてあいまいになっている。

　(ウ)　なお、2004年には、他の法改正もなされているので、この改正法を示すときは、単に「2004年改正」と表記し、他と区別することにする（第8版凡例4参照）。

　(3)　そもそも、この「現代用語化」は、2001年に開始された規制改革推進三か年計画、その後の規制改革・民間開放推進計画に基づくもので、法制審議会の議を経ることもなく行われた（上記の根保証に関する第3編第1章第3節第4款第2目を除く）。民事基本法としての民法の改正としては、異例で、慎重を欠くものというほかないものである。上述した1995年の刑法改正が、時間をかけて、法制審議会にも諮り、慎重かつ厳格な手続および内容のものとなったことが対比されて、残念である。

　(4)　なお、2004年改正は、第1編〜第3編を定めた明治29年法律89号の改正の形をとり、第4編・第5編を定めた明治31年法律9号を含めて、題名と目次を一新（一本化）したことにしている。したがって、元の民法は明治29年法であって、明治31年法はその改正という扱いになった（法律の沿革についての説明には、なお問題があると考えられる。すなわち、一般的には、民法は明治29年法律89号と明治31年法律9号の二つの法律によって定められたものと説明されてきた。法務省の見解によれば、後者は前者に「溶け込

民　法［総説］

んで」、意味あるものとしては存在せず、原民法は「明治29年法律89号」として特定するのが
立法上の慣例であると説明される。これが正しい理解であるかについては疑問が残る)。

11　2006年の法人制度に関する改正について

2006年に法人制度に関する大幅な改正が行われた。民法制定以来行われた法人制
度に対する重要な改変を生じるものである。その詳細は、第1編第3章解説に述べる。
この改変をもたらした三つの法律を総称して、「2006年改正」と表記することとする。

12　2011年の民法親族法の改正について

児童虐待の防止等をはかり、児童の権利利益を擁護する観点から、親権の喪失制度
に加えて、親権の停止制度を新設し、従来は成年後見にのみ認められていた法人また
は複数の後見人を、未成年者のためにも選任することができるようにすること等のた
めに、民法親族法の関連条文の改正と家事審判法(家事事件手続法)、戸籍法等につい
ての改正を行った。

同時に、里親制度との関連で、親権者等がいない児童の親権を児童相談所長が行う
こととするために、児童福祉法の改正を行った。

13　2013年の民法相続法の改正について

法定相続分を定めた民法の規定のうち嫡出でない子の相続分を嫡出子の相続分の2
分の1と定めた部分(900条4号ただし書前半部分)を削除し、嫡出子と嫡出でない子の
相続分を同等にした。改正後の新900条の規定は、2013(平成25)年9月5日(最大決同
年9月4日の翌日)以後に開始した相続について適用することとしている。

14　2016年の成年後見制度の改正について

成年後見制度の利用の促進に関する法律(平成28年法律29号)、成年後見制度の利用
の促進に関する法律と成年後見の事務の円滑化を図るための民法及び家事事件手続法
の一部を改正する法律(同27号)が成立した。860条の2、860条の3、873条の2が追
加された。

15　2016年の再婚禁止期間の変更について

女性の再婚禁止期間を6か月から100日に短縮する民法改正案が2016年5月24日
に衆院本会議において全会一致で、6月1日に参院で可決され成立した。改正案は、
100日を超える再婚禁止期間を違憲とした最高裁の判決(最大判平成27・12・16)を受け
た措置である。733条1項・2項、746条が改正され、公布の日から施行されること
になった。

16　2017年の民法(債権法)改正

2017年5月26日に可決成立し、6月2日に公布された「民法の一部を改正する法
律」(平成29年法律44号)による改正は、一般的には、民法(債権法)改正といわれるが、

民　法［総説］11〜18

総則の、特に時効に関する規定などについても、重大な改正がなされた。現行の条文が修正される場合以外にも、条文全体が廃止される場合とまったく新たに規制対象を有する条文が新設される場合もあるので、特に注意を要する。総則・物権・債権といういわゆるパンデクテン体系は維持されたが、財産法においては民法制定以来、最大の改正である。

附則第一条　この法律は、公布の日から起算して三年を超えない範囲内において政令で定める日から施行する。
　　ただし、次の各号に掲げる規定は、当該各号に定める日から施行する。
　　　一　附則第三十七条の規定公布の日
　　　二　附則第三十三条第三項の規定公布の日から起算して一年を超えない範囲内において政令で定める日
　　　三　附則第二十一条第二項及び第三項の規定公布の日から起算して二年九月を超えない範囲内において政令で定める日

民法の一部を改正する法律の施行期日を定める政令（政令309号、2017年12月20日）
民法の一部を改正する法律の施行期日は平成三十二年四月一日とし、同法附則第一条第二号に掲げる規定の施行期日は平成三十年四月一日とし、同条第三号に掲げる規定の施行期日は平成三十二年三月一日とする。

17　2018年の成年年齢に関する改正について

　2018年6月に、4条が改正された（平成30法律59号）。中心的な改正点は、「第四条中「二十歳」を「十八歳」に改める」ことと婚姻年齢に関する731条の改正である。

18　2018年の相続法改正について

　2018年7月6日、民法及び家事事件手続法の一部を改正する法律（平成30年法律72号）が成立した（同年7月13日公布）。民法のうち相続法の分野については、1980年・2013年以来の改正である。その間にも、社会の高齢化が更に進展し、相続開始時における配偶者の年齢も相対的に高齢化しているため、その保護の必要性が高まっていた。

　今回の相続法の見直しは、社会の高齢化等の社会経済情勢の変化に対応するものであり、残された配偶者の生活に配慮する等の観点から、配偶者の居住の権利を保護するための方策等が盛り込まれている。このほかにも、2018年7月6日、「法務局における遺言書の保管等に関する法律（平成30年法律73号）」によって、遺言の利用を促進し、相続をめぐる紛争を防止する等の観点から、民法上も自筆証書遺言の方式を緩和するなど、多岐にわたる改正項目が盛り込まれている。

　関連の新法の施行日は以下のとおりである。
　(1)　自筆証書遺言の方式を緩和する方策　　2019年1月13日
　(2)　原則的な施行期日　　2019年7月1日

民　法［総説］

⑶　配偶者居住権および配偶者短期居住権の新設等　　2020 年 4 月 1 日
⑷　遺言書の保管に関する法律の施行日を定める政令（政令 317 号）が、2018 年 11 月 21 日に公布され、施行期日は、2020 年 7 月 10 日となった。

19　成年被後見人等の権利制限措置の適性化

「成年被後見人等の権利の制限にかかる措置の適正化等を図るための関係法律の整備に関する法律」（令和元年法律 37 号）が制定された。その内容については、55 頁 11 行目の㈼を参照。

20　民法等の一部を改正する法律（相隣関係・所有者不明土地管理制度等）

2021 年の民法の改正で変わる条文は、物権編と相続編である（施行は 2023 年 4 月 1 日で、一部遡及適用あり）。物権編は明治以来の大改正で、相隣関係や共有の規定が改正され、また、所有者不明土地等の財産管理制度に関する新しい条文が追加された（第 2 編第 3 章第 4 節・第 5 節）。

第1編

総　則

第1編　総　則

第1編　総　則［解説］

1　本編の内容

本編は、総則と題して「通則」、「人」、「法人」、「物」、「法律行為」、「期間の計算」、「時効」の7章からなっている。「人」と「法人」とは権利主体に関し、「物」は権利の客体に関し、「法律行為」、「期間」および「時効」は権利の発生・変更・消滅を生じる主要な事項に関して、それぞれ通則的な規定を定めようとする趣旨である。

本編は、このほかになお、冒頭に1条および1条の2を含んでいた。この2か条は、日本国憲法の指導精神に基づいて親族編・相続編が改正されるに当たって、1947年（昭和22年）に新たに付け加えられたものであって、民法全体に対する新たな指導原理の宣言としての意味を持つものである。2004年改正にさいして、この2か条（1条の2は2条となった）を内容とする「第1章通則」が新設された。

2　本編の総則性

本編は、形式的には明らかに、あとにつづく4編の共通の総則となるものであるが（民法総説5参照）、実質的にみれば、必ずしも民法典全体に適用があるわけではない。

すなわち、それは、主として物権編・債権編（合わせて財産法という）に対する総則であって、親族編・相続編（合わせて家族法という）に対しては、むしろ原則として適用がないとさえいえる。たとえば、行為能力に関する総則編の規定（§§4〜21）は、家族法に関しては婚姻・養子縁組・遺言などについて特別の規定があるので（§§737・738・797〜799など）、これらの特別の規定のない場合に、補充的な適用が考えられるにすぎない。また、虚偽表示・詐欺・錯誤・代理などの法律行為に関する諸規定（§§93〜）も、身分上の行為には特則があるか（§§742〜・802〜・1022〜）、または性質上適用できない場合（たとえば、虚偽表示、代理など）が多い。時効の規定についても同様である。したがって、近時多くの学者は、総則の規定は家族法については原則として適用がなく、これについては独自の総則を必要とすると主張している。

これに反し、財産法の領域においては、物に関する規定は物権編に、法律行為に関する規定は契約にとくに関係が深いというように、部分的な疎密の差異はあるが、原則として一般に適用がある。のみならず、民法が私法の一般法として、商法その他の特別法に対して補充的に適用される関係上（たとえば商§1参照）、総則編の規定は、それらの特別法に対しても総則的役割を持つのである。たとえば、会社、商行為、商事時効に対しては、民法総則の法人、法律行為、時効などに関する規定が、会社法・商法・その特別法・商慣習などに特別のものがない限り、総則として適用されるのである。

なお、民法総則の法律行為や時効に関する規定は、法一般に通じる原理を規定するという意味においては、公法上の法律関係についても、別の規定がない場合には、類推適用ないし準用されるのであって、期間に関する138条などは、このことを明定し

第1編［解説］

ているのである。

③ 民法の指導原理

　上に一言したように、1947年の親族・相続編の全面改正にさいして、1条および1条の2（2004年改正によって2条となった）の2か条が加えられた。その時は、この2か条は本編第1章の前に置かれたが、2004年改正により、新設された「第1章通則」のなかに収められた。

　この2か条は、第2章以下の規定の前にあって、民法典の持つ基本的な性格——個人主義的権利本位の体系——に対して、日本国憲法の精神に基づいて修正と強調とをほどこしたものとみることができよう。

　すなわち、1条は、私権が公共の福祉に従うべきこと、権利の行使、義務の履行が信義誠実に行われるべきこと、および権利の濫用は許されないことを明言する。これらの思想は、個人主義的であり権利本位であるわが民法典が、その規定中に十分には取り入れていなかったところであり、それだけに、わが国の学説・判例が解釈論として展開するのに苦心してきたところである。1条によるこれらの指導的原則の宣言は、理論の構成に苦心する学説・判例に対して強力な支柱を与えるものといっても過言ではあるまい。しかし、なお抽象論に堕することなく、着実にこれらの理論を発展させることこそ、今後の民法学の責務なのである。

　また、2条（旧§1の2）は、封建的な身分的支配から個人を解放し、男性の支配から女性を解放することが民法解釈の指導原理であるべきことを宣言している。これは、従来の親族編・相続編が軽視していた点であり、また、財産法をも含めて私法全体の体系の中で、学説・判例も十分な認識を持たなかったところである。本条の宣言は、ひとり家族関係に関する法の領域に限らず、広く一般の法律関係の解釈にまで影響を及ぼすものと考えられる。

④ 本編の構成と改正等

　2017年の債権法改正の際に、第2章に「第2節意思能力」が新設され、3条の2が新設された。さらに第5章　法律行為（錯誤［§95］、代理［§§101以下］）や第7章　時効に関する規定が改正された。特に、同第3節消滅時効に関する改正は、重要である。

第1編　第1章　通則

第1章　通　　則

〈改正〉　2004年改正により、本章が新設された。条文は、従来の1条がそのまま1条に、1条の2が2条と改められて、その内容となっている。

（基本原則）
第一条
1　私権[1]は、公共の福祉[2]に適合[3]しなければならない。
2　権利の行使及び義務の履行は、信義に従い誠実に行わなければならない[4]。
3　権利の濫用は、これを許さない[5]。
〈改正〉　1947年の改正により、本条が1条として追加され、原条文の1条は1条の3とされた。
［2004年改正前条文］
　私権ハ公共ノ福祉ニ遵フ
　権利ノ行使及ヒ義務ノ履行ハ信義ニ従ヒ誠実ニ之ヲ為スコトヲ要ス
　権利ノ濫用ハ之ヲ許サス

　本条は、2条とともに、1947年(昭和22年)に親族・相続両編の改正と同時に追加されたものであって、それまでも学説・判例が苦心して展開してきた理論を、明文をもって宣明したものである(本編解説③参照)。そして、本条1項はその原理を示し、2項・3項はその適用を示したものである。

　〔1〕「私権」とは、私法上認められる権利である。また、私法は個人相互間の関係を規律するものであるから、そこで認められる私権もまた、個人が他の個人(または法人)に対して有する権利であるのが原則である。その意味で、公法上、国家または公共団体と個人の間に認められる「公権」と異なる。

　ところで、私権も権利であるから、権利一般と同様に、それは一定の生活上の利益に対する法律的な力である。私権は、その内容をなす生活上の利益を標準にして、一般に、(a)生命・身体・自由・名誉・貞操などのように、人と分離することができないもの、すなわち「人格権」、(b)親・子・夫・妻・親族のような身分的な地位に伴うもの、すなわち「身分権」、(c)有体的な財貨を直接に支配・利用する物権、他人に財産的行為を請求する債権、または著作・発明などを独占的に利用する無体財産権(近年は知的財産権ともいう)などのような財産上の権利、すなわち「財産権」に分けられる。これになお、(d)株式会社その他の団体の構成員たる地位を、とくに「社員権」と称して他の権利から区別する学者もある。私権とは、これらの権利を包括する概念である。

　なお、私権は、その与えられた法律的な力の形態を標準として、一般に、(a)物権や身分上のある種の権利のように、その内容をなす生活上の利益を直接に自分の意思で支配する「支配権」、(b)債権のように、権利の内容が他人の行為である場合に、その行為を請求する「請求権」、(c)法律行為の取消しとか契約の解除などのように、自分

の意思に基づいて新しい法律関係を作り出す「形成権」、の3種に分けられる。この分類は私権に限らず、公法上の権利についても、ある程度通用するものであるが、その典型的なものは、主として私法上の権利に見出される。

〔2〕「公共の福祉」とは、私人の利益に対する概念であって、憲法において強調されているものである。すなわち、憲法12条は、国民が自由と権利とを公共の福祉のために利用するべきことを規定し、同13条は、国政を執るものが公共の福祉に反しない範囲内において、国民の自由と権利とを最大限尊重するべきことを規定する（なお、憲§29Ⅱと§22とを対比せよ）。すなわち、それは権利容認の根拠であり、自由制限の論理である。本条にいう公共の福祉も、上の憲法のいう公共の福祉とまったく同じ内容を持つものと解して差し支えない。

〔3〕(ア) 本条1項は、原案では「私権ハ公共ノ為メニ存ス」とあったのを、これでは個人の地位を無視したいわゆる「全体主義」に堕するおそれがあるという理由で、国会において修正されたものである。したがって、「遵フ」という言葉は、私権を確認・保障しつつ、しかしそれが公共の福祉に適合しなければならないという関係——上の(2)に述べた憲法12条と13条とが宣明するところ——を、私権を規律する私法の立場から再言したものと解される。

2004年改正は、この「ニ遵フ」を「に適合しなければならない」と変更した。

(イ) 本項の表明する原則は、民法の規定の中にも若干存在し、学説・判例でこの点にふれるものも少なくはなかった。とくに土地所有権に関連しては、土地というものの特殊な性格から、相隣関係に関する規定（§§209～）や特別法（土地収用法・土地区画整理法など）による積極的負担の認容、権利濫用法理に基づく権利行使に対する制限（後述(5)参照）、土地の工作物から生じる損害に対する無過失責任（第3編第5章解説⑥参照）など、公共の福祉の見地からする制限の法理が、比較的早く発達してきている。これらの法理は、他の私法上の権利についても考えられてきたのであるが、本条1項の制定によって明らかな認証を得たわけで、今後の発達が期待されるのである。

最判昭和25・12・1(民集4巻625頁)は、第二次世界大戦終了直後の時期における電力会社による発電用ダムの建設により下流で流水利用権をもつ者たちが十分な水の放流を求めた事例について、電力事業の重要性と原告らの被害の大きさを比較して、前者を優先させた。直接本条を引用するものではないが、時代的背景もあって、興味ある例である。

(ウ) このような、一般的で抽象的な要件と効果を定め、具体的な適用についてはその解釈・運用に——したがって、結局のところは裁判官の判断に——ゆだねることになる類の条項を「一般条項」（ドイツ語でGeneralklausel）という。「概括条項」、「白地規定」というのも同じ趣旨である。この種の一般条項に関しては、数多い適用例を集約し、分析し、活用する学問的作業が重要になる。

〔4〕本条2項は、いわゆる「信義誠実（ドイツ語でTreu und Glauben)の原則」（または「信義則」)を宣言するものである。そもそも近代社会における私的取引関係は、独立・自由な個人の間で行われるのであるから、それは相互に相手方を信頼してはじめて成り立ちうるのであって、したがってまた、相互に相手方の信頼を裏切らないよう

第1編　第1章　通則

に誠実に行動することが要請される。そこに信義則の必要性が生まれるのであって、これは本項をまつまでもなく、わが国でも比較的早くから学者が主張し、判例が容認した原理である。そして、当初は債権者・債務者間の関係について、とくにこのことがいわれたのである。この「信義誠実の原則」も、いわゆる一般条項に属する(〔3〕参照)。

　(ア)　ところで、実際問題としては、まず「義務の履行」が問題になるわけである。具体的には、主として債務の履行に関する諸規定、およびその解釈に現れる(§493参照)。たとえば、「債務者はいつ、どこで、どのような債務内容を実現しなければならないか」などの事項を定めるにあたって、信義則が重要な基準となる。動産売買における引渡場所として「深川渡し」(深川は東京の地名。深川といっても広いので、それだけでは深川河岸のいずれの倉庫であるかを特定できなかった)とのみ定めてあった場合に、買主は売主に対して一片の問い合わせをすれば履行場所を確認できるはずだとした大判大正14・12・3(民集4巻685頁)が、信義則に触れたものとして有名である(この前に、金額の些少の不足を理由とする受領拒絶を「信義の原則に反する」とした大判大正9・12・18民録26輯1947頁もみられる)。そのほか、判例は多い。このように、この義務履行の関係では、信義則そのものは疑いもなく承認され、ただ、その具体的な適用が問題なのである。

　(イ)　これに反し、「権利の行使」に当たって、はたして信義則が要求されるかどうかは問題であった。たとえば、債務者の履行に軽微な瑕疵があったことを理由に契約を解除することができるか。また、たとえば、4月1日までに履行しなければ当然に契約を解除するというような意思表示をした場合に、4月2日に債務者から履行の提供があり、それを受領しても債権者が別段の損害をこうむらない場合に、なお契約解除を理由に受領を拒むことができるか(§§541・改正前542参照)。さらに、たとえば、債権者は受領義務を負担し、受領義務の遅滞(債権者遅滞)によって債務者に生じた損害を賠償するような義務を負担するものかどうか(§§413・新413の2も参照)。これらの諸点について、学説・判例は、しだいに債権者もまた信義則の適用を受けるものであることを明らかにしてきた(なお、〔5〕の権利濫用の項も参照)。

　なお、訴訟における防御方法としての主張(否認)が、信義則に反するとされた判例(最判平成23・2・18判時2109号50頁)がある(改正前§478参照)。

　(ウ)　このほか、信義則が適用された例は多様である。

　そのうちとくに、時効の援用について信義則違反になるかが問題とされる場合については、改正前145条〔6〕で取り上げた。

　契約の解除(改正前§541〔1〕参照)や契約の無効主張(最判昭和51・4・23民集30巻306頁は、契約成立後7年10か月経って無効を主張したが、認められなかった例)をめぐって信義則が問題になる例も多い。

　(エ)　解除権の事例についてであるが、最高裁は、さらに信義則の延長上に「権利失効(ドイツ語でVerwirkung)の原則」を認める可能性を示唆した(最判昭和30・11・22民集9巻1781頁。同判決は、「解除権を有する者が久しきにわたりこれを行使せず、相手方においてその権利はもはや行使されないと信頼すべき正当の事由を有するにいたったため、その行使が信

義誠実に反すると認められる特段の事由があるときは、その行使は許さない」としたが、具体的事案についてはその特段の事由を認めなかった)。

　(オ)　さらに、いわゆる「事情変更の原則」clausula rebus sic stantibus も信義則の延長上にあるものとして理解される。これは、契約の締結時には当事者が予想することのできなかった社会的事情の変更が生じ、契約の内容の実現をそのまま強制することが不合理と認められる場合に、その内容を適切なものに変更したり、その法的効果を否定したりすることができるとする考え方である。改正前589条・609条・610条、借地借家法11条・17条・32条、商法旧646条・旧654条・旧657条(保険§§10・11参照)などにその表現がみられ、判例にもこの考え方を認める趣旨を示したものがある(最判昭和29・2・12民集8巻448頁。具体的判断としては適用を否定した。最判平成9・7・1民集51巻2452頁も否定例であるが、この原則の適用には、事情変更の予見不能とそれが当事者の責によらない事由により生じたことが必要であるとしている。ゴルフ場の地形の変化の事例である)。しかし、一般的に判例はこの原則の適用に否定的である(インフレによる貨幣価値の変動が第一次大戦後のドイツで問題となったが、わが国ではこの理由による債権額の変更は認められていない。最判昭和31・4・6民集10巻342頁)。

　(カ)　さらに進んで考察すれば、権利の行使、義務の履行の関係は、権利者と義務者との協力によって社会生活における一定の関係を創造していくものであるとみることができよう。したがって、その目的を達成するために、両者は相互に社会一般の要請する誠実さを要求されるのであって、それはとくに権利の行使、義務の履行という外形的に明確な関係に限られるわけではない。

　たとえば、Aの債務不履行または不法行為によってBはそのこうむった損害の全額の賠償を請求できることが明らかな場合でも、Bは、その損害を最小限に食いとめるよう一般社会人として要求される措置を講じるべきであって、手をこまねいていて損害の発生を傍観することは許されない。そのような場合には、損害の算定に当たってこれを考慮に入れるべきであろう(§§416[改注]・改正前418(2)参照)。このような権利者と義務者の協力の関係は、賃貸借・雇用・委任のような継続的な債権関係においてとくに強調され、したがって、そこでは信義則が強く要求される。たとえば、借地に関する判例・立法の沿革は明らかにこのことを物語っているのである(第3編第2章第7節解説参照)。

　ただ、注意するべきは、この場合に「信義」という観念をなにか身分的なものに解してはならないことである(§2注釈参照)。たとえば、地主は小作人に「信義に反する行為」があれば小作地を取り上げることができるのであるが(旧農地調整法§9。現在は農地§18)、小作人が封建的な隷属関係に基づくしきたりに違反したとしても、これをもって「信義に反する行為」とすることは許されないと解するべきである。

　さらに、きわめて現代的な事例として、一般の加入電話から利用可能な有料のいわゆるダイヤルQ₂事業において、加入者がその内容を認識せず、その未成年の子の利用により高額の料金が請求された場合において、その5割以上の請求は信義則に反するとした判決(最判平成13・3・27民集55巻434頁)がみられ、注目される。

　(キ)　このように考察してくると、信義則は、ひろく物権関係や身分関係についても、

第1編　第1章　通則

社会一般の倫理観念の要請に背かないようにという意味において通用するべきものであって、本項の規定もこのような広い意味に解するべきである。

つぎの判例は、同じ趣旨に読むことができよう。すなわち、親が長男に属する田地3反歩余り（1反は約992平方メートル）を耕作したことが子に対する不法行為となる場合にも、長男が十分に富裕であり、親は老齢病弱の身を鉄道省（その後の運輸省、現在は国土交通省）の一雇員（かつての公務員の一種）である三男のもとに寄せ、細々と扶養を受けながらこの田地を耕作して生活していた場合には、長男から親に対して賃料相当額の損害賠償を訴求することは、わが国古来の道義に反し許されない（大判昭和18・7・12民集22巻620頁）。

(ク)　なお、信義誠実の原則は、当然のことながら、権利の行使、義務の履行だけでなく、契約の趣旨の解釈にも基準となるとされている（最判昭和32・7・5民集11巻1193頁）。最近では、特定の商品の先物取引における、取引員の委託者に対する信義則上の説明義務を認めたもの（最判平成21・12・18判時2072号14頁）、念書に基づく借地上の建物の根抵当権者に対する借地料不払の通知義務の不履行により損害が発生した場合に、根抵当権者からの損害賠償請求は、信義則に反しないとしたもの（最判平成22・9・9判時2096号66頁）がある。

(ケ)　当事者のある主張に対して、そのように主張することは信義則に反しない旨を決まり文句のように判決が述べることが少なくない。場合によっては無意味と思われる場合もあるが、どのような事例において信義則への言及があるかについては注目していく必要がある。これに対して、信義則違反を理由に主張を認めない場合には、その判断の先例としての意義は大きい。そして、その場合には、次注の権利濫用との関連が深いことにも注意を要する。

なお、更生会社であった貸金業者において、届出期間内に届け出がなされなかった更生債権である過払金返還請求権につき、その責めを免れる旨を主張することは、顧客に対し同請求権が発生している可能性があることや更生債権の届け出をしないと失権することにつき注意を促すような措置を講じなかった場合でも、信義則に反せず、権利の濫用にも当たらないとした判例がある（最判平成21・12・4判時2077号40頁）。最判平成22・6・4（判時2088号83頁）も同旨。

(コ)　同一貸金業者による貸付けの事例で、借主による1回の不払いがあると期限の利益を喪失するという特約に基づき業者が借主の期限の利益喪失を主張したことが争われた2件について、最高裁の二つの判決は、その業者の主張が信義則に反するとしたもの（最判平成21・9・11判時2059号55頁〔平21(受)138号〕。借主に期限の利益を喪失していないと誤信させる対応をしていたとして、信義則に反するとした）と、反しないとしたもの（最判平成21・9・11判時2059号55頁〔平19(受)1128号〕。その後も高利を受領し、新しい貸付けを行っているだけでは、信義則に反しないとした）とに分かれた。

(サ)　前訴で主張した事実を後訴で否認することが信義則上許されるか、という問題がある。最判昭和48・7・20(民集27巻890頁)は、結果として消極であったが、最判令和元・7・5(判時2437号21頁)は、信義則違反の事例である。

〔5〕　本条3項は、「権利濫用」を禁止するものであることはいうまでもない。国

§1 〔5〕

会での審議の過程において、衆議院で追加されたものである。

　(ア)　権利の内容または法律的な力（前述〔1〕参照）は、それぞれの権利について形式的・画一的に定められるから、それを行使する具体的な場合をとってみると、それが権利の行使でありながら、権利が認められる本来の目的を逸脱し、社会の倫理観念に反する不当な結果となることがある。たとえば、土地所有権の内容はその土地の境界内で、上下無限の範囲にわたってこれを使用・収益・処分することである（§§206・207）。ところで、ある人が自分にとってなんの利益もないのに、わざわざ害意をもってその所有地内に高い塀を作って、隣家に日光が射さないようにしたと仮定しよう。形式的には、土地所有権の行使だといえる。しかし、倫理観念ないし公序良俗に反することは明らかである。このような場合に、その行為はなお権利の行使と認められるであろうか。個人主義の権利本位の考え方の強い時代には肯定される傾向があった。「権利を行使する者は悪をなさず」という法諺(ほうげん)がこれを示している。しかし、私権も公共の福祉に従うべきものとする立場からは、もちろんこのような権利の濫用は許されるべきではない。これが、本条3項が第1項の原則をふえんするものとしておかれた理由である。

　(イ)　諸外国の例をみると、英米法は不文法主義をとっているから、もとより権利濫用に関する規定は設けられていないが、判例理論としてもあまり発達していない。これに反し、フランス民法にもこの種の規定はないのであるが、判例・学説はこれを容認し、発展させている。ドイツ民法226条は、権利行使はそれが単に他人を苦しめる目的でなされることは許されない旨を規定し（そのような行為を「シカーネ」Schikaneと呼ぶ）、また、スイス民法2条は、簡明に権利の濫用はこれを許されない旨を規定する。わが民法の規定が、このスイス民法にならったものであることはいうまでもない。

　(ウ)　権利の行使にどのような要件が備わった場合に権利濫用が成立するかは、具体的事案に則して決定するほかはない。

　まず、主観的に、その権利行使が権利者になんの利益ももたらさないのに、ただ相手方を害する目的でなされるということが要件とされる（上記(ア)にあげた例参照）。権利濫用の法理の発達の当初には、このような主観的要件が重視されるのが一般的傾向であった（ドイツ民法、フランスの学説・判例など）。しかし、権利濫用の法理が発達すればするほど、主観的要件はしだいに軽視され、その権利行使が社会の倫理概念（大判大正8・3・3民録25輯356頁。後に触れる信玄公旗掛松(はたかけまつ)事件）ないし公序良俗に反するという客観的標準が重視されるにいたる。すなわち、主観的な利益の不存在および害意の存在の要件が備わらない場合にも、客観的な評価によって権利濫用を認定しても少しも差し支えなく、主観的要件はその認定の一資料であるにすぎないとみるのである。本項の規定は、スイス民法2条とともに、このような客観的認定の立場をとっているといえるが、主観的要素もまったく無視するわけにはいかないであろう。

　(エ)　権利濫用が問題になる事例も、信義則と同様に、数多く、また多様である。この「権利濫用の禁止」もいわゆる一般条項のひとつであり、その適用例についての集約・分析・活用が重要な意味をもつのである（〔3〕参照）。

　以下では、権利濫用がどのような場合に成立し、それによりどのような効果が生じ

25

第1編　第1章　通則

るか、それがそれぞれ権利行使の態様によって異なることを考察する。

　第1に、他人の侵害の排除を主張することが権利濫用となる場合がある。土地所有権に関してこのような事案が比較的多く、有名な宇奈月温泉事件（大判昭和10・10・5民集14巻1965頁。僅少な土地を権限なく通過するとして温泉の引湯管の除去を請求したのが、しりぞけられた事件）、また、板付空港事件（最判昭和40・3・9民集19巻233頁。借地期間満了を理由として米軍に提供されている土地の返還を求めたのが、しりぞけられた事件）など、多くの判例がみられる。なお、建物の地下1階部分を賃借して店舗を営む者が建物の所有者の承諾の下に1階部分の外壁等に看板等を設置していた場合において、建物の譲受人が賃借人に対して当該看板等の撤去を求めることが権利の濫用に当たるとされた事例（最判平成25・4・9判時2187号26頁）がある。これについては、所有権に関連して改めて叙述することにしたい（第2編第3章第1節解説[3]参照）。この種の場合には、排除の請求そのものが否定される。

　第2に、形成権の行使が濫用となる場合がある。かつて1947年の改正前の民法においては、戸主の居所指定権の行使が濫用とされた場合が多く、指定そのものが無効とされた。契約の解除権の行使が濫用とされる場合も多い。その場合に、解除の意思表示はその効力を認められないから（〔(4)〕(ウ)参照）、解除権者は解除を前提として自己の債務の履行を拒み、または原状回復の請求をすることはできない。

　第3に、正当な範囲を逸脱した権利の行使は認められない。妻が、夫に対し、夫との間に法律上の親子関係はあるが、妻が婚姻中に夫以外の男性との間にもうけた子につき、離婚後の監護費用の分担を求めることは、権利の濫用に当たるとした判例（最判平成23・3・18家月63巻9号58頁）がある。権利の濫用的行使が違法性を帯びることになり、不法行為（§§709〜）として、これによって他人に加えた損害を賠償しなければならない場合もある。かつて鉄道院（その後、鉄道省→運輸省→国土交通省）が、鉄道の敷設に適当な注意を払わなかったために、由緒ある松の老樹を蒸気機関車(SL)の煤烟で枯らせた事件において、松の樹の所有者に損害を賠償する義務が命じられたことがある（前掲大判大正8・3・3［信玄公旗掛松事件］）。また、相隣の土地関係においては（§§209〜参照）、土地所有権の濫用、たとえば自己の土地における井戸の乱掘が、隣地の所有権に対する違法の侵害として損害賠償の請求を受ける場合もある（第2編第3章第1節解説[3](c)参照）。

　他人を告発する行為や訴権の行使が権利の濫用として不法行為になる場合がありうる（§709〔(4)〕(3)(キ)(a)参照）。ただし、訴権の濫用により訴訟要件を欠くとして訴えを却下した例がみられるが、憲法32条（裁判を受ける権利）に照らして、はなはだ疑問といわざるをえない（事案に関する判断がなされないままになる）。

　第4に、権利の濫用がはなはだしくなると、その権利を剥奪される場合がある。たとえば、親権の濫用の場合がそれであるが（§834参照）、これは法律が特別の効果として明定しているのであって、権利濫用としては特殊な場合である。親権の剥奪や停止に至らない場合でも、子の意思の尊重等との関係で「濫用」に該当する場合がある（最判平成29・12・5判時2365号67頁、最決平成31・4・26判時2425号10頁参照）。

　(オ)　権利濫用の適用例として、判例によって今後どのような事例が付け加えられて

いくかについては、注意を怠らないことが必要である。ただ、その場合に、それが権利濫用の法理によってしか妥当な解決が得られないケースであるかどうかについて十分に吟味することが必要である。

たとえば、一体として利用されている借地の一方についてのみ借地借家法10条による対抗力が認められる建物が存在する場合に、両地の買主が他方の土地について明渡しを請求することが権利濫用に当たるとした判決（最判平成9・7・1民集51巻2251頁）があるが、このような場合は対抗力が両地に及ぶとする理論によっても十分に救済が可能であったのではないか。

なお、最判平成20・10・10（民集62巻2361頁）は、銀行預金の払戻し請求を権利濫用にはならないとした事例である。原審は、不当利得の問題が絡んで権利濫用としたが、預金口座名義人の払戻し請求には問題はなく、これを認めたのは当然のことといってよい（第3編第2章第11節解説③(2)(イ)参照）。

今後、会社分割等を背景とした事例も多くなると思われる。A社の財務部門を法人化して設立され、A社を中核とするグループに属するX社が、当該グループに属するB社に融資し、B社の代表取締役YがB社の借入金債務を保証した場合において、B社がすでに事業を停止している状況下で、X社がYに対して保証債務の履行を請求することは権利の濫用に当たるとされた判例（最判平成22・1・29判時2071号38頁）が出ている。

（解釈の基準）
第二条
　　この法律は、個人の尊厳¹⁾と両性の本質的平等²⁾を旨として、解釈しなければならない³⁾。
〈改正〉　1947年の改正により、本条が1条の2として追加され、2004年改正により、2条とされた。
［2004年改正前条文］
第一条ノ二
　　本法ハ個人ノ尊厳ト両性ノ本質的平等ヲ旨トシテ之ヲ解釈スヘシ

本条も、1条とともに1947年（昭和22年）の親族編・相続編の改正のさいに追加されたものであって、個人の徹底的な解放という日本国憲法の精神を再言したものである。すなわち、憲法は、国政の上での個人の尊重（§13）、万人の平等（§14）を規定し、また、家族生活に関する法律が、個人の尊厳と両性の本質的平等に立脚して制定されるべきことを明らかにしている（§24Ⅱ）。

本条は、私法の立場から、民法全体がこのような趣旨に則って解釈されるべきことを定めているのである。

〔1〕　「個人の尊厳」とは、個人が完全に独立・自由であるべきこと、とりわけ封建的・身分的制約から自由であるべきことを意味する。このことは、新憲法下の立法においては、ほぼ十分に尊重されているといってよいだろう。すなわち、

第1編　第1章　通則

(a)　まず、いわゆる家族制度が廃止されて、家族が戸主の統率に服するということが廃止された(親族編参照)。

(b)　親が自分の利益のために子を支配するということがないように周到な配慮がなされている(§§834〜・798、労基§§58・59など)。

(c)　雇用関係における使用者の身分的支配を排除するために、憲法は奴隷的拘束の禁止を宣言しているのであるが(憲§18)、なお、労働条件が明示されるべきこと(労基§§15・89〜、職安§5の3、労働者派遣§34)、労働契約の期間が短期であるべきこと(労基§14)、親方制度や組制度を通じての身分的拘束が排除されるべきこと(かつての職安§44)など、そのほか諸種の措置がとられている。

(d)　小作関係における地主の身分的支配を排除するため、旧来の小作料の物納の禁止(旧農地調整法§9の2。農地旧§22。現在は、借賃・地代・[永小作権の]小作料についての増額・減額請求権について農地§20が規定されているにとどまる)、賃貸借契約の書面化による賃貸借条件の明示(旧農地調整法§9の10。農地§21)などの定めがなされている。

(e)　葬儀場の近隣に居宅を有する者が、棺が同所に搬入される様子等が見えることによって平穏な生活を送る利益としての人格権ないし人格的利益が害されているとして、目隠しの設置を求めた場合につき、これを否定し、不法行為にも該当しないとした判例(最判平成22・6・29判時2089号74頁)がある。受忍限度論を前提としているが、個人の尊厳から導かれる「平穏な生活をする利益」の要保護性に関する判断として参考になる。

(f)　小説「石に泳ぐ魚」は、公共の利益にかかわらない者のプライバシーにわたる事項をその表現内容に含んでおり、この小説の公表によって公的立場にない者の名誉、プライバシー、名誉感情が侵害されたうえ、当該小説の出版等によって被害者に重大で回復困難な損害を被らせるおそれがあるから、人格権としての名誉権等に基づく被害者の慰謝料請求と当該小説の出版等の差止請求を認容した事例(最判平成14・9・24判時1802号60頁)がある。

(g)　なお、検索事業者に対し、自己のプライバシーに属する事実を含む記事等が掲載されたウェブサイトのURLならびに当該ウェブサイトの表題および抜粋を検索結果から削除することを求めることができる場合(消極)に関する最決平成29・1・31(民集71巻63頁)が参考になる(なお、§709【4】(2)(イ)(b)(v)プライバシーも参照)。

一般に、家族関係、労働関係、小作関係などに古い因習的な身分支配関係が残存していて、個人の尊厳が十分に確立していなかったところに、われわれ日本人の意識などに根本的な欠陥があったことが指摘されているのであるが、このことを考え合わせると、憲法の諸規定のほかに、なお民法が本条において繰り返して個人の自由と独立とを強調している趣旨も理解されるであろう。

〔2〕　両性の本質的平等ということの意味については説くまでもあるまい。この点も新憲法下の諸立法において十分に尊重されているといってよい(それが法文上のことにとどめられてはならない)。すなわち、

(a)　夫婦として、その婚姻関係において男女が平等の取扱いを受けていることは

28

いうまでもない(憲§24 I、民§§750・752・760〜・770、なお、親族編第2章参照)。

(b)　親として親権を行使する場合においても、男女はまったく平等の取扱いをうける(§818)。

(c)　また、子として相続関係に立つ場合にも、同様である(§887)。

(d)　さらに、労働者としても男女同一賃金の原則が強調されているのである(労基§4)。さらに、1972年に「雇用の分野における男女の均等な機会及び待遇の確保等(女子労働者の福祉の増進——この語句はその後改称により削除された)に関する法律」が制定された。

なお、性同一性障害者特例法3条1項4号の要件の憲法適合性について、現時点では、憲法13条、14条1項に違反するとはいえないとする判例(最決平成31・1・23判時2421号4頁)がある。

〔3〕　本条は、解釈の基準を定めた規定である。自由・独立の原則は、上に述べたように立法上具体化されているのであるが、なお、直接これにふれていない一般の規定の解釈に当たっても、同じ指導精神でこれをなすべきことが要請されるのである。

なお、民法が私法の一般法である関係上、本条は、私法の全領域にわたり通則として作用することを注意するべきであろう。

第1編　第2章　人　第1節　権利能力

第2章　　　人

〈改正〉　2004年改正により、第1章が第2章に変更された。2017年の改正で、「第2節　意思
　　　　能力」が新設された。

　本章に「人（ひと）」とは、「法人」に対し「自然人」を示す。通常、「人」という言葉は、
広く「自然人」と「法人」とを含む意味に用いられる（たとえば、賃貸人・賃借人という
ときは、法人である賃貸人・賃借人を含む）。しかし、ここでは、ドイツ民法やスイス民
法に natürliche Person といっているのと同じ意味で用いられている。
　本章は「権利能力」、「意思能力」、「行為能力」、「住所」、「不在者の財産の管理及び
失踪の宣告」、「同時死亡の推定」の6節に分かれ、法律生活の主体である「人」に関
する基本的事項を収めている。

第1節　権利能力

〈改正〉　2004年改正により、本節の表題が「私権ノ享有」から「権利能力」に変更された。

　本節は、2004年改正により、従来「権利能力の始期」について定めていた1条の3
と、外国人の権利能力について定めていた2条とを合わせた新3条を内容とする。
「権利能力」とは、私権を享有しうる法律上の能力をいい、ドイツ民法の Rechts-
fähigkeit に該当する概念である。すべての人は生まれながらにして権利能力を認め
られ、他人の権利の客体（すなわち、他人に所有されるかつての奴隷のような存在）となるこ
とができないということは、近代法の大原則であって、このことを明言している民法
典もあるが、わが民法典は、これを3条の第1項で間接的に示しただけで、とくに規
定しなかった。

〔私権の享有〕〔第8版凡例4 a）を見よ〕
第三条
　1　私権[1]の享有[2]は、出生[3]に始まる[4][5]。
　2　外国人[6]は、法令[7]又は条約[8]の規定により禁止される場合を除き、私権を
　　享有する。
［原条文］
第一条
　　私権ノ享有ハ出生ニ始マル
第二条
　　外国人ハ法令又ハ条約ニ禁止アル場合ヲ除ク外私権ヲ享有ス

30

第2章［解説］・第1節［解説］・§3〔1〕～〔3〕

◼ 〈改正〉　1947年の改正により、1条が1条の3とされたが、2004年改正により、その1条の3と原条文の2条が合体され、前者が本条の1項、後者が本条の2項となった。

　本条は、自然人の「権利能力の始期」について規定しているが、間接的に、すべての自然人が生まれながらにして権利能力を認められるという大原則を宣明したものである、と説かれるのが普通である。

　〔1〕　「私権」とは、私法関係において認められる諸権利、すなわち人格権・財産権・親族権などを包括する概念であり、選挙権・被選挙権などの公権と対立する概念である（§1〔1〕参照）。

　〔2〕　人格権・親族権・相続権のように、生まれると直ちに当然に取得される私権もある。しかし、ここに私権の享有は出生に始まるといっているのは、そのように個々の私権を出生によって現実に取得するという意味ではなく、出生によって私権を享有しうる法律上の能力すなわち権利能力を取得するという意味である。だから、ここにいう「私権の享有」という表現中の「享有」(jouissance)には、権利能力と市民権とは不可分とのニュアンスが含まれ、したがってこの言葉は普通に権利能力、法的人格またはたんに人格といわれているものと同義である。

　また、2014年に我が国も批准した国連の障害者権利条約第12条の定める legal capacity は、法的能力と訳されているが、権利能力と行為能力を含むと解すべきである。成年後見［§§7～19の前注］4(2)(ア)も参照。

　〔3〕　「出生」（しゅっしょう、または、しゅっせいと読む）とは、普通に胎児が生命あるものとして母体から全部露出することであり、呱々の声をあげて独立に呼吸するとか、臍帯が切断されるとかを要件としないと解されている。したがって、仮死状態で生まれたものが後に呼吸した場合には、呼吸した時に生まれたのではなく、それより前、全部露出した時に生まれたことになる。この区別は、かつて長男と二男とで相続法上の地位を異にした時代には、とくに双生児に関して実益があった。しかし、今日では、このような出生の時期(時間)が私法上問題となる場合は少ない。

　私法上では、生まれて(すなわち、いったん権利能力を取得して)直ちに死んだのか、死産なのか(すなわち、権利能力を一度も取得しなかったのか)、が問題となる。たとえば、ほかに子がなく胎児だけが母の胎中に存在する間に父が死亡した場合に、もしその胎児が生まれて、一瞬間でも権利能力を取得すれば、母とその子が相続人となるのに反し、死産であれば、母と父の直系尊属とが相続人となる(〔4〕参照)。

　もっとも、刑法上は出生の時期が重大な問題となる。なぜなら、生まれる前の加害行為は堕胎の罪(刑§§213～216)であるのに反し、生まれた後の加害行為は、つねにその子に対する傷害の罪(刑§§204～207)または殺人の罪(刑§§199～203)となるからである。そして、刑法上の解釈としては、一部露出によって外部から直接に危害を加えうる時を出生とみるのが通説である(大刑判大正8・12・13刑録25輯1367頁参照)。

　なお、出生は、出生後14日以内に市町村長に届け出なければならない(戸§§1・43・49～59、戸施規§55・59)が、届け出を怠っても、生まれた子が権利能力を取得することには影響がない。

31

第1編　第2章　人　第1節　権利能力

〔4〕　権利能力は出生に始まるから、出生前の胎児は、原則として権利能力を持たない。ただ、民法はつぎのような例外を認めている。すなわち、(a)不法行為に基づく損害賠償（§721）、(b)相続（§886）、(c)遺贈（§965）に関しては、胎児はすでに生まれたものとみなされる（§783 も参照）。この例外は、権利能力のない者に権利を帰属させることはできない、という論理のもとで、胎児のために権利を留保するための擬制であり、胎児が後に生きて生まれた時に、あたかも胎児であった時代に権利能力をもっていたかのような取扱いをしようとするものである。したがって、これによって胎児中に権利能力を取得するわけではないから、たとえば、父親の生命侵害による損害賠償に関し、母親が胎児を代理して加害者と示談契約をし、胎児の権利を処分するということは許されない（大判昭和7・10・6民集11巻2023頁）。このことを、胎児は出生を停止条件として権利能力を取得するからとして、死産を解除条件として権利能力を取得するとする見解と対置させて論じる例が見られるが、このような形式的論議は適切でない。また、胎児である相続人のために、その胎児が将来取得するかもしれない財産を管理する法定代理人というものもありえない。もっとも、この後の点については、近時多くの学者が、これを認めるための制度の整備が望ましいと主張している。

〔5〕　民法は「権利能力の終期」について規定していないが、権利能力が死亡と同時に消滅することは、本条の趣旨からも当然のことである。死亡に関連して、つぎのようなことが問題になる。

㋐　人がいつ死亡したかは、法律生活にとってかなり重要な関係を持つ場合がある。たとえば、夫婦A・Bと二人の子C・Dがある場合に、まずAが死亡すればAの財産の2分の1をBが相続し、子C・Dは4分の1ずつを相続する。ついで、子の一人Cが死亡すれば、その全財産をBが相続する。結局、Aが所有した財産からBが4分の3、残った子Dが4分の1を相続する。ところが、この場合に、まずCが死亡し（財産はないとする）、ついでAが死亡したとすれば、Aの財産をBが2分の1、子Dが2分の1を相続することとなる（§900参照）。このような場合に、AとCが同じ船の沈没によって死んだとすれば（これを「同死」という）、いったい相続関係はどう処理したらよいかについて困難な問題を生じる。このような場合の解決について規定したのが、本章第5節32条の2（同時死亡の推定）である。

㋑　死亡とはなにかについて、従来は、心臓停止、呼吸停止、瞳孔拡大を標識として、その認定にとくに問題はないと考えられてきたが、戦後のある時期からいわゆる「脳死」、すなわち脳幹を含む脳の不可逆的停止をもって人の死とすることの可否が問題となった。1999年の「臓器の移植に関する法律」の改正により、一定の方法により脳死したと判定された者の身体を「死体」とし、これからの臓器の摘出を認めるという立法がなされた（同法§6）。問題は、倫理、医療、刑事法、民事法など広範な領域にまたがり、その帰趨はなお今後も予断を許さない。ここでは、従来の死の観念を前提として考察しておく。

㋒　人の死亡は、同居の親族その他の届け出義務者が死亡を知った日から7日以内に市町村長に届け出なければならない（戸§§43・86～88）。死亡届には、診断して死亡を確認した医師の診断書（「死亡診断書」という）または死体を検査確認した医師の検案

書(「死体検案書」という)を添付しなければならない(戸§86Ⅱ)。死亡届には、死亡の年月日時分と場所その他が記載される。このうち、診断書の記す時間は通常は正確なものと考えられるが、検案書の場合は、どうしても推認の要素が入るのを否定できないであろう。診断書も検案書も得られないときは、「死亡の事実を証すべき書面」の添付で代えることができるとされている(戸§86Ⅲ)。これらの書面に基づく戸籍への死亡年月日時分の記載は、もちろん一定の証拠としての意義を有するが、これが絶対のものではなく、立証できれば、これと異なる事実(時刻の相違だけでなく、本人が生存していることも含む。また、死亡届がされていないが、じつは死亡していたことも含む)を主張できることは当然である。

　　㈢　さらに、戸籍法89条は、「水難、火災その他の事変によって死亡した者がある場合には、その取調をした官庁又は公署は、死亡地の市町村長に死亡の報告をしなければならない。」と規定した。この報告に基づき戸籍簿に死亡が記載されるが、これを「認定死亡」という。災害などにさいしてこの制度が利用されることが多いが、これについても、㈢と同様に、立証してこれと違う事実を主張できることはいうまでもない。この制度は、失踪宣告の制度と関連するところが多い(§§30〜32の前注参照)。

〔6〕　本条は、さらに第2項において、外国人の権利能力を規定する。ある外国で日本人を取り扱うのと同じように、日本においてもその外国人を取り扱うという、いわゆる「相互主義」をとったものではなく、「内外人平等主義」の原則をとっている。ただ、若干の例外を設けているが、とくに戦後この例外はあまり重要な意義を持たないものになっている。

　「外国人」とは、日本の国籍を有しない自然人である(外国法人については§35参照)。無国籍人は外国人であり、日本の国籍と外国の国籍とを有する二重国籍人は日本人である。

〔7〕　外国人の権利能力が法令によって禁止または制限される主要な場合は、つぎの通りである。第二次大戦後のある時期から、いわゆる国際化の潮流のなかで、この点に関しては、大きな変動が生じつつあるといえる。

　㈠　法令によって禁止される例
　　(a)　水先人となる権利(水先法§6)
　　(b)　公証人となる権利(公証§12Ⅰ①)
　　(c)　日本船舶所有権(船舶法§1、商§700)　　日本船舶が外国人の所有に属すると、日本船舶でなくなる。
　　(d)　日本航空機所有権(航空法§4)　　(c)と同趣旨である。
　　(e)　鉱業権・租鉱権(鉱業§§17・87)
　なお、信託法9条(脱法行為の禁止)を参照。
　㈡　法令によって制限される例
　　(a)　国または公共団体に対する損害賠償請求権(国賠§6)　　相互の保証がある場合に限り、認められる。
　　(b)　土地所有権(外人土地)　　大正の末まで、外国人は日本の土地に所有権を取得することは許されなかったが(明治6年太政官布告18号11条)、1925年(大正14

第1編　第2章　人　第1節　権利能力

年)の「外国人土地法」によって、外国人も原則として、土地所有権を取得することを認められるに至った。これは相互主義によるものである(§1)。なお、従来、土地所有を否認された代償として外国人だけに認められた永代借地権は、1942年(昭和17年)にすべて普通の土地所有権に転換させられ、いまは存在しない。

(c)　特許権(特許§25)・実用新案権(実用新案§2の5Ⅲ)・意匠権(意匠§68Ⅲ)、商標権(商標§77Ⅲ)・著作権(著作§§6~9の2参照)　いずれも相互主義によるものである。

(d)　漁業に関するわが国の水域の利用(外国人漁業の規制に関する法律、1967年制定)

(e)　弁護士・弁理士については、国籍による制限はない(なお、念のため付言すれば、外国で弁護士資格を認められた者が日本国内において法律事務を行うことについて制限がある。「外国弁護士による法律事務の取扱いに関する特別措置法」〔1986年制定〕を参照。同法§7による承認を受けた者を「外国法事務弁護士」という)。

(f)　外務公務員(外務公務員法、1952年制定)7条

(g)　その他の公務員については、一般的規定がなく、争われている。就業を明文上認めたものとして、「国立又は公立の大学における外国人教員の任用等に関する特別措置法」(1982年制定。2003年の改正で、この名称から「国立又は」が削られた)がある。

(h)　生活保護受給権につき、外国人は、行政庁の通達等に基づく行政措置により事実上保護の対象となりうるにとどまり、生活保護法(同法§1)に基づく保護の対象となるものではなく、同法に基づく受給権を有しない、とした判例がある(最判平成26・7・18訟月61巻2号356頁)。ただし、最高裁の判断は、「事実上は、外国人も行政措置によって日本人と変わらず生活保護を受給できている」という背景を踏まえたうえでのものである。旧厚生省は1954年に、外国人に対しても生活保護法に準じた行政措置を実施すると通達しており、厚労省は1990年になってこれを「永住外国人」に限定しているものの、正当な理由があれば自治体の裁量で外国人にも保護費を給付している。

〔8〕　外国人について権利能力を禁止し、あるいは制限する条約は存在しない。

第2節　意思能力

〈改正〉　2017年改正により、本節の表題が「意思能力」となった。改正前第2節は、第3節「行為能力」となる。

第三条の二
法律行為の当事者が意思表示をした時に意思能力を有しなかったときは、その法律行為は、無効とする。
〈改正〉　2017年に創設された。附則（意思能力に関する経過措置）第二条　この法律による改正後の民法（以下「新法」という。）第三条の二の規定は、この法律の施行の日（以下「施行日」という。）前にされた意思表示については、適用しない。

〔1〕　本条の趣旨
　従来から、本条のような「意思表示」は、理論的に無効と解されていたが（その意義につき、本書第3節の②を、判例につき、同④を参照）、それが明文化された。意思能力がない場合について、無効という効果については、理論的に異論がないと思われるが、当然に無効なのであるから、あえて明文化する必要があったかについては疑問である。「意思」無能力者というような表現が差別的に使われないことを希望しておきたい。「基本方針」で示されていた「法律行為は、この法律その他の法令に従い、意思表示に基づき、その効力を生ずる。」という規定にとどめておく方が、立法論的には優れていたのではないだろうか。なお、意思能力の定義規定を置かなかったことは賢明であった。

〔2〕　意思能力と行為能力
　この両概念の関係については、第3節②を参照。意思能力を定義しようとすると、精神医学の分野に依存することにならざるをえないし、それにより解釈に有益な定義を得られるかは疑問である。また、解釈においては、意思能力は、法律行為の目的との関連で判断されるので、抽象的な基準がどこまで妥当するのかも、難しい問題である。7～8歳の子供の判断能力ということが例示されることがあるが、その子供がいかなる法律行為をしようとしたのかを抜きにして議論しても無意味である。

〔3〕　意思能力と事理弁識能力等
　行為能力の次元では、事理弁識能力が問題にされている（§§7・11・15）。改正法では、意思能力も実定法上の概念となったので、両者をまったく同一の概念とは解しない方が、混乱を回避できるであろう。その意味でも、9条ただし書の解釈には影響を与えないと解すべきである。なお、規定の新設に伴って、97条3項、98条の2、121条の2第3項に、保護ないし配慮規定が新設された。

第1編　第2章　人　第2節　意思能力

〔4〕　無効の主張者

　本条は、表意者保護の趣旨で設けられたものであるから、従来の通説に従って、無
効の主張は、表意者側に限られると解すべきである。

第3節　行為能力

〈改正〉　2004年改正により、本節(2017年改正前の第2節)の表題が「能力」から「行為能力」に改められ、2017年に第3節となり、保佐人の同意を要する行為等に関する13条と制限行為能力者の相手方の催告権に関する20条が改正された。

① 本節の内容

　本節の表題は、従来は「能力」とのみあったが、2004年改正により「行為能力」と改められた。行為能力とは、私法上の法律行為をする能力のことであり、すなわち、ドイツ民法の Geschäftsfähigkeit、スイス民法の Handlungsfähigkeit に該当する概念である。したがって、公法上の行為をする能力には関係がない。訴訟をする能力も、ここにいう能力とは別のものであり、民法はこれに関する若干の規定をおいている(§13 I ④)が、これについては民事訴訟法に詳しい規定がおかれている(民訴§§31〜33・35・36参照)。また、不法行為をする能力(責任能力)とも異なる(§§712・713参照)。

　権利能力と行為能力とは、明確に区別することを要する。権利能力はすべての人に平等に認められるが、行為能力はこれを否定ないし制限されることがありうる。第1節は権利能力について規定し、本節は行為能力のことを規定している。

② 意思能力と行為能力

　「行為能力」の考え方の基礎には、「意思能力」の概念が存在する。意思能力とは、行為の結果を判断するに足るだけの精神能力のことであり、編纂者の一人富井によれば、当時のドイツ民法学で用いられた Willensfähigkeit に該当する概念である。1999年法律149号により条文上も「事理ヲ弁識スル能力」という表現が登場したので(§§7・11・15。他に任意後見§2)、実定法上の用語として「事理弁識能力」と呼ぶこともできる。意思能力はいわば理論上の概念であった。すべての法律関係が原則として法的人格の意思により形成されるという近代法の大原則からして、重要な概念であるということができる。個々の法律行為との関連で意思能力が完全に欠如した人によって行為が行われても、これは法律上の行為として存在するものといえない(無効である)ことはいうまでもない。問題は、意思能力があるかないかの判断が必ずしも容易ではない場合が少なくないということに存する。そこで、意思能力が完全とはいえない人について画一的に法律行為をする能力があるかどうかを定めておこうというのが行為能力制度の工夫である。すなわち、行為能力がないとされる人の行為については、その効力を認めたくなければこれを取消すことができるものとし、その必要がなければ有効としてもよいとするのが行為能力の考え方である。

　行為能力がないとされる人の行為について、意思能力がなかったことを立証して(これは、具体的・実質的立証である。§5〔4〕参照。したがって、場合によりかなり困難である)、その無効を主張することもできるし、行為能力がなかったことを立証して(これは形式

第1編　第2章　人　第3節　行為能力

的立証ですむので、容易である）、その取消しを主張してもよいとするのが通説である。ただし、行為能力の考え方で一本化したほうがよいのではないか、無効の主張を相手方にも認めてもよいか、などの論点をめぐって議論がある。

2017年の改正で、意思能力に関する3条の2（第2節）が新設された。

③　身分上の行為

なお、本節の規定は、制限行為能力者の財産保護を主眼とするものであるから、本人の独自の意思によってするのを原則とする身分上の行為には適用がないというのが判例および通説である（本編解説②参照）。親族・相続両編は身分上の行為について、あるいは満20年と異なる年齢をもって適齢とし（§§731［改注］・961など）、あるいはある種の行為について制限行為能力者も単独でなしうる旨を定める（§§738・764・799・961など）など、一貫したものがないが、とくに反対の規定がない限り、各自その行為の性質を判断する能力さえあれば、単独で身分上の行為をなしうるのを原則と解するべきである。もっとも、財産の処分を伴う行為については、特別の規定（たとえば、遺言能力に関する§962）がなければ、総則の規定が適用されると解される（たとえば、「夫婦財産契約」）。

④　制限行為能力者

本節において能力を制限されている者は、未成年者・成年被後見人・被保佐人・被補助人の4種である。これらの者を民法は「制限行為能力者」（§20など）と総称する。「制限能力者」と略称されることもある（1999年の法律149号による改正の前は、「無能力者」と呼ばれていた。なお、§714の「無能力者」は2004年改正により「責任無能力者」と改められた）。

これらの者が単独でできない行為をした場合には、取消すことができるものとされる。しかし、これらの者が行為の当時にその行為の性質を判断する能力、すなわち意思能力を持たなかったことが証明できれば、その行為の無効を主張することもできる（大判明治38・5・11民録11輯706頁）。

なお、妻の行為能力を制限する制度（旧§§14〜18）は、1947年の改正で廃止された（§15［原条文］参照）。

未成年者［§§4〜6の前注］

〈改正〉　2008年2月に法務大臣から諮問を受けて、成年年齢の引き下げについて検討していた法制審議会は、2009年10月28日に民法の成人年齢を18歳に引き下げるのを適当とするとの答申を法務大臣に行った。実施の時期は国会に委ねられていたが、2018年6月に、4条が改正された（平成30年法律59号）。提案理由は、「社会経済情勢の変化に鑑み、成年となる年齢及び女の婚姻適齢をそれぞれ十八歳とする等の措置を講ずる必要がある。」とされている。中心的な改正点は、「第四条中「二十歳」を「十八歳」に改める」ことと婚姻年齢に関する731条の改正である。なお、これを前提として、民法の関連条

第 3 節［解説］③④・未成年者［前注］・§4

文と関連特別法が改正されたが、4条の改正に関しては、年齢の引き下げに対応する場合と事柄の性質に鑑みて、「20歳」を維持する場合があるので注意が必要である。

　未成年者に関しては、4条から6条までに規定している。成年の時期(§4)、未成年者の能力に関する原則(§5Ⅰ・Ⅱ)、その例外規定(§§5Ⅲ・6)からなる。

（成年）
第四条

　　年齢十八歳をもって、成年とする[2]。

［改正前条文］
　年齢二十歳[1]をもって、成年とする。

〈改正〉　2017年に改正された。「二十歳」を「十八歳」と改めた。

［改正の趣旨］　提案理由では「社会経済情勢の変化」と述べているだけであるが、諸外国でも20歳を成年年齢とする例は少なくなっている。しかし、改正に当たっては、それぞれの国における未成年者の社会環境の違い等を考慮する必要がある。例えば、日本では、今後、18歳から20歳までの青少年は、「未成年者」としての取引法上の保護（契約取消権等）が得られなくなり、いわゆる消費者被害を受けるリスクが高まることが懸念されている。また、高校や大学における18歳以上の青少年の手続等への親の関与が制度的にはできなくなるが、それでよいかを心配する向きもある。引き続き、少年法適用との関連を含めて、議論が尽くされるべきであろう。

　これに関連して、婚姻適齢に関する民法731条が次のように改められた。

　「第七百三十一条　婚姻は、十八歳にならなければ、することができない。」新法では、男女の差がなくなった（附則3条を参照）。

　また、未成年者の婚姻についての父母の同意に関する737条が削除された。成年年齢と婚姻年齢が一致したためである。これに関連して、740条中「第七百三十七条」を「第七百三十六条」に改めた。

　さらに、婚姻による成年擬制に関する753条を削除した。未成年者の婚姻がなくなったためである。

　養子に関しては、養親となる者の年齢に関する792条中「成年」を「二十歳」に改めた。つまり、成年年齢に連動させなかった。成年年齢と養親にふさわしい者の年齢は、必ずしも一致しないからである。これに関連して、養親が未成年者である場合の縁組の取消しに関する804条の見出し中「未成年者」を「二十歳未満の者」に改め、同条ただし書中「成年」を「二十歳」に改めた。

　附　則

（施行期日）第一条　この法律は、平成三十四年四月一日から施行する。ただし、経過措置を定める政令に関する附則第二十六条の規定は、公布の日から施行する。

（成年に関する経過措置）第二条　この法律による改正後の民法（以下「新法」という。）第四条の規定は、この法律の施行の日（以下「施行日」という。）以後に十八歳に達する者について適用し、この法律の施行の際に二十歳以上の者の成年に達した時については、なお従前の例による。

2　この法律の施行の際に十八歳以上二十歳未満の者（次項に規定する者を除く。）は、施行日において成年に達するものとする。

第1編　第2章　人　第3節　行為能力

3　施行日前に婚姻をし、この法律による改正前の民法（次条第三項において「旧法」という。）第七百五十三条の規定により成年に達したものとみなされた者については、この法律の施行後も、なお従前の例により当該婚姻の時に成年に達したものとみなす。

（婚姻に関する経過措置）第三条　施行日前にした婚姻の取消し（女が適齢に達していないことを理由とするものに限る。）については、新法第七百三十一条及び第七百四十五条の規定にかかわらず、なお従前の例による。

2　この法律の施行の際に十六歳以上十八歳未満の女は、新法第七百三十一条の規定にかかわらず、婚姻をすることができる。

3　前項の規定による婚姻については、旧法第七百三十七条、第七百四十条（旧法第七百四十一条において準用する場合を含む。）及び第七百五十三条の規定は、なおその効力を有する。

（縁組に関する経過措置）第四条　施行日前にした縁組の取消し（養親となる者が成年に達していないことを理由とするものに限る。）については、新法第四条、第七百九十二条及び第八百四条の規定並びに附則第二条第二項の規定にかかわらず、なお従前の例による。

なお、本条の改正の関連特別法への影響は、以下のとおりである。

（恩給法等の適用に関する経過措置）第五条　次の各号に掲げる子に対する当該各号に定める規定の適用については、これらの規定中「未成年ノ子」とあるのは「二十歳未満ノ子（婚姻シタル子ヲ除ク）」と、「ナキ成年ノ子」とあるのは「ナキ二十歳以上ノ子（婚姻シタル二十歳未満ノ子ヲ含ム）」とする。（以下、簡略化してあるので、利用に際しては注意。）

　　一　恩給法第六十五条第二項から第五項／二　恩給法第七十三条第一項、第七十五条第二項及び第三項／三　恩給法の一部を改正する法律（昭和二十八年法律第百五十五号）附則第二十二条第一項の規定による増加恩給について同条第三項ただし書において準用する恩給法第六十五条第二項から第五項／四　恩給法等の一部を改正する法律（昭和四十六年法律第八十一号）附則第十三条第一項の規定による特例傷病恩給について同条第三項の規定による加給の原因となる未成年の子がある場合における当該子に関して、恩給法第六十五条第三項から第五項

2　恩給法第七十三条第一項の規定による扶助料に係る当該子に対する同項並びに同法第七十四条及び第八十条第一項の規定の適用については、同法第七十三条第一項中「未成年ノ子」についても1項と同様とする。

3　恩給法等の一部を改正する法律（昭和五十一年法律第五十一号）附則第十五条第一項及び第五項の規定による傷病者遺族特別年金に係る当該子に対する同条第六項において準用する恩給法第七十三条第一項、第七十四条及び第八十条第一項の規定の適用についても、同様とする。

（未成年者喫煙禁止法の一部改正）第六条　未成年者喫煙禁止法（明治三十三年法律第三十三号）の題名を「二十歳未満ノ者ノ喫煙ノ禁止ニ関スル法律」に改める。
第一条、第四条及び第五条中「満二十年ニ至ラザル者」を「二十歳未満ノ者」に改める。

（未成年者飲酒禁止法の一部改正）第七条　未成年者飲酒禁止法（大正十一年法律第二十号）の題名を「二十歳未満ノ者ノ飲酒ノ禁止ニ関スル法律」に改める。
第一条第一項、第三項及び第四項並びに第二条中「満二十年ニ至ラザル者」を「二十歳未満ノ者」に改める。

（児童福祉法の一部改正）第八条　児童福祉法（昭和二十二年法律第百六十四号）の一部を次のように改正する。（以下では、関連条文のみを掲げる。）

　　第六条（一文削除）／第六条の二（変更と追加）／第十九条の二（変更と追加）／第十九条の三（変更と追加）／第十九条の五（追加）／第十九条の六（追加）／第十九条の九（変更）／第二十五条の二（一部削除）／第三十一条（一部削除と変更）／第三十三条（変更と

§4

一部削除）／第三十三条の七（変更）／第三十三条の八（変更）／第三十三条の九及び第四十七条（変更）／第五十七条の三（変更）／第五十七条の三の三（変更）／第五十七条の四（変更）

（児童福祉法の一部改正に伴う経過措置）第九条　施行日前に前条の規定による改正前の児童福祉法（「旧児童福祉法」）の規定によりなされた認定等の処分その他の行為について経過規定が定められている。

（競馬法等の一部改正）第十条　次に掲げる法律の規定中「未成年者」を「二十歳未満の者」に改める。

　　一　競馬法（昭和二十三年法律第百五十八号）第二十八条
　　二　自転車競技法（昭和二十三年法律第二百九号）第九条
　　三　小型自動車競走法（昭和二十五年法律第二百八号）第十三条
　　四　モーターボート競走法（昭和二十六年法律第二百四十二号）第十二条
　　五　アルコール健康障害対策基本法（平成二十五年法律第百九号）第二条

（水先法の一部改正）第十一条　水先法（昭和二十四年法律第百二十一号）の第十五条第一項中「すべて」を「全て」に改め、同項第二号イ中「二十歳」を「十八歳」に改める。同法第三十条第一項についても同様とする

（国籍法の一部改正）第十二条　国籍法（昭和二十五年法律第百四十七号）の一部を次のように改正する。

　　第三条第一項及び第五条第一項第二号中「二十歳」を「十八歳」に改める。
　　第十四条第一項中「二十歳」を「十八歳」に、「二十二歳」を「二十歳」に改める。
　　第十七条第一項中「二十歳」を「十八歳」に改める。

（国籍法の一部改正に伴う経過措置）第十三条　この法律の施行の際に前条の規定による改正前の国籍法第三条第一項に規定する要件（法務大臣に届け出ることを除く。）に該当する者であって十六歳以上のものは、前条の規定による改正後の国籍法（以下この条において「新国籍法」という。）第三条第一項の規定にかかわらず、施行日から二年以内に限り、なお従前の例により日本の国籍を取得することができる。

2　新国籍法第十四条第一項の規定は、施行日以後に外国の国籍を有する日本国民となった者又はこの法律の施行の際に二十歳未満の者について適用し、この法律の施行の際に外国の国籍を有する日本国民で二十歳以上のものの国籍の選択については、なお従前の例による。

3　この法律の施行の際に外国の国籍を有する日本国民で十八歳以上二十歳未満のものは、新国籍法第十四条第一項の規定の適用については、この法律の施行の時に外国及び日本の国籍を有することとなったものとみなす。

4　この法律の施行の際に国籍法第十二条の規定により日本の国籍を失っていた者で十六歳以上のものは、新国籍法第十七条第一項の規定にかかわらず、施行日から二年以内に限り、なお従前の例により日本の国籍を取得することができる。

（社会福祉法の一部改正）第十四条　社会福祉法（昭和二十六年法律第四十五号）の第十九条第一項中「二十年」を「十八年」に改める。

（船舶職員及び小型船舶操縦者法等の一部改正）第十五条　次に掲げる法律の規定中「二十歳」を「十八歳」に改める。

　　一　船舶職員及び小型船舶操縦者法（昭和二十六年法律第百四十九号）別表第一から別表第五まで
　　二　旅券法（昭和二十六年法律第二百六十七号）第五条第一項第二号
　　三　船舶安全法及び船舶職員法の一部を改正する法律（平成三年法律第七十五号）別表の下欄第一号

第1編　第2章　人　第3節　行為能力

　　四　性同一性障害者の性別の取扱いの特例に関する法律（平成十五年法律第百十一号）第
　　　三条第一項第一号
（旅券法の一部改正に伴う経過措置）第十六条　施行日前にされた旅券の発給の申請に係る処
分については、前条の規定による改正後の旅券法第五条第一項の規定にかかわらず、なお従
前の例による。
（性同一性障害者の性別の取扱いの特例に関する法律の一部改正に伴う経過措置）第十七条
施行日前にされた性同一性障害者の性別の取扱いの変更の審判の請求に係る事件については、
附則第十五条の規定による改正後の性同一性障害者の性別の取扱いの特例に関する法律第三
条第一項の規定にかかわらず、なお従前の例による。
（酒税法及び酒税の保全及び酒類業組合等に関する法律の一部改正）第十八条　次に掲げる法
律の規定中「未成年者飲酒禁止法」を「二十歳未満ノ者ノ飲酒ノ禁止ニ関スル法律」に改め
る。①酒税法（昭和二十八年法律第六号）第十条第七号の二、②酒税の保全及び酒類業組合
等に関する法律（昭和二十八年法律第七号）第八十六条の九第一項。
（恩給法等の一部を改正する法律（昭和五十一年法律第五十一号）の一部改正）第十九条　恩
給法等の一部を改正する法律の附則第十四条第一項中「一に」を「いずれかに」に、「掲げ
る」を「定める」に改め、同項第一号中「をいう」の下に「。次号において同じ」を加え、
「（十八歳以上二十歳未満の子にあっては重度障害の状態にある者に限る。）」を削り、同項第
二号中「（前号に規定する子に限る。）」を削る。
（恩給法等の一部を改正する法律の一部改正に伴う経過措置）第二十条　施行日の前日におい
て恩給法第七十五条第一項第一号に規定する扶助料について経過規定が定められている。
（たばこ事業法の一部改正）第二十一条　たばこ事業法（昭和五十九年法律第六十八号）の第
三十一条第九号中「未成年者喫煙禁止法」を「二十歳未満ノ者ノ喫煙ノ禁止ニ関スル法律」
に改め、同法第四十条第一項中「未成年者」を「二十歳未満の者」に改める。
（児童虐待の防止等に関する法律の一部改正）第二十二条　児童虐待の防止等に関する法律
（平成十二年法律第八十二号）の第二条第四号（一部削除）第十六条を削り、第十七条を第十
六条とし、同第十八条の前の見出しを削り、同条を第十七条とし、同条の前に見出しとして
「（罰則）」を付する。同第十九条（一部削除）、同条を第十八条とする。
（インターネット異性紹介事業を利用して児童を誘引する行為の規制等に関する法律の一部改
正）第二十三条　インターネット異性紹介事業を利用して児童を誘引する行為の規制等に関
する法律（平成十五年法律第八十三号）の第八条に第五号「未成年者」を追加する。
（公職選挙法等の一部を改正する法律の一部改正）第二十四条　公職選挙法等の一部を改正す
る法律（平成二十七年法律第四十三号）の附則第八条及び第九条を削除する。
（罰則に関する経過措置）第二十五条　施行日前にした行為及び附則第十三条の規定によりな
お従前の例によることとされる場合における施行日以後にした行為に対する罰則の適用につ
いては、なお従前の例による。
（政令への委任）第二十六条　この附則に規定するもののほか、この法律の施行に関し必要な
経過措置は、政令で定める。

［原条文］
第三条
　　満二十年ヲ以テ成年トス
〈改正〉　2004年改正で3条が4条となった。

［改正前条文の解説］
本条は成年期を規定する。民法には未成年者の定義はされていないが、成年に達し

42

§§4〔1〕〔2〕・5

ない者(すなわち、20歳未満の者)が「未成年者」とされるのである。これに対して、成年に達した者(20歳以上の者)を「成年者」という。

　なお、選挙権者については、満18歳以上の者に改められ、2016(平成28)年6月に施行された(公選§9等)。

　〔1〕　年齢は、140条の定める民法上の原則によらず、「年齢計算ニ関スル法律」(明治35年法律50号)により、出生の日から起算して暦に従って計算する(§143参照)。したがって、満20年の期間は第20回の誕生日の前日で満了する。たとえば、1985年(昭和60年)2月28日に出生した者は2005年(平成17年)2月27日の終了によって、いいかえれば2月28日から成年者となる(§143〔3〕参照)。ちなみに、4月1日生まれの者が6年目の4月1日にはじまる学年に小学校に入学するのは、その前日(3月31日)の終了で満6歳に達するからである(学教§22参照)。

　〔2〕　わが民法は、従来、未成年者を一定の条件のもとに成年者と同一に取り扱う「成年宣告」などの制度を認めていなかった。営業許可の制度が、やや類似の作用を営んでいたにすぎなかった(§6参照)。1947年に改正された親族編は、「未成年者が婚姻をしたときは、これによって成年に達したものとみなす」(§753)という制度を新たに設け、画一的取扱いに例外を認めた。婚姻によって成年となった者が20歳未満の間に婚姻を解消したとき、行為能力をそのまま保持するか、喪失するかについては、両説がある。

（未成年者の法律行為）
第五条
　1　未成年者が法律行為¹⁾をするには、その法定代理人²⁾の同意³⁾を得なければならない⁴⁾。ただし、単に権利を得、又は義務を免れる法律行為⁵⁾については、この限りでない。
　2　前項の規定に反する法律行為は、取り消す⁶⁾ことができる。
　3　第一項の規定にかかわらず、法定代理人が目的を定めて処分⁷⁾を許した⁸⁾財産⁹⁾は、その目的の範囲内において、未成年者が自由に処分することができる。目的を定めないで処分を許した財産¹⁰⁾を処分するときも、同様とする¹¹⁾。
［原条文］
第四条
　　未成年者カ法律行為ヲ為スニハ其法定代理人ノ同意ヲ得ルコトヲ要ス但単ニ権利ヲ得又ハ義務ヲ免ルヘキ行為ハ此限ニ在ラス
　　前項ノ規定ニ反スル行為ハ之ヲ取消スコトヲ得
第五条
　　法定代理人カ目的ヲ定メテ処分ヲ許シタル財産ハ其目的ノ範囲内ニ於テ未成年者随意ニ之ヲ処分スルコトヲ得目的ヲ定メスシテ処分ヲ許シタル財産ヲ処分スル亦同シ
〈改正〉　2004年改正で、4条と5条が合体され、前者の1項と2項が本条の1項と2項となり、後者が本条の3項となった。

　本条は、まず、第1項・第2項において、未成年者の行為能力の制限に関する原則

第1編　第2章　人　第3節　行為能力

を規定する。第3項は、その制限に対する例外を規定する。

〔1〕　「法律行為」については第5章解説を見よ。ここに「法律行為」とは、わが民法の構成上、主として財産上の行為を意味し、債務承認のような準法律行為（第5章解説②参照）も含まれると解される。婚姻・養子縁組・遺言などの身分法上の重要な行為については、それぞれ731条［改注］・792条［改注］・797条・961条・962条などが特別の定めをしている（本節解説③参照）。

〔2〕　「法定代理人」とは、法律に基づいて本人の意思によらないで決まる代理人をいう（第5章第3節解説②参照）。未成年者の法定代理人には、親権者と未成年後見人の2種がある。親権者は父母であり、父母の婚姻中は——父母が離婚したとか、はじめから婚姻していない男女間に子が生まれたとかでない場合は——、父母が共同して親権を行う（§818、なお、1947年の改正前の旧§877では、原則として父が親権を行い、それができないときに母が親権を行うとされた）。未成年後見人は、未成年者に対して親権を行う者がいないとき、または親権を行う者が管理権を有しないときにおかれる（§838）。その未成年者は未成年被後見人と呼ばれる。未成年後見人となる者は、第1に、最後に親権を行う者が遺言で指定した者（§839）、第2に、家庭裁判所が選任した者である（§841）。

そもそも、親権者も未成年後見人も、ともに未成年者の保護機関であって、未成年者の身上の監護および教育をする権利義務を有する者である（§§820〜・857の2）。しかし、これらの者は、このような監護教育の権限のほかに、未成年者の財産を管理し、そのために、財産上の法律行為について未成年者を代理する権限を与えられ（§§824・859）、その法定代理人とされているのである。

なお、児童福祉法47条により、児童福祉施設の長が入所中の児童について親権を代行する規定を設けているが、これは民法以外の法律による法定代理人の例である。

〔3〕　法定代理人が「同意」を与えるには、形式を必要としない。黙示の同意も認められる（§6〔2〕参照）。通常、未成年者に対してなされるが、相手方に対してなされてもよい。また、事前に与えるのが普通であるが、事後に与えてもよい（これを追認という。§122参照）。しかし、同意は利害得失を考量して与えられなければならないから、内容を予見しないで概括的に与えた同意は、無効と解される。いったん与えた同意の撤回（有効になされた意思表示の効果を将来に向かって消滅させる行為をいう）は、その同意に基づく未成年者の行為がなされるまでは可能と解釈される（§6〔7〕参照）。

法定代理人の同意権の範囲は、親族編に規定されているが、その要点はつぎのようである。

(ア)　親権者の同意権には、父についても、母についても、一般的な制限はない。旧法は母の同意権について、後見人の同意権に近い制限を加えたが（旧§886参照）、改正法はこれを改めた。しかし、親権者の同意権には、なお、二つの制限がある。

(a)　婚姻中の父母は、原則として、共同して親権を行わなければならない（§818Ⅲ）。したがって、一方が反対すれば、結局、同意を与えることはできない。父が勝手に母の名を並べておいて押印した同意書などは、効力はない。もっとも、この理論を貫くと、相手方に不測の損害を被らせるおそれがあるので、父母の一方が、

共同の名義で、子の行為に同意したときは、他の一方の意思に反したときでも、相手方が悪意（一方の意思に反することを知っている場合）でない限り、同意は有効なものと規定されている（§825）。

(b)　親権を行う者と未成年者との間で利益が相反する行為、または親権を行う者が数人の子に対して親権を行う場合において、その一人と他の子との利益が相反する行為については、家庭裁判所の選任する特別代理人が同意を与える（§826）。

(イ)　未成年後見人は、親権者のように未成年者と緊密な親族関係にある者ではないから、その同意権には、一般的な制限がある。すなわち、一定の重要な行為について同意を与えるには、未成年後見監督人の同意を得なければならない。もっとも、未成年後見監督人は必ずおかれるとは限らないものであり、いないときは、上の場合にも、未成年後見人は単独で同意を与えることができる（以上につき、§§864・848・849参照）。しかし、未成年者が相当な財産を持っているような場合には、通常は未成年後見監督人もおかれることと思われる。

〔4〕　未成年者のうち、その行為の性質を理解できないような幼年者がした行為は、たとえ同意を得て行っても、意思能力のない者の行為として、無効である（本節解説②参照）。要は、意思能力の有無の判定であるが、その境い目は時代とともに変化しよう。古い判例では、7歳3か月（大判昭和5・10・2評論19輯民1529頁）、13歳5か月（大判昭和15・7・31評論29輯民700頁）で意思能力ありとしたものがある。なお、意思能力は、一般的な存否という観点ではなく、意思表示が行われた事項との関連において、具体的に判断すべきものであることに注意する必要がある（本節解説②参照）。

〔5〕　「単に権利を得る法律行為」とは、たとえば単純な——別に負担のついていない——贈与もしくは遺贈を受諾するなどの所為である。「義務を免れる法律行為」とは、たとえば債務の免除を受ける契約である。

未成年者が自分の賃金を受領することは、上のどれにも入らないが、労働基準法は、独立して請求することができるものとし、かえって親権者などは代わって受け取ってはならないものと定める（§59）。なお、未成年者の訴訟行為能力については、別に規定がある（人訴§13、民訴§§28・31参照）。

〔6〕　取消しは、未成年者自身または法定代理人がこれを行うことができる。未成年者自身が取消す場合でも、そのために法定代理人の同意を要するわけではない。同意を得ない取消しを取消すことができるものとすることは、あまりに法律関係を複雑にするので、そう解される。取消されると、行為は、はじめから無効だったものとみなされ、未成年者は「現に利益を受けている限度」において償還をする義務を負うことになるが、その詳細については、120条〔改注〕・121条〔改注〕を見よ。

〔7〕　「処分」とは、制限行為能力者に属している財産上の権利についてその変動を生じさせたり（所有権の移転や金銭の支払など）、その変動を生じさせる義務を負担することをいう。

〔8〕　「処分を許す」とは、第1項の「同意」と同じことである。その方式などについては、〔3〕を見よ。

〔9〕　「目的を定めて処分を許した財産」とは、たとえば、学資または旅費として

第1編　第2章　人　第3節　行為能力

など、一定の目的を指定してその処分に同意した財産である。

〔10〕　「目的を定めないで処分を許した財産」とは、たとえば、勝手に使ってよろしいと許された「小遣銭」のような財産である。

〔11〕　本項所定の財産については、未成年者がこれをどう処分しても、その行為はもはや取消しの対象とならない。ただし、その範囲は、指定された一定範囲の財産でなければならない。全財産の処分を許すというような許可は、民法の許さないところである。

▌（未成年者の営業の許可）
　第六条
　　1　一種又は数種の営業[1]を許された[2]未成年者は、その営業に関して[3]は、成年者と同一の行為能力を有する[4]。
　　2　前項の場合において、未成年者がその営業に堪えることができない事由があるときは[5]、その法定代理人は、第四編（親族）の規定に従い[6]、その許可を取り消し、又はこれを制限することができる[7]。
　〔原条文〕
　　一種又ハ数種ノ営業ヲ許サレタル未成年者ハ其営業ニ関シテハ成年者ト同一ノ能力ヲ有ス
　　前項ノ場合ニ於テ未成年者カ未タ其営業ニ堪ヘサル事跡アルトキハ其法定代理人ハ親族編ノ規定ニ従ヒ其許可ヲ取消シ又ハ之ヲ制限スルコトヲ得

　本条も、5条3項と同様に、未成年者の行為能力の制限に対する例外を規定する。

〔1〕　「営業」とは、商業に限らず、いやしくも営利の目的をもって計画的かつ継続的になされる事業をいう（大判大正4・12・24民録21輯2187頁［芸妓ももよ衣装購入事件］は、芸妓も営業としている）。ただし、未成年者が商法上の営業を営む場合には、登記をすることを要する（商§5。なお、同§6も参照。商登§§35～）。

「一種又は数種の営業」とは、取引社会において1個（1単位）の営業と認められるものの1個または数個を意味する。たとえば、学用品販売、または学用品販売とたばこ小売販売（たばこ事業法§22Ⅱ③参照）などである。営業の種類を限定しないで、5万円以下の取引を許すというような許可は、取引の安全を害するので、本条にいう営業の許可とはならないと解されている。

〔2〕　本条の「許可」も、5条の「同意」と同じである。したがって、「未成年者が営業を営むのをその親権者が監督している事実があれば許可があったものとなすことができる」（大刑判明治34・3・22刑録7輯3巻37頁）というように、黙示でもよいが、各場合の事情に即して許可の有無が認定されるべきである。

〔3〕　「その営業に関して」とは、取引社会の概念に基づき、その営業に関連ありと認められる行為を含む。商法に「その営業のためにする行為」というのとほぼ同一である（商旧§503→商§503、会社§5）。

〔4〕　「成年者と同一の行為能力を有する」とは、その範囲において法律行為をするについて法定代理人の同意を要しないのみならず、法定代理人の法定代理権もまた、

その範囲で消滅することを意味する。

〔5〕 法定代理人は「その営業に堪えることができない事由」(2004年改正前は、発生した事実を意味する「事跡」という言葉が用いられていた。「事由」に改められて、やや広くなった感じがある)がなければ、いったん与えた許可を取消す(撤回するというのが正しい。〔7〕参照)ことができない。第三者保護の趣旨を含む規定である。

〔6〕 親権を行う者は本条本項の要件を充たせば、その許可を取消し、またはこれを制限することができる(§823Ⅱ)が、未成年後見人の場合には、未成年後見監督人があれば、その同意を得なければならない(§857ただし書)。

〔7〕 許可を「取消す」とは、将来にわたってなんらの営業も営むことを許さないとすることであり、したがって、正確にいえば「撤回する」ことである(§§5〔3〕・改正前521〔4〕参照)。「制限する」とは、数個の営業について許可を与えた場合に、その1個または数個を許さないとすることである。営業許可が取消され、または制限された場合には、未成年者はその時以後、ふたたび普通の未成年者に戻る。したがって、法定代理人の同意を得ないでした行為は取消すことができ、相手方が営業許可の取消しがあったことを知らなくても同様である。もっとも、商業については、営業許可の取消しまたは制限も登記することを要し(商旧§15→商§10、会社§909)、登記がなければ善意の第三者に対抗することはできない(商旧§12→商§9、会社§§8・908Ⅰ)。

成年後見 [§§7〜19の前注]

〈改正〉 2017年に、保佐人の同意を要する行為等に関する13条が改正され、同条1項10号が追加され、さらに制限行為能力者の催告権に関する20条1項も改正された。

① 成年後見制度の意義

ここで、「成年後見」ないし「成年後見制度」とは、広義においては、主として成年者について、その意思能力(ほぼ事理弁識能力に等しい。第2節解説②参照)にある程度継続的な衰えが認められるときに、その衰えを補い、その者を法律的に支援するための制度をいう。この場合には、後述する「任意後見」をも含めることになる。狭義においては、後述する法定後見のみを指し、民法の規定に従って、意思能力が十分でない者の行為能力を制限し(補助人に代理権のみが付与される場合は例外)、その者を保護するとともに、取引の円滑を期する制度をいう。通常は、この狭義において用いる。

この成年後見制度という用語には若干あいまいな点があるので、注意する必要がある。第1に、未成年者については、その制限行為能力が定められ(§§4〜6)、原則として親権、例外として後見の制度が適用される。この後者を「未成年後見」という。ところが、未成年者についても、成年後見制度の適用は排除されてはいない(§7〔2〕・§8〔1〕・§11〔2〕〔6〕・12〔1〕・§15〔2〕・§16〔1〕参照)ので、これを成年後見制度と呼ぶのは、必ずしも正確でない。第2に、7条から19条までが定める改正後の成年後見制度(狭

義。これを「法定後見」と呼ぶ)には、「後見」、「保佐」、「補助」の三つの類型が設けられているが、成年後見制度の言葉は、この第1のもののみを指すのではなく、三者を総称するものとして用いられている(後見を意味するドイツ語 Vormundschaft が広義の言葉であったことの影響と思われる。改正前の親族編第5章の表題「後見」も、保佐を含む意味で用いられていた)。最狭義の用い方としては、第1の類型のみを成年後見制度と呼ぶことも可能と考えられるが(改正による親族編第5章「後見」は、第6章に規定される「保佐及び補助」を含まない)、このような区別をしても、あまり実益はない。

② 1999年の民法改正

従来の成年後見制度は、「禁治産者・準禁治産者」の2種類の「無能力者」を定めるものであったが(旧§§7~13)、現在のそれは、1999年の改正(以下、この関連の改正を1999年改正と呼ぶ)によってこれを全面的に改めて、新しく定められたものである。

(1) 改正法の公布と施行

法制審議会を中心とする数年に及ぶ立法作業の結果として、1999年12月1日に、成年後見制度の大幅な変更を内容とする「民法の一部を改正する法律」(平成11年法律149号)が公布され、2000年4月1日に施行された。

(2) 改正の趣旨

この改正が行われた主な動機は、人の平均寿命が長くなり、社会における高齢者の割合が増すとともに、その高齢者の中に社会の変化に応じた判断能力が必ずしも十分でない人が生じ、これを補う必要が認められるようになったことにある。判断能力が十分でない成年者を保護する趣旨の制度としては、従来は、前述のように、「禁治産者」と「準禁治産者」の2種類の制限行為能力者が定められていた。この従来の制度については、宣告の戸籍への記載や用語が親しめないことなども一因となって、社会の必要に十分応えられていないという批判があった。それがさらに、上述のような社会の変化に応じた機能を営めなくなってきたことがあり、この改正を促したということができよう。立法関係者によれば、「自己決定の尊重」と「本人の保護」の理念の調和が改正の基本理念とされている。

なお、行為能力制度においては、相手方の立場を考慮した「取引の安全」、相手方の注意義務の明確化という観点も重要であることに注意する必要がある。

(3) 用語の変化

改正に伴う用語の変化に関して、つぎのことに注意しておく必要がある。

従来、未成年者・禁治産者・準禁治産者を総称して、「無能力者」と呼んでいたが(旧§§19・20その他)、改正によりこの言葉は廃された(§714には残っていたが、2004年改正により「責任無能力者」と改められた)。改正法によれば、未成年者と、「成年被後見人」・「被保佐人」・「被補助人」の四者が総称されて、「制限行為能力者」と呼ばれる(§§20・21ほか)。これらの者(本人とも呼ばれる)の保護者として選任される者は、それぞれ「未成年後見人」(§839ほか)、「成年後見人」(§§8・843ほか)、「保佐人」(§§12・876の2)、「補助人」(§§16・876の7)と呼ばれる。未成年後見人と成年後見人の両者を合わせて、「後見人」と呼ぶ。

稀なこととは思われるが、未成年後見人が付された未成年者につき成年後見(後見・保佐・補助)開始の審判が行われたときは、はなはだ紛らわしいことになる。この点については、7条〔2〕・8条〔1〕・11条〔2〕〔6〕・12条〔1〕・15条〔2〕・16条〔1〕を参照。

③ 成年後見制度の概要

1999年に行われた成年後見制度(広義)の改正の概要をつぎに示しておく。

(1) 民法改正による成年後見制度(狭義。法定後見という)

(ア) 従来は、「禁治産の宣告」(旧§7)または「準禁治産の宣告」(旧§13)によって行為能力の制限が開始し(禁治産について、旧§838②)、その宣告は家庭裁判所の審判によってなされたが(家審旧§9Ⅰ甲類①②)、改正によって、①「後見開始の審判(§7)、②「保佐開始の審判」(§11)、または③「補助開始の審判」(§15)の三種の審判が家庭裁判所によって行われることになった(手続については、家事§39・別表1・§§117~144)。この最後の補助類型の新設が改正の一つの眼目であった。

(イ) 三種の審判の対象となる者は、それぞれ、①「精神上の障害により事理を弁識する能力を欠く常況にある者」(§7)、②「精神上の障害により事理を弁識する能力がいちじるしく不十分な者」(§11)、③「精神上の障害により事理を弁識する能力が不十分な者」(§15)とされる(上記各条参照)。①は、「成年被後見人」と呼ばれ(§8)、従来の「禁治産者」に相当し、②は、「被保佐人」と呼ばれ(§12)、従来の「準禁治産者」に相当するが、③は、「被補助人」と呼ばれ(§16)、新しい類型である。

(ウ) 審判の請求権者は、それぞれについて、限定的に列挙されている(§§7・11・15)。

これらの者の請求があってはじめて、それぞれの審判のための手続が開始される。(イ)に述べたことに該当する者がいるからといって、当然にこの制度が適用されるわけではない(§158〔1〕参照)。なお、特別法に基づく請求権者につき7条〔13〕参照。

(エ) 三類型のそれぞれについて、本人を保護するべき者として、①について「成年後見人」(§8)、②について「保佐人」(§12)、③について「補助人」(§16)が付される。いずれも、開始の審判において、家庭裁判所によって選任される(§§843・876の2・876の7)。このそれぞれについて、家庭裁判所は、必要があると認めるときは、本人らの請求により、「成年後見監督人」、「保佐監督人」、「補助監督人」を選任することがある(§§849・876の3Ⅰ・876の8Ⅰ)。改正前は、後見人についての後見監督人だけであったことに対して、特色といえよう。その他、「特別代理人」、「臨時保佐人」、「臨時補助人」の規定もある(§§860・826Ⅰ・876の2Ⅲ・876の7Ⅲ)。

成年後見人、保佐人、補助人のいずれについても、複数の選任が可能であり、また、法人もこれに選任されることができるとされたことも(§§843Ⅲ・Ⅳ・859の2・876の2Ⅱ・876の5Ⅱ・876の7Ⅱ・876の10Ⅰ)、注目するべき点である。成年後見監督人、保佐監督人、補助監督人についても、法人がなることが可能であり、受任者は複数でもよい(§§852・876の3Ⅱ・876の8Ⅱによる§§843Ⅳ・859の2の準用。追加を認める§843Ⅲは準用されないことに注意)。

なお、従来の禁治産者の後見人や準禁治産者の保佐人が親族から選ばれる可能性を多分に持っていたのに対し、新しい成年後見人らからはその要素が姿を消したことは、

第1編　第2章　人　第3節　行為能力

新しい制度に関する規定の半数が親族編に位置づけられていることに基本的な疑問を生じさせる、という重要な指摘がなされている。

成年後見人らの権限や職務に関する規定も大幅に充実された。とくに、本人の身上配慮義務と呼ばれるものに関する規定が重要である（§§858・859の3・876の5Ⅰ・876の10Ⅰ。§8(2)(エ)(c)・§12(2)(エ)(c)・§16(2)(エ)(c)参照）。

(2)　任意後見契約（任意後見）

狭義の成年後見制度、すなわち法定後見と密接な関係を有するものとして、「任意後見契約に関する法律」（平成11年法律150号）（以下、任意後見法と呼ぶ）が制定された。

(ア)　任意後見制度の意義

この法律で取り上げられているのは、現在は意思能力（事理弁識能力）のある者（委任者）が、将来において意思能力の衰えを生じた場合に備えて、あらかじめ受任者に一定の事務を委託しておく契約の一種である（基本的には「将来型」を想定している）。しかし、同法は、その適用対象となる契約について、厳格な定義を与えている。それは、「精神上の障害により事理を弁識する能力が不十分な状況」に備えるものであって（すでにその状況にあるときでもよい。「即効型」と呼ばれる）、その状況になったときにおける「自己の生活、療養看護および財産の管理に関する事務の全部または一部を委託し、その委託に係る事務について代理権を付与する委任契約」であり、かつ、実際にその状況が生じて、家庭裁判所によって「任意後見監督人」が選任された時からその効力を生じる旨を定めているものでなければならない（任意後見§2①）。そして、この契約は、一定の様式を備えた公正証書によってなされなければならず、また、後見登記制度によって一定の事項が登記されなければならない。

このような厳格な要件を具備した任意後見契約であって、はじめて、後述する家庭裁判所による任意後見監督人の選任を中心とする制度的効果が付与されるのである。その意味において、任意後見法は、単に契約の一類型についての特別法という性格のものではなく、家庭裁判所の監督に服する公的な制度としての成年後見制度（広義）のなかに、法定後見と並び、これと異なり、本人の意思によって後見人（任意後見人）を選任することを認める「任意後見制度」ともいうべきものを規定したもの、と理解する必要がある。

受任者として選ばれる者としては、子などの親族、懇意の医者、弁護士、司法書士、税理士、社会福祉士などが想定される。受任者は法人でも、また複数でもよい。

(イ)　類似した契約等

これに類似した目的を達しようとする場合における他の方法としては、つぎのものが挙げられよう。

(a)　不在者の財産管理制度

従来の住所または居所を去った者（不在者）の財産管理について、民法は、その者が財産管理人をおいた場合とおかなかった場合とに分けて、その財産管理のための制度を設けている（§§25〜29）。いずれの場合にも、不在者本人の意思が確認できない場合に備えているのであるが、本人がいずれかの地において健在で意思能力を有している場合はもちろん、意思能力を喪失している場合をもカバーして

成年後見［前注］③

いることは明らかである。「不在者」という要件が充たされる場合には、この制度によって家庭裁判所の権限のもとに一定の管理が行われることになる（家事§§39・145〜147・別表1(55)）。

　(b)　委任契約

　本人が委任者となり、財産管理を委任する相手を受任者とした委任契約を締結することにより、本人が意思能力を喪失した後における財産管理を受任者に委任することも可能であると考えられる。これについては、つぎのような問題がある。

　ⅰ）委任契約の法定の終了原因としては、1999年改正前の653条は、委任者・受任者の死亡または破産、受任者の禁治産宣告を挙げており、改正によって、受任者の禁治産宣告は後見開始の審判と改められた。この条文の解釈からすれば、委任者の意思能力の喪失や後見開始の審判は委任の終了原因ではない。したがって、上記の契約によって、受任者は、本人の意思能力喪失後ないし後見開始の審判後も本人の財産管理を続けることができ、代理権を喪失することはないと解されている。もちろん、その委任契約において、その委任が本人の意思能力の喪失、または後見開始の審判によって終了する旨を定めていれば別であり、そのような契約がされることも多いであろう。しかし、本人の意思能力喪失後も委任が存続する趣旨が明確であれば、上記のように解するほかはないであろう。

　ⅱ）上の解釈に対しては、以下のような疑義が呈されている。

　委任契約については、当事者は相互にいつでも解除する権利があるが、本人が意思能力を喪失した後は、この解除が不可能になる。受任者が疑問のある財産管理や代理権行使をする場合にそれに対処する手段がない。

　委任にも、特定の不動産の処分というような個別的な委任と全財産の管理のような包括的な委任とがある。前者の場合には、解除を認める必要がないかもしれないが（必要があれば、特約がなされるはずである）、後者の場合に、委任の基礎である信頼関係の変化に対応できる用意がないことは問題である（法定後見か任意後見を利用するほかない）。

　ⅲ）委任契約と改正による法定後見との関係については、問題がある。成年後見（後見・保佐・補助）の開始の審判があったときに、これによる成年後見人・保佐人・補助人とは別に、本人が結んだ委任契約による受任者が併存するというのは、適切な状況とは思われない。なんらかの制度的な整合が必要と思われる。

　ⅳ）委任契約と任意後見法の定める任意後見契約との関係については、つぎのように考えることになろう。委任者と受任者が締結した契約に、任意後見法が定める以外の内容、あるいは、これに反する内容が含まれていても、これを無効とする理由はない。とくに支障がなければ、その内容通りの効力を生じるとして差し支えないであろう。同時に、その契約が（公正証書、登記などの）任意後見契約法の要件に合致する限りにおいて、同法による効力をも生じ、そして同法の規制に服する。すなわち、当事者が結んだ契約は、契約としての一般的効力を有するほか、成年後見制度における任意後見という公的制度の発動を促すという側面をも有し、両者が併存すると解することになろう（任意後見法からみれば、前述の「将来

51

第1編　第2章　人　第3節　行為能力

型」、「即効型」とは区別し、移行型ということになる）。受任者と任意後見人が同一で
あれば、とくに問題は生じない。ただし、本人の判断能力が衰えてきても任意後
見に移行しない場合があるので、注意が必要である。このような委任契約を結ぶ
場合には、濫用防止のためにも、後見受任者以外にも相談しておくべきであろう。
別人である場合には、やはりiii）と同様に問題が生じるであろう。

(c)　信託契約

本人を委託者とし、相手方を受託者とする信託契約（信託§3①）についても、
(b)と類似の問題が生じる（信託法については、第3章解説②(3)(イ)(c)参照）。

信託は、本人の死亡後の財産管理をも目的として行われるので（信託§3②）、受
任者の意思能力喪失はむしろ視野に含めているともいえるが、信託の合意による
終了（信託§164）との関係や裁判所の関与（信託§§6・58・62・63・123・131・150・166）
などの問題で、成年後見制度との関連が問題になろう。

㈡　任意後見制度の開始

法定の要件に合致した任意後見契約について、任意後見法による任意後見制度の適
用が開始するためには、本人（委任者。ただし、本人が未成年者である場合には、任意後見契
約の締結をすることはできるが、任意後見制度の適用を開始することはできない。同法§4Ⅰ①）
が「精神上の障害により事理を弁識する能力が不十分な状況」になり、かつ家庭裁判
所が、本人、配偶者、四親等内の親族又は任意後見受任者の請求により「任意後見監
督人」を選任することが必要である（任意後見§4）。

それまでは、任意後見契約の他方当事者である受任者は、同法上は単に「任意後見
受任者」という地位を有するにすぎない。同法により認められる権限は、任意後見監
督人の選任を請求することだけである。ただし、委任者と受任者の間の実体上の契約
としては、それまで、あるいはその後のことについての、受任者の権限や報酬につい
て定めておくことは当然ありうるのであって、同法の規定はそれを妨げるものではな
い（(イ)(b)iv)）参照。

任意後見契約も委任契約の一類型であるから、複数の任意後見人を定めることも可
能であるが、その代理権について共同行使の定めがある場合において、本人が任意後
見監督人の選任要件を充足する前に任意後見人候補者（任意後見受任者）の一人が死亡す
るようなことがあると、登記を更正する方法が定められていないため、この契約は事
実上効力を生じないことになるようである。本人がすでに判断能力を失っている場合
には再度契約を行うこともできない。

開始の要件である、「精神上の障害により事理を弁識する能力が不十分な状況」は、
法定後見でいえば、補助開始の要件に相当する。それ以上の事理弁識能力の衰えがあ
れば、任意後見は開始される。換言すれば、法定後見の後見、保佐・補助のいずれか
が必要な場合に該当する場合でも、任意後見制度が適用されれば、任意後見人が機能
することになる。この、任意後見制度の適用開始に必要な、任意後見監督人選任のた
めの要件の認定には、補助開始の要件の認定基準が参考になろう（§15[1](ア)・[11]参照）。
後見・保佐に相当する場合には、当然この要件にも該当するということができよう。
ただし、任意後見監督人の選任の請求が本人以外の者によってなされるときは、原則

成年後見 ［前注］ ③

として本人の同意を要するので（任意後見§4Ⅲ）、事理弁識能力が不十分な状況（補助開始要件に相当）になっても、本人が同意しないことがありうる。

　㈑　任意後見人の職務

　任意後見人の職務は、任意後見契約によって定められる。この任意後見契約は、法務省令で定める様式による公正証書によってなされなければならない（任意後見§3）。その法務省令（平成12年法務省令9号）が定める様式のうち、附録第1号は詳細に列挙された代理権から選ぶ方式、第2号は具体的に代理権の内容を記述する方式を定めている。本人意思尊重義務、身上配慮義務について、任意後見法6条参照。

　㈒　任意後見監督人の選任とその職務

　任意後見監督人は、複数でもよいし、また法人でもよい（任意後見§§4Ⅴ・7Ⅳ）。その選任については、成年後見人に関する843条4項が準用され（任意後見§7Ⅳ）、原則として本人の同意を要する（任意後見§4Ⅲ）。その職務についても、その適正を確保するための詳しい規定が設けられている（任意後見§§7・8。なお、家事規§§117・118も参照）。

　任意後見制度が良く機能できるかは、家庭裁判所によって適切な任意後見監督人が選任されるかどうかにかかるといってもよい。

　本人が任意後見監督人選任の要件を充足して選任を請求しても、選任までに2～3か月かかるようでは、その間にだれが本人の後見を行なうのか、という問題が生じてしまう。法定後見の場合のように審判前の保全手続がないために、そのような場合のために委任契約においてあらかじめ配慮しておくことが必要であろう。

　㈓　法定後見と任意後見の関係

　法定後見と任意後見とは互いに重複する関係にあるので、任意後見法は、両者の関係を整序する工夫を行っている。それによると、どちらかといえば、任意後見を優先する考え方が採られている。すなわち、任意後見契約が登記されているときは、家庭裁判所は、「本人の利益のため特に必要があると認めるときに限り」、後見・保佐・補助の開始の審判をすることができ、その審判がなされたときは、任意後見契約は終了する（任意後見§10）。すでに成年被後見人・被保佐人・被補助人である本人について任意後見を始めるときは、家庭裁判所は、後見・保佐・補助開始の審判を取消さなければならない（任意後見§4Ⅰ②・Ⅱ）。

　㈔　その他

　任意後見人の解任（任意後見§8）、任意後見契約の解除（任意後見§9）、任意後見人の代理権消滅の登記（任意後見§11）などについて規定されている（手続に関しては、家事§§217～225が定めている）。

　(3)　成年後見登記制度

　法定後見（後見、保佐および補助）と任意後見に関する登記について定める「後見登記等に関する法律」（平成11年法律152号）も同時に制定された。

　従来は、戸籍簿には、後見人選任に関する報告的な届け出（「後見届」）に基づき、後見人が選任された旨の記載がされ、後見開始の原因として禁治産・準禁治産宣告が記載されていた（このほかの原因に親権者不在などもある）（戸旧§§81・85）。これと別に、市町村による身分証明事務として（根拠は当時の地自§2Ⅱ・Ⅲ⑯にあるとされた）、家庭裁

53

第1編　第2章　人　第3節　行為能力

判所からの通知(旧家審規§§28・30)に基づき禁治産者・準禁治産者名簿が作成され、それに記載がない旨の身分証明書が発行されていた。1999年の改正は、戸籍簿への記載をやめて、新たに、成年後見登記制度を設け、これに一定の事項を登記するものとしたものである(後見登記§4ほか)。今後は、身分証明書に代って、次第に後見記録の不存在証明書が利用されるようになる。

　成年後見(法定後見および任意後見)に関する登記は、法務大臣が指定する法務局または地方法務局が管轄し、「後見登記等ファイル」への記録によって行われる。登記は、原則として公証人または裁判所書記官の嘱託または本人などの申請によって行われる(後見登記§§4・7)。おおむね、成立要件的な効力を有し、ときに対抗要件としての効力を認められる(任意後見§11)。

　法定後見や任意後見が行われていること、その他、これに関する登記された事項を知るための登記事項証明書の交付は、本人その他一定の者だけが請求でき(後見登記§10)、本人の取引の相手方などは、本人からの証明書の提示を受けて、それを知ることになる。成年被後見人・被保佐人・被補助人などがこの証明書を相手方の要請にもかかわらず提示しなかったときは、取引の相手方は、制限能力者が詐術を用いた場合に関する民法21条の規定によって保護されることになろう。

　その他、閉鎖登記記録などについて規定されている(後見登記§9)。

　(4)　その他

　1999年の成年後見制度の改正に伴って、手直しを要する法律の数は、181に及んだ。「禁治産者・準禁治産者」に触れる条項を持つ法律がいかに多かったかを示している。これらを一括して改正するために、「民法の一部を改正する法律の施行に伴う関係法律の整備等に関する法律」(平成11年法律151号)が制定された。内容的に重要なのは、制限行為能力者についての資格制限の定めであって、新設の被補助人については、欠格条項は設けず、成年被後見人と被保佐人についても欠格条項を極力縮減するという方針が採られてきた(なお、④(2)(ウ)も参照)。

　(5)　成年後見制度利用促進法等の制定

　認知症、知的障害その他の精神上の障害があることにより財産の管理または日常生活等に支障がある者を社会全体で支え合うことが、高齢社会における喫緊の課題であり、かつ、共生社会の実現に資することおよび成年後見制度がこれらの者を支える重要な手段であるにもかかわらず十分に利用されていないことに鑑み、成年後見制度の利用の促進について、その基本理念を定め、国の責務等を明らかにし、および基本方針その他の基本となる事項を定めるとともに、成年後見制度利用促進会議および成年後見制度利用促進委員会を設置する(内閣府に設置されていた「利用促進会議」と「利用促進委員会」は、平成30年4月1日を以て廃止され、この課題は、厚生労働省の所管となった)こと等により、成年後見制度の利用の促進に関する施策を総合的かつ計画的に推進することを目的として、成年後見制度の利用の促進に関する法律(平成28年法律29号)が制定され、さらに成年後見制度の利用の促進に関する法律と成年後見の事務の円滑化を図るための民法及び家事事件手続法の一部を改正する法律(同27号)が制定された。後者により、民法860条の2、860条の3(成年後見人による郵便物等の管理)と873条の2

成年後見［前注］ 4

（成年被後見人の死亡後の成年後見人の権限）が新設された（§8(2)(エ)(e)および(f)参照）。

4 今後の課題

新しい成年後見制度は、社会の要請に応えて、市民にとって利用しやすいものとして効用を発揮すべきである。

(1) 社会福祉法との連携

とくに、改正法と同日の2000年4月1日から施行された「介護保険法」（公布は1997年12月17日）との関連が重要である。この介護保険制度は、要介護者と介護事業者との間の介護契約（「居宅サービス契約」、「施設サービス契約」など）を中心とする制度である。40歳以上の国民に対する強制保険制度を設け、その保険から業者により実施された介護サービスに対する対価が支払われるという仕組みになっている。ところが、当然のこととして、要介護者は、同時に判断能力についての不安を抱いている場合が多い。したがって、この介護保険制度の成否の鍵は要介護者による契約締結をいかに支援するかにかかっているといっても過言でない。新しい成年後見制度がこの機能を十分に担えるかどうかに、そのかなえの軽重が問われるといってもよい関係にある。

成年後見制度を福祉の観点から補充するものとして、福祉サービス利用援助事業（社会福祉協議会が行なうものを地域福祉権利擁護事業という。行政では、日常生活自立支援事業ともいう）がある。介護保険の実施のために1999年10月から実施されているが、現在では、成年後見制度との連携が重要な機能の一つになっている。社会福祉法上の第2種社会事業であり、認知症（従来痴呆症とよばれた）高齢者、知的障害者、精神的障害者など判断能力が不十分な人が自立した地域生活が送れるように福祉サービスの利用援助（社会保障関連の手続や生活費の出し入れ、書類預かりなど）を行うシステムである。

(2) 成年後見制度と障害者権利条約

日本は、障害者権利条約（国連の障害者の権利に関する条約）に2007年9月にすでに署名していたが、2013年12月には国会で批准され、翌年に正式に批准国となった。同条約は、「すべての障害者によるあらゆる人権及び基本的自由の完全かつ平等な享有を促進し、保護し、及び確保すること並びに障害者の固有の尊厳の尊重を促進することを目的」としている（同条約1条1項、外務省仮訳〔以下同〕）。批准されると、条約の国内的効力との関連で、民法の成年後見関係の規定と同条約との衝突が問題となる。同条約は、内容的に多様であるから、さまざまな論点があるが、とくに問題となるのは、障害者の法の下の平等をうたった12条と政治的および公的活動への参加をうたった29条である。

(ア) 同条約12条は、「締約国は、法的能力の行使に関連するすべての措置において、濫用を防止するための適当かつ効果的な保護を国際人権法に従って定めることを確保する。当該保護は、法的能力の行使に関連する措置が、障害者の権利、意思及び選好を尊重すること、利益相反を生じさせず、及び不当な影響を及ぼさないこと、障害者の状況に応じ、かつ、適合すること、可能な限り短い期間に適用すること並びに権限のある、独立の、かつ、公平な当局又は司法機関による定期的な審査の対象とすることを確保するものとする。当該保護は、当該措置が障害者の権利及び利益に及ぼす影

響の程度に応じたものとする」（同条約 12 条 4 項）。ここでいう「法的能力」とは、権利能力と行為能力であると解してよい。日本では、権利能力に関しては、差別等は存在しないので、行為能力のみが問題となる。すなわち、成年被後見人等の行為能力の制限が問題になる。具体的には、法定代理制度を支援制度に転換すべきであるという意見もあるが、自己の意思を表明できない被後見人もいるので、最小限度、法定代理権は存続させなければならいが、狭義の成年後見類型の適用の縮減（保佐制度の拡充）や広義の成年後見審判の再審査制度などを検討すべきであろう。

　㈠　同条約 29 条との関連では、公職選挙法 11 条 1 項 1 号が、選挙権の欠格事由として「成年被後見人」を規定していた点が問題であった。同号の規定については違憲訴訟が提起され、成年被後見人は選挙権を有しないと定めた同規定は憲法 15 条 1 項および 3 項等に違反し無効である旨の判決（東京地判平成 25・3・14 判時 2178 号 3 頁）がなされた。これを受けて 2013 年 5 月 27 日に公職選挙法が改正され、同規定は削除された。財産上の事理弁識能力と選挙権を行使しうる能力とは異なるのであるから、当然であろう。同条約との関連では、障害者に対する差別の観点からも問題となった。

　㈡　「成年被後見人等の権利の制限にかかる措置の適正化等を図るための関係法律の整備に関する法律」（令和元年法律 37 号）が成立し、成年被後見人等を資格・職種・業務等から一律に排除する規定等（欠格条項）を設けている各制度について、心身の故障等の状況を個別的、実質的に審査し、制度ごとに必要な能力の有無を判断する規定（個別審査規定）へと適正化するとともに、所要の手続規定を整備することになった。約 187 の法律が関連する。1 例を挙げれば、国家公務員法 38 条 1 号や地方公務員法 16 条 1 号の「成年被後見人又は被保佐人」は削除された。同法の施行は、原則として公布の日から起算して 3 か月後（2019 年 9 月 14 日）であるが、公布の日、6 か月後（12 月 14 日）、2020 年 12 月 1 日の場合もある。なお、会社法等については、同法付則 7 条を参照。具体的には、その後の同法の改正（令和元年法律 71 号）により、取締役（監査役、執行役、清算人も準用）の欠格事由を定める同法 331 条 1 項 2 号が削除され、新 331 条の 2 が新設され、成年被後見人または被保佐人が取締役、監査役、執行役、清算人に就任する場合に関する規定が設けられた。なお、現に取締役の地位にある者が後見開始の審判を受けた場合には、民法 653 条 3 号の問題となる。この場合には、会社法 331 条の 2 の同意等を得て再任するか、それを終任事由としない旨の特約の可否が問題になるが、後者は同条同号が強行規定かという点とも関連して解釈に委ねられている。

　⑶　親族後見人の激減と成年後見報酬等について

　2000 年に改正規定が施行された当初は、親族後見人の占める割合は 90％を超えていたが、最近では 30％を切っている。そこで、2019 年の 3 月には、最高裁は、家庭裁判所に対して、「親族を選任することが望ましい」旨の通知を出した。また、成年後見人の報酬についても、その業務量や難度に応じてその額を決定すべきであるとの通知を出した。また、従来から、「後見制度支援信託」が行われてきたが、一定の財産額が必要であったり、専門職後見人の選任が必要であったりしたが、新たに認められた「後見支援預金」では、金額の制限や専門職後見人の選任を必要としないことになった。ただし、これを取り扱う金融機関はまだ多くない。

成年後見［前注］⑤⑥

⑤ 1999年改正前の条文

1999年の法律149号による改正前の規定（1898年の原条文とは若干の異同がある）を条文ごとに示すのは適当ではないので、以下に改正前の、禁治産・準禁治産に関する規定（旧§§7〜13）をまとめて示しておく。

第七条 心神喪失ノ常況ニ在ル者ニ付テハ家庭裁判所〔原条文では、単に「裁判所」とあったが、その後「家事審判所」を経て、この条文となる。第8版凡例4 f）参照。以下同じ〕ハ本人、配偶者、四親等内ノ親族、後見人、保佐人又ハ検察官〔原条文では「検事」。第8版凡例4 f）参照。以下同じ〕ノ請求ニ因リ禁治産ノ宣告ヲ為スコトヲ得

第八条 禁治産者ハ之ヲ後見ニ付ス

第九条 禁治産者ノ行為ハ之ヲ取消スコトヲ得

第十条 禁治産ノ原因止ミタルトキハ家庭裁判所ハ第七条ニ掲ケタル者ノ請求ニ因リ其宣告ヲ取消スコトヲ要ス

第十一条 心神耗弱者〔1979年の改正で「、聾者（ろうしゃ）、唖者（あしゃ）、盲者（もうしゃ）」を削除〕及ヒ浪費者ハ準禁治産者トシテ之ニ保佐人ヲ附スルコトヲ得

第十二条 準禁治産者カ左ニ掲ケタル行為ヲ為スニハ其保佐人ノ同意ヲ得ルコトヲ要ス

一・二　〔2004年改正前条文と同じ・§13参照〕

三　不動産又ハ重要ナル動産ニ関スル権利ノ得喪ヲ目的トスル行為ヲ為スコト

四・五　〔2004年改正前条文と同じ・§13参照〕

六　相続ヲ承認シ又ハ之ヲ抛棄スルコト

七　贈与若クハ遺贈ヲ拒絶シ又ハ負担附ノ贈与若クハ遺贈ヲ受諾スルコト

八・九　〔2004年改正前条文と同じ・§13参照〕

家庭裁判所ハ場合ニ依リ準禁治産者カ前項ニ掲ケサル行為ヲ為スニモ亦其保佐人ノ同意アルコトヲ要スル旨ヲ宣告スルコトヲ得

前二項ノ規定ニ反スル行為ハ之ヲ取消スコトヲ得

第十三条 第七条及ヒ第十条ノ規定ハ準禁治産ニ之ヲ準用ス

⑥ 経過規定

従来の禁治産・準禁治産制度によって行われた「宣告」は、1999年改正法による後見開始の審判・保佐開始の審判とみなされる。したがって、禁治産者・準禁治産者は、改正法による成年被後見人・被保佐人とみなされ（ただし、「浪費者」を理由とする準禁治産者については、一部の規定を除いて、従前の例によるとされる）、禁治産者の後見人・後見監督人、および準禁治産者の保佐人は、改正法による成年後見人・成年後見監督人・保佐人とみなされる（1999年改正法附則§3）。これに伴う戸籍の再製については、後見登記等に関する法律附則2条を参照。

改正後の規定は、改正法施行前に生じた事項にも適用されるが、改正前の規定によって生じた効力は妨げない（たとえば、旧法によってすでに行われた取消権の行使など。1999年改正法附則§2）。

57

第1編　第2章　人　第3節　行為能力

（後見開始の審判）
第七条
　　精神上の障害により事理を弁識する能力を欠く常況[1)]にある者[2)]については、
　家庭裁判所[3)]は、本人[4)]、配偶者、四親等内の親族[5)]、未成年後見人[6)]、未成年後
　見監督人[7)]、保佐人[8)]、保佐監督人[9)]、補助人[10)]、補助監督人[11)]又は検察官[12)]の請
　求により[13)]、後見開始の審判をすることができる[14)]。

[原条文]　成年後見［§§7〜19の前注］⑤を見よ。

[1999年改正による2004年改正前条文]
　　精神上ノ障害ニ因リ事理ヲ弁識スル能力ヲ欠ク常況ニ在ル者ニ付テハ家庭裁判所ハ本人、
　配偶者、四親等内ノ親族、未成年後見人、未成年後見監督人、保佐人、保佐監督人、補助
　人、補助監督人又ハ検察官ノ請求ニ因リ後見開始ノ審判ヲ為スコトヲ得

　〔1〕　後見が開始されるための中心的要件である。1999年改正前の「心神喪失ノ
常況」に相当する。つぎの三つの要素からなる。
　㋐　事理弁識能力を欠くこと
　「事理を弁識する能力」とは、法律行為の結果を判断するに足りるだけの精神能力
のことである。短く「事理弁識能力」と呼ぶこともできる。「意思能力」といわれる
ものとほぼ同義であるといってよい（第2節解説②参照）。
　類似の概念としては、713条で用いられている「自己の行為の責任を弁識する能
力」（1999年改正により改められた表現）がある（§712も参照）。これは、不法行為責任を
生じさせる前提としての精神能力のことであり、「不法行為能力、責任能力」などと
呼ばれる（§713〔1〕参照）。この両者は、類似しているが、事理弁識能力は法律行為に
ついての判断に関し、責任能力は不法行為から生じる責任についての判断に関するの
で、その存否については微妙な違いがある。
　㋑　精神上の障害によること
　事理弁識能力を「精神上の障害により」欠くことが必要である。この障害には、病
気や傷害によるものばかりでなく、単に加齢によるものをも含むと解してよいであろ
う（医師などの鑑定書は原則として必要だが、例外的に必要でないとされる場合もある。〔14〕参
照）。精神的な判断力に障害がなければ、たとえば、身体的な障害により日常生活や
意思表示を行う上の困難が認められるような場合でも、この要件には該当しない。
　㋒　それが常況であること
　「常況」とは、1999年改正前も用いられていた表現であるが、ときどき普通の精神
状態に戻ることがあっても、大体において事理弁識能力を喪失した状態にある者を含
む意味である。9条〔3〕参照。
　〔2〕　後見開始の審判の対象となる者については、〔1〕の要件が必要であり、それ
以外の制約（資産や家庭状況などによる）はない。自然人に限られるのは、もちろんであ
る。成年に限られていないので、未成年者について後見が開始される可能性もある
（§8〔1〕参照）。未成年の知的障害者が成年に達すると法定代理人がいなくなるので、
その時のために申請をしておく必要があるからである。また、後見の場合には、行為

58

§7〔1〕～〔13〕

能力の制限が未成年のそれよりも大きいので、未成年者を成年被後見人にする実益も
ありうると考えられ、親権者または未成年後見人のほかに、成年後見人をもおこうと
いうときに利用されるであろう。この場合には、本人が成年に達した後も、成年後見
が継続することになる。

〔3〕 家事事件手続法39条の審判事件として、本人の住所地の家庭裁判所の管轄
である。その手続は家事事件手続法117条～127条および家事事件手続規則78条～
84条に規定されている。

〔4〕 「本人」も、判断能力を回復している間に、自分についての後見開始の審判
を請求できる。

〔5〕 親族の親等は、726条の規定に従って計算する。「いとこ」、「大おじおば」、
「きょうだいの孫」などが四親等の親族に当たるが、それ以内の血族である。姻族は
三親等内に限られる（§725③）。

〔6〕 未成年後見人が請求するのは、未成年後見人（§4〔2〕、§§839～841参照）がその
未成年者のために成年後見を開始させようとする場合である（〔2〕参照）。未成年者の親
権者は、親族として請求することができる。

〔7〕 1999年改正（以下、同じ）により、未成年後見監督人（§848）も、請求権者に加
えられた。

〔8〕 保佐人（§12〔2〕、§876の2参照）が請求するのは、その被保佐人の事理弁識能
力がさらに衰えをみせた場合に、その被保佐人のために後見を開始させようとする場
合である。なお、19条〔1〕を参照。

〔9〕 改正により、保佐監督人（§876の3）が設けられたが、この保佐監督人も、請
求権者に加えられた。

〔10〕 改正により、補助という類型が新設されて、補助人（§16〔2〕・§876の7参照）
も請求権者とされた。補助人が請求するのは、その被補助人の事理弁識能力の衰えが、
本条の後見の要件に該当するにまで進んだ場合に、その被補助人のために成年後見を
開始させる場合である。なお、19条〔1〕を参照。

〔11〕 改正により、補助監督人（§876の8）が設けられたが、この補助監督人も、請
求権者に加えられた（〔10〕参照）。

〔12〕 立法者の見解によれば、一方では加害の危険のある者から社会を防衛し、他
方では旧禁治産制度を利用して本人の身体や財産上の利益を保護し、これによって国
家の公益を図るために検察官（原条文では、検事。第8版凡例4f）を参照）を加えたようで
ある。高齢社会を迎えた現在では、市民のセーフティーガードの一環として成年後見
制度を機能させるために検察官が機能しうる場を設定していると解するべきであろう。
成年後見に関する以下の条文についても同じである。

〔13〕 この「請求」は、家事事件手続法によって、「申立て」と言い換えられてい
る。

以上に列挙された請求権者のほかに、つぎの者も請求ができる。

(a) 任意後見契約が存在し、登記されている場合に、本人の利益のためにとくに必
要があると認められるときは、任意後見受任者、任意後見人および任意後見監督人も

第1編　第2章　人　第3節　行為能力

請求できる(任意後見§10Ⅰ・Ⅱ。成年後見前注5参照)

(b)　市町村長にも、65歳以上の者(老人福祉法§32)、知的障害者(知的障害者福祉法§27の3)、精神障害者(精神保健及び精神障害者福祉に関する法律§51の11の2)のために成年後見開始の審判の請求権が与えられている。いずれについても、「その福祉を図るために特に必要があると認めるとき」という要件が定められている。請求権を行使する配偶者や親族がいなかったり(必ずしも4親等までの親族につき調査を完了する必要はない。厚生労働省は2親等までの調査を一応の基準として示している)、連絡不能であったり、正当な理由もなく請求を怠っているような場合で、本人の保護に必要であるようなときに、これらの規定が働くことになろう。

〔14〕　家庭裁判所が、被請求者が「精神上の障害により事理弁識能力を欠く常況にある」ことを判定する。この判定が厳正かつ迅速に行われることが、この制度が成功するかどうかを決定するといってもよいであろう((3)参照)。とくに、家事事件手続法119条1項は、「家庭裁判所は、成年被後見人となるべき者の精神の状況につき鑑定をしなければ、後見開始の審判をすることができない。ただし、明らかにその必要がないと認めるときは、この限りでない」と規定している。なお、「新しい成年後見制度における鑑定書作成の手引」(最高裁判所事務総局家庭局作成)を参照。

判定の結果、この要件が肯定された場合には、法文には「後見開始の審判をすることができる」とあるが、審判をすることを要すると解してよい。1999年改正前の禁治産宣告について、同様に解されていた(なお、§11〔12〕・§15〔12〕参照)。

後見開始の審判が確定したときは(家事§116、家事規§77参照)、家庭裁判所書記官の嘱託または当事者の申請に基づき、後見の登記が行われる(成年後見前注3(3)参照。後見登記§4)。従来の禁治産後見のような、公告、官報などへの掲載、戸籍事務管掌者への通知(旧家審規§§21・28)、戸籍法上の後見開始の届け出(戸旧§81)などは行われない(従来存在した、市町村による身分証明の制度も廃止された。成年後見(§§7〜18)前注3(3)参照)。

(成年被後見人及び成年後見人)
第八条
　　後見開始の審判を受けた者は、**成年被後見人**[1]とし、これに**成年後見人**[2]を付する[3]。

[原条文]　成年後見 [§§7〜19の前注] 5を見よ。

[1999年改正による2004年改正前条文]
　　後見開始ノ審判ヲ受ケタル者ハ成年被後見人トシテ之ニ成年後見人ヲ付ス

〔1〕　後見開始の審判を受けた者は、「成年被後見人」(本人ともいう。本書では、個所によってそのいずれかの用語を用いる)と呼ばれる。従来の「禁治産者」に相当する。

成年被後見人は、自然人に限られるのは当然であるが、成年者には限られない。未成年者の場合には、未成年者として行為能力を制限される(親権または未成年後見に服する)と同時に、成年被後見人としての制限にも服し、成年後見人が付されるのである

60

（§7(2)参照）。両者の権限は重複する場合があるので、いずれもがそれぞれの規定による権限を行使できると解することになろう。両者が背馳した場合は紛らわしい問題を生じるが、この点についてとくに規定はない。

〔2〕 成年被後見人の保護のために付される者を「成年後見人」と呼ぶ。改正によって、「未成年後見人」と「成年後見人」が区別され、両者を合わせて「後見人」と呼ぶこととなった（§10参照）。

成年後見人は、後見開始の審判にさいし、同時に必ず家庭裁判所の職権により選任されなければならない（未成年後見人とは異なる。§843Ⅰ。なお、§§843Ⅱ・Ⅲ・845参照）。

成年後見人については、つぎのような問題がある。

(ア) 成年後見人の選任方法

だれが成年後見人に選任されるかは、制度の帰趨を決める重要な意味を持つ。843条4項は、家庭裁判所は、選任に当たって、「成年被後見人の心身の状態並びに生活及び財産の状況、成年後見人となる者の職業及び経歴並びに成年被後見人との利害関係の有無（成年後見人となる者が法人であるときは、その事業の種類及び内容並びにその法人及びその代表者と成年被後見人との利害関係の有無）、成年被後見人の意思その他一切の事情を考慮しなければならない」と定めている（なお、欠格事由について、§847参照）。本人の意思も考慮されることになっているが、それに拘束されるものではない。

1999年改正前は、夫婦の一方が禁治産の宣告を受けたときは、他の一方が必ず後見人になる旨の規定があったが（旧§840）、改正で廃止された。とくに両方が高齢者の場合を考慮したものと考えられる。

すべては、家庭裁判所の裁量によって行われることになるが、やはり、配偶者その他の親族が選ばれることが多かったが、減少傾向にある。親族が適当でないと判断される場合に、法律専門家や福祉専門家が選任されることなどが考えられる。

(イ) 成年後見人の人数

1999年改正前は、後見人は一人でなければならないと定められていたが（旧§843）、成年後見人について、この規定は改正で廃止された。その際、未成年後見人については従来通りとされていたが（旧§842）、2011年の改正により、複数後見が認められた。後見開始の審判において複数の後見人を選任することもあろうが、あとから追加することもできる（§§843Ⅲ・840Ⅱ）。

(ウ) 法人である成年後見人

改正前は、後見人は自然人でなければならないと解されていたが、改正により、法人も成年後見人になることができることになった。この変更は大きな意味を持つことになろう。法人については、なんの限定もない。法文上は、公益法人であっても営利法人であってもよい。しかし、実際には、社会福祉関係の公益法人などが選任されるのが望ましいであろう。この職務を目的として設立された社団法人や一般法人の例もみられる。信託事業などを営む営利法人が選任されることも考えられるが、その選任には慎重を要するであろう（§847参照）。

(エ) 成年後見人の職務

第1編　第2章　人　第3節　行為能力

成年後見人は、つぎの権限および義務を有する(§§853～869参照)。

(a)　財産管理および法定代理権

成年後見人は、本人の財産を管理し、その財産に関する法律行為について成年被後見人を代理する権限を有する(§859)。成年後見人は、原則として、この権限を単独で包括的に行使する((e)参照)。なお、利益相反行為については、成年後見監督人がいない場合には、特別代理人が選任される(§§860・826 I)。

(b)　本人の法律行為の取消権

成年後見人は、本人が行った法律行為(日常生活に関するものを除く)について、これを取消す権限を有する(§§9・120 I [改注])。

(c)　身上配慮の義務

本人の身上監護について、どのように規定するかは問題のあるところである。改正前は、禁治産者の療養看護に努める義務が定められていた(旧§858 I)。改正により、これが、「成年後見人は、成年被後見人の生活、療養看護及び財産の管理に関する事務を行うに当たっては、成年被後見人の意思を尊重し、かつ、その心身の状態及び生活の状況に配慮しなければならない」(§858)と改められた。この規定の前提として、成年後見人には、本人について「身上配慮」の義務があると解される。

(d)　居住用不動産の処分

本人の居住用の不動産を処分することは、成年後見人の当然の代理権に属すると考えられるが、これも身上配慮(在宅復帰の可能性など)に関すると考えられるので、とくに、その処分には家庭裁判所の許可が必要である旨が定められた(§859の3)。

(e)　成年後見人による郵便物等の管理(2016年10月施行)

家庭裁判所は、成年後見人がその事務を行うに当たって必要があると認めるときは、成年後見人の請求により、信書の送達の事業を行う者に対し、期間を定めて、成年被後見人に宛てた郵便物又は民間事業者による信書の送達に関する法律2条3項に規定する信書便物(以下「郵便物等」という)を成年後見人に配達すべき旨を嘱託することができる(§860の2 I)。この嘱託の期間は、6箇月を超えることができない(同条II)。家庭裁判所は、上記の審判(嘱託)があった後事情に変更を生じたときは、成年被後見人、成年後見人若しくは成年後見監督人の請求により又は職権で、上記の嘱託を取り消し、又は変更することができる。ただし、その変更の審判においては、上記の審判において定められた期間を伸長することができない(同条III)。成年後見人の任務が終了したときは、家庭裁判所は、上記の嘱託を取り消さなければならない(同条IV)。

成年後見人は、成年被後見人に宛てた郵便物等を受け取ったときは、これを開いて見ることができる(§860の3 I)。成年後見人は、その受け取った上記の郵便物等で成年後見人の事務に関しないものは、速やかに成年被後見人に交付しなければならない(同条II)。成年被後見人は、成年後見人に対し、成年後見人が受け取った上記の郵便物等(成年被後見人に交付されたものを除く)の閲覧を求めることができる(同条III)。

(f)　成年被後見人の死亡後の成年後見人の権限(2016年10月施行)

成年後見人は、成年被後見人が死亡した場合において、必要があるときは、成年被後見人の相続人の意思に反することが明らかなときを除き、相続人が相続財産を管理

§§8〔3〕・9

することができるに至るまで、次に掲げる行為をすることができる。ただし、(3)の行為をするには、家庭裁判所の許可を得なければならない。

(1) 相続財産に属する特定の財産の保存に必要な行為
(2) 相続財産に属する債務(弁済期が到来しているものに限る)の弁済
(3) その死体の火葬又は埋葬に関する契約の締結その他相続財産の保存に必要な行為((1)及び(2)の行為を除く)(§873の2)

なお、家事事件手続法117条、118条、120条、122条がこれに対応して変更され、123条の2が新設された。

(g) 成年後見人が複数の場合

複数の成年後見人が選任された場合でも、原則として、各人がそれぞれ上記の権限を包括的に行使することができる。しかし、家庭裁判所は、職権で、数人の成年後見人が共同してのみその権限を行使できること、あるいは、事務を分掌して行使できることを定めることができる(§859の2)。事務分掌の例としては、財産管理についてはだれが、身上の監護についてはだれがというように、あるいは、一定の重要な財産の管理についてはある成年後見人だけが専属的に管理・代理する、というように、定められることになろう。ただし、複数の成年後見人を選任して、権限の分掌については後見人の話し合いにまかせる方法もありうる。これらの定めについては、後見登記がなされる(後見登記§4Ⅰ⑦)。

(オ) 成年後見人の報酬

家庭裁判所は、成年後見人および本人の資力その他の事情により、本人の財産の中から相当な報酬を成年後見人に与えることができる(§862)。当事者同士の任意の取決めは無効と解してよいであろう。

(カ) 後見監督人

家庭裁判所は、必要があると認めたときは、被後見人、その親族もしくは後見人の請求により、または職権で後見監督人を選任することができる(§849)。後見監督人が選任された場合には、後見人は後見監督人による一定の監督・制約に服する(§§863・864。そのほか、後見監督人の職務について、§851参照)。

(キ) その他

後見の事務の費用(§861)、後見人の欠格事由(§847)、辞任(§§844・845)、解任(§846)などについて規定されている。

〔3〕 1999年改正前は、「後見ニ付ス」という表現が用いられていたが、改正により、「成年後見人ヲ付ス」という表現に変えられた。いずれも、成年被後見人に成年後見人を付けること、換言すれば、成年被後見人のための成年後見人を選任することを意味する。

(成年被後見人の法律行為)
第九条
　　成年被後見人の法律行為[1]は、取り消すことができる[2]。ただし、日用品の購入その他日常生活に関する行為については、この限りでない[3]。

63

第1編　第2章　人　第3節　行為能力

　[原条文]　成年後見 [§§7～19の前注] ⑤を見よ。
　[1999年改正による2004年改正前条文]
　　成年被後見人ノ法律行為ハ之ヲ取消スコトヲ得但日用品ノ購入其他日常生活ニ関スル行
　為ニ付テハ此限ニ在ラズ

　〔1〕　この「法律行為」とは、未成年に関する5条1項の法律行為と同じく、財産
上の法律行為の意味である（§5〔1〕参照）。したがって、成年被後見人が、その判断能
力を回復している間に、婚姻、離婚、縁組、遺言などの行為を行うのについては、成
年後見人の同意を要しないで、単独でできる。これについては、738条・764条・799
条・812条・973条などを参照。なお、成年被後見人の訴訟能力については、別に規
定がある（民訴§31、人訴§13参照）。
　〔2〕　成年被後見人の行為は、原則として、たとえ成年後見人の同意を得てなされ
たときでも、なお取消すことができる。けだし、成年被後見人の精神状態は始終変化
するものであり、成年後見人があらかじめ同意を与えて本人が単独で法律行為をする
ことを許すのは危険だからである。例外は、本条ただし書に定められた場合だけであ
る。
　なお、本人の行為が、その行為の性質を理解する能力の全然ないときになされたも
のであることが証明されるときは、その行為は、単に取消しうるものであるにとどま
らず、無効でもある（本節解説②参照）。
　取消しは、成年被後見人本人またはその代理人、承継人がこれをすることができる
（§120 ─ 2017年の改正に注意）。本人が取消す場合でも、その取消しについて成年後
見人の同意を要するわけではない（この点については、未成年者におけるのと同一であるの
で、§5〔6〕を参照）。成年後見人は、成年被後見人の法定代理人として取消権を有する。
取消しは、その法律行為の効力を成年被後見人に及ぼしたくないと考える場合には、
つねにすることができる。その法律行為が成年被後見人にとって不利であることなど
を要件とするものではない。
　結局、成年被後見人との間で取消されるおそれのない取引を行うには、相手方は、
ただし書の場合を除き、その法定代理人である成年後見人との間で法律行為を行うほ
かない。成年後見人が成年被後見人のために法定代理行為を行うのに、本人の同意を
得る必要はない（なお、法定代理と本人の同意との関係について、保佐に関する§876の4、補
助に関する§876の9参照）。
　〔3〕　例外として、「日用品の購入その他日常生活に関する行為」については、本
人も単独で法律行為をすることができ、その法律行為は取消すことができない。
　この例外は、1999年改正前の禁治産者には認められていなかったが、改正によって、
成年後見に付された者についても、その者の判断能力を妥当な限り活かすことが望ま
しいという考えによって認められたものである。
　事理弁識能力を欠く常況にある者の行為を取消しえないものとするのであるから、
この日常生活に関する法律行為の範囲については、本人の財産状況その他を考慮して、
本人に実害を生じないように慎重に判断する必要があろう（必要もない高額な日用品を売

64

§§9〔1〕～〔3〕・10・11

りつけられたような場合を考えればよい）。その行為のときに事理弁識能力が欠けていたことが証明された場合に、その行為が無効になるのは当然である（〔2〕参照）。

（後見開始の審判の取消し）
第十条
　　第七条に規定する原因が消滅したときは、家庭裁判所は、本人、配偶者、四親等内の親族、後見人（未成年後見人及び成年後見人をいう[1]。以下同じ。）、後見監督人（未成年後見監督人及び成年後見監督人をいう[2]。以下同じ。）又は検察官の請求により、後見開始の審判を取り消さなければならない[3]。

[原条文]　成年後見〔§§7～19の前注〕[5]を見よ。

[1999年改正による2004年改正前条文]
　　第七条ニ定メタル原因止ミタルトキハ家庭裁判所ハ本人、配偶者、四親等内ノ親族、後見人（未成年後見人及ビ成年後見人ヲ謂フ以下同ジ）、後見監督人（未成年後見監督人及ビ成年後見監督人ヲ謂フ以下同ジ）又ハ検察官ノ請求ニ因リ後見開始ノ審判ヲ取消スコトヲ要ス

〔1〕　8条〔2〕参照。
〔2〕　後見監督人についても、未成年後見人に対するものと、成年後見人に対するものとがある。両者を合わせて、「後見監督人」と呼ぶのである。
〔3〕　後見開始の審判の原因である「精神上の障害により事理を弁識する能力を欠く常況」（§7）がなくなったときは、7条の定める請求権者から保佐人、保佐監督人、補助人、補助監督人を除き、後見人と後見監督人を加えた者が、その取消しを請求できる（§7〔13〕にあげた者も同様である）。手続については、家事事件手続法39条の審判事件として、家事事件手続法117条～127条および家事事件手続規則78条～84条に規定されている。
　　後見開始の審判の取消しが確定すれば、成年被後見人は、完全な行為能力を回復するが、それ以前になされた行為は、やはり成年被後見人の行為として、取消しの対象となる（ただし、§124Ⅰ・Ⅱ参照）。後見登記法4条1項8号参照。
　　なお、後見開始の審判の原因である状況が緩和され、保佐開始の審判の原因または補助開始の審判の原因に該当すると認められるときは、本条によるのではなくて、19条2項によることとなる。

（保佐開始の審判）
第十一条
　　精神上の障害により事理を弁識する能力が著しく不十分[1]である者[2]については、家庭裁判所[3]は、本人[4]、配偶者、四親等内の親族[5]、後見人[6]、後見監督人[7]、補助人[8]、補助監督人[9]又は検察官の請求により[10]、保佐開始の審判をすることができる[11]。ただし、第七条に規定する原因がある者については、この限りでない[12]。

[原条文]　成年後見〔§§7～19の前注〕[5]を見よ。

65

第1編　第2章　人　第3節　行為能力

[1999年改正による2004年改正前条文]
　　精神上ノ障害ニ因リ事理ヲ弁識スル能力ガ著シク不十分ナル者ニ付テハ家庭裁判所ハ本人、配偶者、四親等内ノ親族、後見人、後見監督人、補助人、補助監督人又ハ検察官ノ請求ニ因リ保佐開始ノ審判ヲ為スコトヲ得但第七条ニ定メタル原因アル者ニ付テハ此限ニ在ラズ

　〔1〕　保佐が開始されるための中心的要件である。1999年改正前の「心神耗弱」に相当する。つぎの二つの要素からなる。
　㋑　事理弁識能力がいちじるしく不十分であること
　事理弁識能力については、第7条〔1〕㋐参照。後見開始の審判と異なり、本条の場合には、本人は、この事理弁識能力を有してはいるが、それがいちじるしく不十分であることを要する。どういう場合にいちじるしく不十分であるかについては、13条1項に被保佐人が原則として単独では行為できない法律行為の類型が掲げられているので、この種の重要な法律行為についての判断を確実にできるかどうか、を基準として判定することになる。
　㋑　精神上の障害によること
　7条〔1〕㋑参照。
　〔2〕　1999年改正前の「心神耗弱者」に相当する。改正前は、「浪費者」もそれのみを理由として対象とされたが、改正によって除かれた（§15〔1〕㋐参照）。自然人に限られ、また、未成年者も対象になりうることは成年後見と同様であるが（§7〔2〕）、未成年の行為能力の制限の方が総体として大きいので、未成年者につき保佐開始の審判をすることの実益はほとんどない。本人が成年に達する直前にその状態に至った場合や親権者または未成年後見人のほかに、さらに保佐人を置いて、未成年者を保護しようという場合に利用されるであろう。
　〔3〕　7条〔3〕参照。家事事件手続法128条〜135条および家事事件手続規則85条参照。
　〔4〕　本人も、自分の事理弁識能力につき〔1〕の状態にあると考えたときは、みずから保佐開始の審判を請求できる。
　〔5〕　7条〔5〕参照。
　〔6〕　後見人には、未成年後見人と成年後見人が含まれる。成年後見人が請求するのは、その成年被後見人である本人の事理弁識能力が改善されて、保佐の要件に該当すると考えられる場合である（§19Ⅱ参照）。未成年後見人が、その未成年者につき保佐開始の審判を請求することは可能であるが、本人が未成年である限り、実益はあまりないと考えられる（〔2〕参照）。
　〔7〕　後見監督人も、1999年改正により、請求権者に加えられた。後見監督人についても、後見人について述べたことがいえる（〔6〕参照）。
　〔8〕　1999年改正により、補助という類型が新設されて、補助人（§16〔2〕、§876の7参照）も請求権者とされた。補助人が請求するのは、その被補助人の事理弁識能力が衰え、本条の保佐の要件に該当するまでに進んだ場合に、その被補助人のために保佐

§§11〔1〕~〔12〕・12〔1〕〔2〕

を開始させるためである（§19Ⅱ参照）。

〔9〕　1999年改正により、補助監督人（§876の8）が設けられたが、この補助監督人も、請求権者に加えられた。

〔10〕　この「請求」は、家事事件手続法により「申立て」と称されている。また、本条に掲げられた者以外に認められている請求権者は、成年後見の場合と同様である（§7〔13〕参照）。

〔11〕　手続などについて、家事事件手続法128条~135条および家事事件手続規則85条参照。とくに、家事事件手続法133条により、後見開始に関する同法119条が準用されていることに注意。なお、鑑定その他について、後見開始と同様であるので、7条〔14〕参照。

かりに、家庭裁判所の判定の結果、〔1〕の要件に該当すると認められた場合には、必ず、保佐開始の審判をしなければならないと解される（§15〔12〕参照。大判大正11・8・4民集1巻488頁は、心神耗弱であれば、必ず準禁治産宣告を要するとしていた）。

〔12〕　このただし書は、1999年改正前の準禁治産者に関する11条にはなかった。後見開始の審判の要件に該当する者については、保佐開始の審判をしてはならないとするものであって、逆にいえば、後見開始の審判の要件に該当する者については、必ず後見開始の審判をしなければならないことになる。

（被保佐人及び保佐人）
第十二条
　　　保佐開始の審判を受けた者は、被保佐人[1)]とし、これに保佐人[2)]を付する。
［原条文］ 成年後見［§§7~19の前注］⑤を見よ。
［1999年改正による2004年改正前条文］
第十二条ノ二
　　　保佐開始ノ審判ヲ受ケタル者ハ被保佐人トシテ之ニ保佐人ヲ付ス

〔1〕　保佐開始の審判を受けた者は「被保佐人」（本人ともいう。本書では、個所によってそのいずれかの用語を用いる）と呼ばれる。従来の「準禁治産者」に相当する（ただし、改正前は「浪費者」もその対象になっていたが、1999年改正によって対象から除かれた）。

被保佐人は、自然人に限られるのは当然である。成年者には限られないが、未成年者に保佐人を付す実益はあまりないであろう（§11〔2〕参照）。

〔2〕　被保佐人の保護のために付される者を、「保佐人」と呼ぶ。「保佐人を付する」とは、保佐人を選任することを意味する。

家庭裁判所は、保佐開始の審判にさいし、同時に必ず職権により保佐人を選任しなければならない（§876の2Ⅰ）。

保佐人については、つぎのような問題がある。

（ア）　保佐人の選任方法

成年後見人と同様である（§§876の2Ⅰ・Ⅱ、843Ⅱ~Ⅳ。§8〔2〕（ア）参照）。

（イ）　保佐人の人数

第1編　第2章　人　第3節　行為能力

成年後見人と同様である（§§876の2Ⅱ、843Ⅲ。§8⑵(イ)参照）。

　(ウ)　法人である保佐人

成年後見人と同様である（§§876の2Ⅱ、843Ⅳ。§8⑵(ウ)参照）。

　(エ)　保佐人の職務

保佐人は、つぎの権限および義務を有する。

　(a)　同意権および取消権

保佐人は、13条1項［改注］が定める被保佐人の行為について、同意を与える権限を有する。また、同項に定められた行為以外であって、家庭裁判所の審判により保佐人の同意が必要である旨を定められた行為（§9ただし書に規定された日常生活に関する行為については、そのような定めはできない）についても、同様である（§13Ⅱ）。この審判については、後見登記（記録）がなされる（後見登記§4Ⅰ⑤）。

　ただし、保佐人が被保佐人の利益を害するおそれがないのにかかわらず同意をしないときは、家庭裁判所は、被保佐人の請求により保佐人の同意に代わる許可を与えることができる（§13Ⅲ）。これは、1999年改正前にはなかった規定である。

　保佐人の同意が必要な行為について、本人が保佐人の同意（または、それに代わる家庭裁判所の許可）なしにした行為については、保佐人はこれを取消す権限を有する（§120Ⅰ）。1999年改正前においては、保佐人が取消権を有するかどうかは、規定上明確でなく、解釈上の争いがあったところである（§120⑸参照）。

　(b)　代理権

家庭裁判所は、11条本文に掲げられた者、または保佐人もしくは保佐監督人の請求により、被保佐人のために特定の法律行為について保佐人に代理権を付与する審判をすることができる。この審判をするのには、本人以外の請求によるときは、本人の同意がなければならない（§876の4）。たとえば、特定の不動産の処分や一定額の金銭の運用などの範囲に限った代理権が認められることになろう。この審判については、後見登記（記録）される（後見登記§4Ⅰ⑥）。保佐人は、この審判がなされたときは、それに従った代理権（法定代理権）を有する。これは、1999年改正前の保佐人については認められなかったことである。

　(c)　身上配慮の義務

　保佐人については、「保佐人は、保佐の事務を行うに当たっては、被保佐人の意思を尊重し、かつ、その心身の状態及び生活の状況に配慮しなければならない」と規定された（§876の5Ⅰ）。1999年改正前にはなかった規定である。この規定も、身上配慮義務の規定とされているが、そもそも、保佐人の権限は、(a)・(b)の範囲に限られていて、この規定の適用もその事務の範囲に限られていることに注意を要する。なお、居住用不動産に関する859条の3は保佐人にも準用される（§876の5Ⅱ。§8⑵(エ)(d)参照）。

　(d)　保佐人が複数の場合

後見人と同様である（§§76の5Ⅱ・859の2。§8⑵(エ)(e)参照）。事務分掌は審判において具体的になされるとは限らないが、その例としては、同意・取消権についてはだれ、代理権についてはだれ、というように定めることも考えられよう。

　(オ)　保佐人の報酬

§13

後見人と同様である（§§876の5Ⅱ・862。§8(2)(オ)参照）。

　(カ)　臨時保佐人

　保佐人（または、保佐人がある人の代理人となっている場合のその本人、すなわち、被保佐人の相手方になる者）と被保佐人との利益が相反する行為については、保佐人は、家庭裁判所に臨時保佐人の選任を請求しなければならない（§876の2Ⅲ）。保佐監督人がいる場合は、その必要はない（保佐監督人がその任務を行う。§§876の3Ⅱ・851④）。この規定に反したときは、保佐人による同意・取消し・代理は効力を生じないと解してよいであろう。

　(キ)　保佐監督人

　家庭裁判所は、必要があると認めるときは、被保佐人、その親族もしくは保佐人の請求により、または職権で保佐監督人を選任することができる（§876の3Ⅰ）。保佐監督人は、法人でもよく、また複数でもよい（§876の3Ⅱによる§§843Ⅳ・859の2の準用。ただし、追加に関する§843Ⅲは準用されていない）。保佐監督人が選任された場合には、保佐人は、保佐監督人による一定の監督・制約に服する（そのほか、保佐監督人について、§§876の2Ⅲ・876の3）。

　(ク)　その他

　保佐の事務の費用、保佐人の欠格事由、辞任、解任その他について、後見に関する規定が準用されている（§§876の2Ⅱ・876の5Ⅱ・Ⅲ）。

（保佐人の同意を要する行為等）
第十三条
　1　被保佐人が次に掲げる行為[1]をするには、その保佐人の同意[2]を得なければならない。ただし、第九条ただし書に規定する行為については、この限りでない[3]。
　一　元本を領収し、又は利用すること[4]。
　二　借財又は保証をすること[5]。
　三　不動産その他重要な財産に関する権利の得喪を目的とする行為をすること[6]。
　四　訴訟行為をすること[7]。
　五　贈与、和解[8]又は仲裁合意[9]（仲裁法（平成一五年法律第百三十八号）第二条第一項に規定する仲裁合意をいう。）をすること。
　六　相続の承認若しくは放棄又は遺産の分割をすること[10]。
　七　贈与の申込みを拒絶し、遺贈を放棄し、負担付贈与の申込みを承諾し、又は負担付遺贈を承認すること[11]。
　八　新築、改築、増築又は大修繕をすること[12]。
　九　第六百二条に定める期間を超える賃貸借をすること[13]。
　十　前各号に掲げる行為を制限行為能力者（未成年者、成年被後見人、被保佐人及び第十七条第一項の審判を受けた被補助人をいう。以下同じ。）の法定代理人としてすること[1]。

69

第1編　第2章　人　第3節　行為能力

　　2　家庭裁判所は、第十一条本文に規定する者又は保佐人若しくは保佐監督人の請求により、被保佐人が前項各号に掲げる行為以外の行為をする場合であってもその保佐人の同意を得なければならない旨の審判をすることができる[14]。ただし、第九条ただし書に規定する行為については、この限りでない[15]。

　　3　保佐人の同意を得なければならない行為について、保佐人が被保佐人の利益を害するおそれがないにもかかわらず同意をしないときは、家庭裁判所は、被保佐人の請求により、保佐人の同意に代わる許可を与えることができる[16]。

　　4　保佐人の同意を得なければならない行為であって、その同意又はこれに代わる許可を得ないでしたものは、取り消すことができる[17]。

[改正前条文]　新設された1項10号以外は上記どおり。

〈改正〉　2017年に改正された。1項に上記のような10号を、新たに加えた。附則（行為能力に関する経過措置）第三条　施行日前に制限行為能力者（新法第十三条第一項第十号に規定する制限行為能力者をいう。以下この条において同じ。）が他の制限行為能力者の法定代理人としてした行為については、同項及び新法第百二条の規定にかかわらず、なお従前の例による。

[改正の趣旨]　[1]　制限行為能力者であっても、支援を受けながら代理行為を行うことができることを前提とした規定であり、望ましい改正であった。なお、新102条を参照。

[原条文]　成年後見［§§7～19の前注］[5]を見よ。

[1999年改正による2004年改正前条文]　なお、本条[9]参照。

第十二条

　　被保佐人カ左ニ掲ケタル行為ヲ為スニハ其保佐人ノ同意ヲ得ルコトヲ要ス但第九条但書ニ定メタル行為ニ付テハ此限ニ在ラズ

　　一　元本ヲ領収シ又ハ之ヲ利用スルコト

　　二　借財又ハ保証ヲ為スコト

　　三　不動産其他重要ナル財産ニ関スル権利ノ得喪ヲ目的トスル行為ヲ為スコト

　　四　訴訟行為ヲ為スコト

　　五　贈与、和解又ハ仲裁合意〔2003年の改正により、「仲裁契約」が「仲裁合意」に改められた〕ヲ為スコト

　　六　相続ノ承認若クハ放棄又ハ遺産ノ分割ヲ為スコト

　　七　贈与若クハ遺贈ヲ拒絶シ又ハ負担付ノ贈与若クハ遺贈ヲ受諾スルコト

　　八　新築、改築、増築又ハ大修繕ヲ為スコト

　　九　第六百二条ニ定メタル期間ヲ超ユル賃貸借ヲ為スコト

　　2　家庭裁判所ハ第十一条本文ニ掲ゲタル者又ハ保佐人若クハ保佐監督人ノ請求ニ因リ被保佐人カ前項ニ掲ケサル行為ヲ為スニモ亦其保佐人ノ同意ヲ得ルコトヲ要スル旨ノ審判ヲ為スコトヲ得但第九条但書ニ定メタル行為ニ付テハ此限ニ在ラズ

　　3　保佐人ノ同意ヲ得ルコトヲ要スル行為ニ付キ保佐人ガ被保佐人ノ利益ヲ害スル虞ナキニ拘ラズ同意ヲ為サザルトキハ家庭裁判所ハ被保佐人ノ請求ニ因リ保佐人ノ同意ニ代ハル許可ヲ与フルコトヲ得

　　4　保佐人ノ同意ヲ得ルコトヲ要スル行為ニシテ其同意又ハ之ニ代ハル許可ヲ得ズシテ為シタルモノハ之ヲ取消スコトヲ得

本条は、被保佐人の行為能力が制限される範囲を規定する。本条が定める以外の行

為については、保佐人の同意を得なくても、被保佐人は完全に有効な行為をすることができる。本条が定める行為については、被保佐人が保佐人の同意を得ないでした行為は取消すことのできる行為になる。もし、取消されることがなければ、そのまま有効な行為になる。被保佐人の行為能力はそのような意味において制限されるのである。

なお、1999年改正により保佐人が代理権を与えられる場合が認められたが（§12〔2〕㈠(b)参照）、これは、被保佐人の行為能力を狭めたものと考える必要はない。本人の行為能力には影響なく、保佐人という法定代理人によって行為するという可能性を新しく作り、むしろ被保佐人の行為能力を補うものと考えてよい。

なお、本条は、成年後見人が成年被後見人に代わって行為をする場合に、成年後見監督人の同意を要するとされる範囲についての標準にもされる（§864）。

〔1〕　1999年改正前の本条が列挙していた行為の範囲は、現代の経済社会の状態に照らして狭すぎると評されていたが、改正によって、二つの点で広げられた（〔6〕〔10〕参照）。これは、被保佐人の保護を厚くしたという意味を持つと考えてよい。

〔2〕　保佐人が同意を与えるについて、なんの形式も必要としない。1999年改正前の準禁治産者について、事後においても同意を与えることができるとし（大判昭和6・12・22裁判例(5)民286頁。§124Ⅲ参照）、また、同意は本人に対し表示されればよく、相手方に表示される必要はないとした判例（準禁治産者について、大判明治41・5・7民録14輯542頁）がある。前者の事後の同意は、1999年改正法では「追認」としてとらえられている（§20Ⅳ）。保佐人（または保佐人が代理人になっている者、すなわち、被保佐人の相手方になる者）と被保佐人の利益が相反するときは、保佐監督人または臨時保佐人が同意を与えることになる（§876の2Ⅲ。§12〔2〕㈡参照）。

〔3〕　「日用品の購入その他日常生活に関する行為」は、本条1項の列挙にほとんど該当しないと思われるが、念のため規定されたものである。この行為は、成年被後見人でも単独でできるのであるから、除外されるのは当然である。

〔4〕　元本とは、利息・賃料その他民法にいう法定果実（§88Ⅱ）を生じる財産、すなわち貸し金、賃貸した不動産などである。本号は、要するに、利息や賃料を受領するのはよいが、元本の回収や利用はできないという意味である。

〔5〕　「借財又は保証」は、広義に解される。無尽に加入している者が、満会（掛け金を全額払い切った状態をいう）前に抽籤入札などにより金銭の給付を受け、後日これを掛け戻す義務を負担する行為（大判昭和4・6・21新聞3031号16頁）、約束手形を振出す行為（大判大正3・11・20民録20輯959頁）、手形保証（大判昭和8・4・10民集12巻574頁）なども借財または保証である。時効完成後の債務の承認にも本号が類推適用されるべきであるとする判例がある（大判大正8・5・12民録25輯851頁。時効完成前の承認は別である。大判大正7・10・9民録24輯1886頁、大判大正8・4・1民録25輯643頁）。

〔6〕　不動産に関する権利得喪行為には、一定の条件を具備することによって不動産を取得できる権利を処分する場合なども包含する（大判明治37・3・25民録10輯330頁）。担保物権の設定、土地賃貸借の合意解除なども含まれる。

「その他重要な財産に関する」という文言は、1999年改正前は、「又ハ重要ナル動産ニ関スル」であった。従来は、動産を挙げておけば足りたであろうが、現在では、

第1編　第2章　人　第3節　行為能力

金銭、金銭債権、有価証券、知的財産権など、重要な意味を持つ財産の形態が多様化しているので、この改正がなされた。

〔7〕　民事訴訟において原告となって訴訟を遂行する行為を意味する。相手方が提起した訴えまたは上訴について訴訟行為をするには、保佐人の同意を要しない（民訴§32）。訴えの提起につき特段の留保なしに同意を得たときは、さらに同意を得ないでも控訴、上告できる（最判昭和43・11・19判時539号43頁）。なお、民事訴訟法32条2項は、訴え、控訴もしくは上告の取下げ、和解、請求の放棄もしくは認諾または同法48条の規定による脱退などをするには、つねに特別の授権を要するものとしている。

授権を要するのに授権を得ないでなされた訴訟行為は、他の法律行為の場合とは違って、取消しうるのではなく、無効である。ただし、訴訟の係属中に授権を得るか、被保佐人自身が能力を回復して追認をすれば、無効の訴訟行為は遡及して効力を生じる（民訴§34Ⅱ）。

なお、被保佐人の人事訴訟法上の訴訟行為能力については別に規定がある（人訴§13）。

〔8〕　695条参照。

〔9〕　仲裁合意（2003年に「仲裁契約」が改められた）とは、「既に生じた民事上の紛争又は将来において生ずる一定の法律関係に関する民事上の紛争の全部又は一部の解決を一人又は二人以上の仲裁人に委ね、かつ、その判断に服する旨の合意」であり、仲裁人の仲裁判断は裁判所の確定判決と同一の効力を有する（仲裁§§2Ⅰ・45）。

〔10〕　1999年改正により、「遺産の分割」が加えられた。

相続の承認には単純承認と限定承認があるが（§§915～）、ここでは両者を含む。ただし、単純承認とみなされる場合（§921）は、被保佐人がとくに承認行為をするわけではないので、本号に該当しないと解される。相続の放棄については、938条以下を参照。共同相続が一般的になった現在では、遺産の分割は重要な意味を持つ財産処分行為になったので、これにも保佐人の同意が必要とされた（§§906～参照）。

〔11〕　遺贈の放棄については、986条以下を参照。「負担付贈与」については、551条2項・553条を参照。「負担付遺贈」については、1002条・1003条を参照。本号の規定によれば、負担を伴わない贈与・遺贈の受諾には、保佐人の同意はいらないことになる。

〔12〕　これらの行為を目的とする請負契約の類のことである。

〔13〕　602条［改注］に定めた期間を超えない賃貸借（短期賃貸借と呼ぶ）は、貸す場合にも借りる場合にも同意を要しない。貸すことは元本の利用に当たるわけであるから、その範囲で本条1号が制限される。

〔14〕　前項に掲げた行為以外についても、家庭裁判所は、被保佐人の一定の行為について保佐人の同意を要する旨の審判をすることができる。改正前は、「場合ニ依リ」とだけ定められていたが、1999年改正により請求権者の請求によることとされた。その請求権者の範囲は、保佐開始の審判の請求権者に保佐人と保佐監督人を加えたものである。手続については、家事事件手続法39条・128条～135条および家事事件手続規則85条を参照。

§§13〔7〕〜〔17〕・14〔1〕〜〔3〕

〔15〕　本項による審判でも、成年被後見人にも許される日常生活に関する行為につき同意を要するものとすることはできない。〔3〕と同じ趣旨である。

〔16〕　1999年改正によって加わった規定である。保佐人が必要もないのに同意を拒んだ場合に、被保佐人のための救済措置として、家庭裁判所が、保佐人の同意に代えて、被保佐人の行為に許可を与えることができるとしたものである。手続は、家事事件手続法39条・128条〜135条および家事事件手続規則85条による。

〔17〕　取消権者については、120条［改注］を参照（なお、§12⑵㈡参照）。被保佐人自身が取消す場合でも、被保佐人は単独で取消すことができ、保佐人の同意を要しないこと、また、取消した結果についても、未成年者の場合と同じである（§5〔6〕を参照）。訴訟行為については、本条〔7〕を参照。

（保佐開始の審判等の取消し）
第十四条
　　1　第十一条本文に規定する原因が消滅したときは、家庭裁判所は、本人、配偶者、四親等内の親族、未成年後見人[1]、未成年後見監督人[2]、保佐人、保佐監督人又は検察官の請求により、保佐開始の審判を取り消さなければならない[3]。
　　2　家庭裁判所は、前項に規定する者の請求により、前条第二項の審判の全部又は一部を取り消すことができる[4]。

［原条文］　成年後見［§§7〜19の前注］⑤を見よ。
［1999年改正による2004年改正前条文］
第十三条
　　第十一条本文ニ定メタル原因止ミタルトキハ家庭裁判所ハ本人、配偶者、四親等内ノ親族、未成年後見人、未成年後見監督人、保佐人、保佐監督人又ハ検察官ノ請求ニヨリ保佐開始ノ審判ヲ取消スコトヲ要ス
　　家庭裁判所ハ前項ニ掲ゲタル者ノ請求ニ因リ前条第二項ノ審判ノ全部又ハ一部ヲ取消スコトヲ得

〔1〕　被保佐人が未成年者であって、未成年後見に付されている場合のことである（§11⑵参照）。

〔2〕　〔1〕の場合であって、未成年後見監督人が選任されている場合のことである。

〔3〕　保佐開始の審判の要件である「精神上の障害により事理を弁識する能力がいちじるしく不十分である」という状況が消滅したときは、11条に定める請求権者から成年後見人、成年後見監督人、補助人、補助監督人を除き、保佐人と保佐監督人を加えた者が、その取消しを請求できる（他の請求権者については、§7〔13〕・§10〔3〕参照）。手続については、家事事件手続法39条の審判事件（家事別表1参照）として、家事事件手続法128条〜135条および家事事件手続規則85条に規定されている。

　　保佐開始の審判の取消しが確定すれば、被保佐人は、完全な行為能力を回復するが、それ以前になされた行為は、やはり、被保佐人の行為として、13条［改注］が適用される（§10〔3〕参照）。

第1編　第2章　人　第3節　行為能力

　なお、保佐開始の審判の原因が緩和され、補助開始の原因に該当すると認められる
ときは、本条によるのではなくて、19条2項によることとなる。
　〔4〕　13条2項により家庭裁判所の審判でとくに保佐人の同意を要するものとさ
れた行為について、その全部または一部を取消す審判についても念のために規定した。
1999年改正前にはなかった規定である。

　（補助開始の審判）
　第十五条
　　1　精神上の障害により事理を弁識する能力が不十分[1)]である者[2)]については、
　　　家庭裁判所[3)]は、本人[4)]、配偶者、四親等内の親族[5)]、後見人[6)]、後見監督人[7)]、
　　　保佐人[8)]、保佐監督人[9)]又は検察官の請求により[10)]、補助開始の審判をするこ
　　　とができる[11)]。ただし、第七条又は第十一条本文に規定する原因がある者に
　　　ついては、この限りでない[12)]。
　　2　本人以外の者の請求により補助開始の審判をするには、本人の同意がなけ
　　　ればならない[13)]。
　　3　補助開始の審判は、第十七条第一項の審判又は第八百七十六条の九第一項
　　　の審判とともにしなければならない[14)]。
　〔原条文〕　成年後見〔§§7〜19の前注〕⑤を見よ。
　　　なお、原条文の§§14〜18は、「妻の無能力」に関する規定であったが、1947年に削られ
　　た。その条文を以下に掲げておく。
　第十四条　妻カ左ニ掲ケタル行為ヲ為スニハ夫ノ許可ヲ受クルコトヲ要ス
　　一　第十二条第一項第一号乃至第六号ニ掲ケタル行為ヲ為スコト
　　二　贈与若クハ遺贈ヲ受諾シ又ハ之ヲ拒絶スルコト
　　三　身体ニ羈絆ヲ受クヘキ契約ヲ為スコト
　　　前項ノ規定ニ反スル行為ハ之ヲ取消スコトヲ得
　第十五条　一種又ハ数種ノ営業ヲ許サレタル妻ハ其営業ニ関シテハ独立人ト同一ノ能力ヲ有
　　ス
　第十六条　夫ハ其与ヘタル許可ヲ取消シ又ハ之ヲ制限スルコトヲ得但其取消又ハ制限ハ之ヲ
　　以テ善意ノ第三者ニ対抗スルコトヲ得ス
　第十七条　左ノ場合ニ於テハ妻ハ夫ノ許可ヲ受クルコトヲ要セス
　　一　夫ノ生死分明ナラサルトキ
　　二　夫カ妻ヲ遺棄シタルトキ
　　三　夫カ禁治産者又ハ準禁治産者ナルトキ
　　四　夫カ瘋癲ノ為病院又ハ私宅ニ監置セラルルトキ
　　五　夫カ禁錮一年以上ノ刑ニ処セラレ其刑ノ執行中ニ在ルトキ
　　六　夫婦ノ利益相反スルトキ
　第十八条　夫カ未成年者ナルトキハ第四条ノ規定ニ依ルニ非サレハ妻ノ行為ヲ許可スルコト
　　ヲ得ス
　〔1999年改正による2004年改正前条文〕
　第十四条
　　　精神上ノ障害ニ因リ事理ヲ弁識スル能力ガ不十分ナル者ニ付テハ家庭裁判所ハ本人、配
　　偶者、四親等内ノ親族、後見人、後見監督人、保佐人、保佐監督人又ハ検察官ノ請求ニ因

リ補助開始ノ審判ヲ為スコトヲ得但第七条又ハ第十一条本文ニ定メタル原因アル者ニ付テハ此限ニ在ラズ

本人以外ノ者ノ請求ニ因リ補助開始ノ審判ヲ為スニハ本人ノ同意アルコトヲ要ス

補助開始ノ審判ハ第十六条第一項ノ審判又ハ第八百七十六条の九第一項ノ審判ト共ニ之ヲ為スコトヲ要ス

補助は、1999 年改正によって設けられた従来の 2 類型に加えての新しい第 3 の類型である。

〔1〕 補助が開始されるための中心的要件である。つぎの二つの要素からなる。

㋑ 事理弁識能力が不十分であること

事理弁識能力については、第 7 条〔1〕㋑参照。保佐開始の審判と異なり、本条の場合には、事理弁識能力がいちじるしく不十分である必要はなく、普通に不十分であればよい。不十分さが軽度であるといってもよい。また、改正前の「心神耗弱」にまで達していないが、それより軽い不十分さ、といってもよい。基準としては、13 条〔改注〕に列挙された行為についても、おおむねは単独で判断できるが、そのなかの一定の行為については、その判断の確実性に不安があるという程度である。どの種の行為について行為能力を制限するかは、審判において具体的に特定されることになる（§17 参照）。

改正前において、準禁治産宣告の対象になりうるものとされていた「浪費者」については、1999 年改正により、保佐開始の審判の対象から外された（§11〔2〕参照）。だからといって、浪費者は本条による補助開始の審判の対象にならないと考えてはいけない。浪費者という要素によって行為能力を制限されることはない、ということになったのであるから、別に事理弁識能力の不十分という要素がない限り、浪費者という理由だけで補助の対象になることはないということである。

㋺ 精神上の障害によること

7 条〔1〕㋺参照。

〔2〕 〔1〕の要件に該当する者を制限行為能力者の一種とすることは、改正の重要な眼目の一つである。自然人に限られる。未成年者も対象になることは成年後見や保佐と同様である（§7〔2〕・§11〔2〕参照）、親権者または未成年後見人のほかに、補助人を必要とする場合は、成年期を迎える準備が必要である場合を除き、限られるであろう。

〔3〕 7 条〔3〕参照。家事事件手続法 136 条～144 条および家事事件手続規則 86 条参照。

〔4〕 本人も、自分の事理弁識能力が不十分と考えるときは、みずから補助開始の審判を請求できる。

〔5〕 7 条〔5〕参照。

〔6〕 7 条〔6〕参照。

〔7〕 7 条〔7〕参照。

〔8〕 保佐人が請求するのは、その被保佐人の事理弁識能力が改善されて、補助の要件に該当すると考えられる場合である（§19 Ⅱ参照）。

第1編　第2章　人　第3節　行為能力

〔9〕　保佐監督人についても、〔8〕と同様である。

〔10〕　この「請求」は、家事事件手続法により「申立て」と称されている。本条に掲げられた者以外に認められている請求権者は、成年後見の場合と同様である（§7〔13〕参照）。

〔11〕　手続などについては、家事事件手続法136条〜144条および家事事件手続規則86条参照。とくに、家事事件手続法138条は、「家庭裁判所は、被補助人となるべき者の精神の状況につき医師その他適当な者の意見を聴かなければ、補助開始の審判をすることができない」と規定している。後見、保佐の場合（原則として鑑定を要する）との違いに注意を要する（家事§§119・130）。なお、「新しい成年後見制度における診断書作成の手引」（最高裁判所事務総局家庭局作成）を参照。なお、7条〔14〕参照。

かりに、〔1〕の要件に該当すると認められる場合にも、——後見開始の審判や保佐開始の審判と異なり（§7〔14〕・§11〔11〕参照）——諸般の事情を考慮して、補助開始の審判をしないことができると解してよい。

〔12〕　このただし書の結果、後見または保佐開始の審判の原因が存するときは、その審判が請求され、かつ、なされるべきであって（§7〔14〕と§11〔11〕参照）、補助開始の審判をすることはできない。

〔13〕　補助開始の審判をするには、本人の請求による場合はもちろん不要であるが、他の者の請求による場合は、本人の同意を要する。後見・保佐ではそのようなことはなく、改正が認めた補助類型の特色であり、この類型の適用に関しては、あくまで本人の意思を尊重しようとする趣旨による。補助における行為能力の内容も本人の同意を得て審判で定められるのであるから（§§17・876の9）、この趣旨は一貫しており、補助が、本人が不安を持ち、補助人の援助を得たいときに利用する類型であるという特色を示している。

〔14〕　被補助人の行為能力の内容は、審判によって定められる補助人の同意を要する行為（§17）、補助人が代理権を有する行為（§876の9）の範囲によって決まるのであるから、補助開始の審判とこれらの範囲を定める審判とは不可分の関係にあるのである。

（被補助人及び補助人）
第十六条
　　補助開始の審判を受けた者は、被補助人[1)]とし、これに補助人[2)]を付する。
〔原条文〕　成年後見〔§§7〜19の前注〕⑤を見よ。
〔1999年改正による2004年改正前条文〕
第十五条
　　補助開始ノ審判ヲ受ケタル者ハ被補助人トシテ之ニ補助人ヲ付ス

〔1〕　補助開始の審判を受けた者は、「被補助人」（本人ともいう。本書では、個所によってそのいずれかの用語を用いる）と呼ばれる。

被補助人は、自然人に限られるのは当然である。成年者には限られないが、未成年

者を被補助人とする実益は、本人が成人に達した後に備えて補助人を付しておくような場合以外は、あまりないであろう（§15〔2〕参照）。

〔2〕 被補助人の保護のために付される者を「補助人」と呼ぶ。「補助人を付する」とは、補助人を選任することを意味する。家庭裁判所は、補助開始の審判にさいし、同時に必ず、職権により補助人を選任しなければならない（§876の7Ⅰ）。

補助人については、つぎのような問題がある。

(ア) 補助人の選任方法

成年後見人と同様である（§§876の7のⅠ・Ⅱ・843Ⅱ～Ⅳ。§8〔2〕(ア)参照）。

(イ) 補助人の人数

成年後見人と同様である（§§876の7のⅡ・843Ⅲ。§8〔2〕(イ)参照）。

(ウ) 法人である補助人

成年後見人と同様である（§§876の7のⅡ・843Ⅳ。§8〔2〕(ウ)参照）。

(エ) 補助人の職務

補助人は、つぎの権限および職務を有する。

(a) 特定の法律行為についての同意権および取消権

17条1項により、家庭裁判所により補助人の同意を得ることを要する旨の審判がなされた特定の法律行為について、補助人は、被補助人によるその法律行為について同意を与える権限を有し、同意を得ないでなされた被補助人の行為（§17Ⅲによる家庭裁判所の許可がなされれば、格別）を取消す権利を有する（§§17Ⅳ・120Ⅰ。改正前§120〔3〕参照）。この同意権および取消権が審判によって認められない場合もあるが、その場合には、必ず(b)の権限は与えられる必要がある。いずれの権限をも有しないということはありえない（§18Ⅲ参照）。

(b) 特定の法律行為についての代理権

876条の9により、補助人に代理権を付与する旨の家庭裁判所の審判がなされた特定の法律行為について、補助人は、被補助人を代理する権限を有する。この代理権が認められない場合、(a)の権限が認められる必要がある。

(c) 身上配慮の義務

補助人について、保佐人に関する876条の5第1項が準用されている（§876の10Ⅰ）。この身上配慮義務は(a)・(b)の範囲に限られる（§12〔2〕(エ)(c)参照）。なお、居住用不動産に関する859条の3も準用される（§8〔2〕(エ)(d)参照）。

(オ) 補助人の報酬

後見人と同様である（§§876の10Ⅰ・862。§8〔2〕(オ)参照）。

(カ) 臨時補助人

その定めは、臨時保佐人と同様である（§§876の7Ⅲ・876の8Ⅱ・851の8Ⅱ・851④。§12〔2〕(カ)参照）。

(キ) 補助監督人

その定めは、保佐監督人と同様である（§§876の7Ⅲ・876の8Ⅰ・876の8Ⅱ・851。§12〔2〕(キ)参照）。

(ク) その他

第1編　第2章　人　第3節　行為能力

補助の事務の費用、補助人の欠格事由、辞任、解任その他について、後見に関する規定が準用されている（§§876の7Ⅱ・876の10）。

■（補助人の同意を要する旨の審判等）
第十七条
1　家庭裁判所は、第十五条第一項本文に規定する者又は補助人若しくは補助監督人の請求により、被補助人が特定の法律行為をするにはその補助人の同意を得なければならない旨の審判をすることができる[1]。ただし、その審判によりその同意を得なければならないものとすることができる行為は、第十三条第一項に規定する行為の一部に限る[2]。
2　本人以外の者の請求により前項の審判をするには、本人の同意がなければならない[3]。
3　補助人の同意を得なければならない行為について、補助人が被補助人の利益を害するおそれがないにもかかわらず同意をしないときは、家庭裁判所は、被補助人の請求により、補助人の同意に代わる許可を与えることができる[4]。
4　補助人の同意を得なければならない行為であって、その同意又はこれに代わる許可を得ないでしたものは、取り消すことができる[5]。

［原条文］　成年後見［§§7〜19の前注］⑤を見よ。
［1999年改正による2004年改正前条文］
第十六条
　家庭裁判所ハ第十四条第一項本文ニ掲ゲタル者又ハ補助人若クハ補助監督人ノ請求ニ因リ被補助人ガ特定ノ法律行為ヲ為スニハ其補助人ノ同意ヲ得ルコトヲ要スル旨ノ審判ヲ為スコトヲ得但其同意ヲ得ルコトヲ要スル行為ハ第十二条第一項ニ定メタル行為ノ一部ニ限ル
　本人以外ノ者ノ請求ニ因リ前項ノ審判ヲ為スニハ本人ノ同意アルコトヲ要ス
　補助人ノ同意ヲ得ルコトヲ要スル行為ニ付キ補助人ガ被補助人ノ利益ヲ害スル虞ナキニ拘ラズ同意ヲ為サザルトキハ家庭裁判所ハ被補助人ノ請求ニ因リ補助人ノ同意ニ代ハル許可ヲ与フルコトヲ得
　補助人ノ同意ヲ得ルコトヲ要スル行為ニシテ其同意又ハ之ニ代ハル許可ヲ得ズシテ為シタルモノハ之ヲ取消スコトヲ得

　被補助人の行為能力は、原則的に制限されておらず、本条に基づき、家庭裁判所の審判により特定の法律行為が定められ、それらの法律行為（§17）に限って、制限を受けることになる。また、876条の9は、家庭裁判所が審判により定める特定の法律行為について、補助人に代理権を認めるが、これは、被補助人の行為能力を補う意味を持つものである。
　〔1〕　家庭裁判所は、15条1項本文に掲げた者に補助人と補助監督人を加えた者の請求により、被補助人が特定の行為をするのには、補助人の同意を要する旨の審判をすることができる。この審判によって、はじめて被補助人の行為能力の制限の内容が定まる。したがって、この審判と876条の9による代理権を付与する審判のいずれ

§§17・18〔1〕〜〔3〕

もがなされないと、補助開始の審判の意味はないことになる。15条3項、18条3項は、その趣旨による規定である。

〔2〕　被補助人が補助人の同意を要するものとして家庭裁判所が定める特定の法律行為は、13条1項［改注］の定める行為の一部に限られる。その全部を定めることは、保佐の場合と異ならなくなるから、一部に限るのである。

〔3〕　審判が本人以外の者の請求によるときは、第1項の特定の法律行為を定める審判をするのに本人の同意を要する。結局、補助開始の審判をするかどうかについても、また、それによる行為能力の制限の内容についても、本人の意思が尊重されるのである。

〔4〕　保佐の場合と同様であるので、改正前13条〔16〕参照。

〔5〕　保佐の場合と同様であるので、12条〔17〕参照。

▌（補助開始の審判等の取消し）
第十八条
　　1　第十五条第一項本文に規定する原因が消滅したときは、家庭裁判所は、本人、配偶者、四親等内の親族、未成年後見人[1)]、未成年後見監督人[2)]、補助人、補助監督人又は検察官の請求により、補助開始の審判を取り消さなければならない[3)]。
　　2　家庭裁判所は、前項に規定する者の請求により、前条第一項の審判の全部又は一部を取り消すことができる[4)]。
　　3　前条第一項の審判及び第八百七十六条の九第一項の審判をすべて取り消す場合には、家庭裁判所は、補助開始の審判を取り消さなければならない[5)]。

［原条文］　成年後見［§§7〜19の前注］⑤を見よ。

［1999年改正による2004年改正前条文］
第十七条
　　第十四条本文ニ定メタル原因止ミタルトキハ家庭裁判所ハ本人、配偶者、四親等内ノ親族、未成年後見人、未成年後見監督人、補助人、補助監督人又ハ検察官ノ請求ニ因リ補助開始ノ審判ヲ取消スコトヲ要ス
　　家庭裁判所ハ前項ニ掲ゲタル者ノ請求ニ因リ前条第一項ノ審判ノ全部又ハ一部ヲ取消スコトヲ得
　　前条第一項ノ審判及ビ第八百七十六条の九第一項ノ審判ヲ総テ取消ス場合ニ於テハ家庭裁判所ハ補助開始ノ審判ヲ取消スコトヲ要ス

〔1〕　被補助人が未成年者であって、未成年後見にも付されている場合のことである（§16〔1〕参照）。

〔2〕　〔1〕の場合であって、未成年後見監督人が選任されている場合のことである。

〔3〕　補助開始の審判の要件である「精神上の障害により事理を弁識する能力が不十分である」という状況がなくなったときは、15条に定める請求権者から成年後見人、成年後見監督人、保佐人、保佐監督人を除き、補助人と補助監督人を加えた者が、その取消しを請求できる（他の請求権者については、§7〔12〕・§15〔10〕参照）。手続について

79

第1編　第2章　人　第3節　行為能力

は、家事事件手続法 39 条の審判事件(家事別表 1 参照)として、家事事件手続法 136 条
〜144 条および家事事件手続規則 86 条に規定されている。
　補助開始の審判の取消しが確定すれば、被補助人は、完全に行為能力を回復するが、
それ以前になされた補助人の同意を要する行為は、やはり、被補助人の行為として、
17 条が適用される(§10〔3〕・§14〔3〕参照)。
　〔4〕　補助人の行為能力の制限は、特定の法律行為について補助人の同意を要する
とする 17 条 1 項の審判によって定められる。追加の審判も可能であると考えられる。
全部または一部の取消しもできる旨が念のために規定された。ただし、全部の取消し
については、〔5〕を参照。
　〔5〕　補助人の行為能力の内容は、特定の法律行為について補助人の同意を要する
とする審判(§17 I)、および補助人が代理権を認められる特定の法律行為に関する審
判によって定められる(§876 の 9 I)。これらの制限が全部取消されれば、補助を継続
する意味はなくなるので、補助開始の審判そのものが取消されることになるのである。

（審判相互の関係）
第十九条
　1　後見開始の審判をする場合において、本人が被保佐人又は被補助人である
　　ときは、家庭裁判所は、その本人に係る保佐開始又は補助開始の審判を取り
　　消さなければならない[1]。
　2　前項の規定は、保佐開始の審判をする場合において本人が成年被後見人若
　　しくは被補助人であるとき、又は補助開始の審判をする場合において本人が
　　成年被後見人若しくは被保佐人であるときについて準用する[2]。

〔原条文〕　成年後見〔§§7〜19 の前注〕5 を見よ。
〔1999 年改正による 2004 年改正前条文〕
第十八条
　後見開始ノ審判ヲ為ス場合ニ於テ本人ガ被保佐人又ハ被補助人ナルトキハ家庭裁判所ハ
其本人ニ係ル保佐開始又ハ補助開始ノ審判ヲ取消スコトヲ要ス
　前項ノ規定ハ保佐開始ノ審判ヲ為ス場合ニ於テ本人ガ成年被後見人若クハ被補助人ナル
トキ又ハ補助開始ノ審判ヲ為ス場合ニ於テ本人ガ成年被後見人若クハ被保佐人ナルトキニ
之ヲ準用ス

---

　〔1〕　すでに、保佐開始の審判を受けて被保佐人になっている者または補助開始の
審判を受けて被補助人となっている者の事理弁識能力がさらに衰えを見せて、後見開
始の審判の要件に該当した場合についての規定である。後見開始の審判を受けるため
の請求がされ、その審判をするためには、家庭裁判所は、まずその者についての保佐
または補助開始の審判を取消さなければならない。これらの資格を二つ以上兼ねるこ
とはできないという当然の理による規定である。
　なお、この場合において、請求権を有する者の判断により請求を行わないで、従来
の審判のまま維持しておくことも、可能であるが、本人の権利擁護が十全であるかい
なかの検討(保佐人または補助人の善管注意義務に関連する)は不可欠であろう。

§§18 〔4〕〔5〕・19・20

〔2〕　第1項の理は、成年被後見人または被補助人である者について保佐開始の審判をする場合、および、成年被後見人または被保佐人である者について補助開始の審判をする場合にも当然に妥当する。なお、10条〔3〕、14条〔3〕を参照。なお、本条による審判の手続については、家事事件手続法39条・別表第1の20の項・39の項・131条・140条を参照。

（制限行為能力者の相手方の催告権）
第二十条

1　制限行為能力者[1]の相手方[2]は、その制限行為能力者が行為能力者（行為能力の制限を受けない者をいう。以下同じ。）となった後[3]、その者に対し、一箇月以上の期間を定めて、その期間内にその取り消すことができる行為を追認[4]するかどうかを確答すべき旨の催告をすることができる。この場合において、その者がその期間内に確答を発しないときは、その行為を追認したものとみなす[5]。

2　制限行為能力者の相手方が、制限行為能力者が行為能力者とならない間に、その法定代理人[6]、保佐人又は補助人[7]に対し、その権限内の行為[8]について前項に規定する催告をした場合において、これらの者が同項の期間内に確答を発しないときにも、同項後段と同様とする。

3　特別の方式を要する行為[9]については、前二条の期間内にその方式を具備した旨の通知を発しないときは、その行為を取り消したものとみなす。

4　制限行為能力者の相手方は、被保佐人又は第十七条第一項の審判を受けた被補助人に対しては、第一項の期間内にその保佐人又は補助人の追認を得るべき旨の催告をすることができる[10]。この場合において、その被保佐人又は被補助人がその期間内にその追認を得た旨の通知を発しないときは、その行為を取り消したものとみなす。

[改正前条文]　第1項　制限行為能力者（未成年者、成年被後見人、被保佐人及び第十七条第一項の審判を受けた被補助人をいう。以下同じ。）……以下は上記どおり。

〈改正〉　2017年に改正された。1項の制限行為能力者の後のカッコ書きを削除した。

[改正の趣旨]　制限行為能力者については、13条1項10号を参照。

[原条文]
第十九条

無能力者ノ相手方ハ其無能力者カ能力者ト為リタル後之ニ対シテ一个月以上ノ期間内ニ其取消シ得ヘキ行為ヲ追認スルヤ否ヤヲ確答スヘキ旨ヲ催告スルコトヲ得若シ其無能力者カ其期間内ニ確答ヲ発セサルトキハ其行為ヲ追認シタルモノト看做ス

無能力者カ未タ能力者トナラサル時ニ於テ夫又ハ法定代理人ニ対シ前項ノ催告ヲ為スモ其期間内ニ確答ヲ発セサルトキ亦同ジ但法定代理人ニ対シテハ其権限内ノ行為ニ付テノミ此催告ヲ為スコトヲ得

特別ノ方式ヲ要スル行為ニ付テハ右ノ期間内ニ其方式ヲ践ミタル通知ヲ発セサルトキハ之ヲ取消シタルモノト看做ス

準禁治産者及ヒ妻ニ対シテハ第一項ノ期間内ニ保佐人ノ同意又ハ夫ノ許可ヲ得テ其行為ヲ追認スヘキ旨ヲ催告スルコトヲ得若シ準禁治産者又ハ妻カ其期間内ニ右ノ同意又ハ許可

81

第1編　第2章　人　第3節　行為能力

ヲ得タル通知ヲ発セサルトキハ之ヲ取消シタルモノト看做ス

〈改正〉　1947年の改正で、2項の「夫又ハ」、4項の「及ヒ妻」、「又ハ夫ノ許可」、「又ハ妻」、「又ハ許可」が削られた。妻の無能力の原条文については、15条 [原条文] を参照。

[1999年改正による2004年改正前条文]

第十九条

　　制限能力者（未成年者、成年被後見人、被保佐人及ビ第十七条第一項ノ審判ヲ受ケタル被補助人ヲ謂フ以下同ジ）ノ相手方ハ其制限能力者カ能力者ト為リタル後之ニ対シテ一箇月以上ノ期間内ニ其取消シ得ヘキ行為ヲ追認スルヤ否ヤヲ確答スヘキ旨ヲ催告スルコトヲ得若シ其制限能力者カ其期間内ニ確答ヲ発セサルトキハ其行為ヲ追認シタルモノト看做ス

　　制限能力者カ未タ行為能力者トナラサル時ニ於テ其法定代理人、保佐人又ハ補助人ニ対シ其権限内ノ行為ニ付キ前項ノ催告ヲ為スモ其期間内ニ確答ヲ発セサルトキ亦同シ

　　特別ノ方式ヲ要スル行為ニ付テハ右ノ期間内ニ其方式ヲ践ミタル通知ヲ発セサルトキハ之ヲ取消シタルモノト看做ス

　　被保佐人又ハ第十六条第一項ノ審判ヲ受ケタル被補助人ニ対シテハ第一項ノ期間内ニ其保佐人又ハ補助人ノ追認ヲ得ヘキ旨ヲ催告スルコトヲ得若シ其保佐人又ハ被補助人ガ其期間内ニ右ノ追認ヲ得タル通知ヲ発セサルトキハ之ヲ取消シタルモノト看做ス

　制限行為能力者の行為の相手方となった者は、制限行為能力者がその行為を取消すか、それとも取消さずにその効力を主張するか、どちらか分からない不安の状態におかれる。そこで本条は、相手方に、どちらかに決定するべきことを求める催告権を与えたのである。解除に関する547条と同趣旨の規定である。

　〔1〕　「制限行為能力者」とは、未成年者・成年被後見人・被保佐人・（一定の）被補助人を総称する民法の用語である。改正前は「無能力者」と称されていたが、適切な用語ではなかった。単に「制限能力」（2004年改正前の用語）と呼ばれることも多い。なお、714条を参照。

　〔2〕　「制限行為能力者の相手方」とは、制限行為能力者と契約をした者、または制限行為能力者の単独行為たとえば契約解除の意思表示を受けた者を意味する。

　〔3〕　「行為能力者となった後」とは、制限行為能力者が制限されない完全な行為能力を取得した後の意味であり、未成年者が成年に達し、または婚姻をして成年に達したものとみなされた後、または後見開始・保佐開始・補助開始の審判が取消されて行為能力を回復した後、である。

　〔4〕　追認については122条以下を見よ。

　〔5〕　「みなす」という用語は、「推定する」（§§32の2・136・186・188・250など）という用語と区別される。「みなす」とは、法律上当然そうした効力を生じるということだから、確答を発しなかったが追認の意思はなかったという反証を挙げてもだめである。この点で、「推定」と異なる。「推定」は、いちおうそうした効力を生じさせるだけで、反証が許される（上記条文の注釈参照）。

　〔6〕　「法定代理人」とは、未成年者の親権者または未成年後見人および成年被後見人の成年後見人である（§5〔2〕・§8〔2〕参照）。成年後見人は成年被後見人の行為に同意を与えるということはないから、ここでは、成年被後見人がしてしまった法律行為について、成年後見人がその代理権の範囲において同じ内容の代理行為をするかどう

§20〔1〕〜〔10〕

かという問題になる。

〔7〕 保佐人(§13［改注］)または家庭裁判所の審判によって同意権を認められた補助人のことである(§17 I)。これらの者は、代理権を認められることもあるが(§§876の4・876の9)、法定代理人とは呼ばれない(第5章第3節解説②(2)参照)。

〔8〕 未成年者の法定代理人、保佐人または補助人が同意権を有する(§§5・13［改注］・17)範囲を意味する。成年後見人においては、同意権ではなく、法定代理権の問題になることについて、〔6〕参照。

親権者が共同して親権を行使している場合には、両方に対して催告をしなければならない。そして、両方ともに期間内に確答を発しないときは、追認したものとみなされることはいうまでもないが、一方だけが取消す意思表示をしたときは、取消しの効果を生じるものと解するべきものと思う。というのは、両方が共同しなければ同意を与えることができないものだからである。

〔9〕 「特別の方式を要する行為」とは、要するに、法定代理人、保佐人または補助人が単独で同意を与え、または代理することのできない行為の意味である。1947年の改正前には、母である親権者や後見人が親族会の同意を要する場合(旧§§886・929)、未成年の夫が法定代理人の同意を要する場合(旧§§18・14)などがこれに属していたが、同年の改正法はこれらの規定を削除した。1999年改正法のもとにおいては、後見人が後見監督人の同意を必要とする範囲内の行為がこれに属する(§864)。

問題となるのは、利益が相反するために親権者、後見人、保佐人または補助人がその同意権および代理権を制限される行為を、制限能力者が単独で行った場合である(§§826・860・876の2 II・876の7 III、§5(3)参照)。この場合には、法定代理人らは、同意権も代理権もまったくないのであるから、特別の方式を要する行為にも入らないようにみえる。しかし、そう解釈すると、——後見監督人、保佐監督人または補助監督人がある場合には、これらの者をその行為に関する限りの法定代理人として、これに対して催告することができる(この催告は本条2項の効力をもつ)が、そのほかの場合には——、このような行為についての特別代理人はいまだ選任されていないのだから、相手方は催告権を行使できないことになる。そこで、このような場合にも、相手方が法定代理人らに対して催告したときは、法定代理人らがその催告期間内に特別代理人の選任を請求し、その者からの追認がなされない以上、催告の対象となった法律行為は取消されたものとみなされると解するべきではあるまいか。

〔10〕 被保佐人または被補助人に対して催告をすることはできない。しかし、保佐人または補助人が進んで追認をすること、すなわち事後に同意を与えることは、差し支えないと解されている(保佐人について、改正前§13(2)参照。補助人についても同様に解される)。そこで、被保佐人または被補助人に対しては、保佐人または補助人の追認を得るようにとの催告ができることとされた。この場合に追認を得た旨の通知がないときは、取消しがあったものとみなすのである。

第1編　第2章　人　第3節　行為能力

（制限行為能力者の詐術）
第二十一条
　　制限行為能力者が行為能力者であること[1]を信じさせるため詐術[2]を用いたときは[3]、その行為を取り消すことができない[4]。
[原条文]
第二十条
　　無能力者カ能力者タルコトヲ信セシムル為メ詐術ヲ用ヒタルトキハ其行為ヲ取消スコトヲ得ス
〈改正〉　1999年改正により、「無能力者」が「制限能力者」に改められた。

　制限行為能力者が積極的に行為能力者であると相手方を偽った場合には、制限行為能力者(以下、単に制限能力者という)よりもむしろ相手方を保護するべきであるというのが本条の趣旨である。
　〔1〕　制限能力者でないと偽る場合だけでなく、制限能力者であることを認めた上で法定代理人または保佐人の同意を得たことを信じさせるために詐術を用いた場合にも、本条の規定は適用される(大判大正12・8・2民集2巻577頁〔準禁治産者の例〕)。
　〔2〕　民法の制限行為能力者制度は往々にして相手方に不測の損害をこうむらせ、取引の安全を害するので、これを救済するため、本条の「詐術」の語——この言葉自体からはとくに積極的な詐欺行為を意味するニュアンスが感じられるが、——は、判例によってしだいに拡張されてきた。
　もっとも、未成年者については、これを保護する意図がなお強く、したがって単に成年者であると告げることは詐術とならず、戸籍謄本を偽造するとか、第三者に自分が能力者であることを偽証させるとかのような、積極的な詐欺手段を用いることを必要とするものとされている(大判大正5・12・6民録22輯2358頁)。少なくとも、独立して営業をなす能力があることを信じさせるため、商業帳簿その他の書類を他人に示した程度の積極的行為を必要とする、と解されている。これは、フランス民法1307条→1149条2項が「単に成年に達している旨を告げる」ことは取消しの障害にならない旨を規定するのと類似する。
　しかし、被保佐人については、単に能力者であると告げることも、ほとんど詐術とされると解されてきた。たとえば、改正前の準禁治産者(ほとんどが浪費者)についてであるが、他人とある法律行為をするに当たって、無能力者であることをかくす目的で、「自分は相当の資産信用を有するから安心して取引をせられたい」と述べることは詐術となるとされた(大判昭和8・1・31民集12巻24頁)。もっとも、最高裁においては、単なる黙秘では当たらないが、積極的術策を用いた場合に限らず、「ふつうに人を欺くに足りる言動を用いて相手方の誤信を誘起し、または誤信を強めた場合」を包含するとされた(最判昭和44・2・13民集23巻291頁)。
　なお、従来の禁治産者については判例はない。本条は、とくにこれを除外してはいないが、成年被後見人に関しては、実際上、本条の適用の余地がないと解してよかろう。

§21

〔3〕　詐術によって相手方が本人の行為能力に問題がないと誤信し、その誤信に基づいて契約などの行為をしたことを要するのはいうまでもない。契約成立後に詐術が行われたとしても、問題にならない。

　国が当事者である契約については、会計法の関係で若干問題がある。会計法上、競争入札による契約の場合、契約書の作成によって契約は「確定」するとされているが（会計§29の8Ⅱ）、落札により予約が成立した後、契約書作成前に詐術が用いられた場合にも、本条により取消しは認められないとされる（最判昭和35・5・24民集14巻1154頁）。

〔4〕　制限能力者が、自己が能力者であることを信じさせるために詐術を用いたときは、取消権を有しない。

　この制限能力者の行為が相手方に対する詐欺に該当するものとして、相手方に取消権が認められる場合があろうか（§96参照）。能力に関する詐欺的行為はすべて本条に包摂され、「詐欺による意思表示」には当たらないとする見解も可能であろうが、96条〔改注〕の詐欺に該当するといえる場合（効果意思に影響を与える場合）には（たとえば、未成年者に売ってはいけない物を成年者とだまして買った場合の買主の行為）、相手方に同条による取消し（売主による売買契約の取消し）を認めてもよいであろう。

85

第1編　第2章　人　第4節　住所

第4節　住　　所

　本節は、住所、居所、仮住所など、人と場所との関係の基本的な事項を規定する。その効果については、これらの概念が問題になるそれぞれの法律関係について、それぞれの個所で規定する建前である（§22〔2〕・§23〔3〕・§24〔1〕参照）。本節は2017年の改正で、第3節から第4節に変更された。

■ （住所）
■ 第二十二条
　　　各人の生活の本拠[1]をその者の住所[2]とする。
■ ［原条文］
■ 第二十一条
　　各人ノ生活ノ本拠ヲ以テ其住所トス

　〔1〕　生活の本拠とは、「ある人の一般の生活関係においてその中心をなす場所」であって（大決昭和2・5・4民集6巻219頁）、フランス民法102条が an lieu où il a son principal établissement といい、ドイツやスイスの学者が räumlicher Mittelpunkt der Lebenstätigkeit というのと同様の意義である。判例によれば、住所は、その場所を生活関係の中心としようとする意思 animus（心素）と、その意思を実現した事実 corpus（体素）とが存する場合に成立するとし、この意思は、幼児や心神喪失者（現在でいえば、事理弁識能力を欠く者）にあってはその法定代理人の意思によって補充されるものとされる（前掲大決昭和2・5・4）。ただし、意思を必要としないと解する反対説が有力である。
　〔2〕　住所の法律効果のうち、主要なものは、裁判管轄の標準となる場合であって、実体法上の効果が認められる場合は比較的に少ない。主要なものはつぎの通りである。
　　(a)　不在および失踪の標準（§§25・30）
　　(b)　債務履行の場所を定める標準（§484［改注］、商§516）
　　(c)　相続の開始地（§883）
　　(d)　手形行為等の場所（手§§2Ⅲ・4・21・22Ⅱ・27・48Ⅱ・52・60・76Ⅲ・77、小§8）
　　(e)　裁判管轄の標準（民訴§4Ⅱ、人訴§4、家事§§4〜9、家事規§§6〜9、非訟§§5〜10、非訟規§§5・7、破§4）
　　(f)　裁判上の期間付加の標準（民訴§96Ⅱ）
　　(g)　選挙法上の住所（公選§§9ⅡⅣ・20Ⅰ・21Ⅰ・28②）　公職選挙法（昭和25年法律100号）の旧規定の時期においてではあるが、両親のもとを離れて大学付属の寮において起臥しており、たまたま当時の住民登録法（昭和26年法律218号）による登録が5名については寮の地においてなされておらず、寮の地で登録されていた者も含めて、全部で47名の学生について、大学寮に住所があり、そこにおいて選挙権があるとした最高裁の判例がある（最大判昭和29・10・20民集8巻

第4節［解説］・§§22・23〔1〕〔2〕

1907頁）。その後、公職選挙法の規定も変化し、住民登録法も住民基本台帳法
（昭和42年法律81号）に変わって、制度も整備されているので、住民票の所在と
選挙権の存在場所とが一致する工夫がなされている。

(h) 国際私法上の準拠法を定める標準（法適用通則§§5・6）

(i) 帰化および国籍回復の条件（国籍§§5Ⅰ①・6〜8）

(j) 贈与税の課税要件である国内住所（2003年改正前の相続税法1条の2第1号）
香港に赴任しつつ国内にも相応の日数滞在していた者が、国外財産の贈与を受
けた時において、相続税法1条の2第1号所定の贈与税の課税要件である国内
（同法の施行地）における住所を有していたとはいえないとされた事例がある（最
判平成23・2・18判時2111号3頁）。

住民基本台帳法（前述）の定める制度に従って設けられた住民基本台帳に記録された
住民票の住所は、民法上の住所の認定についても強い意味を持つと考えられるが、両
者は、法律上の観念としてはあくまで別個のものであり、住民票上の住所と違う場所
に、民法上の住所が認定される場合もありうる（最判平成9・8・25判時1616号52頁。転
出届が出されたが、生活の本拠には変更はないとされた。市議会議員選挙で、当選者がほかの者
を当選させる目的で転出届を出したという特異なる例である）。

このことと関係するが、同一の人について複数の住所が認められるかが問題とされ
る。複数の住所を正面から認めた判例はないが、人が持つ各種の生活関係に応じてそ
れぞれの「本拠」に複数の住所を認める可能性を認める見解が学説では有力である。

（居所）
第二十三条
　1　住所が知れない場合[1]には、居所[2]を住所とみなす[3]。
　2　日本に住所を有しない者は、その者が日本人又は外国人のいずれであるか
　　を問わず、日本における居所をその者の住所とみなす[4]。ただし、準拠法を
　　定める法律に従いその者の住所地法によるべき場合は、この限りでない。

［原条文］
第二十二条
　　住所ノ知レサル場合ニ於テハ居所ヲ以テ住所ト看做ス
第二十三条
　　日本ニ住所ヲ有セサル者ハ其日本人タルト外国人タルトヲ問ハス日本ニ於ケル居所ヲ以
　テ其住所ト看做ス但法例ノ定ムル所ニ従ヒ其住所ノ法律ニ依ルヘキ場合ハ此限ニ在ラス
　〈改正〉　1964年の改正により、後者のただし書に、「法例ノ定ムル所ニ従ヒ」とあったのが、
　「法例其他準拠法ヲ定ムル法律ニ従ヒ」と改められた。2004年改正により原条文の22条と23
　条が合体されて、23条となり、「法例」のあとに「（明治三十一年法律第十号）」が付加された。
　2006年の改正により、「法例（明治三十一年法律第十号）その他」が削除された。

〔1〕　「住所が知れない場合」とは、どこかに住所を有しているけれど、その所
在が不明である場合と、住所をまったく有しない場合とを含む。

〔2〕　「居所」は、住所と同様にその人の生活の中心となる場所であるが、住所ほ

87

第1編 第2章 人 第4節 住所

ど確定的な関係を生じるに至らない場所である。スイス民法24条のAufenthaltsort（「滞在地」という意味）に該当する観念である。住所の成立に定住の意思を必要とすると解するときは、居所にはこの意思を必要としない点が両者の重要な差異となる（§22〔1〕参照）。

〔3〕 居所を住所と「みなす」（改正前§20〔5〕参照）とは、住所について生じる法律効果（§22〔2〕参照）が居所について生じることを意味する。なお、法例29条1項は、「当事者ノ住所地法ニ依ルヘキ場合ニ於テ其住所カ知レサルトキハ其居所地法ニ依ル」、同条2項は、「当事者ガ二箇以上ノ住所ヲ有スルトキハ其住所地中当事者ニ最モ密接ナル関係アル地ノ法律ヲ其住所地法トス」と規定していたが、2006年に同法は全面改正され、名称は「法の適用に関する通則法」と変わり、この規定は削除された。

〔4〕 前項が住所の不明な場合について規定するのに対し、本項は、住所は判明しているが、それが日本にはない者について、居所をもって住所とみなす旨を規定する。その効果は前項と異ならない。

（仮住所）
第二十四条
　ある行為について仮住所を選定したときは、その行為に関しては、その仮住所を住所とみなす[1]。
［原条文］
　或行為ニ付キ仮住所ヲ選定シタルトキハ其行為ニ関シテハ之ヲ住所ト看做ス

〔1〕 たとえば、神戸に住所を有する商人が、東京における取引につき、東京のあるビルディングの一室を仮住所と定めたときは、彼の東京における取引に関しては、そのビルディングの一室が住所としての効果を持つ。

§§23〔3〕〔4〕・24・第5節［解説］・不在者の財産管理［前注］・§25

第5節　不在者の財産の管理及び失踪の宣告

〈改正〉　2004年改正により、本節の表題が「失踪」から「不在者の財産の管理及び失踪の宣告」と改められた。本節は2017年の改正で、第4節から第5節に変更された。

　本節は、不在者、すなわち従来の住所または居所を去ったまま容易に帰来する見込みのない者について、二つの異なる制度を規定する。一つは、不在者をなお生存するものとして、その残留財産を管理してその帰来を待つ制度であり（§§25～29）、他の一つは、一定の条件のもとに不在者を死亡したものとして、その法律関係を終結させようとするものである（§§30～32）。前者が不在者の財産管理制度であり、後者が失踪宣告制度である。第2編第3章の第4節と第5節の新設に注意。

不在者の財産管理 ［§§25～29の前注］

　不在者に、法律上当然その財産を管理する権限のある者、たとえば親権者・後見人などがある場合には、不在者として特別の処置を講じる必要はない。総則の規定は、このような法定の財産管理人のいない場合に備えて、不在者がみずから管理人をおいた場合とおかなかった場合とを区別して規定している。

（不在者の財産の管理）
第二十五条
　1　従来の住所又は居所を去った者（以下「不在者」という。）がその財産の管理人（以下この節においては単に「管理人」という。）を置かなかったとき[2]は、家庭裁判所は、利害関係人[3]又は検察官[4]の請求により、その財産の管理について必要な処分[5]を命ずることができる[1]。本人の不在中に管理人の権限が消滅したときも、同様とする[6]。
　2　前項の規定による命令後、本人が管理人を置いたときは、家庭裁判所は、その管理人、利害関係人又は検察官の請求により、その命令を取り消さなければならない。

［原条文］
　　従来ノ住所又ハ居所ヲ去リタル者カ財産ノ管理人ヲ置カサリシトキハ裁判所〔第8版凡例4 f)参照。以下同じ〕ハ利害関係人又ハ検事〔第8版凡例4 f)参照。以下同じ〕ノ請求ニ因リ其財産ノ管理ニ付キ必要ナル処分ヲ命スルコトヲ得本人ノ不在中ニ管理人ノ権限カ消滅シタルトキ亦同シ
　　本人カ後日ニ至リ管理人ヲ置キタルトキハ裁判所ハ其管理人、利害関係人又ハ検事ノ請求ニ因リ其命令ヲ取消スコトヲ要ス

第1編　第2章　人　第5節　不在者の財産の管理及び失踪の宣告

〔1〕　不在者の財産の管理に関する家庭裁判所の処理は、家事事件手続法39条の審判事件とし、その手続は、本条以下の民法の規定のほか、家事事件手続法145条〜147条および家事事件手続規則87条の規定による。

なお、民法に規定はないが、本人がみずから財産を管理することができるようになったとき、またはその死亡が明らかとなり、もしくは失踪の宣告があったときは、本条による財産管理は終了するべきであり、裁判所は、本人または利害関係人の申立てによって、その命じた処分を取消さなければならない(家事§147)。

〔2〕　「管理人を置かなかったとき」とは、「管理人がいないとき」という意味である。したがって、不在者に法定代理人がある場合はこれに該当しない。

〔3〕　不在者の債権者、親族などである。

〔4〕　検察官に一定の公益的立場からの権限を定めた。7条〔12〕を参照。以下本節の条文についても同じである。

〔5〕　「必要な処分」とは、主として財産管理人の選任(家事§146)であるが、財産の封印、財産の競売などもできると解される。

〔6〕　本人が管理人を置いていた場合に、その管理人の権限が消滅した場合である。本人の法定代理人の権限が消滅したときは、本条ではなく、親族編の規定によって、後任の法定代理人を選任する。

▌ (管理人の改任)
第二十六条
　　不在者が管理人を置いた場合において、その不在者の生死が明らかでないときは、家庭裁判所は、利害関係人又は検察官の請求により、管理人を改任することができる[1]。

[原条文]
　　不在者カ管理人ヲ置キタル場合ニ於テ其不在者ノ生死分明ナラサルトキハ裁判所ハ利害関係人又ハ検事ノ請求ニ因リ管理人ヲ改任スルコトヲ得

〔1〕　不在者が管理人をおいた場合に、不在者の生死が明らかでないとき、すなわち生死不明になって直接に指揮監督ができないことになると、事情の変更によって、その管理人が不適当になる場合がありうる。そこで裁判所は、請求に理由があると認めた場合には、改任することができるものとしたのである。

▌ (管理人の職務)
第二十七条
　1　前二条の規定により家庭裁判所が選任した管理人は、その管理すべき財産の目録[1]を作成しなければならない。この場合において、その費用は、不在者の財産の中から支弁する。
　2　不在者の生死が明らかでない場合において、利害関係人又は検察官の請求があるときは、家庭裁判所は、不在者が置いた管理人にも、前項の目録の作

成を命ずることができる。

3 前二項に定めるもののほか、家庭裁判所は、管理人に対し、不在者の財産の保存に必要と認める処分を命ずることができる[2]。

［原条文］

前二条ノ規定ニ依リ裁判所ニ於テ選任シタル管理人ハ其管理スヘキ財産ノ目録ヲ調製スルコトヲ要ス但其費用ハ不在者ノ財産ヲ以テ之ヲ支弁ス

不在者ノ生死分明ナラサル場合ニ於テ利害関係人又ハ検事ノ請求アルトキハ裁判所ハ不在者カ置キタル管理人ニモ前項ノ手続ヲ命スルコトヲ得

右ノ外総テ裁判所カ不在者ノ財産ノ保存ニ必要ト認ムル処分ハ之ヲ管理人ニ命スルコトヲ得

〔1〕 財産目録の作成については、家事事件手続法145条・別表第1の55の項参照。

〔2〕 管理人に対する家庭裁判所の一般的監督権を規定したものであって、本条の第1項・第2項はその一適用である。財産の状況の報告および管理の計算を命じるのもその一つである（家事§146Ⅱ・Ⅳなど参照）。なお、家庭裁判所の選任した財産管理人の注意義務および財産管理中に受け取った金銭などの引渡移転義務については、委任の規定が準用されている（家事§146Ⅵ）。本条は、相続財産の管理人（§897の2）に準用される。

（管理人の権限）
第二十八条

管理人は、第百三条に規定する権限[1]を超える行為を必要とするときは、家庭裁判所の許可を得て、その行為をすることができる。不在者の生死が明らかでない場合において、その管理人が不在者が定めた権限[2]を超える行為を必要とするときも、同様とする。

［原条文］

管理人カ第百三条ニ定メタル権限ヲ超ユル行為ヲ必要トスルトキハ裁判所ノ許可ヲ得テ之ヲ為スコトヲ得不在者ノ生死分明ナラサル場合ニ於テ其管理人カ不在者ノ定メ置キタル権限ヲ超ユル行為ヲ必要トスルトキ亦同シ

〔1〕 裁判所の選任した財産管理人の主要な管理権限は代理権であり、彼は不在者の代理人として行為をする。その範囲は、権限の定めのない代理人と同じく103条の規定に従うのである。

〔2〕 不在者のおいた財産管理人の権限の範囲は、いうまでもなく不在者と財産管理人との間の契約によって定まるが、一般には財産の管理に必要な一切の権限を含むものと解されている。したがって、彼は裁判外の行為のみならず、裁判上の行為もすることができ、民事訴訟法54条（旧79条）1項本文にいわゆる法令によって裁判上の行為をすることができる代理人の一種である（大判昭和9・4・6民集13巻511頁）。家庭裁判所が選任した不在者財産管理人は、本条の家庭裁判所の許可を得ることなしに、

第1編　第2章　人　第5節　不在者の財産の管理及び失踪の宣告

不在者を被告とする建物収去土地明渡請求を認容した第一審判決に対して控訴、上告を提起する権限があるとした最高裁判決がある（最判昭和47・9・1民集26巻1289頁）。本条も、相続財産の管理人（§897の2）に準用される。

> **（管理人の担保提供及び報酬）**
> **第二十九条**
> 　1　家庭裁判所は、管理人に財産の管理及び返還について相当の担保[1]を立てさせることができる。
> 　2　家庭裁判所は、管理人と不在者との関係その他の事情により、不在者の財産の中から、相当な報酬を管理人に与えることができる[2]。
> 　**［原条文］**
> 　裁判所ハ管理人ヲシテ財産ノ管理及ヒ返還ニ付キ相当ノ担保ヲ供セシムルコトヲ得
> 　裁判所ハ管理人ト不在者トノ関係其他ノ事情ニ依リ不在者ノ財産中ヨリ相当ノ報酬ヲ管理人ニ与フルコトヲ得

〔1〕　担保は、質権または抵当権を設定し、保証人をたてるなど、裁判所の適当と考えるものでよく、その種類に制限はない（家事§146Ⅳ・Ⅴ）。

〔2〕　財産管理人は、報酬を受けないときでも、支出した費用などについて、受任者と同様の償還請求権を有する（家事§146Ⅵ。受任者の費用償還請求についての§650参照）。本条も、相続財産の管理人（§897の2）に準用される。

失踪宣告 ［§§30〜32の前注］

　民法は、30条以下に失踪宣告について規定する。これはもっぱら生死不明の場合に関係する。これに対して、死亡したことは確実であるが、震災・水難・爆発などで死体を確認できない場合については規定していない。従来、官庁または公署が死亡したものと認定し、これを本籍地の市町村長に報告することによって死亡したものとして取り扱う慣行が存し（旧戸§§20・119）、1947年（昭和22年）に制定された現戸籍法でも、これが踏襲されている（戸§§15・89・91）。これを「認定死亡」という（§3〔5〕(エ)参照）。しかし、これは本来なら実体法である民法に規定するべき事柄であろう。

> **（失踪の宣告）**
> **第三十条**
> 　1　不在者の生死が七年間明らかでないときは[1]、家庭裁判所は、利害関係人[2]の請求により、失踪の宣告をすることができる[3]。
> 　2　戦地に臨んだ者[4]、沈没した船舶の中に在った者[5]その他死亡の原因となるべき危難に遭遇した者[6]の生死が、それぞれ、戦争が止んだ後[7]、船舶が沈没した後又はその他の危難が去った後一年間[8]明らかでないときも、前項と同

様とする。

［原条文］

　不在者ノ生死カ七年間分明ナラサルトキハ裁判所〔第8版凡例4 f)参照。以下同じ〕ハ利害関係人ノ請求ニ因リ失踪ノ宣告ヲ為スコトヲ得

　戦地ニ臨ミタル者、沈没シタル船舶中ニ在リタル者其他死亡ノ原因タルヘキ危難ニ遭遇シタル者ノ生死カ戦争ノ止ミタル後、船舶ノ沈没シタル後又ハ其他ノ危難ノ去リタル後三年間分明ナラサルトキ亦同シ

〈改正〉　1962 年の改正により、2 項の「三年間」が「一年間」に改められた。

　〔1〕　「生死が明らかでないとき」とは、生存の証明も死亡の証明もできないことをいう。7 年間の起算点は不在者が生存していると知られた最後の時（最後の音信の時）と解される。この 7 年間のことを「普通失踪期間」と呼ぶ。

　〔2〕　「利害関係人」とは、失踪宣告をするについて法律上の利害関係を有する者をいう。不在者の配偶者、親、子、受遺者、保険金受取人などがこれに当たる。

　〔3〕　失踪宣告に関する事項は、家事事件手続法 39 条の審判事件とし、その手続は家事事件手続法 148 条・149 条および家事事件手続規則 88 条〜92 条の定めるところによる。すなわち、不在者の住所地の家庭裁判所の管轄に属し、宣告は所定の公告の手続を経て行われなければならない（家事§148 Ⅰ〜Ⅲ）。

　〔4〕　「戦地」とは、戦争（日本国は憲§9Ⅰにより戦争を永久に放棄しているから、外国の行う戦争に限られる）の行われている、あるいは行われていた地域であるが、戦争は国際法上の戦争だけでなく、武力行使を伴ういわゆる事変、国境紛争、民族紛争などをも含むと解される。「臨む」とは、戦争に関係してその地に在ることである。

　〔5〕　「船舶」とは、船舶法にいう船舶に限らず、小舟をも含む。船舶が行方不明になった場合でも、沈没したことが証明されなければ、「沈没した船舶の中に在った者」とはいえない。

　〔6〕　たとえば、戦災や震災にあったとか、洪水で流されたとかの場合である。

　〔7〕　個々の戦闘ではなく、戦争そのものが止んだ日から起算される点を注意するべきである。

　〔8〕　従来の「3 年間」という規定は長すぎるという批判があったので、1962 年の改正で「1 年間」に短縮した。この 1 年間の期間のことを「危難失踪期間」と呼ぶ。

（失踪の宣告の効力）

第三十一条

　前条第一項の規定により失踪の宣告を受けた者は同項の期間が満了した時に[2]、同条第二項の規定により失踪の宣告を受けた者はその危難が去った時[2]に、死亡したものとみなす[1]。

［原条文］

　失踪ノ宣告ヲ受ケタル者ハ前条ノ期間満了ノ時ニ死亡シタルモノト看做ス

〈改正〉　1962 年の改正により、つぎのように改められた。

［2004 年改正前条文］

第1編　第2章　人　第5節　不在者の財産の管理及び失踪の宣告

前条第一項ノ規定ニ依リ失踪ノ宣告ヲ受ケタル者ハ前条第一項ノ期間満了ノ時ニ死亡シタルモノト看做シ前条第二項ノ規定ニ依リ失踪ノ宣告ヲ受ケタル者ハ其危難ノ去リタル時ニ死亡シタルモノト看做ス

〔1〕　わが民法の失踪宣告は、ドイツ（失踪法§9）やスイス民法（§§35～38）のように単に死亡の推定を生じるのではなく、確定的に死亡と同一の効果を生じる。したがって、失踪宣告そのものが取消されない以上は、個々の訴訟で不在者がなお生存していることを挙証しても、その効力はなく、死亡と同一の効果を否定することはできない。もっとも、失踪宣告の効果は、失踪宣告のなされた土地——従来の住所——において宣告がなされるまでに有していた法律関係について、その者が死亡したのと同一の効果を生じるにとどまる。したがって、失踪宣告を受けた者が、じつは生存していて他の土地で関与した法律関係や、後に帰ってきて（宣告の取消し前に）関与する法律関係には効力を及ぼさない（それらの関係はそのまま効力を有する）と解するべきものである。

〔2〕　この時期は、失踪要件成立後、利害関係人の請求があり、所要手続を経て、宣告が行われる時からみれば、多かれ少なかれ遡及することになる。したがって、失踪要件成立の時から失踪宣告までの間に、失踪者を相手方とした強制執行などは、遡ってその効力を失うに至ることに注意するべきである（大判大正5・6・1民録22輯1113頁）。なお、失踪の宣告の審判が確定したときは、裁判所書記官は、遅滞なく、その旨を公告し、かつ、失踪者の本籍地の戸籍事務を管掌する者に対し、その旨を通知しなければならない（家事規§89）。この規定は、失踪の宣告の取消しの審判が確定した場合について準用される。失踪宣告の審判は不在者に告知することを要しない（家事§148 Ⅳ）。宣告を請求した者は、10日以内に戸籍上の届け出をするべきであり、そのさいには、本条によって死亡したとみなされる日を記載しなければならない（戸§§94・63 Ⅰ）。

（失踪の宣告の取消し）
第三十二条
1　失踪者が生存すること又は前条に規定する時と異なる時に死亡したことの証明があったときは、家庭裁判所は、本人又は利害関係人の請求により、失踪の宣告を取り消さなければならない[1]。この場合において、その取消しは、失踪の宣告後その取消し前に善意で[2]した行為の効力に影響を及ぼさない[3]。
2　失踪の宣告によって財産を得た者[4]は、その取消しによって権利を失う。ただし、現に利益を受けている限度においてのみ、その財産を返還する義務を負う[5]。

［原条文］
失踪者ノ生存スルコト又ハ前条ニ定メタル時ト異ナリタル時ニ死亡シタルコトノ証明アルトキハ裁判所ハ本人又ハ利害関係人ノ請求ニ因リ失踪ノ宣告ヲ取消スコトヲ要ス但失踪ノ宣告後其取消前ニ善意ヲ以テ為シタル行為ハ其効力ヲ変セス
失踪ノ宣告ニ因リテ財産ヲ得タル者ハ其取消ニ因リテ権利ヲ失フモ現ニ利益ヲ受クル限度ニ於テノミ其財産ヲ返還スル義務ヲ負フ

§§31〔1〕〔2〕・32

〔1〕 この取消しによって、失踪宣告は遡(さかのぼ)ってその効力を失う。したがって、宣告によって消滅した婚姻その他の身分関係は、消滅しなかったものとして復活し、宣告によって効力を生じた財産の相続や遺贈は、その原因がなかったものとして元に戻さなければならない。しかし、この理論を徹底させると、とくに生存することが明らかになった場合には(異なる時に死亡したことが明らかになった場合にも、時によっては)、第三者に対して不測の災(わざわい)を及ぼすおそれがあるので、〔3〕・〔5〕に述べる例外が認められている。なお、取消しの審判については、家事事件手続法149条および家事事件手続規則89条を、また、その戸籍上の届け出については、戸籍法94条・63条1項を参照。

〔2〕 この「善意」とは、失踪宣告が事実に反することを知らないことをいう。この善意は行為の双方の当事者の善意であるとするのが判例(大判昭和13・2・7民集17巻59頁。相続財産の処分に関する)であり、学説上も有力であるが、近時、取引の安全のために、相手方(財産を取得した者)の善意だけで足りるとする見解が主張されている。

〔3〕 失踪宣告によって生じた法律関係を基礎として、その取消し前に善意でなされた行為は、取消しによってもくつがえらない。たとえば、失踪宣告によって財産を相続した者から善意でその相続財産を譲り受けた者は、その権利を失わない。また、失踪宣告を受けた者の配偶者が善意で再婚したときは、失踪宣告が取消されても、この婚姻の効力には影響しない。したがって、失踪者との前婚は復活しないものと解するべきである。

ただし、これに対して、学説としては、前婚は復活して重婚関係を生じ、前婚については離婚原因を生じ(§770 I⑤)、後婚については取消原因を生じる(§§744・732)と主張するもの、婚姻のような身分上の行為の場合には当事者の意思を尊重して、本条が要求する当事者の善意という要件は必要なく、善意・悪意にかかわらず新婚姻が有効であるとするもの、などがみられる。

〔4〕 失踪宣告によって直接に財産を得た者、たとえば宣告によって不在者が死亡したものとして財産を相続した者などである。

〔5〕 得た財産が原形のまま、または形を変えて残存する限りにおいてのみ返還すれば足りる。この法律関係の性質は不当利得(§§703〜)と考えられる。消費して利得が残っていない範囲で返還の義務を免れるのである。なお、「現に利益を受けている限度」については、703条の「現に利得の存する限度」を参照。本条は利得者の善意・悪意を問題としていないが、これを問題とする学説もある(悪意者には§704を適用するべきであるとする)。

95

第1編　第2章　人　第6節　同時死亡の推定

第6節　同時死亡の推定

〈改正〉　1962 年の改正により、本節が追加された。本節は 2017 年の改正で、第 5 節から第 6 節に変更された。

　本節は、昭和 37 年法律 40 号の民法一部改正によって新設された。数人の者が、ほぼ同時に死亡して、そのいずれが先に死亡したかが明らかでない場合について、従来は規定を欠いていたため、相続その他の関係で解決に困難が感じられていた。この問題を解決するために、「同時死亡の推定」の条文をおいたものである。

〔同時死亡の推定〕
第三十二条の二
　　数人の者が死亡した場合において、そのうちの一人が他の者の死亡後になお生存していたことが明らかでないときは[1]、これらの者は、同時に死亡したものと推定する[2]。
〈改正〉　1962 年の改正により、本条が追加された。
[2004 年改正前条文]
　　死亡シタル数人中其一人ガ他ノ者ノ死亡後尚ホ生存シタルコト分明ナラザルトキハ此等ノ者ハ同時ニ死亡シタルモノト推定ス

　本条は、死亡の前後が不明な数人について「同時死亡」を推定することとしたものである。
　〔1〕　数人の者が震災や洪水、船舶の遭難など同一の危難に遭遇して死亡したような場合に、その死亡の前後が明らかでないことが少なくない。そのような場合に適用されることが多いであろうが、それ以外にも、別の土地で別々の原因で死亡した数人の者について、死亡の前後が明らかでないという場合にも適用される。
　戸籍上、死亡時刻が記載されるが、それにより死亡の前後関係が定まるとすれば、同時死亡の推定が働く余地はきわめて少ないことになる。とくに、死体検案書による場合や認定死亡の場合（§3〔5〕(ニ)参照）には、死亡時刻は必ずしも正確でないので、戸籍の記載だけで直ちに本条の推定を排除できないと考える必要があろう。
　〔2〕　本条によって、たとえば同じ船舶の遭難により死亡した父 A と子 B は、同時に死亡したものと推定される。厳密にいえば、二人がまったく同じ瞬間に死亡したとは考えられないのであるが、法的な解決としては、「同時死亡」を推定して解決するのが妥当な結果を得られるという考慮によるものである。
　(ア)　もちろん、本条は推定規定であるから、死亡者の一方が先に、他方が後に死亡したという証明があれば、推定は破られることになる。どの程度の証明を要するかは問題であるが、〔1〕で述べたように安易に戸籍の記載のみで前後の証明ありとするこ

第6節［解説］・§32の2

とはできないと考えられ、かなり十分かつ明確な証明がなければいけないと考えるの
が、本条の趣旨に合致するといえよう（「推定する」と「みなす」との区別につき、改正前
§20(5)参照）。

　(イ)　「同時死亡」が推定される結果、具体的には、上例のＡとＢの間に相続は生じ
ないと考えられる。882条には、「相続は、死亡によって開始する」と規定されてお
り、Ａが死亡した時には、Ｂは生存しておらず、その逆も然り、だからである。Ａ
には妻Ｃ、Ｂに妻Ｄ、ほかにＡの子Ｅがいたとすれば、Ａの財産は、Ｂは考慮せず
に、妻Ｃと子のＥが相続する。Ｂの財産は、Ａは考慮せずに、妻Ｄと母であるＣが
相続する。

　夫Ａを被保険者とし、妻Ｂを保険金受取人とした生命保険契約の事例において（Ａ
の相続人は兄Ｃのみ、Ｂの相続人は弟Ｄのみ）、ＡとＢが本条により同時死亡と推定され
た場合について、最判平成21・6・2（民集63巻953頁）は、商法旧676条2項（保険金受
取人が保険事故発生前に死亡し、保険契約者が新たに受取人を指定せずに死亡したときは、「保
険金額ヲ受取ルヘキ者ノ相続人」が保険金額を受取るべき者となると規定していた）の解釈の問
題として、Ａは同時死亡の推定によりＢの法定相続人とはいえないから、Ｃもこれ
に該当するとはいえないとし、Ｄのみがｂの相続人として、同条同項により保険金
受取人になるとした（商法の同規定は廃止され、現在は保険§46になっている）。

　Ｂに子Ｆ（Ａの孫）がいるとすると、ＦはＡの財産につき代襲相続をすることができ
る。それは、代襲相続について規定する887条2項に、「被相続人の子が、相続の開
始以前に死亡したとき……」とあり、「以前」という言葉は「同時」を含むと解され
るからである。遺贈に関する994条についても、同様である。

97

第1編　第3章　法人

第3章　法　　人

〈改正〉　2004年改正による現代用語化のさいに、第2章が第3章に改められた。

　　　　2006年に行われた改正は、まず、①「一般社団法人及び一般財団法人に関する法律及び公益社団法人及び公益財団法人の認定等に関する法律の施行に伴う関係法律の整備等に関する法律」（平成18年6月2日法律50号。以下、法人整備法と略す）の§38が民法の条文を§§33～37の5か条に減らし、§§38～84の3を削除し、また、第1節から第5節までの節名を削除した。縮小された民法の規定に代わって、②「一般社団法人及び一般財団法人に関する法律」（平成18年6月2日法律48号、以下、法人法と略す）と③「公益社団法人及び公益財団法人の認定等に関する法律」（平成18年6月2日法律49号、以下、公益認定法と略す）が制定された（施行はいずれも2008年12月1日）。以下においては、この三つの法律を総称して、2006年改正と呼ぶ。

　　　　なお、改正前の民法の旧§§33～84の3に関する第1版による記述の該当部分を、本章の後注として掲げるので、参照されたい。

細目次

1　本章の内容　97
2　法人論の基本問題　97
　(1)　法人制度の意義と重要性　97
　　(ア)　法人とはなにか　97
　　(イ)　法人制度の歴史的意義　97
　(2)　法人理論について　99
　　(ア)　法人実在説と法人擬制説　99
　　(イ)　最近における諸問題　100
　　(a)　法人格の濫用　100
　　(b)　法人における高度の道徳性　100
　　(c)　法人格否認論　100
　　(d)　有限責任の問題　101
　(3)　法人の諸形態について　101
　　(ア)　私法人と公的法人、行政法人　101
　　(a)　旧憲法下の公法人と私法人　101
　　(b)　公的法人に関する諸問題　102
　　(c)　行政法人について　103
　　(イ)　公益法人・営利法人・共益法人　103
　　(a)　公益法人と営利法人　103
　　(b)　共益法人　104
　　(c)　公益信託について　104
　　(ウ)　社団法人と財団法人　104
3　法人に関する法律問題　105
　(1)　法人の法律関係　105
　　(ア)　法人格成立の要件　105
　　(イ)　法人の財産関係　106
　　(ウ)　法人の内部関係　106
　　(エ)　法人の対外関係　107

　　(オ)　不法行為責任関係　107
　　(カ)　税法関係　107
　(2)　法人格のない社団・財団　108
　　(ア)　問題の所在　108
　　(イ)　主な問題点　108
　　(a)　社団の要件　108
　　(b)　財産関係（対外関係）　108
　　(c)　民法上の組合との関係　108
　　(d)　法人に準ずる法的扱い　109
　　(e)　法人格のない財団について　109
4　法人に関する規定の沿革　109
　(1)　2006年改正以前　109
　(2)　2006年改正について　109
　　(ア)　民法の改正　109
　　(イ)　一般社団法人および一般財団法人に関する二つの法律の制定　110
　　(ウ)　改正の施行日　110
5　法人に関する特別法　110
　(1)　社団法人関係　110
　(2)　財団法人関係　113
　(3)　営利法人関係　114
　(4)　行政法人関係　114
6　改正に伴う経過規定と他の法律の改正　116
　　(ア)　既存の民法上の公益法人についての経過規定　116
　　(イ)　中間法人法の廃止とそれに伴う経過規定　117
　　(ウ)　その他の特別法の改正　117

第3章 ［解説］ 1 2

1 本章の内容

　本章は、法人に関する基本規定である 33 条(法人の成立に関する)と 34 条(法人の能力に関する)、36 条(法人の登記に関する)の 3 か条のほか、外国法人に関する 35 条、37 条の 5 か条を規定する。

　この 5 か条からなる民法の法人規定は、2006 年改正によって成立したものであるが、これだけの規定では、法人という市民法上重要な概念に関する基本規定としては十分ではない。とりわけ、立法の前提となる法人論が不十分なまま立法が行われた感を否めない。

　そこで、以下には、まず、法人に関する基本的な問題点についてやや詳細に述べ(2)、また、法人に関して、どのような法律問題が存するかを述べる(3)。そのうえで、4において、2006 年改正までの規定の沿革について述べ、5において現在の法人に関する特別法について述べる。特別法としては、多くの法律があるが、2006 年改正によって登場した法人法と公益認定法が重要である。最後に、6において、2006年改正に伴う経過規定(とくに、従来の民法の規定による公益法人の新法への移行の問題)と他の諸法への影響について述べる。

2 法人論の基本問題

　法人については、まずなによりも、法人という現象についての基礎的理解((1)で述べる)と法人についてこれまで積み重ねられてきた法理論((2)で述べる)を知ることが必要である。そのうえで、(3)法人と呼ばれるものに属する諸種の類型について述べる。

　(1)　法人制度の意義と重要性

　(ア)　法人とはなにか

　法人とは、自然人(第 2 章解説参照)と並んで、市民間の法律関係において法的人格を有する存在とされるものであり、そのような法的人格が認められるものとしては、人の集団である社団と財産の集まりである財団とがある。

　法的人格とは、私権(§3(1)(2)参照)および民事的債務・責任が帰属すべき主体とされるものであって、近代的な市民法において——「人・物・行為」という市民法の 3 要素を示す言葉にも表現されているように——枢要な意義を有する概念である。法的主体と呼ぶこともできる。

　なお、本書では、法人に認められる法的人格を、自然人の人格と区別して、法人格と呼ぶこととする。すなわち、法的人格には、自然人に認められる個人のそれと法人に認められるそれ、すなわち法人格とがあることになる(これと異なり、「法人格」という用語を「法的人格」と同義で、つまり自然人の人格と法人の人格の両者を含むものとして用いる用語例もある)。

　(イ)　法人制度の歴史的意義

　法的人格としては、本来的には自然人、すなわち市民社会を構成するすべての個人(市民)が想定されている。それと並んで、人間ではない法人という法的人格が別個に想定されるという現象がどの国においてもみられる。それは、どういうことを意味するのであろうか。これは、法的にのみではなく、社会的にも経済的にも問題となる難

99

第1編　第3章　法人

解かつ重要な問題である。これを考えるためには、つぎのような論点について考究する必要がある。

①　人間は、近代以前からさまざまな団体的ないし集団的行動を行ってきた。この団体という存在をどう考えるかは、どの歴史段階においても問題となるところである。しかし、すべての歴史段階にまで視野を広げて考察することは本書の課題を超える。

②　われわれの関心から法人が重要な意味を有するのは、近代市民社会、とくにその発端である近代市民革命において重要な標語のひとつとなったいわゆる「結社（Association）の自由」（もっと広く集合の自由、協同の自由とも表現される）との関連においてである。すなわち、近代において始めて、人間は相互に共同して団体を作り、共同の行動を行うことが、すべての人にとっての基本的な自由であることが確認された。それ以前においては、支配者以外の、あるいは支配者が承認するもの以外の団体行動は原則として禁じられた。法人の法人格を認めるということには、近代におけるこの意味の基本的人権・自由の実現を図り、保障するという意味が込められている。

③　近代市民社会における経済的活動を支える重要な法制度として株式会社が登場し、それが経済的発展のうえに大きな機能を発揮しているのは周知のことである。この株式会社は法人のなかでも最重要な役割を演じるものであるといってよい。その発生期から現在の異常なほどの発展状況を呈するまでに至る現象を把握し、総合して、それが人類社会にもたらすプラス・マイナスを評価することは、法人論におけるもっとも重要な課題である。

④　以上の諸点は、いずれも、社団と呼ばれる多数人の団体、すなわち「人の集合」という現象に関している。すなわち、社団は、人間の団体現象の一環であって、その団体が、それに加わる個々の自然人から離れて1個の独立の存在であるかのような実質を備えた場合をいう（ただし、その社団が法人格を認められない場合があるので、法人格のない社団という問題を生じる。③(2)参照）。そこまで団体性が強くなく、個々人の集合としての性格から脱していない関係を民法は組合契約（§§667〜）としてとらえている。概念的には、社団と組合は、団体が独立の存在と認められるかどうかで区別されるが、組合も団体現象の一部であり、実際の事例としては、社団と組合は境を接しており、そのいずれであるかの判断は場合により容易ではない（③(2)(イ)(b)参照）。

⑤　これに対して、「一定の目的に捧げられた、独立性を有する財産」を意味する財団については、別個の考察を要する。これについても、古来、個々の人間とは切り離された財産を一種の独立財産として扱うという現象が存在した。家族の財産を維持するための家産とか世襲財産、あるいは、君主などの支配者の財産を維持するための王室財産などといわれるものにその例がみられた。近代に入って、自然人としての市民から離れた独立財産を認めることには否定的な考えが有力になった。ただ、一定の公益的な目的のための独立財産に法人格を認めることは、近代法においても承認されることが多い。これについては、人の集合について上述したこと（②で述べた「結社の自由」のような価値観の問題）は妥当しないが、社団について考えられる法理が財団にも類推される。

社団と財団は、このように元来は異質なものであるが、最近の現象として、両者の

第3章［解説］②

違いが明確でなくなり、そのいずれであるかが不明な法人も登場していることに注意する必要がある。

以上の諸点の検討から、法人制度はとくに②と③の観点から近代市民法において非常に重要な意味を有する概念であることが明らかであろう。

(2)　法人理論について

法人に関しては、そもそも近代市民社会における「法人」と呼ばれる現象をどのようなものと考えるか、これを法的にどのように取り扱ったらよいか、という根本的な問題がある。これに関する理論は、通常「法人理論」、「法人学説」、「法人本質論」などと呼ばれて、発展させられてきた。民法を学ぶ者は、少なくとも一度はこの議論の要点を理解し、頭の中を通過させておく必要がある。なお、この議論は、主として社団法人について行われるが、財団法人についても同じようなことが問題になる。

(ア)　法人実在説と法人擬制説

法人をどのようなものとして理解したらよいかについて、大きく二つの考え方に分かれるといってよい。

その1は、社会に見られる団体現象を考察して、そこにおける人びとの結合のなかには、個人の自然人としての存在から独立した1個の団体が独自存在として実在している場合があると考え、このことを根拠として法人格が認められるとするものである。そのような団体をどうとらえ、説明するかについては、1個の「有機体」（ドイツ語でOrganismus）、あるいは1個の「組織体」（フランス語で organisation）ないし活動体、あるいは「同志的結合体」（ドイツ語で Genossenschaft。なお、ドイツ語の「社団」に当たるVerein という言葉は「一つになったもの」を意味する）などの概念が用いられる。

財団についても、古くから「家産」などの概念があり、個々の人とは別個に財産が独自の存在として扱われた現象がみられる。しかし、この種のことを無制約に認めることに対しては、近代市民法は否定的である。

この方向の議論を、通常「法人実在説」と呼ぶ。

その2は、社会に実在しているのは自然人だけであって、法人という法的人格を認めるのは人為的な擬制(fiction)であり、法人というものが実在するわけではなく、純粋に法律の世界だけにおける工夫であるとするものである。そう考えても、法人という法律的な擬制的人格が無意味であるとするわけではなく、むしろその重要性を前提としている。この場合には、一方で、その根拠を国家権力による承認(「特許」)に求めることに重点を置く考え方があり、他方で、多くの自然人の法律関係を単一化・単純化するための「技術」として考えたり、そのことの社会における実質的な「機能」を重視したり、というふうにさまざまなニュアンスを持った見解が論じられてきた(このうち、とくに後者のような見解を「法人否認説」と呼ぶことが多いが、後述の「法人格否認論」とは意味を異にしており、適切な呼び名ではない)。

財団についても、一定の財産をあたかも一人の人間であるかのようにみる思考は、一種の擬人化としていくらもありうることである。その意味では、財団については、社団についての上述の擬制的な説明が適切であるかもしれない。

この方向の議論を、通常「法人擬制説」と呼ぶ。

101

第1編　第3章　法人

この二つの議論は、どちらももっともなものであり、法人とはなにかという疑問を解明するためには、これらに関する先人が残してきた業績、たとえば、前者については、ドイツのギールケ(Otto Friedrich von Gierke, 1841〜1921)、フランスのサレイユ(Sebastien Felix Raymond Saleilles, 1855〜1912)、後者については、ドイツのサヴィニー(Friedrich Karl von Savigny, 1779〜1861)、イェーリング(Rudolf von Jhering, 1818〜1892)などのものをひもとく必要がある。

しかし、この両説の考え方を硬直的にとらえて、これと民法の解釈論を直結させ、どちらの説に立つかによって解釈が定まってくるかのように考えるのは正しくない。そのような思考は、社会における法人現象の本質を解明しようとする「法人本質論」の意義からも外れることである。二つの考え方にじっくりと思いをめぐらしながら、法人の問題を考え、追究するというのが正しい態度である。

(イ)　最近における諸問題

そのように考えると、近時における法人に対する理論やその実態運用がはなはだ浅薄なものであることを感じる。いくつかの問題を指摘しよう。

(a)　法人格の濫用

まず、法人格をあたかも飴細工のごとく思うように捏ねくり、操るという風潮が一般的であることが憂慮される。実態において法人とは言いかねるものについて安易に株式会社化したり(この種のことが「法人成り」と呼ばれたこともある)、詐欺的目的でやたらに多くの紛らわしい会社を創設したり、政界や官庁の思惑で法人が恣意的に新設され、改廃される、などの弊害が認められる。なかでも問題なのは、大企業が自らの都合のために自在に別法人や子会社を作るやり方である。とりわけ、たとえば公害などで莫大な負債を負った企業が、その法人とは別個に採算性の高い部門だけを別法人として分離したり、子会社を作ったりすることは非常に問題であると考えられる。この種の行為は、「法人格の濫用」と呼んでよいであろう。

(b)　法人における高度の道徳性

そもそも、法人格というものは、上記の「法人実在説」の考えに立っても、「法人擬制説」の考えに立っても、高度の道徳観念によって支えられなければならない制度である。どちらの考えからしても、この世に存在しているのは自然人に限られていることは自明であって、その自然人のほかに法人という法的人格を承認する以上は、それに相応しい団体としての実態が要求され、関係する自然人がその制度の享受を正当化できるだけのきわめて高度なモラルを持って行動し、責任を負うことが必須である。フランス民法で、法人のことを personne morale というが、このモラルという形容詞は、いうまでもなく、精神的・観念的という意味と同時に、道徳的・道義的という意味を有するのである。法人格の濫用がこの法人の高度の道徳性にかかわるものであり、近時において多発する社会的経済問題がこれと密接に関連している場合が多い。民法を学ぶ者は、以上の点にしっかりと着眼する必要がある。

(c)　法人格否認論

法人格の濫用に対処するための工夫の一つが「法人格否認論」である。これは、

第3章 ［解説］ ②

法人格がその実質を欠くにもかかわらず認められているとき、あるいは、なんらかの利益を得るために悪用されているときに、――当該特定の法律関係に限ってであるが――その法人格が存在しないものとみなして、実質における主体である自然人、あるいは別の法人に、法律関係を帰属させようとする理論である。その工夫は、税法関係において問題になることが多いが（③(1)(カ)参照）、一般の私法関係においても徐々にその必要性が感じられている。最高裁でも、法人格がまったくの形骸にすぎない場合、または法律の適用を回避するために濫用されているような場合は、法人格が否定されることがありうるという判断が示された（法人の背後にある個人の責任を追及できるとした最判昭和44・2・27民集23巻511頁、旧会社に対する債権を新会社にも追及できるとした最判昭和48・10・26民集27巻1240頁、差押えをうけた会社とは別の会社と称する者による第三者異議の訴えについて、後者の法人格を否定して、訴えをしりぞけた最判平成17・7・15民集59巻1742頁。ただし、旧会社に対する判決の既判力を新会社に及ぼすことを否定した最判昭和53・9・14判時906号88頁がある）。

　(d)　有限責任の問題

　さらに、問題は、法人における有限責任の法理にまで遡ると考えられる。有限責任とは、法人の債務については法人の財産のみがその弁済のための引当てとなり、その法人の構成員、たとえば出資者にはその責任はなく、自分の出資の喪失さえ甘受すれば、それ以上に法人の債務について個人財産で弁済をする必要はないとする法理である（商旧§200Ⅰ、旧有§17→会社§104）。この法理は、資本主義の初期において、とくに株式会社について形成され、それにより活発な企業活動が可能になったと評価される。そのようなものとして、今日においてもそれなりに意義を有する法理であるといえるが、それが不当に拡大されている傾きがある。現在の法律関係においても、法人一般について当然のように有限責任が説かれることが多いが、場合によっては無限責任の法理、すなわち法人の構成員の個人財産も法人の債務の引当てとなるという――元来は原則であるはずの――法理が見直され、適用されてもよいと思われる場合が増加している。

(3)　法人の諸形態について

　法人は、法律の規定に従い分類することも可能であるが（⑤参照）、重要なのは、理論上の諸形態であるので、それについて考察する。

(ア)　私法人と公的法人、行政法人

　(a)　旧憲法下の公法人と私法人

　旧憲法下においては、「公法人」（たとえば、地方公共団体・水利組合・耕地整理組合など）とそれ以外の一般的な法人格である「私法人」との区別がやかましく論じられた。それによって、裁判管轄が行政裁判所（明治23年法律48号の行政裁判法により設けられていた）にあるか、司法裁判所にあるかが決まり、しかも、行政訴訟はきわめて限られた範囲で認められるにすぎなかったのであるから、この区別はきわめて重要な意義があった。しかし、日本国憲法は行政裁判所の存在を許さず（憲§76）、いわゆる公法人に関する事件もすべて司法裁判所に出訴できることになり、救済の方法に根本的な差異がなくなったので、今日では、両者の区別を論じる必要はなくなっ

103

第1編　第3章　法人

た。現在では、それぞれの法人の公法的な性格や色彩の濃淡を問題にすれば足りると解されてきた。

そこで、公的な性格を有する法人を公的法人と呼んで、それに関する問題点を戦前から現在にわたる変化のなかで考察してみる。

(b)　公的法人に関する諸問題

公的な法人については、じつは、すでに第二次大戦当時から無視できない事象が生じ、それがとりわけ最近においては、その全貌の把握も困難なほどに複雑な様相を呈している。とくに、そこにおける「公共性」に変化と動揺がみられることに注目することが重要である。

(i)　すでに、第二次大戦中の頃から戦後にわたって、本来なら私企業に任せるはずの事業について、国家目的の遂行のために、営団、金庫、公団、公社、公庫、事業団、基金などと称する法人の設立がしばしば行われ、相当の数にのぼった（本章後注旧§33〔2〕も参照）。

(ii)　それらの多くは戦後も引き続き存続したが、ある時期から、いわゆる民営化の動きにつれて、これらの法人の見直しが行われはじめた。2001年の「特殊法人等改革基本法」がその時期における政策の代表的なものである。ただし、そこにおける「特殊法人等」としては132の法人が別表に列挙されたが、同法自体も定義を断念しており、その概念も改革理念も明確を欠いている。

(iii)　さらに、その後の制度上の変化をみると、(i)に挙げた特殊な法人をめぐる変転は著しいものがある。その概略を眺めると、つぎの通りである（今後も変動が予想されるが、それについては、⑤(1)(イ)(a)参照）。

国営の公社としては、かつて日本専売公社、日本国有鉄道、日本電信電話公社、原子燃料公社などが存在したが、その後消滅した。ただし、民営化されたそれぞれの後身も、依然として、法律に規制された特殊な法人である。日本郵政公社もその例であったが、郵政民営化法（平成17年法律97号）により廃止が決まり、2007年10月に、持株会社の日本郵政株式会社のほか、郵便事業株式会社、郵便局株式会社、郵便貯金銀行、郵便保険会社に分割されて、民営化された。

公団としては、まず、住宅関係について、日本住宅公団が住宅都市整備公団、都市基盤整備公団と改組、改称されていたが、2004年に独立行政法人都市再生機構となった。また、住宅金融公庫があったが、2007年4月に廃止され、独立行政法人住宅金融支援機構となった。

また、高速道路関係について、日本道路公団、首都圏高速道路公団、阪神高速道路公団、本州四国道路橋公団があったが、2004年に日本道路公団等民営化関係法施行法で廃止され、「高速道路株式会社法」（平成16年法律99号）により2005年10月に東日本、首都、中日本、西日本、阪神、本州四国連絡の6つの高速道路株式会社になった。

(iv)　以上の傾向の延長上に、元来は国家の公権力に帰属するとされていたいわば国家的事業までをも、これまでそれを担当していた国家の行政部局から切り離して独立の法人に担当させるという動きにまで進展してきた。1999年公布、

第3章［解説］②

2001 年施行の「独立行政法人通則法」（⑤(4)(ア)参照）がその動きを代表する（(c)参照）。

　(v)　以上に述べたさまざまな公的な性格や色彩を有する法人のなかには、社団法人であるのか、財団法人であるのかが明確でないものが多いという問題がある。社団法人であれば、その設立を望む複数の人格による設立行為があるはずであるが、多くのものについては、それは存しない。また、全構成員によって選任された役員によって運営されるのが通常であるが、その趣旨の規定はない。おおむね官庁によって任命された役員によって運営される。財団法人であれば、財団の基本財産が法律の規定に基づいて明確にされているべきであるが、そうでない場合が多い（(ウ)、⑤(4)参照）。

　(vi)　この種の法人の成立に関しては、法律の規定によって成立するとされる例（これを法律成立主義といってよいであろう）と、法律の規定に準拠しながらの監督官庁の認可（民法の旧規定では「許可」）によって設立される例（認可主義）、などがある。この種の違いおよび区別の基準が統一的でなく、あいまいであることが多い。

　(vii)　最後に、この種の法人については、一般の法人にみられない公法的ないし公権的な要素が多く存在することが指摘される。たとえば、法人の長などの役員が主務大臣などによって任命されること、一部のものにおいてはその役員と職員が公務員の身分を有するとされること（「特定独立行政法人」についての、独行法§51 など）、一部の法人の債務について、特例的な先取特権の規定が置かれていること（高速道路株式会社法§8 など。一般担保と呼ばれる。第2編第8章先取特権第2節解説②(1)❺、§329(1)参照）、などである。

　(c)　行政法人について

　以上のような法状況を考察して、本書では、上記の独立行政法人を代表とする一連の法人は従来の類型のものとはその性質を異にするものであると考え、これを「行政法人」としてとらえることとする（§33(6)(2)参照）。

　行政法人とは、行政目的を達するために設立された、国家の中央・地方行政組織からは独立した法的人格を認められる存在をいう。このような制度的工夫は、いわゆる行政改革と民営化の一環をなすものであるが、これらは、従来の公法人の観念ではとらえることのできない、新しい類型の法人観念ととらえるのが適切であると考えられる。他方で、この種の法人はもはや私法の問題ではなく、行政法の問題であるとする把握もありうるが、本書では、これらも私法関係を構成する私法上の権利主体と考え、市民法的観点に立って考察を加えることとする。具体的には、⑤(4)で検討するが、これらの工夫が現代の市民社会および国家における諸問題に対する正しい解決をもたらすものであるかどうか、民法学としては重大な関心をもって見守らなければならない。

(イ)　公益法人・営利法人・共益法人

法人がなにを目的とするかによる類型の違いである。

　(a)　公益法人と営利法人

　従来の民法は、法人の成立が法律の規定を根拠にしなければならないという基本原則を示したうえで（旧§33）、公益法人と営利法人の成立について規定していた（旧

105

第1編　第3章　法人

§34・2004年改正前の§35)。

　公益法人とは、「学術、技芸、慈善、祭祀、宗教その他の公益に関する社団又は財団であって営利を目的としないもの」をいい(旧§34)、営利法人とは、「営利を目的とする社団」をいう(2004年改正前の§35)。公益法人は、社団法人としても財団法人としても認められ、営利法人は、社団法人としてしか認められなかった。

　公益法人の設立について、民法は主務官庁の許可を要件としていたが(許可主義)、特別法において、認可(認可主義。学校法人がその例)または認証(認証主義。宗教法人がその例)が要件とされている例もある。営利法人については、法律(主に会社法)の規定に準拠していれば設立でき(準則主義)、設立の登記を要件とする(登記主義)のが原則であった。

　(b)　共益法人

　そこで、公益をも営利をも目的としない法人、とりわけ団体構成員の共通の利益を図ることを目的とする法人が問題になるが、これについて、民法は規定していなかった。その結果、そのような団体については、一方で、「法人格のない社団」の問題を生じたが(③(2)、本章後注旧§33③参照)、他方で、かなり多くの個別立法がされ(旧§33(2))、これらに基づき設立される法人は「中間的法人」と称された。構成員の共通な利益を図ることを目的とするものが主であるから「共益法人」と総称することもできよう(§33(6)(1)参照)。この種の法人に関する最も一般的な立法として、中間法人法が2001年に公布され、2002年4月1日から施行された。これらの個別法および中間法人法においては、おおむね準則主義・登記主義が採用されていた。これらの法律についても、2006年改正は、中間法人法の廃止をはじめとして、広範囲の変更を生じさせた(⑥(イ)(ウ)参照)。

　(c)　公益信託について

　なお、1922年制定の信託法(大正11年法律62号。2006年の新しい信託法の制定に伴い、大正11年法は「公益信託ニ関スル法律」と改称された)のもとでは公益信託も認められたから(同法§§66~73)、公益を目的とする財団法人と同じ目標は、大陸法系の財団法人と英米法系の信託との両制度によって達成することができた。信託法については、2006年12月15日に新しい信託法(平成18年法律108号)が制定された。1922年の信託法は上記のように「公益信託ニ関スル法律」と改称されたが、従来の公益信託に関する条文をほぼそのまま承継し(12条からなる。§2が主務官庁の許可を必要としたこと、§12が罰則を設けたことなどが新しい点である)、公益信託のみに関する法律に変身している。長年親しんできたためか、現在でも財団法人制度の方が優勢であるが、今後は公益信託の利用も増加することが予想される。

　(ウ)　社団法人と財団法人

民法の定める法人には、「社団法人」と「財団法人」の二種がある。

社団法人は、多数人の団体(社団)であって、公益法人としても、営利法人(会社)としても、また、根拠法があれば、共益法人としても成立が認められた。

財団法人は、一定の目的に捧げられた財産(財団)である。これを法人とするのは、ドイツ民法の制度(Stiftungと呼ばれる。基金とか財団の意味である)にならうものである。

106

財団法人は、従来の民法では、公益のためのものに限られていたが、2006年改正によって変化を生じた(⑤(2)(ア)(a)参照)。

この社団法人と財団法人の区別は、伝統的に重要な意味をもつものである。しかし、この区別は、2006年改正によって民法の規定からは姿を消した。法人法においては、この区別は維持されているが、そこにおいても、財団法人は公益法人としてのみ認められるという重要な特色は消滅している。また、行政法人などにおいて、社団法人と財団法人の区別が明確でない例が多いという問題も生じている((ア)(b)(v)、⑤(4)参照)。

社団と財団は峻別できるものではなく、中間的な存在もあり、絶対的な区別ではないという指摘は以前からなされていたが、現行法の動向はその傾きをいっそう強めていると思われる。

③ 法人に関する法律問題

以下に、(1)法人に関してどのような法律関係が問題になるか、および(2)法人としての実質を備えながら法人格を有しない存在の問題について考察する。

(1) 法人の法律関係

(ア) 法人格成立の要件

法人の法的人格は、自然人における法的人格が出生に始まるとされるのと同じように考えることはできない。法人の法人格はあくまで法律を根拠にして認められるものであるから、根拠とされる法律において、第1に、法人格の成立が認められるために必要な要件が定められ、そのうえで、第2に、どの時点において法人格が誕生するかについても定められる。

前者については、実質的要件と手続的要件とに分けることができる。

実質的要件は、その法人が承認されるために必要な事項であるから、その種類に応じて定められている要件が充足されていることが必要である。

手続的要件は、原則として、一定の官庁における手続を経てその承認を得ることである。この承認の形式については、特許(国家が特別に権原を付与して法人の設立を決定するものをいう)、許可(国家が自由裁量により法人の設立を認めるかどうかを決定するもの)、認可(国家が法律に定められた要件を充たしていると認めた場合に法人の設立を認めるもの)、認証(国家が法人設立の要件に関する事実の確認行為のみを行うもの)などの名称が用いられる。それぞれの手続により、特許主義、許可主義、認可主義、認証主義などの原則が採られていると称することができる。これらの名称の意味および区別はさほど明確なものではなく、かなり便宜的な呼び名ということができる。なお、最近では、法律の規定を根拠として、法人格が成立する場合が多く定められており、この場合は、法律成立主義と呼ぶことができよう。株式会社などの営利法人については、官庁の許可などは必要とせず、一定の登記(法人登記と呼ばれる)をすることによって法人格の成立が認められる。この場合は、実質的要件さえ充たしていればよいという意味において、準則主義と呼ばれている。このほかに、自由設立主義があるといわれるが、少なくとも法律行為を行うためには登記は必要と考えられるから、適切な用語とはいえない(スイス民法§§60〜が定めるVereinは非営利法人で、団体設立の意思が定款に明らかにされていれば

第1編　第3章　法人

法的人格を取得するとされるが、商人的業務を行うためには登記が要求されている）。

後者、すなわち法人の成立時期については、おおむね、法務省によって管轄される登記（法人登記）がなされたときにその法人格が成立する（いわば、その法人が誕生する）とされている。このことを成立の時期における登記主義と呼ぶことができる。

なお、法人の成立と事業に対する監督とは混同しないようにしなければならない（たとえば、建設業のための会社は準則主義により設立できるが、建設業を営むためには都道府県知事の許可を受けなければならない（建設§3）。社会福祉事業を営めるのは社会福祉法人に限るかという問題も、このことに関わる（社福§60）。

(イ)　法人の財産関係

法人も1個の法的人格として財産を有することができる。すなわち、法人として所有権その他の財産権を享有し、他者に対する債権を取得し、また、他者に対して債務を負うことができる。この財産関係は、おおむね自然人のそれを類推する形で考えることができるが、自然人にのみ認められる権利（扶養請求健や相続権などの身分権など）や債務（扶養義務や親権者の義務など身分上の義務など）は例外である。

法人格をもたない団体は、財産を有することはできない（法人格のない社団の問題になる。(2)参照）。いわゆる「名義財産」（その財産の権利者の名義が一定の形式で示されている財産をいう。不動産が代表的なものである）において、名義人が法人格を有することが厳格に要求されることが多い（不動産における登記が最も厳格である。最近では、その他の預貯金などについても、自然人の本人確認、法人の法人格の確認が厳密に要求されるようになっている。犯罪による収益の移転防止に関する法律〔平成19年法律22号〕§4参照）。法人格を有しないなんらかの団体（これを俗に「任意団体」と呼ぶことが多い）がたとえ存在しても、権利主体としては認められず、その団体に関係する自然人の誰かの権利として扱われることになる。

法人の財産は、関係する個人の財産と明確に区別される必要がある。財産目録などの帳簿が厳格に作成・備置されることが要求される。そして、その法人の全財産が法人の責任財産（第3編第1章第2節②(2)(ウ)参照）となり、法人が負う債務に対する引当てとなる。

(ウ)　法人の内部関係

法人の法律関係において、重要なのはその内部関係である。なぜならば、自然人では、その人がどのような意思をもち、どのような行為をするか（ひいては生活を営むか）は自明の事柄であって、原則として法が云々する必要はない。自然人の意思（とくに意思能力）や行為に問題が生じた場合について、それに備えての規定が民法に設けられている。それに対して、法人においては、自然人と異なり、その法人がどのような意思をもち、行為をするか自体がそもそも自明なことではない。そこで、法人の意思決定の仕組み、および法人の行為がどのように行われるかが、民法および民法を基本とするその他の法律や、法人設立にあたっての基本的な取り決めによって、明確にされていることが不可欠である。具体的には、法人の社員総会などの意思決定機関、理事、取締役などの執行・代表機関など（これらを役員と総称する。法人は役員になれないことが多い。一般社団法人・一般財団法人の役員に関する法人法§§65・177、株式会社の取締役に関す

る会社§331など)の構成、仕組み、権限が明らかにされていることが必要である。

　なお、役員と法人との関係は委任と解される(法人法§64・177参照)。法人に対する損害賠償責任についても問題がある(法人法§§111〜・198に詳しい規定が置かれた)。

　㈡　法人の対外関係

　法人格が認められることの主な効用は、その法人が他の法律的な主体との間において——すなわち対外的に——、1個の法的人格として登場し、他者との間で独自に法律関係を形成できるということに存する。対外関係を全く生じない集団行動であれば、物事をその集団の内部関係として処理すれば足り、法人格をもつ必要はない。対外関係を生じる可能性があるからこそ、法人格を取得することになるのである。

　こうして、法人は法人としての権利能力と行為能力をもち(ただし、法人については行為能力の概念は用いるべきでないという見解も存する。§34⑴参照)、財産を有し、契約を締結することができる。要するに、他の法的人格との間に法的関係を形成することができる。ただ、実際の行為は自然人が行うほかないのであるから、誰が法人を対外的に代表(この概念については、本章後注の旧第2節解説・旧§53⑴参照)できるかについては、明確にされる必要がある。その定めは、ウの内部関係と密接に関連し、法人の代表機関、具体的には役員のうちの代表権を有する者が法人を代表する権限を有する。その者を代表者と呼ぶ。代表者の法人を代表する行為が法人の行為ということになる。

　㈣　不法行為責任関係

　法人も1個の法的人格として、他者に対する不法行為責任を負う。このことについて疑問はない。ただ、法人そのものが不法行為を実行することはないので、法人に関係するなんびとか(自然人)の行為が法人の不法行為に当たると法的に評価されるということにほかならない。それがどのような場合であるかについては、いろいろと難しい問題が存在する。

　民法自体にその点に関する基本的な一般規定が定められていることが望ましいが、2006年改正によってその規定(旧§44。本章後注参照)は削られた。法人に不法行為の規定がどう適用されるかという形で論じられるべき論点は多い(第3編第5章解説[7]、§709⑵⑶ウ(e)、§715⑥⑵など参照)。

　㈥　税法関係

　法人に関しては、税法上自然人と異なる扱いがされることが多い。たとえば、収入に対する税については、自然人には所得税法が適用され、法人には法人税法が適用される。さらに公益法人や行政法人については、税金が軽減または免除される場合が多い(法人税法§§4・66など参照。税法における用語は本書が述べる概念とズレを生じる場合が多い。法人税法の別表第1に「公共法人」として[5]⑷に挙げた3種の行政法人その他のものが、別表第2に「公益法人等」としてそれに該当するとされるものが具体的に列挙されている)。相続税が自然人にのみ適用されることはもちろんである。

　これらの財産に関する税において、財産を自然人の名義ではなく、法人を作り、法人の財産にしておく方が有利であることが多いことから、実態のない法人を作り、財産をそれに帰属させるということが行われる。このような行為は、法人格の濫用([2]⑵イ(a)(c)参照)というべきである。税法においても、これらの行為について、有利な税

第1編　第3章　法人

法の適用を認めないための「実質的所得者課税の原則」の規定などが置かれている（所得税法§12、法人税法§11 など）。

(2)　法人格のない社団・財団(権利能力のない社団・財団)

(ア)　問題の所在

　従来の民法の法人規定が公益法人と営利法人しか認めなかったことから、そのいずれでもない社団(中間的法人と呼ばれた)について、特別法による手当てがなされていないときには、法人を設立する可能性がなかった。そこで、生じたのが、社団としての実質を備えてはいるが、法人格を持たない団体の問題である。この種の団体を法人格のない社団または権利能力のない社団と呼ぶ。このように制度上の制約から生じた法人格のない社団の問題は、最近の法律において改善され、実例は大幅に減少することが予想される(4(2)(イ)参照)。

　なお、法人格のない社団については、上の説明のように制度上の制約から生じたもののほか、制度上は可能だが、関係者が法人化を望まず、法人格を取得していない場合、法人化を望んでもその実現に至っていない場合などがあることに注意する必要がある。そこで、今後も法人格のない社団の問題は解消することはないと考えられる。

(イ)　主な問題点

　従来の法人格のない社団に関する理論および判例については、本章後注の民法旧33 条(3)において述べたところを参照されたい。今後、この問題についての考え方は変化していくことが予想されるので、基本的な問題点をつぎに確認しておきたい。

(a)　社団の要件

　法人格のない社団の理論が適用されるためには、その団体が社団としての実質を備えていることが大前提となる。この点に関する標準的判例は、最判昭和39・10・15 (民集18巻1671頁)など、多数ある(本章後注§33(3)(ア)参照)。社団であるかどうかの判定は複雑であり、微妙であるが、今日では法人の設立が容易になったので、その影響として、法人になるのが可能であるにもかかわらず、敢えてなっていないということで、社団として認められる例は、減少するのではなかろうか。

(b)　財産関係(対外関係)

　基本的には、本章後注の民法旧33条(3)を参照。ここでは、最近の判例を紹介しておく。権利能力のない社団を債務者とする金銭債権を表示した債務名義を有する債権者が、当該社団の構成員全員に総有的に帰属し、当該社団のために第三者がその登記名義人とされている不動産に対して強制執行をしようとする場合には、当該総有関係を確認する旨の確定判決その他これに準ずる文書を添付しなければならないとした判例がある(最判平成22・6・29民集64巻1235頁)。なお、同様の事例において、仮差押の場合には、上記事実を証明する文書であれば足り、確定判決その他これに準ずる文書であることを要しないとされている(最決平成23・2・9民集65巻665頁)。

(c)　民法上の組合との関係

　(a)の問題は、民法上の組合契約関係(§§667～)と関係する。すなわち、社団も組合もいずれも団体現象に関連するが、社団は独立の団体性を有する存在であり、組

合はそこまでの団体性を有せず、あくまで各個人の間の契約関係としてとらえられるものである。両者の概念上の違いは明らかであるが、実際に存在する団体についての社団か組合かの区別は必ずしも明確ではない（2(1)(イ)(4)参照）。上にみたことからすると、今後は、社団ではなく、民法上の組合とされる場合が多くなるのではなかろうか。

　(d)　法人に準ずる法的扱い

　法人格のない社団の理論は、その団体が法人格を備えていなくとも、できるだけ法人に準じる法的扱いをしようとするものである。法人格が欠如していることによる不利を妥当な範囲で補うものともいえる。しかし、本章後注の民法旧 33 条〔3〕にも述べたように、それにはどうしても限界がある。この点についても、(c)で述べたように、今後は法人規定の類推適用などについての制約が強くなると予想される。

　(e)　法人格のない財団について

　以上は主として法人格のない社団についての説明である。財団に関しても、同様な問題が生じるが、社団に準じて考えればよい。

4　法人に関する規定の沿革

(1)　2006 年改正以前

　法人に関する規定は、1898 年における民法の施行以来、第 1 編総則第 2 章（2004 年改正により第 3 章になる）において基本的なことが定められ、さらに数多くの特別法によって補足されてきた。2006 年改正に至るまでの民法の規定の沿革については、以下に述べるところにより理解されたい。

　(ア)　民法制定時における本章の原条文は法人制度の基本を理解するためにも重要である。原条文については、本章後注の各条文に付した［原条文］を参照されたい。

　(イ)　(ア)に述べた原条文から 2006 年改正前までの改正経過については、本書の第 1 版（119〜160 頁）において当時の第 3 章 33 条〜84 条の 3 に関して各条文ごとに〈改正〉として説明した。当時の条文の大部分が 2006 年改正によって削除されたので、本章後注として再掲した第 1 版における旧条文の〈改正〉の項での経過説明を参照されたい。

(2)　2006 年改正について

　2006 年に行われた法人に関する改正は大幅なものである。ここでは、その要点を述べ、内容については5で説明し、経過規定（既存の法人の新法への移行）などについては6で述べる。

　(ア)　民法の改正

　2006 年改正は、まず、法人整備法の 38 条によって、民法の 33 条〜37 条を改正し、38 条〜84 条の 3 を削除した。従来民法によって設立されていた公益法人はその設立の根拠を失ったわけである。その代わりとして、新しくイに述べる法人法と公益認定法が制定され、一般的な（非営利に限られるが、公益には限られない）社団法人および財団法人は、今後この二法により設立されることとなった。従来の民法によって設立されていた公益法人は、一定の経過措置によって新法による法人へ移行しなければならな

第1編　第3章　法人

くなる（⑥(ア)参照）。

　(イ)　一般社団法人および一般財団法人に関する二つの法律の制定

　民法の大幅に削除された規定に代わって制定されたのが、法人法と公益認定法である。前者は 344 か条からなり、営利法人以外の社団法人・財団法人の準則主義による設立の可能性を一般的に認める法律である。後者は 66 か条からなり、前者により設立された法人のうち、一定基準と手続による公益認定を受けることを認めたものであり、この認定を受けたもの（これを公益社団法人または公益財団法人、両者を総称して公益法人と称する）についての特別規定を定めている。後者は、前者の単なる付属法・手続法のような印象を与えるが、そうではなく、公益法人に関して、前者にさらに付加した内容を定めている。公益認定を受けていない法人は「通常の一般社団法人・一般財団法人」と称される（「公益非認定一般社団法人・一般財団法人」と呼ぶのが理論的にはより正確であろう）。以上の説明で分かるように、従来は公益法人としてしか認められなかった財団法人が、非公益（もちろん非営利でなければならない）の目的にも認められることになった。

　なお、法人法には、法人一般の通則といってよい規定も盛られている。しかし、それが他の数多くの特別法に対する一般法という位置づけをもつことがはっきりしているわけではない。

　(ウ)　改正の施行日

　以上に挙げた、法人法、公益認定法、法人整備法の三つの法律は、2008 年 12 月 1 日に施行された。それまでは、(1)に述べた状態が現行法であったから、本章後注に掲げた第 1 版の記述がそのまま通用した。

⑤　法人に関する特別法

　法人に関する特別法はきわめて多数にのぼる。その現在における概要を示せば、おおむね以下のようになっている（なお、第 1 版当時の状況については、本章後注旧§33⑵を参照）。

　法人についても、関係法律が、民法を一般法とし（そこには、少なくとも 10 か条以上の法人に関する基本規定が置かれることが望ましい。§33⑴参照）、それに対する特別法、特別法のなかでもやや一般的なものとそれに対する特別法、というように体系的に組み立てられていることが望ましいが、2006 年改正によって出現した法律状況は必ずしもそのようにはできていない。以下には、法人の諸形態に分けて概観をしておきたい。

　(1)　社団法人関係

　(ア)　一般社団法人

　まず、法人法が定める一般社団法人が重要である。同法で「一般社団法人」とは、社団法人一般という意味ではなく、定款に「社員に剰余金又は残余財産の分配を受ける権利を与える旨」の定めがない社団法人をいうが（§11 Ⅱ。同項の文言は、そのような「定めは、その効力を有しない」というものである。その旨の条項があっても、公証人はこれを無視して認証を与えるものなのか文言上は定かでない）、とくに定義規定はない。

　一般社団法人は、同法が定める定款作成などの実質的要件を充たしたあと、定款に

第3章［解説］⑤

ついて公証人の認証を得たうえで登記をすることによって成立する(§22)。手続的要件についての準則主義、成立に関する登記主義が採用されているということができる。

一般社団法人には、理論的にはいわゆる共益社団法人(中間的法人)と公益社団法人が含まれる。従来の観念であれば、営利法人以外のものということで、「非営利社団法人」と称するところであるが、「非営利」の用語が不明確であるという理由で避けたと説明されている。しかし、解散後の残余財産の帰属については、まずは定款(ただし、§11Ⅱによる制約がある)により、定款によってそれが定まらないときは、清算法人の社員総会、評議員会が自由に(上記の制約なしに)定めることができるとされている(§239。結局は、社員が残余財産の分配を受ける思惑ですべてが運ばれる可能性が否定できない。公益認定を受けた法人の場合については、後述)ので、「非営利法人」という概念に比して、この「一般社団法人」の概念にはあいまいさが否定できない。

なお、従来の中間法人法が定めていたことは、ほぼこの法律により代替されたので、同法は廃止された(法人整備法による。ただし、既存の中間法人については、一般社団法人として存続する。⑥(イ)参照)。

一般社団法人には、つぎの2種のものがある。

(a) 公益認定を受けていない一般社団法人

「通常の一般社団法人」(法人整備法が用いる言葉)、あるいは公益不認定一般社団法人と呼ぶことができよう。これについては、法人法の第2章(§§10~151)が適用される(同章は、(b)にも適用される)。その内容は、設立の方法(§§10~13。§13により、公証人による定款の認証が要件となっている点が注目される。ただし、これは定款の文言についての形式的審査にすぎないと考えられるから、法人の成立に関する認証主義が採られたということはできない)、社員、社員総会(必置。なお、検査役という制度が設けられている)・理事(必置)・理事会(必置ではない。そこで、「理事会設置法人」と「理事会非設置法人」で違いが生じる)、監事(必置)，会計監査人(「大規模一般社団法人」においては必置とされる。§62参照)などの組織、法人の代表(§77)、法人の代表者が第三者に与えた損害の賠償責任(§78)、役員の法人に対する損害賠償責任など(§§111~118)、計算、基金、解散(休眠状態の一般社団法人に関するみなし解散の規定に注意。§149)などに関する。また、(b)の公益社団法人とも共通であるが、清算(第4章)、合併(第5章)、訴訟(第6章第2節。とくに社員の役員に対する訴えの制度に注意)、登記(第6章第4節)などについて規定されている。

なお、この種の社団法人のなかには、公益認定を受けていないが、理論的には公益法人としての性格を有するものも含まれる。しかし、法律上定義された「公益法人」には該当しないので(公益認定§2③)、公益法人と称することはできない(同§9。民§33⑥(1)参照。「通常の一般社団法人」に属することになる)。

(b) 公益認定を受けた一般社団法人

これについては、(a)に述べた規定が適用されるほか、公益認定法が適用され、公益社団法人と称される(§2①)。なお、同法では、「公益法人」という用語も定義されており、公益社団法人または公益財団法人をいうとされている(§2③)。

同法は、公益目的事業(§2④が「学術、技芸、慈善その他の公益に関する別表各号に掲

113

第1編　第3章　法人

げる種類の事業であって、不特定かつ多数の者の利益の増進に寄与するものをいう」と定義し、別表で22種類のものを具体的に列挙し、あとは政令の定めに委ねている）を行う一般社団法人が公益認定を受けるための申請の手続について、認定を行う行政庁（内閣総理大臣または都道府県知事。前者については内閣府の公益認定委員会（政令により委員7人とされる）、後者については都道府県に置かれる審議会などの合議制の機関（同じく委員3人以上とされる）が諮問機関とされる。§§3・32〜・50〜）、認定のための基準（§5が18項目を列挙する。必置機関が、理事会、会計監査人など、(a)より増える。§5⑫⑭。解散後の残余財産の帰属先に制約があることに注意。§5⑱）、欠格事由（§6が6項目を列挙する）について規定している。その他、公益社団法人の事業活動等（§§14〜26。このうち、§15は、事業活動のうち公益目的事業の比率が50パーセント以上であることを要するとしている）、監督（§§27〜31）などを規定している。

(イ)　その他の特別法による社団法人

(ア)のほかに、個別の特別法によって設立を認められた社団法人の種類は数多い。

以下には、公益的性質を有する社団法人（上記の法律にいう「公益法人」ではなく、理論上の意味の公益法人）と共益的性質を有する社団法人の例に分けて挙げる（もちろん、全部を網羅するものではない）。

これらの社団法人については、おおむね、認可（あるいは認証）主義が採られている。

なお、上述のように、法人法は、営利以外の目的を有する社団法人・財団法人に関する一般法という意味を持つものではない。以下に列挙する諸法は、同法に対する特別法という位置づけのものではなく、(ア)の一般社団法人とこれらの特別法による社団法人とはいわば同列に並ぶものである（4(2)(イ)、6(ウ)(b)参照）。

(a)　公益的性質をもつもの

(i)　宗教、社会福祉事業、医療のための社団法人については、それぞれ、宗教法人法（§4）、社会福祉法（§22）、医療法（§39）という特別法が定められている。

(ii)　特定非営利活動促進法（§§2・10）により、その別表に掲げられた17種類の特定の非営利活動を行う団体が定められている。NPO（non profit organization）と俗称される。税法上の特例が定められている（特定非営利活動促進法§§46・46の2）。

この NPO については、2006年改正後も基本的に従来通りの扱いがされている。

(iii)　わが国のいわゆる中央銀行としての機能をあたえられた日本銀行（日銀§6）は、特許主義による法人ということができよう。

(iv)　一定の政策的な金融事業のための公的施設として、国民生活金融公庫、農林漁業金融公庫、中小企業金融公庫、沖縄振興開発金融公庫、国際協力銀行があったが、「株式会社日本政策金融公庫法」（平成19年法律57号）により、2008年10月に消滅し、株式会社日本政策金融公庫に統合されることとなった（国際協力銀行については、国際金融等の関係業務のみ）。住宅金融公庫については、2(3)(ア)(b)(iii)参照。現在まだ存続しているものとしては、商工組合中央金庫、日本政策投資銀行（前身は日本開発銀行、北海道東北開発公庫）などがある。

その他、金融関係では、信用金庫法（§2）・信用保証協会法（§2）・農林中央金庫法（§2）・労働金庫法（§3）などが定める法人がある。

第3章［解説］⑤

　(v)　公共性を有する商業的施設として、金融商品取引法（§§67・88・89・102・102の8・79の22）・商品先物取引法（§7）が定めるもの。

　(vi)　社会保険・災害保険を営む組合・基金として、国民健康保険法（§14）・健康保険法（§§9・184Ⅱ）・農業災害補償法（§3）・厚生年金保険法（§§108・150）、などによるもの。

(b)　共益的性質をもつもの

　(i)　企業の経営および消費生活における相互扶助的協力を目的とする組合で法人格の取得が認められているものとして、中小企業等協同組合法（§§3・4）・農業協同組合法（§§5・72の5・73の18）・水産業協同組合法（§5）・消費生活協同組合法（§4）・農住組合法（§3）・農業委員会等に関する法律（§§36・56）などによるものがある。

　(ii)　中間法人法（§§3・6）による中間法人　同法は2006年の法人整備法により廃止されたが、既存の中間法人の存続については、⑥(イ)参照。

　(iii)　労働者の団体である労働組合について、労働組合法（§11）・国家公務員法（§108の4）・地方公務員法（§54）が規定する。

　(iv)　特別なプロフェッションに関わる団体として、弁護士法による弁護士法人・弁護士会（弁護§§30の2・31・45）が登記主義による法人とされている。類似の制度が、弁理士法（§§37・56）、司法書士法（§§26・52・62・68）、行政書士法（§§13の3・15Ⅲ）、税理士法（§§48の2・49・49の4）、公認会計士法（§§34の2の2・43Ⅲ）、土地家屋調査士法（§47Ⅲ）などに定められている。それらでは、登記は第三者対抗要件とされている例が多い。

　(v)　地方自治法260条の2以下が定める「地縁による団体」（市町村長の認可による）は、その性質上、共益的目的を有する社団法人と考えてよいであろう。

　(vi)　土地改良法（§13）　農地の改良・開発・集団化などを行う土地改良区などが定められている。土地区画整理法（§22）も同旨。成立は認可主義による。

　(vii)　建物の区分所有等に関する法律（§47Ⅰ）による区分所有権者によって作られた管理組合法人は、登記によって法人となる。

(2)　財団法人関係

(ア)　一般財団法人

　一般財団法人についても、法人法が一般社団法人とほぼ同じような規定を置いている（第3章その他）。

　財団の基本を定める文書は、民法の旧条文では、「寄附行為」と呼ばれていたが、法人法では、「定款」という用語に揃えられた（一般社団法人と同様、§153Ⅲ②が定める定款の要件にとくに注意。(1)(ア)参照）。一般財団法人を成立させる行為も、従来の「寄附行為」ではなく、「設立行為」と呼ばれるが、その設立行為を行う設立者（単数または複数）が供出する財産の価値の合計は300万円以上でなければならない（§§153Ⅱ・202Ⅲ）。

　設立行為（単独行為または合同行為）に関係して気になるのは、法人法165条が、一般財団法人が成立した後は、「財産の拠出」について錯誤による無効、詐欺・強迫によ

る取消しができないとしている点である。設立者の設立行為(定款を作成する行為。それによって拠出義務が生じると解される)と財産拠出行為との関係があいまいであるし、株式引受けについて同旨を定める会社法の規定(§§51Ⅱ・102Ⅳ・211Ⅱ)と同様には考えられないのではなかろうか。

また、一般財団法人には、理事・理事会・監事のほかに評議員・評議員会(§§170・178～。理事会に対するチェック機能をもつが、その他、社団法人における社員総会的な機能が営まれると考えられる。§§200・204・239など参照)・会計監査人(§171)が必置とされたことも注目される。

一般財団法人にも、つぎの2種のものがある。

(a) 公益認定を受けていない一般財団法人

「通常の一般財団法人」あるいは公益非認定一般財団法人と呼ぶことができる。これについては、上記の法人法第3章(§§152～205)の規定による。

ここで注意を要するのは、従来は、財団法人は公益法人に限られていたが、この法律では公益認定を受けない一般財団法人が認められていることである。

(b) 公益認定を受けた一般財団法人

これについては、(a)で述べた通常の一般財団法人に関するのと同じ規定がほぼ適用されるほか、公益認定法が公益社団法人についてと同様のことを定めており((1)(ア)(b)参照)、公益認定を受けた一般財団法人は公益財団法人と称される(§2②)。

(イ) 特別法による財団法人(網羅的列挙ではない)

以下のものは、法人法に服するものではなく(準用は別として)、同法による一般財団法人と並ぶものである。

(a) 公益的性質をもつもの

(i) 学校経営、医療のための財団法人については、それぞれ、私立学校法(§3で、「学校法人」と呼ばれる。同§30で、「寄附行為」をもつとされる)、医療法(§39)という特別法に定められている。

(ii) 地方住宅供給公社法(§2)などによる一定の公共的事業のための公的施設

これらの法人の性質は財団法人といってよかろう。

(b) 共益的性質をもつもの

(i) 民法951条に定められた相続財産法人

これも、その性質は共益目的の財団法人といってよかろう。

(3) 営利法人関係

営利を目的とする社団法人については、一般的に、会社法が、株式会社・持分会社(合名会社、合資会社、合同会社)について規定している。会社法は、民法33条に基づく民法の特別法と解することができる。投資信託及び投資法人に関する法律(昭和26年法律198号)の定める投資法人(投資法人§§61～)は、会社法所定のものとは別個の営利法人である。

営利を目的とする財団法人は認められていない。

(4) 行政法人関係

1999年(平成11年)以後に、以上の類型によって理解することでは不十分な、行政

的目的を有する法人というものが登場した。いわゆる行政改革および民営化の掛け声のもとに導入されたものである。つぎのア〜ウであるが、これを独立の類型として、行政法人と総称することにする(②(3)(ア)(c)参照)。(エ)に挙げる法人もこの行政法人に分類するのが適切と考えられる。なお、これらの法人は、法人税法においては、「公共法人」という種類としてとらえられている(法人税法別表第1)。

この種の法人の成立については、法律成立主義の原則が適用されている例が多い。法律成立主義についてとくに危惧されるのは、この種の法人が政治・政策・行政などの都合で便宜的に(法人格の重要性が配慮されることなく)新設・改廃されることである。これは、場合により、法人格の濫用(②(2)(イ)(a)参照)あるいは悪用となることがありうる。

この種の法人も、民法33条第1項によって法人格が認められる。同条第2項が公益法人、営利法人を例示したうえで、「その他の法人」といっているものに含まれると考えられる(§33〔6〕参照)。

(ア)　独立行政法人通則法(平成11年法律103号)に基づく独立行政法人(§6)

独立行政法人は、「国民生活及び社会経済の安定等の公共上の見地から確実に実施されることが必要な事務及び事業であって、国が自ら主体となって直接に実施する必要のないもののうち、民間の主体にゆだねた場合には必ずしも実施されないおそれがあるもの又は一の主体に独占して行わせることが必要であるものを効率的かつ効果的に行わせることを目的として、この法律及び個別法の定めるところにより設立される法人」と定義される(§2)。独立行政法人のなかに「特定独立行政法人」があり(§§2Ⅱ・51〜)、それ以外のものと区別される(§§61〜)。

独立行政法人は、従来は官庁が所管していた業務を、法的人格としては独立した法人をして担当させるものである。そのなかでも官庁的色彩が濃厚なものは、「特定独立行政法人」として、その役職員は公務員の身分とされるなどの特別扱いがされる(§§2Ⅱ・51〜)。

個々の独立行政法人の設立については、1個の法人についてそれぞれ個別の設置法が制定される。その数は、2004年4月現在で105に達し、その後増減している。若干の例を挙げると、国立公文書館法(平成11年法律79号。上記の通則法より前の法律であるが、改正により、同館は独立行政法人とされた)、独立行政法人大学入試センター法(平成11年法律166号)、独立行政法人国立国語研究所法(平成11年法律171号)、独立行政法人国立環境研究所法(平成11年法律216号)、独立行政法人国民生活センター法(平成14年法律123号)、独立行政法人国立病院機構法(平成14年法律191号)、独立行政法人日本学生支援機構法(平成15年法律94号)、独立行政法人大学評価・学位授与機構法(平成15年法律114号)、独立行政法人日本原子力研究開発機構法(平成16年法律155号)、などである。

独立行政法人の性質が社団法人であるか、財団法人であるかは明確でない。しかし、つぎの(イ)と同様、その性質は財団法人と見るのが適切であろう。

(イ)　国立大学法人法(平成15年法律112号)

大学の研究教育に関しては、(ア)とは別に、国立大学法人と称される法人が設立され

第1編　第3章　法人

るものとされた。独立行政法人通則法の規定が大幅に読み替え規定を伴って準用され
ている(§35)。個々の国立大学の設置は、別表に定められている。国立大学法人は、
(私立の)学校法人と同様に財団法人と考えてよいであろう。

　(ウ)　地方独立行政法人法(平成15年法律118号)に基づく地方独立行政法人(§5)
　地方公共団体のレベルにおいて(ア)・(イ)と同様な機能を持たされたものが、地方独立
行政法人である(§2に定義がある)。
　国立の独立行政法人と同様に、特定地方独立行政法人(§§47〜54)と一般地方独立行
政法人(§§55〜58)がある。また。移行型地方独立行政法人(§§59〜67。従来の地方公共団
体からその業務を引き継ぐものをいう)、公立学校法人、公営企業型地方独立行政法人と
いうタイプについて特別規定が設けられている。
　地方独立行政法人の設立は、当該地方公共団体によりその議会の議決を経て決定さ
れる(§7)。
　地方独立行政法人も、(ア)・(イ)と同様、その性質は財団法人とみてよいであろう。
　(エ)　地方自治法(§§1の3・2Ⅰ)の定める地方公共団体、すなわち普通地方公共団体
(都道府県および市町村)および特別地方公共団体(特別区・地方公共団体の組合・財産区・地
方開発事業団)は、法人とされる。これらは、行政法人の類型に含めてよいであろう。

⑥　改正に伴う経過規定と他の法律の改正

　2006年改正によって制定された法人法と公益認定法の二法に伴い、法人整備法が
制定された。法人整備法は、既述のように、その38条により民法の33条〜37条を
改正し、38条〜84条の3を削除したほか、全部で458条からなり、厖大な経過規定
を定めている。その内容の若干を示しておく(以下、本項で引用する条文は法人整備法のそ
れである)。この三法はいずれも2008年12月1日に施行されたので、以下の記述はそ
れ以後のことに関する。なお、法人法附則2項「経過措置の原則」も参照。
　(ア)　既存の民法上の公益法人についての経過規定
　従来の民法に基づいて成立していた既存の公益法人は、各主務官庁(内閣府と10省)
のものを総計すると、約2万5千の多数に上るといわれる。これらを新法に適応した
ものに改編していくことは大変な作業を要すると想像される。
　法人整備法40条〜152条は、この点について、これらの公益法人は当面存続し、
ただ、①その名称は従来どおりでよいが、法人整備法上は「特例社団法人」または
「特例財団法人」(併せて「特例民法法人」)と呼ばれて、同法所定の規制に服し、②法施
行後5年以内に、新法による法人(「通常の一般社団法人または一般財団法人」または「公益
社団法人または公益財団法人」)へ「移行」すべき「認可」(前者の場合。§§45・115〜。この
「認可」は、新しい法人の成立を認めるものであるから、「認可主義」によるということであろう
か)または「認定」(後者の場合。§§44・98〜。この「認定」は、公益認定法の定める「公益認
定」とは別のものである。同法の公益認定はもともと法人の成立要件ではない。この「移行」に
あたっての「認定」は、新しい法人の成立を認めるものであるから、従来はなかった「認定主
義」ともいうべき方法が採られたことになるのであろうか。③(1)(ア)参照)を受けて、移行の登
記(従来の法人の解散と新法人の設立)がなされなければならず(§§106・121)、③期間内に

その移行が行われないときは、その法人は解散とみなされる（§46）、とした。

（ｲ）　中間法人法の廃止とそれに伴う経過規定

中間法人法についても触れておくと、同法は2006年改正により不要になったので、廃止された（§1）。既存の中間法人は改正後も存続するが、同法による無限責任中間法人は、施行後1年以内に一般社団法人としての名称変更をし、登記をしないと解散とみなされる（§37。有限責任中間法人の存続については、§2参照）。その他、詳細な経過規定が定められている（§§2～37）。

（ｳ）　その他の特別法の改正

このほか、法人整備法は、民法に基づくもの以外の特別法による法人（公益法人と共益法人）について定める1の勅令（§33⑵参照）と296に及ぶ法律についての手直しおよびそれに伴う経過規定を定めているが（§§161～456）、その内容は雑多である。

　（a）　用語その他を新しい法律に揃える修正をしたものが多い（なかには、これに便乗して、その法律のかなり大幅な内容的変更をしている例もある）。

　（b）　注目されるのは、それぞれの法律に規定された法人について、法人法の規定（主に同法の§4〔住所規定〕と§78〔法人の損害賠償責任〕であるが、他の例もある）を準用するという規定を織り込む修正が見られることである。特定非営利活動促進法（NPO法）その他かなり多くにその例がある（§164ほか）。法人法を他の個別法に対する一般法と考えれば、準用というのはおかしい。これらの法律は同法と同列に並ぶものと解される。

　（c）　少数だが、その法律による法人の名称に、たとえば、「全国労働金庫連合会という文字を用いる一般社団法人」というものがあるが、この場合に、その法律すなわち労働金庫法に特別の規定を設けたものがある（§184ほか）。これなどは、その法人は法人法により設立される法人で、労働金庫法はそれについての特則を定める特別法であるという考えによるのであろうか。

（法人の成立等）
第二十二条[1]
1　法人は、この法律その他の法律[2]の規定によらなければ、成立しない[3]。
2　学術、技芸、慈善、祭祀、宗教その他の公益[4]を目的とする法人、営利事業[5]を営むことを目的とする法人その他の法人[6]の設立、組織、運営及び管理については、この法律その他の法律の定めるところによる[7]。

[原条文]　本条の1項は原条文の33条、2項は原条文の34条に当たる。

第三十三条
　法人ハ本法其他ノ法律ノ規定ニ依ルニ非サレハ成立スルコトヲ得ス

第三十四条
　祭祀、宗教、慈善、学術、技芸其他公益ニ関スル社団又ハ財団ニシテ営利ヲ目的トセサルモノハ主務官庁ノ許可ヲ得テ之ヲ法人ト為スコトヲ得

〈改正〉　原条文の33条は2004年改正によってそのまま現代用語に改められ、34条は、「学術、技芸、慈善、祭祀、宗教その他の公益に関する社団又は財団であって、営利を目的としないものは、主務官庁の許可を得て、法人とすることができる。」と改められた。

第1編　第3章　法人

　2006年改正によって、旧33条はそのまま本条の1項となり、旧34条は内容を改められて、本条の2項とされた。同改正の施行日は2008年12月1日である。
　なお、本章後注・旧33・34条を参照。

　〔1〕　本条は、法人に関する基本的な一般法である民法として法人に関する基本的事項を規定する条文である。第1項において法人についての法律準拠主義（〔3〕参照）を定め、第2項において、各種の法人についてはその種別に応じて特別法によって定める旨が規定されている。
　しかし、民法が規定する基本事項については、本条のほかには34条に法人の権利能力に関する規定、36条に法人の登記に関する規定が置かれたのみである（他に外国法人に関する規定として§§35〜37が置かれた）。民法自体にもっと多くの規定が置かれてもよいのではないかという感じが強い（〔7〕参照）。
　〔2〕　「法律」は、いうまでもなく、国会によって議決され、成立した法律を指す。ただし、勅令が根拠法となっている例がある（閉鎖機関令、昭和22年勅令74号。いわゆるポツダム勅令だが、昭和27年法律43号により法律としての効力を有するとされた）。
　民法以外の法律としては、2006年改正によって新しく制定された「一般社団法人及び一般財団法人に関する法律」（法人法）、「公益社団法人及び公益財団法人の認定等に関する法律」（公益認定法）、「一般社団法人及び一般財団法人に関する法律及び公益社団法人及び公益財団法人の認定等に関する法律の施行に伴う関係法律の整備等に関する法律」（法人整備法）の三つの法律のほか、「独立行政法人通則法」、「国立大学法人法」、「地方独立行政法人法」（この三者は行政法人に関する）、その他かなり多くの数の法律がある（本章解説〔5〕参照）。
　〔3〕　法人の法人格が成立するためには、その根拠となる法律が必要である。これを法律準拠主義と呼ぶことができよう。
　自然人については、出生と同時に法的人格が認められるのであって、そのことは「私権の享有は、出生に始まる」（§3Ⅰ）という文章で表現されている。これに対して、社団や財団については、法が、その構成や社会的機能につき検討して、これに独立の法的人格を付与する道を認めるかどうかを決めることとなっているのである。そこで、本条は、法人の成立の基準や手続は必ず法律によって定められるべきことを明らかにしている。法人制度の根幹となる規定である。
　〔4〕　「公益」とは、不特定多数人の利益を意味する。本条によって、公益を目的とする法人の設立が可能であることが示されている。
　公益ではなく、単に会員同士相互の親睦を目的とするクラブや校友会など、会員のみの共同の利益を目的とする団体や財団は、公益を目的とする法人とはいえない。この種の団体を中間的団体、あるいは共益的団体という呼ぶことができよう。これらを法人とする法律については沿革上さまざまな問題があった。2006年改正後は法人法がその受け皿となっていて、容易に成立させることができる（本章解説〔4〕(2)・〔5〕・〔6〕参照）。
　公益を目的とする法人が公益法人としての法人格を取得するためには、公益認定法

§ 33 〔1〕〜〔7〕

による公益法人の認定（「公益認定」と称される）を受けることが必要である（公益認定法§§2③・4〜）。

〔5〕　「営利事業」とは、結局において会員または設立者に収益の帰属する事業のことをいう。営利事業を営むことを目的とする法人を営利法人という。営利法人に関する法律は、会社法（平成17年法律86号）、投資信託及び投資法人に関する法律（昭和26年法律198号）などである。これらの法律による法人は、本条に基づくもので、民法に対する特別法と位置づけられる。

営利事業を営むことを目的としない、営利法人以外の法人も、収益事業を行うことができないわけではない。公益法人や共益法人であっても、その公益や共益の目的を達する手段として収益事業を行うことは妨げない。たとえば、公益法人である私立の学校法人がその収益を私立学校の経営に充てるために収益事業を行うことは認められる（私学§§26・61）。

〔6〕　「その他の法人」は、公益法人でも営利法人でもない法人をいう。

(1)　共益法人

これには、第1に、〔4〕で述べた中間的社団・財団ないし共益的社団・財団が法人格を取得したものが含まれる（〔5〕の営利事業を営む法人でないことが必要である。この要件については、本章解説⑤(1)(ア)・(2)(ア)参照）。「通常の一般社団・財団法人」（法人整備法で用いられている言葉）あるいは「公益非認定一般社団・財団法人」と呼ぶことができよう。理論的には、共益法人と呼んでもよい。

この種の社団・財団は、法人法によって法人を設立することが可能である。ただ、つぎのことに注意を要する。

その1は、法人法による法人について、公益を目的とする一般社団法人・一般財団法人であっても、公益認定法による公益認定を受けていないものは、公益法人を称することはできないことである（公益認定§2）。この種の法人は、制度上は「通常の一般社団・財団法人」に属することになる（本章解説⑤(1)(ア)(a)・(2)(ア)(a)参照）。

その2は、他に各種の共益目的の法人について規定する特別法が多数存在することである（本章解説⑤(1)(イ)(b)・(2)(イ)(b)参照。本章解説②(3)(イ)(b)も関連する）。これらの法律は、おおむね、法人法に対する（下位の）特別法ということではなく、これと並ぶものと考えられる。

その3は、財団法人についてであるが、2006年改正前の民法では、財団法人は公益法人としてのみ認められたが、法人法によって公益法人以外の法人にも認められていることである（本章解説⑤(2)(ア)(a)参照）。

(2)　行政法人

第2に、いわゆる行政法人（本章解説⑤(4)参照）が含まれる。行政法人に法人格が認められるのも、遡れば、民法の本条の規定に基づくものである。

〔7〕　法人の種類に応じて、個別の法律が作られ、それらが、民法を頂点とする一般法と特別法という関係で体系的に整然と組み立てられることが望ましいが、2006年改正は必ずしもそのようにはなっていない（本章解説⑤参照）。

とりわけ、民法の規定が、〔1〕で述べたように、法人に関する基本的規定としては、

第1編　第3章　法人

本条のほか、34条と36条のみとされたことは、法人の「設立、組織、運営及び管理」に関する基本法の規定としては不十分といわざるをえない。

たとえば、つぎのような事項の基本は民法に規定し、それを補う規定を特別法に盛るのがよかったのではなかろうか。

(i)　法人の名称

法人の名称は、その同一性を表示するもので、自然人の姓名と同じ重要な意味をもつことはいうまでもない。その名称のつけ方は、基本的には自由であるが、法人の種類名などを織り込まなければならないなどの制約はある。特別法にさまざまな規定が置かれているが、名称に関する基本的な条文が民法に置かれてもよいのでなかろうか。旧35条・40条参照。

(ii)　法人の住所

法人の住所も、法的主体に関する重要な事項であるから、民法に基本的な規定が置かれてよい。旧50条参照。多くの特別法に法人法の4条(住所)を準用する規定が置かれているが、疑問である。

(iii)　社団・財団の区別

社団法人と財団法人は、伝統的に法人に関する重要な種別と考えられてきた。この区別が明確でない事例が登場してきてはいるが、民法にこの両概念についての基本的な定めが置かれてよいのではなかろうか。

(iv)　定款

法人に関する基本的な取り決め(§34は基本約款と称する)は原則として定款と称される。2006年改正以前は、社団法人については「定款」、財団法人については「寄附行為」と称されたが、改正によって、「定款」に統一された。

定款については、特別法における規定も重要だが、民法に、従来の旧37条〜39条程度の基本的な規定は置かれてよいと思われる。

(v)　法人の機関

法人の機関についても、従来の第2節「法人の管理」に倣って、すべての法人に共通する基本的な事柄は、民法に規定されてよい。

(vi)　法人の行為能力

法人の権利能力については、34条に定めがある。改正前の43条に当たる。しかし、行為能力については改正前においても規定がなかった。そこで、民法学では、旧43条を行為能力についても意味をもつ規定であると解釈していた。

せっかくの改正であるから、行為能力に関する条文が設けられてもよかったのではなかろうか。

(vii)　対外的代表

(vi)とも関連して、法人の対外的代表についても基本規定があってよい。

(viii)　法人の不法行為能力

法人が不法行為責任を負うことがありうるということについても、民法に基本規定が欲しいところである。多くの特別法に、法人法の78条(代表者の行為についての損害賠償責任)が準用される規定が置かれているが、疑問である。

§ 34〔1〕

(ix) 法人の登記

　　法人に関する登記についても、民法に基本規定が置かれてよい。36 条がその意味を持つ条文であるが、もうすこし踏み込んだ一般的規定が可能なのではないだろうか。逆に外国法人については、37 条に異様に詳しい規定が置かれており、このような内容は、特別法(たとえば「外国法人法」)に委ねるのが適切なのではなかろうか。

　　※　民法第 3 章(法人)は、法人関連特別法の基礎法であるから、その関連判例として、以下の判例を掲げておく。水産業協同組合法 37 条 2 項や一般社団法人法 95 条 2 項にも、特別の利害関係を有する場合についての規定があるが、以下の判例は、各種特別法に存在する同趣旨の規定についての共通の事項を判示しているからである。「漁業協同組合の理事会の議決が、当該議決について特別の利害関係を有する理事が加わってなされたものであっても、当該理事を除外してもなお議決の成立に必要な多数が存するときは、その効力は否定されるものではない」(最判平成 28・1・22 民集 70 巻 84 頁)(前述〔7〕(v)も参照)。

　　なお、一般社団法人及び一般財団法人に関する法律及びその認定等に関する法律の施行に伴う関係法律の整備等に関する法律による改正前の民法の規定に基づく財団法人として設立された宗教法人が、同整備法 40 条 1 項により一般財団法人(特例財団法人)として存続することとなり、その後同法 45 条の認可を受けて通常の一般財団法人に移行した際に目的の変更が行われた場合には、特例財団法人は、所定の手続を経て、その同一性を失わせるような根本的事項の変更に当たるか否かにかかわらず、その定款の定めを変更することができる。このように解することは、先に述べた定款変更の必要性に沿うものであり、また、旧民法の規定に基づく財団法人から通常の一般財団法人への移行を円滑かつ適切に行うための措置を定める整備法の趣旨にも合致するものである(最判平成 27・12・8 民集 69 巻 2211 頁)。

（法人の能力）
第三十四条
　　法人は法令の規定[2]に従い、定款その他の基本約款[3]で定められた目的の範囲内[4]において、権利を有し、義務を負う[1]。
〔原条文〕　本条は原条文の 43 条に当たる。
第四十三条
　　法人ハ法令ノ規定ニ従ヒ定款又ハ寄附行為ニ因リテ定マリタル目的ノ範囲内ニ於テ権利ヲ有シ義務ヲ負フ
〈改正〉　2004 年改正によって、「定款又ハ寄附行為で」となっていた部分が、2006 年改正によって「定款その他の基本約款で」と改められた。2006 年改正の施行日は 2008 年 12 月 1 日である。

〔1〕　本条は、法人の権利能力に関する規定と解される。
すなわち、法人はどのような権利を有し、義務を負うことができるか、という問題

123

第1編　第3章　法人

であるが、自然人の権利能力が原則的に無制限である（§3。外国人について、同2項が法令または条約による制約がありうる旨を定める）のに対して、法人については、法令による制限、法人の目的による制限があることが定められているのである。〔4〕参照。

　なお、この問題は、法人の行為能力の問題、すなわち、法人がどのような法律行為ができるかという問題と密接に関連する。むしろ、実際に問題を生じるのが多いのは、行為能力に関してである。たとえば、法人が他者と契約を結ぶについて、その法人の目的によって制約され、その範囲から逸脱することはできない。行為能力についても別個に規定がされることが望ましいが、民法には従来から法人の行為能力の規定を欠いていて、学者は、権利能力の規定が行為能力をカバーすると解してきた（そう解さない見解もある。また、法人について行為能力の概念を用いることに反対する学説もある）。いずれにしろ、その範囲は、権利能力の規定と同様に広く解釈される傾向にある（〔4〕参照）。

　〔2〕　法令の規定で、法人が享有できる権利または法人がすることのできる行為を一般的に制限しているものはない。やや一般的なものに、会社は他の会社の無限責任社員となることができないとする商法旧55条の規定があった。なお、清算法人（§73）、相続財産法人（§951）のような特殊な法人は、性質上の制限があり、「地縁による団体」（地自§260の2）・特別地方公共団体（地自§§281・284・294など）、消費生活協同組合（消費生活協同組合法§9）などには、これらの法人を設ける法令そのものの目的による制限がある。それは目的の範囲に関する〔4〕の問題でもある。

　〔3〕　法人に関する基本的な取り決め（同時にその内容を記した文書）は、「定款」という名称で一般的に呼ばれる。

　従来の民法では、財団法人における基本的な取り決めは、「寄附行為」と呼ばれていたが、2006年改正によって、「定款」の名称に揃えられた。法人に関する諸法律においては、一定の要件を備えた定款が要求されているので、基本的な文書の名称に定款という言葉を用いることも必要であると考えられる。ただ、本条が「その他の基本約款」という言葉を用いたのは、定款以外の名称を付された文書も例外的にありうることに備えたものと思われる（地自§§260の2以下の「地縁団体」の「規約」、私学§§30以下の「寄附行為」など）。

　〔4〕　本条は、法人に関する一般的規定として、とくに準用する旨の規定のない場合でも、会社その他すべての法人に適用される。したがって、この「目的の範囲内」というのは重要な意味を持つ概念である。ある行為が、その法人の「目的の範囲内」であるかどうかは、各種の法人についてしばしば問題とされる。

　以下の判例は、旧43条に関するものであるが、この条文は実質的に全く変っていないので、新しい本条にも妥当することはいうまでもない（したがって、以下の(ア)(イ)は、第1版の旧§43に関する説明をそのまま採録した。本章後注では、この部分は省略した）。

　(ア)　会社について、判例は興味ある変遷を示す。すなわち、最初は定款に記載された個々の事項を文字通りに解し、これに包含されない行為は「目的の範囲外」であるとした。しかし、その後、定款の記載はこれを「推理演繹」してその範囲を定めるべきであるとし、さらに、目的たる事業を遂行するのに必要な事項は、ことごとく「目的の範囲内」であるとするに至った（最判昭和27・2・15民集6巻77頁、最判昭和30・

11・29民集9巻1886頁)。

(a) その変化について述べれば、初期においては、鉄道事業を経営する株式会社が炭坑採掘事業を兼営するのは目的の範囲内である(大判昭和6・12・17新聞3364号17頁)としたが、今日では、この弾力的解釈はさらにいちじるしく、営利を目的とする会社においては、営利を追求するすべての行為が「目的の範囲内」であると解するに等しい状況になっている。

(b) たとえば、会社と取引関係にある会社のために借地契約上の債務の連帯保証をしたり(最判昭和30・10・28民集9巻1748頁)、同じくそのような会社の債務を担保するために抵当権を設定したり、代物弁済契約をすることも(最判昭和33・3・28民集12巻648頁)、会社の目的の範囲内とされる。

(c) さらには、特定の政党へ政治献金をすることも、客観的、抽象的に観察して会社の社会的役割を果たすためになされたものと認められる限り、目的の範囲内とされた(最大判昭和45・6・24民集24巻625頁[八幡製鉄政治献金事件])が、これについてはなお議論のあるところである。

(イ) しかし、会社についての上述のような判例の態度は、必ずしもほかのすべての法人についても共通であるとはいえない。かつての産業組合や同業組合のように、公共的性質を有し、その経済取引を活発にさせるというよりも、むしろ組合員の利益保護を図るべき法人については、判例は比較的厳格な解釈をして、目的の範囲外であるとする場合が多かったようにみえる。

(a) 重要物産同業組合について、その目的である行為およびこれを遂行するのに必要な行為はこれをすることができるが、それ以外の行為は、法人の目的と相牽連し、法人のために利便を得させるものであっても、法人の行為として無効であり、これは公益的な法人の本質上そうでなくてはならないとされた(大判大正元・9・25民録18輯810頁)。

また、産業組合法(廃止)に基づいて設立された信用組合で、その定款に、①組合員に営業に必要な資金を貸し付け、および貯金の便宜を得させること、②組合員に対してその経営の発展に必要な資金を貸し付け、組合員と同一の家にある者、公共団体または営利を目的としない法人もしくは団体の貯金を取り扱うこと、③加入予約者の貯金を取り扱うこと、が列挙されている場合に、組合員外の一般人に対してなされた貸付行為(「員外貸付」という)は、組合の行為として無効であるとされた(大判昭和8・7・19民集12巻2229頁)。

(b) このような判例の態度は、非営利的な法人においては、取引の相手方を保護するよりも、むしろ法人の構成員の利益を保護しようとするものといえるであろうが、この種の事柄に関しても、判例は一般的に緩やかな態度に変化しているといえる。

たとえば、組合員以外の者からの預金の受入れ(「員外預金」という)を有効とした(信用組合の例、最判昭和35・7・27民集14巻1871頁)。員外貸付についても、目的事業と関連を持つ第三者への貸付を有効とした例がみられる(農業協同組合の例、最判昭和33・9・18民集12巻2027頁)一方、目的事業と関連がないとして否定された例もみら

第1編　第3章　法人

れる(農業協同組合について、最判昭和41・4・26民集20巻849頁、労働金庫について、最判昭和44・7・4民集23巻1347頁)。中小企業信用協同組合が組合員の手形債務について手形保証することを付帯業務として有効とした例もある(最判昭和45・7・2民集24巻731頁)。

　(c)　しかし、税理士会については、政党などに金員を寄付することは、税理士法49条2項(現6項)に定める税理士会の目的の範囲外の行為であるとした(最判平成8・3・19民集50巻615頁)。

外国法人 [§§35〜37の前注]

　35条〜37条は、外国法人について規定する。外国法人については、民法が当然にそのまま適用されると考えるわけにはいかない。従来の民法は、外国法人をどう扱うかに関する旧36条と外国法人の登記に関する旧49条の条文を置いていた。2006年改正は、これを承継するととともに、登記についての条文を詳細なものに直した。外国法人に関する条文をすべて民法に入れるという考えのようであるが、外国法人については別に定めるという1か条を置くだけで、たとえば、「外国法人法」のような特別法を定めるという行き方もあったのではないかと考えられる。

　なお、36条は、外国法人に限らず、日本法人の登記についても定める基本的条文でもある。

(外国法人)
第三十五条
　1　外国法人[1]は、国、国の行政区画[2]及び外国会社[3]を除き、その成立を認許[4]しない。ただし、法律又は条約の規定により認許された外国法人[5]は、この限りでない。
　2　前項の規定により認許された外国法人は、日本において成立する同種の法人と同一の私権を有する[6]。ただし、外国人が享受することのできない権利及び法律又は条約中に特別の規定がある権利については、この限りでない[7]。
[原条文]　本条は、原条文の36条に当たる。
第三十六条
　外国法人ハ国、国ノ行政区画及ヒ商事会社ヲ除ク外其成立ヲ認許セス但法律又ハ条約ニ依リテ認許セラレタル外国法人ハ此限ニ在ラス
　前項ノ規定ニ依リテ認許セラレタル外国法人ハ日本ニ成立スル同種ノ者ト同一ノ私権ヲ有ス但外国人カ享有スルコトヲ得サル権利及ヒ法律又ハ条約中ニ特別ノ規定アルモノハ此限ニ在ラス
〈改正〉　2004年改正によって改められたものが、2006年改正によって、そのまま本条となった。2006年改正の施行日は2008年12月1日である。

〔1〕　「外国法人」とは、日本の法人、すなわち「内国法人」でない法人である。

126

外国法人［前注］・§§35・36

両者の区別の標準については学説が分かれていて、内国法・外国法のいずれによって設立されたかを標準とするものと、主たる事務所の所在地、すなわち住所の内外をもって区別の標準とするものとがある。しかし、この両方の標準は、結局においては同一に帰するので、一般には、日本法によって設立され、日本に住所を有するものが内国法人で、そうでないものが外国法人であると解釈されている。

〔2〕 外国の行政区画が本条によって日本において法人と認許されるためには、その行政区画がその国において法人と認められることを要する。

〔3〕 「外国会社」については、会社法の第6編（§§817～823）が定める。

「外国会社」とは、外国法人のなかで、商行為を業とするものとして設立された会社をいう。会社法の規定によって、日本において一定の法人格を享受できるとされている。本条は、このことを、民法では法人の「成立を認許する」という表現を使っているが、会社法ではその表現はみられない。しかし、会社法の規定は、本条による認許を根拠として、これについての特別法の位置を有すると解される。わが国は、多くの国との国際条約（「友好通商航海条約」）において商業・工業または金融業に関する株式会社その他の会社および組合について相互的に成立を承認するべき旨を定めているので、これらの条約との関係も考慮に入れる必要がある。

〔4〕 「認許する」とは、新たに法人格を与えるのではなく、個別的な手続を要せず、一般的に日本において法人として行動することを認めるという意味である。認許されない外国法人、たとえば外国の慈善を目的とする公益法人が、日本で法人として行為をするときは、その行為は法人の行為とはならず、行為者個人の行為としての法律効果を生じるにとどまる。外国の公益法人に対してこのような狭い態度を採ったのは、外国で公益と認められることも、わが国では必ずしも公益と認められるとは限らないこと、公益法人に対しては、もともと厳格な監督的態度を採っていること、などによるものであろう。しかし、国際文化の交流の盛んな今日においては、いずれも通らない理由である。ぜひ改められるべき規定である。

〔5〕 法律でとくに認許された例はない。条約で認許されたものとしては、1875年の「メートル条約」（明治8年加入、明治19年勅令により公布）による「度量衡中央局」（パリに常置される）、1961年の「国際法定計量機関を設置する条約」（昭和36年条約3号）による「国際法定計量機関」（事務局はフランス）、その他著名なものとしては国際労働機関（ILO）、国際連合食糧農業機関（FAO）、国際連合教育科学文化機関（UNESCO）、世界保健機関（WHO）、万国郵便連合（UPU）、世界貿易機関（WTO）などがある（1963年の「専門機関の特権及び免除に関する条約」参照）。

〔6〕 認許された外国法人については、36条による登記がなされ（会社§818参照）、同種の日本法人と同じ私権を享有する（自然人に関する§3Ⅱ参照）。

〔7〕 3条〔7〕〔8〕参照。

（登記）
第三十六条
　　法人¹⁾及び外国法人²⁾は、この法律その他の法令³⁾の定めるところにより、登

127

第1編　第3章　法人

記をするものとする⁴⁾。

[原条文]　本条は原条文の45〜49条を大幅に簡略化したものである。原条文については、本章後注の各条の[原条文]を参照。

〈改正〉　本章後注の旧45〜49条の〈改正〉を参照。

2006年改正によって本条のようになったが、同改正の施行日は2008年12月1日である。

〔1〕　日本法によるすべての法人についての通則として、法人の登記がされるべきことが規定されている。その登記の効力については、法人の種類により多様であり、本条に基づいて定められる法令の規定に委ねられている。

外国法人と一緒にこの位置に規定されているが、圧倒的に日本法人について重要な意味を持つ事柄であるので、まず、日本法人のみについての規定が独立に置かれるのが適切だったのではないか。

〔2〕　外国法人（§35〔1〕参照）についても、日本法人と同様に登記がされるべきことが示されている。

〔3〕　登記の手続およびその効力に関する規定は、法人法22条・299条以下など、諸法律のなかに無数に存在する。もう少し整理された法人登記に関する一般法が工夫されてもよいのではなかろうか。

〔4〕　本条は、「登記をするものとする」というあいまいな規定をするだけであるが、法人の種類によって、諸法律が登記を法人の成立要件であるとするものや、対抗要件とするものなどに分かれ、それぞれの法律によって確かめる必要がある。〔3〕で述べたように、この効力の問題を含めて、ある程度の一般法的整理がなされてもよいと考えられる。

（外国法人の登記）

第三十七条¹⁾

1　外国法人（第三十五条第一項ただし書きに規定する外国法人に限る²⁾。以下この条において同じ。）が日本に事務所を設けたときは、三週間以内に、その事務所の所在地において、次に掲げる事項を登記しなければならない³⁾。

一　外国法人の設立の準拠法

二　目的

三　名称

四　事務所の所在場所

五　存続期間を定めたときは、その定め

六　代表者の氏名及び住所

2　前項各号に掲げる事項に変更を生じたときは、三週間以内に、変更の登記をしなければならない。この場合において、登記前にあっては、その変更をもって第三者に対抗することができない。

3　代表者の職務の執行を停止し、若しくはその職務を代行する者を選任する仮処分命令又はその仮処分命令を変更し、若しくは取り消す決定がされたと

きは、その登記をしなければならない。この場合においては、前項後段の規定を準用する。

4　前二項の規定により登記すべき事項が外国において生じたときは、登記の期間は、その通知が到達した日から起算する。

5　外国法人が初めて日本に事務所を設けたときは、その事務所の所在地において登記するまでは、第三者は、その法人の成立を否認することができる。

6　外国法人が事務所を移転したときは、旧所在地においては三週間以内に移転の登記をし、新所在地においては四週間以内に第一項各号に掲げる事項を登記しなければならない。

7　同一の登記所の管轄区域内において事務所を移転したときは、その移転を登記すれば足りる。

8　外国法人の代表者が、この条に規定する登記を怠ったときは、五十万円以下の過料に処する[1]。

[原条文]　本条の原条文は、強いていえば、旧49条であるが、同条については、本章後注の同条[原条文]参照。

〈改正〉　旧49条に当たる2004年改正による条文は簡略であったが（本章後注の同条参照）、2006年改正によって本条は大幅に詳しくなった。同改正の施行日は2008年12月1日である。

〔1〕　本条は、（外国法人の登記）という表題が付されているが、35条第1項ただし書に規定された外国法人（同条〔5〕参照）にのみ関する。同条本文により認められる外国法人のうち、「国、国の行政区画」については登記を必要とせず、「外国会社」については会社法933条〜936条（930条〜932条は削除予定、2019年12月から3年6か月内）により登記がなされる。

〔2〕　35条〔5〕参照。

〔3〕　外国法人の登記については、外国法人の登記及び夫婦財産契約の登記に関する法律1条〜3条が規定する。その他、本条については、とくに注釈を加えない。

第三十八条から第八十四条まで　削除[1]

〔1〕　法人整備法38条によって、38条から84条までが削除された。その旨は、このように民法のなかで表記されている。

なお、これと同時に84条の2と84条の3が削られた。その旨は民法のなかでは表記されていない。

削除された旧38条〜84条の3に関する解説は本書の第1版において行われており、その内容は、2006年改正による、法人法（一般社団法人及び一般財団法人に関する法律〔平成18年6月2日法律48号〕）、公益認定法（公益社団法人及び公益財団法人の認定等に関する法律〔同日法律49号〕）（本章解説④(2)(ア)(イ)参照）の内容となっている条文についても参考に

第1編　第3章　法人

なる。本章後注に再掲した第1版の該当部分をぜひ参照されたい。

旧法人規定に関する第1版の注釈［第3章後注］

　2006年改正(2008年12月1日施行)によって行われた民法の法人に関する改正を理解するためには、改正前の民法の条文およびそれに関する注釈を参照することが必要かつ不可欠である。そこで、第3章の後注として、平成18年6月2日法律50号(法人整備法)によって改正される以前の民法の旧条文についての第1版における注釈(第1版補訂版第3刷119頁～162頁)を、ほぼそのまま参考資料として再掲することとした。

　以下の再掲については、つぎの点に留意されたい。

① 　第1版の第3章のうち解説の部分は省略した。章の解説は、第2版においてほぼ全面的に改訂した。

② 　各条文についての、〈改正〉の項は、そのまま生かした。最後の2006年改正については、38条～84条の削除のことを含め、それぞれの条文においてとくに述べることはしない。

③ 　各条文について、新たに、〔対応する新規定〕の項を追加した。そこには、旧条文に対応する改正後の民法の新条文および「一般社団法人及び一般財団法人に関する法律」の条文を示した。そのさい、民法の新条文については新民と示し、「一般社団法人及び一般財団法人に関する法律」については法人法と示した。なお、「公益社団法人及び公益財団法人の認定等に関する法律」についても、当然民法の旧規定と関連すると認められる条文は存在するが、煩瑣になるので、これについてはとくに示さなかった。

④ 　条文についての注釈は、第1版の記述をそのまま生かした。したがって、そこで引用される民法の条文は旧条文であること、そして、「本章解説」とあるのは、第1版における本章の解説(①で述べたように、以下には省略してある。以下の本文でこの旧解説の部分が引用されている個所が1か所だけあるが(§33〔3〕(イ))、その個所については〔 〕内で本版における参照部分を示した)であることに注意されたい。

⑤ 　その他、本版で付加した個所は〔 〕内に**ゴチック体**で示した。

⑥ 　各法律についての記述は第1版のままとした(非訟事件手続法も2011年に全面改正**される前のものであるが、該当箇所は太字で表記した**)ので、本版の関係箇所を参照されたい。

第3章　法　　人
第1節　法人の設立

　本節は「法人の設立」と題するが、設立の準則（§33）、設立の要件（§§34～42）、法人の権利能力（§43）、法人の不法行為能力（§44）、登記その他の諸手続（§§45～51）の諸規定を包含する。

旧法人規定に関する第1版の注釈［後注］

（法人の成立）
第三十三条

　　法人は、この法律その他の法律[2]の規定によらなければ、成立しない[1)3)]。
［原条文］
　　法人ハ本法其他ノ法律ノ規定ニ依ルニ非サレハ成立スルコトヲ得ス
〔**対応する新規定**〕　新民§33 Ⅰ

　　〔1〕　自然人の権利能力は法が当然に付与するものであるが、今日ではそれは明言するまでもないから、民法はとくにその旨の規定を設けていないが、3条がその趣旨を包含すると解されている（第2章第1節解説参照）。これに反し、社団や財団については、法がその構成や、その社会的機能を判断したうえでこれに法人格を与える。そこで、その判断の基準は必ず法律によって定められるべきことを明らかにしたのである。
　　〔2〕　ここに「法律」とは、国会の可決した法律（憲§59参照）を意味する。法人の設立を認める主要な法律は、つぎの通りである。
　　(a)　民法——公益を目的とする社団および財団。ただし、宗教、学校経営、社会福祉事業、医療については、それぞれ、宗教法人法（§4）、私立学校法（§3。学校法人は財団法人として明確にされている）、社会福祉法（§22）、医療法（§39。医療法人には、社団法人と財団法人がある）という特別法が定められている。なお、民法951条に相続財産法人の規定がある。
　　(b)　中間法人法（§§3・6）——社員に共通する利益を図ることを目的とし、かつ、剰余金を社員に分配することを目的としない社団である。有限責任中間法人と無限責任中間法人とがある。
　　(c)　会社法（§3）——営利を目的とする社団（会社）
　　(d)　証券取引法（§§67・79の22・87の7）・商品取引所法（§3）——商業的特殊施設
　　(e)　中小企業等協同組合法（§§3・4）・農業協同組合法（§§5・72の5・73の18）。水産業協同組合法（§5）・消費生活協同組合法（§4）・農住組合法（§3）、農業委員会等に関する法律（§§36・56）——企業の経営および消費生活における相互扶助的協力を目的とする組合
　　(f)　国民健康保険法（§14）・健康保険法（§§9・184Ⅱ）・農業災害補償法（§3）・厚生年金保険法（§§108・150）——社会保険・災害保険を営む組合・基金
　　(g)　労働組合法（§11）・国家公務員法（§108の4）・地方公務員法（§54）——労働者の団体
　　(h)　特定非営利活動促進法（§§2・10）——同法別表に掲げられた特定の非営利活動を行う団体、いわゆるNPO（non profit organization）である。
　　(i)　弁護士法（§§30の2・31・45）・弁理士法（§§37・56）・司法書士法（§§26・52・62・68）・行政書士法（§§13の3・15Ⅲ）・税理士法（§§48の2・49・49の3）・公認会計士法（§§34の2の2・43Ⅲ）・土地家屋調査士法（§47Ⅲ）など——特別なプロフェッションに関わる団体
　　(j)　日本銀行法（§6）・信用金庫法（§2）・信用保証協会法（§2）・国民生活金融公庫法（§2）・住宅金融公庫法（§3）・商工組合中央金庫法（§1Ⅱ）・中小企業金融公庫法（§3）・農林漁業金融公庫法（§2）・農林中央金庫法（§2）・労働金庫法（§3）

131

第1編　第3章　法人

など——一定の政策的な金融事業のための公的施設

(k)　首都高速道路公団法（§2）・地方住宅供給公社法（§2）・日本道路公団法（§2）など——一定の公共的事業のための公的施設

(l)　土地改良法（§13）・土地区画整理法（§22）——農地の改良・開発・集団化などを行う土地改良区など

(m)　地方自治法（§§1の3・2 I・260の2）——普通地方公共団体および特別地方公共団体（特別区・地方公共団体の組合・財産区・地方開発事業団）、いわゆる「地縁による団体」

(n)　独立行政法人通則法に基づく独立行政法人（§6）、地方独立行政法人法に基づく地方独立行政法人（§5）

(o)　建物の区分所有等に関する法律（§47 I）——区分所有権者によって作られた管理組合法人

〔3〕　実質的に社団または財団としての実態を備えているが、法人格を持たず、したがって権利能力のない社団・財団のことを「法人格のない社団・財団」または「権利能力のない社団・財団」という。通常は、「権利能力のない社団」というように、社団の例を主として論じることが多いので、以下の説明も主にこれについて行う。問題となる主要な点は、つぎの通りである。

(ア)　実質的に社団としての実態を備えているということが、以下の議論が適用されるために必要である。独立の団体としての、定款などで定められた組織・団体意思決定機構を有し、構成員の個々人とは別個の存在として、構成員の変動交替とかかわりなく、1個の人格としての対外的存在・存続性を有することなどがその要件であり、これが認められるかどうかは、個々の団体について個別的に判断される（最判昭和39・10・15民集18巻1671頁。そのほか、以下に掲げる判決参照）。

(イ)　これらの団体が法人格を備えない理由はさまざまである。

本章解説③(2)・⑤(2)〔本版(第8版)の本章解説③(2)を見よ〕で述べたように（§34〔7〕も参照）、公益も営利も目的としない、いわゆる「中間的法人」については、民法に規定がなく、特別法によってその設立の道が開かれていないと、そもそも法人とすることが不可能であった。特別法は各種のものが多く制定されてきたが（〔2〕参照）、2001年の中間法人法が、公益も営利も目的とせず、構成員に共通する利益を図るための法人（「共益法人」といってよい）のために一般的な門戸を開いた。

法人とすることは法律上可能であるが、その設立のための準備過程にあって、団体の実質はすでに備わっていても、まだ——「許可」を待っていたり、まだ「法人登記」がなされていないなどの事情で——法人としては成立していないという場合もある。

また、法人化が制度上可能であるにもかかわらず、なんらかの理由によりその団体の意思としてその団体を法人とすることを望まず、わざと設立のための手順を踏まないという場合も考えられる。

(ウ)　それらの場合に、その法人格を有しない団体の法的扱いをどうするか、が問題である。厳格に考えると、法人となっていない以上、これを法人格を有するものとして扱うことはできないので、すべての法律関係を団体に関係するいずれかの自然人個人を法的主体としてこれに帰属させるということになる。しかし、そのような考え方はその団体の実質を無視するもので適当ではなく、法制度上可能な限り法人格を有するものと同じように扱おうというの

が、今日では主流をなす考え方である。しかし、その具体的適用についてはさまざまな困難がある。おおむね、以下のように問題を分けて論じられる。

(a) 内部関係　　権利能力のない社団の内部の法律関係については、比較的問題はない。その団体が法人といってよい実質を備えているというのが前提であるから、その実質に従って、構成員の総会による意思決定、役員による運営・事務執行が行われると考えれば足りる。

権利能力のない社団と認められたゴルフクラブ（いわゆる株主会員組織の例である）において、規約に定められた方法により規約が改正されたときは、その改正決議に承諾していなかった会員も拘束されることになる（最判平成12・10・20判時1730号26頁。改正規約により会員資格を喪失すると、会員権を喪失するとされた。そのほか、権利能力のない社団とされた県営住宅の自治会の会員に対する会費請求に関する最判平成17・4・26判時1897号10頁がある）。

(b) 外部関係　　外部関係、すなわち団体以外の人との法的交渉についても、法人格を前提としなければならないものは別として、原則的に代表者による団体を代表しての行為を認めてもよいとされる（前掲最判昭和39・10・15、最判昭和44・11・4民集23巻1951頁、最判昭和48・10・9民集27巻1129頁）。すなわち、組織上定められた代表者が、たとえば「何々会会長（代表者であることを示す肩書き）何某」という名義で第三者と法律行為を行えば、その効力は「何々会」という団体に帰属し、その行為から生じる権利義務は、団体の権利義務になると考えられる。団体名で訴訟を行えることについては、(d)で後述。

代表者でない者が代表者と称して行為したり、代表者がその権限を越えて行為し、または権限の消滅後に代表者として行為した場合には、表見代理の規定（§§109・110・112）を準用するのが妥当であろう。

(c) 財産関係　　問題は、そのようにして団体に帰属するとされた権利義務からなる団体財産の法律関係である。団体はあくまで法人格を有しないので、権利義務は団体に属するといっても、その意味は、法人に準じるという範囲を越えることはできない。

判例は、この点に関して、権利義務は総有的に構成員全員に属するという理論をとっている。「総有」（第2編第3章第3節解説②参照）とは、主に入会権について形成された理論で、入会権は入会団体（通常は一つの村落）という「実在的総合人」に帰属し、個々の構成員はその団体の構成員である限りにおいてのみ、入会権による利用収益の行為を享受することができる。したがって、持分権は認められず、その譲渡もそれに基づく分割請求もできない。この理を「権利能力のない社団」一般に類推しようというものである（最判昭和32・11・14民集11巻1943頁、前掲最判昭和39・10・15、最判昭和47・6・2民集26巻957頁など）。

団体の負債についても、団体に総有的に帰属し、団体の財産だけがその引当てになり、構成員の個人財産までは及ばないとするが（前掲最判昭和48・10・9）、これについては、債権者保護のために、構成員にも第二次的責任を認める必要が論じられるようになっている。

財産が団体に帰属するものとして取り扱うという上述の考え方にとって大きな障害となるのが、不動産についてであって、その登記の問題である。登記制度を管掌する法務省は団体名、たとえば「何々会」名義の登記を認めないのはもちろん、「何々会会長何某」名義の登記も認めない。そのため、団体が購入した不動産は、構成員全員の共有名義か、会

第1編　第3章　法人

長何某の個人名義か、選ばれた何人かの共有名義かで登記するほかない。その結果、た
とえば、何某が死亡した場合、あるいは勝手に個人のものとして処分した場合などに、そ
れが「権利能力のない社団」の所有であることを関係者が主張・立証することに困難が生
じている。判例が法人に準じる扱いを認めようとしていることや、(d)に述べる特別法の状
況との間に、深刻な齟齬が生じているといえよう。法務省の態度は、登記手続のさいに要
求される印鑑登録証明（これは自然人か法人にしか認められない）の関係からと思われる
が、しかるべき工夫がなされてもよいという感じがする。

　(d)　特別法による法人に準じる取扱い　　特別法がすでに規定上「権利能力のない社
団」の概念──おおむね「法人でない社団または財団で代表者または管理人の定めがある
もの」と定義する──を承認して、法人に準じる法的資格を認めている例が存在する。訴
訟当事者能力を認める民訴法29条（最判平成14・6・7民集56巻899頁は、預託金会員
制ゴルフクラブについて「法人でない社団」に当たるとした例。最判平成26・2・27（民
集68巻192頁）は、権利能力のない社団につき、その構成員全員に総有的に帰属する不
動産について、所有権の登記名義人に対し、当該社団の代表者の個人名義に所有権移転登
記手続をすることを求める訴訟の原告適格を有するとした例）、不服申立て能力を認める
行政不服審査法10条、一定の手続能力を認める特許法6条、実用新案法2条の4、税法上
法人とみなして（「みなし法人」と呼ばれる）、法人と同一に扱う国税通則法3条、国税徴
収法3条、所得税法4条、法人税法3条などである。また、地縁団体については、地方自
治法260条の2に定めがある（§43〔2〕参照）。

　(e)　「権利能力のない社団」について、社団法人の例にならって、その設立を認可した
機関が認可の取消しと解散を決定することができるとした例がみられる（最判平成16・
4・20民集58巻841頁。国立の某大学の全学生を正会員とする学友会について、大学がそ
れに代わる校友会の設立を承認し、学友会の解散を決定したのが違法でないとされた）。

（公益法人の設立）

第三十四条

　学術、技芸、慈善、祭祀、宗教その他の公益[1]に関する社団[2]又は財団[3]であって、営利[4]
を目的としないものは、主務官庁[5]の許可[6]を得て、法人とすることができる[7]。

［原条文］

祭祀、宗教、慈善、学術、技芸其他公益ニ関スル社団又ハ財団ニシテ営利ヲ目的トセサルモ
ノハ主務官庁ノ許可ヲ得テ之ヲ法人ト為スコトヲ得

〔対応する新規定〕　新民§33Ⅱ、法人法§3

　〔1〕　「公益」とは、不特定多数人の利益を意味する。したがって、単に会員相互の親睦
を目的とするクラブ、校友会などは、公益に関する社団には含まれない。この種のものにつ
いては、〔7〕を参照。

　2004年改正により、原条文の例示の順序が変えられたことに注意。

　〔2〕　「社団」とは、一定の組織を有する人の集合体であって、構成員の増減変更にかか
わりなく、社会生活のうえで1個の単一体と認められるものである。一度成立した後にも、
構成員の総意（総会の決議）によってその組織を変更して存続する能力を有するので、変動
する社会情勢に応じて目的を遂行するのに適している。

旧法人規定に関する第1版の注釈［後注］

〔3〕「財団」とは、一定の目的に捧げられた財産の集合体であって、一定の規則によって管理され、社会生活のうえで権利義務の独立した主体と認められるものである。社団のように、構成員という生きた要素がなく、設立者によって定められた規則によって運営されるだけであるから、社会情勢の変化に応じてみずからその組織を変更する力はない。営利を目的とする財団法人を認めないのはそのためである（2004年改正前の§35参照）。

〔4〕「営利」とは、結局において会員または設立者に収益の帰属することをいう。公益の目的を達する手段として収益を図ることは、ここにいう営利ではない。したがって、公益法人がこのような行為をすることは妨げない。私立学校法も、学校法人がその収益を私立学校の経営に充てるために、収益事業を行うことを認めている（私学§§26・61参照）。

〔5〕 たとえば、科学・芸術・宗教については文部科学大臣が、保健・衛生については厚生労働大臣が主務官庁である。主務官庁による権限委任について、84条参照。都道府県知事が主務官庁とされている場合、ないし中央の主務官庁から地方自治体に監督権限の委任がなされている場合も多い。

〔6〕 主務官庁の許可は、その自由な裁量によって与えられる。このように、官庁の許可によって法人が成立するのを「許可主義」という。これに対し、法律の定める一定の組織を備えれば、それだけで法人が成立するのを「準則主義」という。商法上の会社はこれに属する。なお、宗教法人法は、いわゆる宗教法人について「認証主義」を採り、本条を修正した（同法§§12〜）。信教の自由（憲§20）に基づくものであることはいうまでもない。また、私立学校法は、学校法人（財団法人）の設立について所轄庁の認可を要するものと定めている。この「認可」は許可と異なり、所轄庁がその許否を決するのに一定の客観的標準に従うことを要するものである（同法§§25・30・31）。これを「認可主義」と呼ぶことができよう。したがって、私立学校法も、本条の特例を定めたものというべきである。

なお、公益法人以外のものについても、「認可主義」（たとえば、農業協同組合、土地改良区など。§33〔2〕(e)・(l)）や「認証主義」（たとえば、いわゆるNPOなど。§33〔2〕(h)）の例がみられる。そのほかの立法上の主義としては、上記の「準則主義」（法律上の要件を充たしていれば、自由に設立できる。営利法人はこれによる）、「登記・登録主義」（法務省への登記・所轄庁への登録によって法人となる。ただし、登記・登録はすべての法人に必要である）などがある。

また、日本銀行（§33〔2〕(j)参照）や独立行政法人（同(n)参照）は、それぞれの根拠法によって設立されているので、「法律成立主義」と呼ぶことができる。

〔7〕 このように公益および非営利という二つの実質的要件を備えなければ、民法上の公益法人になれない。一方、営利を目的としなければ商法上の会社になれない（商§52）。ところが、世の中には、公益、すなわち不特定多数人の利益を目的とするのでないために、公益法人にもなれないが、しかし、営利を目的とするわけでもないので会社にもなれないような社団が、比較的多く存在する。この種のものは、公益法人とも営利法人ともいえないので、「中間的法人」または「中間法人」と呼ぶ。もっとも、この民法と商法との間の重要な部分は、中間法人法その他の特別法で埋められている。33条〔2〕に挙げたかなり多数の特別法がすでに存在するので、ほとんどの必要には応えられるようになっている。しかし、なお、社団の実態を有するが、法人格を持たない社団は存在しうるので、この種のものを「権利能力のない社団」という。これについては33条〔3〕参照。

社団または財団が「法人」となると、1個の独立の法的存在として、「法人格」を持ち、「権

第1編　第3章　法人

利能力」を認められることになる。43条〔1〕参照。

（名称の使用制限）
第三十五条
　　社団法人又は財団法人でない者は、その名称中に社団法人若しくは財団法人という文字又はこれらと誤認されるおそれのある文字を用いてはならない[1]。

〈改正〉　1979年の改正により、本条が§34の2として追加された。

［2004年改正前条文］
　　第三十四条ノ二
　　　社団法人又ハ財団法人ニ非ザルモノハ其名称中ニ社団法人若クハ財団法人ナル文字又ハ此等ト誤認セシムベキ文字ヲ使用スルコトヲ得ズ

〔対応する新規定〕　法人法§§5Ⅱ・Ⅲ・6～8

　〔1〕　公益法人でないものが「社団法人」や「財団法人」と紛らわしい名称を用いる弊害が目立つようになったので、1979年にこの禁止規定が設けられた。違反に対しては、制裁罰としての「過料」が科せられる（§84）。
　他方、公益法人がその名称に社団法人・財団法人の文字を用いることは要求されていない（§37〔4〕参照）。

第三十五条（旧）　削除[1]
〈改正〉　2004年改正により、本条は削除された。
［原条文］
〔営利法人の設立〕
　　営利ヲ目的トスル社団ハ商事会社設立ノ条件ニ従ヒ之ヲ法人ト為スコトヲ得
　　前項ノ社団法人ニハ総テ商事会社ニ関スル規定ヲ準用ス

　〔1〕　本条は、2004年改正により削除された。しかし、本条が持っていた意味を理解しておくことは重要である。
　(1)　本条は、営利を目的とする会社に商事会社と民事会社の2種があることを前提としている。商事会社とは、商法上の会社であるが、これは商行為をすることを目的とするものを指すので（商旧§52Ⅰ→会社§5）、漁業、農業、鉱業などのような商業ではない営業を目的とするものを含まない（§36〔3〕参照）。このような会社を民事会社と呼ぶ。本条は、この民事会社にも商事会社に関する規定、すなわち商法を適用することを規定したものである。
　しかし、民法の翌年に制定された商法は、民事会社も同法の会社とみなすという規定を置いたので（商旧§52Ⅱ→会社§5）、本条は、この表現のままでは、ほとんど無意味な規定となっていた。
　(2)　しかし、民法は、市民の法律関係に関する基本法であり、すべての法人に関する基本規定という意味をもっているから、多くの特別法に対する目配りをしたものである必要がある。その意味においては、本条が単に削除されたのは残念に思われる。

旧法人規定に関する第1版の注釈［後注］

（外国法人）
第三十六条

1　外国法人[1)]は、国、国の行政区画[2)]及び商事会社[3)]を除き、その成立を認許[4)]しない。ただし、法律又は条約の規定により認許された外国法人[5)]は、この限りでない。

2　前項の規定により認許された外国法人は、日本において成立する同種の法人と同一の私権を有する[6)]。ただし、外国人が享有することのできない権利[7)]及び法律[8)]又は条約中に特別の規定がある権利については、この限りでない。

［原条文］

外国法人ハ国、国ノ行政区画及ヒ商事会社ヲ除ク外其成立ヲ認許セス但法律又ハ条約ニ依リテ認許セラレタル外国法人ハ此限ニ在ラス

前項ノ規定ニ依リテ認許セラレタル外国法人ハ日本ニ成立スル同種ノ者ト同一ノ私権ヲ有ス但外国人カ享有スルコトヲ得サル権利及ヒ法律又ハ条約中ニ特別ノ規定アルモノハ此限ニ在ラス

〔対応する新規定〕　新民§35

〔1〕「外国法人」とは、「内国法人」でない法人である。両者の区別の標準については学説が分かれていて、内国法・外国法のいずれによって設立されたかを標準とするものと、主たる事務所の所在地、すなわち住所の内外をもって区別の標準とするものとがある。しかし、この両方の標準は、結局においては同一に帰するので、一般には、日本法によって設立され、日本に住所を有するものが内国法人で、そうでないものが外国法人であると解釈されている。

〔2〕　外国の行政区画が本条によって日本において法人と認許されるためには、その行政区画がその国において法人と認められることを要する。

〔3〕「商事会社」とは、商行為を業として、商法により設立された会社をいう。商行為でない漁業、農業、鉱業などの営利を目的とするいわゆる民事会社を含まない（削除された旧§35はこれに関する条文とされた）。しかし、多くの国との国際条約（「友好通商航海条約」）において商業・工業または金融業に関する株式会社その他の会社および組合について相互的に成立を承認するべき旨が定められており、したがって、認許された外国会社の範囲は相当に広い。なお、認許された外国会社については、商法に詳細な規定がある（商旧§§479～485の2→会社§§817～823）。

〔4〕「認許する」とは、新たに法人格を与えるのではなく、個別的な手続を要せず、一般的に日本において法人として行動することを認めるという意味である。認許されない外国法人、たとえば外国の慈善を目的とする公益法人が、日本で法人として行為をするときは、その行為は法人の行為とはならず、行為者個人の行為としての法律効果を生じるにとどまる。外国の公益法人に対してこのような狭い態度を採ったのは、外国で公益と認められることも、わが国では必ずしも公益と認められるとは限らないこと、公益法人に対しては、もともと厳格な監督的態度を採っていること、などによるものであろう。しかし、国際文化の交流の盛んな今日においては、いずれも通らない理由である。ぜひ改められるべき規定である。

〔5〕　法律でとくに認許された例はない。条約で認許されたものとしては〔3〕に述べたほか、1875年の「メートル条約」（明治8年加入、明治19年勅令により公布）による「度量衡中央局」（パリに常置される）、1961年の「国際法定計量機関を設置する条約」（昭和36年条約3号）による「国際法定計量機関」（事務局はフランス）、その他著名なものとしては国際

第1編　第3章　法人

労働機関（ILO）、国際連合食糧農業機関（FAO）、国際連合教育科学文化機関（UNESCO）、世界保健機関（WHO）、万国郵便連合（UPU）、世界貿易機関（WTO）などがある（1963年の「専門機関の特権及び免除に関する条約」参照）。

　〔6〕　このような外国法人の登記につき、49条参照。
　〔7〕　3条〔7〕参照。
　〔8〕　特別の法律は存しない。

（定款）
第三十七条

　　社団法人を設立しようとする者は、定款を作成し[1]、次に掲げる事項[2]を記載しなければならない。
　一　目的[3]
　二　名称[4]
　三　事務所の所在地[5]
　四　資産に関する規定[6]
　五　理事の任免に関する規定
　六　社員[7]の資格の得喪に関する規定

［原条文］

社団法人ノ設立者ハ定款ヲ作リ之ニ左ノ事項ヲ記載スルコトヲ要ス
　一　目的
　二　名称
　三　事務所
　四　資産ニ関スル規定
　五　理事ノ任免ニ関スル規定
　六　社員ノ資格ノ得喪ニ関スル規定

〔対応する新規定〕　法人法§§10〜14

　〔1〕　「定款」とは、社団法人の基本準則である。「定款を作る」とは、このような基本準則を定めると同時に、それを書面に記載することを意味する。その行為は、設立者すなわち発起人相互における、契約すなわち「双方行為」とは異なる一種特別の法律行為であり、「合同行為」と呼ばれる。

　〔2〕　本条所定の事項は、いわゆる「必要的記載事項」（「必要事項」ともいう）であって、定款に必ず記載されることを要し、その一つを欠いても定款は無効である。定款には必要事項以外の事項を記載できることはもちろんであり、これを「任意的記載事項」（「任意事項」ともいう）という。民法のなかにも、定款変更の手続（§38Ⅰ）、理事の職務執行に関する規定（§§52Ⅱ・53〜55）、監事の任命に関する規定（§58）、総会の招集の方法（§62）、総会の権限（§§63・64）、社員の表決権（§65Ⅲ）、法人の解散事由（§68Ⅰ①）、解散決議（§69）、残余財産の帰属（§72）、清算人の選任（§74）など、多くの任意事項が予定されている。任意事項も、記載された以上は定款事項であり、その変更には定款変更の手続を必要とする。

　〔3〕　「目的」は、通常は「本会は何々をもって目的とする」というように書かれる。もちろん、公益社団法人においては、それは、公益に該当するものでなければならない。

旧法人規定に関する第1版の注釈〔後注〕

〔4〕 「名称」は、通常「本会は社団法人何々会と称する」というように書かれる。しかし、会社や、特別法による組合の場合に法人の種類を示す必要があるのと異なり、必ずしも社団法人の文字を用いるを要しない（商旧§17→会社§6、旧有§3 I、中小企業等協同組合法§6、消費生活協同組合法§4、農業協同組合法§4 など参照）。

〔5〕 通常「本会の事務所は何市何町何番何号におく」というように書かれる。事務所が多数あるときは、すべてこれを記載し、かつ、主たる事務所を定めるべきである。

〔6〕 資産の構成・運用方法・会費などに関する事項を意味する。

〔7〕 「社員」とは、社団法人の構成員のことをいう。日常の用語では会社の従業員を「社員」と呼ぶが、従業員は会社に雇用されているものであって、会社という社団法人の構成員ではない。公益法人の社員についても、従業員と明確に区別する必要がある。なお、社員には、理事と異なり（§52〔1〕参照）、法人もなることができると解される。

（定款の変更）
第三十八条
1 定款は、総社員の四分の三[2]以上の同意があるときに限り、変更することができる[1]。ただし、定款に別段の定め[3]があるときは、この限りでない。
2 定款の変更は、主務官庁の認可を受けなければ、その効力を生じない[4]。

［原条文］
　社団法人ノ定款ハ総社員ノ四分ノ三以上ノ同意アリタルトキニ限リ之ヲ変更スルコトヲ得但定款ニ別段ノ定アルトキハ此限ニ在ラス
　定款ノ変更ハ主務官庁ノ認可ヲ受クルニ非サレハ其効力ヲ生セス

〔対応する新規定〕　法人法§§49 II ④・146（社団の定款変更）

〔1〕 定款の変更について定款になんの定めがなくても、本条によって変更することができる。

〔2〕 総社員の4分の3以上であって、総会出席社員の4分の3以上でないことを注意するべきである。

〔3〕 ここに「別段の定め」とは、4分の3以上という同意を得るべき割合についての定めである。したがって、これを全員の同意とか、過半数の同意とかに変更することはできるが、全然変更を許さないとか、理事だけで変更ができるとか定めることはできないと解されている。

〔4〕 認可書が到達した時から変更の効力が生じる。

（寄附行為）
第三十九条
　財団法人を設立しようとする者は、その設立を目的とする寄附行為[1]で、第三十七条第一号から第五号までに掲げる事項を定めなければならない。

［原条文］
　財団法人ノ設立者ハ其設立ヲ目的トスル寄附行為ヲ以テ第三十七条第一号乃至第五号ニ掲ケタル事項ヲ定ムルコトヲ要ス

〔対応する新規定〕　法人法§§152～156・200（ただし、「寄附行為」は改正後は「定款」と称されている）

139

第1編　第3章　法人

〔1〕「寄付行為」（民法では「寄附行為」であるが、以下には、「寄付行為」と表示する）は、社団法人における定款に相当するものだが、財団法人を設立する行為の意味にもなる。いいかえると、寄付行為という語には二つの意味があって、一定の公益目的のために財産を提供し、根本準則を定立して財団法人を設立する行為を意味すると同時に、その根本準則を記載した書面をも意味する。その書面には、本条により引用される37条所定の事項を記載することが必要である。その一つの記載を欠いても財団法人は成立しないこと、これ以外の事項を記載しても差し支えないことなど、社団法人における定款の作成におけると同じである（§37〔2〕参照）。

（裁判所による名称等の定め）
第四十条
　　財団法人を設立しようとする者が、その名称、事務所の所在地又は理事の任免の方法を定めないで[1]死亡したときは、裁判所は、利害関係人又は検察官[2]の請求により、これを定めなければならない[3]。
［原条文］
　　財団法人ノ設立者カ其名称、事務所又ハ理事任免ノ方法ヲ定メスシテ死亡シタルトキハ裁判所ハ利害関係人又ハ検事〔第8版凡例4 f)参照〕ノ請求ニ因リ之ヲ定ムルコトヲ要ス
〔対応する新規定〕　対応規定はないが、法人法§155参照

　　〔1〕　財団法人は、39条が規定する事項を記載した寄付行為を作らなければ成立しない。しかし、設立者が必要事項の中の目的と資産に関する定めをしただけで死亡した場合には、他の事項については裁判所が補充完成して、死亡者の意思を実現するのを適当とする。本条がおかれた所以である。私立学校法は同様の場合に、所轄庁が補充するものとする（私学§32）。社会福祉法33条にも同様の規定がある（ただし「定款」と呼ぶ）。
　　〔2〕　25条〔4〕参照。以下の条文についても、同じである。
　　〔3〕　手続は、非訟事件手続法34条の規定による。

（贈与又は遺贈に関する規定の準用）
第四十一条
　1　生前の処分[1]で寄附行為をするときは、その性質に反しない限り、贈与に関する規定を準用する[2]。
　2　遺言で寄附行為をするときは[3]、その性質に反しない限り、遺贈に関する規定を準用する[4]。
［原条文］
　　生前処分ヲ以テ寄附行為ヲ為ストキハ贈与ニ関スル規定ヲ準用ス
　　遺言ヲ以テ寄附行為ヲ為ストキハ遺贈ニ関スル規定ヲ準用ス
〔対応する新規定〕　法人法§§157・158

　　〔1〕「生前処分」とは、財団法人の設立者が生存中に財団を構成するべき財産を寄付し、生存中にその効力を生じる行為をいう。「死因処分」に対する。
　　〔2〕　たとえば、瑕疵担保に関する551条などが適用される。

〔3〕 設立者が遺言（いごん、または、ゆいごんと読む）をするのはもちろん生存中においてであるが、遺言の効力はその死亡によって生じる。遺言に限らず、ある人が生存中に行為をするが、その効力は死亡によって生じるとするものを広く「死因処分」（「死因贈与」など）と呼ぶ。この第2項は遺言による場合だけでなく、広く死因処分についての規定と解してよい。

〔4〕 たとえば、遺留分に関する1028条以下などが適用される。

（寄附財産の帰属時期）
第四十二条
1 生前の処分で寄附行為をしたときは[1]、寄附財産は、法人の設立の許可があった時から法人に帰属する[2]。
2 遺言で寄附行為をしたときは[3]、寄附財産は、遺言が効力を生じた時から法人に帰属したものとみなす[4]。
［原条文］
　生前処分ヲ以テ寄附行為ヲ為シタルトキハ寄附財産ハ法人設立ノ許可アリタル時ヨリ法人ノ財産ヲ組成ス
　遺言ヲ以テ寄附行為ヲ為シタルトキハ寄附財産ハ遺言カ効力ヲ生シタル時ヨリ法人ニ帰属シタルモノト看做ス
〔対応する新規定〕 法人法§§164・165

〔1〕 41条〔1〕参照。
〔2〕 公益法人は主務官庁の許可によって成立するのであるから、寄付された財産が、許可が与えられたときから、法人の財産を組成することは当然であり、その時までは設立者に帰属している。これは、もとより財団法人設立の場合であって、既存の財団法人に財産を寄付する場合は、個人間の贈与契約となんら異ならないことはいうまでもない。
〔3〕 41条〔3〕参照。
〔4〕 遺言をもって寄付行為をしたときは、遺言執行者が本人の死亡後において主務官庁の許可を求めることになるのが普通である。したがって、本条1項の原則をつらぬけば、寄付財産は許可のあった時に財団法人の財産を組成し、その時までは設立者の相続人に帰属するはずである。しかし、これは、おそらく設立者の意思に添わないものであろうから、本条2項で、遺言の効力を生じた時、すなわち設立者死亡の時（§985 I。ただし2項がある）から財団法人の財産を組成するものとみなしたのである。

（法人の能力）
第四十三条
　法人は、法令の規定[2]に従い、定款又は寄附行為で定められた目的の範囲[3]内において、権利を有し、義務を負う[1]。
［原条文］
　法人ハ法令ノ規定ニ従ヒ定款又ハ寄附行為ニ因リテ定マリタル目的ノ範囲内ニ於テ権利ヲ有シ義務ヲ負フ
〔対応する新規定〕 新民§34、法人法§3も参照

第1編　第3章　法人

〔1〕　本条は、法人の「権利能力」、すなわち法人はいかなる種類の権利を享有しうるかという問題と、法人の「行為能力」、すなわち、法人はいかなる種類の行為をすることができるかという問題の両方を規定するものと、一般的には解されている（必ずしもそう解さない見解もある）。しかし、実際上の問題を生じるのは後者についてである。

前者について一言すれば、法人として認められた社団・財団は、関係する自然人からは離れた、独立の法人格を有することになり、権利能力が認められる。なお、「法人格」という言葉は、自然人および法人に認められる「法的人格」という意味で用いられる場合もあるが、自然人のそれとは区別された「法人としての人格」という意味で用いられる場合が多い。

〔2〕　法令の規定で、法人が享有できる権利または法人がすることのできる行為を一般的に制限しているものはない。やや一般的なものに、会社は他の会社の無限責任社員となることができないとする商法旧55条の規定があった。なお、清算法人（§73）、相続財産法人（§951）のような特殊な法人は、性質上の制限があり、「地縁による団体」（地自§260の2）・特別地方公共団体（地自§§281・284・294など）、消費生活協同組合（消費生活協同組合法§9）などには、これらの法人を設ける法令そのものの目的による制限がある。それは目的の範囲に関する〔3〕の問題でもある。

〔3〕　本条は、法人に関する一般的規定として、とくに準用する旨の規定のない場合でも、会社、そのほかすべての法人に適用される。ある行為が、その法人の「目的の範囲内」であるかどうかは、各種の法人についてしばしば問題とされる。

〔以下の、㋐・㋑の内容はここでは省略し、現民法§34〔4〕にそのまま採録した。その個所を参照されたい。〕

（法人の不法行為能力等）
第四十四条
1　法人は、理事その他の代理人[1]がその職務を行うについて[2]他人に加えた損害を賠償する責任を負う[3]。
2　法人の目的の範囲を超える行為[4]によって他人に損害を加えたときは、その行為に係る事項の決議[5]に賛成した社員及び理事並びにその決議[5]を履行した理事その他の代理人は、連帯して[6]その損害を賠償する責任を負う。

〔原条文〕
法人ハ理事其他ノ代理人カ其職務ヲ行フニ付キ他人ニ加ヘタル損害ヲ賠償スル責ニ任ス
法人ノ目的ノ範囲ニ在ラサル行為ニ因リテ他人ニ損害ヲ加ヘタルトキハ其事項ノ議決ヲ賛成シタル社員、理事及ヒ之ヲ履行シタル理事其他ノ代理人連帯シテ其賠償ノ責ニ任ス

〔対応する新規定〕　法人法§§78・117・118、その他、関連規定は多い。同法§§23〜26・111〜116・166〜169・198

〔1〕　ここにいう「代理人」とは、代表機関を意味し（「代理」と「代表」の区別については、§53〔2〕参照）、理事のほかには、仮理事（§56）、特別代理人（§57）、清算人（§§74・75）を含む。したがって、支配人またはある特定の事項について選任された代理人を含まない。これらの者の行為については、法人は使用者としての責任を負うにとどまるから、その選任監督に過失がないことを立証すれば責任を免れる建前であるが（§715、大判大正9・6・24民録26輯1083頁）、代表機関の行為については、そのような立証による免責を許

旧法人規定に関する第1版の注釈［後注］

さない。

〔2〕「職務を行うについて」とは、715条の「事業の執行について」とほぼ同じ意味であり、イギリス法の in the course of business and within the scope of authority に該当する。判例は、これを、(a)行為の外形上機関の職務行為と認めるべきものは、機関のこれをする意思が、たとえこれによって不正をすることにあったとしても、なお「職務を行うにつき」であるとし、(b)さらに、それのみならず、この職務行為と適当な牽連関係に立ち、社会観念上、法人の目的を達成するために行われるものと認められる行為を含む、という。若干の主要な判決をあげてみれば、つぎの通りである。その多くは会社に関する事案であるが、本条はすべての会社に準用され（商旧§§78 II・147・261 III→会社§§600・350）、実際上、争いとなるのも、多くは会社についてである。

(ア) 「職務を行うについて」であると認定したもの。

　(a) 倉庫会社の取締役が、倉庫係および寄託物の所有者と共謀して、寄託物を預り証と引き換えでなく倉出しをし、そのために寄託物の上に質権を有していた銀行の質権実行を不可能にさせ、よって損害をこうむらせたときは、その損害は、取締役が職務を行うについて生じたものといわなければならない（大刑判大正7・3・27刑録24輯241頁）。

　(b) 銀行の取締役が、銀行の債権を実行するために債務者に対し訴えを提起したところ、債務者が反証をあげてきた。これを打破するために偽証の告訴をする行為も、民法44条1項の「その職務を行うについて」なす行為に属する（大判大正元・10・16民録18輯870頁）。

　(c) 法人の理事がその目的の範囲外の行為をし、したがって法人の法律行為としては無効である場合にも、その外形から観察して法人の目的の範囲内における行為とみられるものは、職務の執行につきなされたものといわなければならない（大判昭和9・10・5新聞3757号7頁、事案は、信用組合の理事が、組合員でもその家族でもない者の定期預金を扱ったものである。なお、§43〔3〕(イ)引用の判決参照）。

　(d) 市長が権限を越えて自己のために市長名義の約束手形を振り出した場合（最判昭和41・6・21民集20巻1052頁）、村の収入役が権限なく相互銀行と金銭消費貸借契約を締結し、村の借入金名義で金銭を受領した場合（最判昭和44・6・24民集23巻1121頁）について、一定の事実関係のもとにおいては、職務執行についてなされた行為とされた。

(イ) 「職務を行うについて」でないと認めたもののうちで、最も注意すべきは、運送倉庫株式会社の常務取締役が、現品を受け取らないのに偽造の倉庫証券を発行したために、会社が本条の責任を問われた事案につき、「斯かる証券を発行すべき何等の事務が現存しない場合には職務を行うに付き」に該当しないとした判決である（大判大正11・5・11評論11巻民308頁）。これは、従来民法715条の「事業の執行につき」の解釈に関しての判例の採ってきた態度と一致するものである。しかし、同条についてのこの考え方は、その後連合部の判決によって改められているから（大民刑連判大正15・10・13民集5巻785頁、なお§715〔4〕参照）、本条の解釈としても、新しい見解が採られるべきものである。

なお、最高裁の事例としては、収入役がおかれている町において町長が町のための金銭受領行為を行った場合は、外形上も職務行為とはいえないとして否定したものがある（最判昭和37・2・6民集16巻195頁）。

(ウ) ただし、地方公共団体の長がした職務権限外の行為が外形上その職務行為に属すると認められる場合でも、相手方がそれが職務行為に属さないことを知り、または知らないこと

第1編　第3章　法人

に重大な過失があるときは、当該地方公共団体はその相手方に対して本条の責任を負わないとした判例があることに注意を要する（最判昭和50・7・14民集29巻1012頁）。なお、§53〔1〕・§93〔5〕参照。

〔3〕　法人の責任が生じるためには、理事の行為が一般の不法行為の成立要件を充たすものであることを要する（§§709〜参照）。そして、法人が責任を負う場合には、理事自身もまた責任を負う（大判昭和7・5・27民集11巻1069頁）。なお、理事が不正の目的で法律行為をした場合に、その効力が法人に及ぶかどうかは代表権限の問題であり、それが否定されたために相手方が損害をこうむったときに、問題が本条に移行するのである。

〔4〕　43条の「目的の範囲内」と、本条1項の「職務を行うについて」とを必ずしも同じ内容のものとみない以上は（上記〔2〕(ｱ)(ｃ)参照）、ここにいう「目的の範囲を超える行為」とは、むしろ「職務を行うについて」と認められないすべての行為をいうと解するべきである。

〔5〕　原条文には「議決」とあったが、2004年改正は「決議」と変更した。決議については64条、69条などに規定があり、「議決」については66条に規定があり、両者はその意味を異にするので（「決議」とすると、狭くなると思われる）、この変更は疑問である。

〔6〕　「連帯して」については、432条以下参照。なお、719条〔3〕をみよ。

（法人の設立の登記等）
第四十五条

1　法人は、その設立の日[1]から、主たる事務所[2]の所在地においては二週間以内に、その他の事務所の所在地においては三週間以内に、登記[3]をしなければならない。

2　法人の設立は、その主たる事務所の所在地において登記をしなければ、第三者[4]に対抗することができない[5]。

3　法人の設立後に新たに事務所を設けたときは、その事務所の所在地においては三週間以内に、登記をしなければならない。

[原条文]
　　法人ハ其設立ノ日ヨリ二週間内ニ各事務所ノ所在地ニ於テ登記ヲ為スコトヲ要ス
　　法人ノ設立ハ其主タル事務所ノ所在地ニ於テ登記ヲ為スニ非サレハ之ヲ以テ他人ニ対抗スルコトヲ得ス
　　法人ノ設立後新ニ事務所ヲ設ケタルトキハ一週間内ニ登記ヲ為スコトヲ要ス
〈改正〉　1938年の改正により、つぎのように改められた。
[2004年改正前条文]
　　法人ハ其設立ノ日ヨリ主タル事務所ノ所在地ニ於テハ二週間、其他ノ事務所ノ所在地ニ於テハ三週間内ニ登記ヲ為スコトヲ要ス
　　法人ノ設立ハ其主タル事務所ノ所在地ニ於テ登記ヲ為スニ非サレハ之ヲ以テ他人ニ対抗スルコトヲ得ス
　　法人ノ設立後新ニ事務所ヲ設ケタルトキハ其事務所ノ所在地ニ於テハ三週間内ニ登記ヲ為スコトヲ要ス

〔対応する新規定〕　新民§36、法人法§§22・299

〔1〕　法人の設立の日は、主務官庁の許可書が到達した日である（§47）。本条にいう2週間または3週間の期間は、その翌日から起算する（§140参照）。

〔2〕　「主たる事務所」とは、事務所が二つ以上ある場合に法人活動の中心となる事務所

144

であるが、形式的には定款および登記において主たる事務所として記載されたものである（§37〔5〕参照）。

〔3〕　法人の設立登記の手続は、**非訟事件手続法（§§117・119・120・124）**に規定されている。登記をするのは理事の義務であり、これを怠ると過料に処せられる（§84の3Ⅰ①）。

〔4〕　原条文が用いていた「他人」とは、今日においては、第三者というのと同じである（民法の起草者は、「第三者」を当事者以外の者という厳格な意味において理解し、本条のような場合には、法人を本人と考えて、他人という言葉を用いたのであろう）。社員は第三者ではないので、社員に対しては登記以前でも対抗することができ、たとえば会費の徴収をすることができる。

〔5〕　「対抗することができない」とは、法人の側からその存立を第三者に認めさせることができない、という意味であって、第三者の側から法人の存立を認めてかかることは妨げない。したがって、主たる事務所の所在地における登記以前に理事が法人を代表して行為をしたときは、相手方は、理事個人の行為とみなすか、法人の行為とみなすかの自由を有することになる。近時の特別法は、いずれも、会社と同様に（商旧§57→会社§§49・579）、主たる事務所の所在地における登記をもって、対抗のための要件ではなく、法人の「成立時期」とする（労組§11、弁護§34Ⅰなど）。法律関係を明確にする点において、民法よりすぐれている。

（設立の登記の登記事項及び変更の登記等）
第四十六条
1　法人の設立の登記において登記すべき事項は、次のとおりとする。
　　一　目的[1]
　　二　名称[2]
　　三　事務所の所在場所[3]
　　四　設立の許可の年月日[4]
　　五　存立時期を定めたときは、その時期[5]
　　六　資産の総額
　　七　出資の方法を定めたときは、その方法
　　八　理事の氏名及び住所
2　前項各号に掲げる事項に変更[6]を生じたときは、主たる事務所の所在地においては、二週間以内に、その他の事務所の所在地においては三週間以内に[7]、変更の登記[8]をしなければならない。この場合において、それぞれ登記前にあっては、その変更をもって第三者に対抗することができない。
3　理事の職務の執行を停止し、若しくはその職務を代行する者を選任する仮処分命令又はその仮処分命令を変更し、若しくは取り消す決定がされたときは、主たる事務所及びその他の事務所の所在地においてその登記をしなければならない。この場合においては、前項後段の規定を準用する[9]。

［原条文］
　　登記スヘキ事項左ノ如シ
　　一　目的
　　二　名称

第1編　第3章　法人

　　三　事務所
　　四　設立許可ノ年月日
　　五　存立時期ヲ定メタルトキハ其時期
　　六　資産ノ総額
　　七　出資ノ方法ヲ定メタルトキハ其方法
　　八　理事ノ氏名、住所
　前項ニ掲ケタル事項中ニ変更ヲ生シタルトキハ一週間内ニ其登記ヲ為スコトヲ要ス登記前ニ在リテハ其変更ヲ以テ他人ニ対抗スルコトヲ得ス
〈改正〉　1938年の改正により、2項がつぎのように変更され、1989年の改正により、3項が追加された。

　　　前項ニ掲ケタル事項中ニ変更ヲ生シタルトキハ主タル事務所ノ所在地ニ於テハ二週間、其他ノ事務所ノ所在地ニ於テハ三週間内ニ其登記ヲ為スコトヲ要ス登記前ニ在リテハ其変更ヲ以テ他人ニ対抗スルコトヲ得ス

　　　理事ノ職務ノ執行ヲ停止シ若クハ其職務ヲ代行スル者ヲ選任スル仮処分又ハ其仮処分ノ変更若クハ取消アリタルトキハ主タル事務所及ヒ其他ノ事務所ノ所在地ニ於テ其登記ヲ為スコトヲ要ス此場合ニ於テハ前項後段ノ規定ヲ準用ス

　　2005年の改正により、1項3号と3項の文言が修正された。

〔対応する新規定〕　法人法§§301・303・320、その他の登記について、同法§§305〜319・321〜330

　〔1〕〔2〕〔3〕　37条の〔3〕〔4〕〔5〕をみよ。
　〔4〕　設立許可書に書かれた日付である。45条〔1〕参照。
　〔5〕　明確にいつまで存在するかを定めたときは、その時期を登記する。また、解散事由を定めたときは、それをも登記するべきである（§68①）。会社については、その旨を明定されている（商旧§§64Ⅰ③・188Ⅱ③→会社§§911Ⅲ④・912④）。
　〔6〕　理事の再任も、行政区画の改正の結果事務所の所在地または理事の住所の地名が変更されたことなども、ともに「変更」である。
　〔7〕　定款に記載されている事項のように、その変更が主務官庁の認可によって効力を生じるもの（§38参照）については、その許可書の到達した日の翌日から起算する（§§47・140）。そのほかの事項については、変更の生じた日の翌日から起算する（§140）。
　〔8〕　登記手続は、非訟事件手続法121条による。
　〔9〕　民事保全法の制定に伴って、第3項が追加された。

（登記の期間）
第四十七条
　　第四十五条第一項及び前条の規定により登記すべき事項のうち官庁の許可を要するものの登記の期間については[1)]、その許可書が到達した日から起算する[2)]。
〔原条文〕
　　第四十五条第一項及ヒ前条ノ規定ニ依リ登記スヘキ事項ニシテ官庁ノ許可ヲ要スルモノハ其許可書ノ到達シタル時ヨリ登記ノ期間ヲ起算ス
〈改正〉　2005年の改正により、文言が修正された。

　〔1〕　登記の申請には許可書またはその認証ある謄本の添付を要する（非訟§§120・121）。

146

旧法人規定に関する第1版の注釈［後注］

〔2〕 民法140条の適用があり、初日すなわち到達した日は算入せず、その翌日から数える。

（事務所の移転の登記）
第四十八条
1 法人が主たる事務所を移転したときは、二週間以内に、旧所在地においては移転の登記をし、新所在地においては第四十六条第一項各号に掲げる事項を登記しなければならない。
2 法人が主たる事務所以外の事務所を移転したときは、旧所在地においては三週間以内に移転の登記をし、新所在地においては四週間以内に第四十六条第一項各号に掲げる事項を登記しなければならない[1]。
3 同一の登記所の管轄区域内において事務所を移転したときは、その移転を登記すれば足りる。

［原条文］
　　法人カ事務所ヲ移転シタルトキハ旧所在地ニ於テハ一週間内ニ移転ノ登記ヲ為シ新所在地ニ於テハ同期間内ニ第四十六条第一項ニ定メタル登記ヲ為スコトヲ要ス
　　同一ノ登記所ノ管轄区域内ニ於テ事務所ヲ移転シタルトキハ其移転ノミノ登記ヲ為スコトヲ要ス
〈改正〉　1938年の改正により、主たる事務所の移転とその他の事務所の移転が書き分けられ、1963年の改正により、期間が修正された。
［2004年改正前条文］
　　法人カ主タル事務所ヲ移転シタルトキハ二週間内ニ旧所在地ニ於テハ移転ノ登記ヲ為シ新所在地ニ於テハ第四十六条第一項ニ定メタル登記ヲ為シ其他ノ事務所ヲ移転シタルトキハ旧所在地ニ於テハ三週間内ニ移転ノ登記ヲ為シ新所在地ニ於テハ四週間内ニ第四十六条第一項ニ定メタル登記ヲ為スコトヲ要ス
　　同一ノ登記所ノ管轄区域内ニ於テ事務所ヲ移転シタルトキハ其移転ノミノ登記ヲ為スコトヲ要ス
〔対応する新規定〕　法人法§304

〔1〕 登記手続は、非訟事件手続法121条による。
　なお、本条の期間は、はじめはすべて1週間であったが、1938年に実情を考慮して主たる事務所（2週間と3週間）とその他の事務所（3週間と4週間）とを分けて、その期間を延長した（昭和13年法律18号）。さらに、1963年に主たる事務所の移転について2週間に統一した（昭和38年法律126号）。

（外国法人の登記）
第四十九条
1 第四十五条第三項、第四十六条及び前条の規定は、外国法人が日本に事務所を設ける場合について準用する[1]。ただし、外国において生じた事項については、その通知が到達した時から登記の期間を起算する[2]。
2 外国法人が初めて日本に事務所を設けたときは、その事務所の所在地において登記するまでは、第三者は、その法人の成立を否認することができる[3]。

147

第1編　第3章　法人

［原条文］

　　第四十五条第三項、第四十六条及ヒ前条ノ規定ハ外国法人カ日本ニ事務所ヲ設クル場合ニモ亦之ヲ適用ス但外国ニ於テ生シタル事項ニ付テハ其通知ノ到達シタル時ヨリ登記ノ期間ヲ起算ス

　　外国法人カ始メテ日本ニ事務所ヲ設ケタルトキハ其事務所ノ所在地ニ於テ登記ヲ為スマテハ他人ハ其法人ノ成立ヲ否認スルコトヲ得

〔対応する新規定〕　新民§37

　〔1〕　登記の手続は**非訟事件手続法124条**による。この登記が怠られた場合にも理事は過料に処せられると解するべきである（§84の3Ⅰ①）。2004年改正により、原条文の「適用」が「準用」に変えられている。

　なお、外国会社については、会社法817条以下（商旧§§479〜）に詳細な規定がある。日本における代表者を定めて届出る義務（商登§129）は、日本に事務所を設けた外国法人の場合にも準用されている（**非訟§124**）。

　〔2〕　通知が到達した日の翌日から起算される（§140）。

　〔3〕　「法人の成立を否認する」とは、代表者の行為を法人の行為とみないで、代表者個人の行為とみて、その責任を問うことである（§45〔5〕参照）。外国会社についても同様である（商旧§481→会社§818）。

　判例は、登記未了の外国会社から所有物返還請求の訴えを起こされた場合に、その訴えを起こされた相手方は、従来はその会社と取引をしたことがある場合でも、その成立を否認することができると解している（大判昭和18・8・24民集22巻811頁）。

　なお、日本に事務所を設けないで活動する限りにおいては、登記する必要はなく、したがってなにびともその成立を否認することはできないと解されている。

（法人の住所）

第五十条

　　法人の住所は[1]、その主たる事務所[2]の所在地にあるものとする。

［原条文］

　　法人ノ住所ハ其主タル事務所ノ所在地ニ在ルモノトス

〔対応する新規定〕　法人法§4

　〔1〕　ここに「住所」とは、自然人の住所と同一の意味である。したがって、自然人の場合とまったく同じ法律効果を生じる。22条参照。

　〔2〕　「主たる事務所」とは、理論的には、とくに複数の事務所がある場合において、法人の管理の首脳部が現実に存在する所という意味であるが、実際的には、登記によってきまる（§45〔2〕参照）。

（財産目録及び社員名簿）

第五十一条

　1　法人は、設立の時及び毎年一月から三月までの間[2]に財産目録[1]を作成し、常にこれをその主たる事務所に備え置かなければならない。ただし、特に事業年度を設けるものは、設立の時及び毎事業年度の終了の時に財産目録を作成しなければならない[3)5)]。

旧法人規定に関する第1版の注釈［後注］

2　社団法人は、社員名簿4)を備え置き、社員の変更があるごとに必要な変更を加えなければならない。

［原条文］
　法人ハ設立ノ時及ヒ毎年初ノ三个月内ニ財産目録ヲ作リ常ニ之ヲ事務所ニ備ヘ置クコトヲ要ス但特ニ事業年度ヲ設クルモノハ設立ノ時及ヒ其年度ノ終ニ於テ之ヲ作ルコトヲ要ス
　社団法人ハ社員名簿ヲ備ヘ置キ社員ノ変更アル毎ニ之ヲ訂正スルコトヲ要ス

〔対応する新規定〕　法人法§§120・31・32

　〔1〕「財産目録」とは、財産の種類・数量を記載した書面であり、設立の時に作成するものを「基本財産目録」、毎年度に作成するものを「毎年度財産目録」という。いずれも資産および負債の状態を明らかにするのに十分な記載をするべきであるが、その形式について特別の定めはない。結局、監督官庁の認定によって十分とされる程度のものを作るべきこととなる。

　〔2〕「毎年度財産目録」のことである。1月から12月までが年度として、前年末の財産状態を示すものを3月までに作るのである。

　〔3〕　たとえば、事業年度を毎年4月1日から翌年の3月31日としているような場合には、毎年度財産目録は3月31日の財産目録を作るべきで、これを翌事業年度の最初の3か月内、すなわち6月末までに作ればよいと解されている。

　〔4〕「社員名簿」は設立の時に作るべきことはいうまでもない。なお、「社員」について37条〔7〕参照。

　〔5〕　理事が財産目録、社員名簿の作成を怠り、またはこれに不正の記載をすると、過料に処せられる（§84の3Ⅰ②）。

第2節　法人の管理

　法人は、自然人と違って、みずから活動する肉体を持たないから、結局、自然人によって動かされるほかはない。本節は、法人の管理と題して、法人を動かす理事（§§52～57）、監事（§§58・59）、総会（§§60～66）、および主務官庁の業務監督（§67）に関する事項を規定する。

　なお、いくつかの用語について、解説をしておく。

　民法は、「代表」と「代理」について、必ずしも厳格に区別をしていないことに注意が必要である（§53〔2〕参照）。法人を代表する権限を有する者を代表者という。民法の法人では理事と呼ばれるが、法人の種類によって呼称はさまざまである（株式会社における代表取締役など）。代表者のことを代表機関と呼ぶこともある。代表者がもつ権限のことを代表権という。代表権を有する者を含んで、法人の役員という呼称もあるが、この場合は、監事や代表権を有しない取締役などの法人における重要な職務を有する者をも含み、代表者よりも広い意味をもつことが多い（§63参照）。

〔対応する新規定〕　法人法第2章第2節・第3節、第3章第2節

(理事)
第五十二条

1　法人には、一人又は数人の理事1)を置かなければならない2)。

149

第1編　第3章　法人

2　理事が数人ある場合において、定款又は寄附行為に別段の定めがないときは、法人の事務は、理事の過半数で決する[3]。

［原条文］

法人ニハ一人又ハ数人ノ理事ヲ置クコトヲ要ス

理事数人アル場合ニ於テ定款又ハ寄附行為ニ別段ノ定ナキトキハ法人ノ事務ハ理事ノ過半数ヲ以テ之ヲ決ス

〔対応する新規定〕　法人法§§15～21・53・60・63～66・75・76・90・92・93～98

〔1〕　理事は自然人に限る。法人を理事とすることはできない（大刑判昭和2・5・19刑集6巻190頁）。「剥奪公権者」（公権を剥奪された者）および「停止公権者」（公権を停止された者）は、法人の理事となることができない（民施§27、刑施§§34・36。なお、§75〔2〕参照）。理事の職務権限は53条以下の規定による。理事は、株式会社の代表権を有する取締役に該当する。

〔2〕　理事は必ずおかなければならない。その任免に関する規定は、定款の必要的記載事項である（§37⑤）。

〔3〕　「事務を決する」とは、たとえば、ある財産を処分するべきこと、臨時総会を招集するべきことなどの決定をすることである。この決定に基づいて財産処分行為をし、総会招集の通知をするなど、外部に対して行為をすることは「代表」であって、これは原則として各理事が単独ですることができる（§§53〔1〕(ｱ)(ｲ)・54参照）。

（法人の代表）

第五十三条

理事は、法人のすべての事務について、法人を代表する[1][2]。ただし、定款の規定又は寄附行為の趣旨に反することはできず[3]、また、社団法人にあっては総会の決議に従わなければならない[3]。

［原条文］

理事ハ総テ法人ノ事務ニ付キ法人ヲ代表ス但定款ノ規定又ハ寄附行為ノ趣旨ニ反スルコトヲ得ス又社団法人ニ在リテハ総会ノ決議ニ従フコトヲ要ス

〔対応する新規定〕　法人法§§21・77、その他同法第3章第1節第3款～第5款

〔1〕　理事は、各自単独で法人の目的の範囲内の行為（§43〔3〕参照）のすべてを代表する権限を有する（商旧§261Ⅰ・Ⅱ→会社§362Ⅲ参照）。

(ｱ)　代表する事項が元来理事の多数決で決定するべきものである場合に（§52Ⅱ）、これに違反して代表行為をした場合には、その行為をした理事は、法人に対して責任を負わなければならないが、代表行為自体の効力はこれによって影響されない（大判昭和4・5・23評論18巻諸法504頁）。

(ｲ)　理事が数人あるときも、原則として各自が法人を代表すると解される（大判大正7・3・8民録24輯427頁）。52条2項の規定は、内部的意思決定に関する規定である（§52〔3〕参照）。

(ｳ)　数人の理事が共同して代表権限を行使するべきものと定めることもできる（商§261Ⅱ参照）。しかし、これは理事の代表権に制限を加えることになり、54条の規定に従う。

150

旧法人規定に関する第1版の注釈［後注］

　〔ニ〕　理事が代表となる形式は、代理人が代理行為をする場合と同様である（§99参照）。すなわち、「○○法人理事何某」というように、法人の名において、その理事であることを示してするのが普通である。このような形式がととのい、かつ法人の目的の範囲を逸脱するものでない限り、理事がその行為によって自分の利益を図るというような不正な意思を持っていたとしても、代表行為の効力は法人について生じる。もしそうでなく、理事の真意いかんによって代表権限の有無を定め、その行為の効力を決するべきものとするならば、第三者は不測の損害をこうむり、なにびとも安心して理事と取引できないという不都合な結果となるからである（大判大正9・7・3民録26輯1042頁）。ただし、相手方が理事のそのような意思を知り、または知ることができる場合には、93条ただし書を類推適用して、法人について効力を生じないと解するのを正当とする（大判大正10・1・21民録27輯100頁。株式会社の代表取締役に関する最判昭和38・9・5民集17巻909頁にもこの趣旨がうかがわれる。§93〔6〕参照）。

　〔2〕　ここにいう「代表」は、「代理」に似た概念であるが、代表者たる機関は代理人のように法人と個別の地位を有せず、その行為そのものが法人の行為と考えられ、代表者の行為以外に本人の行為が存在しえない点で代理と異なる。「代理」の場合にはこれと異なり、本人と代理人は別個の人格であり、代理人の行為の効果が本人に及ぶ関係である。代表機関の不法行為も法人の行為とみられるのは、「代表」の理による（§44〔1〕参照）。ただし、両者には共通する点が多く、そのためもあってか、民法における代理と代表という言葉の用い方は必ずしも正確でない。すなわち、44条1項の代理人、54条・57条の代理権は、正確には代表者、代表権ないし代表権限というべきであり、107条1項・824条・859条1項の代表は、ともに代理というべきである。

　〔3〕　定款、寄付行為または総会の決議によって理事の代表権限に制限を加えた場合の効力については、54条の規定に従う。

（理事の代理権の制限）
第五十四条

　　理事の代理権[1)]に加えた制限[2)]は、善意の第三者に対抗することができない。
［原条文］
　　理事ノ代理権ニ加ヘタル制限ハ之ヲ以テ善意ノ第三者ニ対抗スルコトヲ得ス
〔対応する新規定〕　法人法§77Ⅴ

　〔1〕　ここに「代理権」というのも、53条にいう代表権限のことである（§53〔2〕参照）。
　〔2〕　理事が法人の目的の範囲内の行為をことごとく単独で代表できるという原則に対する制限は、すべて本条の制限である。これを内容についていえば、理事が共同で代表するべきであるというもの、一定の行為は総会の決議を経てのみ代表できるとするもの、理事の互選による会長または副会長だけが代表権限があるとするもの（大判昭9・2・2民集13巻115頁）、定款によって固定資産の取得・処分について理事会の承認を必要とするもの（最判昭和60・11・29民集39巻1760頁）など、いずれも理事の代表権限に加えた制限である。これを形式についていえば、定款または寄付行為によって制限しても、総会の決議によって制限しても、理事会の決議によって制限しても、その間に区別はなく、善意の第三者に対抗することはできない。

151

第1編　第3章　法人

（理事の代理行為の委任）

第五十五条

　　理事は、定款、寄附行為又は総会の決議によって禁止されていないときに限り、特定の
行為の代理[1]を他人[2]に委任することができる[1]。

［原条文］

　　理事ハ定款、寄附行為又ハ総会ノ決議ニ依リテ禁止セラレサルトキニ限リ特定ノ行為ノ代理
ヲ他人ニ委任スルコトヲ得

〔対応する新規定〕　法人法§§64・172

　　〔1〕　理事は、法人の活動を代表する責任者であるから、その代表権を包括的に他人に委
任することはできないものとし、特定の行為についてだけ、それも定款その他で禁止されな
いときに限り、その代表（ないし代理）を委任することができるものとしたのである。理事
のこの権限は、代理人の復任権に当たるものだが、その範囲は、任意代理人と法定代理人の
中間に位する（§§104〜106参照）。本条に違反して包括的な委任を受けた者の代表行為は、
無権代理行為と解するべきであろう（§113参照）。定款そのほかで、特定行為についての委
任をも禁じたときは、理事の「代理権に加えた制限」として、54条に従う。
　　以上のことから、本条の「代理」という言葉は、代表をも、代理をも意味すると解される。
　　〔2〕　本条によって選任された者も法人の代表機関であって、その者の行為について44
条の適用があるという説もあるが、多数説は否定している。

（仮理事）

第五十六条

　　理事が欠けた場合[1]において、事務が遅滞することにより損害を生ずるおそれがあると
きは、裁判所は、利害関係人又は検察官の請求により、仮理事を選任しなければならな
い[2]。

［原条文］

　　理事ノ欠ケタル場合ニ於テ遅滞ノ為メ損害ヲ生スル虞アルトキハ裁判所ハ利害関係人又ハ検
事〔第8版凡例4 f）参照。以下同じ〕ノ請求ニ因リ仮理事ヲ選任ス

〔対応する新規定〕　法人法§§79 II・80・175 II

　　〔1〕　「理事が欠けた場合」とは、理事が1名もなくなることではなく、定員に満たなく
なった場合を意味すると解されている。しかし、実際上は、理事が1名でも存するときには、
「遅滞のため損害を生ずるおそれがある」としなければならない場合は少ないであろう。
　　〔2〕　手続は、非訟事件手続法35条1項による（検察官につき、§25〔4〕参照）。

（利益相反行為）

第五十七条

　　法人と理事との利益が相反する事項[1]については、理事は、代理権[2]を有しない[3]。この場合
においては、裁判所は、利害関係人又は検察官の請求により、特別代理人を選任しなければな
らない[4]。

［原条文］

　　法人ト理事トノ利益相反スル事項ニ付テハ理事ハ代理権ヲ有セス此場合ニ於テハ前条ノ規定

152

旧法人規定に関する第1版の注釈［後注］

ニ依リテ特別代理人ヲ選任スルコトヲ要ス

〔対応する新規定〕　法人法§§81・84・197

〔1〕　本条は親権に関する826条と同趣旨の規定であって、利益が相反する事項（利益相反事項）とは、当該代表者と法人との間の法律行為（たとえば理事の財産を法人に売却するような行為）に限らず（§108参照）、両者の実質的利益が相反する場合をすべて含む。たとえば、原告が寺院（法人格を認められている）に金を貸したと称して寺院を訴えてきた場合に、被告である寺院側が、その消費貸借をなすさいに住職（寺院の代表権限者、すなわち理事に該当する）が寺債を負うのに必要な法律上の手続をふんでいないから住職の私債とみなされるべきである（明治10年太政官布告43号）と主張するとすれば、その住職と寺院とは利益相反し、住職はこの訴訟において寺院を代表する権限がないとされる（大判昭和9・10・5判決全集第11号3頁）。

〔2〕　この「代理権」は、正確には代表権限のことである。

〔3〕　本条違反の行為は無権代理行為となり、原則として法人に対して効力を及ぼさない（§113参照）。社員総会が追認すれば、有効になるとした判例がある（大判昭和15・7・29民集19巻1223頁）。

また、本条違反を主張できるのは法人であり、当該行為をした理事や第三者は主張できないと解される（最判昭和58・4・7民集37巻256頁は、農協の理事が第三者の農協への預金を担保として農協から借金し、その預金を弁済に充当した事例について、理事や第三者が無効を主張したが、認められないとした。なお、当時は農協法§33に、農協と理事の契約においては監事が農協を代表するという規定があったが、同条違反を理事自身は主張できないとした）。

〔4〕　選任の手続は、非訟事件手続法35条1項による。なお、株式会社については会社法356条・365条（商旧§265）の特則がある。

（監事）
第五十八条

　　法人には、定款、寄附行為又は総会の決議で、一人又は数人の監事[1]を置くことができる。

［原条文］

　　法人ニハ定款、寄附行為又ハ総会ノ決議ヲ以テ一人又ハ数人ノ監事ヲ置クコトヲ得

〔対応する新規定〕　法人法§§60〜63・67〜69・72・99・197

〔1〕　監事は、理事と異なり、法人の必要機関ではない。しかし、わが国の実際ではほとんど例外なくおかれている。監事も自然人に限る。欠格事由は理事と同一である（§52〔1〕参照）。その選任の方法も、定款、寄付行為または総会の決議で定められる。なお、監事の氏名は登記事項ではない（§46）。

（監事の職務）
第五十九条

　　監事の職務は、次のとおりとする[1][2]。

153

第1編　第3章　法人

　一　法人の財産の状況を監査すること。
　二　理事の業務の執行の状況を監査すること。
　三　財産の状況又は業務の執行について、法令、定款若しくは寄附行為に違反し、又は
　　著しく不当な事項があると認めるときは、総会又は主務官庁に報告をすること。
　四　前号の報告をするため必要があるときは、総会を招集すること。
［原条文］
　監事ノ職務左ノ如シ
　一　法人ノ財産ノ状況ヲ監査スルコト
　二　理事ノ業務執行ノ状況ヲ監査スルコト
　三　財産ノ状況又ハ業務ノ執行ニ付キ不整ノ廉アルコトヲ発見シタルトキハ之ヲ総会又ハ主
　　務官庁ニ報告スルコト
　四　前号ノ報告ヲ為ス為メ必要アルトキハ総会ヲ招集スルコト
〔対応する新規定〕　法人法§§71〜75・99〜106・197、その他同法第2章第3節第7款、第2章第
4節、第3章第2節第4款、第3章第3節

　〔1〕　本条の列挙は例示にすぎない。理事を監督するのに必要な事項は、列挙されていな
いことでもすることができる。また、法人と理事との利益が相反する事項について法人を代
表するなど、特別の定めを定款、寄付行為または総会の決議することも差し支えない。た
だし、一般的に法人を代表することができないのはいうまでもない。
　〔2〕　監事が数人いる場合に、特別の定めがなければ、これらの職務を各自単独に行うこ
とができるものと解される。

（通常総会）
第六十条
　社団法人の理事は、少なくとも毎年一回、社員の通常総会を開かなければならない[1]。
［原条文］
　社団法人ノ理事ハ少クトモ毎年一回社員ノ通常総会ヲ開クコトヲ要ス
〔対応する新規定〕　法人法§36

　〔1〕　総会は、社団法人の最高機関として、その本体をなすものだからである。したがっ
て、定款をもってしても、これを排斥することはできない。

（臨時総会）
第六十一条
　1　社団法人の理事は、必要があると認めるときは、いつでも臨時総会を招集することが
　　できる[1]。
　2　総社員の五分の一以上から会議の目的である事項を示して請求があったときは、理事
　　は、臨時総会を招集しなければならない[2]。ただし、総社員の五分の一の割合について
　　は、定款でこれと異なる割合を定めることができる[3]。
［原条文］
　社団法人ノ理事ハ必要アリト認ムルトキハ何時ニテモ臨時総会ヲ招集スルコトヲ得
　総社員ノ五分ノ一以上ヨリ会議ノ目的タル事項ヲ示シテ請求ヲ為シタルトキハ理事ハ臨時総

会ヲ招集スルコトヲ要ス但此定数ハ定款ヲ以テ之ヲ増減スルコトヲ得

〔対応する新規定〕 法人法§§36〜38

〔1〕 臨時総会の招集が必要であるかどうかは、定款に別段の定めがない限り、理事の過半数で決定する（§52Ⅱ）。招集の方法は定款に規定があれば、それに従うが、一人の理事が代表して招集してもよい。

〔2〕 これは、いわゆる「少数社員権」の一種である。株式会社では資本の100分の3以上に当たる株主が招集を請求できる（商旧§237Ⅰ→会社§297Ⅰ）。社員が適法に臨時総会招集の要求をしたにもかかわらず、理事がこれを招集しない場合にはどうするべきであろうか。株式会社については便法が認められているが（商旧§237Ⅲ→会社§297Ⅳ）、民法上は、理事に対して総会を招集するべき旨の訴訟を提起し、その判決に基づいて原告たる社員がみずから総会招集の手続をするべきものと解されている。手続としてはわずらわしいが、実際にはこのような手続がとられた例はないようである。

〔3〕 5分の1の定数を減らす方には制限がない。増やす方は、全社員の一致に近い数にして、事実上行使不能のようにすることは許されないと解するべきである。総会招集を要求する権利を否定することは、もちろんできない。

（総会の招集）
第六十二条

　　総会の招集の通知[2]は、会日より少なくとも五日前に[1]、その会議の目的である事項[3]を示し、定款で定めた方法に従ってしなければならない[4]。

［原条文］

　　総会ノ招集ハ少クトモ五日前ニ其会議ノ目的タル事項ヲ示シ定款ニ定メタル方法ニ従ヒテ之ヲ為スコトヲ要ス

〔対応する新規定〕 法人法§§39〜42

〔1〕 5日前の計算は140条を類推適用して行う。すなわち、「会日」（総会開催の日をいう。2004年改正で付加された）は初日として算入せず、その前日から逆に5日遡り、その最終日（満了点）の前日中またはそれ以前に招集することを要する。たとえば、3月15日に行われるべき総会については、遅くとも3月9日中に招集しなければならない（大判昭和6・5・2民集10巻232頁）。

〔2〕 「通知」とあるのは、招集の通知を発することであって、全社員に5日前に到達する必要はないと解されている。

〔3〕 「会議の目的である事項」は、社員にその性質を知らせ、利害を判断させることができる程度であることを要する。たとえば、「定款変更の件」だけでは不十分で、その変更の内容を知らせるべきであろう。

〔4〕 本条の招集手続に違反して招集された総会は法律上の総会でなく、そこで決議をしても取消しを請求できるとされている（商旧§247Ⅰ→会社§831Ⅰ①参照）。

第1編　第3章　法人

（社団法人の事務の執行）
第六十三条
　　社団法人の事務は、定款で理事その他の役員に委任したものを除き、すべて総会の決議によって行う[1]。
［原条文］
　　社団法人ノ事務ハ定款ヲ以テ理事其他ノ役員ニ委任シタルモノヲ除ク外総テ総会ノ決議ニ依リテ之ヲ行フ
〔対応する新規定〕　法人法§35

　　〔1〕　社員総会は、社団法人における最高機関であって、法人の組織・管理などに関するあらゆる事務を行うことができる。しかしまた、その一部を理事その他の役員に委任することもできる。ただし、これにはつぎのような制限がある。
　　㈠　定款の変更（§38）とか、解散の決議（§68）などは総会の専属事項であって、これを他の機関に委ねることはできない。
　　㈡　社員の表決権とか、少数社員権（§61〔2〕参照）のような社員の固有の権利は、総会の決議によっても奪うことはできない。もっとも、このことは、いわゆる固有権 Sonderrecht の問題として、株式会社について大いに論議されるところであるが、公益法人では、あまり争いになったことはない。

（総会の決議事項）
第六十四条
　　総会においては、第六十二条の規定によりあらかじめ通知をした事項についてのみ、決議をすることができる[1]。ただし、定款に別段の定めがあるときは、この限りでない。
［原条文］
　　総会ニ於テハ第六十二条ノ規定ニ依リテ予メ通知ヲ為シタル事項ニ付テノミ決議ヲ為スコトヲ得但定款ニ別段ノ定アルトキハ此限ニ在ラス
〔対応する新規定〕　法人法§§43〜45・70・81・89・105

　　〔1〕　これに違反した決議は取消しを請求できる（商旧§§232Ⅲ・247Ⅰ①→会社§§299Ⅳ・831Ⅰ①参照）。

（社員の表決権）
第六十五条
　1　各社員の表決権[1]は、平等とする[2]。
　2　総会に出席しない社員は、書面で、又は代理人[3]によって表決をすることができる。
　3　前二項の規定は、定款に別段の定めがある場合には、適用しない。
［原条文］
　　各社員ノ表決権ハ平等ナルモノトス
　　総会ニ出席セサル社員ハ書面ヲ以テ表決ヲ為シ又ハ代理人ヲ出タスコトヲ得
　　前二項ノ規定ハ定款ニ別段ノ定アル場合ニハ之ヲ適用セス
〔対応する新規定〕　法人法§§48・50〜52・58

旧法人規定に関する第1版の注釈 [後注]

〔1〕 「表決権」とは、公益社団法人の社員が社員総会における議決に参加して投票を行う権利である。この表決権は、社員にとっての基本的な権利であって、譲渡・放棄（個々の表決の不行使とは別）はできないし、また、奪うこともできない。

〔2〕 ここに「平等」とは、各人1票を有するということであり、株式会社のように出資その他の割合に応じて表決権を有するのではない（商旧§241Ⅰ→会社§308Ⅰ参照）。

〔3〕 社員以外の者でも代理人になれるし、一人で数人の代理人となることも差し支えない。代理権を証明するために、通常、委任状を使用するが、そのほかの方法で証明してもよいと解される（商旧§239Ⅱ→会社§310Ⅰ参照）。

（表決権のない場合）
第六十六条

社団法人と特定の社員との関係について議決をする場合[1]には、その社員は、表決権を有しない[2]。

［原条文］
社団法人ト或社員トノ関係ニ付キ議決ヲ為ス場合ニ於テハ其社員ハ表決権ヲ有セス

〔対応する新規定〕 法人法§84

〔1〕 たとえば、法人が、ある社員所有の財産を買うかどうかを議決する場合などである。

〔2〕 議決権を有しないだけであって、総会に出席することは差し支えない。したがって、総会の通知はその社員にも出さなければならない。

（法人の業務の監督）
第六十七条

1 法人の業務[1]は、主務官庁[2]の監督に属する[3]。

2 主務官庁は、法人に対し、監督上必要な命令をすることができる[4]。

3 主務官庁は、職権で、いつでも法人の業務及び財産の状況を検査することができる[5]。

［原条文］
法人ノ業務ハ主務官庁ノ監督ニ属ス
主務官庁ハ何時ニテモ職権ヲ以テ法人ノ業務及ヒ財産ノ状況ヲ検査スルコトヲ得
〈改正〉 1979年の改正により、つぎの2項が追加され、2項が3項となった。
主務官庁ハ法人ニ対シ監督上必要ナル命令ヲ為スコトヲ得

〔対応する新規定〕 裁判所による監督についての規定→法人法§§47・86・87

〔1〕 ここに「業務」とは、法人の目的遂行のための事業をいう。法人の「解散」と「清算」とは、裁判所の監督に属する（§82）。

〔2〕 34条〔5〕参照。

〔3〕 監督手段は、定款変更の許可（§38）、命令（本条Ⅱ）、検査（本条Ⅲ）、設立許可の取消し（§71）などが主なものである。

〔4〕 公益法人でずさんな運営がなされている例が問題化したので、1979年にこの第2項が追加された（昭和54年法律68号）。業務の改善を命じたり、停止を命じたりすることができると解される。この命令に従わないと、理事、監事などは過料に処せられるが（§84の

第1編　第3章　法人

3 I ④)、さらに設立許可の取消しもありうる。

〔5〕　理事、監事が主務官庁の検査を妨げ、またはこれに対して不実の申立てをし、もしくは事実を隠蔽すると、過料に処せられる（§84の3 I ③・④)。

第3節　法人の解散

本節では、法人の解散事由（§§68〜71)、清算手続（§§73〜83）および残余財産の帰属（§72）を規定する。

（法人の解散事由）
第六十八条

1　法人は、次に掲げる事由によって解散する[1]。
一　定款又は寄附行為で定めた解散事由の発生[2]
二　法人の目的である事業の成功又はその成功の不能[3]
三　破産手続開始の決定[4]
四　設立の許可の取消し[5]
2　社団法人は、前項各号に掲げる事由のほか、次に掲げる事由によって解散する。
一　総会の決議[6]
二　社員が欠けたこと[7]。

［原条文］
法人ハ左ノ事由ニ因リテ解散ス
一　定款又ハ寄附行為ヲ以テ定メタル解散事由ノ発生
二　法人ノ目的タル事業ノ成功又ハ其成功ノ不能
三　破産
四　設立許可ノ取消
社団法人ハ前項ニ掲ケタル事由ノ外左ノ事由ニ因リテ解散ス
一　総会ノ決議
二　社員ノ欠亡
〈改正〉　2004年法律76号の改正により、1項3号が「破産手続開始ノ決定」と変更された。
〔対応する新規定〕　法人法§§148・202

〔1〕　法人の「解散」とは、法人がその目的遂行のための活動を停止し、その財産関係を整理——これを「清算」という——する範囲においてのみ存続する状態になることをいう。整理の終了——これを「清算の結了」（§73・83）という——によって法人は消滅する。法人の「権利能力の終期」であり、自然人の死亡に該当する。
〔2〕　46条〔5〕参照。
〔3〕　「目的である事業の成功」とは、目的が完了して、なすべき仕事がなくなることであり、「成功の不能」とは、法律上または事実上目的を達成することの不可能なことが、客観的に確定的となることである。
〔4〕　70条参照。
〔5〕　71条参照。
〔6〕　69条参照。
〔7〕　社員が一人もなくなった場合であると解されている。なお、合名会社は社員が二人

以上あることを存続の要件とし、一人になると解散するとされていた（商旧§94④）。会社法641条4号では、本条と同じく「社員が欠けたこと」が解散事由とされた。株式会社は、かつては株主が七人以下になると解散することになっていたが（1948年改正前の商§221③）、商法旧404条では一人でも株主がいれば存続するとされた。株式会社については、この点明記されていない（会社§471）。

（法人の解散の決議）
第六十九条

　　社団法人は、総社員の四分の三以上[2]の賛成がなければ、解散の決議をすることができない[1]。ただし、定款に別段の定め[3]があるときは、この限りでない。

［原条文］

　　社団法人ハ総社員ノ四分ノ三以上ノ承諾アルニ非サレハ解散ノ決議ヲ為スコトヲ得ス但定款ニ別段ノ定アルトキハ此限ニ在ラス

〔対応する新規定〕　法人法§§49Ⅱ⑥・148③

　〔1〕　解散について定款になんの定めもない場合にも、本条によって解散することができる。法人の存続期間が定款で定められている場合には（§46⑤参照）、論理的にはその部分の定款変更をし（§38）、そのうえで解散の決議をするべきであるが、定款変更をせずに直接解散の決議をしても差し支えないと解される。
　〔2〕　総社員の4分の3以上であって、出席社員の4分の3以上でないことに注意を要する。
　〔3〕　「別段の定め」といっても、それは表決の割合についてだけであって、社員の承諾なしに、理事の決定によって解散するというような定めは無効である。

（法人についての破産手続の開始）
第七十条

　1　法人がその債務につきその財産をもって完済することができなくなった場合には[1]、裁判所は、理事若しくは債権者の申立てにより又は職権で、破産手続開始の決定をする[2]。
　2　前項に規定する場合には、理事は、直ちに破産手続開始の申立てをしなければならない[3]。

［原条文］

　　法人カ其債務ヲ完済スルコト能ハサルニ至リタルトキハ裁判所ハ理事若クハ債権者ノ請求ニ因リ又ハ職権ヲ以テ破産宣告ヲ為ス
　　前項ノ場合ニ於テ理事ハ直チニ破産宣告ノ請求ヲ為スコトヲ要ス

〈改正〉　2004年法律76号の改正により、1項の「請求」が「申立」に、「破産宣告」が「破産手続開始ノ決定」に、2項の「破産宣告ノ請求」が「破産手続開始ノ申立」に改められた。

〔対応する新規定〕　法人法§202Ⅰ⑤

　〔1〕　財産よりも債務の方が多くなった場合、すなわち「債務超過」である。法人の場合には「債務超過」又は「支払不能」が破産手続開始の要件である（破§§15・16）。存立中の合名会社・合資会社については、「支払不能」のみである（破§16Ⅱ）。

第1編　第3章　法人

〔2〕　法人の破産については、破産法16条・19条・35条など参照。

〔3〕　請求を怠ると、過料に処分せられる（§84の3⑤）。

（法人の設立の許可の取消し）
第七十一条

　　法人がその目的以外の事業[1]をし、又は設立の許可を得た条件[2]若しくは主務官庁の監督上の命令[3]に違反し、その他公益を害すべき行為をした場合において、他の方法により監督の目的を達することができないときは、主務官庁[4]は、その許可を取り消すことができる[5][6]。正当な事由なく引き続き三年以上事業をしないときも、同様とする[7]。

〔原条文〕

　　法人カ其目的以外ノ事業ヲ為シ又ハ設立ノ許可ヲ得タル条件*ニ違反シ其他公益ヲ害スヘキ行為ヲ為シタル**トキハ主務官庁ハ其許可ヲ取消スコトヲ得***

〈改正〉　1979年の改正により、* の個所に「若クハ主務官庁ノ監督上ノ命令」、** の個所に「場合ニ於テ他ノ方法ニ依リ監督ノ目的ヲ達スルコト能ハザル」、*** の個所に「正当ノ事由ナクシテ引続キ三年以上事業ヲ為サザルトキ亦同シ」が追加された。

〔対応する新規定〕　法人法§261

　　〔1〕　43条〔3〕参照。

　　〔2〕　たとえば、一定の設備を作ることを条件として病院経営の法人の設立を許可した場合などである。この「条件」は、いわゆる法律行為の「条件」（§127以下）ではない。

　　〔3〕　67条〔4〕参照。

　　〔4〕　34条〔5〕参照。

　　〔5〕　主務官庁が正当の理由がないのに許可を取消した場合には、法人は、行政事件訴訟法の定めるところに従って、訴えを起こすことができる。

　　〔6〕　設立許可の「取消し」は、将来に向かって効力を生じるのであって、実質的には、法人の「解散命令」と変わらない（民施§23参照）。

　　〔7〕　公益法人制度のずさんな運用の例として問題となったいわゆる「休眠法人」、すなわち形式上法人格を有するが、実際にはなんの活動もしていない法人などの整理を目的とした規定である。

（残余財産の帰属）
第七十二条

　1　解散した法人の財産は、定款又は寄附行為で指定した者に帰属する[1]。

　2　定款又は寄附行為で権利の帰属すべき者を指定せず、又はその者を指定する方法を定めなかったときは、理事は[2]、主務官庁の許可を得て、その法人の目的に類似する目的のために、その財産を処分する[3]ことができる。ただし、社団法人にあっては、総会の決議を経なければならない。

　3　前二項の規定により処分されない財産は、国庫に帰属する[4]。

〔原条文〕

　　解散シタル法人ノ財産ハ定款又ハ寄附行為ヲ以テ指定シタル人ニ帰属ス

　　定款又ハ寄附行為ヲ以テ帰属権利者ヲ指定セス又ハ之ヲ指定スル方法ヲ定メサリシトキハ理事ハ主務官庁ノ許可ヲ得テ其法人ノ目的ニ類似セル目的ノ為メニ其財産ヲ処分スルコトヲ得但

旧法人規定に関する第1版の注釈〔後注〕

社団法人ニ在リテハ総会ノ決議ヲ経ルコトヲ要ス
　前二項ノ規定ニ依リテ処分セラレサル財産ハ国庫ニ帰属ス
〔対応する新規定〕　法人法§239

　〔1〕「財産が帰属する」とは、清算を完了した後の残余財産が帰属することをいう（§§80〜83）。清算の完了までは、財産はすべてなお法人（清算法人）に属する。
　〔2〕　清算手続に入る以前に残余財産の帰属するべき者をあらかじめ決める場合である。清算手続に入ってからでも、同様の方法で残余財産の処分を決めることができる。その場合には、清算人（多くの場合に従来の理事、§74）がこれに当たる。
　〔3〕　たとえば、社会教育を目的とする法人の残余財産を私立学校に寄付するなどである。
　〔4〕「国庫」とは、国家を財産権の主体としてみた場合の概念である。民法は、ほかにもこの概念を用いる（§§239Ⅱ・959など）。いずれも国家に帰属するというのと同じである。国庫は、これらの帰属した財産を一般収入とする。その使途には制限がない。私立学校法は、その使途を「私立学校教育の助成のため」と制限している（同法§51Ⅲ〜Ⅴ）。

（清算法人）
第七十三条
　解散した法人は、清算の目的の範囲内において[1]、その清算の結了[2]に至るまではなお存続するものとみなす[3]。
〔原条文〕
　解散シタル法人ハ清算ノ目的ノ範囲内ニ於テハ其清算ノ結了ニ至ルマテ尚ホ存続スルモノト看做ス
〔対応する新規定〕　法人法§§150・207

　〔1〕「清算の目的の範囲」も、比較的広く解釈される。たとえば、法人のために功労のあった者に慰労金を贈ることもその範囲内に入る（大判大正2・7・9民録19輯619頁）。解散後にふたたび法人存続の決議をするなどは許されない（大判大正15・4・19民集5巻259頁。株式会社については、商旧§406→会社§473参照）。
　〔2〕「清算の結了」する時期は、通常は債務を完済して残余財産を引き渡したときである。破産手続開始決定によって解散した場合には、破産手続の終了したときである（破§35参照）。
　なお、組合員が一人もいなくなったことなどにより労働組合（法人）が自然消滅した場合には、その組合が清算法人として存続していたとしても、使用者が組合へ金員を支払うよう命じた救済命令の拘束力は失われるとして、その取消しを求めた使用者に訴えの利益なしとした例がある（最判平成7・2・23民集49巻393頁）。
　〔3〕　この法人を一般に「清算法人」という。清算の結了によって法人は消滅する。

（清算人）
第七十四条
　法人が解散したときは、破産手続開始の決定による解散の場合[1]を除き、理事がその清算人となる。ただし、定款若しくは寄附行為に別段の定めがあるとき、又は総会において

161

第1編　第3章　法人

理事以外の者[2]を選任したときは、この限りでない[3]。

［原条文］

　　法人カ解散シタルトキハ破産ノ場合ヲ除ク外理事其清算人ト為ル但定款若クハ寄附行為ニ別
段ノ定アルトキ又ハ総会ニ於テ他人ヲ選任シタルトキハ此限ニ在ラス

〈改正〉　2004年法律76号の改正により、「破産ノ場合」が「破産手続開始ノ決定ニ因ル解散ノ場
　　　合」に改められた。

〔対応する新規定〕　法人法§§208・209

　〔1〕　破産の場合には、破産法の規定に従って破産管財人が清算事務を行う（§81Ⅱ参照）。
　〔2〕　原条文では「他人」とあったが、それは、理事以外の人という意味である。
　〔3〕　清算人には、理事・監事と同一の欠格事由がある（§52〔1〕参照）。

（裁判所による清算人の選任）

第七十五条

　　前条の規定により清算人となる者がないとき、又は清算人が欠けた[1]ため損害を生ずる
おそれがあるときは、裁判所は、利害関係人若しくは検察官の請求により又は職権で、清
算人を選任することができる[2]。

［原条文］

　　前条ノ規定ニ依リテ清算人タル者ナキトキ又ハ清算人ノ欠ケタル為メ損害ヲ生スル虞アルト
キハ裁判所ハ利害関係人若クハ検事ノ請求ニ因リ又ハ職権ヲ以テ清算人ヲ選任スルコトヲ得

〔対応する新規定〕　法人法§209

　〔1〕　清算人がまったくなくなったという意味ではなく、定員が欠けたことを意味する
（§56〔1〕参照）。
　〔2〕　この場合、定款または寄付行為に特別の定めがなければ、「剥奪公権者」（公権を剥
奪された者）、「停止公権者」（公権を停止された者）（§52〔1〕参照）以外なら、だれを清算
人に選んでもよい（民施§27参照）。

（清算人の解任）

第七十六条

　　重要な事由[1]があるときは、裁判所は、利害関係人若しくは検察官の請求により又は職
権で、清算人を解任することができる[2]。

［原条文］

　　重要ナル事由アルトキハ裁判所ハ利害関係人若クハ検事ノ請求ニ因リ又ハ職権ヲ以テ清算人
ヲ解任スルコトヲ得

〔対応する新規定〕　法人法§210

　〔1〕　「重要な事由」があるかどうかは、裁判所の認定にまかされる。なお、株式会社に
ついては、会社法479条・524条・93条を参照。
　〔2〕　手続は非訟事件手続法39条参照。

旧法人規定に関する第1版の注釈［後注］

（清算人及び解散の登記及び届出）
第七十七条

1　清算人は、破産手続開始の決定[1]及び設立の許可の取消し[2]の場合を除き、解散後主たる事務所の所在地においては二週間以内に、その他の事務所の所在地においては三週間以内に、その氏名及び住所並びに解散の原因及び年月日を登記し[3]、かつ、これらの事項を主務官庁[4]に届け出なければならない。

2　清算中に就職した清算人は、就職後主たる事務所の所在地においては二週間以内に、その他の事務所の所在地においては三週間以内に、その氏名及び住所の登記をし[5]、かつ、これらの事項を主務官庁[4]に届け出なければならない。

3　前項の規定は、設立の許可の取消しによる解散の際に就職した清算人について準用する[6]。

［原条文］
　清算人ハ破産ノ場合ヲ除ク外解散後一週間内ニ其氏名、住所及ヒ解散ノ原因、年月日ノ登記ヲ為シ又何レノ場合ニ於テモ之ヲ主務官庁ニ届出ツルコトヲ要ス
　清算中ニ就職シタル清算人ハ就職後一週間内ニ其氏名、住所ノ登記ヲ為シ且ツ之ヲ主務官庁ニ届出ツルコトヲ要ス
〈改正〉　1938 年の改正により、主たる事務所と他の事務所により期間が書き分けられた。1979 年の改正により、1項の「破産」のあとに「及ヒ設立許可ノ取消」を追加し、「又何レノ場合ニ於テモ」を「且ツ之ヲ」と変更し、つぎの3項が追加された。
　　　　前項ノ規定ハ設立許可ノ取消ニ因ル解散ノ際ニ就職シタル清算人ニ之ヲ準用ス
　　　2004 年法律 76 号の改正により、1項の「破産」が「破産手続開始ノ決定」に改められた。
［2004 年改正前条文］
　清算人ハ破産手続開始ノ決定及ビ設立許可ノ取消ノ場合ヲ除ク外解散後主タル事務所ノ所在地ニ於テハ二週間、其他ノ事務所ノ所在地ニ於テハ三週間内ニ其氏名、住所及ヒ解散ノ原因、年月日ノ登記ヲ為シ且ツ之ヲ主務官庁ニ届出ツルコトヲ要ス
　清算中ニ就職シタル清算人ハ就職後主タル事務所ノ所在地ニ於テハ二週間、其他ノ事務所ノ所在地ニ於テハ三週間内ニ其氏名、住所ノ登記ヲ為シ且ツ之ヲ主務官庁ニ届出ツルコトヲ要ス
　　前項ノ規定ハ設立許可ノ取消ニ因ル解散ノ際ニ就職シタル清算人ニ之ヲ準用ス
〔対応する新規定〕　法人法§§308〜310

　〔1〕　破産の場合、裁判所書記官の嘱託によって破産の登記がなされる（破§257）。
　〔2〕　71 条の「設立許可の取消し」の規定が改正によって充実させられたことに伴い、その場合の取扱いを整理したものである。手続についても、**非訟事件手続法 122 条の2** がある。
　〔3〕　手続は**非訟事件手続法 122 条**による。清算人が登記を怠ると、過料に処せられる（§84の3Ⅰ①）。なお、登記しなければ解散をもって第三者に対抗できないという規定がないから（§45Ⅱ参照）、登記をしなくても対抗できると解するほかはない。
　〔4〕　34 条〔5〕参照。
　〔5〕　**非訟事件手続法 122 条の2**（会社§928、商登§§73・74 も）参照。
　〔6〕　〔2〕で述べたのと同じ趣旨の整理のための規定である。

163

第1編　第3章　法人

（清算人の職務及び権限）
第七十八条

1　清算人の職務は、次のとおりとする。
　一　現務の結了[1]
　二　債権の取立て[2]及び債務の弁済[3]
　三　残余財産の引渡し[4]
2　清算人は、前項各号に掲げる職務を行うために必要な一切の行為をすることができる。

［原条文］

　清算人ノ職務左ノ如シ
　一　現務ノ結了
　二　債権ノ取立及ヒ債務ノ弁済
　三　残余財産ノ引渡
　清算人ハ前項ノ職務ヲ行フ為メニ必要ナル一切ノ行為ヲ為スコトヲ得

〔対応する新規定〕　法人法§§212～214

〔1〕　すでに着手した仕事を片づけることであり、新規の仕事をはじめることはできない。ただし、「現務の結了」のために新たに法律行為をすることは、もとより妨げない。債務の弁済のために必要なら、財産の譲渡などの処分もできる。
〔2〕　法人の他人に対する債権だけでなく、社員の会合費用の徴収なども含むことはいうまでもない（大判大正14・5・2民集4巻238頁）。
〔3〕　79条・80条参照。
〔4〕　帰属権利者がだれであるかについては72条をみよ。残余財産が不動産・動産・債権などのどれであるかによって、それぞれ必要な権利移転の手続（対抗要件をも含めて）をするべきことはいうまでもない。

（債権の申出の催告等）
第七十九条

1　清算人は、その就職の日から二箇月以内に、少なくとも三回の公告[1]をもって、債権者に対し、一定の期間内にその債権の申出をすべき旨の催告をしなければならない。この場合において、その期間は、二箇月を下ることができない[2]。
2　前項の公告には、債権者がその期間内に申出をしないときは、その債権は清算から除斥[5]されるべき旨を付記しなければならない[3]。ただし、清算人は、知れている債権者を除斥することができない[4]。
3　清算人は、知れている債権者には、各別にその申出の催告をしなければならない[6]。
4　第一項の規定による公告は、官報に掲載してする。

［原条文］

　清算人ハ其就職ノ日ヨリ二个月内ニ少クトモ三回ノ公告ヲ以テ債権者ニ対シ一定ノ期間内ニ其請求ノ申出ヲ為スヘキ旨ヲ催告スルコトヲ要ス但其期間ハ二个月ヲ下ルコトヲ得ス
　前項ノ公告ニハ債権者カ期間内ニ申出ヲ為ササルトキハ其債権ハ清算ヨリ除斥セラルヘキ旨ヲ附記スルコトヲ要ス但清算人ハ知レタル債権者ヲ除斥スルコトヲ得ス
　清算人ハ知レタル債権者ニハ各別ニ其申出ヲ催告スルコトヲ要ス

〈改正〉　2005年の改正により、4項が新設された。

旧法人規定に関する第1版の注釈 ［後注］

〔対応する新規定〕　法人法§§233～238

　〔1〕　公告は官報に掲載して行う。3回の公告に定められた債権申出時期は、同一でなければならない（大判明治43・9・28民録16輯610頁）。公告を怠り、または不正の公告をすると過料に処せられる（§84の3Ⅰ⑦）。
　〔2〕　この期間内に弁済してはならないという意味ではない。この点は、相続の限定承認の場合などと異なる（§§927・928・934参照）。
　〔3〕　本条所定のこれらの条件が充たされなかった場合には、期間内に申し出なかった債権者も、80条の適用をうけない。
　〔4〕　これらの債権者が受領しないときは、清算人は、一般の原則に従って供託の処置をとらなければならない（§494参照）。
　〔5〕　除斥された債権は清算手続において弁済をうけることはできず、80条により残余財産がある限りで請求できることになる。清算の結了後は、債務者である法人は存続しなくなるのであるから、その債権は消滅する。申し出るべき一定の期間は、固定されたいわゆる除斥期間である（第7章解説3参照）。
　〔6〕　この「催告」は、一般の債権者から債務者に対して行う催告（§§153・541・591など）や、取消権者、解除権者などの相手方が行う催告（§§20・114・408・547）などとは意義を異にし、請求の申し出をすることを催促するものである。「知っている債権者」（清算人がそういう債権者とされる者がいることを知っているという意味。その者が本当に債権を有するかどうかは問わない）が申し出なくても、公告による除斥はできない。申し出の期間を定めることも必要ない。また、清算人が債務の存在を争うこともありうるので、「催告」をしたからといって直ちに債務を承認したことにはならない。

（期間経過後の債権の申出）
第八十条
　前条第一項の期間の経過後に申出をした債権者は、法人の債務が完済された[1]後まだ権利の帰属すべき者に引き渡されていない財産に対してのみ、請求をすることができる[2]。
［原条文］
　前条ノ期間後ニ申出テタル債権者ハ法人ノ債務完済ノ後未タ帰属権利者ニ引渡ササル財産ニ対シテノミ請求ヲ為スコトヲ得
〔対応する新規定〕　法人法§238Ⅱ

　〔1〕　79条によって期間内に申し出た債権者、または「知れている債権者」に対してまず完全に弁済するという意味である。もちろん、いずれの場合にもそれらの債権者が確かに債権を有することを確認した上でのことである。
　〔2〕　この場合、期間後に申し出た債権者の債権額が、残余財産を超過しても、残余財産がある限りで弁済すればよいのであって、破産の手続をとる（§81参照）必要はない。

（清算法人についての破産手続の開始）
第八十一条
　1　清算中に法人の財産がその債務を完済するのに足りない[1]ことが明らかになったとき

165

第1編　第3章　法人

は、清算人は、直ちに破産手続開始の申立て[2]をし、その旨を公告しなければならない[3]。

2　清算人は、清算中の法人が破産手続開始の決定を受けた場合において、破産管財人にその事務を引き継いだときは、その任務を終了したものとする。

3　前項に規定する場合において、清算中の法人が既に債権者に支払い、又は権利の帰属すべき者[4]に引き渡したものがあるときは、破産管財人は、これを取り戻すことができる[5]。

4　第一項の規定による公告は、官報に掲載してする。

［原条文］

　清算中ニ法人ノ財産カ其債務ヲ完済スルニ不足ナルコト分明ナルニ至リタルトキハ清算人ハ直チニ破産宣告ノ請求ヲ為シテ其旨ヲ公告スルコトヲ要ス

　清算人ハ破産管財人ニ其事務ヲ引渡シタルトキハ其任ヲ終ハリタルモノトス

　本条ノ場合ニ於テ既ニ債権者ニ支払ヒ又ハ帰属権利者ニ引渡シタルモノアルトキハ破産管財人ハ之ヲ取戻スコトヲ得

〈改正〉　2004年の法律76号の改正により、1項の「破産宣告ノ請求」が「破産手続開始ノ申立」に改められた。2005年の改正により、4項が新設された。

〔対応する新規定〕　法人法§215

　〔1〕　70条〔1〕参照。

　〔2〕　破産法19条5項参照。この請求を怠ると過料に処せられる（§84の3Ⅰ⑤）。

　〔3〕　この公告を怠り、または不正の公告をしたときは、過料に処せられる（§84の3Ⅰ⑦）。

　〔4〕　72条参照。

　〔5〕　これは公益法人の清算中の破産に関する特則であって、一般の破産にあっては、破産者が破産債権者を害することを知り、かつ相手方がその事実を知っていた場合か、引渡しが支払停止または破産の申立ての後になされた場合でなければ、これを否認できない（破§160Ⅰ①・②）。

（裁判所による監督）

第八十二条

1　法人の解散及び清算は、裁判所の監督に属する[1]。

2　裁判所は、職権で、いつでも前項の監督に必要な検査をすることができる[2]。

［原条文］

　法人ノ解散及ヒ清算ハ裁判所ノ監督ニ属ス

　裁判所ハ何時ニテモ職権ヲ以テ前項ノ監督ニ必要ナル検査ヲ為スコトヲ得

〔対応する新規定〕　法人法§216参照

　〔1〕　監督機関が主務官庁から裁判所に変わるのである。**非訟事件手続法35条2項・36条**参照。

　〔2〕　**非訟事件手続法40条**。この検査を妨げると過料に処せられる（§84の3Ⅰ③）。

旧法人規定に関する第1版の注釈［後注］

（清算結了の届出）
第八十三条
　　清算が結了したときは、清算人は、その旨を主務官庁[1]に届け出なければならない[2]。
［原条文］
　　清算カ結了シタルトキハ清算人ハ之ヲ主務官庁ニ届出ツルコトヲ要ス
〔対応する新規定〕　法人法§240

　　〔1〕　34条〔5〕参照。
　　〔2〕　法人の法人格は清算の結了（完了）によって消滅する。届け出はその事実を報告するだけの意味を持つ。破産手続が終結した場合には、裁判所書記官が登記の嘱託をする（破§257 Ⅶ）。

第4節　補　　則
　〈改正〉　1991年の改正により、本節が「主務官庁の権限の委任」として新設され、1999年の改正により、節名が変更された。

（主務官庁の権限の委任）
第八十四条
　　この章に規定する主務官庁の権限は、政令で定めるところにより、その全部又は一部を国に所属する行政庁に委任することができる[1]。
〈改正〉　1991年の改正により、本条が§83の2として追加され、1994年の改正により、「国ニ所属スル」が追加された。
［2004年改正前条文］
　　第八十三条ノ二
　　　本章ニ定メタル主務官庁ノ権限ハ政令ノ定ムル所ニ依リ其全部又ハ一部ヲ国ニ所属スル行政庁ニ委任スルコトヲ得

　　〔1〕　本条は、国と地方の権限の分配に関するいわゆる「行政改革」の一環として、1991年に制定された「行政事務に関する国と地方の関係等の整理及び合理化に関する法律」（平成3年法律79号）により民法中に新設された条文である。基本的な市民法典のなかにこのような行政上の権限分配の条項が入れられることは、大いに疑問である。

（都道府県の執行機関による主務官庁の事務の処理）
第八十四条の二[1]
　1　この章に規定する主務官庁の権限に属する事務は、政令で定めるところにより、都道府県の知事その他の執行機関（以下、「都道府県の執行機関」という。）においてその全部又は一部を処理することとすることができる。
　2　前項の場合において、主務官庁は、政令で定めるところにより、法人に対する監督上の命令又は設立の許可の取消しについて、都道府県の執行機関に対し指示をすることができる。
　3　第一項の場合において、主務官庁は、都道府県の執行機関がその事務を処理するに当たってよるべき基準を定めることができる。

第1編　第3章　法人

4　主務官庁が前項の基準を定めたときは、これを告示しなければならない。

〈改正〉　1991年の改正により、本条が§83の3として追加された。

[2004年改正前条文]

　第八十三条ノ三

　　本章ニ定メタル主務官庁ノ権限ニ属スル事務ハ政令ノ定ムル所ニ依リ都道府県ノ知事其他
　　ノ執行機関ニ於テ其全部又ハ一部ヲ処理スルコトトスルコトヲ得
　　前項ノ場合ニ於テ主務官庁ハ政令ノ定ムル所ニ依リ法人ニ対スル監督上ノ命令又ハ設立許
　　可ノ取消ニ付キ都道府県ノ執行機関ニ対シ指示ヲ為スコトヲ得
　　第一項ノ場合ニ於テ主務官庁ハ都道府県ノ執行機関ガ其事務ヲ処理スルニ当リテ依ルベキ
　　基準ヲ定ムルコトヲ得
　　主務官庁ガ前項ノ基準ヲ定メタルトキハ之ヲ告示スルコトヲ要ス

〔1〕　本条は、いわゆる「地方分権」の一環として、1999年に制定された「地方分権の推
進を図るための関係法律の整備等に関する法律」（平成11年法律87号）により新設された
条文である。84条と同様に、このような条文が民法のなかにおかれることには、疑問がある
（§84〔1〕参照）。

第5節　罰　　則

〈改正〉　1991年の改正により、第4節が第5節に改められた。

〔違反に対する過料〕
第八十四条の三

1　法人の理事、監事又は清算人は、次の各号のいずれかに該当する場合には、五十万円
　以下の過料[1]に処する[2]。
　一　この章に規定する登記を怠ったとき[3]。
　二　第五十一条の規定に違反し、又は財産目録若しくは社員名簿に不正の記載をしたと
　　き[4]。
　三　第六十七条第三項又は第八十二条第二項の規定による主務官庁、その権限の委任を
　　受けた国に所属する行政庁若しくはその権限に属する事務を処理する都道府県の執行
　　機関又は裁判所の検査を妨げたとき[5]。
　四　第六十七条第二項の規定による主務官庁又はその権限の委任を受けた国に所属する
　　行政庁若しくはその権限に属する事務を処理する都道府県の執行機関の監督上の命令
　　に違反したとき[6]。
　五　官庁、主務官庁の権限に属する事務を処理する都道府県の執行機関又は総会に対し、
　　不実の申立てをし、又は事実を隠ぺいしたとき[7]。
　六　第七十条第二項又は第八十一条第一項の規定による破産手続開始の申立てを怠った
　　とき[8]。
　七　第七十九条第一項又は第八十一条第一項の公告を怠り、又は不正の公告をしたと
　　き[9]。
2　第三十五条の規定に違反した者は、十万円以下の過料に処する[1][2]。

[原条文]

　第八十四条

旧法人規定に関する第1版の注釈［後注］

法人ノ理事、監事又ハ清算人ハ左ノ場合ニ於テハ五円以上二百円以下ノ過料ニ処セラル
一　本章ニ定メタル登記ヲ為スコトヲ怠リタルトキ
二　第五十一条ノ規定ニ違反シ又ハ財産目録若クハ社員名簿ニ不正ノ記載ヲ為シタルトキ
三　第六十七条又ハ第八十二条ノ場合ニ於テ主務官庁174C又ハ裁判所ノ検査ヲ妨ケタルトキ
四　官庁又ハ総会ニ対シ不実ノ申立ヲ為シ又ハ事実ヲ隠蔽シタルトキ
五　第七十条又ハ第八十一条ノ規定ニ反シ破産宣告ノ請求ヲ為スコトヲ怠リタルトキ
六　第七十九条又ハ第八十一条ニ定メタル公告ヲ為スコトヲ怠リ又ハ不正ノ公告ヲ為シタルトキ

〈改正〉　1979年の改正により、本文の「五円以上二百円」が「十万円」に改められ、§84の2としてつぎの条文が追加された。

「第三十四条ノ二ノ規定ニ違反シタル者ハ十万円以下ノ過料ニ処セラル」

1991年の改正により、本文の「十万円」が「五十万円」に改められ、3号の*の個所に「若クハ其権限ノ委任ヲ受ケタル**行政庁***」が加えられ、3号の後に、3号の2としてつぎの号が加えられた。

「主務官庁又ハ其権限ノ委任ヲ受ケタル**行政庁***ノ監督上ノ命令ニ違反シタルトキ」

1999年の改正により、3号と3号の2の**の個所に「国ニ所属スル」、***の個所に「若クハ其権限ニ属スル事務ヲ処理スル都道府県ノ執行機関」が加えられた（1991年改正による「若クハ」は、「、」に変更。4号にも同様の修正がある）。

2004年改正により、§84と§84の2が合体されて、§84の3となり、号数が整序された。

〔対応する新規定〕　法人法§§334〜344

〔1〕　「過料」とは、強制罰の一種（秩序罰、執行罰、懲戒罰などの性質を持つ）であるが、刑罰である罰金・科料と区別される。「かりょう」と読むが、「科料」（俗に「とがりょう」とも読む）と区別するために「あやまちりょう」と読むならわしもある。刑ではないので、刑法総則、刑事訴訟法の適用はない。

〔2〕　事件の管轄・裁判手続については、非訟事件手続法162条〜164条参照。

〔3〕　45条〔3〕、46条〔8〕、48条〔1〕、49条〔1〕、77条〔3〕参照。「登記を怠る」とは、責めに帰すべき事由によって必要な登記手続を行わない場合を意味する。数個の事務所の所在地でしなければならない登記を怠った場合には、数個の違反として、それぞれにつき過料に処せられる（大判明治40・8・6民録13輯841頁）。

〔4〕　51条〔5〕参照。

〔5〕　67条〔4〕・〔5〕、82条〔2〕参照。

〔6〕　84条の2〔1〕参照。

〔7〕　67条〔5〕参照。

〔8〕　70条〔3〕、81条〔2〕参照。

〔9〕　79条〔1〕、81条〔3〕参照。

第1編　第4章　物

第4章　　物

〈改正〉　2004年改正により、第3章が第4章になった。2017年に、無記名債権に関する86条
　　　　3項が削除された。

1　本章の内容
　本章は、物の定義(§85)のほか、動産・不動産(§86)、主物・従物(§87)、元物・果
実(§§88・89)の3種の種類別に関する規定を含む。
　本章の「物」は、ドイツ民法(§§90〜)のSacheに類似した観念であり、「物」をも
っぱら「有体物」に限っている。このような制限的な態度に対しては、学説の批判が
ある(§85〔1〕参照)。

2　本章の規定の意義
　「物」は権利の目的物として、また、客体として特別の地位を有する。もっとも、
「物」が権利の目的物となる場合にも、そのなり方にはいろいろある。物が物権の目
的物となるとき、たとえば一定の土地が所有権の目的物となるときは、所有権は土地
に直接の支配力を及ぼす。これに反して、「物」が債権の目的物となるとき、たとえ
ば買主が一定の土地の引渡しを請求する債権を有するときは、債権は、直接には債務
者すなわち売主の引渡行為をその目的とし、土地に対しては間接の効力を及ぼすにす
ぎない。したがって、「物」が権利の目的物となるといっても、その権利の種類によ
って目的物となる態様は同一ではない。しかし、他方また、物の種類のいかんは、こ
れを直接・間接に目的物とする権利の内容に対して影響する場合がきわめて多い。た
とえば、「物」が動産であるかまたは不動産であるかによって、それを目的とする所
有権やそのほかの物権の得喪の法律関係、とくに対抗要件がいちじるしく異なる(§§
177・178)。のみならず、それを目的とする債権、たとえば賃借権の効力においてもい
ちじるしく異なる(§§605〔改注〕・617参照、なお§602〔改注〕)。したがって、「物」の観
念を定め、その主要な種類を明らかにしておくことは、民法の全編に関係のある基本
的な事項である。これが、民法典が総則編に「物」の章を設けた理由である。

3　物の種類
　本章の認める3種の区別のほかにも、学者は、物について、およそつぎのような分
類をしている。それぞれの説明の末尾に参照として示した条文などの関連で、この区
別が意味を持ってくる。
　(1)　融通物・不融通物
　融通物とは、私法上取引の客体とすることのできる物であり、これに対して、不融
通物とは、私法上取引の客体となることのできない物である。不融通物は、さらに、
　(a)公有物　官庁の建物のように国家公共団体の所有に属する物で公の目的に使用さ

れる物、

　(b)公用物　河川(河川§§2・3)・道路(道路§§2Ⅰ・4)のように公衆の一般的使用に供される物、

　(c)禁制物　あへん煙(刑§§136〜)、偽造・変造の通貨(刑§§148〜)のように、法令の規定によって取引を禁止される物、に分けられる(§162〔7〕・§177〔1〕参照)。

　(2)　可分物・不可分物

　金銭・土地などのように、その性質および価値をいちじるしく損することなしに分割できるものが可分物であり、そうでないものが不可分物である(§§427〜・258参照)。

　(3)　消費物・非消費物

　その物の用法に従って使用を繰り返すことができる物、たとえば土地・建物・機械などが非消費物であり、たとえば飲食物・肥料などのように、1回の使用でその存在を失い、また、金銭のように1回の使用で主体を変じ、同一主体が繰り返して使用のできない物が消費物である(§§587・593 [改注]・601 [改注]・666 [改注] 参照)。

　(4)　代替物・不代替物

　一般の取引において、その物の性質上、個性に着眼される物、たとえば書画・古書・土地・建物などは不代替物であり、そうでない物、たとえば金銭・新刊書などは代替物である(§§587・666 [改注] 参照)。

　(5)　特定物・不特定物

　具体的な取引に当たって当事者が物の個性に着眼して、たとえばこの桶の酒、この封印した貨幣というふうに取引をした場合には、その物は特定物であり、そうでない場合は不特定物である。代替物・不代替物の区別が物の性質上の区別であるのに対し、この区別は当該の個別取引上の区別である(§§400 [改注] 〜403・483 [改注]・484 [改注]・改正前534参照)。したがって、上の例のように、代替物を当事者が取引上特定物として定めることがありうるのである。

（定義）

第八十五条
　　この法律[2]において「物」とは、有体物[1]をいう。

［原条文］
　　本法ニ於テ物トハ有体物ヲ謂フ

〔1〕　「有体物」とは、字義通りには空間の一部を占めるもの、すなわち液体・気体・固体のいずれかに属するものを意味する。しかし、この字義通りに本条を解釈する理論に対しては、学説も判例も立法も、しだいにこれを拡張しようとする傾向を示している。これは、ドイツ民法系の法制の近時の傾向と歩調を同一にするものであって、注目すべき点である。つぎに主要な論点を指摘しておく。

　㋐　刑法上、電気は窃盗の客体となりうるであろうか。旧刑法(1880年) 366条には、「人ノ所有物ヲ窃取シタル者ハ窃盗ノ罪トナシ……」とあったので、有体物でない電気の窃取は「所有物」の窃取とならず、したがって、電気窃盗は窃盗罪を構成しない

第1編　第4章　物

といってよいかどうかが問題となった。大審院は、電流は有体物ではないが五感の作用でその存在を認識でき、これを容器に収容し、蓄積して持ち運ぶこともでき、このように可動性と管理可能性とを併有するから、窃盗罪の成立に必要な窃取の要件をみたすことができる、という理論で電気を盗用した者を処罰した（大判明治36・5・21刑録9輯874頁）。この判決に対しては、当時の学説はむしろ反対説が多かったが、その後、刑法が改正され、1907年の刑法245条は、「本章ノ罪（窃盗及び強盗の罪）ニ付テハ電気ハ之ヲ財物ト看做ス」（現行の改正刑法では、「この章の罪については、電気は、財物とみなす」）と明定した。したがって、こと電気に関する限り、問題は立法的に解決をみたのである。しかし、熱・光・冷気などについて、今後問題を生じる余地はある。

　学者の中には、上の判決と刑法245条の規定とから、刑法上の「財物」は管理可能性を本質とするものであるから、電気のほか、熱・光・冷気などの自然力もこれに包含されると主張する者もある。

　(イ)　民法に関しては、刑法におけるよりも、学説ははるかに寛容である。すなわち、85条に「有体物」というのは、物理学上の概念ではなく、五感に触れることができるもので法律上の排他的支配が可能なものは、ことごとく「有体物」であると解する学者が少なくない。のみならず、「有体物」の意義を物理学的に解する者も、民法の規定の適用に当たっては、物に関する規定は広くこれを電気そのほかの自然力に類推適用するべきであると論じる。したがって、本条の規定は、法律的支配の可能な自然力に関してはほとんど障害にならない。判例も、電気の供給から生じた料金債権について、削除前173条1号を適用する（大判昭和12・6・29民集16巻1014頁）。

　(ウ)　「有体物」という概念は、さらに形態的に1個の物を意味するから、数多くの物の集合体、ことに無形の因素を含む財産の集団のようなものを1個の物とみることはできない、というのが通説の考えである。この場合の「物」の概念は、いわゆる「一物一権主義」との関連において、物権の対象としての物を想定して考えられているのである。しかし、いわゆる集合物を1個の物として、その上に担保物権の成立を認めるべき経済的必要性は、わが国においてもきわめて顕著に現われたので、とくにこの目的のために多くの特別法が制定されている。各種の財団抵当法が定める財団（工場財団、鉄道財団など）がその代表的な例である（§369〔1〕参照）。なお、特別の立法がない集合物についても、経済界でこれを単一体として取引の客体とされている場合には、なおこれを1個の物に近いものとして取扱う必要性が高まっており、いわゆる「集合動産」に対する譲渡担保を認める判例が現われ（最判昭和54・2・15民集33巻51頁、最判昭和62・11・10民集41巻1559頁）、その後も続いている（なお、第2編第10章後注「譲渡担保」参照）。

　(エ)　なお、生きている人の身体は、有体物ではあるが、権利の客体としての「物」ではない。ただし、切り離された身体の一部、たとえば歯・毛髪など、および死体は物である。したがって、これらの物の上に所有権が成立すると考えて差し支えないが、その取扱いについては、公序良俗および葬祭・供養などに関する慣習に反しないことが必要である。判例も、たとえば遺骸の所有権を放棄することはできないといい（大判昭和2・5・27民集6巻307頁）、また、火葬に付した遺骨はもちろんのこと、残存す

るいわゆる金歯屑は骨揚げを終らない間は相続人の所有に属するが、一般市町村経営
の火葬場においては、骨揚げ後の骨灰中に残留する金歯屑は、死者の相続人において
所有権留保の意思表示をしない限り、慣例上、骨揚げを終わると同時に市町村の所有
に帰属するという（大刑判昭和14・3・7刑集18巻93頁）。

〔2〕 本条の定義は、民法上の物についてであるが、本条およびその解釈論は、広
く他の法令に関しても類推適用されている。

（不動産及び動産）
第八十六条
1　土地¹⁾及びその定着物²⁾は、不動産³⁾⁴⁾とする。
2　不動産以外の物は、すべて動産⁵⁾とする。

[改正前条文]
1、2　同上
3　無記名債権⁶⁾は、動産とみなす⁷⁾。

〈改正〉　2017年に改正された。3項の規定が削除された。附則（無記名債権に関する経過措
置）第四条　施行日前に生じたこの法律による改正前の民法（以下「旧法」という。）第八十
六条第三項に規定する無記名債権（その原因である法律行為が施行日前にされたものを含
む。）については、なお従前の例による。

[改正の趣旨]　3項の削除後の法律関係については、520条の20を参照。無記名債権も有価
証券であるから、新法では3項を削除し、これについては記名式所持人払証券の規律を準用
することとした。本条の文言を有価証券法理に合わせる形で読み替え、さらに商法の規定で
補完する通説的見解に従った改正といえる。

[原条文]
土地及ヒ其定著物ハ之ヲ不動産トス
此他ノ物ハ総テ之ヲ動産トス
無記名債権ハ之ヲ動産ト看做ス

[改正前条文の解説]
本条は、物を不動産と動産とに分類する。民法上、不動産と動産とは、いちじるし
くその取扱いを異にするから、重要な規定である。

〔1〕　「土地」とは、一定の範囲の地面に、合理的な範囲において、その上下（空中
と地中）を包含させたものである。

㋐　したがって、地中の岩石・土砂は土地の一部分であって、土地と別個の物では
ない。ただ、鉱業法は「国は、まだ採掘されない鉱物について、これを掘採し、及び
取得する権利を賦与する権能を有する」と規定するから（鉱業§2）、同法で鉱物として
列挙された物（鉱業§3参照）は、土地と離れて別個の物としての存在を有することにな
る。その列挙に入っていない石材（後述する建築用石材を除く）などは、未掘採の状態に
おいては土地の一部分にすぎないから、つねに土地所有者の所有に属し、第三者は独
立してその上に所有権を取得することはできない。したがって、そのような未掘採の
石材を目的とする売買によっては、買主は、その土地の石材を採取する債権を取得で
きるが、その所有権を取得することはできない。判例は、鉱業法の解釈として、珪石

についてこの理論を示した(大判大正7・3・13民録24輯523頁)。なお、1950年に立法された採石法は、鉱業法の列挙外の建築用などに用いられる岩石について、鉱業法と同じように、採取者の権利を確保することを目的として制定されたものである。

　(イ)　なお、土地については、その個数が問題になる。それは自然的分界にもよらず、使用の単位にもよらず、もっぱら帳簿(かつての土地台帳、従来の土地登記簿表題部。2004年改正については、§177⟨4⟩・⟨5⟩参照)上の分界線によって定められる(とはいえ、これに付属する測量図としては、かねてより「公図」と呼ばれるものがあり、また、現在は不動産登記法旧§17・18により「地図及ビ建物所在図」が備えられるべきものとされているが、いずれも不十分なものである場合が多く、わが国の土地制度の大きな弱点となっている。2004年の改正により、§14となったが、将来は電磁的記録に記録することとされている)。それは〇〇町〇番地(分筆があれば〇番地の1・2というように、枝番号が用いられる)というふうに指示される。これを「地番」という。地番と類似するものに「住居表示」がある。これは、「住居表示に関する法律」(昭和37年法律119号)により定められたもので、人の住居を表示する手段であって、町村や字の名(都市では「〇〇何丁目」という例が多い)までは地番と一致するが、そのあとの〇番〇号は土地の「地番」とは一致しない。

　土地の個数は1筆・2筆というふうに数えられる。登記簿上1筆の土地の部分であっても、客観的に特定できる一部について取引の対象とすることができるとする判例がある(第2編解説⟨3⟩(1)(ウ)参照)。

　なお、2005年の不動産登記法改正(平成17年法律29号)により、「筆界」という概念が定められ、「筆界特定制度」という制度が創設されて(不登§§132・147・148)、実施されている。これは、所有権の対象となる土地に関する私法上の概念としての「境界」とは別個の概念であり、それがどのような作用を営むかについては注意が必要である。なお、224条⟨2⟩および696条⟨1⟩(ウ)参照。

　(ウ)　海面は所有権の目的となる土地ではないとした判決がある(最判昭和61・12・16民集40巻1236頁。竣工未認可の埋立地について、所有権の対象にならないとした最判平成17・12・16民集59巻2931頁。ただし、取得時効に関して、§162⟨7⟩参照)。ただし、海状態にあるからといって土地ではないといえないとした例もあり(最判昭和52・12・12判時878号65頁)、実際の状況に応じた慎重な判断が必要である。

　〔2〕　土地の「定着物」とは、土地に付着させられ、かつ、その土地に継続的に付着させられた状態で使用されるのがその物の取引上の性質であるものをいう。建物その他の工作物は土地定着物の適例である。植栽された樹木は定着物であるが、仮植中のものは定着物ではない(大判大正10・8・10民録27輯1480頁)。また、工場内に据え付けた機械も、大規模の基礎工事によって土地に固着させられると、定着物になる(大判明治35・1・27民録8輯1巻77頁)。しかし、機械が、使用するさい動揺しないように建物の一部または基礎工事にボルト・釘・スパイクなどで固定されただけでは、まだ定着物とはいえないとされた(大判昭和4・10・19新聞3081号15頁)。

　なお、肥料や種子が土地にほどこされ、蒔かれた場合には定着物ではなく、土地そのものの構成部分になると解される(§242⟨5⟩参照)。

　〔3〕　土地の定着物は、ことごとく不動産であるが、その取扱いは二つに大別され

§86〔2〕〔3〕

る。それは、建物のように土地と離れた独立の不動産とされる場合と、土地の一部と
される場合とである。欧米はじめ諸外国においては、「地上物は土地に属する」(ラテ
ン語の法諺で superficies solo cedit という)という原則が確立しているので、そのようなこ
とは原則としてなく、建物をはじめ、すべての定着物は、原則として、土地に属する
ものとされ、土地所有権の目的となる。建物を土地と離れた独立の不動産とするのは、
わが国独特の取扱いである。

　(ア)　建物は、つねに独立の不動産とされる。登記法上も、土地と別個の登記をする。
これは、わが国の慣行に基づく一つの特色であるが、土地との関係でいろいろな問題
を生じる。

　　(a)　建物を土地と別個の不動産とする扱いは、わが国固有の慣行に基づくと説明
されるが、必ずしもそうではない。徳川以来の旧慣についても、土地建物を一体と
する例、別個とする例の両方が報告されているし、なによりも近代的取引にとって
どちらが適合するかが問われなければならない。そもそも、旧民法で用いられた
「不動産」の概念は、土地とその地上の建物を一体としてとらえたものであり、そ
のようにとらえるのが単なる西欧の模倣ではなくて基本的に重要であることは、ボ
アソナードによってはっきりと認識されていた。これを承継した現民法の「不動
産」の概念も、原案が作成された当時の起草委員の理解では、土地・建物一体のも
のと考えられていたようであり、民法中にも、両者を別個の不動産とする規定はま
ったく存在しない。ただ一つだけ、370条〔改注〕のみに、原案にはない、法典調
査会での審理過程で挿入された「抵当地ノ上ニ存スル建物ヲ除ク外」という語句が
あり、審議のさいに行われた、土地抵当権者は建物を競売できないとした論議を反
映している(これらの点については、§388 前注を参照)。

　　明治以後わが国で土地と建物が別個とされた根拠は、結局推測すると、地券制度
(1872年)が作られたときに、それが土地からの徴税を主な目的としたため建物のこ
とが念頭になかったこと、そのことが尾を引いて旧登記法(1886年)の制定に当たっ
て土地登記簿と建物登記簿が別個に作成されたことにあると考えられる。いわば、
不動産制度という重要な制度の在り方について深い検討のないまま既成事実となっ
てしまったものであって、その結果、その後の経過のなかで(c)に述べるようなさま
ざまな矛盾、難点が生じていることが悔やまれる。

　　なお、建物を土地と別の所有権の目的とする必要がある場合のドイツ法における
工夫について述べておくと、物権としての地上権を設定し、土地登記簿にその旨記
載し、地上権登記簿を設けてそれに登記する。建物がその地上権に属するとされる。
こうして、建物が存立根拠を失うという事態が避けられ、建物が土地にとって邪魔
な存在になるという、わが国におけるような矛盾が除かれている。

　　(b)　建物の建造の途中、いつから独立の不動産になるかが問題になる。基礎工事
の程度では土地の一部分とみられるが、建物とみられる程度に達すると、完成前で
もなお独立の不動産となる。その時点を境にして、差押えの手続、譲渡、権利設定
の方式などが違ってくる(§177〔1〕(イ)参照)。建築中の建物が不動産になる時期につ
いて、判例はつぎのようにいう。

175

第1編　第4章　物

　木材を組み立てて地上に定着させ屋根を葺き上げただけでは、まだ法律上建物とはいえない(大判大正15・2・22民集5巻99頁)。単に切り組みを済まし、降雨を凌ぐことができる程度に屋根葺きを終わっただけで、荒壁の仕事に着手したかどうかもはっきりしない時期には、まだ建物とはいえない(大判昭和8・3・24民集12巻490頁)。しかし、建物はその使用の目的に応じて構造を異にする。建物の目的からみて使用に適する構造部分を具備する程度になれば、建物ということができ、完成以前でも登記ができる。住宅用でないものは、屋根および囲壁ができれば、床や天井などはできていなくても建物とみることができる(大判昭和10・10・1民集14巻1671頁)。

　なお、建物についても、その独立性すなわち個数が問題となるが、それはもっぱら社会観念によって決まると考えられる(大判昭和7・6・9民集11巻1341頁)。もっとも、実際には登記上の取扱いによって定まる事柄でもある(§177(5)参照)。

　(c)　一番の問題は、建物の権利関係と土地の権利関係が交錯することである。建物は、どのような場合にも、その土地の上の所有権その他の権利に吸収されることはない。同一人が土地とその上の建物とを有する場合にも、土地と建物とは別個の所有権の客体となる。したがって、その一方の処分は、特別の契約がない限り、原則として他方には及ばない。同様に、他人の土地の上に建物を建造した場合に、たとえ土地を利用する権限がない者が建てた場合でも、建物の所有権は建造者がこれを取得する(§242参照)。ただし、土地利用権限がない以上、土地所有者から土地明渡しの請求を受けることは、もちろんである。他人の土地の上において建物を正当に所有するためには、普通は、賃借権または地上権が設定される。

　土地と建物が別個の不動産とされる結果、両者の権利関係がこのように錯綜し、矛盾した状態を生ずる。そのために、たとえ立派な建物でも、土地利用権限がなければ、無価値であり、土地は「更地」(その地上になんの建造物も存しない状態の土地をいう)である場合に最も価値があるとされる倒錯した状況が現出しているのである。

　(d)　この土地とその地上建物との矛盾を解消させていく立法上の方策としては、両者が同一の所有者に属する場合には、建物登記簿への登記は閉鎖して、土地登記簿への記載に一本化すること、解釈上の工夫としては、両者をなるべく一体として扱う解釈に努めることが必要であると考えられる(§388前注参照)。

　(イ)　植栽された樹木は、わが国の慣習では、土地から独立したものとして取引されることがしばしばあった。それにもかかわらず、民法は、これを土地と一体をなすものとみて、登記法上も立木の特別の登記を認めなかった。したがって、土地の所有権と離して立木だけの取引をするには、土地の上に賃借権または地上権を設定し、この権利を登記するほかはなかった。しかし、これは慣習に反し、取引上いちじるしく不便であったので、1909年(明治42年)の「立木ニ関スル法律」(法律22号)によって、樹木の集団については立木登記という特別の登記を認め、この登記を経た樹木の集団は、つねに土地所有権と離れた独立の不動産として取り扱われることになった。この法律は、はじめは植栽された樹木の集団に限り、天然林に及ばなかったが、1931年(昭和6年)になって天然林についても登記が認められた。

　立木法制定の後も、立木登記をしない樹木(この場合は、「立木」と書いても「たちき」

と読むのが通例である）の集団および個々の樹木は、なお独立の存在を有しないものとされた。しかし、この状態は取引界の実際の必要に適しないものであった。取引界は、しばしば立木登記をしない樹木の集団を独立の物として取引の目的とし、また、稀には個々の樹木でも独立の取引の目的物とする。そして、これらの場合には、取引のあったことを明示するために、あるいは樹皮を削り、あるいは標木を立てて、これに所有者の氏名を墨書する（これを「明認方法」と呼ぶ）を常とする。そこで判例は、この慣行を尊重して、立木登記をしない樹木の集団または独立の取引価値ある個々の樹木は、一般には土地の一部として取り扱われるが、当事者がとくにこれについて物権的処分をしようとする——すなわち、土地は売らずに樹木だけを売るとか、土地は売るが樹木の所有権は保留するという——ときには、その生育する土地から離れた独立の物となり、単に当事者間で所有権の移動を生じる（大判大正5・3・11民録22輯739頁）だけでなく、これについていわゆる「明認方法」をほどこすことによって第三者に対抗することもできる、という原則を明らかにするに至った。明認方法の対抗力については、177条〔10〕(イ)参照。

　(ウ)　建物および立木以外の土地の定着物は、ことごとく土地と一体をなすものとして取り扱われる。したがって、土地の上の権利の変動は、これに定着した機械・橋・溝・石垣などに及ぶ。

　〔4〕　動産と不動産の民法上の差異のうち、重要なものが二つある。その第1は、不動産は一般に動産より経済的な価値が多いと考えられていることである（§13〔6〕参照）。第2には、動産物権の公示方法が占有であるのに対し、不動産物権の公示方法には登記制度が採用されていることである（§§177・178・352参照）。なお、民法以外にも、たとえば民事訴訟法上、不動産に関する訴えは、不動産所在地の裁判所にこれを提起することができるとされ（民訴§5⑫）、税法上、不動産については、固定資産税や不動産取得税の対象となるなどの扱いがなされる（地税§§73～・341～）。

　〔5〕　不動産以外の有体物は、すべて「動産」である。仮植中の樹木、定着しない機械なども動産である。注目するべきは、みかん・くわの葉などの果実に関する判例である。これらの物は、本来、樹木または土地の一部とみるべきものであるが、それが成熟して採取の時期に達したときは、樹木または土地と離れた独立の動産として取引できるものとされる。そして、その結果、買主は果実の所有権を取得し、その所有権の変動を第三者に対抗するためには、樹木の売買の場合と同じく、「明認方法」を講じるべきものとされる（大判大正5・9・20民録22輯1440頁［雲州みかん事件］、雲州は温州の誤まりか？）。なお、製造物責任法2条1項参照。

　〔6〕　本条の解説〔6〕および〔7〕については、新法下においては、新520条の20も参照。「無記名債権」とは、「指名債権」に対する「証券的債権」の一つの態様を指す。指名債権とは、債権者がだれそれと特定している債権であり、その債権について作成される書面は「証書」と呼ばれ、証拠としての意味をもち、証券のように債権者を特定する手段という意味を持たない。譲渡は467条［改注］・468条［改注］により行われる。証券的債権とは、その債権を体現した「証券」を手段として始めて債権者が特定される債権であり、譲渡は証券を手段として行われる。証券的債権のうち、証券に

第1編　第4章　物

債権者の氏名の記載がなく、その正当な所持人をもって債権者とする債権が「無記名債権」である。

〔7〕　無記名債権を動産と「みなす」とは、無記名債権をその体現である証券と一体をなすものとみなし、その証券が動産として取引の目的物とされる場合には、無記名債権もこれに追随するものとみよう、という趣旨である。動産に関する規定の適用を受ける最も重要な事例は、譲渡の対抗要件に関する 178 条と無権限者からの取得に関する 192 条とである。ただし、後の点については、盗品または遺失物である無記名債権に関して重要な問題がある（§192⑵(イ)、§193⑵参照）。そのほか、民法上は譲渡に関する削除前 473 条の規定などがあるが、無記名債権については、むしろ商法、手形法、小切手法などの定める「有価証券」に関する規定を重視する必要がある。

■（主物及び従物）
第八十七条
　　1　物の所有者が、その物の常用に供する[1]ため、自己の所有に属する他の物[2]
　　　をこれに附属[3]させたときは、その附属させた物を従物とする。
　　2　従物は、主物の処分に従う[4][5]。
［原条文］
　　物ノ所有者カ其物ノ常用ニ供スル為メ自己ノ所有ニ属スル他ノ物ヲ以テ之ニ附属セシメ
　　タルトキハ其附属セシメタル物ヲ従物トス
　　従物ハ主物ノ処分ニ随フ

〔1〕　「常用に供する」とは、臨時の用に供するのではないという意味であって、必ずしも永久という意味ではない。

〔2〕　「自己の所有に属する他の物」とは、二つの物が同一の所有者に属し、また、二つの物が独立した存在でなければならないことを示すと解されている。

〔3〕　「附属」（以下では、「付属」と表記する）とは、従物が主物に従属すると認められる程度の、場所的関係に置かれることをいう。両者が結合して一体となるに至るときは、主物・従物の関係は成り立たない。

　(a)　取引上、通常問題となる従物の例は、建物に付属する畳建具・家具・障子、土地に付属する庭石・石どうろうの類（たぐい）である（後述〔4〕参照）。大判昭和 5・12・18（民集 9 巻 1147 頁）は、畳建具は通常従物とされるが、雨戸・戸扉など建物の内外を遮断する建具類は建物の一部となるという判断を示す。いずれにしても当時における従物概念の内容はごく貧しいものといわざるをえない。

　(b)　なお、犯罪行為に供した匕首（あいくち）を没収する場合に（刑§19 参照）、鞘（さや）と袋とを従物として没収した例がある（大刑判昭和 2・8・23 評論 16 巻刑訴 204 頁）。また、船舶の属具目録に記載された物は、その従物と推定される（商§685）。

　(c)　重要な従物は、工場に付置された機械器具であり、農場で使用される農機具類である。前者については、工場抵当法（1905 年）2 条が立法上の手当てを行い、工場に設定された抵当権は工場用に供された物件に及ぶ旨を規定した（§369⑴）、改正

§§86〔7〕・87・88〔1〕

前§370(2)参照)。

〔4〕 従物が「主物の処分に従う」のは、単に主物についての債権的契約にさいしてだけではなく、その物権的処分にさいしてもそうである。これに関して最も問題となったのは、主物である家屋の上の抵当権の効力が、従物である畳や建具に及ぶかどうかであった(§370〔改注〕参照)。判例ははじめ、抵当権は動産の上には成立することはできないという理由でこれを否定したが(大判明治39・5・23民録12輯880頁)、後に連合部の判決でこれを改めた(大連判大正8・3・15民録25輯473頁)。しかし、その理由は、主物に関する抵当権の設定という処分行為は、これに付属する従物にもその効力を及ぼすということ、つまり処分者の意思の推測にあった。したがって、抵当権設定の後に付属させた従物には、抵当権の効力は及ばないことになる。これに対しては、抵当権は客観的にみて経済的一体性を有するものを把握するということで、設定後の従物にも及ぶとするのが近時では有力である(詳細については、改正前§370(2)(イ)を参照)。

〔5〕 主物と従物とは物に関する規定であるが、本条は権利についても準用される。これを「従たる権利」と呼ぶ。

(a) たとえば、建物が競売された場合に、その建物のために借地権があれば、それも競落人(現在では、民事執行法により「買受人」と呼ばれる)に移転する(土地所有者に対して対抗できるかは別問題)と解される(大判昭和2・4・25民集6巻182頁)。

(b) 地役権において、要役地の所有権が移転されれば、地役権も移転するとされるのもこの理による(§281)。

(c) また、元本債権と利息債権との関係についても、すでに生じた利息債権は独立のものであるが、将来生じるべき利息債権は元本債権に従属して、これと運命を同じくするのを原則とし、その利息が法定利息か約定利息かで区別されるべきではない、と解される(大判大正10・11・15民録27輯1959頁)。なお、すでに生じた利息債権についても、元本債権が譲渡された場合には、反対の証拠がない限りは一緒に譲渡されたと認めるのが正当であるとする判決があるが(大判昭和2・10・22新聞2767号16頁)、学説にはこれを支持しないものが多い。

(天然果実及び法定果実)
第八十八条
　1　物の用法に従い[1]収取する産出物[2]を天然果実とする。
　2　物の使用の対価[3]として受けるべき金銭その他の物を法定果実[4]とする。
〔原条文〕
　　物ノ用方ニ従ヒ収取スル産出物ヲ天然果実トス
　　物ノ使用ノ対価トシテ受クヘキ金銭其他ノ物ヲ法定果実トス

〔1〕「用法に従い」とは、物の経済的目的に従って、という意味である。「天然果実」の例としては、果樹からとれる果実はいうまでもなく天然果実であるが、果樹そのものは、野菜などと異なり、土地の果実ではない。石山からとれる石材は果実であるが、たまたま庭先から出てきた石材は、用法(原条文では「用方」)に従った産出物で

179

第1編　第4章　物

はないから、果実ではない。

〔2〕　「産出物」とは、牛乳・羊毛・野菜などのように有機的に産出されるものが普通であるが、鉱区から採取される鉱石のように、元物である土地から無機的に採取されるものも、一定の施業方法に従って取得される場合には、「産出物」ということができる。

〔3〕　「使用の対価」であるから、「元物の対価」すなわち売買代金と区別される。また、使用の「対価」であるから、たとえば100万円の借金を利息を含めて各月11万円、10か月の月賦で返すような場合(アドオン add-on 方式と呼ばれる)には、そのなかに使用の対価である利息と元物そのものの分割された一部の返済とが一体となって含まれていることになり、そのうちの後者に該当する部分は、法定果実ではないことを注意するべきである。なお、株主に対する配当が使用の対価であるかについては、〔4〕参照。

〔4〕　「法定果実」の例としては、金銭使用の対価である利息(利子といってもよい。この場合の元物である金銭を元本という)、田畑使用の対価である小作料、家屋使用の対価である家賃、宅地使用の対価である地代などがあげられる。株主に対する会社の利益配当が株式の法定果実であるかが、質権との関係においてしばしば問題になった。すなわち、それが法定果実であるとすれば、株式の上の質権者は配当を受けることができる(§§350・297参照)。判例および多数説は、法定果実と解してよいが、質権設定の対抗要件が問題であるとした(2005年の改正で削除された§364Ⅱ参照)。1938年(昭和13年)の商法の改正で、質権者の住所・氏名を株主名簿に登録し、かつ、その氏名を株券に記載すれば(登録質と呼ばれる)、質権者は、配当、残余財産の分配などを受けて自分の債権の弁済に当てることができることとされた(商旧§209参照)。2005年の会社法により、「登録株式質権者」という名称が付され、規定が整備された(会社§§146・154)。なお、改正前364条〔6〕参照。

▐ (果実の帰属)
　第八十九条
　　1　天然果実は、その元物から分離する時に、これを収取する権利を有する者[2]に帰属する[1]。
　　2　法定果実は、これを収取する権利の存続期間に応じて、日割計算によりこれを取得する[3]。
　[原条文]
　　天然果実ハ其元物ヨリ分離スル時ニ之ヲ収取スル権利ヲ有スル者ニ属ス
　　法定果実ハ之ヲ収取スル権利ノ存続期間日割ヲ以テ之ヲ取得ス

〔1〕　たとえば、実っているみかんのついたまま、みかんの木が譲渡されたような場合に、その後みかんが分離されれば、みかんはみかんの木の現在の所有者、すなわち譲受人に帰属する。

　天然果実が現実に分離する前に独立の物として処分された場合、たとえば、みかん

180

§§88〔2〕〜〔4〕・89

が未分離のまま樹木とは別個に売買されたような場合には、その処分の時に別個の所有権の客体となるのだから（§86〔5〕・§178〔4〕参照）、本条の適用はない。

　〔2〕　天然果実を収取する権利者は、元物（げんぶつ。がんぶつと読むこともある）の所有権者（§206）、賃借権者（§601〔改注〕）、地上権者（§265）、永小作権者（§270）、不動産である元物の質権者（§356）、などである。

　〔3〕　たとえば、貸家が月の半ばに売買されれば、月ぎめの家賃は売主と買主とで日割計算により分けるのである。法定果実が週・月または年をもって定められていても、その期間の途中で売買があれば、本項が適用されるのである（大判大正6・3・17民録23輯553頁）。

第1編　第5章　法律行為

第5章　法律行為

〈改正〉　2004年改正により、第4章が第5章になった。2017年に多くの条文が改正されたが、具体的には各節で述べる。なお、錯誤に関する95条の効果が、無効から取消しに変更されたことの影響は大きいので、注意が必要である。

① 本章の内容

本章は、法律行為のすべてに共通な法則を規定することを目的とする。「総則」、「意思表示」、「代理」、「無効及び取消し」、「条件及び期限」の5節を含む。法律行為の主要な部分を占める契約(「双方行為」、すなわち「双方的法律行為」のことをいう)については、民法は、第3編の第2章に「契約」と題する章を設け、その総則と贈与以下13種類の契約についての詳細な規定とを設けている(そこに規定されているものを、とくに債権契約と呼ぶ)。本章の規定は、これらの債権契約を含むすべての契約に適用される通則であることに注意するべきである。

② 法律行為の意義

本章の「法律行為」は、ドイツ民法のRechtsgeschäftと同一の概念であって、売買・貸借などのように、行為者が一定の法律効果を生じさせようとして行為をし、その欲した通りの効果を生じる行為である。

(ア)　私法上の法律効果を生じる行為には、適法な行為と違法な行為(不法行為と債務不履行)とがあるが、法律行為は、大体において、適法な行為と一致する。しかし、正確にいうと、適法な行為のうちには、少数の例ではあるが、行為者の意思の内容とそれから生じる法的効果の内容が一致しないものもある。たとえば、①遺失物の拾得(§240)、②債権譲渡の通知(§467 [改注])、③債務の履行の催告(§§412Ⅲ・541 [改注])などである。これらの行為は、法律行為と区別される。

(a)　上の①の例は、遺失物の拾得という事実上の行為からその物の所有権を取得するなどの効果を生じるのであって、拾得者の意思に効果を認めたものではない。この種のものを「事実行為」という。ほかに、無主物先占(§239)、埋蔵物発見(§241)、添付(§§242~)、事務管理(§§697~。他人の事務を管理するという行為から費用償還請求権などの効果を生じる。これについては、後述の準法律行為としてとらえる理解も可能である)などがある。

(b)　上の②の例は、債権譲渡という一定の事柄を通知するという行為によって債権譲渡が一定の対抗力を具えるなどの効果を生じるものであって、通知者の意思を問題とすることはない。この種のものを「観念の表示」という。ほかに、その意思がないのに行う代理権の授与の表示(§109 [改注])、時効中断の効果を生じる「債務の承認」(§§147③ [改注]・改正前156)、時効の援用(§145 [改注])、連帯債務者の一人による他の者への債権者から請求を受けた旨の通知、有償の行為をもって免責

を得たことの通知(§443)、債権譲渡への異議をとどめない承諾(改正前§468 I)などがある。

　(c)　上の③の例は、債務を履行して欲しいという債権者の意思を示す行為であるが、その意思に基づいて効果が生じるのではなく、結果として債務者を履行遅滞に陥れ、解除権が発生するなどの効果を生じる。この種のものを「意思の通知」という。各種の催告の規定(§§20・114・改正前153・408・493ただし書など)、抵当権消滅請求を受けた抵当権者による競売申立ての通知(§385)などにその例がみられる。

　(d)　このほかにも、「感情の表示」と呼ばれるものもあるが、現在はその例はみられないようである(旧法§814 Ⅱは離婚原因に関連して「宥恕」という概念を認めていたが、これに当たる)。

　以上のうち、(b)、(c)、(d)は「準法律行為」と呼ばれ、事柄によって法律行為の規定が類推適用されるものとされている。

　(イ)　売買や貸借などの法律行為が、行為者の欲した通りの効果を生じるというのは、じつは、その行為の両当事者が申込みと承諾とによって表示した意思の通りの効果を生じることである。ところで、この一定の法律効果を欲する意思を表示する行為を「意思表示」というから、法律行為は意思表示を構成要素とする適法な行為ということができる。

　(ウ)　申込みと承諾という二つの向き合った意思表示の合致したものを「契約」という。すなわち、契約は「双方行為」である。契約は、法律行為の主要な場合である。しかし、法律行為には、契約以外のものも含まれる。それは「単独行為」と「合同行為」とである。

　単独行為は、1個の意思表示で成立するもので、遺言(§§960～1027)、同意(§§5・13・17・20・737・824ただし書・825・859 Ⅱ参照)、取消し(§§120 [改注]～126)、解除(§§540～548 [改注])、相殺(§§505～512 [改注])、債務の免除(§519)などがこれに属する。一人の意思表示だけで法律効果を生じる単独行為を自由に認めるわけにはいかないので、上に示したようなそれぞれの根拠条文が存在する場合に限って効力が認められる(なお、§118参照)。

　合同行為は、契約のように複数の意思表示者が互いに向き合わないで、共同の目的に向かって、いわば平行しつつ合致する数個の意思表示によって成立するもので、社団法人の設立行為などがこれに属する。

③　法律行為の解釈

　法律行為については、「法律行為の解釈」ということが問題になる。

　(ア)　法律行為の解釈とは、なされた法律行為の内容を明らかにすることである。その作業は、必ずしも行為者の内心の意思を探求することではなく、その行為が社会的に有する意味を判断することである。法律行為の構成要素は意思表示であるから、「意思表示の解釈」といっても同じである。

　法律行為のためになされた表示行為は、疑問や不明確さを残さないほどに明確であることが本来は望ましく、そうであれば、特段の解釈の作業を必要としない。法律専

第1編　第5章　法律行為

門家の作成した文書などについては、そういえる場合が多いであろう。しかし、非法律家の作成した文書、あるいは、口頭の表示、挙動など、また、とりわけ黙示の意思表示などにおいては、その法律行為の意味を確定するために解釈という判断作業を必要とすることが少なくない。そういう場合に、法律行為の解釈を行うためには、つぎのような標準に依拠するべきであると通常考えられている。

　第1は、行為者がその行為によって企図した経済的ないし社会的目的である。その目的に適合するように行為の全内容を理解するように努めるべきである（遺留分減殺請求権を有する者が遺産分割協議の申入れをした場合に、それには遺留分減殺の意思表示が含まれているとした最判平成10・6・11民集52巻1034頁などは、その一例といってよい）。

　第2は、その行為がなされた場所における慣習である。これについては、「事実である慣習」に関する92条の注釈を参照。

　第3は、いわゆる任意規定である。これについては、91条の注釈を参照。

　第4は、社会において通用している一般的な条理である。条理の中身としては、1条の掲げる信義誠実の原則や2条の定めが参考になる。両条の注釈を参照。

　条理による解釈の一例として、「例文解釈」と呼ばれるものがある。強い立場の当事者が他方にとってきわめて不利な条項を印刷した書面を用いて契約を結んだ場合に、その条項はいわば「例文」にすぎず、当事者を拘束する力はないとする解釈がそれである。この考えを発展させると、あらかじめ定められた「約款」（「普通契約条項」、「一般取引約款」などとも呼ばれる。また、「付合契約」、すなわち契約を結ぶと、一定の条項がいやおうなしに付随してくるという契約の問題も関連する）に従って契約を結ばざるをえない場合について、その約款の拘束力を問題にする論議につながることになる。これについては、第3編第2章第1節第2款解説⑤参照。同節第5款定型約款（新設）に注意すべきである。

　（イ）　法律行為の解釈が事実問題か、法律問題かが問題とされることがある。どういう表示行為がなされたかということそれ自体は事実問題であるが、それがどういう意味に理解されるべきであるかは法的判断に関わるから、法律問題と考えられる。この区別は、裁判における審級制度において、その問題を事実審においてしか問題にすることができないか、法律審においても問題にすることができるか、上訴の理由にすることができるかどうか、などに関して問題となる（民訴§§312・318参照）。

第1節 ［解説］・§90〔1〕

第1節　総　　則

〈改正〉　2017年に90条が改正された。

　法律行為に関する通則として、本節は3か条を収める。第1は、法律行為と公の秩序・善良の風俗との関係（§90［改注］）、第2は、法律行為と強行法規・任意法規との関係（§91）、第3は、法律行為と慣習との関係である（§92）。いずれも、きわめて重要な規定である。

■ （公序良俗）
第九十条
　　公の秩序又は善良の風俗に反する[1]法律行為[2]は、無効とする。
[改正前条文]
　　公の秩序又は善良の風俗に反する[1]事項を目的とする[2]法律行為は、無効[3]とする[4]。
〈改正〉　2017年に改正された。3項のうち、「事項を目的とする」を削除した。附則（公序良俗に関する経過措置）第五条　施行日前にされた法律行為については、新法第九十条の規定にかかわらず、なお従前の例による。
[改正の趣旨]　〔1〕　改正前90条は、公の秩序又は善良の風俗に反する「事項を目的とする」法律行為を無効とする旨を定めているが、公序良俗違反の判断においては、法律行為の目的となる事項の反公序良俗性だけを考慮しているのではなく、法律行為が行われる過程やその他の諸事情の反公序良俗性を考慮していると解されている。解説〔1〕および〔2〕を参照。そこで「事項を目的とする」との文言を削除することで、目的となる事項だけが考慮対象となるわけではないことを明確にしたとされている。
　　〔2〕　改正の審議では、現代型暴利行為について規定の新設が注目されていたが、明文化は見送られた。この点につき、「中間試案」では「相手方の困窮、経験の不足、知識の不足その他の相手方が法律行為をするかどうかを合理的に判断することができない事情があることを利用して、著しく過大な利益を得、又は相手方に著しく過大な不利益を与える法律行為は、無効とするものとする」との考え方が示され、その後、これに類似する案を甲案とし、暴利行為の問題は引き続き、本条の解釈に委ねることとする乙案が出されたが、結局上記のような改正にとどまった。
[原条文]
　　公ノ秩序又ハ善良ノ風俗ニ反スル事項ヲ目的トスル法律行為ハ無効トス

[改正前条文の解説]
　本条は、法律行為が法律の明文に反しない場合にも、それが社会的妥当性を持たないものである場合には、これに法律効果を与えないことを規定する。そして、公の秩序・善良の風俗という概念をもって社会的妥当性判定の標準としている。公の秩序・善良の風俗を、略して「公序良俗」という。
〔1〕　「公の秩序」とは、国家社会の一般的利益を意味し、「善良の風俗」とは、社会の一般的道徳観念を指す。しかし、両者の区別は必ずしも明瞭ではない。両者が合

第1編　第5章　法律行為　第1節　総則

して行為の社会的妥当性を意味するものと考えて差し支えない。裁判に当たっても、公序に反するか良俗に反するか、そのいずれであるかを決定する必要はない。同じ趣旨を英米法では public policy（公の秩序）とだけいい、ドイツ民法（§138）、スイス債務法（§20）は die guten Sitten（善良の風俗）とだけいう。フランス民法（§§6・1133→1162）は、わが民法と同じく bonnes moeurs ou l'ordre public という。いずれも同一の標準を示しているものと考えられる。

　具体的に、ある行為が公の秩序、善良の風俗に反するかどうかは、裁判官が社会の慣行と時代の倫理思想を探求して認定するべきものである。すなわち、これもまた「一般条項」（§1〔3〕(ウ)参照）の一つである。これについては多くの判例があるので、われわれは判例を研究することによって、実際にどのような行為が公序良俗に違反するとされているかを知ることができる。つぎに、とくに重要なものをあげておく。

　(1)　人倫に反するもの
　これが善良の風俗違反に該当することは疑いない。
　(ア)　一夫一婦に反する関係を維持する契約は無効である。たとえば、Aに配偶者Bがあることを知っているCが、将来A・B間の婚姻が解消した場合にA・Cが互いに婚姻をなす契約をするのは、善良の風俗に反して無効である。したがって、その時期がくるまでAがCに扶養料を給与するという契約も無効とされる（大判大正9・5・28民録26輯773頁）。
　(イ)　これに反し、婚姻外の情交関係をやめることを内容とする契約は有効とされる。ただし、判例はこのような関係をやめるについて、一方が他方に金銭（手切れ金）を与える契約は、それが「金銭的利益を得て私通関係をやめる」という意味を有する場合には善良の風俗に反するが（大判大正12・12・12民集2巻668頁）、それが将来私通関係をやめることを互いに決意した際、相手方の精神上の苦痛を慰謝する目的で金銭の贈与を約束するという意味を有するのであれば、公序良俗に反するものではないとする（大判昭和12・4・20新聞4133号12頁）。しかし、多くの学者は、これに対し、無用の形式論であると非難し、この種の契約はつねに有効とするべきであるという。最近の判例としては、不倫な関係にある女性に対する包括遺贈が、その女性の生活の保全のためであり、配偶者や子の生活の基盤をおびやかすものでないときは、無効とはならないとした例がある（最判昭和61・11・20民集40巻1167頁）。
　なお、いわゆる内縁関係は、以前は法律の認めない不倫のものとされたが、その後、その破棄は一種の契約違反として損害賠償責任を生じさせるとされ（大連判大正4・1・26民録21輯49頁）、現在では婚姻に準じる関係として考えられるようになっている。
　(ウ)　そのほか、母子が同居しないという契約は善良の風俗に反する（大判明治32・3・25民録5輯3巻37頁）。
　(2)　正義の観念に反するもの
　(ア)　犯罪行為そのものから生じた債権は、もちろん公序良俗に反し、無効である。
　(a)　賭博の勝ち負けによって生じた債権が無効であることは当然である（最判平成9・11・11民集51巻4077頁。その賭博債権の譲渡について、債務者が§468Ⅰ〔改注〕により異議を留めずに承諾しても、なお無効を主張することができる）。賭博の用に供されるこ

§90〔1〕

とを知って行われた金銭消費貸借契約(最判昭和61・9・4判時1215号47頁)、賭博による債務の弁済のための資金の貸付け(大判昭和13・3・30民集17巻578頁)、賭博による債務の履行のために振出された小切手の支払に関する和解による支払の約定も(最判昭和46・4・9民集25巻264頁)、公序良俗に反する。

(b) 犯罪その他不正行為を人にすすめ、またはこれに加担する契約は無効である。したがって、贓物故買の委託に関する契約は無効である(大判大正8・11・19刑録25輯1133頁。なお、贓物罪は、1995年の改正刑法§256によって「盗品譲受け等の罪」と改称された)。また、対価を与えて名誉毀損をさせない契約(大刑判明治45・3・14刑録18輯337頁)、寺院の住職の地位を金銭的対価で取引する契約(大判大正4・10・19民録21輯1661頁)なども、対価との結びつきによって正義の観念に反し、無効の契約とされる。

(c) 金地金の先物取引の委託契約がいちじるしく不公正な方法を用いることによって結ばれたときは、商品取引所法(現・商品先物取引法)違反かどうかを論じるまでもなく、公序良俗に反し、無効であるとした(最判昭和61・5・29判時1196号102頁)。

(d) 女性販売員による思わせぶりな言動を交えた勧誘により装飾品をその本来の価値を大きく上回る代金額で購入させる契約が公序良俗に反して無効である場合にも、特段の事情がない限り、信販会社との間における当該代金にかかる立替払契約が無効になることはない(最判平成23・10・25民集65巻3114頁)。

(イ) 犯罪とまではいえないが、なんらかの法律に違反する行為の場合に、その行為が無効になることが明らかであるとき(このような場合の法律の規定を「強行規定」という〔§91〔1〕参照〕)は別として、そうではないときに、その行為が本条に該当するものとして無効であるかは、場合によって判断されることになる。その規定の性質や内容によって判断するべき難しい問題である。若干の例をあげれば、つぎの通りである。

(a) 弁護士法や司法書士法のような公的な制度について定める規定に違反する行為の問題がある。弁護士の資格のない者が弁護士法72条本文前段に抵触する委任契約をした場合に、これを本条に照らし無効とした例(最判昭和38・6・13民集17巻744頁)がある一方、司法書士が司法書士法旧9条(当事者の一方から嘱託された事件について相手方のために業務を行ってはならない)に違反して和解契約締結の委任を受け、締結した和解契約であっても、その内容が公序良俗に反しないときは、同条違反のゆえをもって直ちに無効とはならないとした例(最判昭和46・4・20民集25巻290頁)がある。なお、認定司法書士が代理して裁判外の和解を行った事例につき、最判平成29・7・24(民集71巻969頁)参照。直接本条が適用された事例ではないが、弁護士法15条、弁護士職務基本規程28条との関係で、最判平成29・10・5(民集71巻1441頁)が参考になる。弁護士法25条、弁護士職務基本規程57条との関連では、最判令和3・4・14(民集75巻1001頁)が参考になる。

(b) 導入預金を取締る法律(「預金等に係る不当契約の取締に関する法律」)に反して罰せられる行為があっても、その預金契約は無効とはいえないとした例(最判昭和49・3・1民集28巻135頁)があり、また、いわゆる拘束預金を条件とする貸付契約が独禁法19条に違反するとしても、その貸付契約が直ちに無効とはいえないとした例(最

第1編　第5章　法律行為　第1節　総則

判昭和52・6・20民集31巻449頁。制限利息超過部分のみを無効とした)があり、最高裁は
金融取引には寛大である印象が強い。

(c)　食品衛生法によって禁止されている硼砂を含むアラレを、そのことを知りなが
らあえて製造・販売した場合は、その取引は本条により無効とされた(最判昭和39・
1・23民集18巻37頁)。

(d)　前年の稼働率が80%以下の従業員を翌年の賃上げの対象から除外する労働協
約条項は、労働基準法、労働組合法に照らして公序に反し、無効とされた(最判平成
元・12・14民集43巻1895頁)。

(e)　証券取引における損失保証契約について、1991年(平成3年)における証券取引
法の改正によって、刑事罰により禁止されたが(§50の2、その後§42の2)、1989年
(平成1年)12月の大蔵省証券局長通達後のものについては反社会性が強いとして、
その履行のための利益提供行為はそれ以前の契約についても公序良俗に反し無効と
された(最判平成9・9・4民集51巻3619頁。最判平成15・4・18民集57巻366頁は、右の
時期以前の保証契約は公序に反しないとするが、それに基づく履行請求は、法改正後は認めな
いとする)。現在は2006年に改称された金融商品取引法の39条がこれに該当する。

(f)　建築基準法等の法令の規定に適合しない建物の建築を目的とする公序良俗違反
の請負契約に基づく工事の施工が開始された後に施工された追加変更工事の施工の
合意が公序良俗に反しないとされた判例がある(最判平成23・12・16判時2139号3頁)。
当該追加変更工事は、近隣住民からの苦情に対応するためであり、違法建築部分の
是正工事を含んでいた事例である。

(g)　無免許者が宅地建物取引業を営むために宅建業者からその名義を借り、それに
よってなされた取引による利益を両者で分配する旨の合意は、宅地建物取引業法
12条1項及び13条1項の趣旨に反するものとして、公序良俗に反し、無効である
(最判令和3・6・29民集75巻3340頁)。

(ウ)　さらには、憲法の規定ないしその理念に反するということが、本条の公序良俗
の問題につながって問題になることはいうまでもない。

(a)　この点について、最判平成元・6・20(民集43巻385頁、いわゆる[百里基地訴訟
判決])は、憲法9条が宣明する規範は、優れて公法的な性格を有する規範であるか
ら、私法的な価値秩序においてそのままの内容で本条の「公序良俗」の内容を形成
するものではなく、私法上の規範によって相対化されて「公の秩序」の内容の一部
を形成すると述べて、基地の存在を公序良俗に反しないとした。

(b)　そのほか、憲法14条・19条が保障する思想・信条の自由に関して、企業者は、
いかなる者を雇い入れるかは原則として自由に決定することができ、特定の思想・
信条を有する者をそのゆえをもって雇い入れることを拒んでも違法ではないとして、
思想・信条を理由とする解雇を有効とした例がある(最大判昭和48・12・12民集27巻
1536頁。いわゆる[三菱樹脂事件])。

(c)　また、憲法24条の関連で、定年年齢を男60歳、女55歳と定めた就業規則を、
性別のみによる不当な差別を定めたものとして無効とした例がある(最判昭和56・
3・24民集35巻300頁)。

§90 〔1〕

　入会団体の会則において、構成員の資格を原則として男子孫に限定する部分は性別による不合理な差別として、女子孫による補償の請求がなされた平成4年以降は無効とした例がある（最判平成18・3・17民集60巻773頁）。慣習法の内容にまで踏み込んだ点が注目される。

(d)　さらに、憲法28条の関連で、ユニオン・ショップ協定について、当該組合以外の組合に加盟している者、当該組合から除名されて他の組合に加盟した者などを解雇する義務を使用者に認めた部分を無効とした例（最判平成元・12・14民集43巻2051頁）もある。

(3)　個人の自由を極度に制限するもの

　これに関する例として問題になった主要なものをあげる。なお、憲法も関連する論点なので、(2)(ウ)も参照。

(ア)　芸娼妓契約

(a)　一定の金銭を借り、その弁済方法として女子を債権者の被用者（ときには養子）とし、芸娼妓稼ぎをさせることは、明治初年まで相当広く行われた。しかし、この種の契約はその実質において人身売買に類するものであるから、すでに1872年（明治5年）1月2日の太政官布告がこれを無効と宣言し、その後の判例もこれを無効と判示した。

(b)　しかし、芸娼妓契約に伴う金銭消費貸借契約についての戦前の判例の内容は、必ずしも明瞭ではなかった。まず、債務が完済されるまで女子に芸娼妓をさせる義務を負担させる約款はすべて無効であるとした。直接に義務を負わせなくとも、芸娼妓を中途で廃業すれば不利益を受けるものとして間接に義務を負わせる約款も、同様に無効である（大判大正10・9・29民録27輯1774頁）。

　しかし、真実に授受された金銭についての貸借は、原則として有効であるとした（大判大正9・10・30新聞1808号11頁）。女子の芸娼妓として得る報酬を弁済に充当する方法が不当に債務者に不利益であるときは、その弁済充当方法が無効であることはいうまでもない。しかし、その場合にも、貸借上の債務は有効であって、債務者は弁済の義務を負い、第三者もまた不当に債権者の債権を侵害しない義務を負う（大刑判昭和3・2・6刑集7巻83頁）。ただ、芸娼妓稼ぎによる弁済を条件として貸借を行う場合のように、契約内容が不可分の一体として女子の自由を拘束するものである場合にだけ、契約は全体として無効となる（大判昭和10・5・14判決全集2輯930頁）。以上が、戦前の判例の状態であった。

(c)　戦後になってようやく、酌婦としての稼働契約と前借金契約は不可分の関係にあるとして後者をも無効とし、前借金返還請求をしりぞける判断が下された（最判昭和30・10・7民集9巻1616頁）（§708〔2〕(3)(イ)(a)(ii)参照）。

(イ)　経済的自由を制限する競業禁止行為

(a)　まず第1に、被用者の競業避止義務が問題になる。かつて、静岡の牛乳会社が1921年（大正10年）に配達人を雇い入れるに当たって、静岡市およびその隣接町村において、会社の存立期間の満了する1948年（昭和23年）まで、牛乳販売業をしないことを約束させても、配達人の自由を過当に制限するものとは認められず、公序

189

第1編　第5章　法律行為　第1節　総則

良俗に反しないとされた(大判昭和7・10・29民集11巻1947頁)。なお、競業避止義務違反が不法行為に該当しないとされた判例につき、709条【4】(2)(ア)(e)参照。

(b)　第2に、営業譲渡人の譲受人に対する競業避止約款が問題となる。この場合には、妨害行為禁止の地域および期間を制限しなくても有効であるとされた(大判大正7・5・10民録24輯830頁)。

(c)　第3に、同業者間の競業を防止し、または営業の改善を図る規約が問題となる。この問題についての判例の動向をみてみよう。

　まず、初期においては、工業主の間のいわゆる職工の引抜き防止の協定は場所について制限があるから、年月について制限がなくても「良民就職の自由」を剥奪するものではなく、公の秩序に反する事項を目的とするものでもないとし(大判明治34・11・16民録7輯10巻41頁)、工業者が業務の進歩、製品の改良を図るため、同業者間にある規定を設けて、その目的を阻害する不信任者があればこれと取引をせず、罰を加えることを約束しても、公序良俗に反するとはいえないとし(大判明治43・3・4民録16輯185頁)、あるいは薬業同業組合が定款で定価より安く売ることを禁止することは公序良俗に反することはないなどとした(大判昭和10・11・26新聞3922号13頁)。

　ところが、1930年代半ばから、わが国における産業は戦争経済の時期に入り、すべての部門においてカルテル的統制の色彩が濃くなった。したがって、同業者間の競業禁止または業務の改善は、多くはカルテルの条項として定められ、これを強制する手段として、いわゆる過怠金が課せられた。そして、これらの条項が直接に公序良俗に反するかどうかが問題とされた場合はほとんどなかった。けだし、多くのカルテル条項に国家の強力な監督が行われたので、裁判上争われることが稀であり、かつ、争われる場合にも過怠金が組合の目的からみて許される範囲かどうかの問題とされたからである(後述(4)参照)。

(d)　戦後、1947年(昭和22年)7月1日から「私的独占の禁止及び公正取引の確保に関する法律」(法律54号)が施行され、競争防止の特約は原則として違法とされるに至った(同法§§3〜参照)。不正競争防止法(1934年。1993年に全面改正された)も同じ趣旨を含んでいる。また、同業者の組合は、農業協同組合法(昭和22年法律132号)、水産業協同組合法(昭和23年法律242号)、中小企業等協同組合法(昭和24年法律181号)などで、もっぱら相互扶助を目的とし、統制的事業を行うことを禁じられることになった。ここに大きな価値観の転換が生じたのであり、戦後のわが国の経済原則において競争防止を図る行為は、原則として公序良俗に反することになったのであるが、とくに経済界においてその後もそのような法意識は希薄であった。

　ところが、その後、20世紀末葉以来の経済展開において、自由競争、市場原理が強調されるあまり、経済的強者が弱者の利益を不当に抑圧するという新しい形の不公正が顕著になっていることに注意が必要である。

(ウ)　上のことに関連して、契約が個人の自由と同時に物の流通の自由を束縛する場合が問題となる。永久に特定の所有物の処分をしないという契約は、公益に反するから無効とされる(大判明治45・5・9民録18輯475頁)。判例は、さらに、同一地主の土地

190

§90〔1〕

を借りている借地人が協同一致して地主に対抗し、単独では土地を買い取り、または地代値上げに応じない旨の約束をしたのを、借地人の自由を不当に制限し、また、土地融通を阻害するから本条に違反して無効であるとしたが(大判昭和9・4・12民集13巻596頁)、その当否ははなはだ疑問である。また、土地家屋の譲受人が、「現住所を引き揚げて帰郷し、その家屋に居住し、病臥中の実父を相続人として扶養し、かつ祖先の祭祀を行う」という停止条件付の譲渡契約を、譲受人の個人的自由を拘束するものでないから不法ではないと判示したものがある(最判昭和23・9・18民集2巻231頁)。

　(エ)　消費者の利益を保護するための消費者立法がなされているが、その条項に反する行為も、公序良俗に反すると判断される場合が多いと考えられる。たとえば、支払能力を超える購入の防止の義務を定めた割賦販売法38条、過剰貸付の禁止を定めた貸金業法13条の2、訪問販売における氏名などの明示義務を定めた特定商取引に関する法律(旧訪問販売法)3条、不実を告げる行為や人を威迫する行為を禁止した同法6条などに違反した行為などがそれである。これらの行為の違法性を軽易に考える傾きがみられるが、不当であり、消費者の権利保護の重要性とそのために期待される民法の役割の大きさを理解しないものといわざるをえない。

　消費者契約については、消費者契約法に「不当条項」が規定されており、民法に比べて立証が容易である。第3編第2章解説**4**(11)参照。

　(オ)　いわゆる村八分、町省が犯罪を構成し、不法行為の責任を生じるかは、直接には本条の問題ではない。しかし、団体員があらかじめ契約違反者に対して共同絶交の処分を行うべき旨を約定し、これに基づいて違反者と共同絶交した場合に、この種の契約が無効であるかどうかは、その犯罪の成立にも関連するであろう。これを無効とする立場に立った判例がある(大刑判昭和3・8・3刑集7巻533頁)。なお、この問題については不法行為に関連して述べる(§710**2**(2)参照)。

　(カ)　クラブがその所属するホステスに客に対する掛売りを求め、その代金について保証させることが行われる。これを、ホステスが自己独自の客との関係を維持するための任意の行為として、その保証を公序良俗に反しないとした判例がある(最判昭和61・11・20判時1220号61頁)。

　(4)　暴利行為

　(ア)　近代社会における取引に関して、第1に、法は相互に交換価値のほぼ等しい給付をする(等価交換)のを理想とする。この理想からいちじるしくかけはなれた取引には、法は助力をしない。すなわち無効である(後述(5)も参照)。しかし第2に、法は、取引の当事者が自由な判断によって行動する限り、この理想はおのずから実現されるものとみて、当事者の自治に干渉しない。すなわち、契約自由の原則を認めるゆえんである。しかし、もし契約当事者の一方が、相手方の無思慮・窮迫に乗じたという事情が加わると、この第2の要件が欠けるところから、第1の原則が適用される。すなわち、この種の暴利行為は、暴利行為者を中心として公序良俗に反するものとして無効とされる。債務者(農夫)の無知・窮迫に乗じ生命保険契約上の権利を質入させ流担保の特約をさせた場合について、特約が民法90条に反して無効であるとしている(大判昭和9・5・1民集13巻875頁)。

第1編　第5章　法律行為　第1節　総則

　たとえば、地主が借地人の窮迫に乗じた不当に短かい借地期間を約定させることを無効とし(旧借地法施行前のことである)、また、家主が借家人の窮迫に乗じて「将来紛争を生じた際には和解を為すべく、その場合借家人の代理人の選任を家主にまかせる」旨の委任状を出させる契約を無効とした(大判昭和7・6・6民集11巻1115頁)のは、その適例である(改正前§108[5]参照)。

　なお、判例は、下流のＡ村落が田地灌漑用水として欠くことのできない引水権を有する場合に、上流のＢ村落がその地理的関係を利用してこれに道路修繕費の支払を約束させ、もしその支払を怠るときは水門を除去して引水権を効力のないものにするという契約を結ぶようなことは、公序良俗に反して無効であるとする(大判昭和19・5・18民集23巻308頁)。

　(イ)　しかし、この理論を高率の利息または違約金の契約に適用するにあたっては、従来の裁判所はきわめて慎重であった。これについては、いろいろな規定があるからである。

　第1に、金銭の貸借については、利息制限法が一定の利率を最高限と定めていて、それ以上の高利はその最高限まで引き下げられるから(同法§1。ただし、旧貸金業§43に注意。改正前§404[3](イ)(b)(iv)参照)、90条の問題とはならない。金銭以外の代替物の消費貸借には、この法律は適用されないと解され、籾の貸借において年24割の利籾契約も有効とされた(大判大正7・1・28民録24輯67頁)。しかし、極端な高利の場合には、消費貸借契約自体が公序良俗違反になるとされる余地は認めるべきであろう。

　第2に、違約金契約については、同法4条が制限を定めているが、民法改正前420条は、債務の不履行についての違約金(損害賠償額の予定)は裁判所でこれを増減できないと明定する。もちろん、このような規定があっても、その契約が公序良俗に反する程度にひどいものになれば、本条の適用があることになる。しかし、実際上は相当に高率の違約金も有効とされ、たとえば産業組合の出資払込みの遅滞に対して1日200分の1(年18割)の過怠金を支払うべき旨の定款中の条項も有効とされた(大判昭和10・10・23民集14巻1752頁)。ただし、事情によっては100円につき1日33銭の割合の遅滞損害金(年12割)を支払う特約も公序良俗に反するとされた(大判昭和19・3・14民集23巻147頁)。

　第3に、金利については「出資の受入れ、預り金及び金利等の取締りに関する法律」(昭和29年法律195号)5条が高金利の処罰を定めており、これに違反する契約は、当然、公序良俗に反して無効になると解される(一般市民は年109.5％、貸金業者は年29.2％。日歩計算をベースとしているので、閏年の場合は1日分が増える)。なお、貸金業者のそれは、2006年の改正で20％に変更された(この点の改正の施行日は、2010年4月の政令により2010年6月18日とされた。改正前§404[3](ア)参照)。

　金利に関しては、その時々における金利政策、金利の一般的状況が密接な関連を有するので、利息規制に関する改正前404条[3]を参照。

　(ウ)　なお、債務の弁済がないときに債務額に比してあまりに高価な物を債権者が取得するとする契約も問題になる(一例として、債権額の約8倍の不動産を債権者が取得するとした契約は無効とされた。最判昭和38・1・18民集17巻25頁)。これについては、第2編

§90〔2〕

の譲渡担保・仮登記担保、第3編の代物弁済(§482〔改注〕)などについての注釈を参照。消費者契約において消費者を不当に不利な立場におく条項が無効とされる(消費契約§§8・9・10)のも、この類型に属するといってよいであろう。

(5)　いちじるしく射幸的なもの

当事者が金銭を出しあって抽せんによって一部の者が利益を受ける契約でも、全員の受ける基本的な利益がほぼ相等しく、ただ一部の者が付随的な利益、たとえば時期的に早く利益を得たり、割増金を得るという程度のものは有効である。それが、一部の者だけが利益を得、他の者がまったく損失を受けるような契約になると無効である(大判大正5・8・12民録22輯1646頁)。宝くじや競馬・競輪などについては、法令上特別の許可があることによって違法性が阻却されるのであり、このような許可がない限り、いちじるしく射幸的なものとして当然本条に違反する行為となる。したがって、個人が富くじを売り出す行為、競馬場外で馬券を売る行為は、私法上、無効である。

(6)　不当な利益を収得する行為

(ア)　団体定期保険に関する事例(否定)

いわゆる団体定期保険(Aグループ保険)について、会社が従業員に生命保険をかけている事例の公序良俗違反性が問題になったが、最高裁はこれにつき本条の適用を否定した(従業員一人につき、会社を受取人とする6,000万円を超える保険契約を結び、これを受領しながら、従業員の遺族に対して1,000万円程度の死亡時給付金を支払ったという事例について、最判平成18・4・11民集60巻1387頁は、この契約を公序良俗に反しないとした。なお、死亡時支給金を越える額を保険金から支払うという、第一審・第二審が認定した合意も否定した)。このような不当な利益の会社による保持を是認することは疑問であろう。

(イ)　学校入学金、授業料等の不返還特約(否定)

ある医科大学が、入学試験合格者が入学を辞退したときは既納の入学金、授業料等を返還しないという特約を結んでいた場合に、大学の諸事情から公序良俗に反しないとした判決がある(最判平成18・11・27民集60巻3732頁。反対意見一人。消費者契約法の適用により不返還特約を無効とした判例があることにつき、§703〔1〕(1)(ア)(c)参照)。

〔2〕　「目的とする」とは、公序良俗に反する事項を法律行為の直接の目的とするもの、たとえば犯罪を行うことを約する契約だけをいうのではない。それと不可分の関係にある約束、たとえば犯罪を行うことに対する対価の約束にも及ぶ。それのみではない。法律行為の直接の目的は少しも公序良俗に反しないが、これと金銭的利益が結びつくことによって公序良俗に反するようになる場合がある。たとえば、公務員に金銭を与えて正当な職務行為をさせたり、金銭を与えて犯罪を思いとどまらせるような場合がそれである。また、それ自身は公序良俗に反しないが、公序良俗違反の行為と因果の牽連(けんれん)があるために無効とされる場合がある。たとえば、賭博(とばく)の用に供すること(最判昭和61・9・4判時1215号47頁)、あるいは賭博で負けた債務の弁済にあてることを知って金銭を貸す行為(大判昭和13・3・30民集17巻578頁)は無効とされる。

最も問題となるのは、法律行為の動機が公序良俗に反する場合である。以前には、その動機が条件とされた場合にだけ法律行為は無効となると説く学者が多かったが、近時多くの学者は、両当事者がその動機を知悉(ちしつ)する場合には、たとえ条件とされない

第1編　第5章　法律行為　第1節　総則

場合にも、その行為は無効になると説く。判例も、大体この見解によっている。たとえば、芸妓とするための養女縁組を無効とし（大判大正 11・9・2 民集 1 巻 448 頁）、また、妻を離婚した後に婚姻する約束をした女性に、この約束を維持するために扶養料を給する契約を無効とした（大判大正 9・5・28 民録 26 輯 773 頁）。

〔3〕　公序良俗に反する法律行為は無効である。したがって、そのような法律行為ないし契約に基づいては、なんらの権利も生じない。たとえば、妾契約に基づいて報酬を請求することはできないし、また、過度の競業禁止契約に基づいて契約違反行為の停止を請求することもできない。また、もし無効の契約に基づいて相手方に給付したものがあれば、その返還を請求できるはずである（その詳細については§119〔1〕・§§703〜参照）。しかし、注意するべきは、その給付が 708 条にいう「不法な原因のための給付」に該当する場合には、その返還を請求することができないことである。詳しくは 708 条の注釈参照。

〔4〕　なお、きわめて稀なことであるが、一見無効と解される法律行為が、「公序」的な理由によって有効とされた例がある。最大決昭和 35・4・18（民集 14 巻 905 頁［レッドパージ解雇事件］）がそれである（1950 年 7 月 18 日付けの、アカハタなどの停刊を求めるマッカーサー書簡に基づく某製薬会社における共産党員の解雇が占領終了後も有効としたもの）。この判決を、法律行為の効力は行為時の法令に照らして判定すべきであるという判旨の先例として引用するのは妥当ではない。

（任意規定と異なる意思表示）
第九十一条

　　法律行為の当事者が法令中の公の秩序に関しない規定[1]と異なる意思を表示したときは、その意思に従う[2]。

［原条文］

　　法律行為ノ当事者カ法令中ノ公ノ秩序ニ関セサル規定ニ異ナリタル意思ヲ表示シタルトキハ其意思ニ従フ

本条は文字の上では、強行規定に反しない限り、法律行為は自由であるというように規定するが、その反面において、強行規定に違反する行為が無効であることを宣言しているのである。

〔1〕　「法令中の公の秩序に関しない規定」とは、強行規定でない規定のことである。法律の規定のなかには、当事者の意思の不明な点についてこれを解釈し（「解釈規定」）、また、当事者が取り決めていない点についてこれを補充する（「補充規定」）ための標準となるにすぎないものがある。契約の当事者が手付を交付したが、その手付の法律的効果をどう定めるつもりか不明な場合に、これを解釈する規定（§557 ［改注]）は前者の例である。売買の当事者が、目的物に瑕疵があった場合にどうするかを全然約束していないときに、その処置を定める規定（改正前§570）は後者の例である。この種の規定は、公の秩序に関するというようなやかましいものではなく、当事者がその点に関する意思を明瞭にしていれば、その規定によらずに、当事者の意思に従うつもり

だから、これを「任意規定」と呼ぶのである。

　これに反し、抵当権の効力に関する規定（§§373〜）とか、相続の順位に関する規定（§§886〜）などは、直接に第三者の利害または親族共同生活の秩序に関係するものであって、当事者の意思でこれを変更することを許さないのである。この種の規定を、公の秩序に関するものとして、「強行規定」と呼ぶのである。その行為の効力を左右するという意味で「効力規定」と呼ぶこともある。

　なお、「強行規定」に反する法律行為は、そのことによって直ちに無効とされるが、このことと90条によって公序良俗に反して無効とされる場合とは密接にからみ、相互に関連するが、いちおう別個の事柄である。同じ行為がどちらの点からも無効とされることもあるし、その行為を禁じる強行規定は存しないが、公序良俗違反とされることもある。また、公序良俗違反とまではいえないが、強行規定違反により無効とされることもありうる。

　(ア)　そこで、どの条文が強行規定であり、任意規定であるか、が重要な問題となるわけだが、民法の規定についていえば、物権編、親族編、相続編の規定は、大体において強行規定であり、債権編、ことに契約に関する規定は、任意規定である。しかし、これは、きわめて大ざっぱな言い方で、正確には、それぞれの規定を検討して決めなければならない。

　(イ)　最も問題となるのは、「取締規定」すなわち、一定の行為をすることを禁じ、これを犯すものを処罰する規定である。もっとも、取締規定の中にも、これに違反した行為は、処罰されるだけでなく、私法上の効力のないことを明言しているものも相当にある。たとえば、制限利率を超過した利息の契約についての利息制限法の規定である（利息§§1Ⅰ・4Ⅰ。ただし、同項の解釈をめぐっては問題がある。改正前§404[3](イ)参照）。そのときは問題はない。しかし、そのような明文の規定がないときは、やはり、その法令の全趣旨を考量して決定するほかはない。問題となった二、三の例をあげて、解釈の基準を示そう。

　(a)　行政上の許可または免許を要する営業または取引行為を、その許可または免許を得ないで行うときは、その行為者は処罰されることがあっても、取引行為は通常無効ではないと解される（食品衛生法による営業許可を得ていない者による食肉の売買につき、最判昭和35・3・18民集14巻483頁、旧相互銀行法による免許を受けないで行った同法所定の業務につき、最判昭和41・6・7金法449号6頁）。しかし、古い判例であるが、興味あるものに、繭（まゆ）の売買業をする者は知事の免許を受けるべきであり、かつ、免許を受けた者も結繭前に予約売買をしてはならず、違反者は罰金に処するという県令（現在の条例に当たる）に違反してなされた売買行為について、同県令の禁止は、繭の品質を粗悪にさせないためのものであるから、その法意は違反行為をすべて無効とすることにあるとした判例があった（大判昭和2・12・10民集6巻748頁）。多数の学者はこれに反対する。ただ、結論には賛成し、その行為が違法であることを両当事者がよく知っていたという理由で90条[改注]を適用するべきであると論じる意見もある。上述した「公序良俗」と「強行規定」の密接なからみがみられる。

　(b)　一定の行為をするために必要な法律上の特別な資格をほかの者に違法に貸与す

第1編　第5章　法律行為　第1節　総則

る行為自体は無効であるが、借り受けた者のする行為は、原則として無効ではない。たとえば、鉱業権者がその鉱業権の実施の資格を、または取引所の取引員が取引員として行う仲介営業の資格を、正当の手続を経ないで他人に譲渡したり、貸与したりすること(これらを「斤先掘契約」といい、また「名板貸契約」という)は、それぞれ法の禁じるところであり、これに違反する契約は、疑いもなく無効である(前者につき、大判大正2・4・2民録19輯193頁、大判大正8・5・31民録25輯951頁、大判大正8・9・15民録25輯1633頁、後者につき、大判大正15・4・21民集5巻271頁)。しかし、違法に名義を借りた者が、鉱業権を実施して採掘した鉱物を売却する契約や、客との間で行った仲介契約までも無効になるかは問題である。判例は、かつてこれを無効とした(前者について、大判大正14・2・3民集4巻51頁、大判昭和19・10・24民集23巻608頁、後者について、大判大正10・9・20民録27輯1583頁)。これには反対説が多かったが、その後、判例も名板貸しの事例について、名義貸与を禁止する取引所法の規定(現在では、金融商取§36の3、商品先物取引法§199)は行政上の取締規定であり、借り受けた者の行った行為は、私法上、無効とされるべきでないと判示するに至った(大判昭和9・3・28民集13巻318頁)。

(c)　そのほか、旧証券取引法49条(現在は金融商取§161の2参照)に違反して委託証拠金なしに信用取引を行う株式の売買(最判昭和38・10・3民集17巻1133頁)、外国為替管理法に違反する行為(最判昭和40・12・23民集19巻2306頁)、文化財保護法に違反する重要文化財の有償譲渡行為(最判昭和50・3・6民集29巻220頁)について、私法上の効力には影響がないとされている。

(ウ)　「脱法行為」

強行規定が一定の行為を禁じている場合に、当事者が形式上別の行為によって同一の目的を達しようとすることがある。たとえば、恩給法11条は恩給権を譲渡または担保にすることを禁じているが、かつて、債権者に恩給受領の権限を委任してその受領した恩給を債務に充当させ、元利が完済になるまでこの委任を解除しないことを契約するという方法で、実際には、恩給権を担保にするのと同じ目的を達することがしばしば行われた。いわゆる「脱法行為」であって、その強行法規がこれらの行為をも無効にさせるかどうかが問題となる。恩給権の場合には、判例はこれを肯定し、債務者はいつでも任意に委任を解除して恩給証書の返還を請求できると判示した(大判昭和7・3・25民集11巻464頁)。

なお、「脱法行為」という言葉の用い方については、強行規定を回避しても実質的には強行規定に反し無効とされる行為に限って、これを脱法行為と呼び、実質的には強行規定に反するものではなく有効とされる場合には、これを脱法行為ではないと表現する(質権に関する§§345・349を回避する譲渡担保にその例が見られる)のが通常となっている。

(エ)　強行規定を回避する行為

(a)　脱法行為という言葉は用いていないが、これに類する行為として無効とされたものに、国税徴収法24条5項に関するものがある(最判平成15・12・19民集57巻2292頁。売掛債権を一括して担保のために譲渡してその売掛債権残高を貸付限度額とする当座

貸越契約において一判決は、これを「一括支払システム」と呼ぶ一、国徴§24 が定めている、譲渡担保財産を第二次的納税義務の対象とする仕組みを回避するために、同条による告知が発せられると当然に弁済期が到来して、売掛債権をもって当座貸付債権の代物弁済に充てるという合意をしていたが、この合意は無効とされた）。

(b) 会社から取立委任を受けた約束手形につき商事留置権を有する銀行は、同会社の再生手続開始後の取立てにかかる取立金を、法定の手続によらず（民再§44 I 参照）同会社の債務の弁済に充当しうる旨を定める銀行取引約款に基づき、同会社の債務の弁済に充当することができるとした判例がある（最判平成 23・12・15 民集 65 巻 3511 頁）。

〔2〕「その意思に従う」とは、当事者が意図した通りの法律効果が認められることであって、法律行為自由の原則を表現している。

（任意規定と異なる慣習）

第九十二条

法令中の公の秩序に関しない規定[1]と異なる慣習[2]がある場合において、法律行為の当事者がその慣習による意思を有しているものと認められるとき[3]は、その慣習に従う。

［原条文〕

法令中ノ公ノ秩序ニ関セサル規定ニ異ナリタル慣習アル場合ニ於テ法律行為ノ当事者カ之ニ依ル意思ヲ有セルモノト認ムヘキトキハ其慣習ニ従フ

本条は、ある事項につき「慣習」（「慣習法」と区別される）がある場合に、その慣習を、それに関する法律行為を解釈する際の基準としなければならないことを規定している。

〔1〕「公の秩序に関しない規定」とは、「任意規定」の意味である（§91〔1〕参照）。本条は、強行規定に反しない慣習なら、たとえ任意規定に反するものでも、一定の場合にその効力を持ちうることを定めるものである。したがって、強行規定も任意規定もない事項について事実である慣習があるときは、その慣習について本条の適用があることはいうまでもない。

〔2〕本条は、慣習が法律行為解釈の標準となることを定めたものであるから、ここにいう「慣習」は「慣習法」の程度に達せず、単に社会の習俗的規範として存在するものを指す。学者は、普通、これを、慣習法である慣習と対比する意味において、「事実である慣習」という（これに対して、個人的な習慣などで、社会的な規範としての意味をまったく持たないものは、「単なる習慣」と呼ぶことができよう）。これに対して法としての意義を有する慣習、すなわち慣習法については、法例 2 条が「公ノ秩序又ハ善良ノ風俗ニ反セサル慣習ハ法令ノ規定ニ依リテ認メタルモノ及ヒ法令ニ規定ナキ事項ニ関スルモノニ限リ法律ト同一ノ効力ヲ有ス」と規定していた（現在の法適用通則§3 では、「公の秩序又は善良の風俗に反しない慣習は、法令の規定により認められたもの又は法令に規定されていない事項に関するものに限り、法律と同一の効力を有する。」と現代語化された）。両者の差異は、第 1 に、「事実である慣習」は当事者の意思を解釈する標準となること

第1編　第5章　法律行為　第1節　総則

によって意思表示の内容となったうえで、はじめて効力を有しうる（本条〔3〕参照）のに
反し、慣習法は当事者の意思に関係なく法規としての効力を有する点、第2に、この
ことと関連して「事実である慣習」は任意規定を改廃する効力を持つが（本条〔1〕参照）、
慣習法は、たとえ任意規定でも法規のある事項については、その法としての意義を認
められない点、換言すればそれを改廃する効力を有しない点にある。もちろん、当事
者がそれによる意思があると認められるときは、慣習法についても本条が適用される
ことになる。

　なお、「慣習」、「事実である慣習」、「慣習法」のそれぞれの意義および相互関係に
ついては、さらに論議が交わされている。最近では、法的確信に支えられた規範性の
強い慣習（法）が任意法規に劣後し、法的確信に支えられるに至っていない規範性の弱
い「事実である慣習」が任意法規に優先するのは不合理であるとの批判が有力になっ
ている。この説によれば、慣習法と事実である慣習との区別は不要であり、慣習は法
例2条（改正により現在は法適用通則§3）により任意法規にも劣る法源性を取得し、法律
行為の内容となる限りにおいて本条により任意法規に優先する法源性を与えられる。

〔3〕　「当事者が慣習による意思を有しているものと認められるとき」という語句
について、これを厳格に解して「意思表示のなかに、慣習によろうとする意思が積極
的に表示されていることを必要とする」意味であると解すると、本条は無用の規定と
なる。けだし、当事者の積極的に表示した意思は、強行法規に反しない限りその効力
を持つものであることは、すでに91条の規定するところだからである。それのみで
はなく、そもそも慣習なるものは、当事者がとくにこれを排斥しない限り、その慣習
の行われる領域における法律行為の内容を決定するべきものである。判例もまたこの
理論を認めている。すなわち、本条を適用するためには、当事者がとくに意思を表示
しなくても、慣習による意思があったと認められる事情があればよい。だから、ある
慣習があり、これによる意思で取引をするのが普通であるような地位にある者は、反
対の意思を表示しない限り、これによる意思があったと推定するのが当然であるとさ
れる（大判大正3・10・27民録20輯818頁、大判大正10・6・2民録27輯1038頁）。

第2節　意思表示

〈改正〉　2017年に心裡留保に関する93条、錯誤に関する95条、詐欺又は強迫に関する96条、意思表示の効力発生時期等に関する97条、意思表示の受領能力に関する98条の2が改正された。95条の錯誤・無効が取消事由に変更された点は、重要である。

[本節の改正の概要]　従来からも93条の「真意を知り」とは隠れた真意を知ることではなく、真意でないことを知ることであると解されていたが、新条文ではその旨が明確になり（1項）、第三者保護規定が設けられた（2項）。95条の錯誤の効果が取消に変更され（1～3項）、第三者保護規定が新設された（4項）。96条については、第三者の詐欺につき、相手方が詐欺の事実を知っていた時のみならず、知ることができた時にも取り消すことができるように改正され（2項）、第三者の保護の要件が善意無過失に改められた（3項）。97条は、意思表示一般に関する規定に改められた。98条の2では、意思表示の相手方が意思能力を有しない場合の規定が加えられた。

1　本節の内容

本節に「意思表示」というのは、ドイツ民法の Willenserklärung と同一の概念である。しかし、本節には意思表示に関する規定が総括的に含まれているわけではなく、意思表示の成立ないし効力について疑問のある場合、すなわち、心裡留保、虚偽表示、錯誤、詐欺および強迫の場合における意思表示の効力に関する規定（§§93～96）と、そのほかの意思表示に関する規定（§§97～98の2）とを含むにとどまる。なお、上記改正に注意。

2　意思表示の意義

「意思表示」は、前に一言した通り（本章解説 2(イ)）、契約の申込みや承諾のように、一定の法律効果を欲する意思を表示する行為であるが、これをさらに分析すると、一定の法律効果を欲する意思（「効果意思」）と、この意思を外界に表示する行為（「表示行為」）とに分けられる（両者の中間で「表示意思」、すなわち表示行為をする意思が問題にされることがあるが、通常はとくに問題にならない）。ところが、行為者以外の人々とすれば、行為者の内心の効果意思は分からないから、表示行為を判断して、効果意思を推測するほかはない。そうすると、①内心の効果意思とその推測された効果意思（表示上の効果意思）とが、くい違うことがありうる。このような場合を、「意思の不存在」（§101 [改注]。原文では「意思の欠缺」と呼ばれた。後述する単独および通謀虚偽表示と錯誤がこれに当たる。§§93～95 [改注]）または「意思と表示の不一致」という。表示上の効果意思に相当する内心の効果意思を欠くという意味である。なお、②内心の効果意思と表示上の効果意思とが一致しているが、内心の効果意思の成立にさいして不当な干渉を加えられ、完全な意思表示ができないこともある。詐欺または強迫による意思表示（§96 [改注]）がそれである。このような意思の形成過程に欠陥のある意思表示を「瑕疵ある意思表示」（欠陥のある意思表示の意味）という。①と②を合わせて、「不完全な意思表

第1編　第5章　法律行為　第2節　意思表示

示」と呼ぶのが適切であろう。なお、特に、2017年の95条の改正に注意。

　なお、①と②について民法は厳格に区別して、①の場合は法律行為は無効となり、②の場合は取消しうるものとなるとする。これは、後述するように、意思に重点をおく考え方とされる。これに対して、近時においては①と②の区別をなるべくなくそうとする傾向が強い。その変化のなかで用語の用い方にも混乱があることに注意を要する。「瑕疵ある意思表示」を①と②を合わせて呼ぶ言葉として用いる見解もある(原著がそうであった)。①と②を合わせて「意思と表示の不一致」と呼ぶ見解もある。また、①と②を別々に概念化するのを避ける見解もある。

　　③　**意思主義と表示主義**

　意思表示の内容や形成過程に欠陥がある場合に、意思に重きをおくべきか(意思主義)、表示に重きをおくべきか(表示主義)は、各国の立法例において問題とされているところであるが、わが民法の態度はドイツ民法などに比べてはるかに意思主義に傾く。ことに錯誤の効果を無効とする点で顕著である(改正前§93(2)・改正前§95(3)参照)。

　　④　**身分上の行為への適用**

　本節の規定は、上述のように、全体として意思主義に傾くとはいえ、なお表示を信頼する者を保護するために、真意を伴わない表示についても、ある程度の効力を認める(§§94Ⅱ・改正前95ただし書・96Ⅱ・Ⅲ[改注])。これらの規定は、財産上の取引行為については、きわめて妥当なものであるが、これを婚姻・縁組などの身分上の行為に適用するときは、きわめて不都合な結果を生じる。したがって、近時の学説および判例は、本節の規定は身分上の行為に適用されないと解し、瑕疵ある身分上の行為は、親族編または相続編の規定に従い、あるいは、その行為の性質に照らして、その効力を定めるべきものであると解している(本編解説②・改正前§93(7)・§94(4)参照)。

　(心裡留保)
　第九十三条
　　1　意思表示は、表意者がその真意ではないことを知ってしたときであっても、そのためにその効力を妨げられない。ただし、相手方がその意思表示が表意者の真意ではないことを知り、又は知ることができた[1]ときは、その意思表示は、無効とする。
　　2　前項ただし書の規定による意思表示の無効は、善意の第三者に対抗することができない[2]。
　[改正前条文]
　　　意思表示は、表意者がその真意ではないことを知ってした[1]ときであっても、そのためにその効力を妨げられない[2]。ただし、相手方が表意者の真意を知り[3]、又は知ることができた[4]ときは、その意思表示は、無効とする[5][6][7]。
　〈改正〉　2017年に改正された。改正では、1項ただし書を「相手方がその意思表示が表意者の真意ではないことを知り、又は知ることができたときは、その意思表示は無効とする。」と改め、さらに上記のような2項を追加した。附則(意思表示に関する経過措置)第六条1

第2節 ［解説］③④・§93〔1〕〜〔5〕

施行日前にされた意思表示については、新法第九十三条、第九十五条、第九十六条第二項及び第三項並びに第九十八条の二の規定にかかわらず、なお従前の例による。

［改正の趣旨］ 〔1〕 改正前93条ただし書では、相手方の認識の対象を「真意」としているが、新法では「真意」まで知らなくても「表示」が「真意」ではないこと、不一致であることを知っていれば保護の必要性は低いので、「その意思表示が表意者の真意ではないことを知り、又は知ることができたとき」に改めた。第三者を保護するための要件の明文化である。例えば、土地の売買契約の際に、売主の真意は所有権を移転させるつもりはなかった場合において、買主が売主の真意を知っていたときは、売買契約は無効である。

〔2〕 買主が土地を、事情を知らない善意の第三者に転売していた場合には、売主は売買契約の無効を当該第三者に主張できるかが問題となる。買主は事情を知っていたから保護に値しないが、善意の第三者は事情を知らなかったのだから保護の必要がある。通説は、「心裡留保」についても「虚偽表示」と同様に「善意の第三者」は保護されるとしてきた（解説〔5〕参照）。新法では、これに従って、93条に第2項を設け、第三者保護の要件を明文化した。この規定の新設により、従来94条2項の類推適用により処理されてきた事例であっても、今後は、事案により本条2項の類推適用がなされる場合もあろう。

［原条文］
　意思表示ハ表意者カ其真意ニ非サルコトヲ知リテ之ヲ為シタル為メ其効力ヲ妨ケラルルコトナシ但相手方カ表意者ノ真意ヲ知リ又ハ之ヲ知ルコトヲ得ヘカリシトキハ其意思表示ハ無効トス

［改正前条文の解説］
〔1〕 この種の行為を「心裡留保」（裡は裏と同義）という。「単独虚偽表示」ということもある。戯言（冗談として語られた言葉）はその適例である。それは、とにかくいちおうは意思表示と認められるものでなければならない。たとえば、舞台の上での科白などの表示については、意思表示でないから、心裡留保の問題もおきない。

〔2〕 表示された通りの効果を生じることである。表意者が真意でない表示をした理由を問わない。その点、「戯言」をつねに無効としているドイツ民法よりも、表示に重きをおくようにみえる（ドイツ民法§118参照）。しかし、わが民法は、本来、ただし書で心裡留保が無効になる場合にも、表意者に損害賠償の義務を認めていない。これを認めるドイツ民法と比較すると、実質的には、かえって意思に重きをおくものというべきである。

〔3〕 「真意を知り」とは、ただ真意でないことを知ればよく、真意がなんであるかを知る必要はないと解するべきである。また、行為の当時知らなければ、後に知っても、ただし書の適用はない。

〔4〕 「知ることができた」とは、一般人の注意を払えば知ることができた場合をいう。

〔5〕 心裡留保が例外として無効な場合に、その無効なことを知らない第三者に対しても無効を対抗できるものとすると、第三者は不測の損害をこうむるおそれがある。したがって、学者は、この場合94条2項を類推し、心裡留保の無効はこれをもって善意の第三者に対抗できない、と解している。商法旧175条9項は「民法93条但書ノ規定ハ株式ノ申込ニハ之ヲ適用セズ」と規定していた。株式申込みのような、会社

第1編　第5章　法律行為　第2節　意思表示

設立の安定という要請が強く、第三者に対する影響の多い行為は、たとえ心裡留保であることを相手方(会社)で知っている場合にも、これを無効とするべきでないという理由に基づくものであって、上の解釈論の趣旨をさらに拡張したものである(現在では会社§51Ⅰ。なお、募集株式の申込みも同様である。会社§211)。

〔6〕　判例は、このただし書をつぎのような場合に類推適用するという理論を示している。

すなわち、株式会社の代表取締役が自己の利益のために代表者としてした行為の場合(最判昭和38・9・5民集17巻909頁)、代理人が自己または第三者の利益をはかるために権限内の行為をした場合(最判昭和42・4・20民集21巻697頁)、代理人が自己の利益を図るため代理権限を濫用して手形上の保証をした場合(最判昭和44・11・14民集23巻2023頁)、親権者が法定代理権を濫用して法律行為をした場合(最判平成4・12・10民集46巻2727頁。ただし、事案は濫用でないとした)、について、相手方がそのことを知り、または知りえたであろうときは、その行為の効果は株式会社や本人に及ばないとしたものである。いずれも、本来の意味の心裡留保ではないが、本条ただし書の拡大解釈によって妥当な結果を得ようとしたものである。これに対しては、悪意の相手方の権限行使を権利濫用としたり、表見代理法理を適用したりするのが本来の筋であるとする異論も主張されている。

〔7〕　本条は「相手方」のある意思表示だけでなく、相手方のない意思表示にも適用があると解されている。この場合には、ただし書の適用はない。

なお、本条は婚姻・縁組のような当事者の真意を絶対の要件とする身分上の行為には適用がないと解される(なお、§§742①・802①参照)。判例も養子縁組についてこのことを明言する(最判昭和23・12・23民集2巻493頁)。

（虚偽表示）
第九十四条
　　1　相手方と通じてした虚偽の意思表示[1]は、無効とする。
　　2　前項の規定による意思表示の無効は、善意の第三者[2]に対抗することができない[3][4][5]。
［原条文］
　相手方ト通シテ為シタル虚偽ノ意思表示ハ無効トス
　前項ノ意思表示ノ無効ハ之ヲ以テ善意ノ第三者ニ対抗スルコトヲ得ス

---

〔1〕　この種の行為を「虚偽表示」という。心裡留保(§93〔改注〕)を単独虚偽表示というのに対して、「通謀虚偽表示」ともいう。表示すなわち行為の外形に相当する意思を欠くものであるが、相手方と通謀する点で心裡留保と異なる。たとえば、売主A・買主Bが、ともに所有権を移転する意思がないのに売買契約証書を作成して登記をするような場合である。

これに反し、行為をした当事者の経済的目的と、行為の法律的性質がくい違うものは虚偽表示ではない。たとえば、AがBから借金するにあたって、その担保の目的

§§93〔6〕〔7〕・94〔1〕〔2〕

でA所有の不動産をBに譲渡したとする。当事者の経済的目的は債権の担保である
が、当事者のした行為は譲渡であって、両者は一致しない。しかし、このような場合
にも、A・B間にその不動産の所有権を移転しようとする意思が存する限り——たと
えその移転が担保の目的であり、したがってBはその取得する土地所有権を担保の
目的にだけ利用するべき義務を負うにせよ——その売買行為は、意思を伴っていると
いえるのであって、決して虚偽表示ではない。これはいわゆる「譲渡担保」であって、
わが国に広く行われるものである。判例は最初、これを虚偽表示であり、無効である
としたが、後にまもなくこれを有効と判示するに至った(第2編第10章後注「譲渡担
保」参照)。

　なお、通謀は双方行為において問題になることが多いが、契約の解除のような相手
方のある単独行為においても成立しうる(最判昭和31・12・28民集10巻1613頁)。また、
共有者の一人が他の共有者と通謀して行う持分放棄(最判昭和42・6・22民集21巻1479
頁)、関係者との通謀による財団法人設立の寄付行為(最判昭和56・4・28民集35巻696
頁)にも、本条は類推適用されてよい。

　〔2〕　この「第三者」とは、結局、虚偽の意思表示の当事者またはその一般承継人
でなくて、その表示の目的について法律上利害関係を有するに至った者を意味する
(大判大正9・7・23民録26輯1171頁、最判昭和42・6・29判時491号52頁)。

　(ア)　たとえば、A・B間に不動産譲渡の虚偽表示がなされ、これに基づいてBが登
記を取得したときは、このBの登記を信頼してこの不動産を買い受け、またはこの
不動産の上に抵当権を取得したCは、完全に所有権または抵当権を取得する(大判昭
和6・10・24新聞3334号4頁)。また、A・B間の虚偽表示でAがBに対して債権を取
得した場合に、善意のCがこの債権をAから譲り受けたときは、Cは債権を取得す
る。後者については、468条2項〔改注〕との関係上、判例によって最初は否定され
たが、後にまもなく肯定され(大判明治40・2・1民録13輯33頁)、その後確定的判例と
なっている。

　(イ)　しかし、本条の保護を受けることのできる第三者であるためには、虚偽表示の
結果生じた虚偽の法律関係を信頼して新たな利害関係に入った者でなければならない。
たとえば、一番抵当権を放棄する虚偽表示がなされた場合にも、その以前から存在し
た二番抵当権者は本条2項によって放棄の有効を主張して第一番に繰り上ることはで
きない。その虚偽表示による放棄があった後に、放棄を真実であると誤信して抵当権
を取得したのであれば、もちろん2項の保護を受ける。同様に、AからBへの債権
の譲渡行為が虚偽であった場合に、債務者が譲渡行為を信じて譲受人Bに弁済すれば、
もとより2項の保護を受けるが、まだ弁済しない間の本来の債権者A(虚偽の譲渡人)
から、譲渡が虚偽であったことを証明して、弁済を請求されたときは、2項を援用し
て弁済を拒むことはできない(大判昭和8・6・16民集12巻1506頁)。また、たとえば、
A・B間の虚偽表示に基づいてBがAに対して登記請求権を有する場合に、この請
求権と直接関係のないBの債権者Cが、自分の債権を保全するためにBに代位して
その登記請求権を行使しようとする場合には(§423〔改注〕参照)、Cは本条の第三者
に該当しない(大判昭和18・12・22民集22巻1263頁)。

203

第1編　第5章　法律行為　第2節　意思表示

〔3〕　虚偽表示の無効を主張できない者は、虚偽表示の当事者に限るのではない。たとえば、Aの不動産をBに虚偽表示で移転し、Bがこれをさらに善意の第三者Cに譲渡した場合には、A・B間の虚偽表示の無効、すなわちその不動産の所有権がなおAにある、ということをCに対して主張することができないのは、Aだけではなく、たとえばAの債権者たちもそうである（大判明治37・12・26民録10輯1696頁）。

　なお、善意の第三者に対抗することができないとは、ここでも表意者の側から無効を主張できないという意味であるから（§177〔9〕(イ)参照）、第三者の側から虚偽表示であるため無効であると認めることは差し支えない。しかし、たとえば、A・B間で虚偽表示によって売買契約を締結したが、その売買の無効を善意の第三者に対抗できない場合に、さらにB・A間で買戻契約を締結して所有権をAに戻す手続をとれば、この後の買戻契約もじつは虚偽表示である。しかし、第三者は、先の売買契約についてはこれを有効と認め、後の買戻契約についてはこれを無効と認めて、目的物がBの所有に属することを主張することは許されない。いいかえれば、先の売買の虚偽表示は後の買戻しの虚偽表示によって有効に撤回することができると解されている（大判昭和13・3・8民集17巻367頁）。

〔4〕　本条2項を身分上の行為に適用すると不当な結果を生じる。婚姻や縁組については規定があるが（§§742①・802①）、たとえば、離婚・離縁などが虚偽でなされた場合に、これらの行為の無効を善意の第三者に対抗できないものとすると、婚姻・縁組などが当事者間では存続し、一部の者に対する関係では解消したこととなって、はなはだ不当な結果となる。したがって、学説・判例は、94条は2項を定める点に意味があるのであるが、2項は取引の安全を図ろうとするもので、適用は財産上の行為に限るべきものであるとし、本条を身分上の行為に適用することを否定する。そして、身分上の虚偽行為は法律行為の一般理論上当然無効であって、善意の第三者に対する関係においても例外はないと論じる（大判大正11・2・25民集1巻69頁、本編解説②および本節解説④参照）。ただし、協議離婚の届け出がされたような場合には、きわめて明確な反証がない限り、少なくとも法律上の夫婦関係はいちおうこれを解消する意思、すなわち法律上離婚の意思をもってその届け出をしたものと認めるのが相当であるとする判例があることに注意を要する（大判昭和16・2・3民集20巻70頁）。

〔5〕　判例は、第2項をつぎのような場合に類推適用するという理論を示している。

　(ア)　事例はいずれも不動産登記（ないし、かつての土地・家屋台帳）に関係するものであり、一般化していえば、真実の権利者AがいるのにB名義で不実の登記がされているときに、Bが善意の第三者Cに対して権利を処分したという場合に、本条2項を類推適用し（同時に110条の法意を援用する場合もある）、Cに対する関係でその行為を有効とするものである。すなわち、家屋を買い受けたAが、Bへ所有権を移転する意思がないのに登記名義を売主から直接Bに移転することを承認した場合（最判昭和29・8・20民集8巻1505頁）、AからBへの不動産売買予約を仮装して仮登記したところ、Bが勝手にこれを本登記にした場合（最判昭和43・10・17民集22巻2188頁）、未登記建物の所有者Aが、その建物につきB名義の家屋台帳登録がなされていることを知りながら、これを明示または黙示により承認した場合（最判昭和45・4・16民集24巻

266頁)、Aが金融をはかるため不動産をDに仮装売買し、Dが権利証などをBに渡したところ、Bが自己名義に勝手に登記した場合(最判昭和45・6・2民集24巻465頁)、不動産所有者AがBに所有権を移転する意思がないのにBの承諾なしに不動産をB名義に登記していた場合(最判昭和45・7・24民集24巻1116頁。最判昭和45・9・22民集24巻1424頁も類似の例)、AがBから不動産を取得したのに抵当権登記と代物弁済の仮登記だけをしていた場合(最判昭和45・11・19民集24巻1916頁)、組合所有の不動産を理事B名義で登記することを承諾した組合員Aが組合からその不動産を譲り受けたが、登記名義はそのままにしておいた場合(最判昭和52・12・8判時879号70頁)、Aの所有不動産をB名義にしておいた場合で、Bから抵当権設定を受け、これを実行して競落したCとの関係が問題になった場合(最判昭和61・11・18判時1221号32頁)などに、AはBから譲渡を受けた善意の第三者Cに対し登記の無効を主張しえないとされる。

(ｲ) この判旨については、物権法において「登記の公信力」が認められていないことを実質上修正し、あたかも公信力があるかのような結果を生むことから、大いに論議されるところである(§177〔11〕参照)。学説も多くは賛成し、最高裁の判例も一見圧倒的に問題を肯定するように思われるが、実際には、不実の外形が作られた事情、第三者Cが保護に値する第三者であるかについての事情に関しては、慎重な実質的判断がなされているように思われる。最判平成15・6・13 (判時1831号99頁)は、Aの不動産につき、BがAから受領した登記済証などを悪用して登記を自己名義に移し、さらにその登記が善意のCからDに移転された事例について、AのC、Dに対する抹消請求を否定した原審判決を破棄し、さらに事情を審理するべく差戻したもので、注目に値する判決である。

最判平成18・2・23 (民集60巻546頁)は、Xが不動産賃貸事務を任せていた代理人に登記済証を預け、またいわれるままに印鑑登録証明書を交付し、実印を捺すのを漫然と見ていたところ、代理人がその不動産を自己の名義に移転登記し、さらに善意無過失のYに譲渡し、登記したという事例について、不実の登記に自ら積極的に関与した場合または知りながら放置した場合と同視しうるほどに重い帰責性があるとして、Yに対して不実の登記であることを対抗できないとした。本条2項類推適用論の判例の動向を窺ううえで参考になる判決である。なお、この種の判決で、110条の類推適用を併せて根拠とする例が多いが、本件もそうである(改正前§110〔1〕(ｶ)(f)参照)。

(ｳ) なお、以上の理論によって、第三者が建物の所有権を取得しても、当然にその建物の存する土地上の賃借権までを取得することにならないのは当然である(最判平成12・12・19判時1737号35頁。所有者でない者の建物の登記に基づいて設定された抵当権が実行され、その買受人が§94Ⅱと§110の類推適用により所有権を取得したとされた事例)。

■ (錯誤)
第九十五条

1　意思表示は、次に掲げる錯誤[1]に基づくものであって、その錯誤が法律行為の目的及び取引上の社会通念[2]に照らして重要なものであるときは、取り消す[3]ことができる。

第1編　第5章　法律行為　第2節　意思表示

　　　一　意思表示に対応する意思を欠く錯誤
　　　二　表意者が法律行為の基礎とした事情についてのその認識が真実に反する
　　　　錯誤
　　2　前項第二号の規定による意思表示の取消しは、その事情が法律行為の基礎
　　　とされていることが表示されていたときに限り、することができる[4]。
　　3　錯誤が表意者の重大な過失によるものであった場合には、次に掲げる場合
　　　を除き、第一項の規定による意思表示の取消しをすることができない[5]。
　　　一　相手方が表意者に錯誤があることを知り、又は重大な過失によって知ら
　　　　なかったとき。
　　　二　相手方が表意者と同一の錯誤に陥っていたとき。
　　4　第一項の規定による意思表示の取消しは、善意でかつ過失がない第三者に
　　　対抗することができない[6]。

［改正前条文］
　　意思表示は、法律行為の要素[2)]に錯誤[1)]があったときは、無効[3)]とする[6)]。ただし、表意者
に重大な過失[4)]があったときは、表意者は、自らその無効[5)]を主張することができない。

〈改正〉　2017年に改正された。前掲（93条）附則第六条参照。

［改正の趣旨］　［1］　錯誤を伝統的な錯誤（1項1号）と動機の錯誤（1項2号）に分けて規
定した。動機の錯誤については、［改正前条文の解説］[2)](ア)を参照。今後は本条1項および
2項に従って判断される。なお、101条1項と120条2項の連動した改正に注意。
　　［2］　「社会通念」という概念が、いわゆる要素の錯誤（この用語は削除された）の判断に
関して用いられているが、最近の判例（最判平成8・6・18集民179号331頁）に依拠してい
るようである。
　　［3］　判例（最判昭和40・9・10民集19巻1512頁）が、原則として表意者以外の第三者
は錯誤無効を主張することができない（相対的無効構成）としていたことが改正の前提にあ
る（解説[3](イ)参照）。また、立法例としては、ドイツ民法119条が以下のように錯誤を取消
事由としている点も参考になる。同条「意思表示は、表意者が意思表示に際してその内容に
つき錯誤に陥っていた場合、又はその内容の表示は全くなすことを欲していなかった場合に
おいて、表意者がその事情を知りかつその場合を合理的に判断したならば意思表示をしなか
ったと認められるときは、これを取り消すことができる。」（同条2項略）を参照。
　　［4］　本項も判例（最判平成元・9・14判時1336号93頁）法理が前提に置かれている
（解説[2](ア)参照）。条文の文言の方が、判例の「法律行為の内容」よりはやや広いと解されて
いる。ここでいう「基礎」とは、前提に近い意味である。なお、いわゆる惹起型錯誤（不実
表示）の場合を排除する趣旨ではないと解される。これに関連して、消費者契約法4条4項
における「重要事項」の定めが限定的に過ぎる、との批判に、対応するべきである。なお、
「相手方が惹起した錯誤は」は明文化されなかったが、第2項の適用が可能であり、また第3
項第2号の適用が可能な場合もあろう。
　　［5］　改正前の95条ただし書を維持しつつ、保護に値しない場合を保護対象から除外した。
　　［6］　錯誤による意思表示を前提として新たに法律関係に入った第三者の保護を図った規
定である。従来の解釈論（改正前96条3項の類推適用）を踏襲したものと解される。保護要
件として、第三者の無過失を要件としている。本項の効果は96条3項と類似することになっ
たが、前提としての「取消要件」に違いがあるため、両条第3項との間で多少異なった解釈
がなされる可能性があるとの見解もある。

［原条文］

§95〔1〕〔2〕

> 意思表示ハ法律行為ノ要素ニ錯誤アリタルトキハ無効トス但表意者ニ重大ナル過失アリ
> タルトキハ表意者自ラ其無効ヲ主張スルコトヲ得ス

[改正前条文の解説]

〔1〕 「錯誤」とは、表示の内容と内心の意思とが一致しないことを「表意者」（意思表示を行った者）自身が知らないことである。10ポンドと書くつもりで10ドルと書くというように、表示行為自体を誤るもの（「表示上の錯誤」）、10ポンドと10ドルを同じと誤解して10ドルと書くというように、表示行為の意義を誤るもの（「内容の錯誤」）、受胎した良馬と誤信して駄馬を買うというように、動機ないし縁由に誤りがあるもの（「動機の錯誤」）とがある。これらの錯誤が当該の法律行為を無効ならしめるかどうかは、それが「法律行為の要素」に関するかどうかで決まる。

表示行為をしたが、それに当たる意思がまったく欠けている場合については、意思表示として成立してないとみられることかが多いであろうが、これも「意思と表示の不一致」（文字通り意思の欠缺である）として、錯誤による無効の問題にもなると考えてよいであろう。もちろん、本条ただし書の問題も生じる（〔5〕参照）。

〔2〕 錯誤が「法律行為の要素」に関するかどうか（「要素の錯誤」といえるかどうか）は、二つの標準から決定される。

㋐ 第1に、意思表示の内容、すなわち、表示されている事項について錯誤があることを要する。ところで、意思表示の内容なるものは抽象的に一定するものではない。同一の事実も、具体的表示の有無によって、あるいは意思表示の内容となり、あるいは意思表示の内容にならない（大判大正3・12・15民録20輯1101頁は、その趣旨を述べ、動機も表示されれば意思表示の内容になるとする）。

問題は「動機の錯誤」（あるいは「縁由の錯誤」）である。すなわち、意思表示の内容そのものには錯誤はないが、意思表示をするに至る動機において錯誤が存在した場合に、これを本条の錯誤といえるかが問題となる。戦後の判例では、単なる動機ないし縁由の錯誤は「意思の欠缺」とはいえず、本条は適用されないが、その動機が意思表示の内容として表示されていれば、意思表示の内容の錯誤となり、本条が適用されると解されている（最判昭和29・11・26民集8巻2087頁、最判昭和45・5・29判時598号55頁）。本条の適用が否定された例としては、Aの相続放棄の結果Bの相続税が予期に反して多額にのぼったからといって、放棄に錯誤があったとはいえないとし（最判昭和30・9・30民集9巻1491頁）、ほかに連帯保証人がいると誤信して連帯保証したとしても、それは縁由の錯誤で、要素の錯誤ではないとされた（最判昭和32・12・19民集11巻2299頁）。なお、動機の表示は明示でも黙示でもよいとされる（前掲大判大正3・12・15、最判平成元・9・14判時1336号93頁。後者は協議離婚に伴う財産分与契約において、分与者が譲渡所得税を課されることを知らず、その理解を前提とし、かつ黙示的に表示していたとして財産分与契約を無効としたものである）。融資の主債務者である会社が反社会的勢力でないという保証人の動機は、それが明示または黙示に表示されていたとしても、当事者の意思解釈上、これが当該各保証契約の内容となっていたとは認められず、保証人の保証契約の意思表示に要素の錯誤はない、とされた判例がある（最判平成28・1・12民集

第1編　第5章　法律行為　第2節　意思表示

70巻1頁、改正前§446〔2〕(イ)も参照)。

　このような考えに対して、動機の錯誤も重要な意思表示の欠陥であるから、せめて取消権を認めてもよいのではないかという主張が有力になされている。立法論にもわたる根本的な問題の存するところである。遺言の存在を知らずにその趣旨と異なる遺産分割協議(§907)が行われた場合において、遺言を知っていれば、同様の意思表示をしなかったであろう蓋然性が高いときは、要素の錯誤がないとはいえないとした判決(最判平成5・12・16判時1489号114頁)などは、新しい傾向を示唆するものといえようか。

　(イ)　第2に、意思表示の内容中の重要な部分に錯誤があること、すなわち、その錯誤がなかったらその意思表示をしなかったであろうと考えられるほどに錯誤が重要であることを要する。しかも、単に表意者自身にとって重要であるだけでなく、一般人にとっても重要だと考えられるものであることを要する。なぜなら、表意者の意思だけを標準とすると、どのような些細な事実に関する錯誤も意思表示を無効にし、取引の安全を害するおそれがあるからである。したがって、法律の精神は、「通常人」(一般的な基準とされてよい判断力を備えた市民のことをいう)を表意者の地位に置いても同一であると認められる場合に限ると解釈するべきである(前掲大判大正3・12・15)。

　(ウ)　なにが重要な部分に関する錯誤かについては、判例が多い。

　(a)　意思表示の相手方の同一性についての錯誤は——とくに現実売買(その場で物の引渡しと代金の支払が行われ、完了する売買をいう)のように誰を相手としても影響のない場合を除いて——、一般に要素の錯誤となる。たとえば、小切手の割引をするに当たって、その依頼人がじつは現に割引によってその小切手を取得し、再割引を求める者の代理人であるにもかかわらず、振出人の代理人であると誤信した場合について、判例は、金融業者から再割引に出した手形小切手は不払いに終わるのを常とするから、絶対に割引をしないという慣習が金融業者間に存在するという理由で、要素の錯誤を認めた(大判昭和12・4・17判決全集4輯371頁)。

　(b)　当事者の身分・資産などに関する錯誤は、とくにこれらの事情が表示され、しかも重要な点と認められる場合にだけ、要素の錯誤となる。まさに休業しようとする銀行であることを知らないで、その銀行に対する債権を取得するような債務の付け替えをした場合にも、錯誤の主張が認められている(大判昭和5・10・30新聞3203号8頁)。保安林・防風林の売買で買主を国と誤信した場合に、要素の錯誤とされた例がある(最判昭和29・2・12民集8巻465頁)。これらの判例とは異なり、信用保証協会と金融機関との間で保証契約が締結されて融資が実行された後に主債務者が中小企業者の実体を有しないことが判明した場合において、信用保証協会の保証契約の意思表示に要素の錯誤がないとされた事例(最判平成28・12・19判時2327号21頁)がある。金融機関が相当と認められる調査をしても、主債務者が中小企業者の実体を有しないことが事後的に判明する場合が生じ得ることは避けられないところ、このような場合に信用保証契約を一律に無効とすれば、金融機関は、中小企業者への融資を躊躇し、信用力が必ずしも十分でない中小企業者等の信用力を補完してその金融の円滑化を図るという信用保証協会の目的に反する事態を生じかねないから

208

である。

　なお、信用保証協会と金融機関との間で保証契約が締結され融資が実行された後に主債務者が反社会的勢力であることが判明した場合において、信用保証協会の保証契約の意思表示に要素の錯誤がないとされた同趣旨の判決が4件出ている（金法2035号9頁）。

　（c）　意思表示の目的とする人や物の同一性に関する錯誤も、要素の錯誤となるのを常とする。Aの債務につき保証をする意思で借用人氏名の部分の空欄になっている借用証書に保証人として署名捺印したところ、そこにBの氏名が記入された事例において、要素の錯誤が認められた（大判昭和9・5・4民集13巻633頁）。

　（d）　目的物の性状・来歴・当該行為の性格についての錯誤は、しばしば問題となる。これらの事情が表示されたかどうか、それが取引上重要な点と認められるかどうかが慎重に吟味されなければならない。馬の売買のさいの年齢および受胎能力のいかん（大判大正6・2・24民録23輯284頁）、保証契約の場合に主たる債務に完全な担保がついていたかどうか（大判大正12・8・2彙報34巻㊦民169頁、大判昭和9・2・26判決全集第3号19頁）、粗悪品のジャムを一般に通用している品質のものと誤信した（最判昭和33・6・14民集12巻1492頁）などは、要素の錯誤の問題となる。これに反して、絵画を自分の鑑識によって買った場合の作者の真偽（大判大正2・3・8評論2巻民161頁）、また、工場内の機械の売買の場合に買主が引きつづいてその工場を借りて製造事業ができると思ったことは、それが表示されて契約の内容にならない限り、法律行為の要素にならない（大判昭和4・11・28新聞3143号10頁）。

　なお、造林のための山林の売買で、その近くに道路が開通するという売主の説明を信じ、予定よりもかなり高額で売買契約を結んだという事例について、要素の錯誤とした判決（最判昭和37・11・27判時321号17頁）があるが、これなどは前述の「動機の錯誤」にかなり近い事例といえよう。

　（e）　目的物の価格・数量などの錯誤については、それが重要な部分であるかどうかを、とくに吟味するべきである。山林の売買に当たって面積について錯誤があった場合、その程度によっては、当事者間に特約がなくても要素の錯誤になる（大判昭和9・12・26判決全集2輯663頁）。3000円の抵当債権が弁済で1400円になったのを知らないで抵当権付債権の譲渡契約を結んだ場合は、要素に錯誤があると解するべきであるとされた（大判昭和6・4・2評論20巻民692頁）。

　（f）　法律ないし法律状態の錯誤も、いろいろな形で問題になる（すでにあげた例のなかにもある）。たとえば、存在しない売買契約についての立替払契約（いわゆる空クレジット）について保証契約を結んでも、要素の錯誤により無効となる（最判平成14・7・11判時1805号56頁）。他の例をあげれば、不動産の売主が、兄が買主に対して負っている債務と代金債権を相殺するために売買契約を結んだが、じつは買主は兄に対する債権者でなかったという事例について、要素の錯誤があるとしたものがある（最判昭和40・10・8民集19巻1731頁）。この種のものも、「動機の錯誤」と近接したものが多い。

　㈢　観念の表示（たとえば、債権譲渡に対する異議をとどめない承諾。§468Ⅰ［改注］）にも、

第1編　第5章　法律行為　第2節　意思表示

本条の規定が類推適用されることがありうる（最判平成8・6・18判時1577号87頁）。た
とえば、債務者が甲債権の譲渡と思ってこれに異議をとどめない承諾を与えたところ、
乙債権の譲渡であったような場合には錯誤を認めてもよい。しかし、前掲最判平成
8・6・18は、敷金返還債務についての減額の特約（「敷引き」特約という）が譲受人（事案
では債権質権者）に伝わっていると誤解して異議をとどめない承諾をしたという事例に
ついて錯誤の主張を認めたが、このような場合をも錯誤により無効として処理するの
には疑問がある（§468［改注］参照。債権の内容ないし付随特約の承継の問題とすれば足りる。
なお、本件には債権者による債務者の欺罔（ぎもう）という要素が存するので、§96 I・Ⅱ［改注］の類推
適用を考えた方が適切であったかもしれない）。

　〔3〕　わが民法は錯誤の効果を無効とし、ただ、表意者に重大な過失がある場合に
は、表意者みずからその無効を主張できないとしている。これは、意思表示理論にお
ける意思主義に傾くものとして批判されている。

　(ｱ)　錯誤を理由とする無効の適用上、つぎの諸点が問題となる。

　(a)　表意者が錯誤におちいった理由を問わないから、他人の詐欺によって錯誤に
おちいった場合にも、要素に錯誤があれば、表意者は本条によって無効を主張する
ことができる。その結果、Aが代金は登記と引き換えに支払うというようなこと
をいってBを欺いて不動産を買い、これをCに転売した場合に、錯誤による無効
を主張し、Cから不動産を取り戻すことをBに認めるような場合が生じる（大判大
正11・3・22民集1巻115頁）。これは、実際問題としては、詐欺による取消しの効果
は第三者に対抗できないとする96条3項［改注］の規定の実益を失わせるものであ
る。

　(b)　錯誤を理由とする無効は、その法律行為の当事者でない者からも主張できる。
古い判例に、つぎのようなものがあった。すなわち、AはB銀行に対して3000円
の債務を負い、所有不動産の上に抵当権を設定していたが、その一部1600円を弁
済してB銀行の支店長に抵当権を放棄してもらった。ところが、B銀行ではその
ことを知らないで3000円の抵当付債権があるものと考え、これをCに譲渡した。
この場合には、AはB銀行の錯誤を理由にBからCへの抵当債権の移転の無効を
主張することができるとされた（前掲大判昭和6・4・2）。ただし、この判例は、抵当
権の放棄による消滅（被担保債権についての弁済のように、付従性による消滅ではない）は
登記しなければ第三者に対抗できないという177条の公示の原則をやぶる点では、
明らかに不当である。

　(ｲ)　その後、錯誤無効については、これを必ずしも「絶対的無効」（第4節解説2参
照）と解する必要はないと考えられるようになっている。たとえば、表意者自身が無
効を主張する意思がないときは、原則として第三者は無効を主張しえないとされる
（最判昭和40・9・10民集19巻1512頁）。他方で、第三者が表意者に対する債権を保全す
る必要がある場合に、表意者が錯誤の存在を認めているときは、表意者自身は無効を
主張する意思がなくても、その第三者が無効を主張できるとされた（最判昭和45・3・
26民集24巻151頁。表意者が有名作家の油絵と信じて買ったが、偽物であった例に関する）。
いずれも妥当な判断といえよう。

§95〔3〕～〔6〕

〔4〕　表意者に「重大な過失」(重過失)があるということは、判例上、容易には認められない。たとえば、実用新案の実物と称するものをみせられて実用新案権を買う約束をした者は、特許公報を精査しなくても重大なる過失があるとはいえない(大判大正10・6・7民録27輯1074頁)。しかし、株式の売買譲渡を常業とする者が、ある会社の実権をその手中におさめようとして株式を買収する場合に、その会社の定款に株式の譲渡制限があるかどうかを調べなかったのは重大なる過失である(大判大正6・11・8民録23輯1758頁)。なお、「重大な過失」の立証責任は相手方にあると解される(大判大正7・12・3民録24輯2284頁)。

〔5〕　表意者に重大な過失があるときは、表意者みずからはその無効を主張できない。

(ア)　この表現からすると、その場合にも、相手方は無効を主張できるということになる。しかし、元来、錯誤は表意者の保護を目的とする制度であるから、表意者みずからが無効を主張できないのに、相手方がこれを主張できるというのは不合理である。それだけでなく、表意者に重過失のない普通の場合でも、相手方に無効の主張を許すのは、制度の目的を逸脱する。ことに、相手方を欺罔して要素に錯誤のある意思表示をさせた者の側からその法律行為の無効を主張できるとするのは、民法改正前95条・96条の規定の立法精神に反する(大判昭和7・3・5新聞3387号14頁)。結局、重過失のある表意者が無効を主張することができない場合には、相手方も第三者もその無効を主張できないと解される(最判昭和40・6・4民集19巻924頁)。

(イ)　錯誤者は、軽過失のある場合にも無効を主張することができ、しかも損害賠償の義務はない。この場合には、ドイツ民法流に、不法行為による損害賠償義務を認めてもよいのではないかとの主張が有力である。

(ウ)　「電子消費者契約に関する民法の特例に関する法律」3条本文が、このただし書(新法第3項)の不適用を規定しているが、その趣旨は分かりにくい。電子消費者契約における申込みまたは承諾については、むしろ錯誤の立証が困難であることに問題があろう。本条ただし書は、本文が適用されない場合を規定していたが、その場合の「重大な過失」の立証も困難であろう(キーの押し違いなどは単なる軽過失であろう)。

〔6〕　錯誤については、ほかの法律関係や法律規定がからんで問題となることが多い。その例をつぎにあげる。

①株式を引受けた者は、会社成立の後、錯誤を理由に引受けの無効を主張することはできない(商旧§191→会社§§51Ⅱ・102Ⅲ)。本条に対する特則である。

②手形について、金額1500万円の手形を金額150万円と誤信して裏書をした者の責任について、悪意の手形取得者に対する錯誤の主張が認められたが、履行を拒みうるのは150万円を超える部分についてであるとした判例がある(最判昭和54・9・6民集33巻630頁)。いわば一部無効を認めたものだが、手形の特殊性によるものといえよう。

③目的物の瑕疵と錯誤の問題は、実際上関連することが多い。もっとも、錯誤無効が認められる場合には、瑕疵担保責任に関する改正前570条の規定の適用は排除される(最判昭和33・6・14民集12巻1492頁。§570〔6〕参照)。

211

第1編　第5章　法律行為　第2節　意思表示

④和解契約（§695）において錯誤があった場合についても、問題が存する（§696〔1〕㈢参照）。和解によってやめることを約した争いの目的となった事項については、——すべてを含めて和解で解決することにしたのであるから——錯誤無効を主張しえないとした判例がある（最判昭和43・7・9判時529号54頁。調停についてほぼ同旨、最判昭和28・5・7民集7巻510頁）。

⑤相続放棄（§938）も、私法上の財産に関する法律行為であるから、本条の適用がある（最判昭和40・5・27判時413号58頁）。

⑥競売手続に関連して、競買申出人（現在では買受け申出人という）が公告に記載のない物件も競買物件に含まれると誤信した場合につき、要素の錯誤とならないとしたもの（大判昭和16・6・7民集20巻809頁）、競買の申出に要素の錯誤があったという主張は、旧民事訴訟法（現在は民事執行法）の定めによる異議申立て・即時抗告によるべきで、別訴では争えないとしたもの（最判昭和43・2・9民集22巻108頁）がある。

⑦消費者契約については、消費者契約法において、事業者が契約締結時に嘘をついた場合には取消事由になるとされており、民法に比べて立証が容易である。第3編第2章解説④(11)参照。

（詐欺又は強迫）
第九十六条

　1　詐欺[1]又は強迫[2]による意思表示は、取り消すことができる[3]。

　2　相手方に対する意思表示について第三者が詐欺を行った場合[2]においては、相手方がその事実を知り、又は知ることができたときに限り、その意思表示を取り消すことができる[1]。

　3　前二項の規定による詐欺による意思表示の取消しは、善意でかつ過失がない第三者に対抗することができない[3]。

[改正前条文]

　1　同上。

　2　相手方に対する意思表示について第三者が詐欺を行った場合においては、相手方がその事実を知っていたときに限り、その意思表示を取り消すことができる[4)5)]。

　3　前二項の規定による詐欺による意思表示の取消しは、善意の第三者に対抗することができない[6)]。

〈改正〉　第2項、第3項は、2017年に改正された。前掲（93条）附則第六条参照。

[改正の趣旨]　〔1〕　第三者の詐欺の取消の要件として、悪意の場合のみならず、相手方に過失がある場合が追加された。相手方は保護に値する者であることが必要であるという趣旨である。

　〔2〕　第三者の詐欺については、解説〔4〕参照。本人に意思表示の効果が帰属する代理人が詐欺を行った場合は、本項の第三者の詐欺には該当せず、たとえ本人が無過失であっても相手方は取り消すことができる。なお、101条の改正に注意。

　〔3〕　保護に値する第三者は、善意かつ無過失であることが必要であるとする改正前法の解釈論が明文化された。

[原条文]

　詐欺又ハ強迫ニ因ル意思表示ハ之ヲ取消スコトヲ得

§96〔1〕

　　或人ニ対スル意思表示ニ付キ第三者カ詐欺ヲ行ヒタル場合ニ於テハ相手方カ其事実ヲ知
リタルトキニ限リ其意思表示ヲ取消スコトヲ得
　　詐欺ニ因ル意思表示ノ取消ハ之ヲ以テ善意ノ第三者ニ対抗スルコトヲ得ス

［改正前条文の解説］

　本条は、詐欺または強迫による意思表示の効果について規定する。両者を区別している点が注意されなければならない。

　なお、刑法上の詐欺罪(刑§246)にいう詐欺および脅迫罪(刑§222)にいう脅迫と本条の詐欺・強迫とは別個の概念であることはいうまでもない。おおむね、後者の方がかなり広いといってよい。同じ詐欺という言葉であるが、本書において詐欺というときは、もちろん、本条が定める民法上の詐欺をいう。

　〔1〕　意思表示が「詐欺による」といいうるためには、つぎの四つの要件を必要とする。

　㈠　詐欺者に相手方を欺<ruby>欺<rt>あざむ</rt></ruby>こうとする意思と、欺くことによって一定の意思を表示させようとする意思との二重の意思があること

　この後の意思がないと、詐欺による意思表示にならない。たとえば、生命保険に入るさいに、蓄膿症にかかったことがあるのに、保険医に対して既往症はない旨を告げた場合には、この事実について医師を欺こうとする意思は認められるが、被保険者が保険会社に錯誤によって契約締結の意思決定をさせるつもりでそういったのでなければ——本件の場合、特別の証拠がなければそうは認定されないとされた——、詐欺を行ったものということはできないとされた(大判大正6・9・6民録23輯1319頁)。

　㈡　「欺罔<ruby>罔<rt>もう</rt></ruby>行為」があること

　欺罔行為とは、故意に事実を隠蔽<ruby>蔽<rt>いんぺい</rt></ruby>し、もしくは虚構して表示することである(自己の行為能力に関する欺罔もこれに当たるかについて、§21〔4〕参照)。したがって、沈黙も欺罔行為となりうる。ただし、沈黙による詐欺は違法性(㈣の要件)を欠くとされる場合が多いであろうが、それは別問題である。

　㈢　表意者が上の欺罔行為によって錯誤におちいり、その錯誤によって詐欺者の欲した意思表示をすること

　詐欺は、相手方を保護するためにこれに取消権を与える制度であるから、詐欺者がだまそうとしていることを承知で意思表示をした者は、これを保護する必要はない。

　㈣　その行為が違法性のあるものであること

　この要件において最も問題となるのは、沈黙による詐欺である。真実を告げる義務がある者がこれを告げないときは、その沈黙は違法性を帯びる。そして、この義務は、単に法令または契約によって生じるだけでなく、社会の取引上要求される信義の原則からも生じる。たとえば、祭りの縁日で金<ruby>金<rt>きん</rt></ruby>と称して真鍮<ruby>鍮<rt>しんちゅう</rt></ruby>の指輪を安く売っていたとしても、通常は違法性があるとまではいえず、詐欺にはならないであろう。以上のことは、理論としては学説も判例も等しく認めるところであるが、実際の場合にどの程度まで信義の原則による告知義務を認めるべきかは、困難な問題である。不動産の所有者が、その不動産の上に抵当権が設定され、登記されていることを秘して高価に売

213

却した事案について、詐欺罪の成立を認めた判例があり（大刑判昭和4・3・7刑集8巻107頁）、沈黙ないし不作為による詐欺罪を認めた刑事判例は多い。民事判例は比較的少ないが、上のような場合には本条による詐欺の成立を認めるであろうと推測される。ただ、ある土地がこれを遊廓地（昔の歓楽街）とする知事の認可があったので暴騰するであろうということを知らない土地所有者から、事情を告げないで不知を利用して安く買った事案について、詐欺の成立を否定した下級審の判決がある（大阪控判大正7・10・14新聞1467号21頁）。前記の大審院の判例とこの事案を比べると、前者はその告げない事実が自分の直接に関与したことであるのに、後者は自分のまったく関与しないことであるという差がある。この差異が、前者を違法な沈黙とし、後者を自由競争場裡において許された沈黙としたものと解してよいであろう。

　(ｵ)　消費者契約については、消費者契約法において、「誤認の三類型」に該当する場合には取消事由になるとされており、民法に比べて立証が容易である。第3編第2章解説④(11)参照。

　〔2〕　意思表示が「強迫による」といいうるためには、詐欺の場合と同様に、つぎの四つの要件を必要とする。

　(ｱ)　相手方に畏怖を生じさせようとする意思と、畏怖によって意思を表示させようとする意思との二重の意思があること

　したがって、たとえばAを告訴すると告げたところ（Bを畏怖させる意思はない）、Bが驚いて、自分の意思によってした行為は、強迫による意思表示ではない（大判昭和11・11・21民集15巻2072頁）。

　(ｲ)　強迫行為があること

　強迫行為は相手方に畏怖を生じさせる行為であれば、どのような態様のものでもよい。みずから害悪を加えるといってもよいし、神罰が当たると告げることでもよい。沈黙・不作為も強迫行為となりうることもちろんである。

　(ｳ)　表意者が上の強迫行為によって畏怖を生じ、その畏怖によって強迫者が欲した意思を表示すること

　強迫の結果、完全に意思の自由を失った者の意思表示は当然に無効であり、本条の適用をまつまでもない。すなわち、本条の適用のためには畏怖のため完全に意思の自由を失ったことを要しない（最判昭和33・7・1民集12巻1601頁）。また、畏怖を生じないが、相手方をあわれんでした意思表示は、強迫による意思表示ではない。

　(ｴ)　強迫が違法性のあるものであること

　その行為が違法であるかどうかでしばしば問題になるのは、不法な行為をした者に対して告訴または告発すると告げて、なんらかの意思表示をさせた場合である。告訴または告発することは国民に与えられた権利であるから、これを行使することは、たとえ相手方に畏怖を生じさせて自分に有利な契約を締結させる目的で行われても、それだけでは必ずしも強迫とはならない。たとえば、被用者が横領をした場合に、その身元保証人である父に、告訴するといって損害賠償に代えて借金証文を差し入れさせても、強迫にはならない（大判昭和4・1・23新聞2945号14頁）。しかし、たとえば、不正行為をしている会社の取締役を告発すると強迫して、自分が持っているその会社の

株式を不当に高く買い取らせるように、その強迫によって得ようとする利益が不当なものである場合は、違法な強迫となる(大判大正 6・9・20 民録 23 輯 1360 頁)。また、得ようとする利益そのものは必ずしも不当でなくても、強迫の手段があまりにも不当なときは、やはり違法な強迫となる。たとえば、詐欺をした者から被害者が損害賠償を請求するに当たって、巡査(警察官)に依頼し、不当にも尋問・強要・威嚇させたというような場合には、たとえその得た賠償の額が不当でなくても、違法な強迫となる(大判大正 14・11・9 民集 4 巻 545 頁)。

これを要するに、強迫の手段と目的とを相関的に考慮しつつ、当該行為につき全体としてその道徳的価値を判断して、それが違法であるかどうかを決するほかはない。

〔3〕 120 条〔改注〕以下参照。会社法 51 条 2 項・102 条 3 項・211 条 2 項、一般法人法 105 条の例外に注意(後者について、第 3 章解説5(2)(ア)参照)。

なお、消費者契約法 4 条によって認められた「不実告知による誤認」および「困惑」による契約の取消権は、本条の基本理念の一適用といってよい。同法の取消権と本条の取消権の関係については注意を要する点が多い。同法 4 条に該当しないからといって本条に該当しないとはいえないこと、同法の取消権が消滅したからといって(同法§7)、本条の取消権は消滅するものではないことにとくに注意するべきである(同法については、第 3 編第 2 章解説4(11)参照)。特定商取引法 9 条の 2 にも同様の問題がある。

〔4〕 これを「第三者の詐欺」という。たとえば、A が B の債務者 C に欺かれて、C の債務の保証人となるために B と保証契約を結んだような場合である。この場合には、B が A の C により欺かれた事情を知っているときに限って、A は B との保証契約を取消すことが許される。

〔5〕 詐欺と違って「強迫」による意思表示は、たとえ第三者が強迫した場合でも、つねにこれを取消すことができる(最判平成 10・5・26 民集 52 巻 985 頁は、その事例である)。相手方の善意・悪意を問わない。被強迫者を被詐欺者より厚く保護しようとするものであり、意思決定の自由に対する干渉の度合いに違いがあるというのがその理由であろうが、学者は一般に意思主義に偏るものとして、この差別的取扱いを非難している。〔6〕をも参照。

〔6〕 たとえば、B が A を欺いて A 所有の不動産を廉価に買い取り、これを C に転売した場合に、C がもし善意、すなわち B が詐欺によって買い取ったものであることを知らないときは、たとえ A が A・B 間の売買を取消しても、C に対して不動産の返還を請求することはできない。単に B に対して損害賠償を請求できるにとどまる。

ただし、本項の保護を受ける第三者は、取消しの意思表示以前に利害関係を有するに至った第三者に限られる(仮登記を有するにとどまる場合でもよい。最判昭和 49・9・26 民集 28 巻 1213 頁)。すなわち、取消しの意思表示があった以後に利害関係を有するに至った者を含まない、と解されている(大判昭和 17・9・30 民集 21 巻 911 頁)。この場合には、普通の取消しがあった場合と同様に、対抗要件の有無・先後(B から C へ権利移転と B から A への権利の復帰のどちらが先に対抗要件を備えるか)によってことが決せられる

第1編　第5章　法律行為　第2節　意思表示

のである（§177[3](3)(ｱ)(c)参照）。

　本項が詐欺に関してこのような規定を設けたのは、善意の第三者を保護する目的であって、実際上重要な意義を持つ。しかし、この規定は、強迫による意思表示には適用されない（大判昭和4・2・20民集8巻59頁）。本条2項の場合と同じく、被強迫者をより保護しようとするものであるが、合理性のない差別的取扱いである。[5]を参照。

　悪意の第三者に対しては、被詐欺者も被強迫者も取消しを主張できることは、いうまでもない。

　なお、消費者契約については、消費者契約法において、「困惑の二類型」に該当する場合には取消事由になるとされており、民法に比べ立証が容易である。第3編第2章解説[4](11)参照。

（意思表示の効力発生時期等）
第九十七条
1　意思表示は、その通知が相手方に到達した時からその効力を生ずる[1]。
2　相手方が正当な理由なく意思表示の通知が到達することを妨げたときは、その通知は、通常到達すべきであった時に到達したものとみなす[2]。
3　意思表示は、表意者が通知を発した後に死亡し、意思能力を喪失し、又は行為能力の制限を受けたときであっても、そのためにその効力を妨げられない[3]。

[改正前条文]
（隔地者に対する意思表示）
1　隔地者[1]に対する意思表示は、その通知が相手方に到達[2]した時からその効力を生ずる[3]。
2　隔地者に対する意思表示は、表意者が通知を発した後に死亡し、又は行為能力を喪失したときであっても、そのためにその効力を妨げられない[4]。

〈改正〉　2017年に改正された。附則（意思表示に関する経過措置）第六条2　施行日前に通知が発せられた意思表示については、新法第九十七条の規定にかかわらず、なお従前の例による。

[改正の趣旨]　[1]　いわゆる到達主義を隔地者以外にも拡張した。通説的見解に従った改正であるとされている。解説(1)参照。改正前法には「隔地者」ではない者同士の意思表示（対面など）についての定めはないが、「隔地者」でなくとも意思表示は相手方に到達した時から効力を生じるのが原則である。そこで、新法は「隔地者」に限定せずに意思表示は相手方に到達した時に効力を生じるという原則を定めた。ここでいう「到達」とは、相手方の支配圏内に入ることであるとされている。相手方が現実に意思表示の内容を知らなくとも、相手方の支配圏（通常知ろうと思えばいつでも知ることができる状態）に入れば「到達」になる。解説(2)も参照。さらに、電子的な手段を含む新しい通信手段との関連に注目しなければならない。契約に関する特則であった改正前526条1項の削除にも注意が必要である。

　　[2]　従来の判例（最判平成10・6・11民集52巻1034頁）理論を踏襲したものと解される。解説(2)(e)も参照。到達主義を前提とすると、相手方が、手紙の受取を拒むなど不当に受領を拒絶することにより「到達」が実現しない場合には、いつまでも意思表示の効力は生じないことになり発信者に不利になる。これまでも判例・通説では、このような場合には、正当な理由がなく受領拒絶がなされたときは意思表示が到達したものと認められるとしてきた

（前掲最判平成10・6・11参照）。そこで改正法では「その通知が通常到達すべきであった時に到達したものとみなす」との明文を置いた。なお、事業者側の濫用には注意が必要であると言われている。

　　〔3〕　表意者が死亡した場合のみならず、「行為能力の制限を受けたとき」を加えた。改正前条文の表現を変更したのは、保佐や補助の場合を含むことを明確にするためである。

　　なお、新法では改正前97条2項（新3項）について、「行為能力を喪失したとき」との文言を「意思能力を喪失」または「行為能力の制限を受けたとき」と改めた。これは、意思能力の喪失や後見のみならず保佐・補助の開始など行為能力一般の制限を含めて、発信後の意思能力の喪失等は意思表示の効力に影響を与えないという通説的な考え方を明らかにするためである。解説〔4〕も参照。

［原条文］

　　隔地者ニ対スル意思表示ハ其通知ノ相手方ニ到達シタル時ヨリ其効力ヲ生ス

　　表意者カ通知ヲ発シタル後ニ死亡シ又ハ能力ヲ失フモ意思表示ハ之カ為メニ其効力ヲ妨ケラルルコトナシ

［改正前条文の解説］

　　本条は「意思表示」がいつ効力を生じるかについて規定する。意思表示は「表白」、「発信」、「到達」、「了知」の四つの段階を経て相手方に通じる。本条は、そのうちの到達をもって効力発生の要件とし、かつ、その効力発生の時期としたのである。

　　〔1〕　「隔地者」とは、普通には遠隔の地にある者である。しかし、遠隔の地にある者も、電話で話をするときは隔地者ではなく対話者である。したがって、厳格にいえば「隔地者」と「対話者」とは土地の遠近ではなく、意思表示の発信と相手方の了知との間に、時の隔りがあるかないかの差異だといわなければならない。もっとも、つぎに述べるように、対話者間においても意思表示の効力発生時期は「到達」の時だと解するならば、本条に関する限り、対話者と隔地者とを区別する必要はないことになる。

　　「対話者」間の意思表示の効力発生については、規定がない。学者の中には、「了知」の時と解するものもある。多くの場合、それで正しい。けだし、対話者間においては、到達と了知とは原則として同時だからである。しかし、たとえば、相手方が故意に耳をふさいで聞かないような場合には、到達はあるが了知はないといわなければならない。しかも、このような場合には、その意思表示の効力を生じさせるのを至当とする。そこで、近時の学説は一般に、対話者間においても意思表示はその到達の時に効力を生じると解している。

　　〔2〕　「到達」とは、意思表示の受領者がその意思表示を受領することのできる状態におかれること、さらにいえば、意思表示が相手方の了知可能な状態におかれることである（最判昭和36・4・20民集15巻774頁）。

　　(a)　書状などが相手方本人に手交される必要はなく、親族・同居人などに手交されたら、それでよい（大判明治45・3・13民録18輯193頁）。

　　(b)　また、相手方が了知しなくても、相手方が了知することのできる場所に送達されたら、それでよい（大判昭和9・11・26新聞3790号11頁）。

第1編　第5章　法律行為　第2節　意思表示

(c)　相手方が理由もないのに意思表示の受領を拒んだ場合にも、到達はありうる。たとえば、家主の延滞賃料支払請求の内容証明郵便を、借家人の内縁の妻が、本人は不在であっていつ帰宅するかも分からないとの理由で受領を拒んだとしても、じつは本人は当時刑事訴追を受けて無罪を証明するための書類をさがし歩いていたために、不在がちで外泊していたにすぎなかったような場合には、その請求の意思表示は、受領拒絶の時に到達したものとされる（大判昭和 11・2・14 民集 15 巻 158 頁）。

(d)　しかし、債権譲渡通知の内容証明郵便を、債務者の妻が、本人は旅行中であり、本人の印章もないから明日再配達してください、といって断わった場合には、意思表示はこの拒絶した日ではなく、後日、実際に配達された日に到達したものとされた（大判昭和 9・10・24 新聞 3773 号 17 頁）。

(e)　かなり特殊な例であるが、内容証明郵便が郵便局における留置期間経過後に差出人に還付された事例において、不在配達証明書の記載によりその内容が遺留分減殺の意思表示であることが十分に推知され、受領も容易だったという事情がある場合に、留置期間満了の時点で到達があったと判断された例がある（最判平成 10・6・11 民集 52 巻 1034 頁）。

〔3〕　到達主義が原則だから、一定の期間内に確答をするべき場合（たとえば§114）には、期間内に返事が到達することを要する。しかし、この到達主義の原則には、多くの例外がある。契約の承諾に関する改正前 526 条が最も重要なものだが、そのほかにも、一定の期間内に確答を発することを要すると定められているとき（たとえば§20［改注〕）は、「発信主義」によることになる。本条と改正前 526 条は関連させて理解することが必要であり、同条の注釈参照。

〔4〕　意思表示は、行為者の側からみれば、表白と発信とですべて完成されているわけで、ただ、相手方との関係において、到達をもって効力発生の時期としたのである。したがって、本項はいわば当然のことを規定したものであると解される。規定は行為能力の喪失についてであるが、発信後に事理弁識能力を失った場合にも同様である。ただし、本項は契約の成立について適用を排斥されていることを注意するべきである（改正前§525。同条の注釈参照）。

（公示による意思表示）
第九十八条
1　意思表示は、表意者が相手方を知ることができず[1]、又はその所在を知ることができないとき[2]は、公示の方法によってすることができる。
2　前項の公示は、公示送達に関する民事訴訟法（平成八年法律第百九号）の規定[3]に従い、裁判所の掲示場に掲示し、かつ、その掲示があったことを官報[4]に少なくとも一回掲載して行う。ただし、裁判所は、相当と認めるときは、官報[4]への掲載に代えて、市役所、区役所、町村役場又はこれらに準ずる施設の掲示場に掲示すべきことを命ずることができる。
3　公示による意思表示は、最後に官報に掲載した日又はその掲載に代わる掲示を始めた日から二週間を経過した時に、相手方に到達したものとみなす。

ただし、表意者が相手方を知らないこと又はその所在を知らないことについて過失があったときは、到達の効力を生じない[5]。

4　公示に関する手続は、相手方を知ることができない場合には表意者の住所地の、相手方の所在を知ることができない場合には相手方の最後の住所地の簡易裁判所の管轄に属する。

5　裁判所は、表意者に、公示に関する費用を予納させなければならない。

〈改正〉　1938年の改正により、97条の2として、本条が追加された。1947年の改正で、4項の「区裁判所」が「簡易裁判所」に改められた。2004年改正により、98条となった。

[2004年改正前条文]
第九十七条ノ二

意思表示ハ表意者カ相手方ヲ知ルコト能ハス又ハ其所在ヲ知ルコト能ハサルトキハ公示ノ方法ニ依リテ之ヲ為スコトヲ得

前項ノ公示ハ公示送達ニ関スル民事訴訟法ノ規定ニ従ヒ裁判所ノ掲示場ニ掲示シ且其掲示アリタルコトヲ官報及ヒ新聞紙ニ少クモ一回掲載シテ之ヲ為ス但裁判所相当ト認ムルトキハ官報及ヒ新聞紙ノ掲載ニ代ヘ市役所、町村役場又ハ之ニ準スヘキ施設ノ掲示場ニ掲示スヘキコトヲ命スルコトヲ得

公示ニ依ル意思表示ハ最後ニ官報若クハ新聞紙ニ掲載シタル日又ハ其掲載ニ代ハル掲示ヲ始メタル日ヨリ二週間ヲ経過シタル時ニ相手方ニ到達シタルモノト看做ス但表意者カ相手方ヲ知ラス又ハ其所在ヲ知ラサルニ付キ過失アリタルトキハ到達ノ効力ヲ生セス

公示ニ関スル手続ハ相手方ヲ知ルコト能ハサル場合ニ於テハ表意者ノ住所地、相手方ノ所在ヲ知ルコト能ハサル場合ニ於テハ相手方ノ最後ノ住所地ノ簡易裁判所ノ管轄ニ属ス

裁判所ハ表意者ヲシテ公示ニ関スル費用ヲ予納セシムルコトヲ要ス

相手方のある意思表示において、相手方が不明であり、または相手方の所在が不明である場合には、当初は有効な意思表示をする方法が定められていなかった。そこで、1938年（昭和13年）の改正で、その欠陥を補うために本条が追加され、公示の方法による意思表示が認められたのである。

〔1〕　たとえば、契約の相手方が死亡し、その相続人が不明の場合、また、白紙委任状を出した場合のように、不特定人に対して行った行為に関して意思表示をしようとする場合をいう。

〔2〕　たとえば、災害などで転居したまま、住所が不明の場合をいう。

〔3〕　民事訴訟法111条参照。

〔4〕　2004年改正により、「官報及ヒ新聞紙」の「及ヒ新聞紙」の部分が削られた。

〔5〕　相手方について十分調査もしないで、公示による意思表示をされては、相手方は不測の損害をこうむるおそれがある。したがって、裁判所は最初に公示の申立てを受けたときに、真の相手方を知ることができず、またはその所在を知ることができないかどうかをいちおう審査して、その手続を許すのであるが、審査の上でこれを許したとしても、表意者に過失があれば、公示による意思表示は結局その効力を生じない。故意について規定していないが、同様に解するべきことはいうまでもない。

第1編　第5章　法律行為　第2節　意思表示

（意思表示の受領能力）
第九十八条の二
　　意思表示の相手方がその意思表示を受けた時に意思能力を有しなかったとき[1]又は未成年者若しくは成年被後見人であったときは、その意思表示をもってその相手方に対抗することができない。ただし、次に掲げる者がその意思表示を知った後は、この限りでない。
　　一　相手方の法定代理人
　　二　意思能力を回復し[2]、又は行為能力者となった相手方

[改正前条文]
　　意思表示の相手方がその意思表示を受けた時に未成年者又は成年被後見人[1]であったときは、その意思表示をもってその相手方に対抗することができない[2]。ただし、その法定代理人がその意思表示を知った後は、この限りでない。

〈改正〉　2017年に改正された。前掲（93条）附則第六条参照。

[改正の趣旨]　[1]　未成年者や成年被後見人が、意思表示を受けてもそれを理解する能力を備えていない場合を追加した。
　　[2]　意思能力を有しない者（3条の2）についても同様の保護が与えられるべきことを明らかにするために同様の条項を設けた。つまり、意思能力を有しない者に対して意思表示をしても、表意者はその効力を相手方に主張できないこと（規定がなくても当然であるが）としたうえで、意思能力を有しない者が意思能力を回復した場合等（成年後見人がついた場合も同様）には、表意者はその効力を相手方に主張することができることとした。なお、本条の要件を満たす者（受領能力を有しない者）の親族等が、後見開始等の審判を請求しない場合には、市町村長による審判の請求が考えられる（§7[13][b]参照）。

[原条文]
第九十八条
　　意思表示ノ相手方カ之ヲ受ケタル時ニ未成年者又ハ禁治産者ナリシトキハ其意思表示ヲ以テ之ニ対抗スルコトヲ得但其法定代理人カ之ヲ知リタル後ハ此限ニ在ラス

〈改正〉　1999年改正により、「禁治産者」が「成年被後見人」と改められた。2004年改正により、98条の2となった。

[1]　意思表示の受領能力がないのは未成年者と成年被後見人であって、制限能力者であっても、被保佐人・被補助人は受領能力があることを注意するべきである。受領の場合には、軽度の能力でよいとする趣旨である。
　なお、民事訴訟法における送達については、民訴法102条を見よ。
[2]　未成年者または成年被後見人の側から、意思表示を受領した旨を主張することは妨げない。なお、直接的には本条の問題ではないが、受領能力を有しない意思無能力者に対して意思表示を行う場合には、成年後見開始審判の申立を行う必要がある。

第3節　代　　理

〈改正〉　2017 年に代理行為の瑕疵に関する 101 条、代理人の行為能力に関する 102 条、任意代理人による復代理人の選任に関する 104 条、法定代理人による復代理人の選任に関する 105 条、復代理人の権限等に関する 106 条、自己契約及び双方代理等に関する 108 条、代理権授与の表示による表見代理等に関する 109 条、権限外の行為の表見代理に関する 110 条、代理権消滅後の表見代理等に関する 112 条、無権代理人の責任に関する 117 条が改正され、代理権の濫用に関する 107 条が新設された。以下では、実質的な改正がない場合でも、条文の繰り上がり等があるので、注意が必要である。

[本節の改正の重要点]　代理権の濫用に関する 107 条の新設が重要である。この場合も、無権代理とみなすことにより、自己契約や双方代理、利益相反行為(新 108 条)と同様の法律構成とした。このようにすることで、本人による追認や代理人に対する責任追及が可能になることが考慮されたとされている。なお、101 条及び 102 条は、従来の学説・判例に従って、適用範囲や規定の内容が明確化され、105 条の削除により、復代理人を選任した任意代理人の責任は、各種契約における債務不履行一般の原則に従うことになった。表見代理に関しては、改正前 110 条と 109 条、110 条と 112 条の競合適用を認める判例法理が明文化された。無権代理人の責任に関する 117 条については、相手方に過失がある場合であっても、悪意の無権代理人との関係では責任の成立を妨げないとされた。

①　本節の内容

　本節は、代理の効力・形式など、代理に関する一般的規定(§§99〜102)、代理権の範囲と復任権(§§103〜108)、代理権の濫用(新§107)、代理権の消滅(§111)および無権代理(§§109・110・112〜118。そのうち§§109・110・112 は表見代理に関する)などの事項を規定する。その規定の仕方は必ずしも論理的ではないので、ここに基本的な事項について若干の解説をしておく必要がある。上記改正に注意。

②　法定代理と任意代理

　(1)　民法典の規定は、代理には「法定代理」と「委任による代理」の 2 種類があることを前提としている(§§104〜107[改注]・111 Ⅱ参照)。しかし、両者の区別については規定がない。代理権の範囲が法定されているか否かの差異だとする説もあったが、現在では、学者は一般に代理権の発生が本人の意思に基づくかどうかの差異だとする。この区別の実益は、復任権(復代理人選任権)などについて生じる(改正前§106 参照)。なお、法定代理には権限踰越の表見代理は適用がないという説があるが、多数説はこの区別を認めない(改正前§110[4]参照。なお、ほかの二つの表見代理については、改正前§109[2]・改正前§112[2]参照)。

　(2)　法定代理が認められるもっとも重要な例は、親権者(§824)および後見人(未成年後見人と成年後見人。§859)であり、この両者を法定代理人という(特別法により定められた児童福祉施設の長のような法定代理人もある。児福§47)。保佐人や補助人が法定代理権を与えられることもあるが(§§876 の 4、876 の 9)、これらの者は、一般的に法定代

第1編　第5章　法律行為　第3節　代理

理人とは呼ばれることはない（§§5Ⅰ・20Ⅱ・124Ⅱ・158Ⅱ参照。審判によって与えられた代理権を行使する限りで、法定代理人と呼ぶことは可能と考えられる）。

（3）　民法は本人の意思に基づいて発生する代理を「委任による代理」といっているけれども、「委任」と「代理」とは、観念上同一のものではない。法律行為を委任する場合でも、代理を伴わないことが少なくない（商§551の問屋・仲買人など）。また、委任以外の雇用契約や組合契約には、代理を伴うことが多い（大判大正14・10・5民集4巻489頁）。このように委任と代理とは別個のものであるとすれば、本人の意思に基づく代理を「委任による代理」あるいは「委任代理」ということは不正確である。そこで近頃の学者は、一般にこれを「任意代理」という。

③　授権行為

上に述べたように、代理は、委任その他の内部関係と別個のものとすれば、本人が代理人に代理権を授与する行為の本体はなんであろうか。これについて学説は一致しない。学説の一部は、代理人になんらの義務を課すものでないから、本人の「単独行為」であって代理人の承諾を必要としないと説き、他の学説は、民法が委任に伴うことを原則としていることから、委任類似の契約であると説く。しかし、代理人の承諾がない授権行為の効力を認めなければ不都合を生じるという場合はほとんどなく、また、内部関係の終了は代理関係の終了をきたすと解するべきことはどちらの説でも同一であるから（改正前§102〔2〕参照）、この学説の争いは実際問題としては格別の違いを生じない（§111〔3〕参照）。判例にも、どちらとも判示した例はないようである。

④　委任状、とくに白紙委任状について

代理権授与の方式には別に制限はない。雇用・組合または請負などの契約と合体して代理権が与えられる場合には、黙示の行為によることが多いであろう。しかし、委任契約とともに授権されるのが最も普通であって、通常「委任状」と称する書類を交付する。委任状そのものは、ただ代理権が与えられたことの証拠にすぎず、代理権授与の要件であるわけではない。委任状には、本人であるＡが「私儀Ｂを私の代理人とし、これこれのことをする権限を委任する」と書き、これに署名・押印するのが普通である。これに、その印鑑が本人のものであることを証明する印鑑登録証明書（根拠となる法律はなく、通常は条例により市区町村長が発行する）を添付することが多い（改正前§110〔2〕(イ)参照）。

委任状の特殊の形式として、「白紙委任状」なるものがある。委任状のなかの代理人の氏名を白紙にしておくか（この場合については、改正前§108〔5〕(イ)参照）、または授権する事項を白紙にしておく（当該の欄を空白にしておくことをいう）ものである。前者の場合が多く行われ、ことに株式会社の総会に出席する代わりに出すもの（会社§310Ⅰ参照）、記名株券にその名義書換のために添付するものなどは、商慣習としてきわめて普通に行われ、その白紙委任状もそれぞれの場合に一定の書式のものが用いられている。代理させる事項を白紙とする委任状は、その事項を詳細に記入することの煩をさけるためなどでしばしば用いられる。この場合、代理人の権限濫用（無権代理となる）が

第3節［解説］③〜⑦

起こりやすいが、相手方の利益は、多くの場合に表見代理の法理によって保護されることになろう（改正前§109[1](ア)(a)・改正前§110[2](ア)参照）。

⑤　**表見代理・無権代理**

代理権限のない者が代理人と称して行為をした場合を広く無権代理という（「広義の無権代理」）。そのうち無権代理人と本人との間に特別の関係があるために、無権代理人を真実の代理人であると誤信した者を保護しなければ公平に反すると認められる場合には、本人の責任を認める必要がある。109条・110条・112条の3か条［改注］は、この趣旨の規定である。学者はこれを「表見代理」という（改正前§109前注参照）。相手方による表見代理の主張が認められた場合以外の無権代理を、これと区別して「狭義の無権代理」という（§113前注参照）。民法は、この後者については、本人の追認、追認の拒絶、無権代理人の重い責任などについて規定し、本人・無権代理人・相手方の三者間の公平を図っている（§§113〜118）。

⑥　**身分上の行為への不適用**

本節の代理の規定は、婚姻・養子縁組・遺言などの身分上の行為については適用がない。これらの行為については、あくまでも当事者本人が、じきじきに意思決定をするべきだからである（本章第2節解説④参照）。いわゆる「代理に親しまない行為」である。ただし、代諾養子についての797条には注意する必要がある。

⑦　**代理に類似したもの**

代理に類似するが、これと区別されるものに、つぎのものがある。

(ア)　使者または表示・伝達機関　　意思決定そのものは当事者本人が行い、本人の意思の内容を書いた手紙を相手に届けたり、その内容を口頭で相手に伝える者のように、本人により決定された意思を単に相手方に表示したり（これを「表示機関」という）、伝達したり（これを「伝達機関」という）する者のことを「使者」という。使者は、代理人のように自分で意思を決定して──本人のために──行為するものではない。したがって、行為能力は本人について問題となる。

(イ)　間接代理　　本人のために行為するが、その法律効果は行為者に帰属し、そのうえでたとえば取得した権利を本人に移転するという関係を「間接代理」と呼ぶ。商法の定める「問屋営業」（商§§551〜）などにその例が認められる。経済的に代理と似た作用を営むが、法律的にまったく代理とは異なる。

(ウ)　代理占有　　第2編に定められている「代理占有」（§181）は意思表示ではないから、やはりまったく代理とは異なる。

(エ)　代表　　「代表」と代理の違いについては、旧53条[2]（第3章後注を見よ）を参照。

第1編　第5章　法律行為　第3節　代理

（代理行為の要件及び効果）
第九十九条
　　1　代理人[1]がその権限内[2]において本人のためにすることを示して[3]した意思表示は、本人に対して直接にその効力を生ずる[4]。
　　2　前項の規定は、第三者が代理人に対してした意思表示について準用する[5]。
［原条文］
　　代理人カ其権限内ニ於テ本人ノ為メニスルコトヲ示シテ為シタル意思表示ハ直接ニ本人ニ対シテ其効力ヲ生ス
　　前項ノ規定ハ第三者カ代理人ニ対シテ為シタル意思表示ニ之ヲ準用ス

　本条は、代理行為の方式とその効果について規定する。
　〔1〕　「代理人」には、法定代理人と任意代理人とがあること、およびこの2種の代理人の代理権取得の原因がなんであるかについては、本節解説[2][3]参照。
　〔2〕　代理人の権限を「代理権」というが、その「代理権の範囲」は、法定代理人にあっては、それぞれの法定代理人の権限を規定する法規（§§28・824〜・859〜・876の4・876の9など）によって定まり、疑問を生じる余地は少ない。これに反して、任意代理人の場合は、授権行為の解釈によって定まるのであるから、争いを生じる場合が少なくない。それぞれの場合について、当事者間の事情と取引界の慣行を考慮して慎重に決定しなければならない。
　判例に現れた事案としては、つぎのような例が注目される。①債権取立ての代理権は代物弁済（§482［改注］）を受領する権限を包含しない（大判大正6・2・7民録23輯210頁）。②売買代金を受領する代理権はその売買を解除する権限を包含しない（大判大正14・10・5民集4巻489頁）。③弁護士に事件を依頼することの代理権は報酬約定の権限を包含する（大判明治45・7・1民録18輯679頁）。④未成年者の親権者の債務を担保するために未成年者所有の不動産に抵当権を設定するべく家庭裁判所により選任された特別代理人は、被担保債権の金額が示されていなかった場合でも根抵当権を設定する権限がある（最判昭和37・2・6民集16巻223頁）。⑤貸金支払請求を受けた被告の訴訟代理人の和解の権限について、弁済期延期・分割払を認める代わりに被告所有の不動産に抵当権を設定する権限がある（最判昭和38・2・21民集17巻182頁）。⑥契約に基づく請求権について訴訟上の和解をすることを委任された弁護士は、その契約の債務不履行に基づく損害賠償請求権を含めて和解をする権限を有する（最判平成12・3・24民集54巻1126頁）。
　同一の事項について数人の代理人が選任された場合に、全員が共同しなければ代理をすることができないかどうかは、授権行為の趣旨によって定めるべきはもちろんであるが、一般には各自単独で代理できるものと解されている（大判大正6・2・13新聞1253号26頁）。
　なお、代理権の範囲が不明な場合については103条の規定があり、復代理人を選ぶ権限については104条から改正前107条までの規定がある。また、代理人が自己と契約をし、または当事者双方の代理人となることについては、108条［改注］の制限が

§99〔1〕～〔4〕

ある。最後に、権限外の代理行為がなされた場合については、110条［改注］、113条などの規定がある。

〔3〕「本人のためにする」とは、本人の現実の利益を図ることをいうのではなく、本人に法律行為の効力を生じさせることをいう。

(ア) したがって、代理人が権限を濫用し、たとえば、横領をするつもりで債権取立ての代理権を行使した場合でも、その取立行為は「本人のためにする」行為となる（大判大正6・7・21民録23輯1168頁）。ただし、相手方が代理人の上記のような権限濫用の意思を知り、または知ることができたであろう場合には、改正前93条ただし書を類推してその代理行為の効力を否定するべきものと解されている（改正前§93(6)参照）。

(イ) この解釈によるときは、「本人のためにすることを示す」（これを要することを「顕名主義」という）とは、結局、ドイツ民法（§164）などにいう「本人の名において」と同一に帰する。そして、その方法としては「A 代理人B」というように、本人の名と代理人の名および代理人による行為であることを示す語句ないし文句を記載するのが普通である。ただ、わが国では、代理人が直ちに本人の氏名を記し、本人の印を押し、代理人の氏名はどこにも記載しないという方法で「本人のためにする」ことを示すことが広く行われている。署名よりも印章に重きをおき、印章さえ真実ならば、他人の代署または印刷などによるいわゆる「記名」と、「押印」（捺印ともいう。改正前§470参照）を信頼して取引をするという取引慣行に由来するものと思われる。もっとも、代理においては、代理人が本人の代わりに意思を決定するのだから、本人の指図によって代署または記名し、押印する行為がすべて代理なのではなく、むしろ本人の表示機関としての行為(本節解説⑦(ア)参照)にすぎない場合も多いであろう。しかし、本人があらかじめ印(はんこ)を交付し、一定の範囲において、自由な裁量によって取引することを委託したような場合には、単なる表示機関の行為としては説明することができない。まさしく代理行為である。そして、判例は以前からこの形式の代理行為を有効と判示している(大判大正9・4・27民録26輯606頁)。

(ウ) 代理人が本人のためにすることを示さず、すなわち「自己の名において」行為をした場合には、100条［改注］の適用がある。ただし、商法504条が、商行為の代理においては本人のためにすることを示す必要がない旨を規定していることを注意しなければならない（顕名主義の例外）。

〔4〕「直接に」とは、代理行為の効果がいったん代理人に帰属してから本人に移るのではなく、直接、当然に本人に帰属するという意味である（これとは違う、いわゆる「間接代理」について、本節解説⑦(イ)参照）。

帰属する効果は、代理行為という法律行為から生じる効果の全部である。したがって、代理人によって意図された効果だけでなく、法律が法律行為制度の運用のために認めた効果、たとえば、詐欺・強迫による取消権なども、直接本人に帰属する。しかし、代理人の不法行為による損害賠償義務のように、法律行為と無関係な効果は、本人に帰属するものでないことはいうまでもない。ただし、この場合にも、本人が「使用者」として不法行為上の責任を負うべきかどうかは、別の問題である（§715の注釈

第1編　第5章　法律行為　第3節　代理

参照）。

〔5〕　このような、相手方の意思表示を受ける代理を「受動代理」という。受動代理においては、「本人のためにすることを示す」のは、意思表示を受領する代理人ではなく、表意者である。そこで、本項は第1項を「準用」するといっているのである。

■ **（本人のためにすることを示さない意思表示）**
第百条
　　代理人が本人のためにすることを示さないでした意思表示は、自己のためにしたものとみなす[1]。ただし、相手方が、代理人が本人のためにすることを知り、又は知ることができたとき[2]は、前条第一項の規定を準用する[3]。
[原条文]
　　代理人カ本人ノ為メニスルコトヲ示サスシテ為シタル意思表示ハ自己ノ為メニ之ヲ為シタルモノト看做ス但相手方カ其本人ノ為メニスルコトヲ知リ又ハ之ヲ知ルコトヲ得ヘカリシトキハ前条第一項ノ規定ヲ準用ス

〔1〕　顕名主義の原則の具体的適用を示す。代理人が代理行為にさいして本人の氏名を示すことを「顕名」という。この規定がある結果、顕名しない代理行為においては、意思表示の効果はすべて代理人自身に帰属する。このような代理人は、たとえ本人のためにするつもりであったとしても、代理の効果は生じない。たとえ、それが錯誤であったとしても、その行為の無効(改正前§95)を主張することはできない。なお、商行為の代理については、商法504条が本条の例外を規定する。

〔2〕　「相手方が……知り、又は知ることができたとき」とは、結局、本人のためにすることが暗黙のうちに表示されていることにほかならない。したがって、このただし書の規定は、本条の「本人のためにすることを示す」とは必ずしも明示である必要はなく黙示でよいという、注意的な意味を有することになる。

〔3〕　99条1項が準用される結果、その意思表示は、直接本人に対し効力を生じる。

■ **（代理行為の瑕疵）**
第百一条
　1　代理人が[1]相手方に対してした意思表示の効力が意思の不存在、錯誤、詐欺、強迫又はある事情を知っていたこと若しくは知らなかったことにつき過失があったことによって影響を受けるべき場合には、その事実の有無は、代理人について決するものとする。
　2　相手方が代理人に対してした意思表示の効力が意思表示を受けた者がある事情を知っていたこと又は知らなかったことにつき過失があったことによって影響を受けるべき場合には、その事実の有無は、代理人について決するものとする[2]。
　3　特定の法律行為をすることを委託された代理人がその行為をした[3]ときは、

本人は、自ら知っていた事情について代理人が知らなかったことを主張することができない。本人が過失によって知らなかった事情についても、同様とする。

[改正前条文]
1 意思表示の効力が意思の不存在[1]、詐欺、強迫[2]又はある事情を知っていたこと若しくは知らなかったことにつき過失があったことによって影響を受けるべき場合[3]には、その事実の有無は、代理人について決するものとする[4]。

2 特定の法律行為をすることを委託された場合において、代理人が本人の指図に従ってその行為をした[5]ときは、本人は、自ら知っていた事情について代理人が知らなかったことを主張することができない。本人が過失によって知らなかった事情についても、同様とする。

〈改正〉 2017年に改正された。附則（代理に関する経過措置）第七条1 施行日前に代理権の発生原因が生じた場合（代理権授与の表示がされた場合を含む。）におけるその代理については、附則第三条に規定するもののほか、なお従前の例による。

2 施行日前に無権代理人が代理人として行為をした場合におけるその無権代理人の責任については、新法第百十七条（新法第百十八条において準用する場合を含む。）の規定にかかわらず、なお従前の例による。

[改正の趣旨] 【1】 改正前101条1項については、従来からも、相手方が行った意思表示について、主観的要件（善意・悪意・有過失・無過失等）が効力に影響を与える場合は、その主観的要件は代理人について決するという考え方が通説的とされてきた。また、判例は、代理人が詐欺・強迫を行った場合にも、改正前本条を適用していた（[改正前条文の解説]【2】参照）。そこで、改正法では、代理人の相手方に対する意思表示の際の意思の不存在・錯誤・詐欺・強迫・悪意・有過失は代理人の主観で決すること（欺罔については代理人によって判断する）として、この点を明確にした。

【2】 相手方の代理人に対する意思表示について、その効力が、悪意・有過失により影響を受ける場合にも代理人により決することをそれぞれ明文化（2項の射程範囲を明確化）した（例えば、相手方が心裡留保で意思表示をし、それについて本人が善意でも代理人が悪意であれば無効となる）。これにより代理人による詐欺は101条1項の問題ではなく、96条1項の問題であることが明確にされた。従来から、代理人が詐欺をした場合につき本条1項で処理をした判例（大判明治39・3・31民録12巻492頁）もあったが、96条1項の詐欺（本人による詐欺と同視）として処理すべきではないかとの批判があった。解説【2】も参照。

【3】 他方、代理人が善意・無過失でも、代理人に委託をした本人が悪意・有過失の場合があるが、この場合には、代理人の善意・無過失による保護を本人に与えることが相当ではない場合もある。改正前101条2項については要件が限定されすぎており、本人が代理人を指揮・監督できる場合にまで広げてよい（本人の主観の考慮）との批判があった。そこで、新法では「本人の指図に従って」との文言を削除し、より広く本人の主観的態様を考慮する場面を広げる考え方を明らかにした。解説【5】も参照。

[原条文]
意思表示ノ効力カ意思ノ欠缺、詐欺、強迫又ハ或事情ヲ知リタルコト若クハ之ヲ知ラサル過失アリタルコトニ因リテ影響ヲ受クヘキ場合ニ於テ其事実ノ有無ハ代理人ニ付キ之ヲ定ム

特定ノ法律行為ヲ為スコトヲ委託セラレタル場合ニ於テ代理人カ本人ノ指図ニ従ヒ其行為ヲ為シタルトキハ本人ハ其自ラ知リタル事情ニ付キ代理人ノ不知ヲ主張スルコトヲ得ス其過失ニ因リテ知ラサリシ事情ニ付キ亦同シ

第1編　第5章　法律行為　第3節　代理

[改正前条文の解説]
　本条は、代理行為に意思表示の瑕疵（かし）の有無などの問題が存するかどうかは、原則として代理人について定められることを規定する。代理にあっては、行為をするのは代理人自身であるから、当然の規定である。
　〔1〕　「意思の不存在」とは、心裡留保（§93〔改注〕）、虚偽表示（§94）、および錯誤（改正前§95）をいう（本章第2節解説2参照）。代理人にこのような事情がある場合である。
　〔2〕　代理人が詐欺・強迫をうけた場合を考えた規定と思われるが、判例は代理人が詐欺・強迫をした場合についても、本条を適用する（大判昭和7・3・5新聞3387号14頁）。
　〔3〕　「ある事情を知っていた」とは、たとえば改正前561条後段にその例がみられる。なお、広く、故意または悪意を要件とする場合を含む（§192参照）。「知らなかったことにつき過失」とは、たとえば117条2項にその例がみられる。なお、広く「知ることができたであろう」場合を含むといってよい（改正前§93ただし書など参照）。
　〔4〕　代理人が相手方に欺（あざむ）かれて、「詐欺による意思表示」をしたときにも、その行為を取消す権利（§96〔改注〕参照）は本人が取得する（§99〔4〕参照）。代理人が本人のこの取消権を代理して行使することができるかどうかは、その代理人の代理権の範囲がこれを含むかどうかで定まる。
　〔5〕　たとえば、本人が代理人に対して特定の家屋の購入を委託し、これについて代理権を授与した場合に、その家屋に瑕疵あることを本人が知っていたときは、たとえ代理人がこれを知らなくても、売主に対して瑕疵担保の責任（改正前§570参照）を主張することはできない。これを許すことは公平に反するからである。本条2項の立法理由はこのような点にあるから、その「本人の指図に従ってその行為をした」というのは、当該の行為をすることが本人の意思によって決定されていることを意味するのであって、それ以上に、本人の指図をうけるという特別な事実が必要なわけではない（大判明治41・6・10民録14輯665頁）。

（代理人の行為能力）
第百二条
　　　制限行為能力者が代理人としてした行為は、行為能力の制限によっては取り消すことができない[1]。ただし、制限行為能力者が他の制限行為能力者の法定代理人としてした行為[2]については、この限りでない。
[改正前条文]
　　　代理人は、行為能力者であることを要しない[1][2]。
〈改正〉　2017年に改正された。前掲（101条）附則第七条参照。
[改正の趣旨]　[1]　13条1項に掲げる行為（被保佐人がその保佐人の同意を得なければならない行為）に、13条1項に掲げる行為を制限行為能力者の法定代理人としてすることが追加された点に注意。なお、120条1項の改正も参照。柱書は、従来からの解釈を明確にしたものである。
　[2]　改正前102条によると、制限行為能力者について認められている取消権が、制限行為能力者が代理人としてなした行為についても認められるのかについては、明確でない。本

§§101〔1〕～〔5〕・102〔1〕〔2〕

文は、制限行為能力者について代理人としての資格を認める以上は、それを理由に取消権を行使することは認められないとする趣旨も含んでいる。制限行為能力制度は制限行為能力者自身の保護の制度であるから、制限行為能力者に法律行為の効果は帰属しない（本人に帰属する）から、代理人としての行為は、取消ができなくても制限行為能力者に影響はない。本人も制限行為能力者にあえて代理権を与えているのであるから取消権による保護は必要ない。

他方、親権など法定代理の場合には、本人が任意に代理権を授与したのではなく、法律の規定に基づいて代理人とされているから、別個の配慮が必要となる。特に本人も制限行為能力者である場合には本人の保護が必要である。学説では、法定代理についても任意代理と同様に取消権を認めないとする考え方もある一方で、制限行為能力者については、法定代理権を認めないとする考え方もあったが、ただし書は、中間的な解決を図ったものといえよう。

［原条文］

　　　　代理人ハ能力者タルコトヲ要セス

［改正前条文の解説］

〔1〕　代理行為の効果は、ことごとく本人に帰属するものであるから、代理人は、代理行為によってはなんらの不利益をこうむるおそれがない。したがって、制限行為能力者（以下、制限能力者と略称する）を保護するために制限能力者は代理人になれないとする必要はない。むしろ、制限能力者が代理人になった場合、そのために相手方に不利益が生じることのないようにする必要がある。これが本条の立法理由である。代理人が「意思能力」を有しないときは、そもそも法律行為をすることができないから、代理行為も成立しないと解されている（第2章第2節解説②参照）。

本条は「法定代理人」と「任意代理人」との両方に適用がある。しかし、法定代理人については、多くの場合に制限能力者はその資格がないとされている（§§833・847・867・876の2Ⅱ・876の7Ⅱなど）。

〔2〕　本条は、制限能力者でも代理人になることができることを定めているだけで、制限能力者が代理人とされる原因となった契約を結んだ場合に、これを制限能力を理由として取消すことができるということは、別問題である。

制限能力者が委任または雇用に伴って代理権を授与された場合に、その委任または雇用契約を制限能力を理由に取消したとしたら、それ以前に制限能力者が代理人として行った行為はどうなるのであろう。委任または雇用契約が取消しによって遡及的に効力を失う（§121［改注］参照）のに伴って、代理権も遡及的になかったことになると解しては、相手方は不測の損害をこうむる。そこで、それまでに行った代理行為はなんの影響も受けないと解するために、二つの説が主張されている。

一つは、代理権授与の授権行為は契約とは別個のもので、本人の一方的な単独行為であるから、契約の取消しがこれに影響しないのは当然であるとする説である。

他の一つは、授権行為は契約であるが、上のような場合には単に将来に向ってその効力を失うにすぎないと説く。けだし、委任・雇用などの内部関係と代理権とは別個の概念であり、制限能力者が取消権によって保護される必要のあるのは、その内部関係においてであり、代理関係においては少しもその必要がないのであるから、たとえ両者が合体して存在する場合にも、制限能力を理由とする契約の取消しの効果は、そ

第1編　第5章　法律行為　第3節　代理

の必要な範囲、すなわち内部関係にとどまると解釈することが、関係当事者を公平に
規律することになり、改正前 102 条の趣旨にも適合するからである。後者が多数説で
ある（なお、本節解説3参照）。

　未成年者が、他人の代理人となるために、親権者の同意を得て、本人との委任契約
を結んだような場合には、上のような問題を生じないことはいうまでもない。

> **（権限の定めのない代理人の権限）**
> **第百三条**
> 　　権限の定めのない[1]代理人は、次に掲げる行為のみをする権限を有する。
> 　　一　保存行為[2]
> 　　二　代理の目的である物又は権利の性質を変えない範囲内において、その利
> 　　　　用又は改良を目的とする行為[3][4]
> ［原条文］
> 　権限ノ定ナキ代理人ハ左ノ行為ノミヲ為ス権限ヲ有ス
> 　一　保存行為
> 　二　代理ノ目的タル物又ハ権利ノ性質ヲ変セサル範囲内ニ於テ其利用又ハ改良ヲ目的ト
> 　　スル行為

　本条は、代理権があることは明らかだが、その権限の範囲がきめられていない場合
に備えて、これを一定の範囲に限定した規定である。なお、代理は法律行為の代理で
あるので、単に「事実行為」（物の修繕など）を本人の代わりにやってくれと頼まれて
行うなどは代理権の問題ではない。
　〔1〕　権限すなわち代理権の範囲が定められていない場合である。定められている
が、その範囲が明確でない場合には、諸般の事情を考察して決めるが（§99(2)参照）、
それでも決まらない場合には、本条を適用するべきであろう。なお、商法上の代理人
に関しては、商法にその代理権の範囲を定める規定があることを注意するべきである
（商旧§§38・46→商§§21・27、会社§§11・16、商§§697・708 など）。
　〔2〕　「保存行為」とは、財産の現状を維持する法律行為である。家屋修繕（のため
に結ぶ契約）・消滅時効の中断などだけでなく、期限の到来した債務の弁済、腐敗しや
すい物の法律的処分（たとえば、売却）のように、財産全体として観察して現状の維持と
みられる法律行為をすべて包含する。
　〔3〕　「利用行為」とは、収益をはかる法律行為であって、家屋を賃貸し、金銭を
利息付で貸与するなどである。「改良行為」とは、物の使用価値または交換価値を増
加する法律行為であって、家屋に造作を付加し、田地に肥料を施したり、これを宅地
とするなどである。利用行為と改良行為とは、物または権利の性質を変えない範囲に
おいてだけすることができるのであるが、性質を変えたかどうかは取引観念によって
決するほかはない。たとえば、田地を宅地とし、預金を株式とするなどは性質を変え
る行為である。
　〔4〕　保存行為・利用行為・改良行為は、いずれも行為の性質によって客観的、抽

§103・復代理人［前注］・§104〔1〕～〔4〕

象的にきまる。金銭を預金とすることは利用行為である。その後、たまたま銀行が破産しても、利用行為であることに変わりはなく、代理権の範囲内として認められる。ただ、代理人が利用行為を下手にやったという理由で、本人に対して責任を負担しなければならないことがあるのは、別の問題である。

復代理人 ［§§104～改正前法107の前注── 2017年に改正された］

　復代理人とは、代理人によって選任され、代理人とならんで、代理権の全部または一部を行使し、本人を代理する者である(改正前§107)。復代理人を選任することは、代理人にとっては便利だが、本人にとっては不利益なことがある。そこで、民法は本人の意思に基づく任意代理人は、特別な場合でなければ復代理人を選任することができないが、その代わり、選任した場合の代理人の責任は軽いものとし(改正前§§104・105)、本人の意思に基づかない法定代理人は、つねに復代理人を選任することができるが、その代わり選任した場合の責任は重いものとした(改正前§106)。復代理人を選任する代理人の権限を「復任権」という。

（任意代理人による復代理人の選任）
第百四条
　　　委任による代理人[1]は、本人の許諾を得たとき、又はやむを得ない事由[2]があるときでなければ、復代理人[3]を選任することができない[4]。
　［原条文］
　　　委任ニ因ル代理人ハ本人ノ許諾ヲ得タルトキ又ハ已ムコトヲ得サル事由アルトキニ非サレハ復代理人ヲ選任スルコトヲ得ス

　〔1〕　「委任による代理人」とは、本人の意思によって選任された代理人、すなわちいわゆる「任意代理人」の意味であって、委任契約に伴って代理人となった者だけでなく、雇用・組合などの契約に伴って代理人となった者をも包含する(本節解説②参照)。
　〔2〕　「やむを得ない事由」とは、たとえば、本人が不在のため復代理人選任についての許諾を得ることができないとか、本人に対して代理人の辞任を申し出ることができないような事情をいう。
　〔3〕　復代理人の権限と義務については、改正前107条参照。
　〔4〕　代理人は、その復任権(本条前注参照)に基づいて自己の名において復代理人を選任するのであって、本人の名においてするのではない。復任権は代理権の一部ではなく、代理権に随伴する権利だからである。この復任権が認められるためには、本人の許諾または〔2〕の事由を要する。
　これと異なって、本人を代理して本人の代理人を選任することは、そういう内容の代理権が与えられている限り、可能であるが、これは本条にいう復代理人の選任では

第1編　第5章　法律行為　第3節　代理

ない。

　もっとも、復代理人も本人の名において代理行為をし、直接本人を代理するものであって、決して代理人の名において代理人を代理するものではない（§107 I→§106参照）。この点では、代理人が本人を代理して選任した代理人と復代理人との間に差異はない。しかし、復代理人の代理権は代理人の代理権に依存するため、後者が消滅すれば前者も消滅するものであり（改正前§107〔1〕参照）、本人に対しては、代理人が本人に対するのと同一の関係に立つ（改正前§107〔3〕参照）。

　このように、復代理人は、万事において代理人に従属する地位にあるのに反し、代理人が本人を代理して選任した代理人は、本人に対して直接に関係をもつ独立の代理人であって、選任した代理人の地位に従属するものではないから、両者の間には重要な差異がある。

第百五条（旧）　改正に伴い削除

[削除前条文]
（復代理人を選任した代理人の責任）
　1　代理人は、前条の規定により復代理人を選任したときは、その選任及び監督について、本人に対してその責任を負う[1]。
　2　代理人は、本人の指名に従って復代理人を選任したときは、前項の責任を負わない。ただし、その代理人が、復代理人が不適任又は不誠実であることを知りながら、その旨を本人に通知し又は復代理人を解任することを怠ったときは、この限りでない[2]。
〈改正〉　2017年に削除された（改正前106条が105条に繰り上がる）。
[削除の理由]　本人と任意代理人との間には委任契約が締結されている。復代理人の選任につき、本人の同意や指名があったとしても、委任契約の趣旨に従った善管注意義務などにつき債務不履行が認められる場合に任意代理人の責任を制限する改正前105条の合理性には疑問があるとされてきた。そこで、新法では105条を削除し、これにより、任意代理人の責任は、各種契約における債務不履行の一般原則に基づいて判断されることになる。旧105条の削除に伴い旧1016条2項も削除されたが、その後の相続法改正（平成30年）の際に、遺言執行者について、法定代理一般の場合と状況が類似しているとの理由から、他の法定代理人と同様の要件で復任権を認めることになった（新1016条1項）。
[原条文]
　代理人カ前条ノ場合ニ於テ復代理人ヲ選任シタルトキハ選任及ヒ監督ニ付キ本人ニ対シテ其責ニ任ス
　代理人カ本人ノ指名ニ従ヒテ復代理人ヲ選任シタルトキハ其不適任又ハ不誠実ナルコトヲ知リテ之ヲ本人ニ通知シ又ハ之ヲ解任スルコトヲ怠リタルニ非サレハ其責ニ任セス

[削除前条文の解説]
　〔1〕　代理人は、復代理人の選任または監督を誤った場合に、復代理人の行為から生じた本人の損害を賠償する責任がある、という意味である。

　たとえば、復代理人が債権の取立てを代理して金銭を受領した場合には、本人はその引渡しを復代理人に対してだけ請求できるのであり（改正前§107 II参照）、代理人に対して請求することはできない。ただ、代理人の選任または監督が不十分であったた

めに、復代理人がこれを横領消費して返還できないとみられるときは、本人は、代理人に対して損害賠償を請求することができることになる(大判昭和10・8・10新聞3882号13頁)。

〔2〕 復代理人の選任を本人の指名に従って行ったときは、代理人は第1項の責任を負わない。その者が復代理人として適切でないことを知りながら、代理人がそのことを本人に知らせず、またはその者を解任することを怠ったような場合は別である。至当な規定といってよい。

（法定代理人による復代理人の選任）
第百五条
　　法定代理人は、自己の責任で復代理人を選任することができる。この場合において、やむを得ない事由があるときは、本人に対してその選任及び監督についての責任のみを負う。

［改正前条文］
　第百六条
　　法定代理人[1]は、自己の責任で[2]復代理人を選任することができる。この場合において、やむを得ない事由があるときは、前条第一項の責任のみを負う[3]。

〈改正〉 2017年に改正された。改正前106条が基本的に繰り上がった。条文上の表現の変更は、旧105条が削除されたためである。

［原条文］
　　法定代理人ハ其責任ヲ以テ復代理人ヲ選任スルコトヲ得但已ムコトヲ得サル事由アリタルトキハ前条第一項ニ定メタル責任ノミヲ負フ

〔1〕 「法定代理人」とは、代理権の発生が本人の意思に基づかない代理人である(本節解説②(1)・(2)参照)。そして、(a)本人に対して一定の地位にある者が法律上当然に代理人となる場合、たとえば親権者(§§818・824)、児童福祉施設の長(児福§47)、(b)本人以外の私人または裁判所が指定もしくは選任する者が代理人となる場合、たとえば指定未成年後見人(§839)、選定未成年後見人(§841)、成年後見人(§§843・859)、保佐人(§876の4)・補助人(§876の9)(保佐人と補助人は法定代理人とは呼ばれないが、審判により法定代理権を認められた場合には、本条の「法定代理人」には含めてもよいであろう。本節解説②(2)参照)、不在者財産管理人のうち裁判所の選任したもの(§§25・26)、相続財産管理人(§918Ⅲ)などの二つに大別できる。

〔2〕 「自己の責任で」とは、「その責任をもって」という意味であって、選任監督に過失があるか否かを問わないで、復代理人の行為について損害賠償の責任を負うことである。法定代理人は自由に復代理人を選任できる限り、重い責任を負うものとされるのである。ただし、その復代理人の行為に過失がある場合に限ると解するべきであろう。

〔3〕 「やむを得ない事由」により復代理人を選任したときは、任意代理人と同じ責任を負えば足りる(改正前§105〔1〕参照)。責任に関しては、内容上の変更はない。

第1編　第5章　法律行為　第3節　代理

（復代理人の権限等）
第百六条
　1　復代理人は、その権限内の行為について[1]、本人を代表する[2]。
　2　復代理人は、本人及び第三者に対して、その権限の範囲内において[1]、代理人と同一の権利を有し、義務を負う。

［改正前条文］
第百七条
　1　同上
　2　復代理人は、本人及び第三者に対して、代理人と同一の権利を有し、義務を負う[3]。
〈改正〉　2017年に改正され、改正前の107条が繰り上がった。第2項は上記のように変更された。前掲（101条）附則第七条1参照。
［改正の趣旨］　[1]　「その権限の範囲内において、」が挿入されたのは、意味の明確化のためである。
［原条文］
　復代理人ハ其権限内ノ行為ニ付キ本人ヲ代表ス
　復代理人ハ本人及ヒ第三者ニ対シテ代理人ト同一ノ権利義務ヲ有ス

　〔1〕　復代理人の権限は、代理人の授権行為によって定まる。しかし、その範囲は代理人の代理権のそれより大ではありえない。復代理人の代理権限は代理人のそれに依存するものであるから、後者が消滅するときは前者も消滅すると解するべきである。もっとも、訴訟代理人がその訴訟につき復代理人を選任したときは、代理人が資格を失うことがあっても、復代理人は当然に権限を失うことはないとされるが、それは訴訟代理の特質に基づくことである（大判大正14・12・14民集4巻590頁）。民訴54条以下参照。
　復代理人の権限は代理人の権限に依存するが、代理人の権限を譲受けるのではないから、復代理人を選任しても代理人はその代理権を失うものではない。両者とも本人の代理人である（大判大正10・12・6民録27輯2121頁）。
　〔2〕　この「代表」は「代理」と解するのが妥当である（第3章後注旧§53(2)参照）。本人を代理するのであるから、本人の名において行為をするべきものである。代理人の名においてするべきではない（大判明治38・10・5民録11輯1287頁）。
　〔3〕　第三者に対して代理人と同一の権利義務を有することは、復代理人も本人の代理人であることから当然である。これに反し、本人に対して代理人と同一の権利義務を有することは当然の事理ではない。けだし、復代理人は代理人によって、その名において選任された者だから、本人との間にはなんらの内部関係も生じないはずだからである。しかし、民法は便宜に基づいて、本人・代理人間の内部関係と同一の内部関係が、本人と復代理人との間にも生じるものと規定したのである。
　この結果、本人は直接に復代理人を監督し、その責任を問い、また、たとえば復代理人が委任事務を処理して得た金銭の引渡しなどを求めることができる（もちろん、代理人に引渡せば、本人に対する引渡義務は消滅する。最判昭和51・4・9民集30巻208頁）。また、復代理人は本人に対して直接に立替費用の償還または所定の報酬の支払などを請

求することができる。ただし、復代理人と代理人との間の内部関係は、消滅するのではないから、復代理人は代理人の監督に服し、また、これに対して報酬を請求することもできる。

代理権の濫用

〈改正〉 2017年に代理権の濫用が明文化された。

（代理権の濫用）
第百七条
　　代理人が自己又は第三者の利益を図る目的で代理権の範囲内の行為をした場合において、相手方がその目的を知り、又は知ることができたときは、その行為は、代理権を有しない者がした行為とみなす[1]。

〈改正〉 2017年に新設された。前掲（101条）附則第七条1参照。

[本条の趣旨]　[1]　本条は、代理権の濫用のために代理行為の効果が本人に帰属しないことになるための要件を定めている。従来、判例（最判昭和42・4・20民集21巻697頁）がこのような場合について、改正前93条の類推適用をする際に示していた要件に準じて、その要件を定めた。この点につき、93条の解説[6]参照。株式会社の代表取締役の権利濫用の場合には、今後は、本条が適用されることになるものと思われる。また、新法は、その効果につき、無効説ではなく、無権代理構成説を採用した。従って、相手方が代理人の濫用目的について悪意または有過失の場合には、無権代理に関する規定（113条、117条）が適用される。施行日（附則1条）前の行為については、この点の差異に注意すべきである。任意代理と法定代理を区別していない。なお、利益相反行為との関連では、法定代理につき826条、任意代理につき108条2項（新設）に注意すべきである。

自己契約と双方代理 [§108の前注]

〈改正〉 2017年に改正された。

　対立する当事者間において行われる双方行為(相手方のある単独行為についても問題になりうる)に関して、代理人がその当事者の双方に関与する立場に立つことは、本人にとって不利を生じる可能性が強い。そのことを考慮して、民法は、代理人が自ら本人の相手方の立場を兼ねることや、同じ者が双方の代理人を兼ねることを制約する規定として、108条を置いている。その理は当然といえるが、その趣旨をよく理解して同条の解釈適用に当たる必要がある。2017年の改正は、本条に関する判例法理の明文

第1編　第5章　法律行為　第3節　代理

化である。

（自己契約及び双方代理等）
第百八条
　　1　同一の法律行為について、相手方の代理人として、又は当事者双方の代理
　　　人としてした行為は、代理権を有しない者がした行為とみなす[1]。ただし、
　　　債務の履行及び本人があらかじめ許諾した行為については、この限りでない。
　　2　前項本文に規定するもののほか、代理人と本人との利益が相反する行為に
　　　ついては、代理権を有しない者がした行為とみなす。ただし、本人があらか
　　　じめ許諾した行為については、この限りでない[2]。
［改正前条文］
（自己契約及び双方代理）
　　　同一の法律行為については、相手方の代理人となり[1]、又は当事者双方の代理人となる[2]
　　ことはできない[3]。ただし、債務の履行及び本人があらかじめ許諾した行為[4]については、
　　この限りでない[5]。
〈改正〉　2017年に改正された。前掲（101条）附則第七条1参照。
［改正の趣旨］　［1］　新法は、自己契約および双方代理とも、追認がない限り、無権代理に
なることを明確にした。解説[2]の判例（最判昭和47・4・4）の法理に従ったものと解され
る。
　　［2］　任意代理においても、利益相反行為につき、本条の規制が及ぶことを規定した。判
例は、利益相反行為か否かは、「行為自体を外形的客観的に考察して判定」すべきであるとし
ている（最判昭和42・4・18、解説[3]参照）。なお、2006年の法人法の改正で、廃止された
旧57条参照。最判平成29・10・5（民集71巻1441頁）、最判令和3・4・14（民集75巻
1001頁）が参考になる。転得者等の第三者の保護については、1項、2項の場合とも、従来
通り、94条2項の類推適用で対応することになろう。
［原条文］
　　　何人ト雖モ同一ノ法律行為ニ付キ其相手方ノ代理人ト為リ又ハ当事者双方ノ代理人ト為
　　ルコトヲ得ス但債務ノ履行ニ付テハ此限ニ在ラス

［改正前条文の解説］
　〔1〕　「相手方の代理人となる」とは、たとえば、本人Aからその所有家屋を売却
する代理権を与えられた代理人Bが、みずから買主となることである。すなわち、
「代理人が本人の相手方となる」といった方が分かりやすい。これを「自己契約」と
いう。
　〔2〕　「当事者双方の代理人となる」とは、上の例でBが、一方で売主Aの代理人
として、他方で買主Cの代理人として取引することである。これを「双方代理」と
いう。108条に違反して約束手形が振出された場合において、同手形が第三者に裏書
譲渡されたときは、同第三者に対しては、本人は、その手形が双方代理行為によって
振出されたものであることについて第三者が悪意であったことを主張・立証しない限
り、振出人としての責任を免れない、とした判例がある（最判昭和47・4・4民集26巻
373頁）。

§108 〔1〕～〔5〕

〔3〕　自己契約および双方代理を禁じたのは、論理的に不可能だからではなく、本人の利益が不当に害されるおそれがあるからである。したがって、本人があらかじめ許諾を与えた場合には、このような代理も有効である。また、後から追認することもできると解するべきである（§116参照。最判平成16・7・13民集58巻1368頁は、市長が、市の事業を行い、自分が代表者である財団法人と契約を締結した事案について、本条の類推適用があるとしたうえで、市議会が追認すれば、市に効果が帰属するとした。§116も類推適用される。事案としては契約の違法性を認めた原審判決を破棄し、差戻した）。判例は、古くは全然無効と解していたが、後にはこの理を認めるに至っている（大判大正4・4・7民録21輯451頁）。2004年改正は、ただし書に「本人があらかじめ許諾した行為」を付け加えて明文化した（〔4〕(2)参照）。

本条は「任意代理」と「法定代理」の両者に適用があることはもちろんであるが、法定代理には多く特別の規定がおかれている（§§826・860など）。「利益相反行為に該当するかどうかは、親権者が子を代理してなした行為自体を外形的客観的に考察して判定すべきであって、当該代理行為をなすについての親権者の動機・意図をもって判定すべきでない」とした判例がある（最判昭和42・4・18民集21巻671頁）。法人の理事が法人と取引をする場合についても別の規定がある（旧§57、商旧§265→会社§§356・365、一般法人§§81・84・197）。

〔4〕　(1)　「債務の履行」については自己契約も双方代理も妨げないとするのは、債務の履行はすでに確定した法律関係を決済するだけで、これによって当事者間に新しく利害関係が生じるものではなく、したがって本人の利益を不当に害する心配がないからである。そこで、「債務の履行」は文字通りに解釈せずに、立法の趣旨を汲んで、当事者間に新しく利益の交換を生じることのない行為の意味に解されている。たとえば、株式の名義書換のために買主が売主を代理すること（大判明治38・9・30民録11輯1262頁）、登記の申請について、当事者の一方が相手方の代理人となり、または一人で双方の当事者の代理人となること（大判昭和19・2・4民集23巻42頁。最判昭和43・3・8民集22巻540頁）などはこれに該当する。これに対して、消費貸借の成立のための金銭の授受は、債務の履行ではなく、本条の禁止の適用を受ける（大判大正11・6・6民集1巻295頁）。

(2)　2004年改正は、これにさらに「本人があらかじめ許諾した行為」を付け加えた（〔3〕参照）。しかし、このことを明文化するのについては疑問がある。「あらかじめ」ではなく、事後の許諾はどうか、また、事前の許諾でも、その許諾が強制される事例もありうるので、その場合をどう解釈するか、などの問題が予想されるからである（〔5〕参照）。解釈に委ねるのが妥当であったろう。

〔5〕　本条は、事情によっては、本人がある行為の相手方に自分の代理人を選任することを委任する場合にも適用があるとされる。

(ア)　判例に現われた事例としては、つぎのようなものがある。

　(a)　たとえば、将来A・B間に交渉の必要が予想される場合に、AがあらかじめBに自分の代理人の選任を委託しておくような場合である。この場合には、Bは任意にCをAの代理人に選任して、これと交渉するわけで、形式的には自己契

第1編　第5章　法律行為　第3節　代理

約ではなく、本条の禁止にふれない。しかし、これを実質的に見れば、Aの利益のためにBと折衝するべき代理人Cが、Bの意思によって選任されているということは、相手方Bが自分でAの代理人となることとほとんど差異がない。したがって、このAが借家人、Bが家主であり、問題の取引がA・B間の賃料不払いを理由とする和解契約の締結であった事案において、判例は、A・B間の委任は無効であり、CはAの代理人ではなく、したがって和解契約はAを拘束しないと判示した（大判昭和7・6・6民集11巻1115頁）。

　(b)　これに反して、上のAが手形債務者、Bが手形債権者であり、問題の取引がその手形債務の弁済に関して準消費貸借（§588［改注］参照）または債務弁済契約を締結することにあった事案においては、損害金の最高限度や公正証書の形式などについてA・B間に約束ができていて、Cが代理するのはその約束の形式的な処理にすぎなかったことを理由に、A・B間の委任を有効とし、Cの代理した契約を有効と判示した（大判昭和7・6・30民集11巻1464頁）。

　(c)　当事者間ですでに取り決められた契約を公正証書に作成するために、一方当事者の委任状に基づいて他方当事者が前者の代理人を選任した例についても、同様とされる（最判昭和26・6・1民集5巻367頁）。

　(ｲ)　判例の趣旨とするところは十分理解できるが、これを本条の問題とするならば、上記の(b)、(c)のいずれにおいても、本人AがBの自己契約的行為をあらかじめ許諾していることが注意されなければならない。

　したがって、問題の中心は、むしろ相手方Bがその経済的優位に乗じて多少ともAに強要して代理人の選任を委託させたかという点にあり、(a)に挙げた判例は根本においては90条を基礎としているものなのである（改正前§90〔1〕(4)(ｱ)参照）。その後の判例も、このことを明言する（大判昭和17・4・13民集21巻362頁）。

　なお、上のようなA・B間の委託は、多くは「白紙委任状」（本節解説④後段）によって行われる。したがって、上の事例は白紙委任状の濫用の問題でもある。

表見代理 ［§§109・110・112の前注］

〈改正〉　2017年に改正された。

　広義の無権代理のうち、その無権代理人と本人との間に特別の関係のある場合を「表見代理」ということについては、前述した（本節解説⑤参照）。その特別の関係とは、本人が、①ある人に――代理権を与えないにもかかわらず――代理権を与えた旨を表示した場合（§109［改注］）、②多少の代理権のある者がその代理権の範囲を越えて代理行為をした場合（§110［改注］）、および、③代理人が代理権の消滅した後に代理行為をした場合（§112［改注］）の三つの場合である。代理人と称する者と取引をする相手方を保護して取引の安全を図ろうとする重要な規定であるが、判例がその範囲を拡

表見代理 ［前注］・§109〔1〕

張しようとしていることも注目に値する。なお、2017 年の改正では、上記 3 カ条の表現が可能な限り統一され、判例法理に従って、110 条と 109 条の競合適用（109 条 2 項）、110 条と 112 条の競合適用（112 条 2 項）が明文化された。

（代理権授与の表示による表見代理等）
第百九条
 1 第三者に対して他人に代理権を与えた$^{2)}$旨を表示した$^{1)}$者は、その代理権の範囲内においてその他人が第三者$^{3)}$との間でした行為について、その責任を負う$^{4)5)6)}$。ただし、第三者が、その他人が代理権を与えられていないことを知り、又は過失によって知らなかったときは、この限りでない$^{7)}$。
 2 第三者に対して他人に代理権を与えた旨を表示した者は、その代理権の範囲内においてその他人が第三者との間で行為をしたとすれば前項の規定によりその責任を負うべき場合において、その他人が第三者との間でその代理権の範囲外の行為をしたときは$^{1]}$、第三者がその行為についてその他人の代理権があると信ずべき正当な理由があるときに限り、その行為についての責任を負う$^{2]}$。

［改正前条文］
（代理権授与の表示による表見代理）
 上記第 1 項と同じ。

〈改正〉 2017 年に改正された。改正では、第 2 項が追加された。前掲（101 条）附則第七条 1 参照。

［改正の趣旨］ **〔1〕** 授与表示がなされた代理権の範囲を超えた行為がなされた場合については、改正前 109 条は明示的には定めていない。この点につき、改正前 110 条本文の規定は権限外の行為をした代理人に実際に基本代理権を授与している場合に関する規定であり、代理権が授与されていない場合には直接の適用はない。このような場合に、下記の判例は「民法 109 条と同法 110 条の重畳適用」により、第三者の保護を図ってきた。判例（最判昭和 45・7・28 民集 24 巻 1203 頁）は、関係書類の公布を受けた者がそれらを濫用し、さらに表示以上の代理行為をした場合には、109 条、110 条が適用される、と判示している。110 条の解説〔1〕(オ)参照。
 〔2〕 新法では、従来、「民法 109 条と同法 110 条の重畳適用」と整理されていた問題に関して、109 条に第 2 項を新設し、（基本）代理権があるかのような表示がなされた場合に、これを基本代理権として表示された基本代理権の範囲外の行為をしたことについて、相手方が、代理権があると信じたことに正当な理由がある場合には、本人に責任を負わせる旨を明文化した。

［原条文］
 第三者ニ対シテ他人ニ代理権ヲ与ヘタル旨ヲ表示シタル者ハ其代理権ノ範囲内ニ於テ其他人ト第三者トノ間ニ為シタル行為ニ付キ其責ニ任ス

［改正前条文の解説］
 本条の表見代理を、通常「代理権授与の表見代理」という。
 〔1〕 「表示」の方法には制限がない。口頭でも、書面でもよい。また、特定の人に通知しても、相手方を特定しない標識・書面・新聞広告などによって一般人に通知

第1編　第5章　法律行為　第3節　代理

しても、表示である。

(ア)　「代理権を与えた旨」の表示とは、ある人が自分の代理人であることを一般に信頼させるような行為をすることを許容する場合をことごとく含む。

　(a)　たとえば、AからBに「白紙委任状」(本節解説④参照)を交付することは、その目的がどうであっても、Bからその白紙委任状の呈示を受けるCに対しては、AはBを自分の代理人とする旨を表示したことになる(大判昭和6・11・24裁判例(5)民251頁)。また、Aが鉄道省(その後運輸省を経て、現在の国土交通省)の請負人である資格がないBに対して、自分の名義で工事を請負い、これを施行することを許容し、BがAの請負工事である旨を表示する標識を掲げて工事を施行する場合には、Aはこの工事の施行に関する一切の取引についてBを代理人とする旨を一般人に表示したことになる(大判昭和5・5・6新聞3126号14頁)。また、A会社がBに対してA会社支店という名称を用いることを許し、その謝礼として看板料名義で毎月30円を支払わせていたという事案では、AはBに普通に支店として有する範囲の代理権を与えた旨を一般人に対して表示したことになる(大判昭和4・5・3民集8巻447頁)。また、東京地方裁判所がその庁舎内に「厚生部」と称する事業を存在させて事業の維持を認めたときは、本条が適用されるとされた(最判昭和35・10・21民集14巻2661頁)。

　(b)　これに反して、AがBの店舗に出張所の看板を掲げただけで、Bを出張所の使用人に選任した旨の表示がないときには、Aが自分で出張して取引をする趣旨ともみられるのであるから、Bを代理人とする旨を表示したことにはならないとされた(大判昭和8・7・4新報339号11頁)。また、日本電信電話公社(その後、NTT)近畿電気通信局の施設内で「近畿地方生活必需品販売部」などの名称を使って販売業務をすることを認めていた場合について、本条は適用されないとされた(最判昭和40・2・19判時405号38頁)。

　また、AがBに代理行為に必要な書類(抵当権設定登記のためのもの)を交付し、Bがその書類をCに交付し、Cがこれを濫用してDのために抵当権を設定したときは、本条の問題とはならない(最判昭和39・5・23民集18巻621頁)。この場合、Cへの代理権授与の表示をしたことにはならないからである。

　(c)　BがAから預けられた印鑑を勝手に使用した場合については、110条の問題になることが多いが(改正前§110〔1〕(ア)・〔2〕(イ)参照)、BがAから手形振出しの権限を与えられたと誤信してAの印鑑を用いて手形を振出した事例について、本条が適用された例がある(最判昭和32・2・7民集11巻227頁)。

(イ)　一度上記の表示をした場合には、これを撤回し、または取消しても、それを知らず、その表示を過失なくして信頼した者(本条〔3〕参照)に対しては、なお責任を負う。

(ウ)　判例は、本条の趣旨を拡張して、他人に自分の氏名を使用することを許した者は、その他人が自分の代理人として行為をしたのでない場合にも、その氏名を信頼した第三者に対して責任を負うべきものとする。たとえば、自分の氏名を頼母子講(わが国古来の庶民の相互扶助的な金融手段。「頼母子」とも「講」ともいう。法学的には「無尽」と同義)の管理人として使うことを許容した者は、これを信頼した講員に対して真実

240

の管理人と同じ責任を負うべきであるとする（大判昭和5・10・30民集9巻999頁）。

こうして、本条は、英米法の「禁反言 estoppel の法理」に近い適用範囲を持つものとなっていることは注目すべき現象である（いわゆる「名義貸し」といわれる問題でもある）。なお、商法上はこれがある程度制度化している（商旧§§42・44・262・23→商§§14・24・26、会社§§9・13・15・354など）。

〔2〕「代理権を与えた」という語句から、本条は、代理権授与ということのない「法定代理」には適用がないことは明らかである（〔5〕参照）。

〔3〕 この「第三者」は、表示が特定人に対してなされたときは、それを受けた第三者に限るが、表示が一般人を相手とするものであるときは、その表示を信頼した一般の第三者である。

この第三者が善意・無過失であることを要件とすることは当然である。本条が取引の安全を保護する制度であることからも、また、改正前110条および112条との対比からしても、疑いない。判例も、代理権授与表示者が相手方の悪意または過失を立証したときは、本条の責任を免れるとしていた（最判昭和41・4・22民集20巻752頁）。2004年改正はそのことを明記した。〔7〕参照。

〔4〕「責任を負う」とは、その表見代理人の行為が無権代理人の行為であると主張できない、ということである。なお、表見代理人の行為によって義務を負う場合には、同時にその代理行為から生じる権利をも取得すると解するべきである。

本人が表見代理行為によって損害をこうむったときは、表見代理人に対して、場合により、不法行為・不当利得などを理由として、損害賠償や利得返還を請求できることはいうまでもない。

〔5〕 本条は、代理権の授与ということのない法定代理に適用がない。このことは、本条の表現からだけでなく、事柄の性質上、当然である（大判明治39・5・17民録12輯758頁。なお、改正前§110〔4〕、改正前§112〔2〕参照）。〔2〕参照。

〔6〕 表示された代理権の範囲をさらに越えて無権代理人が代理行為をした場合については、改正前§110〔1〕(オ)を参照。

また、公正証書の作成手続や訴訟手続に関連しては、その手続の性質上、本条の適用が妥当でない場合がありうる。強制執行受諾条項付の公正証書の作成嘱託につき（最判昭和42・7・13判時495号50頁。なお、改正前§110〔1〕(カ)(d)参照）、また、訴訟手続で会社を代表する権限を有する者を定めるにつき（最判昭和45・12・15民集24巻2072頁）、本条は適用されないとされた。これらの場合には、真に代理権が付与されたかどうかが問題であり、表見代理の問題にはならない。

〔7〕 このただし書は、2004年改正により追加されたが、当然のことを規定したものに過ぎない（〔3〕参照）。ただし、当然ということと、これを「現代用語化」のなかで明文化することの適否は別問題である（改正前§478〔3〕(ア)参照）。

（権限外の行為の表見代理）
第百十条
　　　前条第一項本文の規定は、代理人がその権限外の行為をした場合[1]において、

第1編　第5章　法律行為　第3節　代理

　　　第三者が代理人の権限があると信ずべき正当な理由[2]があるときについて準用する[3][4]。

〈改正〉　2017年に改正された。「前条本文」を「前条第一項本文」に変更した。前掲（101条）附則第七条1参照。

[原条文]
　　代理人カ其権限外ノ行為ヲ為シタル場合ニ於テ第三者カ其権限アリト信スヘキ正当ノ理由ヲ有セシトキハ前条ノ規定ヲ準用ス

　109条の前注をみよ。本条の表見代理を通常「権限踰越の表見代理」という。

〔1〕　これを「権限踰越」という。本条の適用の第1の要件である。

　(ア)　代理人が権限を踰越して権限外の行為をしたというためには、必ずなんらかの範囲で代理権を有する者であることを必要とする（ただし、(ウ)参照）。まったく代理権を有しない者の行為には、いかに代理権があるように第三者からみえても、本条は適用されない（大判大正2・5・1民録19輯303頁。最判昭和30・7・15民集9巻1069頁）。なんらかの代理権を有する者であるかどうかは、結局、各場合の本人と自称代理人との間の事情に即して解釈するほかないことである。

　この点でしばしば問題になるのは、本人が印（はんこ）を交付することである。わが国では印章が署名よりも尊重され、印を交付するということは、多くの場合になんらかの代理権を授与する行為だと解されている。もちろん、たとえば、夫の入監中に妻が事実上印を占有する事実があっても、夫から妻に代理権が授与されたとみるべきではないし（大判大正7・4・13民録24輯681頁）、単に戸籍役場（現在でいえば市区町村の戸籍係）に死亡届を出すことを委託して印を交付することも、代理権の授与とはみられない（大判昭和7・11・25新聞3499号8頁）。しかし、具体的に財産の管理などの処分が問題となっているさいに、これに関連して印を交付することは、原則として、この行為に関する代理権の授与と解される（大判昭和5・8・4新聞3169号16頁）。

　(イ)　本条の適用があるためには、代理権がありさえすればよく（単に勧誘という事実行為をさせていたというだけでは代理権ありとはいえないので、本条は適用されない。最判昭和35・2・19民集14巻250頁）、代理権の種類のいかんを問わない。いいかえれば、表見代理人が真に有する代理権と、その権限を踰越してなされた行為とが関連性のない異種類のものであっても差し支えない。

　判例は、かつてこの点を反対に解釈して、請負契約を締結する代理権を有する者が工事の材料を買い入れた場合に、本条の適用を否定した。しかし、その後、見解を改め、債務弁済の代理権ある者が借金の代理をし（大判大正15・10・19新聞2635号15頁）、商品仕入の代理人が支払保証の代理をした場合（大判大正15・3・27新聞2603号11頁）、小切手振出しの権限しか有しない者が約束手形を振出した場合（最判昭和35・12・27民集14巻3234頁）などに、本条適用の第1の要件である「代理人が権限を踰越する」に該当すると判示した。ただし、このように、真実の代理権とこれを踰越してなされた行為とが縁遠いものであり、ことに後者が重大な経済的意義のある行為であるときは、本条適用の第2の条件である「正当な事由」があるかどうかが、ことに慎重に審議さ

§110〔1〕

れなければならない。

(ウ) 判例は、761条の日常家事代理権を根拠としても、本条の適用があるとしている(最判昭和44・12・18民集23巻2476頁)。ただし、同条の解釈についてはそもそも代理権を認めたものかどうかについて議論があり、同判決も本条の「類推適用」といっている(日常家事に属さないが、相手方が属すると信じた場合に類推適用されるとした)。

(エ) 上の(イ)でふれた真実の代理権は、権限踰越の行為の当時に存することを要するであろうか。判例はこれを肯定していたが(大判大正7・6・13民録24輯1263頁)、後にこれを否定し、かつて存在したが現在は消滅した代理権の権限を踰越した場合にも、112条と結合して本条の適用があると判示した(大連判昭和19・12・22民集23巻626頁、最判昭和32・11・29民集11巻1994頁)。

(オ) 本条適用の基礎となる代理権(基本代理権と呼ばれる)が109条〔改注〕に該当する「代理権授与の表見代理」権である場合はどうであろうか。判例は、このような場合についても、いわば109条〔改注〕と本条の重複適用を認める(最判昭和45・7・28民集24巻1203頁)。(エ)に述べた本条と112条〔改注〕の重複適用と同様に妥当であるが、いずれの場合にも「正当な理由」の認定には慎重を期する必要があろう。

(カ) そのほか、本条の適用が問題になるケースに以下のものがある。

(a) 法人の理事の代表権につき定款に理事会の承認という制限がある場合に、理事会の承認があったと誤信したときは、本条が類推適用されうる(最判昭和60・11・29民集39巻1760頁。ただし、正当の理由なしとされた)。

(b) 現金出納の権限を有しない普通地方公共団体の長が借入金をみずから受領した場合には、本条の類推適用がある(最判昭和34・7・14民集13巻960頁)。

(c) 印鑑証明書下付申請行為のような公法上の行為について代理権を有する者が抵当権設定のような私法上の行為をした場合には、本条の適用はないとされた(最判昭和39・4・2民集18巻497頁)。もっとも、これに対して、登記申請行為のような公法上の行為を委任された者が、その権限を越えて第三者との間で取引をした場合、それが私法上の取引行為の一環として契約上の義務履行のためになされたときは、その権限を基本代理権として本条が適用されうるとした例もある(最判昭和46・6・3民集25巻455頁)。

(d) 公正証書に記載された執行受諾の意思表示は公証人に対する訴訟行為であるから、ほかの点で代理権を有しても、執行受諾の意思表示の権限を与えられていない者の嘱託により公正証書が作成されたような場合については、本条は適用されないとされた(最判昭和32・6・6民集11巻1177頁、最判昭和33・5・23民集12巻1105頁)。

(e) 代理人が直接本人の名で権限外の行為をした場合はどうであろうか。最高裁は、相手方がその行為を本人自身の行為であると信じたことについて正当の理由がある場合に限り、本条の類推適用があるとしている(最判昭和44・12・19民集23巻2539頁)。手形振出しの権限のない代理人が署名代理の方法で手形を振出した場合についても、受取人が本人が真正にそれを振出したと信じることについて正当の理由があるときにつき、同様の判断がされている(最判昭和39・9・15民集18巻1435頁)。

(f) なお、94条2項の類推適用論(§94〔5〕参照)と同時に、本条の類推適用も挙げ

243

第1編　第5章　法律行為　第3節　代理

る判決がしばしば見られることに注意を要する。いずれかの理由によるのが正しいのではないであろうか。

〔2〕　「権限があると信ずべき正当な理由」が存在することは、本条適用の第2の要件である。

(ア)　正当の理由の有無は、表見代理行為が行われた当時の事情——その後の事情は顧慮されない（大判大正8・11・3民録25輯1955頁）——を客観的に観察して決するべきである。一般に、制限のない委任状、ことに「白紙委任状」を交付した場合（大判大正14・12・21民集4巻743頁）、および印を交付した場合（大判昭和8・8・7民集12巻2279頁）には、その濫用行為を代理権限内の行為と信じる正当の理由があるとみられてきたが、その判断には変化が生じていると思われる。

(イ)　いわゆる実印（印鑑登録証明のための登録がなされた印鑑）を本人が代理人に交付したところ、代理人がそれを用いて権限を越える代理行為をした場合についてみると、最高裁は当初、特段の事情のない限り、相手方は代理人に代理権があると信じる「正当な理由」があると認定していた（最判昭和35・10・18民集14巻2764頁）。しかし、その後、むしろ特段の事情があるとして「正当な理由」を否定する例が増えている（金融機関と無権代理人の間で結ばれた連帯根保証の事例について、最判昭和45・12・15民集24巻2081頁、電気器具販売店と無権代理人の間で結ばれた連帯根保証の事例について、最判昭和51・6・25民集30巻665頁）。

以上の事例における「印鑑証明」（地方自治体が条例などを根拠として行う行為である）は、いずれもかつてのいわゆる印影証明方式（登録された印鑑を用いて証明書に押捺された印影が登録された印影と同一であることを証明するもの）であったが（当時は「印鑑証明制度」と呼ばれた）、1974年頃から、全国的に登録証明方式（登録されている印影のコピーを交付して、その旨を証明するもの）による印鑑登録証明制度に移行していることもあり、社会生活において実印というものが持つ意味も小さくなっていることに注意する必要がある。

(ウ)　この「正当な理由」は、本人の意思または行為に基因することを要するであろうか。判例は、最初「本人の過失」を要するとした（大判明治36・7・7民録9輯888頁）。しかし、後にしだいにその見解を改め、本人の作為または不作為に基因することをもって足りるとし（大判大正3・10・29民録20輯846頁）、最後に本人に関係なく純粋に客観的事情によって決するべきであるとするに至った（大判昭和7・5・10民集11巻920頁）。この点は、法定代理に本条の適用があるか否か（この場合は、本人の過失などは問題にならない）と関連する問題だが、判例は連合部判決で法定代理への適用を肯定したのだから（(4)参照）、この点についても疑問は解消したといってよい。

最高裁は、最判昭和28・12・3（民集7巻1311頁）で、抽象論として、必ずしもつねに本人の作為または不作為に基づくことを要しないとしたが、具体論としては本人の作為・不作為によると認定しており、前段の抽象論には格別の意味はないと考えられる。最判昭和34・2・5（民集13巻67頁）は、この昭和28年判決を引用しながら、本人の過失を要しないとしている。

(エ)　「信ずべき正当な理由」があるとは、相手方が事実として信じたのであり、そう信じるのにつき過失がないことを意味すること、もちろんである（大判昭和7・3・5

§§110〔2〕~〔4〕・111

新聞3387号14頁）。

なお、ある人の代理権限が法律上当然に特定されているのに、当事者がとくにこれに制限を加えた場合には、相手方から見れば、その制限された部分についても代理権があると信じるにつき正当の理由があることはいうまでもないから、ただ相手方が善意であるかどうかだけが問題とされる（旧§54〔第3章後注参照〕、商旧§§7Ⅱ・38Ⅲ→会社§§11Ⅲなど参照）。

〔3〕　本人は、表見代理人の行為について、その責めに任じることになる（その意味について、改正前109条〔4〕参照）。

〔4〕　本条は法定代理にも適用されるか（改正前§109〔5〕、改正前§112〔2〕を参照）。かつて親権を行う母または後見人が親族会の同意を必要とするとされた行為について、有効な同意なくして代理行為をした場合がしばしば問題となり、多くの学者は本条の適用ありと主張した。判例は、はなはだしく動揺したが、最後に連合部判決で肯定した（大連判昭和17・5・20民集21巻571頁）。なお、1947年（昭和22年）の改正前の民法では、夫は一定の範囲において妻を代理する権限を有したが（旧§§801・802）、夫がその代理権に付せられた制限を踰越した場合につき、本条を適用するべきかが問題とされた。判例は、この場合にはこれを肯定したが（前掲大判昭和7・5・10）、二三の学者は、妻の地位が不当におびやかされるという理由でこれに反対した。しかし、1947年の民法改正では、母の代理権は無制限となり、親族会は廃され、妻の財産に対する夫の管理権もなくなったから、問題はほとんど消滅した。ただ、後見人が一定の代理行為をする場合に、後見監督人があればその同意を得なければならないのに、その同意を得ず、相手方がそれを知らなかったときには、問題を生じうる（§§864・865）。これについては、本条を適用するのが至当であり、判例も、従来の態度からみて、おそらくは、そう解すると推測される。なお、父母が共同して親権を行使するべき場合（§818Ⅲ）に、一方が勝手に双方の名義で代理行為をしたときは、まさに本条の問題となるわけだが、それについては明文が設けられ、ほぼ本条が適用されるのと同一の結果を認めた（§825）。

（代理権の消滅事由）
第百十一条
　1　代理権は、次に掲げる事由によって消滅する。
　　一　本人の死亡[1]
　　二　代理人の死亡又は代理人が破産手続開始の決定若しくは後見開始の審判を受けたこと[2]。
　2　委任による代理権は、前項各号に掲げる事由のほか、委任の終了によって消滅する[3]。
［原条文］
　　代理権ハ左ノ事由ニ因リテ消滅ス
　　一　本人ノ死亡
　　二　代理人ノ死亡、禁治産又ハ破産

第1編　第5章　法律行為　第3節　代理

　　　此他委任ニ因ル代理権ハ委任ノ終了ニ因リテ消滅ス

〈改正〉　1999年改正および2004年法律76号の改正により、1項2号が「代理人ノ死亡又ハ代理人ガ破産手続開始ノ決定若クハ後見開始ノ審判ヲ受ケタルコト」と改められた。

　本条は、代理権の一般的消滅事由を規定する。このほかの消滅事由を認めない趣旨でないことはいうまでもない。

　〔1〕　商法506条は、商行為の委任による代理権は本人の死亡によって消滅しないとしており、本条に対する例外である。なお、民事の代理においても、委任に伴う代理権は、委任関係が急迫の事情のために、本人の死亡にもかかわらず存続させられる場合には（§§653・654参照）、なお存続するものと解されていることに注意を要する。

　本人と代理人が、本人の死亡によって代理権が消滅しない旨を合意した場合に、その合意は効力を有するかは問題である。委任による代理権の場合（〔3〕参照）における委任の終了に関する653条の規定にも関連する。最判昭和31・6・1（民集10巻612頁）は、本号はそういう合意の効力を否定するものではないとする。本人が法定後見または任意後見に付された場合を含めての検討が必要であろう（「成年後見」前注③(2)(イ)(b)参照）。

　〔2〕　成年被後見人（§8）を代理人に選任することは、不可能ではない（§102参照）。破産者の場合にも、もちろんそうである。しかし、成年被後見人でも破産者でもない人を代理人にしたのに、この者が後に後見開始の審判を受け、または破産手続開始の決定を受けた場合には、代理人である地位を失わせるのが妥当であるから、このような規定を設けたのである（§653参照）。

　〔3〕　代理権が委任契約と合体して授与されている場合には（本節解説②参照）、代理権は委任事務を処理するための手段として与えられているわけだから、委任が終了すれば代理権も消滅するのが当然である。第1項に規定された以外で、委任が終了する場合としては、解除（§651［改注］）および本人についての破産手続開始決定（§653。本人についての後見開始審判は含まれない）がある。

　代理権が組合・雇用などの契約と合体して授与された場合については規定がないが、これらの場合にも内部関係の終了は同時に代理関係を終了させるものと解釈されている。このような場合にも、代理権はこれらの内部関係を実現する手段にすぎないものだからである。

　委任・雇用・組合などの内部関係をそのまま存続させて、これと合体して授与された代理権だけを消滅させることができるであろうか。代理権は、概念上、内部関係と別個のものであり、内部関係は代理権がなくても存続できるものであるから、そのようなことも、可能である。すなわち、両当事者はいつでも自由に代理関係だけの解除の意思表示をして、代理権を消滅させることができる。

　このように、代理権は、あるいは内部関係とともに、あるいは内部関係と別に、当事者の意思によって自由に消滅させることができるが、当事者は代理権を解除しないという特約をすることも原則として自由である。ただし、これによって本人の利益が不当に害されるときは、90条［改注］・91条などによって無効となることがあるのはいうまでもない。いわゆる恩給担保契約などにおいて、そのような例が見出される

§§ 111〔1〕～〔3〕・112〔1〕

（§91〔1〕（ウ）参照）。

（代理権消滅後の表見代理等）
第百十二条
1　他人に代理権を与えた者は、代理権の消滅後にその代理権の範囲内においてその他人が第三者との間でした行為について、代理権の消滅の事実を知らなかった第三者に対してその責任を負う。ただし、第三者が過失によってその事実を知らなかったときは、この限りでない[1]。
2　他人に代理権を与えた者は、代理権の消滅後に、その代理権の範囲内においてその他人が第三者との間で行為をしたとすれば前項の規定によりその責任を負うべき場合において、その他人が第三者との間でその代理権の範囲外の行為をしたときは、第三者がその行為についてその他人の代理権があると信ずべき正当な理由があるときに限り、その行為についての責任を負う[2]。

［改正前条文］
（代理権消滅後の表見代理）
　代理権の消滅[1)2)]は、善意の第三者に対抗することができない[3]。ただし、第三者が過失によってその事実を知らなかったときは、この限りでない[4]。

〈改正〉　2017 年に改正された。前掲（101 条）附則第七条 1 参照。

［改正の趣旨］　**〔1〕**　改正前 112 条本文は代理権の消滅は、善意の第三者に対抗することができないと定めており、この「善意」とは、代理権の消滅を知らないことをいうと解されている。単に、代理権が存在しないこと知らなかった、というのではなく、実際に授与されていた代理権がその後に消滅した事実を知らず、代理権が存続していると誤信していたことをいうと解されてきた。新法ではこの善意の内容を明確化して、「代理権の消滅の事実を知らなかった」第三者としている。さらに、「責任を負う。」という表現に変更した。条文の規定ぶりから、善意の立証責任は、第三者が負い、有過失の立証責任は本人が負うと理解される。なお、「他人に代理権を与えた者」という文言が入ったので、法定代理権の場合は除かれることになる。

　〔2〕　代理人が代理権消滅後に、与えられていた代理権の範囲を超える行為をなす場合も考えられる。判例・学説はこの場合にも 112 条と 110 条の重畳適用により第三者を保護する考え方を採用しているが（110 条〔1〕（エ）参照）、改正前 112 条にはその旨の規定はない。そこで、新法では、109 条の改正と同様に、第 2 項を新設し、代理権の消滅について第三者が善意無過失であった場合に、代理権の範囲を超える行為をすることについて代理権があると信じるについて正当事由が認められる場合には、第三者が保護される旨の規定を置いた。

［原条文］
　代理権ノ消滅ハ之ヲ以テ善意ノ第三者ニ対抗スルコトヲ得ス但第三者カ過失ニ因リテ其事実ヲ知ラサリシトキハ此限ニ在ラス

［改正前条文の解説］
　109 条［改注］の前注を見よ。本条の表見代理を、通常「代理権消滅後の表見代理」という。

　〔1〕　一度も真実の代理権を有しなかった者については、本条の適用はない。
　代理権を有したことはあるが、当該の（代理権消滅後の）代理行為が、かつて有した代

247

第1編　第5章　法律行為　第3節　代理

理権の権限を踰越(ゆえつ)した場合に、本条の適用はないとするのが従前の判例であったが(大判大正7・6・13民録24輯1263頁)、その後これを改め、本条と110条〔改注〕とを組み合せて適用することを認めた(改正前§110⑴㋑参照)。

相手方が代理人の代理権消滅前に代理人と取引をしたことがあるかどうかは、関係ない。相手方の善意・無過失(〔4〕)を判断する資料となるにすぎない(最判昭和44・7・25判時574号26頁)。

かつての代理権の権限の広狭を問わず、一時的であるか継続的であるかで区別しない。

〔2〕　この「代理権の消滅」には、法定代理権の消滅も含まれる。すなわち、本条は法定代理についても適用があると解される(大判昭和2・12・24民集6巻754頁。なお、改正前§109⑸、改正前§110⑷参照)。2017年の改正により、法定代理にも本条を適用していた判例は、先例的意義を失う。法定代理権の消滅は任意代理権の消滅とは根拠・態様を異にするが、この判決は、未成年者の親権者が、未成年者の20歳到達後に代理行為をした事例について、相手方がそれに気づかなかったことをやむをえないとしたもので、妥当である。

〔3〕　消滅をもって第三者に「対抗することができない」とは、109条〔改注〕および110条〔改注〕の「その責任を負う」というのと結局同じである(§109〔4〕参照)。

〔4〕　第三者に要求されるのは善意・無過失で足りる。権限踰越(ゆえつ)の表見代理(§110)のような(本条でいえば、権限が消滅したことを知らないことにつき)「正当な理由」は要求されていない。

本条の表見代理に関連して、支配人については、商法上特則があることを注意するべきである。すなわち、支配人の代理権の消滅は、登記および公告の後でなければ、善意の第三者に対抗できない(商旧§12前段→会社§908前段)。その反面、登記および公告をすれば、その後は、第三者が代理権の消滅を知らないことについて正当の事由がなければ、表見代理は適用されないことになる(商旧§12後段→会社§908後段)。法人の代表者の退任についても、同じように考えられるのは当然である(代表取締役について、最判昭和49・3・22民集28巻368頁、社会福祉法人の理事について、最判平成6・4・19民集48巻922頁)。

狭義の無権代理 [§§113～118の前注]

〈改正〉　2017年に無権代理人の責任に関する117条が改正された。

「狭義の無権代理」(本節解説⑤参照)は、本人についてなんらの効力をも生じないが、本人はこれを追認して真正な代理行為であったのと同様の効果を生じさせる自由をもっている(本人の追認権)(§§113・116)。したがって、相手方は、不安定な状態におかれるから、本人に対して催告をして法律関係を確定させるか(相手方の催告権)(§114)、自分の方から取消して本人が追認することのできないようにすることができる(相手

§112〔2〕~〔4〕・狭義の無権代理［前注］・§113〔1〕~〔3〕

方の取消権）（§115）。そして、無権代理行為が本人に対して効力を生じないときは、無権代理人は重い無過失責任を負うものとして相手方を保護する（無権代理人の責任）（§117［改注］。同条は、改正によって詳細かつ具体的な内容になった）。なお、以上は契約の無権代理であるが、単独行為の無権代理については、多少の修正が加えられる（§118）。

（無権代理）
第百十三条
1 代理権を有しない者が他人の代理人としてした[1]契約は、本人がその追認[2]をしなければ、本人に対してその効力を生じない[3][6][7]。
2 追認又はその拒絶[4]は、相手方に対してしなければ、その相手方に対抗することができない。ただし、相手方がその事実を知ったときは、この限りでない[5]。

［原条文］
代理権ヲ有セサル者カ他人ノ代理人トシテ為シタル契約ハ本人カ其追認ヲ為スニ非サレハ之ニ対シテ其効力ヲ生セス
追認又ハ其拒絶ハ相手方ニ対シテ之ヲ為スニ非サレハ之ヲ以テ其相手方ニ対抗スルコトヲ得ス但相手方カ其事実ヲ知リタルトキハ此限ニ在ラス

〔1〕 「代理人としてした」とは、「代理人として為した」という意味である。
〔2〕 ここに「追認」とは、取消すことができる行為の追認（§122［改注］参照）と異なり、本人にとってまったく効果のない行為を有効にするものである。したがって、その論理が異なるから、122条以下の規定は無権代理の追認には適用がないことを注意するべきである（たとえば、法定追認に関する§125［改注］は類推適用されることはない。最判昭和54・12・14判時953号56頁）。
 (ア) 追認の方法に制限はない。本人が無権代理人の締結した契約の履行を相手方に対して請求する行為は、黙示の追認となることはいうまでもない（大判大正3・10・3民録20輯715頁）。追認をだれに対してするべきかについては、〔5〕参照。
 (イ) なお、判例は、BがAの土地をなんらの権限なしで、しかも自己の名でCに譲渡した場合にも（他人の物の売買）、Aが後にB・C間の売買を追認すれば、Aの意思のいかんによっては、Cは、行為の時に遡って、その所有権を取得することができることは、本条の無権代理の追認と同様であるとする（大判昭和10・9・10民集14巻1717頁）。なお、116条〔4〕(イ)参照。
 また、Aが死亡してA′が相続した財産をB（Aの母）がAの死亡を知らずに処分したが、A′がそれを追認した事例について本条を類推適用するとした例もある（最判昭和33・6・5民集12巻1296頁）。
 (ウ) 無権身分行為について、116条〔1〕を参照。
〔3〕 追認があれば、代理行為としての効力を生じること、もちろんである。その場合には、無権代理人の行為は本人に対する関係では事務管理（§§697~）になるとさ

249

第1編　第5章　法律行為　第3節　代理

れる（大判昭和17・8・6民集21巻850頁。なお、§§116・697⑴(ウ)参照）。

〔4〕　ここに「追認の拒絶」とは、無権代理行為について、それが本人の追認によって有権代理行為として有効となる可能性（§116参照）を消滅させ、無権代理行為として確定させる本人の意思表示である。これによって、相手方が取消権（§115参照）を行使したのと同じ効果を生じ、相手方は117条［改注］による無権代理人の責任を問うこととなる。

なお、追認の拒絶をすることが信義則上許されない場合がありうる。未成年者の事実上の後見人の立場で無権代理行為をした者がその後正式の後見人となり、その立場で追認拒絶することが認められるかどうかが問題とされたのはその例である（最判昭和47・2・18民集26巻46頁は否定し、追認という行為さえ必要ないとした。また、最判平成6・9・13民集48巻1263頁は、Aの長姉がAの無権代理人として締結した契約について、その後禁治産者となったAの次姉が後見人に就任した場合について、後見人が同契約内容を了知していた等を理由として追認の拒絶を信義則に反するとした原審判決を破棄し差戻した。後見人として本人の利益を守るべき義務などが考慮されるべきことになろう）。また、無権代理人が、本人に無断で、ある人に代理行為を依頼し、その後無権代理人が本人を相続したときは、その人は本人から代理権限を付与されたものとするとされた（最判昭和40・6・18民集19巻986頁）のも、同じ趣旨に理解してよいであろう（この点については、〔7〕参照）。

〔5〕　本条2項の規定の内容は、つぎのとおりである。

本人は追認またはその拒絶を、無権代理人に対しても、また、相手方に対しても、することができる。ただし、相手方に対してしたときは、完全な効力を生じるのに反し、無権代理人に対してしたときは、相手方がそれを知るまでは、これに対してその追認の効果を主張することはできない。この結果として、本人が無権代理人に対して追認すれば、相手方がこれを知らないでも、無権代理人に対しては効力を生じるから、この者から代理行為によって受領した代金の引渡しを請求するなどのことはできるが（大判大正8・10・23民録25輯1835頁）、相手方は、その追認の事実を知るまではなお追認はないものとして、無権代理人との契約を取消すことができる（§115）。つぎに、本人が無権代理人に対して追認の拒絶をすれば、無権代理人との関係ではことは確定するが、相手方はその事実を知るまでは追認の拒絶がないと主張できるから、なお催告権（§114参照）を行使して本人の再考を促すことができる。最後に、本人が相手方に対して追認または追認の拒絶の事実があったことを主張できない場合でも、相手方からこれを認めて主張することは、もとより妨げない（大判大正14・12・24民集4巻765頁）。

〔6〕　本人Aの権利を無権代理人Bが勝手に処分した場合に（この事例について、ほかに本条⑵(イ)、§116〔4〕(イ)参照）、その後BがAからその権利を取得したときは、その権利処分行為の効力は争えなくなると解してよい（最判昭和34・6・18民集13巻737頁。Aの土地を無断賃貸した例）。相手方が117条［改注］によりBによる履行を選択したときはという限定つきで、同旨を認めた判例もある（最判昭和41・4・26民集20巻826頁。不動産の無断売買の例）。いずれも、一種の地位の混同を生じたものと考えることができる。

〔7〕　本人と無権代理人の間に相続関係を生じた場合については、〔6〕とは違い、

§113〔4〕～〔7〕

検討を要する問題が存する。

(1) 子が親の名義を冒用(無断で称すること)して、親の代理人と称して親が所有する不動産を売却した後、親が追認をしないまま死亡し、子が相続するということはよくある例である。逆に、親が子の代理人と称して子の不動産を売却した後に死亡したという例もありうる。これらの場合には、本条により追認または追認拒絶を選べる本人の地位と、本人により追認されない場合に117条による責任を負わなければならない無権代理人の地位とが相続により同一人に帰することになるので、その結果、どういう法律関係を生じるか。これは興味ある、複雑な問題である(〔6〕の問題とも関連する)。

(ア) 判例は、かつて前者の例、すなわち、子が無権代理行為をした場合について、本人と無権代理人の地位の混同(あるいは資格の融合)により、あたかも本人みずからが行為したのと同一の効果を生じるものとして、子の無権代理行為は本人を相続したその子に対して完全に有効になると判示し(大判昭和2・3・22民集6巻106頁)、学説の賛成を得ていた。しかし、事柄はそのように、〔6〕と同様な混同類似の理論だけでは片づかないことがしだいに明らかになっている。

(イ) まず、後者の例、すなわち本人が相続人である場合に、本人として追認か追認拒絶かを選べる立場を本人から奪うことが妥当であるかが問題となる。そこで、無権代理人が本人を相続した場合は無権代理行為も当然有効になるという旧判例を承認しながら、本人が無権代理人を相続した場合は、相続によって当然には有効にならないとする判決が現われた(最判昭和37・4・20民集16巻955頁)。しかし、その後も、つぎの2件においては、相続した本人による追認拒絶が否定された。その1は、無権代理人が本人に無断で負った債務についてであって、無権代理人が死亡して本人が相続した場合に、無権代理人が117条により負う債務を相続することを本人(およびほかの共同相続人)は免れないとした(最判昭和48・7・3民集27巻751頁。論理的には、本人として追認拒絶し、その結果生じる無権代理人としての責任が相続されると解するべきであろう)。その2は、妻が夫の土地を無断処分し、妻が死亡して夫と子たちが相続し、さらに夫が死亡して子たちが相続したという事例において、子たちは無権代理人と本人の両方の地位を承継し、本人の資格において追認拒絶をする余地はないとした(最判昭和63・3・1判時1312号92頁)。

(ウ) その後の検討のなかで、1947年(昭和22年)の民法改正により従来の(単独相続である)家督相続に代わって共同相続が一般化したこと、および117条[改注]による無権代理人の責任においては、要件に関して第2項による制約(代理権の不存在についての相手方の善意・無過失)が存し、効果に関して相手方の選択権(履行または損害賠償)が認められていることから、これを無視して本人と無権代理人の地位の「混同」的な解決を考えることに対する疑問が有力になっている。

(a) 上述の前者の例(無権代理人が本人を相続した場合)についても、共同相続の事例について、無権代理行為の追認は共同相続人全員が共同して行う必要があり、本人を相続した無権代理人の相続分についてだけ無権代理行為が当然有効になるということはない、とする判例が出ている(最判平成5・1・21民集47巻265頁)。

(b) 数人の子のうちのある子が親の不動産を無断で売却した場合において、親が

251

第1編　第5章　法律行為　第3節　代理

死亡し、その子がその不動産を単独で相続したときは、(ア)のような論理で解決しても よいが((6)とも類似する)、他の子がその不動産を相続したり、数人が共同で相続 したりしたときの解決は容易ではない。むしろ、117条[改注]による解決に委ね た方が簡明であろう。

(エ)　結局、本人と無権代理人の間の相続が生じても、117条[改注]による無権代 理人の責任を検討し、そのうえで、相続関係をあてはめるというように、問題を整理 して考える必要があろう。

(2)　以上の議論に関連して、つぎの点に注意する必要がある。

(ア)　相続開始前に本人である被相続人がすでに追認をしていた場合には、とくに問 題を生じない。本人がすでに追認を拒絶していた場合も同様である(相続によって無権 代理行為が有効になるものではない。最判平成10・7・17民集52巻1296頁)。

(イ)　(1)で論じたのは、通常の相続(いわゆる単純承認。§920)の場合についてであり、 限定承認(§922)・相続の放棄(§938)が行われた場合については別論である。

(a)　相続の放棄については、場合を分けて考えることになる。

本人である相続人が放棄した場合には、本人が追認か、追認拒絶かを決し、被相 続人の無権代理人としての責任は残りの相続人によって承継される。

無権代理人である相続人が放棄したときは、他の相続人全員が追認しない限り、 無権代理人としての責任を負うほかはない。

(b)　限定承認は必ず相続人全員でする必要がある(§923)。被相続人が本人であ るか、無権代理人であるかにかかわりなく、つねに追認があったものとして、限定 承認に基づく財産処理を行うのが簡明であるかもしれない((1)(ア)の考えに戻ることにな る)。

(ウ)　別個の相続によって、同一人が本人Aを相続し、かつ無権代理人Bを相続す るということもありうることである。この場合は、(1)のような問題を考えることもな く、その者は二つの地位を自由に使い分けられると考えて足りるであろう。

(エ)　以上の議論は、相手方に認められた催告権(§114)・取消権(§115)を制約する ものと考えるべきではない。

（無権代理の相手方の催告権）
第百十四条

前条の場合において、相手方は、本人に対し、相当の期間を定めて、その期 間内に追認をするかどうかを確答すべき旨の催告をすることができる。この場 合において、本人がその期間内に確答をしないときは、追認を拒絶したものと みなす[1]。

[原条文]

前条ノ場合ニ於テ相手方ハ相当ノ期間ヲ定メ其期間内ニ追認ヲ為スヤ否ヤヲ確答スヘキ 旨ヲ本人ニ催告スルコトヲ得若シ本人カ其期間内ニ確答ヲ為ササルトキハ追認ヲ拒絶シタ ルモノト看做ス

§§114・115・116〔1〕〔2〕

〔1〕 本条は20条［改注］と同趣旨である（ただし、催告の効果は、同条では追認とみなされるので、逆である。同条1項参照）。もちろん、取消すことができる行為の追認と、無権代理の追認とではその構造を異にするが、催告の手続などにおいては20条［改注］となんら異なるところがない。

■（無権代理の相手方の取消権）
第百十五条
> 代理権を有しない者[1]がした契約は、本人が追認をしない間は、相手方が取り消すことができる[2]。ただし、契約の時において代理権を有しないことを相手方が知っていたときは、この限りでない。

［原条文］
> 代理権ヲ有セサル者ノ為シタル契約ハ本人ノ追認ナキ間ハ相手方ニ於テ之ヲ取消スコトヲ得但契約ノ当時相手方カ代理権ナキコトヲ知リタルトキハ此限ニ在ラス

〔1〕 本条が、いわゆる狭義の無権代理を考えて規定されたものであることは疑いないが、表見代理として本人の責任を問うことができる場合にも、相手方は、本条によって、本人の追認がない間は、その契約を取消すことができると解される。
〔2〕 ここに取消しとは、制限能力または意思表示の瑕疵を理由にする取消し（§120［改注］参照）と異なり、行為そのものとしてはなんらの瑕疵がなく、ただその効果が本人に帰属できない契約を、帰属させないことに確定することである。取消しの意思表示の相手方については規定がないが、本人または無権代理人のいずれに対してしてもよいと解されている。

■（無権代理行為の追認）
第百十六条
> 追認[1]は、別段の意思表示[2]がないときは、契約の時にさかのぼってその効力を生ずる[3]。ただし、第三者の権利を害することはできない[4]。

［原条文］
> 追認ハ別段ノ意思表示ナキトキハ契約ノ時ニ遡リテ其効力ヲ生ス但第三者ノ権利ヲ害スルコトヲ得ス

〔1〕 身分行為については、代理の規定は適用されないから（本節解説6参照）、無権代理行為の追認ということも通常は問題にならない。ただ、797条が定める代諾養子においては、法定代理人として承諾した者が法定代理権を有しなかったような場合に類似の問題が生じる。当該の養子が満15歳に達した後に追認をすれば、縁組は当初から有効なものとする判例がある（最判昭和27・10・3民集6巻753頁）。もちろん、身分行為の性質上本条ただし書は類推適用されることはない（最判昭和39・9・8民集18巻1423頁）。
〔2〕 契約の時までその効力を遡らないような特別の追認をするには、単に本人が追認をするさいの一方的な「別段の意思表示」では足りず、相手方の同意を要するも

253

第1編　第5章　法律行為　第3節　代理

のと解されている。相手方の予期に反するからである。

〔3〕　はじめから真実の代理人が行った代理行為と同じ効力を認める趣旨である。

しかし、無権利者を委託者とする物の販売委託契約が締結された場合に、当該物の所有者が、自己と同契約の受託者との間に同契約に基づく債権債務を発生させる趣旨でこれを追認したとしても、その所有者が同契約に基づく販売代金の引渡請求権を取得すると解することはできない（最判平成23・10・18民集65巻2899頁）。

〔4〕　このただし書の意味そのものは明快であるが、その適用をめぐってつぎのような問題がある。

㋐　このただし書の適用される場合は少ない。なぜなら、第三者がすでに対抗力を備えて、排他的効力を有する権利を得ている場合には、追認によってその権利が害されないことは、このただし書を待つまでもないからである。

たとえば、Aの無権代理人BがAの不動産をCに売った後、A自身これをDに売って登記をすませたとすれば、AがBの無権代理行為を追認しても、Dの地位が害されないことは、登記の効果として当然である（§177〔8〕㋐参照）。もしまた、上の例でDが登記をしていないとすれば、追認があっても結局CとDとでどちらか早く登記を取得した方が優先するわけで、この場合にもまた、本条ただし書の適用はない。

要するに、このただし書は、無権代理行為の相手方の取得した権利と第三者の取得した権利とが、ともに排他的効力を主張できて、その優先を争う場合に限られる。たとえば、AのCに対する債権をAの無権代理人Bが取立てて弁済を受領した後に、Aの債権者Dがこの債権を差押えて、転付命令を得た場合には、AはBの無権代理行為を追認して、Dの差押命令・転付命令を無効にすることは、本条のただし書により、許されない（大判昭和5・3・4民集9巻299頁）。

㋑　最判昭和37・8・10（民集16巻1700頁）は、他人の権利に属する物を自己の権利に属する物として処分した場合について、本条ただし書を類推適用するとした。

㋒　なお、このただし書の「法意に照らし」として判断した判決がある。それは、譲渡禁止の特約のある債権につき債務者が異議をとどめず承諾した場合であるが、それにより譲渡の効力は遡って生じるが、第三者の権利を害することはできないとした（最判平成9・6・5民集51巻2053頁）。いささか遠すぎる援用の感がある。

（無権代理人の責任）
第百十七条
1　他人の代理人として契約をした者は、自己の代理権を証明したとき[1]、又は本人の追認を得たときを除き、相手方の選択に従い、相手方に対して履行又は損害賠償の責任を負う。
2　前項の規定は、次に掲げる場合には、適用しない[2]。
一　他人の代理人として契約をした者が代理権を有しないことを相手方が知っていたとき。
二　他人の代理人として契約をした者が代理権を有しないことを相手方が過失によって知らなかったとき。ただし、他人の代理人として契約をした者

§§116〔3〕〔4〕・117〔1〕

が自己に代理権がないことを知っていたときは、この限りでない。

　　三　他人の代理人として契約をした者が行為能力の制限を受けていたとき。

[改正前条文]

　　1　他人の代理人として契約をした者は、自己の代理権を証明することができず[1)]、かつ、本人の追認を得ることができなかったときは、相手方の選択に従い、相手方に対して履行[2)]又は損害賠償[3)]の責任を負う。

　　2　前項の規定は、他人の代理人として契約をした者が代理権を有しないことを相手方が知っていたとき、若しくは過失[4)]によって知らなかったとき[5)]、又は他人の代理人として契約をした者が行為能力を有しなかったときは、適用しない[6)]。

〈改正〉　2017 年に改正された。前掲（101 条）附則第七条 1 項参照。

[改正の趣旨]　[1]　新法 117 条 1 項は、代理人において、代理権を証明した場合、または、追認を得たとき以外は、（無権）代理人が相手方の選択に従い、行為の履行または損害賠償をする責任を負うと定めている。本項は、内容的には改正前 117 条 1 項と変わらないが、代理人の側に、代理権がある旨、または、追認を得た旨の立証責任があり、その立証責任が果たされない限りは無権代理人の責任を負うという構造を明確にしたものと説明されている。

　　[2]　改正前 117 条 2 項は、無権代理について相手方が悪意・有過失の場合、または、代理人が制限行為能力者である場合には無権代理人の責任は発生しないと定めている。この点につき、解説[4]の判例（最判昭和 62・7・7）参照。

　　相手方が悪意の場合、または、代理人が制限行為能力者である場合は、無権代理人の責任を免れさせることについては、問題はなく、新法でもその旨の規定が整理されて維持されている。しかし、相手方に「過失」がある場合でも、行為者本人が、代理権がないことを知りながら無権代理行為を行った場合にまで、無権代理人の責任を免れさせることは妥当ではない。そこで、新法は、相手方に過失がある場合には無権代理人は責任を免れるとしつつ、無権代理人が悪意である場合には（相手方が有過失であっても）無権代理人の責任を負う旨の規定を新設した。2 項 2 号ただし書は、相手方と無権代理人との間の利益衡量をより柔軟にすることを意図したものであるとされている。

[原条文]

　　他人ノ代理人トシテ契約ヲ為シタル者カ其代理権ヲ証明スルコト能ハス且本人ノ追認ヲ得サリシトキハ相手方ノ選択ニ従ヒ之ニ対シテ履行又ハ損害賠償ノ責ニ任ス

　　前項ノ規定ハ相手方カ代理権ナキコトヲ知リタルトキ若クハ過失ニ因リテ之ヲ知ラサリシトキ又ハ代理人トシテ契約ヲ為シタル者カ其能力ヲ有セサリシトキハ之ヲ適用セス

[改正前条文の解説]

〔1〕　相手方が無権代理人の責任を問うのは、本人に履行を請求して拒絶されたときであろう。その場合には、無権代理人は、代理権を持っていたことを挙証しなければ、相手方に対する責任を免れない。したがって、代理人として行為をする者は、代理権を証明する自信がないと、責任を免れないことを覚悟しなければならないことになる。そして、無権代理人のこの責任は、無権代理人の過失の有無を問わずに生じるのだから、無過失責任である。

　　なお、相手方は、表見代理（§§109〔改注〕・110〔改注〕・112〔改注〕）の要件が存在する場合でも、表見代理を主張しないで、本条による無権代理人の責任を問うことができる（最判昭和 33・6・17 民集 12 巻 1532 頁）。本条の責任は、表見代理が適用されない場合の補充的責任であるわけではない。〔4〕参照。

255

第1編　第5章　法律行為　第3節　代理

〔2〕　「履行の責任を負う」とは、無権代理人があたかもその契約の本人であるような効果を生じさせることであるから、本人との間に成立したであろういっさいの法律関係は、無権代理人との間に存在したものとして取り扱うのである。したがって、たとえば、本人(被代理者)と相手方とがともに商人であるときは、無権代理人が商人でなくても、相手方は、商人間の売買としての効果を無権代理人に対して主張できるのである(大判昭和8・1・28民集12巻10頁)。

〔3〕　少数の学者は、この損害賠償の範囲は相手方が有効な代理行為が成立したと誤信したことによってこうむる損害(いわゆる信頼利益 Vertrauensinteresse)の賠償に限るという。しかし、判例(大判大正4・10・2民録21輯1560頁)および大多数の学者は、無権代理行為が効力を生じないことによって相手方に生じるすべての損害を賠償するべきものと解している。本条は「履行又は損害賠償」といっているのであるから、後説を正当とする。

〔4〕　この「過失」は、文字通り過失であって、重大な過失と解釈する必要はない(最判昭和62・7・7民集41巻1133頁。上告人が本条は表見代理も成立しない場合の相手方の保護を目的とするものであるから、その例外を認める本項の適用には重大な過失を必要とすると主張したが、この見解をしりぞけた。相手方は、表見代理を主張するのも、本条による無権代理人の責任を主張するのも自由であると考えられる。〔1〕参照)。

〔5〕　その無権代理行為を単独でする能力のないことをいう(§§5・9・13〔改注〕)。そのような制限能力者がたとえ代理人になって(§102〔改注〕参照)、無権代理行為をしても、本条1項の責任を負わせることはできないとしたものである。もっとも、これらの制限能力者が、法定代理人その他の同意を得て無権代理行為をした場合には、責任あるものと解されている。

〔6〕　これらの場合には、無権代理人に無過失責任を負わせてまで相手方を保護する必要はないものと考えられるからである。

(単独行為の無権代理)
第百十八条

単独行為[1]については、その行為の時において、相手方が、代理人と称する者が代理権を有しないで行為をすることに同意し、又はその代理権を争わなかったときに限り、第百十三条から前条までの規定を準用する[2]。代理権を有しない者に対しその同意を得て単独行為をしたときも、同様とする[3]。

[原条文]

単独行為ニ付テハ其行為ノ当時相手方カ代理人ト称スル者ノ代理権ナクシテ之ヲ為スコトニ同意シ又ハ其代理権ヲ争ハサリシトキニ限リ前五条ノ規定ヲ準用ス代理権ヲ有セサル者ニ対シ其同意ヲ得テ単独行為ヲ為シタルトキ亦同シ

本条は、単独行為の無権代理について、相手方との利害の調節を規定する。

〔1〕　「単独行為」とは、遺言とか契約解除のように、一人1個の意思表示で成立する法律行為であるが(本章解説②(ウ)参照)、ここに問題となるのは、相手方のあるものである。たとえば、上記の契約解除のほか、同意、取消し、債務の免除(§519)など

である。遺言は相手方のない単独行為である。

〔2〕　たとえば、A・B間の契約をAの無権代理人Cが解除する意思を表示したとする。BがCが無権代理人としてその行為をすることに同意し、または少なくともCの行為後遅滞なくこれを争わないときは、BはCが代理人として行為すること自体には異議がないとみてよい。Aもまたこれを欲して追認するならば、この解除は有効として差し支えない。もしAが追認しなければ、CをしてBに対する責任を負わせてもよい。これが前段の趣旨である。したがって、Bが同意せず、また、遅滞なく異議を述べた場合には、Aの追認も認められないし、Cの責任も生じない。

〔3〕　上記〔2〕にあげた例を逆にして、BがCをAの代理人とみなして、これに対してA・B間の契約を解除する意思を表示したとする。この場合にはBの意思表示を受領するのについて、Cが積極的に同意したのであれば、後日Aの追認が得られない場合に、Cの責任が認められる。これが後段の趣旨である。

第1編　第5章　法律行為　第4節　無効及び取消し

第4節　無効及び取消し

〈改正〉　2017年の改正で、「原状回復義務」に関する121条の2が新設されたほか、取消権者に関する120条、取消しの効果に関する121条、取り消すことができる行為の追認に関する122条、追認の要件に関する124条、法定追認に関する125条が改正された。

1　無効と取消しの違い

　本節は、法律行為の無効と取消しに関する通則を規定する。無効も取消しも、ともに当事者がその法律行為によって発生させようとした法律効果が、結局において生じないことである。しかし、両者の間には重要な差異がある。

　第1に、ある法律行為が「無効」な場合には、その法律行為は、最初から、当然に、効果を生じない。これに反し、ある法律行為が「取消すことができる」ものであるときは、その法律行為はいちおう完全に効果を生じ、特定の人、すなわち取消権者（§120［改注］参照）が取消した場合に、はじめて効果のないものになる。もっとも、いったん取消されると、その法律行為ははじめに遡って無効なものとされるから（§121［改注］参照）、それ以後においては、無効と取消しとは差異のないものとなる。ただし、物権変動（とくに復帰的なそれ）の理論構成との関連では、検討を要する問題がなくはない（改正前§121(3)・§177(3)(ア)(c)参照）。

　第2に、無効な行為は、後に行為者が追認しても最初から有効だったような効果を与えることはできないが（§119(1)参照）、取消すことのできる行為は、当事者がこれを追認すると、最初から完全に有効だったことに確定する（改正前§122(1)参照）。

　第3に、無効な法律行為は、これをほっておいても有効になることはなく、何年後でも、原則としてすべての人がその無効なことを主張することができるが、取消すことのできる行為をほっておくと、取消権が消滅してしまい（§126参照）、なにびともこの法律行為の効果を消滅させることができなくなる。すなわち確定的に有効になる。

2　無効・取消しの絶対的効力と相対的効力

　もっとも、上に述べたことは「無効」と「取消し」についての、わが民法における概念上の差異であって、さらに吟味すると、事柄はそう単純でない。

　まず、無効に関して、一方において、だれに対する関係においても、また、いくら時日が経過しようと、その行為の効力が認められないという、いわば「絶対的無効」ともいってよい場合がある。公序良俗違反を理由とする無効などはその例である（§90参照）。他方において、一定の者が無効を主張しない場合には、いいかえればその行為の効力がだれによっても争われない場合には、その行為の効力があるかのような外形が残り、時日の経過によってその行為が有効であるような結果に終わることもありうる。このような場合を「相対的無効」と総称することができよう。条文上すでに一定の場合に無効の主張が制限されることが定められていることもあるが（§94Ⅱ・改正

258

前§95ただし書が適例）、そういう定めがない場合にも、事実上そのようなことが生じうるのである。

　取消しに関しても、同様のことが問題になる。取消権者が明確に限定されていればそういうことはないが、その範囲が解釈などによって拡大され、本来の取消権者が取消権を行使しない場合でも、一定の利害関係を有する者が自分に関する限りで行為の効力を否定することを認めるようなことがあると、「相対的取消し」という感じの問題を生じる。また、取消しによって行為の効力はなくなるとするのが一般論であるが、一定の者に対する関係でそのことを主張できない旨が条文上定められている場合があり（§96Ⅲ［改注］）、また、そういう定めがない場合にも事実上そのようなことが生じうる。これはいわば「取消しの相対的効力」ということになる。

　以上のことは、それぞれの場合に応じて、慎重に検討される必要がある。

（無効な行為の追認）
第百十九条
　　無効な行為[1]は、追認によっても、その効力を生じない[2]。ただし、当事者がその行為の無効であることを知って追認をしたときは、新たな行為をしたものとみなす[3]。
［原条文］
　　無効ノ行為ハ追認ニ因リテ其効力ヲ生セス但当事者カ其無効ナルコトヲ知リテ追認ヲ為シタルトキハ新ナル行為ヲ為シタルモノト看做ス

〔1〕　(ア)　法律行為がどのような場合に「無効」（無効の意義については、本節解説[1]参照）になるかは、それぞれの規定の定めるところによる。法律行為が形式的にはなにも欠けるところなく行われたが、その内容が法の許容できないものである場合（§§90［改注］・91など参照）、法律行為の基礎である意思の不存在によって無効である場合（§§93～95［改注］）、および法律行為が特定の行為として有効であるために法が要求する要件を備えていないために無効とされる場合（たとえば§960参照）に、大別することができよう。

　(イ)　無効行為の転換　　上述の最後の場合において、行為が形式的要件を欠くために行為者の意図したとおりの効果は与えられないが、ほかの行為としての要件を備えていれば、後者の行為としての効果を与えて差し支えない場合がある。これを「無効行為の転換」（ドイツ民法§140にいわゆる Umdeutung。Konversion ともいう）という。民法自身も、秘密証書による遺言については、秘密証書としての方式を欠く場合にも、自筆証書遺言としての方式を具備していれば、後者としての効力を有するものとして、無効行為の転換の一つの場合を認めている（§971）。判例に、妻以外の女性との間に生まれた子を妻との間の「嫡出子」として届け出ることは、嫡出子届出としてはもちろん無効であるが、認知としての効力は認められると判示したものがあるが、これもその一例である（大判大正15・10・11民集5巻703頁）。

　(ウ)　一部無効　　法律行為の一部が無効な場合、たとえば物の売買に当たって手数

第1編　第5章　法律行為　第4節　無効及び取消し

料という名目で金銭の支払を約したことが統制法規のような強行法規違反である場合に、全法律行為すなわち売買契約そのものが無効となるかどうかは、法律行為の解釈の問題である。原則として無効な部分を合理的に除去ないし改造して、全体としての効力を維持するべきである。判例も、価格統制令により定められた公定価格を超過する価格で売買し、その代金を消費貸借の目的とした場合には、公定価格を超過する部分の代金債務は発生しないとした（大判昭和20・11・12民集24巻115頁）。その反面、売買そのものは公定価格による範囲内で有効と認めたものということができよう。

　㈡　ある法律行為が「無効」であるということは、行為者がその法律行為によって発生させようとした法律効果が生じないことである。たとえば、A・B間の家屋の売買が売主Aの錯誤で無効なときは、家屋の所有権は買主Bに移転しない。そして、両当事者間でまだ履行（目的家屋の引渡し・登記の移転・代金の支払など）をしていないときは、両者ともにその履行を請求することができない。もし、事実上すでに履行を済ませた部分があるときは、その返還を請求することができる。けだし、売買の当事者が履行を請求できるのは、売買によって履行を請求する債権が発生するためであるが、売買が無効のときは、その債権が発生しないからである。また、売買の当事者が任意に履行されたものを保有することができるのは、買主は目的物の所有権を取得するからであり、売主は代金債権の効果として代金を受領することを正当視されるからなのだが、売買が無効のときは、これらのものを保有する法律上の根拠がないからである。したがって、無効な法律行為によって履行したものの返還を請求する根拠は、一般に不当利得に基づく返還請求（§§703・704）だといってよい。

　もっとも、売主が目的物の所有権が買主に移転しないこと、すなわち、その所有権がなお自分に帰属することを理由としてその返還を請求する場合には、所有物返還請求権を行使することになり、188条から191条まで、および196条の適用が可能となる。これに反し、売買契約が無効であっても、これに基づいてなされた目的物の所有権移転行為だけは有効だという稀な場合もないではない。そのときには、売主は買主に対して、不当利得を理由として、その所有権の返還を請求することになる。そして、その場合には、703条および704条を適用するのだと解すると、上述の所有物返還請求の場合とその返還するべき範囲がやや異ってくる。この点は、学説の分かれているところだが、判例の見解は明らかでないようである（§703〔1〕(1)(ア)(a)）。

　〔2〕　無効な行為は追認によっても効力を生じないとは、取消すことのできる行為の追認のように、すべての人に対する関係において行為の当時から有効な行為とはならないという意味である（改正前§122〔1〕参照）。たとえば、AとBとが通謀して、Aの家屋をBに売ったことにして、登記を移転し、かつBを住まわせておいたような場合に、Aが後にこの虚偽表示を追認しても、行為の時から完全な売買が行われたものとすることはできない。けだし、これを認めると、行為の時から追認の時までの間に、この虚偽表示の無効を主張することのできた第三者（たとえばAの債権者）の権利を害するおそれがあるからである。

　ただし、当事者の間だけで、行為の時から有効であったものとして、買主は収益を収め、その代わり代金にその時からの利息を付して支払うことにするのは、もとより

妨げない。学者はこれを、当事者間でのみ効力を生じ、第三者には効力を及ぼさないという意味で、「債権的追認」という。

〔3〕　たとえば、通謀虚偽表示による売買を、無効であることを知って追認し、また、強行法規違反で無効な行為を、その法規が撤廃された後に追認すれば、追認の時に有効な売買となる。しかし、法律行為の内容が公序良俗に反するような場合には、新たな行為としてみても、やはり公序良俗に反するわけであるから、追認によって有効にならないことはいうまでもない。

（取消権者）
第百二十条
　　1　行為能力の制限によって取り消すことができる行為は、制限行為能力者（他の制限行為能力者の法定代理人としてした行為にあっては、当該他の制限行為能力者を含む。）[1]又はその代理人、承継人若しくは同意をすることができる者に限り、取り消すことができる。
　　2　錯誤[2]、詐欺又は強迫によって取り消すことができる行為は、瑕疵ある意思表示をした者又はその代理人若しくは承継人に限り、取り消すことができる。

[改正前条文]
　　1　行為能力の制限によって取り消すことができる行為[1]は、制限行為能力者[2]又はその代理人[3]、承継人[4]若しくは同意をすることができる者[5]に限り[6]、取り消すことができる。
　　2　詐欺又は強迫によって取り消すことができる行為[1]は、瑕疵ある意思表示をした者[7]又はその代理人[8]若しくは承継人[4]に限り[6]、取り消すことができる。

〈改正〉　2017 年に改正された。他の条文の改正との関連で、上記のように改正された。1 項においては、「制限行為能力者」の後に「（他の制限行為能力者の法定代理人としてした行為にあっては、当該他の制限行為能力者を含む）」を挿入し、2 項においては、冒頭に、「錯誤、」を挿入した。

[改正の趣旨]　〔1〕　他の条文の改正に対する対応である。
　　〔2〕　錯誤を無効ではなく、取消事由としたこと（新 95 条参照）の反映である。

[原条文]
　　取消シ得ヘキ行為ハ無能力者若クハ瑕疵アル意思表示ヲ為シタル者、其代理人又ハ承継人ニ限リ之ヲ取消スコトヲ得
　　妻ノ為シタル行為ハ夫モ亦取消スコトヲ得

〈改正〉　1947 年の改正により、2 項が削除された。1999 年の改正により、上記のように改正された。

[2004 年改正前条文]
　　能力ノ制限ニ因リテ取消シ得ヘキ行為ハ制限能力者又ハ其代理人、承継人若クハ同意ヲ為スコトヲ得ル者ニ限リ之ヲ取消スコトヲ得
　　詐欺又ハ強迫ニ因リテ取消シ得ベキ行為ハ瑕疵アル意思表示ヲ為シタル者又ハ其代理人若クハ承継人ニ限リ之ヲ取消スコトヲ得

[改正前条文の解説]
〔1〕　民法典は「取消し」という文字を種々の場合に使っているが、ここに「取消

第1編　第5章　法律行為　第4節　無効及び取消し

すことができる行為」というのは、制限行為能力または意思表示の瑕疵によって取消しうる行為に限るのを本則とし、そのほかには、後見人の権限外の行為の取消し（§865）に適用があるにとどまる。法律行為以外のものの取消し、たとえば、後見開始の審判の取消し（§10）、失踪宣告の取消し（§32）、法人設立許可の取消し（旧§68）などにはまったく適用がない。また、法律行為の取消しであっても、制限行為能力または意思表示の瑕疵以外の原因による取消し、たとえば、無権代理行為の相手方の取消し（§115）、詐害行為の取消し（§424〔改注〕）、書面によらない贈与の取消し（§550〔改注〕。2004年改正により「撤回」と改められたが、同条(2)参照）、要件の欠缺による婚姻または縁組の取消し（§§742～・802～）などにも適用されない。年長者を養子にした縁組の取消し（現在の§805）について、同趣旨の判例がある（大連判大正12・7・7民集2巻438頁）。

〔2〕　制限行為能力者(以下、単に制限能力者と略す)は、制限能力者である間にも、単独で取消すことができる。法定代理人（親権者、後見人）または保佐人の同意がなくても、取消しの効果は完全に生じ、取消すことができる取消しとなるわけではない。

制限能力者が能力者になった場合（未成年者が成年になり、または後見・保佐・補助開始の審判が取消された場合）にも、その本人が本条による取消権を有することは当然である。ただ、この場合には、相手方の催告権（§20〔改注〕）、取消権者による追認（§122〔改注〕）、法定追認（§125〔改注〕）の問題を生じる。

〔3〕　法定代理人と任意代理人の両者を含む（第3節解説2参照）。ただし、両者においてその意味を異にすることはいうまでもない。

(ｱ)　制限能力者の法定代理人が取消権を有するのは当然であるが、場合を分けて考える必要がある。

(a)　未成年者の親権者・未成年後見人が取消権を有するのは当然である。

(b)　成年被後見人に付された成年後見人も法定代理人として取消権を有する。

(c)　被保佐人に付された保佐人はつねに法定代理権を有するとは限らないので（§12(2)(ｴ)(a)・(b)）、その同意を要するのに、これを得ないでした被保佐人の行為を取消すことができることが明示された（(5)参照）。

(d)　被補助人に付された同意権を有する補助人についても、保佐人と同様である（§16(2)(ｴ)(a)・(b)）。

(ｲ)　取消権を有する者がその取消権の行使を任意代理人に委任することができるのは当然である。

〔4〕「承継人」には、「包括承継人」（たとえば、相続人のように、前主の権利義務を包括的に承継した者）だけでなく、「特定承継人」（たとえば、不動産の譲受人のように、個別の権利だけを承継した者）も包含すると解されている。

しかし、取消権の特定承継がどのような場合に生じるかは、必ずしも明瞭ではない。取消権だけが取引の目的とされることは、実際上、ほとんどその例がないであろう。そこで、通説は、取消権によって保護される地位が移転されるときは取消権も承継されたものとする。例としては、土地を所有する未成年者が親権者・未成年後見人の同意を得ないで、あるいは、土地の所有者が詐欺を受けて、不利益な地上権を設定した

§§120〔2〕～〔8〕・121〔1〕〔2〕

場合があげられる。その後にその未成年者または被詐欺者がその土地所有権を譲渡したときは、譲受人は、原則として、土地所有権とともに取消権を承継すると説明される。しかし、未成年者または被詐欺者による所有権譲渡のときの事情もからむので、細心の検討が必要であろう。

〔5〕 保佐人または補助人のことである（〔3〕参照）。

1999年改正前の準禁治産者に付された保佐人は、法定代理権を認められなかった。したがって、法定代理人ではないので、保佐人の同意を得ないでした準禁治産者本人の行為について取消権を有するかどうかが争われていた。本条は、改正後の保佐人、補助人について、同意権がある場合には取消権もあることをとくに明示したのである。

〔6〕 本条は、取消権者を制限的に列挙したものである。その趣旨は、厳格に解するのが妥当である。したがって、制限能力者の債務を保証した者は、保証人としての資格でその債務の原因である制限能力者の行為を取消すことはできないとされる（大判昭和20・5・21民集24巻9頁。この点については、改正前§446〔1〕(ウ)(f)参照）。

〔7〕 詐欺または強迫を受けて意思表示をした者である（§96〔改注〕参照）。

〔8〕 詐欺または強迫を受けた者が制限能力者である場合に、その法定代理人も取消権を有することになるが、通常は制限能力を理由とする取消しが行われると考えられ、本項の適用は稀であろう。取消権の行使を委ねられた任意代理人が取消権を行使できるのは当然のことである。〔3〕参照。

（取消しの効果）
第百二十一条
　　取り消された行為は、初めから無効であったものとみなす[1]。
〔改正前条文〕
　　取り消された行為は、初めから無効であったものとみなす。ただし、制限行為能力者は、その行為によって現に利益を受けている限度において、返還の義務を負う[2][3]。
〈改正〉 2017年に改正された。従来の本文のみを残し、ただし書は、文言を修正して新設の121条の2第3項に移した。

〔原条義〕
　　取消シタル行為ハ初ヨリ無効ナリシモノト看做ス但無能力者ハ其行為ニ因リテ現ニ利益ヲ受クル限度ニ於テ償還ノ義務ヲ負フ
〈改正〉 1999年改正により、「無能力者」が「制限能力者」と改められた。

〔改正前条文の解説〕
〔1〕 取消しによって、いちおう効力を生じていた法律行為も、行為のときに遡って（遡及効という）無効に確定する。したがって、法律行為が取消されると、その法律効果については、はじめから無効な行為と同様に取り扱ってよい（§119〔1〕(エ)参照）。なお、婚姻および養子縁組の取消しについては特別に規定があり（§§747・748・808）、遡及効が認められていない。

〔2〕 「現に利益を受けている限度」とは、703条に「利益の存する限度」というのと同様である。一言でいえば、制限能力者は取消すことのできる行為によって得た

263

第1編　第5章　法律行為　第4節　無効及び取消し

利益のうち、原形のまま、またはその形を変えて残っているものを返還することを要する。たとえば、借りた金を生活費に用いた場合には、形を変えて利益は残っているとされる（大判昭和7・10・26民集11巻1920頁）。しかし、無駄に消費してしまったものは返還するに及ばない（大判昭和14・10・26民集18巻1157頁）。詳細は703条の〔5〕を参照。

〔3〕　本条ただし書は制限能力者の返還義務を軽減する趣旨でおかれたのであるが、制限能力者以外の者が、取消しの結果、どの範囲の返還義務を負うかについては規定がない。しかし、法律行為が取消されると、無効な法律行為であったのと同様に取り扱われるのだから、その結果と本条ただし書の差だけが、本条ただし書の存在価値となる。ところで、法律行為が無効の場合の返還義務は、一般に不当利得の返還義務であり、その範囲は、703条および704条によって定まる。したがって、本条ただし書との差は、返還義務者が悪意であったとき（取消すことのできる行為であることを知っていたとき）は、704条に従って、広い範囲（消費した金も）の返還義務を負うのに対し、制限能力者は、たとえ悪意でも、つねに703条の範囲の返還義務を負うだけだという点に限られる。

問題となるのは、物権、ことに所有権の移転を生じる法律行為が取消された場合である。この場合には、所有権が原権利者に復帰しないで、原権利者が取消された契約関係の原状回復請求権として所有権の返還を請求する権利を取得するにすぎないと考えることもできるが（この場合は§703以下が適用される）、多くの場合には、所有権は原権利者に遡及的に復帰する。後の場合に、目的物の占有や果実の移転または登記の抹消を請求するのは、復帰した所有権に基づいてなされることになり、188条から191条まで、および196条が適用されうる。

したがって、この場合における本条ただし書の存在価値は、主として、上の規定が善意と悪意を区別する場合に現れることになるであろう。

（原状回復の義務）
第百二十一条の二
1　無効な行為に基づく債務の履行として給付を受けた者は、相手方を原状に復させる義務を負う[1]。
2　前項の規定にかかわらず、無効な無償行為に基づく債務の履行として給付を受けた者は、給付を受けた当時その行為が無効であること（給付を受けた後に前条の規定により初めから無効であったものとみなされた行為にあっては、給付を受けた当時その行為が取り消すことができるものであること）を知らなかったときは、その行為によって現に利益を受けている限度において[2]、返還の義務を負う。
3　第一項の規定にかかわらず、行為の時に意思能力を有しなかった者は、その行為によって現に利益を受けている限度において[2]、返還の義務を負う。行為の時に制限行為能力者であった者についても、同様とする[3]。

〈改正〉　2017年に新設された。附則（無効及び取消しに関する経過措置）第八条1　施行日

§§121〔3〕・121の2・122〔1〕～〔3〕

前に無効な行為に基づく債務の履行として給付がされた場合におけるその給付を受けた者の原状回復の義務については、新法第百二十一条の二（新法第八百七十二条第二項において準用する場合を含む。）の規定にかかわらず、なお従前の例による。

2 施行日前に取り消すことができる行為がされた場合におけるその行為の追認（法定追認を含む。）については、新法第百二十二条、第百二十四条及び第百二十五条（これらの規定を新法第八百七十二条第二項において準用する場合を含む。）の規定にかかわらず、なお従前の例による。

[本条の趣旨] **〔1〕** 改正前121条ただし書に対応する。新121条の2は、行為が無効（取消により遡及的に無効となる場合を含む）となった場合の原状回復義務についての規定を新設した。従来は、無効・取消後の原状回復・清算関係については不当利得（703条以下）の規定によると考えられており、いわゆる「類型論」（第3編第4章③参照）という考え方が有力であった。新法により、無効・取消による清算関係についての規範が明文化された。703条の特則となる。

（取り消すことができる行為の追認）

第百二十二条

　　取り消すことができる行為は、第百二十条に規定する者が追認したときは、以後、取り消すことができない。

[改正前条文]

　　取り消すことができる行為は、第百二十条に規定する者[2]が追認したときは、以後、取り消すことができない[1]。ただし、追認によって第三者の権利を害することはできない[3]。

〈改正〉 2017年に改正された。本条ただし書を削除した。前掲（121条の2）附則第八条2参照。

[改正の趣旨] 本条ただし書は、適用される場合がほとんど考えられないとされていた（解説〔3〕参照）。

[原条文]

　　取消シ得ヘキ行為ハ第百二十条ニ掲ケタル者カ之ヲ追認シタルトキハ初ヨリ有効ナリシモノト看做ス但第三者ノ権利ヲ害スルコトヲ得ス

〔1〕 「取り消すことができる行為」は、いちおう最初から効力を生じているものであって（原条文が、「初ヨリ有効ナリシモノト看做ス」という文言を用いていたのは適切でない）、追認は、これを取消す権利を放棄し、すでに生じている効果を取消されるおそれのない確定的なものにし、したがってその行為は以後取消すことができないものとなる。

〔2〕 取消権者である。120条［改注］の注釈参照。

〔3〕 本条ただし書は、無権代理の追認（§116〔2〕参照）と異なり、ほとんど適用される場合がない。たとえば、未成年者Aが法定代理人の同意を得ないでその不動産をBに売却し、後に今度は法定代理人の同意を得てCに売却した場合に、Aが成年に達した後にA・B間の売買を追認したときに、Cがその所有権取得をBに対して主張できるかどうかは、すべて登記の有無で決し、Aの追認によってその権利を害されるということはないからである（この点は§116でも同様である）。また、たとえば未成年者Aが法定代理人の同意を得ないで債務者Bからその債権の弁済を受けた後に、

265

第1編　第5章　法律行為　第4節　無効及び取消し

Ａの債権者ＣがそのＡの債権を差し押えた場合に、法定代理人がＡの弁済受領行為を追認したとしても、それは元来効力のないＣの差押えを終局的に効力を生じないものとするにすぎないから、本条ただし書の規定の適用はない(この点で§116と異なる)。要するに本条ただし書は、その適用される場合がほとんど考えられない(§116〔4〕(ア)参照)。

　(取消し及び追認の方法)
　第百二十三条
　　　　取り消すことができる行為の相手方[1]が確定している場合には、その取消し又は追認は、相手方に対する意思表示[2]によってする[3]。
　［原条文］
　　　取消シ得ヘキ行為ノ相手方カ確定セル場合ニ於テ其取消又ハ追認ハ相手方ニ対スル意思表示ニ依リテ之ヲ為ス

　〔1〕　「取り消すことができる行為の相手方」とは、取消すことができる意思表示が向けられた者である。未成年者が不動産を売却した場合には、未成年者の売るという申込みの向けられた者、すなわち買主であり、詐欺によって既存の契約の解除の意思表示をした場合には、解除の意思表示の向けられた者、すなわち解除された契約の相手方である。未成年者ＡがＢに売却した不動産がＣに転売された場合にも、Ａの取消しはＢに対してするべきであって、Ｃに対してするべきではない(大判大正14・3・3民集4巻90頁)。また、第三者Ｃの詐欺によってＡがＢに不動産を売却したときは、Ａの取消しはＢに対してするべきであって、Ｃに対してするべきではない(大判昭和5・10・15評論20巻民29頁)。
　〔2〕　この意思表示にはなんの方式も必要としない。したがって、取消権者が取消すことができる行為によって負担した債務の履行を拒絶した場合、またはすでに給付したものの返還を請求した場合には、いずれもそれに取消しの意思表示が含まれているものとみられる。
　〔3〕　取消すことができる行為の相手方が確定しない場合には、相手方を知ることができず、またはその所在を知ることができない場合の意思表示の方法、すなわち公示による意思表示をすることができる(§98参照)。

　(追認の要件)
　第百二十四条
　　1　取り消すことができる行為の追認は、取消しの原因となっていた状況が消滅し、かつ、取消権を有することを知った後[1]にしなければ、その効力を生じない。
　　2　次に掲げる場合には、前項の追認は、取消しの原因となっていた状況が消滅した後にすることを要しない[2]。
　　一　法定代理人又は制限行為能力者の保佐人若しくは補助人が追認をすると

二　制限行為能力者（成年被後見人を除く。）が法定代理人、保佐人又は補
　　助人の同意を得て追認をするとき。

[改正前条文]
1　追認は、取消しの原因となっていた状況が消滅した後[1)]にしなければ、その効力を生
　じない[2)]。
2　成年被後見人は、行為能力者となった後にその行為を了知したときは、その了知をし
　た後でなければ、追認をすることができない[3)]。
3　前二項の規定は、法定代理人又は制限行為能力者の保佐人若しくは補助人[4)]が追認を
　する場合には、適用しない[5)]。

〈改正〉　2017年に改正された。前掲（121条の2）附則第八条2参照。

[改正の趣旨]　**[1]**　判例は、取り消すことができる法律行為の追認は取消権の放棄を意味
するものであるから、追認をするには、法律行為が取り消すことができるものであることを
知っていることが必要であるとしている。本条の解説**[3]**参照。そこで、新法では追認の要件
として、成年被後見人に限らず、取消ができる行為であることを知ったことを明文化した。
同時に、成年被後見人について特に「了知」を要求していた改正前124条2項については、
新設の第1項に含まれると解してこれを削除した。

　[2]　改正前124条3項は、法定代理人等が追認の適否について適切に判断できるように
するために設けられている。この場合でも、追認は取消権の放棄に等しいことには変わり
はなく、追認の前提として、法定代理人等も取り消しできる行為であることは知っている必
要があると考えられていた。そこで、新法は、改正前124条3項のうち「取消しの原因とな
っていた状況が消滅した」との要件は不要とする旨の規定は維持しつつ（2項柱書）、「追認
権者が取消権を行使することができることを知った」という第1項に新設する要件は必要と
している。また、法定代理人等が同意権に基づき、制限行為能力者が追認をすることに同意
した場合にも、同意権の適切な行使により取消権者（追認権者）の保護が図られると解して
「取消しの原因となっていた状況が消滅した」との要件は不要とする旨を明文化した。

[原条文]
　追認ハ取消ノ原因タル情況ノ止ミタル後之ヲ為スニ非サレハ其効ナシ
　禁治産者カ能力ヲ回復シタル後其行為ヲ了知シタルトキハ其了知シタル後ニ非サレハ追
認ヲ為スコトヲ得ス
　前二項ノ規定ハ夫又ハ法定代理人カ追認ヲ為ス場合ニハ之ヲ適用セス

〈改正〉　1947年の改正により、3項の「……夫又ハ法定代理人カ……」の「夫又ハ」が削除
された。1999年改正により、2項の「禁治産者カ能力ヲ回復シタル後」が「成年被後見人ガ
能力者ト為リタル後」に改められ、3項の「法定代理人」の後に「又ハ制限能力者ノ保佐人
若クハ補助人」が加えられた。

[改正前条文の解説]
　〔1〕　未成年者は成年になった後、成年被後見人は後見開始の審判が取消された後、
詐欺または強迫を受けた者は詐欺または強迫の情況を脱した後、である。**〔5〕**参照。
　〔2〕　上の情況がやまない以前にした追認は無効であり、「取消すことのできる追
認」ではない。法文が「その効力を生じない」と明言したのは、取消すことのできる
追認なるものを認めることは、いたずらに関係を複雑にし、相手方を不当に不利益な
地位に陥れるからである。ただし、法定代理人または保佐人・補助人の同意を得てす

第1編　第5章　法律行為　第4節　無効及び取消し

る追認については、〔5〕参照。

　〔3〕　成年被後見人は事理を弁識する能力を欠く常況にある者であるから（§7参照）、後見開始の原因がやんで後見開始の審判の取消しを受けても、後見に付されている間にした自分の行為を知らないことが多いであろう。したがって、その行為を追認するには、まずそれを了知した後でなければならない。これは、特定の行為について取消権を放棄するものであるという追認の性質上当然のことであって、未成年者であった者、被保佐人、被補助人であった者についても、同様のはずである。したがって、この第2項は追認の要件を規定するという点では特別の意味を持たない。しかし、125条および126条との関係では重要な意味を有する。すなわち、これらの規定にいう「追認をすることができる時以後」、あるいは「できる時から」とは、未成年者や被保佐人・被補助人については、成年に達した時または保佐・補助開始の審判の取消しを受けた時から両条が働くのであるが、成年被後見人については、本項の規定がある結果、後見開始の審判の取消しを受け、かつ取消すことのできる行為を了知した時から、両条の適用を受けることになるのである（1999年改正前の禁治産者についてであるが、大判大正5・9・20民録22輯1721頁）。

　〔4〕　法定代理人、保佐人・補助人が追認をする場合には前2項の規定を適用しないとは、これらの者は、本人が制限能力者である間でも追認をすることができるという意味である。この場合にも、法定代理人が、その行為が取消すことができるものであることを了知する必要があることはもちろんである。

　〔5〕　制限能力者は、法定代理人、保佐人または補助人の同意を得て追認をすることができるであろうか。

　未成年者、被保佐人および被補助人は、元来、法定代理人、保佐人または補助人の同意を得れば完全に有効な行為をすることができたはずであるから、未成年である間、または保佐・補助開始の審判が取消されなくても、同意を得てみずから追認をすることが許されると解してよい。

（法定追認）
第百二十五条

　　追認をすることができる時以後に、取り消すことができる行為について次に掲げる事実があったときは、追認をしたものとみなす。ただし、異議をとどめたときは、この限りでない。

一　全部又は一部の履行[4]

二　履行の請求[5]

三　更改[6]

四　担保の供与[7]

五　取り消すことができる行為によって取得した権利の全部又は一部の譲渡[8]

六　強制執行[9]

［改正前条文］

　　前条の規定により追認をすることができる時[1]以後に、取り消すことができる行為につ

いて次に掲げる事実があったときは、追認をしたものとみなす[2]。ただし、異議をとどめたとき[3]は、この限りでない。

　一〜六　同上

〈改正〉　2017年の改正で、冒頭の文言「前条の規定により」を削除した（その他は変更なし）。前掲（121条の2）附則第八条2参照。

[改正の趣旨]　この改正によって、改正前125条に定める法定追認の解釈が変更される可能性がある。判例は、125条の規定は取消権者が取消権の存否を知っていると否とを問わずその適用があるとしており（解説[2]参照）、学説も、法定追認は、黙示の追認がされたとの相手方の信頼を保護し、法律関係を安定させるために確定的に追認としての効果を認めたものであるとして、これを支持していた（ただし、成年被後見人については、改正前124条2項の趣旨から、法定追認の場合でも行為の了知が必要であるとする）。法定追認は124条の規定により追認をすることができる時以後にする必要がある（同125条）とされているため、124条を上記のように改正すると、必然的にこの判例法理を変更することになる。もし、このような判例の立場を維持しようとすれば、新法124条1項の「追認権者が取消権を行使することができることを知った」という要件を法定追認には適用しない旨の規定を設ける必要がある。しかし、法定追認は、明示的に追認する旨の意思表示をしなくても、当事者の追認の意思を推測させる事実を列挙し、追認が行われ得る状態になった後にこれらの事実があったときは追認があったものとみなすこととしたので、追認の前提となる要件について、通常の追認と異なる扱いをする理由はないと考えられる。そこで、新法124条1項の「追認権者が取消権を行使することができることを知った」という要件が法定追認にも適用されることを前提に、125条の改正を最小限度にしたと解されている。制限行為能力者については、改正前からの解釈論が参考にされるべきである。解説[1]参照。

[原条文]

　前条ノ規定ニ依リ追認ヲ為スコトヲ得ル時ヨリ後取消シ得ヘキ行為ニ付キ左ノ事実アリタルトキハ追認ヲ為シタルモノト看做ス但異議ヲ留メタルトキハ此限ニ在ラス

　一　全部又ハ一部ノ履行

　二　履行ノ請求

　三　更改

　四　担保ノ供与

　五　取消シ得ヘキ行為ニ因リテ取得シタル権利ノ全部又ハ一部ノ譲渡

　六　強制執行

[改正前条文の解説]

　本条が列記する事由があれば、法律上当然に追認があったものとみなし、取消権を消滅させるのである。

〔1〕　瑕疵ある意思表示をした者または制限能力者であった者が追認をする場合については、改正前124条[1][3]参照。なお、未成年者、被保佐人または被補助人については、それぞれ法定代理人、保佐人または補助人から追認についての同意を得た時から、法定代理人については取消すことができる行為を了知した時から、本条の適用があると解されている（改正前§124[4][5]参照）。

〔2〕　追認は、その行為が取消すことのできるものであることを知り、かつ、取消権を放棄する意思でされるべきである（改正前§124[3]参照）。本条列挙の行為は、取消権者において必ずしも真実に追認をする意思をもってされるとは限らない。しかし、

第1編　第5章　法律行為　第4節　無効及び取消し

民法は、一方において、これらの行為が取消すことのできる行為の相手方に追認があったものと信じさせやすいこと、他方において、取消すことができる行為はできるだけ早くその効果を確定させることが取引の需要に適することを考慮して、これらの行為がなされたときは、取消権者の意思のいかんを問わず、追認がなされたものとみなすこととしたのである。学者はこれを「法定追認」という。したがって、本条の適用に当たっては、追認をすることができるという客観的事実が備わっていることは必要であるが、行為にさいしての取消権者の意思、取消原因についての知・不知を問わない（大判大正12・6・11民集2巻396頁）。

〔3〕　たとえば、取消権者が、相手方の強制執行を免れるためにいちおう弁済するのであって、追認をするのではないことをはっきりいって、弁済するような場合である。

〔4〕　取消権者が、自分の債務を履行する場合だけでなく、相手方の履行を受領する場合をも含む（大判昭和8・4・28民集12巻1040頁）。

〔5〕　取消権者がする場合に限る。

〔6〕　513条［改注］以下参照。取消権者が債権者である場合と債務者である場合とを問わない。

〔7〕　法文の文字は、取消権者が債務者として担保を提供する場合に限るようにみえるが、債権者として担保の提供を受諾する場合をも含むものと解されている。本条の立法趣旨からみて、両者を区別するべきではないからである。

〔8〕　取消権者がした場合に限る。

〔9〕　法文の文字は、取消権者が債権者としてする場合に限るが、本条の立法趣旨からみて、相手方のする強制執行に対し取消権者が債務者としてなんらの異議も述べず、これを甘受するときは、追認の効力を生じると解するべきであろう。ただし、未成年者の取消すことができる行為による契約に基づく相手方からの履行請求の訴えに法定代理人も関与しながら敗訴して、その判決が確定し、執行されても、その後、未成年者が成年に達した後に、その行為を取消すことができるとした例がある（大判昭和4・11・22新聞3060号16頁）。

（取消権の期間の制限）
第百二十六条
　　　　取消権[1]は、追認をすることができる時[2]から五年間行使しないときは、時効によって消滅する[3]。行為の時[4]から二十年を経過したときも、同様とする[5]。

［原条文］
　　取消権ハ追認ヲ為スコトヲ得ル時ヨリ五年間之ヲ行ハサルトキハ時効ニ因リテ消滅ス行為ノ時ヨリ二十年ヲ経過シタルトキ亦同シ

本条は、取消権の消滅時効について、2種類の時効期間を規定する。

〔1〕　「取消権」は、「形成権」すなわち自分の意思に基づいて新しい法律関係を作り出す権利の一種、それも代表的なものである。取消権者は一定の方法によって取消

しの意思表示をしさえすれば（§123参照）、それによって当該の法律行為ははじめから無効なものとなり（§121〔改注〕）、それに基づくさまざまな法律効果、たとえば不当利得の返還を求める「請求権」などが発生する。そういう特徴を有する形成権についての消滅時効については、いろいろと問題点が多い。

〔2〕　取消権の第1の種類の消滅時効の起算日は、「追認をすることができる時」である。これについては、改正前124条参照。

〔3〕　本条は、まず第1に、「五年」の期間を定める。

(ア)　改正前167条に対して短期であり、その特則ということができる。起算日についても、取消権を行使できる時ではなくて、問題の法律行為について追認が可能になった時である（(2)参照）。追認の可否の判断が可能にならなければ、取消しの可否も決定できないという考慮による。

(イ)　取消権という「形成権」（(1)参照）の時効については、特別な問題が存在する。

その1は、形成権については、時効の「中断」ということが考えられないことである。そのことから、この期間は、時効期間ではなく、「除斥期間」（一定の期間の経過によって権利行使が排除される期間。第7章解説③参照）ではないかという意見が生じる。

その2は、(1)でも述べたように、形成権を行使すると、そこで「請求権」が生じるが、その時からその請求権の時効が改めて新たに開始すると考えるのではおかしいのではないかという疑問である。そのことから、この期間は、じつは、形成権としての取消権の時効ではなくて、形成権を行使した結果生じる請求権の時効ではないかという見解が生じる。

この二つの論点の組合せから、つぎの三つの見解の可能性が考えられる。①5年間という期間は除斥期間であり、この固定期間内に取消権を行使しなければならず、期間内に行使すれば、そこで発生した請求権については改正前167条が適用される。②本条が「時効」と明記している以上、5年はやはり取消権の時効期間であり、取消権の行使後改正前167条の請求権の時効が始まる。③5年は、その間に取消権を行使し、さらにそこから生じる請求権をも行使するべき時効期間であり、請求権について「中断」も問題になる。このうち、条文の表現から①の解釈は無理であり、②では本条が法律関係の早期確定を意図して短期時効を定めた趣旨が失われるので、③の見解が妥当であろうか。

〔4〕　取消権の第2の種類の時効期間の起算日は、「行為の時」である。「行為の時」とは、問題の行為、たとえば未成年者の法律行為、詐欺による意思表示などが行われた時である。

〔5〕　本条は、後段で、第2の「二十年」という期間を定める。

(ア)　その起算日は行為の時で、普通の時効では取消権の存在を知ってそれを行使できるようになった時であるのに対する特則になっている。取消すことができる法律関係の長期にわたる存続を防ごうとする意図がうかがわれる。なお、後段の結びは「同様とする」といっているが、「時効によって」についても同様であるのか、必ずしも明らかでない。そこで、この20年は時効期間ではなく、除斥期間であるとする理解が可能とされる。

第1編　第5章　法律行為　第4節　無効及び取消し

(イ)　この第2の期間についても、〔3〕で述べたのと同じ問題がある。

解釈の可能性としては、①この20年も取消権の時効期間であり、それ以内に取消権を行使すれば、それから発生する請求権について改正前167条の時効が開始する、②20年は、取消権を行使したうえで請求権を行使するについての時効期間と考え、中断を認める、③取消権を行使し、請求権を行使するについての除斥期間と考え、中断の可能性も認めない、などの見解が考えられる。②が〔3〕の③に対応するが、学説としては、③が有力に主張されている。

なお、本条が他の形成権に適用・準用される例が多いが(§§865Ⅱ・866Ⅱ・867・872Ⅱ)、これに類似した形成権に関する条文として、919条2項がある。また、これと酷似した条文が請求権についても存在する。不法行為による損害賠償請求権に関する724条、相続回復請求権に関する884条、遺留分減殺請求権に関する改正前1042条(2018年改正→新§1048)などである(なお、改正前§426が債権者取消権の時効について定めるが、この権利は請求権と解釈されている。改正前§424〔4〕参照)。

上に述べたことは、形成権の時効に関する論議であって、請求権についてはまったく事柄は違ってくる。このことを無視して、請求権に関する改正前724条後段の定める20年を除斥期間とする判決(最判平成元・12・21民集43巻2209頁)が現れたが、その先例的価値は疑問である。その後、実質的にこれを修正する判決も現れている(最判平成10・6・12民集52巻1087頁など。改正前§724〔3〕(2)参照)。

第5節　条件及び期限

〈改正〉　2017年に条件の成就の妨害等に関する130条が改正された。

① 本節の内容

本節は、条件(§§127〜134)および期限(§§135〜137)に関する規定を含む。

「条件」も「期限」も、法律行為に付随して定められて、その効力の発生時期についてとくに定める条項であり、法律行為の「付款」(附款)といわれるものの一つである。

② 条件・期限を付することができない場合

法律行為に条件または期限をつけることは、原則として法律行為をする者の自由である。しかし、例外として、条件または期限をつけることの許されないものがある。これらを「条件・期限に親しまない行為」という。

第1に、その行為の性質上、その効果が直ちに、確定的に発生することを必要とする行為、たとえば婚姻・縁組・認知などには、条件も期限もつけることができない。

第2に、条件をつけると、相手方をはなはだしく不安定な状態におくことになる単独行為、たとえば、相殺・解除・取消しなどには、相手方の同意がない限り、条件をつけることはできない。民法は、相殺についてだけ明文をおいているが(§506 Ⅰ)、その他の単独行為についても同様であると解されている。ただし、「1週間以内に履行しなければ、その期間満了の時に契約は当然に解除されたものとする」というような条件付の解除の意思表示は、妨げない。けだし、相手方が解除の不利益を免れようとすれば、当然にしなければならないことを条件とするものであって(§541[改注]参照)、この条件によってとくに相手方の不利益を増加するものではないからである。

③ 条件と期限の違い

条件は、実現するかどうか不確実な事実であり、期限は、将来必ず実現する事実である。しかし、実際上どちらに属するか不明な場合がある。「成功したら支払う」という借金などがそれである。当事者の意思が、成功しなければ弁済しなくてもよいというのであれば、条件付消費貸借である。これに反し、成功するまで延期する、いいかえれば、成功の見込みがある間は猶予するが、成功した時、または成功の見込みがなくなった時には弁済するべしというのであれば、期限付消費貸借である。判例は、上のようないわゆる「出世証文」を入れた場合について、後者であると判示したことがあるが(大判明治43・10・31民録16輯739頁)、この事案は、むしろ特別の事情があった場合だと思われる。

数社を介在させて順次発注された工事の最終の受注者と当該受注者に対する直前の発注者との間における「当該発注者が請負代金の支払を受けた後に最終受注者に対し

第1編　第5章　法律行為　第5節　条件及び期限

て請負代金を支払う」旨の合意が、最終受注者に対する請負代金の支払につき、当該発注者が請負代金の支払を受けることを停止条件とする旨を定めたものとは解されず、当該発注者が代金支払を受けた時点またはその見込みがなくなった時点で支払期限が到来する旨を定めたものと解された判例が出ている（最判平成22・10・14判時2097号34頁）。

　上の例とやや類似するものに「財産整理の上支払う」（大判大正4・12・1民録21輯1935頁）、「身代持直しの上支払う」（大判大正14・4・4新聞2410号15頁）というような例がある。これらが期限であることは明らかであるが、その期限がいつ到達するかは、各場合の事情を具体的に考察して決するべき困難な問題である。

　④　**法定条件**

　たとえば、農地に関する権利変動に知事の許可を要するのは、農地法上要求される要件であるから（農地§§3・5）、その旨を契約で定めても、本節のいう条件とはいえず、本節の規定は原則として適用されない（改正前§130(1)参照、ただし、§128(1)参照）。このようなものを「法定条件」という。

条　件 [§§127〜134の前注]

　民法は、停止条件と解除条件とを区別して、その効果を規定するほか（§127）、既成条件（§131）、不法条件（§132）、不能条件（§133）および随意条件（§134）に関する規定をおいている。なお、別に条件付権利の効力について規定する（§§128〜130）。2017年に、条件の成就の妨害等に関する130条に2項が追加された。

（条件が成就した場合の効果）
第百二十七条
　　1　停止条件付法律行為は、停止条件が成就した時からその効力を生ずる[1]。
　　2　解除条件付法律行為は、解除条件が成就した時からその効力を失う[2]。
　　3　当事者が条件が成就した場合の効果をその成就した時以前にさかのぼらせる意思を表示したときは、その意思に従う[3]。
[原条文]
　　停止条件附法律行為ハ条件成就ノ時ヨリ其効力ヲ生ス
　　解除条件附法律行為ハ条件成就ノ時ヨリ其効力ヲ失フ
　　当事者カ条件成就ノ効果ヲ其成就以前ニ遡ラシムル意思ヲ表示シタルトキハ其意思ニ従フ

　〔1〕　たとえば、大学に入学すれば毎月5万円ずつ学費を給与する、という贈与契約は、大学入学という条件が契約の効力発生を停止しているから「停止条件」であり、条件の成就すなわち入学の時から効力を生じる。条件は発生するかどうか不確実な事

第5節［解説］④・条件［前注］・§§127・128〔1〕

実だから、「何某が死んだら」というのは、期限であって、条件ではない。「成功したら」というのは、場合によって、条件ともなる（本節解説③参照）。

〔2〕　たとえば、落第したら給与をやめるという学資給与契約は、落第という条件の成就があれば契約の効力を解除（解消）するから「解除条件」であり、条件の成就すなわち落第の時から効力を失う。やや特殊な例であるが、再生債務者と別除権者との間で締結された別除権の行使等に関する協定における同協定の解除条件に関する合意が、再生債務者がその再生計画の履行完了前に再生手続廃止の決定を経ずに破産手続開始の決定を受けた時から同協定が効力を失う旨の内容をも含むものと解された判例（最判平成26・6・5民集68巻403頁）がある。

〔3〕　たとえば、前記〔1〕〔2〕の場合に、入学すれば入学の準備をした時に遡って就学資金を給与するとか、落第すれば学資給与契約は入学の時に遡って効力を失うとかを約束した場合には、その約束通りの効果を生じるのである。

上のように条件成就の効果を遡及させると、第三者の権利を害する場合が考えられる。たとえば、AがBに、Bが大学を卒業すれば、ある家屋を与えるという停止条件付贈与契約をした場合に、Aがその家屋を第三者Cに譲渡し、その後Bが大学を卒業したような場合である。しかし、この場合にBが所有権の遡及的取得をもってCに対抗するためには、あらかじめ対抗要件（この場合は仮登記）を具備することを必要とする（なお、§128〔1〕参照）。

■（条件の成否未定の間における相手方の利益の侵害の禁止）
第百二十八条
　　条件付法律行為の各当事者は、条件の成否が未定である間は、条件が成就した場合にその法律行為から生ずべき相手方の利益を害することができない[1]。

［原条文］
　条件附法律行為ノ各当事者ハ条件ノ成否未定ノ間ニ於テ条件ノ成就ニ因リ其行為ヨリ生スヘキ相手方ノ利益ヲ害スルコトヲ得ス

〔1〕　たとえば、親が子に大学を卒業すれば住宅を与えるという約束をしたときは（停止条件付贈与）、子は「条件が成就すれば住宅を取得する」という希望を有する。また、親が子に落第すれば返還するという約束で住宅を与えたときは（解除条件付贈与）、親は同様に「条件が成就すれば住宅を返還取得する」という期待を有する。本条はこのような期待（希望）を一種の権利として保護しようとするものである。学者はこれを期待権・希望権（Anwartschaftsrecht）の理論の一つの現れとしている。

期待権の効果として相手方（第1例では親、第2例では子）は期待権を侵害しないという義務を負う。この義務に違反して、たとえば住宅を損傷したときは、条件が成就した場合に、損害賠償の義務を負うことはいうまでもない。この義務に違反して住宅を第三者に譲渡したような場合に、その譲渡行為もまたその効力を失うものであろうか。学説・判例ともにこれを肯定する。こう解することが条件付権利の効力を確実にするからであるとされる。ただし、不動産に関する条件付権利の取得をもって、同一の不

275

第1編　第5章　法律行為　第5節　条件及び期限

動産に関して後に権利を取得した第三者に対抗するためには、その条件付権利の取得について対抗要件(登記)を具備しておくことが必要である(第1例では子は仮登記をすべく、第2例では親は子への移転登記のさいに、権利の消滅に関する事項として登記するべきである。不登§§105②・59⑤参照)。なお、177条〔3〕(ア)(b)参照。

なお、本条は相手方の義務の面から規定しているが、結局、期待権という一種の排他的な権利を認めたものであって、第三者もこれを侵害できず、侵害は不法行為となると解するべきである。

いわゆる法定条件付の権利について、本条が類推適用されるとした判決(最判昭和39・10・30民集18巻1837頁。営林局長の許可を要する国有林に関する権利移転の例)がある。

▌（条件の成否未定の間における権利の処分等）
　第百二十九条
　　　条件の成否が未定である間における当事者の権利義務[1]は、一般の規定に従い[2]、処分し、相続し、若しくは保存[3]し、又はそのために担保を供する[4]ことができる。
　［原条文］
　　　条件ノ成否未定ノ間ニ於ケル当事者ノ権利義務ハ一般ノ規定ニ従ヒ之ヲ処分、相続、保存又ハ担保スルコトヲ得

本条は、条件付権利の移転などが可能であることと、その方式についての原則を規定する。

〔1〕　期待権とこれに対する相手方の義務である。

〔2〕　「一般の規定に従い」とは、条件の成就によって取得される権利に関する規定に従って、という意味である。すなわち、条件付で不動産物権・動産物権、または債権を取得する期待権は、それぞれ不動産に関する規定、動産に関する規定、または債権に関する規定に従うのである。ただし、不動産物権のように仮登記という特別の制度が設けられている場合には(不登§105参照)、条件成就によって取得される権利自体とは多少異なる取扱いを受けるのである(§128〔1〕参照)。

〔3〕　不動産に関する条件付権利を登記によって保存するのが、その一例である。

〔4〕　条件付義務につき保証人を立てるのが、その一例である。

▌（条件の成就の妨害等）
　第百三十条
　　　1　条件が成就することによって不利益を受ける当事者が故意[1]にその条件の成就を妨げたときは、相手方は、その条件が成就したものとみなすことができる[2][3][4]。
　　　2　条件が成就することによって利益を受ける当事者が不正にその条件を成就させたときは、相手方は、その条件が成就しなかったものとみなすことができる[1]。
　［改正前条文］　上記第1項と同じ。

〈改正〉　2017 年に改正された。改正で、第 2 項が新設された。附則（条件に関する経過措置）第九条　新法第百三十条第二項の規定は、施行日前にされた法律行為については、適用しない。

[改正の趣旨]　[1]　条件の成就によって利益を受ける当事者が故意にその条件を成就させたときは、130 条の類推適用により、相手方は、その条件が成就していないものとみなすことができるという判例法理（最判平成 6・5・31 民集 48 巻 4 号 1029 頁）を、本条において明文化したものと解されている。本条解説[4]参照。旧規定の頃から故意に条件成就を妨げたことが信義則に反する行為であることが必要であると解されていたことから、利益を受ける者が条件を成就させた場合についても、条件不成就と見做すことができる行為を信義則違反の行為に限定する趣旨を明らかにするために、「不正に」という文言が挿入された。

[原条文]
　　条件ノ成就ニ因リテ不利益ヲ受クヘキ当事者カ故意ニ其条件ノ成就ヲ妨ケタルトキハ相手方ハ其条件ヲ成就シタルモノト看做スコトヲ得

〔1〕　「故意に」とは、条件の成就を妨げる結果となることを知っている、という意味である。とくに条件を不成就にすることを意欲することは必要でない。したがって、たとえば不動産買入れの周 旋（しゅうせん）を依頼し、成功すれば報酬を与える約束をした場合に、代金の支払を怠って売主から解除されたような場合には、故意に条件の成就を妨げたことになる（大判大正 9・10・1 民録 26 輯 1437 頁）。ただし、それが信義に反しない場合には、故意に妨げたことにはならない。たとえば、自分がある人と婚姻したらある物を贈与すると約束した場合に、その婚姻を断念しても本条の適用はない。婚姻はまったく本人の自由意思に委ねるべきものだからである。

　また、農地売買における知事の許可のような法定条件については、本条の適用はない（最判昭和 33・6・5 民集 12 巻 1359 頁）。旧規定の頃から故意に条件成就を妨げたことが信義則に反する行為であることが必要であると解されていたことから、利益を受ける者が条件を成就させた場合についても、条件不成就と見做すことができる行為を信義則違反の行為に限定する趣旨を明らかにするために、「不正に」という文言が挿入された。

〔2〕　相手方は、条件成就とみなすことができる。したがって、条件成就を妨げた者に対して、条件の成就とみなす旨の意思表示をして、条件成就によって生じる法律効果を主張することができる。

〔3〕　本条の趣旨をやや拡大して適用したとみられる事案がある。すなわち、A が B に山林の売却あっせんを依頼し、報酬を約束した場合において、B が C と仮契約まで結んだが、A が直接他者に売却してしまったため本契約に至らなかった事例について、本条を適用して報酬の支払を命じたものである（最判昭和 39・1・23 民集 18 巻 99 頁。最判昭和 45・10・22 民集 24 巻 1599 頁も、宅地建物取引業者の例であるが、同趣旨である）。本来はあっせん依頼契約の解釈によるべきであろうが、本条を活用した簡便な解決といえようか。

〔4〕　本条とは逆に、条件の成就によって利益を受ける当事者が故意に条件を成就させたときはどうか。学校への入学のように、条件成就が当事者の努力にかかってい

第1編　第5章　法律行為　第5節　条件及び期限

る場合が通常は多く、問題は生じないであろう。しかし、条件とされた和解条項違反行為を、それにより違約金請求権を取得する者がことさらにやらせたような場合について、本条が類推適用されるとした判例がある(最判平成6・5・31民集48巻1029頁)。

（既成条件）

第百三十一条

1　条件が法律行為の時に既に成就していた場合において、その条件が停止条件であるときはその法律行為は無条件とし、その条件が解除条件であるときはその法律行為は無効とする[1]。

2　条件が成就しないことが法律行為の時に既に確定していた場合において、その条件が停止条件であるときはその法律行為は無効とし、その条件が解除条件であるときはその法律行為は無条件とする[2]。

3　前二項に規定する場合において、当事者が条件が成就したこと又は成就しなかったことを知らない間は、第百二十八条及び第百二十九条の規定を準用する[3]。

［原条文］

条件カ法律行為ノ当時既ニ成就セル場合ニ於テ其条件カ停止条件ナルトキハ其法律行為ハ無条件トシ解除条件ナルトキハ無効トス

条件ノ不成就カ法律行為ノ当時既ニ確定セル場合ニ於テ其条件カ停止条件ナルトキハ其法律行為ハ無効トシ解除条件ナルトキハ無条件トス

前二項ノ場合ニ於テ当事者カ条件ノ成就又ハ不成就ヲ知ラサル間ハ第百二十八条及ヒ第百二十九条ノ規定ヲ準用ス

〔1〕　たとえば、ある年度に大学に入学すれば学費を給与するという契約(停止条件付贈与)を締結した当時すでに入学が確定していれば、贈与契約は無条件で効力を生じ、落第すれば止めるという条件で学費を給与する契約(解除条件付贈与)を締結した当時すでに落第が確定していれば、贈与契約は無効である。錯誤の問題にならないという当然のことを規定したものである。

〔2〕　たとえば、上の〔1〕にあげた例のうち、停止条件付贈与において、すでに大学に入学できないことに確定していれば贈与契約は無効であり、解除条件付贈与においては、入学が確定していれば贈与契約は無条件に有効である。

〔3〕　本項は無意味な規定である。けだし、第1項・第2項の場合には権利関係は確定的に生じているのであるから、条件付権利関係に関する128条または129条を準用する余地がないからである。いいかえれば、すでに確定的に権利を取得していれば、その権利の効力として問題を解決すればよいし、権利を取得しないことに確定していれば、その侵害とか、処分とかは問題とならない。

（不法条件）

第百三十二条

不法な条件[1]を付した法律行為は、無効とする。不法な行為をしないことを

278

§§131・132・133・134〔1〕

条件とするものも、同様とする²⁾。
[原条文]

不法ノ条件ヲ附シタル法律行為ハ無効トス不法行為ヲ為ササルヲ以テ条件トスルモノ亦同シ

〔1〕 「不法な条件」とは、条件である事実自体が不法であるということではなく、その条件を付することによって法律行為自体が不法性を帯びることである。したがって、100万円くれたら私通関係をやめるというように、条件自体は適法でも全体として不法性を帯びる場合もあり（改正前§90〔1〕(1)(イ)参照）、逆に相手方の名誉・信用を侵害したら一定の損害賠償を支払うというように、条件自体としては不法でも、契約全体としては適法であり、本条の適用のない場合もある。

〔2〕 たとえば、殺人を思いとどまることを条件として金銭を与えるというように、当然にしてはならない不法な行為（原条文では「不法行為」）をしないことをとくに条件とするために、法律行為に不法性が生じる場合である。

（不能条件）
第百三十三条
　　1　不能の停止条件¹⁾を付した法律行為は、無効とする。
　　2　不能の解除条件²⁾を付した法律行為は、無条件とする。
[原条文]

不能ノ停止条件ヲ附シタル法律行為ハ無効トス
不能ノ解除条件ヲ附シタル法律行為ハ無条件トス

〔1〕 「不能」であるかどうかは、物理的にではなく、社会通念によって定まる。たとえば、中禅寺湖に落ちた指輪を拾えば100万円やるというようなことも、原則として不能の停止条件である。

〔2〕 同じく社会通念によって決める。たとえば、1円が1米ドルより高くなったら学資の給与をやめるというようなものも、不能の解除条件とみることができよう。

（随意条件）
第百三十四条
　　停止条件付法律行為は、その条件が単に債務者の意思のみに係るとき¹⁾は、無効とする。
[原条文]

停止条件附法律行為ハ其条件カ単ニ債務者ノ意思ノミニ係ルトキハ無効トス

〔1〕 たとえば、債務者が気が向いたら返済するという消費貸借のようなものである。学者はこれを「純粋随意条件」という。このような契約は、本人の意思しだいで履行してもしなくてもよいものであり、道徳的拘束力はともかく、法律的拘束力を持たないものであるから、本条はこれを無効としたのである。解除条件付法律行為の場

279

第1編　第5章　法律行為　第5節　条件及び期限

合には、もちろん本条は適用されない（最判昭和35・5・19民集14巻1145頁）。

　買主が品質良好と認めたときは代金を払うという売買契約などは、債務者の意思だけにかかるとはいえないから、純粋随意条件ではない（最判昭和31・4・6民集10巻342頁）。

期　限 [§§135〜137の前注]

　「期限」には、「始期」と「終期」とがある。民法は、期限の効果（§135）、および期限の利益（§§136・137）について規定するが、いずれも債権に適用の多いものである。なお、条件付権利に対応する期限付権利について規定していないのは欠陥である（§135〔3〕〔5〕参照）。

▍（期限の到来の効果）
　第百三十五条
　　1　法律行為に始期[1)]を付したときは、その法律行為の履行は、期限が到来[2)]するまで、これを請求することができない[3)]。
　　2　法律行為に終期[1)4)]を付したときは、その法律行為の効力は、期限が到来[2)]した時に消滅する[5)]。
　［原条文］
　　法律行為ニ始期ヲ附シタルトキハ其法律行為ノ履行ハ期限ノ到来スルマテ之ヲ請求スルコトヲ得ス
　　法律行為ニ終期ヲ附シタルトキハ其法律行為ノ効力ハ期限ノ到来シタル時ニ於テ消滅ス

　〔1〕「期限」は、必ず到来する事実だが、いつ到来するかはっきりしているもの、たとえば、今年の12月末日に支払うというものと、いつ到来するかはっきりしないもの、たとえば、財産整理が終了した時に支払うというものとがある。前者を「確定期限」といい、後者を「不確定期限」という。

　いずれにしろ、期限の到来によって法律行為の効力が発揮できるようになるとするものを「始期」といい、それが消滅するとされるものを「終期」という。

　〔2〕「期限の到来」は、「確定期限」においては原則として明確であるが、「不確定期限」においては必ずしも明瞭でないことが多い。

　〔3〕「履行……を請求することができない」とは、法律行為は行為と同時に効力が生じて、債権そのものは発生しているが、その履行の請求が始期まで停止される普通の場合を考えての規定である。しかし、停止条件と同様に、法律行為の「効力の発生」が始期まで停止される場合もある。たとえば、建物を来年の1月1日から貸すという契約は、来年1月1日から効力を生じる内容である場合が多い。したがって、民法は履行の請求についてだけ規定しているが、これは、上のような効力の発生そのものを始期にかからせる場合を認めない趣旨ではないといわなければならない。けだし、

期限〔前注〕・§§135・136〔1〕〔2〕

法律行為に条件または期限をつけることは、契約自由の原則の一つの適用にすぎないからである。

そして、このような始期をつけられた法律行為の期限到来前の効力、すなわち、始期付権利については128条および129条の規定を準用するべきである。なぜなら、始期付権利は、将来必ず取得される権利であって、条件付権利よりもいっそう強力なものだからである。もっとも、履行だけが期限まで停止されているときは、権利者はすでに現実の債権を取得しているのだから、とくに期限付権利を認める余地も、必要もない。なお、期限が到来しても債務者が履行しない場合の効果などは、第3編に定められている（新旧§412参照）。

〔4〕　たとえば、2005年末まで毎月5万円ずつ支給する（「確定期限」）、または相手方が死亡するまで毎月5万円ずつ与える（「不確定期限」）というようなものである。

〔5〕　終期の場合には「効力」が消滅すると規定するから、始期についてのような問題は起きない（本条〔3〕参照）。解除条件との差は、ただ到来することが確実であるかどうかにかかっている。なお、終期の到来によって権利を取得する者の地位をとくに保護する必要があるときは、始期付権利者と同様に、128条および129条を準用するべきである。

（期限の利益及びその放棄）
第百三十六条
1　期限は、債務者の利益のために定めたものと推定する[1]。
2　期限の利益は、放棄することができる。ただし、これによって相手方の利益を害することはできない[2]。

〔原条文〕
　　期限ハ債務者ノ利益ノ為メニ定メタルモノト推定ス
　　期限ノ利益ハ之ヲ抛棄スルコトヲ得但之カ為メニ相手方ノ利益ヲ害スルコトヲ得ス

〔1〕　期限は、まれには、債権者のためにだけ定められる場合もある。たとえば、1年間物を無償で預かる契約（寄託、§§657～）がそれである。また、債権者・債務者の双方のために定められる場合もある。たとえば、定期預金や金銭信託などがそれである。しかし、期限は債務者の利益のために定められる場合が最も普通である。そこで民法は、本項の推定規定を設けたのである。「推定」であるから、もちろん反証が許される。

〔2〕　期限が一定の当事者の利益のためにだけ定められている場合に、その当事者がこれを自由に放棄できることは疑いがない。たとえば、無利息で金を借りた者が期限の利益を放棄して期限前に弁済し、無償で物を寄託した者が同じく期限前に物の返還を求めてもよい（§662 I参照）。ただし、そのために相手方に損害が生じた場合には、通常、これを賠償しなければならない。

ところで、期限が相手方の利益のためにも定められている場合には、絶対に放棄を許さないか、それとも相手方のこうむる損害を賠償すれば、なお放棄することができ

第1編　第5章　法律行為　第5節　条件及び期限

るであろうか。説が分かれているが、判例および多数説は放棄を肯定する。すなわち、当事者双方の利益のために期限が付けられる定期預金のようなものでも、債務者は期限までの利息を支払えば、期限の利益を放棄することができる（大判昭和9・9・15民集13巻1839頁。ただし、最判昭和41・10・4民集20巻1565頁は、定期預金の期限前払戻しの場合には、普通預金と同率とする商慣習があり、その旨の合意が可能であるとしている。事案は期限前払戻しへの§478の適用に関する）。

（期限の利益の喪失）
第百三十七条

　　次に掲げる場合[5]には、債務者は、期限の利益を主張すること[1]ができない。
　　一　債務者が破産手続開始の決定を受けたとき[2]。
　　二　債務者が担保を減失させ、損傷させ、又は減少させたとき[3]。
　　三　債務者が担保を供する義務を負う場合[4]において、これを供しないとき。

［原条文］
　　左ノ場合ニ於テハ債務者ハ期限ノ利益ヲ主張スルコトヲ得ス
　　一　債務者カ破産ノ宣告ヲ受ケタルトキ
　　二　債務者カ担保ヲ毀滅シ又ハ之ヲ減少シタルトキ
　　三　債務者カ担保ヲ供スル義務ヲ負フ場合ニ於テ之ヲ供セサルトキ
〈改正〉　2004年法律76号の改正により、「破産ノ宣告」が「破産手続開始ノ決定」と改められた。

〔1〕　「期限の利益」を「主張すること」ができないとは、期限の利益が当然になくなるというのではなく、債権者の側で期限の到来を主張し、直ちに債務の履行を請求することができるということである。

〔2〕　破産法103条3項は期限付債権は「破産手続開始の時において弁済期が到来したものとみなす」と規定し、当然に期限の利益がなくなるものとするから（本条〔1〕参照）、本号の適用の余地はない。なお、破産手続開始決定については同法30～33条参照。

〔3〕　たとえば、債務者が抵当に入れてある山林を伐採したような場合である。ただし、山林の地盤に抵当権が設定されている場合に、林業経営の枠内での伐採であり、かつ新たな植林を伴うときは、該当しないこともあろう。

〔4〕　たとえば、わが国の消費貸借契約で普通に行われる、担保物の価格が減少したら増担保を入れるという特約がある場合などである。

〔5〕　本条列挙の事由のほかに、当事者が期限の利益を失うべき事由を特約することはもちろん差し支えない。実際にもその例が多い。たとえば、債務者が他の債権者から執行をうければ期限の利益を失うとする特約などが、取引界で多く行われている（ただし、消滅時効の起算点に関しては、改正前§166〔1〕(ｱ)、相殺適状に関しては、第3編第1章第5節第2款解説[2]参照）。

　貸金業者による貸付けにおいて、借主が元利金を賦払いで支払い、1回でも不払いがあると残債務全額について期限の利益を喪失するという特約がなされる場合が多い。

§137

1回の不払いがあったとき(利息分について、利息制限法の範囲内の利息を支払い、約定した制限超過利息の支払を行わなかったので、不払いとされる例も多い)、残額全部について期限の利益が失われて、履行遅滞が生じるというのはよい。しかし、それ以後、賦払い請求を継続し、その中で利息部分については損害金(遅延利息)を請求し続けるという実務が行われることが多いといわれる。最高裁は、この種の事例で、期限の利益の喪失を宥恕する意思表示はなされなかったという理由で、損害金の請求を正当とする判断を出しているが(最判平成21・4・14判時2047号118頁、最判平成21・11・17判タ1313号108頁)、一種の利息制限法の潜脱につながるので、疑問である。賦払い請求を続行する以上、期限の利益も復活していると考えてよいのではないか。この場合の貸金業者による期限の利益喪失の主張は信義則に反するかという論点についても争われている(最判平成21・9・11判時2059号55頁〔平19(受)1128号〕、最判平成21・9・11判時2059号55頁〔平21(受)138号〕、前掲最判平成21・11・17)。

第1編　第6章　期間の計算

第6章　期間の計算

〈改正〉　2004年改正により、第5章が第6章になり、表題が「期間」から「期間の計算」に改められた。

「期間」とは、ある時点から他の時点まで継続する時の区分である。本章の規定は、主として期間の計算方法に関するものであるが、単に民法上の期間だけでなく、その他の法規、ことに公法の規律をうける期間にも適用がある（§138参照）。

（期間の計算の通則）
第百三十八条
　　期間の計算方法は、法令[1]若しくは裁判上の命令に特別の定めがある場合又は法律行為に別段の定めがある場合を除き、この章の規定に従う[2]。
　[原条文]
　　期間ノ計算法ハ法令、裁判上ノ命令又ハ法律行為ニ別段ノ定アル場合ヲ除ク外本章ノ規定ニ従フ。

〔1〕　他の法令において、本章140条の適用を排斥して初日を算入することにしている例は多い。たとえば、「年齢計算ニ関スル法律」（明治35年法律50号）は、「年齢ハ出生ノ日ヨリ之ヲ計算ス」と規定して、初日を算入することとしており（§4〔1〕参照）、また、戸籍法上の届出期間の計算に当たっては、届出事件が発生した日から起算することになっている（戸§43）。そのほか、国会法（§§14・133）、民訴（§95）、刑法（§§22～24）、刑訴（§55）、特許（§3）、税通（§10）、地税（§20の5）など参照。
〔2〕　計算法は、暦法的計算方法（§143）と自然的計算方法（§139）とに大別される。

（期間の起算）
第百三十九条
　　時間によって期間を定めたときは、その期間は、即時から起算する[1]。
　[原条文]
　　期間ヲ定ムルニ時ヲ以テシタルトキハ即時ヨリ之ヲ起算ス

〔1〕　たとえば、いまから48時間といった場合には、その瞬間が起算点であり（この点、140条の場合と異なる）、きたる4月1日午前10時から48時間といった場合には、その時点から起算する。この場合、期間の満了点についてとくに規定はしていないが、48時間が経過した時であることは疑いない。なお、分、秒をも定めた場合にも、上と同様であることは説くまでもない。
　このような計算方法を「自然的計算方法」という。
　なお、著作権法の平成15年法律85号による改正（2004年1月1日に施行された）は、

284

第6章［解説］・§§138・139・140・141

同法54条で映画著作権の存続期間（公表の翌年から起算する）を50年から70年に延長したが、この改正法の附則2条には、「この法律の施行の際現に改正前の著作権法による著作権が消滅している映画の著作権については、なお従前の例による」と定めていた。この表現は、施行日を指すと解釈して、映画「シェーン」（1953年公表）について2003年12月31日に著作権の存続期間は満了したものとした判決がある（最判平成19・12・18民集61巻3460頁）。映画の著作権者であった原告は、「法律の施行の際現に」と「施行の日において」を使い分けている法律の多くの例を挙げて争ったが、認められなかった。

〔暦法的計算による期間の起算日〕
第百四十条
　　　日、週、月又は年によって期間を定めたときは[1]、期間の初日は、算入しない[2]。ただし、その期間が午前零時から始まるときは、この限りでない[3]。
　［原条文］
　　　期間ヲ定ムルニ日、週、月又ハ年ヲ以テシタルトキハ期間ノ初日ハ之ヲ算入セス但其期間カ午前零時ヨリ始マルトキハ此限ニ在ラス

　〔1〕　たとえば、2020年4月1日のある時間に「今日から、20日、2週間、2か月、2か年」と定められた期間を計算するには、「暦に従って」計算する（§143）。これを暦法的計算方法という。
　〔2〕　本条は、この場合における起算点について規定する。すなわち、上記の例では、初日の4月1日を算入しないで4月2日から起算する。開始時から実質的に24時間に満たない日は切り捨てる趣旨である。これを初日不算入の原則という。
　ただし、この原則に対しては、138条〔1〕で述べたように、相当に多くの例外がある。年齢計算に関する例外については、出生した日にたとえ短時間でも生命を有したのであるから、これを本条のように切り捨てるのは適当でないという考えに基づく（§3〔1〕参照）。138条〔1〕に述べたそのほかの例外は、それぞれの配慮によって初日を算入することとしたものである。
　〔3〕　たとえば、2020年の3月中に「4月1日から20日間」といった場合には、初日は4月1日の午前零時から始まるから、初日である4月1日を算入する。この場合には、初日を24時間に使えるからである。
　消滅時効期間の計算における起算日は、通常は「権利を行使することができる時」（改正前§166 I）であるので、弁済期が到来した日を初日とするのが普通であろう。

（期間の満了）
第百四十一条
　　　前条の場合には、期間は、その末日[1]の終了[2]をもって満了する[3]。
　［原条文］
　　　前条ノ場合ニ於テハ期間ノ末日ノ終了ヲ以テ期間ノ満了トス

285

第1編　第6章　期間の計算

〔1〕　「期間の末日」の算出方法については143条参照。

〔2〕　「末日の終了」とは、末日(§140〔2〕の例で、「4月1日から1年間」といえば、起算日は4月2日で、末日は翌年の4月1日になる)の午後12時が経過することである。ただし、債務の履行またはその請求に関して法令または慣習によって取引時間の定めがある場合には、その取引時間内に限り債務の履行をし、またはその履行の請求をすることができる(商§520〔削除〕→民§484Ⅱ)。そこで、たとえば、債権の消滅時効は時効期間の末日の終了、すなわち午後12時に完成するのであるが、実際上はその末日の取引時間が経過すると、請求によって時効を中断(改正法においては完成猶予)することができなくなることを注意するべきである。

138条で述べた例外により初日を算入する場合には、上の例で4月1日が起算日となり、翌年の3月31日が末日となり、その午後12時に末日が終了する。

〔3〕　「期間の満了」は、〔2〕で述べたように「末日の終了」で生じる。起算日が4月1日とすると、これから1年間の期間は翌年の3月31日午後12時に満了する。それはまた、4月1日の午前0時といってもよい時点である。

上述のことの結果として、ある法的効果が発生するかどうかは、その法律関係、とくにそれについて定める規定によって定まる。学校教育法22条の規定の解釈として、4月1日に生まれた者について6年目の4月1日から就学義務があるとされるのはその例であるが(§4〔1〕参照)、そのほかにも、たとえば、満60歳で勧奨退職するという規定の適用について、上の例で3月31日午後12時に60歳に達する場合には、3月31日が60歳に達した日であるとする判例がある(最判昭和54・4・19判時931号56頁)。

〔期間の満了の特例〕
第百四十二条
　　期間の末日[1]が日曜日、国民の祝日に関する法律(昭和二十三年法律第百七十八号)に規定する休日その他の休日[2]に当たるときは、その日に取引をしない慣習[3]がある場合に限り、期間は、その翌日に満了する[4]。

〔原条文〕
　　期間ノ末日カ大祭日、日曜日其他ノ休日ニ当タルトキハ其日ニ取引ヲ為ササル慣習アル場合ニ限リ期間ハ其翌日ヲ以テ満了ス

〔1〕　「末日」については143条〔3〕参照。

〔2〕　「休日」については、戦前、1927年(昭和2年)勅令25号「休日ニ関スル件」で11の国民的休日が規定され、大祭日もこの中にふくまれていたが、この勅令は1948年(昭和23年)に「国民の祝日に関する法律」で廃止され、代わって元日(1月1日)以下9の「国民の祝日」が定められた。この「国民の祝日」は、その後、7の祝日が追加され、2018年1月1日現在では年間16の日(元日・成人の日・建国記念の日・春分の日・昭和の日・憲法記念日・みどりの日・こどもの日・海の日・山の日(8月11日)・敬老の日・秋分の日・体育の日・文化の日・勤労感謝の日・天皇誕生日)が祝日とされている(祝日が日曜日のときは、その翌日が休日となる。5月3日・4日・5日のいずれかが日曜日のときは、

§§141〔1〕～〔3〕・142・143〔1〕

6日が休日となる）。なお、祝日法3条3項には、「その前日及び翌日が『国民の祝日』である日（『国民の祝日』でない日に限る。）は、休日とする」という規定がある。その適用により、2009年の敬老の日が9月21日で、秋分の日が9月23日とされているので、その間の9月22日は休日となる）。しかし、本条の「休日」というのはそれほど厳格な意味でなく、すべての一般的な休日を指すものと解してよい。たとえば土曜日、12月29日から31日、1月2日、3日などもこれに入りうると考えてよい（民訴§95Ⅲ参照）。

〔3〕　「取引をしない慣習」とは、商取引に限る意味ではなく、当該期間が定められている法律行為について、これをしない慣習の意味である。したがって、たとえば手形の拒絶証書を作成する期間の末日が公証人または執行官が職務を行わない慣習のある日に当たるときなども、やはり本条の適用がある（大判明治37・10・22民録10輯1297頁）。また、当事者の一方について慣習があれば、本条の適用がある（大判明治36・5・5民録9輯531頁）。〔2〕であげた土曜日なども、この要件を判断して決すればよいであろう。

〔4〕　当事者が何月何日と定めた日が休日であったり、毎月何日に支払うと定めた債務につき、その日が休日に該当するような場合も、正確にいえば期間の問題ではないが、本条を類推適用してよい（最判平成11・3・11民集53巻451頁）。

（暦による期間の計算）
第百四十三条
1　週、月又は年によって期間を定めたときは、その期間は、暦に従って計算する[1]。
2　週、月又は年の初めから期間を起算しないときは、その期間は、最後の週、月又は年においてその起算日に応当する日の前日に満了する[2]。ただし、月又は年によって期間を定めた場合において、最後の月に応当する日がないときは、その月の末日に満了する[3][4]。

［原条文］
期間ヲ定ムルニ週、月又ハ年ヲ以テシタルトキハ暦ニ従ヒテ之ヲ算ス
週、月又ハ年ノ始ヨリ期間ヲ起算セサルトキハ其期間ノ最後ノ週、月又ハ年ニ於テ其起算日ニ応当スル日ノ前日ヲ以テ満了ス但月又ハ年ヲ以テ期間ヲ定メタル場合ニ於テ最後ノ月ニ応当日ナキトキハ其月ノ末日ヲ以テ満期日トス

〔1〕　「暦に従って」計算するとは、1日は24時間、1週は7日、1か月は30日、1か年は365日というように、時間や日に換算して計算するのではなく、週をもって定めた場合は、何週目かの同一曜日、月をもって定めた場合は、何月目かの同日、年をもって定めた場合は、何年目かの同一月日が満了日である（いずれも初日を算入しない場合）。したがって、1月1日から1か月という場合には31日間であり、2月1日から1か月という場合には28日間であって、日数には違いが生じる。閏年の場合には1年は366日になる。なお、本条は週による期間も暦に従って計算するといっている

287

第1編　第6章　期間の計算

が、この場合は日で数えてみても差異を生じない。

　本条の定める計算方法を「暦法的計算方法」という。

　〔2〕　たとえば、3月3日に今日から3か月といった場合には、起算日は4日であり（初日を算入しない場合。§140〔1〕参照）、6月の4日が最後の月の応当日であるから、その前日すなわち6月3日の終了をもって満了する（§141参照）。同様に、2008年5月5日に、今日から10年間と定めた期間は、初日不算入により、2018年5月5日の終了で満了する。

　なお、たとえば3月1日に2日後の3月3日から3か月と定めたときは、3月3日が起算日になるから（§140ただし書）、6月2日が満了日になる。

　〔3〕　たとえば、1月30日を起算日として1か月という期間を定めた場合には、2月30日という応当日がないから、2月の末日すなわち28日(閏年ならば29日)が満期日になる。閏年の2月29日を起算日として1年といった場合にも同様で、2月28日が満期日になる。

　年齢計算の場合には初日を算入するので、閏年の2月29日に生れた者は、その日が起算日となり、平年である翌年の2月28日が本条ただし書による1年の満期日で、それが満了した時、すなわち3月1日に1歳になる(20歳になる年は通常閏年であるので、2月28日の満了時、すなわち2月29日に20歳になる)。

　〔4〕　手形の満期日について重要な特則があることを注意せよ(手§36 II以下参照)。

288

第7章　時　　効

〈改正〉　2004年改正により、第6章が第7章になった。2017年に大改正があった。時効については、本章と第5章不法行為にわたって改正がなされた。時効の援用権者（新145条）、時効の中断・停止（完成猶予・更新）（新147条～161条）、職業別の短期消滅時効制度（改正前170条～174条）及び商事消滅時効制度（改正前商法522条）の廃止とこれに伴う消滅時効の起算点及び期間の見直し（新166条）、人の生命・身体の侵害による損害賠償請求権の時効期間の見直し（新167条、724条の2）、不法行為の損害賠償請求権の長期の時効消滅期間（724条2号）であるが、本章の改正については、各箇所(節)で指示した。

1　時効制度の意義

　時効は、真実の権利状態と異なった事実状態が永続した場合に、その事実状態をそのまま権利状態と認めて、これに適応するように権利の得喪を生じさせる制度である。たとえば、Aの所有地をBが自分の所有地として長く耕作してきた場合には、その土地はBの所有地とされ、また、CがDに対して債権を持っていながら、長くこれを行使しなかった場合には、Cはその債権を失うものとされる。これが時効の効力である。

　元来、法律は真実の権利状態と異なった事実状態が存在するときに、これを真実の状態にもどすことをその使命とする。上の例でいえば、BをしてAにその土地を返還させ、DをしてCにその債務を履行させるのが法律の使命である。ところが時効は、その反対の作用をする。しかし、一定の事実が永続し、なにびともこれを争わないときは、社会は、その事実関係を基礎として、その上に種々の取引関係を築き上げていくものだから、後になってそれをくつがえすことは、かえって社会の取引関係を混乱させ、秩序を乱すことになる。これを避けて、取引の安定を保ち、秩序を維持することも、また、法律の使命だといわなければならない。時効制度の根本的な存在理由は、この点に存する。

　しかし、時効制度には、付随的な理由もある。権利が長く行使されないと、その存否の証拠が不明になるから、裁判によって決定することが困難になる。そのときに、たまたま証拠を保存した者の方が有利な地位を得るようでは、妥当でない。そのような場合には、長く続いた事実状態を正しいものと見てしまうことが、かえって真実に適することが多いばかりでなく、大局から見て、その方が適当である。日常頻繁に生じる債権について、1年とか2年の短期消滅時効を認める主たる理由は、この点に存する。また、権利を有し、それを行使することが可能でありながら、これを行使しないで長期間放置し、いわば「権利の上に眠った者」は保護するに値しないという理由が説かれることもある。この理由は、消滅時効について、より適切に妥当するであろう。

　このように、時効は、社会の一般的な立場から、権利の得喪を生じさせる制度だが、

第1編　第7章　時効

これによって権利を取得し、または義務を免れる者が、時効によってそのような効果を受けることをいさぎよしとしないことがある。その場合にも、これを強いることは妥当ではない。そこで、時効によって生じる権利の得喪は、その権利を取得しまたは義務を免れる者が、そのような効果を受けようと望む場合にだけ、確定的に発生するものとされている。民法の時効の援用（§145［改注］）と放棄（§146）の両制度は、この趣旨のものである。

② 取得時効と消滅時効

時効には、権利の取得を生じるもの（取得時効）と権利の消滅を生じるもの（消滅時効）とがある。民法は、この二つを一緒に本章に規定し、第1節に両者に共通の事由を定め、第2節と第3節にそれぞれ取得時効および消滅時効に特有の事項を定めた。時効という制度も、取得時効および消滅時効の両制度も、世界諸国の法制に認められているものだが、両制度を統一的に取り扱っていること、および、社会的な立場と個人的な立場を援用と放棄という制度で調和させようとしていることは、むしろわが民法の特色である。消滅時効については、2017年の民法改正で大きく変更されたので、注意が必要である。

③ 除斥期間

消滅時効に類似する制度に「除斥期間」というものがある。これは、権利の存続期間を限定するものであって、この期間を経過した後の権利行使を除斥する（排除するの意）という意味の制度である。この期間内にその権利を行使しなければ権利は当然に消滅し、時効のように、「時効の中断」ということもなく、また、当事者の援用を必要としない（ただし、停止に関する規定、§§158［改注］・161［改注］などは類推適用するという説が多い）。民法は、第1編総則においてこのような制度についてなにも規定していないし（「除斥」の語は旧§79Ⅱにある）、その効力などについても言及していないが、明らかに除斥期間を定めていると解される規定は相当に多い。たとえば、売主や請負人の担保責任に関する改正前564条・改正前566条3項・637条1項などの期間は、その適例である。盗品や動物の回復請求権に関する193条・195条の期間も、そうである。なお、占有訴権に関する201条1項・3項もその例に入ると解されている。この後者のように、訴えを提起しうる期間が限定されている場合には、これをとくに「出訴期間」という。

なお、条文に「時効によって消滅する」とある場合には明瞭に時効であるが、そうでない場合には除斥期間であるといちおうは解される。しかし、疑わしい場合には、規定の趣旨を検討してどちらかに決するべきである。126条（取消権）および改正前724条（損害賠償請求権）など、3年ないし5年という短い期間と20年という長い期間を定めている条文について、長い方の期間を除斥期間であるとみる説も主張されていた（724条については、2017年の改正で時効期間であることが明文化された）。しかし、取消権のような形成権と損害賠償請求権のような請求権とは区別して論議されるべきであって、両者を混同するべきではない。詳細は、それぞれの場所で述べることとする（§126

第 7 章［解説］②〜④

〔3〕・〔5〕、改正前§724〔3〕参照)。

やはり、消滅時効に関連するものとして、「権利失効の原則」があるが、これについては 1 条〔4〕㈔を参照。

④　時効制度の改正

2017 年の民法改正により、取得時効に関する規定を除き、145 条から 174 条の 2 までの多くの規定が改正された。各条文につき確認をしていただきたい。

第1編　第7章　時効　第1節　総則

第1節　総　　則

〈改正〉　時効の援用に関する 145 条、裁判上の請求等による時効の完成猶予及び更新に関する 147 条、強制執行等による時効の完成猶予及び更新に関する 148 条、仮差押え等による時効の完成猶予に関する 149 条、催告による時効の完成猶予に関する 150 条、協議を行う旨の合意による時効の完成猶予に関する 151 条、承認による時効の更新に関する 152 条、時効の完成猶予又は更新の効力が及ぶ者の範囲に関する 153 条及び 154 条、未成年者又は成年被後見人と時効の完成猶予に関する 158 条、天災等による時効の完成猶予に関する 161 条が改正され、夫婦間の権利の時効の完成猶予に関する 159 条と相続財産に関する時効の完成猶予に関する 160 条は条文見出しが変更され、155 条(新 154 条参照)、156 条(新 152 条 2 項参照)、157 条(新 147 条 2 項、148 条 2 項 152 条 1 項参照)は削除された。

[改正前法の解説]

　本節は、時効の総則として時効の遡及効(§144)、援用(§145 [改注])、放棄(§146)、中断(改正前§§147〜157)および停止(改正前§§158〜161)を収めている。これらは、形式上は取得時効と消滅時効とに共通に適用されるものであるが、内容的には一方にだけ適用されるものもあり、注意を要する。なお、ほかの法律において、民法の時効の規定が原則的に準用される旨の規定がされていることが多いが(会計§31 Ⅱ、地自§236 Ⅲ、税通§§72 Ⅲ・74 Ⅱ、地税§§18 Ⅲ・18 の 3 Ⅱ)、そのこと自体は当然のことである。

（時効の効力）
第百四十四条
　　時効の効力¹⁾は、その起算日³⁾にさかのぼる²⁾。
[原条文]
　　時効ノ効力ハ其起算日ニ遡ル

　本条は、時効による権利の変動を簡明に処理するために、これに遡及効を認めたものである。

　〔1〕　「時効の効力」とは、取得時効では権利を取得することであり、消滅時効では権利を失うことであるが、この権利の得喪は、それによって利益を受ける当事者が援用しなければ、確定的な効力を生じないのだから(§145 [改注] 参照)、本条にいう遡及効も、時効の援用があってはじめて発生することはいうまでもない。

　〔2〕　時効は、一定の期間(これを「時効期間」という)占有または準占有を継続することによって権利を取得し、あるいは一定の期間権利を行使しないことによってその権利を失う制度であるから、その権利の得喪は、時効期間が満了した時に生じるはずである。しかし、この理屈を貫くと、はなはだ不都合なことが生じる。たとえば、他人の物を占有していて取得時効が完成したが、その時効期間中にその物から果実が生じたとしよう。もし遡及効を認めないと、時効が完成するまでその物(元物)は本来の

第1節 ［解説］・§§144・145

所有者に属していたことになるから、その果実も本来の権利者に帰属する（§89参照）。
そこで、元物は時効で取得しても果実は返さなければならないという事態が起こりう
る。また、たとえば、債権が消滅時効で消滅したとしよう。時効が完成する直前まで
は債権は有効に存在したことになるのであるから、その時までは利息債権も発生して
いて、基本である債権は消滅するが、利息は支払わなければならないということにな
る。これでは、長く続いた事実状態をそのまま法律状態に高めようとする時効制度の
趣旨に反することになる。そこで、本条は、時効による権利の得喪は、時効期間の起
算日に遡って生じることにして、上に述べたような問題が起きないようにしたのであ
る。この点は、主たる債権が時効で消滅すれば、利息その他の従たる債権もこれとと
もに消滅するというように規定してもよいわけで、現にそういう立法例が多い（ドイ
ツ民法§217、スイス債務法§133）。

〔3〕 取得時効では、その要件である占有または準占有の始まった時（明定する条文
はないが、§162〔1〕参照）、消滅時効については、その権利を行使することができる時
（§166参照）が起算日である。

（時効の援用）
第百四十五条
　　**時効は、当事者（消滅時効にあっては、保証人、物上保証人、第三取得者そ
　　の他権利の消滅について正当な利益を有する者を含む。）[1]が援用しなければ、
　　裁判所がこれによって裁判をすることができない。**

［改正前条文］
　　時効は、当事者[2]が援用[1]しなければ、裁判所がこれによって裁判をすることができな
い[3][4][5][6]。

〈改正〉 2017年に改正された。「当事者」の後に（消滅時効にあっては、保証人、物上保証
人、第三取得者その他権利の消滅について正当な利益を有する者を含む。）を挿入した。附則
（時効に関する経過措置）第十条1　施行日前に債権が生じた場合（施行日以後に債権が生じ
た場合であって、その原因である法律行為が施行日前にされたときを含む。以下同じ。）にお
けるその債権の消滅時効の援用については、新法第四十五条の規定にかかわらず、なお従
前の例による。

［改正の趣旨］ 〔1〕　新法は改正前145条の規範を維持しつつ、従来の判例を踏まえ、消滅
時効については、権利の消滅について正当な利益を有する者を含むことを明示している（「直
接的利益」ではない）。援用権者の例として判例法理が固まっていると思われる「保証人」
「物上保証人」「第三取得者」を例示している。この点につき、解説⑵参照。このような例示
によって、援用権者の具体的範囲については、引き続き解釈に委ねられることになろう。連
帯債務者については、新441条本文に注意すべきである。

［原条文］
　　時効ハ当事者カ之ヲ援用スルニ非サレハ裁判所之ニ依リテ裁判ヲ為スコトヲ得ス

［改正前条文の解説］
　本条は、時効の効力に関する重要な規定だが、語句が簡単であるために、その解釈
をめぐって見解が分かれている。

293

〔1〕 時効制度の本旨の一つは、永続した事実状態を尊重して法律関係の安定を期そうとすることにあるが、時効の利益を受けることをいさぎよしとしない当事者の倫理的な気持を尊重することも必要である。

たとえば、AがBに対して貸金の返還を請求し、Bがすでに弁済したと主張しているような場合に、もし弁済期が過ぎてから10年以上の間Aが一度も請求しなかったとしたら、その債権は時効で消滅しているわけであるから、たとえ弁済がなかったとしてもAの請求は許されないはずである。しかし、この場合に裁判所としてBの意思いかんにかかわらず時効消滅を理由としてAの請求をしりぞけるべきか、それともBが時効の利益を享受することを欲しない以上、あくまで弁済の有無を審理して、その事実が認定できなければBに支払を命じるべきかは、立法政策上の問題である。わが民法は、後の主義を採り、この時効の利益を受けるかどうかを当事者の意思にゆだねた。一例として、最判昭和61・3・17(民集40巻420頁)は、この趣旨を、消滅時効について、「時効による債権消滅の効果は、時効期間の経過とともに確定的に生ずるものではなく、時効が援用されたときにはじめて確定的に生ずる」と表現している(ただし、事案への適用に関しては、疑義がある。改正前§167〔1〕(ウ)参照)。

本条にいう「援用」とは、要するに、時効の利益を受けようとする観念の表示である(第5章解説②(ア)(b)参照)。しかし、規定が簡単なので、多くの問題がある。第1に、時効の援用をする者は誰であるかが問題である。〔2〕を見よ。第2に、援用行為の性格、ことに援用するべき場所と時期とが問題である。〔3〕を見よ。なお、146条で、時効の完成後には、時効の利益を放棄することができるものとしていることは、援用の問題と対応するものである(§146〔3〕参照)。

〔2〕 「当事者」とは、時効の完成によって利益を受ける者をいう。たとえば、取得時効において権利を取得する者、消滅時効において消滅する権利の義務者である。しかし、時効の完成によって利益を受ける者には、直接に利益を受ける者のほかに間接に利益を受ける者とがありうるので、どの範囲の者が援用権を有するかは簡単な問題ではない。以下には、まず、消滅時効の場合について、援用権者の範囲を考察し、取得時効については、(オ)で述べる。なお、2017年の改正に注意。

(ア) 債務者

消滅時効が完成した場合に、債務者が当事者であり、援用権を有することはもちろんである。

債務者によって消滅時効が援用された場合には、その債務はいわば絶対的に消滅し、これを担保する保証債務や抵当権も当然に消滅する。たとえば、保証人が主債務者による時効の援用を知らずに弁済しても、それは存在しない主債務の弁済であって、保証人は主債務者に対する求償権を認められない(§§463[改注]・443[改注]を参照)。

(イ) 連帯債務者・保証人

判例は、かつては、本条にいう当事者は、時効の完成によって「直接利益を受ける者」をいうとしていた。その結果、債権の時効消滅については、連帯債務者(ただし、時効によって債務を免れた連帯債務者の負担部分に限って援用できる。改正前§439参照)、保証人、連帯保証人などが援用することができる当事者とされていた(大判大正4・12・

§145〔1〕〔2〕

11 民録 21 輯 2051 頁、大判昭和 7・12・2 新聞 3499 号 14 頁）。

　もっとも、これらの者が援用しても、その効果はその援用者の債務に限り（連帯債務については、上述）、主たる債務者本人はこれに拘束されずに、援用権を放棄することは可能であると解される。これを、援用の相対的効力ということができる（〔5〕参照）。

　なお、破産終結により債務者である会社の法人格が消滅した場合には、消滅時効が観念できないから、保証人は消滅時効の援用ができないとした判決があるが（最判平成 15・3・14 民集 57 巻 286 頁）、これについては、369 条〔4〕㈩、改正前 446 条〔1〕㈹後段第 1 を参照。

　㈹　物上保証人・抵当不動産の第三取得者など

　判例の態度は、当初は上述のように厳格で、物上保証人や抵当不動産の第三取得者などは援用権を否定されていたが、その後、「直接利益を受ける者」という基準は維持しつつ、その範囲を、(a)不動産を他人の債務のために「弱い譲渡担保」に供した者（最判昭和 42・10・27 民集 21 巻 2110 頁）、(b)他人の債務のために抵当権を設定した物上保証人（最判昭和 43・9・26 民集 22 巻 2002 頁。本判決は、さらにその物上保証人に対する債権者による援用権の代位行使を認める）、(c)抵当不動産の第三取得者（最判昭和 48・12・14 民集 27 巻 1586 頁）、(d)仮登記担保権が設定された不動産の譲受人（最判昭和 60・11・26 民集 39 巻 1701 頁）について援用権を認め（いずれも、被担保債権についての消滅時効の援用）、(e)さらに、売買予約に基づく仮登記に後れる抵当権者（最判平成 2・6・5 民集 44 巻 599 頁）、(f)同じくその不動産の第三取得者（最判平成 4・3・19 民集 46 巻 222 頁）に予約完結権の消滅時効についての援用権を認めた。いずれも、妥当な判断と思われる。

　なお、これらの者が援用すれば、当該債権はそれらの者の利益に関する限りにおいて時効消滅したものと扱われ、たとえば、抵当権は消滅するという効果を生じるにとどまり、援用をしない債務者の債務そのものについては、援用の効果は生じないと考えられる。みずから援用しない債務者自身は依然として債務を負担すると解するべきである（援用の相対的効力。〔5〕参照）。

　これらの物上保証人などの援用権は、債務者本人の援用権とは独立のものであるから、債務者自身が援用権を放棄したり、時効の利益を放棄（§146〔4〕参照）した場合にも行使できると解されるが、時効の完成を前提とするから、債務者の承認などにより時効が中断されて時効が完成していないような場合には、その中断の効力を否定できないのはいうまでもない（削除前§148〔2〕参照）。

　㈡　その他の者

　(a)　詐害行為をした債務者の債権者が債権者取消権を行使した場合に、相手方とされた受益者は、債権者の債権（被保全債権）の消滅時効を援用できるかは問題である。判例は、この援用を認めていなかったが（大判昭和 3・11・8 民集 7 巻 980 頁）、その後、判例を変更して、時効が完成していれば、受益者にも援用権があるとした（最判平成 10・6・22 民集 52 巻 1195 頁）。受益者の立場は間接的であるが、判決は直接利益を受ける者とする。債権者取消訴訟が進行してから、債務者が援用すると面倒を生じることを考えた判断とも思われるが、債務者を当事者としない同訴訟の構造に即した（債務者の意思を確認する）工夫が必要と思われる。（改正前§424〔4〕㈹参照）

295

第1編　第7章　時効　第1節　総則

(b)　後順位抵当権者は、先順位抵当権者の債権の消滅時効を援用できない(最判平成11・10・21民集53巻1190頁)。先順位抵当権の消滅による順位の上昇は事実上の利益にすぎないことからすれば、当然であろう。

(c)　譲渡担保において弁済期経過後に設定者が譲渡担保権者に対して有する清算金請求権の消滅時効につき、その目的物を譲り受けた第三者は援用権を有するとした判決がある(最判平成11・2・26判時1671号67頁)。同判決は、第三者が設定者から留置権の抗弁を受ける可能性があることを根拠とするが、ここまでいくと、「直接利益を受ける者」という基準は消滅したに等しいといわざるをえない。

(ホ)　取得時効の場合

(a)　取得時効についてであるが、土地の時効取得者からその土地上の建物を賃借した者は、その取得時効を援用できない(最判昭和44・7・15民集23巻1520頁)。時効完成によって「直接利益を受ける者」ではないから、当然というべきであろう。

(b)　被相続人の占有による取得時効において、共同相続人の一人が援用できるのは自己の相続分の限度においてであるとする判例があるが(最判平成13・7・10判時1766号42頁)、当然といってよい。

〔3〕　本条の文言の解釈上、判例が「援用」の法律的性格について採ってきた見解は必ずしも明確ではない。かつての判例は、時効の援用は「訴訟上の攻撃防禦(以下、防御とする)方法」であるという性質を有するとした(大判大正8・7・4民録25輯1215頁、大判昭和9・10・3新聞3757号10頁)。そう解すると、裁判所において、第2審の口頭弁論の終結までにこれをすることを要し、上告審においてすることはできないことになる(大判大正7・7・6民録24輯1467頁、大判大正12・3・26民集2巻182頁)。また、債務不存在確認訴訟で完成した時効を援用しないで敗訴の判決が確定しても、時効の利益の放棄にはならないから(§146参照)、後の弁済請求訴訟で改めて援用することは妨げないとし(大判大正11・4・14民集1巻187頁)、また、援用は訴訟上の防御方法である当然の結果として、一度援用した後でこれを撤回しても妨げないとした(前掲大判大正8・7・4)。ところが、他方では、少なくとも取得時効についてはと断わったうえで、援用権者は裁判上であると裁判外であるとを問わず、いつでも援用でき、いったん援用があると時効による権利の取得は確固不動のものとなるとした判例もあった(大判昭和10・12・24民集14巻2096頁)。また、給付請求訴訟で敗訴した後、債務者は債権の譲受人に対して前訴の口頭弁論終結前に時効が完成したという主張はできないとする判決もみられた(大判昭和14・3・29民集18巻370頁)。

これに対して、学説としては、援用を時効の効果を実体上確定的にする行為であるとし、裁判上・裁判外のどこでもすることができ、また、一度援用すれば、時効の効果は確定的になり、撤回は許されないとする傾向が強い。この見解によると、援用は確定判決があるまで、時効による権利の得喪を確定的にすることを当事者に認めただけのものであって、一度確定判決を受けると、もはや別訴で援用することはできなくなると解される。

なお、援用は時効の効果として一種の法定証拠が成立し、これを裁判所に提出する行為であるとする学説も主張されている。

§§145〔3〕〜〔6〕・146〔1〕

これらの見解の差は、多くの点で実際上の効果を異にするだけでなく、時効の効果そのものの考え方の差を示す。「攻撃防御方法」説は、時効によって権利は実体的に取得され、失われるが、ただ訴訟上これを基準として裁判することができないというのだから、実体法上の権利関係と裁判上の権利関係の不一致を認めることになる。これに対して学説は、両者の不一致をきらい、援用によって実体上の権利関係そのものが確定的に発生し、または失われると説こうとする。ただし、援用と実体上の権利の得喪との関係については、時効の完成によっていちおう権利の得喪を生じ、「援用しない」という条件が加わると、そのいちおう生じた権利の得喪が遡及的に消滅するというもの（解除条件説）と、時効の完成によってはまだ権利の得喪を生じず、「援用する」という条件が加わってはじめて権利の得喪を生じるというもの（停止条件説）とがある。

これらの見解の間の優劣は、実際上の効果の差と、時効制度の本質とを考え合わせて、なお、総合的な検討を要するところである。

〔4〕　一定の公法上の債権については、時効の援用を必要としない規定がおかれている。会計法31条1項、地方自治法236条2項、国税通則法72条2項・74条2項、地方税法18条2項・18条の3第2項などがそれである。おおむね、時効の利益の放棄（§146参照）を認めないことも一緒に定められている。これらの場合には、〔3〕で論じた問題点は存在せず、時効の効果は援用権者の意思にかかわりなく、確定的に生じる。なお、国家賠償法に基づく損害賠償請求権はその性質は私法上の債権であるから、本条の規定により援用が必要とされる（最判昭和46・11・30民集25巻1389頁）。

〔5〕　時効の援用の効果は相対的である。すなわち、たとえば、数人の相続人のうち一人が被相続人の時効取得を援用しても、その効果は、その者が相続した部分に限り、他の者の相続した部分に影響しない（大判大正8・6・24民録25輯1095頁）。また、債務者以外の者が援用した場合についての〔2〕(イ)以下を参照。

〔6〕　時効の援用が、事情によって信義則違反ないし権利の濫用（§1Ⅱ・Ⅲ）になるとされる例が多くみられることに注意を要する（代表的な例である最判昭和51・5・25民集30巻554頁は、子の母に対する農地の贈与につき、子が母の知事許可申請請求権についての時効を主張した例である）。

（時効の利益の放棄）
第百四十六条
　　　時効の利益[1]は、あらかじめ放棄することができない[2][3][4]。
〔原条文〕
　　　時効ノ利益ハ予メ之ヲ抛棄スルコトヲ得ス

本条は、「時効の利益」は前もってこれを放棄することができない旨を規定し、その反面において、時効が完成した後ならこれを放棄できるという趣旨を示す。

〔1〕　時効によって権利を取得し、または義務を免れるという利益である（改正前§145〔1〕〔2〕参照）。

297

第1編　第7章　時効　第1節　総則

〔2〕　「あらかじめ放棄する」とは、時効が完成する前に、「時効が完成してもその利益を受けない」という意思を表示することである。このような放棄を許すと、永続した事実状態を尊重しようとする時効制度の趣旨が破壊されるおそれがあるばかりでなく、債権者が債務者を圧迫してあらかじめ時効の利益を放棄させる弊害を生じうるからである。この立法趣旨から、たとえば時効期間を延長するとか、中断もしくは停止の事由を増加するなど、時効の完成を困難にするような契約も無効であると解釈されている（なお、改正前§639参照）。

時効期間を短縮する特約は一般に有効と解釈されているが（たとえば、定款に会社§§461・463〔商旧§290〕の利益配当金支払請求権の行使期間を定めたときは、株主はその制限のもとに権利を行使するべきであるとした大判昭和2・8・3民集6巻484頁。この種の場合には、「除斥期間」を定めたとも解されるが、できるだけ時効期間を定めたものと解するべきである）、賃金債権のように債務者すなわち使用者が経済的に優位にある場合に、短期の消滅時効を特約させる行為は、民法90条に違反する場合があろう（労基§§115・13参照）。

〔3〕　時効の完成後に、時効の利益を放棄することは自由である。本条の反対解釈からいっても、また、時効の効果を当事者の援用によってはじめて裁判の基礎とすることができること（§145〔改注〕参照）からいっても当然である。同じ趣旨から、すでに経過した時効期間を放棄すること（そこから改めて時効が進行することになる）も妨げないと解されている。

(ア)　時効完成後の「時効の利益の放棄」は、裁判外でしてもよい。ただし、相手方に対する意思表示ですることを要し、したがって、銀行が帳簿に預金利子を元金に組み入れた旨の記載をしても、預金者に対し承認または時効の利益を放棄したことにはならない（大判大正5・10・13民録22輯1886頁）。しかし、相手方の同意は必要でない（大判大正8・7・4民録25輯1215頁）。放棄は、一度取得した権利を喪失し、または一度免れた義務を負担するという実質を有する行為であるから、これをするのには権利を処分する能力または権限を有することを必要とする（大判大正8・5・12民録25輯851頁、なお§156参照）。

放棄は、なんらの方式を必要としない行為であるから、相手方に対して時効の利益を受けない旨の意思を表示する行為であれば、ことごとく放棄となる。放棄という言葉を用いて行為する必要はない。

(イ)　この点でしばしば問題となるのは、時効の完成後に債務を承認し、または弁済をする行為が放棄となるかどうかである。

判例は、かつて、時効の利益を放棄するためには少なくとも時効期間が経過していることを知っていなければならない、という前提に立ち、これを知らないで弁済をし、または延期証を差入れても、時効の利益の放棄にはならないとし（大判大正3・4・25民録20輯342頁、大判大正10・2・7民録27輯233頁）、そのうえで、債権が10年の時効によって消滅するべきことは一般周知のものと認められるから、時効が完成した後にそのような行為があれば、時効の完成を知って行ったと推定するべきであり、したがって時効完成を知らないでしたことを挙証しない以上は、時効の利益の放棄となるという考え方をとった（大判大正6・2・19民録23輯311頁、大判大正10・2・14民録27輯285

§146〔2〕～〔4〕・時効の完成猶予及び更新［前注］［1］

頁）。そして、このような時効の完成を知らないという挙証は、容易には裁判所が認めないので、実際には大多数の場合に時効の完成を知ったうえでの時効の利益の放棄があったものと認められていた。

多くの学者は、実際問題として、延期証の差入れなどは、むしろ時効の完成を知らないで行われたとみる方が事実に適合することなどの理由から、判例の理論を批判していた。

この問題は、民法が時効の効果を確定させるためには、援用か放棄かを積極的に行うべきものとし、当事者が、援用も放棄もしなかった場合をどう扱うかについて規定しなかったことに起因している（ドイツ民法§214、スイス債務法§§141・142 など参照）。

最高裁も、最大判昭和 41・4・20（民集 20 巻 702 頁）によって見解を改め、時効完成後の債務承認は時効完成の事実を知ってしたものとの推定はできないとし、たとえこれを知らなかったときでも、債務を承認した後はその完成した消滅時効の援用をすることは信義則に照らして許されないと判示した。信義則を持ち出すことの適否は別として、この理は学説によっても支持され、「援用権の喪失」ないし「時効利益の喪失」という言葉で呼ばれることもある。

なお、この問題は時効中断事由としての「承認」（削除前§156 参照）とも共通する問題を含んでいる。時効完成前は中断事由としての意味を持つ承認が、時効完成後は援用権を喪失させることになるのである。判例も、消滅時効完成後に債務承認がなされた場合に、その承認の時からふたたび時効期間が経過すれば消滅時効を援用できるとする（最判昭和 45・5・21 民集 24 巻 393 頁）。

〔4〕 時効の利益の放棄が相対的効力を有するにすぎないことは、時効の援用と同様である（改正前§145〔5〕）。すなわち、主たる債務者が時効の利益を放棄しても、保証人に影響なく（大判大正 5・12・25 民録 22 輯 2494 頁）、また、連帯債務者の一人の放棄は、他の債務者に影響しない（大判昭和 6・6・4 民集 10 巻 401 頁）。また、債務者が放棄しても、その債務のため自己の所有権をいわゆる弱い譲渡担保に供した者は時効の完成を主張できるとされた（最判昭和 42・10・27 民集 21 巻 2110 頁）。

時効の完成猶予及び更新（改正前・時効の中断）

［改正前§§147～157・新法の関連条文の前注］

〈改正〉 当該全条文が改正され、特に 155 条から 157 条は削除された。

［改正の趣旨］ ［1］ 改正前法は、時効の完成が妨げられるという効力（改正前法 153 条）とすでに進行した時効が効力を失い新たな時効が進行を始めるという効力（改正前法 157 条）をいずれも「中断」という用語で表現していた。そこで両概念を区別し、それぞれの実質的な内容に合った表現を用いることにした。新法は、民法の時効の中断と停止の制度を再編成し、新たに「完成猶予」と「更新」の制度を設けた。「完成猶予」とは、その間は時効が完成しないことであり（後述）、「更新」とは、更新の事由が生じたときに新たに時効期間が進行を開始することである（後述）。改正前には、例えば、訴えの提起などの裁判上の請求により時効中断の効力が生じるとされてきた。しかし、立法関係者の指摘によれば、訴えの提起それ自体は、時効の進行を止める効

299

第1編　第7章　時効　第1節　総則

果があるにすぎず、実際に時効期間が再び進行を開始するのは、債権の存在を認める判決が確定
したときであり、同じく中断事由とされてきた差押えも、それ自体は時効の進行を止めるだけで、
改めて時効が進行を開始するのは、強制執行手続終了後になお債権が残っている場合である。このような観点から、時効の中断と停止の制度が見直された。

　〔2〕　新しい用語について説明しておこう。完成猶予とは、裁判上の請求、支払督促、即決和解、民事調停、家事調停、破産手続参加、再生手続参加および更生手続参加の場合においては、その手続が終了するまでの間は、時効の完成が猶予されることを意味する。破産申立の取下げに関しては、裁判上の催告（訴えの却下・取下げは、裁判上の請求という中断事由には当たらないが、訴えを提起している以上催告の意味は有するから、催告としての効力が認められるもの）としての効力を認めるのが判例（最判昭和45・9・10民集24巻1389頁）であった（改正前152条の解説〔3〕参照）。1項本文括弧書きの規定は、同項一から四の手続につき、却下など、権利が確定することなく終了した場合にも、6か月間は、いわゆる裁判上の催告と同様の効力を認め、その間に催告以外の新たな手続をすれば、時効は完成しないことを意味している。

　〔3〕　更新とは、確定判決を受け、または確定判決と同一の効力を有するもの（支払督促については、民事訴訟法396条、即決和解については同法267条等）によって権利が確定したときは、新たに消滅時効が進行することを意味する。その際に、新法においても、改正前174条の2の規定は、新169条として維持されているので、確定判決等の場合の時効期間は10年になる。

　〔4〕　新法は、時効の完成猶予から更新事由に接続しうるものを裁判上の請求等（新147条）と強制執行等（148条）に分けて規定した。

〔用語改正の趣旨〕

　2017年の改正により、「時効の中断」の概念に代えて、「時効の完成猶予及び更新」という概念が導入された。改正前法については、従来の概念が用いられる。なお、取得時効に関する164条及び承役地の事項取得による地役権の消滅に関する290条では、趣旨が異なるので、「中断」のままである。

（裁判上の請求等による時効の完成猶予[2]及び更新[3]）
第百四十七条
　1　次に掲げる事由がある場合には、その事由が終了する（確定判決又は確定判決と同一の効力を有するものによって権利が確定することなくその事由が終了した場合にあっては、その終了の時から六箇月を経過する）までの間は、時効は、完成しない[1]。
　一　裁判上の請求[4]
　二　支払督促
　三　民事訴訟法第二百七十五条第一項の和解又は民事調停法（昭和二十六年法律第二百二十二号）若しくは家事事件手続法（平成二十三年法律第五十二号）による調停
　四　破産手続参加、再生手続参加又は更生手続参加
　2　前項の場合において、確定判決又は確定判決と同一の効力を有するものによって権利が確定したときは、時効は、同項各号に掲げる事由が終了した時から新たにその進行を始める。
〔改正前条文〕
（時効の中断事由）

300

時効の完成猶予及び更新［前注］[2]～[4]・§147 [1]

時効は、次に掲げる事由²⁾によって中断する¹⁾。

一　請求³⁾

二　差押え、仮差押え又は仮処分⁴⁾

三　承認⁵⁾

〈改正〉　2017 年に改正された。附則（時効に関する経過措置）第十条 2　施行日前に改正前法第百四十七条に規定する時効の中断の事由又は新法第百五十八条から第百六十一条までに規定する時効の停止の事由が生じた場合におけるこれらの事由の効力については、なお従前の例による。〈注記〉この附則によると、改正法施行前に発生した債権であっても、時効期間が経過していなければ、施行日以後に生じた上記の事由については、「更新」、「完成猶予」に関する規定が適用されることになる。

［本条の趣旨］　**[1][2][3]**　「完成」「完成猶予」「更新」の意味については、前注の［改正の趣旨］を参照。

　[4]　一部請求の場合については、最判昭和 45・7・24（改正前 724 条の解説[2](2)参照）と最判平成 25・6・6（削除前 149 条の解説[1](2)(ア)参照）が、基本的に維持されると思われる。

［原条文］

　時効ハ左ノ事由ニ因リテ中断ス

一　請求

二　差押、仮差押又ハ仮処分

三　承認

［改正前条文の解説］

　147 条から 157 条［改注］までは、時効の中断について規定する。中断は、停止（§§158～161［改注］）とともに、時効の完成を阻止する制度であるが、中断となる事実（中断事由）が生じると、それまで経過した時効期間が効力を失うものである。中断事由が終了すれば、ふたたび時効は進行を開始するが、中断前の期間は、通算されない。

　時効の中断は、時効の完成によって不利益を受ける者のために生じる。すなわち、消滅時効においては、時効の完成によりその権利が消滅する者、取得時効においては、時効の完成によりその権利を失う者のために生じるのである。

　以下の中断事由には、消滅時効に関してのみ問題となるものもある（§150［改注］の支払督促、§152 の破産手続参加など）。なお、164 条には取得時効にのみ特有な中断事由が規定されている。

　本条は、中断事由のいわば目次を掲げただけのもので、それぞれの事由については、改正前 149 条以下で詳しく規定している。

　〔1〕　「時効の中断」とは、その時までに進行してきた時効の進行が中絶してしまうことである。

　(ア)　たとえば、債権者が弁済期が到来したのち 9 年間債権を行使しないときは、あと 1 年で債権は消滅するという状態に達するわけであるが（削除前 §167）、そこで中断事由（たとえば、証書の書換えによる債務の承認）が生じると、時効期間が 9 年間進行したということはまったく効力を失い、その中断事由が終了した時から、また新たに 10 年を経過しなければ、消滅時効は完成しないことになるのである。

　(イ)　中断を生じる債権の範囲が問題になることがある。債権の一部についての訴え

301

第1編　第7章　時効　第1節　総則

が残りの部分について中断の効力を生じるかについては、削除前149条〔1〕(2)(ア)参照。根抵当権の実行があった場合に、極度額を超える請求債権全部について時効中断の効力を生じるとした判例（最判平成11・9・9判時1689号74頁）があるが、根抵当権の性質（被担保債権と根抵当権の結び付きは弱い）に則してみると、その手続で一部配当をうけた債権とまったく配当を受けなかった債権を区別するなど、緻密な検討を要するように思われる（同判決では、競売申立てが取下げられたので、中断の効力は生じないとされた。削除前§154〔1〕(イ)(c)も参照）。

〔2〕　本条に掲げる三つの中断事由、すなわち「請求」、「差押え、仮差押え又は仮処分」および「承認」のうち、前二者は権利者の権利行使行為であり、最後のものは義務者の義務承認行為である。なお、保証人が主たる債務を相続したことを知りながら保証債務の弁済をした場合には主たる債務者による承認として消滅時効を中断する効力を有するとした判例（最判平成25・9・13民集67巻1356頁）がある。

　民法がこれらの事実を中断事由としたのは、これらがいずれも時効の基礎となる事実状態を破壊する事項だからである。したがって、民法の列挙する事項以外の事実でも、これと同一の実質を有する事項は、これに準じて中断事由と解するのを妥当とする。ただし、中断事由をあまり広く認めると、中断事由そのものの存否が不明となり、結局、時効制度を動揺させるおそれがあることは、十分注意しなければならない。判例も、大体同じ態度をとるが、詳しくはそれぞれの条文について説明する。

　なお、164条は取得時効について特別の中断事由を規定し、また、手形法、小切手法などには特殊な中断事由が認められている。

〔3〕　ここに「請求」とは、権利者が、時効によって利益を得ようとする者に対して、その権利内容を主張する裁判上および裁判外の行為を指す。具体的には、裁判上の請求（削除前§149）、支払督促（1996年の改正前は「支払命令」と呼ばれた。削除前§150）、和解のためにする呼出しおよび任意出頭（削除前§151）、破産手続参加（削除前§152）および催告（削除前§153）の五つの事由がこれに含まれる。

　なお、貸主債務者の債権者に対する貸金債務について、保証人が債権者との間で保証契約を締結した場合において、保証人が債権者から金員を借り受けた旨が記載された公正証書が当該保証契約の趣旨で作成され、当該公正証書に記載されたとおり保証人が金員を借り受けたとして債権者が保証人に貸金の支払を求める旨の支払督促の申立てをしたときは、当該支払督促は、当該保証契約に基づく保証債務履行請求権について消滅時効の中断の効力を生ずるものではないとした判例（最判平成29・3・13判時2340号68頁）がある。なお、被保全債権に係る主張の交換的変更によっても、当初の訴え提起による詐害行為取消権の消滅時効の中断の効力に影響はないとした判例（最判平成22・10・19金判1355号16頁）がある。

〔4〕　削除前154条および削除前155条の注釈参照。

　ほかの者により開始された差押え手続に参加した場合についても、削除前154条の注釈で検討する。

〔5〕　削除前156条の注釈参照。

§§147 〔2〕〜〔5〕・148

（強制執行等による時効の完成猶予及び更新）
第百四十八条
1　次に掲げる事由[1]がある場合には、その事由が終了する（申立ての取下げ又
　は法律の規定に従わないことによる取消しによってその事由が終了した場合
　にあっては、その終了の時から六箇月を経過する）までの間は、時効は、完
　成しない。
　一　強制執行
　二　担保権の実行[4]
　三　民事執行法（昭和五十四年法律第四号）第百九十五条に規定する担保権
　　の実行としての競売の例による競売
　四　民事執行法第百九十六条に規定する財産開示手続
2　前項の場合には、時効は、同項各号に掲げる事由が終了した時から新たに
　その進行を始める[2]。ただし、申立ての取下げ又は法律の規定に従わないこ
　とによる取消しによってその事由が終了した場合は、この限りでない[3]。

〔改正前条文〕　削除前148条は下記参照。
〈改正〉　2017年に新設された。

〔本条の趣旨〕　〔1〕　強制執行、担保権の実行等および財産開示手続についても、当該各手
続が終了するまで時効の完成が猶予される。すなわち、手続終了後6か月間につき裁判上の
催告類似の効力がある点は、従来と同じである。削除前152条の解説〔3〕の最判昭和45・9・
10を参照。
　〔2〕　手続が取り下げられたり、取り消されたりせずに終了した場合でも、残存する権利
が存続する場合には、原則として（ただし書あり）、時効は更新される。
　〔3〕　ただし書は、例外を定めている。なお、2019年5月に民事執行法が改正され（令和
元年法律2号）155条5項〜8項が加えられた。それによると、差押債権者は、同条1項の
規定により金銭債権を取り立てることができることとなった日（略）から3項の支払を受け
ることなく2年を経過したときは、同項の支払を受けていない旨を執行裁判所に届け出なけ
ればならない（5項）。1項の規定により金銭債権を取り立てることができることとなった日
から2年を経過した後4週間以内に差押債権者が前2項の規定による届出をしないときは、
執行裁判所は、差押命令を取り消すことができる（6項）。（7項、8項略）。
　〔4〕　新法の下では、物上保証人に対する抵当権の実行において競売開始の決定正本が債
務者に送達された場合は、時効の完成猶予の効力が生じ（新148条、新154条）、競売手続き
が終了したときは、時効が更新される（148条2項）。申立ての取り下げ等により手続きが終
了してしまった場合には、その時から6か月を経過するまでは完成猶予の効力を生じること
になる（148条1項）。したがって、従来の判例（最判平成8・9・27等、削除前154条の解
説〔1〕(イ)(b)参照）の扱いには注意が必要である。また、「担保権者による債権の届出で」の場
合にも、同様の問題がある。他の債権者により開始された強制執行手続における抵当権者の
債権の届出（最判平成元・10・13）や他の債権者による抵当権実行手続における抵当権者の
債権の届出の場合（最判平成8・3・28、いずれも削除前154条の解説〔1〕(ア)(c)参照）に、こ
れらの判例が維持されれば、時効の更新や時効完成の猶予は認められないことになってしま
う。

第1編　第7章　時効　第1節　総則

第百四十八条（旧）　改正に伴い削除

[削除前条文]

（時効の中断の効力が及ぶ者の範囲）

第百四十八条

　　前条の規定による時効の中断は、その中断の事由が生じた当事者及びその承継人[1]の間においてのみ、その効力を有する[2]。

〈改正〉　2017年に改正により削除された。

[削除の趣旨]　削除前148条は、153条2項に移行する。

[原条文]

　　前条ノ時効中断ハ当事者及ヒ其承継人ノ間ニ於テノミ其効力ヲ有ス

[削除前条文の解説]

〔1〕　ここに「当事者」とは、中断行為に関与した者であり、「承継人」とは、当事者の包括承継人および特定承継人をいう（改正前§120〔4〕参照）。

〔2〕　中断が当事者およびその承継人の間でだけ効力を有するとは、これらの者以外の第三者は中断の影響を受けないということである。これも援用、放棄と同じく、相対的効力ということができる（改正前§145〔5〕・§146〔4〕）。

(ア)　たとえば、取得時効について、A所有の土地をB・Cが共同で占有してその取得時効が進行した場合に、AがBに対してだけ中断の行為をしたとすれば、Bの取得時効は中断されるが、Cの取得時効はこれと関係なく進行する（時効が完成すれば、Cは2分の1の持分を取得することになる）。

消滅時効についていえば、AのBに対する債権について、C、Dの保証人がいる場合に、Bが「承認」すれば、C、Dにも効力を生じるが（§457による。物上保証人については、(ウ)参照）、Cが承認しても、B、Dには影響ないと考えられる（C、Dが連帯保証ないし保証連帯である場合は別である。§458［改注］参照）。

(イ)　一般に関係当事者が多数である手形上の債権についても、この原則は貫かれている（手§71、小§52）。

(ウ)　なお、債権者と債務者との間で——たとえば「承認」により——時効中断の効力が生じた場合に、その債務を担保する抵当権を設定した物上保証人などがその中断の効力を否定できないのは当然であり（最判平成7・3・10判時1525号59頁。抵当権の付従性を理由とする）、これは本条の規定の趣旨とは関係ない。物上保証人などにも独立の援用権を認めること（改正前§145〔2〕(ウ)参照）との関連で、上の場合にも物上保証人などは中断を無視して援用できるかのように考えるのは誤解であり、債務者が援用権を放棄しても物上保証人などは援用できるとされること（§146〔4〕参照）と混同してはいけない（もっとも、「承認」と援用権の放棄との差は微妙であり、時効完成後の債務承認について時効中断に等しい効力を認める考えに立つと、本文の結論にも影響してくる。§146〔3〕参照）。

(エ)　本条の原則に対しては、特定の法律関係について例外が認められていることを注意するべきである。たとえば、連帯債務者の一人に対する履行の請求（承認でなく）によって時効を中断すれば、すべての連帯債務者に対する債権の消滅時効が中断されるのは顕著な例である（改正前§434参照）。このほか、保証債務に関する457［改注］条、

§§148（旧）・149・149（旧）〔1〕

連帯保証に関する 458 条 [改注]、地役権に関する 284 条 2 項、292 条なども本条の例外である。

（仮差押え等による時効の完成猶予）
第百四十九条
　　　次に掲げる事由がある場合には、その事由が終了した時[2]から六箇月を経過するまでの間は、時効は、完成しない[1]。
　　　一　仮差押え
　　　二　仮処分
[改正前条文]　削除前 149 条は下記参照。
〈改正〉　2017 年に新設された。
[本条の趣旨]　〔1〕　仮差押および仮処分（削除前 154 条に相応する）については、当該手続終了後 6 か月間につき裁判上の催告類似の効力がある。改正前 147 条 2 号は、差押えと同様に、仮差押えや仮処分を時効中断事由としていたが、新法では、単に当該事由の終了後 6 か月の完成猶予の効力しか認めていないので、保全処分により時効が「停止」しているわけではない点に、注意しなければならない。
　　　時効中断の効力につき、改正前 148 条においては、「当事者及びその承継人においてのみ、その効力を生じる。」と規定し、それを受けて、削除前 155 条では、新 154 条と同様の規定を設けていた。その趣旨は、時効の利益を受ける者が知らない間に時効中断の効力が生じないために設けられた規定であると解されている。削除前 155 条の解説〔4〕参照。新法の各条項も、同様の効力を、更新や完成猶予に関して規定しているものと解される。
　　　〔2〕　この「時」とは、仮差押えがなされた時ではなく、仮差押えの効力が継続している限り時効の完成猶予の効力が維持される趣旨（最判平成 10・11・24 等、削除前 154 条の解説〔2〕参照）である（継続説）というのが、立法担当者の説明である。これに対しては、新法が民事保全手続きの暫定的機能を重視したという経緯に鑑みると、判例（継続説）変更の可能性もありうるとの意見もある。

第百四十九条（旧）　改正に伴い削除
[削除前条文]
（裁判上の請求）
第百四十九条
　　　裁判上の請求[1]は、訴えの却下[2]又は取下げ[3]の場合には、時効の中断の効力を生じない[4]。
〈改正〉　2017 年に改正により削除された。
[削除の趣旨]　削除前 149 条は、実質的に、新 147 条 1 項柱書のカッコ内に移行することにより、本条は不要になった。なお、新 147 条につき、附則第十条 2 参照。
[原条文]
　　　裁判上ノ請求ハ訴ノ却下又ハ取下ノ場合ニ於テハ時効中断ノ効力ヲ生セス

[削除前条文の解説]
〔1〕　「裁判上の請求」とは、訴えを提起することである。たとえば、目的物を引渡せというような「給付の訴え」だけではなく、自分の権利に属することを相手方に承認させる「確認の訴え」、訴えによってある権利関係を作り出す「形成の訴え」で

305

第1編　第7章　時効　第1節　総則

もよい。また、相手方が訴えてきたので反対にこちらからも請求した場合(反訴という。民訴§146参照)でもよい。

⑴　本条による中断事由に該当するかが問題にされた具体例をあげる。

㋐　訴えによる権利主張として中断事由になるといえるかが問題になったものにつぎの例がある。

⒜　基本的な法律関係の確認の訴え(たとえば、賃貸借契約存在確認の訴え)は、その法律関係から派生する権利(たとえば、賃料債権)の消滅時効を中断するとされる(大判昭和5・6・27民集9巻619頁)。

⒝　かつて判例は、相手方の提起した消極的確認訴訟(たとえば、債務者の債務不存在確認の訴え)に応訴して権利の存在を主張することは、中断事由にならないとしていたが(大判大正11・4・14民集1巻187頁)、のちに連合部判決で改め、被告が請求棄却の判決を求める答弁書または準備書面を裁判所に提出した時、また、もしその種の書面を提出しなかった場合には、口頭弁論において同様の主張をした時をもって中断の効力を生じるとした(大連判昭和14・3・22民集18巻238頁)。

抵当権設定登記抹消請求訴訟に応訴した場合にも、被担保債権について中断の効力が生じる(最判昭和44・11・27民集23巻2251頁)。

⒞　債権者の強制執行に対して債務者が請求異議の訴えを起こした場合にも、債権者が勝訴すれば時効中断の効力を生じるとされた(大判昭和17・1・28民集21巻37頁。もちろん、債権者が敗訴した場合には中断の効力を生じない。最判昭和48・2・16民集27巻149頁)。

⒟　これらに対して、債権者が債務者の財産処分を詐害行為として受益者や転得者を被告として取消しの訴え(§424[改注])を起こして勝訴しても、その前提となる債権につき時効中断の効力を生じない(大判昭和17・6・23民集21巻716頁。最判昭和37・10・12民集16巻2130頁)。また、請負人が建築した建物について注文者に対して所有権保存登記抹消請求訴訟を起こしても、請負代金について時効中断の効力も催告の効力も生じない(最判平成11・11・25判時1696号108頁)。いずれも、債権の存在そのものが訴訟上の争点となったわけでないから、当然である。

㋑　厳密には訴えによる請求とはいえない場合でも、時効中断事由に当たるとされた例に、⒜目的物引渡し請求訴訟において被告が提出した留置権の抗弁(催告に相当する中断の効力が認められる。最大判昭和38・10・30民集17巻1252頁。§300〔1〕参照)、⒝取得時効に関して、所有権に基づく登記請求訴訟における被告による自己の所有権の主張(最大判昭和43・11・13民集22巻2510頁)、がある。

㋒　財物を着服横領した者に対する不法行為に基づく損害賠償請求権についての訴訟により時効を中断すれば、同じ事実に基づく不当利得返還請求権についても、中断の効果を生じるとしてよい(最判平成10・12・17判時1664号59頁。前者の訴えにより後者について催告の効果を生じ、後者の訴えの追加により確定的に中断の効力を生じるとした)。

㋓　裁判上の請求が時効中断の効力を生じるためには、それが正しい相手方に対してなされる必要があることはいうまでもない(最判平成11・4・22民集53巻759頁は、地自§242の2Ⅰの住民訴訟が同条の「当該職員」でない者を被告として訴えたケースで、その旧

306

被告に対する訴訟は、変更された新被告に対して時効中断の効力を生じることはないとされた)。

(2) 本条による中断の効力について、つぎの問題がある。

(ア) 中断の効力が及ぶ範囲について、1個の債権の数量的な一部についてのみ判決を求める訴えによる時効中断の効力は、その一部についてのみ生じるとした判決があるが(最判昭和34・2・20民集13巻209頁)、議論があるところであろう。最近、明示的一部請求の訴えの提起は、債権の一部消滅の抗弁に理由があると判断されたため債権の総額が認定されたとしても、残部について裁判上の請求に準ずるものとして消滅時効の中断の効力を生ずるものではないとした判決(最判平成25・6・6民集67巻1208頁)が出されている。なお、根抵当に関連しての改正前147条〔1〕(イ)を参照。

(イ) 訴えによる時効中断の効力が生じる時期は、訴状を裁判所に提出した時で、訴状が相手方に送達された時ではない(民訴§147.大判大正4・4・1民録21輯449頁)。

(3) 人事に関する訴訟事件その他家族に関する事件について家庭裁判所に調停の申立てをしたときについては、特別の規定がある。すなわち、調停が不成功の場合に2週間以内に訴えを提起すれば、調停を申し立てた時に訴えの提起があったものとみなされ(家事§286 VI)、したがって、調停申立ての時に時効は中断される。その他の調停事件、たとえば、民事調停法による調停などには、この種の規定はない。しかし、和解のためにする呼出しと同様に取り扱うべきものと解されている(削除前§151〔3〕参照)。

(4) 訴訟参加・訴えの変更・請求の拡張がなされた場合の中断の時期については、特則がある(民訴§§49・147)。また、会社更生手続参加や民事再生手続参加は時効中断の効力を生じるとされ(削除前§152〔2〕参照)、手形法上の請求権については、訴訟告知に時効中断の効力が認められている(手§86, 小§73)。

〔2〕 「訴えの却下」は、形式的な不適法を理由とするものだけでなく、実質的理由によるもの(民訴の用語では「棄却」といい、「却下」と区別されるが)を含むと解される(大判大正6・2・27新聞1256号26頁)。

〔3〕 「訴えの取下げ」については、民事訴訟法261条・262条参照。ただし、貸金請求訴訟の提起によって生じた時効中断は、その事件について旧金銭債務臨時調停法による調停が成立したために訴えの取下げがあった場合には、これによってその効力を失うことはないとされた(大判昭和18・6・29民集22巻557頁)。また、二重訴訟解消のため前訴が取下げられた場合にも、時効中断の効力は存続するとされた(最判昭和50・11・28民集29巻1797頁)。

〔4〕 訴えの却下または取下げの場合にも、もしその訴えの訴状が相手方に送達された場合には、削除前153条の催告としての効力だけは持つものと解するべきである(削除前§152〔3〕参照)。

(催告による時効の完成猶予)
第百五十条

1 催告があったときは、その時から六箇月を経過するまでの間は、時効は、完成しない[1]。

2 催告によって時効の完成が猶予されている間にされた再度の催告は、前項

第1編　第7章　時効　第1節　総則

の規定による時効の完成猶予の効力を有しない[2]。

[改正前条文]　削除前150条は下記参照。

〈改正〉　2017年に改正された。

[本条の趣旨]　[1]　催告（削除前153条）は、文言上は時効の中断事由の一つとして位置づけられているが、実質的には時効の完成間際にそれを延期する効力しか認められていないから、これを時効の完成猶予事由と改めた。

　[2]　催告は、本来の手続の申立てを行うまでの暫定的なものと位置付けるべきであって、改正前においても催告の繰り返しには時効の完成を阻止する効力は認められないと解されているが（削除前153条の解説(3)参照）、新法では、そのことを条文上も明確にした。

第百五十条（旧）　改正に伴い削除

[削除前条文]

（支払督促）

第百五十条

　支払督促[1]は、債権者が民事訴訟法第三百九十二条に規定する期間内に仮執行の宣言の申立てをしないことによりその効力を失うとき[2]は、時効の中断の効力を生じない[3]。

〈改正〉　2017年に改正により削除された。

[削除の趣旨]　削除前150条は、実質的に新147条1項2号に移行することにより、本条は不要になった。なお、新147条につき附則第十条2参照。

[原条文]

　支払命令ハ権利拘束カ其効力ヲ失フトキハ時効中断ノ効力ヲ生セス

〈改正〉　1926年の改正により、つぎのように改められた。

　支払命令ハ債権者カ法定ノ期間内ニ仮執行ノ申立ヲ為ササルニ因リ其効力ヲ失フトキハ時効中断ノ効力ヲ生セス

　1996年に「支払命令」が「支払督促」に、「仮執行ノ申立」が「仮執行ノ宣言ノ申立」に改められた。

[削除前条文の解説]

〔1〕　「支払督促」とは、金銭の給付などを目的とする簡易な督促手続において用いられる方法で、従来は「支払命令」と呼ばれたものである。民訴法382条以下（旧民訴では§§430～）参照。

〔2〕　民訴法392条参照。

〔3〕　かつての支払命令について、それが要件を備えて中断の効力を持つ場合に、その中断を生じる時期は、相手方に対して送達された時ではなく、申請の時であると解釈されていた（大判大正2・3・20民録19輯137頁）。

（協議を行う旨の合意による時効の完成猶予）

第百五十一条

　1　権利についての協議を行う旨の合意が書面でされたときは、次に掲げる時のいずれか早い時までの間は、時効は、完成しない[1]。

　一　その合意があった時から一年を経過した時

　二　その合意において当事者が協議を行う期間（一年に満たないものに限

§§150（旧）・151

る。）を定めたときは、その期間を経過した時
　三　当事者の一方から相手方に対して協議の続行を拒絶する旨の通知が書面
　　でされたときは、その通知の時から六箇月を経過した時
2　前項の規定により時効の完成が猶予されている間にされた再度の同項の合
　意は、同項の規定による時効の完成猶予の効力を有する。ただし、その効力
　は、時効の完成が猶予されなかったとすれば時効が完成すべき時から通じて
　五年を超えることができない[2]。
3　催告によって時効の完成が猶予されている間にされた第一項の合意は、同
　項の規定による時効の完成猶予の効力を有しない。同項の規定により時効の
　完成が猶予されている間にされた催告についても、同様とする[3]。
4　第一項の合意がその内容を記録した電磁的記録（電子的方式、磁気的方式
　その他人の知覚によっては認識することができない方式で作られる記録であ
　って、電子計算機による情報処理の用に供されるものをいう。以下同じ。）
　によってされたときは、その合意は、書面によってされたものとみなして、
　前三項の規定を適用する[4]。
5　前項の規定は、第一項第三号の通知について準用する[4]。

[改正前条文]　削除前151条は下記参照。実質的に新147条1項3号に移行する。同条につき附則第十条2参照。

〈改正〉　2017年に改正された。附則第十条（時効に関する経過措置）3　新法第百五十一条の規定は、施行日前に権利についての協議を行う旨の合意が書面でされた場合（その合意の内容を記録した電磁的記録（新法第百五十一条第四項に規定する電磁的記録をいう。附則第三十三条第二項において同じ。）によってされた場合を含む。）におけるその合意については、適用しない。

[本条の趣旨]　[1]　法的紛争が発生した場合においても、当事者間で、必ずしも速やかに訴訟等の司法的手続がとられるとは限らず、自主的な解決を目指して交渉が行われることも少なくない。しかも、交渉が長引いて、その継続中に消滅時効の完成が迫ってきたような場合に、直ちに自主的交渉による解決を断念して訴訟提起等を要求することは、当事者双方にとって必ずしも有益ではない。また、自主的解決を期待した債権者が訴えの提起等による完成猶予措置を行わないでいることもあり、そのような場合に債務者が協議による解決を断念し、かつ消滅時効を援用するということは信義に反することもある。特に、鉄道事故を含む大規模事故においては、被害者集団と加害企業や行政との間で、被害の救済や原因の究明に向けた協議が長期に渡り継続的に行われることもあり、このような場合に消滅時効期間の完成を阻止するためだけに協議による自主的紛争解決を断念して訴えの提起等を強いることは妥当ではないとの主張がなされていた。このような場合において、当事者双方が合意しているときは、その合意を尊重して時効期間の完成の猶予を認めてもよいと考えられる。そこで、新法では、当事者間の協議による時効期間の完成猶予制度を新設した。この点については、裁判外紛争解決手続の利用の促進に関する法律25条が参考になる。

　[2]　再度の合意は可能であるが、脱法的利用はできない。

　[3]　この催告は新150条によるものであるから、完成猶予の効果がある。そこで、催告によって時効の完成が猶予されている間になされた協議合意と、協議合意によって時効の完成が猶予されている間になされた催告については、時効完成猶予の効力を有しないこととした（新150条2項参照）。

309

第1編　第7章　時効　第1節　総則

■　〔4〕　電磁的記録に関する規定である。

第百五十一条（旧）　改正に伴い削除
[削除前条文]
（和解及び調停の申立て）
第百五十一条
　　和解の申立て[1]又は民事調停法（昭和二十六年法律第二百二十二号）若しくは家事事件手続法（平成二十三年法律第五十二号）による調停の申立て[2]は、相手方が出頭せず、又は和解若しくは調停が調わないときは、一箇月以内に訴えを提起しなければ[3]、時効の中断の効力を生じない。

〈改正〉　2017年に改正により削除された。

[削除の趣旨]　新147条1項3号と同項柱書のカッコ内の定めにより、本条は不要になった。

[原条文]
　　和解ノ為メニスル呼出ハ相手方カ出頭セス又ハ和解ノ調ハサルトキハ一个月内ニ訴ヲ提起スルニ非サレハ時効中断ノ効力ヲ生セス任意出頭ノ場合ニ於テ和解ノ調ハサルトキ亦同シ

〈改正〉　2011年法律53号の改正により、「家事審判法（昭和二十二年法律第百五十二号）」が「家事事件手続法（平成二十三年法律第五十二号）」に改められた。

[削除前条文の解説]
〔1〕　民事訴訟法275条参照。

〔2〕　原条文には、「調停ノ申立」の文言はなかったが、判例は、種々の調停制度（民事調停法などによる）における調停の申立ては、時効の中断に関しては、本条を類推して和解の申立てと同様に取扱うべきものと解釈していた（最判平成5・3・26民集47巻3201頁。調停不成立による終了後1か月以内に訴えを提起すればよい）。2004年改正はこれを明記した。民事調停法19条、家事事件手続法244条・257条を参照。

〔3〕　訴えの提起（削除前§149）に限らず、他の強力な中断事由、すなわち破産手続参加・差押え・仮差押え・仮処分でもよいと解してよい（削除前§153参照）。のみならず、1か月内に債務者が承認した場合には和解の申立てをした時に中断があったものと解される（大判昭和4・6・22民集8巻597頁）。

（承認による時効の更新）
第百五十二条
　　1　時効は、権利の承認があったときは、その時から新たにその進行を始める[1]。

　　2　前項の承認をするには、相手方の権利についての処分につき行為能力の制限を受けていないこと又は権限があることを要しない[2]。

[改正前条文]　削除前152条は下記参照。

〈改正〉　2017年に改正された。附則第十条2も参照。

[本条の趣旨]　〔1〕　承認は、裁判上の請求などと異なり、期間を要せずに瞬時に完了するので、時効の完成猶予の概念にはなじまないとして、承認のときに時効を更新するものとした。

§§151（旧）・152・152（旧）

　　〔2〕　削除前156条を参照。

第百五十二条（旧）　改正に伴い削除
［削除前条文］
（破産手続参加等）
第百五十二条
　　破産手続参加[1]、再生手続参加又は更生手続参加[2]は、債権者がその届出を取り下げ、又はその届出が却下されたときは、時効の中断の効力を生じない[3]。
〈改正〉　2017年に改正により削除された。
［削除の趣旨］　削除前152条は、実質的に新147条1項4号に移行する。同号と同項柱書のカッコ内の定めにより、本条は不要になった。
［原条文］
　　破産手続参加ハ債権者カ之ヲ取消シ又ハ其請求カ却下セラレタルトキハ時効中断ノ効力ヲ生セス
〈改正〉　2004年法律76号の改正により、「破産手続参加……其請求」が「破産手続参加、再生手続参加又ハ更生手続参加ハ債権者カ其申立又ハ届出ヲ取下ゲ又ハ之」と改められた。

［削除前条文の解説］
　〔1〕　「破産手続参加」とは、他人の申立てによって開始された破産手続において破産債権者として債権の届け出をすることである（破§111）。
　最判平成7・3・23（民集49巻984頁）は、Aの破産手続においてBが債権の届出をしたが、債権調査期日終了後にその債務の保証人Cが全額を弁済し、代位によりAの地位を承継して、届出名義変更の申出をした場合について、Cの求償権の消滅時効は届出名義変更の時から破産手続の終了まで中断するものとし、かつ、時効期間について174条の2の適用はないとした（同旨、最判平成9・9・9判時1620号63頁）。一種の「破産手続参加」とみたものであろう。この場合、破産手続の終了により消滅時効は改めて進行を開始する（破§§220・221参照）。
　〔2〕　破産手続参加に類する会社更生手続参加（会更§135。なお、同法§100Ⅳ参照）や民事再生手続参加（民再§94）も、時効中断の効力を有する。このほかに、破産宣告の申立て（旧破産法）についても、明文はないが、破産手続参加に準じて中断力を認めるべきものとされた（大判明治37・12・9民録10輯1578頁、最判昭和35・12・27民集14巻3253頁）。
　〔3〕　債権者自身による取消し、破産裁判所による却下の場合である。これに対して、破産手続開始の決定そのものが取消されても、中断の効力には影響はない。
　破産手続において届出債権に対して破産管財人などの異議があっても、中断の効力には影響ない（最判昭和57・1・29民集36巻105頁）。破産申立てが取下げられたときは、その手続における権利行使の意思表示は中断の効力を生じないが、削除前153条の「催告」としての効力は生じるとされる（最判昭和45・9・10民集24巻1389頁）。いわゆる「裁判上の催告」に類似するものといえよう（削除前§153〔1〕(イ)・〔3〕(イ)参照）。

311

第1編　第7章　時効　第1節　総則

（時効の完成猶予又は更新の効力が及ぶ者の範囲）[1]
第百五十三条
  1　第百四十七条又は第百四十八条の規定による時効の完成猶予又は更新は、完成猶予又は更新の事由が生じた当事者及びその承継人の間においてのみ、その効力を有する[2]。
  2　第百四十九条から第百五十一条までの規定による時効の完成猶予は、完成猶予の事由が生じた当事者及びその承継人の間においてのみ、その効力を有する[3]。
  3　前条の規定による時効の更新は、更新の事由が生じた当事者及びその承継人の間においてのみ、その効力を有する[4]。

[改正前条文]　削除前153条は下記参照。削除前153条の趣旨は、新150条において維持されている。
〈改正〉　2017年に改正・新設された。
[本条の趣旨]　[1]　改正前の「時効の中断」については、その効果の観点から以下（[2]～[4]）のように、3分類することになった。
　[2]　1項は、新147条（裁判上の請求等）・（改正前147条1号の請求参照）および新148条（強制執行等）・（改正前147条2号前半（差押え）参照）について規定している。「当事者及び承継人」については、削除前148条の解説も参照。
　[3]　2項は、新149条（仮差押え・仮処分）・（改正前147条2号後半（仮差押え・仮処分）、新150条（催告）・（改正前147条1号（請求）、新151条（合意による時効完成猶予、新設）について規定している。
　[4]　3項は、新152条（承認）・（改正前147条3号（承認））について規定している。
[改正に関連する解説]　改正前147条2号の内容は、「差押え」＝「強制執行等」（新148条）と「仮差押え・仮処分」（新149条）の2つに分けて新法に規定されている。

第百五十三条（旧）　改正に伴い削除
[削除前条文]
（催告）
第百五十三条
　催告[1]は、六箇月以内[2]に、裁判上の請求、支払督促の申立て、和解の申立て、民事調停法若しくは家事事件手続法による調停の申立て、破産手続参加、再生手続参加、更生手続参加、差押え、仮差押え又は仮処分をしなければ、時効の中断の効力を生じない[3][4]。
〈改正〉　2017年に改正により削除された。
[削除の趣旨]　形式上の削除ではないが、新150条と関連規定により、代替される。
[原条文]
　催告ハ六个月内ニ裁判上ノ請求、和解ノ為メニスル呼出若クハ任意出頭、破産手続参加、差押、仮差押又ハ仮処分ヲ為スニ非サレハ時効中断ノ効力ヲ生セス
〈改正〉　2004年法律76号の改正により、「破産手続参加、」のあとに「再生手続参加、更生手続参加、」が追加された。
　2011年法律53号の改正により、「家事審判法」が「家事事件手続法」に改められた。

[削除前条文の解説]
催告は、いわば予備的措置にすぎず、それ自体としては時効の完成を6か月猶予す

§§153・153（旧）〔1〕～〔3〕

るだけで、独立の中断事由ではない。

〔1〕　ここに「催告」とは、債務者に対して履行を請求する債権者の意思の通知（第5章解説②(c)参照）である。

(ア)　通常の催告

通常の場合の催告は、書面でも口頭でもよく、なんらの方式も必要としないが、証拠を保全する意味で内容証明郵便（配達証明付）によるのが普通である。

なにが中断につながる効力のある催告であるかは、それぞれの場合について具体的に決するべきである。相殺の意思表示（§§505～参照）は対当額を超える債権について催告とはならない（大判大正10・2・2民録27輯168頁）。手形債権の催告には、手形の呈示を伴う請求であることを要しない（最大判昭和38・1・30民集17巻99頁）。一般に債権の内容を詳細に述べて請求する必要はなく、どの債権かが分かる程度の指示があればよい。

(イ)　裁判上の催告

なお、裁判所における一定の手続のなかで債権の主張がなされた場合に、中断事由に該当しないとされても、本条の催告の効力はあるとされる例があることに注意を要する。

(a)　不法行為による損害賠償請求訴訟につき、同じ事実に基づき不当利得返還訴訟が追加された場合（削除前§149〔1〕(1)(ウ)参照）。

(b)　破産手続参加をしたが、破産申立てが取下げられた場合（削除前§152〔3〕参照）。

(c)　他人の行った競売手続に配当要求をしたが、その競売手続が取消された場合（削除前§154〔5〕(g)参照）。

(d)　物の引渡し訴訟において留置権の抗弁を提出した場合（削除前§149〔1〕(イ)(a)・§300〔1〕参照）。

(e)　明示的一部請求の訴えの提起は、残部につき権利行使の意思が継続的に表示されているとはいえない特段の事情のないかぎり、残部について裁判上の催告として消滅時効の中断の効力を生ずる（最判平成25・6・6民集67巻1208頁）。

これらを「裁判上の催告」という。その効力については問題がある。〔3〕(イ)参照。

〔2〕　この6か月の期間について、催告を受けた債務者がその請求権の存否について調査するために猶予を求めた場合には、その者からなんらかの回答があるまで進行しないとした判例があり（最判昭和43・2・9民集22巻122頁）、注目される。

〔3〕　裁判上の請求のほかにこの催告を中断事由の一つとして認めたのは、わが民法のいちじるしい特色である。しかし、この催告の中断力はそれだけでは完全なものではなく、催告の後6か月以内に本条に列挙され、149条・151条・152条・154条（いずれも削除前）に規定された中断行為をしなければ効力を失うものである（削除前§156の「承認」では足りない）。

消滅時効期間の経過後、その経過前にした催告から6か月以内に裁判上の催告がなされても、第1の催告から6か月を経過することにより消滅時効が完成し、この理は第2の催告が数量的に過分な債権の一部についてのみ判決を求める旨を明示してなされた裁判上の催告であっても異ならない（消滅時効は中断しない）（前掲最判平成25・6・6）。

313

第1編　第7章　時効　第1節　総則

　　(ア)　通常の催告において、この制度が最もよく効用を発揮するのは、時効期間満了
の間際になって債権者がこれに気づき、まず催告をして6か月の余裕をつくり、その
あとでおもむろに訴えを提起するというような場合である。通常の催告は一回的なも
のであり、継続的な効力を有することはない。一度催告して6か月以内にまた催告を
するというように、催告を繰り返しても中断の効力がないことはいうまでもない(大
判大正8・6・30民録25輯1200頁)。

　　(イ)　これに対して、裁判上の催告については、趣が異なる。これを認める判例によ
れば、当該の裁判所における手続が終了してから6か月中に中断行為をすればよいと
される(すなわち、訴訟係属中は催告が継続していると考えることになる)。これは、その手
続中は時効の完成を止める点で時効の停止にも類似するが、その性質はあくまで通常
の催告と同じ時効中断のための予備的行為と解される。

　　(ウ)　催告がなされても、上記の中断手段が採られなければ、本来の時効期間が経過
した時に時効は完成することになる。この点、時効完成そのものを遅らせる時効の停
止とは異なる。

　〔4〕　本条の原則に対しては、国または地方公共団体の税そのほかの納入告知(会
計§32、地税§18の2Ⅰ、税通§73Ⅰ)、公の性格を有する保険料そのほかの徴収告知
(健保§193Ⅱ、国民健保§110Ⅱ)のような公法上の債権の催告について、性質上単なる
催告と考えられるものにも中断力を認める特則が多いことを注意しなければならない。
国が私人から承継した私法上の債権について、会計法32条の適用を認める判決があ
る(最判昭和53・3・17民集32巻240頁)。

〔時効の完成猶予又は更新の効力が及ぶ者の範囲——つづき〕〔第8版凡例4a)を見よ〕
第百五十四条
　　　第百四十八条第一項各号又は第百四十九条各号に掲げる事由に係る手続は、
　　時効の利益を受ける者に対してしないときは、その者に通知をした後でなけれ
　　ば、第百四十八条又は第百四十九条の規定による時効の完成猶予又は更新の効
　　力を生じない[1]。
[改正前条文]　削除前154条は下記参照。
〈改正〉　2017年に改正された。
[本条の趣旨]　[1]　削除前155条を、改正法の用語法に従って、整理した。

第百五十四条（旧）　改正に伴い削除
[削除前条文]
（差押え、仮差押え及び仮処分）
第百五十四条
　　　差押え[1]、仮差押え[2]及び仮処分[3]は、権利者の請求により又は法律の規定に従わないこ
　　とにより取り消されたとき[4]は、時効の中断の効力を生じない[5]。
〈改正〉　2017年に改正により削除された。
[削除の趣旨]　削除前154条は、新147条1項3号、4号および新148条2項ただし書、新
149条に移行した。

§§153（旧）【4】・154・154（旧）【1】

［原条文］
　差押、仮差押及ヒ仮処分ハ権利者ノ請求ニ因リ又ハ法律ノ規定ニ従ハサルニ因リテ取消サレタルトキハ時効中断ノ効力ヲ生セス

［削除前条文の解説］
〔1〕　「差押え」については、民事執行法45条・46条・93条・112条・122条・143条・181条・188条を参照。
　㋐　債権者Aが債務者Bの財産に対する強制執行として差押えを行ったときは、時効の中断を生じる。
　(a)　中断の時期については、その競売開始決定がBに送達された時、またはその前に競売開始決定の登記がされた時（民執§46）である。ただし、動産の差押えについては、執行官に対して動産執行の申立てをした時とされる（最判昭和59・4・24民集38巻687頁）。
　(b)　他人の行った競売に執行力ある正本に基づいて配当要求をした場合も、差押えに準じるものとして本条による時効中断の効力を生じるとされている（最判平成11・4・27民集53巻840頁）。最判令和2・9・18（民集74巻1762頁）は、先取特権を有する債権者の配当要求につき、消滅時効の中断の効力が生ずるためには、法定文書により債権者が先取特権を有することが競売手続において証明されれば足りるとする。その競売が取消された場合については、〔5〕(g)を参照。
　(c)　これに対して、ほかの債権者により開始された強制競売手続における民事執行法50条による抵当権者の債権の届け出は、時効中断事由に該当しないとされる（最判平成元・10・13民集43巻985頁。なお、削除前§152参照）。また、ほかの債権者による抵当権実行のための競売手続において、抵当権者が債権を届出て、配当を受けても、やはり時効中断事由にはならないとされている（最判平成8・3・28民集50巻1172頁）。いずれも、手続上債権の確定が行われるわけではないことを理由とする。
　㋑　抵当権の実行による中断についても、㋐と同様であるが、いくつか問題がある。
　(a)　債権者Aが物上保証人Cの不動産に対する抵当権を実行したときは、競売開始決定の登記の時ではなくて、決定が債務者Bに送達された時に中断の効力を生じる（削除前§155〔3〕参照）。
　(b)　Aの抵当権がAのBに対する債権についての連帯保証人Cの債務を担保するDによる物上保証である場合に、Aによる抵当権の実行によってBの債務については時効中断の効力を生じない（最判平成8・9・27民集50巻2395頁。催告としての効力も否定されている。請求ないし催告の効力を認めてもよいという見解も主張されている）。
　(c)　根抵当権の実行については問題がある。根抵当権が不特定の債権を担保することから考えると、根抵当権者Aが実行した場合には、担保される債権としてその手続において確定され、かつ一部にせよ配当がなされた債権についてのみ中断が生じるというべきである。根抵当権について定められた被担保債権の範囲に該当するすべての債権について中断が生じるとするのは妥当でない（改正前§147〔1〕㋑参照）。
　㋒　不動産競売手続において区分所有法66条で準用される同法7条1項の先取特

315

第1編　第7章　時効　第1節　総則

権を有する債権者配当要求をしたことにより、前記配当要求における配当要求債権について、差押え(改正前民§147二)に準ずるものとして消滅時効の中断の効力が生ずるためには、民執法181条1項各号に掲げる文書により前期債権者が前記先取特権を有することが前記手続において証明されれば足り、債務者が前記配当要求債権についての配当異議の申出等をすることなく売却代金の配当または弁済金の交付が実施されるに至ったことを要しない(最判令和2・9・18民集74巻1762頁)。

〔2〕「仮差押え」については、民事保全法47条から51条までを参照。

仮差押えによる中断の効力がいつまで続くか、についても問題がある。いちおうは、仮差押えの取下げ(民保§18)または取消し(民保§§22・37・38・39)がない限り存続すると考えられる。その間において、債権者が本案訴訟を起こし(仮差押えはそのままにして)、勝訴判決を得て(時効期間は改正前§174の2により10年となる)、債務者の他の財産に対して強制執行をしたが(その後、10年が経過した)、強制執行により満足をうけることができなかった債権の残額についての時効はどうなるか。先になされた仮差押えの効力が存続する限り、中断の効力は継続するとする判決がある(最判平成6・6・21民集48巻1101頁、最判平成10・11・24民集52巻1737頁)。仮差押え命令がなされたまま、長期にわたって放置されているような場合については、疑問が生じる余地があろう(もっとも、債務者には、その取消しを求める手段はある。民保§§37・38)。

〔3〕「仮処分」については、民事保全法52条から57条までを参照。

〔4〕　差押えなどの取消しについては、民事執行法40条・53条・54条・63条・128条〜130条、民事保全法37条〜39条、51条・57条を参照。

〔5〕　差押え、仮差押え、仮処分の命令が取消されれば、時効中断の効力が生じないのは、当然のことである。関連して、つぎのような問題がある。

(a)　競売申立ての取下げによって、差押えの効力が消滅した場合にも、同様に中断を生じないと解される(大判昭和17・6・23民集21巻716頁は、詐害行為取消しの訴えが時効中断事由にならないという判断とともに、本文の趣旨を述べている)。

(b)　これらの命令が実施されれば、差押える物がないために執行が不可能になっても、中断の効力を生じる(大判大正15・3・25民集5巻214頁)。

(c)　債務者が執行を免れるために担保を供し、または弁済をしたためにこれらの執行が取消された場合(民執§§39・40、民訴§259Ⅲ参照)には、中断の効力を生じる。

(d)　債権の仮差押え命令が第三債務者(被差押え債権の債務者)に送達されないということがあっても、債務者に送達されれば、中断の効力を生じるとされる(大判昭和2・12・3新聞2809号13頁)。

(e)　債務者の住所が不明のため執行ができなかった場合には、中断の効力を生じない(最判昭和43・3・29民集22巻725頁)。

(f)　仮差押え解放金の供託により仮差押えの執行が取消された場合については、中断の効力は消滅しないとされるが(前掲最判平成6・6・21)、これについては、改正前157条〔1〕(カ)をみよ。

(g)　他人の行った競売に執行力のある正本に基づく配当要求を行った場合の時効中断の効力(〔1〕(ア)(b)参照)は、その競売手続の取消し(手続費用の不納付による例)によっ

316

て効力を失うが、その取消し決定が確定するまでは中断の効力が継続するという判例がある（最判平成11・4・27民集53巻840頁。本条の適用を排除する旨が述べられている。しかし、この判決の趣旨は、いわゆる「裁判上の催告」に類したものと解される。削除前§153[1](イ)参照）。

第百五十五条　削除

[削除前条文]

第百五十五条

　差押え、仮差押え及び仮処分は、時効の利益を受ける者[1]に対してしないとき[2]は、その者に通知[3]をした後でなければ、時効の中断の効力を生じない[4]。

[削除の趣旨]　2017年の改正で削除されたが、内容については、新154条を参照。

[原条文]

　差押、仮差押及ヒ仮処分ハ時効ノ利益ヲ受クル者ニ対シテ之ヲ為ササルトキハ之ヲ其者ニ通知シタル後ニ非サレハ時効中断ノ効力ヲ生セス

[削除前条文の解説]

　〔1〕　「時効の利益を受ける者」とは、債権の消滅時効についていえば債務者であり、取得時効についていえば占有者である。これらの者に対する中断の効力の発生時期については、削除前154条[1](ア)(a)参照。

　〔2〕　時効の受益者以外の者に対してした差押えなどである。たとえば、消滅時効の例として、物上保証人に対する抵当権の実行や、債務者や債務者の代理人以外の者が占有する債務者の財産の差押えなど、取得時効の例として、共同占有者の一人に対する仮処分などが、それである。これらの場合に、債務者やほかの共同占有者に対していつ時効中断の効力を生じるかについて定めるのが本条である。

　〔3〕　債権者による通知でなくても、物上保証人に対する競売開始決定の正本が債務者に送達されれば、これに該当する（最判昭和50・11・21民集29巻1537頁。最判平成7・9・5民集49巻2784頁は、この送達が郵便によってなされた場合につき、民訴旧§173〔＝現§107〕により発送の時に送達があったとはみなされず、債務者への到達が必要であるとしたものである。最判平成8・7・12民集50巻1901頁は、この中断を生じる時期が問題になった事例であって、債権者が競売を申立てた時ではなくて、競売開始決定が債務者へ送達された時であるとした）。なお、債権執行における差押えによる請求債権の消滅時効の中断において、その債務者は、中断行為の当事者にほかならないから、時効中断の効力が生ずるためには、その債務者が当該差押えを了知し得る状態に置かれることを要しないとした判例（最判令和元・9・19民集73巻4号438頁）がある。

　なお、抵当権者が物上保証人の不動産につき競売開始決定を得て、主債務者に本条の通知をした後に、物上保証人が代位弁済をして抵当権につき代位の付記登記をし、執行裁判所に承継の申出をした場合、物上保証人の主債務者に対する債権の消滅時効は、承継の申出から当該不動産の競売手続終了時まで中断されるとされたが（最判平成18・11・14民集60巻3402頁）、当然であろう。

　〔4〕　本条所定の差押えなどは、「時効の利益を受ける者」に通知することによっ

第1編　第7章　時効　第1節　総則

て中断の効力を生じる。本条は、中断行為が当事者およびその承継人の間でだけ効力があるという原則(改正前§148)に対する例外をなしている。

第百五十六条　削除

[削除前条文]

(承認)

第百五十六条

　時効の中断の効力を生ずべき承認[1)]をするには、相手方の権利についての処分につき行為能力又は権限があることを要しない[2)]。

[削除の趣旨]　2017年の改正で削除されたが、内容については、新152条2項を参照。

[原文文]

　時効中断ノ効力ヲ生スヘキ承認ヲ為スニハ相手方ノ権利ニ付キ処分ノ能力又ハ権限アルコトヲ要セス

[削除前条文の解説]

　本条による中断は取得時効についても消滅時効についても適用されるが、問題になるのは主として消滅時効についてである。

〔1〕　(1)　取得時効における「承認」とは、時効によって権利を喪失する者(A)が権利を取得する者(B)に対して、自分の権利の確認を求めて、これを認めさせることをいう。Bがこれを認めれば、それによって取得時効に必要な「所有の意思」(§162)、「自己のためにする意思」(§163)が失われることになるので、それまでの時効期間は効力を失う。取得時効が新たに進行を開始するためには、Bがこの要件を回復する必要がある(§185参照)。

　なお、Aから始期付きまたは条件付きで目的物の権利を所得した者がBに対して自己の権利を認めさせ、Bによる取得時効を中断する意味における「承認」も規定されている(改正前§166〔5〕)。

　(2)　消滅時効における「承認」とは、時効の利益を受ける当事者が時効によって権利を喪失する者に対し、その権利が存在することを知っている旨を表示することである。このような表示があれば、権利が存在することは明瞭になるばかりでなく、権利者がこれを信頼して権利の行使を差し控えても、権利の行使を怠っているということにはならないから、これを中断事由としたのである。したがって、権利が存在していることを知っている旨の表示があればよく、時効を中断しようとする意思を必要としない(大判大正8・4・1民録25輯643頁)。また、承認は、他の中断事由と異なり、なにも形式上の制限がない。支払を猶予して欲しいという申込みは、つねに承認となる(大判昭和4・5・20裁判例(3)民86頁)。そのさいに、時効の進行状態を知っているかどうかは問題にならない(§146〔3〕参照)。利息の支払は元本の承認となり(大判昭和3・3・24新聞2873号13頁)、一部の弁済も、それが一部であることを認めてすれば、全部についての承認となる(大判大正8・12・26民録25輯2429頁。なお、最判昭和36・8・31民集15巻2027頁は、債務の一部弁済として振り出された小切手が支払われれば、承認となるとしたものである)。なお、同一の当事者間に数個の金銭消費貸借契約に基づく各元本債務が存

§§156（旧）・157（旧）〔1〕

在する場合における借主による充当の指定のない一部弁済は、特段の事情のない限り、各元本債務について消滅時効を中断する効力を有する（最判令和2・12・15民集74巻2259頁）（改正前§147③）。訴訟上相殺を主張したことが受働債権についての承認と認められた場合は、相殺の主張が撤回されても、すでに生じた承認の効力は失われない（最判昭和35・12・23民集14巻3166頁）。手形債務の承認の場合にも債権者による手形の呈示は必要としない（前掲大判昭和3・3・24）。

ただし、承認は相手方に対して表示されることを要する。したがって、たとえば、銀行が単に備えつけの帳簿に利息を記入することは預金債権の承認にはならない（大判大正5・10・13民録22輯1886頁）。また、債務者が二番抵当を設定することは、一番抵当債権の承認とはならない（大決大正6・10・29民録23輯1620頁）。

〔2〕　承認が効力を生じるためには、その承認によって消滅時効が中断される権利を承認者が持っていると仮定した場合に、承認者がこれを処分する権限または能力を有する必要はない、という意味である。けだし、承認はすでに得た権利を放棄し、消滅した債務を負担する行為ではないからである。したがって、たとえば、準禁治産者（現在の被保佐人）が単独で承認をした場合でも、中断の効力を生じるとされた（大判大正7・10・9民録24輯1886頁）。これに対して、権利を管理する能力または権限を有しない者、たとえば未成年者または成年被後見人のした承認は、取消すことのできるものであって、完全な中断力を生じない（大判昭和13・2・4民集17巻87頁）。158条［改注］参照。

本条は、以上のように主に消滅時効について問題になるのであって、取得時効については、〔1〕(1)に述べた例で、時効取得を主張するBがAに対してAの権利を承認するについて、その権利について行為能力または権原がないために中断が効力を生じないという事態はほとんど考える必要はないであろう。

第百五十七条　削除

［削除前条文］

（中断後の時効の進行）

第百五十七条

　　1　中断した時効は、その中断の事由が終了した時[1]から、新たにその進行を始める[2]。

　　2　裁判上の請求によって中断した時効は、裁判が確定した時[3]から、新たにその進行を始める。

［削除の趣旨］　2017年の改正で削除されたが、内容については、新147条2項、同148条2項、同152条1項を参照。

［原条文］

　　中断シタル時効ハ其中断ノ事由ノ終了シタル時ヨリ更ニ其進行ヲ始ム

　　裁判上ノ請求ニ因リテ中断シタル時効ハ裁判ノ確定シタル時ヨリ更ニ其進行ヲ始ム

［削除前条文の解説］

〔1〕　それぞれの中断事由によって中断が終了する時期が異なる。

(ア)　裁判上の請求については、裁判が確定した時である（本条Ⅱ参照）。

第1編　第7章　時効　第1節　総則

　(イ)　支払督促(1996年の改正前は「支払命令」と呼ばれた)の場合は、相手方から異議申立てがあって訴訟になれば、(ア)により中断する。訴訟にならず、仮執行になれば、その執行が終わるまで中断する。

　(ウ)　和解のためにする呼出しおよび任意出頭による中断は、当事者が裁判所に出頭し、弁論をすることで終了し、その翌日から新しい時効が進行すると解される。

　(エ)　破産手続参加の場合には、破産手続が終了するまで中断する。

　(オ)　催告の場合には、催告が相手方に到達した時に中断し、その効果は継続しない(ただし、いわゆる「裁判上の催告」については、削除前§153〔1〕(イ)・〔3〕(イ)参照)。

　(カ)　差押え、仮差押えおよび仮処分については、それらの手続が終了するまで中断が続く(仮差押え・仮処分については、命令が出されたまま放置されることがあるので、§154〔2〕参照)。抵当権が実行されたときは、残った債権についての消滅時効は競落代金受領の時から進行する(大判大正10・6・4民録27輯1062頁)。

　仮差押え解放金の供託による仮差押え執行の取消しの場合については、供託された解放金が仮差押え執行の目的物に代わると考えられるので、中断の事由は消滅したとはいえないとされた(最判平成6・6・21民集48巻1101頁。削除前§154は適用されず、消滅時効は進行しない)。

　(キ)　承認については、承認が相手方に到達した時である。その効果は継続しない。

　(ク)　会社更生手続参加による中断(会更§135)は、更生計画認可決定の確定の時までである(最判昭和53・11・20民集32巻1551頁)。

　(ケ)　民事再生手続参加による中断(民再§94)は、再生計画認可決定の確定の時までと解される。

　〔2〕「新たにその進行を始める」とは、時効期間が、中断の終了した日の翌日(§140参照)からまったく新しく進行するという意味である。中断前に経過した期間に加算されるのではない。

　〔3〕　上訴があれば、上訴審の判決が確定するまで中断は続き、判決確定の日の翌日から新しい時効が進行する。中断が確定判決またはこれと同一の効力ある事由によって起きると、中断後の新しい消滅時効期間は、従前の債権の消滅時効期間のいかんにかかわらず、10年である(改正前§174の2参照)。

時効の完成猶予(改正前・時効の停止) [改正前§§158~161の前注]

[改正前法の解説]

　158条から161条まで[改注]は、時効の停止について規定する。時効の停止は、中断(§§147~157[改注])とともに、時効の完成を阻止する制度であるが、停止は、本来の時効期間の進行には関係なく、ただその完成を一定の期間だけ猶予するものである。なお、恩給法7条には、類似の規定がある。

　時効の停止も、取得時効と消滅時効の両方について問題になる(時効の完成猶予及び更新(改正前・時効の中断)[改正前§§147~157]前注参照)。158条[改注]以下の条文はす

§157 (旧)【2】【3】・時効の完成猶予［前注］・§158【1】【2】

べて両方に適用があると考えられる。

［用語改正の趣旨］
　2017年の改正により、「時効の停止」の概念に代えて、「時効の完成猶予」という概念が導入された。改正前法については、従来の概念が用いられる。前述の「時効の完成猶予及び更新（改正前・時効の中断）」の［改正の趣旨］の【2】を参照。

（未成年者又は成年被後見人と時効の完成猶予）
第百五十八条
　　1　時効の期間の満了前六箇月以内の間に未成年者又は成年被後見人に法定代理人がないとき[1]は、その未成年者若しくは成年被後見人が行為能力者となった時又は法定代理人が就職した時から六箇月を経過するまでの間[3]は、その未成年者又は成年被後見人に対して、時効は、完成しない[2)4)]。
　　2　未成年者又は成年被後見人[5]がその財産を管理する父、母[6]又は後見人[7]に対して権利[8]を有するときは、その未成年者若しくは成年被後見人が行為能力者となった時又は後任の法定代理人が就職した時から六箇月を経過するまでの間は、その権利について、時効は、完成しない[9)10)]。

［改正前条文］
（未成年者又は成年被後見人と時効の停止）
　1、2　同上（見出しのみ変更）
〈改正〉　2017年に改正された。見出し中、「停止」を「完成猶予」に改めただけである。附則第十条2参照。

［原条文］
第百五十八条
　　時効ノ期間満了前六个月内ニ於テ未成年者又ハ禁治産者カ法定代理人ヲ有セサリシトキハ其者カ能力者ト為リ又ハ法定代理人カ就職シタル時ヨリ六个月内ハ之ニ対シテ時効完成セス
第百五十九条
　　無能力者カ其財産ヲ管理スル父、母又ハ後見人ニ対シテ有スル権利ニ付テハ其者カ能力者ト為リ又ハ後任ノ法定代理人カ就職シタル時ヨリ六个月内ハ時効完成セス
　　妻カ夫ニ対シテ有スル権利ニ付テハ婚姻解消ノ時ヨリ六个月内亦同シ
〈改正〉　1947年の改正により、159条2項が削除され、1999年改正により、158条の「六个月」が「六箇月」に、「禁治産者」が「成年被後見人」に改められ、159条1項の「無能力者」が「未成年者又ハ成年被後見人」、「六个月」が「六箇月」に改められた。また、2004年改正により、原条文の158条と159条が158条として合体された。

［改正前条文の解説］
　〔1〕　時効期間満了前6か月内になってはじめて法定代理人が欠けた場合だけでなく、それ以前から法定代理人のない状態が時効期間満了前6か月以内まで継続した場合をも含む。この条文表現では、成年後見開始の要件（§7）を具えていても、成年後見開始の審判がなされていない者には本条の適用はない。そのような者の保護のために一考を要するところである。〔4〕参照。
　〔2〕　未成年者または成年被後見人「に対して、時効は、完成しない」とは、これ

321

第1編　第7章　時効　第1節　総則

らの者にとって不利益な時効が完成しないという意味である。すなわち、これらの者
の有する権利が消滅時効にかかること、またはこれらの者の有する財産が他人の取得
時効にかかることが停止されるのである。

〔3〕　たとえば、従前から法定代理人のいない者の債権については、消滅時効は原
則に従って進行し、完成の前6か月でその進行を停止し、その者が能力者となり、ま
たは法定代理人が就職した時からふたたび進行をはじめ、それから6か月で時効が完
成する。また、時効完成の1か月前に法定代理人が欠けた場合には、その時に時効の
進行は停止し、新しい法定代理人が就職した時からふたたび進行をはじめ、それから
6か月で時効が完成する。時効期間の満了前6か月以内の間に精神上の障害により事
理を弁識する能力を欠く常況にある者に法定代理人がない場合において、時効期間の
満了前の申立てに基づき後見開始の審判がされたときは、民法158条1項の類推適用
により、少なくとも、法定代理人が就職した時から6か月を経過するまでの間は、そ
の者に対して、時効は、完成しないと解するのが相当である（最判平成26・3・14民集
68巻229頁）。

〔4〕　不法行為に基づく損害賠償請求権に関する724条後段［改注］の「20年」を
除斥期間と解しながら、本条の「法意に照らし」724条後段［改注］の効果を生じな
いとした判決がある（最判平成10・6・12民集52巻1087頁）。20年経過の6か月以内に被
害者が心神喪失の状況にあった事例である。〔1〕参照。

〔5〕　本条が適用されるのは、未成年者および成年被後見人の有する権利について
である。被保佐人と被補助人については、保佐人と補助人は一般的な法定代理権を有
しないので（§12(2)(エ)(b)・§16(2)(エ)(b)参照）、本条は適用されないものとされた。

〔6〕　未成年者に対して親権を行使し、かつ管理権を喪失したり、辞したりしてい
ない父・母である（§§824・835・837参照）。

〔7〕　未成年者の未成年後見人および成年被後見人の成年後見人をいう。

〔8〕　「……に対して有する権利」と表現されていて、権利の時効消滅だけを規定
しているようにも聞こえるが、未成年者・成年被後見人の財産をこれらの者が時効で
取得する場合をも含むと解されている。

〔9〕　財産の管理について生じた債権に関しては、親族編に特別の規定がおかれて
いる（§§832のとくにⅡ・875参照）。

〔10〕　従前、旧159条は第2項で妻の夫に対する債権について同趣旨の定めをして
いたが、妻の行為能力を制限する制度が廃されたので、この規定は削除された。これ
に代るものとしてつぎの159条が設けられた。

（夫婦間の権利の時効の完成猶予）
第百五十九条
　　夫婦の一方が他の一方に対して有する権利¹⁾については、婚姻の解消²⁾の時か
　ら六箇月を経過するまでの間は、時効は、完成しない。
［改正前条文］
（夫婦間の権利の時効の停止）

§§158〔3〕～〔10〕・159・160〔1〕～〔4〕

　　同上（見出しのみ変更）

〈改正〉　2017年に改正された。見出し中、「停止」を「完成猶予」に改めただけである。附則第十条2参照。

〈改正〉　1947年の改正により、159条の2として、つぎの条文が新設された。

第百五十九条ノ二
　　夫婦ノ一方カ他ノ一方ニ対シテ有スル権利ニ付テハ婚姻解消ノ時ヨリ六个月内ハ時効完成セス

　　2004年改正により、159条となった。

　従来、妻が夫に対して有する権利についてだけ原条文159条2項に規定されていたものを、1947年の改正が、その第2項を削除し、相互的な規定として本条を新設したものである。夫婦関係の継続中は、相互の間で権利を行使することは、事実上困難だからである。

〔1〕　もとより、婚姻前から有する権利であるか、婚姻後に有することになった権利であるかを問わない。

〔2〕　婚姻の解消は、配偶者の一方の死亡、失踪宣告（§§30～）、離婚（§§764・770参照）および婚姻の取消し（§§743～）によって生じる。

（相続財産に関する時効の完成猶予）
第百六十条
　　相続財産[1]に関しては[2]、相続人が確定[3]した時、管理人が選任された時[4]又は破産手続開始の決定[5]があった時から六箇月を経過するまでの間は、時効は、完成しない[6]。

[改正前条文]
（相続財産に関する時効の停止）
　　同上

〈改正〉　2017年に改正された。見出し中、「停止」を「完成猶予」に改めただけである。附則第十条2参照。

[原条文]
　　相続財産ニ関シテハ相続人ノ確定シ、管理人ノ選任セラレ又ハ破産ノ宣告アリタル時ヨリ六个月内ハ時効完成セス

〈改正〉　2004年法律76号により、「破産ノ宣告」が「破産手続開始ノ決定」に改められた。

〔1〕　「相続財産」とは、相続の開始（§882）によって被相続人から相続人に移転するべき積極・消極の財産、すなわち権利義務の総称である。

〔2〕　「……に関しては」とは、相続財産の利益になる場合と不利益になる場合との両方を含む。本条に規定する場合は、相続財産の帰属者も管理者もはっきりしないときだから、相続財産の側からも、その相手方の側からも、ともに、権利を行使することが困難だから、これを停止の事由としたのである。

〔3〕　915条以下の規定によって、相続人が確定する場合を指す。

〔4〕　952条参照。

323

第1編　第7章　時効　第1節　総則

〔5〕　破産法223条以下参照。

〔6〕　たとえば、相続財産中の債権について消滅時効期間が経過しそうなとき、同じく土地について事実上の相続人が取得時効を完成しそうなとき(最判昭和35・9・2民集14巻2094頁)、などに本条が適用される。

なお、不法行為に関する724条後段［改注］の20年を最高裁は除斥期間と解しているが、この点について、最判平成21・4・28(民集63巻853頁)は、本条の「法意に照らして」として、724条後段が適用される事案に本条の内容を適用する判断を示した。

（天災等による時効の完成猶予）[1]
第百六十一条
　　時効の期間の満了の時に当たり、天災その他避けることのできない事変のため第百四十七条第一項各号又は第百四十八条第一項各号に掲げる事由に係る手続を行う[2]ことができないときは、その障害が消滅した時から三箇月[3]を経過するまでの間は、時効は、完成しない。

［改正前条文］
（天災等による時効の停止）
第百六十一条
　　時効の期間の満了の時に当たり[1]、天災その他避けることのできない事変[2]のため時効を中断することができないとき[3]は、その障害が消滅した時から二週間を経過するまでの間は、時効は、完成しない。

〈改正〉　2017年に改正された。見出し中「停止」を「完成猶予」に改め、「時効を中断する」を「第百四十七条第一項各号又は第百四十八条第一項各号に掲げる事由に係る手続を行う」に改め、「二週間」を「三箇月」に改めた。附則第十条2参照。

［改正の趣旨］　［1］　用語の変更である。

　［2］　時効の完成猶予および更新を指している。

　［3］　東日本大震災における経験に鑑みて、審議の過程では、この時効の完成猶予の期間を伸長することが検討された。6箇月とする案が検討されたこともあったが、新法では「3箇月」とされた。阪神淡路大震災や東日本大震災などのような大災害発生時に被災者が訴訟提起等時効中断手段をとることは決して容易ではない。3箇月という期間の伸長で足りるのかについては、疑問がないわけではないとの意見も聞かれる。

［原条文］
　　時効ノ期間満了ノ時ニ当タリ天災其他避クヘカラサル事変ノ為メ時効ヲ中断スルコト能ハサルトキハ其妨碍ノ止ミタル時ヨリ二週間内ハ時効完成セス

［改正前条文の解説］

〔1〕　「満了の時に当たり」は、事変の発生にかかるのではなく、事変を原因として中断の方法を講じることが客観的に不可能である状態にかかっている。この言葉は、時効期間が満了する瞬間ないしその日という厳格な意味に解するべきではない。時効期間が満了する日に中断が可能になっても、債権者としてその手段を講じることは通常は困難であるから、「に当たり」という表現は余裕をもって解されるべきである。つぎのような解釈も可能ではなかろうか。

§§160〔5〕〔6〕・161

　たとえば、4月1日に事変が起こり、4月10日にそれによる障害(原条文では「妨碍」)が止んだとする。時効期間の満了日が4月1日から10日までの間のどれかの日とすれば、時効は障害終了2週間後の4月24日までは完成しないことに疑義はない。これに対して、時効期間の満了日が障害終了後の4月11日から23日までの間のどれかの日である場合でも、本条が障害の終了後2週間は時効は停止するとしている趣旨を尊重して、4月24日までは時効は完成しないと解するのが、妥当であろう。

　なお、恩給法7条は、時効期間満了の20日前に事変による中断不可能状態があれば時効の停止を生じるとしているが、これも、本条の「満了の時に当たり」にそれだけの幅を認めたという意味を持つことになる。

　〔2〕　「天災」とは、地震、洪水などの自然力を意味し、その他の「事変」とは、暴動、戦乱(戦争については、§30〔4〕参照)などの天災と同視するべき外部的障害を意味する。権利者の疾病、不在などの主観的事由は入らないと解されている。

　〔3〕　中断の方法がすべて不可能であることを要する。たとえば、地震で裁判所が閉鎖していても、裁判外の中断、たとえば催告が可能であれば、本条の適用はない。

325

第1編　第7章　時効　第2節　取得時効

第2節　取得時効

本節は、所有権と所有権以外の財産権とを分けて、取得時効の要件を規定し（§§162・163）、なお、取得時効にのみ特有な中断事由である「自然中断」に関する規定をおく（§§164・165）。

▍（所有権の取得時効）
　第百六十二条
　　1　二十年間[1)]、所有の意思[2)]をもって、平穏[3)]に、かつ、公然[4)]と他人の物[6)7)]を占有[5)]した者は、その所有権[8)9)]を取得する。
　　2　十年間、所有の意思[2)]をもって、平穏[3)]に、かつ、公然[4)]と他人の物[10)]を占有[5)]した者は、その占有の開始の時に、善意[11)]であり、かつ、過失[12)]がなかったときは、その所有権[8)]を取得する[9)10)]。

　［原条文］
　　二十年間所有ノ意思ヲ以テ平穏且公然ニ他人ノ物ヲ占有シタル者ハ其所有権ヲ取得ス
　　十年間所有ノ意思ヲ以テ平穏且公然ニ他人ノ不動産ヲ占有シタル者カ其占有ノ始善意ニシテ且過失ナカリシトキハ其不動産ノ所有権ヲ取得ス

　第1項が20年、第2項が10年とされるのは、第2項は、善意・無過失の場合だからである。
　〔1〕　20年間占有を継続することを要する（§164参照）。しかし、20年の最初と最後に占有したことを挙証すれば、その間は占有が継続したものと推定される（§186Ⅱ）。なお、たとえばA所有の土地をBが占有し、これをCに譲渡し、Cが引続いて占有するような場合には、Cは、自分の占有期間に前主たるBの占有期間を合算して主張することができる。もっとも、この合算を主張する場合には、Bの占有に所有の意思がないとか、平穏公然でないとかの瑕疵があれば、C自身の占有に瑕疵がなくても、Cは合算による瑕疵のない占有を主張することはできない（§187参照）。もちろん、Bの占有期間の合算を主張しないで、瑕疵のない自己の占有の期間だけを主張することはできる（最判昭和37・5・18民集16巻1073頁は、相続による承継について、先々代の悪意占有を承継せず、先代からの善意占有のみを承継することを認めた）。
　時効期間の起算点について、時効の基礎である占有の事実が開始された時から計算するべきであり、起算点を選択し、早めたり遅らせたりすることはできないとする判例があるが（最判昭和35・7・27民集14巻1871頁）、これは、不動産の時効による取得について対抗要件として登記が必要か、という難しい問題と関連する（§177〔3〕(ウ)を参照）。なお、法人格のない社団（第3章解説③(2)参照）が占有を開始し、その後法人格を取得した事例について、法人格取得日を起算点として選択できるとする判決がある（最判平成元・12・22判時1344号129頁）。
　〔2〕　「所有の意思」とは、所有者として占有する意思であって、この意思をもっ

てする占有を「自主占有」という（§185〔2〕参照）。この所有の意思の立証責任は、186条による推定があるので、一般的には、これを否定する側（取得時効を主張する者の相手方）にあるとされる。

　　(ア)　自主占有かどうかは、占有取得の原因である事実の客観的性質によって定まる。すなわち、買主、受贈者、盗人などには所有の意思があるが、賃借人や他人の物の預り主には——たとえ内心で所有者となる意思をいだいていても、それだけでは——所有の意思はない（§185参照。賃貸借が法律上効力を生じない場合も同様である。最判昭和45・6・18判時600号83頁。そのほか、最判昭和45・10・29判時612号52頁、最判昭和56・1・27判時1000号83頁、最判昭和60・3・28判時1168号56頁）。賃借人として占有を始めた者が途中から自主占有を取得するためには、特別の要件を必要とする（§185〔3〕参照）。なお、〔6〕に述べる問題が所有の意思と密接に関連することに注意を要する。

　　(イ)　おおむね、上のように考えれば足りるが、ときには判定の微妙な場合がありうる。贈与を受けたつもりでいた者が贈与があったとは認められなかった場合（最判昭和58・3・24民集37巻131頁〔「お綱の譲り渡し」事件〕）や、きょうだいの土地を自分の土地と思いこんで占有していたような場合（最判平成7・12・15民集49巻3088頁）などである。登記名義が他人にあることを知っていて、移転登記請求をしたか、しなかったか、固定資産税を負担していたか、いなかったかなどの諸事情が問題とされ、前者の判決では自主占有が否定され、後者の判決では他主占有の抗弁が否定された。前述のように、占有取得の原因である事実の客観的性質によって定まるとする観点からは、このようなかなり個別事情にかかわる判断基準にはいささか疑問があるところである。

　　(ウ)　相続が関連する場合には、さらに問題がある（§185が関係するので、同条〔4〕を参照）。

　　(a)　相続人が相続により承継した占有（§187〔3〕参照）そのものについては、相続により当然にはその性質（たとえば、他主占有性）を変えることはない。

　　(b)　相続人が相続を契機として新たに目的物を「事実上支配」して占有を開始したと認められる場合もありうる（最判昭和46・11・30民集25巻1437頁。ただし、その事案については、その新たな占有につき自主占有ではないとした。最判昭和47・9・8民集26巻1348頁は、単独相続したと信じた共同相続人の一人について相続の時からの自主占有を認めた）。最判平成8・11・12（民集50巻2591頁）は、相続人が「独自の占有」を開始したと認めた例である（相続人が、その不動産は被相続人が贈与を受けたものと思っていたという事例で、その相続の時からの自主占有を認めた）。

　　(c)　この平成8年判決は、この場合における相続人の所有の意思の立証責任は、一般原則に反して、相続人にあるとした。

　　(エ)　転用目的の農地売買について必要な知事の許可（農地§5）を得るための手続がとられていない場合において、代金支払、農地引渡し、売主への賃貸などがあった事例について、引渡しの時から自主占有があったものとされた（最判平成13・10・26民集55巻1001頁）。

　〔3〕　「平穏」とは、占有を取得または保持するために法律上許されない「強暴」（§190の原条文にあったこの言葉は、2004年改正により「暴行若しくは強迫」といいかえられ

第1編　第7章　時効　第2節　取得時効

ている）な行為をしないことをいう。単に不法の占有であることで平穏の要件を欠くものではない（大判大正5・11・28民録22輯2320頁、最判昭和41・4・15民集20巻676頁）。占有が平穏であることは推定される（§186 I）。

〔4〕　「公然」とは、占有を取得または保持するために、とくにこれを「隠微」または「隠秘」（§190の原条文にあったこの言葉は、2004年改正により「隠匿」といいかえられている）、つまり秘密にして世人の目にふれないようにしないことである。占有が公然であることは推定される（§186 I）。

〔5〕　占有の意義については180条をみよ。

間接占有に基づく時効取得も認められる（最判平成元・9・19判時1328号38頁）。

一般に占有者は、所有の意思をもって平穏かつ公然に占有するものと推定されるから、本条の時効を主張するためには、これらの要件を挙証する必要はない（§186〔1〕参照）。

〔6〕　条文には「他人の物」とあるけれども、自己の物ではないことを挙証する必要はないし（大判大正9・7・16民録26輯1108頁）、その物がなにびとの所有に属していたかを確定する必要もない（最判昭和46・11・25判時654号51頁）。取得時効は、永続する事実状態を権利状態に高めるもので、その物がだれの物か判然としない場合に、最もその実益を発揮する制度であるからである。

この、条文上の「他人の物」は「自己の物」でもよいと解されている。そのことは、取得時効が問題になる場合として、つぎのような各種のものがあることを示している。

㋑　まず考えられるのは、純然たる他人の所有物を無権利者が所有の意思をもって占有した場合である（この場合の「所有の意思」にはいろいろ問題がありうる。〔2〕参照）。しかし、取得時効が問題になるのは、そのような場合に限るものではない。

㋺　取得時効を主張する者が、元来はその物を自己の物であると主張している場合でも、たとえば、①かつての権利取得原因（売買、贈与など）の立証に困難があるとき、②不動産を取得したが、登記を怠ったために第2の譲受人に対抗できないとき、③物を単独で相続したと思っていたが、じつは他に共同相続人があったとき、などにおいて、元来の主張が通らない事態に備えて、予備的に時効取得を主張するということがありうる。これらの場合は、元来は自己の物と主張している物について、もしそうとはいえず、したがってその物が他人の物であると仮定しても、時効取得していると主張することになるのである。条文の「他人の物」という語句は、そのような意味において理解するべきであって、目的物が他人の所有に属することを積極的な要件とするものと考えるべきではない。判例もこの理を認める（①について、前掲大判大正9・7・16、大判昭和9・5・28民集13巻857頁、最判昭和42・7・21民集21巻1643頁、②について、最判昭和46・11・5民集25巻1087頁、この場合の時効の起算点は、第1の買主は当初から所有権を有しないことになるので、その者が不動産の占有を取得した時とされる。③について、前掲最判昭和47・9・8、この場合の時効の起算点は相続の時とされる）。

ただし、〔2〕で述べた「所有の意思」その他の要件をみたす必要があることはいうまでもない。上にあげた例のどれでも、通常は所有の意思があるとされることが多いと考えられるが、贈与をうけたという主張が容れられず、さらに時効取得の主張につ

いて所有の意思も否定された例があることが注意される(最判昭和58・3・24民集37巻131頁。〔2〕参照)。

　(ウ)　不動産の売買において、買主が占有移転を受けて取得時効に要する期間を経過した場合に、売主に対しても時効取得を主張できるとした判決がある(最判昭和44・12・18民集23巻2467頁)。裁判所は、売買の有効無効を確定しないで、時効によって判断してよいという趣旨に解される。

　〔7〕　「物」には、動産と不動産を含むことは疑いない(最判昭和38・12・13民集17巻1696頁は、他人の土地に自分が植えつけた樹木についての時効取得を認めた珍しい例である)。なお、とくに不動産については、物権の目的物の独立性(第2編解説3(1)(ウ)参照)および物権変動の対抗要件(§177〔3〕(ウ)参照)との関連で取得時効が問題になる場合があることに注意を要する。

　道路のような公共用財産については、原則として取得時効の対象とはならない(大判大正8・2・24民録25輯336頁)。ただし、長年の間公の目的に供用されることなく放置された公共用財産について、黙示的に公用が廃止されたものとして取得時効の成立が認められた例もある(最判昭和51・12・24民集30巻1104頁。最判昭和44・5・22民集23巻993頁、最判平成17・12・16民集59巻2931頁も同様の趣旨である)。

　なお、逆に国が、たとえば道路として占有管理していた土地を時効取得できることは当然である(最判昭和42・6・9訟月13号1035頁)。

　〔8〕　完全な所有権を取得するのが原則であるが、もし時効取得の基礎である占有が一定の客観的な制限を受けている場合、たとえば他人の通行地役権の存在を容認した占有であるような場合には(§289〔2〕参照)、取得される所有権も、その地役権の制限を受けたものである(前掲大判大正9・7・16)。

　時効による所有権の取得は、前主からの「承継取得」(これを主張する少数説もある)ではなく、新しい所有権の取得すなわち「原始取得」である(第2編第3章第2節解説2参照。ただし、登記としては、元の所有者からの移転登記がなされることについて§177〔3〕(ウ)参照)。したがって、農地所有権の時効取得の場合、農地法3条による知事の許可は必要ない(最判昭和50・9・25民集29巻1320頁)。もちろん、自主占有は必要だが、知事の許可がなくとも、自主占有は成立し(最判昭和52・3・3民集31巻157頁。ただし、知事の許可がないことについて過失があるとした最判昭和59・5・25民集38巻764頁がある)、起算点は引渡しが行われた時とされる(最判平成13・10・26民集55巻1001頁)。

　〔9〕　「取得する」と確定的に規定されているが、時効は当事者が援用しなければ「これによって裁判をすることはできない」のであるから(§145〔改注〕参照)、その取得は確定的ではない。援用があってはじめて確定的に取得するのである。本章解説1参照。

　(ア)　なお、不動産の時効取得については、登記との関係で困難な問題がある。第1に、民法は占有に対して不動産の登記を破る強力な効果を認めているのだから、未登記の不動産だけでなく、他人名義の登記のある不動産も占有によって時効取得をすることができると解釈するべきことは疑いない。第2に、登記簿上1筆の土地とされているものの一部分を占有するときは、その部分だけが時効によって取得されることも

第1編　第7章　時効　第2節　取得時効

当然である(大連判大正13・10・7民集3巻509頁)。第3に、時効で不動産を取得した者が、その取得を主張するのに登記が必要かどうかが問題になる。これについては177条〔3〕(ウ)を参照。

(イ)　また、遺留分減殺請求権(2018年の改正に注意)との関係において、問題がある。遺留分権者による減殺の対象となる目的物について、相手方が占有継続による時効取得を主張できるであろうか。遺留分減殺請求権が消滅時効(§1042)にかからない限り、取得時効を主張できないとして、前者を優先させるのが判例である(最判平成11・6・24民集53巻918頁)。

〔10〕　本項は、占有者が占有の始めに善意・無過失であったときは、時効期間は——第1項と異なり——10年で足りるとした。

本項の原条文はとくに「不動産」についてだけ規定し、動産を排斥していたが、2004年改正は、これを「物」と改めた。

本項の要件が第1項のそれと異なるところは、本項においては、占有者がその占有の始めに善意・無過失であることを要件としている点である。思うに、民法の起草者は、他人の動産を所有の意思をもって平穏かつ公然に占有した者が、その占有の始め善意であり、かつ過失がないという場合には、即時にその動産の所有権を取得する(§192による善意取得。即時取得ともいう)ものだから、本項による時効取得を適用する余地がないと考えたのであろう。しかし、もしそうだとすれば、それは誤解である。けだし、いわゆる善意取得は動産取引の安全を保護する制度だから、取引行為のないところには適用されないものと解釈しなければならない(2004年改正は、§192に「取引行為によって」という語句を追加したが、これについては、§192〔1〕参照)。したがって、他人の動産の占有を原始的に取得する場合、たとえば、他人の山林を伐採して材木の占有を取得する場合などには、いかに占有者が善意・無過失でも、即時にその材木の所有権を取得することは認められない。このことは192条は明示していなかったが、学者が一般に認めていたところである(§192〔3〕参照)。

そこで、以上のような場合には、動産についても本項の規定に従って10年の時効を認めなければ、不動産と均衡を失することになる。それが、2004年改正により「物」と改められた理由である。

〔11〕　自己の物であると信じることである(大判大正8・10・13民録25輯1863頁)。ただし、この善意は推定される(§186 I)。

〔12〕　自己の物であると信じるについて、過失がないことである。無過失は推定されないから(§186〔1〕参照)、10年の時効取得を主張する者が挙証するべきである(前掲大判大正8・10・13)。無過失かどうかは、取引界の実際に照らして決するべきことはいうまでもない。たとえば、不動産の取引や相続にさいして登記簿を調査しなかった者(大判大正5・3・24民録22輯657頁、最判昭和43・3・1民集22巻491頁)、「この溝川が境界だ」という売主の言を信じ、所管の税務署の図面を見なかった者(大判昭和17・2・20民集21巻118頁)、取引の相手方の法定代理権の瑕疵を調査しなかった者(大判大正2・7・2民録19輯598頁)、準禁治産宣告(現在の保佐開始の審判)があったことを調査しなかった者(大判大正10・12・9民録27輯2154頁)、国から払下げを受けた賃借地の境界

§§162〔10〕〜〔12〕・163〔1〕〜〔4〕

を確認するなどの調査をしなかった者（最判昭和50・4・22民集29巻433頁）などは過失があるとされた。

2個以上の占有が合算されて主張された場合には（〔1〕参照）、最初の占有者についてだけ善意・無過失の判定をすれば足りるとされる（最判昭和53・3・6民集32巻135頁）。

（所有権以外の財産権の取得時効）
第百六十三条
　　所有権以外の財産権[1]を、自己のためにする意思[2]をもって、平穏に、かつ、公然[3]と行使[4]する者は、前条の区別[5]に従い二十年又は十年を経過した後、その権利を取得する。

［原条文］
　　所有権以外ノ財産権ヲ自己ノ為メニスル意思ヲ以テ平穏且公然ニ行使スル者ハ前条ノ区別ニ従ヒ二十年又ハ十年ノ後其権利ヲ取得ス

〔1〕　地上権（最判昭和46・11・26判時654号53頁）・永小作権・地役権（§283参照）・鉱業権・漁業権・無体財産権（著作権・特許権など）などが「所有権以外の財産権」として取得時効の客体となる主要なものである。継続的給付を目的とする債権（賃借権など）についても、時効取得は可能であろう。最高裁判例も、土地の「継続的な用益という外形的事実が存在し、それが賃借の意思に基づくことが客観的に表現されているとき」は（外形上賃料の支払がされている事案である）、土地賃借権の時効取得が可能としている（最判昭和43・10・8民集22巻2145頁、最判昭和44・7・8民集23巻1374頁、最判昭和45・12・15民集24巻2051頁、最判昭和52・9・29判時866号127頁、最判昭和62・6・5判時1260号7頁。最判平成16・7・13判時1871号76頁は、農地の賃借権の時効取得を認めた例で、農地§3の許可は必要ないとした。最判昭和53・12・14民集32巻1658頁は、賃料の支払がない事例で、取得時効が否定された）。

不動産につき賃借権を有する者がその対抗要件を具備しないうちに、当該不動産に抵当権が設定されてその旨の登記がなされた場合には、この者は、抵当権登記の後、賃借権の時効取得に必要とされる期間、当該不動産を継続的に用益したとしても、抵当権実行により当該不動産を買い受けた者に対して、賃借権の時効取得を対抗することはできないとした判例がある（最判平成23・1・21判時2105号9頁）。

判例は、著作権法21条の複製権も取得時効の対象となりうるとしているが（最判平成9・7・17民集51巻2714頁。その要件として、「著作物の全部又は一部につきこれを複製する権利を享有する状況、すなわち外形的に著作権者と同様に複製権を独占的、排他的に行使する状況が継続していること」を要するとし、事案についてはこれを否定した）、複製権は独立の権利というよりも、著作権の内容の一部というべきものであり、判旨には疑問がある。

〔2〕　「自己のためにする意思」とは、この場合、その権利について権利者としてその権利を行使する意思のことであるが、詳細は所有の意思に準じて理解するべきである（〔1〕で述べた賃借の意思の例。なお、§162〔2〕参照）。

〔3〕　162条〔3〕〔4〕参照。

〔4〕　「所有権以外の財産権を行使する」とは、その財産権が物に対する支配を内

331

第1編　第7章　時効　第3節　消滅時効

容とする場合、たとえば、地上権・永小作権などにおいては占有であり、そうでない場合、たとえば、無体財産権においては準占有（§205参照）である。

〔5〕　善意・無過失であるかどうかの区別である。

（占有の中止等による取得時効の中断）
第百六十四条
　　第百六十二条の規定による時効は、占有者が任意にその占有を中止し[1]、又は他人によってその占有を奪われたとき[2]は、中断する[3]。
［原条文］
　　第百六十二条ノ時効ハ占有者カ任意ニ其占有ヲ中止シ又ハ他人ノ為メニ之ヲ奪ハレタルトキハ中断ス

本条は、147条［改注］が列挙する中断事由のほかに、取得時効に特有の中断事由を規定する。この中断を「自然中断」という。

〔1〕　任意にその占有を中止するとは、占有者が占有の意思を放棄し、または占有物の所持をやめることである（§203本文参照）。また、「その占有」とは、「所有の意思をもってする占有」であるから、所有の意思だけを放棄した場合——自主占有から他主占有に変った場合（§185〔5〕参照）——にも、中断が生じると解される。

〔2〕　他人に所持を奪われても、占有者が占有回収の訴えで目的物を回復すれば、なお占有は継続するとされるから（§203ただし書）、取得時効は中断されない。

〔3〕　中断後にまた占有を取得すれば、新しく時効は進行するが、中断前の占有期間を加算することはできない（削除前§157〔2〕参照）。

〔前条の準用〕〔第8版凡例4a)を見よ〕
第百六十五条
　　前条の規定は、第百六十三条の場合について準用する[1]。
［原条文］
　　前条ノ規定ハ第百六十三条ノ場合ニ之ヲ準用ス

〔1〕　所有権以外の財産権を行使している者が、任意にその行使を中止し、または権利者もしくは第三者にその行使を妨害された場合に、中断が生じるのである。

§§163〔5〕・164・165・第3節［解説］・§166

第3節　消滅時効

〈改正〉　2017年に、債権等の消滅時効に関する166条、同削除前167条(新166条1項2号参照)、人の生命又は身体の侵害による損害賠償請求権の消滅時効に関する新167条、定期金債権の消滅時効に関する168条、判決で確定した権利の消滅時効に関する新169条(削除前174条の2参照)が改正され、3年の短期消滅時効に関する170条と171条、2年の短期消滅時効に関する172条と173条、1年の短期消滅時効に関する174条までは条文が削除され、174条の2も削除された(新169条参照)。

［第3節の改正条文に関する前注的解説］　2017年の改正の審議においては、改正前の170条から174条の短期消滅時効の制度については、その各制度につき、合理性があるか等、根本的な疑問が出され、結論として、これらを廃止することを前提として、時効期間の単純化と統一化を図った。すなわち、債権の時効期間を、原則5年と10年の2段階に変更するとともに、改正前166条と同167条を、新166条にまとめた。関連して商法522条は廃止した(改正整備法3条)。すなわち、消滅時効期間につき、改正前法においては、原則的な時効期間は「権利を行使することができる時」(客観的起算点)から10年であったが、新法はこれを「債権者が権利を行使することができることを知った時」(主観的起算点)から5年としたうえで、客観的起算点から10年で時効によって消滅するとした(166条)。また、不法行為による損害賠償請求権については3年(主観的起算点)又は20年(客観的起算点)で時効消滅するとされた(724条)。なお、賃金、災害補償その他の請求権の消滅時効期間については、現在、「賃金等請求権の消滅時効の在り方に関する検討会(厚労省)で検討中であり、「当面3年とする案」が有力であったが、以下のように決まった。

　　労基法115条中「(退職手当を除く。)、災害補償その他の請求権は二年間」を「の請求権はこれを行使することができる時から五年間(当分の間三年)」に、「退職手当の請求権は五年間(当分の間三年)」を「災害補償その他の請求権(賃金の請求権を除く。)はこれを行使することができる時から二年間」に改める(2020年3月31日／令和2年法律13号)。

　　なお、商行為によって生じた債権に関する商法522条は廃止され(整備法3条)、新166条との関連で、製造物責任法旧5条(同96条)、鉱業法旧115条(同法274条)、不正競争防止法旧15条(同法294条)、大気汚染防止法旧25条の4（同法350条)、水質汚濁防止法旧20条の3（同352条)、土壌汚染対策法旧8条(同356条)等が改正された。

［第3節の改正前条文の解説］
　本節は、消滅時効の起算点(改正前§166)、債権および所有権以外の財産権の消滅時効の要件(削除前§167)、定期金債権その他特殊な権利の消滅時効、ことに短期消滅時効について規定する(削除前§§168〜174の2)。

（債権等の消滅時効）
第百六十六条
　1　債権は、次に掲げる場合には、時効によって消滅する。
　一　債権者が権利を行使することができることを知った時[1]から五年間行使

333

第1編　第7章　時効　第3節　消滅時効

　　　しないとき。
　　二　権利を行使することができる時[2]から十年間行使しないとき。
　2　債権又は所有権以外の財産権は、権利を行使することができる時から二十
　　年間行使しないときは、時効によって消滅する[3]。
　3　前二項の規定は、始期付権利又は停止条件付権利の目的物を占有する第三
　　者のために、その占有の開始の時から取得時効が進行することを妨げない。
　　ただし、権利者は、その時効を更新するため、いつでも占有者の承認を求め
　　ることができる[4]。

[改正前条文]
（消滅時効の進行等）
第百六十六条
　1　消滅時効は、権利を行使することができる時[1]から進行する。
　2　前項の規定は、始期付権利[2]又は停止条件付権利[3]の目的物を占有する第三者のために、
　　その占有の開始の時から取得時効が進行することを妨げない[4]。ただし、権利者は、そ
　　の時効を中断するため、いつでも占有者の承認を求めることができる[5]。

〈改正〉　2017 年に改正された。見出しを改め、1 項を上記のように改めた。さらに、改正前
2 項中「前項」を「前二項」に改め、同項ただし書中「中断する」を「更新する」に改め、
同項を本条 3 項とした。附則第十条 4 参照。

[改正の趣旨]　[1]　消滅時効の起算点を「債権者が権利を行使できることを知った時」（主
観的起算点）としたうえで、期間を 5 年に短縮した。主観的起算点は、確定期限付き債権に
ついては、通常、期限の到来時であり、不確定期限付き債権については、期限の到来を現実
に知った時であり、条件付き債権については、条件成就を現実に知ったときである。期限の
定めのない債権は、判例（昭和 17・11・19 § 505[3]参照）によれば、権利行使（判例では、
相殺）が可能な時は債権成立の時と解されているので、原則として客観的起算点と一致する。
債務不履行によって生じる損害賠償請求権については、[改正前法解説][1](エ)を参照。

　　[2]　主観的起算点が「行使することができる時」（客観的起算点）と一致する領域におい
ては、通常は、時効期間は 5 年間となる。これに対して、債権者が必ずしも債権の発生もし
くは損害の発生又はその因果関係を認識していない事例ないし領域においては、起算点は、
従来の判例（最判昭和 48・11・16 民集 27 巻 1374 頁）のように、「債務者に対する権利行使
が事実上可能な程度にこれを知った時」と解すべきである。724 条の解説[1](3)参照。新 167
条も参照。なお、「客観的起算点」に関しては、最判平成 15・12・11 民集 57 巻 2196 頁の趣
旨が維持されるべきである。改正前 166 条の解説[1](イ)(エ)(カ)も参照。

　　[3]　法務省案は、不法行為に関する消滅時効の規定（724 条）も廃止し、不法行為債権
も含めた消滅時効制度の一元化も検討の対象とすることを示唆していたが、2 項のような形で、
総則と不法行為の規定との間で、平仄を合わせたものと思われる。

　　[4]　改正前 2 項を参照。

[原条文]
　　消滅時効ハ権利ヲ行使スルコトヲ得ル時ヨリ進行ス
　　前項ノ規定ハ始期附又ハ停止条件附権利ノ目的物ヲ占有スル第三者ノ為メニ其占有ノ時
　　ヨリ取得時効ノ進行スルコトヲ妨ケス但権利者ハ其時効ヲ中断スル為メ何時ニテモ占有者
　　ノ承認ヲ求ムルコトヲ得

〔1〕　「権利を行使することができる時」とは、権利を行使するのに法律上の障害

§166〔1〕

（§533〔改注〕の同時履行の抗弁権はそれに当たらない。同条〔4〕(a)参照）がなくなった時である。権利者の一身上の都合で権利を行使できないことや、権利行使に事実上の障害があることは影響しない（§§158～161の定める時効の停止（改正前）の原因となることがあるのは別問題である。被保佐人が訴えの提起について保佐人の同意が得られないというのは、単なる事実上の障害にすぎない。§13Ⅲ参照。準禁治産者について、最判昭和49・12・20民集28巻2072頁）。したがって、権利者が権利の存在を知らない場合にも、原則としては、時効は進行する（ただし、§§724〔改注〕・126・124Ⅱ〔改注〕参照）。実際上問題となる各種の債権について説明すれば、つぎの通りである。

　(ア)　期限の定めがある債権については、その期限が「確定期限」でも「不確定期限」でも、期限到来の時が「権利を行使することができる時」である（§135〔3〕参照）。これについて問題となるのは、債権に確定期限が定められているが、同時に、一定の事由があるときは債務者が期限の利益を失う旨の特約がなされている場合である。判例は「債務者が他の債権者から差押えその他の強制執行を受けるに至ったときは期限の利益を失う」という特約のある債務について、このような約款の意味は、他から強制執行を受けた場合には、債権者において債務者の期限の利益を奪うかどうかの自由を保留する趣旨であると解する。したがって、この種の特約があっても、債権者がこの権利を行使しない以上、強制執行があったということだけでは弁済期は当然に到来するものではなく、消滅時効は本来の期限が到来した時から進行すると判示している（大判昭和9・11・1民集13巻1963頁）。

　割賦金弁済の契約の中に1回でも弁済を怠るときは直ちに全額を請求されても異議はないという特約がある場合については、1回の不履行があったときでも、各割賦金債務について順次消滅時効が進行し、債権者が全額弁済請求の意思表示をした時から全額についての消滅時効が進行するとされた（大連判昭和15・3・13民集19巻544頁、最判昭和42・6・23民集21巻1492頁。なお、割賦販売については、割賦§5参照）。

　定期預金債権も確定期限のある債権に属するが、いわゆる自動継続特約付きの定期預金について、自動継続の取扱いがなされなくなって満期日が到来した時から時効が進行するとされた（最判平成19・4・24民集61巻1073頁）。なお、宅建業法30条1項前段の取戻事由が発生した場合において、取戻広告がなされなかったときは、営業保証金の取戻し請求権の消滅時効は、当該取戻事由が発生した時から進行すると解するのが相当であるとした判例（最判平成28・3・31民集70巻969頁）がある。

　(イ)　期限の定めのない債権については、債権成立の時が「権利を行使することができる時」である。たとえば、返済期の定めのない消費寄託の返還請求権の消滅時効は、契約成立の時から進行する（大判大正9・11・27民録26輯1797頁）。普通の銀行預金の場合には、預入れ、引出しは承認であるから、最後に預け入れた時、または引き出された時から進行すると解される。当座預金にあっては、小切手によらないで払戻しを請求することはできないのだから、当座預金契約が存続する限りこの請求権の消滅時効は進行しないとされた（大判昭和10・2・19民集14巻137頁）。また、死亡保険金の時効について、遺体の発見までは進行しないとした例がある（最判平成15・12・11民集57巻2196頁）。

335

第1編　第7章　時効　第3節　消滅時効

(ウ)　債権者が、まず解約の申入れまたは請求をした後一定の期間または相当の期間を経過してはじめて請求できる債権(たとえば、通知してから1週間を経て払戻しを請求できるという、いわゆる通知預金)について、債権者が解約の申入れまたは請求をしないで放置するときはどうであろうか。この場合「権利を行使し得る時」がこないからといって、いつまでも消滅時効は進行しないとすることは、はなはだしく不当な結果となる。むしろ、債権者はいつでも解約または請求できるのだから、債権成立の時からすでに、「一定期間の猶予のもとに自由に請求できる」という状態にあると解するべきである。したがって、この種の債権にあっては、債権成立の後一定の期間または相当の期間を経過した時から、消滅時効は進行するのである(大判大正3・3・12民録20輯152頁)。

(エ)　債務不履行によって生じる損害賠償請求権の消滅時効は、一般的には、本来の債務の履行を請求できる時から進行するが(大判大正8・10・29民録25輯1854頁、最判昭和35・11・1民集14巻2781頁、最判平成10・4・24判時1661号66頁)、いわゆる安全配慮義務違反による損害賠償請求権については、いつ請求が可能になったかの判定は微妙であるから、特別の配慮が必要である。炭鉱じん肺事件について、じん肺法所定の「管理区分」についての最終の行政上の決定を受けた時(その時から権利の行使が可能になる)とする判例がある(最判平成6・2・22民集48巻441頁)。ただし、死亡による損害については死亡の時からとされた(国賠事件である。最判平成16・4・27民集58巻1032頁)。

(オ)　契約の解除や売買予約の完結については、消滅時効の適用自体をめぐって論議があるところである(削除前§167(3)(イ)参照)。起算点に関しては、契約解除に基づく履行不能による損害賠償請求権については本来の債務の履行期からとし(大判大正6・11・14民録23輯1965頁、最判昭和35・11・1民集14巻2781頁)、地代不払いによる解除については、最後の地代支払期日が経過した時とし(最判昭和56・6・16民集35巻763頁)、無断転貸による借地契約の解除権については転借人の土地使用開始の時からとし(最判昭和62・10・8民集41巻1445頁)、売買または再売買の予約完結権については原則として予約完結権成立の時からとする判決(大判大正10・3・5民録27輯493頁。最判昭和33・11・6民集12巻3284頁)がある。

(カ)　弁済供託による供託金の取戻し請求権については、供託の時からではなく、供託の基礎となった債務について紛争の解決などによってその不存在が確定するなど、供託者が免責の効果をうける必要が消滅した時からとされた(最大判昭和45・7・15民集24巻771頁。最判平成13・11・27民集55巻1334頁は、債権者確知不能による弁済供託について、債務の消滅時効期間が完了した時からとしたが、「免責の効果を受ける必要が消滅した時」の認定には念入りな判断が必要とされよう。なお、削除前§167(1)(エ)参照)。

(キ)　委託を受けた保証人が免責行為によって取得する求償権(§459 I)の消滅時効は、免責行為の時から進行する。事前求償権が認められる場合も同様である(最判昭和60・2・12民集39巻89頁)。

(ク)　裁判離婚による慰謝料請求権の消滅時効は、離婚判決が確定した時から進行するとされる(最判昭和46・7・23民集25巻805頁)。

(ケ)　不作為債権(たとえば2階建てを建てない)については民法に規定がないが、学者

§§166〔2〕〜〔5〕・167

は、ドイツ民法の199条5項と同じく、債務者の違反行為のあった時から時効は進行すると解している。

㋺　自動車損害賠償保障法3条により責任を負うべき保有者が明らかでないときに認められる同法72条の事業主体としての政府に対する請求権の消滅時効は、保有者をめぐって争いがある間は進行せず、3条による請求権が存在しないことが確定したときから進行する（最判平成8・3・5民集50巻383頁）。なお、厚生年金保険法（昭和60年法律34号による改正前の）47条に基づく障害年金の支分権の消滅時効の起算点につき、最判平成29・10・17民集71巻1501頁がある。

㋛　預託金会員制ゴルフクラブの施設利用権の消滅時効について、最判平成7・9・5（民集49巻2733頁）は、ゴルフ場経営会社が会員に対してその資格を否定して施設の利用を拒絶し、あるいは会員の利用を不可能な状態とした時から進行するという特異な判断をしている。本条により消滅時効は権利行使可能時から進行するとされているのに、権利行使不可能時から進行するとするのは奇異である。判決理由では、利用可能状態では債務の履行を受けているからというのであるが、それは時効中断事由として問題になることではなかろうか。

〔2〕　135条〔1〕・〔2〕参照。

〔3〕　128条〔1〕参照。

〔4〕　たとえば、BがAからA死亡の時にその不動産をもらうという約束をしている場合に、一方で、Bのその債権の消滅時効はAが死亡した時からはじめて進行するが、他方で、Cがその不動産を162条の要件を備えた占有をして時効で取得することを妨げない。これは当然のことであって、本項の意味は、むしろCの時効取得によってBの権利が消滅するのを救済するただし書にある。

〔5〕　上の〔4〕に掲げた例で、BはいつでもCに対してBの条件付権利の存在の承認を求め、これによってCの取得時効を中断することができる（改正前§147③参照）。Cが任意に承認しない場合には、裁判上これを強制することができる（改正前§414Ⅱただし書参照）。

（人の生命又は身体の侵害による損害賠償請求権の消滅時効）
第百六十七条

　　　人の生命又は身体の侵害による損害賠償請求権の消滅時効についての前条第一項第二号の規定の適用については、同号中「十年間」とあるのは、「二十年間」とする[1]。

〔改正前条文〕　削除前167条は下記参照。

〈改正〉　2017年に新設された。附則第十条4参照。

〔本条の趣旨〕　**〔1〕**　人の生命・身体［又はこれに類するもの］（単に精神的苦痛を受けた状態を超え、いわゆるPTSDを発症する等精神的機能の障害が認められる場合等）の侵害による損害賠償請求権の消滅時効については、重大な法益侵害であるから、その重要性に鑑みて、新166条における債権の消滅時効に関する原則的な時効期間よりも長期の時効期間を設けた。今回の改正により、新166条とその特別規定である新167条および724条とその特別規定である724条の2の改正・制定により、時効の規律が統一されたことになる。契約上の安全配

337

慮義務違反に基づく損害賠償請求権と不法行為に基づく損害賠償請求権が競合する場合において、改正前法では、消滅時効に関しては、前者が10年で、後者が３年であった。新法は、これを人の生命または身体の侵害による損害賠償請求権について、統一した。その結果、消滅時効の客観的起算点から見ると債権者に有利となるが、主観的起算点から見ると債権者に不利になる場合がある。したがって、この点については、新166条［1］㈣に引用した判例のような解釈を行うべきである。

第百六十七条（旧）　改正に伴い削除

［削除前条文］

（債権等の消滅時効）

第百六十七条

1　債権は、十年間行使しないときは、消滅する[1)2)]。

2　債権又は所有権[4)]以外の財産権[3)]は、二十年間行使しないときは、消滅する。

〈改正〉　2017年に改正により削除された。

［削除の趣旨］　削除前167条は、修正のうえ新166条１項、２項に移行する。

［原条文］

債権ハ十年間之ヲ行ハサルニ因リテ消滅ス

債権又ハ所有権ニ非サル財産権ハ二十年間之ヲ行ハサルニ因リテ消滅ス

［削除前条文の解説］

本条の10年、20年は原則で、これに対して多くの例外があることに留意しなければならない。

〔1〕「債権」は、原則として10年の消滅時効にかかる。

本項の債権といえるかが問題になった事例に、つぎのものがある。

㈠　まず、旧借地法10条(現在の借地借家§13)の建物買取請求権がある。この権利については形成権か請求権かという問題があるが、本項の適用が肯定され(最判昭和42・7・20民集21巻1601頁)、消滅時効の起算点としては、土地賃貸人が提起した明渡請求訴訟の訴状送達時とされた例がある(最判昭和54・9・21判時945号43頁)。

㈡　瑕疵担保による損害賠償請求権については、買主が瑕疵を知った時から１年の除斥期間の定めがあるが(改正前§§570・566Ⅲ)、これにも本条１項の適用があるとされた(最判平成13・11・27民集55巻1311頁。買主が瑕疵を知ったのが、引渡しを受けた後21年という事例であるが、もっと早く知るべきであったという認定ができなかったであろうか)。

㈢　また、農地の売買において買主が売主に対して有する知事の許可への申請協力請求権について、本項が適用されるとされた(時効による消滅の結果として、売買は効力を生じない。最判昭和50・4・11民集29巻417頁、最判昭和56・10・1判時1021号103頁)。もっとも、この請求権が時効にかかっても、その援用がなされないうちにその農地が非農地化されて農地法の適用から外れ、知事の許可が必要でなくなった場合には、その請求権の時効を援用しても、その援用は効力を生じないとされた(最判昭和61・3・17民集40巻420頁)。しかし、そもそも、農地譲受人の農地取得債権そのものではなく、知事への許可申請協力請求権だけが時効にかかり、それによって売買成立のための法定条件が不成就になるという構成自体が適切であるのかも疑問が残るところである

（最判昭和51・5・25民集30巻554頁は、援用を権利濫用とした例である）。

　　(エ)　弁済供託(§494)における供託物取戻請求権(§496)はどうであろうか。弁済供託は寄託契約の性質を有するから供託物取戻請求権は10年の時効にかかるとされる（最大判昭和45・7・15民集24巻771頁。ただし、起算点がいつであるかという問題がある。改正前§166[1](カ)参照）。消滅時効の問題とはしないで、供託制度そのものにおいて事柄が明確にされることが望ましいともいえよう。

　〔2〕　「債権」は10年の消滅時効にかかるのが原則であるが、これには多くの例外があることを注意すべきである。まず、民法自体が、削除前169条以下に短期消滅時効を規定している。そのほか、家族法上の請求権について、例外が多い(§§884・919Ⅲなど)。その詳細は各条の注釈に譲り、ここに民法以外の諸法で特別の消滅時効を規定している主要なものを列挙しておく。なお、126条の注釈も参照。

　(a)　商事債権　　商行為によって生じた債権は、原則として5年の消滅時効にかかる(商§522[削除])。取引関係を明確迅速に処理する趣旨である。したがって、商人でない信用保証協会の有する求償権も、商人である債務者の委託に基づく保証によるときは商事時効が適用される(最判昭和42・10・6民集21巻2051頁)。

　　これに対して、会社法429条(商旧§266の3)所定の代表取締役に対する損害賠償請求権(最判昭和49・12・17民集28巻2059頁)、商行為である金銭消費貸借における利息制限法超過利息の返還請求権(最判昭和55・1・24民集34巻61頁)、商行為である保険契約に基づくが、誤って支払われた保険金の不当利得に基づく返還請求権(最判平成3・4・26判時1389号145頁)については、商事時効ではなく、本条1項によるとされている。会社法423条1項[改注](商旧§266Ⅰ⑤)による取締役の株式会社に対する損害賠償責任についても、その消滅時効は、本条により10年と解されるとされた(最判平成20・1・28民集62巻128頁)。

　(b)　公法上の金銭債権　　国の国以外の者に対する、または国以外の者の国に対する金銭債権(会計§30)、地方団体の債権債務(地税§§18Ⅰ・18の3Ⅰ、地自§236Ⅰ)、などの公法上の債権は、多く5年の消滅時効にかかる。これらの債権の特質に由来する。

　　ただし、国の普通財産売払いによる金銭債権(最判昭和41・11・1民集20巻1665頁)、弁済供託における供託金取戻請求権(前掲最大判昭和45・7・15。その時効の起算点について、改正前§166[1](カ)参照)、国の国家公務員に対する安全配慮義務違反に基づく損害賠償請求権(最判昭和50・2・25民集29巻143頁)については、普通の債権と考えるべきであるので、本項により10年の消滅時効にかかるとされた。

　(c)　公的性格を有する団体的・継続的債権　　厚生年金保険法による保険料その他の徴収権は2年、保険給付を受ける債権は5年(同法§92Ⅰ)、同じく健康保険法(§193Ⅰ)、国民健康保険法(§110Ⅰ)上の債権などは、2年の消滅時効にかかる。同様に、農業災害補償法(§88)上の共済掛金などの徴収権、共済金の支払を受ける債権などは、3年の消滅時効にかかる。

　(d)　労働基準法による災害補償その他の請求権は2年、賃金、退職手当の請求権は5年の消滅時効にかかる。ただし賃金請求権の消滅時効期間は当分の間3年(労基§

第1編　第7章　時効　第3節　消滅時効

115〔改注〕)。

　(e)　手形上の債権については、その性格に応じて、3年、1年、6か月というような消滅時効の期間が定められている(手§§70・77 I⑧)。小切手についても、6か月とする規定がある(小§51)。

〔3〕　「財産権」とは、財産的内容を有する権利である。したがって、地上権・永小作権のような物権も、取消権・解除権のような形成権も、みな本条2項によって20年で消滅時効にかかる(債権については1項参照、所有権については〔4〕をみよ)はずであるが、この原則に対しては、つぎのような、いくつもの問題点がある。

　㋐　民法その他の法律でとくに短期の消滅時効を定めていれば、それによるべきことはもちろんである。

　㋑　「形成権」については、「除斥期間」の問題もからみ、消滅時効が適用されるかについては、大いに議論のあるところである(本章解説③、§126〔3〕・〔5〕参照)。

　まず、「取消権」のような時効期間に関する特別の規定(§126)のある形成権については、その条文の解釈として論じられる(同条〔3〕・〔5〕参照)。借地借家法13条による建物買取請求権や遺留分減殺請求権(§1042〔2018年の改正に注意〕)のような、権利の性質そのものについて論議のある権利についても、その条文の解釈として論じられるのが適切である(ただ、判例について一言しておけば、最判昭和42・7・20民集21巻1601頁は、旧借地§10による建物買取請求権は本条1項による10年の時効にかかるとし、最判昭和54・9・21判時945号43頁は、その起算点は土地賃貸人からの明渡し請求訴訟の訴状送達時とし、最判昭和57・3・4民集36巻241頁、最判平成7・6・9判時1539号68頁は、§1042の期間内に減殺請求権を行使していれば、遺留分権者は目的物の所有権を取得するので、それに基づく返還請求権や登記請求権は時効にかからないとする)。

　つぎに、契約解除権および売買予約完結権(§556参照)のように、とくに規定のないものについては、「債権でない財産権」として20年の時効にかかるはずであるが、そうすると、解除によって生じる原状回復の請求権や予約の完結によって生じる代金請求権などが、債権として10年で消滅するのに対比して均衡を失する。そこで、判例は、このような形成権は債権と同視して第1項が適用され、10年(改正前規定によれば商事なら5年)の消滅時効にかかるものと解している(解除権について、大判大正6・11・14民録23輯1965頁、最判昭和56・6・16民集35巻763頁、最判昭和62・10・8民集41巻1445頁、予約完結権について、大判大正10・3・5民録27輯493頁、最判昭和33・11・6民集12巻3284頁)。形成権と時効に関する論議は、もちろんこの場合についても交されている(本章解説③、§126〔3〕・〔5〕参照)。

　㋒　担保物権は、原則として、その担保する債権から離れて独立に消滅時効にかかることはないと解釈されている。ただし、抵当権について、396条〔1〕参照。

　㋓　いわゆる「抗弁権」について、これが消滅時効にかかるかが問題とされ、「抗弁権の永久性」として論じられることがある。

　例としては、Aが子Bがいるのに全財産をCに遺贈して死亡した場合があげられる。BはCに対して遺留分減殺請求権を有するが、これは1年または10年の時効にかかる(改正前§1042→§1048)。Cが財産を占有していると、Bはこれに対して相続

§167（旧）〔3〕〔4〕

回復請求権を有するが、これは5年または20年の時効にかかる（§884）。Bが財産を占有していると、Cは遺贈に基づく引渡請求権を有するが、これはやはり5年ないし20年の時効にかかると解される（§990など）。

この状況において、たとえば、Bが財産を占有しているとして、Cはまだ時効にかかっていない引渡請求権を行使できるが、Bの遺留分減殺請求権は時効にすでにかかっているというケースが起こりうる。この場合、Bの遺留分減殺請求権が抗弁権の形で防御的に主張されるときは、Cからの権利主張を受ける限りにおいて（その意味で、「永久性」という呼び方は正確でない）、消滅時効にかからないと解するべきではないかという主張がなされる。判例は、このような事例ではBの遺留分減殺請求権の消滅時効の起算点を、遺留分侵害を知った時に遅らせることによって同じ解決を導いている（大判昭和13・2・26民集17巻275頁）。

より簡明な例としては、双務契約における同時履行の抗弁権（§533〔改注〕）や普通保証債務における保証人の催告・検索の抗弁権（§§452・453）がある。これらの例において、「抗弁権」という言葉が用いられていることにまどわされて、これらの権利が20年の消滅時効にかかると考えるのは明らかにおかしいであろう。すなわち、買主からの履行請求を受ける限り売主はその代金債権——それがかりに1年または2年の短期消滅時効（§§173〔削除〕・174〔削除〕）にかかっていても——との同時履行を抗弁でき、また、債権者から保証債務の履行を請求される限り、保証人は催告と検索の抗弁を主張できると解するべきである。

これらの例と異なり、形成権にこの議論を当てはめるのはおかしい。たとえば、取消すことができる行為において取消権が時効または除斥期間によって消滅した場合に（§126〔3〕・〔5〕参照）、その取消されることのなくなった行為の相手方からの履行請求に対して、いつまでも取消権を抗弁として主張できるとする議論は成り立ちえない。

（ｵ）　占有権は、一定の事実状態の存否に伴って、成立したり消滅したりするものであるから、消滅時効にかかる余地がない。もっとも、占有訴権は1年で消滅するが、それは除斥期間（ないし出訴期間）であって、時効ではない（本章解説〔3〕参照）だけでなく、1年を経過すれば、占有の侵害状態が終了するという趣旨である（§201参照）。相隣関係上の諸権利（§§209～参照）、共有物分割請求権のように一定の権利関係が存在するときに、つねにこれに伴って存在する権利も、その基本である権利関係を離れて独立に消滅時効にかかることはない。このような権利のうち最も顕著なものは、所有権に基づく請求権であるが、これについては次注を見よ。

〔4〕　所有権は消滅時効にかからない。これはわが国の法体系が「所有権の絶対性」、「所有権の恒久性」の観念を基本としていることに基づく。

所有権が消滅時効にかからないとは、所有権を放置して利用しない状態においても、所有権自体が時効で消滅することはないという意味である。その間に他人がこれを占有し、取得時効が完成すれば、従前の所有者はその所有権を失うが、これはその他人による取得時効の効果であって、所有権の消滅時効ではない。

問題は、所有物が他人に占有されている場合に、これに向かって返還を請求する権利（所有物返還請求権 rei vindicatio）が時効で消滅するかどうかである。

341

第1編　第7章　時効　第3節　消滅時効

この権利は、もちろん所有権そのものではなく、他人に向かって一定の行為を要求する内容を有する点で債権に酷似する。しかし、所有権の効力として所有権の円満な状態を回復する作用を持ち、いやしくも所有権自体が消滅しない限り、つねにその効力としてこれから不断に流出する権利であって、消滅時効にかかる余地はないといわなければならない。判例は、このような理論を採り（大判大正11・8・21民集1巻493頁）、学者もこれに賛成する。同様の理由によって、所有権に基づく妨害排除の請求権（actio negatoria）も、所有権に基づく登記請求権（大判大正5・4・1民録22輯674頁、最判昭和51・5・25民集30巻554頁）も、消滅時効にかかることはないと解されている（第2編第3章解説②(4)参照）。

また、同様の理論によって、所有権移転に伴う所有権移転登記請求権は所有権移転の事実が存する限り独立して消滅時効にかからないとされる（最判昭和51・11・5判時842号75頁）。

▌（定期金債権の消滅時効）
　第百六十八条
　　1　定期金の債権は、次に掲げる場合には、時効によって消滅する。
　　　一　債権者が定期金の債権から生ずる金銭その他の物の給付を目的とする各債権を行使することができることを知った時[1]から十年間行使しないとき。
　　　二　前号に規定する各債権を行使することができる時から二十年間行使しないとき[2]。
　　2　定期金の債権者は、時効の更新の証拠を得るため、いつでも、その債務者に対して承認書の交付を求めることができる[3]。
　[改正前条文]
　　1　定期金の債権[1]は、第一回の弁済期から二十年間行使しないときは、消滅する[2]。最後の弁済期から十年間行使しないときも、同様とする[3]。
　　2　定期金の債権者は、時効の中断の証拠を得るため、いつでも、その債務者に対して承認書の交付を求めることができる[4]。
　〈改正〉　2017年に改正された。2項では、「中断」を「更新」に改めた。附則第十条4参照。
　[改正の趣旨]　[1]　新法では、改正前168条1項前段の規定について起算点を「第1回の弁済期から」という文言から「…各債権を行使することができることを知った時から」に改めて、第1回の弁済期に弁済がなされた後についての規定も明確にされた。また、無意味な規定ともされる改正前168条1項後段（本条解説[3]参照）は削除された。

　　その上で、新法では、定期金債権についても主観的起算点を導入し、各債権（各支分権）を行使することができることを知った時から10年という消滅時効期間を重ねて設けた。この10年という期間は、改正前168条1項前段が、定期金債権の時効期間を債権の原則的な時効期間の2倍としていることを考慮したものと説明されている。

　　[2]　本項の「各債権」とは、各期に発生した定期金債権のいずれかを意味する。

　　[3]　改正前法2項の解説参照。

　[原条文]
　　定期金ノ債権ハ第一回ノ弁済期ヨリ二十年間之ヲ行ハサルニ因リテ消滅ス最後ノ弁済期ヨリ十年間之ヲ行ハサルトキ亦同シ

§168〔1〕〔2〕

定期金ノ債権者ハ時効中断ノ証ヲ得ル為メ何時ニテモ其債務者ノ承認書ヲ求ムルコトヲ
得

[改正前条文の解説]

〔1〕 定期金の債権とは、年金債権のように、一定の金銭その他の代替物を定期に
給付させることを目的とする債権である。各期に支払うべき個々の債権(これを「支分
権」という)ではなく、このような個々の債権を生み出す基本である債権(これを「基本
権」という)のことをいう。終身もしくは一定の有期の年金債権、定期の恩給を受ける
権利(恩給§2Ⅱ)、厚生年金(厚年§§32~)、定期の扶助料を受ける権利、地上権の地代
債権などが本条の定期金債権の例である。元本債権に伴う利息債権、賃貸借に伴う賃
料債権などもその性質は定期金債権であるが、これらは、元本債権または賃貸借関係
と分離した存在を有しないから(支分権である毎期の利息債権や賃料債権は、もちろん独立
の債権であるが)、これと離れて消滅時効にかかることはないと解されている。なお、
1個の債権を分割して支払う債権は定期金の債権でないことはいうまでもない(大判明
治40・6・13民録13輯643頁)。

〔2〕 基本権としての定期金債権の消滅時効について、本条は2種類の消滅時効期
間を定める。支分権の消滅時効については、削除前169条参照。なお、恩給に関して
は、特則がある(恩給§5参照)。

その1は、本項前段の規定で、時効期間は第1回の弁済期から20年である。

たとえば、2000年から2030年まで、30年間毎年末日に支払うという年金債権があ
るとする。前段の規定は、その年金が第1回から全然支払われなかった場合を想定し
て、その第1回の弁済期から20年経過した2020年の末日に基本権である年金債権自
体が時効消滅するとする。支分権である各期の債権も、かりに時効が中断されていた
としても、遡って消滅する。たとえば、2020年に近い年の支分権は、それ自体とし
ては支払期がきてから5年(削除前§169)または10年(削除前§167)が経過していなくて
も消滅する。2020年以後の支分権が発生しないのはいうまでもない。

もし、支分権につき途中で弁済があれば、時効はそれによって中断するから、時効
はその中断以後20年を経過して完成することになる(その支払が弁済期のきている支分権
のすべてを消滅させるものであれば、その時点では請求可能な支分権は存在しないから、中断後
の新しい起算点はその後到来するつぎの回の弁済期ということになる)。

なお、放送法は、日本放送協会の事業運営の財源を、放送を受信することのできる
受信設備を設置した者に広く公平に受信料を負担させることによって賄うこととし、
上記の者に対し受信契約の締結を強制する旨を定めた規定を置いているのであり(最
大判平成29・12・6民集71巻1817頁)、受信料債権は、このような規律の下で締結され
る受信契約に基づき発生するものであるから、受信契約に基づく受信料債権について
本条1項前段の規定の適用があるとすれば、受信契約を締結している者が将来生ずべ
き受信料の支払義務についてまでこれを免れ得ることとなり、上記規律の下で受信料
債権を発生させることとした放送法の趣旨に反するので、適用されない(最判平成30・
7・17民集72巻297頁)。

343

第1編　第7章　時効　第3節　消滅時効

〔3〕　その2は、本項後段の規定で、時効期間は最後の弁済期から10年である。
この10年の時効期間が、前段の20年とは別に定められたのは、前段の時効が完成
しなくとも、後段の時効が完成する可能性を認めようとしたからである。

　たとえば、〔2〕の例で、2025年まで支分権が支払われたとすると、前段の時効は、
中断により、2045年まで完成しないことになる。しかし、後段があることによって、
その後の中断がなければ、最後の弁済期である2030年から10年が経過した2040年
に時効は完成することになる。また、定期金を給付する期間が10年未満である場合、
たとえば2000年から2009年までの9年であるとすると、全然支払がなかったとして、
前段の時効は2020年に完成するが、後段の時効は、2019年に完成することになる。

　しかし、支分権としての定期金債権は5年(改正前§169)または10年(改正前§167)で
時効消滅するのであるから、この後段の規定は、前段の20年の経過を待たなくても
基本権が時効消滅する可能性があることを示してはいるが、実質的には意味のない注
意的な規定といえる。

〔4〕　定期金債権について定期に弁済がなされる場合にも、弁済の証拠である受領
証は債務者側にあり、債権者側にはないのが普通であるから、債務者が、じつは支払
ったにもかかわらず20年間1回も支払わなかったと称して本条1項の消滅時効を主
張するおそれがないわけではない。そこで、本項は、債権者に債務存在の承認書を求
める権利を与えて時効中断の手段を持ちうるようにしたのである。

> **（判決で確定した権利の消滅時効）**
> **第百六十九条**
> 　　1　確定判決又は確定判決と同一の効力を有するものによって確定した権利に
> 　　　ついては、十年より短い時効期間の定めがあるものであっても、その時効期
> 　　　間は、十年とする。
> 　　2　前項の規定は、確定の時に弁済期の到来していない債権については、適用
> 　　　しない。
> [改正前条文]　削除前169条は下記参照。
> 〈改正〉　2017年に改正された。
> [改正の趣旨]　削除前174条の2を修正のうえで、ここに移動した。実質的には改正ではな
> い。附則第十条4参照。

第百六十九条（旧）　改正に伴い削除
[削除前条文]
（定期給付債権の短期消滅時効）
第百六十九条
　　　年又はこれより短い時期によって定めた金銭その他の物の給付を目的とする債権[1]は、
　　　五年間行使しないときは、消滅する。
〈改正〉　2017年に改正により削除された。
[削除の趣旨]　定期給付債権（支分権等）の消滅時効期間は、削除前169条により5年とさ
れているが、原則的な債権の消滅時効期間を主観的起算点から5年とする改正がなされたの

§§ 168〔3〕〔4〕・169・169（旧）・170（旧）

で、多くの場合は各支払期の到来時に、債権者は「権利を行使することができることを知」ることになり、定期給付債権の特則を定める意義はなくなる。そこで、削除前 169 条は削除された。

［原条文］
年又ハ之ヨリ短キ時期ヲ以テ定メタル金銭其他ノ物ノ給付ヲ目的トスル債権ハ五年間之ヲ行ハサルニ因リテ消滅ス

［削除前条文の解説］

〔1〕 本条にいう債権は、168 条の基本権である定期金債権から毎期に生じる支分権としての債権であって、その毎期の間隔が 1 年以内のものである。毎年 12 月 20 日に支払うというような利息、毎月末に支払うべき家賃その他の賃料、（「使用人」の給料については削除前 § 174 ①がある。労働基準法その他の関係についても、削除前 § 174〔1〕参照）、毎年末に支払うべき年金などがその例である（最判平成 16・4・23 民集 58 巻 959 頁は、マンションの管理組合が組合員である区分所有権者に対して有する管理費および特別修繕費に係る債権について、削除前 § 167 Ⅰによるとした原審を破棄して、本条が適用されるとした）。これを「定期給付債権」と呼ぶ。

したがって、消費貸借上の返還請求権などには、たとえ弁済期が 1 年以下であっても本条の適用はない（大判大正 10・6・4 民録 27 輯 1062 頁）。また、割賦払い債権の各期の割賦金は、主として元本そのものの分割返済であるので、これに含まれない（大判昭和 10・2・21 新聞 3814 号 17 頁、大判昭和 11・4・2 新聞 3979 号 9 頁）。金銭債務の履行遅滞によるいわゆる「遅延利息」も、その性質は債務不履行による損害賠償であって、年またはこれより短い時期に支払うと定められた債権ではなく、本条の債権に含まれない（大判明治 42・11・6 民録 15 輯 851 頁）。

第百七十条　削除
［削除前条文］
（三年の短期消滅時効）
第百七十条
次に掲げる債権は、三年間行使しないときは、消滅する[1]。ただし、第二号に掲げる債権の時効は、同号の工事が終了した時から起算する[4]。
一　医師、助産師又は薬剤師の診療、助産又は調剤に関する債権[2]
二　工事の設計、施工又は監理を業とする者の工事に関する債権[3]

〈改正〉　2017 年の改正で削除。
［削除の趣旨］　改正前には原則的な消滅時効期間を 10 年としつつ（削除前 167 条 1 項）、同 170 条から 174 条において、1 ないし 3 年の短期消滅時効を定めていたが、これらの短期消滅時効に関する、同 170 条（見出しを含む）から 174 条までを削除した。なお、本節冒頭の解説および新 166 条を参照。
［原条文］
左ニ掲ケタル債権ハ三年間之ヲ行ハサルニ因リテ消滅ス
一　医師、産婆及ヒ薬剤師ノ治術、勤労及ヒ調剤ニ関スル債権
二　技師、棟梁及ヒ請負人ノ工事ニ関スル債権但此時効ハ其負担シタル工事終了ノ時ヨリ之ヲ起算ス

第1編　第7章　時効　第3節　消滅時効

［削除前条文の解説］

医師・技師などの一定の事業者の債権についての特則である。

〔1〕　起算点は具体的に決めるほかはないが、月末払い、または盆暮の支払の慣行があれば、その支払期から時効は進行する。なお、〔4〕参照。

〔2〕　診療は医師に、助産は助産師に、調剤は薬剤師に対応するわけであるが、そのように厳格に制限する必要はない。医師の薬代にも、もちろん本条の適用がある。

公立病院における診療に関する債権は、本質上私法関係というべきで、地方自治法236条1項(時効期間5年)ではなく、本条が適用されるとされた(最判平成17・11・20民集59巻2611頁)。

〔3〕　本号の債権は工事代金債権に限るのではない。工事に関して設計監督その他の行為をしてその報酬を請求しうる債権をも含む。したがって、その基本である契約関係が請負ではなく、雇用である場合でもよい(大判昭和3・6・2民集7巻413頁。なお、削除前§174〔1〕参照)。また、いわゆる棟梁が工事に関して支出した立替金返還請求権も含まれるとされた(大判大正15・6・4民集5巻451頁)。

〔4〕　この消滅時効の起算点は、弁済について特約がない場合に関する。弁済期についてこれと異なる慣習または約束があれば、時効はその時から進行すると解されている(大判昭和3・4・25民集7巻295頁)。

第百七十一条　削除

［削除前条文］

第百七十一条

　　弁護士又は弁護士法人は事件が終了した時から、公証人はその職務を執行した時から三年を経過したときは、その職務に関して受け取った書類について[1]、その責任を免れる。

〈改正〉　2017年の改正で削除。削除の趣旨については、前条の解説参照。

［原条文］

　　弁護士ハ事件終了ノ時ヨリ公証人及ヒ執達吏ハ其職務執行ノ時ヨリ三年ヲ経過シタルトキハ其職務ニ関シテ受取リタル書類ニ付キ其責ヲ免ル

〈改正〉　1947年の改正により、「及ヒ執達吏」が「及ヒ執行吏」に改められ、1966年の改正により、「公証人」のあとの「及ヒ執行吏」が削られ、2001年の改正により、「又ハ弁護士法人」が追加された。

［削除前条文の解説］

法律事務に従事する者の責任(この場合、債務と同義である)についての時効の特則である。

〔1〕　書類についての責任とは、職務に関して受け取った(多くの場合、預った)書類に関連して生じた損害賠償債務、その他の債務をいう。これらの債務に対する債権者の有する債権が、時効により消滅する。通常は、債権が時効により消滅するというが、このように、債務が時効により消滅すると表現することも可能である。書類の所有権が依頼人に属している場合には、もちろんその所有権に基づく返還請求権は消滅時効にかからない(削除前§167〔3〕参照)。

§§170（旧）〔1〕〜〔4〕・171（旧）・172（旧）・173（旧）

第百七十二条　削除

［削除前条文］

（二年の短期消滅時効）

第百七十二条

1　弁護士、弁護士法人又は公証人の職務に関する債権[1]は、その原因となった事件が終了した時[2]から二年間行使しないときは、消滅する。

2　前項の規定にかかわらず、同項の事件中の各事項が終了した時[2]から五年を経過したときは、同項の期間内であっても、その事項に関する債権は、消滅する[3]。

〈改正〉　2017年の改正で削除。削除の趣旨については、170条の解説参照。

［原条文］

弁護士、公証人及ヒ執達吏ノ職務ニ関スル債権ハ其原因タル事件終了ノ時ヨリ二年間之ヲ行ハサルニ因リテ消滅ス但其事件中ノ各事項終了ノ時ヨリ五年ヲ経過シタルトキハ右ノ期間内ト雖モ其事項ニ関スル債権ハ消滅ス

〈改正〉　1947年の改正により、「及ヒ執達吏」が「及ヒ執行吏」に改められ、1966年の改正により、「弁護士、公証人及ヒ執行吏」が「弁護士及ヒ公証人」に改められ、2001年の改正により、「弁護士法人」が追加された。

［削除前条文の解説］

法律事務に従事する者の債権についての特則である。

〔1〕　弁護士の職務に関する債権とは、弁護士法3条に規定されている訴訟事件その他「に関する行為その他一般の法律事務」に関する職務、およびその職務に従事して行われた行為に関する債権である。古くは裁判外で行う単純な債権の取立て、会社の定款作成、法律問題の鑑定などに関する債権は含まれないというのが判例の理論であったが（大判大正8・3・5民録25輯401頁）、今日では、これらの債権にも本条の適用があると解するべきであろう。

〔2〕　ここに定められた2種の起算点も、とくに弁済期に約定があるときは適用されない。それぞれの債権について、消滅時効はその弁済期から進行する（大判明治40・3・16民録13輯282頁）。

〔3〕　本条は第1項で2年、第2項で5年と長短2種の期間を定めているが、いずれについても単に「消滅する」と規定している。類似の126条、724条［改注］と表現が異なることに注意。本節では、すべて単に「消滅する」と規定しており、「時効によって」の文言はない。しかし、「時効によって」の文言がないからといって、本条の「5年」を除斥期間と解する必要はとくにない（§126〔5〕・改正前§724〔3〕参照）。

第百七十三条　削除

［削除前条文］

第百七十三条

次に掲げる債権は、二年間行使しないときは、消滅する。

一　生産者、卸売商人又は小売商人が売却した産物[2]又は商品の代価に係る債権[1]

二　自己の技能を用い、注文を受けて、物を製作し又は自己の仕事場で他人のために仕事をすることを業とする者の仕事に関する債権[3]

三　学芸又は技能の教育を行う者が生徒の教育、衣食又は寄宿の代価について有する債

第1編　第7章　時効　第3節　消滅時効

　　　権[4]

〈改正〉　2017年の改正で削除。削除の趣旨については、170条の解説参照。

［原条文］

　　左ニ掲ケタル債権ハ二年間之ヲ行ハサルニ因リテ消滅ス
　一　生産者、卸売商人及ヒ小売商人カ売却シタル産物及ヒ商品ノ代価
　二　居職人及ヒ製造人ノ仕事ニ関スル債権
　三　生徒及ヒ習業者ノ教育、衣食及ヒ止宿ノ代料ニ関スル校主、塾主、教師及ヒ師匠ノ
　　債権

［削除前条文の解説］

　日常頻繁に行われる取引関係についての特則である。いうまでもなく、原条文は100年以上も前の生活関係を頭において規定されていた。2004年改正は表現を「現代用語化」したが、現在の生活関係に適合させた解釈が必要である。全体的には限定的な解釈をしようとする傾向が強いといってよかろう。

　〔1〕　「商品の代価」とは、いわゆる売掛代金債権がその代表的なものである。ただし、買主が消費者である場合に限らず、商人である場合にも本条の適用があるとする判例(大判昭和7・6・21民集11巻1186頁)には、反対説が多い。商人間の売買は計算関係がはっきりしているから、とくに2年の短期時効によって消滅させる必要はないという理由で、本条はむしろ消費者に対して売買した場合に限り適用があると主張するのである。この見解によれば、商人への売却の場合には商法522条［削除］による5年間の商事時効が適用されることになる。なお、問屋の売却代金が本条の適用を受けないことについては争いがないが(大判大正8・11・20民録25輯2049頁)、卸売商人が、消費者でない転売を目的とする者に売却した商品の代金債権にも適用されるとした例もある(最判昭和36・5・30民集15巻1471頁)。

　なお、各種の旧公団(最判昭和35・7・15民集14巻1771頁、最判昭和37・5・10民集16巻1066頁)や協同組合(最判昭和37・7・6民集16巻1469頁、最判昭和42・3・10民集21巻295頁)について、本号の「生産者・卸売商人・小売商人」に当たらないとする判例がある。

　〔2〕　電気もここにいう「産物」に入る。したがって、電気料は2年の消滅時効にかかる(大判昭和12・6・29民集16巻1014頁、なお§85〔1〕(ア)(イ)参照)。

　〔3〕　本項における原条文の文言が、古めかしくて、現在の社会状況に適さなくなったので、表現が改められた。この短期消滅時効が認められた趣旨をよく理解して、新しい表現についても判断する必要がある。

　〔4〕　〔3〕と同様である。

　第百七十四条　削除

　［削除前条文］

　(一年の短期消滅時効)

　第百七十四条

　　次に掲げる債権は、一年間行使しないときは、消滅する。

§§173（旧）〔1〕〜〔4〕・174（旧）〔1〕〜〔3〕

一　月又はこれより短い時期によって定めた[2]使用人の給料に係る債権[1]
二　自己の労力の提供又は演芸を業とする者の報酬又はその供給した物の代価に係る債権[3]
三　運送賃に係る債権
四　旅館、料理店、飲食店、貸席又は娯楽場の宿泊料、飲食料、席料、入場料、消費物の代価又は立替金に係る債権[4]
五　動産の損料に係る債権[5]

〈改正〉　2017年の改正で削除。

[削除の趣旨]　新法では、各種の「短期消滅時効」の規定を全て廃止して原則的時効期間に一元化することとした。例えば、飲み屋等での「遊興費」は削除前174条4号では「飲食料」に該当し1年の短期消滅時効となるが、この規定が削除されると、「遊興費」についても原則的時効期間（客観的起算点から10年・主観的起算点から5年）となる（新166条）。

[原条文]

左ニ掲ケタル債権ハ一年間之ヲ行ハサルニ因リテ消滅ス
一　月又ハ之ヨリ短キ時期ヲ以テ定メタル雇人ノ給料
二　労力者及ヒ芸人ノ賃金並ニ其供給シタル物ノ代価
三　運送賃
四　旅店、料理店、貸席及ヒ娯遊場ノ宿泊料、飲食料、席料、木戸銭、消費物代価並ニ立替金
五　動産ノ損料

[削除前条文の解説]

改正前173条よりもさらに頻繁であり、また多くの場合に偶発的であり、したがって受領証などの保存がおろそかになりがちな取引について、とくに短い時効期間を規定する。本条についても、2004年改正によって「現代用語化」された。

〔1〕　ここに「使用人」とは、広く雇用契約を結んだすべての労務者（現民法では、労働者）を包含するものと解するべきではなく、使用者との間に従属的関係が存在し、継続して使用される者だけを指すと解されている。したがって、出入りの大工が建築を監督するために雇われた場合の報酬債権は、本条ではなく、むしろ削除前170条の3年の時効にかかるとされる（§170参照。大判昭和3・6・2民集7巻413頁）。

なお、労働基準法の適用を受ける災害補償その他の請求権は2年間、賃金、退職手当の請求権は5年間、ただし賃金請求権については当分の間3年間（労基§115［改注]）。船員の船舶所有者に対する債権は2年間、退職手当の請求権は5年間（船員§117なお、2017年改正附則3条に注意）の時効にかかる。このように、労働者の賃金債権について本条の1年の時効が2年に延長されていることは、債務者である使用者が債権者である労働者より優位に立っていて、債権を訴訟によって実行することが困難なことを考慮したものである。なお、雇用関係上の債権について先取特権が認められていることについて、308条参照。

〔2〕　月給・週給または日給制の定めのことである（ただし、〔1〕参照）。2か月以上、1年以内をもって定めた場合には、削除前169条の適用をうける。

〔3〕　削除前173条〔3〕参照。

第1編　第7章　時効　第3節　消滅時効

〔4〕　削除前173条〔3〕参照。なお、立替金は、旅館その他本号所掲の者の行う立替金に限る。遊興費を友人が立て替えたような場合に、本条の適用がないのはもちろんである（大判昭和8・9・29民集12巻2401頁）。

〔5〕　貸本・貸ふとん・貸衣装、レンタカーというような日常生活においてきわめて短期間を限って、軽易に行われるものを指す。このことは本号に「損料」という文字を用い、賃金や借賃（§§601〜の原条文参照）といわなかったことや、本条の立法趣旨から見て明らかである。判例も、金庫その他の動産の賃貸借上の借賃について、このことを明言して、本条に該当しないとする（大判昭和10・7・11民集14巻1421頁）。建設機械の数か月にわたる賃貸借（最判昭和46・11・19民集25巻1331頁）や長期のリース契約などにも適用がないことは、いうまでもないであろう。

第百七十四条の二　削除

[削除前条文]

（判決で確定した権利の消滅時効）

第百七十四条の二

1　確定判決[1]によって確定した権利[4]については、十年より短い時効期間の定めがあるものであっても、その時効期間は、十年とする[3]。裁判上の和解、調停その他確定判決と同一の効力を有するもの[2]によって確定した権利[4]についても、同様とする。

2　前項の規定は、確定の時に弁済期の到来していない債権[5]については、適用しない。

〈改正〉　2017年の改正で削除。

[削除の趣旨]　内容的には、新169条に移行する。実質的な改正ではない。附則第十条4参照。

〈改正〉　1938年の改正により、つぎの条文が追加された。

[2004年改正前条文]

確定判決ニ依リテ確定シタル権利ハ十年ヨリ短キ時効期間ノ定アルモノト雖モ其時効期間ハ之ヲ十年トス裁判上ノ和解、調停其他確定判決ト同一ノ効力ヲ有スルモノニ依リテ確定シタル権利ニ付キ亦同シ

前項ノ規定ハ確定ノ当時未タ弁済期ノ到来セサル債権ニハ之ヲ適用セス

[削除前条文の解説]

短期消滅時効にかかるべき権利も、確定判決そのほかによって確定すれば、時効は中断されるが、それ以後その債権は10年の時効にかかるものとする。

〔1〕　判決の確定については、民訴法116条を、確定判決によって権利の確定することについては、同法114条・115条を参照。

〔2〕　確定判決と同一の効力を有するものには、和解または請求の放棄もしくは認諾の調書への記載（民訴§§267・275Ⅴ）、支払督促の確定（§150注釈参照。民訴§396。最判昭和53・1・23民集32巻1頁は、かつての支払命令の例である）、各種の調停における調停調書の記載（民調§16、家事§268など）、仲裁判断の確定（仲裁§45Ⅰ）、破産の場合の債権表への記載（旧破§242〔現在の破§§124・221参照〕。最判昭和44・9・2民集23巻1641頁）などがある。破産手続中に破産者である主債務者の保証人が債権全額を弁済して、求償権を取得し、代位により債権者の地位を承継した旨の「届出名義の変更の申出」

§§174（旧）〔4〕〔5〕・174の2（旧）

をしても、本条には該当しないとされた（最判平成7・3・23民集49巻984頁、最判平成9・9・9判時1620号63頁）。

〔3〕 10年より短い時効期間の定めがあるものとは、削除前169条から削除前174条までに規定されるもののほか、削除前167条〔2〕にあげたものが主要な例である。これらの債権につき裁判上の請求があれば、時効は中断されるが（§§147・削除前149）、裁判が確定すると、その時から改めて時効が進行をはじめる（削除前§157Ⅱ）。そして、この新しい時効については、従来は民法に特別の規定がなかった。そのため、判決によって確定しても、依然として、それが本来5年の時効にかかる債権であれば5年、2年の時効にかかる債権であれば2年の消滅時効にかかるものと解するほかはなかった。しかし、確定判決があれば、とくに上記の諸債権につき短期の消滅時効を定める理由の大半は消滅する。そこで、1938年（昭和13年）の改正によって本条を追加し、これらの債権も、それが確定判決、または裁判上の和解、調停など、確定判決と同一の効力を有するものによって確定すれば、一律に10年の消滅時効にかかるものとしたのである。

なお、この新しい10年が経過しようとしているときは、前の確定判決が存在していても、新しい時効の中断のために給付の訴えを起こす訴えの利益がある（大判昭和6・11・24民集10巻1096頁。もっとも、5年も経過していないときに、訴えの利益はないとされた例もある。最判平成11・11・9民集53巻1403頁）。

〔4〕 たとえば、ある売掛代金債権（削除前§173）につき給付判決が確定したり、裁判上の和解が成立した場合において、その代金債権そのものがここにいう債権に当たることは疑いない。すなわち、その債権の消滅時効期間は10年に延長されるが、この債権を主たる債務とする保証人の保証債務についても同じく延長されると解される（最判昭和43・10・17判時540号34頁、最判昭和46・7・23判時641号62頁）。これに対して、債権者が連帯保証人を訴えて勝訴判決が確定した場合に、主たる債務者に対する関係においても、債権の消滅時効が10年に延長されるかについて、判例はこれを否定する（大判昭和20・9・10民集24巻82頁）。

〔5〕 たとえば、期限付債権につき期限前に債権の存在を確認する判決が確定したような場合である。

第2編

物　権

第2編 物 権

第2編 物 権 ［解説］

〈改正〉 2017年の改正で、総則の時効規定等の改正に伴う用語の変更があり、担保物権法の領域においても、債権法規定の改正等に対応する改正がなされた。2021年に第3章の改正がなされた。なお、改正が明らかである場合には、原則として、解説文中の条文の前に「新」を入れていない。

① 本編の内容

本編は、「総則」「占有権」「所有権」「地上権」「永小作権」「地役権」「留置権」「先取特権」「質権」「抵当権」の10章を収める。

第1章の総則は、後の9種の物権（「入会権」を含めると、10種である）に通じる通則を規定する。

第2章の占有権は、人が物を事実上支配している場合に、いちおうこれを保護して社会の物権的秩序を維持することを目的とするものである。

第3章の所有権［改注］は、物に対する全面的・包括的支配権について規定する。

第4章地上権以下の権利は、みな所有権を一時的かつ一面的に圧縮するものであり、「制限物権」（所有権と比べて制限された物権という意味である。所有権を制限する物権でもある）と呼ばれ、また、「他物権」（他者の所有する物の上の物権）とも呼ばれる。いいかえれば、物の支配関係、すなわち物権関係は、すべての物に対してまず特定の人の所有権を認め、他のすべての物権はこの所有権を一時的・一面的に制限する関係において成立するものとして構成される。このような所有権中心の物権関係は、じつに近代法の特色なのである。

制限物権のうち、第4章の地上権、第5章の永小作権および第6章の地役権は、いずれも他人の土地を一定の目的のために利用することを目的とする物権であって、「用益物権」と呼ばれる。このほかになお、民法が独立の章としては挙げなかったものに「入会権」がある。民法はこれを共有または地役権の変形にすぎないものと考えているようであるが、近時の学者は、これを独立の用益物権の一種とする（§263の前注参照）。

残りの四者、すなわち第7章の留置権、第8章の先取特権、第9章の質権および第10章の抵当権は、いずれも目的物を債権の担保に利用することを内容とする物権であって、「担保物権」と呼ばれる。そのうち前二者は、当事者の合意によらずに生じるもので、「法定担保物権」と呼ばれ、法律が一定の債権を保護しようとして認めるものである。後の二者は、当事者の合意によって生じるものであり、「約定担保物権」と呼ばれ、もっぱら金融取引の担保としての作用を営むものである。この担保物権については、とくに重要と考えられるので、④においてさらに詳説する。

このような民法の規定する担保物権のほかに、実際には、担保として所有権を移転する方式が利用され、これに関する判例法が発達している。いわゆる「譲渡担保」が

第2編 ［解説］ ①②

その代表的なものであり、今日では一種の独立した担保制度となっている（第10章の
後注参照）。
　以上述べたことを、理解の便のために整理して示すと、つぎのようになる。
　　◎本権としての物権（占有権以外の物権を「本権」と呼ぶ。§202参照）
　　　○所有権（代表的な物権、完全円満な物権である）（§§206〜）
　　　○制限物権（制限された物権。「他物権」ともいう）
　　　　用益物権（使用・収益という側面においてのみ不動産を支配する物権）
　　　　　●地上権（§§265〜）
　　　　　●永小作権（§§270〜）
　　　　　●地役権（§§280〜［改注］）
　　　　　●入会権（§§263・294）
　　　　担保物権（債権担保という側面においてのみ物を支配する物権）
　　　　　◇法定担保物権
　　　　　　●留置権（§§295〜）
　　　　　　●先取特権（§§303〜［316条の改正に注意]）
　　　　　◇約定担保物権
　　　　　　●質権（§§342〜権利質の改正に注意）
　　　　　　●抵当権（§§369〜根抵当の改正に注意）
　　◎占有権（現実の支配をいちおうそのものとして保護される物権）（§§180〜）

② 物権の歴史

　民法の物権編の規定は、これを歴史的に見れば、土地に対するもろもろの封建的な
拘束をしだいに清算してきた明治初年以来の改革に仕上げを施したものとみることが
できよう。
　(1)　すなわち、土地所有に関しては、1643年（寛永20年）以来、田畑永代売買の禁
令が出されていたのであるが、1872年（明治5年）には太政官布告でこの禁令が解かれ、
同じ年に｜地券制度｜が定められ、土地所有者に地券を交付し、その書換えによって
土地の所有権を移転できることとした。地券制度は、その後、1886年（明治19年）に
は旧登記法による「登記制度」に切りかえられた。このように、土地所有に関する制
度はしだいに近代的なものになったが、なお、この時代の土地所有権は「総括的支配
権」と呼ぶことはできても、現行制度上の土地所有権のように、土地の上の円満な全
面的支配権として、これを制限する他の一切の権利とは性質を異にする絶対的な支配
権というような性質を有するものではなかった。したがって、その上に永久の利用権
が成立しても、その本質に反しないものであったと思われる。1898年（明治31年）の
現行民法の制定によって、それまでの土地所有権は一律に上に述べたような近代的な
所有権と認められ、その反面、土地の上に永久に使用・収益する権能を持っていた者
の地位はおとされて、民法上の用益物権の一種、さらには単なる債権とされるに至っ
た（後述(2)参照）。また、土地の共同所有についても、従来は、入会権について明らか
に看取できるように、総有（独立の団体としての所有）ないし合手的共有（互いに手をつなぎ

第2編　物　権

合っての所有)の関係が存在していたと思われるのであるが(§263の前注参照)、民法は
これをことごとく共有とみて、総有、合有などの概念を認めなかった(第3章第3節解
説②参照)。

　このような近代的所有権制度の確立は、資本主義経済の発達の初期において必要な
措置であったが、その後、しだいに公共的立場からする所有権制限の立法と理論とが
展開されつつあることを注意すべきであろう。

　(2)　つぎに、土地の用益関係についてみれば、従前は開墾から生ずるいわゆる「上
土権」や、水利その他に関する慣習上の物権が存在したことは疑問の余地がないが、
民法は上述の3種の用益物権の型を定め、これらの特殊な諸関係をもすべてその型の
中におし込め、型からはみ出る部分を切りすて、型に入らないものを認めないという
処置をとった(「物権法定主義」。§175〔4〕・〔5〕参照)。たとえば、耕作を目的とする永小
作権の存続期間は一律にこれを50年とし、従前は相当多数存在したと思われる永久
の耕作権についても例外を認めず、民法施行の時から50年で消滅すべきものとした
(民施§47Ⅲ。ただし、これに対して、1900年〔明治33年〕に同条に3項が加えられて、調整
がはかられた)。建物や樹木などの所有を目的とする地上権については、永小作権ほど
ではないが、やや類似の措置がとられた(民施§44Ⅰ)。また、入会権については、そ
の内容をまったく慣習に依存させたまま、共有または地役権類似の関係としてこれを
認めているにすぎない(§263前注参照)。

　以上のような用益権の整理は、自由な所有権の確立のためにやむをえないところで
あったが、その後の資本主義経済の発達に伴う所有権の機能の強大化は、かえって用
益権者保護のための多くの立法を必要なものとしていることも注意するべきである。

　(3)　最後に、担保物権についてみれば、徳川時代以来、目的物の占有を債権者に移
す質権(質)と、目的物の占有を債権者に移さない抵当権(書入)との両制度が行われて
いた。また、担保の目的で所有権を移転する制度(本銭返・本物返・本銀返・年季売など
という)もあり、いずれも動産・不動産の両方について認められていた。民法は、こ
れを質権と抵当権に整理し、所有権移転の形式によるものとしては「買戻し」を認め
るにとどまった(§§579〔改注〕～)。

　民法のこの態度は、当時の金融制度の発達の状況からみてだいたい妥当な措置であ
ったが、さらに、その後の近代的金融制度の需要に応ずるためには、なお立法(各種
の財団抵当法などに始まり、戦後の根抵当についての民法改正に至る)および判例法(譲渡担保
や民法改正までの根抵当など)による補充修正を必要としたのである。

③　物権の本質と効力

　民法は、物権の意義ないし本質についても、また、その共通の効力についても、な
んらの規定を設けていないが、学者は、一般に物権の本質および共通の効力として、
つぎのように説く。

　(1)　物権の本質

　物権は、一定の物を直接に支配して利益を受ける排他的権利である。

　(ア)　物権は、客体である物を、直接に支配することを内容とする。物権者は、その

権利の内容を実現するためには、直接、その物についてその権限を実行すればよいのであって、なんら他人の行為の介在を必要としない。この点、債権が債務者の行為（給付）を内容とし、債権者がその権利内容を実現するためには、必ず債務者の行為を必要するのと対照をなしている。たとえば、所有権者は直接に所有物を使用・収益・処分することができるが、売買契約に基づいて債権を有するにすぎない買主は、売主に対して、目的物の所有権を移転するよう請求できるにすぎないのである。

もっとも、物権者、たとえば所有者がみずからその所有物を使用・収益できない関係が成立することがある。それは、

　　(a)　所有権の客体である土地を他人が地上権などの制限物権に基づいて用益する場合、

　　(b)　他人が賃借権などの債権に基づいて用益する場合、

　　(c)　なんの権限もない他人が占有している場合、

などである。しかし、このうちの(a)の場合にも、所有権そのものが一時的にその用益権能を制限されるのであり、その制限がなくなれば、所有権はまた円満な状態に復帰する（この性質を「所有権の弾力性」という）。また、その制限は一面的であって、所有者は一般的に処分権を失いはしないのである。(b)の場合は、所有者は所有権に基づいてそれを賃借人に用益させるという行為（給付）をしているのであって、賃借人はその行為を介して目的物を用益するのである。その意味で、賃借人は債権を有するにすぎず、所有者は直接の支配権を失ってはいないのである。(c)の場合には、所有者は現実の支配権を失っているが、所有者は所有権の本来の内容を実現できない状態に陥ったものとして、その本来の状態を回復するために、妨害の排除を請求する権利を生じるのである（後述(2)(イ)参照）。この場合に所有者はみずからの実力でその占有を回復すること（これを「自力救済」という）は許されないが、それは、決してその状態を是認するものではなく、社会生活における「在る状態」（現在存在する状態。「在るべき状態」と区別する）を保護するという占有制度の反射的効果にすぎない（§197前注参照）。

なお、物権者、たとえば所有者が、その目的物の上に他人のために地上権、永小作権などを設定したときは、地代・小作料を徴収する権利を取得する。この権能は、経済的には疑いもなく所有権の作用であるが、法律的には、所有権の内容ではなく、設定契約から生ずる債権であると解されている。

(イ)　物権は、排他的な権利である。すなわち、同一の目的物の上に、1個の物権が成立するときは、これと同一内容の物権が併存することを許さない（「一物一権主義」ともいう）。共有もこの原則に反するものではなく（第3章第3節解説④参照）、また、同一不動産の上に数個の抵当権が成立することができるが、その成立の前のものが後のものを排斥して先順位になるのであるから、このことは、かえって抵当権が排他性を有することを示すのである。

物権のこの排他性は、物権と債権との間の顕著な差異のひとつである。すなわち、債権にあっては、同一内容の債権がいくつでも成立することがありうる。たとえば、一人のタレントに対し、同一日時に数人の興業者が自分の劇場に出演させるという債権を取得することも可能であり、ただ、一人の債権者に対してのみ履行が可能であり、

第2編　物　権

それ以外の債権者に対しては履行不能が生ずる。

　物権の排他性に関連して最も注意すべきは、それが第三者に物権の存在を認識させる表象（登記または占有）を備えてはじめて完全なものとされることである。いわゆる「物権法における公示の原則」であるが、これについては第1章解説②〜⑤参照。

　(ウ)　物権は、物の上の権利である。物とは、民法上は有体物をいうものとされているから（§85）、物権は有体物の上にだけ成立する。

　なお、物権が成立するためには、目的物が現存し、特定し、かつ独立性を有することを必要とする。この点も物権と債権との異なるところである。たとえば、現存しない将来の物（たとえば、一定のデザインで調製されるべき洋服）、特定しないで単に種類や数量で指定される物（たとえば、一定の品質の酒5リットル）、他の物の一部として存在し、独立性を有しない物（たとえば、石垣の中の石、建物のひさし）も、これを債権の目的とすることはできる。いいかえれば、これを調製させ、これを特定させ、これを取りはずして独立の物として引き渡させることを債権の内容とすることができる。これに反して、これらのものが現存し、特定し、かつ独立の物とならないうちは、その上に物権の成立を認めることはできない。

　なお、物の独立性の要件に関連しては、土地とその表象である登記との関係で問題が多い。土地は、かつての土地台帳、従来の土地登記簿の表題部によって独立性が決まるとされてきた（§86〔1〕(イ)参照）。したがって、分筆しないで1筆の土地の一部を譲渡しても物権の移転を生じないというのが、かつての判例であった（大判大正3・12・11民録20輯1085頁）。しかも、判例はこの理論からさらに推論して、1筆の土地の一部分については所有権の取得時効も成立しないと判示していた（大判大正11・10・10民集1巻575頁）。しかし、時効取得の根拠は物の独立性と関係なく成立する占有（後述エ参照）にあるのであるから、この判例は不当であり、学者の反対を受けた。そこで、間もなくその説を改めて、土地の一部分についての時効取得を肯定し（大連判大正13・10・7民集3巻509頁）、同時に、分筆しない土地の一部分の譲渡――もちろん分筆しなければ移転登記はできないから、第三者に対する対抗力は生じないが――について、当事者間における所有権の移転の効力を認めた（大連判大正13・10・7民集3巻476頁）。前者については学者はもちろん賛成しているが、後者については反対する意見もある。なお、建物・立木については、86条〔3〕参照。

　(エ)　以上のような物権に共通する性質に対して、占有権だけは例外をなしている。占有権は、物の支配の外形をいちおう保護して、物権的秩序の維持を目的とするものであるから、物を直接に支配するという点では他の物権と共通であるが、排他性を有し、かつ独立の物の上にだけ成立するという性質は、占有権には存在しない。すなわち、占有権は同一の物の上に同時にいくつも成立することが可能であり、また、1個の物の一部、たとえば建物のなかの一室だけ、土地の一部分だけについても、占有権は成立する。

　(2)　物権に共通の効力

　優先的効力と物権的請求権とが挙げられる。

　(ア)　優先的効力とは、普通、つぎの二つの効力を指す。

第 2 編［解説］③

(a) 物権相互間の優先的効力

内容が互いに衝突する物権相互の間では、物権成立の時の順序に従って、前のものが後のものに優先する。もっとも、この効力は、つまりは物権の排他性の効果であるから、表象（権利の外形のことをいう。すなわち、登記または占有をいう）を備えなければ、完全な排他性は認められない。したがって、いずれの物権に優先的効力が認められるかは、表象を備えた時の前後によって定まる（§373 参照）。

(b) 債権に対する優先的効力

特定の物が債権の目的となっている場合に、その物の上に物権が成立すると、物権が債権に優先する。たとえば、A 所有の土地に対して B がこれを引き渡させる債権を有している場合、C がその所有権を取得すると、C の所有権は B の債権に優先する。もっとも、B の土地引渡請求権について仮登記がなされると、それには一種の排他的効力（順位保全的効力）が与えられるので、物権に対して優先的効力を持つ結果となることを注意すべきである。（§177⑸参照）。

なお、以上のことに関連して、つぎの観点からする物権の優先的効力が注目される。すなわち、債権者は一定の要件のもとに債務者の一般財産に対して執行をし、その債権の満足を得ることができる。破産または強制執行がこれである。しかし、このように債権が最も強大な力を発揮するときにおいても、物権はなおこれに優先する。すなわち、債務者の財産の中の特定の物の上に質権または抵当権などの担保物権を有する者は、破産または強制執行にかかわらず、優先弁済権を有し（破§§2Ⅸ・65〜、民執§87、参照。また、会社更生手続における有利な扱いについて、会更§2 X、第 5 章参照。なお、国税徴収法などにより税債権などが優先するとされるのは、これらに先取特権が認められていると解されるのである。税徴§8 参照）、また、所有権を有する者は、破産財団に対し取戻権を有し（破§§62〜参照。会社更生手続においても同様である。会更§64）、強制執行や競売に対して、いわゆる「第三者異議の訴え」を提起する権利を有する（民執§38、民保§46）。

(イ) 物権的請求権

物権の内容の完全な実現がなんらかの事情で妨げられている場合には、物権者は、その妨害を生じさせている地位にある者に対して、その妨害を除去して物権内容の完全な実現を可能とする行為を請求することができる。たとえば、動産の所有者は盗人に対してその返還を請求し、土地の所有者は隣地から倒れてきた樹木の除去を請求することができる。物権のこのような効力を、「物権的請求権」または「物上請求権」という。民法は、占有についてこれを規定しているが（§§198〜200）、その他の物権、ことに所有権についてはなんの規定も設けていない。しかし、学説・判例は、所有権についてもこれを認め（第 3 章解説②参照）、その他の物権についても、それぞれの特質に応じてこれに対応する請求権を認めるべきだとしている。

その根拠は、つぎのように説かれる。そもそも、物権は目的物を直接に支配することを内容とするものであるから、その内容の実現がなんびとかの支配内に存する事情によって妨げられている場合には、物権はその作用としてその侵害の排除を請求することができるとするのが、まさに法律が物権を認めた趣旨に適合すると考えられる。

359

第2編　物　権

条文上の根拠を考えれば、民法が一時的な支配権である占有権についてさえこれを認め、また、占有の訴えのほかに本権の訴えなるものを認めている（§202参照）のは、本権すなわち占有権以外の、占有権より強力な物権に基づく請求権を当然に予定するものであろう、と考えられる。

④　用益物権の概観

①で述べたように、物権編は、8種類の「制限物権」について規定している。その制限物権は、「用益物権」と「担保物権」の二者に分けられる。第4章から第6章までは、4種類の用益物権、すなわち地上権、永小作権、地役権、入会権について規定する。

この四者は、いずれも土地を対象とし、用益という制限された目的・内容を有する物権である。入会権を除く前の三者の内容は民法によって厳格に定められており（物権法定主義）、その内容によってそれぞれの概念も定義される。注意すべきは、それぞれのものと同じ内容の用益関係が、賃貸借、使用貸借などの債権契約（土地所有者と用益者の間の）によっても創設できることである。用益物権と債権的用益関係の比較については主に契約法で述べる。入会権は、山林原野などを対象とする慣行に基づく特別の用益物権である。民法も独立の章は置かず、簡略な規定を置くのみで（§§263・294）、ほとんどを慣習に委ねている。

⑤　担保物権の概観

これに対して、第7章から第10章までは、民法上の4種類の担保物権、すなわち留置権、先取特権、質権、抵当権について規定する。担保物権については、以下に、もう少し詳しく解説する。

（1）　4種の担保物権のうち、留置権と先取特権は、法律の規定に基づいて成立するもので、「法定担保物権」と呼ばれ、質権と抵当権は、当事者間の契約によって設定されるもので、「約定担保物権」と呼ばれる。

また、留置権と質権は、担保権者が目的物の占有を取得することを成立要件としており、「占有担保」と呼ばれる。これに対して、先取特権と抵当権は、占有を取得することを要しないものであり、「非占有担保」と呼ばれる。

以上の組み合わせによって、留置権は法定の占有担保、先取特権は法定の非占有担保、質権は約定の占有担保、抵当権は約定の非占有担保という、それぞれの特徴が明らかになる。

（2）　債権担保について

ここで、「担保」の意味について一言しておこう。旧民法（1890年。いわゆるボアソナード民法）では、「債権担保編」が設けられて、担保の問題が包括的にとらえられていたが、民法典では、パンデクテン式の編別であるために、担保に関する規定が離れ離れになっていて、担保という問題についての統一的理解がおろそかになっている（民法総説5参照）。そこで、最少限つぎのことを説明しておく必要がある。

担保は、より正確には「債権担保」あるいは「債権の担保」というのが適切である

第2編［解説］④⑤

（ほかに、たとえば「担保責任」などのように、まったく違う意味で用いられている用語がある。改正前§561 など参照）。

債権担保とは、債権に認められる一般的効力（第3編第1章第2節解説②(2)参照）だけでは債権者が満足しない場合に、その債権の実現をより確実にするために認められる特別の効力をいう。

そのための手段としては、まず、第1に、債務者の一般財産だけではなく、保証人の財産をも債権実現の引当てにする「人的担保」がある。これについて、民法では、第3編において規定している（§§446〜［改注］）。

第2に、一定の財産に対して特別の優先的効力を保持することによる「物的担保」がある。これにあたるものとして、民法は、本編において上記の4種の担保物権を認めた。ほかに、民法が規定していない方法であるが、担保目的物の権利そのものを債権者に移転する「譲渡担保」などの手段も有効性が認められて、実際に用いられている。本書においては、これらについても、本編第10章の後注として、説明することとした。

なお、物的担保を有する債権者を「担保債権者」あるいは「特別債権者」といい、これを有しない債権者を「無担保債権者」、あるいは、債権の一般的効力にのみ依存する債権者という意味において、「一般債権者」という。

(3) 担保物権に関する 2003 年改正について

1971 年の改正によって、根抵当に関する規定が新設されたことについては、第10章第4節の解説で述べるが、その後に、根抵当の条文に、398 条の3第2項の語句修正（1999 年、和議法が廃止され、民事再生法が制定されたことに伴うもの）と 398 条の 10 第2項の新設（2000 年の商法改正により「会社の分割」が認められたことに伴うもの）が行われた。いずれも大きな改正ではない。

これに対して、2003 年8月1日に公布され、2004 年4月1日に施行された「担保物権及び民事執行制度の改善のための民法等の一部を改正する法律」（平成 15 年8月1日法律 134 号。第1条が民法の改正を、第3条が民事執行法の改正を定める。いくつかの改正点について、附則で経過規定が置かれている。この改正を 2003 年改正と呼ぶことにする）により行われた担保物権に関するつぎの変更は重要である（以下に挙げるほか、形式的な改正が§359 についてなされた）。このなかでも、とくに抵当権に関する(c)〜(h)は、制度の基本に関わる重要な変更を含んでいる（第10章解説④、同章第2節解説③(2)(ア)参照）。

(a) 「雇人の給料」の先取特権の「雇用関係」の先取特権への変更（§306 ②および§308 の改正）

(b) 債権質権の効力発生要件に関する変更（§363 の改正——2017 年改正で削除）

(c) 抵当権が目的不動産の果実に及ぶ場合に関する変更（§371 の改正）

(d) 滌除制度の廃止とこれに代わる抵当権消滅請求制度の新設およびそれに伴う変更（§§379〜380 の改正、§381 の削除、§§382〜387、577 の改正。§387 については、(5)参照）

(e) 登記された賃貸借の抵当権者の同意による対抗力の具備（§387 による新規定）

(f) 抵当権設定後に築造された建物の一括競売権に関する変更（§389 の改正）

(g) 短期賃貸借の保護の廃止とそれに代わる建物賃貸借についての明渡し猶予の規

361

第2編　第1章　総則

定（§395 の改正）

(h)　根抵当に関する変更。根抵当権者の確定請求権の新設（§398 の 19 の改正）および元本確定事由についての変更（§398 の 20。1 項 1 号の確定事由の削除）　これに関連して、不動産登記法の改正も行われた（同法の当時の§119 の 9。その後の全面改正で同法§93 となった）。

　この法律によって、同時に民事執行法の大規模な改正、その他の諸法の改正が行われた。とりわけ、担保物権の実行手続に関連して、民事執行法につき、不動産競売・不動産担保権の実行について（同法§§27・50・55 の 2・68 の 2・77・83 の 2・187 など）、担保不動産収益執行手続の新設について（同法§§180・188）、動産執行・債権執行・動産担保権執行実行について（同法§§121・151 の 2・152・190・192 など）、不動産明渡し執行について（同法§§25 の 2・27 など）など、執行手続の合理化、能率化を図る改正が行われたことが重要である。

　本書では、民法以外の改正については、担保物権に直接関連する事項についてのみ言及するにとどめる。

第1章　総　　則

① 本章の内容

本章は、物権編全部についての通則を掲げている。すなわち、物権の種類は法律で定めるという「物権法定主義」(§175)、物権変動の通則(§§176〜178)および混同による物権の消滅(§179)を規定する。このうち、物権変動の通則は、事項として最も重要であり、また、立法例も分かれるところであり、各条の注釈で尽くせないところがあるから、ここで、外国の立法例と対比しながら、その概略の仕組みを述べておこう。

② 物権変動を生じさせる法律行為

近世法においては、封建法におけるさまざまな制約が取り払われて、財産関係の変動は、原則として人(＝法的人格、すなわち自然人と法人)の意思によることに、すなわち法律行為(第1編第5章解説参照)によることになった。

そこで、たとえば、Aがある土地を所有するとすると、Aは自分の意思によって、だれにも拘束されずにその土地所有権を他人に譲渡することができる。AはBをその相手方に選んでこれを売ることにし、Bとの間に売買契約を結んだとする。こうして、財産関係の変動を生じさせるものとして、まず、契約が成立するのであるが、この契約を、効果としては債権を発生させるという意味において「債権契約」とよび、その契約の要素をなしている意思表示ないし法律行為を「債権行為」と呼ぶ。さて、その契約に基づいてAからBへの所有権の移転という変化がどのように生じると考えたらよいのであろうか。債権という人と人との間の相対的関係が、所有権の移転という人の物に対する絶対的な支配の移転という効果へと転換する関係を、どのように理論的に構成したらよいであろうか。

この点について、「意思主義」と「形式主義」という両様の立場が分かれると考えられる。意思主義は、当事者の意思のみによって物権変動が生じ、それ以外の要件は必要ないとするもので、近世法の特色を強調するフランス民法の立場である。他方、形式主義は、物権変動を生じるためには、なんらかの形式(たとえば、不動産についての登記)と結びついた法律行為(登記所における一定の行為)を必要とするもので、それにより、物権変動の発生が明確になることを意図し、その後発達してきた取引の安全を強調するドイツ民法の立場である。この場合に、この物権変動を生じる行為のことを、債権行為とは区別して、「物権行為」と呼ぶ。ドイツ民法は、さらに、この物権行為の効力は、その元となっている債権行為(上例の売買契約)の欠陥(詐欺・強迫・錯誤など)や消長(解除など)によって影響を受けないとする「物権行為の無因性」という理論を採って、特に土地取引の安全を図っている。

わが民法は、176条の明文で「当事者の意思表示のみによって」と規定するので、フランス民法にならい、意思主義の立場を採っていることに疑問はない。ただ、学説としては、同条のいう「意思表示」は、債権契約と区別された別個の物権行為として

第2編　第1章　総則

の意思表示であるとして、「物権行為の独自性」を主張する見解もある（これらのことにつき、詳細は、§176〔4〕参照）。

つぎに、物権変動は、外部から認識できるなんらかの外形（「公示方法」という）を備えなければならないという要請が問題となる。このことは、意思主義の立場からしても、形式主義の立場からしても、同様に問題になることであるが、この問題に対する対処の仕方においては、おのずから違いを生じてくる。

③　公示の原則と公信の原則

物権は排他性を持つ権利であるから、所有権がAからBに移ったこと、Aの不動産の上にCが抵当権を有すること、Dの動産の上にEが質権を有することなどは、第三者からはっきり分かるようにしておかないと、第三者に思わぬ損害を与えるおそれがある。取引が盛んになればますますその心配が大きいので、近世法は、物権変動について第三者から分かるような外形的なもの、すなわち表象を備えることを要求するようになった。これがすなわち「公示の原則」Publizitätsprinzip, Prinzip der Offenkundigkeitである。この原則の実際上の意味を具体的にいえば、「公示の原則」によって、外部から認識できる外形が存しないところに、物権または物権変動が存在するという主張を受けるおそれはないという保障が与えられるということになる。

この公示の原則の延長上に、つぎのことが問題となる。すなわち、公示の原則が働いているところでは、上述のように、権利の外形がないところに、物権または物権変動があるという主張を受けることはないという保障はあるが、それだけでは、それ以上に、権利の外形があれば、それに相当する物権または物権変動が必ず存在するという積極的な保障はない。すなわち、権利の外形を調べさえすれば、安心してその物を対象とする取引関係に入ってもよいという保障は、公示の原則だけによっては、与えられないのである。そこで、権利の外形を善意・無過失により信じた者がその権利を取引によって取得した場合には、その権利の外形通りの権利をその者に取得させるという保障を与えることが、取引の安全のために必要になるのである。これを認めることを「公信の原則」Prinzip des öffentlichen Glaubensという。

以上の、公示の原則と公信の原則は、不動産と動産とでは、まったく現れ方を異にするので、以下のように分けて考察することが必要である。

④　不動産物権の場合

㈦　中世の社会では、不動産に対する支配権は、同時に多くは身分関係を通じて、物の上の事実上の支配を伴っていたから、事実上の支配が逆にその所有関係を表現・公示するものとされていた。しかし、近世の社会では、不動産は契約を通して他人に利用させる場合が多くなったから、事実上の支配が所有関係を公示するとはいえなくなった。他方、貨幣経済の普及、信用制度の進展は、抵当権制度の発達をうながした。抵当権は目的物の上になんら事実的支配を及ぼすものでなく、また、そこに抵当権の特質があるので、その権利関係も事実的支配によって公示することはできない。そこで、これらの権利関係の公示方法として考察され、発達したのが、じつに登記制度で

第1章〔解説〕③④

ある。これは、18世紀末からドイツ諸邦に行われたのを起源としてしだいに発達し、ドイツ民法・スイス民法において最高水準に達したものである。その内容は、

　(a)　第1に、全国の不動産を登記簿に登録する。そのためには、全国の土地を測量し、区画を定め、面積を明らかにし、地番を打ってこれを特定するという準備が行われる。

　(b)　第2に、特定の不動産について行われた物権変動をことごとく登記簿に反映させ、登記簿を見れば、その不動産をめぐる取引が一目で分かるようにする。そのためには、不動産物権の取引は、登記をしなければ効力を生じないものとした。

　(c)　このようにして、権利関係およびその変動が確実に登記簿に登録されることになった以上、登記簿を信頼して取引関係に入った者は、かりに登記がなんらかの理由で真実の権利関係を伴わないものであっても、保護され、あたかも登記簿の記載が真実であったと同様の権利を取得する。登記の有するこのような効力を「公信力」といい、このような効力を認めることを、前述のように、「公信の原則」というのである。

以上の説明から分かるように、不動産における公信の原則は、登記の公示力がより確実になり、それが真実である蓋然性が高いということを根拠として承認されるものである。

　(イ)　わが民法が認める不動産物権の公示制度は、この水準まで達していない。すなわち——

　(a)　全国の不動産を登記簿に公示するという原則は採用されているが、明治初年に拙速主義で行われた土地制度の整備は、その実測とその公簿上への表示において必ずしも正確でなく、また、未登記の土地も絶無ではない。ことに建物は、土地と離れた独立の不動産とされるけれども（そこに問題があることにつき§86〔3〕(ア)(a)参照）、未登記の建物ははなはだ多く、また、1個の建物が二重に登記されることや、登記の記載が実際と符合しないことなども決して少なくない。

　(b)　不動産物権の変動を必ず登記に反映させるという点でも十分でない。けだし、わが民法は登記をもって不動産物権の変動を第三者に対抗する要件であるにすぎないものとしたので（§177）、当事者間では登記がなくても物権変動は有効に成立し、登記簿の記載と食い違いを生ずることとなるのみならず、第三者に対抗するということの意味についても、解釈上困難な問題を提起している（§177注釈参照）。

　(c)　このような登記制度の不備と関連して、登記に公信力を認めていない（実質的な意味においてこれを修正する動きについて、§94〔5〕・§177〔11〕参照）。

なお、これに関連して注目すべき現象としては、民法施行後に公示の原則の貫徹を妨げる制度が拡大しつつあるということである。それは不動産の利用権を保護するためまえから、あるいは建物の登記をもって借地権の登記に代わるものと認め（かつての建物保護法、現在の借地借家§10）、あるいは単に目的物の引渡しがあれば賃借権を第三者に対抗できるものとする（かつての借家法、現在の借地借家§31。また、農地§16）。これは、不動産物権変動の公示という理想からいえば、まさに逆行である。不動産利用権の確保と公示の原則との調和こそ、わが不動産法の課題であり、また、理想であると

第2編　第1章　総則

いうべきであろう。

⑤　動産物権の場合

　近世における経済の発達は、動産においても事実的支配が必ずしもその権利関係を表示しないという現象を生じさせた。しかし、その程度は不動産ほどではなく、占有はいちおう動産物権の表示としての価値を持っている。また、この場合には、動産がその場所を移すことができるという性質から、これを登記簿に公示することがいちじるしく困難である。そこで、各国の立法例も、動産については、占有を権利の公示方法として、引渡しを権利変動の公示方法として認めている。この場合にも、ドイツ民法・スイス民法は、引渡しがなければ、動産物権の変動が効力を生じないとするのに反し、わが民法は、ここでも引渡しをもって対抗要件としている。しかし、動産については、現に所持する者を所有者であると信じて、これから譲り受けた者を保護する公信の原則は、わが民法もこれを認めている（§192）。

　動産の場合には、不動産の場合と異なり、占有がもつ公示力が不十分であり、公示の原則だけでは、取引の安全を保障することができないので、公信の原則が採用されることになるのである。

　注意すべきは、動産についても、その権利関係を帳簿または文書に表示するということが長年にわたって考案されてきたことである。すなわち、

　第1には、転々譲渡される運命にある商品について、特定の倉庫に保管され、特定の輸送機関の手にあるというように、それが一定の場所に位置づけられると、「倉荷証券」、「貨物引換証（2018商法改正により廃止）」、または「船荷証券」という一定の要式の証券に化体され（商§§607・760）、これらの商品の権利関係は、その証券によって公示されるに至るのである。

　第2には、特定の工場内、特定の農場内の経営施設として設備された動産は、これを公簿上に表示することも不可能ではない。これらの動産を経営者の手中に留保しながらこれを担保化したいという現実の要求から、いわゆる登録質制度が工夫されるに至る。わが国でも制定・実施されている各種の「財団抵当」に関する特別法や「農業動産信用法」などの「動産抵当制度」は、このことを物語るものである。これらの制度は、決して完全なものではないが、動産物権変動の領域における公示の原則の実現方法が、占有から登記に移った例を提供するものとして、注目に値する工夫ということができる。

⑥　動産物権変動に関する特別法の登場

　2004年12月1日に、動産物権変動の対抗要件に関する、驚くべき特別法が登場した（平成16年法律148号）。それは、1998年から施行されていた「債権譲渡の対抗要件に関する民法の特別法の特例等に関する法律」を改称して、「動産及び債権の対抗要件に関する民法の特例等に関する法律」とし、債権譲渡について行われてきた「債権譲渡登記ファイル」による対抗要件の特例を動産譲渡にまで適用しようとするものである（債権譲渡については、第3編第1章第4節解説④を参照）。

366

第1章［解説］⑤⑥・§175〔1〕〔2〕

〔1〕　その内容は、債権譲渡についてと同じであるが、略説すれば、法人が所有する動産を譲渡したときは、指定登記所に備える「動産譲渡登記ファイル」に一定の事項を記録し、その登記があれば、「当該動産について、民法第178条の引渡しがあったものとみなす」とするものである（同法§3）。動産譲渡登記の存続期間なるものが定められているが、債権譲渡と違い、その存続期間は10年以内とされている（債権譲渡では50年）。

〔2〕　この制度については、債権譲渡の場合を上回る危惧が感じられる。

（a）　そもそも動産の存在および同一性についての保障がまったくといってよいほど存在しない。動産物権変動にとっての基本的な問題点が無視されている。

（b）　登記ファイルは、動産についての物的編成主義によらずに、法人についての人的検索による（法人の本店所在地の登記所における登記事項概要ファイルによる）。これでは物権についての公示主義の要請は充たされないであろう。

（c）　民法による原則的な対抗要件である占有と競合したときの解決は妥当になされうるのであろうか。

（d）　動産質権との関係はどうなるのか、動産譲渡担保の法律関係はどうなるのか、という理論的問題は検討されたのか。

（e）　動産の善意取得（§192。公信の原則の問題）との理論的調整はどうなるのか。少なくとも、この登記を閲覧しないことが占有取得者の過失になるという解釈はなされてはいないことが指摘される。

（f）　動産抵当制度など、動産の非占有担保化のために積み重ねられてきた努力のことは充分考慮されたのか。

（g）　さらに深く考えれば、法人と自然人の本来対等であるべき法律関係にこのように大きい差異が設けられることについての、原理的検討がなされなければならないと思われる。

　　　などなど、問題が山積して、憂慮に堪えない。

■（物権の創設）
第百七十五条
　　物権[1]は、この法律[2]その他の法律[3]に定めるもののほか、創設することができない[4][5]。

　　［原条文］
　　物権ハ本法其他ノ法律ニ定ムルモノノ外之ヲ創設スルコトヲ得ス

本条は「物権法定主義」を宣明する。
〔1〕　本編解説③参照。
〔2〕　民法の認める物権は、占有権、所有権、地上権、永小作権、地役権、入会権、留置権、先取特権、質権、抵当権の10種である。入会権を除く、ほかの9種の意義については、本編解説①および第2章から第10章までの解説参照。入会権については、263条の前注参照。

367

第2編　第1章　総則

〔3〕　ここに法律とは、国会の議決を経た、いわゆる憲法上の法律に限り（憲§59参照）、政令その他の命令を含まないことは疑いない（地方自治体の条例が定めることができないのはいうまでもない）。しかし、慣習法を含むかどうかについては、学説が分かれている。これについては、〔5〕を見よ。

　民法以外の成文の法律で、特別の物権について規定しているものの主要なものを列挙すれば、つぎの通りである。

　(a)　用益物権

　　　借地借家法が定める「借地権」は、建物の所有を目的とする地上権である場合と債権である賃借権である場合とを含むのであるが、この賃借権をも含む借地権をもって、総合された一種の物権とみることもできよう。

　(b)　担保物権

　　　(i)留置権＝商法（旧§51→商§31、会社§20、商§§521・557）。

　　　(ii)先取特権＝国税徴収法（§§2・8）、地方税法（§14）など。健康保険法（§11の3）、厚生年金保険法（§88）など。信託業法（§11Ⅵ）、保険業法（§291Ⅵ）など。農業動産信用法（§§4〜11）、金融商品取引法（31の2Ⅵ・114Ⅳ・115Ⅰ・156の11）、商法（§§703・802・842〜）など。借地借家法（§12）、罹災都市借地借家臨時処理法（〔廃止〕§§8・9）、立木ノ先取特権ニ関スル法律など。

　　　(iii)質権＝質屋営業法、商法（旧§§207〜209→会社§§146〜）など。

　　　(iv)抵当権＝立木法（§2）、抵当証券法、工場抵当法、鉄道抵当法、農業動産信用法（§12〜）、自動車抵当法、航空機抵当法、建設機械抵当法など。

　(c)　特殊な物権　　鉱業法（§12）、採石法（§4Ⅲ）、漁業法（§23）など。

〔4〕　「創設することができない」とは、法律が認めない全然新しい種類の物権を設定することができないというだけでなく、法律が認める物権であっても、その法律の定める内容または効力を変更して、これと異なる内容または効力を持たせることも許されない、という意味である。しかし、法律が当事者に決定を委ねている部分について特約をすることは、もちろん差し支えない（たとえば、§272ただし書参照）。

〔5〕　本条の解釈上最も問題となるのは、これによって慣習法上の物権の存在または成立がまったく否定されたものかどうか、である。換言すれば、本条の「法律」には、法の適用に関する通則法3条の「慣習法」を含むと解釈されるか、である。

　判例は、どちらかといえば、問題を否定的に答えてきた。たとえば、問題になっている土地は、もと海浜だったものが陸地になり、これを小作人たちが開発したもので、古来小作人は小作株を自由に相続し、売買して、当事者も怪しまず、地主もとがめず、俗にこれを「上土権」と唱え、地盤は地主の所有であっても土壌は小作人が自由な権利を有するものであり、したがって、その田地が市街地になったからといって、地主に賃料増額の請求権はない、という主張を、本条および民法施行法35条を挙げて否定した（大判大正6・2・10民録23輯138頁）。また、隣地の新しい地主に対して、この地方には登記がなくても第三者に対抗できる地役権が慣習法上存在するという主張をも、それが本条に違反するという理由でしりぞけた（大判昭和2・3・8評論16巻民784頁）。

　これに対して、多くの学者は懐疑的である。すなわち、つぎのように説く。そもそ

§175〔3〕~〔5〕

も、民法が本条によって物権の種類を限定したのには、二つの理由があると考えられる。その一つは、物権法における公示の原則の実現を容易にするためである。すなわち、近代法は不動産物権の公示の手段として登記簿制度を採用しているのであるが、それには物権の種類をいくつかの型に限っておくことが便宜であって、当事者が自由に異なる種類や内容の物権を創り出すことを許しては、これを公簿上に公示することがいちじるしく困難となる。理由の二は、土地の上の封建的な複雑な関係を整理するためである。自由な所有権を中心に構成される近代法の物権関係では、所有権を制限する物権はこれを最小限度に止めることが要請されるのである。

　以上の理由によって、物権法定主義は近世資本主義の発達に対応するものとして十分にその意義を有するものである。しかし、社会事情の不断の変化は、一方で進展する経済取引関係を規律するためには、公簿上の公示という固定した制度に固執することをいちじるしく困難にさせた。また、他方において、土地所有者と他人の土地を利用する者との対立の尖鋭化、とくに後者を保護しなければならないという政策的事情が、利用関係の種類を限定しておくことをはなはだしく不当なものにした。このような事態に対処するために、立法と判例の努力を必要とする。すなわち、一方において、民法施行後、特別立法によって多くの財団関係の担保物権が創設され、また、不動産利用権の強化が行われるとともに、他方において、判例も借地法(現在の借地借家法)や農地調整法(のちに農地法に吸収された)に対して先駆者としての役割を演じた。また、立木の取引に関する「明認方法」の理論(改正前§86〔3〕(イ)・§177〔10〕(イ)参照)や、「譲渡担保」(第10章後注)の理論なども、判例による物権制度の補充にほかならない。

　このような見地に立って、慣習法によって物権を創設することができるかの問題を考えるとき、これを否定すべきでないという結論に導かれる。すなわち、民法施行法35条によって従前の慣習法上の物権はいちおう整理されたことは否定できないが、民法の施行によっても死滅せず、または民法施行後新たに慣習法によって認められて今日に至っている物権は、今日においてもなお、これを認める余地がある。したがって、このような慣習法上の物権については、一方、それらの物権が公示の原則を破ることによって取引の安全に及ぼす影響、または物権関係単純化の理想にもとることによって物権的秩序に及ぼす影響を考察し、他方、これらの慣習法を生じた社会的事情を考察し、両方の利益を考量して、その重い方に従って解決しなければならない。

　なお、判例によって、本条と正面から衝突しないような形では、実際上慣習法による物権関係の存在が認められている場合も少なくない。「明認方法」に立木の物権的取引の対抗要件としての効力を認め、また、古くからの流水利用関係や温泉利用関係について、これを物権とはいわないだけで、実質的には物権的存在として認めているのが――「水利権」ないし「流水利用権」、あるいは「温泉権」ないし「湯口権」といってよい――、その例である(大判明治38・10・11民録11輯1326頁［水利権判決］、大判昭和15・9・18民集19巻1611頁［鷹の湯温泉事件］)。これらの判例理論は、本条のような制限によっても、流動する社会の生活関係を固定した成文法の枠に閉じ込めることはできないことを示しているものとみることができるであろう。

369

第2編　第1章　総則

（物権の設定及び移転）
第百七十六条
　　物権の設定[1]及び移転[2)3)]は、当事者の意思表示のみによって、その効力を生ずる[4)5)]。
　[原条文]
　　物権ノ設定及ヒ移転ハ当事者ノ意思表示ノミニ因リテ其効力ヲ生ス

　本条は物権の変動（本章解説[2]参照）に関して、いわゆる「意思主義」を採ることを宣明するものである。
　〔1〕「物権の設定」とは、所有権以外の物権、すなわち制限物権を当事者の意思によって創設することを指す。土地の上に地上権または抵当権を設定し、動産の上に質権を設定するなどがそれである。もっとも、質権は目的物を質権者に引き渡さなければこれを設定することはできないものであるから（§344）、質権の設定は意思表示のみでは効力を生じないという意味で、本条の例外をなしている。
　〔2〕「物権の移転」とは、所有権その他の物権を当事者の意思によって、その帰属者から他の者に移すことである。所有権を売主から買主に譲渡し、抵当権を被担保債権とともに債権の譲受人に譲渡し、家屋の所有権を遺言によって受遺者に移転するなどである。
　〔3〕結局のところ、「物権の設定及び移転」は、「物権変動」とほとんど同義であり、177条の定める「物権の得喪及び変更」とも、とらえ方が異なるだけで、意義を異にしないと解される。
　〔4〕「当事者の意思表示のみによって、その効力を生ずる」とは、第1に、たとえばAからBに所有権を移転するには、ドイツ民法・スイス民法のように登記（不動産につき）または引渡し（動産につき）をする必要はなく、単にA・B間の不要式（一定の形式を備えないと効力を生じない場合を「要式」といい、その必要のないものを「不要式」という）の意思表示だけで十分である、ということを意味する。このことについては、疑いはない。しかし、第2に、その不要式の意思表示というのは、売買とか、贈与とかいう所有権移転の原因となる行為をする意思表示をいうのか、それとも、とくに所有権を移転することを目的とする特別の意思表示をいうのか。換言すれば、AがBにその所有する特定の物を売るに当たり、売買の意思表示だけで所有権は移転するのであろうか、それとも、売買の意思表示のほかに、とくに所有権を移転するという意思表示をも必要とするのであろうか。これについては、学説は大いに分かれている。
　一方の学者は、物権の移転にはとくに物権の移転を目的とする意思表示（物権行為）を必要とするものであって、売買とか贈与とか、本来、債権の発生を目的とする行為（債権行為）だけでは、物権の変動は生ずべきではないという。この説は、ドイツ民法系の理論の影響をうけたものであって、従前にはむしろ多数説であった。
　しかし、判例は、以前からこれと異なる理論を採っている。その論旨はこうである。売買や贈与の目的物が現存していないか（たとえば、来春生まれる子馬というような将来の物の売買）、または特定していないとき（たとえば、ビール3ダースというように種類・数量

による売買)は、物権は成立していないのだから、これらの行為によって物権の変動を生ずることができないことは当然であるが、目的物が現存し、かつ特定していて、その物権変動を生ずることになんの支障もないときには、売買または贈与の意思表示によって目的物の所有権も原則として移転すると解すべきである。けだし、このように解することが当事者の意思にも適し、かつ物権の変動に形式を必要とせず、意思表示だけでよいとする民法の趣旨にも合する。さらにまた、目的物が現存・特定しない売買でも、目的物が現存・特定するに至ったら、改めて物権移転の意思表示をするまでもなく、当然に所有権を移転させようとするのが、当事者の普通の意思だとみるべきである。このように説く、判例のこの見解は、フランス民法に近い解釈である。

　学説としては、判例を支持するものが多いといってよいであろう。そこで、その立場をもう少し詳しく説明する。

　そもそも、物権変動の効力を生ずるために、登記または引渡しという形式を伴った特別の行為を必要とするドイツ民法流の制度——これを「形式主義」という——のもとでは、必ずそのような外形を伴った独自の物権行為がなければ、物権変動は生じない。これは、一方において、当事者にとって多少不便であるという欠点があるが、他方において、物権変動を生ずる時期を明瞭にし、かつ、物権関係を第三者に明瞭に識別させるという長所がある。これに反し、フランス民法やわが民法のように、物権変動の効力を生ずるために形式を伴った特別の行為を必要としない制度——これを「意思主義」という——のもとで、独自の行為を要求してみても、それは、とくに外形を伴わない売買や贈与などの債権行為と外形上なんらの差異のない意思表示を繰り返させるだけのことになり、物権変動の時期を明瞭にし、かつ、公示の原則を十分に徹底させるというドイツ民法流の長所は、少しも活かすことができない。かえって、ただ当事者に不便を強いる結果となり、無用の議論といわなければならない。

　のみならず、これを別の方面から観察するならば、わが民法は、物権変動を生じさせるかどうかを、もっぱら当事者の意思に任せているわけで、当事者の意思が売買契約と同時に物権変動をも生じさせることにあるならば、改めて物権変動を目的とする意思表示をするべしと要求する理由はないはずである。ただ、この見地からすると、物権変動のための特別の意思表示を要求せず、普通の取引行為のなかから、当事者の意思を判定しなければならないという困難がある。この欠点を避けるためには、わが国の取引界における物権取引をする者の普通の意思に従っていちおうの標準を立て、特別の意思表示がない限り、この一般的標準に従うことを至当とする。そして、この一般的標準としては、売買とか贈与のように終局において物権の変動を生ずる行為をしたときは、原則としてこれによって物権変動の効果を生じるとみるのが妥当である（フランス民法§§711・1138 → 1196 参照）。

　もっとも、この判例・学説に対しては、さらに一部の学説が、わが国の取引界においては、不動産について登記手続をするか、動産について引渡しをするか、あるいは両者について代金を支払うか、などの外形的な行為をしなければ物権の変動を生ずるものと考えていない、という理由で反対している。果たしてわが国の取引界がそのように考えているかどうかは、なお検討を要する問題である。また、上記の判例・学説

第2編　第1章　総則

も、当事者が、登記・引渡しまたは代金の支払まで売主が所有権を留保することの可能性を否定しているわけではない。ただ、特別の意思表示がない場合の原則を主張しているのであり、取引界の現実を重視するという見地からも、判例の理論がすでに数十年間行われてきたという事実を重視したいと考えるのである。

以下に、判例の主要なものを挙げておく。

㋐　現存・特定する物の売買は、売買行為によって所有権の移転を生じるのを原則とする(再売買の予約に関する大判大正2・10・25民録19輯857頁、売買に関する最判昭和33・6・20民集12巻1585頁)。また、不動産売買において登記手続および残代金の支払を合意によって延期していても、所有権は契約当時に移転すると解される(大判大正10・6・9民録27輯1122頁)。

㋑　特定物の遺贈については、判例はないようだが、特定債権の遺贈について、まったく同様の理論を述べている(大判大正5・11・8民録22輯2078頁)。

㋒　売買の予約完結(§556)、建物や造作の買取請求(現在は、借地借家§§13・33)などにおいては、これらの事項を目的とする意思表示をすれば、売買関係が成立し、同時に目的物の所有権も移転するのを原則とする(前者に関するもの、大判大正7・9・16民録24輯1699頁。後者に関するもの、大判昭和7・1・26民集11巻169頁)。また、第三者のためにする契約(§§537[改注]～539)においても、その契約が特定物の所有権を第三者に移転することを目的とする場合には、第三者の受益の意思表示により、第三者は、所有権を取得する(大判明治41・9・22民録14輯907頁)。

㋓　不特定物の売買、将来の売買(ただし、請負については後述キd参照)などのように、直ちに物権移転を生じるためには支障がある場合には、この支障が除去されたときに当然に物権の移転を生じる(最判昭和35・6・24民集14巻1528頁)。

㋔　売主が他人の所有に属する物を売った場合には、売主がその所有権を取得すると同時に所有権は買主に移転する(最判昭和40・11・19民集19巻2003頁)。

㋕　特定物の売買契約が取消しまたは解除されると、その効果として所有権も同時に復帰すると解される。けだし、元来売買契約によって所有権が移転したのであるから、その売買契約の効力を失わせる取消しまたは解除の効果は、所有権の復帰にまで及ぶのが当然だからである(大判大正10・5・17民録27輯929頁)。買戻し(§579)の場合(大判明治41・7・8民録14輯859頁)、一定の条件のもとに解除の効果が生じる場合(大判大正8・4・7民録25輯558頁)、合意解除の場合(大判大正6・6・16民録23輯1147頁)も、同様である。

㋖　当事者の特約その他の特別の事情があれば、例外が認められる。

(a)　代金の完済、所有権移転登記の完了までは所有権は移転しない旨の売買契約が締結されたときは、それに従って所有権が移転する(最判昭和38・5・31民集17巻588頁)。

なお、割賦払いによる売買などにおいて、代金の完済まで売主が所有権を留保する例がよくみられる。これも、所有権移転に関する特約とみることができるが、このような「所有権留保」は代金債権を担保するという意味をもつので、一種の物的担保として考察するのが適当である(第10章後注参照)。

§176〔5〕

(b)　動産の売買において、履行期までに代金を支払わないときは契約が失効する旨の解除条件が付されている場合について、売買契約によって当然に所有権が移転するものではないとされた(最判昭和35・3・22民集14巻501頁)のも、同じ趣旨である。

(c)　農地の売買について知事の許可が必要とされている場合(農地§3)との関連で、つぎのような判例がみられる。農地の買主は売主に対して知事による許可の申請への協力請求権があるが、この請求権が消滅時効にかかったが売主がこれを援用しないでいるうちに、農地が非農地になったときは、その時点において所有権が移転するとされた(最判昭和61・3・17民集40巻420頁)。

(d)　請負人が自分の材料で建築した建物は、注文者の土地の上に建造した場合でも、請負人自身の所有物となる。上記エの理論によると、目的物の完成と同時に所有権は当然に注文者に移転するわけだが、判例は、請負においては、目的物が果たして注文者の注文通りにでき上ったかどうかを検査して、その引渡しを受けることが重要な手続であるから、それまではなお、目的物の所有権は請負人に属するとするのが、当事者の普通の意思に適合すると解している(大判大正4・5・24民録21輯803頁)。ただし、請負においても、当事者の特約によって、さらに別の結果を生じさせることはできる(大判大正5・12・13民録22輯2417頁、大判昭和5・10・27評論19巻民1498頁)。

(e)　商品の売買に当たって、貨物引換証(2018商法改正により廃止)を発行し、荷為替付き(貨物引換証を添付して行う取引をいう)で物品を発送した場合には、特別の事情がない限り、買主が貨物引換証と引換えに代金の支払をして物品を受領するまでは、その所有権は依然売主に存する。換言すれば、荷為替付きの発送は、売主に所有権を留保するものである(大判昭和3・10・11民集7巻903頁)。

〔5〕　当事者の意思表示だけで効力を生じた物権の設定または移転は、これを第三者に対抗するには、さらに登記または引渡しを必要とする(§§177・178)。したがって、本条に「効力を生ずる」とは、登記または引渡しを必要としない限りの効力、すなわち主として当事者間の効力に限ることを注意すべきである。

なお、物権変動に関連してさまざまな効果が問題になりうる。代表的な物権変動である所有権移転についていえば、たとえば、その物を元物として生じる果実の帰属、その物が不可抗力によって滅失した場合の危険の負担、その物を原因として発生した損害についての賠償責任の帰属などである。この種の効果の発生については、それぞれの問題に則した検討をする必要がある。上述した所有権移転に関する議論から、これらの効果がすべて統一的に同時に生ずると考えなければならない必然性はない。所有権移転に関連する諸種の効果は段階を追ってばらばらに生じると考えてもよいという見解が主張されているが、それは上記のことを指摘していると理解することができる。

第2編　第1章　総則

（不動産に関する物権の変動の対抗要件）
　第百七十七条
　　　不動産[1]に関する物権[2]の得喪及び変更[3]は、不動産登記法（平成十六年法律
　　第百二十三号）その他の登記に関する法律[4]の定めるところに従いその登記[5]を
　　しなければ[6][7]、第三者[8]に対抗することができない[9][10][11]。
　　［原条文］
　　　不動産ニ関スル物権ノ得喪及ヒ変更ハ登記法ノ定ムル所ニ従ヒ其登記ヲ為スニ非サレハ
　　之ヲ以テ第三者ニ対抗スルコトヲ得ス

　本条は、不動産物権の変動が登記をもって対抗要件とするという大原則を規定する
ものであって、物権法のなかで最も重要な規定のひとつである。
　〔1〕　不動産とは、土地およびその定着物を意味することはもちろんであるが（§
86 I）、本条の適用にあたっては、つぎの(ｱ)と(ｲ)の二つの点をとくに注意すべきであ
る。
　(ｱ)　ここにいう「不動産」とは、独立の物と認められる不動産に限る。土地の定着
物は不動産であるといっても、土地の構成部分またはその一部分と見られるものは、
土地の上の物権の内容となり、その対抗要件もその物権に関する登記による（§86〔3〕
(ｳ)）。したがって、本条にいう不動産とは、土地・建物および特別法で独立の不動産
とみなされたもの、たとえば立木法によって立木登記をした立木（立木§2）、財団抵
当の目的となる財団のうち不動産とみなされるもの（工抵§14、鉱抵§3など参照）など
を意味することになる。
　(ｲ)　そのうち、とくに問題となるのは「建物」である。建物は完成するまでは土地
の一部とされるから（§242注釈参照）、その譲渡には建物についての登記を必要としな
いが、完成した後の譲渡には建物についての登記を必要とする。したがって、たとえ
ば、Ａが未完成の建物をＢに譲り、Ｂがこれを完成したにもかかわらず、後にＡが
勝手に自分名義に建物の保存登記をしてＣに譲渡したような場合に、もしＡ・Ｂ間
の譲渡当時にまだ建物といえない程度であったとすれば、Ｂは登記がなくてもその所
有権取得をもってＣに対抗できるが、すでに建物といえる程度になっていたとすれ
ば、Ｃに対抗できない。建造中の建物がいかなる程度のものから建物といえるかにつ
いては、86条〔3〕(ｱ)(b)参照。
　(ｳ)　「土地」についても、水面との関係で若干問題がある。土地とは、いちおうは、
日本国の領土に属する「陸地」をいうと解される。池や川などで水面や水流が存在し
ても、土地であることの妨げとはならない。河川法が適用される場合に、「河川区
域」（河川§6）も土地とされるが、流水は私権の目的とはならない（同法§2 II。その他、
不登§43、旧§§81 IV・81の8 II参照）。「海面」——土地との境界は春分・秋分時の満潮
位を基準とされる——についても同様であるが、沈下・海没、隆起・埋立てなどの諸
事情によって単純ではないケースがありうる（海状態であっても必ずしも土地でないとはい
えないとしたものに、最判昭和52・12・12判時878号65頁［羽田空港土地二重登記事件］があ
る。なお、最判昭和61・12・16民集40巻1236頁［田原湾干潟事件］は、所有権の客体になら

ないとされた例)。

　(エ)　独立の不動産であっても、いわゆる「公物」については若干問題がある。理論的には、本条は物権の取引に関する法則であるから、私権の目的とすることができない不動産は登記されない。国有財産法の建前からすれば、いわゆる「行政財産」は私権の目的とはならず(国財§§3・18 I 本文)、登記されないかのようであるが、同法自体も一定の範囲で私権の目的となることを認めているので(国財§18)、大概の公物である不動産は、道路、公園、広場、港湾などの公共用財産をはじめとして登記されるものと考えてよい。河川法上の河川については、不動産登記法に特別の規定があり、河川法上の「河川区域」内の土地である旨の登記がなされる(不登§43。旧§90)。

　〔2〕　登記を必要とする不動産物権の種類について、本条は明言していない。規定としては、不動産物権の全部に通ずる原則を示した趣旨と解される。しかし、不動産登記法3条(旧§1)は、所有権、地上権、永小作権、地役権、先取特権、質権、抵当権、賃借権、採石権の9種につき登記をするべきものと定める。このうち、賃借権は債権であるが、これが目的不動産の登記簿上に公示されることによって排他性を取得するものとされている(§605〔改注〕参照)のである。このほか注意すべきものに、つぎの諸権利がある。

　(ア)　不動産の「買戻権」については、民法はこれを一種の解除権とし(§579~)、かつ売買契約と同時に買戻しの特約を登記する道を認めている(§581、不登§96。旧§37)。しかし、この権利を不動産物権としてその移転につき登記をするべきかどうかは不明である。ところが、判例は、買戻権の取引が実際上しばしば行われることにかんがみ、買戻権の譲渡、放棄などは、登記をしなければ第三者に対抗できないものとした(大判昭和8・9・12民集12巻2151頁)。買戻権に一種の物権取得権 dingliches Erwerbsrecht としての性質を与えるものとして注目すべき現象といえよう。その後1960年の不動産登記法の改正で、買戻しの特約の登記の規定も整備されたが(旧§§37・59の2。現在は不登§96)、買戻権の譲渡、消滅に(付記)登記を必要とするかは、依然として明らかでない。その状態のところに最判昭和35・4・26(民集14巻1071頁)が、買戻しの特約が登記されていないときは、その買戻しの権利の譲渡については、相手方への通知またはその承諾によって対抗力を生じるとした。こういう点からすると、買戻権はいまだ物権取得権としての性質を確立しているとはいえないようである。

　(イ)　「占有権」は、不動産の上に成立する場合にも登記を必要としない。占有権は物の占有という事実状態が存続する限り、この状態に基づいて認められる権利であって(§§180・203参照)、もとより取引の目的となるものではないからである。

　(ウ)　「留置権」も、不動産の上に成立することがある。しかし、これも登記を必要としない。留置権は取引関係において生ずる物権であるが、物の占有を要件とすること、それによって担保される債権はその物と密接な関係のある比較的少額のものに限られること(§§295・302参照)などの理由により、登記を必要としないとしても、さほど弊害はないと考えられる。

　(エ)　「一般先取特権」は、債務者の全財産の上の優先弁済権であるから、その財産のなかに存する不動産の上にも成立する。しかし、その場合にも登記は必要とはされ

第2編　第1章　総則

ていない（ただし、§336(2)(3)参照）。これは、近代の担保制度が極力排斥した一般抵当権 Generalhypothek に類する制度であって、あまり望ましいものではない。しかし、わが民法上これによって担保される債権はきわめて限定され、その効力も慎重に定められているから（§§306〜・335・336参照）、その弊害は必ずしも大きいものではない。

　(オ)　入会権（§263前注参照）も、登記を要しない。これは、判例（大判大正10・11・28民録27輯2045頁）および学説の一致するところである。入会権の主体は村落民全体であり、その内容も地方の慣習に従って複雑多岐であり、登記に適しないのみならず、慣行の存在は比較的顕著であるから、登記を必要としなくても、その弊害はそう大きくないと考えられるのである。しかし、山林原野の地盤が取引の目的とされることが多くなっている現状においては、問題が存するところであろう。

　(カ)　建物の区分所有に関する法律において「共用部分」（区分所有§4）とされる部分は、原則として区分所有者全員の共有とされるなどの特別の扱いを受けるのであるが（区分所有§11Ⅰ・Ⅱ）、その関連で、この共用部分を目的とする権利について、本条は適用されないものとされている（区分所有§11Ⅲ）。

　(キ)　最後に注意すべきは、地上権のうち、建物所有を目的とするものは、地上権そのものの登記がなくても、その地上の建物の登記があれば、第三者に対抗できるものとされていることである（借地借家§10）。ちなみに、これは同じ内容の賃借権にも適用されるものであり、また、建物の賃借権および農地の賃借権は、いずれも建物または農地の「引渡し」があれば、なんらの登記がなくても第三者に対抗できるとされている（借地借家§31、農地§16）。このように、他人の不動産を利用する者の地位が、特別法によって保護され、不動産物権を登記に表象するという大原則が破られていくことは、注目に価する現象である。（本章解説4(イ)末尾参照）。

　なお、注意すべきは、民法の規定する上記の物権のほかに、各種の財団抵当権・鉱業権などに関して同様の登記制度が採用され、また、自動車・航空機などの動産、特許権・著作権などの無体財産権については、一定の登録制度が設けられていることである。

　〔3〕　「得喪及び変更」とは、取得・喪失および内容もしくは効力の変更を意味する。本条は、不動産物権に関するすべての種類の変動を含めて「得喪及び変更」といったもので、176条の「物権の設定及び移転」と異なるものではないし（同条(3)参照）、学説が「物権変動」と呼ぶものとも異ならない。また、不動産登記法3条（旧§1）が、登記は不動産に関する権利の「保存、設定、移転、変更、処分の制限又は消滅」についてするべきものと定めているのも、まったく同一の意味である。したがって、不動産物権の変動のうち意思表示に基づくもの（たとえば、所有権の譲渡、抵当権の設定）だけでなく、意思表示に基づかないもの（たとえば、相続・時効などによる所有権の取得）も本条の適用をうけ、登記がなければ第三者に対抗することができないとされている。この点は以前に反対説もあり、大審院も最初は別に解釈していたが、明治41・12・15連合部判決（民録14輯1301頁）以来、このように解されてきた。

　しかし、この点については、必ずしも単純に考えられない問題がいろいろと存する。以下に、問題となる主要な場合を説明する。

§177〔3〕

(ア)　意思表示による不動産物権の変動

　(a)　売買・贈与・地上権または抵当権の設定・譲渡などのように、意思表示によって将来に向って物権変動を生ずる場合について、登記を必要とすることには問題はない。ただ、これらの行為が、当事者によって、将来一定の条件が成就したときに物権変動の効果を生ずるものとされた場合には、あらかじめ「仮登記」(〔5〕(ウ)(b)参照)をすることによって、その行為以後、条件成就以前に、利害関係に立った第三者に対抗できるものとすることができることを注意すべきである(大判昭和11・8・4民集15巻1616頁、なお§128〔1〕参照)。

　(b)　意思表示による物権変動が遡及効を認められている場合、たとえば停止条件付物権移転行為が遡及効を与えられたとき(§127 Ⅲ)、無権代理行為の追認があったとき(§116)、選択債権において選択があったとき(§411)などにおいても、これらの物権変動につきあらかじめ登記(仮登記の場合と本登記の場合がある)がされたときは第三者に対抗することができるが、そうでないときは対抗できないと解される。民法は、後の二つの場合につき第三者の権利を害することができない旨を定めているが(§116ただし書・§411ただし書〔改注〕)、物権変動に関する限りにおいては、その第三者に対する効力は登記の有無、その前後によって決まるのである。

　(c)　法律行為の取消しによって一度生じた物権変動が遡及的に復元する場合には、その復元の効果は、原則として、登記がなくても第三者に対抗できることはもちろんである。たとえば、未成年者Aが法定代理人の同意を得ないでその不動産をBに譲渡し、移転登記をし、BはさらにこれをCに譲渡して移転登記をした後で、AがBに対する譲渡行為を取消したとすれば、所有権は遡及的にAに復帰し(§121参照)、Aはこの復帰の効力を第三者たるCに対抗し、Cの登記を抹消させ、かつ不動産をCから取戻すことができる。この結果、Cに不測の損害をこうむらせることになるが、やむをえない。民法はこのような結果を防止しようとする場合には、とくに取消しの効果を第三者に対抗できないという制限を明言しているのであって(たとえば§96 Ⅲ)、このように明言していない場合には、第三者が犠牲になってもやむをえないとする趣旨だといわなければならない。

　この場合、Cの権利取得ならびに登記が、Aの取消しの前であると後であるとで、なんの区別もないというのがかつての判例の態度であったが(大判昭和4・2・20民集8巻59頁)、一部の学説はAの取消し後にCが現れた場合にはBを中心にしてAとCとに二重譲渡があったのと同様に解し、早く登記を得た者が優先すると主張し(後述〔8〕(ア)参照)、その後、判例もこの説を容れているといえよう(大判昭和17・9・30民集21巻911頁は、詐欺による取消しがあった後にCが譲受けた例、最判昭和32・6・7民集11巻999頁は、公売処分の取消しの例。なお、改正前§96〔6〕参照)。これに対して、その後も、第三者の登場が取消しの前後のいずれであるかを問わず、登記がなくても取消しを対抗できるとし、善意の第三者を94条2項の類推適用により保護するという説や、取消原因についての第三者の善意悪意などを問題にする説、などが論じられている。

　(d)　契約の法定解除(§540〔2〕参照)がなされた場合にも、(c)に述べた取消しと同

377

第2編　第1章　総則

様の問題が起こるわけであるが、民法は、解除の効果は一般に第三者の権利を害することができないという特別の制限を設けているから（§545 I ただし書［改注］）、取消しの場合とは反対に、解除をしたAは目的物を転得した第三者であるCに対して不動産の返還を求めることはできない。また、Aはその登記をしなければ、Cの善意・悪意を問わず、Cに対抗できない（最判昭和35・11・29民集14巻2869頁。旧不登§3に定められた予告登記がされていた例であるが、それでも対抗できないとされた。予告登記は2004年の改正で廃止された）。

(イ)　相続による不動産物権の承継

1947年の改正前の民法においては「隠居相続」（旧§964①）、および「入夫婚姻による相続」（旧§964③）という「生前相続」——被相続人が生存していても生じさせられる相続——が認められていたので、被相続人が生前相続のあった後で、なおかつ相続財産中の不動産を譲渡するという事態が起こりえた。そして、この場合には、相続人も相続登記をしておかないと、被相続人から不動産を譲り受け、登記を得た者に対抗できないとされた（大連判明治41・12・15民録14輯1301頁）。これに反し、死亡相続の場合には上に述べたような第三者が現れる余地がない。そこで、死亡相続の場合にも登記を必要とするかどうかが、大きな問題となる。

(a)　第1に、たとえば被相続人AがCのためにその所有地上に地上権を設定していた場合に、相続人Bがその土地の承継人としてCに対して地代の請求をするような場合には、登記をしなければならないと解される。この場合にBが売買による譲受人だと仮定すれば、Cに対抗するためには登記を必要とすると解されているが（ただし、異論はある。後述(8)(エ)参照）、もしそう考えるのが正しいとすれば、相続の場合をこれと区別すべき理由はない。

(b)　第2に、Aが所有不動産をCに譲渡したが未登記のままであったところ、Aが死亡して相続したBがその不動産をDに譲渡した場合であるが、これは譲渡人について相続が生じただけのことで、単純な二重譲渡と同じことであって、相続登記をしたBからCが登記を取得するのとDが取得するのと、いずれか早い方が勝つことは自明の理である（かつては争われたことがあったが、大連判大正15・2・1民集5巻44頁があり、最判昭和33・10・14民集12巻3111頁はこれを確認した）。

(c)　第3に、共同相続人の一人が相続不動産について勝手に単独相続の登記をし、これを第三者に譲渡し、またはその上に第三者のために権利を設定して、登記を経由した場合に、他の共同相続人がこの第三者に対抗できるかどうかが問題である。この問題に関する判例は、肯定するものと否定するものとが対立していたが、最判昭和38・2・22（民集17巻235頁）は肯定説をとった。学説でも、肯定説は、単独相続の登記をしても、その者は、他の相続人の承継した持分については全然権利がないのだから、譲受人はなんらの権利を取得せず（登記に公信力はない）、したがって他の相続人は、登記なくしてこれに対抗することができる（後の(8)(キ)参照）といい、否定説は、共有は共有者各自の所有権が互いに制限しあっているものだから、単独で登記をした以外の相続人が共有持分権を有するということについても、あたかも制限物権を有する場合と同様に、登記をしなければ、第三者に対して対抗することが

§177 (3)

できないという。判例は、このうち前者の考えを採ったものである。これに対して、現在でも否定説を主張する見解は根強い。

(d) 第4に、Aに相続人B・C・Dがいたとして、Bが相続を適法に放棄（§§938〜）した場合に、相続されたある不動産について放棄を前提とした相続登記Bを除くC・Dの共有の名義になる。放棄の登記が別にあるわけではないがされる前に、Bの債権者Eが代位によってB・C・D3人の共有とする相続登記をして、Bの相続分を差し押えた場合、C・DはBの放棄により自分たちだけがその不動産を相続したことをEに対抗できるか。

判例は、放棄の効力はいわば絶対的で、Bはまったく相続人として登場しないわけであるから、登記なくして対抗できるとしたが（最判昭和42・1・20民集21巻16頁）、妥当であろう（なお、§939には第三者保護規定はない）。

なお、限定承認に関連して、不動産の死因贈与を受けた者が贈与者の相続人である場合には、それによる移転登記を経ても、相続人として限定承認をしたときは、その取得を相続債権者に対抗できないとした判決がある（最判平成10・2・13民集52巻38頁）。

(e) 第5に、遺産分割の協議（§§907・909参照）が関連して問題になる場合がある。死亡したAに遺産として甲不動産と乙不動産とがあり、相続人としてB・Cがいるとする。遺産分割としては、両不動産ともB・Cの共有とする方法、甲不動産をBの単独所有、乙不動産をCの単独所有とする方法などがある。後者の場合に、つぎのような問題を生じる。

まず、遺産分割の協議前にCが甲不動産上の2分の1の持分をDに譲渡したとする。そのような処分も可能であり、ただDのような第三者を害することはできないとされる（§909）。この場合に、協議後に、Dの2分の1の権利を否定しようとするBと、Bの単独所有の主張を否定しようとするDとの優劣は、登記によって決せられると解される。

つぎに、遺産分割の協議後に、Bが乙不動産につきB・Cが2分の1ずつ共有するという相続登記をして、自分の持分をEに譲ったとする。この場合のEの2分の1の権利を否定しようとするCと、Cの単独所有の主張を否定しようとするEとの優劣は、登記によって決せられるとするのが判例である（最判昭和46・1・26民集25巻90頁）。判例のような見解は、各不動産上の法定相続分を超える持分については、遺産分割の協議によっていわば物権の得喪変更を生じていることになるので、これについて第三者に対抗するためには登記を要するという考えが基礎にあると考えられる。

以上の考えに対しては、第3、第4の場合との実質的な比較の観点なども含めて、いろいろと異なる見解が論じられているところである。

(f) 第6に、問題は、遺言相続に関しても生じる。遺言による特定の相続人の特定の不動産の相続については、登記なくしてその権利を第三者に対抗できるとした判決がある（最判平成14・6・10判時1791号59頁）。

(g) 2018年の相続法改正（§899の2）

第2編　第1章　総則

　遺産の承継と対抗要件の関係については、すでに、遺産分割の場合（最判昭和46・1・26［前掲］）以外にも、判例が出されていたが、今回の相続法改正において、「見直し」がなされた。遺言で定めることができる事項は法定されているが、現行法上、遺言による財産処分の方法としては、相続分の指定、遺産分割方法の指定、遺贈（特定遺贈および包括遺贈）等がある。ただし、これらの方法により財産処分がされた場合に、対抗要件の具備等、第三者との関係でどのような法的効果が生ずるかは規定上必ずしも明確ではなかった。この点に関し、判例は、①相続分の指定による不動産の権利の取得については、登記なくしてその権利を第三者に対抗することができるとしているほか（最判平成5・7・19家月46巻5号23頁等）、②いわゆる「相続させる」旨の遺言についても、特段の事情がない限り、「遺産分割方法の指定」（§908）に当たるとした上で、遺産分割方法の指定そのものに遺産分割の効果を認め、当該遺言によって不動産を取得した者は、登記なくしてその権利を第三者に対抗することができるとしている（最判平成14・6・10家月55巻1号77頁等）。

　他方で、判例は、遺贈による不動産の取得については、登記をしなければ、これを第三者に対抗することはできないとしている（最判昭和39・3・6民集18巻437頁等）。

　これらの判例の考え方は、相続分の指定や遺産分割方法の指定は相続を原因とする包括承継であるため、177条の「第三者」に当たらないが、遺贈は意思表示による物権変動であって特定承継であることから、同条の「第三者」に当たると解しているものと考えられる。判例（大連判明治41・12・15民録14巻1276頁［後掲］等）は、177条の「第三者」とは、当事者またはその包括承継人以外の者であって、登記の欠缺を主張する正当な利益を有する者をいうと判示している。もっとも、このような考え方を貫くと、相続の場合には、相続人はいつまでも登記なくして第三者にその所有権を対抗することができることになりかねず、法定相続分による権利の承継があったと信頼した第三者が不測の損害を被るなど、取引の安全を害するおそれがあり、ひいては登記制度に対する信頼が損なわれる等の指摘がされていた。

　そこで、今回の改正では、これらの指摘を踏まえ、前記のとおり、遺言による権利変動については、判例上、遺産分割方法の指定（相続させる旨の遺言）等の場合と遺贈の場合とで取扱いが異なるが、遺産分割方法の指定等による権利変動の場合にも、法定相続分を超える部分については、遺言という意思表示がなければこれを取得することができなかったこと等を考慮し、遺贈の場合と同様、対抗要件を備えなければ第三者には対抗することができないこととした（同条Ⅱについては、§467の解説［2018年相続法改正・§899の2］参照）。

　この改正の結果、遺言により自己の法定相続分を下回る相続分を取得することになる共同相続人は、遺産中の不動産等について、相続発生後、速やかに法定相続分を登記して第三者に譲渡して移転登記を済ませれば、当該第三者が法定相続分（少なくとも法定相続分を超える部分）の権利者となる、との解釈が示されているようであるが、これを無制限に可能と解するのは疑問である。902条の趣旨は、遺言による相続分の指定は法定相続分に優先する趣旨と解されている。また同条に対応する明治民法の規定は1006条であるが、その趣旨は「被相続人ノ意思ヲ重トスルト同時

§177 〔3〕

に遺言には一定の形式ありて法律が最も神聖視する所のものなるが故に」と当時の立法関与者も言っている。したがって、新899条の2の場合について、単純に、通常の二重譲渡の場合のように、対等当事者間における「対抗関係」と同様に解してよいかは疑問である。遺言による不動産等の権利取得者が今回の同条の追加を知らないことを奇貨として、共同相続人が自己の相続分(持分)を速やかに登記し、これを第三者に譲渡し、登記を完了してしまうような場合には、「背信的悪意」が問題にされるべきであろう。本条の趣旨は、法定相続分による権利の承継があったと信頼した第三者を保護することであるからである。

(h) 2021年の不動産登記法の改正

所有権の登記名義人(登記記録の権利部に所有者として記録されている者であり、登記記録上の最新の所有者)について相続の開始があったときは、当該相続により所有権を取得した者は、自己のために相続の開始があったことを知り、かつ、当該所有権を取得したことを知った日から3年以内に、所有権の移転登記を申請しなければならない。遺贈(相続人に対する遺贈に限る)により所有権を取得した者も、同様とする(不登§76の2Ⅰ)。1項前段による登記(§900および§901により算定した相続分に応じてされたものに限る。76条の3第4項においても同じ)がされた後に遺産の分割があったときは、当該遺産の分割によって当該相続分を超えて所有権を取得した者は、当該遺産の分割の日から3年以内に、所有権の移転登記を申請しなければならない(同条Ⅱ)。第2項は、代位者その他の者の申請または嘱託により、当該各項の規定による登記がなされた場合には、適用しない。

上記の期間内に、相続人である旨の申出等をした者は、76条の2第1項に規定する所有権の取得(当該申出の前にされた遺産の分割によるものを除く)に係る所有権の移転の登記を申請する義務を履行したものと見做される(同法§76の3Ⅱ)。上記の申出をした者は、その後の遺産の分割によって所有権を取得したとき(§76条1項前段の規定による登記がなされた後に当該遺産の分割によって所有権を取得したときを除く)は、当該遺産の分割の日から3年以内に、所有権の移転の登記を申請しなければならない(§76条の3Ⅳ)。以上の登記申請義務に違反した者には、正当な理由がない場合には、10万円以下の過料が課される(同法§164Ⅰ)。

更に、登記官は、所有権の登記名義人(法務省令で定めるものに限る)が、権利能力を有しないこととなったと認めるべき場合として法務省令で定める場合には、法務省令で定めるところにより、職権で、当該所有権の登記名義人についてその旨を示す符号を表示することができる(同法§76の4)。

その他、多くの改正がなされたが、詳細は、同法の解説書を参照されたい。

なお、改正法の施行日については、改正民法・不動産登記法の施行日は、原則、令和5年4月1日とされ、その中で相続登記義務化関係の改正については、令和6年4月1日、相続土地国庫帰属法の施行日は、令和5年4月27日とされた。

(ウ) 時効による不動産物権の取得

不動産物権を時効で取得した場合にも、登記がなければ第三者に対抗できないことは、譲渡などの場合と同様であろうか。これについても、取得時効が従来の権利者

第2編　第1章　総則

Aから時効を完成したBへの権利の承継を生じるものでなく、「原始取得」とされること(ただし、登記としては、便宜上、AからBへの移転登記がされるのが実務である)などから、問題の存するところである。

　(a)　第1に、Aの所有として登記されている土地をBが時効で取得したときは、Bは登記がなくてもその取得をもってAに対抗できることはいうまでもない。けだし、この場合A・Bは時効による物権変動の当事者とみるべきだからである(大判大正7・3・2民録24輯423頁)。

　(b)　第2に、時効によって不動産物権を取得したBが、その後これについて登記をしない間に、原権利者Aからその権利を譲り受けて登記をしたCがあるときは、Cは時効による物権変動の第三者であるから、時効取得者Bはその権利取得をCに対抗できないことになる(大連判大正14・7・8民集4巻412頁、最判昭和33・8・28民集12巻1936頁)。

　(c)　第3に、上の(a)の場合において、Bの取得時効の期間が満了する前にCがAから不動産を譲り受けて登記をしたときは、Bは、時効が完成した時の当事者はCであるとして、Cに対しては時効取得を対抗できる(大判大正9・7・16民録26輯1108頁)。これに対して、この場合A・C間において登記の移転があれば、Cに完全な権利を取得させるから、Bはその登記後改めてその占有を時効期間だけ継続しなければ、Bの時効は完成しないと主張する学説もある。これは、Cの登記取得に時効中断の効力を認めるような形になる。

　(d)　第4に、上の(b)の場合に、Cによる登記がなされた後に、Bがなお占有を継続し、改めて取得時効に必要な期間を経過したときは、Bによる時効取得の方が優先する(最判昭和36・7・20民集15巻1903頁)。同様の事実関係(ただし、抵当権の事例)において、同旨の判例が出ている(最判平成24・3・16民集66巻2321頁)。内容については397条〔4〕参照。

　(e)　以上が判例の考え方であるが、これに対して、Bがその占有を依然として継続しているのであれば、時効の起算点を繰り下げて、Cの登記取得後に時効が完成したこととして主張することを認め、つねにBが優先することにする見解もあるが、判例はこれを認めない(大判昭和14・7・19民集18巻856頁、最判昭和35・7・27民集14巻1871頁)。

これらの諸論点については、民法が、不動産物権についても登記の伴わない単純な占有のみによる取得時効の効果を認めていることに根本的な問題があることが指摘できる。登記と占有の両者を有することを要件とする行き方(ドイツ民法§900)と比較される。問題は、登記簿上の権利変動にどの程度の意義を認めるかにあり、(c)で述べた学説は、その点に配慮したものである。いずれにしろ、登記と時効の二つの問題がからみ、問題はなお流動的である。

なお、この問題は、登記を取得した者が時効取得者の登記の欠缺を主張する正当な利益を有するかという問題にもつながるが、これをさらに「背信的悪意者」の問題とする判決が現れた(最判平成18・1・17民集60巻27頁。〔8〕㋕(c)(ⅱ)参照)。

　㈄　不動産物権の処分の制限

§177〔3〕

　不動産物権者が普通に持っている処分の権能が特定の場合に制限されているときは、その旨を登記することを要する。たとえば、不動産共有者の分割請求権の制限（§§256Ⅰただし書・908、不登§59⑥・65参照）、永小作権者の譲渡または賃貸の制限（§272ただし書、不登§79③参照）などがその例である。これに対し、遺言で遺言執行者が定められていると、相続人は相続財産を処分する権能を失うが（§1013）、その旨を登記していなくても相続人が行った処分は絶対的に無効と解されていたが（大判昭和5・6・16民集9巻550頁）、2018年相続法改正により、相続人が行った相続財産の処分行為その他遺言の執行を妨げるべき行為は無効であるが（§1013Ⅱ本文）、その取引の相手方が遺言執行者の存在を知らなかった場合には、その行為の無効を善意の第三者に対抗することができない（同項ただし書）こととされた。

　㋔　不動産物権の消滅

　抵当権の放棄（被担保債権が存続している場合のことである。被担保債権が消滅した場合については、後述）、買戻権の合意による消滅などについて、判例は、登記を必要とする旨を判示するが（大判大正10・3・4民録27輯404頁、大判大正13・4・21民集3巻191頁）、もとより正当である。例外としては、たとえば不動産質権のように（§360参照）、その最長存続期間を法律によって制限されている不動産物権が、その期間の満了によって消滅したことは、抹消登記を要しないで第三者に対抗することができる（大判大正6・11・3民録23輯1875頁）。また、たとえば、地上権者がその土地につき所有権取得の登記をした場合のように、地上権が混同によって消滅したことが登記簿上明瞭であるときは、抹消登記がなくても地上権の消滅を第三者に対抗できると解されている（大判大正11・12・28民集1巻865頁）。

　注意すべきは、抵当権が被担保債権の消滅によって消滅した場合には、その抹消登記がなくても、抵当権の消滅をもって対抗できることである（§369〔4〕㋓参照）。

　㋕　未登記建物の転得と建築による原始取得

　未登記の建物に関する物権変動も、登記を必要とする（大判昭和19・10・6民集23巻591頁）。この場合には、譲渡人の名義で表示の登記および保存登記（不登§100の登記のこと）をし、譲受人へ移転の登記をするのが本来の方法であるが、譲受人がみずからそれらの登記をしてもよい。自分の材料で大工を雇って建築した建物所有者は、建物を原始取得した者であって、承継による取得ではないから、その建物の登記がなくても第三者──この場合には、不法行為者以外には第三者との法律関係を生じない（本条〔1〕参照）、──に対抗することができる。問題は、請負人にその材料で作らせた場合である。この場合には、建物の所有権はひとまず請負人に帰属し、引渡しによって注文者に移転するのを原則とする（本条〔1〕㋑参照）。したがって、この場合には注文者は上に述べたところに従って登記をしなければ、請負人がみずから登記をして第三者に譲渡すると、その第三者に対抗できない。しかし、請負人が建築材料を搬入するに従って、その材料の所有権が注文者に帰属するという特約がある場合には、注文者は建物を原始取得するから、登記がなくても当然に第三者に対抗することができる。

　㋖　公用徴収など

　公用徴収のような権力的処分によって物権が変動する場合にも登記を必要とするか

383

第2編　第1章　総則

どうかは、慎重な検討を要する問題であるが、やはりこれを必要とする見解を採りたい（大判明治38・4・24民録11輯564頁は同旨。農地買収について、最判昭和39・11・19民集18巻1891頁も同旨。なお、〔8〕㈹をも参照）。

〔4〕　原条文では、不動産の登記手続を定める法令を総称する言葉として「登記法ノ定ムル所ニ従ヒ」とあったが、2004年改正でこの表現となった。不動産登記法は、1899年の不動産登記法（明治32年法律24号）があったが、2004年に全面的に改正された（平成16年法律123号）。同法だけでなく、同法施行令（改正で不動産登記令となった）、同法施行細則、不動産登記事務取扱手続準則などが大事である。関連法律としては、電子情報処理組織による登記事務処理の円滑化のための措置等に関する法律（昭和60年法律33号）がある。

なお、「立木ニ関スル法律」による立木登記（同法§§12〜13）、工場抵当法による工場財団登記（同法§§17〜21）などの特殊な不動産物権に関する登記制度にも注意をはらう必要がある（動産抵当制度における登記〔登録と呼ばれることが多い〕制度についても同様である）。

〔5〕　つぎに、「登記」に関して、基本的なことを述べる。

〔4〕で述べたように、不動産登記法は、2004年に全面的に改正された（公布は、6月18日）。その内容は、一言でいえば、不動産登記簿をコンピューター化しようとするものであり、その全国登記所における完全実施までには、まだかなりの年月と問題があると考えられる（施行および経過措置については、附則、とくにその3条を参照）。したがって、まだ当分は、多くの登記所において旧不動産登記法による登記事務処理が行われる。そこで、以下には、旧不動産登記法についての説明も関連させながら叙述することとする。

㈠　まず、登記簿であるが、従来の登記簿は、土地登記簿と建物登記簿の二種があり（旧§14）、不動産の所在地を管轄する法務局もしくは地方法務局またはその支所、出張所が登記所として、この二種の登記簿を設置し、登記事務を掌る（旧§8。新§6）。登記簿には、1個の不動産（1筆の土地、1箇の建物。区分所有建物については、1棟の建物）について1用紙を備え、不動産を基準として「物的編成主義」によって編成される（旧§15）。1個の不動産についてすでに登記用紙が開かれているときは、たとえそれが違法な手続によったものであっても、まずこれを抹消しなければ、新たな登記を許さない（大判大正7・12・26民録24輯2445頁）。また、なにかの間違いで同一の不動産につき二つ以上の登記用紙が開かれたときは、後の登記は無効である（大判大正4・10・29民録21輯1788頁、大判昭和17・9・18民集21巻894頁）。登記とは、このような登記簿という公簿に一定の手続により一定の事項を記入することをいう。

これに対して、新法によると、①登記簿は、「登記記録が記録される帳簿であって、磁気ディスク（これに準ずる方法により一定の事項を確実に記録することができる物を含む）をもって調製するもの」（不登§2⑨）である。土地と建物が別個に扱われることはない。②登記記録とは、「表示に関する登記又は権利に関する登記について、1筆の土地又は1個の建物ごとに（区分建物〔定義は不登§2㉒〕については、扱いが変わったことに注意。不登§§44Ⅰ①・48）第12条の規定により作成される電磁的記録（電子式方式、磁気的方

§177 〔4〕〜〔6〕

式その他、人の知覚によっては認識することができない方式で作られる記録であって、電子計算機による情報処理の用に供されるものをいう)」(不登§2⑤)である。③登記事項とは、「この法律の規定により登記記録として登記すべき事項」(不登§2⑥)である。④登記とは、「登記官が登記簿に登記事項を記録すること」をいう(不登§11)。このように、すべての登記がコンピューター化されるのである。

(イ)　登記記録は、表示に関する登記が記録される表題部と権利に関する登記が記録される権利部に分けられる(不登§§2⑦⑧・12)。表題部には、土地または建物の表示に関する事項(土地について、所在地・地番・地目・地積など、建物について、種類・構造・床面積など)が登記され、権利部(従来の甲区・乙区)には、その不動産の所有権、用益権、担保権、信託、仮登記等に関する登記がなされる(不登§§74・78・83・97・105・115)。

この方式は、1960年のいわゆる登記簿と台帳の一元化によって、表題部には「表示に関する登記」という、従来土地台帳および建物台帳がもっていた意義が与えられ、これと「権利に関する登記」とが区別されることになって以来のものである。

不動産に関する表示に関する登記のうち、表題部に最初にされる登記を「表題登記」という(不登§2⑳)。不動産に関する最初の権利に関する登記は、「始メテ為ス所有権ノ登記」(旧§100)として「保存登記」と呼ばれ、権利部の冒頭に記載される(不登§74。旧§100)。

表示に関する登記(「表示の登記」ともいう)と権利に関する登記(「権利の登記」ともいう)は、法的にまったく異質なものであることには注意を要する。後者については、原則として当事者の申請による申請主義が採られているのに対し(不登§§16・60。旧§25)、前者については、登記官が職権によってすること(「職権主義」という)もできる(不登§28。旧§25ノ2。後述(6)参照)。

(ウ)　登記は種々な観点から分類される。

(a)　まず、登記の記載内容によって、記入登記(物権変動を新たに記入する登記、たとえば売買による所有権移転登記)、変更登記(不登§§2⑮・64・66など)、更正登記(不登§§2⑯・64・66など)、抹消登記(不登§§68〜72。旧§§141〜)および回復登記(不登§72。旧§§67〜)などに分かれる。この分類は、表示に関する登記についても、権利に関する登記についてもありうるが、後者においては、いずれも対抗要件としての効力を生ずる。

(b)　つぎに、権利に関する登記についてであるが、その効力によって、本登記(終局登記)と仮登記(不登§§105〜114。旧§§2・32・54・55・144など)に分かれる。

仮登記は、その後、本登記がなされた場合に、この本登記にあたかも仮登記の時に登記がされたと同一の効力を与えるものである(不登§106。旧§7Ⅱ。これを「順位保全の効力」という)。

(c)　また、権利に関する登記は、その内容に応じて、保存登記、設定登記、移転登記、変更登記、処分制限登記、抹消登記、抹消回復登記などに分類される(不登§3本文。旧§1参照)。それぞれの内容に応じた対抗要件としての効力を生じる。

〔6〕　「登記」がどのようにしてなされるかは、前述したように((5)(イ))「表示に関する登記」と「権利に関する登記」とで異なる。

385

第2編　第1章　総則

(ア)　「表示に関する登記」は、通常は当事者の申請によって行われるが、登記官が職権によってすることもできる（不登§28。旧§25ノ2）。

「権利に関する登記」は、当事者の申請、官庁もしくは公署の嘱託によって行われる。職権による登記が行われるのは、権利に関する登記においては特別の場合である（不登§67Ⅱ参照）。当事者の申請は、原則として、「登記権利者」（不登§2⑫）すなわち不動産の買主のように登記をすることによって利益を受ける者と、「登記義務者」（不登§2⑬）すなわち不動産の売主のように登記をすることによって不利益を受ける者との共同申請によって行われる（不登§60。旧§26）。

(イ)　以上のことは、旧法におけるのと特段の違いはない。大きく変わるのは、その登記の申請の方法であり、俗に「オンライン申請」と呼ばれる方法が採用されることである。新法18条によれば、登記の申請をするには、つぎの二つの方法のいずれかによって、「申請情報」（不動産を識別するために必要な事項、申請人の氏名又は名称、登記の目的その他の登記の申請に必要として政令で定める情報）および登記原因証明情報（§61）を提供してしなければならない（関連して、旧法§40の副本制度は廃止された）。登記情報を提供するのが登記申請行為だという用語の使い方に注意を要する。申請情報は、旧法§36でいう「申請書の記載事項」のことと理解すればよいが、申請書という用語は規定上存在しない。

その二つの方法とは、つぎの両者である。

1)法務省令で定めるところにより電子情報処理組織を使用する方法

2)申請情報を記載した書面（磁気ディスクを含む）を提出する方法（受付の先後に関する不登§19Ⅱ・Ⅲ参照）

前者がオンライン申請と呼ばれるものである。このオンライン申請の導入により、そもそも専門性の高い司法書士の役割が増すと思われるが、他方で、本人申請は否定できないと思われるので、混乱が生じることが危惧される。物権変動の当事者の同一性とその物権変動意思の確認という制度にとって肝心の点は有資格代理人である司法書士に多くを負うことによってクリアする方向が模索されなければならないと思われる。ただし、司法書士の責任は重くなる。司法書士が関与しない場合には、誤登記についての登記官の責任も問題になろう。

後者は、従来通りの書面による申請であるが、これについても、従来の出頭主義が廃され、郵送申請が可能になった。これも気懸りな点である。

(ウ)　登記権利者が登記義務者と協力して登記を申請すべき場合に、登記義務者が協力をしないときは、登記権利者は、これに対して協力を請求することができる。どのような場合にこの「登記請求権」が認められるかについては、登記制度の現状や登記実務ともからんで、複雑な議論が交わされている。

(a)　不動産物権を譲渡した者は、その契約上の義務として、譲受人に対して登記を移転する義務を負うのが原則である。たとえば、不動産がA→B→Cと譲渡された場合に、Bは自己名義の登記があれば、これをCに移転する義務があるのはもちろんのこと、登記がまだA名義になっている場合には、Aから登記を得た上でこれをCに移転する義務がある（大判大正9・11・22民録26輯1856頁）。したがって、

§177 〔6〕

Bは、すでにCに所有権を移転した後も、自分は所有者ではないが、なおAに対して登記の移転を請求することができる（大判大正5・4・1民録22輯674頁）。また、B所有の不動産の上にAが無効な抵当権の登記を有するとすれば、Bは、その不動産をCに譲渡した後にも、Aに対する抹消請求権を失わない（大判明治39・6・1民録12輯893頁）。同様に、未登記の建物を譲渡してしまった譲渡人も、保存登記の権利を失わない（大判昭和17・12・18民集21巻1199頁）。ただし、建物を取りこわす目的で材木値段で売った場合には、不動産の売買とはいえないから、登記を移転する義務はない（大判昭和5・2・4民集9巻137頁）。

(b)　不動産がA→B→Cと譲渡され、登記がなおAにある場合に、Cから直接にAに対して登記の移転（「中間省略登記」）を請求できるであろうか。判例はA・B・Cの三者間で直接に登記を移転するという契約がなされた場合に限り、これを肯定し（大判大正10・4・12民録27輯703頁、最判昭和40・9・21民集19巻1560頁）、Aが参加しなければもちろん、Bを参加させないでA・Cだけで特約をしても無効であり、CはAに対する登記請求権を有しないとしていた（大判大正5・9・12民録22輯1702頁、大判大正11・3・25民集1巻130頁）。また、A・B・C間で中間省略登記の合意が成立した場合でも、BはAに対する移転登記請求権を有するとされる（最判昭和46・11・30民集25巻1422頁）。ただし、すでにC名義の登記になっているときは、中間者Bの同意がなかった場合でも、Bは正当な利益がなければC名義の登記の抹消を請求できないとする判例もある（最判昭和35・4・21民集14巻946頁）。なお、このような中間省略登記は、新法の定める仕組み（登記原因証明情報の提供に関する不登§61などを参照）により原則として認められない等、大きな影響をうけることになる。

不動産の所有権が、元の所有者Aから中間者Bに、ついでBから現在の所有者Cに、順次移転したが、登記名義はなお元の所有者Aのもとに残っている場合において、現在の所有者Cが元の所有者Aに対し、元の所有者から現在の所有者に対する真正な登記名義の回復を原因とする所有権移転登記を請求すること（中間省略登記）は許されない（最判平成22・12・16民集64巻2050頁）。そこで、不動産業者等は、物権の移転と登記が一時的に齟齬する事態を回避するため、以下のような方法を考えている。

(ⅰ)　買主Bの地位の移転による方法

Bは移転登記を経由する前に、買主としての地位をCに移転する。A・B間で不動産売買契約（§555）が成立しているが、移転登記は未了（A名義）の状態で、当該不動産につきB・C間で、Bの買主としての契約上の地位をCに譲渡することによって（通常は、A・B・Cの三面契約、B・C間で行う場合には、Aの同意が必要）、当該不動産の譲渡契約の関係をA・B間から、A・C間に変更する方法である。実際上は、A・B間、B・C間において、代金関係などについて清算などを必要とすることはあろうが、「地位」の移転後に契約が履行されれば、A・C間に登記原因（契約関係）が発生している。これは、従来の意味における「中間省略登記」ではなく、中間者Bが実質的な所有者とならない場合などには、可能な方法であろう。

(ⅱ)　他人物売買の方法

387

第2編　第1章　総則

Bは、登記名義を有していない状態で、Cとの間では、他人物売買契約を締結する(所有権はAのもとに留保しておくことが望ましい)。この場合には、他人物の売主BはCに対して所有権移転義務を負うが、その義務は元の所有者AがBのために履行することが可能である(第三者弁済)。その結果、当該不動産の所有権はAからCに直接に移転する。B・C間において、なんらかの合意があっても、それを登記原因証明情報として提出する必要はない。

　(iii)　第三者のためにする契約による方法

　A・Bにおいて「当該契約に基づく物権移転を第三者である新権利者に対して行う」とする不動産売買契約を締結する方法である。法改正前の中間省略登記の合意では、物権変動はA・B間、B・C間としたままで、移転登記のみをA→Cとするものであったが、この方法は、A・B間の合意の内容が物権の移転に関するものとなっている点が重要である(「規制改革・民間開放推進会議」平成18年12月25日答申参照)。これを第三者のためにする契約として理解するのであれば、第三者Cの受益の意思表示が必要となる。そのうえで、CからAへの登記請求ということになる。

　なお、以上のことと関連して、宅建業者は「自己の所有に属しない宅地又は建物について、自ら売主となる売買契約(予約を含む。)を締結してはならない」(宅建業§33の2)が、その適用が除外される場合として、宅地建物取引業法施行規則15条の6第4号において「宅地又は建物について、宅地建物取引業者が買主となる売買契約その他の契約であつて当該宅地又は建物の所有権を当該宅地建物取引業者が指定する者(当該宅地建物取引業者を含む場合に限る。)に移転することを約するものを締結しているとき」が追加された。

　(c)　不動産物権は、目的不動産に対する支配権を有するのであるが、その不動産について、不当な登記が存在するということは、この支配権に対する侵害となる。したがって、不動産物権者は、その効力としてこのような不当な登記を有する者に対してその除去(方法としては移転登記でもよい)を請求し、真実の権利状態に合致させる権利を有する(最判昭和34・2・12民集13巻91頁、最判昭和36・11・24民集15巻2573頁)。この場合には、登記請求権は一種の物権的請求権という性質を有するものということができる。

　なお、このような意味での登記請求権が行使される場合に、その相手方が多少問題になる。それは、一般的にいえば登記簿上の名義人であるが、抹消すべき登記が数人の間に移転されているような場合、たとえば、A所有の不動産が無効な売買によってBに移転されて移転登記がなされ、さらにCに移転登記がされているような場合には、AはB・Cの両者に対して抹消を請求できるが、BもCに対して抹消請求できるとされる(最判昭和36・4・28民集15巻1230頁)。もっとも、無効な契約によってBに抵当権そのほかの他物権が設定登記され、それがCに移転して移転登記を経た場合には、古い判例だが、Cだけを相手にBの抵当権設定登記とCへの移転登記(これは設定登記に付記して登記される)との抹消を請求すべきものとする(大阪控判明治40・12・17新聞474号6頁)。しかし、この場合にもB・C両者に対して請求すべしとする意見もある。

§177 〔7〕

　(d)　登記請求権は、実体上の権利関係と登記の記載とを符合させることを理想として認められるものだから、登記請求権の内容も実体上の権利関係に応じたものとなるのが原則である。たとえば、①買主の登記請求権の内容は、売主に対して売買を理由とする所有権移転登記を請求することであり、②虚偽の売買によって所有権移転の登記を得た者に対する所有者の登記請求権の内容は、無効な登記を抹消することである。③同様に、不動産を被相続人から譲り受けたが、まだ登記をしない間に被相続人が死亡し、相続人が相続登記をしてしまったときは、相続人に対する譲受人の登記請求権の内容は、相続登記の抹消と、被相続人から自分への移転登記を請求することである（不登§62参照）。しかし、この原則は判例理論において修正を加えられている。すなわち、登記請求権者は上の第2の例では抹消登記に代えて移転登記を請求してもよく、第3の例では相続人から直接自分に移転登記をするべき旨の請求をしてもよいとされている（大判大正15・4・30民集5巻344頁、大判大正10・6・13民録27輯1155頁、大判大正9・8・9民録26輯1354頁）。第1の例については、〔7〕(イ)参照。

　〔7〕　「登記をする」とは、登記簿に一定の登記事項を記録することである（不登§11）。これに関連して、つぎの諸点が問題となる。

　(ア)　登記の申請をしても、なにかの理由で登記簿に登記記録が作成されないときは、登記がされたとはいえない。旧法においても、（旧法で定められていた登記済証が下付されても）登記簿に記載されないかぎり登記がされたとはいえないとされた（大判大正7・4・15民録24輯690頁）。この点、婚姻届が受理されれば、戸籍簿への記載の有無にかかわらず、有効であるのと、その趣を異にする（§739）。

　旧法が規定していた「登記済証」は新法により廃止された（旧§60）。登記済証は、「権利証」と俗称され、権利を取得した者がつぎに登記申請をするために必要な書類とされ（旧§35Ⅰ③）、登記名義人の同一性を確認する方法として実務上重視されたものであった。関連して保証書の制度（旧§44）も廃止された。新法による12桁程度の英数字（いわゆる暗証番号）を用いた「登記識別情報」の制度（不登§21）がその代わりとして、登記名義人の本人確認機能を営むものとされている（これを補うものとして、不登§23の定める事前通知の制度、有資格代理人による申請人確認情報提供制度、§24の定める登記官による本人確認がある）。

　(イ)　登記は、不動産物権の変動、たとえば、所有権がAからBに移転したこと、およびその原因、たとえば売買によるということを登記簿に記録する。

　そこで、問題となるのは、登記が物権変動の過程を如実に示さない場合、または、登記が物権変動の原因を真実に示さない場合である。たとえば、AからBを経てCに移転されたにもかかわらず、AからCに移転したという登記がされ（前述〔6〕(イ)(b)参照）、または、AからCへの所有権の移転が贈与によるにもかかわらず、売買として登記されているような場合である。これらの場合に、その登記は、なおCの所有権の取得について対抗力を生じさせるであろうか。

　判例は、はじめはこのような登記は無効であると判示したが、後に登記は不動産物権関係の現在の状態に符合する以上、なおこれを有効と認めるべきであると説くに至

389

第2編　第1章　総則

った（大判大正9・7・23民録26輯1171頁、大判大正10・4・12民録27輯703頁）。これは、登記手続が相当に煩雑であり、登録税(現在は「登録免許税」)が高いことからくるわが不動産取引の慣行と実態に対して、判例が譲歩したものである。学説もまた、一般的にはこれを是認している。

同様の趣旨から、債務者が期限に債務を弁済しないときは、債権者の一方的意思表示で代物弁済として債務者所有の不動産を取得すべき旨の契約をした場合に、その意思表示前に代物弁済による所有権移転登記手続がされても、債務者がその後その意思表示をして所有権が移転すれば、その登記は有効となるとされる（最判昭和23・7・20民集2巻205頁）。

以上の問題も、新法の定める仕組みによる影響を避けられないであろう。

(ウ)　一度適法に登記され、不動産物権変動が対抗力を生じた後に、その登記が、登記官の過誤などの理由によって、不当に抹消された場合に、一度生じた対抗力は消滅するであろうか。わが国の登記には公信力がなく、かつ抹消登記もまた一種の登記であることから考えると、対抗力は消滅しないとするべきであろう（大連判大正12・7・7民集2巻448頁、大判昭和17・9・18民集21巻894頁）。登記簿の編成替えなどにさいして登記官が脱漏したような場合にも、この不当抹消と同視すべきものかどうかについて、判例は、はじめこれを否定し（大判大正8・8・1民録25輯1390頁）、後に肯定すべきであると判示した（上の大連判）。しかし、これに反対する意見もある。

〔8〕　「第三者」とは、どの範囲を指すかは、本条の解釈に関する最も困難な問題である。判例は早くから「登記の欠缺を主張するについて正当の利益を有する第三者」に対してだけ登記を必要とする、という原則を宣明し（大連判明治41・12・15民録14輯1276頁）、その後、多くの事例について具体的な適用を示すことに努めている。学説としては、はじめはこれに反対し、すべての第三者に対して登記を必要とする見解(無制限説)が多かった。しかし、その後、判例に賛成するものが多くなり、今日では個々の事例について反対する場合はあっても、原則として第三者を制限すべきであるとする判例の態度を支持するのが、通説になっている(制限説)。つぎに、判例に従って主要な場合を示す。

(ア)　二重に譲渡を受けた者(二重譲受人)　　A所有の不動産をBが譲り受けても、登記をしなければ、Aから二重に譲渡を受けたCに対して、Bは所有権の取得を対抗できない。Cも未登記であっても、Bはなおこれに対抗することはできない（大判昭和9・5・1民集13巻734頁。もちろん、CもBに対して対抗できない）。Bが譲り受けた後に、売主Aが死亡してDが相続し、DがCに譲渡した場合にも、BはCにその不動産の取得を対抗できない。判例は、はじめは反対に解していたが、後にこれを改めた（大連判大正15・2・1民集5巻44頁、最判昭和33・10・14民集12巻3111頁）。

(イ)　他物権、たとえば抵当権・地上権などの取得者に対しても、登記がなくては対抗できないことはもちろんである。たとえば、未登記の建物を買い受けた者が、所有権取得の登記をしない間に、売主が自分名義で保存登記をして、その上に第三者のために抵当権を設定した場合には、その抵当権者は、本条の第三者に該当する（大判昭和7・5・27民集11巻1279頁）。

390

(ウ) 債権者については、検討を要するところである。当該不動産につき所有権を移転させる債権を有する者も第三者と解される(明認方法の事例だが、最判昭和28・9・18民集7巻954頁参照)。差押え債権者や配当加入を申し立てた債権者に対しても、登記がなければ対抗できない(大判昭和8・4・20新聞3553号17頁)。単なる一般債権者はどうであろうか。第三者とはいえないと解されないでもない。しかし、たとえば、限定承認のように財産の総清算を行う場合には、一般債権者も差押え債権者と同視される(大判昭和9・1・30民集13巻93頁)ことなどからすれば、一般債権者も第三者に含まれるという見解が有力である。

(エ) 不動産の上に賃借権または地上権を有する者に対して、その不動産の譲受人が新しい地主として賃料を請求する場合にも、登記を要するとされる(大判昭和8・5・9民集12巻1123頁、最判昭和49・3・19民集28巻325頁)。しかし、この場合には、借地人の権利と新地主の所有権とが排他的な関係——相手方の権利を認めると自分の権利が成立しないという関係——に立つのではないから、厳密な意味における「対抗関係」ではなく、単に所有権取得の証明の問題である、という理由で判例に反対し、登記を不要であるとする学説もある。

(オ) 以上のほかに、第三者であるとされたものに、つぎのようなケースがある。不動産の共有において、共有者の一人がその持分を他の共有者に譲渡した場合には、その持分譲渡につき他の共有者は第三者とされる(最判昭和46・6・18民集25巻550頁)。入会部落の総有に属した土地の時効取得者に対して、その部落の構成員であっても、その土地を譲り受ければ第三者とされる(最判昭和48・10・5民集27巻1110頁)。

これに対して、第三者とされなかった者の例として、地役権に特有のことかと思われるが、登記されていない通行地役権について、承役地の譲渡のさいに地役権者による使用が客観的に明らかであり、譲受人がそれを認識可能であったときは、譲受人は、登記の欠缺を主張する正当の利益を有する第三者とはいえないとされた(最判平成10・2・13民集52巻65頁。なお、担保不動産競売による売却の場合につき、最判平成25・2・26民集67巻297頁参照)。

(カ) 第三者に対して登記がなりれば対抗できない関係があれば、たとえその第三者が悪意であっても、影響をうけない(「悪意の第三者」も第三者である)。たとえば、AからBが不動産を譲り受けたが、まだ登記をしない間に、このことを知っているCが二重に譲り受けたとしても、BはなおCに対して不動産の取得を対抗できない(大判明治45・6・1民録18輯569頁、大判大正10・12・10民録27輯2103頁)。この点については、多少の反対説があるが、多数の学者は、各個の取引において善意・悪意を問題にすることは不動産取引を紛糾させるから、登記をもって一律に解決するのが至当であるとして、判例を支持する。しかし、この点に関しては、つぎのような問題が存する。

(a) 不動産登記法5条1項(旧§4)は、「詐欺又は強迫によって登記の申請を妨げた第三者は、その登記がないことを主張することができない」と定め、同5条2項(旧§5)は、「他人のために登記を申請する義務を負う者は、その登記がないことを主張することができない」と規定する。この二つの場合には、登記がなくても対抗できるわけであるが、それは、結局、単に不動産物権の変動を知っているというだ

第2編　第1章　総則

けではなく、公序良俗に反する方法で登記そのものを妨げるとか、または、みずからその不動産物権変動に関与して利益を得ているとかの理由で、その登記のないことを主張することがはなはだしく信義に反する場合を規定したものである。

(b)　この趣旨から第三者にそのようにいってよいような事情があれば、文字通り上の二つの場合に該当しなくても、登記の欠缺を主張することはできないと判例も解していた。たとえば、A所有の不動産が村税滞納処分で公売に付され、Bがこれを競落した場合には、その公売に立ち会い売得金から自分の抵当債権の弁済を受けたCは、Bが登記をしていないことを主張するにつき正当の利益を有する第三者ではないとされた(大判昭和9・3・6民集13巻230頁)。

(c)(i)　上述した(a)および(b)の趣旨の延長上に、悪意者のなかでも「背信的悪意者」ともいえる者は登記の欠缺を主張する第三者とはいえないとする考え方が登場し、いくつもの判例が重ねられている(最判昭和36・4・27民集15巻901頁——山林の売買を熟知しながら買い受けた例。最判昭和43・8・2民集22巻1571頁——山林の買主が未登記で20年以上経過したことを知りながら、売主から登記を得て利益を得ようとした例。最判昭和43・11・15民集22巻2671頁——山林贈与の争いにおいて移転登記をすることが合意された和解の立会人であった者の例。最判昭和44・4・25民集23巻904頁——根抵当権の放棄を知りながらこれを譲り受けた者の例。最判昭和44・1・16民集23巻18頁——贈与をめぐって係争中の不動産につき、それを知りながら、贈与者が受贈者をだますのに協力して登記を取得した者の例)。他方で、背信的悪意者であることが否定された事例もある(最判昭和40・12・21民集19巻2221頁、最判昭和43・11・21民集22巻2765頁)。

これらの判決はいずれも信義則、権利の濫用、公序良俗違反などの論点に言及しているので、この問題は、これらの法理の適用の一場面であると解することもできよう。

なお、第2の譲受人が背信的悪意者である場合に、その者からの転得者が第1の譲受人との関係で背信的悪意者と評価されなければ、この転得者はその所有権取得を対抗できるとされた(最判平成8・10・29民集50巻2506頁)。

(ii)　取得時効と登記の関係にからんで((3)(ウ)(e)参照)、この背信的悪意者の概念を第三者の問題の中心に据えようとする判決(最判平成18・1・17民集60巻27頁)が登場したが、その適否については検討を要する Yが時効取得した土地をXが前主から譲渡を受けたうえで登記をした事例で、原審がむしろ上述(b)の論旨を用いて、XはYの時効取得を容易に知り得たとして、登記の欠缺を主張する正当な利益を有する第三者とはいえないとしたのを破棄して、本判決は背信的悪意者を問題とし、その基準としてXはYが多年その土地を占有していた事実を認識しており、登記の欠缺を主張することが信義に反すると認められる事情の存在を認定すべきだとして差戻したものである。

㈔　当該不動産についてなんら実質上の権利を有しない者(「無権利者」という)は、登記の欠缺を主張することはできない(「無権利者」は第三者でない)。たとえば、A名義の不動産を、Bが文書を偽造して自分の名義に移転し、Cに譲渡して移転登記をした場合には、Cはなんらの権利をも取得しないから、Aからその不動産を有効に譲り受

§177 〔9〕

けたDに対して、CはDに登記がないと主張してその所有権取得を否認することはできない（大判大正9・11・25民録26輯1794頁、最判昭和24・9・27民集3巻424頁は、地上権を有すると称するが、実質はこれを有しない者は第三者といえないとした。最判昭和34・2・12民集13巻91頁は仮装買主の例である）。僭称相続人から不動産を譲り受けた者も、真正の相続人またはこれから有効に譲り受けた者との関係で同様であり、第三者ではない（大判昭和2・4・22民集6巻260頁）。これらの結論は、ほとんどすべての学者が支持する。ただし、この僭称相続人が共同相続人の一人であった場合については、〔3〕(イ)(c)参照。

(ク)　「不法行為者」に対しては、登記がなくても物権変動を対抗することができる。たとえば、土地の譲受人がその土地の上になんの権原もなく建物を所有する者に対して明渡しを求めるのには、登記を必要としない（最判昭和25・12・19民集4巻660頁）。また、たとえば、家屋の譲受人がその家屋を損傷した者に対して損害賠償を請求するのにも、登記を必要としない（大判昭和12・5・20法学6巻1213頁）。この結論も、ほとんどすべての学者の支持するところである。

不法行為者は、このように被害者がその所有権を証明して損害賠償を請求してきたときは、その者に登記があるかないかを問わずに応じなければならない。他方において、不法行為者が、登記簿上の権利者であるが、じつは権利を有しない者を真の権利者と信じて損害賠償を支払ってしまう場合もありうるが、このときは、多くの場合、債権の準占有者に対する弁済（§478〔改注〕）として保護されるであろう。

(ケ)　最後に、土地収用、農地買収などの行政上の処分を行った行政官庁は、本条の第三者に該当するであろうか。換言すれば、これらの処分が登記簿の記載を標準として行われた場合に、登記を経由していない真実の所有者は、これに対して異議を申し立てることができるか。

この興味ある問題について、事例は農地買収処分であるが、最大判昭和28・2・18（民集7巻157頁）は、このような国家が権力的手段をもって行う処分は民法上の売買と本質を異にするとして、そもそも177条が適用されず、登記に関係なく真実の所有者を対象とすべきものとした。しかし、これについては、やはり177条を適用したうえで、国が登記の欠缺を主張する正当の利益を有する第三者であるかどうかを論じてほしかったと思われる。

他方、国税滞納処分について、AからBに譲渡されたが未登記である土地について、Aの所有として行われた国税滞納処分の効力が争われた事例において、国も177条の第三者に当たるとされたが（最判昭和31・4・24民集10巻417頁）、その差戻し後の再上告審では、徴税庁がBを所有者として扱ってきた事実が認められて、Bの登記の欠缺を主張する正当な利益を有する第三者でないとされた（最判昭和35・3・31民集14巻663頁）。

以上は、〔3〕(キ)の問題とも裏腹の関係に立ち、慎重な検討を要するが、どちらかといえば、国についても第三者の問題になるとする見解を採りたい。

〔9〕　「対抗することができない」とは、第三者に対して物権の得喪変更を生じたことを主張できないということである。たとえば、Aから不動産を譲り受けたBが

393

第2編　第1章　総則

移転登記を受けない間に、CがさらにAから譲り受けたときは、BはCに対してすでに所有権を取得したことを主張できないから、Cに対する関係では、Aはなお無権利者とならず、したがってCはAから所有権を譲り受けることができることになる。

　(ア)　このことを理論的に説明する試みとしては、(a)登記のない物権変動は第三者がこれを否認できるという意味であると説くもの、(b)登記のない間は、第三者に対する関係では物権変動に効力を生じないという意味であると説くもの、(c)登記のない限り、物権変動は完全な効力を生じないという意味であると説くもの、などがある。

　しかし、問題はつぎに挙げるような論点、あるいは本条全体の適用に関して具体的に検討される必要があり、どの説明を採るかによって別段大きな違いを生じるわけではない。

　(イ)　第三者に対抗できないとは、第三者に対して無効であるということとは異なる。第三者の方から物権変動を認めることは妨げない。たとえば、土地の譲受人が登記をしない間に第三者がこれを認めて地上権設定契約をすれば、両者間において地上権は完全に成立する。また、物権者としての責任は、登記とは無関係に生ずる（最判昭和35・6・17民集14巻1396頁、最判昭和47・12・7民集26巻1829頁）。たとえば、土地の譲受人は、登記をしない間でも、相隣関係上の責任や717条（もちろん、土地に起因するそれ以外の§709の責任も）の責任は、これを免れることはできない。逆に、不法占拠建物の登記名義人が、建物譲渡後も建物収去義務を免れないとされる場合もないではない（最判平成6・2・8民集48巻373頁）。

　(ウ)　登記は第三者に対抗する要件であるから、当事者間においては、登記がなくても効力を生ずる。したがって、たとえば目的物から生ずる果実の帰属を定める標準（§89）などは、登記に関係がない。また、抵当権者は、必ずしも登記がなくても競売をすることができる（民執§181参照）。もちろん、抵当権に基づいて他の者に優先して弁済を受ける権利は、登記がなければ第三者に対して主張できないが、目的物が設定者の所有にある間にこれを競売することだけは、当事者間の効力として、登記がなくてもできる（大判大正12・7・23民集2巻545頁）。

〔10〕　本条の原則に対しては、二つの例外がある。

　(ア)　その一つは、借地借家法によって、建物の登記によってそれ自体としては登記のない地上権が対抗力を認められる場合である（(2)(キ)参照）。

　この例外的な対抗要件については、本来の登記については問題にならないようなことが問題になることに注意を要する。土地がA→B→Cと譲渡され、Aからこれを賃借したDが、Bによる土地取得登記後にはじめてその建物を保存登記したときは、Cに対して対抗力はないとされた（最判昭和36・11・24民集15巻2554頁）。また、土地賃借人の長男の名義で建物が登記されているときに対抗力が認められるかが争われたが、最大判昭和41・4・27（民集20巻870頁）はこれを否定した。また、2筆の土地を一体として借地している者が、その一方にのみ建物を有する場合に、両地を譲り受けた者が建物のない土地について対抗力を否定したのを、権利濫用とした判決がある（最判平成9・7・1民集51巻2251頁）。

　(イ)　その二つは、立木に関する権利変動が「明認方法」によって対抗力を取得する

394

§177〔10〕〔11〕

場合である。すなわち、樹木の集団は立木法によって特別の登記をすれば、土地から完全に分離した不動産とされ、その上の権利の変動は、登記をもって対抗要件とする。しかし、登記をしない立木も当事者がとくに土地から分離して立木だけを譲渡したような場合には、立木は土地所有権とは別個の所有権の客体となる。この場合、立木所有権の変動については「明認方法」がその対抗要件となるのである（§86〔3〕(イ)参照）。

　明認方法について簡略に説明しよう。まず、その方法は、だれが現在所有者であるかを明らかにする方法、たとえば木を削って墨書し、または標木を立てるなどの方法を講ずれば足りる。登記簿のように権利移転の原因などを明示する必要はない。山林内に小屋、炭焼がま、その他製炭用の設備をすることでもよい。しかし、単に樹木の伐採に着手することは明認方法とはならない。また、第三者からみて分かるような状態を継続させなければならない。

　明認方法の対抗要件としての効力は、登記に準じて考えればよい。たとえば、伐採期間を徒過すれば立木の所有権が売主に復帰するとする特約があっても、その明認方法を施さず、買主から転得した第三者がその取得の明認方法を施した場合には、伐採期間の徒過によって所有権は復帰しない。ただし、明認方法は近い将来に伐採する目的で売買された場合に限るものではないこと、先に明認方法を施せば、後にその樹木を地盤とともに譲り受けて登記をした者に対しても対抗しうることなどは、とくに注意すべき点である。なお、明認方法は立木に関して利害関係ある第三者に対する対抗要件であり、立木を伐採した後に利害関係に入った第三者に対しては、たとえその材木が現場に積んである場合にも、明認方法を必要としない。

〔11〕　以上の検討によって、本条により不動産物権変動について公示の原則が採用され、登記には対抗力が認められることが明らかになった。

　このことの反面において、不動産に関しては公信の原則を採用したことを示す条文はなく、したがって登記には公信力は認められないことも明らかである。登記に公信力がないということは、たとえば、不動産がAからBに譲渡されたとして移転登記がなされ、Bが所有者として登記されていたとしても、A・B間の譲渡が無効であり、真実の所有者はAであってBではないという場合、すなわちB名義の不実の登記が存する場合に、その登記を信じて善意のCがBから譲渡を受け、登記を経ても、所有権を取得することはないということを意味する。

　ところが、94条2項の類推適用によって、上のような結論に修正を加えようとする考え方が登場した。94条2項は、A・B間の譲渡が両者による(通謀)虚偽表示を根拠として無効である場合には、善意の第三者Cに対してはその無効を主張できず、Cとの関係ではA・B間の譲渡は有効で、Bは所有者であったものとして取り扱うという趣旨の条文である。この条文を、AとBの間で通謀虚偽表示がなされたわけではないのに、B名義の不実の登記を真実の所有者Aが放置していたという諸種の事案にまで拡張して適用しようとするのが、この考え方である。この考え方を採用した判例は、その数を増している（§94〔5〕参照）。

　この一連の判例は、上の説明からも分かるように、実質的には登記に公信力を認め

第2編　第1章　総則

たのと同様の効果を生じている。このことの根本的検討——大部分の登記が真実であることに基礎をおいた公信力ではなくて、不実の登記の発生を抑えきれないことに根拠をもつ公信力であるが、それでもよいか、などの——が必要であるが、学説の大勢もこの94条2項類推適用論を容認し、それが認められる場合の不実登記成立の態様や第三者の善意の内容などを議論しているように思われる。最判平成15・6・13（判時1831号99頁）は、Xの不動産につき、Y₁がXから受領した登記済証などを悪用して登記を自己名義に移し、さらにその登記が善意のY₂→Y₃に移転された事例について、XのY₂、Y₃に対する抹消請求を否定した原審判決を破棄し、さらに事情を審理するべく差戻したもので、注目に値する判決である（§94⑸参照）。

▍**（動産に関する物権の譲渡の対抗要件）**
　第百七十八条
　　　動産[1]に関する物権[2]の譲渡[3]は、その動産の引渡し[4]がなければ[5]、第三者[6]に対抗することができない[7][8]。
　［原条文］
　　　動産ニ関スル物権ノ譲渡ハ其動産ノ引渡アルニ非サレハ之ヲ以テ第三者ニ対抗スルコトヲ得ス

　本条は、動産所有権の譲渡が引渡しをもって対抗要件とすることを規定する。192条とともに、動産取引の安全に関する重要な規定である。なお、本条に関する重大な特別法が登場したことについて、本章解説⑥を参照。
　〔1〕　「動産」とは、不動産すなわち「土地及びその定着物」以外の物である（§86⑸参照）。問題となるのは、つぎの諸点である。
　㋐　無記名債権も動産とみなされるから（削除前§86Ⅲ）、その譲渡には本条の適用がある。しかし、権利が証券に化体している無記名債権について、その証券と離れて意思表示により権利変動が生じ、証券の引渡しを単なる対抗要件とすることは、理論上無理があるのみでなく、船荷証券・貨物引換証（2018商法改正により廃止）・倉庫証券などの商法上の典型的な有価証券がいずれも証券の交付または裏書交付をもって譲渡の効力発生要件と解釈されていることと、いちじるしく均衡を失する（§192⑵㋑参照）。
　㋑　不動産の上の抵当権は、その従物である動産にも効力を及ぼし、その動産の上に抵当権の効力が及ぶことについては、不動産上の抵当権の登記が対抗要件となる。これは、本条の例外となるわけであるが、同じ理論は、不動産の譲渡に当たり、その従物である動産もともに譲渡された場合にも通用し、不動産についての移転登記が従物である動産の譲渡の対抗要件となるはずである。しかし、判例としては、まったく相反する解釈を下す二つの判決がある（肯定するもの、大判昭8・12・18民集12巻2854頁。否定して、従物の引渡しを必要とするもの、大判昭和10・1・25新聞3802号12頁）。
　㋒　商法上登記を必要とする船舶（商§§684・687）は、登記をその所有権移転の対抗要件とする（商§687）。したがって、このような船舶は、引渡しをもって対抗要件とすることはできない。

§178 〔1〕～〔4〕

　(エ)　なお、農業動産信用法13条により農業用動産の上に、自動車抵当法3条により登録(道路運送車両法§§4～)された自動車(なお、§192〔2〕(ア)参照)の上に、航空機抵当法2条により登録(航空§§3～)された航空機の上に、建設機械抵当法5条により、登記され、かつ記号を打刻された建設機械(同法§§3～)の上に、それぞれ抵当権を設定することができる。これらの場合の対抗要件は登記または登録である。

　〔2〕　本条は、単に「物権」といっているが、本条の適用があるのは結局は所有権に限られる。所有権以外の動産物権のうち、占有権(§§182・203参照)、留置権(§§295・302参照)、質権(§§344・345・352参照)は、その成立または存続についてそれぞれ本条によるよりも厳格に占有が要件とされている。これに反して、先取特権は、動産の上に成立する場合にも占有を必要としない(§§311～)。また、動産の上に抵当権が設定される場合には、登記または登録を対抗要件とする(〔1〕(イ)・(エ)参照)。

　〔3〕　本条の適用を受ける動産物権の変動は、「譲渡」に限られる。なお、解除による所有権の復帰がこれと同視される。動産所有権の取得原因には、譲渡のほかにも、承継取得としては相続があるが、占有も相続されている場合が多いであろう。また、原始取得としては、時効、無主物先占、遺失物拾得、埋蔵物発見、添付などがあるが、そのうち時効、無主物先占、遺失物拾得は、その要件として占有を伴う。埋蔵物発見と添付とは、必ずしも占有を伴わないが、とくに占有を要件としなくても取引の安全を害する心配はない。したがって、本条の適用は文字通り「譲渡」に限り、これを拡張して解釈する必要はないというのが通説である。

　〔4〕　「引渡し」とは、本来は、動産の上に及ぼす事実的支配を移転すること、たとえば動産をAの手からBの手に渡すとか、動産を貯蔵する倉庫の鍵をAからBに渡すというような意味である。これを「現実の引渡し」という(§182Ⅰ)。

　しかし、占有権の移転には、このほかに簡易な引渡し(§182Ⅱ参照)、占有改定(§183参照)、指図による占有移転(§184)の三つの方法がある。本条にいう「引渡し」という文字を厳格に解釈すれば、この後の三者を含まず、現実の引渡しがなければ第三者に対抗できないということになる。しかし、学説・判例ともに、ここに「引渡し」とは「占有権の移転」ということであって、後の三者を含むと解している。このように解すると、たとえば、AがBに動産を譲渡したが、引続きこれを借りている場合(占有改定)に、A・B間でAが以後Bのために占有するという意思表示があればよいのであるから、Aと取引関係に立つ第三者からみると、動産は終始Aの支配内にありながら、その所有権はいつの間にかBに移転していることを対抗されることになる。これは、公示の原則から見て不当なように思われる。しかし、だからといって、この場合に一度AからBに交付して、改めてもう一度BからAに貸与せよと要求してみても、Cがそれを目撃でもしない限り、Cに対する公示としては同じことで、かえって、取引を煩雑にするだけである。Aの占有を信頼して、これと取引関係に入ったCは、多くの場合に公信の原則(本章解説③⑤参照)によって保護されるから、不測の損害をこうむる心配は少ない。このような理由で、学説・判例は、本条の引渡しをゆるやかに解釈しているのである。

　なお、成熟したみかんなどを果樹についたままで取引するときには、その所有権の

397

第2編　第1章　総則

移転は明認方法による（§86〔5〕参照）。判例は、この場合の明認方法を「引渡し」の一種と見ているようでもあるが、強いてそう解釈する必要はなく、判例法上認められた特殊な対抗要件と考えてよいであろう。

〔5〕　引渡し以外の対抗要件が特別法によって認められたことについて、本章解説⑥参照。

〔6〕　本条の「第三者」についても、判例は、177条の場合と同様に、「引渡しの欠缺を主張するについて正当な利益を有する第三者」を意味するものとする。つぎの諸点を注意しなければならない。

　㈠　Aの所有物をBが譲り受けたが、引渡しを受けないうちにCが二重に譲り受けたとすれば、まず先に引渡しを受けた者が所有権を取得する。しかし、この場合の「引渡し」は、〔4〕で述べたように、占有改定でもよい。したがって、BはAから譲り受けて、そのままこれをAに預けておいた場合（占有改定）にも、その所有権取得をもってCに対抗することができる。しかし、このようにしてBが所有権を取得したとしても、CがAの預っているBの動産を、過失なく、Aの所有物であると誤信して譲り受け、引渡しをうけると、Cは公信の原則によって所有権を取得する（§192）。したがって、この場合には、Bが引渡しを受けたことの効果は、第三者であるCが悪意であるか、または善意でも過失がある場合に、Cに対して所有権を主張できる点に現われる。

　㈡　Aの動産の賃借人Cまたは受寄者Dに対して、その動産の譲受人Bが所有権の取得を対抗するためにも、引渡しを必要とする。この場合の引渡しは、譲渡人AからCまたはDに通知する方法、すなわち指図による占有の移転（§184）によって行われるのである。判例は、賃借人の場合と受寄者の場合とを区別して、前者の場合には引渡しを必要とするが（大判大正8・10・16民録25輯1824頁）、後者の場合には引渡しを必要としないと判示している（最判昭和29・8・31民集8巻1567頁。受寄者が物件を一時保管するにすぎないことを理由とし、正当の利益なしとする）。しかし、この区別は疑問である（受寄者にとっても、だれに返還するかについて利害関係がある）。

　㈢　無権利者や不法行為者に対しては、引渡しを受けなくても対抗できることは、177条の場合と同様である（最判昭和33・3・14民集12巻570頁は無権利者の例）。同じ趣旨によって、Aから盗難にあった品物の所有権を譲り受けたBは、引渡しがなくても——引渡しは不能であることを注意——盗人に対抗することができる。

〔7〕　「対抗することができない」こと、すなわち「引渡しの対抗力」については、177条におけると同様の意味である（§177〔9〕参照）。

〔8〕　未分離の果実が土地とは別個に取引の対象とされる場合には、それらの果実は動産とみてよい。この場合についても、立木の場合と同じように、判例は「明認方法」による取引を認めている。立木について述べたところ（§177〔10〕㈡）に準じて考えればよい。

398

§§178〔5〕〜〔8〕・179〔1〕〜〔3〕

（混同）
第百七十九条
1　同一物について所有権及び他の物権²⁾が同一人に帰属したときは、当該他の物権は、消滅する¹⁾。ただし、その物又は当該他の物権が第三者の権利の目的であるときは、この限りでない³⁾。
2　所有権以外の物権及びこれを目的とする他の権利が同一人に帰属したときは、当該他の権利は、消滅する。この場合においては、前項ただし書の規定を準用する⁴⁾。
3　前二項の規定は、占有権については、適用しない⁵⁾。

［原条文］
同一物ニ付キ所有権及ヒ他ノ物権カ同一人ニ帰シタルトキハ其物権ハ消滅ス但其物又ハ其物権カ第三者ノ権利ノ目的タルトキハ此限ニ在ラス
所有権以外ノ物権及ヒ之ヲ目的トスル他ノ権利カ同一人ニ帰シタルトキハ其権利ハ消滅ス此場合ニ於テハ前項但書ノ規定ヲ準用ス
前二項ノ規定ハ占有権ニハ之ヲ適用セス

〔1〕　たとえば、ある土地の上にＡが所有権を有し、Ｂが抵当権または地上権を有している場合に、ＢがＡを相続するとか、ＡがＢからその抵当権または地上権を譲り受けると、抵当権または地上権は消滅する。同一人が同一物の上に所有権と制限物権の2個の権利を有するという状態を認めることは無意味であるから、所有権だけを認めて、他の権利はいわばこれに吸収されて消滅するものとした。これを「物権の混同」という。

〔2〕　ここに「所有権」とは、動産所有権、不動産所有権の双方を指す。もっとも、実際上本条の適用があるのは主として不動産についてである。「他の物権」とは、所有権以外のいっさいの他物権(本編解説①参照)を総称する。ただし、占有権は例外である(〔5〕参照)。なお、鉱業権は土地所有権から独立した、これとはまったく別個の存在意義を有する権利であるから、混同によって消滅しないと解される。

〔3〕　混同によって物権が消滅するのは、混同した一方の権利を存続させる必要がないからである。したがって、とくに存続させる必要がある場合には、例外として、混同があっても物権は消滅しないものとしなければならない。これがただし書の趣旨である。そういう場合は、二つある。

㋐　「その物が第三者の権利の目的であるとき」とは、たとえば、Ａの所有地に一番抵当を有しているＢがＡからその土地を譲り受けてその所有権を取得したが、Ｃが同じ土地の上に二番抵当権を有している場合である。この場合には、Ｂはその抵当権を失わず、自分の土地の上に一番抵当権を保有し、この土地が競売されたときは、その代金からＣに先んじて自分の債権の弁済を受領することができる。Ｂの利益のために混同の例外を設けたのである。この例で注意すべきは、Ｂの所有権取得が相続であるとすると、ＢがＡに対して負う債務をも相続して、ＢがＡに対して持っている被担保債権が混同によって消滅することがありうることである(§520参照)。この場合には、抵当権の基礎である債権が消滅するから、たとえ二番抵当権があっても、

399

第2編　第2章　占有権

Bの抵当権は消滅すると解されている。

　なお、この例でBの抵当権が最後の順位のものであれば、Bのために抵当権を留保する必要はないから、原則に戻って混同によって消滅すると解される（大判昭和4・1・30民集8巻41頁）。

　(ｲ)　「その物権が第三者の権利の目的であるとき」とは、たとえば、所有権と地上権とが混同する場合に、その地上権が第三者の抵当権の目的となっている場合（§369Ⅱ参照）などである。混同によって第三者の権利を失わせることは不当であるから、当然の例外であり、適用上も格別問題はない。

　(ｳ)　ただし書に文字通りは該当しないが、その趣旨からみて、つぎのような場合にも、ただし書を準用してもよいと考えられる。それは、土地の所有権とその上の対抗力を備えた賃借権が同一人に帰したが、賃借権が対抗力を備えていた場合に、その土地上に抵当権が設定された場合である。抵当権が実行された場合に混同を前提とすると、従来の賃借権が効力を失うおそれがあるから、賃借権は混同により消滅しないとされたが（最判昭和46・10・14民集25巻933頁）、妥当である。

　〔4〕　本項は、たとえば地上権とその上の抵当権・質権などが同一人に帰した場合に、この抵当権・質権が混同によって消滅することを規定する。しかし、この場合にも、前項と同様に、その地上権の上に後順位の抵当権が存在するか、またはその抵当権の上に転抵当権があるような場合には、例外としてその抵当権は消滅しない。

　〔5〕　占有権が例外であるというのは、占有権と他の権利が同一人に帰属しても占有権は消滅しないという意味である。占有権は、所有権その他の諸権利とはまったく別個の目的を有し、所有権のほかに占有権を有することは独立の意味のあることであるから、混同によって消滅しないことは、ほとんど自明の理である。

§179〔4〕〔5〕・第2章［解説］①〜④

第2章　占　有　権

① 本章の内容
　本章は、第1節「占有権の取得」、第2節「占有権の効力」、第3節「占有権の消滅」、第4節「準占有」の四つの節からなっている。

② 占有制度の意義
　わが民法が認める占有制度は、ローマ法のポセッシオ possessio とゲルマン法のゲヴェーレ Gewere の両方の流れをくむ規定からなっているといわれる。すなわち、前者は、社会的平和の維持の見地から、外形的な「ある状態」（占有）を——「あるべき状態」がどうであるかに関係なく——占有として保護しようとするものであって、民法が規定する占有訴権（§§197〜202）、果実取得と費用償還関係（§§189〜・196）がこれに属する。後者は、それぞれの物に応じて一定の事実上の支配関係（ゲヴェーレ）が成立している場合に、これをもって「物に対する支配権の表象」とみる見地から、その事実関係が裁判上破られるまでは正当なものとされ（権利の防衛）、そのゲヴェーレに支配権に適する状態を実現するために妨害を排斥する力が与えられ（権利の実現）、また、物の支配権の移転はゲヴェーレの移転によってだけ完成する（権利の移転）とされたものであって、民法が規定する権利の推定（§188）、善意取得（§§192〜194）などが、その流れをくむ主要なものである。もとより、この二つの系統は、わが民法上統一された一つの占有制度を構成し、独自の体系を作っているものと解するべきであるが、なお、これらの系統を明らかにすることは、各条の理解にとってきわめて重要な意義を有するものである。

③ 占有と占有権
　「占有」と「占有権」の関係も争われた問題であるが、通説は、占有という事実に基づいて占有権が発生し、占有が移転されれば、占有権も移転し、占有が消滅すれば、占有権も消滅する、という関係にあり（§§180〔3〕・182〔2〕参照）、代理人によって占有権を取得する場合にも、そうであると解している（§181〔2〕参照）。

④ 関連する概念
　占有・占有権と並んで、これと区別すべき概念に、つぎの二つがある。
　(a) 「所持」　物を支配する事実状態（§180〔2〕参照）であって、占有の基礎となる客観的事実（体素 corpus）をいう。所持だけで占有の成立を認めるか、所持になんらかの主観的要素（心素 animus）が伴うときに占有の成立を認めるかは、立法例によって異なる（§180〔1〕参照）。
　(b) 「占有すべき権利」　占有を正当ならしめる権利である。これを「本権」ともいう（§202参照）。したがって、純粋に観念的な概念であり、占有の成立とは全然関

401

第2編　第2章　占有権　第1節　占有権の取得

係がない。所有者・地上権者・賃借人・質権者などは、占有すべき権利を有するが、占有を失うこともあり、盗人・賃貸借期間終了後の賃借人などは、占有すべき権利を有しないが、占有をすることはできる。

第1節　占有権の取得

①　本節の内容

本節は、占有権の取得と題しているが、およそ二つの事項を規定する。一つは占有権の取得方法(§§180~184)であり、二つは占有の態様(§§185~187)である。

第1に、占有権の取得方法には、「原始取得」(§180)と「承継取得」とがある。後者には、さらにいわゆる「現実の引渡し」(§182 I)、「簡易な引渡し」(§182 II)、「占有改定」(§183)および「指図による占有移転」(§184)の四つの態様がある。これらの規定の内容は、フランス・ドイツ・スイスなどの諸民法と大体においてその軌を一にする。なお、原始取得と承継取得の両者に通じるものとして、181条は代理人による占有権取得について規定する。

第2に、占有の態様に関して民法が規定するのは、占有の性質の変更(§185)、占有の態様に関する推定(§186)、および占有の承継の効果(§187)である。

②　占有と相続

相続による占有ないし占有権の取得については、民法に規定がない。そこで多少の問題があるが、通説は、被相続人が相続開始の当時占有していたものは当然に相続人の占有に承継され、したがって、占有権もその効果として承継されるものと解している(§§180〔1〕(d)・182〔2〕・187〔3〕参照)。

（占有権の取得）
第百八十条
　　占有権は、自己のためにする意思[1]をもって物を所持[2]することによって取得する[3]。
　[原条文]
　　占有権ハ自己ノ為メニスル意思ヲ以テ物ヲ所持スルニ因リテ之ヲ取得ス

本条は、占有権成立の基本的要件を定める。

〔1〕「自己のためにする意思」とは、物を自己の利益のために所持するという意思である。元来、占有が法律上保護を受けるためには、単に「所持」の事実でよいか、または、なんらかの意思を伴う所持であることを必要とするかは、ドイツの普通法時代(1900年1月1日の民法施行前を指す)に大いに争われた問題である。すなわち、大きく主観説と客観説とが対立する。前者は、所持という体素 corpus のほかに意思とい

第1節［解説］・§180〔1〕

う心素 animus が必要であるとし、その意思の態様についてさらに説が分かれ、最も強力な意思を要求するものは「所有者の意思」animus domini を必要とし、つぎには「支配者の意思」animus dominandi を必要とし、最も弱い意思で足りるとするものは「自己のために物を所持する意思」animus rem sibi habendi で足りるとした。他方、後者すなわち客観説もさらに二派に分かれ、一は、積極的な意思を必要としないが、なお所持の構成要素として一種の意思を必要とするのに対して、他は、どのような意味においても意思を必要とせず、すべての所持は占有として法律的効果を認められると説いた。以上の学説の争いは、最初は、ローマにおいて占有の効果——主として占有訴権——が認められた所持を統一的に説明することを目的としたが、後にはしだいに占有制度がその時代においてもった意義を自主的に考察し、その時代の法のもとで占有としての法律的効果を与えられるべき占有の本体を明らかにすることを目的とするに至った。そして、その結果、最後の純粋な客観説が最もその目的に適するものとして、ドイツおよびスイスの民法典に採用されるに至ったのである。

このような学説の変遷にてらしてわが民法の占有制度をみると、それは、あたかも上述のうちの主観説の最後の段階に属するものであることが知られる。現代の占有制度の作用からみると、いささか時代遅れといわなければならない。けだし、「自己のためにする意思」ということを厳格に解して、各所持者が具体的な意思を有することを必要とした場合に、所有者であっても、不断にこのような意思を有しているとは必ずしもいえないであろう。また、所持者の具体的な意思は、外部からうかがい知ることができない場合が多いであろう。したがって、それを問題にしていたのでは、物の支配の外形に従って社会の秩序を維持しようとする占有制度の目的が達せられなくなるおそれがある。

そこで、本条の解釈として、学説・判例は、「自己のためにする意思」をきわめてゆるやかに解する。すなわち、

(a) 第1に、この意思は、客観的・一般的に解釈し、所有者の所持、盗人の所持、地上権者の所持、賃借人の所持などは、それぞれみな一定の内容の意思——当然「自己のためにする意思」を含む——を伴うものとみる。換言すれば、所持の意思は、所持を生ずる原因の性質に応じて客観的に定まるものとする。

(b) 第2に、この意思は、潜在的・概括的であってもよいとする。たとえば、郵便受箱・牛乳受箱などを設置することは、そのなかに投入される物を自己のためにする意思で所持する意思を伴うものとみる。

(c) 第3に、「自己のために」すなわち、「自己の利益のために」ということを広く解し、報酬・対価を得て他人のために運送または保管をする者だけでなく、無償で運送または保管する者も、なお自己のためにする意思があると解する。これらの者もその運送または保管する物の滅失・損傷について他人に対して責任があるから、自己のためにする所持があるとみて差し支えないというのである。

(d) 第4に、多数の学説は、この「自己のためにする意思」は、180条の明文上、占有取得のための要素であるにとどまり、占有継続のための要件ではないと説く（§203〔1〕参照）。そして、占有の相続を認めることができるのはそのためであるという。

403

第2編 第2章 占有権 第1節 占有権の取得

(e) 第5に、事理弁識能力を欠く者は、この意思を持ちえないとされるが、この意思は法律行為に関するものではないので、緩やかに考える必要があろう。また、後見人等の代理人によってこの意思が補充されると解される余地もあると考えられる。

〔2〕 物を「所持」するとは、物を自分の支配内におくことである。そして、物が、ある人の支配内にあるということは、社会的秩序の力によってその人の支配内に存すると認められることである。したがって、動産についても、これを手に持ち、身体につけておく必要はない。自分の居室や家屋の内に保存することはもちろん、倉庫に保管してその鍵を所持することなど、すべて動産を所持することになる。また、不動産については土地を耕作し、家屋に居住し、工場を経営するなどは、すべて所持となる。なお、山林などについては、立木に刻印を打って自分の所有であることを示すのも所持となる。

判例に現れた特色ある事例を示すならば、つぎの通りである。

(a) 県知事から海岸地に散在する貝殻の払い下げの許可を受けた者が、その所定区域10か所あまりにその旨を公示する標杭を設置し、かつ他人の採取を防ぐために監視人をおいた場合には、貝殻が海浜に打ち上げられた時に占有を取得し、したがって所有権を取得し(§239参照)、現実に貝殻を拾う必要はない(大判昭和10・9・3民集14巻1640頁)。

(b) タヌキ(狸)の狩猟期は2月末日までであるが、Aはその2月末日にタヌキを発見して岩窟内に追い込み、入り口を石で閉塞して帰り、3月3日にふたたび同所に行って犬をけしかけてタヌキを捕えた。Aは2月末日にタヌキに対して事実上の支配力を獲得して、確実にこれを占有したのであるから、同日に狩猟法にいわゆる捕獲をしたものであるとして、無罪とされた(大刑判大正14・6・9刑集4巻378頁)。

(c) 土地とこれを敷地として存在する建物は切り離すことができないから、建物を占有使用する者は、それを通じて土地を占有するものと解される(最判昭和34・4・15訟月5巻733頁)。ただし、借地上の建物を第三者に賃貸しても借地の無断転貸にはならないことについては、612条〔2〕を参照。

(d) 家屋の占有は通常はカギの所持などで行われるが、所有者が隣家に居住し、その家屋の出入口を監視し、他人の侵入を制止しうる状況にあるようなときは、占有があるといってよい(最判昭和27・2・19民集6巻95頁)。

(e) 家事使用人などが雇い主のためにその命令によって物を所持している場合には、これらの者は雇い主の手足と見られ、その所持は雇い主の所持とみられる(最判昭和35・4・7民集14巻751頁。家族として同居していた者の建物に関する関係も同様である。最判昭和28・4・24民集7巻414頁)。したがって、占有者としての責任(§718参照)は雇い主にある(大判大正4・5・1民録21輯630頁)。このように、他人の手足として所持する者を、学者は「所持機関」、「占有機関」あるいは「占有補助者」という。

(f) 法人の代表者が代表機関として物を所持する場合は、法人の直接占有と考えてよく、原則として、代表者が法人とは別個の占有をもつと考える必要はない(最判昭和32・2・15民集11巻270頁)。

§§180〔2〕〔3〕・181〔1〕

　なお、所持が複数の人によって行われる場合もあり、この場合を「共同占有」という。これに対して、通常の一人による占有を「単独占有」という。
　〔3〕　占有権は、占有という事実によって、その法律効果として発生するものだから、本条の「自己のためにする意思」と「所持」とは、占有取得の要件であると同時に、占有権の成立する要件でもある。

■（代理占有）
第百八十一条
　　占有権は、代理人によって¹⁾取得すること²⁾ができる³⁾。
〔原条文〕
　　占有権ハ代理人ニ依リテ之ヲ取得スルコトヲ得

　本条は、占有が、他人の占有を通して間接に成り立ちうることを規定する。
　〔1〕　占有権が代理人によって取得されるのは、占有そのものが代理人を通じて取得されるからである。
　ところで、代理人による占有とは、いわゆる代理人が所持をして、本人がこれに基づいて占有をすることである。たとえば、所有者が土地を借地人に賃貸するときは、所有者みずからは直接の所持を失うが、借地人の直接の所持によってなお占有を有するとみられる。すなわち、占有は、社会的秩序の力によって物がある人の支配に属すると認められることであるという立場から、物がある人の直接の支配に属するにもかかわらず、それと同時に、間接にはなおこれと特別な関係にある他人の支配にも属するとするものであり、ドイツ民法の「直接占有・間接占有」unmittelbarer und mittelbarer Besitz とまったく同一趣旨の制度である。民法がこれを「代理占有」といったのは、所持という他人の行為によって本人が占有権という法律効果を享受する関係は、あたかも、他人の意思表示によって本人がその法律効果を享受する代理制度と同一であると見たからであろう。
　しかし、占有権が代理人によって取得される場合には、上に述べたように、占有という事実関係も代理人を通じて成立すると考えられるのであり、また、代理は意思表示に限る制度であるのに、所持は意思表示ではないから、これを代理占有と呼ぶことは正確ではないといわなければならない。もっとも、占有について客観説をとるドイツ民法（§180〔1〕参照）においては、他人のために所持する者は、同時に必ず自分も占有者すなわち直接占有者になるが、主観説をとるわが民法上は、必ずしも占有の代理人すなわち占有者とはいえないかもしれない。しかし、占有に必要な「自己のためにする意思」を広く解するときは（§180〔1〕参照）、占有の代理人は、ほとんどすべての場合に自分も占有を有すると考えられるであろうから、わが民法の代理占有制度とドイツ民法の間接占有制度とは同一の制度と考えてもさしつかえない。
　代理占有に対して、直接に自己の所持による占有を「自己占有」という。上のように解すれば、自己占有と直接占有はほとんど同義と考えてよい。
　代理占有は、上述のように占有の概念が観念化された後の概念であるが、この概念

405

第2編　第2章　占有権　第1節　占有権の取得

は占有制度の作用に大きな影響を及ぼした。すなわち、取得時効の要件として代理占有でもよいとされること（大判大正10・11・3新聞1931号17頁）、また、占有訴権の基礎としての占有が他人を代理人とする占有でよいこと、なかんずく、軽易な占有移転の形式（§182〜参照）が代理占有の概念を基礎にして成立し、それが動産物権変動の対抗要件となりうること、などにおいて、重要な意義を有する（§178〔4〕参照）。

〔2〕　代理占有の成立要件について、民法はなんの規定も設けていないから、代理占有の本質を考慮してこれを決すべきであるが、通説の見解は、およそつぎの通りである。

㈠　いわゆる代理人が所持を有すること。その所持が代理人自身のためにする占有としても認められてかまわない。この点は争いがない。もちろん、単なる所持機関（占有機関、占有補助者）には独立の占有は認められない（§180〔2〕(e)参照）。

㈡　いわゆる代理人が「本人のためにする意思」を有すること。ただし、この意思は「自己のためにする意思」の場合と同様に客観的・一般的に理解され、また、潜在的・概括的に存在すればよい（§180〔1〕(a)(b)参照）。なお、「本人のためにする意思」と「自己のためにする意思」とは両立することができ、一方に本人のための占有を、他方に代理人自身の占有を成立させる（大判昭和6・3・31民集10巻150頁）。なお、「本人のためにする意思」は代理占有成立の要件であって、継続の要件ではないと説かれる（§180〔1〕(d)・§204〔4〕参照）。

㈢　本人と代理人との間に一定の関係（「代理占有関係」とも呼ぶ）が存すること。多くの学者は、この関係について、「本人が占有をすべき権利を有し、代理人はこの権利に基づいて物を所持し、したがって、本人に対していずれはその物を返還すべき義務を負う関係」と説明する。代理人が本人の占有すべき権利を体現して所持をし、結局、これを本人に返還すべき地位にある場合には、代理人の所持を本人の事実的支配とみることができるからである。なお、このような法律関係は外形的に存すれば足り、法律上無効であっても差し支えない。けだし、占有は、外形的関係であって、真実の法律的効力の有無には関わりないからである（§204〔5〕参照）。

㈣　このほかに、本人が「代理人によって占有を取得する意思」を有することも代理占有の要件であるとする意見もある。しかし、代理人が「本人のためにする意思」を有すれば十分であるとみるのが、占有制度の趣旨に合するであろう。

〔3〕　代理占有の効果については、〔1〕末尾を、代理占有の消滅に関しては、204条参照。

（現実の引渡し及び簡易の引渡し）
第百八十二条
　　1　占有権の譲渡は、占有物の引渡し[1]によってする[2]。
　　2　譲受人又はその代理人が現に占有物を所持する場合には、占有権の譲渡は、当事者の意思表示のみによってすることができる[3]。
［原条文］
　　　占有権ノ譲渡ハ占有物ノ引渡ニ依リテ之ヲ為ス

§§181〔2〕〔3〕・182〔1〕～〔3〕

　　　譲受人又ハ其代理人カ現ニ占有物ヲ所持スル場合ニ於テハ占有権ノ譲渡ハ当事者ノ意思
　表示ノミニ依リテ之ヲ為スコトヲ得

　〔1〕　「引渡し」とは、占有者が物の上に有する支配を移転することをいう。本条
2項、183条、184条によって認められる他の占有権移転の方法と区別するときは、
とくに物に対する現実の支配を移転することを意味し、これを「現実の引渡し」とよ
ぶ。その例を挙げれば、動産については、これを手から手に渡すことはもちろん、こ
れを保管する倉庫のカギを交付するなどはいずれも引渡しである。不動産については
やや問題があるが、家屋のカギを渡し、所有者を表示するなどはもちろん、両当事者
が立ち会って譲渡人の支配を譲受人に移す合意をすることなども、引渡しとみること
ができるであろう。要するに、社会概念上、譲渡人の支配力に基づいて譲受人が支配
力を取得したと認められるに足りる事実があればよい。たとえば、薪炭用の雑木の売
買の場合に、買主が目的の雑木の状態を知悉しているときは、別に実地に見に行くこ
となく売買契約を締結して、引渡しをも終える習慣があれば、実地に臨まなくても、
引渡しの合意だけで引渡しを完了することができる(大判大正9・12・27民集26輯2084
頁)。また、たとえば、内縁の夫から妻へ土地・建物を贈与した場合に、その建物に
同棲していれば、実力的支配を移転する合意だけで引渡しは完了する(大判昭和2・
12・17新聞2811号15頁)。

　〔2〕　「占有権の譲渡」、すなわち占有権が承継的に取得されるということは、占有
権の基礎である占有自体が承継されることによってこの占有の法律的効果である占有
権も承継されるとみられることである、とする見解が通説である。これに対して、占
有自体には承継はなく、占有権だけが、いわば擬制的に、承継されると説く見解もあ
る。しかし、占有は社会の法的秩序によって、物がたとえばAの支配に属すると認
められる関係であるから、Aの支配に属していた物がBに引き渡されるときは、そ
れまでAの支配に属していたことを基礎としてBの支配が成り立つわけで、Bの占
有はAの占有の継続とみることができる。そして、このような占有自体の承継の上
に占有権の承継取得が認められるのである。

　〔3〕　本条2項による占有権の譲渡を、「簡易な引渡し」traditio brevi manuとい
う。そのうち、「譲受人が現に所持する場合」とは、たとえば、賃借人が賃借物を譲
り受けたり、質権者が質物を譲り受けたりするような場合である。賃借人・質権者は
すでに目的物を所持し、しかもこの所持に基づいて、一面においてみずから占有者と
認められるとともに、他面において賃貸人・質置主の代理人として占有するものと認
められるものであるから(§181〔1〕参照)、この賃貸人・質置主と賃借人・質権者との
間に占有移転の合意さえあれば、これによって前者の占有は後者に移転するとみるこ
とができるのである。

　つぎに、「譲受人の代理人が現に所持する場合」とは、たとえばAの所有物をBが
賃借し、これをCに転貸しているさいに、AからBに占有を移転するような場合であ
る。BはすでにCを代理人として所持しているのであるから、A・B間の占有権の
移転はその合意だけで足りるのである。

407

第2編　第2章　占有権　第1節　占有権の取得

以上と違って、譲受人が譲渡人の単なる所持の機関である場合、たとえば家事使用人が雇い主の手足として所持する物を同人から譲り受けるような場合（§180〔2〕(e)参照）は、本条が直接規定するところではない。しかし、この場合にも、両者間の合意だけで占有は移転すると解すべきである。けだし、この合意によって譲渡人の支配力が譲受人に移るという関係では、譲受人が独立の所持をしている場合と、単なる所持の機関である場合とを区別する必要はないからである。

■（占有改定）
第百八十三条
　　代理人[3]が自己の占有物を以後本人のために占有する意思を表示[4]したときは、本人は、これによって占有権を取得する[1)2)]。
[原条文]
　　代理人カ自己ノ占有物ヲ爾後本人ノ為メニ占有スヘキ意思ヲ表示シタルトキハ本人ハ之ニ因リテ占有権ヲ取得ス

〔1〕　たとえば、売主Ａが売買の目的物を買主Ｂに引渡さず、以後これを買主のために保管し、または買主から賃借して使用するというような場合には、売主である保管者または賃借人は買主である寄託者または賃貸人の代理人として占有をすることとなり、したがって、買主Ｂは売主Ａを代理人とする占有権を取得するのである。この占有権移転の方法を「占有改定」constitutum possessorium といい、動産の譲渡担保（売渡抵当）のさいに用いられて、重要な作用を営む。

なお、本条によって占有権が承継されるのも、占有自体が承継されるからであると解される（§182〔2〕参照）。

〔2〕　占有改定の方法によっても、動産物権変動の対抗要件としての「引渡し」の効力を生じる（§178）。他方において、この占有改定は外見上なんの変化も生じないので（〔1〕の例のＡによる直接占有はそのまま継続する）、その公示力が弱いことは否めない。そこで、動産の善意取得（§192）における要件としての「占有を始めた」ものといえるかについては、論議のあるところである（§192〔3〕参照）。

〔3〕　「代理人が自己の占有物を……」とあるのは、譲渡人が譲渡前からすでに譲受人の代理人である場合を指しているようにみえるが、この表現は不正確である。占有改定をすることによって、譲渡人がはじめて譲受人の代理人となるのがむしろ普通の場合である。すなわち、「代理人が」というのは、「占有移転（占有改定）によって代理人となるべき者が」という意味である。

なお、譲渡人が譲受人の単なる所持の機関であるとき、たとえば家事使用人がその所有物を雇い主に譲渡し、以後その手足としてこれを所持するようなときには、雇い主は使用人によって直接に所持することになるのであるから（§180〔2〕(e)参照）、現実の引渡しを受けたものとみるべきであって、占有改定ではない（大判大正4・9・29民録21輯1532頁）。

〔4〕　この意思の表示のほかに、わが民法はなんらの要件を設けていないから、上

§§183・184・185

の例についていえば、買主が占有すべき権利を有し、売主がこれによって占有する関係が成り立ち、売主が買主の占有代理人になりさえすればよい（§181〔2〕(ウ)(エ)参照）。ドイツ民法（§868）は、間接占有者と直接占有者に一定の法律関係があることを要件としているので、占有改定の成立する範囲は、わが民法よりやや狭いようである。

（指図による占有移転）
第百八十四条
　　　代理人によって占有をする[2)]場合において、本人がその代理人に対して以後第三者のためにその物を占有することを命じ、その第三者がこれを承諾[3)]したときは、その第三者は、占有権を取得する[1)4)]。

　　[原条文]
　　　代理人ニ依リテ占有ヲ為ス場合ニ於テ本人カ其代理人ニ対シ爾後第三者ノ為メニ其物ヲ占有スヘキ旨ヲ命シ第三者之ヲ承諾シタルトキハ其第三者ハ占有権ヲ取得ス

　〔1〕　たとえば、AがBに保管させておいた動産を、Bの保管のままCに譲渡する場合に、AからBに対して以後はCのために占有すべき旨を通知し、Cがそれを承諾すれば、これによって占有権はAからCに移るのである。元来、AがBを代理人として占有をするとは、AがBに対して一種の返還請求権を持つことを基礎とするわけで（§181〔2〕参照）、この返還請求権をCに譲渡するのにはAからBに通知すればよい（§467Ⅰ〔改注〕参照）。そして、CがBに対して返還請求権を持つという関係が成り立ち、これを基礎としてCはBを代理人とする占有を取得する。これが指図による占有移転の認められる根拠である。

　なお、本条によって占有権が承継されるのも、占有自体が承継されるからである（§182〔2〕参照）。

　〔2〕　「代理人によって占有をする」については、181条〔1〕参照。

　〔3〕　この「承諾」は、占有代理人の承諾ではない。必要なのは譲受人の承諾であり、占有代理人の承諾は必要ではない。なお、とくに承諾の形式は定められていないから、上述〔1〕の例で、A・C間に指図による占有移転の合意があれば、本条の承諾があったものと解すべきである。

　〔4〕　代理人によって占有をする場合にも、倉庫業者に寄託した動産について倉荷証券が発行された場合には、この有価証券の裏書交付によって占有が譲受人に移るのであり、倉庫業者に対する通知（指図）を必要としない（商§607参照）。

（占有の性質の変更）
第百八十五条
　　　権原[1)]の性質上占有者に所有の意思がないものとされる[2)]場合には、その占有者が、自己に占有をさせた者に対して所有の意思があることを表示し[3)]、又は新たな権原により更に所有の意思をもって占有を始める[4)]のでなければ、占有の性質は、変わらない[5)]。

409

第2編　第2章　占有権　第1節　占有権の取得

［原条文］

　　権原ノ性質上占有者ニ所有ノ意思ナキモノトスル場合ニ於テハ其占有者カ自己ニ占有ヲ
為サシメタル者ニ対シ所有ノ意思アルコトヲ表示シ又ハ新権原ニ因リ更ニ所有ノ意思ヲ以
テ占有ヲ始ムルニ非サレハ占有ハ其性質ヲ変セス

　いわゆる「他主占有」は、一定の事由がなければ「自主占有」にならないことを規
定する。

　〔1〕「権原」とは、物を占有し、または用益する基礎である権利をいう。したが
って、権原の性質とは、たとえば、占有が所有権に基づくか、地上権に基づくか、賃
借権に基づくか、というように、基礎である権利の性質のことである。

　〔2〕「所有の意思がない占有」とは、質権者・借地人・借家人などのように、他
人の所有権を認めて占有する者の占有である。これを「他主占有」という。「権原の
性質上」所有の意思のない占有とは、その占有を取得した原因の客観的性質によって
所有の意思が存し得ない占有である。たとえば、質権設定契約・借地契約・借家契約
などによって取得された占有は、それらの性質上、所有の意思があることを許さない
ものである。

　これに対して「所有の意思がある占有」とは、所有者として占有する意思を伴う占
有である。これを「自主占有」という。

　自主占有と他主占有との違いの効果は、取得時効（§§162・163）、無主物先占（§239）、
占有者の責任（§191）などにあらわれる。

　〔3〕　質権者・借地人・借家人などが、たとえその内心においてその目的物を所有
者として占有しようとする意思を持っても、これらの者の他主占有はこれによって自
主占有に変わることはなく、ただ、これらの者が地主または家主に対して、所有の意
思を有することを表示すれば、これによってはじめて、その占有は自主占有になると
いう趣旨である。しかし、占有に必要な「自己のためにする意思」は客観的・一般的
に解すべきであると考える以上、自主占有・他主占有の区別の標準である「所有の意
思」も、その権原の客観的性質に従って決すべきであるから、本条が、たとえ相手方
に対する意思の表示を要件とするにせよ、意思の変更だけによって占有の性質が変更
することを認めるのは、妥当でないと批判する学者も少なくない。農地の所有者が、
小作人が地代を払わず、農地を自由に耕作し、占有することを容認していた場合に、
「所有の意思があることを表示した」ことになるとした事例（最判平成6・9・13判時
1513号99頁）があるが、これは単なる意思の変更だけではなく、客観的事実の変化を
根拠としている。

　〔4〕「新たな権原により更に所有の意思をもって占有を始める」とは、たとえば、
賃借人が賃借物を贈与によって取得し、借地人が借地を買い受ける、などである。な
お、この譲渡契約が無権代理によるものであったり、無効であっても、譲受人は以後
所有者として占有するのであるから、その時から自主占有者となること、もちろんで
ある（最判昭和51・12・2民集30巻1021頁は、農地の賃借人が農地の譲渡を受けたが、譲渡人
の代理人が無権代理であった例であり、最判昭和52・3・3民集31巻157頁は、農地の賃借人が

410

§§185〔1〕～〔5〕・186

その農地の譲渡を受けたが、その所有権移転につき農地法所定の承認を得る手続がなされていなかった例であるが、いずれも新権原とされた)。

　問題となるのは、相続は新権原であるかどうかである。たとえば、父が他人から寄託されていた物を子が相続人として占有を続ける場合に、相続人がその所有権を相続したと信じていれば、自主占有となるであろうか。あるいは、父の他主占有を相続するにすぎないのであろうか。後者であるとすれば、何代前の寄託物でも取得時効の目的とならないわけである。判例は否定に解していたが(大判昭和6・8・7民集10巻763頁)、相続人が相続財産を新たに事実上支配することによって占有を開始し、その占有に所有の意思があると認められる場合に本条を適用できるとした例もある(最判昭和46・11・30民集25巻1437頁、最判昭和47・9・8民集26巻1348頁。前者は否定例、後者は肯定例である)。

　思うに、相続をもって直ちに「新たな権原」とすることはできないが、以前から被相続人が他主占有をしてきた目的物につき、相続人が相続した占有が相続を機縁として自主占有になると認められる場合もありうると考えられる。最判平成8・11・12(民集50巻2591頁)は、この点に関する重要判例である。同判決は、まず、被相続人から他主占有を相続した者が独自の自主占有に基づく取得時効の成立を主張する場合には、相続人が所有の意思を立証する責任がある旨を判示した上で、証明すべきは、「事実的支配が外形的客観的にみて独自の所有の意思に基づくものと解される事情」であるとして、それをかなり弾力的に判断して、相続人の主張を肯定している(同判決は、本条を援用せず、「新権原」を論じているのではなく、相続開始の日をもって自主占有が開始されたものと認定している)。以上につき、§162〔2〕(ウ)参照。

　ちなみに、占有が善意・無過失・平穏または公然でないというような瑕疵が相続によって変更をうけるかどうかは別問題である(§187〔3〕参照)。

　〔5〕　本条は他主占有から自主占有への変更を規定しているのであるが、他主占有の一態様(たとえば、賃借人としての占有)から他の態様(たとえば、地上権者としての占有)への変更についても、これを類推すべきである(大判大正15・10・21新聞2636号9頁)。

　同様のことは、自主占有から他主占有への変更についてもいえる。すなわち、所有者が売却した土地の一部を引き渡さずに耕作を続けても、それについての自主占有を失うのが普通である。ただし、売却した土地の境界線を誤認し、自分の土地と考えているようなときは、自主占有を有し、したがってその土地について所有権を時効取得することがありうる。

　(占有の態様等に関する推定)
第百八十六条
　1　占有者は、所有の意思をもって、善意で、平穏に、かつ、公然と占有をするものと推定する[1]。
　2　前後の両時点において占有をした証拠があるときは、占有は、その間継続したものと推定する[2]。
　[原条文]

411

第2編　第2章　占有権　第1節　占有権の取得

占有者ハ所有ノ意思ヲ以テ善意、平穏且公然ニ占有ヲ為スモノト推定ス
前後両時ニ於テ占有ヲ為シタル証拠アルトキハ占有ハ其間継続シタルモノト推定ス

　第1項は占有が瑕疵のない自主占有であることを、第2項は占有の継続を、推定する。

　〔1〕　「所有の意思がある占有」の意義については、185条〔2〕参照。「善意、平穏および公然」の占有については、162条〔3〕・〔4〕・〔11〕参照。占有がこれらの要件の一部または全部をみたすものであることは、取得時効(§§162・163)、占有者の果実の取得(§§189・190)、占有者の責任(§191)、占有者の費用償還請求(§196)などにおいて問題となる。本条が、すべて占有はこれらの性質を有するものと推定したのは、物の支配の秩序を維持することを目的とする占有制度において、社会に現に存する占有は瑕疵をおびない正当なものであるといちおう推定することが、まさにその制度の目的に適するからである。推定であるから、これに反する事実が証明されれば、推定はくつがえされる(最判昭和58・3・24民集37巻131頁はその例)。しかし、占有者(弟)が所有者(兄)に対し、その土地の所有権登記移転を求めていなかったり、その土地の固定資産税を負担していなかったという事情だけでは、推定をくつがえす反証としては十分でないとする判決も出ている(最判平成7・12・15民集49巻3088頁)。

　注意すべきは、本条によって無過失は推定されないことである(最判昭和46・11・11判時654号52頁)。たとえば、無効の売買に基づいて物を占有する買主は、善意に、すなわち売買を有効であると誤信して、みずからが所有者であると考えて占有しているとは推定されるが、その誤信が無過失であるとは推定されない。けだし、占有制度の目的は、物の支配の現状を正当なものと推定することを要求するが、その現状の成立に対して、占有者が無過失であるとまで推定することを要求するものではないからである。ただし、192条との関連については、同条〔6〕参照。

　なお、本条の適用のうち、「平穏」の推定に関して注意すべき判例がある。すなわち、平穏の占有とは「暴行若しくは強迫(§190。原条文では「強暴」)」の占有に対する語であって、占有の取得または保持に強暴の行為がない限りは、占有者が他人から占有が不法であるという抗議を受けたという事実があっても、それだけではその占有が平穏でないということにならない(大判大正5・11・28民録22輯2320頁)。

　〔2〕　たとえば、祖父の代に買って占有を取得したことと、父の代を経て現在の相続人が占有することを証明すれば、その間は占有が継続したものと推定される。けだし、現状は瑕疵のない正当のものと推定する(本条前項)だけでなく、さらに現状は変更なく継続してきた状態であると推定するのが、占有制度の本旨に適合するからである。

　この規定によって、時効取得を主張する者の挙証責任はいちじるしく軽減される(§162〔5〕参照)。本項がないと、20年または10年間占有を継続したということは、時効取得を主張する者において挙証しなければならないことになるわけであるが、それがはなはだしく困難であることは容易に想像することができよう。

§§ 186〔1〕〔2〕・187〔1〕〜〔3〕

（占有の承継）
第百八十七条

1　占有者の承継人[3]は、その選択に従い、自己の占有のみを主張し、又は自己の占有に前の占有者[4]の占有を併せて主張することができる[1]。

2　前の占有者の占有を併せて主張する場合には、その瑕疵[5]をも承継する[2]。

〔原条文〕
占有者ノ承継人ハ其選択ニ従ヒ自己ノ占有ノミヲ主張シ又ハ自己ノ占有ニ前主ノ占有ヲ併セテ之ヲ主張スルコトヲ得

前主ノ占有ヲ併セテ主張スル場合ニ於テハ其瑕疵モ亦之ヲ承継ス

〔1〕　たとえば、不動産がAからB→C→Dへと譲渡されたが、Aが、A・B間の売買が無効であったことを理由として、Dに対して返還を請求するとしよう。これに対してDが時効取得を主張しようとする場合に、自分が譲り受けてからの占有期間、たとえば6年を主張してもよいし（これでは§162の要件をみたさないが）、それに前主Cの占有していた期間、たとえば5年を加えて11年の占有を主張してもよいし、さらにCの前主Bの占有していた期間、たとえば8年を加えて19年の占有を主張してもよいという意味である。第2項との関係を考えて、どちらでも有利な主張をすることができるのである。

〔2〕　たとえば、〔1〕に掲げた例において、Bが悪意、C・Dともに善意と仮定すると、Dは、Cだけの占有期間を加えて11年の善意占有を主張すれば、取得時効の効果を収めることができる（§162Ⅱ）。Bの占有をも加えると占有期間は19年になるが、Bの悪意をも承継する結果、悪意の19年の占有となって取得時効を主張できないことになる（§162Ⅰ）。

〔3〕　ここにいう「承継人」の中に、買主のような「特定承継人」が含まれることについては疑いがないが、相続人のような「包括承継人」が含まれるかについては、説が分かれている。

判例は、相続人が新権原によって自己固有の占有をはじめるものでない点を強調して（§185〔4〕参照）、被相続人の占有の性質および瑕疵を離れて自分だけの占有を主張することはできないとしていた（大判大正4・6・23民録21輯1005頁）。これに対して、自主占有か他主占有かという占有の性質の点では、相続によって変更を受けないとする判例に賛成する学説も、本条の瑕疵の点では、大多数が判例に反対し、相続によって治癒されることもありうると説いた。けだし、本条の規定は、占有権の移転は、前主の占有に基づいてその占有を承継的に取得するものとみられるが、同時に、承継者は独立に占有をなすものともみることができるという占有の性質から当然にでてくるものであって、この見地からは、とくに相続による包括承継を除外しなければならない理由はないからである。最判昭和37・5・18（民集16巻1073頁）は、判例を変更して、相続のような包括承継にも本条は適用されるとした（取得時効における善意・悪意に関する）。

なお、未成年者Aの法定代理人BがAの占有代理人として悪意の占有をしていた

413

第2編　第2章　占有権　第1節　占有権の取得

物が、代理権の消滅によってＡの直接占有のもとに入った場合についても、Ａは自
己の占有が善意であることを主張することはできないとする判例があるが（大判大正
11・10・25民集1巻604頁）、このような場合にも本条を適用すべきであろう。

　さらに、法人格のない社団（第1編第3章解説③(2)参照）による占有がなされていた後、
その団体が法人格を取得した場合について、本条を適用した判例もある（最判平成元・
12・22判時1344号129頁）。

　〔4〕　2004年改正前は「前主」と表現されていた。この前主を直接の前主に限る
と解する説があったが、そう解しなくてはならない理由はない（大判大正6・11・8民録
23輯1772頁）。新しい「前の占有者」についても、同様に解してよい。

　〔5〕　ここに瑕疵とは、悪意・過失・暴行または強迫（用語については§190参照）・
隠匿（同前）を意味する。これらの占有のことを「瑕疵のある占有」といい、これに対
して、善意・無過失・平穏・公然の占有のことを「瑕疵のない占有」という。

§187〔4〕〔5〕・第2節〔解説〕・§188〔1〕

第2節　占有権の効力

　本節は、占有権の効力として、(ｱ)権利の推定(§188)、(ｲ)占有者の果実の取得(§§189・190)、(ｳ)占有物の滅失損傷についての占有者の責任(§191)、(ｴ)善意取得(§§192~194)、(ｵ)逸走した野生の動物の捕獲者の所有権取得(§195)、(ｶ)占有者の費用償還請求権(§196)、および(ｷ)占有訴権(§§197~202)を規定する。

　このように、占有に関する各種の効力を占有権の効力として一括して規定する立法例は少ない。このうち、(ｱ)と(ｷ)とは占有の効力として中心的のものであり、(ｲ)も占有の効力ということができるものである。しかし、(ｳ)と(ｶ)とは、本権がなくて占有する者と、これに対して返還を請求する所有者との間を規律するもので、むしろ所有権に基づく返還請求権の内容とみるのが適当であろう。また、(ｴ)の善意取得は動産取引の安全を確保する制度であるから、ドイツ民法のように動産所有権の取得の節に規定することが、この制度の有する現代的意義に適する。(ｵ)は、これを占有の効力とみること自体は不適当というわけではないが、民法が、これも(ｴ)の善意取得と同じ性質のものとみているらしいのは、はなはだ不当である(§195〔6〕参照)。

（占有物について行使する権利の適法の推定）
第百八十八条
　　占有者が占有物³⁾について行使する権利¹⁾は、適法に有するものと推定する²⁾。
　〔原条文〕
　　占有者カ占有物ノ上ニ行使スル権利ハ之ヲ適法ニ有スルモノト推定ス

　占有者が占有すべき正当な権利を有することを推定するもので、占有制度の核心をなす規定である。

　〔1〕　占有者が占有物の上に行使する権利とは、たとえば、占有者が所有者として動産を所持する場合にはその所有権であり、質権者として保管する場合には、その質権である。その者が真に所有権や質権を有することを必要としないことはいうまでもない。物権には限らず、賃借権のような占有を正当化するすべての権利を含むと解してよい。

　誤解してはならないのは、物の所有者Aとその物に用益権を有すると主張する者Bとの間で、その用益権の存否をめぐって争われている場合には、Bは、その物を占有するからといって、本条の推定を適用することはできないことである。この場合は、B自身が用益権の存在を立証しなければならない(最判昭和35・3・1民集14巻327頁。使用借権の例である)。けだし、本条の推定は、占有が権利の表象であることを尊重して、第三者が占有者の権利を容易に争えないとする趣旨であって、上の場合は、権利そのものの存否が当事者間で争点になっており、権利の存在を積極的に確定しなければならず、所有権を制限する用益権の存在を主張する者に立証責任があると考えられ

415

第2編　第2章　占有権　第2節　占有権の効力

るのである。

〔2〕　本条は、〔1〕に述べた外形上行使される権利はつねに正当に存在するものと推定した。いいかえれば、占有する者は占有すべき権利を有し、適法に占有するものと推定されるというのが、本条の趣旨である。したがって、たとえば、時計を盗まれた者がこれを占有する者を見つけてその返還を請求するような場合にも、占有する者は正当な所有者と推定されるから、盗まれたと主張する者が、自分の所有であること、すなわち占有者に所有権がないことを挙証しなければならない。現実のある状態を、いちおうあるべき正当な状態と見て、社会の秩序を維持しようとする占有制度からみて、至当な規定である。ちなみに、取得時効は、論理的にはこの占有の推定力をその制度の基礎とするのである。

「推定」は、「みなす」（改正前§20〔5〕参照）に対するもので、「みなす」が法律上当然にその効力を生じ、反証を許さないのに対し、いちおう規定された効力を生ずるものとするが、これと異なることが証明されれば、それによるとされるものである。

〔3〕　条文は、単に「占有物」とのみいう。問題は、不動産についても本条の推定が適用されるか、ということである。そもそも、現実の状態を正しいものと推定するにしても、その現状が正当な、あるべき状態と符合する蓋然性を持つものでなければ、いたずらに法律関係を紛糾させることになる。動産については、民法は占有をもって権利変動の対抗要件としている（§178）ことなども関係して、占有とその基礎である占有すべき権利とは大体符合する蓋然性があることは疑いない。しかし、不動産については、登記をもってその権利変動の対抗要件としている（§177）ので、登記こそ不動産の上のあるべき権利状態と符合する蓋然性を有するはずであり、不動産の性格から考えても、占有にはそのような蓋然性はきわめて少ないと考えられる。したがって、不動産については、本条の推定を無制限に適用することは避けなければならない。

そこで、大多数の学説は、登記のある不動産については登記の推定力を認めるべきであり、ただ未登記の不動産についてだけ本条の推定をするべきであると説く。判例も、登記を信頼して取引を行う者はいちおう無過失と推定すべきものとし（大判大正15・12・25民集5巻897頁など）。さらには、登記簿上の所有名義人は、反証のない限り、その不動産を所有するものと推定すべきであるとしている（最判昭和34・1・8民集13巻1頁。なお、最判昭和38・10・15民集17巻1497頁は、現所有名義人が前所有名義人から所有権を取得したと主張し、後者が争う場合には、この推定は働かないとする）。これは、登記に推定力を認める理論に立つものといわなければならない。ただし、占有に対抗力が認められている建物や農地の賃借権については、占有にも推定力を認めるべきであると考えられる。ちなみに、この観点から、わが民法が、不動産について占有の継続だけによる取得時効の効力を認めていることが批判されるのである（§177〔3〕(ウ)、参照）。

▍（善意の占有者による果実の取得等）
▍第百八十九条
▍　　1　善意の占有者[2]は、占有物から生ずる果実[3]を取得する[1]。
▍　　2　善意の占有者が本権の訴え[4]において敗訴したときは、その訴えの提起の

416

§§188〔2〕〔3〕・189・190

時から悪意の占有者とみなす[5]。

［原条文］

善意ノ占有者ハ占有物ヨリ生スル果実ヲ取得ス

善意ノ占有者カ本権ノ訴ニ於テ敗訴シタルトキハ其起訴ノ時ヨリ悪意ノ占有者ト看做ス

〔1〕　たとえば、土地の賃貸借契約が無効であることを知らずに、自分が正当な賃借人であると誤信して、その土地を耕作し、果実を収取した者は、後から賃貸借の無効を理由として収取した果実を返還せよと求められることはないという趣旨である。すでに消費した果実に限らず、貯蔵してあるものも返還する必要はない、という説が有力である。

なお、善意の占有者は、本条により果実を取得できるのであって、それによる利得は不当利得とはならない。

〔2〕　ここに、「善意の占有者」とは、果実を収取する権利がある本権を持っていると誤信する者である。すなわち、所有権・地上権・賃借権・不動産質権などを有すると誤信する者をいうのであって、果実収取権のない本権、たとえば動産質権・留置権（§§350・297・298Ⅱなど参照）などを有すると誤信する者は含まれない。

〔3〕　ここに「果実」とは、天然果実だけでなく法定果実を含むとされ、占有者自身が利用することもこれに含まれると解されている（大判大正14・1・20民集4巻1頁）。金銭を運用して得た利益（利息ではなく）などは、果実ではないから、本条ではなく、不当利得として、703条により解決されることになる（最判昭和38・12・24民集17巻1720頁）。

〔4〕　「本権の訴え」については、202条参照。

〔5〕　占有者に対して、その者の占有を破る本権を有する者、たとえば真実の所有者からその本権に基づいて占有物の返還を訴求され、訴訟に長い日時を要して占有者の敗訴判決が確定した場合には、たとえ占有者の確信が動かなかったとしても、起訴の時から悪意の占有者としての返還の義務を負う（§190参照）という意味である。ただし、本権の訴えで敗けた土地の占有者に、起訴後に、たとえば売却処分のような行為があった場合に、本条によって直ちに不法行為責任が生じるとはいえない（最判昭和32・1・31民集11巻170頁）。

（悪意の占有者による果実の返還等）
第百九十条

1　悪意の占有者[1]は、果実[2]を返還し、かつ、既に消費し、過失によって損傷し、又は収取を怠った果実の代価を償還する義務を負う[3]。

2　前項の規定は、暴行若しくは強迫又は隠匿によって占有をしている者について準用する[4]。

［原条文］

悪意ノ占有者ハ果実ヲ返還シ且其既ニ消費シ、過失ニ因リテ毀損シ又ハ収取ヲ怠リタル果実ノ代価ヲ償還スル義務ヲ負フ

前項ノ規定ハ強暴又ハ隠秘ニ因ル占有者ニ之ヲ準用ス

第2編　第2章　占有権　第2節　占有権の効力

〔1〕　「悪意の占有者」とは、果実を収取すべき本権もなく、かつこれがあると誤信しているのでもないのに、収取権があるような占有をする者である。たとえば、売買が無効であることを知っている買主、賃貸借が終了したことを知っている借地人などのような者である。

〔2〕　189条〔3〕参照。

〔3〕　悪意の占有者は、当然のことであるが、果実収取権をもたない。すでに収取した果実があれば、これを収取権者に返還し、過失で消費したり、損傷した場合、またはその収取を怠った場合には、その果実の代価を収取権者に償還しなければならない。この後段の場合にも、決して収取権を認めたもの（代価さえ償還すればよいとしたもの）ではない。

本条と他の条文との関係について、つぎのことが問題になる。

(ｱ)　他人の物を悪意で占有する行為が、たとえばその物の所有者に対する関係で不法行為（§§709〜）に該当することがありうる。本条によってすべての損害が賠償されたことになるわけではない（大連判大正7・5・18民録24輯976頁）。ただし、果実に関する限りは、本条が不法行為の特則として問題をカバーしているということはできよう。

(ｲ)　売買における売主と買主の間の果実の帰属を定める575条1項があるが、同条が適用される場合は、本条は適用されない（たとえ買主が代金支払を遅滞していて、悪意の占有者とみられても、本条にはよらない）、と解される（大連判大正13・9・24民集3巻440頁）。

〔4〕　186条〔1〕、162条〔3〕・〔4〕参照。

（占有者による損害賠償）
第百九十一条

占有物が占有者[1]の責めに帰すべき事由[2]によって滅失し、又は損傷[3]したときは、その回復者[4]に対し、悪意の占有者はその損害の全部の賠償をする義務を負い[5]、善意の占有者はその滅失又は損傷によって現に利益を受けている限度において賠償をする義務を負う[6]。ただし、所有の意思のない占有者は、善意であるときであっても、全部の賠償をしなければならない[7][8]。

[原条文]

占有物カ占有者ノ責ニ帰スヘキ事由ニ因リテ滅失又ハ毀損シタルトキハ悪意ノ占有者ハ其回復者ニ対シ其損害ノ全部ヲ賠償スル義務ヲ負ヒ善意ノ占有者ハ其滅失又ハ毀損ニ因リテ現ニ利益ヲ受クル限度ニ於テ賠償ヲ為ス義務ヲ負フ但所有ノ意思ナキ占有者ハ其善意ナルトキト雖モ全部ノ賠償ヲ為スコトヲ要ス

〔1〕　本条の「占有者」は、すべて占有すべき権利のない占有者である。そのことは、善意・悪意を区別していることからも明らかである。

〔2〕　「占有者の責めに帰すべき事由によって」とは、占有者の故意または過失によってというのと同意義である。

〔3〕　「滅失し、又は損傷」とは、単に物理的な滅失または損傷だけでなく、たとえば紛失し、または動産が善意の第三者に売却または質入れされたような場合を含む。

418

〔4〕 「回復者」とは、所有権その他の本権に基づいて占有物の返還を請求する者である。賃貸借その他の契約関係の終了による返還の場合（§§597〔改注〕・616〔改注〕参照）には、当該契約上の返還義務に基づいて、占有者の責任を定めることがむしろ適当であろう。すなわち、本条は、占有者と回復者との間において解決の根拠となるべき法律関係が存しない場合に適用されるものと解される。

〔5〕 「悪意の占有者」、すなわち自分にその物を占有すべき権利がないことを知っている占有者（§190〔1〕参照）は、その故意または過失による占有物の滅失・損傷につき、回復者すなわち本権を有する者に対して、その損害の全部を賠償すべきである。たとえば、売買契約が無効で、自分に使用権がないことを知りながら他人の家に居住している者が、誤ってこれを焼失した場合には、回復を求める所有者に対して損害の全部を賠償しなければならない。

〔6〕 「善意の占有者」、すなわち自分に占有すべき権利がないことを知らない占有者は、現に利益を受ける限度で賠償すればよい（§703〔5〕参照）。たとえば、〔5〕に掲げた例で家屋が損傷したときは、損傷のままで返還すればよい。なお、占有者が自分の費用で修繕したときの費用については、196条の問題となる。

〔7〕 所有の意思のない占有については185条〔2〕参照。たとえば、無効な賃貸借により賃借人として家屋を占有する者がこれを焼失したときは、たとえ賃貸借を有効だと誤信している場合でも、全損害を賠償しなければならない。

〔8〕 占有者は、回復者に対して、本条が定めるような責任を負うが、占有物について費した費用があるときは、善意・悪意を問わず（若干差異はあるが）、回復者に対して償還を請求することができる。このことについては、196条参照。

善意取得（即時取得） 〔§§192～194の前注〕

1 善意取得の意義

「善意取得」（従来は、条文の「即時に」という言葉から、「即時取得」という言葉が多く用いられ、2004年改正で付された条文見出しも「即時取得」となっている）とは、じつはAの所有に属する動産をそれと知らずにBからCが譲り受けようとする場合に、その動産に対する譲渡人Bの占有を信用して、その物について取引をした者、すなわちCを保護しようとする制度である。この保護を受けるためには、Cが占有を取得したことが厳重に要件とされていること、および、盗品などについて例外が認められているのは、主として沿革に基づくのである。

すなわち、この制度はゲルマン法のゲヴェーレ（Gewere）に由来するのであるが、そこでは動産については Hand muss Hand wahren（手は手を守らねばならないの意）という原則が行われていた。一口でいえば、動産を任意に他人に渡した者は、その他人に対してだけ返還の請求ができるというのである。そこから、第1に、つぎのことが導かれる。上の例で真の所有者AがBに物を貸していたのだとすれば、AはBに対してだけその物の返還を請求することができる——その反面、Cに対しては請求できな

い——のである。したがって、Ｃが権利を取得できるためには、物がＢの手もとに
ない——Ｃが占有を取得している——ことが欠くことのできない要件とされるのであ
る。第２に、この原則の反面として、もしＡが物を任意にＢに渡したのでなければ
——たとえば、Ｂが盗人であり、またはＡが遺失したのを拾ったのであれば——、
Ａはどこまでもその物を追求することができる。そして、第３に、Ｃが善意・無過失
であるというようなことは関係ない。要するに、このゲヴェーレの考え方の根幹は、
Ａからその意思により占有を委ねられたＢがその信頼に反して占有を移転したこと、
いいかえればＡは信頼できる者にしか占有を委ねてはいけないということにあるの
である。

　この理論をわが民法と比較すると、第１の点が192条、第２の点が193条（§194は
この修正）によって承継されていることは説明するまでもあるまい。しかし、これらの
条文の解釈に当たっては、必ずしもこのような沿革にとらわれることなく、これを近
代的な取引の要請に合致した、純粋に取引の安全を保護するための制度として理解し、
運用することが必要である。すなわち、今日における善意取得の制度は、Ｂから取引
によって動産を取得したＣがＢのその動産に対する占有を信頼したということを根
幹として解釈されなければならない。原条文にはなかった「取引」による取得という
ことが学説によって要件とされるのは、この理由によるのである（§192⑴・⑵参照）。
このことを、権利の表象として占有を信頼した者が保護されるという意味において、
動産における「公信の原則」、そして「占有の公信力」と呼ぶのである。したがって、
ゲヴェーレにおいては不要であったＣの善意・無過失という要件が重要な意味をも
ってくる。呼び名としても、即時取得よりも善意取得の方が相応しいと考えられる。

② 善意取得の要件

　上記の趣旨から、今日における善意取得の要件とされることを、理解の便宜のため
に整理しておくと、つぎの通りである（注釈番号は§192のそれである）。
　①目的物が動産であること（⑵）
　②取得者が有効な取引行為によって目的物の占有を前主から承継すること（⑴⑵
　⑶⑸）
　③取得者が平穏・公然に占有を取得したこと（⑷）
　④前主が目的物を処分する権限がないこと（⑸）
　⑤取得者が前主の無権限について善意（⑸）、無過失（⑹）であること
　⑥取得者が前主の占有を信頼して、みずからも占有を取得すること（⑶）

③ 善意取得の拡大

　善意取得の制度については、債権が独立財産化するのに伴い、民法自体のなかで
468条１項の「異議をとどめない承諾」（2017年の改正により削除）が善意取得の規定の
意味をもつものとして解釈されるようになっていたことに注目を要する。そして、と
くに取引の敏活が要求される証券取引に関して、それがさらに強化されていることを
注意すべきである（商旧§229→会社§§131・689、商§519（2017年民法改正整理法により削

善意取得［前注］②③ §192〔1〕〔2〕

除)→民§520 の 2、手§§16・77、小§21 など)。

(即時取得)
第百九十二条
　取引行為によって[1]、平穏に、かつ、公然と[4]動産[2]の占有を始めた者[3]は、善意[5]であり、かつ、過失がない[6]ときは、即時にその動産について行使する権利[7]を取得する[8]。

[原条文]
　平穏且公然ニ動産ノ占有ヲ始メタル者カ善意ニシテ且過失ナキトキハ即時ニ其動産ノ上ニ行使スル権利ヲ取得ス

〔1〕　原条文には、この「取引行為によって」の文言はなかった。
　本条前注に述べたように、本条が取引行為によって取得した占有に適用されることについては、ほぼ確立した解釈になっているのは確かであるが、このことについての理論的な背景(元来は、ゲルマン法上の取得した占有の効果とされた規定であった)や体系的な問題(「占有権の効力」の節に置かれているが、学説によれば、物権変動における公信力の問題なので、文言を入れたうえでのこの位置付けには問題がある)などについての深い理解が重要である。この文言を条文のなかに明文化することには、疑問なしとしない。
　この問題を論じる学説は、「取引行為」を理論的に把握して用いているが、一般的には、この語句には一定のニュアンスが伴う。しかし、解釈としては、一般市民間の売買などの行為はもちろん、贈与なども含むと解するべきである(無償行為について、この善意取得がそのまま適用されるかについては、論議があるが)。また、この取引は、譲渡人が無権利者であることを除いて、その他の点では有効な取引であることを要する(〔3〕〔5〕参照)。
〔2〕　本条によって保護されるのは、「動産」の取引に限られる。それは、占有を権利の表象とする物の取引を保護しようとする本条の趣旨からいっても当然である。登記を権利の表象とする物の取引を本条と同様に保護すべきかどうかは、登記に公信力を認めるべきかという問題となり、本条とは別個に検討されなければならない問題である(§177〔11〕参照)。本条の適用に当たって、問題となる諸点は、つぎの通りである。
　(ア)　動産でも、登記をもって表象とする船舶(商§§684・686 参照)などには本条の適用はない。ただし、登録を抹消された自動車には、本条が適用されるとされた(最判昭和 45・12・4 民集 24 巻 1987 頁。国内で無登録の自動車について、同旨、最判平成 14・10・29 民集 56 巻 1964 頁)。また、農業動産信用法により登記をもって表象とすることができる農業用動産については、とくにこれを特定の担保権の目的とするときにだけ登記をするのであって、その種の動産のすべての取引が登記によるのではないから、本条の適用を排斥すべきではない。同法もそのことを明定する(同法§13 II 参照)。
　(イ)　無記名債権は動産とみなされるから(削除前§86 III)、一般に本条の適用を受けることももちろんであるが、そのうち、商法 519 条［削除］(→民§520 の 3)に定めのあ

421

第2編　第2章　占有権　第2節　占有権の効力

る有価証券（実際上、無記名債権の大部分を占める）は、特別の取扱いをうける（小§21参照）。なお、193条〔2〕参照。

　㈦　伐採を目的とする立木の売買、成熟期に達した稲立毛の売買などについて、本条を適用することができるかは問題である。判例は、稲立毛については、成熟期に達すれば動産であるという理由でこれを肯定しているが（大判昭和2・8・8新聞2907号9頁）、学者はこれを疑問とする。けだし、稲立毛については占有に信頼をおいて売買されることは必ずしも頻繁ではないし、また、これを保護してその取引の安全を図る必要もそれほど大きくないと考えられるからである。立木について、これをそのまま動産とみる習慣はない（§177〔1〕㈦参照）。判例は、無権利者から立木を買った者は、その売買自体では立木の所有権を取得しないが、後に善意で伐採してこれを動産にすることによって所有権を取得するとしたことがあるが、これは疑問であって、後にその見解を改めた（〔3〕参照）。

　㈢　「金銭」は、通常、物としての個性をもたず、占有者がその価値の帰属者すなわち所有者とみるべきものであるから、これに本条の適用はないとされる（金銭の特色を論じる最判昭和29・11・5刑集8巻1675頁、最判昭和39・1・24判時365号26頁を参照）。

　㈥　工場財団に属する動産が工場抵当法6条に反して分離・譲渡された場合にも、本条が適用される（同法§5Ⅱ。善意取得者は工場抵当権の及ばない動産を取得する。最判昭和36・9・15民集15巻2172頁。類似の関係を規定したものに、§289がある）。

　〔3〕　ここに「占有を始め」るとは、売買とか質権設定などのように、取引によって占有を承継的に取得することを意味する。けだし、本条は無権利の動産占有者を真実の権利者であると信じ、これと取引関係に入った者を保護する趣旨であるからである。したがって、たとえば所持品預り所から他人のコートを間違って受け取ったというように、なんら取引行為のない場合、また、たとえば他人の遺失物を自分の所有物と誤信して拾得したり、他人の所有山林を自分の所有であると誤信して伐採したというように、占有が承継的にではなく原始的に取得された場合には、本条の適用はない（大判大正4・5・20民録21輯730頁）。判例は、動産に対する強制競売による競落（買受け）には本条が適用されるとしている（最判昭和42・5・30民集21巻1011頁）。

　さて、問題となるのは、本条で要求される占有の承継取得が占有改定によるものであってもよいかどうかである（指図による移転でもよいのは、当然である。荷渡指図書を発行した事案につき、最判昭和57・9・7民集36巻1527頁（積極）、事案はやや異なるが、最判昭和48・3・29判時705号103頁（消極）も参照）。たとえば、A所有の機械をBが賃借している間に、Bはこれを自分の所有物であると称してCに売却し、Cは善意・無過失でこれを買ったのであるが、現実に引渡しを受けないで引き続きBに賃貸しておいた場合に、Cは本条の適用をうけることができるか。ドイツ民法は、主として沿革に基づいて（前注①で述べたように、Aが委ねたBの手もとからCに占有が移されたことが善意取得の根拠とされるから）、これを明文をもって否定し、ただ、後にCがBから現実の引渡しを受け、かつそのさいに善意である場合にだけ、所有権を取得すると規定している（同法§933）。元来、本条の規定は、Bが占有する動産はBの所有らしくみえるということ、すなわち占有の公信力を保護したものであるから、Cがこれを信じて取引を行

422

§§192〔3〕～〔7〕

った以上、その取引に際して用いた占有移転の手段が現実の引渡しであるか、占有改定であるかによって、その適用を異にすべきではないはずである。したがって、ドイツ民法のように制限する明文のないわが民法のもとにおいては、占有改定を除外すべきでないと主張する有力な見解がある。判例には、これと同趣旨のものもあったが（大判昭和5・5・20新聞3153号14頁）、その後は、占有改定は本条にいう「占有を始めた」ものに該当しないとする（大判大正5・5・16民録22輯961頁、最判昭和32・12・27民集11巻2485頁、最判昭和35・2・11民集14巻168頁）。その理由は、占有改定の場合に本条を適用すると法律関係が複雑になること、および上に掲げたような例ではBの占有になんの変化もなく、Aはその占有を失っていない（§204参照）というにある。そこで、占有改定によって善意取得できるが、それを第三者に対抗するためには現実の引渡しを要するとする見解も唱えられている。

〔4〕「平穏に、かつ公然と」の意味については、162条〔3〕・〔4〕、それが推定されることについては186条を参照。

〔5〕ここに「善意」とは、動産の取引をするさいに、相手方が所有権その他その動産を処分するだけの権利のない者であるのに、これを有する者であると誤信することである。本条は、上述のように、占有が動産について本権を伴うような外観を呈することから、この外観を信頼して取引する者を保護しようとするものである。したがって、本条によって補完される取引上の瑕疵は、相手方である譲渡人に所有権その他、その動産を処分できる権利がないということだけである。したがって、相手方が制限行為能力者または無権代理人である場合に、これと取引する者が行為能力者であると信じ、または代理権があると信じても、本条の適用を受けることはできない。

〔6〕「過失がない」の挙証はだれがすべきであろうか。占有者は平穏・公然・善意に占有する者と推定されるが、無過失で占有するものとは推定されない（§186〔1〕参照）。これから推論して、判例はかつては、無過失は本条の適用を受けようとする者が挙証すべきであるとしていた（大判昭和5・5・10新聞3145号12頁）。しかし、本条に無過失とは、占有者たる譲渡人に本権があると信ずるにつき過失がないことである（最判昭和26・11・27民集5巻775頁——盗品の事例で、それ以上の要件は必要ないとした）。他方、占有者は一般に本権を有する者と推定される（§188）のであるから、占有者に権利があると信ずることは、いちおう無過失であると推定するのが当然である。したがって、善意取得を主張する占有者は、無過失の挙証責任を負わないと考えられる（最判昭和41・6・9民集20巻1011頁）。

〔7〕「動産について行使する権利」とは、当該の取引の性格上、取得するべき権利の意味である。すなわち、所有者でない者からこれを所有者と信じて買い受け、また質にとった者は、ただちに（取得時効のように、時間の経過を要しないという意味で、「即時に」とされる。なお、§162〔10〕参照）、それぞれ所有権または質権を取得するのである。

本条の適用を受けるのは動産物権に限り、債権を含まない（ただし、〔2〕(イ)参照）。けだし、債権（たとえば、賃借権や金銭債権）そのものが譲渡された場合は、債権譲渡に関する規定に従うべきであり（§§468［改注］・612など）、また、新しく占有者との間に債権関係を設定した（たとえば、賃借した）場合には、賃借権そのものは占有者の所有権の

423

第2編　第2章　占有権　第2節　占有権の効力

有無、目的物の引渡しの有無に関係なく、取得するものだからである。

　また、動産物権のうちでも本条の適用があるのは所有権と質権だけである（譲渡担保の目的で取得される所有権についても適用されるのは当然である）。けだし、留置権・先取特権はともに、これらの物権の取得を目的とする取引によって取得するものではなく、法律上当然に生ずるものであるばかりでなく、留置権の成立には目的物が債務者の所有に属するかどうかを問わないと解するべきであり（§295〔2〕参照）、他方、先取特権は債務者の所有に属する物の上にだけ成立し、319条の場合だけが例外とみるべきことは条文上も明らかだからである。

　なお、動産の上に抵当権の効力が及んでいるような場合に（改正前§370〔2〕(イ)・§87〔4〕参照）、そのことを知らずにその動産を所有者から譲り受けた場合には、所有権そのものの取得には問題がないのであるが、抵当権の効力が及ぶことについて善意・無過失であることによって、その負担のない所有権を取得するという効果を生じることが認められる。これも、本条適用の一つの形であるということができる。（なお、工抵§5Ⅱは工場財団抵当権の及ぶ動産について、§§192～194の適用を妨げないとした。〔2〕(オ)参照）。

　〔8〕　本条による譲受人の所有権取得は、原始取得であると解すべきである。譲渡人の所有権に基づいて取得するものではないからである。譲受人が所有権を取得する結果、真実の所有者はその所有権を失う。質権設定の場合には、その所有権の上に質権を負担するに至る。なお、善意取得者の取得は実質的な取得であって、真実の所有者であった者から不当利得の返還請求を受けることはない（§248の場合とは異なる）。無償で取得した場合、すなわち無権利者から贈与を受けた場合も、同様と解してよかろう。もっとも、ドイツ民法816条は、この場合は利得を返還すべきものとしており、これと同旨の見解も存する。

（盗品又は遺失物の回復）
第百九十三条
　　　前条の場合において[1)]、占有物が盗品又は遺失物[2)]であるときは、被害者又は遺失者[3)]は、盗難又は遺失の時から二年間[4)]、占有者[5)]に対してその物の回復を請求する[6)]ことができる[7)]。
[原条文]
　　　前条ノ場合ニ於テ占有物カ盗品又ハ遺失物ナルトキハ被害者又ハ遺失主ハ盗難又ハ遺失ノ時ヨリ二年間占有者ニ対シテ其物ノ回復ヲ請求スルコトヲ得

---

　〔1〕　「前条の場合において」とは、192条の要件を備える者が所有権または質権を善意取得した場合と解すべきか、それとも、単に前条の性質を有する占有を取得した者がある場合と解すべきか、については争いがある。判例は、後の解釈をとるが（大判昭和4・12・11民集8巻923頁）、前者の方が妥当であろう（後述〔5〕・〔6〕参照）。けだし、占有の取得者が要件を欠いて目的物を善意取得できなかった場合に、これに対して回復請求ができるのは当然の理だからである（株券の悪意の譲受人に対する返還請求を認めるについて、本条の趣旨を根拠にした最判昭和59・4・20判時1122号113頁は疑問である）。

§§ 192〔8〕・193〔1〕~〔7〕

〔2〕「盗品」とは、窃盗または強盗によって所持を奪われた物、「遺失物」とは、占有者の意思によらないでその所持を離れた盗品以外の物である。盗品または遺失物について本条のような例外を認め、被害者または遺失主は2年間は善意の譲受人からも返還を請求できることにしたのは、主として沿革上の理由に基づくものであることは、前に述べた通りである（§192の前注①参照）。しかし、近世法の理想からみるときは、盗品または遺失物についてだけとくに取引の安全を犠牲にして所有者を保護すべき理由はない。したがって、本条の例外は、なるべく狭く解釈するべきであり、詐取された物、横領された物などについては、本条の適用はないといってよい。なお、本条の適用に関して、以下の諸点が問題となる。

まず、有価証券および金銭の場合である。これらの物は、その取引の安全を保護すべき必要性が一般の動産にくらべてさらに大きく、しかもそれが盗品または遺失物であることを識別することは、ほとんど不可能なものである。したがって、これに本条の例外を適用すると、はなはだ不都合な結果を生ずる。そこで、判例は、有価証券のうち商法旧282条（削除前商§519→民§520の3）に定めるものは、それが無記名債権であって動産とみなされる場合（§86Ⅲ［削除］）にも、手形と同一の保護を受けるものと解した（大判大正6・3・23民録23輯392頁）。

金銭についても、その特色からみて、本条の適用はないと解するのが正しい（§192〔2〕㈢参照）。

〔3〕「被害者又は遺失主」とは、占有を奪われた者または占有を失った者をいう。したがって、賃借人または受寄者が盗まれ、または遺失した場合には、これらの者が善意取得者に対して本条の返還請求権を有する。なお、質権者は、353条があるので、この権利を有しないと解されている。

〔4〕占有を始めたとき（§192参照）からではなく、盗難または遺失の時から2年間であることを注意すべきである。

〔5〕この「占有者」とは、盗品または遺失物について192条の取引行為が行われた場合の、それらの物の占有者であることは、いうまでもない。したがって、遺失物を拾得して占有している者（善意取得は適用されない）に対する返還請求権は、本条の制限を受けない。しかし、直接に前条の適用を受ける占有者に限らない。たとえば、善意取得者からさらに転買した者も本条の回復請求を受ける。ただし、194条の制限がある。

〔6〕「回復を請求する」とは、いったん善意取得者に帰属した所有権または質権を回復することであろうか、それとも、単に占有を回復することであろうか。これを別の面からいえば、目的物の所有権は本条の適用がある2年間はなんびとに帰属するであろうか。判例は、2年間は原所有者が所有権を保留すると解したが（大判大正10・7・8民録27輯1373頁、大刑判大正15・5・28刑集5巻192頁）、善意取得者に帰属し、回復者の請求によって復帰すると解するほうが妥当であろう。けだし、そう解するほうが、192条の原則の意義を重くみることになるからである（前述〔1〕参照）。なお、本条によって回復を請求するときは、194条と異なり、無償で請求することができる。

〔7〕盗品または遺失物のような、権利者の意思に基づかないでその占有を離れた

425

第2編　第2章　占有権　第2節　占有権の効力

動産については、原権利者の追及力は直ちには消滅しないとするものである。しかし、くりかえし述べたように、今日の考え方からすれば、この192条に対する例外はなるべく狭く解釈するのが妥当であると考えられる。

〔盗品又は遺失物の回復——つづき〕〔第8版凡例4a)を見よ〕
第百九十四条
　　占有者が、盗品又は遺失物を、競売[1]若しくは公の市場[2]において、又はその物と同種の物を販売する商人[3]から、善意で買い受けた[4]ときは、被害者又は遺失者は、占有者が支払った代価を弁償しなければ、その物を回復することができない[5]。

[原条文]
　占有者カ盗品又ハ遺失物ヲ競売若クハ公ノ市場ニ於テ又ハ其物ト同種ノ物ヲ販売スル商人ヨリ善意ニテ買受ケタルトキハ被害者又ハ遺失主ハ占有者カ払ヒタル代価ヲ弁償スルニ非サレハ其物ヲ回復スルコトヲ得ス

〔1〕　本条は、192条の例外である193条を制限することによって、善意取得者を保護するものである。すなわち、本条が規定するような競売などの場における取引によって動産を善意で買い受けた者を保護する必要は強いので、193条が認めた回復者の権利を制限し、回復のためには善意取得者に代価を弁償すべきものとしたのである。
　本条により占有者が返還を拒む場合には、占有者は代価の弁償があるまでは目的物の使用収益権を有するので、その間の使用について被害者に対して不当利得返還または損害賠償の義務を負わないし、また、被害者が弁償による返還を選択した場合には、占有者は目的物を返還した後も代価の弁償を請求できるとされた(最判平成12・6・27民集54巻1737頁)。善意取得者の保護を厚くする意味において妥当であろう。
〔2〕　〔1〕の趣旨からも、「競売若しくは公の市場」は広く解し、民事執行法上の競売に限らず、また、公設の市場に限らず、広く一般の店舗の意味と解してよい。
〔3〕　この「商人」は、店舗を有しないで同種の物を販売する商人、たとえば行商人を指す。
〔4〕　本条は売買にだけ適用があり、その他の場合、たとえば、占有者が贈与を受けたような場合には、適用されない。すなわち、贈与の場合には、被害者または遺失主は、193条の適用により、無償で回復することができることとなる。
〔5〕　善意取得者が任意に目的物を原権利者に返還したときは、代価の弁償を請求できないとする判例(大判昭和4・12・11民集8巻923頁。本条は善意取得者に抗弁権を認めたものに過ぎないことを理由とする)があるが、疑問である。原権利者が物の回復を受けた以上は、必ず代価は弁償すべきであり、弁償がないときは、善意取得者は物の返還を請求できると解してよい。
　なお、回復請求の前にその物が滅失したときは、原権利者の権利は消滅し、回復に代わる賠償も請求できないと解される(最判昭和26・11・27民集5巻775頁)。
　なお、古物商、質屋などが本条における善意の買受者である場合には、盗難または

§§194・195

遺失の時から1年内は、代価の弁償を請求できず、無償で返還しなければならないとされている(質屋§22、古物§20参照)。

(動物の占有による権利の取得)
第百九十五条

　　家畜以外の動物[1]で他人が飼育していたものを占有する者[2]は、その占有の開始の時に善意[3]であり、かつ、その動物が飼主の占有を離れた時から一箇月以内に飼主から回復の請求[4]を受けなかったときは、その動物について行使する権利を取得する[5][6]。

〔原条文〕

　　他人カ飼養セシ家畜外ノ動物ヲ占有スル者ハ其占有ノ始善意ニシテ且逃失ノ時ヨリ一個月内ニ飼養主ヨリ回復ノ請求ヲ受ケサルトキハ其動物ノ上ニ行使スル権利ヲ取得ス

　飼養されている野生の動物が逃失した場合に、占有取得者に所有権が帰属することがありうることを定めるものである。

　〔1〕　「家畜以外の動物」とは、猿・熊・ウグイスなどのように、野生の動物である。野生であるかどうかについては、その地方において野生するものであるか、それとももっぱら飼育されるものであるかどうか、を標準とすべきである。したがって、たとえば九官鳥はわが国では家畜と考えられるべきであって、本条の適用を受けない(大判昭和7・2・16民集11巻138頁〔九官鳥奪還事件〕)。

　本条は、野生の動物を飼育する者の所有権の効力を弱め、それが逸走した場合には、一定の条件のもとに捕獲者の所有にしてしまう趣旨であるから、その地方においてもっぱら飼育される動物である場合には、たとえ他の地方では野生しているとしても、本条の適用をすべきでない。

　なお、家畜が逸走したときは、遺失物であるから、遺失物に関する規定に従う(§240・遺失§12)。

　〔2〕　自分で捕獲した者だけでなく、その者から譲り受けた者を含む。

　〔3〕　たとえ野生の動物であっても、だれかが飼いならしたことが明瞭な場合には、善意であるということはできない(前掲大判昭7・2・16)。

　〔4〕　「回復の請求」とは、所有権(通常の場合)の回復を求めることであって、動物の所有者がその動物に対する所有権に基づき、その返還を請求することをいう。

　〔5〕　「その動物について行使する権利を取得する」とは、結局、捕獲者において所有権を取得するという意味である。飼養主の所有権は、これによって消滅する。

　〔6〕　本条は、野生の動物の上の所有権の効力を制限するものであるから、192条から194条までが動産取引の安全をはかろうとするのとは、まったく趣旨を異にする。民法がこれを同一趣旨の規定のように扱い(§319参照)、また、193条所定の2年間は所有権が原所有権者にあると論ずる根拠に本条を援用している判決があるが(大判大正10・7・8民録27輯1373頁。§193〔6〕参照)、不当である。

427

第2編　第2章　占有権　第2節　占有権の効力

（占有者による費用の償還請求）
第百九十六条
1　占有者が占有物を返還する場合には、その物の保存のために支出した金額その他の必要費[1]を回復者から償還させることができる[2]。ただし、占有者が果実を取得したときは、通常の必要費[3]は、占有者の負担に帰する[4]。
2　占有者が占有物の改良のために支出した金額その他の有益費[5]については、その価格の増加が現存する場合に限り、回復者の選択に従い、その支出した金額又は増価額を償還させることができる[6]。ただし、悪意の占有者に対しては、裁判所は、回復者の請求により、その償還について相当の期限を許与することができる[7]。

［原条文］
　　占有者カ占有物ヲ返還スル場合ニ於テハ其物ノ保存ノ為メニ費シタル金額其他ノ必要費ヲ回復者ヨリ償還セシムルコトヲ得但占有者カ果実ヲ取得シタル場合ニ於テハ通常ノ必要費ハ其負担ニ帰ス
　　占有者カ占有物ノ改良ノ為メニ費シタル金額其他ノ有益費ニ付テハ其価格ノ増加カ現存スル場合ニ限リ回復者ノ選択ニ従ヒ其費シタル金額又ハ増価額ヲ償還セシムルコトヲ得但悪意ノ占有者ニ対シテハ裁判所ハ回復者ノ請求ニ因リ之ニ相当ノ期限ヲ許与スルコトヲ得

　190条が占有物から果実を生じた場合、191条が占有物が滅失・損傷した場合について規定するのに対して、本条は、占有者が占有物のために出費をした場合について規定する。
　〔1〕「必要費」とは、たとえば他人の犬を飼育した者の飼育料、他人の家屋を占有した者の修繕費のようなものをいう。
　〔2〕　必要費の返還請求権については、占有者が善意であるか、悪意であるか、を区別しない点を注意すべきである。
　〔3〕「通常の必要費」とは、たとえば、家屋の修繕費のうち、大修繕費は入らず、普通の応急的小修繕費だけを意味する。その範囲は、普通の経営方法において物の収益すなわち果実で支弁できるということを標準として、目的に従って決定すべきである。
　〔4〕　たとえば、家屋をみずから利用し、またはこれを賃貸して賃料を収受していた占有者は、この通常の修繕費を負担すべきである。この場合、果実と修繕費とが現実に相償（つぐな）わないとしても、占有者からの差額の請求は認められない。
　〔5〕「有益費」とは、物の保存のために必要な費用ではないが、物を改良し、物の価値を増加する費用をいう。たとえば、時計に夜光塗料をぬり、建物に造作を施した費用のようなものである。なお、時計にメッキをしたとか、特別の趣味の造作をしたとかのように、物そのものの価値を増加しない費用——これを「奢侈費（しゃし）」という——の償還を請求することはできない。
　〔6〕　たとえば、占有者が家屋の造作を改善したときは、その改善による価値の増加が返還請求を受けた当時にも存在する場合に限り、償還請求をすることができる。その場合、回復者は占有者が費した金額（たとえば、改善に要した50万円）または現存の

§196・占有訴権［前注］①②

増価額(改善された部分が古くなって20万円の価値しか残らないこともあろうし、材料費が騰貴して80万円の価値が残っていることもあろう)のどちらかを選択して(§§406～参照)、償還すればよい。なお、これについては土地改良法に特則がある(同法§59。つねに増価額を償還すべきものとする)。

〔7〕 悪意の占有者は、有益費の償還についても、善意の占有者と同様な償還請求権を認められる。ただし、裁判所は、回復者の請求によって、その償還につき一定の期限の猶予を与えることができ、この点においてだけ善意の占有者と異なる扱いを受ける。

占有訴権 [§§197～202の前注]

① 占有訴権の意義

「占有訴権」とは、「占有」を、それ自体として、「占有すべき権利」の有無とは関係なく、保護する制度であり、ローマ法のポセッシオの系統を引くものである(本章解説②参照)。占有の訴えの承認(§197)、占有保持(§198)、占有保全(§199)、占有回収(§200)の三つの訴えと、その出訴期限(§201)、本権の訴えとの関係(§202)に関する規定がおかれている。

② 自力救済について

占有者に、占有すべき権利(これを「本権」という)の有無に関係なく、占有訴権を認めるということは、これを裏返せば、本権者の占有に関する「自力救済」——占有すべき権利のある者が、無権限で占有している者から、自力で占有を奪ってくること——を禁ずるということである。しかし、この自力救済を絶対に許さないかどうかについては、問題がある。

第1に、盗人が盗んで逃げようとしている場合などには、相手(盗人)にまだ占有が成立していないとみるべきだから、これを奪回するのは自分の占有の維持であって、自力救済というべきものではない(刑§238の事後強盗罪はこの趣旨に立脚したものである)。

第2に、自力救済をした者が、占有訴権によっても回復を請求することができる場合に、相手方に占有訴権を認めるべきかどうかは、民法に規定がないが、むしろ否定すべきであろうと考えられる(§200〔3〕参照)。

第3に、自力救済をした者が、本権の訴えでいけば勝訴できる場合にも、民法は相手方に占有訴権を認めるべきであるとしているが(§202)、この点について、絶対に例外を認めてはならないものであるかも、疑問がないわけではない。自力救済をしないで、後になって裁判所の助力を求めるのでは、権利の保護がきわめて困難となるような事情があるときは、公の秩序・善良の風俗に反しない限りの自力救済は許されるものと解すべきであろう。

429

第2編　第2章　占有権　第2節　占有権の効力

③　訴権について

とくに占有「訴権」という用語が用いられるのは、沿革的な理由によるものである。
占有権には、まず実体的にその妨害の排除を請求する権利が含まれていて、それに基
づいて訴権が成立するという関係は、所有権に基づく妨害の除去の請求権と同様であ
る。いいかえれば、占有訴権もその性質はいわゆる物権的請求権(本編解説③(2)(イ)参照)
にほかならない。占有訴権の相手方は、現に占有を妨害している者であり(ただし、§
200 Ⅱ参照)、その内容は円満な占有状態を回復することである。わが民法は、所有権
についてこの種の規定をおいていないので、所有権についても、占有訴権に関する規
定が参照とされている。

④　損害賠償について

民法は、占有訴権の内容として損害賠償の請求を認めているが、この権利は、その
性質上不法行為に基づく損害賠償請求権であり、便宜上、占有訴権の内容に加えたも
のである。したがって、その成立要件および効果については、本来の占有訴権とは区
別して、不法行為の規定に従うべきである。

（占有の訴え）
第百九十七条
　　　占有者[2]は、次条から第二百二条までの規定に従い、占有の訴え[1]を提起する
　　ことができる。他人のために占有をする者[3]も、同様とする。
　　［原条文］
　　　　占有者ハ後五条ノ規定ニ従ヒ占有ノ訴ヲ提起スルコトヲ得他人ノ為メニ占有ヲ為ス者亦
　　同シ

本条は、占有者に占有訴権が認められることを宣明しているのであるが、それが他
人のために占有をする者にも認められるという後段に主な意味がある。
　〔1〕　「占有の訴え」(占有訴権に基づいて提起される訴え)とは、占有権に基づいてそ
の占有について生じた侵害の排除と損害の賠償とを請求する訴えである(本条前注参
照)。占有の侵害の態様によって「占有保持の訴え」(§198)、「占有保全の訴え」(§
199)および「占有回収の訴え」(§200)の３種に分かれる。それぞれその起源をローマ
法に発するものである。
　〔2〕　ここにいう「占有者」が自分で占有する者を含むことは疑いないが、代理人
による占有者、たとえば賃貸人・質置主などを含むかについては、多少問題があるが、
一般に肯定されている。
　〔3〕　賃借人・質権者・保管者・遺失物の拾得者などをさす。これらの者も、本条
により自分の名義で占有の訴えを提起できる。これらの者も、みずから占有者である
と解するときは、本条の規定は注意的なものにすぎない。もし、後の２例などがみず
からは占有を有しない者と解するならば(§180〔1〕参照)、本条によって占有訴権を与
えられることになる。なお、法人の代表者が「他人のために占有をする者」に該当し

占有訴権［前注］③④・§§197・198〔1〕～〔4〕

ない（最判昭和 32・2・22 判時 103 号 19 頁）のは、当然である。ただし、代表者個人のためにも所持するという特別の事情があるときは、個人としての占有の訴えは認められる（最判平成 10・3・10 判時 1683 号 95 頁）。

（占有保持の訴え）
第百九十八条
占有者がその占有を妨害されたとき[1]は、占有保持の訴えにより、その妨害の停止[2]及び損害の賠償[3]を請求[4]することができる[5]。

［原条文］
占有者カ其占有ヲ妨害セラレタルトキハ占有保持ノ訴ニ依リ其妨害ノ停止及ヒ損害ノ賠償ヲ請求スルコトヲ得

本条は、占有の奪取以外の方法による妨害に対する救済として、「占有保持の訴え」について規定する。

〔1〕 占有の奪取以外の方法で占有状態が妨害されていることである。たとえば、隣の樹木が倒れてきていたり、庭園・家屋・耕地などに、他人の物が理由もなく放置されていたり、隣地の工事でがけが崩れてきていたりすることなどである。

〔2〕 妨害状態の除去・復旧をいう。上の例でいえば、樹木その他の物を取り除き、破損した物を復旧することである。この場合には、侵害者（〔4〕参照）の故意・過失の有無を問わない（〔3〕参照）。たとえば、隣地の樹木が倒れてきているのであれば、その原因が台風であってもよい。費用は、相手方すなわち占有状態を妨害している者が負担すべきである（ただし、所有権に基づく物権的請求権に関する第 3 章解説②参照）。

なお、「妨害」というためには、社会生活上忍容すべき程度を超える場合でなければならない。普通の生活から生ずる通常の音響・臭気・振動・煤煙が隣家から侵入してきても、妨害ということはできない。しかし、ある程度を超えたものになれば占有の妨害となるのであって、その程度は、その時期・場所における社会生活のあり方によって定まるが、市民生活の保護の観点からは、しだいに厳格なものになりつつあるということができよう（なお、所有権に関する第 3 章解説②参照）。

〔3〕 「損害の賠償」については、一般の不法行為の規定によって要件と効果とを定めるべきである（大判昭和 9・10・19 民集 13 巻 1940 頁。なお、§197 前注④参照）。たとえば、樹木がそれを占有していた者の過失でなく、大地震で倒れてきたとすれば、土地の占有者はそのために生じた損害の賠償を、その者に対して求めることはできない。なお、損害賠償の額は占有の妨害によって生じた損害であって、侵害状態の復旧に要する費用ではない。したがって、たとえば堤防の破壊に対する占有保持の訴えにおいて損害賠償として請求することができるのは、復旧までにこうむる損害に限られ、堤防の復旧の費用を請求することはできない（大判大正 5・7・22 民録 22 輯 1585 頁）。

〔4〕 「妨害の停止」を請求する相手方は、現在の占有侵害者である。必ずしもその者の行為によって侵害状態が生じた場合に限らない。侵害状態がその者の支配に属する物によって生じている場合には、現にその者がその状態を放置しておくならば、

431

第2編　第2章　占有権　第2節　占有権の効力

その者もまた侵害者と見られる。侵害状態が生じた後にその物を支配する地位に立った者、たとえば隣地に倒れた木を買って現在支配している者も侵害者となり、本条の訴えを受けることとなる。

〔5〕　この訴えは、訴えの提起後に占有者が占有権を譲渡すれば、原告としての適格を失い、また、訴訟の進行中に妨害が停止されれば、損害賠償の部分を除いて訴えの目的が消滅するから、原告の敗訴となる。なお、特別の出訴期限が定められている（§201 I）。

　（占有保全の訴え）
　第百九十九条
　　　占有者がその占有を妨害されるおそれがあるとき[1]は、占有保全の訴えにより、その妨害の予防[2]又は[3]損害賠償の担保[4]を請求[5]することができる[6]。
　［原条文］
　　　占有者カ其占有ヲ妨害セラルル虞アルトキハ占有保全ノ訴ニ依リ其妨害ノ予防又ハ損害賠償ノ担保ヲ請求スルコトヲ得

　本条は、占有妨害の危険に対する救済として、「占有保全の訴え」について規定する。

〔1〕　「占有の妨害」については、198条〔1〕参照。「おそれがあるとき」とは、たとえば樹木が倒れそうになり、がけが崩れそうになっていることなどである。必ずしもかつて妨害の事実が生じたことを必要としない。しかし、単に占有者が危惧を抱くというだけでなく、一般人が見て、妨害を生ずる客観的可能性があると考えるだけの事由がなければならない。

〔2〕　たとえば、樹木に支柱を施し、土砂の崩壊に対する予防工事をするなどである。その費用は、相手方すなわち妨害のおそれがある状態を支配している者が負担するべきである（§198〔2〕参照）。

〔3〕　198条の「及び」とは違い、「又は」であることに注意を要する。

〔4〕　「損害の賠償」については、198条〔3〕参照。「担保」の種類には制限がないから、金銭の供託、保証人を立てること、担保物権を設定することなど、いずれでもよい。なお、将来現実に損害賠償を請求するには、不法行為の成立要件がみたされることを要するが、本条によって担保を供させるのには、妨害のおそれがあれば足り、それについてはとくに不法行為の要件、すなわち相手方に故意または過失があることなどの要件が揃っていることを必要としない。

〔5〕　請求の相手方については、198条〔4〕に準じて理解すべきである。

〔6〕　原告の適格性については、198条〔5〕に準じて理解すべきである。

　（占有回収の訴え）
　第二百条
　　1　占有者がその占有を奪われたとき[1]は、占有回収の訴えにより、その物の

§§198〔5〕・199・200〔1〕～〔5〕

返還及び損害[2]の賠償を請求[3]することができる[4]。

2 占有回収の訴えは、占有を侵奪した者の特定承継人に対して提起すること
ができない。ただし、その承継人が侵奪の事実を知っていたときは、この限
りでない[5]。

[原条文]
占有者カ其占有ヲ奪ハレタルトキハ占有回収ノ訴ニ依リ其物ノ返還及ヒ損害ノ賠償ヲ請
求スルコトヲ得
占有回収ノ訴ハ侵奪者ノ特定承継人ニ対シテ之ヲ提起スルコトヲ得ス但其承継人カ侵奪
ノ事実ヲ知リタルトキハ此限ニ在ラス

本条は、占有を奪われた場合の救済として、「占有回収の訴え」について規定する。
〔1〕 占有者の意思に基づかないで占有を奪取されることである。したがって、騙
されて任意に引渡した場合には、占有回収の訴えは成立しない(大判大正11・11・27民
集1巻692頁)。また、遺失した物をだれかが拾った場合にも同様である。強制執行に
よって占有を解かれた場合が、原則としてこれに当たらないのは当然である(最判昭和
38・1・25民集17巻41頁)。
〔2〕 この損害の額は、目的物自体の有する価値によって定めるべきではない。占
有を奪われることによって生じた損害であるから、普通はその物を使用できなかった
ことによる損害を標準とすべきである。
〔3〕 この請求の相手方は、前2条の場合と異なり、原則として占有を奪った者で
ある(例外については、後述〔5〕参照)。侵奪者が本権を有し、占有者からその占有の返還
を請求することができる者であっても、被侵害者は本条の回復請求権を有することは
もちろんである。たとえば、賃貸借の終了後、賃貸人に目的物を奪取された賃借人も、
本条の訴権を有するのである。
この理論によれば、被害者から盗品を奪回された盗人も本条の訴権を有することに
なる。しかし、これに関しては若干問題がある。
第1に、盗人がまさに盗んで逃げようとしている場合には、これを奪還することは
もちろん正当視される。この場合には、一方において占有はまだ盗人に帰属していな
いと考えられるし、他方において所有者の自力救済が是認される範囲だからである。
第2に、目的物が一度完全に盗人の占有に帰属した場合には、盗人にも占有訴権が、
したがって損害賠償請求権が、認められる(大判大正13・5・22民集3巻224頁)。しかし、
所有者が盗人に対して、単に所有権に基づく返還請求権を有するだけでなく、占有回
収の訴えをも提起することができる事情があるときは、両者の関係では、まだ物は所
有者の支配に属すると認められるから、盗人は被害者に対して占有回収の訴えを起こ
すことはできないとする意見もある(以上の諸点について、§197前注[2]参照)。
〔4〕 原告の適格性については、198条〔5〕に準じて理解すべきである。
〔5〕 たとえば、盗人がその奪った物を第三者に譲渡したときは、被害者は、その
第三者が奪取の事実を知っていたとき(単なる可能性のある事実としてでなく、具体的事実
について認識していたことを要する。最判昭和56・3・19民集35巻171頁)にだけ、これに対

433

第2編　第2章　占有権　第2節　占有権の効力

して占有回収の訴えを起こすことができる。善意取得の関係では、この第三者はたとえ善意であっても、2年間は被害者から返還を請求されるのであるが(§193)、それは被害者が本権を理由として請求する場合である。占有訴権に対しては、返還の義務はない。これは、物権的請求権としては例外的な取扱いであるが、占有は事実状態に基づくものであり、それが善意の第三者の手もとにおいて成立した以上は、もはや侵害状態の継続はないとみるのが至当だからである。

> **（占有の訴えの提起期間）**
> **第二百一条**
> 　1　　占有保持の訴え[1]は、妨害の存する間又はその消滅した後[2]一年以内に提起しなければならない。ただし、工事により占有物に損害を生じた場合において、その工事に着手した時から一年を経過し、又はその工事が完成したときは、これを提起することができない[3]。
> 　2　　占有保全の訴え[4]は、妨害の危険の存する間は、提起することができる。この場合において、工事により占有物に損害を生ずるおそれがあるときは、前項ただし書の規定を準用する。
> 　3　　占有回収の訴え[5]は、占有を奪われた時から一年以内に提起しなければならない。
> ［原条文］
> 　　占有保持ノ訴ハ妨害ノ存スル間又ハ其止ミタル後一年内ニ之ヲ提起スルコトヲ要ス但工事ニ因リ占有物ニ損害ヲ生シタル場合ニ於テ其工事著手ノ時ヨリ一年ヲ経過シ又ハ其工事ノ竣成シタルトキハ之ヲ提起スルコトヲ得ス
> 　　占有保全ノ訴ハ妨害ノ危険ノ存スル間ハ之ヲ提起スルコトヲ得但工事ニ因リ占有物ニ損害ヲ生スル虞アルトキハ前項但書ノ規定ヲ準用ス
> 　　占有回収ノ訴ハ侵奪ノ時ヨリ一年内ニ之ヲ提起スルコトヲ要ス

本条は、198条～200条の占有の訴えについて、特別の出訴期限を定めている。

〔1〕　198条参照。

〔2〕　妨害が止んだ後には、妨害除去の請求はありえないから、止んだ後1年というのは、損害賠償に関するものと解するべきである。

〔3〕　たとえば、堤防工事のために田畑に浸水を生じ、建物築造のために通路を破壊されたような場合に、工事着手後1年内、または――たとえ工事着手後1年内であっても――工事が竣成した後には、妨害の排除を請求することはできない。工事というものの持つ社会経済上の意義にかんがみ、占有者はすみやかに占有訴権を提起するべきものとしたものである(§234参照)。ただし、この出訴期限は占有訴権にだけ関するもので、他の本権に基づいて請求できるかどうかは別問題である。

〔4〕　199条参照。

〔5〕　200条参照。

§§201・202〔1〕〜〔3〕

（本権の訴えとの関係）
第二百二条
　1　占有の訴えは本権の訴え[1)]を妨げず、また、本権の訴えは占有の訴えを妨げない[2)]。
　2　占有の訴えについては、本権に関する理由に基づいて裁判をすることができない[3)]。
［原条文］
　占有ノ訴ハ本権ノ訴ト互ニ相妨クルコトナシ
　占有ノ訴ハ本権ニ関スル理由ニ基キテ之ヲ裁判スルコトヲ得ス

　占有の訴えが本権の訴えとはまったく平面を異にする別個の訴えであることを明言するものである（本権については本章解説[4](b)参照）。
　〔1〕　「本権の訴え」とは、盗まれた所有者が所有権に基づいて盗まれた物の返還を請求し、地上権者が地上権に基づいて隣地から倒れてきた樹木の取除きを請求するというような訴えである。
　〔2〕　たとえば、盗人に盗まれた所有者は占有回収の訴えを起こし、その訴訟中に重ねて所有権に基づく返還請求の訴えを提起してもよい。一方の訴訟で敗訴した後に、重ねて他方の訴えを提起してもよい——いわゆる既判力（民訴§§114・115)が及ばない——。このように、両者は、まったく別個の目的を有するとされるのである。占有の訴えに対して防御方法として本権の主張をすることはできないが（〔3〕参照）、反訴として本権に基づく訴えを提起することはできる。反訴とは、訴訟の係属中に被告が原告を相手にして、その訴訟に併合して提起する訴えである（民訴§146)。たとえば、Bの占有回収の訴えに対して、その物の所有者Aが防御方法として所有権の主張をするのは許されないが、その訴訟に併合して本権に基づく返還請求訴訟を提起する方法である。判例は、202条2項は本権に基づいて反訴を提起することまでも禁止するものではないとの理由で、これを肯定している（最判昭和40・3・4民集19巻197頁)。学説も、①占有の訴えの相手方AはBに対して本権に基づいて別訴を提起することができる、②両者には牽連性があり、併合は否定できない、③しかも、本訴である占有訴訟において審理が進めば一部判決をすることも可能である（民訴§243Ⅲ）などを理由として、肯定説に立っている。これに対して、反訴を無限定的に認めると本権に基づく自力救済を認めるのと大差ないことになるので、占有保全の訴えの場合のように、侵奪がいまだ具体化していない場合にのみ、反訴が許されると解する有力説がある。
　〔3〕　たとえば、賃貸借の終了後に、不当にも引続いて占有している賃借人から賃貸人が目的物を奪回したために賃借人が占有回収の訴えを提起したとする。この場合に、裁判はもっぱら被告は原告の占有を奪ったかどうか、原告の訴えが1年内であるかどうか、というような占有訴権の要件だけを審理するべきであり、本権に関する理由、すなわち被告は所有者もしくは賃貸人として原告から目的物を返還させるだけの権利を持っていたかどうか、原告はその義務を不当に履行しなかったかどうか、というような根拠について裁判すべきではない。両訴権が全然別個の目的を有するもので

第2編　第2章　占有権　第2節　占有権の効力

ある以上、もとより当然のことである。九官鳥を捕獲した者がその所有者と称する者によってこれを暴力的に持ち去られたのに対し、195条による所有権取得を主張して返還を求めたが、同条の適用は否定され、敗訴した（大判昭和7・2・16民集11巻138頁［九官鳥奪還事件］）。もし占有訴権を行使していたら、勝訴していただろうと評される。

　民法はとくに明言していないが、本権の訴えを占有に関する理由で裁判することも、同様に許されない。

第3節　占有権の消滅

本節は、普通の占有権の消滅（§203）と代理人による占有権の消滅（§204）の2か条を含む。占有権の取得に関する180条・181条と対比して読む必要がある。

（占有権の消滅事由）
第二百三条
　　占有権は、占有者が占有の意思[1]を放棄し、又は占有物の所持を失うことによって消滅する[2]。ただし、占有者が占有回収の訴えを提起したとき[3]は、この限りでない。
［原条文］
　　占有権ハ占有者カ占有ノ意思ヲ抛棄シ又ハ占有物ノ所持ヲ失フニ因リテ消滅ス但占有者カ占有回収ノ訴ヲ提起シタルトキハ此限ニ在ラス

本条は、占有権が、占有の主観的要件である占有の意思、または客観的要件である所持のいずれかを欠くことによって消滅すること、ただし、所持を失っても、占有回収の訴えで物が取り戻されれば、客観的要件はなお継続するものとされることを規定する。

〔1〕「占有の意思」とは、「自己のためにする意思」のことをいう。占有の継続にはこの意思を必要としないと説く学説が多いが、この説によっても、占有の継続中に占有者が積極的にこの意思を放棄するときは、占有が消滅するのは当然であって、本条はこの趣旨を示すものであると説かれる（§180〔1〕参照）。

〔2〕占有権が消滅するのは、占有そのものが消滅するからである（本章解説③参照）。

〔3〕占有回収の訴えについては、200条参照。この訴えを提起したときというのは、いうまでもなく、訴えに勝訴することを意味する。たとえば、盗人に質物を盗まれた質権者が、占有回収の訴えを提起し、勝訴してその占有を回復すれば、盗人に奪われたために中絶した占有は中絶しなかったものとみなされ、質権者の質権は第三者に対する対抗力を失わないことになる（§352参照）。同様の理論によって、取得時効の中断も起きない（§164）。盗人が任意に返還したために占有回収の訴えを提起する必要がなかったときは、どうであろうか。占有回収の要件を備えている限り、――たとえば、侵奪者たる盗人が1年以内に返還した場合――実際上、訴えによって実現したのでなくても、本条を適用すべきである。けだし、この場合にも客観的な支配関係は継続しているとみることができるからである。なお、本条のただし書の場合に占有権が消滅しないのは、占有そのものが消滅しないからであることは、以上の説明からおのずから明らかであろう。

第2編　第2章　占有権　第3節　占有権の消滅

（代理占有権の消滅事由）
第二百四条
1　代理人によって占有をする場合[1]には、占有権は、次に掲げる事由によって消滅する[2]。
一　本人が代理人に占有をさせる意思を放棄したこと[3]。
二　代理人が本人に対して以後自己又は第三者のために占有物を所持する意思を表示したこと[4]。
三　代理人が占有物の所持を失ったこと。
2　占有権は、代理権の消滅のみによっては、消滅しない[5]。

［原条文］
代理人ニ依リテ占有ヲ為ス場合ニ於テハ占有権ハ左ノ事由ニ因リテ消滅ス
一　本人カ代理人ヲシテ占有ヲ為サシムル意思ヲ抛棄シタルコト
二　代理人カ本人ニ対シ爾後自己又ハ第三者ノ為メニ占有物ヲ所持スヘキ意思ヲ表示シタルコト
三　代理人カ占有物ノ所持ヲ失ヒタルコト
占有権ハ代理権ノ消滅ノミニ因リテ消滅セス

203条と同様の立場から、代理人による占有権の消滅について規定する。
〔1〕　181条〔1〕参照。
〔2〕　代理人による占有権が消滅するのは、代理人による占有そのものが消滅するからである（本章解説③参照）。
〔3〕　代理占有が成立するためには、本人が「代理人によって占有を取得する意思」を有することを要しないと説く学者も、本人が積極的に代理人に占有させるという意思を放棄した場合には、代理占有は、消滅すると説明する（§181〔2〕(エ)参照）。
〔4〕　代理占有において、代理人が「本人のために占有する意思」を有することは、代理占有成立の要件であって、その継続の要件ではないと説く学者も、代理人が積極的にこの意思を放棄するときは、代理占有は消滅するのは当然であって、本号はその趣旨を定めたものであると説明する（§181〔2〕(イ)参照）。この放棄の意思は本人に対してされることを要するとしたのは、185条と同様の趣旨である（§185〔3〕参照）。
〔5〕　代理占有が成立するためには、本人と代理人との間に特別の法律関係が存することを必要とする（§181〔2〕(ウ)参照）。それが、ここにいう「代理権」であるが、このような法律関係が消滅しても、それだけでは代理占有は消滅しない。たとえば、賃貸借・質権・寄託または運送などの関係によって代理占有が成立している場合には、これらの法律関係が消滅しても、賃借人・質権者・受寄者または運送人であった者が、なお所持を続けているという事実状態に変更がない限りは、代理占有は消滅しないのである。けだし、占有は外形的関係であるから、本人と代理人との間の関係も外形的に存すれば足り、それが法律上効力を有するものである必要はないからである（§181〔2〕(ウ)末段参照）。

第4節　準　占　有

　物の占有を伴わない財産権についても、社会的事実として、ある人がその権利者として行動し、一般の第三者もその者を権利者として考えるような状態が成立することがある。民法は、これを財産の「準占有」と称して、占有に関する規定をこれに準用する(§205)。しかし、占有のいかなる規定が準用されるかは、具体的に決することを必要とする。

〔準占有〕〔第8版凡例4 a)を見よ〕
第二百五条
　　この章の規定は、自己のためにする意思[1]をもって財産権の行使[2]をする場合について準用する[3]。
　［原条文］
　本章ノ規定ハ自己ノ為メニスル意思ヲ以テ財産権ノ行使ヲ為ス場合ニ之ヲ準用ス

〔1〕　180条〔1〕参照。
〔2〕　「財産権の行使」は、普通の占有における「所持」に該当する。したがって、目的である財産権が事実上その人に帰属していると認められる外形的関係が成立していることである。債権についていえば、債券や債権の証書を所持すること、銀行の預金証書と印を所持することなどである。「行使する」という文字からは、単にそのような物を所持するだけでなく、これらによって一部弁済を受けた後でないと、準占有が成立しないように思われるが、そう解釈すべきではない。ある程度まで債権を表象する物を所持し、社会概念上債権がその人に帰属していると認められるような事情があれば、それだけで準占有は成立する。ちなみに、債権の準占有に関する特別な効果について、改正前478条参照。

　なお、注意すべきは、財産権の行使が当然に目的物の占有を伴うものであるときは、準占有ということはありえないことである。たとえば、所有権・地上権・永小作権・賃借権・質権などがそれである。これらの権利を行使すれば、当然に占有そのものが成立するからである。したがって、準占有が認められる主要な財産権は、債権・地役権・先取特権・抵当権・著作権・特許権・商標権などである。

〔3〕　準占有について、民法は占有の規定をことごとく準用している。しかし、準占有の目的である財産権の性質によっては、準用も制限され、また、準用される場合にも態様を異にすることがある。

　実際問題としては、特許権その他の無体財産権についての準占有が最も純粋の占有に近い効果を認められることになるであろう。

　とくに注意すべきは、準占有については善意取得の規定(§§192〜194)の準用は認められないと解されることである。けだし、善意取得はもっぱら占有をもって権利の表

第 2 編　第 3 章　所有権

象とする動産について取引の安全を保護する制度であるから、これを権利の表象を異にする他の財産権の上の準占有に拡張することは不適当だからである。したがって、たとえば無権利者から定期預金証書を善意・無過失で譲り受けても、譲受人は保護されないのである（電話加入権に関する同趣旨の判例として、大判大正 8・10・2 民録 25 輯 1730頁）。

第3章［解説］１２

第3章　所有権

１　本章の内容

　本章は「所有権の限界」、「所有権の取得」および「共有」の三つの節からなっている。しかし、所有権一般の問題としては、このほかにも、(ア)物に対する全面的支配権としての近代的所有権とその他の物権との関係、(イ)所有権濫用の問題、(ウ)所有権侵害に対する物権的請求権などの問題がある。(ア)については、本編の解説１・２で述べた。(イ)については、本章第1節の解説３で述べる。ここには、(ウ)について述べておくこととする。なお、2021年の改正に注意。

２　所有権に基づく物権的請求権

　所有権の円満な権利状態が侵害された場合には、所有権は、この侵害の排除を請求する権利、いわゆる物権的請求権を取得する(本編解説３(2)(イ)参照)。このことについて、民法に直接の条文はないが、理論上当然であると考えられるし、占有権に関する「占有の訴え」の規定を参考とすることもできる。

(1)　所有物返還請求権(rei vindicatio)

　所有者がその占有を有しない場合に、現に占有を有する者に対してその占有の回復を請求する権利である。

　(a)　この請求権は、現に占有を有しない所有者に認められる。目的物の上に第三者が地上権などを有していて、所有者が現に「占有すべき権利」を有しない場合((c)参照)にも、なお、侵奪者に対して目的物を自分に引き渡すよう請求できるであろうか。判例は肯定するようであるが(大判大正3・12・18民録20輯1117頁)、学説には、地上権者に引き渡すよう請求できるだけであるとするものもある。

　(b)　この請求権の相手方は、現に目的物を占有する者に限る。かつて占有していたことがあっても、現に占有していない者に対しては、この請求は成り立たない。たとえば、所有者Aから寄託をうけたBが目的物を滅失し、またはCに引き渡してしまえば、Bに対するこの請求は認められない。Aは所有権侵害の不法行為を理由として、または、寄託契約から生ずる寄託物返還請求権に基づいて損害賠償の請求をすることができるにとどまる。ただし、この例でBがCに賃貸しているような場合には、Bは、なお代理人による占有をしているものとして、この請求の相手方とされるが、この場合には現実の占有移転ではなく、BのCに対して有する返還請求権の移転などを請求できるにすぎない(大判昭和9・11・6民集13巻2122頁)。

　(c)　この請求権は、占有者と所有者との間に占有者の占有を正当とする法律関係、たとえば占有者が地上権・永小作権・質権・留置権・賃借権または同時履行の抗弁権を有するなどの関係が存在すれば、その効力を阻止される(ただし、(a)参照)。

　(d)　この請求権の内容は、抽象的には所有権の侵害状態の除去としかるべき支配状態の実現を求めることであるが、具体的には問題がある。第1例として、Aの

441

第2編　第3章　所有権

所有物(動産)がその隣のBが所有する土地に存在するという事例、第2例として、Cの土地をDが勝手に占有しているという事例を想定して、考察してみよう。

第1に、その状態がBやDの責めに帰すべき事由によって生じているときは、第1例においては、AはBに対してその費用によりその動産をAに返還するように請求することができ(おおむね「返還請求」と呼ばれる)、第2例においては、CはDに対してその費用により土地の占有をCに引き渡すよう請求する(おおむね「明渡し請求」と呼ばれる)ことができる。実際には、このような事例が多いと考えられる。後者の場合、費用がかかることはほとんど考えられないが、土地の出入りに要するカギを渡したり、土地上にDの物があればそれを除去したりすることはDの費用により行われる。Dの建物が存在するような場合は、通常、次項の妨害排除請求権の問題として扱われている(「建物収去・土地明渡し請求」と呼ばれる)。

もし、BやDが進んで応じないようなときに、AやCが、BやDの忍容のもとに、みずから——違法な自力救済にならないような方法で——動産の取戻しや土地の占有取得の行為をし、それに要した費用をBやDに請求することも可能であると考えられる。

第2に、その状態がAやCの責めに帰すべき事由によって生じているときは、AやCは、その占有回復行為をするについてBやDの忍容を請求することはできるが、その費用は自分で負担しなければならない。

第3に、その状態がAやCの責めにも、BやDの責めにも帰すべき事由によらないで生じているとき(たとえば、第1例では台風によって、第2例では地籍の混乱によって)には、AやCの占有回復行為について、BやDの忍容を請求できることには問題ないが、その費用がどのように負担されるべきであるか、は困難な問題である。とくに、第1例においては、Aが動産の返還請求ができる一方で、Bもその土地占有を妨害しているAの動産について次項で述べる妨害排除請求権を有するのであるから、Aから請求した場合と、Bから請求した場合とで、差異が生じることになっては、問題である。そこから、費用は両者が平分して負担するという見解も生まれるところであるが、いずれか請求した方が、その解決を積極的に望んだのであるから、その者の負担とするという解決もあるかもしれない。

なお、以上の点について物権的請求権の内容としては、純粋に相手方に対する忍容請求だけであり、費用の問題は、不法行為・不当利得など個別の関係として解決すべきであり、帰責事由を有する者がいない場合には相隣関係の費用に関する規定を類推すべきであるとする見解も主張されている。

(e)　返還請求をする所有者と、相手方である占有者との間の果実の取得、目的物の滅失・損傷に対する責任、費用の償還請求などについては、189条から191条まで、および196条が適用される。

(2)　所有物妨害排除請求権(actio negatoria)

所有者が、占有喪失以外の事情でその所有権内容の円満な実現の状態を妨げられている場合に、その妨害状態を生じさせている者に対して妨害の除去を請求する権利である。

第3章［解説］②

(a) この請求権の主体については、(1)の(a)で述べたところと同様である。

(b) この請求権の相手方は、現にその妨害の生ずる事情をその支配内に置いている者である。みずから妨害を生じさせたことを必要としない。たとえば、Bの所有地の樹木がAの所有地に倒れたときは、その倒れたことが天災に基づく場合にも、あるいはBの前の所有者の行為が原因で倒れた場合にも、なお、Bの所有に属する物によりAの所有権が妨害されているとみることができるから、Bはその妨害の除去をする義務がある。Aの駐車場にBが立替払契約（クレジット契約）で購入した自動車を駐車させていたという事例で、信用を供与していた信販会社Cが自動車の所有権を取得したものとされる場合には、その所有権は、CのBに対する立替金返還請求権のための担保であり、Bがその債務につき弁済期を徒過したときは、Cが完全な所有権者となり、Aが有する自動車撤去請求権の相手方はCとなるとした判例がある（最判平成21・3・10民集63巻385頁。同判決がこれを所有権留保の事例としているのには疑問がある。第2編第10章後注⑨、第3編第2章第5節解説④(2)(イ)(a)(iv)を参照。なお、原審判決も所有権留保として捉えているが、自動車登録はBになされていることを認定しており、Cによる担保実行の法律関係を判断して、弁済期徒過だけではCの所有権は完全なものにはならないとしてAの請求を認めなかった。本判決は、これを破棄し差戻した。疑問のある判決である）。

土地上に不法占拠建物が存在する場合の請求（建物収去・土地明渡し請求）の相手方は、その建物の実質上の所有者であるが（最判昭和35・6・17民集14巻1396頁、最判昭和47・12・7民集26巻1829頁）、建物を譲渡したが未登記の場合に、相手方とされた例もある（最判平成6・2・8民集48巻373頁）。

(c) この請求権も、所有者と妨害者との間に妨害を正当化するような法律関係があれば、その効力を阻止され、所有者は妨害を忍容しなければならない。たとえば、妨害とされる状態が地役権に基づくものである場合などである。なお、これは、単に妨害者側に積極的な権利がある場合だけでなく、社会の共同生活の理想から、所有者側に、ある程度の所有権の侵害を忍容すべき義務のある場合にも認められる。たとえば、近隣の居住者が引きおこす臭気・音響・煤煙・震動などの侵入も社会の共同生活に普通とされる程度を超えなければ、所有者はその除去ないし予防を請求することはできない。その程度を超えれば、もちろんその除去ないし予防を請求できる。

(d) この請求権の内容は、いうまでもなく、所有権を妨害している状態の除去を求めることであるが、だれがその除去行為を行うか、その費用はだれが負担するかをめぐって、(1)(d)で述べたところと同様の問題がある。事例としては、土地所有者が権限なく建物を存置させている者に対して建物収去・土地明渡しを求めるケースが多いと考えられるが、この種の事例においては、おおむね相手方の費用負担において妨害物を除去することを請求できるものとされている（大判昭和5・10・31民集9巻1009頁は、建物の賃借人Aが据えつけたB所有の砕石機の除去義務をAの賃借終了後にBに認めた例）。一見したところ妨害者である相手方の責めに帰すべき事由がないようにみえても、その妨害物を存置させること自体がその者の責任であると評価される

443

第2編　第3章　所有権

場合が少なくないといえるように思われる。

　(e)　所有権の侵害が、本来ならば除去復旧されるべきものであっても、その実現にさらに重大な社会経済的損失を伴う場合には、所有者の妨害除去請求権は否定される。たとえば、所有地上に公園・鉄道・発電用水路のような建造物が築造され、これを除去することが社会公共の経済的ないし文化的利益を損することが甚大であれば、回復を求めること自体が一種の権利濫用であるとされる(本章第1節解説③参照)。このことはすでに判例も認めていたところであるが、1947年(昭和22年)の民法改正に当たって、1条1項に「私権は公共の福祉に従う」という一項が加えられたことによって、明確に法文上の根拠を与えられた(§1⑸とくに(エ)参照)。

(3)　所有物妨害予防請求権

　(a)　この請求権は、(イ)の妨害排除の請求権と同じ要件のもとに、ただその妨害がまだ発生していないが、発生するおそれがあるという場合に認められるものである。「おそれがある」というためには、妨害が一度でも発生したことを要するものではないが、単なる主観的なものではなく、客観的な可能性があることを要する。

　(b)　この請求権の内容は、相手方にその費用で(この点についても、(1)(d)、(2)(d)と同様の問題はあるが、多くの場合は相手方に費用を負担させてよいと考えられる)、妨害が生じないように原因を除去し、適当な予防設備をさせることである。たとえば、隣人が所有者の土地に勝手に木を植えはじめたというような場合には、将来に向かってその侵害行為の差止めを請求することができる(大判大正9・5・14民録26輯704頁)。また、隣地の所有者がその土地を掘り下げたために自分の土地が崩れるおそれがある場合には、これを予防する設備の実施を請求することができ(大判昭和12・11・19民集16巻1881頁)、隣地の所有者が、掘り下げ行為の後にその所有権を譲り受けた者であっても同様であるとされる(大判昭和7・11・9民集11巻2277頁)。ただし、この場合にも予想される損害が軽少であり、予防設備の費用が巨額にのぼるようなときは、上記(2)の(e)に述べたところと同じ理由によって、所有者の請求は認められない場合もあると解すべきである。

(4)　なお、以上の所有権に基づく物権的請求権は、消滅時効にかからないと解されている(これを「所有権の恒久性」という。改正前§167⑷参照)。

第1節　所有権の限界

① 本節の内容

本節は「所有権の限界」と題して、所有権の内容に関する一般原則（§206）、土地所有権の上下への効力（§207）および隣接する土地の相互の関係（§§209～238）について規定する。2004年改正によって、206条・207条に「第1款　所有権の内容及び範囲」、209～238条に「第2款　相隣関係」［改注］という表題が付された。

② 今日の所有権

近代法の所有権は、目的物を全面的に支配する絶対的に自由な権利だと考えられてきたから、「所有権の限界」というのは、特別の立法によって外部から所有権の効力を制限することであると解されてきた。このことは、わが旧憲法27条が「日本臣民ハ其ノ所有権ヲ侵サルヽコトナシ。公益ノ為必要ナル処分ハ法律ノ定ムル所ニ依ル」と規定し、これに対応するものとして民法206条がおかれていたことにも示されている。しかし、すでに旧憲法のもとでも、所有権は社会の共同生活の向上発展のために個人に与えられた権利にすぎないという考え方から、所有権の内容も、この目的によって当然に、いわば内部から制約されたものであるとの主張がされていた。憲法29条は、財産権の不可侵を宣言しながらも、その第2項で、「財産権の内容は、公共の福祉に適合するやうに、法律でこれを定める」と規定しているので、所有権もまた、その内容において絶対で無制約のものではないという、上の主張と同じ思想に立つものということができよう。日本国憲法のもとで新たに追加された民法第1条は、このことをさらに具体的に宣明したものである。民法の所有権の内容、ことに土地の上下・相隣に関する各条文も、この新しい思想から解釈されるべきものである。

③ 所有権の濫用

権利の行使が、外形上はいかにもその権利の内容を実現・保障するために認められた効力の範囲内にあるようにみえて、じつはその内容とはいえない場合、すなわち権利が認められた目的を逸脱する場合がある。これが、いわゆる「権利の濫用」である。その詳細については1条(5)参照。ところで、権利濫用は、しばしば所有権について問題になる。けだし、所有権は目的物に対して強力な支配的効力を認められているので、いちおうその効力の範囲内に属しながら、じつは所有権が認められた本来の目的を逸脱する場合が起こりやすいからである。判例は、比較的早期にこの理を認め、しだいにその態度を明瞭にしてきたのであるが、1947年の改正民法1条3項では、「権利の濫用はこれを許さない」と明言するに至ったので、今後は、さらに大胆に権利濫用の法理が具体的事件に適用されるであろうことが期待される（§1(5)参照）。つぎに、これまでに現れた代表的な判例を挙げておく。

(a) 鉄道会社Bが、宇奈月温泉を経営するために山腹の他人の土地に温泉を引

第2編　第3章　所有権　第1節　所有権の限界

湯する木管を設けている。Aはこの山腹の土地を買い受けて、木管の通っている部分はわずか2坪(6.6m²)に足りないにもかかわらず、Bに対して引湯管の撤去を要求し、他方で不相当の高値で土地全体を買い取れと要求した。大審院は、このような主張は、「単に所有権の行使であるという外形を構えているだけで……社会観念上所有権の目的に違背し、その機能として許さるべき範囲を超脱するものであって、権利の濫用に外ならない」という理由で、Aの主張をしりぞけた(大判昭和10・10・5民集14巻1965頁〔宇奈月温泉事件〕)。

　(b)　B電気株式会社が発電所用水路として、水取口と隧道(トンネル)を作った。そのトンネルが、Aの承諾なしにその所有土地(原野と畑)の下を通っている。Aはその除去を求める。大審院は、「Bの行為はAの所有権を不法に侵害するものであるが、本件の工事が竣成した現在においては、これを撤去して新たに水路を設けることは事実上又は法律上不能ではないが、其の巨大な物資と労力の空費をきたし社会経済上の損失が少なくないことを考慮すると、Aの所有権に基づく妨害排除はもはや不能となり、Aとしてはただ損害賠償を得て満足するほかはない」と判示した(大判昭和11・7・10〔7・17が正しいと思われる〕民集15巻1481頁)。

　(c)　権利の行使が他人に損害を及ぼす場合に、権利濫用の法理をあまりに広く適用して、これを禁じるときは、既存の権利を保護しすぎる結果となるおそれのあることにも、注意しなければならない。地下水を利用して泉水を作り、料理業を営んでいるAがいるのに、Bがその近隣の自分の土地に井戸を掘って地下水を噴出させて養鱒業をはじめたために、Aの泉水が渇れたので、AからBに権利濫用として井戸の除去を請求した事件があった。裁判所は、Bの井戸にしかるべき装置をしてA・B共同してこれを利用するように和解をすすめたが、当事者が承服しないので、Bに損害賠償を命じた(東京地判昭和10・10・28新聞3913号5頁。その上告審大判昭和13・6・28新聞4301号12頁もその結論を支持した)。このような場合に、あまりに多額の賠償を命じては、Aの既存の権利を不当に保護することになり、早い者が得する結果になる。しかし、もちろん、Bの行為を放任することもできない。判決がいうように、現在の民事訴訟法では、共同利用をなすべきことを命ずることはできないであろうから、この判決は、やむをえないものであろう。このような場合には、少なくとも強制的な調停制度の必要が痛感されるとともに、当事者の互譲の精神がとくに要望される。権利濫用の法理は、関係者の互譲協助の精神がなければ、真の解決に達することができないものであることを示す好個の例である。

④　所有者不明土地・不動産所有権の放棄

　所有者が不明であったり、境界が明確でない土地が、再開発や公共事業の関係等で、問題になっているので、所有者不明土地利用円滑化特別措置法(平成30年法律49号)〔改注〕は、以下の内容を定めた。①所有者不明土地を円滑に利用する仕組みとして、地域福利増進事業の創設と実施準備(第3章第1節)について定め、特定所有者不明土地の収用又は使用に関する土地収用法の特例(同第2節)を定め、②所有者不明土地の適切な管理のために特に必要がある場合に、地方公共団体の長等が家庭裁判所に対し

民法 25 条 1 項の「命令」または同 952 条 1 項の「相続」財産管理人の選任等を請求することができる制度（民法の特例）を創設し（同第 3 節）、③さらに所有者の探索を合理化する仕組みをも創設した（第 4 章）ことにより、探索のために必要な公的情報について、行政機関が利用できることになり、また長期間相続登記等がなされていない土地について、登記官が、長期相続登記未了土地である旨等を登記簿に記録することができることになった。なお、農業経営基盤強化促進法（§§21 の 2～21 の 5）や森林経営管理法（第 2 章第 2 節）にも同趣旨の規定が置かれた。さらに、表題部所有者不明土地の登記及び管理の適正化に関する法律（令和元年法律 15 号）［改注］が制定された。これは、所有者不明土地問題への対策の一環として、不動産登記簿の表題部所有者欄の氏名または名称および住所の全部または一部が正常に登記されていない「表題部所有者不明土地」について、その登記および管理の適正化を図るために必要となる措置を講ずることにより、その権利関係の明確化およびその適正な利用を促進するものである。具体的には、(1)表題部所有者不明土地の登記の適正化を図るための措置として、登記官に所有者の探索のために必要となる調査権限を付与するとともに、所有者等探索委員制度を創設するほか、所有者の探索の結果を登記に反映させるための不動産登記法の特例が設けられた。また、(2)所有者の探索を行った結果、所有者を特定することができなかった表題部所有者不明土地について、その適正な管理を図るための措置として、裁判所の選任した管理者による管理を可能とする制度が設けられた。

　また、土地所有権の放棄も問題になっている。民法上は、一般的には権利の放棄は可能であるが、当該土地が「負担」を負っている場合にも可能であるか、ということになると、問題が生じる。全国的に問題になっている「危険な空き家」（特に取り壊しを要するもの）の場合には、建物と共に敷地所有権の放棄を単純に認めることはできない。特に「上物」の取り壊し費用が敷地の評価額を大きく超える場合には、それをまぬかれる目的でなされる所有権の放棄は権利の濫用に当たることになろう。所有権放棄の原則論に従って、当該土地が国庫帰属になるとしても、国が建物等の除去費用を負担することは不合理だからである。2021 年 4 月 21 日、所有者不明土地の発生の抑制を図るため、相続又は遺贈（相続人に対する遺贈に限る。）により土地の所有権又は共有持分を取得した者等がその土地の所有権を国庫に帰属させることができる制度が創設された（民法等の一部を改正する法律（令和 3 年法律 24 号）及び相続等により取得した土地所有権の国庫への帰属に関する法律（令和 3 年法律 25 号）が成立した（2023 年 4 月 27 日施行）。

　両法律は、所有者不明土地の増加等の社会経済情勢の変化に鑑み、所有者不明土地の「発生の予防」と「利用の円滑化」の両面から、総合的に民事基本法制の見直しを行うものとされている。まず、「発生の予防」の観点から、不動産登記法を改正し、これまで任意とされていた相続登記や住所等変更登記の申請を義務化しつつ、それらの手続の簡素化・合理化策をパッケージで盛り込んでいる。また、同じく「発生の予防」の観点から、新法を制定し、相続等によって土地の所有権を取得した者が、法務大臣の承認を受けてその土地の所有権を国庫に帰属させる制度を創設している。

　次に、「利用の円滑化」を図る観点から、民法等を改正し、所有者不明土地の管理に特化した所有者不明土地管理制度を創設するなどの措置を講じている。詳細は、関

第2編　第3章　所有権　第1節　所有権の限界

係個所で述べる。なお、人口減少社会に対応して土地政策を再構築するとともに、地籍調査の円滑化・迅速化を一体的に措置する「土地基本法等の一部を改正する法律」（令和2年法律12号）が成立し、同年3月に公布された。

　なお、空家問題に関しては、空家等対策の推進に関する特別措置法（平成26年法律127号）、同法の施行期日を定める政令（平成27年政令50号）、同法施行規則（平成27年総務省・国土交通省令1号）、空家等に関する施策を総合的かつ計画的に実施するための基本的な指針（平成27年総務省告示・国土交通省告示1号〔平成31年4月1日改正〕）が、制定・公布されている。

第1款　所有権の内容及び範囲

〈改正〉　2004年改正により、従来はなかった本款の表題が新設された。

（所有権の内容）
第二百六条
　　所有者は、法令[1]の制限内[2]において、自由に[3]その所有物[4]の使用、収益及び処分をする権利[5]を有する[6]。
[原条文]
　　所有者ハ法令ノ制限内ニ於テ自由ニ其所有物ノ使用、収益及ヒ処分ヲ為ス権利ヲ有ス

〔1〕　憲法29条は、第1項で「財産権は、これを侵してはならない」といい、第2項で「財産権の内容は、公共の福祉に適合するやうに、法律でこれを定める」という。第1項は、私有財産権を保障するという大原則を宣言するものであり、第2項は、その私有財産権も公共の福祉という観点から制限を受けるものであること、しかし、その制限は法律によらなければならないことを明らかにするものである。所有権も、財産権のなかの主要なものとして、この憲法の保障と制限のもとにおかれることはいうまでもない。この見地から本条を読むならば、ここに「法令」とは、国会の決議を経た「法律」およびとくに法律によって所有権を制限する権限を与えられ、その制限内において制定された政令（いわゆる「委任命令」。法律による委任によらない「執行命令」と区別される）を意味するものと解すべきである。

なお、憲法29条3項は、私有財産権の公用徴収の要件を定めており、所有権もこの要件に従って収用を受けることはいうまでもない。

〔2〕　所有権を制限する法令は多い。その一々をここに列挙することはできないが、制限の態様に従って主要なものを挙げれば、つぎの通りである。

（a）　物の所持を制限または禁止するもの——銃砲刀剣類所持等取締法、麻薬及び向精神薬取締法、あへん法、大麻取締法、覚醒剤取締法、毒物及び劇物取締法など

（b）　物の使用・生産・取引を制限するもの——通貨及証券模造取締法、紙幣類似証券取締法、あへん法など

（c）　所有者の利用方法を制限するもの——文化財保護法、農地法、温泉法、森林法、消防法、火薬類取締法、大気汚染防止法、水質汚濁防止法、建築物用地下水の採取の規制に関する法律、自然公園法、都市計画法、建築基準法、感染症の予防及び感染症の患者に対する医療に関する法律、計量法など

（d）　公共のための収用または使用を忍容すべきものとするもの——土地収用法、土地区画整理法、土地改良法、都市計画法、消防法、電気事業法、ガス事業法、道路法、水道法、下水道法、河川法、鉱業法など

（e）　取引などを制限するもの——文化財保護法、農地法、薬機法、食品衛生法、

第2編　第3章　所有権　第1節　所有権の限界

独占禁止法、不正競争防止法など

　(f)　取引の対価を制限するもの——かつての物価統制令、統制小作料を定めていた頃の農地法など

〔3〕　「法令の制限内において、自由に」ということは、沿革的な意味において理解されるべきである。すなわち、この規定は、元来は所有権は本来自由なものであって、法令が例外的にこれを制限しても、その制限外ではなお自由な権利だという趣旨であった。しかし、今日ではこの「自由に」という語句を根拠として、制限を定める法令を厳格に解釈すべしと主張することは許されない。

〔4〕　「所有物」とは、所有権の客体である物である。権利の上にも所有権が成立すると主張する学説もあるけれども、多くの学説はその必要はないという。

〔5〕　「使用、収益及び処分をする権利を有する」というのは、所有権の内容がこの3個の権能に尽きるという意味でないのはもちろん、所有権の内容が必ずこの3個の権能を含むという意味でもない。所有権は、目的物を所有者の意思に従ってどのようにでも利用できる円満なものであることを、使用・収益・処分という3個の代表的な利用方法によって示したものである。したがって、この3個の概念を詳細に検討することは必要ではない。しかし、通常説明されるところを述べれば、つぎの通りである。

　(a)　「使用」とは、物の用法に従い、物を損傷し、またはその本質を変更しないで使うことである。

　(b)　「収益」とは、物の果実を収取することである。天然果実であるか、法定果実であるかを問わない。

　(c)　「処分」とは、物を損傷し、性質を変ずるなどの物質的処分と、他人に譲渡するなどの取引上の処分とを含む。

〔6〕　所有権は、上述の法令の制限とは別に、その上に地上権・永小作権などが設定されるときは、その使用・収益の権能は制限され、空虚なものとなる。このように、空虚となった所有権のことを所有権の「虚有権」化と表現することもある。しかし、所有権はこれらの制限がなくなれば、また当然に円満な状態に復帰する弾力性を有する(「所有権の弾力性」)。

（土地所有権の範囲）
第二百七条
　　　土地の所有権[1)]は、法令の制限内[2)]において、その土地の上下に及ぶ[3)]。
[原条文]
　　土地ノ所有権ハ法令ノ制限内ニ於テ其土地ノ上下ニ及フ

〔1〕　土地の所有権は、土砂岩石などの土地の構成部分をその内容とするだけでなく、土地とは独立の存在を認められない定着物もその内容に含む(§86〔2〕〔3〕参照)。

〔2〕　法令の制限については、206条〔1〕参照。土地所有権の上下に及ぶ効力を制限する法令も数多い。

§§ 206〔3〕～〔6〕・207・208（旧）〔1〕

とくに注目すべきは、2000 年に制定された「大深度地下の公共的利用に関する特別措置法」（平成 12 年法律 87 号）である。これは、政令で定める一定の対象地域（首都圏、近畿圏、中部圏の中の一定の地域が定められている）における第 4 条が定める一定の事業のために、国土交通大臣または都道府県知事が「使用の認可」を与えると、事業者は、政令が定める一定の深さ（施行令 1 条により、40 メートルとされた）以上の地下を、土地所有者の意思を問うことなしに使用できるとするものである。所有者は、事業により損失をこうむったときは補償を請求することはできるが、使用それ自体を拒否することはできない。

この制度は、土地所有者の地下 40 メートル以上の深度に対する所有権を否定するに等しい内容のものであり、便宜的な考慮からこのような制度が安易に導入されることには疑問を禁じえない。

〔3〕　土地所有権の効力が土地の上下に及ぶことは、一般に認められた原則であるが、今日の所有権理論では、これを形式的に解して、法令の制限がない限り上空・地下とも無限に及ぶと考えるべきではない。結局、土地の利用を全うさせようという趣旨であるから、土地の利用と関係のない上空や地下についてまでも所有権の効力を主張して、上空を航空機が通過することや、原野の地底深くトンネルを通すのを拒否しようとすることは許されるべきではない。強いてこれを排斥しようとするならば、権利の濫用となるであろう（§1〔5〕および本節解説③参照）。ドイツ民法 905 条は「土地所有権は、これを禁止するについてなんらの利益のない高所又は深所における侵害を禁ずることはできない」といい、また、スイス民法 667 条も、一歩進めて、「土地の所有権は、その行使につき利益の存する限度において空中及び地下に及ぶ」と定めている。本条も、これらの規定と同様の趣旨に解釈すべきである。

第二百八条　削除[1]

[原条文]

　　　数人ニテ　棟ノ建物フ区分シ各其　部フ所有スルトキハ建物及ヒ其附属物ノ共用部分ハ其共有ニ属スルモノト推定ス
　　共用部分ノ修繕費其他ノ負担ハ各自ノ所有部分ノ価格ニ応シテ之ヲ分ツ

〈改正〉　1962 年に、「建物の区分所有（その後「等」が加えられた）に関する法律」（法律 69 号）が制定されたのに伴い、本条は削除された。

〔1〕　一棟の建物を、それぞれ独立の建物としての効用を有する部分に区分して、数人が各部分を所有することを「建物の区分所有」という。各部分のことを「区分建物」、それに対する所有権のことを「区分建物所有権」または「区分所有権」と呼ぶことができる。もっとも、当初の民法が想定していたのは、建物を垂直に区分するいわゆる棟割長屋、せいぜいが 1 階と 2 階というように水平に区分する例であった。この各区分建物の間の相隣関係について規定したのが本条であり、わずか一か条で事が足りたのである。第二次大戦後のある時期から大規模な集合住宅（いわゆるマンション）

451

第2編　第3章　所有権　第1節　所有権の限界

が登場し、これについての法律関係を詳細に規定する必要が生じ、1962年に「建物の区分所有に関する法律」が制定され、本条は削除された(第2款解説[1]参照)。これは、理論的には相隣関係の問題である。

第2款　相隣関係

〈改正〉　2004年改正により、従来はなかった本款の表題が新設された。2021年の改正で、本款の規定が改正されたが、各条において説明する。

[1]　本款の内容

207条が土地所有権の上下の限界を規定しているのに対して、209条以下は、土地または建物所有権の横の限界、すなわち、その「相隣関係」を規定する。なお、208条は、1棟の建物を区分して所有する者の相互関係について規定していたが、1962年(昭和37年)に「建物の区分所有(1983年の改正で「等」が入る)に関する法律」が制定されたことに伴い、削除された。

規定の内容を概観すると、つぎの通りである。

(ア)　土地については、(a)隣地の使用(§209)、(b)公道に至るための他の土地の通行権(§§210〜212)、(c)人為的袋地に関する特則(§213)、(d)継続的給付を受けるための設備の設置権等(§§213の2・213の3)、(e)水流に関する規制(§§214〜217・219)、(f)雨水、排水に関する規制(§§218・220)、(g)境界標の設置等(§§223・224・229・230)、(h)竹木の切除(§233)について規定されている。

(イ)　土地上の建築物等については、(a)通水用工作物の使用(§221)、(b)堰の設置及び使用(§222)、(c)囲障の設置等(§§225〜232)、(d)境界線付近の建物の制限(§234)、(e)観望の制限(§235)について規定されている。

[2]　相隣関係の内容

相隣関係の内容を形式的に分類すると、①所有者に対して、相隣者の一定の行為——土地の使用、通行、排水など——を忍容すべき義務を課するもの、②所有権者に目的物の一定の利用——境界線の近傍に建築することなど——をしないように制限を加えるもの、③相隣者と協力して界標の設置など一定の行為をする積極的義務を課するものの三種に分けられる。最後の③が一番少ないが、実際生活の上では、③をもっと強調する必要があると言われてきた。

今回の物権法改正で、多くの具体的規定が設けられたので、注意が必要である。

[3]　相隣関係の準用

相隣関係は、不動産所有権相互の関係であって、地上権に準用されるだけである(§267)。しかし、相隣関係は、所有の調節をはかる制度ではなく、利用の調節をはかる制度だから、不動産の賃借権にも準用すべきであると思う。

第2款［解説］・§209

4　相隣関係の特色

　相隣関係の特質について一言するならば、第1に、この関係では、土地所有権の効力を制限するものが、まったく同じ性質の隣りの土地所有権であるということが注意される。したがって、それは相互関係を基本とする。一方に認められることは、また他方にも認められるのである。第2に、それは、いわば同じ方向において物の利用を全うすることを目指すものである。したがって、それは互譲協同の関係に立つ。一方の設けた物を他方も利用することが許されるのである。第3に、それは、同じ私法上の対等な権利間の関係である。したがって、相隣者の一方に負担を負わせる場合には、他方はこれに対して償金を支払わせることによって公平を維持しようとする。

　このうち、第3の、相手方の権利範囲に侵入し、よって生ずる損害を塡補しながら自分の権利を行使することができるという関係は、単に土地建物の相隣関係のみでなく、他の権利相互間にも認められるべきものであろう。けだし、対等と協同の関係は、近代社会の秩序の基本的原則であって、そこでの権利相互の関係は、一般に土地の相隣関係に類似する性格を有するからである。このような意味において、相隣関係の規定は、いわばこの基本的原則の具体的現われとして注目されるのである。

5　公法的規制との関係

　たとえば、建築基準法のような公法的規制が、相隣関係の規定と密接に関連することがありうる。理論的には、いちおう両者は別個のものと考えられるが、公法的な規制が相隣関係の内容に影響を与えることは十分に考えられるところである。210条〔4〕、211条〔1〕、234条〔1〕を参照。

（隣地の使用）
第二百九条
　1　土地の所有者は、次に掲げる目的のため必要な範囲内で、隣地を使用すること[1]ができる。ただし、住家については、その居住者の承諾がなければ、立ち入ることはできない。
　　一　境界又はその付近における障壁、建物その他の工作物の築造、収去又は修繕
　　二　境界標の調査又は境界に関する測量
　　三　第二百三十三条第三項の規定による枝の切取り
　2　前項の場合には、使用の日時、場所及び方法は、隣地の所有者及び隣地を現に使用している者（以下この条において「隣地使用者」という。)[2]のために損害が最も少ないものを選ばなければならない。
　3　第一項の規定により隣地を使用する者は、あらかじめ、その目的、日時、場所及び方法を隣地の所有者及び隣地使用者に通知しなければならない。ただし、あらかじめ通知することが困難なときは、使用を開始した後、遅滞なく、通知することをもって足りる[3]。
　4　第一項の場合において、隣地の所有者又は隣地使用者が損害を受けたとき

453

第2編　第3章　所有権　第1節　所有権の限界

は、その償金を請求することができる[4]。

〈改正〉　2021年に改正された。改正前第209条の見出しを「（隣地の使用）」に改め、第1項中「境界又はその付近において障壁又は建物を築造し又は修繕する」を「次に掲げる目的の」に、「の使用を請求する」を「を使用する」に改め、同項ただし書中「隣人」を「住家については、その居住者」に改め、「その住家に」を削り、同項に上記各号を加えた。

本条第2項中「前項」を「第一項」に、「隣人」を「隣地の所有者又は隣地使用者」に改め、改正前同項を本条第4項とし、本条第1項の次に上記二項（第2項、第3項）を加えた。改正法の施行日は、2023年4月1日。

[本条の趣旨]　**[1]**　改正前法209条1項は、隣地の使用を請求できる場合として、境界付近において建物等を築造・修繕する場合のみを挙げているが、これ以外の工事等（境界標の調査等も含む）の場合に隣地の使用を請求できるかについては明らかでなく、結果的に土地の利用が制限されていると言われてきた。そこで、類型的に隣地を使用する必要性が高いと考えられる所定の目的のために隣地を使用できる規定を設けた。隣地使用に係る権利構成を請求権から使用権に改めた点については、土地の所有者は、一定の要件が充たされる場合には、承諾がなくとも隣地を使用することができ、連絡を受けた隣地所有者等は土地所有者による隣地の使用を拒むことができないのであるから、土地所有者は、隣地を使用する権利を有していることになるとの考えである。隣地所有者等の明示的な承諾がなくても、隣地を使用することができることになるが、事前の通知が必要なので、その際に承諾を求めることはありうる。

[2]　ここでの隣地の使用は、一時的なものであり、土地に着目した制限（第1項）とは別に、日時等隣地の利用者の損害に着目した規定を設ける必要があることから、隣地の使用方法に関する本項が設けられた。「隣地を現に使用している者」とは、隣地を直接使用している土地所有者、地上権者、賃借人などをいう。隣地を現に使用しているかどうかは、土地の外見により個別事案ごとに判断されることになるが、例えば隣地上に建物が存在していても、荒廃して使用に耐えない状態になり、土地に草木が繁茂しているようなケースでは、「隣地を現に使用している者」はいないと評価することが可能であるとされている。なお、隣地が明らかに使用されていないとまではいえない状態にある場合（土地の外見のみでは使用の有無の判断が困難な場合）については、あえて隣地使用者の探索等を行わなくとも、別途土地所有者に対して通知等を行えば足りるものと考えられている（部会資料等）。なお、隣地所有者等が通知を受けても回答しない場合には、黙示の同意をしたと認められる事情がない限り、隣地使用について同意しなかったものと推認され、この場合も土地所有者は妨害行為の差止めの判決を得て権利を実現することになる（部会資料）。

[3]　隣地使用に当たっての手続に関する本項は、隣地所有者等の明示的な承諾がなくとも隣地を利用することができることを前提としても、事前に連絡をすることは隣地所有者等の利益保護の観点から必要であるとの趣旨から設けられたものである。隣地所有者またはその所在が不明であり、事前の通知が困難な場合には、使用開始後通知することになる（本項ただし書）。この場合には、隣地の所有者が判明したときに通知すれば足りる。公示による意思表示（98条）の方法で通知することも可能ではあるが、公示による意思表示を必須とする趣旨ではないとされている（部会資料）。この点は次に取り上げる継続的給付を受けるための設備の設置権（213条の2）とは異なることになる。なお、隣地所有者またはその所在が不明である場合とは、基本的には現地の調査に加えて土地所有者が隣地の不動産登記簿や住民票といった公的記録を確認するなど合理的な方法によって調査をしても隣地所有者の所在が不明である場合をいう（国会質疑等）。

なお、境界標の調査または境界に関する測量が明文で認められたことにより、事案に応じて必要性が認められる限度で隣地の一部を掘り起こすことも許されるとされており（部会資

454

料)、境界に係る調査の円滑化に資することとなる。実際上は土地所有者から委託を受けた土地家屋調査士が従来よりも円滑に調査を行うことができることになろう。

　また、隣地所有者および隣地使用者の方からも、通知の内容から隣地使用の必要性がないと考えられるときや、隣地に生ずる損害が最小限にとどまらないと考えられるときは、隣地使用の差止めを求めることができると解されている（部会資料）。

　[4]　条文の内容は変更されていないので、［改正前条文の解説］〔3〕を参照。

［改正前条文］
（隣地の使用請求）
第二百九条
　1　土地の所有者は、境界又はその付近において障壁又は建物を築造し又は修繕するため必要な範囲内で、隣地の使用を請求[1]することができる。ただし、隣人の承諾がなければ、その住家に立ち入ることはできない[2]。
　2　前項の場合において、隣人が損害を受けたときは、その償金を請求することができる[3]。

［原条文］
　土地ノ所有者ハ彊界又ハ其近傍ニ於テ牆壁若クハ建物ヲ築造シ又ハ之ヲ修繕スル為メ必要ナル範囲内ニ於テ隣地ノ使用ヲ請求スルコトヲ得但隣人ノ承諾アルニ非サレハ其住家ニ立入ルコトヲ得ス
　前項ノ場合ニ於テ隣人カ損害ヲ受ケタルトキハ其償金ヲ請求スルコトヲ得

〔1〕　請求しても相手方が承諾しないときは、まず、裁判所に訴求して承諾に代わる判決（改正前§414Ⅱただし書）を求めた上で、立ち入ることができるのである。承諾を求めるべき相手方は、隣地を使用する土地所有者、地上権者または賃借人などと解されている。

〔2〕　住家に立ち入るのには、隣人の自由意思による承諾を必要とする。土地の場合のように、裁判所に訴求して承諾に代わる判決を求めることはできない。ただし、隣人の承諾拒絶が権利の濫用となる場合があるであろう。

〔3〕　「償金」の請求とは、その実質においては損害賠償の請求というのと差異はない。しかし、民法がとくに「償金」という言葉を使っているのは、この場合の損害が、債務不履行や不法行為のように違法な行為によって生ずるのではなく、権利として認められた行為から生ずるものである、という特質を表現しているのである（§§212・248・253など参照）。

（公道に至るための他の土地の通行権）
第二百十条
　1　他の土地に囲まれて公道[1]に通じない土地[2]の所有者は、公道に至るため、その土地を囲んでいる他の土地を通行することができる[4]。
　2　池沼、河川、水路若しくは海を通らなければ公道に至ることができないとき、又は崖（がけ）があって土地と公道とに著しい高低差があるとき[3]も、前項と同様とする[4]。

［原条文］
　或土地カ他ノ土地ニ囲繞セラレテ公路ニ通セサルトキハ其土地ノ所有者ハ公路ニ至ル為

第2編　第3章　所有権　第1節　所有権の限界

　　メ囲繞地ヲ通行スルコトヲ得
　　池沼、河渠若クハ海洋ニ由ルニ非サレハ他ニ通スルコト能ハス又ハ崖岸アリテ土地ト公
　　路ト著シキ高低ヲ為ストキ亦同シ

　〔1〕　「公道」とは、私道に対する概念である。一般の交通の用に供される道をひ
ろくいうものと解される（道§2Ⅰ参照）。
　〔2〕　このような土地を「袋地」という（なお、原条文では「囲繞」［いにょうまたはい
じょうと読む］という言葉が用いられ、袋地をとりかこむ周囲の土地のことを「囲繞地」と呼ん
だ）。
　〔3〕　このような土地を「準袋地」という。本項が定める要件は相当に厳格である
が、判例によって、しだいに緩和されているのは注目に値する。すなわち、耕作地に
畔道があり、これによって公道に達することができるが、その畔道が狭くて肥料その
他収穫物などの運搬に支障がある場合には、本条の適用が可能であるとし（大判大正
3・8・10新聞967号31頁）、また、土地から公道までに急坂があって、石材の搬出には
なはだしく不便である場合にも、本条による通行権を認める余地があるとする（大判
昭和13・6・7民集17巻1331頁）。なお、「池沼」とは、湖沼とほぼ同意で、文字通り、
池と沼をさす。
　〔4〕　袋地の所有権取得者は、所有権取得登記を経ていなくても、囲繞地通行権を
主張できる（最判昭和47・4・14民集26巻483頁）。その他、通行権行使の方法について
は211条、償金を支払うべきことについては212条を参照。
　建築基準法の規定との関連で（§211〔1〕(a)参照）、公道に1.45メートルの幅で接して
いる土地の所有者がそれに加えて隣地の0.55メートルの幅の通行権を主張したが、
認められなかった例がある（最判平成11・7・13判時1687号75頁）。

　〔前条の通行権の行使方法〕〔第8版凡例4 a)を見よ〕
　第二百十一条
　　1　前条の場合には、通行の場所及び方法は、同条の規定による通行権を有す
　　　る者のために必要であり、かつ、他の土地のために損害が最も少ないものを
　　　選ばなければならない[1]。
　　2　前条の規定による通行権を有する者は、必要があるときは、通路を開設す
　　　ることができる[2]。
　［原条文］
　　前条ノ場合ニ於テ通行ノ場所及ヒ方法ハ通行権ヲ有スル者ノ為メニ必要ニシテ且囲繞地
　　ノ為メニ損害最モ少キモノヲ選フコトヲ要ス
　　通行権ヲ有スル者ハ必要アルトキハ通路ヲ開設スルコトヲ得

　〔1〕　一方において、210条において通行権を与えながら、他方において、通行の
ために相隣者に与える損害を最小限にとどめようとはかるところに、隣接土地所有者
間の利用を調節し、相互扶助の理想を実現しようとする立法の趣旨をうかがうことが
できる。なお、212条において、通行者に償金の支払を命じていることも参照。

456

§§210〔1〕〜〔4〕・211・212・213〔1〕

具体的には、種々の問題が予想される。

(a)　建築基準法は、都市計画区域内で建物を建築するには、原則として、敷地が4メートル以上の道路に2メートル以上接しなければならないと定めている（建基§§42 Ⅰ・43 Ⅰ）。これを根拠に、この条件に合った通路の開設を請求できるかは困難な問題である（最判昭和37・3・15民集16巻556頁は、都条例の基準による拡幅を請求したのを認めなかった）。

(b)　通行権の内容として、自動車による通行が含まれるかについて、「自動車による通行を認める必要性、周辺の土地の状況、通行権が認められることにより他の土地の所有権者が被る不利益等の諸事情を総合考慮して判断すべき」とされた（最判平成18・3・16民集60巻735頁。通行権を否定した原審判決を破棄し、差戻した）。

〔2〕　212条ただし書参照。

　〔同通行権と償金〕〔第8版凡例4 a)を見よ〕
　第二百十二条
　　　第二百十条の規定による通行権を有する者は、その通行する他の土地の損害に対して償金¹⁾を支払わなければならない²⁾。ただし、通路の開設³⁾のために生じた損害に対するものを除き、一年ごとにその償金を支払うことができる。
　〔原条文〕
　　　通行権ヲ有スル者ハ通行地ノ損害ニ対シテ償金ヲ払フコトヲ要ス但通路開設ノ為メニ生シタル損害ニ対スルモノヲ除ク外一年毎ニ其償金ヲ払フコトヲ得

〔1〕　209条〔3〕参照。
〔2〕　通行権者が償金を支払わなければ、所有者は通行を拒否することができると解されている。
〔3〕　211条2項参照。

　〔人為的袋地に関する特則〕
　第二百十三条
　　1　分割¹⁾によって公道に通じない土地が生じたとき²⁾は、その土地の所有者は、公道に至るため、他の分割者の所有地のみを通行することができる³⁾。この場合においては、償金を支払うことを要しない⁴⁾。
　　2　前項の規定は、土地の所有者がその土地の一部を譲り渡した場合について準用する⁵⁾。
　〔原条文〕
　　　分割ニ因リ公路ニ通セサル土地ヲ生シタルトキハ其土地ノ所有者ハ公路ニ至ル為メ他ノ分割者ノ所有地ノミヲ通行スルコトヲ得此場合ニ於テハ償金ヲ払フコトヲ要セス
　　　前項ノ規定ハ土地ノ所有者カ其土地ノ一部ヲ譲渡シタル場合ニ之ヲ準用ス

〔1〕　「分割」とは、土地について共有関係が生じている場合に、その共有土地を持分に応じて分けることである（§§256〜・906〜参照）。

457

第2編　第3章　所有権　第1節　所有権の限界

〔2〕　たとえば、土地の一辺だけが公路に面している場合に、この一辺と交わらない線でこれを分割した場合である。

〔3〕　土地の分割のさいに、すでにこのような不便な土地が生ずることを予期すべきであるから、これによって第三者に迷惑を及ぼすことは公平に反する。いかに相隣関係における相互扶助の理想を高調しても、このような人為的に生ずる状態のために、隣地所有者に負担を与える通行権を認めるべきではなく、分割者の間で解決すべきものとしたのである。

〔4〕　同じ趣旨から、償金の支払も不要としたものであるが、当事者がとくに支払を約することを禁ずる趣旨ではない。

〔5〕　〔3〕の趣旨は、たとえば、Aの土地の一部(甲地とする。譲渡地とよぶことができる)を分割してBに譲渡した場合に、Aに残された土地(乙地とする。残余地とよぶことができる)との間についても同じように当てはまる。甲地が袋地になった場合でも、乙地が袋地になった場合でも、同様である。

本項の趣旨はもっともであるので、いろいろな形で拡大されて適用されている例をみることができる。たとえば、Aの所有する1筆の農地の一部(甲地)の賃借人Cがいたところ、その土地が分割譲渡され、乙地がBに譲渡され、甲地が袋地になったときは、Cは乙地を通行できるとされ(最判昭和36・3・24民集15巻542頁)、Aが1筆の土地を分筆の上、その各筆を全部同時に数人の者に譲渡した場合にも本項が適用されるものとされ(最判昭和37・10・30民集16巻2182頁)、Aの残余地の囲繞地としての負担は、Aからその土地を譲り受けた特定承継人にも及ぶとされ(最判平成2・11・20民集44巻1037頁)、3筆の土地が担保権実行の結果、袋地を生じた場合にも本項が適用されるものとされた(最判平成5・12・17判時1480号69頁)。

（継続的給付を受けるための設備の設置権等）
第二百十三条の二
1　土地の所有者は、他の土地に設備を設置し、又は他人が所有する設備を使用しなければ電気、ガス又は水道水の供給その他これらに類する継続的給付（以下この項及び次条第一項において「継続的給付」という。）を受けることができないときは、継続的給付を受けるため必要な範囲内で、他の土地に設備を設置し、又は他人が所有する設備を使用することができる[1]。
2　前項の場合には、設備の設置又は使用の場所及び方法は、他の土地又は他人が所有する設備（次項において「他の土地等」という。）のために損害が最も少ないものを選ばなければならない[2]。
3　第1項の規定により他の土地に設備を設置し、又は他人が所有する設備を使用する者は、あらかじめ、その目的、場所及び方法を他の土地等の所有者及び他の土地を現に使用している者に通知しなければならない[3]。
4　第1項の規定による権利を有する者は、同項の規定により他の土地に設備を設置し、又は他人が所有する設備を使用するために当該他の土地又は当該他人が所有する設備がある土地を使用することができる。この場合において

§§213〔2〕〜〔5〕・213の2

は、第209条第1項ただし書及び第2項から第4項までの規定を準用する[4]。

5　第1項の規定により他の土地に設備を設置する者は、その土地の損害（前項において準用する第209条第4項に規定する損害を除く。）に対して償金を支払わなければならない。ただし、一年ごとにその償金を支払うことができる[5]。

6　第1項の規定により他人が所有する設備を使用する者は、その設備の使用を開始するために生じた損害に対して償金を支払わなければならない[6]。

7　第1項の規定により他人が所有する設備を使用する者は、その利益を受ける割合に応じて、その設置、改築、修繕及び維持に要する費用を負担しなければならない[7]。

〈改正〉　2021年に新設された。改正法の施行日は、2023年4月1日。

[本条の趣旨]　[1]　民法は、生活に必須なインフラ設備技術が未発達の時代に制定されたため、各種生活に必須なインフラ設備設置における他人の土地等の使用に関する規定を置いておらず、土地所有者が導管等の設置を希望する場合において、どのような根拠に基づいて対応すべきかが明らかではない。実務においては、民法（改正前209条・210条・220条・221条）や下水道法11条を類推適用しているケースが多数あるが、類推適用される規定は必ずしも定まっていない。そこで、生活に必須なインフラ設備のための導管等を念頭に、継続的給付を受けるための導管・導線の設置・接続に係る規律を設けたものである。公道に至るための他の土地の通行権（210条）（囲繞地通行権）と類似した権利であるが、囲繞地通行権とは異なり既存の導管等の設置場所によっては他の土地に囲まれていなくとも他の土地等を使用しなければならない場合があるため、他の土地に囲まれていることは要件とされていない。権利構成や他の土地等の使用方法、使用等に当たっての手続は、隣地の使用の場合とほぼ同様である。ただし、第3項に注意。

　本項の設備の設置権は、他の土地等の所有者の承諾の有無にかかわらず発生する法定の権利であるから、事情の変更により要件を満たさなくなった場合（例えば他の土地等のために最も損害の少ないものではなくなった場合）には当該権利は消滅し、または損害が最も少ない設備の設置・使用に係る権利に変更されることになり、設備の設置場所・使用方法の変更に係る規律を設ける必要性は乏しいとされている。また、囲繞地通行権に係る規律（210条〜213条）についても、通行の場所・方法の変更に関する規定は設けられていない。しかしながら、囲繞地通行権の場合は原則的形態が事実上通行するのであるのに対し、生活に必須なインフラ設備設置権等の場合は地下・地上に導管・導線を設置等することになる。いったん埋設した導管について、より近隣に水道本管が設置されたことをもって、当該導管に係る権利が当然に消滅して新たな導管の埋設を強いられるというのは必ずしも合理的ではないであろう。したがって、何らかの変更・終了に係る規律も設けた方がよいのではないかとの意見もあった。例えば、住宅予定地が接している公道には水道管本管が敷設されておらず、隣地をはさんだ別の公道に水道管本管が敷設されている場合においては、隣地を経由して水道を引き込まざるを得ないからである。なお、変更の際の規律の必要性を指摘する見解もあった（議事録）。これらの見解は、設置権の消滅・変更があったにもかかわらず、導管等が放置されている場合の規律を念頭においているようである。

　それでは、他の土地の所有者等が生活に必須なインフラ設備設置・使用に対する妨害行為等を行い、これを排除しなければ権利を実現できないケースについてはどう考えるべきだろうか。このようなケースであっても、土地所有者が私的に実力を行使して妨害を排除することは認められない。この場合には、妨害行為の差止めの判決を得て権利を実現することにな

459

第2編　第3章　所有権　第1節　所有権の限界

る。

　なお、区分地上権・地役権との棲み分け、「継続的給付」の趣旨について一瞥しておこう。従来区分地上権や地役権など当事者間の約定により成立する土地の使用権によって対応していた事象が、今後は本条が定める法定の使用権に移行するわけではない。この規律はあくまで「継続的給付」を受けるために、その給付を受けようとする者自身に権利を認めるものであり、継続的給付を行う事業者に権利を認めるものではない。すなわち、事業者が多数の顧客に継続的給付を実施するための施設を設置すること（例えば、高圧電線を通すための鉄塔の設置）は、基本的に本条の規律の対象ではない。また、継続的給付を受けるために必要な限度を超える大がかりな設備を設置することも、本条の規律の対象ではない。ところで、本条に基づき設置された導管等の所有権は、設置され土地に付合することはなく、土地の所有者または当該所有者から委託された生活に必須なインフラ設備設置者に留保されることになる（242条ただし書）。他方、囲繞地通行権に基づき設置した通路については、舗装等を施したとしてもいわゆる強い付合に当たり当該囲繞地の構成部分となる。したがって、生活に必須なインフラ設備設置権は、他人の土地に自己名義の付属物を設置するという点で、囲繞地通行権と比べて権利性が強いことになる。この点、法定の地役権である相隣関係と区分地上権との棲み分けが不明確であるとして、この場合は区分地上権の設定請求か法定区分地上権の成立を認めるべきとの見解も存する。

　[2]　改正前法211条1項と同趣旨の規定である。

　[3]　他の土地の所有者等への通知は必ず事前に行わなければならず、隣地使用の場合のような事後的通知は認められない。他の土地の所有者あるいはその所在が不明の場合には公示による意思表示（98条）によることとなる。本項は、他の土地所有者等の利益保護の観点から、これらの者への事前通知を義務付けたものである。

　[4]　本項は、設備を設置する土地や使用する設備がある土地が対象土地の隣地ではない場合も考えられることから、209条とは別の規定を設け、同条を準用することとしたものである。

　[5]　本項は、土地の損害に対する償金支払義務を定めている。ただし書は、設備の設置によって土地が継続的に使用することができなくなることによって生じる損害に対する償金を想定している。

　[6]　本項は、他人所有の設備使用者による設備使用開始のために生じた損害に対する償金支払義務を定めている。償金の対象については、(a)設備設置等のために他の土地を使用する際に一時的に生ずる損害、(b)設備設置自体により継続的に他の土地を使用できなくなることによる損害、(c)他人の設備の使用を開始する際に一時的に生じる損害、(d)他人の設備の設置・改築・修繕・維持に要する費用があるが、(a)(c)については隣地の使用の場合と同様の取扱いにする、(b)については囲繞地通行権に係る規律と同様の取扱いにする、(d)については利益を受ける割合に応じた負担をするのが合理的であると解されている。

　[7]　本項は、設備使用者による設備の設置・修繕等の費用負担義務について定めている。

〔継続的給付を受けるための設備の設置権等——つづき〕〔第8版凡例4 a)をみよ〕

第二百十三条の三

1　分割によって他の土地に設備を設置しなければ継続的給付を受けることができない土地が生じたときは、その土地の所有者は、継続的給付を受けるため、他の分割者の所有地のみに設備を設置することができる。この場合においては、前条第5項の規定は、適用しない[1]。

2　前項の規定は、土地の所有者がその土地の一部を譲り渡した場合について

準用する[2]。

〈改正〉 2021年に新設された。改正法の施行日は、2023年4月1日。

[本条の趣旨] [1] 土地の分割または一部譲渡により継続的給付が受けられない土地が生じた場合については、囲繞地通行権に係る213条に準じた規律としている。すなわち、土地の所有者の都合で分割・一部譲渡を行った場合は、継続的給付が受けられない土地が発生することは当然予期すべきであり、分割・一部譲渡とは関係のない周囲の第三者には迷惑をかけないで関係者の内部問題として処理すべきであるということである。同様に、213条の2第5項も適用されない。

[2] 利益状況が類似しているからである。

（自然水流に対する妨害の禁止）

第二百十四条
　　土地の所有者は、隣地から水が自然に流れて来るのを妨げてはならない[1]。

[原条文]
　　土地ノ所有者ハ隣地ヨリ水ノ自然ニ流レ来ルヲ妨クルコトヲ得ス

〔1〕 水は、地表を流れるものと、地下を流れるものとを区別しない。ただし、自然に流れてくるものに限る。したがって、隣地を地盛りしたために流れてくる雨水などは、これを妨げることができるし、隣人はその防止設備をしなければならない。屋根から流れる雨水については、218条参照。

（水流の障害の除去）

第二百十五条
　　水流[1]が天災その他避けることのできない事変により低地において閉塞<ruby>塞<rt>そく</rt></ruby>したときは、高地の所有者は、自己の費用で[2]、水流の障害を除去するため必要な工事をすることができる[3]。

[原条文]
　　水流カ事変ニ因リ低地ニ於テ阻塞シタルトキハ高地ノ所有者ハ自費ヲ以テ其疏通ニ必要ナル工事ヲ為スコトヲ得

〔1〕 ここに「水流」というのは、214条の「水が自然に流れてくる」もの、すなわち、214条の「自然的流水」を受けたものである。溝渠<ruby>渠<rt>こうきょ</rt></ruby>（水流のために掘ったものの総称）のような人工の排水路については、216条の規定による。

〔2〕 217条参照。

〔3〕 疎通工事に必要な限り、低地に立ち入ることができる。

（水流に関する工作物の修繕等）

第二百十六条
　　他の土地に貯水、排水又は引水のために設けられた工作物[1]の破壊又は閉塞により、自己の土地に損害が及び、又は及ぶおそれがある場合には、その土地の所有者は、当該他の土地の所有者に、工作物の修繕若しくは障害の除去をさ

第2編　第3章　所有権　第1節　所有権の限界

せ、又は必要があるときは予防工事をさせることができる[2]。

［原条文］
　甲地ニ於テ貯水、排水又ハ引水ノ為メニ設ケタル工作物ノ破潰又ハ阻塞ニ因リテ乙地ニ
損害ヲ及ホシ又ハ及ホス虞アルトキハ乙地ノ所有者ハ甲地ノ所有者ヲシテ修繕若クハ疏通
ヲ為サシメ又必要アルトキハ予防工事ヲ為サシムルコトヲ得

〔1〕　「工作物」とは、人為的に設けられた貯水池・堤防・水樋のたぐいをいう。
〔2〕　これらの工事の費用は、工事をするべき条文のいう「他の土地」（原条文の
「甲地」）の所有者の負担である。ただし、217条参照。

（費用の負担についての慣習）
第二百十七条
　前二条の場合において、費用の負担について別段の慣習があるときは、その
慣習に従う[1]。

［原条文］
　前二条ノ場合ニ於テ費用ノ負担ニ付キ別段ノ慣習アルトキハ其慣習ニ従フ

〔1〕　慣習には、工事を要求する者が全部を負担すべきものとするものもあろうし、
両者が共同して負担すべきものとするものもあろう。工事を請求する者が費用を負担
する慣習がある場合に、工事請求者があらかじめ費用を提供すべきかどうかについて
も、慣習があれば、それに従うべきである。この点についての慣習がなければ、216
条の場合には工事前に費用を提供しなければならないが、215条の場合には工事後に
償還すれば足りると解するのが、公平に適するであろう。

（雨水を隣地に注ぐ工作物の設置の禁止）
第二百十八条
　土地の所有者は、直接に雨水を隣地に注ぐ構造の屋根その他の工作物を設け
てはならない[1]。

［原条文］
　土地ノ所有者ハ直チニ雨水ヲ隣地ニ注瀉セシムヘキ屋根其他ノ工作物ヲ設クルコトヲ得
ス

〔1〕　屋根、その他の工作物が、隣地との境界線を超えて隣地にでている場合には、
そのこと自体が違法である（§§207・234参照）。本条は、工作物自体は適法な場所に建
設されたが、その傾斜の関係上、その上を流れる雨水が直接に——地面、その他の工
作物または樹木などに当たってはねかえるのでなく——隣地に注ぐのを禁じたのであ
る。したがって、工作物の所有者は、樋その他の設備で雨水の注瀉（水を流し、そそぐ
こと）を防げばよいのである。

462

§§216〔1〕〔2〕・217・218・219・220〔1〕〔2〕

（水流の変更）
第二百十九条
　　1　溝、堀その他の水流地[1]の所有者は、対岸の土地が他人の所有に属すると
　　　きは、その水路又は幅員を変更してはならない。
　　2　両岸の土地が水流地の所有者に属するときは、その所有者は、水路及び幅
　　　員を変更することができる。ただし、水流が隣地と交わる地点[2]において、
　　　自然の水路に戻さなければならない。
　　3　前二項の規定と異なる慣習があるときは、その慣習に従う。
　　〔原条文〕
　　　溝渠其他ノ水流地ノ所有者ハ対岸ノ土地カ他人ノ所有ニ属スルトキハ其水路又ハ幅員ヲ
　　変スルコトヲ得ス
　　　両岸ノ土地カ水流地ノ所有者ニ属スルトキハ其所有者ハ水路及ヒ幅員ヲ変スルコトヲ得
　　但下口ニ於テ自然ノ水路ニ復スルコトヲ要ス
　　　前二項ノ規定ニ異ナリタル慣習アルトキハ其慣習ニ従フ

〔1〕　この場合、「水流」とは、地表を流れる水のことであり、「水流地」とは、そ
の底の土地、いわゆる「河床」（かしょう、または、かわどこ）のことである。
〔2〕　水流および両岸の所有者の所有地から隣地へ流れ込む場所をさす（「幅員」と
は、道路や河川などの横の長さ、はばをさす）。

（排水のための低地の通水）
第二百二十条
　　　　高地の所有者は、その高地が浸水した場合にこれを乾かすため、又は自家
　　　用[2]若しくは農工業用の余水を排出するため、公の水流又は下水道に至るまで、
　　　低地に水を通過させることができる[1]。この場合においては、低地のために損
　　　害が最も少ない場所及び方法を選ばなければならない[3]。
　　〔原条文〕
　　　高地ノ所有者ハ浸水地ヲ乾カス為メ又ハ家用若クハ農工業用ノ余水ヲ排泄スル為メ公路、
　　公流又ハ下水道ニ至ルマテ低地ニ水ヲ通過セシムルコトヲ得但低地ノ為メニ損害最モ少キ
　　場所及ヒ方法ヲ選フコトヲ要ス

〔1〕　本条は、人工的排水のために隣地を利用できることを定めた点で、特別の定
めといってよい。しかし、相隣関係に関する新しい理想に従うときは、相隣者の土地
利用の調節として、まさに当然の互譲であるといわなければならない。下水道法（§
11）も同様の趣旨を規定する。したがって、単に余水の「排出」（建基§19Ⅲ参照）だけ
でなく、たとえばガス管、水道管、電線などを引き込む場合のように、社会生活上欠
くことのできない必要のために隣地を利用することにも、本条の規定を類推適用すべ
きである（電気事業法§§58〜、ガス事業法§§42〜参照）。
〔2〕　原条文の「家用」は、家庭用ないし生活用（§285参照）の意味であったと考
えられる。「自家用」もその意味に解する必要があろう。

463

第2編　第3章　所有権　第1節　所有権の限界

〔3〕　その方法のひとつとして、隣人が設けた工作物を利用することができることについて、212条参照。なお、本条および221条の類推適用により、他人の土地を経由しないと給排水できない宅地所有者が他人が設置した給排水設備を使用する権利があるとした判決があるが(最判平成14・10・15民集56巻1791頁)、造成住宅地に関するやや特殊な事情によると考えられる。

（通水用工作物の使用）
第二百二十一条
　　1　土地の所有者は、その所有地の水を通過させるため、高地又は低地の所有者が設けた工作物を使用することができる[1]。
　　2　前項の場合には、他人の工作物を使用する者は、その利益を受ける割合に応じて、工作物の設置及び保存の費用を分担しなければならない。
［原条文］
　　土地ノ所有者ハ其所有地ノ水ヲ通過セシムル為メ高地又ハ低地ノ所有者カ設ケタル工作物ヲ使用スルコトヲ得
　　前項ノ場合ニ於テ他人ノ工作物ヲ使用スル者ハ其利益ヲ受クル割合ニ応シテ工作物ノ設置及ヒ保存ノ費用ヲ分担スルコトヲ要ス

〔1〕　主として、220条による余水の排出(「排泄」)を考慮したものである。したがって、その工作物とは、主として排水溝・排水管などを指す。これらの工作物は、自分の土地にある場合と隣地にある場合とを問わず、また、設置者がだれであるかを問わず、利用することができるのである。また、必ずしも直接の相隣地であることを要しない。なお、220条〔3〕を参照。

（堰の設置及び使用）
第二百二十二条
　　1　水流地の所有[1]者は、堰を設ける必要がある場合には、対岸の土地が他人の所有に属するときであっても、その堰を対岸に付着させて設けることができる。ただし、これによって生じた損害に対して償金を支払わなければならない。
　　2　対岸の土地の所有者は、水流地の一部がその所有に属するときは、前項の堰を使用することができる[2]。
　　3　前条第二項の規定は、前項の場合について準用する。
［原条文］
　　水流地ノ所有者ハ堰ヲ設クル需要アルトキハ其堰ヲ対岸ニ附著セシムルコトヲ得但之ニ因リテ生シタル損害ニ対シテ償金ヲ払フコトヲ要ス
　　対岸ノ所有者ハ水流地ノ一部カ其所有ニ属スルトキハ右ノ堰ヲ使用スルコトヲ得但前条ノ規定ニ従ヒ費用ヲ分担スルコトヲ要ス

〔1〕　この「所有者」は、水流地すなわち河床(§219〔1〕参照)と一方の岸を所有し、

§§220〔3〕・221・222・223・224〔1〕〔2〕

他方の岸を所有しない者をさす。

〔2〕 この規定の反対解釈として、河床の部分を所有せず、一方の岸だけを所有する者は、河床と他方の岸を所有する者が自分の岸に堰を付着させることを忍容する義務を負担するだけで、堰を使用する(通行することなどをいう)ことはできないと解されるが、立法として妥当でないといわなければならない。したがって、このような場合に堰を設けた者が対岸の所有者に堰の利用を拒絶することは、格別の理由がない限り、権利の濫用になると解するなど、本条の不当性を緩和する解釈がなされるべきであろう。

(境界標の設置)
第二百二十三条
　　土地の所有者は、隣地の所有者と共同の費用[2]で、境界標[1]を設けることができる。
〔原条文〕
　土地ノ所有者ハ隣地ノ所有者ト共同ノ費用ヲ以テ彊界ヲ標示スヘキ物ヲ設クルコトヲ得

〔1〕 「境界標」、すなわち「境界」を表示すべき物は、石や木の標柱であるのが通常であろうが、その地方の慣習に従って、一般にふさわしいものを定めるべきである。相手方が応じないときには、まず協力を訴求すべきである。

〔2〕 費用負担の仕方については、224 条を見よ。

(境界標の設置及び保存の費用)
第二百二十四条
　　境界標の設置及び保存の費用は、相隣者[1]が等しい割合で負担する。ただし、測量の費用は、その土地の広狭に応じて分担する[2]。
〔原条文〕
　界標ノ設置及ヒ保存ノ費用ハ相隣者平分シテ之ヲ負担ス但測量ノ費用ハ其土地ノ広狭ニ応シテ之ヲ分担ス

〔1〕 その界標によって直接に境界が標示される土地の所有者をさす。

〔2〕 223 条および本条の界標設置に関する規定は、境界そのものについては争いがなく、単に界標を設置するかどうかについて争いのある場合を、解決しようとするものである。したがって、ここに「測量」というのは土地の広さについて争いはなく、単に技術的に境界線を明瞭にするために必要な測量を意味する。もし境界自体に争いがあるときは、「境界確定の訴え」(一種の形成の訴えである)で争わなければならない。
　2005 年 4 月に、不動産登記法の一部が改正され、「筆界特定制度」が創設された(同法§123 以下)。土地の筆界の迅速かつ適正な特定を図り、筆界をめぐる紛争の解決に資するために設けられたものであるが、筆界特定登記官が行うことは、事実の確認(特定)であって、形成的な効力はなく、最終的に筆界を法的に確定する必要があるときは、従来どおり境界確定訴訟によることとなる。これにより境界が確定した場合に

465

第2編　第3章　所有権　第1節　所有権の限界

は、筆界特定は、抵触する範囲でその効力を失うとされている(同法§148)。

（囲障の設置）
第二百二十五条
　　1　二棟の建物がその所有者を異にし、かつ、その間に空地があるときは、各所有者は、他の所有者と共同の費用で、その境界に囲障を設けることができる[1]。
　　2　当事者間に協議が調わないときは、前項の囲障は、板塀又は竹垣その他これらに類する材料のものであって、かつ、高さ二メートルのものでなければならない[2]。
　　［原条文］
　　　二棟ノ建物カ其所有者ヲ異ニシ且其間ニ空地アルトキハ各所有者ハ他ノ所有者ト共同ノ費用ヲ以テ其疆界ニ囲障ヲ設クルコトヲ得
　　　当事者ノ協議調ハサルトキハ前項ノ囲障ハ板塀又ハ竹垣ニシテ高サ六尺タルコトヲ要ス
　　〈改正〉　1958年の改正により、「六尺」が、「二メートル」に改められた。

　〔1〕　相手方が任意に協力しないときは、まず、協力を訴求しなければならない。費用の負担については、別段の慣習のある地方が少なくない(§217参照)。慣習がなければ、226条による。
　〔2〕　「囲障」とは、隣り合った土地の間を仕切る工作物をいう。「障壁」(§§229～)ほどには堅固でないものが想定されている。囲障の種類や高さについて、別段の慣習がなければ、この規定に従う(§228)。なお、当事者の一方がもっとよい囲障を設けようと欲する場合については、227条参照。

（囲障の設置及び保存の費用）
第二百二十六条
　　前条の囲障の設置及び保存の費用は、相隣者が等しい割合で負担する[1]。
　　［原条文］
　　　囲障ノ設置及ヒ保存ノ費用ハ相隣者半分シテ之ヲ負担ス

　〔1〕　227条・228条参照(なお、§224〔2〕参照)。

（相隣者の一人による囲障の設置）
第二百二十七条
　　相隣者の一人は、第二百二十五条第二項に規定する材料より良好なものを用い、又は同項に規定する高さを増して囲障を設けることができる。ただし、これによって生ずる費用の増加額を負担しなければならない[1]。
　　［原条文］
　　　相隣者ノ一人ハ第二百二十五条第二項ニ定メタル材料ヨリ良好ナルモノヲ用キ又ハ高サヲ増シテ囲障ヲ設クルコトヲ得但之ニ因リテ生スル費用ノ増額ヲ負担スルコトヲ要ス

§§225・226・227・228・229・230

〔1〕 228条以下参照。

（囲障の設置等に関する慣習）
第二百二十八条
　　前三条の規定と異なる慣習があるときは、その慣習に従う。
［原条文］
　　前三条ノ規定ニ異ナリタル慣習アルトキハ其慣習ニ従フ

（境界標等の共有の推定）
第二百二十九条
　　境界線上に設けた境界標、囲障、障壁[1]、溝及び堀は、相隣者の共有[2]に属す
　るものと推定する。
［原条文］
　　疆界線上ニ設ケタル界標、囲障、牆壁及ヒ溝渠ハ相隣者ノ共有ニ属スルモノト推定ス

〔1〕 「境界標」については、223条〔1〕、「囲障」については、225条〔2〕参照。「障
壁」は、隣り合った土地の間に設けられた壁状の工作物をいう。独立して設けられて
いる場合と、境界に接した建物に密着して設けられている場合とがある。
〔2〕 共有物としての効果は、一般の共有と同一であるが（§§249～）、分割請求が
できないことを注意すべきである（§257）。なお、230条の例外がある。

〔前条に対する例外〕〔第8版凡例4a)を見よ〕
第二百三十条
　1　一棟の建物の一部を構成する境界線上の障壁については、前条の規定は、
　　適用しない[1]。
　2　高さの異なる二棟の隣接する建物を隔てる障壁の高さが、低い建物の高さ
　　を超えるときは、その障壁のうち低い建物を超える部分についても、前項と
　　同様とする[2]。ただし、防火障壁については、この限りでない[3]。
［原条文］
　　一棟ノ建物ノ部分ヲ成ス疆界線上ノ牆壁ニハ前条ノ規定ヲ適用セス
　　高サノ不同ナル二棟ノ建物ヲ隔ツル牆壁ノ低キ建物ヲ踰ユル部分亦同シ但防火牆壁ハ此
　限ニ在ラス

〔1〕 一方の土地の建物が、234条に反して、境界線に密接して建てられている場
合である（§§234〔1〕・236参照）。この場合には、障壁は建物所有者の単独所有に属する
と推定される。
〔2〕 高い建物の所有者に属すると推定される。なお、231条〔2〕参照。
〔3〕 境界線上の防火障壁は、すべて共有と推定されるのである。

第2編　第3章　所有権　第1節　所有権の限界

（共有の障壁の高さを増す工事）
第二百三十一条
1　相隣者の一人は、共有の障壁の高さを増すことができる。ただし、その障壁がその工事に耐えないときは、自己の費用で、必要な工作を加え、又はその障壁を改築しなければならない[1]。
2　前項の規定により障壁の高さを増したときは、その高さを増した部分は、その工事をした者の単独の所有に属する[2]。
［原条文］
相隣者ノ一人ハ共有ノ牆壁ノ高サヲ増スコトヲ得但其牆壁カ此工事ニ耐ヘサルトキハ自費ヲ以テ工作ヲ加ヘ又ハ其牆壁ヲ改築スルコトヲ要ス
前項ノ規定ニ依リテ牆壁ノ高サヲ増シタル部分ハ其工事ヲ為シタル者ノ専有ニ属ス

〔1〕　一人が自費で改築した場合にも、元の高さまでの部分は共有である。なお、232 条参照。
〔2〕　高さを増した部分がはっきり区別できる場合でなければ、その部分だけの単独所有権を認めることはできないはずである。したがって、区別がはっきりしないときは、障壁全部が共有となり、高さを増築した者は、単独所有すべき部分の割合だけ大きな持分を有するものと解するべきであろう。

〔前条の場合の償金〕〔第8版凡例4 a)を見よ〕
第二百三十二条
　前条の場合において、隣人が損害を受けたときは、その償金[1]を請求することができる。
［原条文］
前条ノ場合ニ於テ隣人カ損害ヲ受ケタルトキハ其償金ヲ請求スルコトヲ得

〔1〕　「償金」については、209 条〔3〕参照。

（竹木の枝の切除及び根の切取り）
第二百三十三条
1　土地の所有者は、隣地の竹木の枝が境界線を越えるときは、その竹木の所有者に、その枝を切除させることができる[1]。
2　前項の場合において、竹木が数人の共有に属するときは、各共有者は、その枝を切り取ることができる[2]。
3　第一項の場合において、次に掲げるときは、土地の所有者は、その枝を切り取ることができる[3]。
一　竹木の所有者に枝を切除するよう催告したにもかかわらず、竹木の所有者が相当の期間内に切除しないとき。
二　竹木の所有者を知ることができず、又はその所在を知ることができないとき。

§§231・232・233〔1〕～〔6〕

三　急迫の事情があるとき[4]。

4　隣地の竹木の根が境界線を越えるときは、その根を切り取ることができる。

〈改正〉　2021年に改正された。第1項中「隣地」を「土地の所有者は、隣地」に改め、改正前第2項を第4項とし、第1項の次に二項（2項、3項）を加えた。

[本条の趣旨]　[1]　木の枝に関する規定と根に関する規定を何等かの形でそろえるか（改正前規定では異なっている）、が議論されてきた。枝については、改正前法によれば、竹木の所有者を探して「枝を切除させる」ことができるが、所有者が切除を行わなければ、訴訟（その後、代替執行）によらなければならない。

[2]　本項は、第1項の請求権が行使された場合の規定である。共有の場合には、共有者の一人に催告すれば足りる。公示に関する手続（98条）による催告をすることも可能であるが、1項と本項に基づいて枝の切り取りが可能なのである。

[3]　本項は、一定の要件の下で、土地所有権の直接行使を認めた。

[4]　本項第3号は、「地震に因り破損した建物の修繕工事のために足場を組む場合」などを想定しているようである。仮処分（民保23条2項）も可能である。

なお、管理不全状態の土地の隣接所有者が「管理不全状態」で除去させることができるかについても議論されたが、立法は見送られた。

[改正前条文]

1　隣地の竹木[1]の枝が境界線を越えるときは、その竹木の所有者[2]に、その枝を切除させることができる[3][4]。

2　隣地の竹木の根が境界線を越えるときは、その根を切り取ることができる[5][6]。

[原条文]

隣地ノ竹木ノ枝カ彊界線ヲ踰ユルトキハ其竹木ノ所有者ヲシテ其枝ヲ剪除セシムルコトヲ得

隣地ノ竹木ノ根カ彊界線ヲ踰ユルトキハ之ヲ截取スルコトヲ得

〔1〕　幹が隣地にある竹木である。境界線上の竹木については、229条を準用して共有と解し、共有者の同意によって処理すべきである（§251参照）。

〔2〕　相手方は、その竹木の所有者であり、必ずしもその占有者（たとえば賃借人）または土地の所有者と一致しない点を注意するべきである。

〔3〕　「切除」とは、切り除くことをいう。相手方が任意に請求に応じないときは、訴訟によって強制するほかはない。

〔4〕　土地の所有者および地上権者がこの請求をすることができることは疑いない（§267）。賃借人については一般には否定されているが、認めるべきである（第2款解説③参照）。

〔5〕　直接自分で切り取ってよいのであり、切り取った根の所有権をも取得すると解されている。

〔6〕　枝と根とを区別したのは、両者の性状によるのであるが、また、枝を切ることを要求すれば、竹木の所有者はこれを境界から離して移植することもあろうと考えたことによる。なお、隣地に落ちた果実、樹葉などについては規定がなく、また、慣習によるという定めもない。したがって、地方の慣習があればそれにより、慣習がなければ、竹木の枝が自分の土地にきているのを忍容していた隣地の所有者に帰属させるのを妥当とするであろう。スイス民法には、そのような規定がある（同法§687 II）。

469

第2編　第3章　所有権　第1節　所有権の限界

（境界線付近の建築の制限）
第二百三十四条
　1　建物を築造するには、境界線から五十センチメートル以上の距離を保たなければならない[1]。
　2　前項の規定に違反して建築をしようとする者があるときは、隣地の所有者は、その建築を中止させ、又は変更させることができる。ただし、建築に着手した時から一年を経過し、又はその建物が完成した後は、損害賠償の請求のみをすることができる[2]。

［原条文］
　建物ヲ築造スルニハ疆界線ヨリ一尺五寸以上ノ距離ヲ存スルコトヲ要ス
　前項ノ規定ニ違ヒテ建築ヲ為サントスル者アルトキハ隣地ノ所有者ハ其建築ヲ廃止シ又ハ之ヲ変更セシムルコトヲ得但建築著手ノ時ヨリ一年ヲ経過シ又ハ其建築ノ竣成シタル後ハ損害賠償ノ請求ノミヲ為スコトヲ得

〈改正〉　1958年の改正により、「一尺五寸」が「五十センチメートル」に改められた。

　建物の建築に関して、相隣地の利用を調節する規定である。公法上の制限とは別個のものであることを注意するべきである。
　〔1〕　これと異なる慣習があれば、それに従うのであるが（§236）、大きな都市の中心に近い市街地においては、境界線に接着して建物を建築する慣習があるといってよい場合が多いであろう。なお、建築基準法は、同法の観点から、本条に関連の深い規定をおいている（同法§§54・65・86）。これは、いわゆる公法上の規制として、本条とはいちおう別個のものではあるが、同法の規定する基準が社会生活にも浸透して、いわば慣習になるという側面も考えられ、判例も、建築基準法65条によって一定の防火地区・準防火地区における外壁が耐火構造の建築物は境界線に接して設けることができるとしている場合には、本条の適用は排除されるとした（最判平成元・9・19民集43巻955頁）。
　いわゆる日照権の問題（日照権を肯定したものとして、東京地判昭和40・12・24判時433号18頁）も、本条に密接に関連する。建築基準法は、一定の地域内において隣地に対して一定以上の日照妨害を生じる建築物を禁じている（建基§56の2）。この規制を守るために、境界線から後退距離をおく必要を生じることもあるが、このいわゆる北側斜線規制も、いわば相隣関係の内容となっているということもできよう。
　〔2〕　建物がすでに完成し、または、たとえ完成しなくとも1年間工事をした後で、これを変更することは、社会経済上の不利益が大であることを考えて、このただし書を設けたのである。1年内に請求すれば、その訴訟中に1年を経過しても差し支えないことはもちろんである（大判昭和6・11・27民集10巻1113頁）。
　注意するべきは、本条ただし書は、建築者が自分の所有地内で境界線から50センチメートルの距離をおかなかった場合にだけ関することである。もし、建物が境界線を越えて隣地の上に建てられたときは、このただし書の適用はなく、隣地の所有者は、建物が完成した後でも、所有権に基づいて妨害排除の請求をすることができる（本章解説②(2)参照、ただし、占有権に基づく場合には§201Ⅰただし書がある）。しかし、相隣関

係に関する新しい理想に照らして、また、所有権の社会性を強調する新しい理論から推論して、境界線を越える建物が容易に動かすことができない種類のものである場合には、隣地の所有者が特別の事情もないのにその除去を請求することは、権利の濫用となり、ただ、損害賠償の請求をすることができるにとどまると解するべきこととなろう。

〔観望の制限〕〔第8版凡例4a)を見よ〕
第二百三十五条
　　1　境界線から一メートル未満の距離において他人の宅地[1]を見通すことのできる窓又は縁側（ベランダを含む。次項において同じ。）を設ける者は、目隠しを付けなければならない[2]。
　　2　前項の距離は、窓又は縁側の最も隣地に近い点から垂直線によって境界線に至るまでを測定して算出する。
[原条文]
　　疆界線ヨリ三尺未満ノ距離ニ於テ他人ノ宅地ヲ観望スヘキ又ハ椽側ヲ設クル者ハ目隠ヲ附スルコトヲ要ス
　　前項ノ距離ハ又ハ椽側ノ最モ隣地ニ近キ点ヨリ直角線ニテ疆界線ニ至ルマテヲ測算ス
〈改正〉　1958年の改正により、「三尺未満」が「一メートル未満」に改められた。

　〔1〕　隣地が現に宅地として使用されていることを要件とすることを示す。土地登記簿上の地目が宅地かどうかにかかわらない。
　〔2〕　設置義務者は、建物所有者であって、土地所有者ではない。設置を請求できるのは、隣地の所有者ではなく、建物所有者であると解されている。なお、236条参照。

（境界線付近の建築に関する慣習）
第二百三十六条
　　前二条の規定と異なる慣習があるときは、その慣習に従う。
[原条文]
　　前二条ノ規定ニ異ナリタル慣習アルトキハ其慣習ニ従フ

（境界線付近の掘削の制限）
第二百三十七条
　　1　井戸、用水だめ、下水だめ又は肥料だめを掘るには境界線から二メートル以上、池、穴蔵又はし尿だめを掘るには境界線から一メートル以上の距離を保たなければならない[1]。
　　2　導水管を埋め、又は溝若しくは堀を掘るには、境界線からその深さの二分の一以上の距離を保たなければならない。ただし、一メートルを超えることを要しない[2]。
[原条文]

第2編　第3章　所有権　第2節　所有権の取得

　　井戸、用水溜、下水溜又ハ肥料溜ヲ穿ツニハ疆界線ヨリ六尺以上池、地窖又ハ厠坑ヲ穿
　ツニハ三尺以上ノ距離ヲ存スルコトヲ要ス
　　水樋ヲ埋メ又ハ溝渠ヲ穿ツニハ疆界線ヨリ其深サノ半以上ノ距離ヲ存スルコトヲ要ス但
　三尺ヲ踰ユルコトヲ要セス
〈改正〉　1958年の改正により、「六尺」が「二メートル」に、「三尺」が「一メートル」に改
められた。

〔1〕　「穴蔵」とは土地に掘ったあなぐら、「し尿だめ」とは、かわや用の穴をいう。
　本条の工事は一般に軽微であるから、除斥期間の定めはない（§234Ⅱ参照）。したが
って、隣地の用益権者はいつでも、その廃止を請求することができる。請求の相手方
は、つねに現在の所有者であって、その者が井戸その他を掘った者であるかどうかを
問わない。
　なお、隣地の用益権者が、本条に反する設置を承諾することは妨げない。
〔2〕　「導水管」とは、水その他の液状のものを通過させる管状のものをいう。「溝
もしくは堀」については、229条を参照。

（境界線付近の掘削に関する注意義務）
第二百三十八条
　　境界線の付近において前条の工事をするときは、土砂の崩壊又は水若しくは
　　汚液の漏出を防ぐため必要な注意をしなければならない[1]。
　［原条文］
　　疆界線ノ近傍ニ於テ前条ノ工事ヲ為ストキハ土砂ノ崩壊又ハ水若クハ汚液ノ滲漏ヲ防クニ
　　必要ナル注意ヲ為スコトヲ要ス

〔1〕　237条の工事には、水その他の液状のものの処理が必ずといってよいほど伴
うが、それが隣りの土地に漏れ出たりすることのないように注意して工事をする義務
がある。この注意を怠って隣地の所有者に損害を与えたら、その賠償の義務を生じる
ことはいうまでもない。

§§237〔1〕〔2〕・238・第2節［解説］・§239〔1〕〔2〕

第2節　所有権の取得

1　本節の内容

本節は、「無主物先占」（§239）、「遺失物拾得」（§240）、「埋蔵物発見」（§241）、「付合」（§§242～244）、「混和」（§245）、「加工」（§246）について規定する。後の三者を総称して、「添付」という（§242前注参照）。

2　原始取得と承継取得

本節に規定するものは、いずれも所有者の「原始取得」である。「原始取得」とは、その取得した権利の根拠がその権利を前に有した者の権利にあるのではなくて、その取得によってその権利がはじめて（原始的に。「原初的」にといった方がよいかもしれない）成立する場合の権利取得をいう。これに対して、取得した権利の根拠がその権利を前に有した者（これを「前主」という）の権利にあり、その権利を同一性を維持したまま取得する場合を「承継取得」という。

現在の社会において、所有権取得の原因として最も主要なものは、売買その他の契約と相続であり、いずれも所有権の「承継取得」であって、本節の規定するところではない。また、農業・漁業のような第一次産業および製造工業においては、先占・付合・加工などによって所有権は原始的に取得されるものであるけれども、これらの場合にも、その企業主体である使用主と労働者との契約関係が主として問題となり、本節の規定そのものが問題となることはほとんどない。要するに、本節の規定は、「所有権の取得」という重要な題のもとに収められてはいるが、現代社会における実際上の意義はあまり大きくないのである。

（無主物の帰属）
第二百三十九条
　1　所有者のない動産[1]は、所有の意思をもって占有する[2]ことによって、その所有権を取得する[3]。
　2　所有者のない不動産は、国庫に帰属する[4]。
［原条文］
　無主ノ動産ハ所有ノ意思ヲ以テ之ヲ占有スルニ因リテ其所有権ヲ取得ス
　無主ノ不動産ハ国庫ノ所有ニ属ス

〔1〕　「所有者のない動産」（無主の動産という）とは、現になんびとの所有にも属しない動産、たとえば野生の鳥獣、海洋の魚貝または遺棄された不要品、破損品のようなものをいう。
〔2〕　「所有の意思をもって占有する」については、185条〔2〕・〔3〕参照。
　注意すべきは、漁業会社が従業員を雇って漁労に従事させるような場合である。こ

473

第2編　第3章　所有権　第2節　所有権の取得

の場合には、雇用契約の一効果として従業員は会社の占有機関となり、したがって、漁獲により会社が占有を取得し、会社が所有権を取得するものと解するべきである。なお、漁業法や狩猟法などにおいては、魚・鳥・獣の先占に種々の制限・禁止が加えられていて、その違反行為には制裁を伴う場合が多い。しかし、無主物の所有権取得という、本条による私法上の効果は妨げられないのが普通である。

〔3〕　この規定による動産の所有権の取得のことを「無主物先占」という。

〔4〕　不動産については、無主物先占を認めない趣旨を示すため、国の所有に属することを明記したのである。不動産については、無主の状態は存在しないというのと等しい。なお、「所有権のない不動産」は、所有者不明の不動産とは異なる（最判平成23・6・3判時2123号41頁）。

（遺失物の拾得）
第二百四十条
　　遺失物[1]は、遺失物法[2]（平成十八年法律第七十三号）の定めるところに従い公告をした後三箇月以内にその所有者が判明しないときは、これを拾得した者がその所有権を取得する。

〈改正〉　1958年の改正により、「一年内ニ」が「六个月内ニ」に改められた。
　　2004年改正により、「特別法」が「遺失物法（明治三十二年法律八十七号）」に改められた。
　　遺失物法は、2006年に、平成18年法律73号により全面改正され、附則3条により、本条も、「明治三十二年法律第八十七号」が「平成十八年法律第七十三号」に、「六箇月」が「三箇月」に改められた（施行は2007年12月10日）。

［原条文］
　　遺失物ハ特別法ノ定ムル所ニ従ヒ公告ヲ為シタル後一年内ニ其所有者ノ知レサルトキハ拾得者其所有権ヲ取得ス

〔1〕　「遺失物」とは、占有者の意思によらないでその所持を離れた物で、盗品でないものをいう（§193参照）。

〔2〕　遺失物に関する直接の特別法としては「遺失物法」（§§1~）、他に漂流物・沈没物の拾得者の所有権取得に関するものとして「水難救護法」（§§24~30)がある。
　つぎに、本条に関連する新しい遺失物法の要点を示す。

　(a)　同法は、遺失物、埋蔵物および準遺失物（§2Ⅰ参照。準遺失物とは、「誤って占有した他人の物、他人の置き去った物及び逸走した家畜」をいう。これには、民§240を準用するとされる（§3）。三者は「物件」と総称されるが、以下には遺失物の例で説明する）の拾得について適用される。

　(b)　遺失物の拾得者は、速やかに、遺失物を遺失者に返還するか、警察署長に提出しなければならない（この義務に反すると、刑§254の遺失物等横領罪に触れる）。一定の施設内での拾得の場合は、施設占有者に交付しなければならない（§4）。

　(c)　警察署長は、遺失物の提出を受けたときは、拾得者に証明書を交付し（§5）、遺失者が判ればこれに遺失物を返還し（§6）、判らないときは一定の公告を行う（§7）。警察署長は、必要な場合に、遺失物の売却、廃棄などの処分をすることができ

る(§§8・9)。公告後3か月を経ても遺失物の所有者が判明しないときに、本条により、拾得者がその遺失物の所有権を取得する。拾得者が所有権取得の日から2か月内にその遺失物を引き取らない場合は、その所有権を失う(§36)。なお、拾得者がこの権利を放棄した場合などには、施設占有者が拾得者とみなされて、本条が適用される(§33)。本条による所有権取得ができない物について(§35)、また、所有権取得者が存しない場合における、国・都道府県・施設占有者への所有権帰属について(§37)規定されている。

(d) 遺失物の提出、交付、保管に要した費用の負担についての規定(§§27・30・31・34)、返還を受けた遺失者の拾得者に対する報労金(当該遺失物の価格の5~20パーセントに相当する額)支払義務に関する規定(§§28・29。請求権は、遺失物返還後1か月内に行使されなければならない)がある。

なお、以上のような遺失物に関する遺失者(所有者)と拾得者の関係は、基本的には事務管理(§§697~)の関係と考えられる。したがって、本条や遺失物法などは、事務管理に関する民法の規定に対する特則である。

(埋蔵物の発見)
第二百四十一条

　　埋蔵物[1]**は、遺失物法**[2]**の定めるところに従い公告をした後六箇月以内にその所有者が判明しないときは、これを発見した者**[3]**がその所有権を取得する。ただし、他人の所有する物の中から発見された埋蔵物については、これを発見した者及びその他人が等しい割合でその所有権を取得する**[4]**。**

〈改正〉 2004年改正は、「特別法」を「遺失物法」と改めた。

[原条文]
　埋蔵物ハ特別法ノ定ムル所ニ従ヒ公告ヲ為シタル後六个月内ニ其所有者ノ知レサルトキハ発見者其所有権ヲ取得ス但他人ノ物ノ中ニ於テ発見シタル埋蔵物ハ発見者及ヒ其物ノ所有者折半シテ其所有権ヲ取得ス

〔1〕 「埋蔵物」とは、土地その他の物(不動産に限らない)のなかに埋蔵されて、その所有者がだれであるかを容易に識別できない物をいう。発掘された古生物の化石、古代民族の土器のようなものは、無主物であって埋蔵物ではない。

〔2〕 遺失物法2条以下参照。発見者が発見した物を警察署長に提出すべきこと、公告、報労金などについては、遺失物の拾得と同じである。ただし、いわゆる埋蔵文化財については、文化財保護法(昭和25年法律214号)が適用される(同法§§57~)。

〔3〕 「発見者」の「発見」とは、埋蔵物の存在を見出して認識することをいい、占有を取得することを必要としない。なお、新遺失物法は、埋蔵物についても、「発見」の代わりに遺失物と同じ「拾得」の用語を用いている。

〔4〕 この場合には、原則として2分の1の持分で共有することになる。ただし、埋蔵文化財については、文化財保護法63条により、国庫に帰属して、発見者らには報償金が支給される。

第2編　第3章　所有権　第2節　所有権の取得

添　付 [§§242~248の前注]

「付合・混和・加工」の三者を合わせて「添付」（従来は「添附」と書いた。民法の条文では用いられていない言葉である）という。これらのものがここにまとめて規定されているのは、いずれもが、物と物、または物と労力とが結びついて新しい1個の物を生じ、しかも、これを原状にもどすことは不可能であるか、もしくは社会経済上不利益である、という共通の性格を持つからである。これについて民法が規定する法律効果にも、またいくつかの共通点が認められる。

　(a)　新しく生じた物の復旧請求を認めない（§§242~246）。これは添付の基本的性格であり、したがって、これについての規定は強行規定である。

　(b)　添付によって生じた物をだれかの所有または共有とする（§§242・244~246）。これについての規定は強行規定ではない。すなわち、当事者は民法の規定と異なる特約をすることができる。

　(c)　上の(a)(b)の措置から、一方の損失において他方が利得する場合が生じる。そこで、当事者間の衡平を図る必要がある（§248）。

　(d)　最後に、添付によって消滅する物の上に存した権利の保護を図らなければならない（§247）。

（不動産の付合）
第二百四十二条

　　不動産の所有者は、その不動産に従として付合した[1]物[2]の所有権を取得する[3]。ただし、権原[4]によってその物を附属させた他人の権利を妨げない[5]。

[原条文]

　　不動産ノ所有者ハ其不動産ノ従トシテ之ニ附合シタル物ノ所有権ヲ取得ス但権原ニ因リテ其物ヲ附属セシメタル他人ノ権利ヲ妨ケス

不動産と物（通常は動産であるが、不動産のこともある）とが付合すれば、不動産の所有者がその物の所有権を取得するという原則、およびその例外を規定する。

〔1〕　「従として付合した」とは、不動産に付着して、これを分離復旧させることが事実上不可能となるか、または社会経済上いちじるしく不利益な程度に至ることである。結果として、付合した動産が不動産の一部と認められて全然独立の存在を失う場合（第一種の付合）と、なおその不動産とは別個の存在を有する場合（第二種の付合）との二つの場合を含む。前者は、たとえば土地に施肥・播種・苗の植付けなどをし（(5)後半参照）、家屋の床を張り替え（大判大正5・11・29民録22輯2333頁）、または家屋に増改築部分を建て増す（大判昭和6・4・15新聞3265号12頁）などである。後者は、土地に樹木を植え、建物に造作を加えるなどである。ただし、播かれた種、植え付けられた苗が成長し、収穫期に近づくときは、独立の存在を認められるから、上の第一種の付合から第二種の付合に変化するものと解するのを至当としよう。両種の付合がその効

476

添付［前注］・§242

果を異にすることについては、〔5〕参照。

〔2〕　この「物」は、通常は動産であろう。しかし、物という以上、不動産も含まれ、増築された建物が従来の建物の構成部分となり、独立の存在を有しない場合は、従来の建物の所有者の所有に属する（最判昭和38・5・31民集17巻588頁）。

〔3〕　「所有権を取得する」仕方は、〔1〕に述べた第一種の付合と第二種の付合とで異ならない。いずれの場合にも、付合物は従来の不動産と一体となって、従来の所有権の目的となるのであって、付合物に対する所有権が別個のものとして不動産の所有者に属するのではない（最判昭和28・1・23民集7巻78頁）。

〔4〕　「権原」は、賃借権でもよいし、対抗力を有しない土地譲受人が耕作して稲立毛を生立させた場合でもよいとされる（大判昭和17・2・24民集21巻151頁）。

〔5〕　「附属させた他人の権利を妨げない」とは、付合された動産の所有権が、なおその者に留保されるという意味に解される。その適用に当たっては、〔1〕の場合と異なり、二種の付合を区別する必要がある。すなわち、第一種の付合においては、付合された物は全然独立の存在を失うのであるから、たとえ権原のある者が付合させた場合でも、その者の所有権を保留することは不可能である（前掲大判大正5・11・29、前掲大判昭和6・4・15）。けだし、独立の物の上についてだけ独立の所有権が成立するのが原則だからである。したがって、それぞれの法律関係に応じて、単に付合させた物を収去する権利を有するか、または付合によって生じた価格の増加の賠償を請求することができるだけである（§§269・279・598［改注］・616［改注］など参照）。これに反して、第二種の付合においては、理論上動産は独立の所有権の目的となりうるのであるから、付合させた権原のある者が付合された動産の所有権を、そのままの状態で、保留する。しかし、権原のない者が付合させたときは、分離による社会経済上の不利益を考慮して、その動産は不動産の所有者の所有に帰属することとし、ただ、付合させた者に不動産の所有者に対する不当利得の返還請求権を与えたのである（§248参照）。

この理により、播種された麦、植え付けられた稲は、当初は土地所有権の一部を構成しているが、収穫期が近づけば、独立の所有権の客体となり、第二種の付合に変ずる。したがって、この期になると、権原のある小作人が耕作した稲立毛は小作人の所有に属する（大刑判昭和2・6・14刑集6巻304頁。小作人の債権者が稲立毛を差押えたのを認めたもの）。しかし、権原のない者が耕作した場合には、苗の状態で土地所有者に属するのはもちろん（最判昭和31・6・19民集10巻678頁）、たとえこの期になっても、地上物は土地所有者に帰属すると解される（大判大正10・6・1民録27輯1032頁、大判昭和6・10・30民集10巻982頁）。

立木に関して、譲り受けた地盤に立木を植えたが、地盤所有権については第三者が対抗要件を備えてしまった場合に、植えた者の権原は本条が予定する権原とはいえないが、立木について本条ただし書を類推適用した興味ある例がある（ただし、立木所有権の留保には明認方法を必要とする。最判昭和35・3・1民集14巻307頁）。

なお、注意すべきは、建物はわが社会観念上独立の存在を与えられているから、かりに権原のない者が他人の土地に建築をしても、その所有権は土地所有者に帰属することはないのである。

477

第2編　第3章　所有権　第2節　所有権の取得

（動産の付合）
第二百四十三条
　　　所有者を異にする数個の動産が、付合により、損傷しなければ分離すること
　　ができなくなったときは、その合成物の所有権は、主たる動産[2]の所有者に帰
　　属する[3]。分離するのに過分の費用を要するときも、同様とする[1]。
　　［原条文］
　　　各別ノ所有者ニ属スル数個ノ動産カ附合ニ因リ毀損スルニ非サレハ之ヲ分離スルコト能
　　ハサルニ至リタルトキハ其合成物ノ所有権ハ主タル動産ノ所有者ニ属ス分離ノ為メ過分ノ
　　費用ヲ要スルトキ亦同シ

〔1〕　動産の付合も、不動産の付合と同一の構造をもつ。すなわち、あるいは、一
方の動産が他方の動産の構成部分となる程度に付着した場合、あるいは、両者がなお
独立の存在を認められるが、これを分離復旧することが一方を損傷し、または「過分
の(通常の場合よりは余計な)費用」を要するため、社会経済上はなはだしく不利益な場
合、いずれも付合したとみてよい。ただ、後の場合について、権原によって付合させ
たものについても例外が認められていない点が、不動産の場合と異なる。

〔2〕　「主たる動産」とは、従物に対する主物の概念に類似するが(§87参照)、必
ずしも同一ではない。たとえば、靴と底革のように、価格のいかんを問わず、性質上
一方を主たる動産とすべき場合もあり、部分品から一つの機械が作られたときのよう
に価格の大小を重要な要素とすべき場合もある。なお、付合した動産の間に主従を区
別することができない場合については、244条参照。

〔3〕　付合によって所有権を失う者の償金請求権については、248条参照。

〔動産の付合──つづき〕〔第8版凡例4 a)を見よ〕
第二百四十四条
　　　付合した動産について主従の区別をすることができないときは[1]、各動産の
　　所有者は、その付合の時における価格の割合に応じてその合成物を共有する。
　　［原条文］
　　　附合シタル動産ニ付キ主従ノ区別ヲ為スコト能ハサルトキハ各動産ノ所有者ハ其附合ノ
　　当時ニ於ケル価格ノ割合ニ応シテ合成物ヲ共有ス

〔1〕　たとえば、所有者の異なる松と梅とで一つの盆栽が造られた場合、また、同
じ程度に重要な部分品から一つの機械が作られた場合、などである。

（混和）
第二百四十五条
　　　前二条の規定は、所有者を異にする物が混和[1]して識別することができなく
　　なった場合について準用する。
　　［原条文］
　　　前二条ノ規定ハ各別ノ所有者ニ属スル物カ混和シテ識別スルコト能ハサルニ至リタル場

§§243・244・245・246〔1〕~〔4〕

■　合ニ之ヲ準用ス

〔1〕　「混和」とは、穀物・金銭などの固形物の混合および酒・しょう油などの流動物の融和の総称である。

（加工）
第二百四十六条
**　1　他人の動産[1]に工作を加えた者（以下この条において「加工者」という。）があるときは[2]、その加工物の所有権は、材料の所有者に帰属する[3]。ただし、工作によって生じた価格が材料の価格を著しく超えるときは、加工者がその加工物の所有権を取得する[4]。**
**　2　前項に規定する場合において、加工者が材料の一部を供したときは、その価格に工作によって生じた価格を加えたものが他人の材料の価格を超えるときに限り、加工者がその加工物の所有権を取得する[5]。**
［原条文］
　　他人ノ動産ニ工作ヲ加ヘタル者アルトキハ其加工物ノ所有権ハ材料ノ所有者ニ属ス但工作ニ因リテ生シタル価格カ著シク材料ノ価格ニ超ユルトキハ加工者其物ノ所有権ヲ取得ス
　　加工者カ材料ノ一部ヲ供シタルトキハ其価格ニ工作ニ因リテ生シタル価格ヲ加ヘタルモノカ他人ノ材料ノ価格ニ超ユルトキニ限リ加工者其物ノ所有権ヲ取得ス

〔1〕　本条の適用があるのは、動産に限る。不動産に加工した場合には、加工物の所有権は、つねに不動産の所有者に属し、本項ただし書または第2項の適用はない。

〔2〕　「加工」とは、動産に工作を加えることによって、材料とは別個の物を生じさせた場合をさす。金の材料で指輪を作り、布地で着物を作り、キャンバスと絵具から絵画を作り、小麦粉からパンを作るなどである。

〔3〕　このように、民法は、原則として、材料の所有者が所有権を取得するものと定めているが、これとは異なり、原則として、加工者が所有権を取得するものとする立法例も少なくない。この見地から、わが民法が労働力よりも所有者の権利に重きをおいたものだとする批評もないわけではない。しかし、今日の製造工業においては、おおむね加工物の所有権が使用者に帰属するものとされるが、これは、労働者が労働契約によって使用者の加工の機関となるからである。したがって、本条の原則を逆にしてみても、労働者の地位向上にはとくに資するところはないであろう。この点、近代社会における労働関係に関する深い省察を要する。

〔4〕　たとえば、キャンバスに絵画が描かれた場合の多くは、これに該当するであろう。なお、労働者が雇い主の材料に加工することによっていちじるしく価格が増加することが多いが、そうであっても、本項ただし書の適用はない。けだし、労働者は雇い主の加工の機関として働くものであり、加工者は、労働者でなく、雇い主であると解することが今日の社会観念だからである。なお、他人の依頼に応じて他人が供する材料に加工することを業とする者は、加工によっていちじるしく価格を増加させて

479

第2編　第3章　所有権　第2節　所有権の取得

も、その製品の所有権を取得しない（大刑判大正6・6・13刑録23輯637頁）。

〔5〕　本条により損失をうけた者にも、償金請求権が認められる（§248参照）。

（付合、混和又は加工の効果）

第二百四十七条

1　第二百四十二条から前条までの規定により物の所有権が消滅したときは、その物について存する他の権利も、消滅する[1]。

2　前項に規定する場合において、物の所有者が、合成物、混和物又は加工物（以下この項において「合成物等」という。）の単独所有者となったときは、その物について存する他の権利は以後その合成物等について存し、物の所有者が合成物等の共有者となったときは、その物について存する他の権利は以後その持分について存する[2]。

［原条文］

前五条ノ規定ニ依リテ物ノ所有権カ消滅シタルトキハ其物ノ上ニ存セル他ノ権利モ亦消滅ス

右ノ物ノ所有者カ合成物、混和物又ハ加工物ノ単独所有者ト為リタルトキハ前項ノ権利ハ爾後合成物、混和物又ハ加工物ノ上ニ存シ其共有者ト為リタルトキハ其持分ノ上ニ存ス

本条は、添付による所有権の変動が、その物の上に存した他の権利にどのような影響を与えるかを規定する。

〔1〕　このことは物権理論からいって当然のことであるが、実際上、本項の適用によって消滅する権利とは、留置権・先取特権・質権などであろう。ただし、次注参照。

〔2〕　合成物（§§243・244参照）、混和物（§245参照）には、従前の物と同一性を失わないものが多いであろうが、加工物（§246参照）は同一性を失うのをつねとする。しかし、公平の見地から、同一性の有無にかかわらず、従前の物の上の権利を付合・混和・加工によってできた物の上に、あるいはその持分の上に移すこととしたのである。なお、従前の所有者がまったく所有権を喪失し、単独所有者にも共有者にもならないときは、248条によって償金を請求することができるから、第1項所定の権利を有する者は、この償金請求権の上にその権利を行使できると解される場合が多いであろう（同様の法理に基づく§304参照）。

（付合、混和又は加工に伴う償金の請求）

第二百四十八条

第二百四十二条から前条までの規定の適用によって損失を受けた者[1]は、第七百三条及び第七百四条の規定に従い、その償金を請求することができる[2]。

［原条文］

前六条ノ規定ノ適用ニ因リテ損失ヲ受ケタル者ハ第七百三条及ヒ第七百四条ノ規定ニ従ヒ償金ヲ請求スルコトヲ得

---

〔1〕　付合・混和・加工の規定によって所有権を失った者、または加工の規定によ

§§246〔5〕・247・248

って労力を損した者である。なお「損失」については、703条〔3〕参照。

〔2〕　703条・704条は、不当利得に関する規定である。民法が「添付」によって所有権の変動を生じさせることにしているのは、社会経済上の利益を考慮したものであって、個人間に所有権の移動を生じさせるべき実質的理由があるからではない。したがって、添付の規定によって、一方に損失をこうむる者があり、他方に利得を受ける者があれば、それは、正しくは不当利得である。本条は、703条が「法律上の原因なく」利益を受けることを不当利得の要件としているため、添付による利得は「法律上の原因」がある利得ではないか、という疑問を生ずる余地があるので、注意的に規定したものである。なお、703条〔1〕(2)(イ)(a)(ⅰ)参照。

第2編　第3章　所有権　第3節　共有

第3節　共　有

〈改正〉　民法等の一部を改正する法律(令和3年法律第24号)第1条により、第2編第3章の「第3節　共有」(249条~264条)が、「第3節共有」(249条~264条)、「第4節　所有者不明土地管理命令及び所有者不明建物管理命令」(264条の2~264条の8)、「第5節　管理不全土地管理命令及び管理不全建物管理命令」(264条の9~264条の14)」に改められた。

さらに、相続編において「相続財産について共有に関する規定を適用するときは、900条から902条までの規定により算定した相続分をもって各相続人の共有持分とする」旨の規定(898条2項)が設けられた。すなわち、法定相続分および指定相続分であり、903条・904条(特別受益)および904条の2(寄与分)の規定を考慮に入れた具体的相続分を基準としない旨を定めた。判例によれば、遺産共有にも249条以下が適用されるが、具体的には、①共有物の変更行為(251条1項)、利用・改良行為(252条1項、4項)、保存行為(同条5項)、②共有物の管理に関する手続(252条3項)、③共有物利用者と他の共有者の関係等(249条)、④共有物の管理(保存)に関する行為についての同意取得の方法(251条2項、252条2項)、⑤共有物の管理者(252条の2)、⑥所在等不明共有者の持分の取得(262条の2)、および⑦同譲渡(262条の3)であるとされている。

施行期日は、2023年4月1日である。なお、相続土地国庫帰属法は、2023年4月27日、相続登記義務化等については、2024年4月1日に施行される。

①　本節の内容

本節の規定は、共有関係が存在する場合における、共有物に関する共有者相互の使用・管理・費用負担などに関する規定(§§249~255)[249条、251条、252条の改正、252条の2新設]と、共有物を分割する場合の手続に関する規定(§§256~262)[258条の改正、258条の2、262条の2、262条の3の新設]とに大別することができる。そのほかに、準共有に関する規定(§264)と入会権に関する規定(§263)、それぞれ一か条を含んでいる。

②　共有一般について

多数人が共同して1個の物を所有する関係、すなわち、「共同所有関係」には大別して三つの形態がある。

その1は、共同所有者の間になんら共同の目的に向って協力すべき団体的結合関係はなく、各人がそれぞれ独立の完全な所有権を有するが、ただ、目的物が1個であるという点で互いに牽制し、拘束されるにすぎないものである。

その2は、共同所有者が強固な協同体を構成し、目的物を管理する権能はもっぱら協同体に帰属し、目的物を利用する権能だけが各共同所有者に帰属するものである。

その3は、共同所有者の各人は各自独立の所有権を有するが、全員はしばらく目的物を共同の目的のために利用する拘束をうけ、各人の権利はこの共同目的が終了するまで潜在的な存在を有するにすぎないものである。

482

第3節［解説］①〜③

　一般に、第1の形態は「共有」、第2の形態は「総有」、第3の形態は「合有」（または「総手的共有」あるいは「合手的(手をつないだという意味)共有」）と呼ばれる。
　この三者のうち、「共有」は、きわめて個人的であって、各共同所有者は目的物の上に個人的な一種の所有権すなわち「持分権」を有し、これを他の共同所有者と無関係に自由に処分することができるのみでなく、各共同所有者は、いつでも目的物の分割を請求して、単独所有状態に変更することができる。これに反して、総有は、きわめて団体的であって、各共同所有者は目的物の上に独立の権利を有せず、協同体の一員として目的物の管理に参加し、協同体の一員であるという資格に伴って当然に目的物利用の権能を有するにとどまる。すなわち、「持分権」を有せず、分割請求権もない。合有は、この二者の中間に位し、各共同所有者は持分権を有し、分割請求権を有するが、持分処分の自由および分割請求権の行使は、共同目的の終了まで一定の制限を受ける。
　共同所有には、以上の三つの態様があるけれども、民法はこれらの共同所有をすべて「共有」と呼び、総有・合有などの名称を用いていない（信託§79は、受託者が2人以上いる場合の信託財産を「合有」と規定する）。しかし、民法が共有と呼んでいるもののうち、入会権（§263。なお§294参照）はその性質は総有であり、また組合財産の共有（§676［改注］）や遺産の共有（§§898・902〜）は、その性質は合有とみるべきである。本節の規定は、上述の本来の(狭義の)共有に関するものであり、総有や合有の共同所有関係にはそのままには適用されない場合があることには注意するべきである。

③　合有理論について

　判例は、合有理論の採用には消極的である。問題は、理論的には、第1に持分の譲渡の自由に関し（④(a)参照）、第2に分割請求の自由に関する（§§256・676・906〜参照）。
　具体的には、組合契約存続中の組合財産と遺産分割前の共同相続財産に関する。
　(1)　組合財産について（§676［改注］参照）、判例は、667条［改注］以下に特別の規定がないかぎり、共有の規定が適用されるとする（最判昭和33・7・22民集12巻1805頁）。676条に、持分処分の自由と分割請求についての制約が規定されているが、これは、この規定によるものであって、合有という説明を要しないというのである。
　(2)　共同相続財産に関する判例はつぎのとおりである。
　　(a)　遺産を構成する不動産の分割請求は256条による通常の分割請求と変わらないとし（最判昭和30・5・31民集9巻793頁）、相続人の一人から遺産を構成する不動産の共有持分を譲り受けた第三者がその共有関係を解消するために採るべき手段は、遺産分割請求ではなく、共有物分割請求であるとする（最判昭和50・11・7民集29巻1525頁）。
　　(b)　また、金銭その他の可分債権については、共同相続人により当然に分割して承継されるとし、分割はされないと考えるべきであるとする上告理由をしりぞけ（最判昭和29・4・8民集8巻819頁）、共同相続人の一人がその相続分を超える弁済を受けたときは、他の共同相続人はその者に対して不法行為または不当利得を主張できるとしている（最判平成16・4・20判時1859号61頁）。さらに、共同相続された不動

483

第2編　第3章　所有権　第3節　共有

産から生じた賃料債権についても、相続分に応じて分割されるとし、その後その不動産について行われた遺産分割によって影響されないとする判決も現れた(最判平成17・9・8民集59巻1931頁)。

　(c)　相続人の一人が遺産である金銭を保管しているときに、遺産分割前に他の相続人が自己の相続分相当の金銭の支払を請求することはできないとする判決(最判平成4・4・10判時1421号77頁)があるが、合有論を根拠にしているわけではない。

　(d)　なお、遺産を構成する不動産につき、共同相続人Ａ・Ｂのうち、Ａが単独で相続した登記をし、それを譲り受けたＣに対して、Ｂは自分の持分についての一部抹消を請求するべきものとし、全部抹消の請求を認めなかった(最判昭和38・2・22民集17巻235頁)。

　(e)　なお、最大判昭和53・12・20(民集32巻1674頁)は、884条の相続回復請求権に関するものであるが、共同相続人の一人が遺産を構成する不動産について単独名義の相続登記をしたのに対し、他の相続人が遺産分割の前提として共有関係の回復を請求するのに通常の共有権に基づく妨害排除請求によることを認め、相続回復請求権の適用を排除し、時効の成立を認めなかったもので、注目される判決である。

④　共有持分

　共有および共有における「持分権」または「持分」の法律的性質に関しては、民法に規定がない。1個の所有権が量的に分属するという理解の仕方もありうるが、判例は、共有は数人が共同して1個の所有権を有する状態であって、共有者は物を分割してその一部を所有するのではなく、各所有者は物の全部について所有権を有し、他の共有者の同一の権利によって減縮されるにすぎず、したがって共有者の有する権利は単独所有の権利と性質および内容を同じくし、ただ分量および範囲に広狭の差異があるだけである、という(大判大正8・11・3民録25輯1944頁)。この理論から、つぎのような結果が生ずる。

　(a)　持分権は、譲渡、抵当権設定など自由に処分できる。農地買収などの対象にもなる(最判昭和30・3・8民集9巻245頁)。組合財産については、持分処分についての制限が規定されている(§676[改注])。

　(b)　共有物に対して妨害する者があれば、それが第三者であろうと、共有者の一人であろうと、各共有者は、単独でその排除を請求できる(§252⑷参照。大判大正7・4・19民録24輯731頁、大判大正8・9・27民録25輯1664頁)。ただし、損害賠償は自分の持分についてのみ請求できる(最判昭和41・3・3判時443号32頁)。

　(c)　共有物を第三者が占有している場合に、その引渡しを求めることは、各共有者がそれぞれ単独でできる(大判大正10・3・18民録27輯547頁)。

　(d)　各共有者は、自分の持分権の確認を求め、侵害の排除を求めたり、その登記を求めることは単独でできるが(大判大正10・7・18民録27輯1392頁、最判昭和31・5・10民集10巻487頁、最判昭和40・5・20民集19巻859頁)、共有物の所有権確認、または共有名義の登記を求めるのには、共有者が全員で共同しなければならない(大判大正5・6・13民録22輯1200頁、大判昭和3・12・17民集7巻1095頁、大判大正13・5・19

民集 3 巻 211 頁)。

　各共有者が単独で請求できるとされた例としては、特許異議申立てに基づく特許取消決定がされた場合に、特許権の共有者の一人は単独で取消訴訟を提起でき(最判平成 14・3・25 民集 56 巻 574 頁。最判平成 14・2・28 判時 1779 号 81 頁は、商標権について同旨)、他の共有者の持分について実体上の権利を有しないのに不実の持分移転登記をしている者に対して、共有者の一人はその持分移転登記の抹消登記請求をすることができるとされた(最判平成 15・7・11 民集 57 巻 787 頁。ただし、事例はかなり特異であり、通常の共有持分処分とは異なることに注意を要する。共同相続の事例であるが、問題の持分相続人は被相続人を殺害しており、持分が現名義人に移った事情にも問題がある)。

　なお、不動産の共同相続において相続人の一人が勝手に単独所有登記をして第三者に移転した場合について、他の相続人が請求できるのは、登記全部の抹消ではなくて、自分の持分についてのみの一部抹消(更正)登記手続であるとした判例がある(前掲最判昭和 38・2・22)。

⑤　共有関係と訴訟

　共有関係の訴訟について、最判昭和 46・10・7(民集 25 巻 885 頁)は、第三者に対する共有権確認訴訟は共有権者全員による共同訴訟によらなければならないとし、最判平成 11・11・9(民集 53 巻 1421 頁)は、土地共有者は、訴えに同調しない共有者と隣地所有者を被告として境界確定の訴えを提起できるとした。

（共有物の使用）
第二百四十九条
　1　各共有者は、共有物の全部について、その持分に応じた使用をすることができる[1]。
　2　共有物を使用する共有者は、別段の合意がある場合を除き、他の共有者に対し、自己の持分を超える使用の対価を償還する義務を負う[2]。
　3　共有者は、善良な管理者の注意をもって、共有物の使用をしなければならない[3]。

〈改正〉　2021 年に改正された。第 249 条に、上記の二項（第 2 項と第 3 項）を加えた。第 1 項は変更なし。

[本条の趣旨]　**[1]**　民法の共同所有には、共有（持分の処分権と分割請求権が認められる）、合有（持分に基づく権利行使が一定の制限を受ける）、総有（持分の存在が否定される）があるが［「②　共有一般について」参照］、本節の共有は、第 1 のタイプである。しかし、共有者の一人が自己の持分割合を超えて共有物を使用した場合や共有物を単独で占有する共有者に対する明け渡し請求の可否（最判昭和 41・5・19 後掲参照）、共有物の使用の際に負う「注意義務」が「善管注意義務か」、「自己の財産に対するのと同一の注意義務」か、に関する規定が存在しなかったため、判例・学説上、対立が見られた。

　[2]　本項の義務は、不法行為や不当利得の要件を前提としない「法定の義務」である。

　[3]　注意義務については、他人の物の使用・管理の場合と同様な善管注意義務とした。なお、遺産共有の場合に関する 940 条は、「注意義務」については、改正されなかった。

[改正前条文]

第2編　第3章　所有権　第3節　共有

　　　　各共有者は、共有物の全部について[1]、その持分[2]に応じた使用をすることができる[3]。
　　[原条文]
　　　　各共有者ハ共有物ノ全部ニ付キ其持分ニ応シタル使用ヲ為スコトヲ得

　〔1〕　たとえば、A・B・Cの3名が土地を共有し、各自の持分が等しい場合にも、各自が当然に3分の1の面積の土地を使用する権利があるのではなく、各自が全部の土地を3分の1の割合で受益するように使用する権利を有するのである。

　〔2〕　持分については、本節解説④を見よ。

　〔3〕　持分の割合については、250条参照。持分に応じた使用を具体的にどう決めるか、たとえば、〔1〕の例で土地を共同で使用するか、三分してそれぞれで使用するか、時期や季節を分けてそれぞれ使用するかなどは共有物の管理に関することとして、252条によって定められるべきである。なお、本条は使用についてだけ規定するが、収益についても、同様に解するべきである。

　持分の過半数をこえる共有権者であるからといって、少数持分権者が目的物を単独で占有しているのに対して、当然には明渡しを求めることはできないとした判決（最判昭和41・5・19民集20巻947頁）、一部の共有者から占有使用を承認された第三者についてその共有者の持分に基づくと認められる限度で占有使用の権限があるとし、他の共有者からの明渡し請求をしりぞけた判決（最判昭和63・5・20判時1277号116頁）がある。また、共有不動産を単独で占有できる権限がないのにこれを単独で占有している共有者に対して、他の共有者はその持分に応じて賃料相当額の不当利得金ないし損害賠償金の支払を請求することができるとされた（最判平成12・4・7判時1713号50頁）。

　なお、内縁の夫婦が共有不動産を共同使用してきたときは、特段の事情がない限り、一方が死亡した後は他方が単独で使用する旨の合意が成立していたものと推認されるとした事例がある（最判平成10・2・26民集52巻255頁）。

　（共有持分の割合の推定）
　第二百五十条
　　　　各共有者の持分は、相等しいものと推定する[1]。
　　[原条文]
　　　　各共有者ノ持分ハ相均シキモノト推定ス

　〔1〕　共有が法律の規定によって生じる場合には、その持分の割合も法律の規定によって定まるのが普通である（§§241ただし書・244・898〜904など参照）。また、共有が当事者の意思によって生じる場合には、その持分の割合も、その意思によって定まる場合が多い。たとえば、数人で馬1頭を購入して共同に使用する場合などには、原則として、その拠出した金額の割合で共有持分も定まると解すべきである。本条は、法律の規定や当事者の意思で持分の割合が定まらない場合の補充的な規定である。

　なお、不動産を共有する者は、登記を申請する場合には、必ず持分を記載しなければならないとされている（不登§59④。旧§§39・78⑤）

§§249〔1〕〜〔3〕・250・251・252

（共有物の変更）
第二百五十一条
　1　各共有者は、他の共有者の同意を得なければ、共有物に変更（その形状又は効用の著しい変更を伴わないものを除く[1]。次項において同じ。）を加えることができない。
　2　共有者が他の共有者を知ることができず、又はその所在を知ることができないときは、裁判所は、共有者の請求により、当該他の共有者以外の他の共有者の同意を得て共有物に変更を加えることができる旨の裁判をすることができる[2]。

〈改正〉　2021年に改正された。第251条中「変更」の下に「（その形状又は効用の著しい変更を伴わないものを除く。次項において同じ。）」を加え、本条に上記の一項（第2項）を加えた。

[本条の趣旨]　[1]　現行法の「共有物の変更行為」、「保存行為」、「それ以外の管理行為」という区分を維持しつつ、上記の変更行為と管理行為の区分を明確にするために、本条1項にかっこ書（いわゆる軽微な変更）を追加した。
　なお、「補足説明」で挙げられている「具体例」（共有物の改良を目的とし、かつ、著しく多額の費用を要しない行為）については、「改良行為」ではないかとの疑問が出されており、今後解釈上議論されることになろう。
　[2]　第2項の新設は、所有者不明土地の問題を配慮したものである。なお、本項の「裁判」については、非訟事件手続法の新設の章（共有に関する事件）に85条1項1号が置かれた。

[改正前条文]
　各共有者は、他の共有者の同意を得なければ、共有物に変更を加えることができない[1]。

[原条文]
　各共有者ハ他ノ共有者ノ同意アルニ非サレハ共有物ニ変更ヲ加フルコトヲ得ス

〔1〕　「共有物の変更」だけでなく、規定はないが、共有物全体を処分することは共有物の変更に等しいので、これにも全員の同意を必要とする。各共有者の持分権は一種の所有権であるから、各自が自分の持分権を処分することは自由であるが（本節前注[4](a)参照）、共有物自体を処分することはすべての共有者の持分を処分することになるから、全共有者の同意を要するのである。
　共有者の一部が本条に反する変更行為を行っている場合は、他の共有者はその行為の禁止と原状回復を請求できる（最判平成10・3・24判時1641号80頁）。

（共有物の管理）
第二百五十二条
　1　共有物の管理に関する事項（次条第一項に規定する共有物の管理者の選任及び解任を含み、共有物に前条第一項に規定する変更を加えるものを除く。次項において同じ。）は、各共有者の持分の価格に従い、その過半数で決する。共有物を使用する共有者があるときも、同様とする[1]。
　2　裁判所は、次の各号に掲げるときは、当該各号に規定する他の共有者以外

487

第2編　第3章　所有権　第3節　共有

の共有者の請求により、当該他の共有者以外の共有者の持分の価格に従い、その過半数で共有物の管理に関する事項を決することができる旨の裁判をすることができる。

一　共有者が他の共有者を知ることができず、又はその所在を知ることができないとき[2]。

二　共有者が他の共有者に対し相当の期間を定めて共有物の管理に関する事項を決することについて賛否を明らかにすべき旨を催告した場合において、当該他の共有者がその期間内に賛否を明らかにしないとき[3]。

3　前二項の規定による決定が、共有者間の決定に基づいて共有物を使用する共有者に特別の影響を及ぼすべきときは、その承諾を得なければならない[4]。

4　共有者は、前三項の規定により、共有物に、次の各号に掲げる賃借権その他の使用及び収益を目的とする権利（以下この項において「賃借権等」という。）であって、当該各号に定める期間を超えないものを設定することができる[5]。

一　樹木の栽植又は伐採を目的とする山林の賃借権等　十年

二　前号に掲げる賃借権等以外の土地の賃借権等　五年

三　建物の賃借権等　三年

四　動産の賃借権等　六箇月

5　各共有者は、前各項の規定にかかわらず、保存行為をすることができる[6]。

〈改正〉　2021年に改正された。第252条中「は、前条の場合を除き」を「（次条第一項に規定する共有物の管理者の選任及び解任を含み、共有物に前条第一項に規定する変更を加えるものを除く。次項において同じ。）は」に改め、同条ただし書を削り、同条に後段として「共有物を使用する共有者があるときも、同様とする。」を加えた。さらに、本条に上記の四項（2項、3項、4項、5項）を加えた。

[本条の趣旨]　**［1］**　本項前段は、新252条の2の「共有物の管理者の選任・解任」が、本条の規律に服することを定めたものである。本項後段は、249条の新2項の定める共有者の一人に「自己の持分を超える使用」を認める「別段の合意がある場合」に対応した規定である。新後段によれば、多数持分共有者の意思で使用方法を変更できることになる。最判昭和41・5・19（前掲）で論じられた問題につき、立法的解決を図ったものである。だし、新3項に注意。保存行為については、本条新5項参照。

　［2］　本項1号は、共有物の変更に関する251条新2項および共有物の管理者に関する252条の2第2項と同様の規定である。非訟事件手続法の新設の章（共有に関する事件）の85条1項1号参照。

　［3］　本号は、251条や252条の2にはない規定である。その裁判手続については、非訟事件手続法の新設の章（共有に関する事件）の85条に規定されている。

　［4］　本項により、「承諾」を得なければならないが、それが得られない場合には、承諾に代わる裁判が必要になる。「特別の影響」を及ぼすかについては、対象となる共有物の性質および種類に応じて、共有物の管理に関する事項の定めを変更する必要性、合理性や共有物を使用する共有者に生ずる不利益を踏まえて、具体的事例ごとに判断すると解されている。

　［5］　本項は、602条［短期賃貸借］と平仄を合わせた規定である。本項では、共有持分の価格の過半数の決定で所定の期間を存続期間とする借地権の設定ができる旨の規定は設けていない。処分行為、変更行為、保存行為の問題を考える際には、13条、103条が参考にな

§ 252〔1〕～〔4〕

る。なお、前述の 251 条新 1 項のかっこ書に関する説明も参照。

〔6〕　本項は、改正前規定のただし書が、ここへ移動したものである。

なお、新 252 条 1 項、3 項および 5 項は、遺産共有にも適用される。ただし、配偶者居住権が成立した場合には、他の共有者は、配偶者居住権者の使用収益を受忍すべき立場になる（1032 条 4 項、1038 条 3 項参照）。また、第三者に使用権を設定している場合にも、新 252 条 1 項により当該使用権を消滅させることはできないと解されている。

［改正前条文］
　共有物の管理[1]に関する事項は、前条の場合を除き、各共有者の持分の価格に従い、その過半数[2]で決する[3]。ただし、保存行為[4]は、各共有者がすることができる。

［原条文］
　共有物ノ管理ニ関スル事項ハ前条ノ場合ヲ除ク外各共有者ノ持分ノ価格ニ従ヒ其過半数ヲ以テ之ヲ決ス但保存行為ハ各共有者之ヲ為スコトヲ得

〔1〕　「共有物の管理」とは、共有物の現状を維持し、これを利用し、さらに改良してその価値を高めることを意味する。共有物を目的とする賃貸借契約の解除（§544 参照）などは「管理行為」になる（最判昭和 29・3・12 民集 8 巻 696 頁、最判昭和 39・2・25 民集 18 巻 329 頁）。共有に属する株式についての議決権の行使は、当該議決権の行使をもって直ちに株式を処分し、または株式の内容を変更することになるなど特段の事情のない限り、株式の管理に関する行為として、民法 252 条本文により、各共有者の持分の価格に従い、その過半数で決せられる（最判平成 27・2・19 民集 69 巻 25 頁）。また、単に現状を維持することは保存行為として、本条ただし書により、各共有者が単独ですることができる。また、改良が共有物の変更になるときは、251 条によって全共有者の同意を要する。したがって、持分の価格に従い過半数で決しうるのは、目的物の変更とならない程度の利用や改良である。

〔2〕　共有者 A・B・C の持分が均しいときは、3 名中の 2 名が賛成すれば過半数になる。A の持分が 5 分の 3、B・C の持分がそれぞれ 5 分の 1 であるときは、A の意思だけで過半数となる。共有者が 2 名で、A・B の持分がそれぞれ 2 分の 1 であるときは、片方だけでは過半数にならない。

〔3〕　どうしてもその管理方法に反対の共有者は、原則として、分割請求をすることができ（§256）、また、そうするほかはない。この点、船舶の共有に関しては特則がある（商§694）。

〔4〕　「保存行為」は、単に現状を維持する行為であり、その例としては、共有地の不法占有に対する妨害排除と明渡し請求（大判大正 7・4・19 民録 24 輯 731 頁、大判大正 10・6・13 民録 27 輯 1155 頁など）、無権限で登記簿上所有名義を有する者に対する抹消請求（最判昭和 31・5・10 民集 10 巻 487 頁、最判昭和 33・7・22 民集 12 巻 1805 頁）などがある。共有に属する土地が地役権の要役地である場合に、要役地のために承役地につき地役権設定登記手続を請求するのは保存行為であり、各共有者が単独で共有者全員のために訴訟を起すことができる（最判平成 7・7・18 民集 49 巻 2684 頁）。

共同相続人の一人は、他の共同相続人の同意がなくとも、被相続人の預金口座の取引経過について金融機関に対して開示を求める権利を単独で行使できるとされた（最

489

第2編　第3章　所有権　第3節　共有

判平成21・1・22民集63巻228頁。ただし、同判決は保存行為を根拠としたのではなく、共同相続人全員に帰属する預金契約上の地位に基づくものとしている）。

（共有物の管理者）

第二百五十二条の二

　　1　共有物の管理者は、共有物の管理に関する行為をすることができる。ただし、共有者の全員の同意を得なければ、共有物に変更（その形状又は効用の著しい変更を伴わないものを除く[1]。次項において同じ。）を加えることができない。

　　2　共有物の管理者が共有者を知ることができず、又はその所在を知ることができないときは、裁判所は、共有物の管理者の請求により、当該共有者以外の共有者の同意を得て共有物に変更を加えることができる旨の裁判をすることができる[2]。

　　3　共有物の管理者は、共有者が共有物の管理に関する事項を決した場合には、これに従ってその職務を行わなければならない[3]。

　　4　前項の規定に違反して行った共有物の管理者の行為は、共有者に対してその効力を生じない。ただし、共有者は、これをもって善意の第三者に対抗することができない[4]。

〈改正〉　2021年に新設された。

[本条の趣旨]　[1]　共有物の管理者の選任および解任は、新252条1項かっこ書による。改正審議の過程では、第三者の申立による裁判所の選任も検討されたが、私的自治の原則の尊重の観点から採用されなかった。なお、本項かっこ書については、新251条1項かっこ書の解説を参照。管理者が行う管理行為には事実行為のほか、法律行為も含まれる。管理者は自己の名で法律行為を行う。

　　[2]　本項については、新251条2項と新252条2項1号の解説を参照。なお、本項とは別に新262条の2および262条の3の規定があるので、共有者が持分を失うこととなる行為（持分の譲渡等）は含まれないと解されている。

　　[3]　本項は、共有物の管理者が選任された場合でも、共有者の共有物管理権は失われないということを前提としている。共有者自身が管理に関する事項を決した場合には、管理者は、これに従わなければならない。

　　[4]　本項は、共有物に関する規定であり、「効力を生じない」とは、共有者がその利用方法等を否定することができる趣旨であるが、組合財産の管理に関する新670条4項の解釈に影響がでる可能性がある（最判昭和33・7・22民集12巻1805頁参照）。

　　なお、裁判手続については、非訟事件手続法85条参照。

（共有物に関する負担）

第二百五十三条

　　1　各共有者は、その持分に応じ、管理の費用を支払い、その他共有物に関する負担[1]を負う。

　　2　共有者が一年以内に前項の義務を履行しないときは、他の共有者[2]は、相当の償金[3]を支払ってその者の持分を取得することができる。

§§252の2・253・254

［原条文］
　各共有者ハ其持分ニ応シ管理ノ費用ヲ払ヒ其他共有物ノ負担ニ任ス
　共有者カ一年内ニ前項ノ義務ヲ履行セサルトキハ他ノ共有者ハ相当ノ償金ヲ払ヒテ其者
ノ持分ヲ取得スルコトヲ得

〔1〕　共有物についての公租公課も入る。
〔2〕　義務を履行しない共有者以外の共有者なら、だれでもよい。代わって義務を
履行した共有者に限るのではない。
〔3〕　持分の有する価格に相当する金額を償金として支払わなければならない。

（共有物についての債権）
第二百五十四条
　　共有者の一人が共有物について他の共有者に対して有する債権[1]は、その特
　定承継人に対しても行使することができる[2]。
［原条文］
　共有者ノ一人カ共有物ニ付キ他ノ共有者ニ対シテ有スル債権ハ其特定承継人ニ対シテモ
之ヲ行フコトヲ得

〔1〕　他の共有者が負担すべき管理費用・公租公課、などを共有者の一人が立替え
たとか、共有物購入のさいに一人の拠出すべき分の代金を他の者が立替えたというよ
うな理由によって、共有者の一人が他の共有者に対して有する償還請求権などが、そ
の例である。民法は、このような債権はとくに保護する必要があるとして、このよう
な債権を有する共有者は、その共有物の分割にさいし、その債務者である共有者に帰
すべき共有物の部分をその債権の弁済にあてることができるように定めている（§
259）。しかし、もし、この場合の債務者である共有者がその持分を譲渡した場合に、
譲受人はこの債務についてなんの責任もないものとすると、上述の債権者保護の趣旨
は無意味になる。そこで、本条において、譲受人も上記の債務につき責任がある旨を
定めているのである。しかし、その反面において、そのような債務のあることを知ら
ない譲受人は損害をこうむる。そこで、学者は、少なくとも不動産の共有においては、
その債務を登記したときにだけ、譲受人に対して行使できると解釈するべきだと主張
する。
　なお、共有者の一人が他の共有者との間で共有土地の分割に関する特約（一部を単独
所有とし、可能になりしだい、分筆登記をするという）をした場合に、他の共有者の特定承
継人に対して本条に基づいてその特約を主張できるとした判決がある（最判昭和34・
11・26民集13巻1550頁）。同判決はその特約の登記を不要としたが、疑問である。
〔2〕　譲渡人である共有者が依然として債務を負うことはもちろんであり、ただ、
債権者は、特定承継人に対しても債権を行使することができるのである。特定承継人
が弁済した場合には、譲渡人に対して償還請求権を取得する。

491

第2編　第3章　所有権　第3節　共有

■（持分の放棄及び共有者の死亡）
第二百五十五条
　　共有者の一人が、その持分を放棄したとき、又は死亡して相続人がないとき
は、その持分は、他の共有者に帰属する[1]。
　［原条文］
　　共有者ノ一人カ其持分ヲ抛棄シタルトキ又ハ相続人ナクシテ死亡シタルトキハ其持分ハ
　他ノ共有者ニ帰属ス

〔1〕　持分を通常の財産と考えれば、共有者が「持分の放棄」をすれば、無主の財
産となり（§239Ⅱ参照）、また、相続人なくして死亡すれば、結局国庫に帰属する（§
959）ことになりそうである。しかし、共有はそれぞれ弾力性のある数個の持分権が互
いに圧縮し合って存在するものと考えられるものであるから、持分の一つについて主
体がなくなれば、他の持分が拡張してその間を埋めるものとするのが共有の性質に合
する。本条は、その趣旨の規定である。他の共有者に帰属する割合は他の共有者の持
分の割合に応じる。Aが5分の3、B・Cがそれぞれ5分の1を共有する場合におい
て、Cが持分を放棄すれば、その5分の1は3対1の割合でAとBとに分属する。
　本条の定めと958条の3の「特別縁故者への分与」の規定との関係については、問
題の存するところである。共有者の一人が死亡して、その相続人が不存在である場合
に、その者の持分はどうなるか。本条を優先させれば、その持分は他の共有者のもの
になり、後者が働く余地はなくなる。後者を優先させれば、まず特別縁故者への分与
に充てられ、残りがあれば本条により他の共有者に帰属することになる。判例は、後
の見解である（最判平成元・11・24民集43巻1220頁）。

■（共有物の分割請求）
第二百五十六条
　　1　各共有者は、いつでも共有物の分割を請求[1]することができる。ただし、
　　　五年を超えない期間内は分割をしない旨の契約をすることを妨げない[2]。
　　2　前項ただし書の契約は、更新することができる。ただし、その期間は、更
　　　新の時から五年を超えることができない[3]。
　［原条文］
　　各共有者ハ何時ニテモ共有物ノ分割ヲ請求スルコトヲ得但五年ヲ超エサル期間内分割ヲ
　為ササル契約ヲ為スコトヲ妨ケス
　　此契約ハ之ヲ更新スルコトヲ得但其期間ハ更新ノ時ヨリ五年ヲ超ユルコトヲ得ス

〔1〕　分割を請求するには、他の共有者の全員に対して分割すべき旨の意思表示を
すればよい。この意思表示によって、他の共有者は分割の方法について協議し、分割
を実行すべき義務を負うことになる。協議が調わない場合については、258条参照。
分割請求権は、共有状態の存在から当然に生ずる権利であるから、消滅時効にはかか
らない。
　共有者の間に共同の目的に向って協力すべき法律関係、たとえば組合関係があれば、

§§ 255・256・257・258

分割の自由は認められない（§676Ⅱ［改注］）。

〔2〕　この「不分割の契約」は、持分の特定承継人に対しても効力を及ぼすが、不動産の共有にあっては、登記がなければこれに対抗することはできない（不登§59⑥。旧§39ノ2）。なお、共有者の一人が破産した場合については、不分割の特約に拘束されないとする特則がある（破§52）。

〔3〕　分割の自由を原則とし、これに対する長期の拘束を認めない趣旨である。遺産の分割禁止については、新908条参照。

〔前条の例外〕〔第8版凡例4a）を見よ〕
第二百五十七条
　　前条の規定は、第二百二十九条に規定する共有物については、適用しない[1]。
［原条文］
前条ノ規定ハ第二百八条及ヒ第二百二十九条ニ掲ケタル共有物ニハ之ヲ適用セス
〈改正〉　1958年の改正により、208条が削除されたのに伴い、「規定ハ」のあとの「第二百八条及ヒ」が削られた。

〔1〕　229条が規定する共有物については、本条の分割請求権がないという意味である。境界線上の設置物の性質上当然である。

（裁判による共有物の分割）
第二百五十八条
　　1　共有物の分割について共有者間に協議が調わないとき、又は協議をすることができないときは[1]**、その分割を裁判所に請求することができる。**
　　2　裁判所は、次に掲げる方法により、共有物の分割を命ずることができる[2]**。**
　　一　共有物の現物を分割する方法
　　二　共有者に債務を負担させて、他の共有者の持分の全部又は一部を取得させる方法
　　3　前項に規定する方法により共有物を分割することができないとき、又は分割によってその価格を著しく減少させるおそれがあるときは、裁判所は、その競売を命ずることができる[3]**。**
　　4　裁判所は、共有物の分割の裁判において、当事者に対して、金銭の支払、物の引渡し、登記義務の履行その他の給付を命ずることができる[4]**。**
〈改正〉　2021年に改正された。第258条の見出しを削り、同条の見出しとして「（裁判による共有物の分割）」［従前と同じ］を付し、第1項中「とき」の下に「、又は協議をすることができないとき」を加え、改正前第2項中「の場合において、」を「に規定する方法により」に改め、「の現物」を削り、同項を第3項とし、第1項の次に第2項を加えた。
［本条の趣旨］　〔1〕　本項の改正部分は、従来の学説・判例において認められていた扱いを明文化したと解してよい。
　　〔2〕　本項では、現物分割、賠償分割、競売による換価分割のうち、前2者を規定した。なお、賠償分割について、実質的公平を害する恐れがない「特別の事情」という制約は定められなかった。賠償分割における判断要素については規定せず、判例法理に委ねたと解され

493

第2編　第3章　所有権　第3節　共有

ている。

　[3]　本項では、2項の方法では分割できない場合に、競売による換価分割を認めた。その結果、他の2つの方法に対して劣後することになった。共有者中に共有物の取得を希望する者がいる場合を考慮したものと解されている。

　[4]　本項は、従来の裁判実務の立場を立法化しものと解されている（家事196条も参照）。本項に基づいて登記手続をすべきことを命ずる確定判決を得た共有者（共有不動産を取得した者）は、不動産登記法63条1項により、単独で登記申請をすることができる。

［改正前条文］
　1　共有物の分割について共有者間に協議[1]が調わないとき[2]は、その分割を裁判所に請求することができる[3]。
　2　前項の場合において、共有物の現物を分割することができないとき、又は分割によってその価格を著しく減少させるおそれがあるときは、裁判所は、その競売を命ずることができる[4]。

［原条文］
　分割ハ共有者ノ協議調ハサルトキハ之ヲ裁判所ニ請求スルコトヲ得
　前項ノ場合ニ於テ現物ヲ以テ分割ヲ為スコト能ハサルトキ又ハ分割ニ因リテ著シク其価格ヲ損スル虞アルトキハ裁判所ハ其競売ヲ命スルコトヲ得

　〔1〕　協議によって分割する場合には、どのような方法によってもよい。最大判昭和62・4・22（民集41巻408頁）は、森林の分割の事例であるが、さまざまな分割の方法の可能性を示している（とくに、①・④・⑤について述べている）。

　①現物をもって分割することもできる。それにより、やむをえず過不足を生じる場合には、対価の支払によって調整することも許される。

　②目的物を売却して、金銭をもって分割することもできる。この場合には、各共有者は、それぞれ自分の持分の割合に応じた分割金銭債権を買主に対して取得する（§427）。もし、その代金を共有者の一人が受領したとすると、他の共有者は、委任、事務管理または不当利得を理由としてその返還を主張できることになるが、これは普通の債権であって、共有物返還請求権そのものとは異なり（§256[1]参照）、消滅時効にかかる（大連判大正3・3・10民録20輯147頁）。

　③共有者の一人が単独所有者になって、他の共有者に償金を与えることにしてもよい。この場合も、他の共有者は、単独所有権を取得する者に対する償金の請求権を取得する。

　④同一の共有者たちによる分割の対象となる共有物が多数であるときは、これらを一括して分割の対象として、それぞれの物を各共有者の単独所有とすることもできる（最判昭和45・11・6民集24巻1803頁はその例である）。この場合にも、償金による過不足の調整が可能である。

　⑤共有者の一部が分割請求をしている場合に、その請求者に対してのみ持分の限度で現物を分割し、その余を残りの者の共有として残すこともできる（最判平成4・1・24判時1424号54頁）。

　なお、最判平成8・10・31（民集50巻2563頁〔平3(オ)1380号〕）は、③の「全面的価格賠償」の方法によることができる場合についての基準を「当該共有物を共有者のうち

§§ 258〔1〕〜〔4〕・258 の 2

の特定の者に取得させるのが相当であると認められ、かつ、その価格が適正に評価され、当該共有物を取得する者に支払能力があって、他の共有者にはその持分の価格を取得させることとしても共有者間の実質的公平を害しないと認められる特段の事情があるとき」とした（事案については、これを認めた原審が取得者の支払能力を確定していないとして、破棄差戻した。最判平成 8・10・31 判時 1592 号 55 頁〔平 7 (オ) 1962 号〕は、全面的価格賠償による分割を命じた原審を維持し、最判平成 8・10・31 判時 1592 号 59 頁〔平 8 (オ) 677 号〕は、特段の事情を審理判断することなく競売による分割を命じた原審判決を破棄差戻した。いずれも、第 1 小法廷の判決である）。

遺産分割前の遺産共有状態にある共有持分と他の共有持分とが併存する共有不動産について、共有関係を解消するための裁判上の手続は、本条に基づく共有物分割訴訟であり、共有物分割の判決により遺産共有持分を有していた者に分与された財産は遺産分割の対象となるから、この財産の共有関係の解消については、民法 907 条に基づく遺産分割の方法によるべきである（最判平成 25・11・29 民集 67 巻 1736 頁）。

〔2〕「協議が調わないとき」とは、一部の共有者が分割の協議に応ずる意思がないことが明らかな場合を含み、協議したけれども不調に終ったことを必要としない（最判昭和 46・6・18 民集 25 巻 550 頁）。

〔3〕 この裁判所に対する請求は、形成の訴えである。裁判所は、本条 2 項による拘束をうけるが、当事者の一部の申立てには拘束されないと解されている。なお、本項所定の競売を命ずる判決に基づく不動産競売にも、民事執行法 59 条と 63 条の準用があるとした判例がある（最決平成 24・2・7 判時 2163 号 3 頁）。

〔4〕 競売して得た代金を分割することは、いうまでもない。

〔裁判による共有物の分割——つづき〕〔第 8 版凡例 4 a）をみよ〕
第二百五十八条の二
1　共有物の全部又はその持分が相続財産に属する場合において、共同相続人間で当該共有物の全部又はその持分について遺産の分割をすべきときは、当該共有物又はその持分について前条の規定による分割をすることができない[1]。
2　共有物の持分が相続財産に属する場合において、相続開始の時から十年を経過したときは、前項の規定にかかわらず、相続財産に属する共有物の持分について前条の規定による分割をすることができる。ただし、当該共有物の持分について遺産の分割の請求があった場合において、相続人が当該共有物の持分について同条の規定による分割をすることに異議の申出をしたときは、この限りでない[2]。
3　相続人が前項ただし書の申出をする場合には、当該申出は、当該相続人が前条第一項の規定による請求を受けた裁判所から当該請求があった旨の通知を受けた日から二箇月以内に当該裁判所にしなければならない[3]。

〈改正〉 2021 年に新設された。
[本条の趣旨]　[1]　現在の判例（最判昭和 50・11・7 民集 29 巻 1525 頁）によれば、共有

495

第2編　第3章　所有権　第3節　共有

物分割請求訴訟に係る判決では、遺産共有の解消をすることができないと解されているので、これを明文化したと解されている。

〔2〕　本条は、遺産分割の未了を原因とする所有者不明土地の発生を防止するための施策の一環でもある。部会資料によれば、詳細な議論がなされたようであるが、相続開始から10年経過後は、遺産分割に付き、特別受益（903条、904条）および寄与分（904条の2）の主張が禁じられる旨の規定（904条の3）が新設され、かつ、共有物分割の手続によることが可能になった（本項本文）。この点は、遺産共有の法的性質に関する共有説を前提とするものと解される。ただし、異議の申出が可能である（本項ただし書、3項参照）。その場合には、遺産分割による。

〔3〕　本項の異議申立期間（2か月）が短いのは、10年経過後であるためである。共有物分割の請求をしている相続人には異議申立権を認めないことが前提であると解されている。

■ （共有に関する債権の弁済）
第二百五十九条
　　1　共有者の一人が他の共有者に対して共有に関する債権[1])を有するときは、分割に際し、債務者に帰属すべき共有物の部分をもって、その弁済に充てることができる[2])。
　　2　債権者は、前項の弁済を受けるため債務者に帰属すべき共有物の部分を売却する必要があるときは、その売却を請求することができる[3])。
［原条文］
　　共有者ノ一人カ他ノ共有者ニ対シテ共有ニ関スル債権ヲ有スルトキハ分割ニ際シ債務者ニ帰スヘキ共有物ノ部分ヲ以テ其弁済ヲ為サシムルコトヲ得
　　債権者ハ右ノ弁済ヲ受クル為メ債務者ニ帰スヘキ共有物ノ部分ヲ売却スル必要アルトキハ其売却ヲ請求スルコトヲ得

〔1〕　「共有に関する債権」とは、たとえば、共有物の保存・管理の費用、共有物に関する訴訟費用、共有物の公租公課などの負担、共有物の瑕疵から第三者に損害を加えた場合の損害賠償などである。
〔2〕　254条〔1〕参照
〔3〕　「売却を請求する」とは、分割が協議によって行われる場合には、その事務を担当する者に対して、裁判所が分割する場合には裁判所に対して申し出ることである。

■ （共有物の分割への参加）
第二百六十条
　　1　共有物について権利を有する者[1])及び各共有者の債権者は、自己の費用で、分割に参加する[2])ことができる。
　　2　前項の規定による参加の請求[3])があったにもかかわらず、その請求をした者を参加させないで分割をしたときは、その分割は、その請求をした者に対抗することができない[4)5)]。
［原条文］

§§259・260・261

　　共有物ニ付キ権利ヲ有スル者及ヒ各共有者ノ債権者ハ自己ノ費用ヲ以テ分割ニ参加スル
コトヲ得
　　前項ノ規定ニ依リテ参加ノ請求アリタルニ拘ハラス其参加ヲ待タスシテ分割ヲ為シタル
トキハ其分割ハ之ヲ以テ参加ヲ請求シタル者ニ対抗スルコトヲ得ス

　〔1〕　たとえば、共有動産の上に質権を有する者、共有土地の上に抵当権・地上権
または賃借権などを有する者である。
　〔2〕　分割の協議に参加し、または分割訴訟に参加する（民訴§§42〜参照）ことであ
る。参加の効果については、〔4〕参照。
　〔3〕　当事者は、分割をするさいに、これを参加権を有する第三者に通知する義務
があるわけではない。
　〔4〕　分割をもって対抗できないのは、参加の請求があったのに参加させなかった
場合であって、参加の機会を与えさえすれば、当事者または裁判所は、参加権者の意
見に拘束される必要はない。したがって、参加の効果はそれほど大きなものではない。
　〔5〕　分割が共有物または持分権の上に権利を有する者に対して対抗しえない場合
に、それらの権利が分割によってどのような影響を受けるかについては、民法に規定
がない。思うに、
　(ア)　共有物の上に存した用益物権は、いかなる方法による分割にも影響を受けずに、
その物——数人に分割されたら、そのそれぞれ——の上に存続することには疑問はな
い。
　(イ)　共有物の上の担保物権も同様であるが、この物を共有者以外の者に売却して代
金を分割する場合には、担保物権者は、さらにその代金の上に物上代位権を行使しう
る（§§304・350・372参照）。
　(ウ)　やや問題なのは、持分の上の担保物権であるが、つぎのような結果となると考
えられる。
　　(a)その持分権者が、共有物の全部を取得したときは、担保物権の客体である持分
権は、なお消滅しないで存続する（§179Ⅰただし書）。
　　(b)その持分権者が共有物の一部分を取得したときは、その者の取得した部分およ
び他の共有者の取得した部分のすべてについて、最初の割合だけの持分権がなお存
続する（大判昭和17・4・24民集21巻447頁）。
　　(c)共有物がその持分権者以外の者に帰属したときは、(b)と同様に持分権が存続し
てその上に担保物権が存続するほか、担保物権者は、その持分権者が取得する償金
の上に物上代位権を行使することもできる。

（分割における共有者の担保責任）
第二百六十一条
　　各共有者は、他の共有者が分割によって取得した物について、売主と同じく、
　　その持分に応じて担保の責任を負う[1][2]。
［原条文］

第2編　第3章　所有権　第3節　共有

　　　各共有者ハ他ノ共有者カ分割ニ因リテ得タル物ニ付キ売主ト同シク其持分ニ応シテ担保
ノ責ニ任ス

　〔1〕　現物の分割は、これを理論的に見れば、共有者各自が有した持分の一部を相
互に交換したことになる。また、共有者の一人が目的物の全部を取得し、他の共有者
に対して償金を与える方法による分割は、あたかも持分の売買に該当する。したがっ
て、一人の取得した部分に原始的に瑕疵があったり、あるいは分量が不足していたり
すれば、他の者は売主と同様の担保責任(改正前§§561〜)を負担すべきであるのはむし
ろ当然であり(§559参照)、本条は注意的な規定である。なお、相続財産の分割に関
する 911 条以下参照。
　売主の担保責任の内容は、代金減額・損害賠償および解除である。当事者の協議に
よる分割の場合に、この 3 種の責任を認めることができるのはもちろんであるが、裁
判による分割の結果について解除を認めることができるかどうかは、はなはだ疑問で
ある。この場合には、解除をすることはできず、単に代金減額または損害賠償の請求
をすることができるにとどまると解すべきであろう。
　〔2〕　分割のその他の効果については、260 条〔5〕および 258 条〔1〕参照。

（共有物に関する証書）
第二百六十二条
　　1　分割が完了したときは、各分割者は、その取得した物に関する証書[1]を保
　　　存しなければならない。
　　2　共有者の全員又はそのうちの数人に分割した物に関する証書は、その物の
　　　最大の部分を取得した者が保存しなければならない[2]。
　　3　前項の場合において、最大の部分を取得した者がないときは、分割者間の
　　　協議で証書の保存者を定める。協議が調わないときは、裁判所が、これを指
　　　定する[3]。
　　4　証書の保存者は、他の分割者の請求に応じて、その証書を使用させなけれ
　　　ばならない[4]。

[原条文]
　　分割カ結了シタルトキハ各分割者ハ其受ケタル物ニ関スル証書ヲ保存スルコトヲ要ス
　　共有者一同又ハ其中ノ数人ニ分割シタル物ニ関スル証書ハ其物ノ最大部分ヲ受ケタル者
　之ヲ保存スルコトヲ要ス
　　前項ノ場合ニ於テ最大部分ヲ受ケタル者ナキトキハ分割者ノ協議ヲ以テ証書ノ保存者ヲ
　定ム若シ協議調ハサルトキハ裁判所之ヲ指定ス
　　証書ノ保存者ハ他ノ分割者ノ請求ニ応シテ其証書ヲ使用セシムルコトヲ要ス

　〔1〕　共有物を購入したさいの売買証書、共有物について公租公課を納入したさい
の受領証書、共有物について第三者と争いを生じた場合の証書などを指す。
　〔2〕　これらの書類は、分割後も各共有者がこれを必要とする場合が起こりうるの
で、一方で、その保管者を決定するとともに、他方で、保管者は他の分割者にこれを

§§ 261〔1〕〔2〕・262・262 の 2

使用させる義務があることを定めて、その必要に備えたのである。

〔3〕　この手続については、非訟事件手続法 92 条参照。

〔4〕　証書保存者のこの義務は、訴訟上は、文書提出義務として具体化されている（民訴 § 220 ②・③）。

（所在等不明共有者の持分の取得）
第二百六十二条の二
1　不動産が数人の共有に属する場合において、共有者が他の共有者を知ることができず、又はその所在を知ることができないときは、裁判所は、共有者の請求により、その共有者に、当該他の共有者（以下この条において「所在等不明共有者」という。）の持分を取得させる旨の裁判をすることができる。この場合において、請求をした共有者が二人以上あるときは、請求をした各共有者に、所在等不明共有者の持分を、請求をした各共有者の持分の割合で按（あん）分してそれぞれ取得させる[1]。
2　前項の請求があった持分に係る不動産について第二百五十八条第一項の規定による請求又は遺産の分割の請求があり、かつ、所在等不明共有者以外の共有者が前項の請求を受けた裁判所に同項の裁判をすることについて異議がある旨の届出をしたときは、裁判所は、同項の裁判をすることができない[2]。
3　所在等不明共有者の持分が相続財産に属する場合（共同相続人間で遺産の分割をすべき場合に限る。）において、相続開始の時から十年を経過していないときは、裁判所は、第一項の裁判をすることができない[3]。
4　第一項の規定により共有者が所在等不明共有者の持分を取得したときは、所在等不明共有者は、当該共有者に対し、当該共有者が取得した持分の時価相当額の支払を請求することができる[4]。
5　前各項の規定は、不動産の使用又は収益をする権利（所有権を除く。）が数人の共有に属する場合について準用する[5]。

〈改正〉　2021 年に新設された。

[本条の趣旨]　改正審議の途中から、「売渡請求権」に端を発する「所在等不明共有者の持分の取得」の規定は、共有物分割の手続と遺産分割の手続に付き、物権編において議論され、本条のようになった。本条により、不動産の共有者の中に所在等不明共有者がいる場合に、裁判所は、共有者の請求により、その共有者に所在等不明共有者の持分に相当する金銭を供託させたうえで（非訟 87 条）、その持分を取得させる裁判をすることができる制度が創設された。

〔1〕　本項の裁判手続については、非訟事件手続法新 87 条参照。

〔2〕　本項は、共有者全員が関与する共有物分割請求又は遺産分割請求を 1 項の持分取得請求よりも優先すべきであるという考え方に基づいている。

〔3〕　本項が、所在等不明共有者の持分が相続財産に属する場合において、共同相続人間で遺産を分割すべき場合に限ってその対象としているのは、遺産共有の状態が生じていないケースを除外するためである。

〔4〕　本項の時価相当額は、供託されていることが前提であるが（非訟 87 条 5 項）、その際、裁判所は、その額を専門家の意見を聞いて判断すると解されている。

第2編　第3章　所有権　第3節　共有

　　　［5］　具体的には、共有関係にある賃借権、地上権等に、本条1項～4項が準用される。

（所在等不明共有者の持分の譲渡）
第二百六十二条の三
　　1　不動産が数人の共有に属する場合において、共有者が他の共有者を知ることができず、又はその所在を知ることができないときは、裁判所は、共有者の請求により、その共有者に、当該他の共有者（以下この条において「所在等不明共有者」という。）以外の共有者の全員が特定の者に対してその有する持分の全部を譲渡することを停止条件として所在等不明共有者の持分を当該特定の者に譲渡する権限を付与する旨の裁判をすることができる[1]。
　　2　所在等不明共有者の持分が相続財産に属する場合（共同相続人間で遺産の分割をすべき場合に限る。）において、相続開始の時から十年を経過していないときは、裁判所は、前項の裁判をすることができない[2]。
　　3　第一項の裁判により付与された権限に基づき共有者が所在等不明共有者の持分を第三者に譲渡したときは、所在等不明共有者は、当該譲渡をした共有者に対し、不動産の時価相当額を所在等不明共有者の持分に応じて按分して得た額の支払を請求することができる[3]。
　　4　前三項の規定は、不動産の使用又は収益をする権利（所有権を除く。）が数人の共有に属する場合について準用する[4]。

〈改正〉　2021年に新設された。

[本条の趣旨]　本条は、前条の審議の過程で、独立の条文になった。前条2項のような「他の共有者の異議の申出制度」は存在しないが、その他の点では前条と同様である。

　　［1］　本項の譲渡契約の当事者は、所在等不明共有者以外の持分に付いては、各共有者が第三者と間で譲渡契約を締結し、所在等不明共有者の持分に付いては、権限を付与された共有者がその権限を行使して第三者との間で譲渡契約を締結することになる。なお、本項の裁判手続に関しては、非訟事件手続法88条が新設されている。
　　［2］　本項が、所在等不明共有者の持分が相続財産に属する場合において、共同相続人間で遺産を分割すべき場合に限ってその対象としているのは、遺産共有の状態が生じていないケースを除外するためである。その場合には、相続開始の時から10年を経過していないときであっても、裁判所は、1項の持分譲渡の裁判をすることができる。
　　［3］　本項により所在等不明共有者は、持分譲渡裁判により付与された権限に基づき自己の持分を第三者に譲渡した共有者に対して、当該持分の時価相当額の支払請求権を有する。なお、裁判所は、この請求権を実質的に確保するために供託等を命じる（非訟88条2項）。
　　［4］　具体的には、共有関係にある賃借権、地上権等に、本条1項～3項が準用される。

入会権 ［§§263・294の前注］

　　［1］　入会権については、各地方の慣習に従うほか、本節または地役権の規定を適用または準用する（§294参照）ことになっている。民法制定に当たっては、入会権についての規定も整備する方針で慣習の調査なども行われたが、結局成案を得るに至らず、

§262の3・入会権［前注］ 1〜4

この形に落着いたものである。その結果、入会権については、その発生・消滅・内容など、ほとんどすべて慣習によるのである。独立の章は与えられていないが、用益物権の一つとして数えることはできよう。

以下、慣習を基礎にして判例・学説が明らかにした理論の要点を——便宜上294条が定める「共有の性質を有しない入会権」についても、ここでとりまとめて——解説する。

2 入会権の意義

入会権は、一定の地域（村落）の住民が一定の山林原野を共同に管理し、共同に収益する権利であって、その山林原野の管理は住民が一つの協同体として団体的に行い、その収益は各住民が個人的に行うものである。したがって、入会権の主体は、一方から見れば、一地域の住民という団体であり、他方から見れば、その住民各個人である。いわば、権利が団体とその構成員とに質的に分属するのである。

3 入会権の種類

入会権には、山林原野の地盤自体がその村落の所有に属する場合と、そうでない場合とがある。この後の場合には、その地盤が個人、他の村落、または国家もしくは公共団体の所有に属するというように、いろいろでありうる。民法は、前の場合を「共有の性質を有する入会権」とし、共有に関する規定を「適用」し（§263参照）、そうでない場合を、「共有の性質を有しない入会権」であって、地役権類似の入会権として、地役権に関する規定を「準用」している（§294）。しかし、共有や地役権の規定中、入会権に適用または準用されるものは、じつはほとんどないのであるから、その意味では、この区別はあまり意味がない。

しかし、この二つは、慣習に現れたところでも、前者の「共有の性質を有する入会権」にあっては、原則として入会権の行使に制限がなく、また、地盤の所有者に対価を支払うということがないが、後者の「共有の性質を有しない入会権」にあっては、原則として制限があり、また対価を支払うべき場合が多いという差異を示す。ことに、後者のうち、地盤が他の村落の所有に属し、その村落の住民もまたその山林原野に入会うときは、地盤の帰属する村落については共有の性質を有する入会権となり、他の村落については地役権の性質を有する入会権となり、後者は前者よりも収益権能が制限されているのが普通である。

4 入会権の内容

入会権に基づいて個人が有する収益権の内容は、雑草・飼料用のまぐさ（牛馬などの飼料にするほし草）・薪炭用の雑木などの採取が普通であるが、それ以外のものも少なくなく、まったく慣習によって定まる。たとえば、石材採取の入会権の存在が認められた例がある（大判大正6・11・28民録23輯2018頁）。なお、大体の原則としては、前述のように、共有の性質を有する入会権においては特別の制限がないが、地役権の性質を有するものには制限があるということができる。たとえば、判例は、山元である

501

第2編　第3章　所有権　第3節　共有

Ａ村落の住民のほかはオノやノコギリを携えて山に入ることはできないが、Ｂ村落住民はカマやナタに限り携帯することができる、というような区別もありうるとする（大判大正13・2・1新聞2238号18頁）。しかし、別の判例は、Ａ村落の住民共有の山林に入会権を有するＢ村落の権利内容はいわゆる下草の採取に限られ、松や栗などの喬木を伐採することを許さないものであるというＡ村落の主張に対して、その挙証責任はＡにあるとも判示する（大判明治34・2・1民録7輯2巻1頁）。

⑤　入会権の主体

　入会権の帰属する村落は、入会原野を管理する主体として、ひとつの団体（入会団体）を構成する。この団体は、民法上の法人のように構成員である個人から超越した抽象的存在を有するのではなく、村民各自の独立の存在を認めながら、これを総合する団体であり、「実在的総合人」などと呼ばれる。

　このような団体の存在は、民法や市町村制度などにおいて認められてはいないが、しかし、慣習上の入会権なるものは、収益を行う個々の村民の背後に、このような団体の存在することを前提とするものであるから、民法が入会権について慣習を第一次の法源と認めている以上、今日においても、入会権の存在する所には、このような団体が存すると解しなければならない。このことは、民法のいわゆる共有の性質を有する入会権と、そうでない入会権とに共通のことである。ただ、前者においては、山林原野の所有権関係が村落に総有的に帰属する、すなわち純粋な「総有」を構成するのに反して、後者においては、一種の他物権である利用権が総有的に帰属する、すなわち「準総有」を構成する、という差異があるだけである。入会権は、権利者である一定の部落民に総有的に帰属するとした判例があったが（最判昭和41・11・25民集20巻1921頁。入会権の確認を求める訴えは、権利者全員による固有必要的共同訴訟であるとした）、最近の判例として、入会地を売却処分した場合に、その売却代金債権は入会権者らに総有的に帰属するとしたものがある（最判平成15・4・11判時1823号55頁）。

　この理論は、従来、共有の性質を有する入会権を有していた村落が、町村制の施行に伴って、単独でまたは他の村落とともに一町村を構成し、その土地がその町村の所有とされたときに、実際上重要な意義を持った。というのは、地方自治法238条の6（かつての町村制第90条）には、「旧来の慣習により市町村の住民中特に公有財産を使用する権利を有する者があるときは、その旧慣による。その旧慣を変更し、又は廃止しようとするときは、市町村の議会の議決を経なければならない」と規定されていて、町村有となった土地の上の村落の入会権もこの適用を受け、町村議会の議決によってこれを廃止・変更することができるようにみえるからである。しかし、入会権の主体としての村落団体は、入会権帰属の関係においては、今日でも、なおひとつの総合団体をなし、慣習に基づいて入会権を管理するものであって、町村とは独立の存在を有している。したがって、入会権の廃止・変更などは、村落住民全部の協議を要し、かつ、原則として、全部の同意を必要とし、町村会の決議によってできると解すべきではない。これが、入会権について慣習を第1の法源とした民法の趣旨にも合する所以である。判例も同じ趣旨を認め、上述したかつての町村制90条の適用を排斥した（大

入会権［前注］⑤〜⑧

判明治 39・2・5 民録 12 輯 165 頁、大判昭和 9・2・3 法学 3 巻 670 頁）。

　なお、地方自治法上のもう一つの手段としては、市町村の一部である村落に「財産区」としての法人格を認める方法が定められている（地自§§294〜）。

　なお、共有関係の訴訟については特殊性が認められるが（本節解説⑤参照）、とくに入会権に関する訴訟は固有必要的共同訴訟であるとされる。これに関連して、入会権者の一部（X ら）が原告として他の入会権者（Y₁ ら）による入会地の処分に反対して入会権確認訴訟を起すについては、処分を受けた Y₂ のほか Y₁ ら（X ら以外の入会権者全員）を被告とすれば足りるとした最判平成 20・7・17（民集 62 巻 1994 頁）がある（なお、通常の共有土地に関する一部の共有権者の第三者に対する境界確定訴訟に他の共有権者が同調しない事案についての最判平成 11・11・9 民集 53 巻 1421 頁参照）。

⑥　入会権関係の「近代化法」の成立

　第二次大戦後しばらくまでの、入会権に対する法制度の対応は、ほぼ上のようなものであったが、農地改革後における農村の構造変化のなかで入会権に関する慣行にも変化を生じ、「入会権の解体」とも呼ばれる現象がみられるに至った。それは、共有の性質を有する入会権の場合に、その地盤所有権を分割して個人所有権化したり、あるいは、入会権を金銭の支払その他の方法で消滅させたりするというような形で生じる。そのような状勢を踏まえて、国の政策も、1966 年の「入会林野等に係る権利関係の近代化の助長に関する法律」に示されるように、むしろ入会権を消滅させる方向に向かっている。問題は、わが国の農業の構造変化に関わるのであって、農業および農山村の将来に思いを致す必要のある事柄であることはいうまでもない。

⑦　入会権の効力

　入会権は、登記がなくても第三者に対抗できる（§177⑵㈠参照）。

　入会権を侵害する者があれば、村落団体自身も、また、収益権ある個々の住民も、ともにその侵害の排除を請求することができる。

　収益権を有する個々の住民は――民法のいわゆる共有の性質を有する入会権においても――共有の持分権に該当する権利をもたないから、入会地の分割を請求することも、自分の収益権を譲渡することもできない。

　個々の住民が有する収益権の内容は、すべて慣習によって定まる。村落団体が慣習によってその内容を定めるところによる場合もあろう。

　入会団体の会員資格を男子孫に限った会則の部分を公序良俗違反で無効とした判例（最判平成 18・3・17 民集 60 巻 773 頁）が注目される（改正前§90⑴⑵㈡⒞参照）。

⑧　入会権の発生

　村落団体としての入会権の取得と、個々の住民としての収益権能の取得とを、区別すべきである。

　㈠　村落団体が入会権を取得するのは、すべて慣習による。慣習のはじめが契約によった場合もあろうし、時効取得によった場合もあろう。しかし、いずれにしても、

503

第2編　第3章　所有権　第3節　共有

現在においては、ある村落が入会権を有するかどうかは、慣習によってだけ決まるのである。

(イ)　個々の住民が入会権を取得するかどうかは、先に述べた総合団体の構成員と認められるかどうかで決まる。したがって、すべて当該村落の慣習によって、たとえば、移住後1年を経れば構成員となるとか、家族の代表者だけが収益権を有するとかが定まる。

⑨　入会権の消滅

消滅についても、村落団体としての入会権の喪失と、個々の住民としての収益権能の喪失とを区別すべきである。

(ア)　団体の意思によって入会権を消滅させることは認められるが、その意思決定の方法は、慣習によって定まる。一般には、村落の収益権能を有する全員の同意を要するものとされる。

最も問題となったのは、明治初年の土地制度の整理にさいして土地が官有地に編入された場合において、入会権は消滅したものであるかどうかである。判例は、これを肯定する。当初、政府は、いやしくも農民が正当な権限に基づいて収益する土地はこれを民有地とし、農民がなんらの権限も有しない土地についてだけ、これを官有とする建前をとったのであるから、官有地に編入された以上は、たとえ、事実上収益をしていたという事情があっても、収益権能はそれによって消滅したというのが、判例の見解であった(大判大正4・3・16民録21輯328頁)。この判例理論の背後には、近代的な土地の利用の能率を高めるためには、入会権を整理消滅させるのを至当とする、という政策的考慮が含まれていた。そして、この政策的考慮に共鳴する学者はこれに賛成し、これに対して、入会権は商品経済の進展に順応できない貧しい農民の生活にとって不可欠の意義を有するから、判例理論は実際上農民の困窮をもたらすおそれがあり、したがって、農民保護の立場からこれに反対する学者もいた。第二次大戦後、最高裁も国有地上の入会権を承認するに至った(最判昭和48・3・13民集27巻271頁)。

(イ)　個々の住民が入会権を喪失する原因は、村民である資格を喪失することである。その喪失事由については、村落から他に移住すること、その他慣習によって当該村落の規範とされているところに従うのである。

(ウ)　共有の性質を有する入会権の消滅をきたす処分行為について、最判平成20・4・14(民集62巻909頁)が新しい判断を示した。同判決は、原子力発電所の建設を企図する Y_1 会社に入会地を交換譲渡する契約について、これに反対する入会権者 X_1 ら(第一審では4名)が、Y_1 および処分に賛成する入会権者 Y_2 ら(第一審では113名)に対して所有権移転登記の抹消と入会権の確認を請求した事案について、平成10年頃に成立した慣習により、役員会の決議で処分できるとした慣習が成立したとして、処分を有効と認定した(反対意見がある)。かなり疑問のある判決といわざるをえない。

入会権［前注］⑨・§263・準共有［前注］・§264〔1〕〔2〕

（共有の性質を有する入会権）
第二百六十三条
　　共有の性質を有する入会権については、各地方の慣習に従うほか、この節の
　規定を適用する[1]。
　［原条文］
　　共有ノ性質ヲ有スル入会権ニ付テハ各地方ノ慣習ニ従フ外本節ノ規定ヲ適用ス

〔1〕　本条前注を参照。

準共有 ［§264の前注］

　249条の規定は、とくに明言してはいないが、所有権の共有に関することは明らか
である。同じような共同所有の形態は所有権以外の財産権についても生じることは多
言を要しないであろう。264条は、これらにも本節の規定を準用する旨を定めたもの
である。これを準共有と称する。

（準共有）
第二百六十四条
　　この節（第二百六十二条の二及び第二百六十二条の三を除く。）の規定は、
　数人で所有権以外の財産権を有する場合について準用する。ただし、法令に特
　別の定めがあるときは、この限りでない。
　〈改正〉　2021年に改正された。第264条中「この節」の下に「（第262条の2及び第262条
　の3を除く。）」を加えた。
　［改正の趣旨］　かっこ書の追加は、所在等不明共有者の持分取得についての配慮である。た
　だし、本条ただし書の関係につき、262条の2第5項、263条の3第4項との関連等で、趣旨
　が明確でないとの批判も見られる。
　［改正前条文］
　　この節の規定は、数人で所有権以外の財産権[1]を有する場合について準用する。ただし、
　法令に特別の定めがあるときは、この限りでない[2]。
　［原条文］
　　本節ノ規定ハ数人ニテ所有権以外ノ財産権ヲ有スル場合ニ之ヲ準用ス但法令ニ別段ノ定
　アルトキハ此限ニ在ラス

〔1〕　地上権・永小作権・地役権・抵当権（§398の14参照）・特許権（最判平成14・
3・25民集56巻574頁がその例である）・商標権（最判平成14・2・28判時1779号81頁がそ
の例である）・著作権・鉱業権などが適例である。債権についても、これを認めることが
できるが、〔2〕参照。
〔2〕　会社法106条・126条3項4項（商旧§§203・318Ⅱ）、旧有限会社法22条、特
許法33条3項・38条・73条・77条5項・94条6項、著作権法64条・65条・117
条・附則10条、鉱業法44条などに特別の規定がある。

第 2 編　第 3 章　所有権　第 4 節　所有者不明土地管理命令及び所有者不明建物管理命令

　債権についても、準共有を認めることはできるが、一つの債権が多数の債権者に帰属する関係は、すなわち分割債権関係または不可分債権関係にほかならないのであるから、債権の準共有については、まず「多数当事者の債権及び債務」に関する規定（§§427～［改注]）を適用することになる。そのうえで、必要な場合に本節の共有に関する規定を準用することになるが、その必要はほとんどない（第 3 編第 1 章第 3 節解説参照）。

非訟事件手続法の改正

　非訟事件手続法は、2017 年の債権法改正における債権者代位制度の大改正を受けて、「第 3 編　民事非訟事件」の「第 1 章　裁判上の代位に関する事件」（85 条～91 条）を削除していた。今回の改正により、第 3 編は、「第 1 章　共有に関する事件」（85 条～89 条）、「第 2 章　土地の管理に関する事件」（90 条～92 条）、「第 3 章　供託等に関する事件」（93 条～98 条）となった。

第4節［解説］・§264の2

第4節　所有者不明土地管理命令及び所有者不明建物管理命令

[改正の趣旨]　民法総則の「不在者財産管理制度の見直し」から、議論は出発したが、新規定は物権編の所有権の章に置かれることになった。総則の不在者財産管理制度（不在者の財産全般）とは異なり、「特定の財産」のみを管理対象（土地の管理に特化した制度）としている。

（所有者不明土地管理命令）

第二百六十四条の二

　　1　裁判所は、所有者を知ることができず、又はその所在を知ることができない土地（土地が数人の共有に属する場合にあっては、共有者を知ることができず、又はその所在を知ることができない土地の共有持分）について、必要があると認めるときは、利害関係人の請求により、その請求に係る土地又は共有持分を対象として、所有者不明土地管理人（第4項に規定する所有者不明土地管理人をいう。以下同じ。）による管理を命ずる処分（以下「所有者不明土地管理命令」という。）をすることができる[1]。

　　2　所有者不明土地管理命令の効力は、当該所有者不明土地管理命令の対象とされた土地（共有持分を対象として所有者不明土地管理命令が発せられた場合にあっては、共有物である土地）にある動産（当該所有者不明土地管理命令の対象とされた土地の所有者又は共有持分を有する者が所有するものに限る。）に及ぶ[2]。

　　3　所有者不明土地管理命令は、所有者不明土地管理命令が発せられた後に当該所有者不明土地管理命令が取り消された場合において、当該所有者不明土地管理命令の対象とされた土地又は共有持分及び当該所有者不明土地管理命令の効力が及ぶ動産の管理、処分その他の事由により所有者不明土地管理人が得た財産について、必要があると認めるときも、することができる[3]。

　　4　裁判所は、所有者不明土地管理命令をする場合には、当該所有者不明土地管理命令において、所有者不明土地管理人を選任しなければならない[4]。

〈改正〉　2021年に新設された。

[本条の趣旨]　不在者の財産管理人は不在者の財産全般または相続財産全般を管理する結果、負担が大きいため、所有者不明土地に特化した管理制度の検討がなされ、土地管理制度と土地管理人の創設が提唱され、その後の審議において、所有者不明・管理不全土地の管理制度と共に、所有者不明・管理不全建物の管理制度の創設が決定された。建物管理人の権限には、建物の敷地利用権並びに建物内の動産の管理権も含まれるが、土地管理人の権限に含まれるのは所有権のみであり、利用権は含まれない。この点で、共有物の管理の場合とは異なっている（新251条・252条・252条の2・264条参照）。

　　[1]　総則の不在者の財産管理の場合の「裁判所」は家庭裁判所であるが、本項の「裁判所」は地方裁判所である（非訟90条1項）。「知ることができず、又はその所在を知ることが

507

第２編　第３章　所有権　第４節　所有者不明土地管理命令及び所有者不明建物管理命令

できない」という要件は、本条のほかに、233条３項２号・251条２項・252条２項１号・252条の２第２項・262条の２第１項・262条の３第１項・264条の８第１項にも見られる。しかし、それぞれにおいて、認定基準は異なるようである。また、利害関係人については、第25条の請求権者との違いに注意すべきである。所有者不明土地特措法によれば、所有者不明土地とは、「相当な努力がはらわれたと認められるものとして政令で定める方法により探索を行ってもなおその所有者の全部又は一部を確知することができない一筆の土地をいう」とされている（同法２条１項）。

　　[２]　本項は、管理令の効力の及ぶ範囲に関する規定である。管理対象土地の適切な管理を行うためには、土地所有者がその土地上に所有する動産を移動・修繕・保管し、場合によっては処分する必要も応じるためである。

　　[３]　本項は、当該土地が管理人により売却され、代金の供託がなされ、「命令」が取り消されたような場合の再度の発令に関する規定である。

　　[４]　所有者不明土地管理人の選任は必須である。この点は、25条１項前段と異なっている。非訟事件手続法90条参照。

（所有者不明土地管理人の権限）
第二百六十四条の三

　　１　前条第四項の規定により所有者不明土地管理人が選任された場合には、所有者不明土地管理命令の対象とされた土地又は共有持分及び所有者不明土地管理命令の効力が及ぶ動産並びにその管理、処分その他の事由により所有者不明土地管理人が得た財産（以下「所有者不明土地等」という。）の管理及び処分をする権利は、所有者不明土地管理人に専属する[1]。

　　２　所有者不明土地管理人が次に掲げる行為の範囲を超える行為をするには、裁判所の許可を得なければならない。ただし、この許可がないことをもって善意の第三者に対抗することはできない[2]。

　　　一　保存行為
　　　二　所有者不明土地等の性質を変えない範囲内において、その利用又は改良を目的とする行為

〈改正〉　2021年に新設された。

[本条の趣旨]　[１]　本項の趣旨は、所有者不明土地管理人に管理処分権を専属させることが、同人による職務の円滑な遂行に寄与するほか、法的安定にも寄与することにある。所有者不明土地管理命令の対象とされた土地等の管理・処分権は、所有者不明土地管理人に専属するから、不在者財産管理人、相続財産管理人・清算人が行った行為は無効と解されることになろう。所有者についても、「管理命令」が取り消されない限り、同様であろう（失踪宣告がなされた場合と類似する）。

　　[２]　本項は、裁判所によるコントロールを定めた規定である。「性質を変えない範囲内」に付き、264条の10第２項２号も参照。本項ただし書は、善意の第三者の保護規定である。

（所有者不明土地等に関する訴えの取扱い）
第二百六十四条の四

　　　　所有者不明土地管理命令が発せられた場合には、所有者不明土地等に関する訴えについては、所有者不明土地管理人を原告又は被告とする。

§§264の3・264の4・264の5・264の6・264の7

〈改正〉　2021 年に新設された。

[本条の趣旨]　[1]　所有者不明土地等に関する訴えの当事者適格に関する規定である。なお、訴訟の係属中に「管理命令」が発令された場合については、民事訴訟法新 125 条参照。

（所有者不明土地管理人の義務）
第二百六十四条の五
　　1　所有者不明土地管理人は、所有者不明土地等の所有者（その共有持分を有する者を含む。）のために、善良な管理者の注意をもって、その権限を行使しなければならない[1]。
　　2　数人の者の共有持分を対象として所有者不明土地管理命令が発せられたときは、所有者不明土地管理人は、当該所有者不明土地管理命令の対象とされた共有持分を有する者全員のために、誠実かつ公平にその権限を行使しなければならない[2]。

〈改正〉　2021 年に新設された。

[本条の趣旨]　[1]　本項は、所有者不明土地管理人の善良な管理者の注意義務を規定している。権限については、264 条の 3 を参照。

　　[2]　本項は、「数人の者の共有持分を対象として所有者不明土地管理命令が発せられたとき」について、誠実公平義務を規定している。

　　なお、上記の二つの義務については、利益相反的に「矛盾抵触」する場合があるのではないかとの危惧も指摘されている。

（所有者不明土地管理人の解任及び辞任）
第二百六十四条の六
　　1　所有者不明土地管理人がその任務に違反して所有者不明土地等に著しい損害を与えたことその他重要な事由があるときは、裁判所は、利害関係人の請求により、所有者不明土地管理人を解任することができる[1]。
　　2　所有者不明土地管理人は、正当な事由があるときは、裁判所の許可を得て、辞任することができる[2]。

〈改正〉　2021 年に新設された。

[本条の趣旨]　[1]　不在者の財産管理人の場合との違いに注意すべきである（2 項についても）。

　　[2]　本項では、裁判所の許可を得た「辞任」権が規定された。

（所有者不明土地管理人の報酬等）
第二百六十四条の七
　　1　所有者不明土地管理人は、所有者不明土地等から裁判所が定める額の費用の前払及び報酬を受けることができる。
　　2　所有者不明土地管理人による所有者不明土地等の管理に必要な費用及び報酬は、所有者不明土地等の所有者（その共有持分を有する者を含む。）の負担とする[1]。

〈改正〉　2021 年に新設された。

509

第2編　第3章　所有権　第4節　所有者不明土地管理命令及び所有者不明建物管理命令

[本条の趣旨][1]　所有者不明土地管理人の報酬等に関する規定であるが、不在者の財産管理人の場合との違いに注意すべきである。29条1項に相当する規定はない。

（所有者不明建物管理命令）
第二百六十四条の八

1　裁判所は、所有者を知ることができず、又はその所在を知ることができない建物（建物が数人の共有に属する場合にあっては、共有者を知ることができず、又はその所在を知ることができない建物の共有持分）について、必要があると認めるときは、利害関係人の請求により、その請求に係る建物又は共有持分を対象として、所有者不明建物管理人（第四項に規定する所有者不明建物管理人をいう。以下この条において同じ。）による管理を命ずる処分（以下この条において「所有者不明建物管理命令」という。）をすることができる[1]。

2　所有者不明建物管理命令の効力は、当該所有者不明建物管理命令の対象とされた建物（共有持分を対象として所有者不明建物管理命令が発せられた場合にあっては、共有物である建物）にある動産（当該所有者不明建物管理命令の対象とされた建物の所有者又は共有持分を有する者が所有するものに限る。）及び当該建物を所有し、又は当該建物の共有持分を有するための建物の敷地に関する権利（賃借権その他の使用及び収益を目的とする権利（所有権を除く。）であって、当該所有者不明建物管理命令の対象とされた建物の所有者又は共有持分を有する者が有するものに限る。）に及ぶ[2]。

3　所有者不明建物管理命令は、所有者不明建物管理命令が発せられた後に当該所有者不明建物管理命令が取り消された場合において、当該所有者不明建物管理命令の対象とされた建物又は共有持分並びに当該所有者不明建物管理命令の効力が及ぶ動産及び建物の敷地に関する権利の管理、処分その他の事由により所有者不明建物管理人が得た財産について、必要があると認めるときも、することができる[3]。

4　裁判所は、所有者不明建物管理命令をする場合には、当該所有者不明建物管理命令において、所有者不明建物管理人を選任しなければならない[3]。

5　第二百六十四条の三から前条までの規定は、所有者不明建物管理命令及び所有者不明建物管理人について準用する[4]。

〈改正〉　2021年に新設された。
[本条の趣旨][1]　本項は、264条の2第1項の「土地」を「建物」に改めた条文である。本条の建物は、空家特措法2条2項の「特定空家等」に該当するような危険な状態にある建物には限られない。建物としての認定ができない場合には、管理命令の登記ができないことから、土地上の動産等として、所有者不明土地管理制度（264条の2以下）または管理不全土地管理制度（264条の9以下）において処理されると解されている。

[2]　本項では、所有者不明建物管理命令の効力の及ぶ範囲に付き、建物内の動産や敷地に関する権利を対象に加えている。

[3]　3項・4項については、264条の2第3項および第4項を参照。

§264の8

［4］ 本項は、準用規定である。

　なお、管轄裁判所等に付き、非訟事件手続法新90条1項・16条参照。なお、区分所有建物の専有部分および共用部分とその敷地利用権については、この制度の適用はない（同法6条新4項）。以上の改正に関連して、家事審判法も改正されている（特に、146条以下の改正に注意）。

第2編　第3章　所有権　第五節　管理不全土地管理命令及び管理不全建物管理命令

第5節　管理不全土地管理命令及び管理不全建物管理命令

[改正の趣旨]　管理不全土地・建物管理制度は所有者による適切な管理が行われていないために、近隣に悪影響や危険を生じさせているまたは生じさせるおそれがある不動産について、裁判所が、利害関係人の請求により、管理人による管理を命ずる処分を可能とする制度である(264の9〜264の14)。これにより、管理人を通じて適切な管理を行い、管理不全状態を解消することが可能になる。

（管理不全土地管理命令）
第二百六十四条の九
　　1　裁判所は、所有者による土地の管理が不適当であることによって他人の権利又は法律上保護される利益が侵害され、又は侵害されるおそれがある場合において、必要があると認めるときは、利害関係人の請求により、当該土地を対象として、管理不全土地管理人（第三項に規定する管理不全土地管理人をいう。以下同じ。）による管理を命ずる処分（以下「管理不全土地管理命令」という。）をすることができる[1]。
　　2　管理不全土地管理命令の効力は、当該管理不全土地管理命令の対象とされた土地にある動産（当該管理不全土地管理命令の対象とされた土地の所有者又はその共有持分を有する者が所有するものに限る。）に及ぶ[2]。
　　3　裁判所は、管理不全土地管理命令をする場合には、当該管理不全土地管理命令において、管理不全土地管理人を選任しなければならない[3]。
〈改正〉　2021 年に新設された。
[本条の趣旨]　管理不全土地管理命令が発動されるのは、通常は、所有者が判明している場合である。しかし、所有者不明土地についても、適用は排除されていない。所有者不明土地管理令が発せられていれば、管理不全土地管理令の申立は却下されると解されている。なお、本条の規定ぶりは、264条の2、264条の8第1項・2項・4項とほぼ同じである。
　　[1]　本項においては、土地が数人の共有に属する場合の共有持分が対象とされていない(264条の2第1項参照)。他の共有者が適正な管理を望んでいるのに共有者の一人または一部が反対している事案を想定しなかったからであろうか。
　　[2]　本項は、264条の2第2項と同趣旨である。
　　[3]　管理人による管理を可能にするために、土地管理人を選任しなければならない。

（管理不全土地管理人の権限）
第二百六十四条の十
　　1　管理不全土地管理人は、管理不全土地管理命令の対象とされた土地及び管理不全土地管理命令の効力が及ぶ動産並びにその管理、処分その他の事由により管理不全土地管理人が得た財産（以下「管理不全土地等」という。）の管理及び処分をする権限を有する[1]。

第 5 節 ［解説］・§§264 の 9・264 の 10・264 の 11・264 の 12

 2 管理不全土地管理人が次に掲げる行為の範囲を超える行為をするには、裁判所の許可を得なければならない。ただし、この許可がないことをもって善意でかつ過失がない第三者に対抗することはできない[2]。

  一 保存行為

  二 管理不全土地等の性質を変えない範囲内において、その利用又は改良を目的とする行為

 3 管理不全土地管理命令の対象とされた土地の処分についての前項の許可をするには、その所有者の同意がなければならない[3]。

〈改正〉 2021 年に新設された。

［本条の趣旨］ **［1］** 264 条の 3 の場合とは異なり、「管理不全土地等」の管理および処分をする権限は、管理不全土地管理人に「専属」せず、本条 1 項では「有する」にすぎない。所有者や財産管理人も管理・処分権を剥奪されていない。したがって、本項の意義は、管理不全土地管理人の管理処分行為につき所有者が同意しない場合に、これを妨害行為として排除請求できる点にある、とされている。実際には、同意に代わる裁判を求めることになる。

 ［2］ 本項は、264 条の 3 第 2 項と同様である。

 ［3］ 本項は、本条に固有の規定である。

（管理不全土地管理人の義務）

第二百六十四条の十一

 1 管理不全土地管理人は、管理不全土地等の所有者のために、善良な管理者の注意をもって、その権限を行使しなければならない[1]。

 2 管理不全土地等が数人の共有に属する場合には、管理不全土地管理人は、その共有持分を有する者全員のために、誠実かつ公平にその権限を行使しなければならない[2]。

〈改正〉 2021 年に新設された。

［本条の趣旨］ **［1］** 本条は、264 条の 5 と基本的に同一であるが、本項は、土地が単独所有の場合の所有者に対する善管注意義務を定めている。

 ［2］ 本項は、土地が共有の場合の共有者全員に対する誠実公平義務を定めている。

（管理不全土地管理人の解任及び辞任）

第二百六十四条の十二

 1 管理不全土地管理人がその任務に違反して管理不全土地等に著しい損害を与えたことその他重要な事由があるときは、裁判所は、利害関係人の請求により、管理不全土地管理人を解任することができる。

 2 管理不全土地管理人は、正当な事由があるときは、裁判所の許可を得て、辞任することができる。

〈改正〉 2021 年に新設された。

［本条の趣旨］ 264 条の 6 と同趣旨の規定である。

513

第2編　第4章　地上権

（管理不全土地管理人の報酬等）
第二百六十四条の十三
　　1　管理不全土地管理人は、管理不全土地等から裁判所が定める額の費用の前
　　　払及び報酬を受けることができる。
　　2　管理不全土地管理人による管理不全土地等の管理に必要な費用及び報酬は、
　　　管理不全土地等の所有者の負担とする。
〈改正〉　2021 年に新設された。
[本条の趣旨]　264 条の 7 と同一の規定である。なお、管理不全土地管理令に関する事件に
ついては、非訟事件手続法新 91 条参照。

（管理不全建物管理命令）
第二百六十四条の十四
　　1　裁判所は、所有者による建物の管理が不適当であることによって他人の権
　　　利又は法律上保護される利益が侵害され、又は侵害されるおそれがある場合
　　　において、必要があると認めるときは、利害関係人の請求により、当該建物
　　　を対象として、管理不全建物管理人（第三項に規定する管理不全建物管理人
　　　をいう。第四項において同じ。）による管理を命ずる処分（以下この条にお
　　　いて「管理不全建物管理命令」という。）をすることができる。
　　2　管理不全建物管理命令は、当該管理不全建物管理命令の対象とされた建物
　　　にある動産（当該管理不全建物管理命令の対象とされた建物の所有者又はそ
　　　の共有持分を有する者が所有するものに限る。）及び当該建物を所有するた
　　　めの建物の敷地に関する権利（賃借権その他の使用及び収益を目的とする権
　　　利（所有権を除く。）であって、当該管理不全建物管理命令の対象とされた
　　　建物の所有者又はその共有持分を有する者が有するものに限る。）に及ぶ。
　　3　裁判所は、管理不全建物管理命令をする場合には、当該管理不全建物管理
　　　命令において、管理不全建物管理人を選任しなければならない。
　　4　第二百六十四条の十から前条までの規定は、管理不全建物管理命令及び管
　　　理不全建物管理人について準用する。
〈改正〉　2021 年に新設された。
[本条の趣旨]　具体的には、借地上の空家が管理不全になっている場合などに対処するため
には、管理不全建物管理制度が必要である。本条の規定ぶりも、264 条の 8 と同様である。

§§264の13・264の14・第4章［解説］①～③

第4章　地　上　権

①　用益物権（第4章～第6章）について

本章から第6章までは、民法上の「用益物権」について規定する。各章は、それぞれ地上権、永小作権、地役権について規定するが、もうひとつ、入会権も、独立の章はもたないが、二つの条文（§§263・294）によって規定された用益物権のひとつである（§263前注参照）。

民法上の用益物権は、すべて土地を目的とするものである。動産の上の用益物権は認められない。契約に基づく債権（賃借権など）を利用するほかない。

②　本章の内容

本章は、地上権と題して、その定義を下し（§265）、その存続期間（§268）、地上権消滅の場合の工作物の収去関係（§269）を規定するほかは、地代支払義務に関しては、永小作権および賃貸借に関する規定を準用し（§266）、相隣関係については所有権に関する規定を準用する（§267）。最後に、1966年の改正により新設された「地下・空間を目的とする地上権」に関する規定（§269の2）を収めている。

③　地上権と土地の賃借権

地上権は、永小作権とともに、他人の土地を利用する物権であるが、その利用の内容がその地上に「工作物又は竹木を所有する」ことにある点が特徴である。地上権と永小作権は、民法施行前にはかなり強力なものであったが、民法は、土地所有権の効力を強大にするために、この両権利の効力に制限を加えた。しかし、地上権のうち建物の所有を目的とするものは、住宅問題と密接な関係を有し、民法施行後の社会的事情は、その効力を強化することを必要とした。そのために、現在までに数次の立法がなされてきた。

(1)　この強化の対象となったのは、主として、建物の所有を目的とする他人の土地の利用権である。この種の利用権としては、本章の地上権（それもすべての地上権ではなく、建物所有を目的とするものに限られる）と債権編に規定される賃貸借契約（§§601～622）に基づく賃借権（これもすべての賃借権ではなく、建物所有を目的とするものに限られる）とがありうるが、実際上は、この種の関係において一般的には貸主が優位であることを反映して、賃借権の方が圧倒的に多い。この建物の所有を目的とする地上権と賃借権を合わせた概念が、「借地権」である。

この借地権の問題は、要するに他人の土地を借りてその地上に建物を建設し、所有し、利用しつづけるという関係であり、これを借地問題と呼ぶことができる。いうまでもなく、それは、個人にとっての住宅問題、企業にとっての敷地の確保の問題、要するに土地問題と深く関わる重要な問題である。

(2)　それだけに、借地権を強化するための立法の沿革は興味深いものがある。以下

第2編　第4章　地上権

に、これを概観しよう。

①まず、1909年(明治42年)の「建物保護ニ関スル法律」が、借地上の建物を登記するだけで借地権に対抗力を備えることができることとした。民法上も、地上権の登記(§177⑴参照)、賃借権の登記(§605〔改注〕)が可能だが、前者については、所有者が設定自体に応じたがらないからであり、後者については、実際には貸主が登記に応じないからである。

②1921年(大正10年)に、借地法が制定され(同時に借家法も制定された)、借地権の存続期間、更新の保障などの強化が行われた。

③関東大震災を機に、1924年(大正13年)に借地借家臨時処理法が制定され、建物が震災により滅失した場合の借地権の保護が図られた(その後身が、1946年の罹災都市借地借家臨時処理法であったが、2013年に廃止された。第3編第2章第7節解説④⑵(エ)参照)。

④1941年(昭和16年)に借地法、借家法に重要な改正が行われ、解約の申入れ、更新拒絶に「正当の事由」が必要とされることになった。

⑤第二次大戦の戦中戦後に、地代家賃統制のための立法が行われた。

⑥1991年(平成3年)に、①・②・④の立法を総合した「借地借家法」が新しく制定された。

⑦2013年に大規模な災害の被災地における借地借家に関する特別措置法(平成25年法律61号)が制定され、借地借家臨時処理法が廃止された。詳しくは、第3編第2章第7節解説④⑵(エ)参照。

これらの立法については、本章のほか、第3編第2章第7節解説④を参照。

(3)　上のような立法(ときには判例)による借地権の強化の現象を、その権利のほとんどが賃借権であることから、「賃借権の物権化」と呼ぶことがある。この言葉は、賃借権が——債権でありながら——物権に等しいほどに強化されたことを意味する場合と、賃借権が物権になったことを意味する場合とがありうることに注意を要する。借地権に関して、それがもともと地上権である場合は問題ないが、もとは賃借権である場合についてはどう考えたらよいかも問題である。賃借権である場合も含めて、借地権という一種の物権が承認されていると理解することも可能であろうか。

(4)　なお、農地・採草放牧地の上に地上権が設定される場合がある(農地§3)。この場合は、むしろ許可を必要とするなどの制約があり(同§§3・5)、農地法による利用権の強化は、賃貸借についてだけ認められる(第5章解説②参照)。

> **(地上権の内容)**
> **第二百六十五条**
> 　　地上権者[1]は、他人の土地において工作物[2]又は竹木[3]を所有するため、その土地を使用する権利[4]を有する[5]。
> **[原条文]**
> 　　地上権者ハ他人ノ土地ニ於テ工作物又ハ竹木ヲ所有スル為メ其土地ヲ使用スル権利ヲ有ス

§265〔1〕～〔5〕

〔1〕 「地上権」の取得は、地上権の設定契約によるのが普通である。ただし、人が「地上権」と言っても、賃貸借契約上の賃借権である場合が多い（1900年の「地上権ニ関スル法律」は、むしろ地上権と推定したが）。なお、地上権成立のもう一つの原因として、いわゆる法定地上権の規定がある。388条〔1〕参照。

〔2〕 「工作物」とは、建物・橋梁・溝や堀（§229参照）・人工池・銅像・トンネルなど、地上および地下の一切の建造物をいう。

〔3〕 「竹木」には制限はないが、桑・茶・果樹などのように、これを植栽することが耕作と認められるものについては、永小作権を設定するべきものであるから、地上権は成立しない。

〔4〕 「地上権」は、工作物または竹木を所有する目的で土地を使用する権利である。地上物、ことに建物が土地所有権に吸収される法制のもとでは、この点に関連して地上権の性格が問題となる（§86〔3〕(ｱ)(a)参照）。しかし、建物およびその他の一定の地上物について独立の所有権を認めるわが法制のもとでは、単純に土地使用権とみてよい。したがって、現に工作物または竹木を所有しなくても、地上権を設定することができるし、また、これらの物が滅失しても、地上権は消滅しない。なお、使用にあたって土地に永久の損害を生ずるような変更を加えてはならないことは、永小作権に関する271条のような規定がないが、当然のこととされる。

地上権者は、自分で使用しないで、他人に賃貸することができるだけでなく、地上権自体を任意に譲渡することができ、地主の承諾を必要としない（§612参照）。この地上権の譲渡性について規定はないが、物権の性質上、当然である。永小作権についての272条は、むしろ譲渡禁止の特約を認めるただし書に意味があり、その特約の登記もできる。これに対して、地上権については、特約で譲渡を禁止することはできるが、これを登記することができないから、地上権者がこの特約に違反して譲渡すれば、譲受人は有効に地上権を取得する。この場合、土地所有者は、譲渡人に対して契約違反の責任を問うほかはない。

地上権の譲渡は、普通の契約によることもちろんである。注意すべきは、地上の建物の譲渡は、原則として地上権の譲渡を伴うと解釈されることである。地上権は、建物の従たる権利であるともいえ（§87〔5〕参照）、建物をその地上に存続させるという了解のもとに譲渡されるときは、地上権をも移転する意思であることは当然だからである。地上権の譲受人は、地代債務をも承継する。しかし、地代の登記をしていないと、地主は、譲受人に対して地代債権を対抗することができないと解釈されている。

〔5〕 地上権の取得をもって第三者に対抗するためには、登記を必要とする（§177）。たとえば、地上権者がその登記をしない間に土地所有者がその土地を第三者に譲渡し、第三者が移転登記を取得するときは、地上権者はこの第三者に対して地上権を対抗することができない。しかし、本章解説で述べた借地借家法による借地権の対抗力は、地上建物の登記だけで認められるなどの例外があることに注意を要する。

ある土地の上の地上権が、上述のように、その上の建物の登記によって特別法による対抗力を与えられている場合には、そのことが、土地の登記簿には表示されていないから、土地の買主は不測の損害をこうむることがありうる。このような場合には、

517

第2編　第4章　地上権

売主に担保責任が認められる（借地借家§10Ⅲ、民§566 ［改注]）。

（地代）
第二百六十六条
 1 第二百七十四条から第二百七十六条までの規定は、地上権者が土地の所有者に定期の地代[1]を支払わなければならない場合について準用する[2]。
 2 地代については、前項に規定するもののほか、その性質に反しない限り、賃貸借に関する規定を準用する[3]。
［原条文]
  地上権者カ土地ノ所有者ニ定期ノ地代ヲ払フヘキトキハ第二百七十四条乃至第二百七十六条ノ規定ヲ準用ス
  此他地代ニ付テハ賃貸借ニ関スル規定ヲ準用ス

〔1〕 地上権は、永小作権と異なり、無償で設定することもできる（§265と§270とを対比せよ）。定期の地代によらないで、最初の設定の時に一括して代価として支払われる場合もある（§378は「地上権を買い受け」るという表現を使っている）。
 地代の額は、いうまでもなく、当事者の契約で定められる。しかし、これに対して借地借家法は一種の「事情変更の原則」（§1〔4〕㈹参照）を認め、いわゆる地代等増減請求権を規定している（借地借家§11）。
 〔2〕 準用されている条文については、それぞれの注釈を見よ。注意すべきは、274条と275条は収益に関するものであるから、主として植林を目的とする地上権にだけ準用されるにとどまることである。
 〔3〕 「賃貸借に関する規定」とは、601条 ［改注] 以下の規定だけでなく、他の章にある諸規定、たとえば312条～316条 ［改注] の規定などをも含む。

（相隣関係の規定の準用）
第二百六十七条
  前章第一節第二款（相隣関係）の規定は、地上権者間又は地上権者と土地の所有者との間について準用する[1]。ただし、第二百二十九条の規定は、境界線上の工作物が地上権の設定後に設けられた場合に限り、地上権者について準用する[2]。
［原条文]
  第二百九条乃至第二百三十八条ノ規定ハ地上権者間又ハ地上権者ト土地ノ所有者トノ間ニ之ヲ準用ス但第二百二十九条ノ推定ハ地上権設定後ニ為シタル工事ニ付テノミ之ヲ地上権者ニ準用ス

 〔1〕 準用されるのは209条～238条で、いわゆる「相隣関係」に関する規定である。これらの規定は、隣接する土地の利用の調節を目的とするものであって、所有の調節を目的とするものではない。したがって、地上権のように土地の利用を目的とする権利についてこれを準用するのは、きわめて適切なことである。民法は、永小作権

§§ 266・267・268〔1〕

について同様の規定を設けなかったが、一般に、本条の趣旨はこれにも準用するべきものと解される。

〔2〕 地上権設定前に行った工事については、地上権者ではなく、土地所有者が相隣者と共有するものと推定されるのである。

（地上権の存続期間）
第二百六十八条
　1　設定行為で地上権の存続期間を定め¹⁾なかった場合において、別段の慣習がないときは、地上権者は、いつでもその権利を放棄することができる。ただし、地代を支払うべきときは、一年前に予告をし、又は期限の到来していない一年分の地代を支払わなければならない²⁾。
　2　地上権者が前項の規定によりその権利を放棄しないときは、裁判所は、当事者の請求により、二十年以上五十年以下の範囲内において、工作物又は竹木の種類及び状況その他地上権の設定当時の事情を考慮して、その存続期間を定める³⁾。

［原条文］
　　設定行為ヲ以テ地上権ノ存続期間ヲ定メサリシ場合ニ於テ別段ノ慣習ナキトキハ地上権者ハ何時ニテモ其権利ヲ抛棄スルコトヲ得但地代ヲ払フヘキトキハ一年前ニ予告ヲ為シ又ハ未タ期限ノ至ラサル一年分ノ地代ヲ払フコトヲ要ス
　　地上権者カ前項ノ規定ニ依リテ其権利ヲ抛棄セサルトキハ裁判所ハ当事者ノ請求ニ因リ二十年以上五十年以下ノ範囲内ニ於テ工作物又ハ竹木ノ種類及ヒ状況其他地上権設定ノ当時ノ事情ヲ斟酌シテ其存続期間ヲ定ム

〔1〕 設定行為によって存続期間を定める場合には、最長期と最短期が問題になる。
　㋐　最長期として、永久の地上権を設定することができるであろうか。所有権に対する不当の制限となるから許されないと解する説も少なくないが、判例はこれを許すものとし（大判明治36・11・16民録9輯1244頁）、学説の多くもこれに賛成している。思うに、民法施行前には永久の地上権、永久の永小作権があったのであるが、民法施行と同時に永小作権については永久存続すべきものを禁じてしまった（§278、民施§47）。しかし、地上権には言及していないので、永久の地上権を許したものとみることができよう。また、土地の開発というような点からは、むしろ地上権者がこれに貢献しているので、永久の地上権を許しても、社会経済上の不利益となる心配はないと考えられる。
　㋑　最短期としては、2年、3年というような短期も有効である。ただし、かつて地主がこのような契約を強要して、地上権設定契約の更新期に不当な地代値上げをしようとするものである場合には、裁判所は、その2年または3年というのは地上権の存続期間ではなく、地代据置き期間にすぎないと解釈して、地主の土地明渡しの請求をおさえ、妥当な地代の交渉をするべきものとした。これは、契約の解釈は信義の原則に従ってなすべしという大原則に従ったもので、正当な態度として支持されたところである。なお、借地権については、特別法によって存続期間が保障されている（〔3〕

519

第2編　第4章　地上権

参照)。

〔2〕　期間の定めのない地上権を突然に放棄されると、地主が土地利用上損失をこうむるであろうと考えて、この規定をおいたものと思われるが、実際上は、地上権を放棄するという例は少ないであろう。

〔3〕　ここにいう20年以上50年以下というのは、裁判の時からではなく、地上権の設定行為または成立(§388参照)の時から計算される。

旧借地法の適用のある地上権については、期間の定めがない場合は法律によってその存続期間が保障されている。すなわち、堅固な建物の所有を目的とする場合には60年、その他の場合には30年である(同法§2Ⅰ本文)。契約で建物の種類を定めなかったときは、後者とみなされる(同法§3)。なお、上の期間中でも建物が朽廃した場合(滅失を含まないことに注意せよ)には、その朽廃とともに地上権は消滅する(同法§2Ⅰただし書)。上の期間満了後にも更新請求が可能とされている(同法§4)。

なお、借地借家法によれば、借地権については、30年以上の期間(更新後は20年、10年)が強行的に保障されている(同法§§3・4・9および§5参照)。

（工作物等の収去等）
第二百六十九条
　　1　地上権者は、その権利が消滅した時に、土地を原状に復してその工作物及び竹木を収去することができる[1]。ただし、土地の所有者が時価相当額を提供してこれを買い取る旨を通知したときは、地上権者は、正当な理由がなければ、これを拒むことができない[2]。
　　2　前項の規定と異なる慣習があるときは、その慣習に従う。
［原条文］
　　地上権者ハ其権利消滅ノ時土地ヲ原状ニ復シテ其工作物及ヒ竹木ヲ収去スルコトヲ得但土地ノ所有者カ時価ヲ提供シテ之ヲ買取ルヘキ旨ヲ通知シタルトキハ地上権者ハ正当ノ理由ナクシテ之ヲ拒ムコトヲ得ス
　　前項ノ規定ニ異ナリタル慣習アルトキハ其慣習ニ従フ

〔1〕　地上権者は、土地に付属させた工作物や竹木の所有権を失うものではないから(§242)、これを収去する権利を有することは当然である。かえって、土地を原状に復して返還する義務を負うと考えられる。

〔2〕　工作物または竹木は、これを土地から切り離すことによって社会経済上の損失をまねく場合が多い。ことに、建物においてそうである。そこで、民法は、地主にこれを買い取らせるという方法で、収去による損失を防ごうとしたのである。しかしそのさい、民法は、それを地主の任意にまかせ、地上権者からの買取りの請求を認めなかったので、あまり効用を発揮することがなかった。これに対して、借地権については、借地権者による建物の買取り請求権(一種の形成権と考えられる)が認められる(借地借家§13。なお、§14も参照)。

本条による地主の買取り請求権の行使は、単に買い取るという意思を表示すること

520

§§ 268〔2〕〔3〕・269・269の2〔1〕

をもってその効力を生じ、地上権者の承諾を必要としない。ただ、地上権者は正当の事由がある場合には、すでに地主の意思表示によって生じた売買の効果を否定できるのである。

（地下又は空間を目的とする地上権）
第二百六十九条の二
　　1　地下又は空間は、工作物を所有するため[3]、上下の範囲を定めて[2]地上権の目的とすることができる[1]。この場合においては、設定行為で、地上権の行使のためにその土地の使用に制限を加えることができる[4]。
　　2　前項の地上権は、第三者がその土地の使用又は収益をする権利を有する場合においても、その権利又はこれを目的とする権利を有するすべての者の承諾があるときは、設定することができる[5]。この場合において、土地の使用又は収益をする権利を有する者は、その地上権の行使を妨げることができない[6]。

〈改正〉　1966年の改正により、本条が追加され、2004年に改正された。
［2004年改正前条文］
　　地下又ハ空間ハ上下ノ範囲ヲ定メ工作物ヲ所有スル為メ之ヲ地上権ノ目的ト為スコトヲ得此場合ニ於テハ設定行為ヲ以テ地上権ノ行使ノ為メニ土地ノ使用ニ制限ヲ加フルコトヲ得
　　前項ノ地上権ハ第三者ガ土地ノ使用又ハ収益ヲ為ス権利ヲ有スル場合ニ於テモ其権利又ハ之ヲ目的トスル権利ヲ有スル総テノ者ノ承諾アルトキハ之ヲ設定スルコトヲ得此場合ニ於テハ土地ノ使用又ハ収益ヲ為ス権利ヲ有スル者ハ其地上権ノ行使ヲ妨グルコトヲ得ズ

〔1〕　本条は、土地の空間または地下の一部を限定して、その上に地上権を設定することを認めた。空間の一部を利用する目的のものを「空間権」、「空中権」または「空間地上権」、「空中地上権」、地下の一部を利用する目的のものを「地下権」または「地下地上権」と呼ぶことができるが、両者を総称して、通常は「部分地上権」または「区分地上権」と呼ばれている。ここでは、後者の呼称によることとする。

　通常の地上権は、原則として土地の上下に及ぶから、地上権を設定した土地所有者は、その土地をまったく利用することはできないし、他の者もその土地の利用からはまったく排除されることになる。ところが、最近における土木・建設・建築技術の進歩により、かなりの高度または深度の空間・地下・水中における工作物の建造が可能になり、土地利用が立体化したことに伴い（高架道路・モノレール、地下鉄、トンネル、地下街などを考えればよい）、このような区分所有権の制度の新設が要請されるようになったのである。けだし、所有権や通常の地上権により当該の土地の上下をすべて支配するということはときには無駄なことであり、また、すでに地上に建造物が存在する場合にも、その存在を認めながら、別に用益権を確保する道を開く必要を生じることがあるからである。従来からの方法としては、たとえば、他人の土地上の空間を通過する送電線について、地役権や賃借権を設定する例があった。しかし、今後におけるこの種の建造物においては、半永久的なものが増加すると予想されることなどから、

第2編　第4章　地上権

より強固な権利である地上権の利用が望ましいと考えられるのである。

区分地上権の法律関係としては、つぎのようなことが問題になる。

(ア)　区分地上権の取得

土地所有者と区分地上権者との間の設定契約によって取得されるのが普通である（農地の場合、許可を要する。農地§3Ⅱ）。その客体（区分地上権の目的となる部分の範囲）も設定契約によって定められる。なお、時効による取得、法定区分地上権の取得も可能であるといってよいであろう。

(イ)　区分地上権の対抗要件

区分地上権も、その登記がなければ、第三者に対抗できないことはいうまでもない。その登記手続について、不動産登記法78条5号（旧§111Ⅱ）参照。工作物が建物である場合には、借地借家法10条による対抗力も認められる。

(ウ)　区分地上権の存続期間

通常の地上権について述べたことがそのまま当てはまる。実際には、半永久的なものが多いであろうことに注意を要する。工作物が建物である場合には、やはり借地借家法による保障が適用される。

(エ)　区分地上権の効力

区分地上権者は、設定行為で定められた範囲において土地を使用する権利を有する。

(a)　土地所有者をはじめ、他の者による土地の利用を制限することができるとされていることに注意を要する（〔4〕）。

(b)　区分地上権にも、相隣関係の規定が適用される（§267）。同じ土地の上下に存在する区分地上権の間にも、相隣関係の規定は準用されると考えてよい。

(c)　区分地上権者も、土地に永久の損害を生じるような変更を加えることはできない（§271）。ただし、半永久的な建造物の例が多いと予想されるので、この「永久の変更」については、かなり緩やかに解し、区分地上権の消滅のさいに原状に回復することが不可能でないと認められればよい、と考えてよい。

(d)　区分地上権に基づいて土地に付属させられた工作物には、242条ただし書が適用され、付合は生じない。

〔2〕　区分地上権の対象は、当該の土地の「地下又は空間」で、「上下の範囲を定め」られた部分である。

その範囲は、通常、平均海面または地上の特定点を基準として、それから地上または地下の何メートルから何メートルまでというように定められる。その層の定め方は、通常は、水平面によるであろうが、可能であれば、傾斜面、さらには湾曲面でもよいと解される。

対象の範囲に地表を含むことができるか。これを否定する必要はないと考えられる。さらには、地上何メートルから地下何メートルまでというような、空間から地下にわたる範囲も、必要があれば可能であるといってよいであろう。この点、条文の「地下」「空間」という文言を厳格に解して、地表を含むことはできないとする見解もある。

〔3〕　区分地上権は、「工作物を所有するために」だけ設定できる。通常の地上権

§ 269 の 2 〔2〕〜〔6〕

と異なり、竹木を所有するためには、設定できない。工作物の種類を限定することは可能であり、これを登記すれば、第三者に対抗できる（不登§78⑤、旧§111Ⅱ）。

〔4〕 区分地上権は、設定行為で定められた範囲以外の部分についての土地所有者の使用権限を奪うものではない。ただ、設定契約において、土地所有者は、区分地上権のために一定の使用をしないという制限を定めることができる。たとえば、地下に設定された区分地上権のために地上には一定以上の重量を有する建物を建造、所有しない、というような制限である。この制限は、登記をすれば第三者にも対抗できる。

これに対して、逆に、土地所有者のために区分地上権の範囲内の使用に制限を加えることについては規定がなく、登記の道もないのは、不公平の感がある。しかし、便法としては、区分地上権の目的として「地上建物の存立を妨げない程度の地下工作物を所有するため」というような表示をするという方法が考えられるかもしれない。

〔5〕 区分地上権は、その土地にすでに第三者が「使用又は収益をする権利」を有する場合にも、それらの者およびこれらの権利を目的とする権利を有する者すべての承諾があれば設定できる。前者の権利の例としては、地上権、永小作権、地役権、採石権、賃借権、使用借権、不動産質権（§356参照）などが挙げられる。抵当権などは含まれないが、そこには、問題がある（〔6〕参照）。後者の権利の例としては、転借権あるいは地上権や永小作権を目的とする抵当権（§369Ⅱ参照）などが考えられる。これらの権利は対抗要件を備えていることを要すると解される。仮登記である場合にも、その権利者の承諾が必要と解してよい。

これに対して、土地所有権そのものに対する仮登記が存する場合に、その権利者の承諾が必要かは、別の問題である。これについても、本条2項を準用して、その承諾を要するとするのが、簡便な解決であろう。

〔6〕 〔5〕により承諾を与えた権利者は、区分地上権の行使を妨げない義務を負い、区分地上権者は妨害行為の排除を請求できる。裏返していえば、区分地上権者は、他の権利者による制約をまったくこうむることなく、その土地の定められた範囲の部分を利用することができる。

目的土地に抵当権が設定されていた場合には、その抵当権者の承諾を得る手続は定められていないから、その抵当権が実行されて、土地を競落した者に対しては、区分地上権は対抗できない。抵当権を消滅させたうえで、区分地上権を設定しないと、いちじるしく危険であることになる。立法上の欠陥といってよい（従来は、区分地上権者も旧§378による滌除権を有すると解されたが、2003年の改正による抵当権消滅請求権は認められない）。

それに対して、目的土地の上の地上権に抵当権が設定されていた場合には、その地上権抵当権者の承諾が必要である。その抵当権が実行された場合は、どうであろうか。地上権を買い受けた者は、当該の区分地上権を妨げない義務を負うと解するべきであろう。そうでないと、承諾の意味がまったくなくなるからである。

523

第2編　第5章　永小作権

第5章　永小作権

1　本章の内容

　本章は永小作権に関して、その定義(§270)、その内容(§§270・271)、その譲渡・賃貸(§272)、賃貸借に関する規定の準用(§273)、小作料に関する規定(§274)、永小作権の放棄・消滅(§§275・276)、慣習の効力(§277)、存続期間(§278)、地上権の規定の準用(§279)を規定する。

2　永小作権と小作権

　しかし、永小作権は、第二次大戦後の「農地改革」による自作農の創設によってほとんどその姿を消した。現在では、農地法によって保護される農地の賃借権(これを「小作権」と呼んでいた)の方が、民法上の物権である永小作権よりもむしろ強力であるという関係もあり(農地§§18〜)、永小作権が今後利用されることは、ごく例外的にしか考えられない(建物所有を目的とする借地権の場合には、地上権と賃借権がともに借地借家法によって保護されるのと異なる)。そこで、以下においても、歴史的説明は別として、注釈は最小限の事柄についての説明にとどめることにする。

3　小作問題と農地改革

　永小作権は、他人の土地を使用して耕作または牧畜をすることを目的とする物権である。しかし、同じ目的は賃貸借契約によっても達せられ、わが国の実際では、賃貸借による場合の方が圧倒的に多かった。

　元来、永小作権は荒蕪地の開墾などによって生じた耕地を、地主と小作人とで分割して所有するような場合に認められたものであって、いわゆる「分割的所有権」ともみるべきものであった。しかし、民法は土地所有権の効力を強大にするために、永小作権の内容を制限してしまった。その後、社会情勢の変化から小作人の地位の保護向上が叫ばれるに伴って、永小作権の強化が試みられた。しかし、これに関する諸規定を含んでいた1931年(昭和6年)の小作法案は議会を通過せず、1937年(昭和12年)の農地法案では永小作権に関する規定ははなはだ僅少になり、1938年(昭和13年)にようやく成立した農地調整法においては、賃借小作権に関する二、三の規定を含むにすぎないものとなった。わずかに、小作調停法によって具体的に妥当な解決を試みる道が開かれているにすぎなかったのである。

　第二次大戦後に実施されたいわゆる農地改革は、一方において自作農創設という措置によって自作に対する小作の比率を絶対的に減少させるとともに、他方において農地調整法を改正して、小作権一般を強化し、その内容を規整した。現在では、これに代って農地法が存在し、賃借小作権についてその保護強化を規定している。なお、農地法については、2009年にかなり大幅な改正が行われていることに注意を要する(第3編第2章第7節解説4を参照)。

524

第5章［解説］・§§270・271・272〔1〕

（永小作権の内容）
第二百七十条
　　永小作人[1]は、小作料[2]を支払って他人の土地において耕作又は牧畜をする権利[3]を有する[4]。
［原条文］
　　永小作人ハ小作料ヲ払ヒテ他人ノ土地ニ耕作又ハ牧畜ヲ為ス権利ヲ有ス。

〔1〕　「永小作権」は、土地所有者と永小作人の間で、後者による耕作または牧畜の権利を設けることを目的とする設定契約によって成立する。

〔2〕　小作料とは、他人の耕地を耕作する対価である。民法は永小作権についてだけこの文言を用い、賃貸借の場合には賃料（借地借家法では「借賃」）と称している。旧農地法は両者を「小作料」と呼んでいたが、現在では後者は「借賃」となっている（農地§20）。永小作権には、必ず定期の小作料を伴う（地上権の場合は、§266参照）。

〔3〕　なにが「耕作」であり、「牧畜」であるかは、社会観念上の見解に従って定められる。

〔4〕　永小作権の存在を第三者に対抗するためには、登記を必要とする（§177）。賃借権については、農地の引渡しによる対抗力が認められている（農地§16）。

（永小作人による土地の変更の制限）
第二百七十一条
　　永小作人は、土地に対して、回復することのできない損害を生ずべき変更を加えることができない[1]。
［原条文］
　　永小作人ハ土地ニ永久ノ損害ヲ生スヘキ変更ヲ加フルコトヲ得ス

〔1〕　永小作人は一定の目的のもとに土地を使用するものであり、また、永小作権が消滅した場合には、土地を原状に復してこれを地主に返還する義務があるのであるから（§§279・269参照）、本条の規定は当然のことである。

（永小作権の譲渡又は土地の賃貸）
第二百七十二条
　　永小作人は、その権利を他人に譲り渡し、又はその権利の存続期間内において耕作若しくは牧畜のため土地を賃貸することができる。ただし、設定行為で禁じたときは、この限りでない[1]。
［原条文］
　　永小作人は其権利ヲ他人ニ譲渡シ又ハ其権利ノ存続期間内ニ於テ耕作若クハ牧畜ノ為メ土地ヲ賃貸スルコトヲ得但設定行為ヲ以テ之ヲ禁シタルトキハ此限ニ在ラス

〔1〕　永小作権は、物権であるから、賃借権と違って（§612参照）、その権利の譲渡またはその土地の賃貸も自由なはずである。本条は、特約によってこの原則を排除

525

第2編　第5章　永小作権

することを認めたただし書に意義がある。その特約は、これを登記しなければ(不登
§79③。旧§112)、永小作権を譲り受けた第三者に対抗することはできない。

(賃貸借に関する規定の準用)
第二百七十三条
　　永小作人の義務については、この章の規定及び設定行為で定めるもののほか、
その性質に反しない限り、賃貸借に関する規定を準用する[1]。
[原条文]
　　永小作人ノ義務ニ付テハ本章ノ規定及ヒ設定行為ヲ以テ定メタルモノノ外賃貸借ニ関ス
ル規定ヲ準用ス

〔1〕　準用される主要なものは、611条・614条〜616条〔改注〕・312条以下など
である。たとえば、永小作人が権利設定の目的外に土地を使用した場合には、地主は
その停止を請求したうえ、設定契約を解除することができる(§§616・594・541〔改注〕)。

(小作料の減免)
第二百七十四条
　　永小作人は、不可抗力により収益について損失を受けたときであっても、小
作料の免除又は減額を請求することができない[1]。
[原条文]
　　永小作人ハ不可抗力ニ因リ収益ニ付キ損失ヲ受ケタルトキト雖モ小作料ノ免除又ハ減額
ヲ請求スルコトヲ得ス

〔1〕　永小作権は賃貸借にくらべて期間も長いし、小作料も低額であるから、豊年
のさいの余裕で凶作の年の埋め合わせができるというのが立法の趣旨である。しかし、
このような慣習が民法前に存在したかどうかは疑問であり、その後の社会状態に適合
しない規定として批判された。
　　なお、本条については、609条〔改注〕、農地法20条を参照。

(永小作権の放棄)
第二百七十五条
　　永小作人は、不可抗力によって、引き続き三年以上全く収益を得ず、又は五
年以上小作料より少ない収益を得たときは、その権利を放棄することができ
る[1]。
[原条文]
　　永小作人カ不可抗力ニ因リ引続キ三年以上全ク収益ヲ得ス又ハ五年以上小作料ヨリ少キ
収益ヲ得タルトキハ其権利ヲ拠棄スルコトヲ得

〔1〕　形式的に見れば、永小作人はその権利が存続している間は、収益の有無に関
せず小作料を支払う義務がある(§274参照)から、本条によって3年又は5年の後に

§§273・274・275・276・277

永小作権を放棄してこの義務から免れることができるとされるのは一種の恩恵であり、権利である。しかし、実質的に見れば、1年の凶作に遭遇してさえも約束通りの小作料を支払うことが困難な実状にある永小作人にとっては、本条が恩恵でもなければ、権利の実質を与えるものでもないことは、いうまでもない。274条と同じく、批判された条文である。

（永小作権の消滅請求）
第二百七十六条
　　永小作人が引き続き二年以上小作料の支払を怠ったときは[1]、土地の所有者[2]は、永小作権の消滅を請求する[3]ことができる[4]。
［原条文］
　　永小作人カ引続キ二年以上小作料ノ支払ヲ怠リ又ハ破産ノ宣告ヲ受ケタルトキハ地主ハ永小作権ノ消滅ヲ請求スルコトヲ得
〈改正〉 2004年法律76号破産法の改正により、「又ハ破産ノ宣告ヲ受ケ」が削られた。

〔1〕「怠った」というのは、小作料を支払わないのが永小作人の責めに帰すべき事由に基づくことである。たとえば、小作料減免の慣習がある場合に、永小作人が風水害による3割の減収があったと信じて約定小作料の7割を納めようとしたのに地主がこれを拒絶し、後から2割5分の減収と判定されたような場合には、小作料の支払を怠ったということにならないとされた。

なお、2004年法律76号改正により、原規定にあった「又ハ破産ノ宣告ヲ受ケ」が削られた。

〔2〕原条文では、「地主」とされていたが、2004年改正で「土地の所有者」と改められた。

〔3〕「消滅を請求する」とは、地主が消滅の意思を表示すれば、永小作権は消滅するという意味である。永小作権者の同意を必要としない。

〔4〕本条と異なり、消滅請求を容易にする契約、たとえば、小作料を一回滞納すれば、直ちに契約を解除して永小作権を消滅させることができるという特約は有効であろうか。判例はこれを肯定し、本条は任意法規であると解した。しかし、本条の規定は、永小作料の不払いを理由とする解除の最少限度を制限したもの——その意味で強行法規——と解する学説も主張された。

なお、本条は、むしろ地上権に準用されて適用される場合が多い（§266参照）。

（永小作権に関する慣習）
第二百七十七条
　　第二百七十一条から前条までの規定と異なる慣習があるときは、その慣習に従う[1]。
［原条文］
　　前六条ノ規定ニ異ナリタル慣習アルトキハ其慣習ニ従フ[1]

527

第2編　第6章　地役権

〔1〕　271条～276条の注釈参照。

（永小作権の存続期間）
第二百七十八条
　　1　永小作権の存続期間は、二十年[1]以上五十年以下とする。設定行為で五十年より長い期間を定めたときであっても、その期間は、五十年とする[2]。
　　2　永小作権の設定は、更新することができる。ただし、その存続期間は、更新の時から五十年を超えることができない。
　　3　設定行為で永小作権の存続期間を定めなかったときは、その期間は、別段の慣習がある場合を除き、三十年とする[3]。
　　[原条文]
　　　永小作権ノ存続期間ハ二十年以上五十年以下トス若シ五十年ヨリ長キ期間ヲ以テ永小作権ヲ設定シタルトキハ其期間ハ之ヲ五十年ニ短縮ス
　　　永小作権ノ設定ハ之ヲ更新スルコトヲ得但其期間ハ更新ノ時ヨリ五十年ヲ超ユルコトヲ得ス
　　　設定行為ヲ以テ永小作権ノ存続期間ヲ定メサリシトキハ其期間ハ別段ノ慣習アル場合ヲ除ク外之ヲ三十年トス

〔1〕　20年より短い存続期間を定めた永小作権設定契約は、無効である。

〔2〕　民法施行前に設定された永小作権について、50年より長い存続期間が定められた場合には、その期間は有効であるが、民法施行の日から50年以上は存続できないとされた（民施§47）。永久の永小作権に対する反感がうかがわれる（本章解説③・§268〔1〕(ｱ)参照）。

〔3〕　本条1項・2項は、強行規定と解される。したがって、これと異なる50年以上の永小作権を認める慣習は、その効力を認められないことになる。

（工作物等の収去等）
第二百七十九条
　　第二百六十九条の規定は、永小作権について準用する[1]。
　　[原条文]
　　　第二百六十九条ノ規定ハ永小作権ニ之ヲ準用ス

〔1〕　本条は、地上権消滅の場合の地上権者の収去権を、永小作権に準用する。

第6章　地役権

〈改正〉　2017年に、地役権の時効取得に関する284条、地役権の消滅時効に関する291条、同292条が時効規定の用語改正等に伴って、改正された。

① 本章の内容

本章は、地役権と題して、その定義(§280)、その取得(§§281~284)、特殊な地役権の効力(§§285~288)、その消滅(§§289~293)および地役権に類する性質を有する入会権に関する規定(§294)を収めている。

② 地役権の特色

地役権の一般的性格について、つぎの諸点が注意されるべきである。

(1)　地役権は、土地の利用の調節という点で相隣関係と酷似する。ただ、後者は法律上当然生ずるのに、前者は当事者の意思に基づいて設定されるという差異があるだけである。したがって、相隣関係を「法定地役権」と呼ぶ立法例もある(フランス民法)。しかし、今日では、相隣関係は所有権そのものの内容を定めるものとし、地役権は当事者の意思によって生ずる、所有権とは別個の権利とするわが民法の規定の仕方の方が正しいと考えられる。

(2)　他人のY地(「承役地」という)を自分のX地(「要役地」という)の便益に供すること(§280参照)は、そのY地を賃借することによっても達せられる。しかし、引水・通行のように、X・Y双方の土地所有者が共同してY地から生じる便益を享受しようとする場合には、賃貸借ではその目的を達しにくい。のみならず、賃借権となると、X地から離れた人と人の間の法律関係があり、とくにX地のために存在し、X地とともに移転するというような性格を持つことができない。ここに、賃借権と異なる地役権の独自の存在理由がある。

(3)　地役権は、承役地にとってはかなり重大な負担であるので、土地所有権の絶対性を強調する近代法はあまりこれを歓迎しない。わが民法はこの制度を重視せず、また、ドイツ民法の認める「人役権」(同法§§1090~。「制限的人役権」と呼ばれる。特定の人に帰属し、その便益のために他人の不動産・動産を利用する物権をいう)という、地役権に類似する制度も採用していない。しかし、わが国の慣習上は、地役権ないし人役権に類似する制度が比較的広く存在したものと想像される(たとえば、灌漑用引水権・温泉の湯口権など)。これらの慣習を明らかにすることは、なお今後の研究に残されている。

(4)　要役地または承役地が共有である場合には、持分権のために、または持分権の上に、地役権が成立するということはありえない。その結果、そのような事態を避けるために、民法は数個の規定をおいた(§§282・284・292 [改注])。これを、地役権の不可分性という(§282[1]参照)。

第2編　第6章　地役権

③　地役権の存続期間

　地役権の存続期間については、とくに規定されていない。存続期間の定めについては、最長期・最短期の制限はないと考えてよい。存続期間の定めをしなかったときは、一方の終了の意思表示の後、相当の期間を経て地役権は消滅すると考えてよかろう。なお、地役権の時効による消滅に関しては、とくに規定がされている（§§289〜293。用語改正等に注意）。

（地役権の内容）
第二百八十条

　　　地役権者[1]は、設定行為で定めた目的に従い[2]、他人の土地[3]を自己の土地[4]の便益に供する[5]権利を有する。ただし、第三章第一節（所有権の限界）の規定（公の秩序に関するものに限る。）に違反しないものでなければならない[6]。

［原条文］

　　　地役権者ハ設定行為ヲ以テ定メタル目的ニ従ヒ他人ノ土地ヲ自己ノ土地ノ便益ニ供スル権利ヲ有ス但第三章第一節中ノ公ノ秩序ニ関スル規定ニ違反セサルコトヲ要ス

　〔1〕　「地役権」を有しうる者は、土地所有者に限られるであろうか。いいかえれば、地上権者・永小作権者・土地の賃借人なども地役権の主体になれるであろうか。地役権は、土地の「利用」を調節するものであるという建前からは、これを肯定することも考えられる。しかし、多くの学者はこれを否定し、判例も、宅地の賃借人が通行地役権を時効取得することができるかが問題になった場合に、これを否定する（大判昭和2・4・22民集6巻198頁）。

　〔2〕　地役権は、当事者間の設定行為によって成立するのが普通であるが、時効によって取得される場合も少なくない（§283参照）。その場合には、時効の基礎となっている利用の態様によって、その内容も決まる。

　地役権の登記は、承役地についてなされ、要役地についても一定の登記がされる（不登§80。旧§§112ノ2〜）。

　地役権の対抗要件には、やや特有なものがあり、登記がなくとも承役地の譲受人に対抗できる場合がありうるが（§177〔8〕(ｴ)を参照）、その場合、地役権者は譲受人に対して地役権設定登記手続を請求することができる（判例平成10・12・18民集52巻1975頁）。

　〔3〕　この「他人の土地」は地役権者の土地のための便益に供せられる土地、すなわち、地役権による負担を受ける土地であり、これを「承役地」と呼ぶ（§285など参照）。

　〔4〕　この「自己の土地」は、地役権による便益を享受する地役権者の土地であり、これを「要役地」と呼ぶ（§281など参照）。

　なお、要役地と承役地は隣接している必要はなく、離れていてもよい。観望地役権がその例だが、〔5〕(1)(b)参照。

　〔5〕　「土地の便益に供する」とは、その土地、すなわち要役地の使用価値を増加させることである。承役地を通行したり、承役地から水を引くことなどが、最も普通

第6章［解説］③・§§280・281

の例である。

（1）　地役権の設定によって、承役地の利用権は一定の制限を受ける。その制限の態様は三種に分かれる。

　　（a）　地役権者の行為を忍容すること——たとえば、地役権者が承役地を通行し、承役地の泉から水を引くのを忍容することなど。これを、要役地所有者の一定の作為が許されるという意味で、「作為地役権」という。

　　（b）　承役地について一定の利用制限をすること——たとえば、要役地の観望を妨げる建物を建てないとか、境界線の近くに木を植えないことなど。これを「不作為地役権」という。

　　（c）　地役権の内容を実現するのに必要な付随的な行為を積極的にすること——たとえば、交通に必要な通路、引水に必要な土管の保存・修繕に必要な行為をすることなど。元来、物権は他人の行為を内容とすることはできないという理由で、承役地の利用者は消極的な義務を負うにとどまり、積極的な義務を負うことはあり得ないと説かれてきた。この考え方によると、上のような積極的な義務が特約された場合にも、それは地役権者と承役地の利用者の間の債権関係にすぎず、地役権の内容とはならないということになる。しかし、これは物権という性質に拘泥した議論と考えられる（§286参照）。

（2）　地役権者は、また、地役権の行使を妨害する第三者の行為を排除することができる。通行地役権者が承役地の近隣者による恒常的な自動車駐車の禁止を求めることができるとした例がある（最判平成17・3・29判時1895号56頁）。

〔6〕　地役権は、その内容において相隣関係の規定内容と類似するものであり、これを拡張または制限する場合が多い。たとえば、要役地が袋地でないのに、通行地役権を設定すれば、210条を拡張したことになり、また、「境界線に密接して建物を建ててよい」という地役権を設定すれば、234条を制限したことになる。ところが、相隣関係の規定は、隣接する土地相互に、隣地を使用できる最小限を規定するものであるから、一般的にみてこれを拡張することは差し支えないが、これを縮小することは社会経済上許されないと考えられる場合が少なくない。「第3章第1節の規定（公の秩序に関するものに限る）」とは、まさにこのような、相隣関係に関する強行規定を指すものである。

（地役権の付従性）
第二百八十一条

　　1　地役権は、要役地（地役権者の土地であって、他人の土地から便益を受けるものをいう。以下同じ。）の所有権に従たるものとして、その所有権とともに移転し[1]、又は要役地について存する他の権利の目的となるものとする[2]。ただし、設定行為に別段の定めがあるときは、この限りでない[3]。

　　2　地役権は、要役地から分離して譲り渡し、又は他の権利の目的とすることができない[4]。

［原条文］

第2編　第6章　地役権

　　　地役権ハ要役地ノ所有権ノ従トシテ之ト共ニ移転シ又ハ要役地ノ上ニ存スル他ノ権利ノ
　　目的タルモノトス但設定行為ニ別段ノ定アルトキハ此限ニ在ラス
　　　地役権ハ要役地ヨリ分離シテ之ヲ譲渡シ又ハ他ノ権利ノ目的ト為スコトヲ得ス

　〔1〕　要役地の所有権を移転するさいに、とくに地役権を移転するという合意を必
要としないで（§87〔5〕(b)参照）、地役権も移転する。それのみでなく、要役地の移転に
ついて登記があれば、とくに地役権移転の登記がなくても地役権の移転を第三者に対
抗できると解されている（大判大正13・3・17民集3巻169頁）。
　〔2〕　要役地の上に、たとえば抵当権を設定すれば、その効力は地役権に及び、し
たがって、競売の場合の買受人は土地所有権とともに地役権を取得し、また、地上
権・永小作権を設定すれば、地上権者・永小作権者は地役権を行使することができる。
　〔3〕　この別段の定めは、登記（不登§80Ⅰ③参照。旧§113）しなければ、第三者に
対抗できない。地役権が、要役地とともに移転しないという特約の登記があるときは、
要役地の移転があれば、地役権は消滅する。
　〔4〕　地役権は、要役地に付随するものとしてだけ存在を認められるものだからで
ある。地役権のこのような性質を「地役権の随伴性」という。

　(地役権の不可分性)
　第二百八十二条
　　　1　土地の共有者の一人は、その持分につき、その土地のために又はその土
　　　　地について存する地役権を消滅させることができない[1]。
　　　2　土地の分割又はその一部の譲渡の場合には、地役権は、その各部のために
　　　　又はその各部について存する[2]。ただし、地役権がその性質により土地の一
　　　　部のみに関するときは、この限りでない[3]。
　〔原条文〕
　　　土地ノ共有者ノ一人ハ其持分ニ付キ其土地ノ為メニ又ハ其土地ノ上ニ存スル地役権ヲ消
　滅セシムルコトヲ得ス
　　　土地ノ分割又ハ其一部ノ譲渡ノ場合ニ於テハ地役権ハ其各部ノ為メニ又ハ其各部ノ上ニ
　存ス但地役権カ其性質ニ因リ土地ノ一部ノミニ関スルトキハ此限ニ在ラス

　〔1〕　土地が共有である場合、たとえば、四人の共有者に属する場合には、地役権
の存否は共有者全員について決しなければならない。本条に「土地のために存する地
役権」とは、要役地が共有の場合、「土地について存する地役権」とは、承役地が共
有の場合であり、権利をもつことについても義務を負うことについても、全員一体で
なければならない。したがって、共有者の一部（上の例で、一人でも、三人でも）によっ
て地役権を消滅させることはできない。
　この規定は、共有の持分の性質に由来する当然のことである。すなわち、地役権は、
要役地の物質的な便益のために、承役地に物質的な負担をかけるものであるから、要
役地の単なる持分のためだけに存し、または承役地の単なる持分の上にだけ存すると
いうことは、不可能なのである。このことは、持分の上には土地の物質的支配を内容

§§281〔1〕〜〔4〕・282・283〔1〕〜〔3〕

とする地上権や永小作権が成立しないということを考え合わせれば、理解しやすいで
あろう。

〔2〕　たとえば、X地の観望のためにY地に2階建ての建築をしないという地役
権が設定されている場合に、X地が分割され、またはその一部が譲渡されたときは、
かつてX地を構成していたすべての部分のためにY地の上に地役権が存続する。判
例は、一部譲渡の場合には地役権の譲渡人と一部譲受人による(準)共有が生ずるもの
と解している(大判大正10・3・23民録27輯586頁)。また、この場合にY地が分割され、
またはその一部が譲渡されたときは、各地はX地のために地役権を負担する。ただ
し、例外がある(〔3〕参照)。

〔3〕　たとえば、X地のために存するY地からの引水地役権が、もっぱらX地の
東側の半分の便益のためにだけ存する場合に、X地が東西に二分されたときは、地役
権は東側の半分のためにだけ存続する。また、Y地の南の半分の中にある泉から引水
する地役権は、Y地が南北に二分されたときは、南の半分の上にだけ存続すると解さ
れる(他方の半分についての地役権の消滅は本条によるもので、登記は要しないと解することに
なろうか。不登§40参照。旧§113Ⅱ)。

　上に述べたように、地役権は要役地についても承役地についても一体として取り扱
われなければならないという性質のことを、「地役権の不可分性」という。この性質
は、本項のほかに、284条〔改注〕、292条〔改注〕においても表現されている。

(地役権の時効取得)
第二百八十三条
　　地役権は、継続的に行使され[1]、かつ、外形上認識することができるもの[2]に
　限り[3]、時効によって取得することができる[4]。

〔原条文〕
　地役権ハ継続且表現ノモノニ限リ時効ニ因リテ之ヲ取得スルコトヲ得

〔1〕　地役権は、その権利の内容の実現が継続するかどうかによって、「継続地役
権」と「不継続地役権」とに区別される。たとえば、通路を作って通行する地役権・
常時水を引くことを内容とする「引水地役権」・または観望を害する建築をしないと
いう不作為を目的とする地役権などは前者であり、通路を作らないで通行する地役
権・必要なときに水を汲み取ることを内容とする「汲水地役権」などは後者である
(なお、「用水地役権」についての§285〔1〕参照)。

〔2〕　地役権は、権利の実現が外部から認識することができるかどうかによって、
「表現地役権」と「不表現地役権」とに区別される。通路を用いる通行地役権・水を
汲むという作為を伴う汲水地役権・地表を引水する引水地役権などは前者であり、不
作為を目的とする地役権・地下を引水する引水地役権などは後者である。

〔3〕　地役権は、継続・表現地役権に限って、時効取得される。したがって、
〔1〕・〔2〕に挙げた不継続・不表現のどちらかに該当するものは、時効取得されない。
けだし、不継続の地役権は、承役地の利用者にとって比較的に損害が軽微なものが多

第2編　第6章　地役権

く、好意的に黙認される場合が多いから、このような関係に時効を認めて権利関係にまでしないのが妥当であり、また、不表現の地役権は、その行使が取得時効の基礎である社会的な承認を受けるだけの公然性(§162参照)を持たないものだからである。判例に現れた例としては、通路によらない通行地役権は時効取得できないが(大判昭和2・9・19民集6巻510頁)、水車のための引水地役権は時効取得しうるとされた(大判大正13・3・17民集3巻169頁)。また、通行地役権の例で「継続」の要件を充たすには、通路が要役地所有者によって開設されたことを要し(最判昭和33・2・14民集12巻268頁、最判平成6・12・16判時1521号37頁)、承役地の所有者が好意的に設けた通路を通行していただけでは時効取得できないとされた(最判昭和30・12・26民集9巻2097頁)。

〔4〕　判例は、地役権者となりうる者は土地所有者に限ると解しているので(§280〔1〕参照)、地役権が時効取得される例は実際上少ない。

> 〔取得時効との関係〕〔第8版凡例4 a)を見よ〕
> **第二百八十四条**
> 　　1　土地の共有者の一人が時効によって地役権を取得したときは[1]、他の共有者も、これを取得する[2]。
> 　　2　共有者に対する時効の更新[1]は、地役権を行使する各共有者に対してしなければ、その効力を生じない[3]。
> 　　3　地役権を行使する共有者が数人ある場合には、その一人について時効の完成猶予[2]の事由があっても、時効は、各共有者のために進行する[4]。
> 〈改正〉　2017年に改正された。2項中「中断」を「更新」に改め、3項中「停止の原因」を「完成猶予の事由」に改めた。新法に合わせた、用語の整理・統一である。
> **〔改正の趣旨〕**　〔1〕　新174条の解説を参照。
> 　　〔2〕　新174条の解説を参照。
> **〔原条文〕**
> 　　共有者ノ一人カ時効ニ因リテ地役権ヲ取得シタルトキハ他ノ共有者モ亦之ヲ取得ス
> 　　共有者ニ対スル時効中断ハ地役権ヲ行使スル各共有者ニ対シテ之ヲ為スニ非サレハ其効力ヲ生セス
> 　　地役権ヲ行使スル共有者数人アル場合ニ於テ其一人ニ対シテ時効停止ノ原因アルモ時効ハ各共有者ノ為メニ進行ス

〔1〕　本条は、土地の共有と地役権の時効取得とがからんだ場合についての規定であって、前述(§282〔1〕)した「地役権の不可分性」、すなわち地役権は当該土地(本条の場合は要役地)に関しては一体として考えられなければならないという地役権の性質のひとつの現われである。地役権の時効取得については、以下に見られるように、不可分性は時効取得に有利なように、すなわち共有者の一人についてでも時効が完成すれば、全員がそれを受益できるという扱いになっている。

〔2〕　たとえば、X地の共有者A・B・CのうちAがX地のためにY地の上に通行する地役権を取得したと仮定する。これは、X地の物質的便益のために成立し、A一人のために存在するものではないから(§282〔1〕参照)、B・Cもその利益を受けるの

§§283〔4〕・284・285〔1〕～〔5〕

である。

〔3〕 たとえば、X地の共有者A・B・Cの三人がY地の上に通行地役権を取得しそうな場合に、Y地の所有者DがB・Cに対して地役権がないことの承認を求めて取得時効の進行を中断したとしよう（§147③〔改注〕）。しかし、時効中断の効力は相対的であるから（§148〔改注〕）、Aに対しては中断の効果が及ばないので、Aは地役権を時効取得するであろう。そうすると、本条1項によって、B・Cも地役権を取得することになる。したがって、DはA・B・Cの全共有者に対して中断しなければならない。これが、本項の趣旨である。

〔4〕 たとえば、〔3〕の例でAがDの後見人であるために、Aの取得時効については時効が停止したとしても（§158Ⅱ用語改正等に注意）、B・Cのためには取得時効が完成する。したがって、本条1項によって結局、Aも地役権を取得する、というのが本項の趣旨である。

（用水地役権）
第二百八十五条
1 用水地役権¹⁾の承役地（地役権者以外の者の土地であって、要役地の便益に供されるものをいう。以下同じ。）において、水が要役地及び承役地の需要に比して不足するときは、その各土地の需要に応じて、まずこれを生活用に供し²⁾、その残余を他の用途に供する³⁾ものとする⁴⁾。ただし、設定行為に別段の定めがあるときは、この限りでない⁵⁾。
2 同一の承役地について数個の用水地役権を設定したときは、後の地役権者は、前の地役権者の水の使用を妨げてはならない⁶⁾。

〔原条文〕
用水地役権ノ承役地ニ於テ水カ要役地及ヒ承役地ノ需要ノ為メニ不足ナルトキハ其各地ノ需要ニ応シ先ツ之ヲ家用ニ供シ其残余ヲ他ノ用ニ供スルモノトス但設定行為ニ別段ノ定アルトキハ此限ニ在ラス
同一ノ承役地ノ上ニ数個ノ用水地役権ヲ設定シタルトキハ後ノ地役権者ハ前ノ地役権者ノ水ノ使用ヲ妨クルコトヲ得ス

〔1〕 「用水地役権」とは、承役地からの水を利用する地役権であるが、継続の地役権である「引水地役権」、不継続・表現の地役権である「汲水地役権」などがあると考えられる（§283〔1〕参照）。
〔2〕 「生活用」とは、飲用・炊事・家屋の掃除・入浴などのために使用することをいう。220条〔2〕参照。
〔3〕 生活用以外の他の用、すなわち農業用・工業用などに使用することをいう。
〔4〕 「各土地の需要に応じて」とは、生活用の場合には各地の居住人員が標準になるであろう。その他の用に供する部分については、耕地その他諸般の事情を考慮して決定すべきである。
〔5〕 「別段の定め」とは、たとえば、要役地のために一定の量を保障するとか、あるいは承役地の需要を充たした残りについてだけ地役権を認めるとか、のようなも

535

第2編　第6章　地役権

のである。この特約は、登記しないと第三者に対抗できない（不登§80 I ③。旧§113）。

〔6〕　このことは、物権の排他性から当然のことであるが、承役地の需要との関係で、多少の問題がある。たとえば、AとBの土地のために2個の用水地役権が設定された場合に、水が承役地とA・Bの需要のために不足であると仮定しよう。この場合には、後に設定されたBの地役権は存在しないものと仮定して、Aの地役権と承役地との間で需要に応じて分配し（本条 I ）、承役地に分配された分について、さらに承役地とBの地役権との間で需要に応じて分配するべきものであろう。

（承役地の所有者の工作物の設置義務等）
第二百八十六条
　　設定行為又は設定後の契約により、承役地の所有者が自己の費用で地役権の行使のために工作物を設け、又はその修繕をする義務を負担したときは[1]、承役地の所有者の特定承継人も、その義務[2]を負担する。
［原条文］
　　設定行為又ハ特別契約ニ因リ承役地ノ所有者カ其費用ヲ以テ地役権ノ行使ノ為メニ工作物ヲ設ケ又ハ其修繕ヲ為ス義務ヲ負担シタルトキハ其義務ハ承役地ノ所有者ノ特定承継人モ亦之ヲ負担ス

〔1〕　地役権の性質によっては、その行使のための工作物の設置・修繕を承役地の所有者がするのを便宜とする場合がある。そこで、当事者間でそのような特約をすることはもとより自由である。

〔2〕　本条の特約によって生ずる義務は、地役権の内容をなすものであろうか、それとも当事者間の契約上の義務にすぎないものであろうか。一方の説は、物権は単に物を直接に支配する権利であり、他人の行為を内容とすることはできないという理由で後の説をとり、民法は、この契約上の義務を承役地の特定承継人に負担させることを必要と認めて、本条を設けたのであると主張する。これに対して他方の説は、物権をそのように形式的に理解する必要はなく、上の義務——地役権者の側からいえば権利——も地役権の内容となり、したがって、だれが承役地の所有者になっても、これに対抗できるのであると説く。しかし、いずれの説によっても、この義務の存在は、登記（不登§80 I ③）しなければ、特定承継人に対抗することはできないことには変りはない（§177参照）。

〔承役地所有者の所有権放棄〕〔第8版凡例4 a）を見よ〕
第二百八十七条
　　承役地の所有者は、いつでも、地役権に必要な土地の部分の所有権を放棄[1]して地役権者に移転し、これにより前条の義務を免れることができる。
［原条文］
　　承役地ノ所有者ハ何時ニテモ地役権ニ必要ナル土地ノ部分ノ所有権ヲ地役権者ニ委棄シテ前条ノ負担ヲ免ルルコトヲ得

〔1〕 この「放棄」(原規定では「委棄」)は、所有権を無償で地役権者に移転することを内容とし(この放棄は、地上権や永小作権の放棄(§§268・275)と意味を異にすることに注意)、地役権者に対する一方的意思表示によってする。地役権者の承諾を必要としない。この意思表示によって、その土地は地役権者の所有に移り、地役権は混同によって消滅する。したがって、承役地の所有者が負担する286条所定の義務も消滅することになる。元来、義務は勝手に放棄できないものであるが、前条の義務はいわば土地が負担するものであるから、土地を放棄することによってその義務を免れるのである。

(承役地の所有者の工作物の使用)
第二百八十八条
　　1　承役地の所有者は、地役権の行使を妨げない範囲内において、その行使のために承役地の上に設けられた工作物を使用することができる[1]。
　　2　前項の場合には、承役地の所有者は、その利益を受ける割合に応じて、工作物の設置及び保存の費用を分担しなければならない[2]。
　［原条文］
　　承役地ノ所有者ハ地役権ノ行使ヲ妨ケサル範囲内ニ於テ其行使ノ為メニ承役地ノ上ニ設ケタル工作物ヲ使用スルコトヲ得
　　前項ノ場合ニ於テハ承役地ノ所有者ハ其利益ヲ受クル割合ニ応シテ工作物ノ設置及ヒ保存ノ費用ヲ分担スルコトヲ要ス

〔1〕 たとえば、地役権者が開設した通路を通行し、敷設した下水溝に汚水を放流するなどである。本条は、流水に関する相隣関係についての221条とまったく同趣旨の規定である。ただ、同条は、相隣地の流水の工作物についてだけ規定しているので、必ずしも相隣地に限らない地役権について、流水用だけでなく、それ以外の一般の工作物についても同じ趣旨を拡張した規定をおいたものである。
〔2〕 たとえば、通行または汚水放流の程度に応じて負担を分け合うのである。

(承役地の時効取得による地役権の消滅)
第二百八十九条
　　　　承役地の占有者[3]が取得時効に必要な要件を具備する占有[1]をしたときは、地役権は、これによって消滅する[2]。
　［原条文］
　　承役地ノ占有者カ取得時効ニ必要ナル条件ヲ具備セル占有ヲ為シタルトキハ地役権ハ之ニ因リテ消滅ス

〔1〕 162条参照。
〔2〕 承役地を、その所有者A以外の者Bが時効によって取得すれば、BはAの所有権を承継するのではなく、その土地の所有権を原始的に取得するのである。したがって、Aの所有権について存した地役権の制限は、当然にBの取得する所有権に影響を及ぼすものでない。これが本条の論理である。

第2編　第6章　地役権

　しかし、Bが取得する所有権は、Bの占有の態様に基づくものである。したがって、Bの占有が地役権の負担を伴わないものとしての占有であれば、Bの取得する所有権もまた地役権の負担を伴わないものであって、地役権は消滅するが、そうではなくて、Bが地役権の負担を伴うものとして承役地を占有した場合には、これによってBの取得する所有権もまた地役権の負担を伴なうものであり、したがって、この場合には地役権は消滅しないものといわなければならない(大判大正9・7・16民録26輯1108頁)。

　〔3〕　この「占有者」については、つぎの問題がある。

　⑴　通常は、所有者ではない占有者を想定して、〔2〕で述べたような説明が行われる。すなわち、元来無権利者である土地の占有者が取得時効の要件を充たして土地の所有権を原始取得すれば、その土地上に存した地役権は原則として消滅する。しかし、このことは、取得時効の一般論から当然のことであるともいえる。

　⑵　この占有者は、土地の所有者である場合もありうる。すなわち、土地の所有者が土地につき「取得時効に必要な条件を具備する占有」をしたとき、さらにいえば、地役権の存在しない状況における占有を所要の期間だけ継続したときは、その者に対する関係において地役権は消滅するということになる(所有権を時効取得したという必要はない)。本条は、この意味を規定したものと考えることもできよう。

　⑶　以上いずれの意味においても、本条の定める効果は、290条によって地役権の消滅時効と呼ばれるが、正しくなく、取得時効に相当する占有の効果としての地役権の消滅である。類似の規定は、抵当権の消滅に関する397条にもある(ただし、同条が所有者である第三取得者に適用があるかという論点をめぐって議論がある。同条〔3〕参照)。また、動産の譲受人について、所有権の取得については問題はないが、その動産の上に及ぶ抵当権の効力を否定するのについて、善意取得(§192)の考えが応用されるという類似の問題もある(§192〔2〕㈭参照)。

　　〔前条の時効の中断〕〔第8版凡例4a)を見よ〕
　　第二百九十条
　　　前条の規定による地役権の消滅時効[1]は、地役権者がその権利を行使することによって中断[1]する[2]。
　　〔原条文〕
　　　前条ノ消滅時効ハ地役権者カ其権利ヲ行使スルニ因リテ中断ス
　　〔1〕　〔改正との関連〕　2017年の改正で、通常の意味における「中断」概念は、用いられなくなった。

　〔1〕　289条の規定によって地役権が消滅するのは、承役地の時効取得に相当する占有の効果であって、地役権自体の消滅時効ではない。本条が、これを「消滅時効」と言っているのは、誤りである(§289〔2〕〔3〕参照)。

　〔2〕　上の〔1〕に述べたと同じ理由で、地役権の行使によってその消滅時効が「中断」するといっているのは、誤りである。地役権が行使されると、その地役権の存在を容認しない占有が中断され、その存在を容認する占有に変わるので、たとえ、取得

§§ 289〔3〕・290・291・292〔1〕〔2〕

時効に必要な占有要件が具備されても地役権は消滅しないという意味に解される。したがって、291 条 [改注] の消滅時効とは異なる。

（地役権の消滅時効）
第二百九十一条
　　第百六十六条第二項[1]に規定する消滅時効[1)]の期間は、継続的でなく行使される地役権については最後の行使の時から起算し[2)]、継続的に行使される地役権についてはその行使を妨げる事実が生じた時から起算する[3)]。
〈改正〉　2017 年に改正された。「第百六十七条第二項」を「第百六十六条第二項」に改めた。
[改正の趣旨]　[1]　条文改正への対応である。
[原条文]
　　第百六十七条第二項ニ規定セル消滅時効ノ期間ハ不継続地役権ニ付テハ最後ノ行使ノ時ヨリ之ヲ起算シ継続地役権ニ付テハ其行使ヲ妨クヘキ事実ノ生シタル時ヨリ之ヲ起算ス

〔1〕　地役権も、「債権又は所有権でない財産権」として 20 年の消滅時効にかかる（§167 Ⅱ）。本条は、その起算点について規定する。
〔2〕　283 条〔1〕参照。たとえば、通路を開設しない通行地役権については、最後に通行したときから起算する。
〔3〕　283 条〔1〕参照。たとえば、通路を開設する通行地役権については、通路が破壊されるというような事実があった時から起算する。

[地役権の消滅時効の中断・停止]〔第 8 版凡例 4 a) を見よ〕
第二百九十二条
　　要役地が数人の共有に属する場合において、その一人のために時効の完成猶予又は更新[1]があるときは[1)]、その完成猶予又は更新は、他の共有者のためにも、その効力を生ずる[2)]。
〈改正〉　2017 年に改正された。本条中「中断又は停止」を「完成猶予又は更新」に改めた。
[改正の趣旨]　[1]　改正法に合わせた、用語の整理・統一である。
[原条文]
　　要役地カ数人ノ共有ニ属スル場合ニ於テ其一人ノ為メニ時効ノ中断又ハ停止アルトキハ其中断又ハ停止ハ他ノ共有者ノ為メニモ其効力ヲ生ス

〔1〕　本条は、土地の共有と地役権の消滅時効がからみ、その中断または停止が問題になる場合についての規定であって、前述（§282〔1〕）した「地役権の不可分性」、すなわち地役権は当該土地(本条の場合は要役地)に関しては一体として考えられなければならないという地役権の性質のひとつの現われである。地役権は、持分権のために存在することはできず、共有者の一人についてでも消滅時効が中断・停止されれば、地役権が消滅しないのは、性質上当然のことである。
〔2〕　要役地を A・B・C が共有している場合に、地役権について 291 条の規定による消滅時効が進行しており、A 一人が地役権を行使して消滅時効の進行を中断し、

539

第2編　第7章　留置権

またはA一人について時効停止の事由(改正前§§158〜160参照)を生じたときは、共有者全員のために時効が中断または停止する。

　なお、289条、290条の規定は、厳密には消滅時効の規定ではないが、本条の趣旨は準用されるといってよいであろう。

〔地役権の一部についての消滅時効〕〔第8版凡例4 a)を見よ〕
　第二百九十三条
　　　地役権者がその権利の一部を行使しないときは、その部分のみが時効によって消滅する[1]。
　〔原条文〕
　　　地役権者カ其権利ノ一部ヲ行使セサルトキハ其部分ノミ時効ニ因リテ消滅ス

　〔1〕　たとえば、幅2メートルの通路を開設して通行する地役権を有する者が、1メートル分だけの通路を開設している状態が永く続くときは、残りの1メートルの部分については、地役権が時効によって消滅する。

(共有の性質を有しない入会権)
　第二百九十四条
　　　共有の性質を有しない入会権については、各地方の慣習に従うほか、この章の規定を準用する[1]。
　〔原条文〕
　　　共有ノ性質ヲ有セサル入会権ニ付テハ各地方ノ慣習ニ従フ外本章ノ規定ヲ準用ス

　〔1〕　263条の前注を見よ。

§§293・294・第7章［解説］・§295〔1〕〔2〕

第7章 留置権

1 本章の内容

本章は、留置権の成立要件（§295）、その効力（§§296〜299）、その消滅（§§300〜302）について規定する。

2 留置権の意義

留置権は、他人の物の占有者がその物に関して生じた債権の弁済を受けるまで、その物を留置して債務者の弁済を間接に強制する担保物権である。先取特権とともに、法律上当然に生じるものである。これに類似する制度として民法の認めるものに、同時履行の抗弁権がある（§533［改注］）。ただ、同時履行の抗弁権は、1個の双務契約から生じた相対立する2個の債権の間の関係として認められる債権的抗弁権であるのに反し、留置権は、物に関して生じた債権とその物の引渡しとの間の関係として認められる物権的抗弁権である点で、法的性質を異にする。いずれについても、根拠は公平の原理にあると考えられる。

（留置権の内容）
第二百九十五条
　　1　他人の物[2]の占有者[1]は、その物に関して生じた債権[3]を有するときは、その債権の弁済を受けるまで、その物を留置することができる[4]。ただし、その債権が弁済期にないときは、この限りでない[5]。
　　2　前項の規定は、占有が不法行為によって始まった場合には、適用しない[6]。
［原条文］
　　他人ノ物ノ占有者カ其物ニ関シテ生シタル債権ヲ有スルトキハ其債権ノ弁済ヲ受クルマテ其物ヲ留置スルコトヲ得但其債権カ弁済期ニ在ラサルトキハ此限ニ在ラス
　　前項ノ規定ハ占有カ不法行為ニ因リテ始マリタル場合ニハ之ヲ適用セス

〔1〕　占有の意義に関しては、180条の注釈参照。占有の心素（§180〔1〕参照）を厳格に解して、無償の受寄者や事務管理人などを占有者でないとする学説も、本条の適用については、これらの者もここにいう占有者に包含され、したがって、留置権を取得することができるとする。

〔2〕　「他人の物」とは、ひろく占有者以外の人に属する物という意味であり、債務者の物に限らない（最判昭和47・11・16民集26巻1619頁。債務者から目的物を譲り受けた第三者の例）。だれの所有の物であっても、本条の要件を充たせば、その上に物権としての留置権が成立する。

この解釈に対して、債務者に属する物に限るとする反対説がないわけではないが、民法は、留置権で担保される債権について厳格な制限をおくのであるから（〔3〕参照）、

541

第2編　第7章　留置権

債権と物の間に特別の関連がある以上、その物が債務者に属することを要件とする必要はないであろう。この点、商法上の留置権とは、その性格を異にするのである（商§521参照）。なお、他人の物は動産でも不動産でもよい。不動産の上に留置権を認めるのは、わが民法の特色である。しかも、この留置権は、登記がなくても第三者に対抗できる（§177(2)(ウ)参照）。なお、商法521条の「物」に不動産が含まれるかについては、学説・裁判例は分かれていたが、含まれることが判示された（最判平成29・12・14民集71巻2184頁）。

〔3〕　「物に関して生じた債権」であることが留置権成立のための中心的な要件である。このことを物と債権の「牽連性」という。

(ア)　債権が物に関して生じるとは、つぎの二つの場合を含む。

第1に、債権が目的物自体より生じたときである。たとえば、受寄者が保管する物の瑕疵により損害を受けた場合の損害賠償請求権、占有者または賃借人が占有物または賃借物の保存費用・有益費用などを支出した場合の償還請求権（§§196・608参照）などがその例である（実際には、後者の事例が多い）。

第2に、債権が物の返還請求権と同一の法律関係または同一の生活関係から生じたときもこれに該当するとされる（この場合は、厳密にいえば、物と債権の牽連ではなく、返還請求権と債権の牽連であることに注意を要する。この場合、同時履行の抗弁権の適用が拡張された場合との重複が生じる場合が多い。§533前注4参照）。たとえば、売主の代金債権と買主の目的物引渡請求権、運送人の運送賃と運送物の返還請求権、職人の修繕代金と修繕した物の返還請求権、仮登記担保における清算金請求権と仮登記担保債権者からの譲受人の引渡請求権（最判昭和58・3・31民集37巻152頁）などは、同一の法律関係から生じた例であり、また、二人がたがいに帽子を取り違えた場合の相互の返還請求権は、同一の生活関係から生じた例である。

(イ)　問題となる事例としては、つぎのようなものがある。

(a)　借家人が家主に対する債権に基づき建物の上に留置権を有する場合でも、家主ではない土地所有者からの土地明渡請求に対して土地に対する留置権を主張することはできない（大判昭和9・6・30民集13巻1247頁）。

(b)　借地借家法によって認められた建物買取請求権（同法§13。旧借地§10について、最判昭和33・6・6民集12巻1384頁）、造作買取請求権（同法§33）についても、それぞれ建物、造作に対する留置権が認められる。問題は、前者において建物だけでなく土地を占有できるか、後者において造作だけでなく建物を留置できるか、であるが、判例は、前者について建物留置に必要な占有を肯定し（大判昭和18・2・18民集22巻91頁。ただし、地代相当額は不当利得になる）、後者について否定している（最判昭和29・1・14民集8巻16頁）。

(c)　賃借権者は、賃借権を対抗できない賃借目的物の取得者に対して、賃借権に基づいて留置権を行使することはできない（大判大正11・8・21民集1巻498頁）。もし、元の賃貸人に対する損害賠償請求権に基づいて主張したら、どうなるのであろうか。つぎの(d)、(e)に類する問題であり、否定されることになろうか。

(d)　不動産の二重売買において、第1の買主が売主に対して有する損害賠償請求

権に基づいて、第2の買主に対して不動産の上の留置権を主張できるか。損害賠償請求権と不動産引渡請求権が上述の同一の法律関係から生じたといえるか、という問題になるが、判例はこれを否定する（最判昭和43・11・21民集22巻2765頁）。これを支持する見解は、両者は一つの事実から生じているが、法律関係としては別個であると説明する。

(e)　これと同様な問題が、不動産の譲渡担保において、担保権者が無断で不動産を他に譲渡した場合に、そのことにより譲渡担保設定者が有する損害賠償請求権と譲受人からの引渡請求権との間においても生ずる。判例はやはり両者の牽連を否定する（最判昭和34・9・3民集13巻1357頁）。

(f)　Aの所有農地についてB（農地改革による売渡しを受けたが、それが違法であることが確定された者）から譲渡を受けたCがいる場合に、CがBに対して有する損害賠償請求権と、AのCに対する返還請求権との間に牽連性はないとされた（最判昭和51・6・17民集30巻616頁）。

以上の、(d)以下の三つの場合は、一方の法律関係に基づく債権のために留置権を認めると、他方の法律関係の法的構成((d)では§177における二重譲渡、(e)では譲渡担保の対外的効力、(f)では所有権移転の無効)に重大な影響を生じることが考慮されているといってよいであろう。

(g)　これに対して、不動産をAがBに譲渡したが、残代金債権が未済である場合に、Bからその不動産を代物弁済で取得したCからの明渡し請求権と残代金債権とは同一の売買契約から生じたものとして、牽連性を認めた判決もある（最判昭和47・11・16民集26巻1619頁）。

〔4〕　その債権の弁済を受けるまでその物を留置することが、留置権の主な効力である。これを分説すれば、つぎの通りである。

(ア)　「留置する」とは、目的物の占有を継続することである。

問題となるのは、借家人が支出した必要費・有益費の返還請求権について家屋に対して留置権を行使する場合に、従前通り居住を継続することができるかどうかである。判例は、かつてこれを否定し、使用を続ける借家人に対して家主は留置権消滅請求権（§298Ⅲ参照）を行使できるものとしたが（大判昭和5・9・30新聞3195号14頁）、後に、留置権の行使としてその家に居住するのは、他に特別の事情がない限り、298条2項ただし書にいう「その物の保存に必要なる使用」であるとした（大判昭和10・5・13民集14巻876頁）。この後の見解が妥当である。ただし、賃借人は目的物の使用によって受ける実質的利益（家賃相当額）は、これを不当利得として返還するべきである（大判昭和13・12・17新聞4377号14頁。なお(3)(イ)(b)参照）。

(イ)　留置権者の留置する権能は、債権が弁済されるまで継続する。その目的物を譲り受けた者も、留置権の対抗を受ける。譲受人がその債務者の地位を承継したかどうかは、関係がない。これは、留置権が物権であることからくる当然の帰結である。

留置権は、目的物の競売による買受人に対しても、これを対抗することができる（民執§59Ⅳ参照。同条は不動産にのみ関するが、動産の場合には留置権者が占有しているので、そもそも第三者は差押えができない）。しかし、留置権の目的物が破産財団に属すること

543

第2編　第7章　留置権

になると、一般の留置権はその効力を失い、留置権者はその物を留置する権利を失う（破§66Ⅲ）。したがって、その債権は一般債権者の債権と少しも変らないことになる。ただし、商法上の留置権（削除前商§51→商§31、商§§521・557・562・574・741Ⅱ）は、破産の場合にも特別の先取特権とみなされ（破§66Ⅰ）、目的物について別除権を有する（破§65）。この点は、民法上の留置権と商法上の留置権との間の、効力についての唯一の差異である。

　(ウ)　留置権は、留置物の所有者から返還請求を受けたときに、これに対して引渡しを拒絶する形において主張されるときに、その積極的な効能を発揮する。それは、一種の抗弁権（同時履行の抗弁権が債権的抗弁権であるのに対して、物権的抗弁権）である。

　抗弁権であるから、所有者が返還請求の訴えを提起した場合、留置権者が留置権を行使する意思を表明しなければ裁判所はこれを考慮できない（最判昭和27・11・27民集6巻1062頁）。留置権の抗弁が認められた場合、留置権が物権であることからすれば、原告敗訴（請求棄却）の判決をすることも考えられるが（質権の場合はそうである。§347〔1〕参照）、判例は、同時履行の抗弁権と同じように、当該債権の弁済と引換えに引渡しを命ずる「引換給付判決」（原告一部勝訴・一部敗訴）をするものとしている（最判昭和33・3・13民集12巻524頁、最判昭和33・6・6民集12巻1384頁）。

　(エ)　以上のように、留置権は、目的物の占有を継続し、その引渡しを請求する者がいれば、これに対して引渡しを拒絶することを内容とするものであって、目的物を占有する権限を内容とする積極的な権利ではない。

　目的物が他者の占有に帰した場合に、その者に対して占有を自己に移転するように請求する権利は認められない（§302参照。占有の侵奪があって、占有の訴えにより占有を回復した場合は、別論である）。また、留置権により占有を継続しているという状態は、それによって権利を積極的に行使しているとはいえないから、被担保債権について消滅時効中断の効果は生じない（§300。(ウ)により訴訟で抗弁権を行使したときについては、やはり別論となる。§300〔1〕参照）。

　(オ)　留置権者は、民事執行法195条によって目的物を競売できる。民法は、他の担保物権と異なって、留置権に優先弁済を受ける権利を認めないこと（§§303・342・369参照）との関係が問題になる。留置権者に例外的に優先弁済権が認められている場合（果実につき§297、また削除前商§757→商§742）は別として、留置権者は目的物を競売できても優先弁済権はないから、他の債権者の配当加入の申し出があると、平等の割合で弁済を受けるものと解される。留置物が管理費用を要するとか（たとえば、動物の留置）、腐敗しやすい場合などに、競売をする実益がある。

　〔5〕　このただし書の趣旨については、説明を要しないであろう。担保物権が行使されるためには、担保される債権について弁済期がきて、履行遅滞が生じていることは、つねに必要である。

　この規定は、占有者または賃借人が有益費の償還請求権に基づいて留置権を行使している場合に、裁判所がこれに期限を許与すると（§§196Ⅱただし書・608Ⅱただし書参照）、留置権が消滅するという点で、顕著な作用を営む。なお、299条〔2〕参照。

　〔6〕　たとえば、盗人が盗品のために必要費を支払った場合にも、その償還請求権

544

§§295〔5〕〔6〕・296・297〔1〕

はあるのであるが(§196)、留置権を行使することはできない。判例は、本項を拡張して、たとえば、賃借人が賃貸借終了後になって目的物に必要費を加えたように、占有のはじめに不法行為はなくとも、その占有が不法となった後においては、その占有物について留置権は成立しないとする(最判昭和41・3・3民集20巻386頁、最判昭和46・7・16民集25巻749頁。最判昭和51・6・17民集30巻616頁は、占有が権原に基づかないことを疑わなかったことに過失がある場合、留置権の主張は許されないという判断を示している)。賃貸借終了前の費用に基づいて留置権を行使している間に、さらに費用を投じた場合には、留置権の効果によって不法な占有とはいえないから、そうはならず、留置権によって担保される(最判昭和33・1・17民集12巻55頁)。

(留置権の不可分性)
第二百九十六条
　　留置権者は、債権の全部の弁済を受けるまでは、留置物の全部についてその権利を行使することができる[1]。
[原条文]
　　留置権者ハ債権ノ全部ノ弁済ヲ受クルマテハ留置物ノ全部ニ付キ其権利ヲ行フコトヲ得

〔1〕　本条は、たとえば30万円の有益費償還請求権によって土地を留置する賃借人は、その債権の全部の弁済を受けるまでは、目的物の全部を留置することができること、いいかえると、債務者は債務の半額の15万円を弁済しても、目的物の半分の返還を請求できるものでないことを示したものである。留置権のこの性質は、債権担保の効力を強固にするためのものである。留置権者が留置物の一部を債務者に返還した場合にも、債務全部の弁済があるまで残りの部分を留置できるとされることにも(最判平成3・7・16民集45巻1101頁)、この理が働いているといえよう。
　　この「不可分性」は、他の担保物権にも共通の性質であるので、本条が準用されているのである(§§305・350・372)。

(留置権者による果実の収取)
第二百九十七条
　　1　留置権者は、留置物から生ずる果実[1]を収取し、他の債権者に先立って、これを自己の債権の弁済に充当することができる。
　　2　前項の果実は、まず債権の利息に充当し、なお残余があるときは元本に充当しなければならない。
[原条文]
　　留置権者ハ留置物ヨリ生スル果実ヲ収取シ他ノ債権者ニ先チテ之ヲ其債権ノ弁済ニ充当スルコトヲ得
　　前項ノ果実ハ先ツ之ヲ債権ノ利息ニ充当シ尚ホ余剰アルトキハ之ヲ元本ニ充当スルコトヲ要ス

〔1〕　果実には、天然果実と法定果実とを含む(§88参照)。天然果実は、競売して

第2編　第7章　留置権

優先弁済に充てることになる（§295〔4〕㋭参照）。法定果実は、通常金銭であるから、これを収取して、ただちに弁済に充ててよい。ただし、法定果実を取得するためには、通常は目的物を賃貸するわけであるが、この賃貸には所有者の承諾が必要であることを注意するべきである（§298Ⅱ参照）。

■ **（留置権者による留置物の保管等）**
第二百九十八条
　1　留置権者は、善良な管理者の注意[1)]をもって、留置物を占有しなければならない。
　2　留置権者は、債務者の承諾[2)]を得なければ、留置物を使用し、賃貸し、又は担保に供することができない。ただし、その物の保存に必要な使用をすることは、この限りでない[3)]。
　3　留置権者が前二項の規定に違反したときは、債務者[4)]は、留置権の消滅を請求[5)]することができる。

［原条文］
　留置権者ハ善良ナル管理者ノ注意ヲ以テ留置物ヲ占有スルコトヲ要ス
　留置権者ハ債務者ノ承諾ナクシテ留置物ノ使用若クハ賃貸ヲ為シ又ハ之ヲ担保ニ供スルコトヲ得ス但其物ノ保存ニ必要ナル使用ヲ為スハ此限ニ在ラス
　留置権者カ前二項ノ規定ニ違反シタルトキハ債務者ハ留置権ノ消滅ヲ請求スルコトヲ得

　〔1〕　「善良な管理者の注意」とは、その者が属する階層・職業などにおいて一般に要求されるだけの注意である。いいかえると、自分の能力に応じた程度という主観的なものではなく、客観的に要求される程度の注意を意味し、この注意を欠くときは「過失」とされ、私法上その責任を問われるのがつねである。詳細は債権編において説くことにする（改正前§400〔3〕参照）。

　〔2〕　この承諾を与える「債務者」は、事の性質上（目的物の使用、貸出し、担保提供などを許容する権限を有しなければならないから）、目的物の所有者である被担保債権の債務者をいうと解される（ただし、〔4〕参照）。債務者の承諾が与えられた場合には、その目的物の所有権が第三者に移転されたときも、留置権者は本項の承諾があったことをその第三取得者に対抗でき、したがって、第三取得者は第3項の消滅請求をすることはできない（最判平成9・7・3民集51巻2500頁）。

　〔3〕　「保存に必要な使用」については、295条〔4〕㋐参照。その他の例としては、船舶に対する留置権者が、その船舶を従来通りの遠距離にわたる航行に用いた場合について、「保存に必要な使用」といえないとされた事例が興味深い（最判昭和30・3・4民集9巻229頁）。

　〔4〕　この「債務者」とは、被担保債権の債務者のことであり、通常は留置権の目的物の所有者であるが、物の所有者が債務者でない場合も含むと解すべきである（§295〔2〕・〔4〕㋑参照）。したがって、目的物の所有権が譲渡された場合に、その第三取得者も本項の消滅請求権を有するのは当然である（最判昭和40・7・15民集19巻1275頁）。

§§ 298・299・300〔1〕

〔5〕　この消滅請求は、違反の事情があった以上、違反行為が終了したかどうか、損害が生じたかどうか、にかかわりなく認められる（最判昭和38・5・31民集17巻570頁）。消滅を請求するには、債務者から留置権者に対する意思表示だけで効力を生じ、留置権者の承諾を必要としない（すなわち、一種の形成権である）。

（留置権者による費用の償還請求）
第二百九十九条
　1　留置権者は、留置物について必要費を支出したときは、所有者にその償還をさせることができる[1]。
　2　留置権者は、留置物について有益費を支出したときは、これによる価格の増加が現存する場合に限り、所有者の選択に従い、その支出した金額又は増価額を償還させることができる[1]。ただし、裁判所は、所有者の請求により、その償還について相当の期限を許与することができる[2]。

［原条文］
　留置権者カ留置物ニ付キ必要費ヲ出タシタルトキハ所有者ヲシテ其償還ヲ為サシムルコトヲ得
　留置権者カ留置物ニ付キ有益費ヲ出タシタルトキハ其価格ノ増加カ現存スル場合ニ限リ所有者ノ選択ニ従ヒ其費シタル金額又ハ増価額ヲ償還セシムルコトヲ得但裁判所ハ所有者ノ請求ニ因リ之ニ相当ノ期限ヲ許与スルコトヲ得

〔1〕　留置権者は、この必要費および有益費の償還請求権に基づいて、さらに留置権を行使しつづけることができる（§295〔6〕参照）。
〔2〕　裁判所が期限を許与したときは、留置権者はこの有益費償還請求権に基づいて留置権を行使することはできない（§295〔5〕参照）。

（留置権の行使と債権の消滅時効）
第三百条
　　留置権の行使は、債権の消滅時効の進行を妨げない[1]。

［原条文］
　留置権ノ行使ハ債権ノ消滅時効ノ進行ヲ妨ケス

〔1〕　留置権の行使、すなわち目的物を留置していることそのものは、債権自体を行使することではないから、債権の消滅時効の進行を中断するものではないことはもとより当然である（§295〔4〕㈢、また、時効の中断については§147以下参照）。そして、債権が時効で消滅すれば、留置権もまた消滅する。
　本条の趣旨は上に述べたことにあるので、留置権者が所有者から目的物の返還請求を受け、その訴訟において留置権の抗弁を主張した場合（§295〔4〕㈡参照）には、おのずから事情が異なることはいうまでもない。その訴訟においては、被担保債権についての主張も継続してなされていると考えてよいからである。判例もこの理を認め、その主張によって被担保債権の消滅時効の中断の効力を生じ、訴訟終結後6か月以内に他

547

第2編　第8章　先取特権

の強力な中断事由に訴えれば、中断の効力は継続するものとした（最大判昭和38・10・30民集17巻1252頁。この判決で認められた中断としての効力は、催告のそれと同じものといってよい。改正前§153〔1〕(イ)(d)参照）。このことは、本条の規定になんら反するものではない。

（担保の供与による留置権の消滅）
第三百一条
　　債務者は、相当の担保²⁾を供して¹⁾、留置権の消滅を請求³⁾することができる。
［原条文］
　　債務者ハ相当ノ担保ヲ供シテ留置権ノ消滅ヲ請求スルコトヲ得

〔1〕　29条〔1〕参照。質権または抵当権を設定したり、保証人を立てるなどをいう。
〔2〕　「相当の担保」とは、目的物の価格に相当という意味ではなく、債権額に相当の担保という意味である。けだし、留置権は往々にして債権額よりもはるかに価値の多いものについて成立する――たとえば、5000円の修繕代金のため5万円の時計を留置する――ことがあるので、そういう場合に備えて、本条がおかれたものだからである。したがって、この例で5万円に相当する担保は不要で、5000円の債権額に見合う担保であれば、足りるのである。
〔3〕　298条〔5〕参照。

（占有の喪失による留置権の消滅）
第三百二条
　　留置権は、留置権者が留置物の占有を失うことによって、消滅する¹⁾。ただし、第二百九十八条第二項の規定により留置物を賃貸し、又は質権の目的としたときは、この限りでない²⁾。
［原条文］
　　留置権ハ占有ノ喪失ニ因リテ消滅ス但第二百九十八条第二項ノ規定ニ依リ賃貸又ハ質入ヲ為シタル場合ハ此限ニ在ラス

〔1〕　「占有の喪失」とは、295条の「占有者」でなくなることである（同条〔1〕参照。なお、占有者の意思によらずに侵害された場合について、§203ただし書参照）。留置権者が占有者でなくなれば、留置権を失う。留置権は、このように、占有が存する限りで認められるものであり、占有を失えば消滅する。留置権は、目的物を占有することのできる権利、すなわち「本権」ではないのであって、物権性の希薄な権利であるといわざるをえない（§295〔4〕(エ)参照）。
〔2〕　留置権者が目的物を賃貸または質入れしても、目的物の占有を失うものではないから（§181参照）、このただし書は、注意的に設けられた規定にすぎない。なお、留置権者が298条2項の規定に反して賃貸または質入れをしても、留置権は当然に消滅するものではなく、債務者から消滅請求を受けてはじめて消滅する（§298Ⅲ）。このことも、本条のただし書によって変更されたわけではない。

§§301・302・第8章［解説］①〜③

第8章　先取特権

〈改正〉　2017年に、不動産賃貸の先取特権の被担保債権の範囲に関する316条が改正された。

①　本章の内容

本章は、「総則」、「先取特権の種類」、「先取特権の順位」、「先取特権の効力」の4節から成り、第1節では、先取特権の定義と共通の基本的性質を定め、第2節で3種の先取特権を規定し、第3節で先取特権相互間の効力の順序を、第4節で先取特権と他の担保物権との間の効力の順序を定める。

②　先取特権の意義

先取特権は、法律に定められた一定の債権を有する者に対して、一定の財産の価値から優先弁済を受ける権利を認めるものである。その成立の根拠が当事者の意思ではなく、法律の規定にあるので、「法定担保物権」の一種であり、また、債権者が目的物を占有することが要件とはされていないので、「非占有担保」である。

このような先取特権は、要するに、債権者平等の原則を破る制度である。債権は、物権と異なり、成立の時の順序に関係なく、平等の効力を有し、もし債務者の財産が全債権額を弁済するのに不十分なときは、各債権者にはそれぞれの債権額に案分して分配することを原則とする（これを「債権者平等の原則」という）。ところが、先取特権は、一定の原因に基づいて成立した債権のために、債務者の全財産または特定の財産について、他の一般債権者に優先する効力を認めるものである。ただ、民法は、このような効力を認めるにさいし、これを債権そのものの効力とせずに、その債権者が債務者の全財産または特定の財産の上に特別の担保物権を有するものとし、目的物に対する競売権を認めたので、ここに、先取特権という特別の担保物権が成立することとなったのである。しかし、先取特権のなかでも、一般先取特権は、――とくにその目的物が特定していない点で――債権そのものの効力という性質がなお強く感じられる。これに反して、動産の上の先取特権は、動産質権に似ており、不動産の上の先取特権は、抵当権に似ている。

③　先取特権制度の評価

(1)　先取特権またはこれに類する制度は、ローマ法で認められ、フランス民法に承継されたが（§§2095〜→§§2324〜（2006年改正））、ドイツ民法やスイス民法では認められていない。そこでは、わずかに、わが動産先取特権と不動産先取特権の一部に該当するものが法定質権または法定抵当権として認められているにすぎない。ドイツ民法やスイス民法が先取特権を排斥したのは、要するに、これを認めると、一般の債権および契約によって成立する質権や抵当権を害するおそれがあるからである。いいかえれば、近代の法制では、債権の効力は平等なものとし、法律によってそのうちの一部

549

第2編　第8章　先取特権　第1節　総則

の者に優先権を与えることを避け、優先権は、当事者の契約によって質権や抵当権が設定された場合に限るとするのが、近代の取引の自由と安全の理想に適すると考えられたことが、先取特権制度の排斥となったのである。

(2)　この理想は、今日でも、一面の真理を含む。先取特権制度によって一般債権者や質権者・抵当権者を害することは厳に戒めなければならない。しかし、他面においては、特定の債権者をとくに保護する必要が、種々の政策的な理由から、いっそう強く認められようとしていることも否定することはできない。ドイツやスイスにおいてさえ、そのような傾向がないではない。ことにわが国では、このような新しい見地から、先取特権は、かえって増加する傾向を示している。今日においては、債権に対する上述の両面の要請を適当に調和することが、先取特権制度の理想であることを理解しておかなければならない。

民法以外の特別法による先取特権の種類は後に述べるが(第2節解説②参照)、民法の定める15種類を含めて、その総数は数十にのぼり、これを完全に網羅するのは容易ではない。本書では、ごく代表的なものだけを視野に入れることにしたい。

(3)　先取特権制度の評価にも関連して、先取特権に関する民法その他の規定については、その種類および順位に関してかなり頻繁に改正が加えられている。

2003年改正においては、「雇人給料の先取特権」が「雇用関係の先取特権」に改められた(§§306・308)。

550

第1節　[解説]・§§303・304

第1節　総　　則

　本節は、先取特権の定義をし、その効力を明らかにし(§303)、その物上代位性
(§304)と不可分性(§305)とを規定する。

（先取特権の内容）
第三百三条
　　先取特権者は、この法律その他の法律[1]の規定に従い、その債務者の財産[2]に
　ついて、他の債権者に先立って自己の債権[3]の弁済を受ける権利を有する[4]。
［原条文］
　　先取特権者ハ本法其他ノ法律ノ規定ニ従ヒ其債務者ノ財産ニ付キ他ノ債権者ニ先チテ自
　己ノ債権ノ弁済ヲ受クル権利ヲ有ス

　〔1〕　先取特権について規定する法律は、民法以外にも、きわめて多方面にわたっ
て存在する。その主だったものを本章第2節解説②で示すことにする。
　〔2〕　先取特権の目的となりうるものは、債務者の所有に属する物に限る。ただし、
319条は例外である。なお、債務者の財産は特定の動産または不動産であることもあ
り、あるいは、債務者の全財産であることもある。そのどれであるかにより、「動産
の先取特権・不動産の先取特権・一般の先取特権」と呼ばれる。前の二つを合わせて
「特別の先取特権」と呼ぶ。
　なお、不動産の上の先取特権をもって第三者に対抗するためには、不動産登記法の
定めるところに従って、登記することを要する(不登§§3⑤・83・85~87など)。
　〔3〕　どのような債権に先取特権が認められるかについて、306条・311条・325
条がまずその大綱を規定したうえで、それぞれに続く条文がさらに細目を定めている。
　〔4〕　先取特権者は、この権利(これを「優先弁済権」という)を行使するために、み
ずから目的物を競売することができる(民執§§180・181Ⅰ・188・189・190・193Ⅰ・197Ⅱ。
なお、同§§51Ⅰ・59Ⅰ・87Ⅰ・107・121・133・154・192・193Ⅱなど参照。2003年の改正に
より、担保不動産収益執行手続が認められたことなどに注意)。のみならず、他の債権者が
その目的物について強制執行をした場合には、その売得金から優先弁済を受けること
ができる(民執§§51Ⅰ・59Ⅰ・87Ⅰ・121・133・154Ⅰ・188・189・192・193Ⅱ)。また、債
務者が破産したときは、別除権を行使し(破§65Ⅱ)、あるいは優先的弁済を受けるこ
とができる(破§98)。会社更生手続においては、更生担保権(会更§2Ⅹ)、民事再生手
続においては、別除権または一般優先債権(民再§§53・122)として扱われる。

（物上代位）
第三百四条
　1　先取特権は、その目的物の売却[2]、賃貸[3]、滅失又は損傷[4][5]によって債務者
　　が受けるべき金銭その他の物[1]に対しても、行使することができる。ただし、

551

第2編　第8章　先取特権　第1節　総則

先取特権者は、その払渡し又は引渡しの前に差押えをしなければならない[6]。
2　債務者が先取特権の目的物につき設定した物権の対価[7]についても、前項と同様とする。

［原条文］

先取特権ハ其目的物ノ売却、賃貸、滅失又ハ毀損ニ因リテ債務者カ受クヘキ金銭其他ノ物ニ対シテモ之ヲ行フコトヲ得但先取特権者ハ其払渡又ハ引渡前ニ差押ヲ為スコトヲ要ス
債務者カ先取特権ノ目的物ノ上ニ設定シタル物権ノ対価ニ付キ亦同シ

〔1〕　この「金銭その他の物」のことを「代位物」という。それは、実際上はほとんどの場合、金銭である（§372(2)(1)参照）。そして、注意するべきは、債務者が取得した金銭そのものの上に先取特権が行われるのではなく、金銭の支払を求める請求権の上に先取特権が行われることである（(6)参照）。本条は、担保物権の優先弁済的効力（留置権のみはそれを有しない）が、実質的には目的物の物質を支配するものではなく、その交換価値（換価価値）を支配するものであることから、目的物に代わる価値の上に、それが同一性を認められる限りにおいて、効力が及ぶものとしたのである。この性質は担保物権の「物上代位性」と呼ばれ、質権・抵当権にも均しく認められている（§§350・372による本条準用）。

〔2〕　先取特権の目的物である動産が売却されて、第三取得者に引き渡されると、先取特権はその動産には及ばず、効力を失うものであるから（§333参照）、その代金について物上代位を認めることには大いに実益がある。

動産が請負工事に用いられた場合に請負代金に代位できるかについては、原則として否定されるが（大判大正2・7・5民録19輯609頁）、実質的に代金債権と認められる場合に肯定された例もある（最決平成10・12・18民集52巻2024頁）。

〔3〕　目的物が賃貸されたときは、先取特権は物上代位によりその賃料に及ぶ。

〔4〕　目的物の滅失または損傷によって債務者が取得する保険金請求権・損害賠償請求権などの上に先取特権の効力が認められるのである。実際上、物上代位が最も実益をもつのはこの場合である。

〔5〕　ここにいう目的物の売却・賃貸・滅失または損傷には、公法上の土地の収用・使用・買収などを含むことはもちろんである。保安林への編入のような経済的損失も、これに含まれるのである。

〔6〕　本条が払戻または引渡し前の差押えを要件としたのは、もし先取特権が払い戻された後の金銭の上に、あるいは引渡された後のその他の代位物の上に効力を及ぼすものとするときは、債務者の一般財産のなかの不特定の一部分に優先権を認めることになり、他の債権者を害するに至るから、目的物に代わるものの特定的存在を保持して、両者の実質的同一性を明確にするためである。この見地からすれば、この差押えは、必ずしも債権者自身がすることを要しないで、他の債権者がした場合でも、代位を認めるのが至当である。大審院判例は反対の見解を示していたが、最判昭和59・2・2(民集38巻431頁)は、債権の特定性が保持されればよいので、他の一般債権者による差押え(転付命令までいかない場合)や、債務者に対する破産宣告(改正前。改正に

§§304〔1〕～〔7〕・305

より「破産手続開始決定」となる)でも足りるとした(基本的に同旨、最判昭和60・7・19民集39巻1326頁)。ただし、物上代位権者が一定の時期までに配当要求をするなどの手続をすることを要するとされることには注意を要する(最判昭和62・4・2判時1248号61頁、最判平成5・3・30民集47巻3300頁)。問題は、本条が抵当権に準用された場合に多く起こるので、372条の注釈において先取特権に基づく物上代位の事例についても論じることとする(§372〔2〕参照。とくに、最判平成17・2・22民集59巻314頁は、動産売買の先取特権〔§322〕に基づく物上代位に関して、抵当権に基づく物上代位との違いを強調しているので、§372〔2〕(3)(ウ)を参照)。

なお、一般の先取特権については、差押えを必要としないことについて、306条〔1〕参照。

〔7〕 たとえば、先取特権の目的である土地の上に設定された地上権の対価——それが一時払いであるにせよ、毎期ごとの地代であるにせよ——などである。

(先取特権の不可分性)
第三百五条
　　第二百九十六条の規定は、先取特権について準用する[1]。
〔原条文〕
　　第二百九十六条ノ規定ハ先取特権ニ之ヲ準用ス

〔1〕 本条は、いわゆる不可分性を規定したものである(§296〔1〕参照)。先取特権に準用されるときは、被担保債権の全部の弁済を受けるまで、目的物の全部を競売に付し、その代金から優先弁済を受けることができるということになる。

553

第2編　第8章　先取特権　第2節　先取特権の種類

[1]　本節の内容

本節は、「一般の先取特権」（第1款）、「動産の先取特権」（第2款）、および「不動産の先取特権」（第3款）を包含する。それぞれについて、主として成立の要件を規定する。

民法は、その定める15種類の先取特権を、このように3種に分類するのであるが、動産の先取特権のなかの原規定に定められていた「公吏保証金の先取特権」（旧§§311④・320。2004年改正で削除された）は、じつは債権の上の先取特権である。これを「債権の先取特権」として別種類と考えれば、先取特権の種類としては4種類あることになる。

[2]　民法以外の先取特権

民法以外の法律によって認められる先取特権のうち、主要なものを、上に述べた4種に分類してみると、つぎの通りである。以下の❶、❷……の記号は、後に順位について記述するときに用いるので、留意されたい（§§329〔1〕・330〔1〕・331〔1〕参照）。

(1)　一般の先取特権

❶国税（税徴§§8〜）

❷地方税（地税§§14〜）

❸公共団体の徴収金、分担金、負担金、使用料、手数料など（地自§231の3Ⅲ、土改§39Ⅶ、河川§74Ⅳ、砂防§38Ⅱ、海岸§35Ⅲなど）

❹各種の社会保険料（厚生年金保険法§88、健保§182、国民健保§80Ⅳ、労働保険の保険料の徴収等に関する法律§28、自賠§81など）

❺一般担保（電気事業法§37、日本電信電話株式会社等に関する法律§9、高速道路株式会社法§8など、この種のものが多く定められている）

これらの法律に定められた企業が負う一定の債務（社債や一定の金融機関からの借入金など）について総財産の上に一般債権者に対する優先権を認めるものである。この種のものを、「一般担保」（ゼネラル・モーゲージ）と呼ぶ。

(2)　動産の先取特権

❶関税を徴収すべき外国貨物についての先取特権（関税§9の10Ⅰ）

❷船舶救助料債権（商§802）

❸船舶債権（商§§703・842①〜⑤）

❹建物区分所有法上の先取特権（同法§§7・66）

❺農業動産信用法上の債権（同法§§3〜11）

同法3条第1号から第6号までの先取特権がある。後述330条〔1〕においては、それぞれを❺の1、❺の2……というふうに表示する。

(3)　債権の先取特権（旧§320（削除）〔1〕参照）

第2節［解説］・第1款［解説］・§306〔1〕

❶金融商品取引法31条の2第6項、信託業法11条、商品先物取引法101条・
108条・109条、旅行業法17条、鉱業法118条など
　　これらは、所定の企業に対する損害賠償請求権などを保護するものである。
消費者保護の意味合いをもつ場合が多い。
（4）　不動産の先取特権
　　❶山林の地代債権（立木ノ先取特権ニ関スル法律。立木§10）
　　❷建物区分所有法上の債権（同法§§7・66）
　　❸借地借家法上の地代債権（同法§12）
　　❹罹災都市借地借家臨時処理法上の債権（〔廃止〕同法§§8・9）
　　　　これに代わる大規模な災害の被災地における借地借家に関する特別措置法
には、先取特権の規定はない。国税徴収法§8および地方税法§14もこれに
対応している。

第1款　一般の先取特権

　本款は、「一般の先取特権」として、306条で4種のものを挙げ、307条以下におい
て、それぞれについて細かい規定をしている。なお、民法以外の法律の認める一般の
先取特権については、本節解説②(1)参照。

（一般の先取特権）
第三百六条
　　次に掲げる原因によって生じた債権を有する者は、債務者の総財産[1]につい
て先取特権を有する[6]。
　一　共益の費用[2]
　二　雇用関係[3]
　三　葬式の費用[4]
　四　日用品の供給[5]
［原条文］
　　左ニ掲ケタル原因ヨリ生シタル債権ヲ有スル者ハ債務者ノ総財産ノ上ニ先取特権ヲ有ス
　一　共益ノ費用
　二　葬式ノ費用
　三　雇人ノ給料
　四　日用品ノ供給
〈改正〉　1949年の改正により、2号と3号が入れ替えられた。2003年改正により、2号の
「雇人ノ給料」が「雇用関係」に変更された。

〔1〕　「債務者の総財産」には、債務者が所有する動産・不動産・債権その他いっ
さいのものを含む。これは、債務者の「一般財産」というのとほぼ同義である。した

555

第2編　第8章　先取特権　第2節　先取特権の種類

がって、たとえば債務者の財産のなかのある動産が売却されて買主に引渡されると、その動産は先取特権の効力の外に出てしまうが（§333）、債務者がこれによって取得する代金債権あるいは債務者がこの債権の弁済として取得した金銭は、いずれも債務者の総財産の一部分として一般先取特権の対象となる。したがって、この場合、先取特権者は、その代金の払渡しの前に差押える必要はない。この意味において、一般の先取特権には304条は適用されないのである（§304〔6〕）。

　なお、債務者の総財産は、1個の物として「一般の先取特権」の目的となるのではなく、総財産に属する個々のものが、それぞれ「一般の先取特権」の目的となるのである。したがって、たとえば「一般の先取特権」が不動産の上に効力を及ぼす場合には、登記を有する第三者に対する関係では登記を要するのである（§336）。

　〔2〕　307条参照。

　〔3〕　308条参照。

　〔4〕　309条参照。

　〔5〕　310条参照。

　〔6〕　2003年改正によって、民事執行法に、債務者の財産についての「財産開示手続」が新設されたが（同法第4章、§§196～203）、同法197条が、「一般の先取特権を有することを証する文書を提出した債権者」の申立てによってこの手続が実施されることとしたことは、一般先取特権の実効性を高めるものとして注目される（§308〔4〕参照）。

▌（共益費用の先取特権）
　第三百七条
　　1　共益の費用の先取特権[1]は、各債権者の共同の利益のためにされた債務者の財産の保存[2]、清算[3]又は配当[4]に関する費用について存在する。
　　2　前項の費用のうちすべての債権者に有益でなかったものについては、先取特権は、その費用によって利益を受けた債権者に対してのみ存在する[5]。
　［原条文］
　　共益費用ノ先取特権ハ各債権者ノ共同利益ノ為メニ為シタル債務者ノ財産ノ保存、清算又ハ配当ニ関スル費用ニ付キ存在ス
　　前項ノ費用中総債権者ニ有益ナラサリシモノニ付テハ先取特権ハ其費用ノ為メ利益ヲ受ケタル債権者ニ対シテノミ存在ス

　〔1〕　各債権者の共同の利益のための費用について、この「共益費用の先取特権」が認められるのは、公平の理想に基づくものであることはいうまでもない。

　〔2〕　「財産の保存」とは、債務者の財産を事実上保存する行為をし、または債務者に代位して債務者が有する権利について時効中断の行為をし（§423〔改注〕）、もしくは詐害行為を取消す（§424〔改注〕）などのように、債務者の財産の現状を維持する行為をすることである。

　〔3〕　「清算」とは、債務者の財産の換価・債権の取立て・債務の支払・財産目録

の作成などをすることである。清算人・管財人・執行官などがこの種の債権を取得することが多い。

〔4〕　「配当」とは、債権を調査して配当表を作り、配当を実行することである。やはり、執行官・管財人などがこの種の債権を取得することが多い。

〔5〕　たとえば、抵当不動産の売却行為を詐害行為として取消した場合、普通の債権者はこれにより利益を受けるが、抵当債権者は、すでに抵当権によって優先権をもっているので、これによって格別利益を受けることはないから、その取消しをした債権者は、抵当債権者に対しては、その先取特権を主張することはできない（なお、§329Ⅱ参照）。

（雇用関係の先取特権）
第三百八条
　　雇用関係の先取特権[1]は、給料その他債務者と使用人との間の雇用関係[2]に基づいて生じた債権[3]について存在する[4]。

［原条文］
第三百九条
　　雇人給料ノ先取特権ハ債務者ノ雇人カ受クヘキ最後ノ六个月間ノ給料ニ付キ存在ス但其金額ハ五十円ヲ限トス

〈改正〉　1949年の改正により、旧309条であったものが308条に繰り上げられた。そのさい、最高額を50円に限定していたただし書も削られた。2003年改正により、「雇人給料ノ」が「雇用関係ノ」と、「債務者ノ雇人カ受クヘキ最後ノ六个月間ノ給料」が「給料其他債務者ト使用人トノ間ノ雇用関係ニ基キ生ジタル債権」と改められた。

2003年改正により、雇用に関連する債権のための先取特権の規定が改められた。

〔1〕　本条がこの「雇用関係の先取特権」を認めた理由は、雇用関係にあって使用者に対して身体的精神的労務を提供している者を保護しようとする社会政策的理由に基づくものである。

この趣旨は制定以来変わらないが、改正の経過が示すように、当初の規定は、「雇人」という言葉および保護される債権の制限に示されていたように、ごく弱いものであり、これに対する特別法が各種の雇用関係について定められていた。商法旧295条による「会社使用人の先取特権」などである（2003年改正で削除された。他に旧有§46Ⅱ、保険業§59Ⅱ、旧中間法人旧§71Ⅱなどが同条を準用していたが、これらの準用規定も削除された）。2003年改正は、これらを本条に一本化するものであり、文言としては、商法旧295条と同じ「……ト使用人トノ間ノ雇用関係ニ基キ生ジタル債権」という語句が用いられた。

〔2〕　雇用関係は、できるだけ広い意味に解すべきである。

旧規定の「雇人」についても、判例は、ひろく雇用契約によって労働を提供する者を指すと解していた（最判昭和47・9・7民集26巻1314頁）。新規定では、近時における雇用関係の多様化を考えると、さらに広く、狭い意味の雇用契約の観念に制約されずに、およそ他人に継続的に使用され、その労務の対価を得ている者を広く指すと解す

第2編　第8章　先取特権　第2節　先取特権の種類

べきであろう（いわゆるアルバイト、パートタイマーなども当然含む）。人材派遣会社の派遣社員についても、給料債権などは派遣会社に対して有するのが通常であろうが、派遣先の会社に対する関係についても、場合によっては本条の適用を受けることがあると考えられる（〔3〕参照）。

〔3〕　先取特権が認められる債権の範囲も、2003年改正によって雇用関係に基づくすべての債権に拡大された。定期・定額の給料債権のほか、請負給のようなもの、顧問料、嘱託料、デザイン料など、どのような名目が用いられていても、〔2〕の要件が充足される限りは、本条の範囲に入れてよい。退職金も含まれる表現になったのは、重要な変化である（旧規定では含まれていなかったが、最後の6か月の給料相当額は含まれるとした苦心の最判昭和44・9・2民集23巻1641頁があった）。損害賠償請求権も含まれる。人材派遣会社の社員が派遣先の会社で損害を受け、その会社に対して損害賠償請求権を取得したときは、これも含めてよいであろう。

〔4〕　2003年改正で民事執行法に新設された「財産開示手続」（§306〔6〕参照）の適用についていえば、本条の先取特権の場合には、労働者名簿、給料明細書、解雇通知書などの提出によりこの手続の実施を求めることができることになる。

（葬式費用の先取特権）
第三百九条
　　1　葬式の費用の先取特権[1]は、債務者のためにされた葬式の費用のうち相当な額について存在する[2]。
　　2　前項の先取特権は、債務者がその扶養すべき親族[3]のためにした葬式の費用のうち相当な額についても存在する。

［原条文］
第三百八条
　　葬式費用ノ先取特権ハ債務者ノ身分ニ応シテ為シタル葬式ノ費用ニ付キ存在ス
　　前項ノ先取特権ハ債務者カ其扶養スヘキ親族ノ身分ニ応シテ為シタル葬式ノ費用ニ付テモ亦存在ス

〈改正〉　1949年の改正により、旧308条が繰り下げられた。

〔1〕　本条がこの「葬式費用の先取特権」を認めた理由は、財力の十分でない者にも葬式を営む場合の金融を受けやすくしようとするものであるから、公益上の理由に基づくというべきである。

〔2〕　債務者がみずから自己の葬式に関連する債務を負担した場合には、その債権者は、債務者の死後においてもその遺産について先取特権を有する。

〔3〕　877条参照。

（日用品供給の先取特権）
第三百十条
　　日用品の供給の先取特権[1]は、債務者[2]又はその扶養すべき同居の親族[3]及びその家事使用人[4]の生活に必要な最後の六箇月間[5]の飲食料品、燃料及び電気の

§§308〔3〕〔4〕・309・310・第2款［解説］・§311

供給について存在する。

［原条文］
　　日用品供給ノ先取特権ハ債務者又ハ其扶養スヘキ同居ノ親族並ニ家族及ヒ其僕婢ノ生活
ニ必要ナル最後ノ六个月間ノ飲食品及ヒ薪炭油ノ供給ニ付キ存在ス
〈改正〉　1947年の改正により、「同居ノ親族並ニ家族」とあったうち、「並ニ家族」の4字が
削られた。「家」を同じくする「家族」という概念が廃止されたことに伴うものである。

　〔1〕　本条がこの「日用品供給の先取特権」を認めた理由は、主として小規模の商
人を保護しようとすることにあり、社会政策的理由に基づくものである。
　〔2〕　この「債務者」が自然人に限られ、法人を含まないのは、当然であろう（最
判昭和46・10・21民集25巻969頁）。
　〔3〕　877条参照。なお、内縁の妻を含むとする判例がある（大判大正11・6・3民集
1巻280頁）。妥当である。
　〔4〕　原条文の「僕婢」という古い言葉が、2004年改正により改められた。
　〔5〕　「最後の六箇月」とは、債務者の財産を清算すべき原因たる事実が発生した
時から遡って6か月である。

第2款　動産の先取特権

〈改正〉　2017年に、敷金に関する規定の新設に伴って、316条が改正された。

　本款は、「動産の先取特権」として、311条で8種のものを挙げ、312条以下におい
て、それぞれについて細かい規定をしている。このうち、旧311条4号、320条が定
めていた「公吏保証金の先取特権」は、「債権の先取特権」と考えるのが適切である
ことにつき、本節解説1参照。なお、民法以外の法律の認める動産の先取特権につい
ては、本節解説2(2)参照。

（動産の先取特権）
第三百十一条
　　次に掲げる原因によって生じた債権を有する者は、債務者の特定の動産につ
いて先取特権を有する。
　一　不動産の賃貸借[1]
　二　旅館の宿泊[2]
　三　旅客又は荷物の運輸[3]
　四　動産の保存[4]
　五　動産の売買[5]
　六　種苗又は肥料（蚕種又は蚕の飼養に供した桑葉を含む。以下同じ。）の供
給[6]

559

第2編　第8章　先取特権　第2節　先取特権の種類

　　七　農業の労務[7]
　　八　工業の労務[8]
　　［原条文］
　　　左ニ掲ケタル原因ヨリ生シタル債権ヲ有スル者ハ債務者ノ特定動産ノ上ニ先取特権ヲ有
　　ス
　　一　不動産ノ賃貸借
　　二　旅店ノ宿泊
　　三　旅客又ハ荷物ノ運輸
　　四　公吏ノ職務上ノ過失
　　五　動産ノ保存
　　六　動産ノ売買
　　七　種苗又ハ肥料ノ供給
　　八　農工業ノ労役

2004年改正により、原条文の第4号が削除されたことについては、320条(削除)の
注釈を参照。
〔1〕　312条～316条参照。
〔2〕　317条参照。
〔3〕　318条参照。
〔4〕　320条参照。
〔5〕　321条参照。
〔6〕　322条参照。
〔7〕　323条参照。
〔8〕　324条参照。

（不動産賃貸の先取特権）
　第三百十二条
　　　不動産の賃貸の先取特権[1]は、その不動産の賃料その他の賃貸借関係から生
　じた賃借人の債務[2]に関し、賃借人の動産[3]について存在する。
　　［原条文］
　　不動産賃貸ノ先取特権ハ其不動産ノ借賃其他賃貸借関係ヨリ生シタル賃借人ノ債務ニ付
　キ賃借人ノ動産ノ上ニ存在ス

〔1〕　本条が賃貸人にこの「不動産賃貸の先取特権」を認めたのは、主として当事
者の意思の推測に基づく。すなわち、賃借人が高価な動産を賃借不動産に持ちこむと、
賃貸人はこれで安心するわけで、あたかも当事者がこれらの動産を賃貸借関係から生
じる債務の担保とする暗黙の合意があったものとみるのを至当とするのである。
　なお、地上権・永小作権に基づく地代債権・小作料債権についても、本条の先取特
権が認められる(§§266Ⅱ・273)。
〔2〕　賃貸借関係から生じた賃料以外の債務とは、たとえば、賃借人が目的物を損
傷したことによる損害賠償債務などである。

560

§§311〔1〕～〔8〕・312・313〔1〕～〔6〕

　〔3〕　民法は、土地の賃貸人の先取特権の効力は債務者の動産に及ぶだけで、その地上の建物には及ばないものとする。しかし、借地借家法はこの先取特権を、最後の2年分の地代について、借地権者がその土地において所有する建物の上にもその効力を及ぼすとしたものとした（借地借家§12）。借地人を保護する代償として、賃貸人の先取特権の拡張をはかったものである。

■（不動産賃貸の先取特権の目的物の範囲）
第三百十三条
　　1　土地の賃貸人の先取特権は、その土地[1)]又はその利用のための建物に備え付けられた動産[2)]、その土地の利用に供された動産[3)]及び賃借人が占有するその土地の果実[4)]について存在する。
　　2　建物の賃貸人の先取特権は、賃借人[6)]がその建物に備え付けた動産について存在する[5)]。
［原条文］
　　土地ノ賃貸人ノ先取特権ハ賃借地又ハ其利用ノ為メニスル建物ニ備附ケタル動産、其土地ノ利用ニ供シタル動産及ヒ賃借人ノ占有ニ在ル其土地ノ果実ノ上ニ存在ス
　　建物ノ賃貸人ノ先取特権ハ賃借人カ其建物ニ備附ケタル動産ノ上ニ存在ス

　〔1〕　「土地」に備え付けられた動産とは、賃借された土地に据え付けられている排水用または灌漑用のポンプのようなものである。
　〔2〕　「土地の利用のための建物に備え付けられた動産」とは、たとえば、賃借小作地の納屋に備えつけられている農具・家畜・家具などである。
　〔3〕　小作地または納屋以外の場所に置いてある農具・家畜などであって、現にその土地の利用に使われているものを意味する。かつてその土地利用に使われても、現に別の用途に使用されている物には及ばない。
　〔4〕　ここに「果実」とは、土地の用法に従う産出物である天然果実のことである（§88〔1〕参照）。なお、譲渡その他によって賃借人の占有を離れれば、先取特権の効力は及ばない。
　〔5〕　判例は、建物に備え付けた動産の意味をきわめて広く解釈し、ある期間継続して置いておくためにその建物に持ち込まれたものは、宝石・金銭・有価証券・商品などをも含むという（大判大正3・7・4民録20輯587頁）。しかし、学説の多くは、これに反対し、建物の使用に関連して常備されるものに限ると解し、畳・建具はもちろん、いっさいの家具・調度および機械・器具・営業用什器などは含むが、居住者の個人的所持品、たとえば、写真機・スポーツ用具や、建物の使用と関係のない金銭・有価証券などは含まないものと解釈する。
　〔6〕　本条2項についてだけ、とくに「賃借人が備え付けた」ことを要件としているようにみえるが、先取特権は原則として債務者の財産の上にだけ認められることによるためであるから、1項の場合にも同様である。もし、319条の適用がある場合であれば、2項の場合にも先取特権は第三者の備え付けた物に及ぶのである。なお、こ

561

第2編　第8章　先取特権　第2節　先取特権の種類

の先取特権の目的である動産が、賃貸借解除後に新たに賃借人となった者によって前賃借人のために保管されている場合には、先取特権は消滅することなく存続するとされた（大判昭和18・3・6民集22巻147頁）。

〔目的物の範囲の拡張〕〔第8版凡例4a）を見よ〕
第三百十四条
　　　賃借権の譲渡又は転貸の場合には、賃貸人の先取特権は、譲受人又は転借人の動産にも及ぶ[1]。譲渡人又は転貸人が受けるべき金銭[2]についても、同様とする。
［原条文］
　　　賃借権ノ譲渡又ハ転貸ノ場合ニ於テハ賃貸人ノ先取特権ハ譲受人又ハ転借人ノ動産ニ及フ譲渡人又ハ転貸人カ受クヘキ金額ニ付キ亦同シ

〔1〕　たとえば、Aの家屋を賃借するBが、その賃借権をCに譲渡し、またはその家屋をCに転貸した場合には、Bが賃料を延滞したためにAが有する先取特権は、Cがその家屋に備えつけた動産の上にその効力を及ぼすということである。ところで、B・C間の譲渡または転貸が適法に成立した場合には、それ以後の賃料についてはCは直接Aに対して責任があるのであるから（§613［改注]）、本条によるまでもない。したがって、本条の規定は、譲渡または転貸以前の債務について適用がある。そして、Cがこのような負担を負うのは、Bが賃借権の譲渡または転貸をする場合には、その所有の動産をもCに譲渡することが多いであろうから、とくにそのような動産について333条の原則を排除して、Aの先取特権を認めたのである。しかし、Cがみずから動産を持ち込んだ場合には、不測の損害をこうむるわけで、立法論として、当否は疑問であるといわれる。

〔2〕　〔1〕に挙げた例で、Bがその動産をCに譲渡し、その代金請求権を有するときは、Aの先取特権の効力は、Bの代金請求権に及ぶという意味である。これは物上代位と同一の趣旨の規定であり、304条と同様に、賃貸人は代金の払渡し前にその代金請求権を差押えることを必要とすると解されている。

（不動産賃貸の先取特権の被担保債権の範囲）
第三百十五条
　　　賃借人の財産のすべてを清算する場合[1]には、賃貸人の先取特権は、前期、当期及び次期[2]の賃料その他の債務並びに前期及び当期に生じた損害の賠償債務についてのみ存在する。
［原条文］
　　　賃借人ノ財産ノ総清算ノ場合ニ於テハ賃貸人ノ先取特権ハ前期、当期及ヒ次期ノ借賃其他ノ債務及ヒ前期並ニ当期ニ於テ生シタル損害ノ賠償ニ付テノミ存在ス

〔1〕　「賃借人の財産のすべてを清算する」とは、たとえば、賃借人の破産、賃借人の遺産相続についての限定承認（§922以下）、債務者である法人の解散などにより、

§§314・315・316・317〔1〕

債務者の全財産の清算を行うことである。

〔2〕 賃借料支払の標準時期を単位として、総清算の行われる期間を当期、その前の期間を前期、そのつぎの期間を次期という。たとえば、毎月25日にその月の賃料を支払う場合に、5月中に清算を行うときは5月が当期、4月が前期、6月が次期である。

本項の制限は、いうまでもなく、賃貸人の保護をあまり大きくして、他の債権者を害することをおそれたからである。

〔敷金がある場合〕〔第8版凡例4a)を見よ〕
第三百十六条
　　　賃貸人は、第六百二十二条の二第一項に規定する[1]敷金[1]を受け取っている場合には、その敷金で弁済を受けない債権の部分についてのみ先取特権を有する[2]。

〈改正〉 2017年に改正された。本条中「賃貸人は、」の次に「第六百二十二条の二第一項に規定する」を加えた。

［改正の趣旨］ 〔1〕 新しい敷金規定の追加に対応したものである。

［原条文］
　　　賃貸人カ敷金ヲ受取リタル場合ニ於テハ其敷金ヲ以テ弁済ヲ受ケサル債権ノ部分ニ付テノミ先取特権ヲ有ス

〔1〕 「敷金」とは、賃借人が賃貸借契約の締結に当たり、数か月分(1か月から3か月程度)の賃料に相当する金額を賃貸人に交付し、これをもって賃借人の賃料その他の債務の確保に当てるものである。土地・家屋の賃貸借にひろく行われるものであるが、その詳細は、改正前619条〔7〕で述べる。

〔2〕 賃貸人は敷金(たとえば、1月分10万円)を受取っている場合にも、延滞賃料(たとえば、3月分30万円)があれば、その支払を請求できるが、このような場合に、延滞賃料の全額について先取特権を認めるのは妥当でないと考えて、これに制限を加えた(差額の20万円についてだけ認められる)のである。

（旅館宿泊の先取特権）
第三百十七条
　　　旅館[2]の宿泊の先取特権[1]は、宿泊客が負担すべき宿泊料及び飲食料に関し、その旅館に在るその宿泊客の手荷物[3]について存在する。

［原条文］
　　　旅店宿泊ノ先取特権ハ旅客、其従者及ヒ牛馬ノ宿泊料並ニ飲食料ニ付キ其旅店ニ存スル手荷物ノ上ニ存在ス

〔1〕 本条がこの「旅館宿泊の先取特権」を認めたのは、旅館に持ち込まれた手荷物によって宿泊料・飲食料の支払について信用を与えるのが普通だからであり、当事者の意思の推測に基づく。

第2編　第8章　先取特権　第2節　先取特権の種類

〔2〕　「旅館」とは、対価を得て客を宿泊させることを業とする者をいう。料理店と区別するべきであるが、下宿屋は、本条の適用については旅館とみるべきであろう。

〔3〕　旅行の目的に携帯する動産の総称である。身につけた装身具・時計などは含まないとすべきであろう。

■（運輸の先取特権）
第三百十八条
　　運輸の先取特権[1]は、旅客又は荷物の運送賃及び付随の費用[2]に関し、運送人[3]の占有する荷物について存在する[4]。
［原条文］
　　運輸ノ先取特権ハ旅客又ハ荷物ノ運送賃及ヒ附随ノ費用ニ付キ運送人ノ手ニ存スル荷物ノ上ニ存在ス

〔1〕　本条がこの「運輸の先取特権」を認めたのも、主として当事者の意思の推測に基づく。

〔2〕　たとえば、荷物の荷造費、関税の立替金などのことである。

〔3〕　必ずしも、運送を営業としている者に限らない。したがって、商法上の運送人よりも広い観念である。

〔4〕　運送人は、これらの債権につき運送人が占有する荷物の上に先取特権を有するが、同時に留置権をも有するであろう。

■（即時取得の規定の準用）
第三百十九条
　　第百九十二条から第百九十五条までの規定は、第三百十二条から前条までの規定による先取特権について準用する[1][2]。
［原条文］
　　第百九十二条乃至第百九十五条ノ規定ハ前七条ノ先取特権ニ之ヲ準用ス

〔1〕　たとえば、家屋の賃貸人がその家屋に備え付けられた物につき、旅館の主人が旅館に持ちこまれた客の手荷物につき、また、運送人が運送を引き受けた荷物につき、それらの物が債務者の所有でないのに、そうであると誤信し、かつ誤信することについて過失がなかったときは、賃貸人、旅館の主人、または運送人は、それぞれ所定の先取特権を取得する。元来、先取特権は債務者の所有物の上にだけ成立するものであるが（§303）、本条は、善意の債権者を保護するために、例外を認めたのである。けだし、これらは、当事者間にそれぞれの目的物につきこれを担保とするという意思が推測される場合であり、そこに先取特権の存在を前提とする取引関係がなされるからである（大判大正6・7・26民録23輯1203頁は、本条の適用に関するものであるが、本条による先取特権取得を主張する者の無過失が立証されないとして、適用が否定された事例である）。

〔2〕　なお、本条が195条を準用しているのは、誤りである（§195〔6〕参照）。

§§ 317〔2〕〔3〕・318・319・320〔1〕〔2〕

第三百二十条(旧)　削除[1]

[原条文]
　公吏保証金ノ先取特権ハ保証金ヲ供シタル公吏ノ職務上ノ過失ニ因リテ生シタル債権ニ付キ其保証金ノ上ニ存在ス
〈改正〉　2004 年改正により、削除された。

〔1〕　(ｱ)　原条文が「公吏保証金の先取特権」を認めていたのは、具体例としては、一定の保証金を積んだうえで業務を行う公務員(公証人を考えればよい。公証§19 により身元保証金の納付義務がある。かつては執行官の前身の執達吏・執行吏もそうであった)に対する依頼者が、その公務員の職務上の過失のために損害をこうむった場合に、これに対して取得する損害賠償請求権などについてその保証金の上の優先権を認めて、これらの債権者を保護し、それによってそれらの制度の公正な運営を図ることを目的とするものであった。しかしながら、第二次大戦後における国家賠償法の制定の結果、これらの公務員の損害賠償責任も同法 1 条による国家賠償責任として扱われることになったため、本条が適用される場合は皆無になった。
　(ｲ)　本条が認めていた先取特権は、規定上は「動産の先取特権」の一種とされているが、より正確には、上例でいえば公証人が有する保証金還付請求権の上の先取特権であるので、「債権の先取特権」であるというべきである(本節解説[1]参照)。
　上述のように、本条は削除されたにもかかわらず、これと同じ趣旨と性格を有する先取特権は、特別法によってかなり多く認められている。その例は、本節解説[2](3)に掲げた。

(動産保存の先取特権)
第三百二十条
**　動産の保存の先取特権は、動産の保存のために要した費用又は動産に関する権利の保存、承認若しくは実行のために要した費用に関し、その動産について存在する[1][2]。**
[原条文]
第三百二十一条
　動産保存ノ先取特権ハ動産ノ保存費ニ付キ其動産ノ上ニ存在ス
　前項ノ先取特権ハ動産ニ関スル権利ヲ保存、追認又ハ実行セシムル為メニ要シタル費用ニ付テモ亦存在ス
〈改正〉　2004 年改正により、321 条が 320 条になった。

〔1〕　本条がこの「動産保存の先取特権」を認めたのは、目的物について保存費を費した者をとくに保護しようとするもので、公平の理想に基づくものといってよい。
〔2〕　(ｱ)「動産の保存のために要した費用」(保存費という)は、動産の物質的保存のために行った事実上(みずから修繕する)・法律上(他人に頼んで修繕契約を結ぶ)の保存行為の費用をいう。

565

第2編　第8章　先取特権　第2節　先取特権の種類

　(イ)「権利の保存」とは、債務者の所有物が、他人により時効取得されようとする場合に、時効の中断をする行為などである。「権利の承認」とは、この例で、相手方の承認を促して時効の中断をする行為などである。「権利の実行」とは、同じ例で、占有者をしてその物を債務者に返還させる行為などである。元の保存・追認・実行という言葉は、旧民法債権担保編の155条2項の用語例を踏襲したもので、概念的には正確なものではない。結局、(ア)が物質的保存を規定するのに対して、(イ)は法律的保存について規定したものであり、これも公平の理想に基づくものであることはもちろんである。

（動産売買の先取特権）
第三百二十一条
　　動産の売買の先取特権は、動産の代価及びその利息に関し、その動産について存在する[1]。
[原条文]
第三百二十二条
　　動産売買ノ先取特権ハ動産ノ代価及ヒ其利息ニ付キ其動産ノ上ニ存在ス
　〈改正〉　2004年改正により、322条が321条になった。

　〔1〕　本条がこの「動産売買の先取特権」を認めたのは、動産の所有権は買主に移ったが、代金が未済である場合に、その売買の目的である動産の上に成立するものとして、両者の公平を図ったものである。まだ動産を買主に引渡さない場合には、同時履行の抗弁権（§533［改注］）、および留置権（§295）が認められるから、本条が実益を示すのは、目的物がすでに引渡された場合である。なお、304条〔6〕参照。集合物譲渡担保で、その集合物に新たに加えられた動産の売主の先取特権に対して譲渡担保権を優先させた最判昭和62・11・10（民集41巻1559頁）に注意。333条参照。

（種苗又は肥料の供給の先取特権）
第三百二十二条
　　種苗又は肥料の供給の先取特権は、種苗又は肥料の代価及びその利息に関し、その種苗又は肥料を用いた後一年以内にこれを用いた土地から生じた果実（蚕種又は蚕の飼養に供した桑葉の使用によって生じた物を含む。）について存在する[1][2]。
[原条文]
第三百二十三条
　　種苗肥料供給ノ先取特権ハ種苗又ハ肥料ノ代価及ヒ其利息ニ付キ其種苗又ハ肥料ヲ用キタル後一年内ニ之ヲ用キタル土地ヨリ生シタル果実ノ上ニ存在ス
　　前項ノ先取特権ハ蚕種又ハ蚕ノ飼養ニ供シタル桑葉ノ供給ニ付キ其蚕種又ハ桑葉ヨリ生シタル物ノ上ニモ亦存在ス
　〈改正〉　2004年改正により、323条が322条になった。

§§321・322・323・324

〔1〕　本条がこの「種苗・肥料供給の先取特権」を認めたのは、当事者間の公平を図るという理由のほかに、これによって農業金融を少しでも安全にし、その欠乏を救済しようというのである。すなわち、種苗・肥料の供給者に先取特権を与えることによって掛売りをうながそうというのである。しかし、それ自体としては消極的な手段なので、1933年（昭和8年）に農業動産信用法を制定し、本条および320条、321条の規定する先取特権に類似する広範な先取特権を認めるに至った。

〔2〕　蚕種は、蚕の卵である。蚕種または蚕の餌である桑葉を供給した者は、その代金および利息について先取特権を認められる。趣旨は、〔1〕と同様である。「蚕種又は蚕の飼養に供した桑葉の使用によって生じた物」とは、その卵から生れた蚕、蚕がその桑葉により育って作った繭（まゆ）、その繭から作られた生糸（きいと）（債務者の所有に属する限り）をいう。

（農業労務の先取特権）
第三百二十三条

　　　農業の労務の先取特権は、その労務に従事する者の最後の一年間の賃金に関し、その労務によって生じた果実について存在する[1]。

［原条文］
第三百二十四条

　　農工業労役ノ先取特権ハ農業ノ労役者ニ付テハ最後ノ一年間工業ノ労役者ニ付テハ最後ノ三个月間ノ賃金ニ付キ其労役ニ因リテ生シタル果実又ハ製作物ノ上ニ存在ス

〈改正〉　2004年改正により、原条文が本条とつぎの324条に分割された。

〔1〕　本条がこの「農業労務の先取特権」を認めたのは、公平の理想というよりも、むしろ324条と合わせて賃金労働者を保護しようということにある。しかし、賃金労働者の保護は、このような制度で目的を達することはできないので、1947年制定の労働基準法などがその保護を図っているが、そこでは、特別の先取特権を定めるようなことはしていない。したがって、なお本条が適用されるが、もちろん雇用関係に基づく一般の先取特権（§308）によっても保護される。

（工業労務の先取特権）
第三百二十四条

　　　工業の労務の先取特権は、その労務に従事する者の最後の三箇月間の賃金に関し、その労務によって生じた製作物について存在する[1]。

［原条文］　§323参照
〈改正〉　2004年改正により、原条文の324条が分割されて、本条が新設された。

〔1〕323条〔1〕参照。

567

第2編　第8章　先取特権　第2節　先取特権の種類

第3款　不動産の先取特権

　本款は、「不動産の先取特権」として、325条で3種のものを挙げ、326条以下において、それぞれについて細かい規定をしている。この先取特権は、その効力を保存するためにとくに登記を必要とし、その手続が簡易でないために、実際に作用することは少ないと思われる。なお、民法以外の法律の認める不動産の先取特権については、本節解説[2](4)参照。

> **（不動産の先取特権）**
> **第三百二十五条**
> 　　次に掲げる原因によって生じた債権を有する者は、債務者の特定の不動産について先取特権を有する。
> 　一　不動産の保存[1]
> 　二　不動産の工事[2]
> 　三　不動産の売買[3]
> **［原条文］**
> 　　左ニ掲ケタル原因ヨリ生シタル債権ヲ有スル者ハ債務者ノ特定不動産ノ上ニ先取特権ヲ有ス
> 　一　不動産ノ保存
> 　二　不動産ノ工事
> 　三　不動産ノ売買

〔1〕　326条参照。
〔2〕　327条参照。
〔3〕　328条参照。

> **（不動産保存の先取特権）**
> **第三百二十六条**
> 　　不動産の保存の先取特権は、不動産の保存のために要した費用又は不動産に関する権利の保存[2]、承認若しくは実行のために要した費用に関し、その不動産について存在する[1][3]。
> **［原条文］**
> 　　不動産保存ノ先取特権ハ不動産ノ保存費ニ付キ其不動産ノ上ニ存在ス
> 　　第三百二十一条第二項ノ規定ハ前項ノ場合ニ之ヲ準用ス

〔1〕　本条がこの「不動産保存の先取特権」を認めたのは、公平の理想に基づくものであること、動産保存の先取特権と同一である。その効力の保存については337条をみよ。

第3款［解説］・§§325・326・327

〔2〕　320条〔1〕参照。
〔3〕　320条〔2〕参照。

（不動産工事の先取特権）
第三百二十七条
　　1　不動産の工事²⁾の先取特権は、工事の設計、施工又は監理をする者³⁾が債務者の不動産に関してした工事の費用に関し、その不動産について存在する¹⁾。
　　2　前項の先取特権は、工事によって生じた不動産の価格の増加が現存する場合に限り、その増価額についてのみ存在する⁴⁾。
［原条文］
　　不動産工事ノ先取特権ハ工匠、技師及ヒ請負人カ債務者ノ不動産ニ関シテ為シタル工事ノ費用ニ付キ其不動産ノ上ニ存在ス
　　前項ノ先取特権ハ工事ニ因リテ生シタル不動産ノ増価カ現存スル場合ニ限リ其増価額ニ付テノミ存在ス

〔1〕　本条がこの「不動産工事の先取特権」を認めたのは、当事者の意思の推測および公平の理想に基づくものである。
〔2〕　「不動産の工事」とは、326条にいう不動産の保存に対する観念である。たとえば、建物の倒壊しようとするのを修理するのは「保存」であり、一定の計画に従って改造するのは「工事」である。なお、建築の場合の一連の工事は1個の工事であって、上棟までを工事とし、その後は保存であるとすることは許されない。したがって、後者について建築完成後に登記しても、これにつき先取特権の効力を保存することはできない（大判明治43・10・18民録16輯699頁）。338条の規定に従って、工事着手前に工事費用の予算額を登記しなければならないのである。
　　新築工事の場合には、先取特権の登記の時点では所有権の保存登記が存在しないから、新築工事の先取特権保存の登記申請がなされると先取特権の登記をするために登記用紙を開設しなければならない（不登§86。旧§§137・138）。建物が完成した場合には、所有者は遅滞なくその建物の所有権の保存登記をしなければならない（不登§87。旧§139）。不動産工事の先取特権の保存登記をした者は建物完成とともに建物所有者に対してその所有権保存登記手続を請求できる（大判昭和12・12・14民集16巻1843頁）。
〔3〕　「工事の設計、施工又は監理をする者」とは、大工・左官（さかん）などの自分で工事をする者、工事の設計監督をする者および請負人として注文を受けて工事の完成を引受けた者（§§632〜参照）などをいう。以上の者は、いずれもこれを業としているものであることを要しない。
〔4〕　不動産工事の先取特権は、既存の不動産に関する工事については、これに実際に要した労務や材料費とは関係なく、その工事によって不動産の価値が増した額（増価額）についてだけ、登記された予算額の範囲内において、認められるものである。なお、この点については、338条〔4〕参照。

569

第2編　第8章　先取特権　第3節　先取特権の順位

（不動産売買の先取特権）
第三百二十八条

不動産の売買の先取特権は、不動産の代価及びその利息に関し、その不動産について存在する[1]。

［原条文］

不動産売買ノ先取特権ハ不動産ノ代価及ヒ其利息ニ付キ其不動産ノ上ニ存在ス

〔1〕　本条がこの「不動産売買の先取特権」を認めたのは、動産売買の先取特権と同じく、公平の理想に基づくものである。その効力の保存については、340条参照。

§328・第3節［解説］・§329〔1〕

第3節　先取特権の順位

　「先取特権の順位」とは、数種の先取特権相互の間の優劣の意味である。元来、同種の物権の相互間の優劣は、その物権が設定され、または対抗要件を備えた時の前後によるのが本則である（§§177・178・355・373参照）。民法が、本節において、先取特権につき成立の前後を標準としないで、その性質に応じて順位を決しているのは、この原則に対する大きな変則である。しかし、先取特権は、特定の債権について法律の規定によって優先的効力を認めようとする制度であるから、その優先的効力を認める理由の強弱によって、その相互間の優劣をも決定しようとする趣旨なのである。

　先取特権の順位は、本節の規定によって定められているほか、特別法による先取特権に関しては、それぞれの規定の個所で、民法の定める順位を基準として、そのなかのどの位置に位するかが定められている。これらの順位の規定はかなり錯綜しており、解読するのに困難な場合もある。どちらの先取特権が優先するのかが規定上不明確である場合には、おおむね同順位と解されることになろう（§332参照）。

（一般の先取特権の順位）
第三百二十九条

　1　一般の先取特権が互いに競合する場合には、その優先権の順位は、第三百六条各号に掲げる順序に従う[1]。

　2　一般の先取特権と特別の先取特権とが競合する場合には、特別の先取特権は、一般の先取特権に優先する[2]。ただし、共益の費用の先取特権は、その利益を受けたすべての債権者に対して優先する効力を有する[3]。

［原条文］
　　一般ノ先取特権カ互ニ競合スル場合ニ於テハ其優先権ノ順位ハ第三百六条ニ掲ケタル順序ニ従フ
　　一般ノ先取特権ト特別ノ先取特権ト競合スル場合ニ於テハ特別ノ先取特権ハ一般ノ先取特権ニ先ツ但共益費用ノ先取特権ハ其利益ヲ受ケタル総債権者ニ対シテ優先ノ効力ヲ有ス

〔1〕　民法上の一般の先取特権相互の順位は306条によるのであるが、他の法律による一般の先取特権のうちの主要なもの（本章第2節解説②(1)参照）をも含めて相互の関係を示せば、つぎの通りである（民法が定めるものを①、②で示し、特別法が定めるものを❶、❷で示す。この番号は、第2節解説②(1)で示したものである）。

　　第1順位　❶国税徴収法8条の先取特権（ただし、例外が規定されている）
　　第1順位　❷地方税法14条の先取特権（強制換価手続においては例外規定により国税との優劣はない）
　　第3順位　❸公共団体の徴収金など（第2節解説②参照）
　　　同　　　❹各種の社会保険料（同上）
　　第4順位　①共益の費用（§306①）

571

第2編　第8章　先取特権　第3節　先取特権の順位

特別の先取特権はこの間に位置する。

　　第5順位　　②雇用関係（§306②）
　　第6順位　　③葬式の費用（§306③）
　　第7順位　　④日用品の供給（§306④）
　　第8順位　　❺一般担保（第2節解説②(1)参照）

　〔2〕　たとえば、借家人が備え付けた家具の上に、借家人の使用人の「雇用関係」に基づく「一般の先取特権」と、家主の延滞賃料に基づく「特別の先取特権」（動産・債権・不動産の先取特権のことを総称する）とが競合する場合には、後者が前者に優先する。一般の先取特権は、債務者の他の財産の上にもその効力を及ぼすのであるから、これを後順位としたのである。しかし、〔1〕に掲げた❶・❷・❸・❹・①の一般の先取特権は、特別の先取特権に優先するものとされるので、重大な例外をなしている。

　〔3〕　たとえば、借家人が備え付けた家具を競売して配当するための費用に基づく一般の先取特権は、賃貸人の延滞賃料に基づくその家具の上の特別の先取特権に優先する。この共益費用からは賃貸人もその利益を受けるものであるから、これを優先させたのである。

▌（動産の先取特権の順位）
第三百三十条

　1　同一の動産について特別の先取特権が互いに競合する場合には、その優先権の順位は、次に掲げる順序に従う[1]。この場合において、第二号に掲げる動産の保存の先取特権について数人の保存者があるときは、後の保存者が前の保存者に優先する。
　　一　不動産の賃貸、旅館の宿泊及び運輸の先取特権
　　二　動産の保存の先取特権
　　三　動産の売買、種苗又は肥料の供給、農業の労務及び工業の労務の先取特権
　2　前項の場合において、第一順位の先取特権者は、その債権取得の時において第二順位又は第三順位の先取特権者があることを知っていたときは、これらの者に対して優先権を行使することができない[2]。第一順位の先取特権者のために物を保存した者に対しても、同様とする[3]。
　3　果実に関しては、第一の順位は農業の労務に従事する者に、第二の順位は種苗又は肥料の供給者に、第三の順位は土地の賃貸人に属する[4]。

［原条文］
　　同一ノ動産ニ付キ特別ノ先取特権カ互ニ競合スル場合ニ於テハ其優先権ノ順位左ノ如シ
　　第一　不動産賃貸、旅店宿泊及ヒ運輸ノ先取特権
　　第二　動産保存ノ先取特権但数人ノ保存者アリタルトキハ後ノ保存者ハ前ノ保存者ニ先ツ
　　第三　動産売買、種苗肥料供給及ヒ農工業労役ノ先取特権
　　第一順位ノ先取特権者カ債権取得ノ当時第二又第三順位ノ先取特権者アルコトヲ知リタルトキハ之ニ対シテ優先権ヲ行フコトヲ得ス第一順位者ノ為メニ物ヲ保存シタル者ニ

対シ亦同シ
　果実ニ関シテハ第一ノ順位ハ農業ノ労役者ニ第二ノ順位ハ種苗又ハ肥料ノ供給者ニ第三
ノ順位ハ土地ノ賃貸人ニ属ス

〔1〕　本条は、動産の先取特権を3個の群に分けて、その順位を本条所定のように
定めた。これは、当事者の意思の推測に基づく先取特権を第1順位とし、とくに高度
の公平の理想に基づくものを第2順位とし、その他のものを第3順位としたのである。
民法以外の法律による動産の先取特権(本章第2節解説2(2)参照)をも含めて、相互の関
係を示せば、つぎの通りである(表示の仕方については§329〔1〕参照)。なお、329条〔3〕
参照。

第1順位　　❶関税に関する先取特権(関税9の10Ⅰ)
第2順位　　❷船舶救助料債権(商§802)
同　　　　❸の1〜❸の8　船舶債権(商§§703・842①〜⑤)
　　　　　　　　商法844条により、これらの先取特権は他の先取特権に先立つ
　　　　　　　　ものとされる。
第3順位　　❹建物区分所有法上の先取特権(同法§§7・66)
　　　　　　　　同法7条2項により、共益費用の先取特権と同順位とされる
　　　　　　　　(§329〔1〕参照)。
第4順位　　①不動産賃貸の先取特権(§311①)
同　　　　②旅館宿泊の先取特権(§311②)
同　　　　③旅客または運輸の先取特権(§311③)
第5順位　　④動産保存の先取特権(§311④)
同　　　　❺の1　農業動産信用法上の先取特権のうち1種(同法§4Ⅰ①、順位
　　　　　　　　の定めは§11で上記の④と同じとされる)
第6順位　　⑤動産売買の先取特権(§311⑤)
同　　　　❺の2・❺の5　農業動産信用法上の先取特権の2種(同法§4Ⅰ②・
　　　　　　　　⑤、順位は上記の⑤と同じとされる)
同　　　　⑥種苗・肥料の供給の先取特権(§311⑥)
同　　　　❺の3・❺の4・❺の6　農業動産信用法上の先取特権の3種(同法
　　　　　　　　§4Ⅰ③・④・⑥、順位は上記のと同じとされる)
同　　　　⑦農業労務の先取特権(§311⑦)
同　　　　⑧工業労務の先取特権(§311⑧)

なお、従来311条4号〔2004年削除〕が定めていた先取特権は、債権の上の先取
特権であって、他の動産の先取特権と競合する場合は生じないものであった(本章第2
節解説1、§320〔2004年削除〕注釈参照)。
〔2〕　たとえば、賃貸人が、借家人の備え付けた家具の上に、以前に修繕がされて、
まだ修繕料が支払われないために動産保存の先取特権が存在すること、またはその家
具の代金が支払われないために動産売買の先取特権が存在することを知っている場合
には、賃貸人は、その先取特権をこれらの先取特権に対して優先させることができな

第2編　第8章　先取特権　第3節　先取特権の順位

い。ここに、「優先権を行使することができない」とは、これらの先取特権と同順位になるという意味ではなく、これらの者に後れると解釈されている。

〔3〕　たとえば、借家人が備え付けた家具について賃貸人が先取特権を取得した後に、その家具を修繕して、動産保存の先取特権を取得した者がある場合には、この者の先取特権は、前者に優先する。

〔4〕　本項の規定は、農業資金貸付の先取特権の順位にも適用される（農動産§11）。

▌（不動産の先取特権の順位）
　第三百三十一条
　　1　同一の不動産について特別の先取特権が互いに競合する場合には、その優先権の順位は、第三百二十五条各号に掲げる順序に従う[1]。
　　2　同一の不動産について売買が順次された場合には、売主相互間における不動産売買の先取特権の優先権の順位は、売買の前後による[2]。

［原条文］
　　同一ノ不動産ニ付キ特別ノ先取特権カ互ニ競合スル場合ニ於テハ其優先権ノ順位ハ第三百二十五条ニ掲ケタル順序ニ従フ
　　同一ノ不動産ニ付キ逐次ノ売買アリタルトキハ売主相互間ノ優先権ノ順位ハ時ノ前後ニ依ル

〔1〕　不動産の先取特権について、このような順位を定めたのは、不動産に対する関係の深浅によったものである。民法以外の法律による不動産の先取特権（本章第2節解説[2]⑷参照）をも含めて、相互の関係を示せば、つぎの通りである（表示の仕方については、§329〔1〕参照）。

　　第1順位　　❶山林の地代債権（立木先取Ⅰ）
　　　　　　　　同法2項により他の権利に優先するとされる。
　　第2順位　　❷建物区分所有法上の債権（同法§§7・66）
　　　　　　　　同法7条2項により、共益費用の先取特権と同順位とされる（§329〔1〕参照）
　　第3順位　　①不動産保存の先取特権（§325①）
　　第4順位　　②不動産工事の先取特権（§325②）
　　第5順位　　③不動産売買の先取特権（§325③）
　　　同　　　　❸借地借家法上の地代債権（同法§12Ⅰ）
　　　　　　　　同法12条3項により、③と同順位とされる。
　　　同　　　　❹罹災都市借地借家臨時処理法上の債権（〔廃止〕同法§§8Ⅰ・9）
　　　　　　　　同法8条3項により、③と同順位とされていた（本章第2節解説[2]⑷参照）。

〔2〕　家屋がA→B→Cと売買され、AのBに対する代金債権もBのCに対する代金債権も未払いで、ともに家屋の上に先取特権を有する場合に、家屋が競売されれば、Aの先取特権がBの先取特権に優先する。当然のことであろう。

§§ 330〔3〕〔4〕・331・332

（同一順位の先取特権）
第三百三十二条
　　同一の目的物[1]について同一順位の先取特権者が数人あるときは、各先取特権者は、その債権額の割合に応じて弁済を受ける[2]。

〔原条文〕
　同一ノ目的物ニ付キ同一順位ノ先取特権者数人アルトキハ各其債権額ノ割合ニ応シテ弁済ヲ受ク

〔1〕　特定の財産について数個の先取特権が競合した場合に限らず、債務者の財産について破産などの全体的整理が行われる場合において、一般の先取特権が競合した場合にも適用されるので、この「目的物」とは、債務者の総財産をも包含した概念である。すなわち、本条は一般の先取特権にも適用があるのである。
〔2〕　同順位の先取特権者は、相互に優先権を主張することができず、その債権額により案分して、その順位における優先弁済を受けるのである。

575

第2編　第8章　先取特権　第4節　先取特権の効力

第4節　先取特権の効力

　本節は、「先取特権の効力」と題して、動産の先取特権と第三取得者との関係（§333）、動産質権者との関係（§334）、一般の先取特権の効力（§§335・336）、3種の不動産の先取特権の効力（§§337・338・340）、抵当権との関係（§§339・341）、などの規定を含む。

　第3節が、主として、先取特権相互の関係を規定しているのに対して、本節は、一般債権者、質権者、抵当権者などとの関係に重点をおいて規定しているのである。そもそも、物権の効力は、その成立または対抗要件具備の時の前後によって定まるべきものであるが、先取特権については、その順位について特別の規定を設けたのと同一の趣旨により、その効力について特別の規定を設けたのである。

> **（先取特権と第三取得者）**
> **第三百三十三条**
> 　　先取特権[1]は、債務者がその目的である動産をその第三取得者[2]に引き渡し[3]た後は、その動産について行使することができない。
> ［原条文］
> 　　先取特権ハ債務者カ其動産ヲ第三取得者ニ引渡シタル後ハ其動産ニ付キ之ヲ行フコトヲ得ス

　〔1〕　この先取特権には、一般の先取特権と動産の先取特権とを含む。
　〔2〕　「その第三取得者」とは、その動産の第三取得者の意味である。
　〔3〕　ここに「引渡し」というのは、現実の引渡しに限るか、占有改定をも含むかについて、判例および多くの学説は占有改定をも含むものと解釈している（大判大正6・7・26民録23輯1203頁、最判昭和62・11・10民集41巻1559頁）。けだし、第三取得者が目的動産につき対抗ある所有権を取得した以上は（§178〔4〕参照）、先取特権の追及力を制限するのが本条の趣旨であると解されるからである。ただし、第三取得者が所有権を取得した後において、賃借人が賃料を延滞し、賃貸人がこれによって先取特権を取得したときにおいて、その家具を賃借人の所有と誤信した場合には、319条によって、改めてその家具の上に先取特権を取得することになるであろう。

> **（先取特権と動産質権との競合）**
> **第三百三十四条**
> 　　先取特権と動産質権とが競合する場合には、動産質権者は、第三百三十条の規定による第一順位の先取特権者と同一の権利を有する[1]。
> ［原条文］
> 　　先取特権ト動産質権ト競合スル場合ニ於テハ動産質権者ハ第三百三十条ニ掲ケタル第一順位ノ先取特権者ト同一ノ権利ヲ有ス

第4節［解説］・§§333・334・335〔1〕〜〔4〕

〔1〕　動産質権者は、第1順位の動産先取特権者と同一の権利を有するのであるから、第1順位の動産先取特権者が、330条2項の規定によって、第2順位または第3順位の動産先取特権者に優先される事情がある場合には、動産質権者の権利もまた、これらの先取特権者に優先されるものといわなければならない。たとえば、代金が未払いであることを知って動産を質にとれば、その質権者の権利は、売主の先取特権に優先されるのである。

（一般の先取特権の効力）
第三百三十五条
　1　一般の先取特権者は、まず不動産以外の財産から弁済を受け、なお不足があるのでなければ、不動産から弁済を受けることができない[1]。
　2　一般の先取特権者は、不動産については、まず特別担保[2]の目的とされていないものから弁済を受けなければならない。
　3　一般の先取特権者は、前二項の規定に従って配当に加入することを怠ったときは、その配当加入をしたならば弁済を受けることができた額については、登記をした第三者[3]に対してその先取特権を行使することができない[4]。
　4　前三項の規定は、不動産以外の財産の代価に先立って不動産の代価を配当し、又は他の不動産の代価に先立って特別担保の目的である不動産の代価を配当する場合には、適用しない[5]。

［原条文］
　一般ノ先取特権者ハ先ツ不動産以外ノ財産ニ付キ弁済ヲ受ケ尚ホ不足アルニ非サレハ不動産ニ付キ弁済ヲ受クルコトヲ得ス
　不動産ニ付テハ先ツ特別担保ノ目的タラサルモノニ付キ弁済ヲ受クルコトヲ要ス
　一般ノ先取特権者カ前二項ノ規定ニ従ヒテ配当ニ加入スルコトヲ怠リタルトキハ其配当加入ニ因リテ受クヘカリシモノノ限度ニ於テハ登記ヲ為シタル第三者ニ対シテ其先取特権ヲ行フコトヲ得ス
　前三項ノ規定ハ不動産以外ノ財産ノ代価ニ先チテ不動産ノ代価ヲ配当シ又ハ他ノ不動産ノ代価ニ先チテ特別担保ノ目的タル不動産ノ代価ヲ配当スヘキ場合ニハ之ヲ適用セス

　本条は、一般の先取特権の効力を制限して、主として他の担保権者に損害を及ぼさないようにする趣旨である。しかし、第4項の適用を受ける場合には、一般先取特権の効力も相当に強いものとなる。
〔1〕　この制限は、一般の先取特権者が自分で競売をする場合にも、また、他の債権者がする強制執行について配当要求をする場合にも、ともに存在する。前者の場合には、その執行は不適法となり、後者の場合には本条3項の制限を受けることとなる。
〔2〕　「特別担保」とは、「特別の先取特権」・質権または抵当権を意味する。
〔3〕　「登記をした第三者」とは、登記をした抵当権者・質権者・特別の先取特権者または第三取得者を意味する。
〔4〕　本条1項および2項による配当を得たうえでなければ、たとえ、通常の場合ならば対抗できる第三者に対しても、その先取特権を行うことができないという趣旨

577

第2編　第8章　先取特権　第4節　先取特権の効力

である。したがって、その一般先取特権が登記されていないため、登記ある第三者に対抗できない場合には、本条適用の問題は生じないのである（§336ただし書参照）。

〔5〕　債務者の財産のなかの不動産について、他の債権者が強制執行をして配当がされるに至ったとき、または、たとえば抵当権者が抵当権を実行して配当がされるに至ったときは、一般の先取特権を有する者に対してその順位に従った配当がなされるのである。もしこの機会を逸すると、債務者の財産のなかでも比較的有力なものである不動産からの優先弁済を受けることができず、一般の先取特権者にとってはいちじるしく不利な結果となるからである。

▌（一般の先取特権の対抗力）
　第三百三十六条
　　　一般の先取特権は、不動産について登記をしなくても、特別担保[1]を有しない債権者に対抗することができる[2]。ただし、登記をした第三者に対しては、この限りでない[3]。
　［原条文］
　　　一般ノ先取特権ハ不動産ニ付キ登記ヲ為ササルモ之ヲ以テ特別担保ヲ有セサル債権者ニ対抗スルコトヲ妨ケス但登記ヲ為シタル第三者ニ対シテハ此限ニ在ラス

〔1〕　335条〔2〕参照。

〔2〕　先取特権に基づく競売にせよ、一般債権者の強制執行に基づく競売にせよ、一般先取特権を有する者、たとえば雇用関係に基づく給料などの債権を有する者は、不動産の代価の配当の場合に一般債権者に優先する。その先取特権について登記を備えている必要はない。このように、民法が不動産の上の一般先取特権について登記を必要としないという例外を定めたのは、実際上の便宜によるものである。すなわち、給料債権者や、日用品を供給した商人などが債務者の不動産の上に一般先取特権の登記をするということは、実際上はほとんど考えられない（理論的には可能だが）のであるから、これを要件としたのでは、一般先取特権は、不動産の上には、ほとんどその効力を及ぼすことができないことになる。

〔3〕　「登記をした第三者」というなかには、特別の先取特権・質権または抵当権を有する者だけではなく、第三取得者をも包含する。これらの者に対して（登記されていない）一般先取特権の優先権を認めなかったのは、登記のない一般先取特権のために登記のある第三者の地位をくつがえすことは、あまりにも大きな例外であって、不動産取引の安全の見地から容認できないところだからである。

▌（不動産保存の先取特権の登記）
　第三百三十七条
　　　不動産の保存の先取特権[1]の効力を保存[3]するためには、保存行為が完了した後直ちに登記[2]をしなければならない。
　［原条文］
　　　不動産保存ノ先取特権ハ保存行為完了ノ後直チニ登記ヲ為スニ因リテ其効力ヲ保存ス

578

§§335 [5]・336・337・338

〔1〕 326条参照。

〔2〕 「直ちに登記をする」とは、遅滞なく登記をするという意味である。登記については、不動産登記法83条(旧§115)参照。

〔3〕 「効力を保存する」とは、その登記がなされるまでは対抗することができないという意味か、登記によってはじめて効力を生じるという意味か。判例は後の見解をとる(§338〔3〕参照)。したがって、保存行為完了の後、遅滞なく登記をしないと、先取特権は当事者間でもその効力を有しない。民法がこのような厳格な要件を設けたのは、この先取特権には、それ以前に登記された抵当権に優先するという強い効力が認められるので(§339)、その存在をすみやかに公示させるためである。

(不動産工事の先取特権の登記)
第三百三十八条

1 不動産の工事の先取特権[1]の効力を保存[3]するためには、工事を始める前にその費用の予算額を登記[2]しなければならない。この場合において、工事の費用が予算額を超えるときは、先取特権は、その超過額については存在しない。

2 工事によって生じた不動産の増価額は、配当加入の時に、裁判所が選任した鑑定人に評価させなければならない[4]。

[原条文]

不動産工事ノ先取特権ハ工事ヲ始ムル前ニ其費用ノ予算額ヲ登記スルニ因リテ其効力ヲ保存ス但工事ノ費用カ予算額ヲ超ユルトキハ先取特権ハ其超過額ニ付テハ存在セス

工事ニ因リテ生シタル不動産ノ増価額ハ配当加入ノ時裁判所ニ於テ選任シタル鑑定人ヲシテ之ヲ評価セシムルコトヲ要ス

〔1〕 327条参照。

〔2〕 不動産登記法83条・85条〜87条(旧§§115・136〜140)参照。

〔3〕 「効力を保存する」の意味について、判例は、337条と同じく(§337〔3〕参照)、効力を生じるという意味に解している(大判大正6・2・9民録23輯244頁)。本条の制限のために、不動産の工事をする者は、あらかじめ登記しないで工事に着手すると、この先取特権の利益を受けることができない。これは、新築の場合などにはそもそも建物の登記がないのであるから手続がめんどうであり、実行が困難である上に、工事に着手してから債務者の資力が乏しいことを発見したような場合に、はなはだ不都合である。立法論として、工事着手後に登記しても、その後に登記された抵当権に優先する効力を認めるのが妥当であると考えられる。

〔4〕 「増価額」の趣旨については、327条〔4〕参照。この増価額については、客観的な評価が必要であり、裁判所が選任した鑑定人の鑑定を必要としたのである(民訴§§212〜)。増価額の評価の時点についての判例がある(最判平成14・1・22判時1776号54頁。競売開始のときは増価なしと評価されても、その後の工事で増価すれば、売却時に現存する増価額でよいとした)。

579

第 2 編　第 8 章　先取特権　第 4 節　先取特権の効力

（登記をした不動産保存又は不動産工事の先取特権）
第三百三十九条
　　前二条の規定に従って登記をした先取特権は、抵当権に先立って行使することができる[1]。
　［原条文］
　　前二条ノ規定ニ従ヒテ登記シタル先取特権ハ抵当権ニ先チテ之ヲ行フコトヲ得

〔1〕　「抵当権に先立って行使することができる」とは、先取特権による効力保存の登記がなされれば、抵当権設定との前後を問わず、これに優先するという意味である。これらの先取特権がこのような強大な効力を認められているのは、その債権が目的不動産を改良するために生じたものであり、抵当権者もまたその利益を受けるものだからである。しかし、実際上、はたして抵当権者の利益を害することがないかは疑問であろう。
　なお、本条の適用をうけるのは、不動産保存・不動産工事の先取特権に限られ、不動産売買の先取特権および借地借家法などが認める先取特権と抵当権との効力の優劣は、その登記の前後による（借地借家§12 Ⅲ、§340〔3〕参照）。

（不動産売買の先取特権の登記）
第三百四十条
　　不動産の売買の先取特権[1]の効力を保存[3]するためには、売買契約と同時に、不動産の代価又はその利息の弁済がされていない旨を登記[2]しなければならない。
　［原条文］
　　不動産売買ノ先取特権ハ売買契約ト同時ニ未タ代価又ハ其利息ノ弁済アラサル旨ヲ登記スルニ因リテ其効力ヲ保存ス

〔1〕　328 条参照。
〔2〕　不動産登記法 83 条（旧§115）参照。
〔3〕　「効力を保存する」ということの意味については、338 条〔3〕参照。この先取特権と抵当権との効力の優劣は、その登記の前後による。

（抵当権に関する規定の準用）
第三百四十一条
　　先取特権の効力については、この節に定めるもののほか、その性質に反しない限り、抵当権に関する規定を準用する[1]。
　［原条文］
　　先取特権ノ効力ニ付テハ本節ニ定メタルモノノ外抵当権ニ関スル規定ヲ準用ス

〔1〕　先取特権は、目的物を占有しない担保物権である点で抵当権に似ているから、このような規定を設けたのである。準用される主要な規定は、370 条［改注］（効力の

及ぶ目的物の範囲)、371 条(果実に対する効力)、375 条(被担保債権の範囲)、378 条(代価弁済)、379 条以下(抵当権消滅請求。ただし、これは登記された抵当権にかかわるので、不動産先取特権にのみ準用される)などである。

第2編　第9章　質権

第9章　質　権

〈改正〉　設定行為に別段の定めがある場合等に関する 359 条と債権を目的とする質権の対抗要
件に関する 364 条が改正され、債権質の設定に関する 363 条と指図債権を目的とする質
権の対抗要件に関する 365 条が削除された。

① 本章の内容
　本章は、第1節「総則」、第2節「動産質」、第3節「不動産質」、第4節「権利
質」の四節からなっている。総則と他の節との関係については、第1節の解説を見よ。

② 質権の意義
　質権は、抵当権とともに当事者の契約によって生じる担保物権、すなわち「約定
担保物権」であり、もっぱら物的担保の手段として利用される制度である。
　抵当権との根本的な差異は、抵当権が、目的物を債務者の手もとにとどめて引続き
利用させるのに対し、質権は、その占有を債務者から奪い、その利用を禁ずる点、す
わなち「占有担保」である点にある。この差異から、抵当権は、債務者に目的物を利
用させ、その収益で元利を弁済させる場合、すわなち、不動産その他の生産設備を担
保化するのに適当な制度であるのに対し、質権は、債務者から目的物を取り上げて不
自由を感じさせ、心理的にこれを圧迫して弁済を促す場合、すわなち、生活の必要品
や買い手を待っている商品などを担保化するのに適当な制度である。いいかえれば、
質権は、動産を担保とする消費金融あるいは商業金融に便利な制度であるのに対し、
抵当権は、不動産その他これに準じる企業財産などを担保とする生産金融に便利な制
度である。
　ところで、民法は、動産質のほかに、不動産質および権利質を認めている。このう
ち、不動産質は今日の社会においては作用の少ない制度である(第3節解説②参照)。こ
れに反して、権利質は、質権としては比較的新しい制度であるにもかかわらず、今日
の社会において、きわめて重要な作用を営む。それは、経済取引界において、債権、
株式、その他の有価証券など財産的価値の多い権利が認められるようになったことに
基因する。その意味において権利質の重要性を強く認識する必要がある。
　権利質も、目的とされた権利の交換価値(換価価値)を把握して、これを被担保債権
の優先弁済に充てる効力を有する点では、他の質権と異なるところはない。もっとも、
権利質の目的である権利には、交換価値を有するだけで使用価値(収益価値)を有しな
い場合が多いから、これを留置して利用を禁じ、債務者に心理的な圧迫を加えるとい
う点では、他の質とその趣きを異にし、留置的効力は、とくに大きな作用をもたない。
しかし、取引界で取引の対象とされる権利——たとえば株式——の場合には、それを
留置することによって、その処分に制約を加え、その権利の実質に重大な拘束を加え
ることとなる。その意味では、その効力は、実質的には他の質との間に大きな差異は

582

第 9 章［解説］

存しないということもいえる。すわなち権利質も、質権としての本質を備えるものと
解するべきである。

③　質権の成立

　質権は、担保されるべき債権の債権者のために、目的物についての処分権（通常は所
有権）を有する者（通常は債務者であるが、そうでない者＝物上保証人の場合もある）が質権を
設定することによって成立する。この両者による契約は質権設定契約とよばれ、前者
を質権者、後者を質権設定者とよぶ。ただし、質権は占有担保であって、その成立の
ためには目的物の占有の質権者への移転が必要である。すなわち、質権設定契約は要
物契約である。このことを質権の要物性ともいう（§§344・345 参照）。

④　2003 年改正について

　上述のように重要な意味を有する権利質、とくに債権質について、民法の規定は必
ずしも十分でない。とくにいろいろと疑問があった債権質の要物性に関する 363 条に
ついて、2003 年改正によって規定が明確化された。

⑤　2005 年改正について

　民法 364 条 2 項は、そもそも株式を債権といえるかが問題であると解されており、
無意味な規定とされていたため、削除された。
　民法 367 条の削除は、民法旧 365 条（記名社債を目的とする質権の対抗要件）が、会社法
に規定がおかれたため「会社法の立法に伴う整備法」によって削除され、民法旧 366
条・旧 367 条が、それぞれ民法 365 条［削除］・366 条に繰り上げられたため、結果的
に 367 条が削除されることになった。

⑥　2017 年改正について

　債権質の設定に関する 363 条と指図債権を目的とする質権の対抗要件に関する 365
条は削除された。前者につき、520 条の 17 と 520 条の 20 を、後者につき、520 条の
7 を参照。

第2編　第9章　質権　第1節　総則

第1節　総　　則

　本節は、総則と題して、質権の定義（§342）、その成立要件（§§343～345）、その効
力（§§346～348・350）のほか、流質契約の禁止（§349）、および物上保証人（§351）に関
する規定からなる。主として、動産質および不動産質に共通の諸原則を規定する。権
利質に関しては、その内容は必ずしも適切でないものが多いので、この総則は、権利
質については準用されているにすぎない（§362Ⅱ参照）。したがって、本節の各条の注
釈においても、権利質については、とくに関係の深い点だけを説明することにする。

（質権の内容）
第三百四十二条
　　　質権者は、その債権¹⁾の担保²⁾として債務者又は第三者から受け取った物³⁾を
　　占有⁴⁾し、かつ、その物について他の債権者に先立って自己の債権の弁済を受
　　ける権利を有する⁵⁾。
　［原条文］
　　　質権者ハ其債権ノ担保トシテ債務者又ハ第三者ヨリ受取リタル物ヲ占有シ且其物ニ付キ
　　他ノ債権者ニ先チテ自己ノ債権ノ弁済ヲ受クル権利ヲ有ス

---

〔1〕　質権によって担保することができる債権（これを「被担保債権」という。ここで
は狭義において用いられ、§346にいう「元本」のことである。質権によって担保される債権の
範囲は同条によって元本以外にも拡大されており、それらをも含めたものを広義において被担保
債権ということもできる）の種類には制限がない。

　㈠　被担保債権は、金銭を目的とするものに限らない。しかし、金銭債権以外の債
権を担保する質権に基づいて、目的物を競売してその代金から優先弁済を受けるため
には（後述〔5〕参照）、その時までにその債権が金銭を内容とする損害賠償請求権に変っ
ていることを必要とする（§417参照）。

　㈡　債権は条件付または期限付でもよい。この場合、わざわざ質権自体も期限付ま
たは条件付のものであって、129条によってその効力が保存されるのであると説く必
要はない。けだし、「債権がなければ質権は成立しない」という原則——これを「質
権の付従性」という——は、ただ、質権は被担保債権の弁済のためだけに存在意義を
有する、ということを示すものである。すでに被担保債権成立の客観的可能性が存在
するならば、その債権が成立した場合の優先弁済権の順位を確保しておくために質権
の成立を認めることは、まさに必要なことであって、これを禁ずべき理由はなにもな
いのである。

　㈢　なお、銀行と商人との間の当座貸越契約、卸売商と小売商との間の継続的供給
契約などにおいて、将来生じるであろう債務を一定の額まで担保する目的で質権が設
定されることも稀ではない。これを「根質」と呼ぶ。この場合には、被担保債権が現

584

第1節［解説］・§342〔1〕〜〔5〕

存しないという点では、上述の条件付または期限付の債権のための質権と同様である
が、さらに、その被担保債権が将来増加したり減少したりしても、つねに弁済期にお
いて現存する債権の一定額までを担保するという点でこれと異なる。このような質権
も、これを無効とすべき理由はないから、学説・判例は、もちろん有効と解釈してい
る。判例は、この場合には根抵当と異なり、被担保債権の最高額を決定することも必
要でないという（大判大正6・10・3民録23輯1639頁。しかし、不動産質の場合には、疑問で
ある。§361〔1〕(d)参照。この点については、根抵当権に関する第10章第4節解説参照）。

〔2〕　「債権の担保」の意義については、本編解説④(2)を参照。

〔3〕　質権の目的とされる「物」を「質物」という。なにが質物になりうるかにつ
いては、343条参照。質物の提供者としては、債務者本人がその所有する物を提供す
る場合が最も普通である。質権者が債務者本人から受取る場合も、債務者が占有させ
ていた第三者から受け取る場合もあり、同じことである。

これに対して、債務者以外の第三者から、その第三者が所有する物を受け取る場合
には、その第三者を「物上保証人」という（§351参照）。債務者から第三者の所有に
属する物を受け取る場合もあるが、この場合には、もちろん、債務者が第三者からそ
の物の上に質権を設定する権限を与えられていることを必要とする。しかし、このよ
うな権限がない場合であっても、その物が動産であれば、質権者がその物を債務者の
所有に属すると信じて受け取り、善意・無過失であれば、質権は有効に成立する（§
192〔2〕〔7〕参照）。

〔4〕　目的物を占有し、留置して弁済を促すことは、優先弁済権と並ぶ質権の効力
の一つであり、これを「留置的効力」という（その詳細については、§347参照）。この点
に抵当権との違いがあり、質権は「占有担保」である（§369と対比せよ）。それと同時
に、質物の占有は、質権の存在を公示する作用を営む。しかし、不動産質においては、
占有だけでは公示として不十分なので、民法は登記をもって対抗要件としている（§
177、不登§§3⑥・95。旧§§2・116）。

〔5〕　質権に認められる効力として、留置的効力と並んで、優先弁済的効力が重要
である。

(ア)　優先弁済を受ける方法は、原則として目的物を競売することである（民執§§181
〜）。

しかし、動産質と債権質については、特別に簡易な方法が認められている（§§354・
367）。

これ以外に、質権者と質権設定者があらかじめ契約をして、民法の定める方法以外
のやり方で簡易に目的物をもって弁済にあてること、――これを「流質契約」とい
う――は許されない（§349）。

なお、質権者以外の他の債権者が質権の目的物に対して執行をした場合にも、買受
人は、基本的には、その債権者に優先する質権者に弁済をしなければ目的物の引渡し
を受けられないものであるから（民執§§59Ⅳ・87Ⅰ④・124・133・163参照）、質権者は結
局優先弁済を受けるのと同一の利益を受ける（§347〔1〕参照）。また、質権設定者が破
産したときは、質権者は別除権を有する（破§65Ⅱ）。

585

第2編　第9章　質権　第1節　総則

(イ)　以上のように、質権者は、目的物から優先弁済を受ける権利を有し、これを質権の「優先弁済的効力」というが、このほかにも、債権者として債務者の一般財産から弁済を受ける権利を有することは、普通の債権者と変わらない。したがって、質権の目的物の価格が債権額に満たない場合に、その不足額について一般財産に対して強制執行をすることができるのはもちろん、質物から弁済を受けないで、直接に一般財産に対して強制執行をすることも自由である（なお抵当権に関する§394、および§361参照）。

(ウ)　以上の点について、質屋営業法が適用される「営業質権」については特別の定めがされている。第1に、質屋は流質期限が経過した時には質物の所有権を取得するものとされていて（同法§19）、流質契約の禁止は適用されない（§349(5)参照）。第2に、質物が不可抗力によって滅失するなどして、質屋が質権を失ったときは、質屋は債権を失うとされていて（同法§20）、質屋は債務者の一般財産にかかっていくことはできない。この点は、通常、質屋の債権について質物を限りとする「物的有限責任」を認めたものと説明されている。営業質権については、一般には、以上のような特色を有する一種の質権と理解されているが、この二点は、これをなお質権といってよいかという疑問も生じるほどに、大きな例外である。

（質権の目的）
第三百四十三条
　　質権は、譲り渡すことができない物[1]をその目的とすることができない[2]。
［原条文］
　　質権ハ譲渡スコトヲ得サル物ヲ以テ其目的ト為スコトヲ得ス

〔1〕　ここには、譲渡することができない「物」といっているが、本条は、動産・不動産だけでなく、一般の財産権の質入れにも通じる原則である（§362参照）。

動産で譲渡できないものは、いわゆる模造通貨・国債など（通貨及証券模造取締法§1、紙幣類似証券取締法§1）、麻薬（麻薬及び向精神薬取締法§12）、毒物・劇物（毒物及び劇物取締法§§3・3の2）などのいわゆる禁制物がその例である。

不動産で譲渡することのできないものは、ほとんど例がない。

これに反して、債権その他の財産権で譲り渡すことのできないものは相当にある（たとえば、§§272ただし書・612など参照。なお、§466［改注］の注釈を見よ）。

なお、譲渡その他の処分について一定の者の同意または許可を必要とする財産については、質権の設定にも同じく同意または許可を必要とするとされている（農地§§3・5、宗法§23①は公告を必要とする）。重要文化財については譲渡制限が定められているが、質権設定についても、同様の制約があると考えてよいであろうか（文化財保護法§46）。

〔2〕　質権は、目的物を留置し、債務者に心理的圧迫を加えて弁済をうながすこと、すなわち留置的効力によっても、ある程度までその目的を達することができる。したがって、法律上譲渡することができないものでも、債務者にとって重要な値打ちのあるものであれば、これを取り上げて質権の目的とすることによって、担保の目的を達

§§343・344・345〔1〕

することもできないわけではない。しかし、民法は、目的物を換価してその代金をもって弁済に当てうるということ、すなわち優先弁済的効力を有することを重視し、したがって目的物の譲渡可能性を質権の不可欠の要件とした。この効力こそ、近代的担保物権の本質的効力だから、当然である。

（質権の設定）
第三百四十四条
　　質権の設定は、債権者にその目的物を引き渡す[1]ことによって、その効力を生ずる[2]。
［原条文］
　質権ノ設定ハ債権者ニ其目的物ノ引渡ヲ為スニ因リテ其効力ヲ生ス

〔1〕　「引渡し」とは、一般には現実の引渡し（§182 I）、簡易な引渡し（§182 II）、指図による占有移転（§184）および占有改定（§183）を指すのであるが（§178〔4〕参照）、ここでは345条との関係上、最後の占有改定を含まない。なお、この要件は、権利質、ことに債権質などにおいては文字通りには適用できない。したがって、民法は、これらについては、とくに証券的債権の場合について証書の交付を要求している（§363）。
〔2〕　質権は、質権設定者と債権者との両者が質権設定の合意をしただけでは成立せず、さらに、目的物を質権者に引渡すことによってはじめて効力を生ずるのである。このことを、「質権の要物性」、あるいは質権設定契約の「要物契約性」という。これは、物権の設定は、意思表示だけでその効力を生じ、目的物の引渡しや登記は対抗要件にすぎないという原則（§§176〜178）に対する例外である。
　民法がこのように目的物の引渡しを質権の成立要件としたのは、質権の存在を公示して他の債権者に警告しようとすることと、質権設定者から目的物の占有を奪うことによって留置的効力を発揮させようとすることの、二つの目的からきているのである（§345〔1〕参照）。

（質権設定者による代理占有の禁止）
第三百四十五条
　　質権者は、質権設定者に、自己に代わって質物の占有をさせることができない[1]。
［原条文］
　質権者ハ質権設定者ヲシテ自己ニ代ハリテ質物ノ占有ヲ為サシムルコトヲ得ス

〔1〕　たとえば、Aから時計または土地を質にとったBが、その時計をAに保管させ、または土地をAに利用させてはならないということである。その結果、質権設定のさいに本条に違反して、従来通り目的物をAに占有させておけば――すなわち、占有改定をした場合には（§344〔1〕参照）――、質権は効力を生じない。これは、むしろ344条が要求する「引渡し」がないとみられるのであって、この点は異説を聞かない。

587

第2編　第9章　質権　第1節　総則

いったん質権が有効に成立した後に、質権者が目的物を設定者に返還して保管させた場合には、質権は消滅すると解するべきであろうか。判例および多数説は、本条を単に質権設定者を代理人として質物を占有することを禁じるものと解し、したがって、上の場合を質権者の通常の占有喪失と同視して、動産質においては対抗力を失うが（§352参照）、不動産質においてはなんらの影響がないものと解している（大判大正5・12・25民録22輯2509頁）。しかし、質権の留置的効力の保持を重視し、要物性を強く要求する立場からは、本条違反によって、つねに質権は消滅するという解釈が主張される（ドイツ民法§1253 I、スイス民法§888 II参照）。

なお、本条に関連しては、債務者が債務を担保する目的で物の所有権を債権者に移転し、期限内に弁済すればこれを債務者に返還するといういわゆる譲渡担保契約が、目的物の占有を債務者に残しておく場合が多いという点から、本条の脱法行為として無効ではないかという問題が提起される。これについては、第10章後注「譲渡担保など」⑤(2)参照。

（質権の被担保債権の範囲）
第三百四十六条
質権は、元本[2]、利息[3]、違約金[4]、質権の実行の費用[5]、質物の保存の費用[6]及び債務の不履行[7]又は質物の隠れた瑕疵によって生じた損害の賠償[8]を担保する[1]。ただし、設定行為に別段の定め[9]があるときは、この限りでない。

［原条文］
質権ハ元本、利息、違約金、質権実行ノ費用、質物保存ノ費用及ヒ債務ノ不履行又ハ質物ノ隠レタル瑕疵ニ因リテ生シタル損害ノ賠償ヲ担保ス但設定行為ニ別段ノ定アルトキハ此限ニ在ラス

〔1〕　本条に列挙されている債権は、すべて質権によって担保される。抵当権についてその範囲が制限されていることと対比される（§375参照）。質権については、これを認めても第三者を害することがほとんどないと考えられることによる。一方において、質権者は、これらの債権の全部が弁済されるまで目的物の全部についてその権利を行うことができる（質権の「不可分性」という。§§350・296）とともに、他方において、質権を実行して目的物を競売した場合には、これらの債権の全部について優先弁済を受けることができるのである。

〔2〕　「元本」とは、一般的には、利息・賃料その他の法定果実を生ずる財産、すなわち貸金・賃貸した不動産などをいう。13条〔4〕参照。

しかし、ここでは、そのような一般的な意味ではなく、つぎの利息と対応する意味で用いられている。すなわち、質権によって担保されるべき債権それ自体の意味である。要するに、質権によって担保される被担保債権そのもの、すなわち狭義の被担保債権のことである（§342〔1〕参照）。

〔3〕　ここでの「利息」とは、狭義の被担保債権を元本として、その使用の対価として、元本に対して一定の割合で支払われるものをいう（改正前§404〔1〕参照）。不動産

588

質の場合には、特約があるときにのみ利息を請求できるものとされ（§§358・359）、その特約は、登記しなければ第三者に対抗できない（不登§3⑥・95。旧§116）。

〔4〕　「違約金」とは、契約違反があった場合に、違反者が相手方に支払うことを約した金額である（改正前§420の注釈参照）。不動産質の場合には登記しなければ、第三者に対抗できない（不登§§3⑥・95。旧§116）。

〔5〕　民事執行法194条・42条参照。

〔6〕　350条・299条参照。

〔7〕　415条〔改注〕参照。

〔8〕　たとえば、質物から、その欠陥により油がしみ出して、他の物を汚したような場合をいう。

〔9〕　不動産質の場合には、この別段の定めについて登記を要する。

（質物の留置）
第三百四十七条
　　　　質権者は、前条に規定する債権の弁済を受けるまでは、質物を留置することができる[1]。ただし、この権利は、自己に対して優先権を有する債権者に対抗することができない[2]。

［原条文］
　　　質権者ハ前条ニ掲ケタル債権ノ弁済ヲ受クルマテハ質物ヲ留置スルコトヲ得但此権利ハ之ヲ以テ自己ニ対シ優先権ヲ有スル債権者ニ対抗スルコトヲ得ス

〔1〕　質権には、「留置的効力」がある。

㋐　すなわち、質権者は、被担保債権について弁済を受けるまでは、質物を留置することができる。「留置」の内容については、296条が準用されている（§350）。なお、質権設定者からの質物返還請求訴訟に対して質権の存在が認められた場合は、原告敗訴の判決がなされる（大判大正9・3・29民録26輯411頁）。

㋑　この留置的効力は、質権設定者に対してだけではなく、質物の譲受人その他なんびとに対しても主張できる。物権である以上、当然である。

㋒　質物に対して他の債権者による強制競売あるいは担保権の実行が行われる場合はどうであろうか。本来は、質権は、——抵当権や先取特権と異なり、それによって消滅するのではなく——、これらの手続にもかかわらず存続し、これらの手続による買受人に対しても留置的効力を主張できると考えられるべきものであるが、民事執行法はその取扱いを大きく変更した。すなわち、不動産質権においては、「使用及び収益をしない旨の定めのない不動産質権」（§356〔1〕参照）で最優先順位のもののみが存続し（民執59Ⅳ）、「使用及び収益をしない旨の定めのある不動産質権」（登記については、不登§91Ⅰ⑥。旧§116）はこれらの手続によって消滅し、優先弁済を受けるだけの権利になる（民執§§59Ⅰ・Ⅱ）。動産質権においては、質権者がその占有する動産を任意に提出しない限り、その動産を第三者が差押えることはできないものとされる（民執§124）。質権者は、差押えに応ずるとともに優先弁済を求めて配当要求をすることにしてもよ

第2編　第9章　質権　第1節　総則

い（民執§133）。

　㈣　質権者が目的物を留置している間の果実収取・保管義務・費用償還などの法律関係については、留置権に関する297条から299条までが準用されている（§350）。その結果、

　第1に、質権者は、善良な管理者の注意をもって目的物を占有すべきであり、質権設定者の承諾がなければ、目的物を使用または賃貸することはできない。これに違反すれば、質権設定者は質権の消滅を請求できる（§298の準用）。もっとも、これについては、不動産質権について例外があること（§356）、また、留置権者と異なって質権者には転質権が認められていること（§348）を注意するべきである。

　第2に、質権者は、目的物から生じる果実を収取して、これを自己の債権の優先弁済に当てることができる。そのさいには、まずこれを利息に充当し、つぎに元本に充当するべきである（§297の準用）。この点も、不動産質においては例外が定められている（§358）。

　第3に、質権者は保管中の費用の償還を請求することができる。これについては346条〔6〕参照。

　〔2〕　目的物を留置する質権者の権利は、自分に優先する質権者、たとえば、先順位の質権者（§§355・361・373参照）、質物につき保存の先取特権を有する債権者（§§334・330Ⅱ参照）、または先順位の抵当権者などに対しては、これを主張することができない。なお、特別法によって一般の質権に優先するとされている債権についても、同様である。これらの質権に優先する権利によって強制執行などが行われた場合には、民事執行法の規定をまつまでもなく、質権者はその引渡しを拒絶することはできず、ただ売却代金からその優先権の順序に従って弁済を受けることができるにとどまる。

（転質）
第三百四十八条

　　質権者は、その権利の存続期間内において、自己の責任で、質物について、転質をすることができる。この場合において、転質をしたことによって生じた損失については、不可抗力によるものであっても、その責任を負う[1]。

　〔原条文〕
　　質権者ハ其権利ノ存続期間内ニ於テ自己ノ責任ヲ以テ質物ヲ転質ト為スコトヲ得此場合ニ於テハ転質ヲ為ササレハ生セサルヘキ不可抗力ニ因ル損失ニ付テモ亦其責ニ任ス

　〔1〕　本条は、質権者が転質する権利、すなわち自分が質権を有する質物を自分に対する債権者に対して担保として質入れする権利を有することを規定する。たとえば、Aから50万円の貸金の担保として宝石を質にとったBは、これをCに対する30万円の債務のために質入れすることができるのである。この転質の性格、要件、効果などについては、民法の規定が簡略にすぎるが、実際上はあまり利用されないので、簡単な説明にとどめる。

　㈠　Bが本条によって許されている転質は、質物について把握している担保価値を

§§347〔2〕・348・349

Cに担保に供するのであって、その限りにおいてAの承諾を要しない。このことが本条によって認められているのであって、これを「責任転質」と呼ぶ。

責任転質においては、当然、Cが取得する転質権は、被担保債権額においても存続期間においても、Bの原質権の範囲を超えることはできない。Aの債務の弁済期が到来してはじめて、Cは転質権を実行できる。

ただし、最近では、転質権の被担保債権が原質権の被担保債権を超えた場合には、原質権の被担保債権の限度で転質権は成立するとの見解もある。また、転質権の存続期間が原質権の存続期間内において設定されることは、不動産質にとっては要件であるが（§360）、動産質権の場合には、質権の存続期間の規定は存在せず、また、弁済期がこれに該当すると解することも妥当ではない、との主張も有力である。転質権者Cの債権の弁済期が質権者Bの債権の弁済期よりも遅いとしても、原質権設定者AはCに第三者弁済をし、転質権を消滅させ、Bとの関係を相殺によって処理することができるから、弁済期を要件としなくても、Aにとっては不利益はないからである。転質権が存在する限り、Bは原質権を消滅させてはいけないという拘束を受ける。ただし、最近では、Aは供託（§366Ⅲ）をすることもできるから、これによって原質権が消滅し、転質権も消滅し、転質権者は供託金のうえに優先弁済権（権利質）を取得するから、この場合の関係権利者もなんら不利益を受けることはないといわれている（この点は、転抵当について述べられることが多い）。AのBに対する弁済について規定はないが、転質権設定についての通知または承諾を条件として拘束を受けると解するべきであろう（転抵当についての§377の類推）。

転質をしなかったら生じなかったであろう損害については、すべてBが本条により責任を負う。

（イ）これに対して、BがとくにAの承諾を得て転質権を設定した場合には、その効果はその承諾の内容により定まり、上に述べたことは適用されない。この場合の転質を「承諾転質」という。

■ （契約による質物の処分の禁止）
第三百四十九条
　　質権設定者は、設定行為又は債務の弁済期前の契約[1]において、質権者に弁済として質物の所有権を取得させ[2]、その他法律に定める方法によらないで質物を処分させる[3]ことを約することができない[4][5]。

[原条文]
　　質権設定者ハ設定行為又ハ債務ノ弁済期前ノ契約ヲ以テ質権者ニ弁済トシテ質物ノ所有権ヲ取得セシメ其他法律ニ定メタル方法ニ依ラスシテ質物ヲ処分セシムルコトヲ約スルコトヲ得ス

本条は、いわゆる流質契約の禁止を規定する。弱小の債務者が少額の債務のために高価なものを質入れし、流質によってこれを失うことを防ぎ、これを保護する趣旨である。

591

第2編　第9章　質権　第1節　総則

〔1〕　設定契約において、または設定契約後弁済期前において、流質の契約をすることが禁じられているのである。弁済期後に契約することは、自由である。

〔2〕　たとえば、AがBから10万円の借金をして、その担保として宝石を質入れした場合に、弁済期にAが弁済しなかったときは、Bは宝石の所有権を取得して、A・B間の債務は決済されたものとすると約束したり、指名債権質において、債務者が弁済しないときは質入れ債権を質権者に帰属させると約束する（大判昭和6・11・14新聞3344号10頁）などである。

もちろん、質権設定者の意思によってそのようなことができる旨を定めた契約は、本条に該当しない（大判明治37・4・5民録10輯431頁）。

〔3〕　法律に定めた方法とは、原則として民事執行法による競売であるが、もちろん、民法の定める簡易な実行方法（§§354・366）をも含む。これらの法定の方法によらなければ、たとえば、〔2〕に挙げた例で、宝石を任意の古物商に評価させて、それを標準として債務を清算するというような契約でも、本条違反である。

〔4〕　本条に違反する契約は、無効である。したがって、たとえば、弁済期までに弁済しなければ質物は質権者の所有となるという特約があっても、債務者は、弁済期経過後も弁済して目的物の返還を請求することができる。また、質権者が任意に処分して売得金と元利を差し引きにするという特約があっても、元利との差額の返還を請求することができる。目的物がすでに第三者の手に渡っている場合に、第三者に対して目的物の返還を請求できるかどうかは、192条の問題となる。なお、流質約款を伴う質権設定契約自体の効力については、暴利行為として90条の適用を受ける場合を除いては、流質約款は無効となるが、一般に質権そのものは成立するとみるべきであろう。

〔5〕　本条の原則に対しては、二つの重要な例外がある。

その1には、商行為によって生じた債権を担保するために設定された質権（これを商事質権という）については、流質が許される（商§515）。商行為の当事者の経済的地位にはさほどの強弱の差異がないから、流質の特約を許しても弊害はなく、かえって質権の実行を簡易にするという趣旨である。

その2には、質屋営業法の適用をうける営業質屋は、流質の約款を付して金を貸すことができる（同法§§1・19）。これは、ひとつにはわが国の慣習を尊重したものであるが、また、質権実行の方法を簡易にして少額金融の道を開き、弊害の点は取締りによって防止しようというのである（§342〔5〕(ウ)参照）。

なお、譲渡担保は、流質契約と同じ効果を有する点に問題があるが、今日の判例・学説は、これを有効と解している。これについては第10章後注⑤(2)参照。

（留置権及び先取特権の規定の準用）
第三百五十条
第二百九十六条から第三百条¹⁾まで及び第三百四条²⁾の規定は、質権について準用する。

§§349〔1〕～〔5〕・350・351

［原条文〕
　第二百九十六条乃至第三百条及ヒ第三百四条ノ規定ハ質権ニ之ヲ準用ス

〔1〕　質権が有する留置的効力について、留置権の規定を準用するものである。準用にあたって、質権に関する規定がとくに存在するなど、変更が加えられる場合が多いことを注意するべきである。296条の準用については346条〔1〕参照。297条・298条の準用については347条〔1〕参照。

〔2〕　質権も、担保権として交換価値（換価価値）を目的とするものであるから、物上代位に関する304条を準用したのである。ただし、同条には、「債務者が受けるべき金銭その他の物」とあるが、「債務者」は「質権の目的物の所有者」と読みかえるべきである。けだし、質権の場合には物上保証人または質物の第三取得者が受けるべき「金銭その他の物」の上にも代位を認める必要があるからである。

（物上保証人の求償権）
第三百五十一条
　　他人の債務を担保するため質権を設定した者[1]は、その債務を弁済し[2]、又は質権の実行によって質物の所有権を失ったとき[3]は、保証債務に関する規定に従い、債務者に対して求償権を有する[4]。
［原条文〕
　他人ノ債務ヲ担保スル為メ質権ヲ設定シタル者カ其債務ヲ弁済シ又ハ質権ノ実行ニ因リテ質物ノ所有権ヲ失ヒタルトキハ保証債務ニ関スル規定ニ従ヒ債務者ニ対シテ求償権ヲ有ス

〔1〕　たとえば、AがBから金を借り、Cがこれを担保するために自分の宝石をBに質入れしたような場合である。この場合、Cを「物上保証人」という。

〔2〕　〔1〕の例で、Cは債務者ではないから、BからCに対して弁済を請求することはできない。しかし、Cの側から第三者として弁済し（§474〔改注〕参照）、宝石を質権の実行から救うことはできる。

〔3〕　質権の実行により、宝石が競売された場合である。競売によって第三者が宝石を買受けた場合だけでなく、C自身が買受人になった場合にも、同一に取扱うべきである。けだし、後の場合にも、Cは競売によって一度所有権を失い、買受けによって新たに所有権を取得するのだからである。

〔4〕　保証人は保証債務を負うものであるが、物上保証人は債務そのものを負わない点で、両者は異なる。しかし、他人の債務のために一種の責任を負う点で、両者は同一であるので、民法は、求償権に関して両者を同一に取扱おうとするのである。すなわち、債務者Aの委託をうけて物上保証人となったかどうか、受けないでなったとすれば債務者の意思に反するかどうか、などの区別に従って、一定の範囲の求償権を有するとされるのである（§§459～463〔改注〕参照）。ただし、372条〔3〕参照。

593

第2編　第9章　質権　第2節　動産質

第2節　動　産　質

　本節は、動産質権について、その対抗要件と占有との関係（§§352・353）、簡易な実行方法（§354）および順位（§355）に関して規定するにとどまる。前節の総則の規定は、最もよく動産質権に適用されるのであって、本節と第3節とは、それぞれ動産質権と不動産質権の特色に着眼して規定されている。

■（動産質の対抗要件）
　第三百五十二条
　　　動産質権者は、継続して質物を占有しなければ、その質権をもって第三者に対抗することができない[1]。
　　［原条文］
　　　動産質権者ハ継続シテ質物ヲ占有スルニ非サレハ其質権ヲ以テ第三者ニ対抗スルコトヲ得ス

　〔1〕　質権は、質権者が目的物の引渡しを受けなければ、成立しないものであるが（§344）、動産質権は、その成立後も質権者の占有が継続しなければ、質権設定者以外の第三者に対抗することはできない。この占有は、質権設定者以外の代理人による占有（§§181・345）でもよいが、目的物を遺失し、または奪取されると、もはや質権をもって第三者に対抗できなくなるのである（奪取については§353参照）。しかし、質権設定者には対抗できるのであり、たとえば、質権者が遺失した目的物が質権設定者の手もとに戻っているような場合には、質権に基づいてその物の引渡しを請求することができる。ただし、質権者が目的物を任意に質権設定者に返還した場合に、質権は消滅するかについては問題がある（§345〔1〕参照）。
　　なお、株式の質入れについて、本条と同趣旨の規定がある（商旧§207 II→会社§147 II。なお、改正前§364〔6〕参照）。

■（質物の占有の回復）
　第三百五十三条
　　　動産質権者は、質物の占有を奪われたときは、占有回収の訴えによってのみ、その質物を回復することができる[1]。
　　［原条文］
　　　動産質権者カ質物ノ占有ヲ奪ハレタルトキハ占有回収ノ訴ニ依リテノミ其質物ヲ回復スルコトヲ得

　〔1〕　質権者は、目的物を占有する者であるから、その占有を奪われた場合には、占有回収の訴えが認められることはいうまでもない（§200）。本条は、352条とあいまって、質権者は質権そのものに基づいて目的物を回復することはできないこと、すな

594

わち、質権は目的物を「占有するべき物権」、「本権」ではないという原則を表明しているのである。すなわち、質権者が占有を失えば、質権をもって第三者に対抗することはできなくなるのである（§352）。占有が他人の侵奪によって失われた場合でも同様であり、ただ、この場合には占有回収の訴えのみが認められるというのである。このように、質権者が質物の占有を失えば、占有回収の訴えが認められる場合のほかは、——設定者の手に戻らない以上——質物の回収をする方法がないということは、質権の効力をいちじるしく弱くするものであって、立法論としては批判される点である（ドイツ民法§1227参照）。

（動産質権の実行）
第三百五十四条
　　動産質権者は、その債権の弁済を受けないときは、正当な理由がある場合[1]に限り、鑑定人の評価に従い質物をもって直ちに弁済に充てることを裁判所に請求することができる[2]。この場合において、動産質権者は、あらかじめ、その請求をする旨を債務者に通知しなければならない。
[原条文]
　　動産質権者カ其債権ノ弁済ヲ受ケサルトキハ正当ノ理由アル場合ニ限リ鑑定人ノ評価ニ従ヒ質物ヲ以テ直チニ弁済ニ充ツルコトヲ裁判所ニ請求スルコトヲ得此場合ニ於テハ質権者ハ予メ債務者ニ其請求ヲ通知スルコトヲ要ス

　本条は、質権を実行するのには、質物を競売する（民執§190）という原則（§349）に対して、動産質権についてだけ、例外を認めたものである。
　〔1〕　本条の便法は、目的物の競売が煩瑣に過ぎ、実益が少ない場合に、これを省略する趣旨であるから、「正当な理由」とは、質物の価額が少なくて、競売手続をとると費用倒れになることとか、質物に公けの相場があって、競売しなくても公正の価格が分かることとか、などの理由である。
　〔2〕　裁判所は、債務履行地の地方裁判所である。その手続については、非訟事件手続法93条など参照。

（動産質権の順位）
第三百五十五条
　　同一の動産について数個の質権が設定されたとき[1]は、その質権の順位[2]は、設定の前後による[3]。
[原条文]
　　数個ノ債権ヲ担保スル為メ同一ノ動産ニ付キ質権ヲ設定シタルトキハ其質権ノ順位ハ設定ノ前後ニ依ル

　〔1〕　同一の動産について数個の質権が設定されることは、あまり多くないであろうが、つぎのような場合に考えられる。すなわち、倉庫業者Ａが保管中の物について、所有者Ｂが、まずＣのために質権を設定して指図による占有移転（§184参照）を

第2編　第9章　質権　第3節　不動産質

行い、ついで、Dのために質権を設定して同じく指図による占有移転を行ったような
場合である。

〔2〕　質権の順位とは、質権相互間の優劣の意味である。質権は、一定の額の、た
とえば10万円の債権のためにその範囲で特定の物、たとえば宝石の担保価値を支配
するものであるから、宝石の価額が20万円であるとすれば、まだ10万円の担保価値
が残っているわけで、これを担保として、たとえば7万円の金融を図ることが可能な
はずである。この7万円の債権を担保する質権は、第二順位ということになる。この
場合に、質権が実行されれば、宝石の競売代金はまず10万円の債権の弁済に当てら
れ、残額が7万円の債権の弁済に当てられるのである。なお、373条の注釈参照。

〔3〕　動産質の場合の質権の「設定の前後」とは、結局、質物の引渡しの前後であ
る（§373参照）。したがって、一般原則である対抗要件の順位（§178）とも一致する。
このように順位が定められることは、物権の性質からいって当然のことである。

§355〔2〕〔3〕・第3節〔解説〕・§356〔1〕

第3節　不動産質

〈改正〉　2017年に、359条が改正されたが、法技術的変更である。

1　本節の内容

本節は、不動産質を「用益質」とすることとし（§356）、その性格からくる効力規定（§§356〜359）のほか、存続期間（§360）および抵当権の規定の準用（§361）に関する規定を含む。

2　不動産質権の特色

「不動産質権」は、質権者が質物を使用・収益することができる「用益的効力」が認められ、いわゆる「用益質」である。そこで、質権者は、みずから用益するか、他人に貸すかして、これを管理・経営しなければならない。これは、もっぱら金融を業とする銀行業者などにとって困難ないしは不可能なことである。結局、不動産質は、今日ではほとんど利用されない過去の制度といっても過言ではない。

なお、特別法によって不動産とみなされる立木（立木§2Ⅰ）・工場財団（工抵§14Ⅰ）・鉱業財団（鉱抵§3）などがあるが、これらのものは、いずれも、とくに抵当権の目的とする必要上、不動産とみなされるものであって、不動産質権の目的とすることは許されない。また、特別法で不動産と同様に取扱われるものに、鉱業権（鉱業§§12・13）、漁業権（漁業§23）などがあるが、これらの権利は、政策上、権利者自身に行使させることが強く要求されているので、やはり質権の目的とすることは許されない。

■ **（不動産質権者による使用及び収益）**
第三百五十六条
　　　不動産質権者³⁾は、質権の目的である不動産の用法に従い²⁾、その使用及び収益をすることができる¹⁾。
　［原条文］
　　不動産質権者ハ質権ノ目的タル不動産ノ用方ニ従ヒ其使用及ヒ収益ヲ為スコトヲ得

〔1〕　質権者は、質権設定者の承諾がなければ、質物を使用・収益できないのが原則であるが（§§350・298）、不動産質にあっては、質権設定者から、占有を取り上げている関係上（§345参照）、質権者も目的物を用益できないものとしては、不動産は誰も利用しないことになり、社会経済上不利益である。そこで、本条が設けられたのである。この効力を「用益的効力」と呼ぶ。設定行為に別段の定めがあれば、これに従うことになっているが（§359［改注］）、それは使用・収益の範囲・方法などに関することであって、使用・収益を絶対に許さない旨の特約はできないと解するべきではなかろうか（ただし、民事執行法は、これを認める見解に立って「使用及び収益をしない旨の定めのある不動産質権」についての規定を設けた。これについては、留置的効力が弱い質権というこ

597

第2編　第9章　質権　第3節　不動産質

とになる。§347〔1〕(ウ)参照)。なお、使用・収益の方法はみずから使用しても、他人に賃貸して賃料を収受してもよい。

　　〔2〕　農地は農地として、宅地は宅地として使用・収益することを意味する(§88〔1〕参照)。特約で変更することは差し支えない(§359〔改注〕)。なお、農地については、当然その上の質権設定について、農地法上一定の許可が必要になる(農地§3)。

　　〔3〕　不動産質権は、登記をしなければ第三者に対抗することができない(§177、不登§§3⑥・83・95。旧§116)。

(不動産質権者による管理の費用等の負担)
第三百五十七条
　　　　不動産質権者は、管理の費用を支払い、その他不動産に関する負担を負う[1]。
　　[原条文]
　　　　不動産質権者ハ管理ノ費用ヲ払ヒ其他不動産ノ負担ニ任ス

　　〔1〕　「不動産に関する負担」とは、質権の目的である不動産に対する租税、たとえば固定資産税(地税§341～)、目的である土地が区画整理の施行地となった場合の諸負担などである。ただし、特約によって本条と異なる定めをすることを妨げない(§359)。

(不動産質権者による利息の請求の禁止)
第三百五十八条
　　　　不動産質権者は、その債権の利息を請求することができない[1]。
　　[原条文]
　　　　不動産質権者ハ其債権ノ利息ヲ請求スルコトヲ得ス

　　〔1〕　本条は、目的不動産を使用・収益することによる利益(費用を差引いた純益)と被担保債権の利息とはほぼ対応しあう、いいかえれば、不動産に質権を設定して融資する場合には、その不動産の収益が利息に相当するだけの金額が融通されるのが普通であると見たのである。しかし、この点についても特約が許されるから、あるいは収益とは別に利息を請求できることとし、あるいは収益を元本の一部にも充当することとし、あるいは収益と利息を正確に精算することとしても、差し支えない。

(設定行為に別段の定めがある場合等)
第三百五十九条
　　　　前三条の規定[1]は、設定行為に別段の定めがあるとき[2]、又は担保不動産収益執行(民事執行法[1]第百八十条第二号に規定する担保不動産収益執行をいう。以下同じ。)の開始があったときは、適用しない[3]。
　　〈改正〉　2017年に改正された。本条中「(昭和五十四年法律第四号)」を削る。
　　[改正の趣旨]　〔1〕　これは、すでに148条で引用されている。

§§356〔2〕〔3〕・357・358・359・360・361〔1〕

［原条文］

　前三条ノ規定ハ設定行為ニ別段ノ定アルトキハ之ヲ適用セス

〈改正〉　2003 年の改正により、「定アルトキ」のあとに「又ハ担保不動産収益執行ノ開始アリタルトキ」が追加された。

〔1〕　356 条～358 条の注釈を見よ。

〔2〕　356 条・357 条の規定と異なる特約は、登記しなければ第三者に対抗できない（不登§95 Ⅰ⑥。旧§116）。

〔3〕　2003 年の改正により、担保不動産収益執行手続が新設されたので、この手続と矛盾する前 3 条は適用されないものとされたのである。

（不動産質権の存続期間）

第三百六十条

　1　不動産質権の存続期間は、十年を超えることができない[1]。設定行為でこれより長い期間を定めたときであっても、その期間は、十年とする。

　2　不動産質権の設定は、更新することができる。ただし、その存続期間は、更新の時から十年を超えることができない[2]。

［原条文］

　不動産質ノ存続期間ハ十年ヲ超ユルコトヲ得ス若シ之ヨリ長キ期間ヲ以テ不動産質ヲ設定シタルトキハ其期間ハ之ヲ十年ニ短縮ス

　不動産質ノ設定ハ之ヲ更新スルコトヲ得但其期間ハ更新ノ時ヨリ十年ヲ超ユルコトヲ得ス

〔1〕　本条が最長期を 10 年としたのは、一つには、慣習により、二つには、不動産質権は所有者の使用・収益権を奪い、質権者に使用・収益させるものであるから、あまり長い期間になると、不動産の使用・収益が不十分になるおそれがあると考えたためであろう。278 条・580 条などと同じ思想に立つ規定である。なお、期間を制限されるのは、質権であって、質権によって担保される債権の弁済期ではない。債権の弁済期に関係なく、質権は 10 年で消滅するのである。

〔2〕　最初に設定した期間の満了前に期間を更新してもよいが、その更新の時から 10 年を超えることはできない。

（抵当権の規定の準用）

第三百六十一条

　　不動産質権については、この節に定めるもののほか、その性質に反しない限り、次章（抵当権）の規定を準用する[1]。

［原条文］

　不動産質ニハ本節ノ規定ノ外次章ノ規定ヲ準用ス

〔1〕　不動産質権について、抵当権の規定を準用したのは、目的物が不動産である

599

第2編　第9章　質権　第4節　権利質

ことから不動産質権と抵当権との間には類似点が存在するので、両者をできるだけ同一に取扱うという趣旨である。準用される主要な規定は、つぎの通りである。

　(a)　同一の不動産の上に数個の質権が設定されたときは、その順位は登記の前後による(§373)。

　(b)　不動産質権の効力が及ぶ目的物の範囲は、抵当権と同様である(§370)。ただし、目的物から生ずる果実については、371条を準用せずに、356条によることは、もちろんである。

　(c)　不動産質権を実行する要件、実行による効果などは、大体において抵当権の規定に従う。すなわち、第三取得者の代価弁済(§378)、抵当権消滅請求(§§379〜386)、競売による法定地上権の発生(§388)、一般財産に対する効力(§394)などは、いずれも不動産質権と読み替えられて、準用される。

　(d)　根抵当権に関する規定(§§398の2〜398の22、398の3と同7につき［改注］)も、とくに除外されていないので、準用されると考えられる。そうすると、根抵当権に準じた根不動産質権というものが認められることになろう。

第4節 ［解説］・§362 〔1〕

第4節　権　利　質

〈改正〉　2017年に、364条が改正され、363条と365条は削除され、内容的には債権編（520条
の7・17・20参照）に移された。

　本節は、権利質が可能であること（§362）、そのうちの債権質の各種について、そ
の要物性と対抗要件（§363［削除］、§364、§365［削除］）、その簡易な実行方法（§366）
を規定する。すなわち、主として債権質について規定するのであって、その他の財産
権の質入れについては、それぞれの特別立法にまかせる建て前である。したがってま
た、権利質の留置的効力、用益権能などの有無についても、民法はなんら特別の定め
をしていない。各種の特別立法についてみるほかはないのである。

（権利質の目的等）
第三百六十二条
　　1　質権は、財産権1)をその目的とすることができる2)。
　　2　前項の質権については、この節に定めるもののほか、その性質に反しない
　　　限り、前三節（総則、動産質及び不動産質）の規定を準用する3)。
　［原条文］
　　質権ハ財産権ヲ以テ其目的ト為スコトヲ得
　　前項ノ質権ニハ本節ノ規定ノ外前三節ノ規定ヲ準用ス

〔1〕　財産権を目的とする質権のことを「権利質」と総称する。質権の目的とする
ことができる「財産権」の主要なものは、つぎの通りである。
　（a）　債権のうち、指名債権（§364〔1〕参照）と指図債権（削除前§365〔1〕参照）とにつ
いては、本節に対抗要件に関して規定が設けられている（対抗要件以外の問題について
も、便宜上上記各条において述べることにする）。無記名債権は動産とみなされるから
（§§86Ⅲ［改注］→520の20）、その質入れは動産の質入れと考えてよい。なお、成
立要件に関しては363条参照。
　（b）　株式の質入れについては、会社法146条以下（商旧§§207～209）に規定がある
ので、それによることになる（改正前§364〔6〕参照）。とりわけ、株式の登録株式質権
の制度（会社§§147～）に注意を要する。
　（c）　地上権・永小作権の上にも、質権を設定することができる（不登§83Ⅰ③参
照）。これについては、不動産質権の規定と抵当権の規定が準用されることになる
（§§362Ⅱ・361・369Ⅱ）。この質権と、これらの権利の上の抵当権との差異は、質権
の場合には用益権能を質権者に移す点にある。
　（d）　特許権・実用新案権・意匠権・著作権などのいわゆる知的財産権の上にも、
質権を設定することができる（特許§95など、著作§66など）。その対抗要件は、それ
ぞれの権利について設けられた特別の帳簿があれば（特許§98など）、それへの登録

601

第2編　第9章　質権　第4節　権利質

である。

　(e)　鉱業権・漁業権などのように、権利者自身がその権利を行使することを要請される権利については、質権の設定は禁じられている(鉱業§§13・72、漁業§23)。

　(f)　譲渡可能な賃借権についても、質権設定が可能と解されている。しかし、用益機能が実現していない場合にまで認めるのは疑問ではなかろうか。また、用益機能の移転を質権成立要件と解するべきではなかろうか。

〔2〕　権利質権者が目的である権利について用益をすることができるかは、場合によって異なる。地上権・永小作権などの不動産物権に対する質権が用益権を含むことは疑いない(前記〔1〕(c)参照)。債権質が、目的である債権の利息に及ぶことも明らかである(§366〔1〕参照)。株式質が配当の上に及ぶかどうかについては、会社法に規定がある(改正前§364〔6〕参照)。問題は、特許権・著作権などのいわゆる知的財産権であるが、それぞれの法律により、契約で別段の定めをしない限り、それらの権利の実施や行使はできないものとされている(前頁上掲条文)。

〔3〕　権利質も、質権の一種として、これに本章第1節総則の規定が適用されるべきであるが、比較的遅れて発達した権利質について、主として動産質に関して発達した総則の規定を、そのまま適用することは不都合を生じるので、「準用」すべきものと定めたのである。また、第3節の規定は、とくに不動産に対する財産権上の質権に準用されるべきものである。

　権利質が他の質と同様に取扱われる点は、目的物の譲渡性の要件(§343)、流質契約の禁止(§349)、転質(§348)、被担保債権の範囲(§346)などであり、区別して取扱われる点は、目的物の占有およびその用益に関する諸点(§§344・345・350・297〜299など)である。この後の点で、権利質が財産権を債務者から取り上げて間接に弁済をうながす作用をもたず、単に目的である権利の処分をおさえるにすぎない場合の多いことに注意を要する。

第三百六十三条　削除

［削除前条文］
(債権質の設定)
第三百六十三条

　　債権であってこれを譲り渡すにはその証書を交付することを要するもの[1]を質権の目的とするときは、質権の設定は、その証書を交付することによって、その効力を生ずる[2]。
〈改正〉　2017年に削除された。改正前363条については、新520条の17および520条の20を参照。

［削除の趣旨］　改正前363条・同365条を削除し、指図証券の譲渡と同様に、裏書を対抗要件から効力要件に変更するとともに、裏書の方式・権利の推定・善意取得・抗弁の制限についても譲渡の場合に準じることにした。
〈改正〉　2003年改正により、前半の「債権ヲ以テ質権ノ目的ト為ス場合ニ於テ其債権ノ証書アルトキハ」が「債権ニシテ之ヲ譲渡スニハ其証書ヲ交付スルコトヲ要スルモノヲ以テ質権ノ目的ト為ストキハ」と改められた。また、末尾の「生ス」が「生ズ」に改められた。
［原条文］

§§362〔2〕〔3〕・363〔旧〕〔1〕

債権ヲ以テ質権ノ目的ト為ス場合ニ於テ其債権ノ証書アルトキハ質権ノ設定ハ其証書ノ
交付ヲ為スニ因リテ其効力ヲ生ス

　民法は、質権について、その要物性を定めている（§344〔2〕参照。なお、§345も関連
する）。この要物性を有体物ではない観念的な存在である債権について本来の意味に
おいて貫くことは困難である。この点を調整しようとするのが、本条である。改正前
の条文では不十分とされて、2003年に改正された。
　〔1〕　本条の適用にあたっては、まず、債権は、その譲渡の観点からは、つぎの(1)
と(2)の二者が区別されることに着目する必要がある（この点については、第3編第1章第
4節③、改正前§§467〔1〕・468〔1〕を参照）。
　(1)　指名債権
　指名債権は、証券化されていない債権で、なんらかの証書が授受されていても、そ
れは証拠としての意味を持つにすぎず、債権者はその証書を手段とすることなく特定
されており、その譲渡については、改正前467条が適用されて、債権者による債務者
への通知または債務者の承諾が対抗要件とされるものをいう（改正前§467〔1〕〔2〕参照）。
　旧規定は、この指名債権についても、「債権ノ証書アルトキハ」、証書の交付を債権
質権の成立要件としていた。これは、質権一般に要求される要物性との整合をはかり、
債権質権の公示と留置的効力を重視する趣旨であった。
　しかし、「債権ノ証書アルトキハ」という中途半端な要件からも窺われるように、
証書が存在しない場合には意味がなく、また証書が忘失された場合、証書の存否が不
明な場合、証書が存在するのに存在しないと偽られた場合などについては、疑問や混
乱が生じていた。
　改正された新しい規定によって、指名債権については、原則として、証書の交付が
成立要件とされることはなくなった。このことは明瞭である。ただし、(3)(4)参照。
　(2)　証券的債権
　指名債権に対して、債権が証書の作成によって成立し、その証券を手段としてのみ
債権者が特定されうる債権を「証券化された債権」ないし「証券的債権」という。証
券的債権においては、債権が証券に化体（かたい）（あるいは化現（かげん））されているとか、証券によっ
て表象されているとか、の用語で説明されることもある。証券的債権には、その証券
による債権者特定の方法によって、指図債権（証券に記載された債権者またはその者から通
常は証券への裏書によって指図された者が債権者とされるものをいう。改正前§469〔1〕参照）、
無記名債権（証券の正当な所持人が債権者とされるものをいう。削除前§86Ⅲ参照。なお、債
権者は証書に関係なく特定されており、証書面に債権者の名が記名されていないというものもあ
りうるが、これは無記名債権ではない）、記名式所持人払い債権（改正前§471〔1〕参照。同条
は指図債権に関する改正前§470を準用するとするが、一般には無記名債権と同一に取扱うべき
だとされている）などがある。それらについて定められた方法による証券の現在の正当
な所持人が債権者とされる。これらの債権の譲渡には、改正前467条は適用されず、
証券の交付がなんらかの意味で必要とされる（原則として成立要件。文言上対抗要件とされ
ている場合でも、理論的にはすべて成立要件と解するのが正しいと考えられている）。

603

第2編　第9章　質権　第4節　権利質

このうち、無記名債権は動産とみなされるので(§§86 Ⅲ[改注]→520の20)、質権設定に証券の交付が必要なことは動産質の原則によることになり、本条の適用はない(記名式所持人払い債権も同様に考えることになろう)。ただし、〔2〕(2)参照。

そこで本条が適用されるのは、指図債権ということになる。その代表的な例は、手形、小切手、商法上の有価証券(貨物引換証(2018商法改正により廃止)、倉荷証券、船荷証券)などの、原則的に指図証券性を有する債権である(手§§11 Ⅰ・77 Ⅰ①、小§14 Ⅰ、商§§600・606・757・762)。これらの証券的債権においては、証券である証書は不可欠的存在であるので、証書の交付が質権設定の成立要件であることは旧規定においても明らかであった。新規定はこれを確認するものといえよう。

なお、本条は単に交付というが、指図債権においては、当然質入れ裏書が必要であり、そのうえで交付がなされることが成立要件になると解される。

(3)　記名債券

ここで問題が生じるのは、上記の手形、小切手などにおいて、「指図禁止」の文言が記載されている場合である(上記各条参照)。この種のものを記名債券と呼ぶが、証券化されているにもかかわらず証券を手段とする譲渡性がない。また、これらには、譲渡の対抗要件としては民法467条[改注]が適用されるものとされており、その理論上の性質は指名債権であるとされている。しかし、記名債券には、多くの点で証券的債権としての特徴が見られるので、その譲渡には民法467条[改注]の対抗要件のほかに証券の交付も必要であると一般に解されている。それからすると、記名債券にも本条の適用があると解されることになろう。

(4)　その他

社債については、問題がある。無記名社債は証券的債権であることに疑いはなく、動産質に関する規定が適用されるといってよい。記名社債については社債原簿が存在し、その譲渡には社債原簿への記載と証券への記載が対抗要件とされている(商旧§307→会社§688)。必ずしも、証券的債権とはいえないので、本条の適用があるかという問題を生じる。むしろ、登録財産の一種として、質権よりも抵当権に近い性格が感じられる。さらに、いわゆる社債等登録法(証券決済制度等の証券市場の整備のために関係法律の整備等に関する法律、平成14年法律65号、附則§1により、2008年1月4日に廃止)による登録社債やそれに代わる振替社債(社債等の振替に関する法律、平成13年法律75号、による。同法§74参照)になると、その譲渡・質権設定については、民法の規定は働かず、それらの法律の規定に従うと考えるのが適切であろう。

国債についても、類似の問題が存する(法律としては、国債ニ関スル法律、明治33年法律34号、記名ノ国債ヲ目的トスル質権ノ設定ニ関スル法律、明治37年法律17号、上記の社債等の振替に関する法律など)。

株式(§362〔1〕(b)参照)は、364条2項の規定があったが、指図債権とはいえない(改正前§364〔6〕参照)。同じく、民法の規定にはよらないといってよい。

〔2〕　本条の適用がある債権については、証書(条文は証書というが、証券といった方が適切であろう)の交付が質権設定の成立要件である。

(1)　証書の質権者への交付によって質権が成立する。

その占有の継続が必要であるかについては、動産質と同様に、占有を喪失すると対抗力を失うと解してよいであろう（§352〔1〕、株式についての会社§147Ⅱ〔商旧§207Ⅱ〕参照）。質権者が証券を設定者に返還したときにどうなるかについても、動産質と同様に解してよいであろう（§345〔1〕参照）。

(2)　無記名債権については、動産とみなされて（削除前§86Ⅲ）、本条の適用はないと上述した。しかし、動産の譲渡・質入れについては、当事者の意思表示により効力を生じ、占有の移転は対抗要件と考えられるが、無記名債権については、その証券的債権としての特色から考えて、占有移転が成立要件であると考えるのが適切である。そのことを、削除前86条3項の規定にかかわらず、無記名債権には本条の適用があると説明することも可能であるかもしれない。

(3)　本条の適用がない指名債権については、証書の交付がなくても、債権質権は成立する。実際には、質権者に証書が交付される場合が多いであろうし、契約上質権者が設定者（質入債権の債権者）に対して証書の交付を請求する権利があるとされる場合もあると考えられる。質権者としては、証書を確保することによって、設定者が質入債権について勝手に行使したり、他に譲渡したりすることを事実上封じ、また質権を行使するうえに便宜であるなどの利益を享受できる。しかし、新規定によって、証書が交付されたかどうかは質権の成立には関係ないことになったのである。

（債権を目的とする質権の対抗要件）
第三百六十四条
　　　債権を目的とする質権の設定（現に発生していない債権を目的とするものを含む。）[1]は、第四百六十七条の規定に従い、第三債務者にその質権の設定を通知し、又は第三債務者がこれを承諾しなければ、これをもって第三債務者その他の第三者に対抗することができない。

〈改正〉　2017年に改正された。見出しを改め、本条中「指名債権を質権の目的としたとき」を「債権を目的とする質権の設定（現に発生していない債権を目的とするものを含む。）」に改め、「第三債務者に」の下に「その」を加えた。附則（債権を目的とする質権の対抗要件に関する経過措置）第十一条　施行日前に設定契約が締結された債権を目的とする質権の対抗要件については、新法第三百六十四条の規定にかかわらず、なお従前の例による。

[改正の趣旨]　〔1〕　指名債権とは、証券化されることなく債権者が特定している債権をいう（467条の解説〔1〕参照）。本条では、将来債権に対しても、対応している。

[改正前条文]
（指名債権を目的とする質権の対抗要件）
　　指名債権[1]を質権の目的としたときは、第四百六十七条の規定に従い、第三債務者[2]に質権の設定を通知し、又は第三債務者がこれを承諾しなければ[3]、これをもって第三債務者その他の第三者[4]に対抗することができない[5]。

[原条文]
　　指名債権ヲ以テ質権ノ目的ト為シタルトキハ第四百六十七条ノ規定ニ従ヒ第三債務者ニ質権ノ設定ヲ通知シ又ハ第三債務者カ之ヲ承諾スルニ非サレハ之ヲ以テ第三債務者其他ノ第三者ニ対抗スルコトヲ得ス
　　前項ノ規定ハ記名株式ニハ之ヲ適用セス

第 2 編　第 9 章　質権　第 4 節　権利質

〈改正〉　1990 年の改正により、2 項に「記名ノ株式ニハ」とあったのを、「株式ニハ」と改めた。2005 年の改正により、2 項が削除された[6]。

[改正前条文の解説]
〔1〕　「指名債権」とは、債権者が特定している債権である。指図債権、無記名債権などの「証券化された債権」に対立する概念であり、貸金・預金などの普通の債権は、これに属する(削除前§363〔1〕・改正前§467〔1〕参照)。
　なお、定期預金に質権が設定された事例について、その定期預金が数回書替えられても、最初の質権はその後の定期預金に及ぶとした例が注目される(最判昭和 40・10・7 民集 19 巻 1705 頁)。また、指名債権に質権が設定されても、券面額を有する債権として転付命令の対象となりうるとした判決がある(最判平成 12・4・7 民集 54 巻 1355 頁)。
〔2〕　質入れされた債権(「質入れ債権」と呼ぶ)の債務者のことである。たとえば、A の債務者 B がその債務の担保として、C に対して有する債権を A に質入れしたとすれば、その債権質においては、C が第三債務者である。なお、C が A 自身である場合、すなわち、A が自分に対する B の債権の上に質権を取得することも認められること(大判昭和 11・2・25 新聞 3959 号 12 頁。前出最判昭和 40・10・7 もその事例である)に注意を要する。債権は、単なる B の A に対する請求権であるにとどまらず、客観化された 1 個の財産という意味をもつからである。
〔3〕　第三債務者 C に対する通知は、質権設定者 B が行う。また、C からの承諾は、B・A のいずれに対してしてもよいと解される。ただし、質権者となるべき者を特定した通知・承諾でなければならないとされる(最判昭和 58・6・30 民集 37 巻 835 頁)。その他、その要件および効果については、467 条・468 条[両条とも改正に注意]および第 3 編第 1 章第 4 節解説③④参照。なお、本条は 467 条のみを引いているが、468 条も準用されると解されていることに注意を要する。具体的にいえば、譲渡禁止の特約のある債権が質入れされた場合でも、質権者が善意であれば、質権は有効に成立するとされる(大判大正 13・6・12 民集 3 巻 272 頁。最判平成 8・6・18 判時 1577 号 87 頁は、敷金返還請求権に対する質権設定に異議をとどめない承諾があった例であるが、その承諾に錯誤があり、質権設定は無効とされた)。
〔4〕　第三債務者以外の第三者として問題になるのは、主として、債権質設定者 B に対する債権者である。
〔5〕　第三債務者に対抗するとは、質権者 A が質入れ債権の取立てをしたり(§367)、または C の B に対する弁済が A に対する関係では効力を生じないと主張することなどである。
　このうち、後の効力、すなわち、B・C が質権を設定された債権を消滅させ、変更すること(債権の取立て、弁済の受領、免除・相殺、更改など)ができないという拘束を受けることについては、民法には直接の規定がないが、学説・判例は、481 条[改注]を類推適用して、これを肯定している(大判大正 5・9・5 民録 22 輯 1670 頁)。このことを、質入れ債権に対する債権質権の「拘束力」と呼ぶ(最決平成 11・4・16 民集 53 巻 740 頁は、債権質権設定者は質入債権に基づく債務者の破産の申立てもできないとした。また、建物の賃借

§§364〔1〕～〔6〕・365（旧）・365（旧）

権者が有する敷金返還請求権に質権が設定されている事例において、賃借人が破産し、破産管財人がその敷金を破産宣告後の未払い賃料等に充当する合意をしたとしても、そのような合意は質権者を害するので認められず、質権者が破産財団が収得した賃料額を不当利得として返還請求できるとされた。最判平成18・12・21民集60巻3964頁）。もちろん、消滅時効中断のような行為はできる（大判昭和5・6・27民集9巻619頁）。

また、その他の第三者に対抗するとは、主として、Ａが質権の目的であるＢのＣに対する債権から、Ｂの他の債権者たちに優先して弁済を受けることができるということである。

〔6〕 2005年の改正で削除された、株式の質入れについて規定していた従来の2項は、株式には1項の規定を適用しないと定めていたが、そもそも株式を債権といえるかは問題で、無意味な規定とされていた。

商法の旧規定によれば、株式の質入れには株券の交付を要件とし（商旧§207Ⅰ→会社§146Ⅱ）、質権者は継続して株券を占有しなければ第三者に対抗できず（商旧§207Ⅱ→会社§147Ⅱ）、この場合の質権は、株式の消却、併合、転換または買取りがあった場合に、株式が受けるべき金銭または株式のうえに及ぶ（商旧§208→会社§151）とされていた。配当や残余財産の分配については規定されていなかったので、これを受けられるかどうかについて、商法学者の間に議論があった。これに対して、質権者の住所・氏名を株主名簿に記載または記録し、かつその氏名を株券に記載すると、質権者は会社から配当、残余財産の分配などを受けて債権の弁済にあてることができるとする「登録質」の規定をおいていた（商旧§209Ⅰ）。

2005年の会社法148条～154条は、株主名簿への記載または記録を会社その他の第三者に対する質入れの一般的な対抗要件とし、登録された質権者を「登録株式質権者」と呼び、規定を整備した（会社§151等参照）。

第三百六十五条（旧） 削除

[削除前条文]
（記名社債を目的とする質権の対抗要件）
第三百六十五条
　　記名社債を質権の目的としたときは、社債の譲渡に関する規定に従い会社の帳簿に質権の設定を記入しなければ、これをもって会社その他の第三者に対抗することができない。
〈改正〉 2004年改正により、上記の条文になっていたが、2005年の改正で削除された。
[原条文]
　　記名ノ社債ヲ以テ質権ノ目的ト為シタルトキハ社債ノ譲渡ニ関スル規定ニ従ヒ会社ノ帳簿ニ質権ノ設定ヲ記入スルニ非サレハ之ヲ以テ会社其他ノ第三者ニ対抗スルコトヲ得ス

第三百六十五条 削除

[削除前条文]
（指図債権を目的とする質権の対抗要件）
第三百六十五条

607

第2編　第9章　質権　第4節　権利質

指図債権[1]を質権の目的としたときは、その証書に債権の設定の裏書[2]をしなければ、これをもって第三者に対抗することができない。

〈改正〉　2017年に削除された。改正前365条については、新520条の7を参照。附則（指図債権に関する経過措置）第十二条　施行日前に生じた改正前法第三百六十五条に規定する指図債権（その原因である法律行為が施行日前にされたものを含む。）については、なお従前の例による。

[削除の趣旨]　363条の［削除の趣旨］を参照。

[原条文]

第三百六十六条

指図債権ヲ以テ質権ノ目的ト為シタルトキハ其証書ニ質権ノ設定ヲ裏書スルニ非サレハ之ヲ以テ第三者ニ対抗スルコトヲ得ス

〈改正〉　2005年の改正により、366条が365条に変更された。

〔1〕　「指図債権」とは、特定の人またはその指図する人に弁済しなければならない証券的債権である。この債権には、必ず証券（指図債権において作成される証書は、それによって債権者を特定する意味があり、これをとくに「証券」と呼ぶ。削除前§363〔1〕〔2〕参照）が作成され、その債権者は、まず特定の人Aと定められ、ついでそのAが証券面（通常は裏面）の記載（指図）によってその債権者である地位をBに移転する。Bからも同様にして、Cへ移転されるものである。今日、実際上行われている指図債権は、手形（手§§11・77）、小切手（小§14）、倉庫証券（2018商法改正により廃止）（商§§603［削除］・627［削除］、倉荷証券につき商§§601以下）、貨物引換証（2018商法改正により廃止）（同§574［削除］）などであるが、いずれも商事法上の指図債権である。新520条の2以下を参照。

〔2〕　質権設定の「裏書」（「質入れ裏書」という）とは、債権者Aが自分に対する債権者Bのために質権を設定する旨を証券に記載することである。指図債権には、363条［改注］の適用があり、証書の交付が効力発生の要件であるから、結局、本条と合せて、証書に裏書して交付することは、単に対抗要件であるだけでなく、それによって質入れが完全な効力を生じることになるわけである。

（質権者による債権の取立て等）

第三百六十六条

　1　質権者は、質権の目的である債権を直接に取り立てることができる[1]。

　2　債権の目的物が金銭であるとき[2]は、質権者は、自己の債権額に対応する部分に限り[3]、これを取り立てることができる。

　3　前項の債権の弁済期が質権者の債権の弁済期前に到来したときは[4]、質権者は、第三債務者にその弁済をすべき金額を供託[5]させることができる。この場合において、質権は、その供託金について存在する[6]。

　4　債権の目的物が金銭でないときは、質権者は、弁済として受けた物について質権を有する[7]。

[原条文]

第三百六十七条

質権者ハ質権ノ目的タル債権ヲ直接ニ取立ツルコトヲ得

§§365（旧）〔1〕〔2〕・366〔1〕～〔7〕

債権ノ目的物カ金銭ナルトキハ質権者ハ自己ノ債権額ニ対スル部分ニ限リ之ヲ取立ツル
コトヲ得
右ノ債権ノ弁済期カ質権者ノ債権ノ弁済期前ニ到来シタルトキハ質権者ハ第三債務者ヲ
シテ其弁済金額ヲ供託セシムルコトヲ得此場合ニ於テハ質権ハ其供託金ノ上ニ存在ス
債権ノ目的物カ金銭ニ非サルトキハ質権者ハ弁済トシテ受ケタル物ノ上ニ質権ヲ有ス
〈改正〉 2005年の改正により、367条が366条に変更された。

〔1〕 質権者が自分の名で、「質権の目的である債権」——これを「質入れ債権」
という——について自分に弁済するよう請求することができるということである。こ
れを債権質権者の「直接取立権」という。目的である債権の利息を取り立てて優先弁
済に当てることができることも疑いない。けだし、利息は、元本債権の拡張とみるべ
きものだからである。

本来ならば、債権質権者は質入れ債権を差押えるという方法によるべきであるが、
これを簡略化するために直接取立権を認めたものである。債権質権者Aは、第三債
務者Cに対して、債権質権の存在さえ証明すれば、裁判所の手を借りずに（民執§193
などによらずに）、請求することができる。動産質に関する354条と並ぶ簡易な実行手
続ということができる。もちろん、Cが弁済に応じなければ、これに対して訴訟が必
要であることは別論である。

なお、本条の直接取立権に付随して、債権質権者は、質入れ債権のための担保があ
れば、これを行使することができると解される。たとえば、質入れ債権を担保する抵
当権が設定されていれば、債権質権者は、弁済期・債権額についての所要の要件が充
たされていれば、その抵当権を行使できる（§376前注③(2)参照）。ただし、根抵当権の
場合には、その債権についての優先弁済の利益を受けることはできるが、根抵当権の
独立的性格から考えて、根抵当権そのものについて根抵当権者が有する権限について
は、これを行使することはできないと解される。

〔2〕 金銭の給付を目的とする債権という意味で、100万円の預金債権、80万円の
貸金債権のようなものである。

〔3〕 AがBに対する80万円の貸金債権の担保としてBがC銀行に対して有す
る100万円の預金債権を質にとったとすれば、AはC銀行に対して、自分の80万円
の債権とその利息その他その質権によって担保される債権の額（§346参照）だけの弁
済を請求することができる。2004年改正により、原条文の「対スル」が「対応する」
に変えられた。

〔4〕 上の例で、Bの預金債権の弁済期はきたが、Aの貸金債権の弁済期はまだき
ていない場合である。

〔5〕 494条［改注］・495条参照。

〔6〕 正確にいえば、質権設定者の有する供託金還付請求権の上に質権が成立する
のである。

〔7〕 たとえば、AがBに対する100万円の貸金債権の担保として、BがCに対
して有する特定の土地の引渡を請求する買主としての権利の上に質権を設定したとす

609

第 2 編　第 10 章　抵当権

れば、A は、この場合にも、C に対してその土地を自分に引渡すように請求すること
ができる。そして、A は、その土地の上に不動産質権を取得する。なお、この場合
には、土地の所有権は B に帰属するのであるから、A は自分の質権を確実にするた
めに、C に対して、B の所有名義への移転登記をするよう請求し、ついで、B に対し
て自分のために不動産質権設定の登記をするよう請求することができると解される
（大判昭和 6・7・8 新聞 3306 号 12 頁）。

第三百六十七条及び第三百六十八条　削除[1)]

［原条文］
第三百六十八条
　　質権者ハ前条ノ規定ニ依ル外民事訴訟法ニ定ムル執行方法ニ依リテ質権ノ実行ヲ為スコ
　　トヲ得
〈改正〉　原 368 条は、1979 年に民事執行法の制定に伴い、削除されて、「第三百六十八条
削除」とされていた。
　2005 年の改正により、365 条が削除されたことに伴い、上記のように改められた。

〔1〕　かつての民事訴訟法は、債権その他の権利に対する実行方法を定めており、
本条は、権利質権者は、それらの方法を——質権に基づいて、債務名義を要せずに
——利用できる旨を定めていた。1979 年の民事執行法が規定を整備して（同法§193 そ
の他）、本条のような規定を必要としなくなったので、削除されたものである。

§§368（旧）・第10章［解説］①〜③

第10章　抵　当　権

〈改正〉　2017年に、抵当権の効力の及ぶ範囲に関する370条と根抵当権に関する398条の2、根抵当権の被担保債権の範囲に関する398条の3、根抵当権の被担保債権の譲渡等に関する398条の7について改正がなされた。

①　本章の内容

本章は、第1節「総則」、第2節「抵当権の効力」、第3節「抵当権の消滅」、第4節「根抵当」の4節からなっている。このうち、第1節のなかにも抵当権の効力に関する規定とみるべきものが多く、第3節は特別な場合における抵当権の消滅事由を規定するものであって、全体としては、抵当権の効力の問題が本章の中核を構成する。その効力の概略については、第2節の解説で述べることにする。第4節は、1971年の民法改正により新設されたもので、従来判例によって律せられてきた根抵当の法律関係について、明文により明確にしたものである（第4節解説参照）。

②　抵当権の意義

抵当権は、質権とともに、当事者の契約によって生じる担保物権、すなわち「約定担保物権」であり、もっぱら、「物的担保」の手段として利用される制度である。質権との差異は、前に述べたように（第9章解説②）、設定者が目的物の利用権限を失うかどうかにあり、抵当権は目的物の占有を抵当権者に移転することを要しない、いわゆる「非占有担保」である。

その結果、抵当権は、債務者（担保提供者）が使用・収益を続ける必要のあるもの、ことに生産設備の担保化に適当であるのみならず、鉱業権、漁業権、登記船舶などのように、担保権者に利用させることを不適当とするものの担保は、もっぱら抵当権によらなければならない。しかし、抵当権の存在を公示するには、国家が管理する一定の公的帳簿への記載（登記・登録）を必要とするから、このような制度の存在しないもの、あるいは、これを設けることの不適当なものについては、抵当権は利用することができない。したがって、抵当権が利用される範囲は、質権に比して狭い（§343参照）。動産について、譲渡担保が行われる最も重要な理由はこの点にある（第10章後注「譲渡担保など」③参照）

③　近代抵当権の特色と原則

抵当権制度は、最初は、金融を得ようとする者の立場から規定され、その者の利益をできるだけ損しないように考慮されたが、その後、資本主義の発達とともに、金融制度が非常な発達をとげるに及び、抵当権も、しだいに、投資しようとする者の立場を重視して規定されるようになった。抵当権に関する法制のこのような変遷に即してみると、わが国の抵当制度は、まだ近代抵当権、すなわち「投資抵当権」（投資のため

611

第2編　第10章　抵当権

の担保として合理的に利用できるように工夫された抵当権の意)ともいうべきものの水準に達していない。

つぎに、近代抵当権の特質と、わが法制の地位とを簡単に述べておくことにする。

(1)　「公示の原則」

抵当権の存在を公示して、一般債権者を害さないようにするとともに、抵当権自身も公示のない債権によっておびやかされることのないようにしようとする原則である。わが国の法制は、この点に関しては、相当に整備されている(本編第1章解説③④参照)。しかし、抵当権に優先する先取特権が存在することは、なお問題である(§339(1)参照)。

(2)　「特定の原則」

抵当権の目的物を特定し、抵当権の把握した担保価値を明瞭にしようとする原則である。この点に関するわが国の法制の態度には、ほとんど遺憾な点がない。総財産に対する「一般抵当権」(Generalhypothek)は存在しないし、これに類する「一般の先取特権」の効力を強く制限していることは、とくに妥当な態度である(§§335・336)。

(3)　「順位確定の原則」

先順位の抵当権は、たとえ一度弁済されても、後順位抵当権の順位が上昇するのではなく、そのまま順位を保留して、所有者のもとに保留され(いわゆる「所有者抵当権」Eigentümerhypothek となる)、後からその留保されたままの順位の抵当権で担保される債権を成立させることができるとする原則である(ドイツ民法§§1163・1168〜。ただし、その後、一定の場合の後順位者からの抹消請求の可能性が認められた。同§1179a)。わが民法は、このような制度を認めていない(§373(2)参照)。

(4)　「独立の原則」

抵当権の存在が他の事情によっておびやかされないことを要求する原則である。この原則は、わが国の法制では、はなはだ不徹底である。たとえば、抵当目的物の第三取得者から抵当権の消滅請求を受けたり(従来は滌除と呼ばれる制度であった。第2節解説②(3)、§378前注③参照)、登記簿上に現われない被担保債権の消滅という事由によって抵当権が消滅したり(§369(4)(カ)参照)することは、抵当権の独立性を害する。後順位抵当権者の競売によって先順位の抵当権が消滅することも、同様の不徹底さというべきである(§369(6)(イ)参照)。

(5)　「流通性の確保の原則」

抵当権が、特定の不動産の担保価値を把握するものとして、金融市場に安全確実に流通することを要請する原則である。わが国の法制は、この点でも、はなはだ不十分である。登記簿に公信力がないこと(第1章解説③④参照)がその根本的な欠陥である。さらに、ドイツやスイスの法制では、抵当権は「抵当証券」(Hypothekenbrief)という証券に化体して転々流通している(「化体する」とは、権利とそれを表象する証券との間に認められる密接な結合関係を示す言葉である。権利がその証券に乗りうつっているとか、権利がその証券という有体物に形を変えているという意味で用いられている)。わが国の抵当証券法(昭和7年法律15号)は、この制度にならったものであるが(ただし、被担保債権と抵当権を一体として証券に化体するという点で特色がある)、きわめて不完全である(§376前注③(4)参照)。

612

第10章［解説］④

④ 2003年改正について

　抵当権について、1971年に根抵当についての第4節を新設する大きな改正が行われたが、2003年に、これに匹敵する改正が「担保物権及び民事執行制度の改善のための民法等の一部を改正する法律」（平成15年8月1日法律134号。2004年4月1日施行。附則に経過規定があることに注意）により行われた。この改正を2003年改正と呼ぶこととする。その内容は抵当制度の基本にも関わる重要な問題を含んでいるので、ここでその問題の所在について改めて触れておきたい。

　問題は、同一不動産（土地・建物）に対する所有権と抵当権の関係に関する。抵当権は、目的不動産の占有を所有者に残すことをその本質的特色とする。そのうえで、所有者に残された目的不動産についての使用、収益、処分の権能と抵当権者の権能との間でさまざまな問題を生じうるのである。具体的にいえば、①まず、所有者自身による使用については、被担保債権について債務不履行（金銭債権についていえば、つねに履行期の徒過による履行遅滞）が生じ、抵当権が実行されるまでは、その使用につき干渉されることはない。果実も収取できる（旧§371）。抵当権の実行によって、はじめてその使用権限は奪われる。抵当土地の所有者が抵当権設定後に築造した建物も取り壊さざるをえない。なお、目的不動産の価値を低下させる行為に対して抵当権侵害の問題を生じるのは別問題である（第2節解説③参照）。②所有者は、目的不動産を他者に賃貸するなどして使用させることも自由にできる。ただし、その他者の使用権は、抵当権者に対抗できるものであれば別として（2003年改正による新しい§387も参照）、抵当権が実行されれば、くつがえされる。③所有者は抵当不動産を自由に他者に譲渡するなどの処分ができるが、この場合も、抵当権の実行によって、その処分の効力は否定される（後順位の抵当権の設定の場合には、その抵当権は先順位の抵当権に劣後する）。

　以上が、所有権と抵当権の関係に関する基本的な対立の構図である。これに対して、両者の立場ないし利益の調整を図る手当てが従来の規定ではつぎのように講じられていた。その1は、上述①に関するもので、所有者の果実の取得権は抵当権の実行までとし（旧§371）、また、土地抵当権者に所有者が築造した建物を一括競売する権限を認めた（旧§389）。その2は、上述②に関するもので、所有者が他者に与えた短期賃借権に限って、抵当権の実行後も競売による買受人に対抗できるとした（旧§395）。その3は、上記③に関するもので、所有者から処分を受けた者（所有権譲受人、地上権者、永小作権者）が抵当権の実行前に抵当権者に一定の金額（滌除金額）を提供して抵当権の消滅を求める滌除制度を定めていた（旧§378～）。抵当権設定者自身がこのような滌除請求ができないのは当然であるが、所有権が移転され、新しい所有者となった者がその所有権を抵当権の制約のないものにする希望をもったときは、そのための手段を認めようというものであった。

　2003年改正は、これらの全般について変更をもたらした。その内容については、それぞれの個所において述べるが、全体としては、所有権と抵当権の立場の釣り合いにおける重心を抵当権の方に移動させたものと評することができよう。ただし、滌除にしても、短期賃貸借の保護にしても、単に廃止するのではなく、代わりの手当てを講じていることは評価できる。

613

第2編　第10章　抵当権　第1節　総則

第1節　総　　則

〈改正〉　2017年に、370条につき、引用条文が改正された。

　本節は、「総則」と題して、抵当権の定義（§369）、抵当権の効力の及ぶ目的物の範囲（§§370［改注］・371）、不可分性（§296）および物上代位性（§304）に関する規定の準用（§372）、ならびに、物上保証人に関する規定（§351）の準用（§372）を定めている。このうち、372条により準用される前の二つの規定は、むしろ抵当権の効力に関する規定とみるべきものである。

　（抵当権の内容）
　第三百六十九条
　　1　抵当権者は、債務者又は第三者[2]が占有を移転しないで[3]債務の担保[4]に供した[5]不動産[1]について、他の債権者に先立って自己の債権の弁済を受ける権利を有する[6]。
　　2　地上権及び永小作権も、抵当権の目的とすることができる。この場合においては、この章の規定を準用する[7]。
　［原条文］
　　　抵当権者ハ債務者又ハ第三者カ占有ヲ移サスシテ債務ノ担保ニ供シタル不動産ニ付キ他ノ債権者ニ先チテ自己ノ債権ノ弁済ヲ受クル権利ヲ有ス
　　　地上権及ヒ永小作権モ亦之ヲ抵当権ノ目的ト為スコトヲ得此場合ニ於テハ本章ノ規定ヲ準用ス

　〔1〕　86条〔3〕参照。独立して抵当権の目的となることができるものは、土地と建物とであり、土地・建物に定着するものは、ただ土地・建物の上の抵当権の効力がこれに及ぶにすぎない（§370［改注］参照）。
　土地と建物が別個の不動産とされ、別々に抵当権の目的となることについては、改正前370条〔1〕・388条・389条の前注を参照。
　民法が抵当権の目的を不動産に限ったのは、それ以外の物には登記制度がなく、抵当権の公示ができないからである。しかし、金融制度の発達は、土地・建物以外の財産またはそれらの集団の上に抵当権を設定する必要を痛感させた。したがって、各種の財産または財団について、登記による公示方法を講じて抵当権の設定を可能にするという立法措置がとられてきた。
　すなわち、1905年（明治38年）には工場財団抵当（工場抵当法）、鉱業財団抵当（鉱業抵当法）、鉄道財団抵当（鉄道抵当法）が認められ、1909年（明治42年）には軌道財団抵当（軌道ノ抵当ニ関スル法律）が、1913年（大正2年）には運河財団抵当（運河法）が、1925年（大正14年）には漁業財団抵当（漁業財団抵当法）と、さらに、各方面にわたる財団抵当制度が作られた。また、立木を独立の不動産とするわが国の取引慣行を認めた立木法（1909

第1節 [解説]・§369 〔1〕〜〔4〕

年)は、同時に山林金融のために立木の上に抵当権を設定する途を開き、昭和初期の窮迫した農業金融のためには、農業動産信用法(1933年)が制定されて農業用動産の上に抵当権を設定することが認められるに至っている。

　また、第二次大戦後には、財団抵当制度としては、港湾運送事業財団、道路交通事業財団、観光施設財団が、動産抵当制度としては、自動車、航空機、建設機械などの上の抵当制度が加わった。これらの特別法上の抵当権は、その効力や競売手続において、民法と異なる点のあることを注意するべきである。

　1958年には企業担保法(昭和33年法律106号)が制定され、企業担保権と称する物権が認められた。これも物的担保であり、非占有担保であることは間違いないが、特定の財産を目的とするものではないから、抵当権の概念に含めることはできない。その内容は、①株式会社の総財産を一体としてその会社の発行する社債の担保とするものであり(§1)、②企業担保権の公示は株式会社登記簿への登記、すなわち人的編成主義により(§4)、その実行は、個別財産の競売ではなく、一種の総財産の清算手続により行われる(§§10〜)。その内容は、先取特権に類する「一般担保」(第8章第2節解説②(1)参照)に類似するが、それが法定のものであるのに対して、企業担保法は類似の権利を約定によっても成立させることができるとしたものとして理解することもできる。

　〔2〕　債務者以外の第三者が債務者の債務を担保するために抵当権を設定する場合であって、この第三者は、他人の債務を担保する点で保証人に類似するので、「物上保証人」と呼ばれる(§§372・351参照)

　〔3〕　抵当権は、目的物の占有を移さない点に質権と対比した場合の特色がある(§342〔4〕参照)。そのために、一方では、占有以外の公示方法すなわち登記制度、または、これに類する登録制度が整備されることが抵当権の利用が認められる前提条件となり、他方では、抵当権設定者が目的物の用益を続けることができる点で、生産設備や企業施設などの担保化に独特の効用を発揮するのである。なお、このように、抵当権者は目的物を占有するべき権利を有しないのであるが、抵当権者も物権者として物権的請求権を有することはいうまでもない(ただし、その特色について、第2節解説③参照)。

　〔4〕　「債務の担保」の意義については、本編解説④(2)を参照。抵当権とそれが担保する債務(通常は、「被担保債権」という)との関係については、種々の問題が存在する。

　(ア)　両者の関係の基本的特徴は、被担保債権に対する抵当権の「付従性」として表現される。これは、抵当権は被担保債権の担保のために存在する従たるものであるという意味であり、それ自体としては当然のことである。しかし、これを厳格にとらえると、債権がまだ存在しないうちに設定された抵当権は無効であるということにもなる。しかし、実際の取引は債権の方が抵当権より後に成立することも認めることを要求するので、将来の債権を担保することも認めて((ウ)参照)、成立に関しては「付従性の緩和」が行われることになる。後述する根抵当も、同じ意味において付従性を緩和したものということができる。

　(イ)　抵当権によって担保される債権は、金銭債権には限らない。金銭債権以外の債権の場合には、抵当権は、それが不履行によって損害賠償請求権に形を変えたときに、それを担保する。したがって、その債権は、少なくとも金銭に算定してその額を予定

615

第2編　第10章　抵当権　第1節　総則

できるものであることを要する（不登§83 Ⅰ①。旧§120参照）。

　㊅　将来の特定の債権のために、抵当権を設定することもできる（§342〔1〕も参照）。したがって、普通の消費貸借の場合によく行われるように、まず証書を作り、抵当権の設定登記をし、そのうえで金銭を授受するというように、消費貸借上の債権が発生する前に抵当権を設定することも差し支えない。結局、抵当権の登記によって示された債権と実際の債権との同一性が認められればよいのである。この将来の債権を担保する抵当権の例としては、保証人が保証債務を履行したときに主たる債務者に対して取得する求償権を担保する抵当権がある（最判昭和33・5・9民集12巻989頁）。

　㈢　銀行と商人との間の当座貸越契約、卸商と小売商との間の継続的商品供給契約などのような継続的な取引関係から生じ、事情に応じて増減する債権を、一定の額を限度として担保する抵当権を「根抵当」という。ドイツ民法の Höchstbetragshypothek（最高額抵当権。同法§1190）に該当するものである。わが民法典は、このような制度を定めていなかったが、1971年に至って第4節を設けて、これに関する明文の規定を設けた（第4節解説参照）。

　㈤　被担保債権がなにかの事由で成立しなければ、抵当権もまた成立しない。たとえば、利息制限法に違反して無効な利息債権を担保する抵当権の設定登記は認められない（最判昭和30・7・15民集9巻1058頁）。たとえ設定登記がなされても無効である（大判昭和8・3・29民集12巻518頁）。ただし、被担保債権が員外貸付を理由として無効であっても（§34〔4〕(イ)(a)参照）、抵当権はそこに生じる不当利得返還請求権を担保するので、抵当権の無効を主張するのは信義則に反するとする判例（最判昭和44・7・4民集23巻1347頁）もある。

　㈥　抵当権がいったん有効に成立した後においても、被担保債権につき、弁済その他の事由（放棄・免除・混同などを含む）によって実質的にその全部または一部が消滅すれば、抵当権もまたその限度において消滅する。登記が抹消されないで残っていても、同様である。そこで、(a)この残っていた登記を信頼し、被担保債権があるものと誤信してこれを譲り受けた者があっても、この者はなんらの権利を取得しない（大判大正9・1・29民録26輯89頁）。(b)後に当事者間にふたたび債権が成立しても、先の抵当権をこれに流用することはできない（大判昭和6・8・7民集10巻875頁）。流用後に現れた第三者に対する関係では、有効とする見解もないではないが（大判昭和11・1・14民集15巻89頁は、不動産取得者からの抹消請求をしりぞけたが、流用を認めたものとはいえない。仮登記担保に関する最判昭和49・12・24民集28巻2117頁も同様である）、後順位抵当権者の問題もあり、疑問に思われる。この点、普通の抵当権においては、根抵当との間に本質的な差異があると考えるのが適切ではないであろうか。なお、被担保債権について債務者が異議をとどめない承諾をした債権譲渡があった場合にも、抵当権は復活しないことについて、376条前注③(3)・改正前§468条〔2〕(キ)参照。

　㈦　なお、抵当不動産の所有者（債務者自身である場合も、また債務者以外の物上保証人・第三取得者である場合も）につき、破産、民事再生、会社更生などの債務超過による手続が行われる場合は、抵当権は、その手続のなかで別除権・更生担保権などの一定の処遇を受ける。また、法人の解散、あるいは自然人の死亡による通常の相続以外の

§369〔5〕〔6〕

清算手続(限定承認・相続人の不存在など)があった場合には、それなりの清算手続が行われることになる。

これに対して、抵当不動産が債務者以外の者(物上保証人・第三取得者)の所有である場合に、債務者について上掲のような事情が生じたときは、被担保債権が仮に形式的に消滅したとしても、それが弁済およびそれに準じる事由によるものでなければ(消滅時効については、§§396・397がある)、抵当権は消滅するものではない。債権の担保は、まさにそのような場合に備えて債権の実現を確保しようとする手段にほかならない(最判平成15・3・14民集57巻286頁は、抵当権についてではないが、保証債務に関する事例について、主債務者である会社の法人格が破産終結決定により消滅した場合に、主債務について消滅時効を観念する余地がないから、保証人は主債務の消滅時効を援用できないとした。債権者としては、保証債務が時効消滅しないように債権の管理をしていればよいということになる。抵当権についても同じことがいえるが、上記の§§396・397が関連する)。もっとも、被担保債権の債務者の法的人格が消滅した場合の法律関係については、なお検討すべき問題が多い。

　(ク)　1個の抵当権が複数の特定の債権を担保することもありうる。競売された不動産の価額がそれらの債権の総額に足りないときは、弁済充当の規定(§§488~491〔改注〕)によってそれぞれの消滅を生じることになる。ただし、そのうちの一つの債権につき保証人による代位弁済がされたときは、保証人は債権額の案分により代位できるとした判決がある(最判平成17・1・27民集59巻200頁)。

〔5〕　抵当権は、「抵当権設定契約」によって成立する。この契約の中心的要素は、一方の当事者である「債務者又は第三者」が、他方の当事者である債権者のために目的不動産を「担保に供」する行為であるが、この行為のことを「抵当権を設定する」と表現する。そこで、この契約の当事者は、「抵当権設定者」と「抵当権者」とよばれる。この契約は、両当事者の合意のみによって成立する諾成契約(第3編第2章解説④(3)参照)である。

　抵当権設定は登記を対抗要件とする(不登§83 I。旧§117)。登記のない抵当権によっても競売が認められる場合がある(民執§181参照)。しかし、登記がなければ優先的効力が認められないので、抵当権としての特色はまったくないことになる。

〔6〕　抵当権の中心となる効力は、被担保債権について優先弁済を受けること、すなわち「優先弁済的効力」にある。抵当権者が優先弁済を受ける方法は、目的物を競売することである(これを「抵当権の実行」としての競売という。民執§§181~。なお、第2節解説②(4)参照)。質権と対比して、つぎのような特異性がある(§342〔5〕参照)。

　(ア)　抵当権設定者との間であらかじめ特約をして、競売以外の方法で目的物を弁済に充当すること、たとえば、弁済期に弁済しなければ、目的不動産は当然に債権者の所有に帰し、債務の全額が清算されるという特約(流質に該当する特約)をしてもかまわないとされている(大判明治41・3・20民録14輯313頁)。これを、「抵当直流」、または「流抵当」の特約という。

　(イ)　抵当不動産が他の債権者によって強制執行に付されると抵当権は消滅し(民執§59。この行き方を、「引受主義」に対して、「消除主義」という)、抵当権者は売却代金から

617

第2編　第10章　抵当権　第1節　総則

優先弁済をうける(民執§87 I④)。抵当不動産に対する他の担保権者がこれを競売に付した場合も同様である(民執§188)。後順位の抵当権者が競売手続を進めた場合でも、なんら異なるところはない。この点、学者は、抵当権の独立の原則から見て遺憾であるとする(本章解説③(4)参照)。

なお、抵当権設定者が破産すれば、抵当権者は別除権を有することは質権者と同様である(破§65 Ⅱ)。〔4〕(キ)参照。

(ウ)　抵当権者は、目的物から優先弁済を受けないで、債権者として債務者の一般財産から弁済を受ける権利を有する。しかし、この点については、質権と異なり、394条の制限がある。

〔7〕　第2項により認められる「地上権抵当権」、「永小作権抵当権」についても、占有を移さないこと、登記を対抗要件とすることなど、普通の抵当権に準じて考えることになる。なお、特別法によって不動産物権と同様に取扱われる鉱業権および漁業権についても、これを抵当権の目的とすることが認められている(不動産質権は認められないことにつき、第9章第3節解説②参照)。

■（抵当権の効力の及ぶ範囲）
第三百七十条
　　抵当権は、抵当地の上に存する建物を除き、その目的である不動産（以下「抵当不動産」という。）に付加して一体となっている物に及ぶ。ただし、設定行為に別段の定めがある場合及び債務者の行為について第四百二十四条第三項に規定する詐害行為取消請求をする[1]ことができる場合は、この限りでない。

〈改正〉　2017年に改正された。ただし書中「第四百二十四条の規定により債権者が債務者の行為を取り消す」を「債務者の行為について第四百二十四条第三項に規定する詐害行為取消請求をする」に改めた。

[改正の趣旨]　[1]　他の条文改正への対応である。

[改正前条文]
　　抵当権は、抵当地の上に存する建物[1]を除き、その目的である不動産（以下「抵当不動産」という。）に付加して一体となっている物[2]に及ぶ。ただし、設定行為に別段の定めがある場合[3]及び第四百二十四条の規定により債権者が債務者の行為を取り消すことができる場合[4]は、この限りでない[5]。

[原条文]
　　抵当権ハ抵当地ノ上ニ存スル建物ヲ除ク外其目的タル不動産ニ附加シテ之ト一体ヲ成シタル物ニ及フ但設定行為ニ別段ノ定アルトキ及ヒ第四百二十四条ノ規定ニ依リ債権者カ債務者ノ行為ヲ取消スコトヲ得ル場合ハ此限ニ在ラス

〔1〕　建物は土地と別個の不動産とされるから(§86〔3〕(ア)参照)、土地について抵当権が設定されても、その効力は建物には及ばない。原条文における「抵当地ノ上ニ存スル建物ヲ除ク外」という語句は、草案にはなく、法典調査会における審議において挿入された。1個の債権のために土地とその上の建物に抵当権が設定された場合にも、抵当権は2個であって、それが「共同抵当」の関係に立つのである(§392参照)。こ

618

§§369〔7〕・370〔1〕〔2〕

のように土地と建物が別個の扱いになることから、388条と389条の手当てが必要となる（上記の語句の挿入に伴い、追加された）。

以上のことは、土地とその地上の建物が別個の不動産とされるというわが法制の基本的矛盾にかかわる事柄である。2003年改正もこの基本的矛盾の解決にまでは踏みこまなかった。この矛盾の調整については、387条注釈・388・389条前注・392条〔2〕を参照。

〔2〕「付加して一体となっている物」（略して「付加一体物」という）の意義、その効果については、問題が多い。

(ア) 242条にいわゆる「その不動産に従として付合した物」、たとえば、土地の石垣、建物の造作などには、付合の時期のいかんを問わず、抵当権の効力が及ぶ。ただし、他人が権原によって付属させた物、たとえば地上権者が植えた樹木などには抵当権は及ばない（§242〔5〕参照）。以上の点については、疑問はない。抵当権の効力が及ぶ付合物が不動産から分離された場合、たとえば樹木が伐採された場合に、その上に及んでいた抵当権の効力はどうなるであろうか。この点については、民法に規定がないので、見解が分かれている。

判例は、はじめ抵当権の効力は動産に及ばないという理由で、物上代位権の行使としてならば格別（§§372・304）、直接抵当権の効力としてこの分離された樹木に抵当権の効力は及ばないと解していた（大判明治36・11・13民録9輯1221頁）。しかし、後に、抵当権が実行され、差押えの効力が生じた後は、抵当権者は立木の伐採を差止め、木材の搬出を禁止することができるとした（大判大正5・5・31民録22輯1083頁。なお、第2節解説③参照）。

学説としては、分離された付合物がその不動産の上に存する限りにおいて、抵当権の効力は、なおその上に及ぶと解する見解が有力である。しかし、学説のなかには、分離された物が搬出されて第三者に譲渡されても、第三者が善意取得の要件を充たさない限り、抵当権の効力はこれに及ぶと解する者もある。これを「抵当権の追及力」（この言葉は、抵当不動産が売却されても、抵当権の効力はこれに及ぶという意味で用いられるが、本文のような問題を論じる場合にも用いられる）という。もっとも、この追及力を認めても、抵当権者はその物の引渡しを請求することはできない（第2節解説③(2)(ア)参照。ただし、最判昭和57・3・12民集36巻349頁は、工抵§2が適用される動産について、もとの備付場所へ戻すように請求できるとした）。

(イ) 不動産の従物、たとえば、工場に設置された機械・器具その他の設備（ただし、工抵§§2・5に特則があることに注意）、農地に常備された家畜・納屋など、建物に備え付けられた畳・障子・家具などについて、判例は、はじめこれらの物は独立の動産であるから抵当権の目的とならないと解したが、後に態度を改めて、主物たる土地または建物についての抵当権設定の効力は、87条2項により従物に及ぶとした（大連判大正8・3・15民録25輯473頁）。しかし、それが87条2項を理由とする限り、従物に抵当権の効力が及ぶためには、それらのものが抵当権設定の当時にすでに存在することを前提することになる。しかし、その後の判例では必ずしもその点は厳格には解されず、抵当権設定後に付加された従物にも抵当権が及ぶと解しても差し支えないように思わ

619

第2編　第10章　抵当権　第1節　総則

れる(最判昭和44・3・28民集23巻699頁、最判平成2・4・19判時1354号80頁)。有力な学説は、これに対して、旧民法以来の立法の沿革から、本条の「付加して一体となっている物」とは経済的に不動産と一体をなすものを意味すると解し、242条の付合物だけでなく、元来、従物をも包含する観念であると主張している(旧民法では、従物は「用方による不動産」とよばれていて、これが抵当権の目的になるとしていた債権担保編§200が修正されて、現在の§370〔改注〕になったという理由による)。いずれの見解によるかによって、設定者の意思により従物を目的物から外すことについて若干の差異が生じよう(〔3〕参照)。

(ウ)　借地上の建物に抵当権が設定された場合、抵当権の効力はその建物のために必要な借地権に及ぶとされるが(最判昭和40・5・4民集19巻811頁)、これは従物に準じた「従たる権利」という考え方に基づくものといってよい。

(エ)　不動産から生じる果実については、371条の規定がある。

〔3〕　付加一体物または従物に対して抵当権の効力が及ばないとする特約は、これを登記(不登§88Ⅰ④。旧§117)しなければ、これをもって、たとえば抵当権の譲受人や抵当権の実行による買受人に対抗することはできない。

〔4〕　債務者が抵当不動産に物を付加させたために、その物の上に抵当権の効力が及び、したがって債務者の一般財産が減少して、一般債権者の権利を詐害するような場合である。

〔5〕　「この限りでない」とは、抵当権の効力が及ばないという意味である。424条のように取消しを必要とするのでない。

〔果実に対する効力〕〔第8版凡例4a)を見よ〕
　　第三百七十一条
　　　　抵当権は、その担保する債権について不履行があったときは[2]、その後に生じた抵当不動産の果実[1]に及ぶ[3]。
　　〔原条文〕
　　　　前条ノ規定ハ果実ニハ之ヲ適用セス但抵当不動産ノ差押アリタル後又ハ第三取得者カ第三百八十一条ノ通知ヲ受ケタル後ハ此限ニ在ラス
　　　　第三取得者カ第三百八十一条ノ通知ヲ受ケタルトキハ其後一年内ニ抵当不動産ノ差押アリタル場合ニ限リ前項但書ノ規定ヲ適用ス
　　〈改正〉　2003年改正により、つぎのように改正された。
　　　　抵当権ハ其担保スル債権ニ付キ不履行アリタルトキハ其後ニ生ジタル抵当不動産ノ果実ニ及フ

　本条は、抵当権の効力が抵当不動産の果実に及ぶ場合について規定する。2003年改正前の旧規定は、抵当権の効力は、たとえ抵当不動産と一体をなすものであっても、果実(本条は天然果実にのみ関すると解された)には及ばないとし、抵当権者により抵当権が実行されて、目的不動産の差押えが行われたときにはじめて果実に効力が及ぶとしていた。抵当権は目的物の使用収益の権限を設定者に残すということを重視していたものである。新規定は、以下に述べるように、被担保債権につき債務不履行が生じた

以後は、抵当権の効力は果実に及ぶと改めた。しかし、この規定にはいろいろと問題がある。

〔1〕 2003年改正前の旧規定の「果実」は、天然果実（§88）を指し、法定果実（同前）には適用ないとされていた（大判大正2・6・21民録19輯481頁、大判大正6・1・27民録23輯97頁。賃料などの法定果実については、物上代位の問題になると考えられていた。§372(2)参照）。

これに対して、新規定は、両種の果実に適用され、むしろ賃料などの法定果実を主眼とするものとなっている。

その結果、むしろ、賃料などに抵当権の物上代位が及ぶかという問題が再燃することが予想される（§372(2)(1)(イ)参照）。

〔2〕 2003年改正前の旧規定は、抵当権は目的物の使用収益には干渉しないという原則を尊重し、その効力は原則として果実に及ばず、所有権が買受人に移って以後の果実が同人に帰属するはずのところ、その帰属の時期を抵当権の実行に着手した時に早めるという意味における例外を定めていた。

これに対して、新規定は、民事執行法の改正により、担保不動産収益執行手続（内容的には、従来からの強制管理が準用される）が新設されたこと（民執§§180②・188）に伴って、改正されたものである。すなわち、同手続は、抵当権の効力を担保不動産（同§180①）そのものだけではなく、賃料などの収益にまで及ぼしうるものとしたのであるが（物上代位の理によるのではない）、この収益を対象とする手続を開始するために被担保債権の債務不履行が前提であることを示そうとしたのが改正条文である。

〔3〕 この「果実に及ぶ」の意味については、検討を要する。

2003年改正前の旧規定において、「差押アリタル後」とあった場合は、その差押えによって抵当権設定者の収益権は奪われるので、その時と抵当権の効力が果実に及ぶ時とは一致していた（第三取得者との関係における旧§381による通知の場合は若干ずれるが）。

新規定においては、どうなるであろうか。債務不履行が生じた後も設定者から収益権が直ちに奪われるわけではないので、設定者は（差押えられるまでは）従来どおり果実を収取することができる。したがって、本条は、債務不履行が生じた後の果実が抵当権実行による買受人に帰属するということを意味するものではない。もしその意味であれば、債務不履行後に設定者が収取した果実は買受人に対する不当利得になってしまう。

そこで、本条は、抵当権が実行された場合（差押えまたは担保不動産収益執行手続の開始）、設定者がまだ収取していない果実があれば、そのうちの債務不履行発生後のものについて抵当権の効力が及ぶと解される（優先弁済的効力が及ぶという意味である）。

天然果実について考えると、たとえば、木の実がすでに収穫されていれば、債務不履行発生後の分についても抵当権の効力は及ばない。差押えの時に未収穫であれば、目的不動産と一体であるから、これに抵当権の効力が及ぶのは当然である。法定果実については、たとえば、賃料がすでに収受されていれば、債務不履行後の分であっても、抵当権の効力はこれに及ばず、差押の時に未収の賃料があれば、そのうち債務不履行後の分に及ぶと解することになろう。

第 2 編　第 10 章　抵当権　第 1 節　総則

（留置権等の規定の準用）
第三百七十二条
　　第二百九十六条[1)]、第三百四条[2)]及び第三百五十一条[3)]の規定は、抵当権について準用する。
［原条文］
　　第二百九十六条、第三百四条及ヒ第三百五十一条ノ規定ハ抵当権ニ之ヲ準用ス

〔1〕　抵当権についても、「不可分性」の原則が適用される（§296〔1〕参照）。ただし、392 条がそれに対する例外の意味をもつことを注意すべきである。

〔2〕　抵当権についても、いわゆる「物上代位性」が認められる。すなわち、抵当不動産の代位物（Surrogat）に対しても抵当権の効力を及ぼすことができる（§304 注釈参照）。

その適用に関する主要な問題は、つぎの通りである。

(1)　抵当権の目的である不動産に代わるものとして、抵当権の効力の及ぶもののうち、

(ア)　抵当不動産の売却代金について、代位を認める必要はほとんどない。けだし、抵当権は、先取特権の場合と趣きを異にし、目的不動産が売却されても消滅することはなく、その不動産に追及するものであり（「抵当権の追及力」という）、したがってまた、抵当不動産の売買にさいしては、その不動産の評価価格から抵当債権額を控除した残額が代価とされることが多いからである。ドイツ民法、スイス民法なども売買代金について抵当権者の代位を認めていない。売買代金への物上代位を認めてもよいとする学説もある。

最判平成 11・11・30（民集 53 巻 1965 頁）はやや特異な例である。これは、買戻し特約付売買（§579〔改注〕）の目的不動産の買主から根抵当権の設定を受けた者は、買戻権が行使されたときは、買戻しの効果として根抵当権を失うべきところであるが、根抵当権が買戻権行使までは有効に存在したという法的効果まで覆滅することはないとして、買戻し代金への物上代位を認めたものである。通常の場合のように抵当権が目的不動産に追及していけるという状況ではないという事情があるので、この結論を妥当と考えてもよいであろうか。

(イ)　抵当不動産の賃貸料・地代・永小作料などに、物上代位は及ぶであろうか。

(a)　抵当権が目的不動産の所有者からその収益権能を奪わないことからすると、所有者がその不動産を利用して利益を挙げ、それによって収入を図り、債務の弁済に充てようとすることを封じるような賃料への物上代位を認めることについては疑問があり、かつては賛否両論が存した（古い判例で否定した大判大正 6・1・27 民録 23 輯 97 頁があるが、これは、抵当権が実行されている事例で、物上代位は抵当権を実行できない場合にだけ認められるとしたものである）。

(b)　ところが、最判平成元・10・27（民集 43 巻 1070 頁）が賃料債権への物上代位を認めて以来、物上代位のなかでも、この種のものが事例としても多数になり、また肯定意見が大勢を占めるようになった。その背景には、地価の変動のなかで、

抵当目的物の交換価値(換価による売買代金に示される価値。換価価値といってもよい)よりも、むしろそのいわば収益価値(賃貸から得られる賃料収入への期待に示される価値)の方が重視されるという実際界の状況があるといってよいであろう。もちろん、交換価値と収益価値とは密接に関連するが、抵当権者としては、収益価値の観点をより重く見て融資を行うという傾向が強まっていると考えられる。

　(c)　その後の最高裁においても、賃料債権に対する物上代位に関する事例が続いて登場する(物上代位の目的とされた賃料債権の譲渡との関係に関する最判平成10・1・30民集52巻1頁、一般債権者の差押えとの関係に関する最判平成10・3・26民集52巻483頁、賃借人からの相殺に関する最判平成13・3・13民集55巻363頁および最決平成14・6・13民集56巻1014頁、配当要求による行使の可否に関する最判平成13・10・25民集55巻975頁、転付命令との関係に関する最判平成14・3・12民集56巻555頁、敷金との関係に関する最判平成14・3・28民集56巻689頁など。最後のもの以外は、(3)参照)。なかでも、抵当不動産の賃借人が締結した転貸借に基づく転貸賃料債権への物上代位を否定した最判平成12・4・14 (民集54巻1552頁)が興味深い。賃料債権には、目的不動産の収益価値を表現している要素と、貸主の才覚によって得られる要素とが混在している。同判決は、賃借人＝転貸人は、抵当不動産をもって物的責任を負担する者ではなく、本条によって準用される304条1項の「債務者」に含まれないという理由により、賃借人が所有者と同視できる場合にだけ物上代位を認めるとした。なお、賃貸借契約に敷金があり、それが未納の賃料債権に充当されたときは、それによる賃料債権の消滅の方が物上代位に優先するのは当然である(§619 [改注] 〔7〕参照。前掲最判平成14・3・28)。

　(d)　賃料債権への物上代位を認めるとしても、それが元来は所有者に帰属する収益価値に対するものであることを考えると、それを認める時期についても、抵当権設定の当初から、また、金額についても、抵当権者が有する被担保債権の元本および利息のすべてについて、いわば無制限に賃料債権に対する物上代位権を行使できるとするのは適当ではない。そう解したら、所有者は抵当目的物からなんの収益も挙げることができず、目的物を保有して利用できるという抵当権の効用は失われるからである。時期については、(ウ)に挙げるような本来の代位物の場合には、被担保債権について債務不履行が生じていることは物上代位権行使の要件ではないと考えられるが((3)(ア)参照)、賃料債権にかかっていく場合は、被担保債権の元本ないし利息についての債務不履行の発生が要件と考えるべきではないであろうか。また、金額についても、遅滞している利息に限るなどの一定の制約があってもよいのではないだろうか。

　(e)　2003年改正が、担保不動産収益執行手続を新設し、また、371条を改正して、抵当権の効力が果実に及ぶ要件を被担保債権についての債務不履行としたことが、以上の賃料に対する物上代位の論議にどのような影響を及ぼすかは問題である。

　この改正によって、賃料債権への物上代位が肯定されやすくなったという理解もありえようが、反対に、収益価値に抵当権の効力を及ぼすのには、これらの新

第 2 編　第 10 章　抵当権　第 1 節　総則

設制度および改正規定によれば十分であって、物上代位の法理の助けは借りない
でよい、あるいは、その新設制度そのものが従来賃料への物上代位として認めら
れていた権利の実現方法だとする方向へ向う可能性もあるのではないだろうか。

　なお、担保不動産収益執行制度が開始されたときは、賃料債権に対する差押え
命令は効力を失うものとされる（民執§§93 の 4・188）

　㋒　抵当権の目的物の滅失または損傷によって目的物の所有者が受けるべき金銭
その他の物について、抵当権者が代位する場合ははなはだ多い。なかでも保険金に
ついては実例が最も多いが、そのほか、土地収用・土地区画整理・土地改良・都市
計画による補償金・清算金・替地（かえち）などがその例である。㋓参照。

　上記の保険金請求権（大連判大正 12・4・7 民集 2 巻 209 頁は、その事例である）につい
ては、若干問題がある。というのは、商法学者の間に、保険金は保険契約に基づく
保険料の対価であり、抵当権の物上代位は及ばないという主張が見られるからであ
る。この主張に基づき、実務では保険金請求権に質権を設定する例が見られる。し
かし、保険金請求権のような偶然的債権を担保にとるのは明らかにおかしく、保険
金は目的物の価値の転化したものであるから、抵当権の物上代位が及び、抵当権の
順位による優先弁済が行われると解すべきである（福岡高宮崎支判昭和 32・8・30 下民
8 巻 1619 頁は、抵当権者の差押えと保険金請求権の上の質権の対抗要件具備の前後で優劣を決
するとしたが、基本的理解が誤っていると考える）。

　㋓　抵当権者による仮差押えがなされて、これに対して債務者が仮差押え解放金
を供託した場合に（現在の民保§§22・51）、物上代位はその解放金の取戻請求権に及
ぶとした判例があるが（最判昭和 45・7・16 民集 24 巻 965 頁）、疑問である。

　㋔　㋒に述べた公用収用による補償金などにも物上代位が及ぶが、これらについ
てはとくに規定がなされている（収用§104、土改§123、土区§112 など）。

　㋕　抵当建物が取り壊されて木材になったような場合に、これに物上代位が及ぶ
かについては、物理的変形物には物上代位は及ばないとするのが判例であり（大判
大正 5・6・28 民録 22 輯 1281 頁）、多数説である。

　(2)　代位物が金銭である場合に、代位によって抵当権の効力が及ぶのは、抵当不動
産の所有者が受ける金銭それ自体ではなく、その金銭の支払を請求する金銭債権であ
ることに注意を要する（§304〔1〕、後述(3)㋔参照）。代位物が金銭以外の物、たとえば替
地である場合については、疑問があるが、端的に替地そのものが目的になると解して
もよいのではなかろうか。

　(3)　物上代位権行使の要件として、代位物の「払渡し又は引渡しの前に」（§304）
差し押えることを要する。この差押えの要件について、つぎの問題がある。

　㋐　この差押えは、実務上、通常の債権執行の手続によって行われるものとされて
いる（民執§§143〜・193）。しかし、この物上代位権行使のための差押えは、㋑で述べ
るように、債権の特定性を保持するためのものと解すると、通常の債権執行手続とは
異質のものであり、特別の規定を必要とするはずであった。そのことが、㋑で述べる
論議の影響で明確にされないまま今日に至ったきらいがある（逆にいえば、物上代位のた
めの差押えの手続が明確にされなかったために、㋑に述べるような論議の混乱が生じたともいえ

§372〔2〕

る）。

　たとえば、債権の特定性の保持のためであれば、抵当権の被担保債権について不履行（履行遅滞）が生じていることは行使の要件ではなく、差押えられた債権がそのまま担保として機能すると考えれば足りる。ところが、実務では、差押がすぐに優先弁済に直結するという考えが支配している。とくに、(1)(ウ)に挙げた本来的な代位物の場合には、その差押えられた債権がその後もそのまま担保として機能するという余地を認めることは重要な点ということができよう。同(イ)で挙げた賃料の場合には、2003年の改正により371条が改正され、「担保不動産収益執行手続」（民執§§93〜・188）が設けられたので、抵当権により抵当不動産の収益価値を押さえるにはもっぱらこの手続によると解する可能性が出てきたとも考えられる（(2)(1)(イ)(d)で述べたように、賃料に対する物上代位には債務不履行の発生を必要とすると解すると、とくにその感が強い。民執§93の4が関連する）。

　なお、以上のことと関連するが、判例は、他の債権者による競売手続に配当要求するだけでは、物上代位権行使の要件である差押えとはいえないとする（最判平成13・10・25民集55巻975頁。この判決を、抵当権者自身による差押えを要するとしたものと理解するのは正しくない。(イ)参照）。

　(イ)　この差押えは物上代位を主張する抵当権者自身による差押えであることを要するか、それとも第三者が行った差押えでよいか。学説には、この差押えは代位物（とくに金銭の場合）が特定的存在を保つことを目的とする（払渡されてしまうと、設定者の一般財産に混入してしまう）ものであり、第三者による差押えでもその趣旨は貫かれるからよいとする見解が有力である。判例は、はじめその見解を採ったが（大判大正4・3・6民録21輯363頁）、後に改め、この差押えは抵当権者が優先権を保全するためのものであるから、第三者がその金銭債権について転付命令を得た後は、物上代位を主張できないとした（前掲大連判大正12・4・7）。この判決は、抵当権者自身による差押えを必要とするとした判決として理解されているが、「払渡し……の前に」という条文上の要件を、請求権の「第三者への移転（転付命令によっても移転する）の前に」と、より厳しくしたものとも理解される。

　先取特権に関する事例において、他の一般債権者が差押え命令（転付命令までは出ていない）をえた場合や債務者に対して破産宣告（旧破産法）がなされた場合でもよいとする判決が出たので（最判昭和59・2・2民集38巻431頁。事案は破産の例）、現在では、債権の特定性が保持されればよいとするのが判例の見解になっており（§304(6)参照）、最判平成10・3・26（民集52巻483頁）は、一般債権者の差押えと抵当権者の差押えが競合したときは、前者の債務者への送達の時と後者の抵当権設定登記の時の先後により優劣が決まるとした。

　(ウ)　代位の目的である金銭債権が第三者に譲渡された場合についても、かつての判例は、物上代位は及ばなくなるとした（大判昭和17・3・23法学11号1288頁）。しかし、学説の立場からすれば、代位の対象が特定的存在を保持しているかぎり、抵当権者はこれを差押えることによって（この差押えは通常の差押えとかなり性質を異にする）、不動産上の抵当権の順位による物上代位を主張できてもよいと考えられる。最判平成10・

625

第2編　第10章　抵当権　第1節　総則

1・30（民集52巻1頁）は、同旨を述べたが、他方、最判平成14・3・12（民集56巻555頁）は、譲渡に類する性質を有する転付命令については、転付命令が第三債務者に送達されるまでに抵当権者の差押えがなされないときは、転付命令の方が優先するとした。手続的観点を重視したものといえよう。

　なお、最判平成17・2・22（民集59巻314頁）は、動産売買の先取特権（§322）について、目的動産が転売された代金債権に対して先取特権者が物上代位を主張したのに対し、その代金債権が同人による差押えの前に被担保債務者の破産管財人の許可を得て譲渡され、対抗要件を備えた事例について、登記を備えた抵当権による物上代位との違いを強調して、債権譲受人を優先させたものである。

　㈡　物上代位の目的とされる債権について、その債務者が債権者（目的物の所有者）に対して反対債権を有する場合に、両債務の相殺の主張と抵当権による物上代位の主張とはどういう関係に立つか。判例では、賃料債権への物上代位の事例について、抵当権設定登記の後に取得した反対債権を自働債権とする相殺は、物上代位のための差押えがなされた後は抵当権者に対抗できないとされている（最判平成13・3・13民集55巻363頁、最決平成14・6・13民集56巻1014頁）。

　㈢　以上のような判例の状況を踏まえて、物上代位およびその要件としての差押えについて、基本的な考え方を整理しておく必要があろう。

　　(a)　物上代位の対象は、代位物そのものではなく、代位物の払渡または引渡しを請求する抵当目的物の所有者の債権である。これを、被物上代位債権と呼ぶこともできる。

　　(b)　この関係は、一見、債権の上に質権が存する関係に類似するが、これとは異なるので、これと混同しないことが必要である。

　　物上代位による抵当権の効力は、元来はその目的ではない被物上代位債権に追及して、代位物から優先弁済を受けることである。この債権について利害関係を有する者との関係においては、抵当権者は、抵当権設定登記の時を基準として優先弁済を受けることができる。

　　(c)　抵当権は、被物上代位債権に対して債権質権のような拘束力をもつものではない。その債務者（第三債務者）は、抵当権の存在によってその債務を弁済することを妨げられない（ただし、(e)参照）。もし弁済が行われれば、代位物は債権者の一般財産に混入して、抵当権者がその上の優先権を主張することはできなくなる。債権質権の場合には、質権の拘束力により第三債務者は弁済できず、弁済してもそれを質権者に対抗できないが、これとは異なる。

　　(d)　被物上代位債権が弁済されずに、特定性を有する限り、抵当権の物上代位の効力は、これに及ぶ。その債権が第三者に譲渡されても、物上代位の効力は消滅しない。譲受人に弁済されてしまえば、消滅する。この理は、譲渡に類すると考えられる転付命令の場合にも同様と考えられるが、判例は、転付命令をひとつの債権執行手続としてとらえて、これが第三債務者に送達されてしまえば、抵当権の物上代位はその転付命令の効力を妨げることはできないとする。

　　(e)　以上の趣旨からすれば、本条が準用する304条ただし書が定める「差押え」

§372 〔3〕

は、被物上代位債権の特定性を保持することに主眼がある。それは、抵当権者自身の差押えであるほか、他者による差押えでも、また、破産、供託など、他の手段によるものでもよい。いずれにしろ、差押えなどの手段が被物上代位債権につき、弁済禁止の効力を有するときは、第三債務者は弁済をすることができなくなる。

　(カ)　なお、特別法には、土地改良法 123 条や土地区画整理法 112 条のように、物上代位の及ぶ金銭については、これを供託するべきものと定めている例がある。このような場合にまで、(供託金請求権の)差押えを必要とする判例(大決昭和 5・9・23 民集 9 巻 918 頁)は、明らかに過重な要件を課すものであり、目的である債権が特定性を保持しているものとして、このような場合には、差押えは不要とするべきであろう。

〔3〕　369 条〔2〕および 351 条の注釈参照。物上保証人に保証債務の規定が準用されるが、委託による保証人に認められる、460 条〔改注〕による事前求償権は認められないとする判例(最判平成 2・12・18 民集 44 巻 1686 頁)があることに注意を要する。

第2編　第10章　抵当権　第2節　抵当権の効力

第2節　抵当権の効力

１　本節の内容

　本節は、「抵当権の効力」と題して、同一の不動産の上の数個の抵当権の順位とその変更（§§373・374）、被担保債権の範囲（§375）、抵当権の処分（§§376・377）、代価弁済（§378）、抵当権消滅請求（§§379〜386）、抵当権者の同意による賃貸借の対抗力（§387）、法定地上権（§388）、抵当権の実行（§§389〜391）、共同抵当（§§392・393）、一般財産に対する効力（§394）、抵当建物の明渡しの猶予（§395）などに関する規定を収めている。

２　抵当権の効力の概要

　本節の規定は、上に述べたように、いささか雑然としているので、ここで、抵当権の効力の概要について簡略に述べておくことにする。

　⑴　抵当権の実体的な効力としては、抵当権の順位（§373）、抵当権によって担保される債権の範囲（§375）、その不可分性（§372による§296の準用）、抵当権の効力の及ぶ目的物の範囲（§§370・371）、その物上代位性（§372による§304の準用）などが問題となる。いずれも、質権についても問題となったものである。

　⑵　抵当権についても、転質と同様に、被担保債権から分離してこれを処分するという問題があるが、質権の場合よりも複雑である（§§376・377）。

　⑶　抵当権が設定されても、設定者は目的物を譲渡することができる（質権と同じ）だけでなく、他人に用益権を設定することもできる（質権と異なる）。しかし、その後に抵当権が実行されると、買受人は、抵当権設定の時を標準として目的物を取得するから、譲渡による譲受人も用益権の取得者も、その権利を失なうことになる。民法は、この結果を緩和するために、代価弁済・滌除・短期賃貸借の保護を規定していたが、後二者について2003年に改正が行われた。

　⑷　抵当権に基づく競売（けいばい）は民事執行法の規定によるが、民法はこれに関連して、いくつかの規定を設けている（§§388〜394）。そのうち、同一人の所有に属する土地と建物のうち、そのいずれかだけが抵当権の目的とされ、競売の結果、土地と建物の所有者が異なるようになった場合に、建物の存続をはかることを目的とした法定地上権の規定（§388）、同一の債権のために数個の不動産の上に抵当権が設定された場合（共同抵当）に関する規定（§§392・393）がとくに重要である。

３　抵当権の侵害

　民法は、「抵当権の侵害」に対する効力についてなんら規定するところがない。しかし、抵当権も目的物の価値（直接には交換価値。最近では、収益価値も視野に入れる必要がある。このことについては、§371注釈および§372⑵参照）から優先弁済を受けることを内容とする物権であるから、この内容が侵害された場合には、すべての人に対して、これを排除することを求める物権的請求権を生じ（本編解説３⑵（イ）参照）、また、侵害者に

対して損害賠償を請求する権利を生じる（§709）。なお、被担保債権が無事に弁済されれば、抵当権侵害の問題を生じないのであるが、この点について、(2)(イ)参照。

(1) どのような場合に抵当権の侵害が生じるかは、抵当権が目的物の価値を把握するものであるという、その本質から決定されるべきである。すなわち、抵当権は、優先弁済的効力のみを内容とする純粋な優先弁済権であって、目的物の占有・用益を内容としないから、目的物の用法に従う用益は、所有者自身による場合はもちろん、所有者が第三者に用益させる場合にも、抵当権の侵害にはならない。その第三者に用益させる法律関係が斤先掘契約（旧鉱業法で禁じられていた、採掘権者が他人に採掘をさせる契約のこと。現在では、租鉱権が認められている。鉱業§§71～）のように違法な場合でも同様である（大判大正2・12・11民録19輯1010頁）。抵当家屋を無権限で使用する者があっても、その行為は抵当権を侵害するものとはいえない（大判昭和9・6・15民集13巻1164頁）。

しかし、目的物の価値を減少させるような行為は、抵当権の優先弁済的効力を害するので、抵当権の侵害となる。たとえば、抵当目的物を滅失・損傷するなどの事実上の行為は、抵当権の侵害であり、抵当権者はその行為の停止を訴求することができる（大判昭和6・10・21民集10巻913頁、大判昭和7・4・20新聞3407号15頁）。また、抵当権の実行手続を故意に妨げ、その間に抵当物件が値下りしたために抵当権者に損害が生じた場合にも、抵当権の侵害である（大判昭和11・4・13民集15巻630頁）。抵当権設定者が目的不動産を賃貸することを妨害し、賃貸しえない状態におく第三者の行為は、抵当権の侵害にもなりうると考えてよい。なお、次順位の抵当権者が、抵当権の実行によってなんらの弁済を受ける見込みもないばかりでなく、先順位の抵当権者に損害を及ぼすことを知りながら、競売手続を遂行するのも、先順位の抵当権に対する侵害になる（大判昭和17・11・20民集21巻1099頁）。

(2) 抵当権者が侵害に対してどのような救済を求めることができるかについては、つぎの二つの問題を分けて考える必要がある。

(ア) 目的物の価値を害する行為に対しては、侵害の排除を請求し——たとえば、混同によって消滅した先順位の抵当権登記の抹消請求（大判大正8・10・8民録25輯1859頁、大判昭和15・5・14民集19巻840頁）、解除が確定した旧短期賃貸借の登記の抹消請求（大判昭和9・2・17新聞3675号7頁）——、侵害のおそれがある場合にその予防を請求する（前記昭和6年および昭和17年の判決参照）ことができる。しかし、抵当権は目的物を占有する権限を有しないから、たとえば伐採搬出された材木のように抵当物件から分離された物の返還を請求することはできないと解されている（改正前§370(2)(ア)参照）。

(a) 以上の物権的請求権は、いやしくも抵当権の侵害がある限り認められ、その侵害によって抵当物の価格が被担保債権額に満たなくなることを要件としないと解すべきである。けだし、抵当権は目的物の価値の全体によって被担保債権を担保するもの(不可分性)だからである。

(b) この問題については、近時において、抵当不動産について第三者がみだりに占有・使用・収益を開始し、抵当権の実行を妨害するという現象が多発することによって、実務界の関心が強く寄せられるところとなった。抵当権と所有権ないし用

第2編　第10章　抵当権　第2節　抵当権の効力

益権との関係については、民法の理論によって解決が図られるのが筋道である。しかし、実際には、法が定める法律関係を無視した行為が見られ、それによって、抵当不動産の価値が減少したり、抵当権の実行が阻害されるという問題がしきりに指摘されるようになっていた。その意味において、抵当権に基づく、抵当不動産を違法に占有、侵害している者に対する妨害排除請求をどうするかの問題が活発に論議されてきた。

　以上の点についての手直しが2003年改正によって行われた（§§371・395など、参照）。この改正による上記の問題への影響は、今後注目されるところである。

　(c)　この問題について、かつての判例は、解除された旧短期賃貸借について、占有者に対する明渡し請求を認めない態度を堅持していた（最判平成3・3・22民集45巻268頁）。

　そこに大きな一石を投じたのが、最大判平成11・11・24（民集53巻1899頁）であった。抵当権者をAとし、抵当権設定者（債務者）をBとし、抵当目的物を占有している者をCとする。

　同判決は、「抵当不動産の交換価値の実現が妨げられ、抵当権者の優先弁済請求権の行使が困難となるような状態があるときは、これを抵当権の侵害と評価」できるとしたうえで、まず、「抵当権の効力として、抵当権者(A)は、抵当不動産の所有者に対し、その有する権利を適切に行使するなどして右（妨害）状態を是正し、抵当不動産を適切に維持又は保存するよう求める請求権を有する」とし、「右請求権を保全する必要があるときは、民法423条〔改注〕の法意に従い、所有者(B)の不法行為者(C)に対する妨害排除請求権を代位行使することができると解する」とした。

　他方で、同判決は、「なお、第三者が抵当不動産を不法占有することにより抵当不動産の交換価値の実現が妨げられ抵当権者の優先弁済権の行使が困難になるような状態があるときは、抵当権に基づく妨害排除請求として、抵当権者が右状態の排除を求めることも許されるものというべきである。」としている。

　同判決の前者の論理は、債権者代位権の転用または借用という方法を用いるものであるが（改正前§423⑴㈇参照）、AのBに対する被担保債権（通常は金銭債権である）を被保全債権とし、BのCに対する妨害排除請求権を被代位権利とすることも考えられる。これには、債務者Bの無資力を要件とするかという問題が存するので、同判決はこれを避けたとも思われる。しかし、Aが有する利益の実質は被担保債権に存し、担保の利益はこれを前提とするので、この点の論議は避けられないのではないかと考えられるBに十分な資力があれば、代位を認めてよいかは問題である。判決は、AのBに対する担保保存請求権を被保全債権とするが、担保提供者と被提供者の間の債権関係としては別としても、担保保存義務を物権としての抵当権の内容をなす抵当権の効力とすることには、やはり問題が存するように思われる。

　判決の後者の論理は、抵当権の効力としての妨害排除力を問題にしている。もしこれを肯定すれば、前者の論理の「保全の必要」があるかが疑問になると思われるが、いずれにしろ、この論理の方が問題の本格的な筋道であると考えられる。

　その後、一定の条件をもとに、競売手続妨害目的で設定された占有権限に基づく

占有者に対する抵当権者の妨害排除請求を認め、直接自己への明渡しを求めること
もできるとした判例が現れた(最判平成17・3・10民集59巻356頁)。

(イ) 抵当権侵害を理由として不法行為が成立し、抵当権者が損害賠償の請求をする
ことができることは疑いない。この場合には、抵当権者に損害が生じたことを要件と
するから、抵当物件の価格が侵害によって被担保債権額以下になったことを必要とす
る(大判昭和3・8・1民集7巻671頁の傍論)。ところで、そのためには、抵当権を実行し、
損害額が現実に確定した後でなければ損害賠償の請求はできないであろうか。学説は
分かれているが、判例はその必要はないとする(大判昭和7・5・27民集11巻1289頁、大
判昭和11・4・13民集15巻630頁)。

ちなみに、債務者の責めに帰すべき事由により抵当権の侵害が生じたときは、債務
者は期限の利益を失うことについて、137条〔3〕参照。

(抵当権の順位)
第三百七十三条
> 同一の不動産について数個の抵当権が設定されたときは、その抵当権の順位
> は、登記3)の前後による1)2)。

[原条文]
> 数個ノ債権ヲ担保スル為メ同一ノ不動産ニ付キ抵当権ヲ設定シタルトキハ其抵当権ノ順
> 位ハ登記ノ前後ニ依ル

〈改正〉 1971年の改正により、つぎの2項・3項が追加された。
> 抵当権ノ順位ハ各抵当権者ノ合意ニ依リテ之ヲ変更スルコトヲ得但利害ノ関係ヲ有スル者
> アルトキハ其承諾ヲ得ルコトヲ要ス
> 前項ノ順位ノ変更ハ其登記ヲ為スニ非ザレバ其効力ヲ生ゼズ
2004年改正により、2項・3項が、374条として分離された。

〔1〕 たとえば、A所有の土地の上に、Bの1000万円、Cの800万円、Dの500
万円の債権のために、それぞれ抵当権が設定された場合に、その登記がB・C・Dの
順序でされていれば、抵当権相互間の効力はこの順序に従う。Bの抵当権を一番抵当
権、Cのを二番抵当権、Dのを三番抵当権という。Aの土地が競売に付されて2000
万円で売却されたとすれば、B・C・Dの順序で弁済をうけるから、Dは200万円の
弁済しか受けられないことになるのである。

〔2〕 本条に関連して注意するべきことは、上記〔1〕の例において、Bの債権が弁
済その他の事由で消滅すると、Bの一番抵当権は消滅し、C・Dの抵当権が当然に順
位を上昇して、それぞれ一番抵当権、二番抵当権となることである。わが民法上、債
権が消滅すれば、普通の抵当権は原則として(「根抵当」については、第4節解説4、§398
の2〔1〕参照)、登記の抹消の有無にかかわらず消滅する。債権を伴わない抵当権だけ
が所有者自身の手もとに存在することを認められるのは、きわめて限られた場合の例
外にすぎない(§179〔4〕参照)から、抵当権の順位を固定させて上昇を認めないように
することは、民法の解釈としては不可能である。しかし、わが民法のこの「順位上昇
の原則」は、C・Dについて見れば、先順位の抵当権の存在を覚悟しているはずであ

第2編　第10章　抵当権　第2節　抵当権の効力

るから不必要であり、Aについてみれば、Bに対する債務をいちおう弁済して、同一の条件でふたたびEから借財しようとしても、Bの債権が消滅すると同時にC・Dの抵当権が順位を上昇しているため、Eのためには三番抵当しか設定できないという不都合がある。ドイツ民法のような、順位を固定し、債権を伴わない抵当権が暫定的に所有者の手もとに留保されて存在できる(いわゆる所有者抵当権)とする立法例の方が優れているといわれる所以である(本章解説**3**(3)参照)。

〔3〕　登記をしない抵当権者は、第三者に対抗する効力をもたないから、他の登記のある抵当権者に対して先順位を主張できないのみでなく、一般債権者に対しても優先権を主張することはできない。しかし、登記は対抗要件にすぎないから、設定者に対してはなお効力があるものとされている(§369〔5〕、抵当権実行の要件に関する民執§181を参照)。

▌**(抵当権の順位の変更)**
　第三百七十四条
　　1　抵当権の順位は、各抵当権者の合意²⁾によって変更することができる¹⁾。ただし、利害関係を有する者³⁾があるときは、その承諾を得なければならない。
　　2　前項の規定による順位の変更は、その登記をしなければ、その効力を生じない⁴⁾。
　[2004年改正前条文]　373条〈改正〉を参照。

〔1〕　根抵当に関する1971年の改正のさいに、「順位の変更」を認める373条2項・3項が追加され、この両項が2004年改正により、独立の374条となった。これは、民法の規定としてはかなり特異な性質を有するものである。

　(ア)　たとえば、ある不動産上にA・B・C・D・Eの順で第一順位から第五順位までの抵当権が存するとする。376条が定める抵当権の処分の一形態としての「順位譲渡」は、たとえばAがEに順位を譲渡するというように個別的なものであり、かつその効力は両当事者において生じる相対的なものである(§376〔2〕(イ)参照)。そこで、たとえば、Eが完全に第一順位を確保するためには、先順位者全員から順位譲渡を受けるという面倒な処分を必要とする。それに加えて、AとD、BとCなどの処分がからむと、かなり複雑な関係を生じる。そこに、根抵当権についての新しい処分形態(§§398の12・398の13)が加わることとなったので、A〜Eのなかに根抵当権が混った場合の関係は耐え難いほど錯綜したものになることが予想された。

　そこで、根抵当権規定を新設する改正のさいに、「順位の変更」という新しい手続を認めることとしたのである。たとえば、上例で、A・B・C・D・E全員が合意すれば、順位を、たとえばE・A・B・C・Dに変えたり、E・D・C・B・Aに変えたりすることができる。A・B・Cの三者間でたとえばC・B・Aと変えるようなときは、A・B・C三者の合意があれば足りる。

　(イ)　この順位の変更という処分とその登記(不登§89 I。旧§119ノ2)は、通常の物権変動とその対抗要件としての登記とは、いちじるしくその性質を異にすることに注

§§373〔3〕・374・375

意を要する。

上例におけるA・B・C・D・Eの合意は、一種の物権的合同行為であって、登記が成立要件である(本条2項)という説明も可能であろうが、むしろ登記制度上認められた登記法上の独特な行為と考えた方が適切であるかもしれない。〔3〕〔4〕参照。

〔2〕 変更される順位に関係するすべての抵当権者の合意が必要である。上例において、E・A・B・C・Dと変更するためには、A～E全員の合意、C・B・A・D・Eとするためには、A・B・Cの合意、B・A・C・D・Eとするためには、A・Bの合意が必要である。

この「合意」は、〔1〕(イ)に述べたように、民法にははじめて登場したもので、その理論構成は今後の課題である。たとえば、法律行為に関する民法の錯誤、詐欺などに関する規定が適用されるか、も問題である。これを肯定することも可能であろうが、実際の運用は否定する方向へ向うのではなかろうか。また、合意の効力についても、登記が成立要件であるということにとどまらず、だれに対しても効力を生ずる一種の絶対的効力を生じると解することになるであろう。

〔3〕 順位の変更に関係するいずれかの抵当権に対する転抵当権者(§§375・398の11参照)や普通抵当権における被担保債権を差押えた債権者などである。

債務者や抵当権設定者(根抵当の場合の根抵当負担者)、被担保債権についての保証人などは、順位の変更に対して口をさしはさむ立場にないから、利害関係者ではないとされている。一番抵当権の存在を前提として保証したような場合に、その順位を後順位に下げるような行為は、いわゆる担保保存義務(§504〔改注〕)の問題になる可能性はありうる。

〔4〕 順位の変更の登記(不登§89 I。旧§119ノ2。関係する抵当権者の共同申請による)は、その順位変更の効力発生要件である。ただし、その意味は、〔1〕(イ)、〔2〕に述べたように、関係者による物権的合意の効力発生要件というよりは、合意された順位の変更が登記制度上効力を生じるための要件という色彩をもっている。

（抵当権の被担保債権の範囲）
第三百七十五条
1 抵当権者は、利息[1]その他の定期金[2]を請求する権利を有するときは、その満期となった最後の二年分についてのみ[3]、その抵当権を行使することができる[4]。ただし、それ以前の定期金についても、満期後に特別の登記をしたときは、その登記の時からその抵当権を行使することを妨げない[5]。
2 前項の規定は、抵当権者が債務の不履行によって生じた損害の賠償を請求する権利[6]を有する場合におけるその最後の二年分についても適用する。ただし、利息その他の定期金と通算して二年分を超えることができない[7]。

[原条文]
第三百七十四条
　　抵当権者カ利息其他ノ定期金ヲ請求スル権利ヲ有スルトキハ其満期ト為リタル最後ノ二年分ニ付テノミ其抵当権ヲ行フコトヲ得但其以前ノ定期金ニ付テモ満期後特別ノ登記ヲ為

633

第2編　第10章　抵当権　第2節　抵当権の効力

シタルトキハ其登記ノ時ヨリ之ヲ行フコトヲ妨ケス

〈改正〉　1901年の改正により、つぎの2項が追加された。

前項ノ規定ハ抵当権者カ債務ノ不履行ニ因リテ生シタル損害ノ賠償ヲ請求スル権利ヲ有スル場合ニ於テ其最後ノ二年分ニ付テモ亦之ヲ適用ス但利息其他ノ定期金ト通シテ二年分ヲ超ユルコトヲ得ス

2004年改正により、374条が375条となった。

　本条は、抵当権によって担保される債権の範囲について規定する。その範囲が、質権の場合（§346）と比べて制限されているのは、占有を移転する質権と異なり、抵当権が設定された不動産については後順位抵当権者や第三取得者、差押え債権者など利害関係を有する者が登場する機会が多く、これらの者は登記のみを基準として抵当権の存在を認識するので、登記により予想される程度を超えて被担保債権額が大きくなることを防いで、これらの者を保護しようとする趣旨である（根抵当については、第4節解説 3 (3)(c)、§398の3［改注］参照）。

　〔1〕　抵当権によって利息を担保させるためには、利息に関する定めの有無および、定めがある場合の利率を登記することを要する（不登§88 I ①。旧§117）。登記をしなければ、抵当権の効力はまったく利息には及ばない。登記のある利息について、なお本条の制限があるのである。

　〔2〕　たとえば、賃借料・小作料などのために抵当権が設定された場合である。

　〔3〕　「最後の2年分」とは、競売を開始した時から遡って2年分という意味である。元来、登記した利息などは当然に抵当権によって担保されるはずであるが、それを無限に堆積させておくと、後順位の抵当権者に不測の損害をこうむらせることになりかねない。たとえば、300万円の一番抵当権があることを承知で二番抵当権を取得した者がある場合に、その一番抵当権の担保する債権の利息がたまっていて、被担保債権の額が倍額の600万円にもなっているとしたら、二番抵当権者は驚いてしまう。そこで、この場合、利息は最後の2年分についてだけ抵当権で担保されるとしたのである。後順位者としては、登記された利率による2年分だけを覚悟すればよいことになる。

　なお、2003年改正により設けられた担保不動産収益執行手続においては、数回の配当が実施される場合が多いが、通算して2年分を限度として優先弁済を受けられると解される。

　〔4〕　本条は、後順位抵当権者のように、抵当不動産について正当な利益を有する第三者を保護する規定である。したがって、設定者自身がこの規定を理由に抵当権者の権利を、最後の2年分ということで、制限できないことはもちろんである。抵当不動産の第三取得者についても、やはり第三者に含めてよいと考えられるが、判例は、これを設定者と同視している（大判大正4・9・15民録21輯1469頁）。

　なお、本条は、質権については規定されている「元本」、「違約金」、「実行の費用」には触れていない（§346参照）。これらが担保されることは当然といってよいと思われる（ただし、違約金については登記が可能かという問題がある。実行のために抵当権者が要し

§375〔1〕～〔7〕・抵当権の処分［前注］①②

た費用については、登記はできないが、担保されるものとされている。大判昭和2・10・10民集
6巻554頁）。

〔5〕 延滞した利息などにつき特別に登記すれば、その登記された利息については、
本条の制限を受けない。しかし、その効果は登記後にのみ享受できるのであって、そ
の登記前に二番抵当権の登記がなされると、たとえその登記された利息が、登記の時
から遡って2年分であっても、これに優先することはできない。ただし、この場合に
も抵当権実行の時から遡って2年分の利息については、本項本文により優先弁済を受
けられることはいうまでもない。

〔6〕 たとえば、419条［改注］のいわゆる遅延損害金(これを「遅延利息」とも呼ぶ)
の請求権がそれである。当初は本条2項はなかったが、実質的にみて遅延利息を別に
扱う理由はないので、1901年に2項が追加された。

なお、遅延利息の利率が約定利息の利率と同じときは、とくに登記を必要としない
と解されるが、これについて特別の定め(たとえば、約定利息の利率の倍とするなど)があ
る場合には、登記を必要とする。

〔7〕 遅延利息だけの場合にも、また、遅延利息と約定利息とにまたがる場合にも、
最後の2年分に制限されるのである。

抵当権の処分 ［§§376・377の前注］

① 抵当権の処分の2種類
広義で「抵当権の処分」と呼びうるものに、つぎの2種類のものがある。

② 債権と切り離した抵当権の処分
376条が「抵当権の処分」と呼んで規定しているのは、以下の注釈で説明するよう
に、抵当権者が有する被担保債権にはなんら触れることなく、その担保としての抵当
権についての――いわば、その抵当権によって認められる優先弁済を受けることので
きる地位についての――処分である。これを「債権と切り離した抵当権の処分」と呼
ぶことができる。

この型の処分は、抵当権者同士、ないし無担保債権者をも含めた債権者同士におけ
る担保的地位の調整という意味をもつものである。たとえば、第一順位のAが300
万円、第二順位のBが200万円、第三順位のCが300万円の債権を担保する抵当権
をそれぞれ有するとして、目的物の価値が400万円とする。そのままでは優先弁済を
受ける可能性のないCがAから順位譲渡を受ければ、Cは300万円の優先弁済を受
け、Aはまったく受けられないことになる。しかし、Aはその債権を失うわけでは
ないし、Cの債権そのものにも変化はない。経済的価値を有する肝心の債権そのもの
については、なんの変動も生じないのである。そのさい、CからAへ金銭が支払わ
れるかもしれないが、それは債権の対価ではなく、優先弁済についての利益を受けた
ことに対するいわば報酬である。このようなものとして、本条の定める処分も、信用

635

第2編　第10章　抵当権　第2節　抵当権の効力

取引のなかでかなり利用され、債権者間の利害の調整に役立っている。

③　債権とともにする抵当権の処分

これと区別されるべきなのは、被担保債権そのものを譲渡したり、質入れしたりする処分であって、それに伴ってこれを担保する抵当権にも、その処分の効果が及ぶとされるものである。これを「債権とともにする抵当権の処分」と呼ぶことができる。そして、その主なものには「抵当権付債権の譲渡」と「抵当権付債権の質入れ」があると考えられる。

債権という形で投資している経済的価値を譲渡によって回収したり、質入れによって担保的に利用するのは、じつはこの形態の処分によるものであって、実際上の重要性はこの方がはるかに大きいものである。ところが、この重要な方の処分については、民法はなにも規定していないので、解釈によって補うほかない。

(1)　原則的には、抵当権は債権に付従するという性質(「抵当権の付従性」§369〔4〕(ア)参照)によって考えることになる。すなわち、債権が上例のAからたとえばDへ譲渡されれば、抵当権もDに移転し、Dが債権と第一順位の抵当権をもつことになり、Aは離脱する。AがDに債権を質入れすれば、質権の効力は抵当権にも及ぶ。このような抵当権の性質は、付従性から派生するものであるが、とくに「抵当権の(被担保債権への)随伴性」とよぶ。

(2)　随伴性の理で考えれば、つぎのようになる。

まず、債権の譲渡または質入れについては、それぞれの要件を充たし、対抗要件を備える必要がある(譲渡につき§467［改注］による通知・承諾、質入れにつき§§364［改注］・467による同じ通知・承諾と改正前§363による証書の交付)。そのうえで、抵当権についても対抗要件を備える必要がある(抵当権移転の付記登記。不登§4Ⅱ。旧§134)。前者が備わっていなければ、いくら後者の付記登記がされても無意味であり、前者が備わっていても、後者が備わっていなければ、抵当権取得(または抵当権に対する質権の効力)を第三者に対抗することができない。

効果として、抵当権付債権の譲受人は、通常の抵当権者としての権利を取得し、質権者は、債権質権の効力に基づいて、その要件のもとに抵当権をも行うことができる(もっとも、根抵当権における被担保債権については別であることに注意を要する。§398の7・改正前§367〔1〕参照)。

(3)　困難な問題は、被担保債権について改正前468条の定める「異議をとどめない承諾」による善意取得を生じた場合に生じる。

たとえば、上例において、Aが債務者から弁済を受け、被担保債権が消滅したにもかかわらず、Aがその債権をEに譲渡し、債務者がこれに対して異議をとどめないで承諾したとする。善意の譲受人Eは改正前468条により債権を取得するが(§468注釈参照)、抵当権をも取得できるであろうか。抵当権は、弁済による債権の消滅に付従して消滅し、B・Cがそれぞれ第一順位、第二順位に上昇している。たとえEが残存している抵当権登記を信じて、善意で移転の付記登記を受けたとしても、登記に公信力を認めないわが法制においては、Eによる抵当権取得(いわば

抵当権の処分［前注］3・§376

「抵当権の復活」)を認めるのは困難といわざるをえないとするのが、一般的な見解である(大判昭和11・3・13民集15巻423頁)。ただし、Eによる実行に対して、債務者自身や異議をとどめない承諾後の差押債権者は異議申立てができないとした判決はみられる(大決昭和8・3・31民集12巻533頁、大決昭和8・8・18民集12巻2105頁)。いずれにしろ、抵当権付債権についての取引の安全は不十分であり、この難点は、抵当権付債権の処分に関する明確な規定を欠いている状態では、すなわち、随伴性の理にのみ依拠している限りでは、なかなか克服することはできないであろう。

(4) 抵当権付債権の譲渡性を、証券化の手段を用いて飛躍的に高めようとするのが、抵当証券法(昭和6年法律15号)である。同じ工夫は各国においてみられるが、わが国の抵当証券制度はかなり特色がある。

(a) 抵当証券は、当事者間に抵当証券発行の特約がある場合に、抵当権者の申請に基づいて登記所が発行する(抵証§§1～)。証券発行後も登記簿は閉鎖されない。

(b) 抵当証券には、抵当権だけでなく、被担保債権と抵当権とが一体として化体される(第10章解説3(5)参照)。したがって、債権については手形と同様の意味を有するので、手形法が準用される(抵証§§15・40)。

(c) 抵当証券の発行に当たって、異議申立ての催告が行われ、これに対して申立てられなかった異議は、以後、抵当証券の善意の譲受人に対して対抗しえなくなる(抵証§§6～)。そういう形で、登記に公信力がない点がカバーされている。

(d) 抵当証券に基づく抵当権の実行は、弁済期経過後3か月以内にすることを要する(抵証§30)。

(e) 抵当証券が発行されるのは、市部に存する土地に限られていたが、1991年(平成3年)に全国に広げられた(抵証附則)。

(f) 抵当証券上の権利を「モーゲージ証書」などと称して分割譲渡することが実務上みられるが、これは抵当証券法と直接の関係はなく、いわゆる抵当証券会社に対する債権証書にすぎない。

(抵当権の処分)
第三百七十六条

1 抵当権者は、その抵当権を他の債権の担保とし[1]、又は同一の債務者に対する他の債権者の利益のためにその抵当権若しくはその順位を譲渡し、若しくは放棄することができる[2]。

2 前項の場合において、抵当権者が数人のためにその抵当権の処分をしたときは、その処分の利益を受ける者の権利の順位は、抵当権の登記にした付記の前後による[3]。

［原条文］
第三百七十五条

抵当権者ハ其抵当権ヲ以テ他ノ債権ノ担保ト為シ又同一ノ債務者ニ対スル他ノ債権者ノ利益ノ為メ其抵当権若クハ其順位ヲ譲渡シ又ハ之ヲ抛棄スルコトヲ得

第2編　第10章　抵当権　第2節　抵当権の効力

　　　前項ノ場合ニ於テ抵当権者カ数人ノ為メニ其抵当権ノ処分ヲ為シタルトキハ其処分ノ利
　益ヲ受クル者ノ権利ノ順位ハ抵当権ノ登記ニ附記ヲ為シタル前後ニ依ル
〈改正〉　2004年改正により、375条が376条になった。

〔1〕　たとえば、BがCに対して1000万円の貸金債権を有し、その担保としてC
の不動産の上に抵当権を有する場合には、BはAから800万円を借り、その債務の
担保としてその抵当権をAに提供することができる。その関係は転質によく似てい
て、「転抵当」といわれる。

　(ア)　転抵当は、抵当権付の債権の質入れではなく、担保価値としての抵当権だけが
担保とされる関係であるから、AはBの抵当権(これを「原抵当権」という)を実行して
不動産の競売代金から自分の800万円の債権の弁済を受けることはできるが、BのC
に対する1000万円の債権については、なんら権利を行使することはできない。

　(イ)　AはBの抵当権だけを担保にとるのであるが、その抵当権は被担保債権がな
くては存在できないものであるから、Aの転抵当権の効力はその限りにおいて、Bの
Cに対する1000万円の債権を拘束する。すなわちCは、一定の条件のもとに、Bに
弁済することを制限される(§377)。もちろんBはAの債権額より多い200万円につ
いては、これを取立てること、また、これに基づいて競売を申立てることもできる
(大決昭和7・8・29民集11巻1729頁)。

　(ウ)　転抵当権によって担保される債権額(AのBに対する債権額)は、当然のことであ
るが、原抵当権によって担保される債権の額(BのCに対する債権額)を越えることはで
きない。また、転抵当の実行として目的不動産を競売に付するためには、原抵当権に
ついても、これを実行する要件(弁済期の到来など)が備わることを必要とする。ただし、
この点については、近時異説があることにつき348条〔1〕参照。

〔2〕　その抵当権を……同一の債務者に対する他の債権者の利益のためにその抵当
権若しくはその順位を譲渡し、若しくは放棄する」という語句のなかには、つぎに挙
げる四つの形態の処分が含まれていることを読みとることができる。

　例としては、債務者Eに対して、A(400万円)、B(200万円)、C(600万円)、D(600
万円)の4人の債権者があり、そのうちA・B・Cがそれぞれ一番・二番・三番の抵当
権を有し、Dは(その不動産の上には)抵当権を有しない(「無担保債権者」という)と仮定す
る。抵当不動産の価値が1000万円とすれば、Aが400万円、Bが200万円、Cが
400万円の優先弁済をそれぞれ期待できることになる。

　(ア)　抵当権の処分の四つの形態
　①「抵当権譲渡」(「抵当権の譲渡」というと、他の場合とまぎらわしいので、このように表
記する)
　これは、抵当権者から抵当権をもたない債権者の利益のためになされる。たとえば、
AがDのために抵当権譲渡をすると、DはAの抵当権の額だけ一番抵当権を享受で
き、その結果Dは400万円の優先弁済を受け、Aは無担保債権者となる。B・Cは、
これにより影響を受けない。
　②「抵当権放棄」(「抵当権の放棄」というと、他の場合とまぎらわしいので、このように表

§376〔1〕〔2〕

記する）

　これも、抵当権者から抵当権をもたない債権者の利益のためになされる。①との違いは、この処分によって、抵当権者は無担保債権者に対して優先権をもたないという結果になることである。たとえば、AがDのために抵当権放棄をすると、Aが第一順位において得るべき400万円を、AとDが平等の立場で、それぞれの債権額に比例して、すなわち、400対600の割合でAは160万円、Dは240万円ずつ分配することになる。B・Cは、これにより影響を受けない。

　③「抵当権の順位譲渡」

　これは、先順位者から後順位者の利益のためになされる。たとえば、AがCに抵当権の順位譲渡を行うと、Aが第一順位において受けるべき400万円とCが第三順位において受けるべき400万円とが合計されて、この800万円につき、まずCが600万円をとり、Aが残りの200万円をとる。Bは、これにより影響を受けない。

　④「抵当権の順位放棄」

　これも、先順位者から後順位者の利益のためになされる。たとえば、AがCに抵当権の順位放棄を行うと、③で述べたAとCが受けるべき優先弁済の額の合計800万円について、AとCは平等の立場で、それぞれの債権額に比例して、すなわち、400対600の割合でAは320万円、Cは480万円をとる。Bは、これにより影響を受けない。

　(イ)　これらの処分の性質

　これらの処分が、以上のような効果を生じるものであるとすれば、その意味を分りやすくいうと、つぎのように説明することが可能である。すなわち、抵当権の処分とは、抵当権者が自分が有する優先弁済の利益を債務者を同じくする他の債権者（後順位抵当権者や無担保債権者）に一定の仕方で享受させるというものである。つまり、この処分が行われても、元の順位の形が消滅するのではなく、元の順位がそのままあるものと仮定した上で、それに基づいて行われる優先弁済について処分の当事者（「処分者」と「受益者」とよばれる）相互の間で譲ったり、交換したりするものである。したがって、上例のいずれにおいても、処分に関係しなかった者（①・②においてはB・C、③・④においてはB）にはなんの影響も生じない。換言すれば、これらの者に影響を与えるような処分を本条が認めたと考えることは困難である。この意味において、本条が認めたのは、抵当権の「相対的処分」ということができる。

　これに対して、この処分の意味を、抵当権またはその順位をいわば独立させて絶対的に移転してしまうものであるとして、「独立的処分」のように理解することは無理である。たとえば、AがCに順位譲渡をすれば、Cが600万円の第一順位抵当権者になり、Aが400万円の第三順位抵当権者になると解することは、Bをいちじるしく害するから、認めることはできない（このほかにも、Aの抵当権が弁済により消滅した場合の問題もある。(ニ)参照）。形の上では、Cは第一順位、Aは第三順位ということになるかもしれないが、効果の点では上述の「相対的処分」という理解を曲げるわけにはいかないであろう。

　なお、順位譲渡によって順位の転換を生じるとした判決（最判昭和38・3・1民集17巻

639

第2編　第10章　抵当権　第2節　抵当権の効力

269頁)があるが、これを「独立的処分」的理解をとったものと解するのは正しくない（Aの第一順位抵当権、Aの代物弁済予約仮登記、Bの第二順位抵当権という順序で登記されていたところ、AがBに順位譲渡した事例について、Aが代物弁済を受けてもBに移転した第一順位の抵当権は消滅しないとしたものであるが、順位の転換が絶対的効力をもつといわなくても、順位譲渡をしたAは順位譲受人Bの利益を害しえないのは当然である）。

㈡　抵当権の処分を以上のように「相対的処分」と理解すると、このような処分が積み重なった場合の関係はいちじるしく複雑になる。そこに、「根抵当権の処分」（§§398の12・398の13。これらは、独立的性格のものである）が加わることになったので、その機会に、「順位の変更」（§374）という制度による解決が工夫されたのである（§374〔1〕参照）。

㈢　本条の処分の「相対的処分」という性質は、さらに、処分をした抵当権者が弁済を受ける関係（それによって処分された抵当権は消滅する）によってさらに面倒な問題を生じることになる。これについては、377条注釈参照。

〔3〕　以上の五つの処分は、いずれも付記登記をもって対抗要件とし、その順位は付記登記の順序によると解される（不登§4Ⅱ。なお、不登§90は、転抵当と抵当権譲渡・放棄については、同§§83・88を準用している。これらの場合の受益者は登記簿上まだ表示されていないからである。旧§§119ノ3・117が同旨を定めていた）。373条と同趣旨である。

（抵当権の処分の対抗要件）
第三百七十七条

　　1　前条の場合には、第四百六十七条の規定に従い、主たる債務者[3]に抵当権の処分を通知し、又は主たる債務者がこれを承諾しなければ、これをもって主たる債務者、保証人、抵当権設定者及びこれらの者の承継人に対抗することができない[1]。

　　2　主たる債務者[3]が前項の規定により通知を受け、又は承諾をしたときは、抵当権の処分の利益を受ける者の承諾を得ないでした弁済は、その受益者に対抗することができない[2]。

［原条文］
第三百七十六条

　　前条ノ場合ニ於テハ第四百六十七条ノ規定ニ従ヒ主タル債務者ニ抵当権ノ処分ヲ通知シ又ハ其債務者カ之ヲ承諾スルニ非サレハ之ヲ以テ其債務者、保証人、抵当権設定者及ヒ其承継人ニ対抗スルコトヲ得ス

　　主タル債務者カ前項ノ通知ヲ受ケ又ハ承諾ヲ為シタルトキハ抵当権ノ処分ノ利益ヲ受クル者ノ承諾ナクシテ為シタル弁済ハ之ヲ以テ其受益者ニ対抗スルコトヲ得ス

〈改正〉　2004年改正により、376条が377条になった。

〔1〕　376条に定める抵当権の処分（§376〔1〕〔2〕で説明した五つのもの）は、いずれも抵当権だけの処分であるから、対抗要件としては登記だけで十分のようにも思われる。しかし、抵当権は、被担保債権なしには存在できないから、処分された抵当権について被担保債権の弁済があれば、抵当権は消滅することになる。処分について、「独立

§§376〔3〕・377〔1〕〔2〕

的処分」という理解をすればともかく、これを「相対的処分」と理解する限りは、処分者の抵当権が消滅すれば、処分を受けた受益者は利益を受けられなくなる（§376〔2〕(イ)・(エ)参照）。そこで、抵当権の処分は間接に被担保債権を拘束するものとして、転抵当権者その他抵当権の処分を受ける債権者を保護する必要がある。

本条は、この必要を認め、一方において、抵当権の処分は、あたかも被担保債権自体が処分された場合のように、これを債務者に知らせなければ、この処分をもって債務者その他被担保債権の弁済をすることに利益を有する者に対抗できないとするとともに（1項）、他方において、債務者にこれを知らせた以上、これらの者が、この処分の利益を受ける者（本条は、これを「受益者」とよんでいる）の承諾なしに弁済をしても、これをもってこの受益者に対抗できないものと定めた（2項）のである。債務者に抵当権の処分を知らせるのには、債権譲渡に関する467条〔改注〕の規定に従ってするべきものとされるから、その方法・形式は、いずれも同条に従う（§467の注釈を見よ）。

〔2〕　前項による通知・承諾がなされた以上は、債務者は、抵当権の処分による受益者の承諾がなければ、処分をした抵当権者に弁済しても、このこと、すなわち、弁済によって抵当権が消滅したことを受益者に対抗することができない。

たとえば、376条〔2〕(ア)①に挙げた例で、AがDに抵当権譲渡をしたとする。債務者がAに400万円を弁済しても、Dの承諾を得なければ、第一順位の抵当権は消滅しないものとして、Dは、そこから400万円の優先弁済を受けることができる。この法律関係については、いろいろと問題が多い。

(ア)　本項による拘束があるからといって、被担保債権についてAが請求できないとか、債務者の弁済が禁じられるとかの直接の拘束を生じると解することはできない。Aは弁済期がくれば弁済を請求できるし、債務者は弁済しなければならない。ただ、第1項による通知・承諾があった場合には、弁済があったとしても、上例のAの第一順位の抵当権は存続しているものとして取扱われるのである。債務者としては、その後は、Aに対する債務は無担保、Dに対する債務は第一順位の抵当権によって担保されていると考えて対処することになる。処分について債務者の同意は必要とされていないので、本項は、いいかえれば、債務者は自分が負っている債務について債権者によって担保の付け替えが行われても異論はいえないということを意味するのである（債務者がいちじるしく不利益をこうむるような場合には、一定の弁済拒絶権を認める必要があるかもしれない）。

(イ)　通知・承諾という対抗要件が備えられない場合には、債務者がAに弁済すれば、受益者（上例のD）は処分による利益を享受できないことになる。

(ウ)　本項は、まずは、債務者が同時に抵当権設定者である場合を想定しているように思われる。これに対して、物上保証の場合への本項の適用にはかなり問題があるといえよう。とくに、抵当権譲渡・放棄の場合には、債務者は同一人だが、物上保証人が物上保証した覚えのない債務（したがって、相手の債権者も異なる）を担保することになってしまうからである。そこで、少なくとも抵当権譲渡・放棄については、物上保証の場合には、本条2項は適用されないと解する必要があるのではなかろうか（本項の適用がなければ、Aの第一順位が存続する限りにおいてDが受益するのであるから、物上保証人に

641

第2編　第10章　抵当権　第2節　抵当権の効力

も不利益は生じない)。

〔3〕　抵当権によって担保される債権(被担保債権)の債務者のことである。保証債務(§446 [改注])と同じ言葉が用いられているが、用語として適切ではない。

代価弁済および抵当権消滅請求 [§§378～387の前注]

① 抵当権と第三取得者

抵当権が設定されている不動産の所有権を取得した者(それ以外の権利を取得した者を呼ぶこともある)を、抵当不動産の第三取得者という。抵当権者と第三取得者の関係をどのように規定するかは、抵当制度における重要な問題点のひとつである。第三取得者は抵当権設定者から所有権を譲受けた者であるから、事柄は元の所有者の立場にも関係を有する(所有者は所有権を譲るべき相手の立場にも留意する必要がある)。そこで、問題は、ひろく、抵当権と所有権の関係としてとらえることができる(本章解説④参照)。

378条～386条は、この点に関する規定である。378条(旧377条)は、代価弁済について定めるが、これはさして重要なものではない。旧378条以下は、従来は滌除制度について定めるものであったが、2003年改正によって、滌除の規定は削られ、代わって、抵当権消滅請求制度が379条以下に規定された。

② 代価弁済

「代価弁済」は、抵当権者(債権額を600万円とする)が、買主に対して、その代価(500万円とする)を請求し、買主がこれに応じて弁済する制度である。抵当権は、これによって消滅する(債権残額100万円は無担保債権として存続する)のだが、この制度は、抵当権者と第三取得者とが、ともにこの結果を欲した場合のものだから、抵当権者にとって格別の不利益はない。のみならず、第三取得者がこれを欲しなくても、抵当権者は、物上代位権に基づいて、代金債権を差押えれば、同じ結果を実現することができると解すると(§372⑵⑴(ア)参照)、代価弁済は、この差押えの手続を省略するだけのものである。第三取得者も、この制度によって、なんら特別の負担を受けることにはならない。

③ 滌除の廃止と抵当権消滅請求制度

抵当権者に対して、抵当権設定者から所有権を譲受けた者が挑戦して、抵当権の消滅を請求する制度を「(広義における)抵当権消滅請求制度」と名付けることができる(広義においては、§398の22にも注意)。そのようなものとして、民法は滌除制度を規定していた。これに対して、2003年の改正は、これに代わる制度を規定した。この新しい制度を「(狭義における)抵当権消滅請求制度」と名付けることができよう。2003年改正は、従来の滌除制度を廃止して、新しい抵当権消滅請求制度を設けたものということができる。

改正案の審議の過程で「滌除制度の見直し」という言葉が用いられたこともあって

§377 〔3〕・代価弁済および抵当権消滅請求 ［前注］①〜③

か、滌除制度は名称と内容を変えて存続しているという説明がなされることがある。しかし、それでは、「新しい滌除権(抵当権消滅請求権)を行使する」とか、「改正後の滌除制度では」というような表現も許されることになり、紛らわしい。従来の滌除制度は廃止され、新しい抵当権消滅請求制度(狭義)が設けられた、あるいは、それによって置き換えられたという理解が適切であろう。本書では、この理解によって叙述することとする。

　なお、2004年改正の破産法によって、破産管財人から担保権(特別の先取特権、質権、抵当権など)の消滅の許可の申立て制度が作られた(破§§186〜)。会社更生手続(会更§§104〜)、民事再生手続(民再§§148〜)についても、同様である。しかし、これらは、趣旨をまったく異にするものであるから、広義においても抵当権消滅制度のなかに含めることは正しくない。

　(ア)　従来の「滌除(てきじょ)」は、代価弁済とは異なり、抵当権者にとってはなはだしく不利をもたらす制度であった。そのことから、廃止を求める声が強く、2003年改正はついにその廃止に踏みきったのである。

　つぎに、滌除に関する旧規定、および関連して削除された条文をまとめて掲げておくこととする。

　第三百七十八条　抵当不動産ニ付キ所有権、地上権又ハ永小作権ヲ取得シタル第三者ハ第三百八十二条乃至第三百八十四条ノ規定ニ従ヒ抵当権者ニ提供シテ其承諾ヲ得タル金額ヲ払渡シ又ハ之ヲ供託シテ抵当権ヲ滌除スルコトヲ得

　第三百七十九条　主タル債務者、保証人及ヒ其承継人ハ抵当権ノ滌除ヲ為スコトヲ得ス

　第三百八十条　停止条件附第三取得者ハ条件ノ成否未定ノ間ハ抵当権ノ滌除ヲ為スコトヲ得ス

　第三百八十一条　抵当権者カ其抵当権ヲ実行セント欲スルトキハ予メ第三百七十八条ニ掲ケタル第三取得者ニ其旨ヲ通知スルコトヲ要ス

　第三百八十二条　第三取得者ハ前条ノ通知ヲ受クルマテハ何時ニテモ抵当権ノ滌除ヲ為スコトヲ得

　第三取得者カ前条ノ通知ヲ受ケタルトキハ一个月内ニ次条ノ送達ヲ為スニ非サレハ抵当権ノ滌除ヲ為スコトヲ得ス

　前条ノ通知アリタル後ニ第三百七十八条ニ掲ケタル権利ヲ取得シタル第三者ハ前項ノ第三者カ滌除ヲ為スコトヲ得ル期間内ニ限リ之ヲ為スコトヲ得

　第三百八十三条　第三取得者カ抵当権ヲ滌除セント欲スルトキハ登記ヲ為シタル各債権者ニ左ノ書面ヲ送達スルコトヲ要ス

　一　取得ノ原因、年月日、譲渡人及ヒ取得者ノ氏名、住所、抵当不動産ノ性質、
　　　所在、代価其他取得者ノ負担ヲ記載シタル書面

　二　抵当不動産ニ関スル登記簿ノ謄本但既ニ消滅シタル権利ニ関スル登記ハ之ヲ
　　　掲クルコトヲ要セス

　三　債権者カ一个月内ニ次条ノ規定ニ従ヒ増価競売ヲ請求セサルトキハ第三取得
　　　者ハ第一号ニ掲ケタル代価又ハ特ニ指定シタル金額ヲ債権ノ順位ニ従ヒテ弁済

643

第2編　第10章　抵当権　第2節　抵当権の効力

又ハ供託スヘキ旨ヲ記載シタル書面

第三百八十四条　債権者カ前条ノ送達ヲ受ケタル後一个月内ニ増価競売ヲ請求セサルトキハ第三取得者ノ提供ヲ承諾シタルモノト看做ス

増価競売ハ若シ競売ニ於テ第三取得者カ提供シタル金額ヨリ十分ノ一以上高価ニ抵当不動産ヲ売却スルコト能ハサルトキハ十分ノ一ノ増価ヲ以テ自ラ其不動産ヲ買受クヘキ旨ヲ附言シ第三取得者ニ対シテ之ヲ請求スルコトヲ要ス

前項ノ場合ニ於テハ債権者ハ代価及ヒ費用ニ付キ担保ヲ供スルコトヲ要ス〔本項は、1979 年に削除された〕

第三百八十五条　債権者カ増加競売ヲ請求スルトキハ前条ノ期間内ニ債務者及ヒ抵当不動産ノ譲渡人ニ之ヲ通知スルコトヲ要ス

第三百八十六条　増価競売ヲ請求シタル債権者ハ登記ヲ為シタル他ノ債権者ノ承諾ヲ得ルニ非サレハ其請求ヲ取消スコトヲ得ス

第三百八十七条　抵当権者カ第三百八十二条ニ定メタル期間内ニ第三取得者ヨリ債務ノ弁済又ハ滌除ノ通知ヲ受ケサルトキハ抵当不動産ノ競売ヲ請求スルコトヲ得

(イ)　この滌除制度の大要を概説しておこう。

2003 年改正前の旧規定による「滌除」は、代価弁済と異なり、抵当権者にとってはなはだしく不利な制度であった。滌除は、第三取得者から、一定の金額、(2)に挙げた例でいえば、たとえば 400 万円を申し出て、抵当権者に対してその額で満足することを間接に強要するものである（第三取得者は、滌除の手続が終了するまでは、売主への代金支払を拒絶できる。旧§577）。すなわち、この申し出を受けて、抵当権者がこの額に満足しないときは、申し出を受けてから 1 か月以内に、増価競売を請求しなければならない。「増価競売」とは、競売の結果、第三取得者の申し出た額より 1 割高、すなわち 440 万円以上で買うという買受人がいないときは、抵当権者みずから 440 万円で買い受けるという条件を伴うものである（旧§384）。したがって、滌除の申し出を受けると、抵当権者は、たとえ申し出られた金額に不満足でも、みずから 1 割高で買うことを覚悟しなければ、これを拒絶できないのみならず、抵当権の実行を延期して、不動産の値上りをまつことも不可能にされる。このように、滌除は、抵当権にとって不利益をもたらす制度なので、投資制度としての近代抵当権の性質に適しないものとして、ドイツ法系の法制ではこの制度は廃止した。わが国でも、抵当証券法（§24 参照）および農業動産信用法（§12 II 参照）は、ともに、この制度を否定した。

(ウ)　滌除制度は、以上のようなものとして、抵当権を有する者と第三取得者との間の立場の調整をそれなりに図るものであった。しかし、実際には、その本来の意義において活用されることはほとんどなく、もっぱら抵当権者に対して所有権者の側から圧力をかける手段として悪用されることが行われた。所有権を移転する必要がないにもかかわらず、移転した形をとって、譲受人から滌除権を行使し、あるいは滌除権を行使すると称して不当な要求をするなどである。抵当権者の側では、このような可能性を封じるために、目的不動産について、設定者に要求して自己への所有権移転の仮登記をさせるというようなことさえ行われた（代物弁済予約の仮登記の問題とも重なる。§

§378 〔1〕

482〔4〕、本編第10章後注⑩参照）。このようなことから、滌除制度を廃止するべきであるという意見がとくに経済界から強く出されていたところである。2003年改正は、滌除制度を廃止したが、第三取得者の権利をまったく否定したのではなく、代わりに「抵当権消滅請求」（狭義）の制度を規定した。この制度は、従来の滌除制度と比べると、つぎの点で内容を変更し、抵当権者の負担を軽減するものである。とくに、(d)の意味が大きい。

(a) 抵当権消滅請求権を有する者の範囲の縮小（§378）

(b) 抵当権の実行にさいしての、抵当権消滅請求権者への通知義務の廃止（§381削除、§387の改正）

(c) 抵当権消滅請求権を行使する時期の限定の廃止（§381削除に伴う§382の改正）

(d) 増価競売の廃止、したがって増価買受義務・担保供与義務の廃止（旧§§384～の改正）

なお、抵当証券法上の証券抵当権や農業用動産抵当権については、抵当権消滅請求権の適用が除外されていることは、従来の滌除についてと同様である（抵証§24、農動産§12Ⅱ）。

(エ) 2003年の改正規定は、原則として、施行日（2004年4月1日）以後適用されたが（第10章解説④参照）、従来の滌除権者が改正法の施行日前に滌除の書面（旧§383）を登記したすべての債権者に到達させていたときは、従前の例によるとされている（改正法附則§4）。

（代価弁済）
第三百七十八条
　　抵当不動産について所有権又は地上権を買い受けた¹⁾第三者が、抵当権者の請求に応じて³⁾その抵当権者にその代価を弁済したときは、抵当権は、その第三者のために消滅する²⁾。

［原条文］
第三百七十七条
　　抵当不動産ニ付キ所有権又ハ地上権ヲ買受ケタル第三者カ抵当権者ノ請求ニ応シテ之ニ其代価ヲ弁済シタルトキハ抵当権ハ其第三者ノ為メニ消滅ス

〈改正〉　代価弁済および抵当権消滅請求 ［§§378～387の前注］②③をみよ。2004年改正により、377条が378条になった。

〔1〕 「所有権を買い受けた」については、とくに問題はない。「地上権を買い受けた」とは、地上権を、その全存続期間に対する対価を一時に支払って、所有者から取得することである。たとえば、30年間の地上権を300万円で取得するなどである（§266〔1〕参照）。この場合には、地上権者は定期の地代を支払わない。永小作権は、必ず定期の小作料を支払うべきものであり（§270）、したがって、所有者から「買い受けた」ということはないから、本条は永小作権に言及していないのである。なお、本条の適用があるのは、抵当権設定後に地上権を買い受けた場合に限ることはもちろんである。したがって、それ以前に地上権を取得した者は、抵当権に優先するから、その

645

第2編　第10章　抵当権　第2節　抵当権の効力

実行によっても地上権を失うものでなく、本条の適用はない。

〔2〕　「抵当権は、その第三者のために消滅する」とは、たとえば、AのBに対する800万円の債権を担保するために抵当権が設定されているB所有の土地につき、Cが300万円で地上権を買い受けた場合に、Aの請求に応じて、Cがその300万円をAに支払うと、Aの抵当権はCの地上権を否定する効力をもたなくなる、ということである。いいかえると、Aは地上権の負担を伴う土地の上に被担保債権500万円の抵当権を有することになり、競売が行われても、地上権は買受人に対抗できるものとなる。Cが所有権を買い受け、その代価(たとえば600万円)をAに支払ったのであれば、Aの抵当権は、その土地の上から全部消滅することはもちろんである。この場合に、弁済されない200万円の債権は、無担保のものとしてAの手もとに残ることはいうまでもない。

〔3〕　代価弁済は、抵当権者がこれを要求し、第三取得者がこれに応じた場合にだけ、可能である。抵当権者が請求するのに、第三取得者がこれに応じない場合は、物上代位の手続をとるほかはない(§372(2)(1)(ア)参照)。また、第三取得者の側から抵当権者に抵当権の消滅を強要する手続は、379条以下の規定によるのである。

なお、抵当不動産の所有者の意思は問われない。所有者としては、譲渡による代金、地上権設定の対価を収受することを期待したかもしれない。その期待は満たされないが、抵当権による負担(債務)は消滅し、収支としては変らないとみられるのである。

▎(抵当権消滅請求)
▎第三百七十九条
　　　抵当不動産の第三取得者[1]は、第三百八十三条の定めるところ[2)3)]により、抵当権消滅請求をすることができる[4]。
　　[原条文]および〈改正〉　代価弁済および抵当権消滅請求[§§378〜387の前注][3](ア)をみよ。
　　[2004年改正前条文]
▎第三百七十八条
　　　抵当不動産ニ付キ所有権ヲ取得シタル第三者ハ抵当権消滅請求(第三百八十三条ノ規定ニ依リ同条第三号ノ代価又ハ金額ヲ抵当権者ニ提供シテ抵当権ノ消滅ヲ請求スルコトヲ謂フ以下同ジ)ヲ為スコトヲ得

本条は、抵当権消滅請求制度(狭義)の存在を宣言するとともに、抵当権消滅請求権を有する者、すなわち「抵当権消滅請求権者」を定めるものである。

〔1〕　抵当権消滅請求権を有する者は、抵当不動産について所有権を「取得した者」(以下、第三取得者という)である。例外が、380条および381条に規定されている。

(ア)　2003年改正前は、抵当不動産について地上権・永小作権を取得した者も滌除権を認められていたが、改正によりこれらの者は除外された。

(イ)　本条の第三取得者が本条の権利を抵当権者に対して主張するためには、その所有権の取得を対抗できなければならないのは当然である。そのための登記は仮登記でもよいかは、問題である。従来の滌除権についてであるが、判例は、仮登記を二つに分け、権利の取得が停止条件付きである場合(不登旧§2②)には、滌除ができないが、

646

§§378〔2〕〔3〕・379・380〔1〕

単に手続上の条件が具備されない場合(不登旧§2①)には、滌除ができるとしていた
(大決昭和4・7・6民集8巻638頁、大決昭和10・7・31民集14巻1449頁)。しかし、学説で
は、いずれの場合にも、仮登記につき本登記がなされない限り、滌除を認めないと主
張する者が多かった。

(ウ) 旧滌除権について、抵当権が設定された不動産につき共有持分を取得した者に
は滌除権はないとした判例があるが(最判平成9・6・5民集51巻2096頁)、抵当権消滅請
求についても妥当するであろう。

(エ) やはり、旧滌除権についてであるが、抵当不動産を譲渡担保にとった者は、そ
の権利を実行して、所有権を確定的に取得したときに、はじめて滌除権を行使できる
とされていた(最判平成7・11・10民集49巻2953頁)。

(オ) 旧滌除権に関する面白い事例がある。先順位抵当権者が目的不動産を取得した
が、後順位抵当権があるので混同の例外(§179)でその抵当権は消滅しない。この第
三取得者が自己の抵当権と後順位の抵当権を相手として滌除権を行使することを認め
たが(大判昭和8・3・18民集12巻987頁)、改正後においても同様になるであろう。

〔2〕 抵当権消滅請求権者は、有償取得の場合におけるその代価を提示してもよい
し、それとは関係のない任意の金額を提示してもよい。滌除制度においては、この金
額は「滌除金額」と呼ばれたが、改正後は、「提供金額」と呼ぶことができよう。

〔3〕 この「提供」の時期・手続は、382条～384条に規定されている。この手続
の中心は、第三取得者から抵当権者に対して一定の「提供金額」を提供するからそれ
で抵当権を消滅させてくれと申し出ることである。したがって、ここでいう「提供」
は弁済の提供とは意味を異にする。消滅請求が成功したときには、提供金額が払渡さ
れ、または供託されて抵当権は消滅する(§386)。

〔4〕 消滅請求が成功して、抵当権が消滅すれば、請求権者は所期の目的を達する
が、抵当権者が反発して、目的不動産を競売するという手段に出れば(§384①)、第
三取得者はかえって所有権を喪失する結果になる。抵当権消滅請求権は、そのような
可能性をも含んで認められる権利ということができる。

〔抵当権消滅請求をすることができない者・その1〕〔第8版凡例4a)を見よ〕
第三百八十条
　　主たる債務者2)、保証人及びこれらの者の承継人3)は、抵当権消滅請求をする
　　ことができない1)。
[原条文] および〈改正〉 代価弁済および抵当権消滅請求 [§§378～387の前注]③(ア)をみよ。
[2004年改正前条文]
　　第三百七十九条
　　　主タル債務者、保証人及ヒ其承継人ハ抵当権消滅請求ヲ為スコトヲ得ス

本条は、379条に対する例外を規定する。

〔1〕 ここに列記されているような、みずから債務を負担する者が、たとえ第三取
得者になっても、その債務を弁済しないで抵当権消滅請求権を行使するのは妥当でな

647

第2編　第10章　抵当権　第2節　抵当権の効力

いから、これを認めないとしたのである。

〔2〕　§377〔3〕参照。物上保証人が担保に供した不動産を債務者が取得したような場合を想定している。

〔3〕　たとえば、被担保債務または保証債務を相続した者、それらの債務を引受けた者である。

〔抵当権消滅請求をすることができない者・その2〕〔第8版凡例4 a)を見よ〕
第三百八十一条
　　抵当不動産の停止条件付第三取得者は、その停止条件の成否が未定である間は、抵当権消滅請求をすることができない[1]。
［原条文］および〈改正〉　代価弁済および抵当権消滅請求［§§378〜387の前注］③(イ)をみよ。
[2004年改正前条文]
第三百八十条
　停止条件付第三取得者ハ条件ノ成否未定ノ間ハ抵当権消滅請求ヲ為スコトヲ得ス

〔1〕　停止条件付きで抵当不動産を取得した者は、まだ確定的に第三取得者という地位に立つものではないから、抵当権を確定的に消滅させる権能を与えるべきではない。これが、本条の制限の存在理由である（§379〔1〕(イ)参照）。

第三百八十一条（旧）　削除[1]

［原条文］および〈改正〉　代価弁済および抵当権消滅請求［§§378〜387の前注］③(ア)をみよ。

〔1〕　原条文では、本条において、抵当権者が抵当権を実行しようとするときは、滌除権を有する者にその機会を保証するために、通知をすることを義務づけていた。その反面、旧382条において、滌除権を有する第三取得者は、その通知を受けたときは、1か月内に権利を行使しなければならないものとされていた。抵当権者からすれば、権利行使を催告するという意味もあったのである。2003年改正は、抵当権者の負担を軽減するという趣旨で、この通知義務をなくした。

（抵当権消滅請求の時期）
第三百八十二条
　　抵当不動産の第三取得者は、抵当権の実行としての競売による差押えの効力が発生する前に、抵当権消滅請求をしなければならない[1]。
［原条文］および〈改正〉　代価弁済および抵当権消滅請求［§§378〜387の前注］③(ア)をみよ。
[2004年改正前条文]
　第三取得者ハ抵当権ノ実行トシテノ競売ニ因ル差押ノ効力発生前ニ抵当権消滅請求ヲ為スコトヲ要ス

〔1〕　抵当権消滅請求をすることができる時期は、抵当権の実行による差押えの効

§§380〔2〕〔3〕・381・381〔旧〕・382・383〔1〕~〔5〕

力が生じるまでである。2003年改正前は、旧381条の定める抵当権者の通知を受けてから1か月以内という制限があったが、同条の通知義務が廃止されたので、本条のような規定になった。

（抵当権消滅請求の手続）
第三百八十三条

　　抵当不動産の第三取得者は、抵当権消滅請求をするときは、登記をした[1]各債権者に対し、次に掲げる書面を送付[2]しなければならない。
　一　取得の原因[3]及び年月日、譲渡人及び取得者の氏名及び住所並びに抵当不動[4]、所在及び代価その他取得者の負担を記載した書面
　二　抵当不動産に関する登記事項証明書（現に効力を有する登記事項のすべてを証明したものに限る。）
　三　債権者が二箇月以内に抵当権を実行して競売の申立てをしないとき[5]は、抵当不動産の第三取得者が第一号に規定する代価又は特に指定した金額[6]を債権の順位に従って[7]弁済し又は供託すべき旨を記載した書面[8]

［原条文］および〈改正〉　代価弁済および抵当権消滅請求［§§378~387の前注］③(ｱ)をみよ。
［2004年改正前条文］

　　第三取得者カ抵当権ヲ消滅セシメント欲スルトキハ登記ヲ為シタル各債権者ニ左ノ書面ヲ送達スルコトヲ要ス
　一　取得ノ原因、年月日、譲渡人及ヒ取得者ノ氏名、住所、抵当不動産ノ性質、所在、代価其他取得者ノ負担ヲ記載シタル書面
　二　抵当不動産ニ関スル登記事項証明書〔平成16年法律124号で「登記簿ノ謄本」が改められた〕但既ニ消滅シタル権利ニ関スル登記ハ之ヲ掲クルコトヲ要セス
　三　債権者カ二箇月内ニ抵当権ヲ実行シテ競売ノ申立ヲ為サザルトキハ第三取得者ハ第一号ニ掲ケタル代価又ハ特ニ指定シタル金額ヲ債権ノ順位ニ従ヒテ弁済又ハ供託スヘキ旨ヲ記載シタル書面

〔1〕　第三取得者が、抵当不動産を取得したときに登記面に表示された抵当債権者という意味である。第三取得者が取得した後にみずからが設定した抵当権が対象にならないのは当然である。

〔2〕　抵当権消滅請求権を行使するための手続を定めている。この請求のための行為は、抵当不動産について登記されている個々の債権者に対して、またすべての債権者に対して（§386）、本条に従って書面により、かつ「送付」によって行われなければならず、一種の要式行為である。

　　この「送付」の方法については、とくに制限はない。旧滌除について規定されていた「送達」は、郵便で送付してもよいと解されていた。

〔3〕　379条〔1〕参照。

〔4〕　土地であるか、建物であるか、土地であれば、田か畑か、宅地であるかの地目などをいう。

〔5〕　2003年改正前は、抵当権者は「増価競売」（旧§384）という方法をとること

649

第2編　第10章　抵当権　第2節　抵当権の効力

が要求された。改正により、通常の抵当権実行のための競売でよいこととなった。
384条〔3〕参照。

　〔6〕　これを「提供金額」という。提供金額は、抵当不動産が売却された場合の代
価であるか、抵当権消滅請求権者が「特に指定した金額」である。この後者について
は、請求権者が任意に選んだ金額でよいとされている。旧滌除制度では、「滌除金
額」が同じように、滌除権者によって自由に定められ、不当に低い金額であるような
場合について濫用の批判がなされたが、この金額の点についての制約は改正でも定め
られなかった。低すぎる金額である場合は、抵当権者が競売の手段に訴える可能性が
高いということで調整が図られることになる。

　〔7〕　複数の抵当権が存する場合のことである。この場合は、その順位に従って、
提供金額を支払うことになる。後順位の者には支払うべき金額がないということもあ
りうる。

　〔8〕　この第3号の書面が、抵当権消滅請求行使の意思を表示する肝心の書面であ
る。第1号、第2号の書面は、参考にされる必要のある書面ということで要求されて
いる。

　（債権者のみなし承諾）
　第三百八十四条
　　　次に掲げる場合には、前条各号に掲げる書面の送付を受けた債権者は、抵当
　　不動産の第三取得者が同条第三号に掲げる書面に記載したところにより提供し
　　た同号の代価又は金額[1]を承諾したものとみなす[2]。
　　一　その債権者が前条各号に掲げる書面の送付を受けた後二箇月以内に抵当
　　　権を実行して競売の申立てをしないとき[3]。
　　二　その債権者が前号の申立てを取り下げたとき[4]。
　　三　第一号の申立てを却下する旨の決定が確定したとき[5]。
　　四　第一号の申立てに基づく競売の手続を取り消す旨の決定（民事執行法第
　　　百八十八条において準用する同法第六十三条第三項若しくは第六十八条の
　　　三第三項の規定又は同法第百八十三条第一項第五号の謄本が提出された場
　　　合における同条第二項の規定による決定を除く。）が確定したとき[6]。

［原条文］および〈改正〉　代価弁済および抵当権消滅請求［§§378～387の前注］③(ア)をみよ。
［2004年改正前条文］
　左ノ場合ニ於テハ前条ノ送達ヲ受ケタル債権者ハ第三取得者ガ同条ノ規定ニ依リ提供シ
　タル同条第三号ノ代価又ハ金額ヲ承諾シタルモノト看做ス
　　一　其債権者ガ前条ノ送達ヲ受ケタル後二箇月内ニ抵当権ヲ実行シテ競売ノ申立ヲ為サ
　　　ザルトキ
　　二　其債権者ガ前号ノ申立ヲ取下ゲタルトキ
　　三　第一号ノ申立ヲ却下スル旨決定ガ確定シタルトキ
　　四　第一号ノ申立ニ基ク競売ノ手続ヲ取消ス旨決定（民事執行法第百八十八条ニ於テ
　　　準用スル同法第六十三条第三項若クハ第六十八条の三第三項又ハ同法第百八十三条第
　　　一項第五号ノ謄本ガ提出セラレタル場合ニ於ケル同条第二項ノ規定ニ依ルモノヲ除ク）

650

§§383〔6〕～〔8〕・384

■　　ガ確定シタルトキ

　抵当権消滅請求が所期の目的を達するための第1段階は、すべての抵当権者から383条の書面(3号)に対する承諾を得ることである(§386参照)。抵当権者全員から承諾の意思表示がなされた場合はそれでよいが、前条の書面の送付がなされても、これに対する返答がない場合について、本条が定める。すなわち、ある抵当権者が2か月以内に抵当権を実行し、競売の申立てをしないときは、抵当権消滅請求権者は、その抵当権者が383条の書面による提供金額の申し出を承諾したものとみなしたのが本条である。

〔1〕　383条〔6〕参照。

〔2〕　本条各号に該当するときは、どのような事情があっても、その抵当権者は提供金額を承諾したものとされる。もちろん、抵当権者の全員の承諾が必要であるから、数人の抵当権者のうち、多くは承諾の意思表示をしても、一人でも第1号の競売の申立てをすれば、抵当権消滅請求の目的は達せられない。

　本条は、反面からいえば、抵当権者が抵当権消滅請求に対して、それを阻止するには競売の申立てをしなければならないこと、いわば対抗手段として競売の申立てがあることを規定したものともいうことができる。この競売の申立ては、民事執行法が定める通常の競売の申立てであるが(同法§§45・180・181・188参照)、この場合に特有の問題も存すると考えられる(〔3〕参照)。

〔3〕　383条の送付後、2か月以内に競売の申立てをすれば、提供金額を承諾したことにはならない。2003年改正前は、この競売は「増価競売」という特別の手続であったが(民執旧§§185～187)、改正により通常の競売でよいこととなった。ただし、この手続の性質上、被担保債権の弁済期が到来していなくとも実行することが認められなければならないなどの特殊性は否定できない。

　なお、この競売の申立てがその効力を失った場合には、本条の擬制を排除する効果を生じない。これは当然のことであるが、この場合に特有な問題もあるので、念のために規定されている(〔4〕～〔6〕参照)。

〔4〕　競売の申立ての取下げについては、民執54・76条など参照。

〔5〕　競売の申立ての却下の決定については、民執14条など参照。

〔6〕　競売の申立ての取消しの決定については、民執54条など参照。取消しのうち、民執63条3項(剰余を生じる見込みのない場合に関する。同条2項による取消しの場合は、適用がなく、擬制の効果が生じることに注意)、68条の3第3項(売却の見込みのない場合に関する)、183条2項(担保権実行手続の停止のための同条1項5号の謄本が提出された場合に関する)によるものについては、本条の承諾の擬制は働かない(これらの取消しは、かならずしも抵当権者の責任によるものとはいえない)。このときの383条による書面の送付は目的を達しないで終り、第三取得者は、再度抵当権消滅請求権を行使することができる。

651

第2編　第10章　抵当権　第2節　抵当権の効力

（競売の申立ての通知）

第三百八十五条

第三百八十三条各号に掲げる書面の送付を受けた債権者は、前条第一号の申立てをするときは、同号の期間内に、債務者及び抵当不動産の譲渡人にその旨を通知しなければならない[1]。

[原条文]および〈改正〉　代価弁済および抵当権消滅請求［§§378〜387の前注］[3](ｱ)をみよ。

[2004年改正前条文]

第三百八十三条ノ送達ヲ受ケタル債権者ガ前条第一号ノ申立ヲ為ストキハ同号ノ期間内ニ債務者及ヒ抵当不動産ノ譲渡人ニ之ヲ通知スルコトヲ要ス

〔1〕　384条による擬制を排除する手段として、競売の申立てをする場合には、やはり383条の書面の送達を受けてから2か月以内に、債務者および抵当不動産の譲渡人（両者が同一人の場合もある）にもそのことを通知する義務がある。これらの者も、抵当不動産の譲渡に関連して利害関係（売主の担保責任、第三取得者から債務者に対す求償権など）を有するからである。

2003年改正前の増価競売についても、本条が同旨の規定をしていた。その旧規定について、この通知が怠られた場合にも、増価競売の効力に影響しないという解釈が行われていたが、改正後の本条についても、同様に解してよいであろう。

（抵当権消滅請求の効果）

第三百八十六条

登記をしたすべての債権者が[1]抵当不動産の第三取得者の提供した代価又は金額を承諾し[2]、かつ、抵当不動産の第三取得者がその承諾を得た代価又は金額を払い渡し又は供託したとき[3]は、抵当権は、消滅する[4]。

[原条文]および〈改正〉　代価弁済および抵当権消滅請求［§§378〜387の前注］[3](ｱ)をみよ。

[2004年改正前条文]

登記ヲ為シタル総テノ債権者ガ第三取得者ノ提供シタル代価又ハ金額ヲ承諾シ且第三取得者ガ其承諾ヲ得タル代価若クハ金額ヲ払渡シ又ハ之ヲ供託シタルトキハ抵当権ハ消滅ス

本条は、抵当権消滅請求権者が所期の目的を達した場合のことについて、規定している。

〔1〕　抵当権消滅請求制度は、個々の抵当権者に対して個別に抵当権の消滅を請求する制度として設けられてはおらず、第三取得者が取得した抵当不動産に存在するすべての抵当権を消滅させる制度である。とはいえ、その第三取得者に優先するすべての抵当権者ということであり、その取得後に第三取得者がみずから設定した抵当権が対象にならないのは自明の理である（§383〔1〕参照）。

〔2〕　抵当権消滅請求の第1の段階は、前述したように、383条の書面による申し出、とくに提供金額の提供に対して抵当権者から承諾を得ることである。その承諾は、承諾の意思表示である場合もあれば、384条によって擬制された承諾でもよい。抵当権者全員の承諾がえられたところで、第2の段階に入る。

652

§§385・386・387

〔3〕　第三取得者は、抵当権者の承諾を得た提供金額につき、抵当権者に対して、
——複数であれば、順位に従って、——「払渡し」をしなければならない。これが抵
当権消滅請求の第2の段階である。

これを「払渡し」としたのは、被担保債権の弁済そのものではないからである。し
かし、実質的には、被担保債権の弁済に充当されるのであるから、第三者の弁済や弁
済の充当の規定が適用されると考えてよい。

2003年改正前の滌除権に関してであるが、判例は、この払渡しは滌除の申し出に
承諾が得られてから遅滞なく行われる必要があるとしていた。同旨は新制度において
も妥当するであろう。払渡しが行われなければ、抵当権消滅請求は効力を失い、その
第三取得者は再度権利を行使できないと解してよい（旧滌除について、同旨の判例があっ
た）。

抵当権者が提供金額を受領しないときは、「供託」の方法をとることができる。

〔4〕　〔2〕と〔3〕の段階が踏まれれば、提供金額の払渡し、または供託の時点におい
て、対象となった抵当権はすべて消滅する。抵当権設定登記の抹消は、共同申請によ
ることになるが、これに応じない抵当権者に対しては、抹消に応じるよう求める登記
請求権がある。

提供金額が払渡され、または供託されることにより満足された被担保債権は、その
限りで弁済を受けたと同様に消滅する。〔3〕参照。満足を受けなかった部分は、その
不動産による担保は喪失して、存続することになる。

（抵当権者の同意の登記がある場合の賃貸借の対抗力）

第三百八十七条

1　登記をした賃貸借[1]は、その登記前に登記をした抵当権を有するすべての
者が同意をし[2]、かつ、その同意の登記があるときは[3]、その同意をした抵当
権者に対抗することができる[4]。

2　抵当権者が前項の同意をするには、その抵当権を目的とする権利を有する
者その他抵当権者の同意によって不利益を受けるべき者の承諾を得なければ
ならない[5]。

〈改正〉　387条の旧条文については、代価弁済および抵当権消滅請求〔§§378〜387の前注〕
③(ｱ)を参照。新条文は、旧条文と無関係に2003年改正によって新しく規定されたものである。

[2004年改正前条文]

登記シタル賃貸借ハ其登記前ニ登記シタル抵当権ヲ有スル総テノ者ガ同意シ且其同意ノ
登記アルトキハ之ヲ以テ其同意ヲ為シタル抵当権者ニ対抗スルコトヲ得

抵当権者ガ前項ノ同意ヲ為スニハ其抵当権ヲ目的トスル権利ヲ有スル者其他抵当権者ノ
同意ニ因リテ不利益ヲ受クベキ者ノ承諾ヲ得ルコトヲ要ス

2003年改正は、全体として、抵当不動産の収益価値を重視しており、抵当権の効
力を収益価値に及ばせることに力点を置いているが、他方で、不動産用益権の尊重に
も配慮している。抵当権の設定登記に遅れて設定され、これに対抗できない賃借権は、
いつ抵当権の実行によりくつがえされるか分からないというのでは、目的不動産の安

653

第2編　第10章　抵当権　第2節　抵当権の効力

定した利用収益を図ることはできない。一方で、旧395条が定めていた短期賃貸借の保護が廃止されたことに対応して、抵当権に対抗できない賃借権に対抗力を備える道を、抵当権者の同意を要件として開いたのが本条である。

〔1〕　本条の適用を受けるのは、登記された不動産（土地・建物）の賃借権（§605〔改注〕、不登§81。旧§132）である。借地借家法の定める対抗力を備えただけの賃借権には、適用されない。その不動産の登記面にすでに設定された抵当権が存在する場合に、本条の適用が問題になる。

〔2〕　本条が適用されるためには、目的不動産の登記面に登記されたすべての抵当権者の同意が必要である。賃貸借の登記後に登記された抵当権については必要ないことは当然である。

(ア)　そもそも、対抗力のない賃借権者が個々の抵当権者と交渉して、その賃借権の存在を承認する約束を取り付けるということは可能である。しかし、その効力は、その抵当権者だけを拘束する相対的効力を有するものに過ぎない。

本条は、これとは違い、抵当権者全員の同意とその登記を要件として、いわば絶対的な対抗力を備える道を開いたものである。

(イ)　抵当権者の一人でも同意しない者があるときは、本条の適用はなく、登記も受理されない。

数人の抵当権者全員の同意で登記がなされたが、そのなかに、錯誤・詐欺などにより同意が無効であったり、取消されたりするケースがあったら、どうなるか。本条の適用は否定されざるをえないと考えられるが、残りの者の同意が(ア)で述べた相対的効力を持つかについては、別途検討されなければならないであろう。

(ウ)　本条は、抵当権者の同意がある場合にのみ適用されるので、賃借権者にとってとくに強い手段が認められたわけではない（その点、§378の代価弁済に類似している）。しかし、このような道が制度化されたことの意味は大きい。たとえば、法定地上権において土地と同一所有者に属していた建物が他者に譲渡され、その者が土地の賃借権を取得した場合についての、388条の拡大解釈を図る努力（同条〔3〕(イ)参照）は、本条によりその建物所有者＝賃借権者が土地抵当権に対する対抗力を備えたときは必要のないものとなる。すなわち、本条は、土地とその上の建物が別個の不動産とされることによる矛盾の解決の一助にもなるのである。

〔3〕　この登記は、抵当権や賃借権への付記登記ではなく、当該賃借人と全抵当権者の共同申請による独立の主登記によるとされている。

〔4〕　その賃借権は、同意を得たすべての抵当権に対抗できるものとなる。

(ア)　賃貸借の登記後に設定された抵当権に対抗できるのは、当然であり、結局、その不動産上のすべての抵当権に対抗でき、抵当権実行によりくつがえされる恐れはなくなる。

(イ)　その後のその賃借権については、すべての抵当権よりも前に登記された賃借権と同じ扱いがなされると解してよいであろう。賃借権の期間・賃料などの内容については、もちろん登記された事項が基準になるが、それ以外にも、さまざまな変更が問題になる。賃借権の移転・転貸が許されている場合の譲渡転貸も自由ということにな

654

§387〔1〕～〔5〕・法定地上権・抵当土地上の建物の一括競売［前注］・§388〔1〕

ろう。

それだけのことを承知で、抵当権者は同意を与えるべきものと考えられるのであり、その賃貸借は抵当権の実行により、くつがえされることはなくなる。

(ウ) 本条の同意は撤回できるかという問題がある。この制度の絶対的な性格から、認められないと考えるのが妥当であろう。複数の抵当権者の一人の撤回により、本条の適用がなくなるということももちろんありえない。

やはり、抵当権者は、それなりの覚悟をもって同意を与えるべきである。

〔5〕 本条の適用により、不利益を受ける可能性のある者、たとえば、抵当権の処分（§§376～）の利益を得た者、抵当権付債権の差押権者などの承諾が必要であるということで、当然である。賃借権の存否によって、不動産の競売価格が影響されることからすれば、抵当不動産を差押えた者、滞納処分をした者も含まれるであろうか（これらの者の承諾があれば、本条を適用してもよい）。

法定地上権・抵当土地上の建物の一括競売 [§§388・389 の前注]

わが法制のもとで、土地とその上の建物とが別個の不動産とされることからさまざまな矛盾が発生する（§86(3)(7)(a)参照）。民法の原案が作成された時点では、起草者は、旧民法（ボアソナード民法）と同様に、建物は土地に属するという理解で考えていた。ところが、法典調査会の審議の過程で、日本では両者は別個の不動産であるという論議が起きて、急遽、370条に「抵当地ノ上ニ存スル建物ヲ除ク外」という語句が追加され（改正前§370〔1〕参照）、土地と建物が同一の所有者に属する場合にも別々の抵当権の対象となることとなった。そのことによる矛盾に対応するために、法定地上権を定めた388条と、土地抵当権者による抵当権設定後に築造された建物の一括競売権に関する旧389条とが設けられた。

他に、新387条、旧395条も、この矛盾との関連を有する。

（法定地上権）
第三百八十八条
　　土地及びその上に存する建物[2]が同一の所有者に属する場合[3]において、その土地又は建物につき抵当権が設定され[4]、その実行により所有者を異にするに至ったときは[5]、その建物について、地上権が設定されたものとみなす[1]。この場合において、地代は、当事者の請求により、裁判所が定める[6]。

［原条文］
　　土地及ヒ其上ニ存スル建物カ同一ノ所有者ニ属スル場合ニ於テ其土地又ハ建物ノミヲ抵当ト為シタルトキハ抵当権設定者ハ競売ノ場合ニ付キ地上権ヲ設定シタルモノト看做ス但地代ハ当事者ノ請求ニ因リ裁判所之ヲ定ム

〔1〕 (1) Ａが土地とその上に存する建物とを所有する場合に、Ｂのために土地だ

655

けに抵当権が設定され、これに基づいて競売が行われ、Cが土地を買受けたとすれば、Cの土地の上にAの建物が存在する状態が生じる。これと逆に、建物だけに抵当権が設定され、競売され、Dがその建物を買受けたとすれば、Dの建物がAの土地の上に存在する状態が生じる。どちらの場合にも、建物所有者がその建物のために土地を利用する権能をなんらかの手段により取得しないと、建物は以後その土地の上に存置できないことになる。しかし、競売後に土地所有者と建物所有者の間の交渉でこの土地利用権の設定をしようとしても、建物所有者はきわめて不利な立場におちいり、合理的な解決を図ることはできないであろう。

そこで、本条は、上の例でCが取得する土地は地上権を負担し、また、Dが取得する建物には地上権が付随するものと定めたのである。このような地上権を「法定地上権」という。

(2)　本条前注で述べたことからすると、本条の趣旨は、つぎのように考えるべきである。

土地と建物の両者が同一の所有者に属する場合、本来ならば、建物所有権は土地利用権を含んでいるはずであるが、わが法制上、土地とその上の他物権(制限物権)が同一人に属する場合には他物権は独立の存在を認められない建前であるから(§179参照)、建物のための土地利用権は、建物所有権から分離して土地所有権の中に吸収され、潜在的なものとなっている。このような土地または建物の上に抵当権が設定されるときは、当事者は、建物のためにこのような潜在的な敷地利用権が存在すること——土地にとっては利用権の負担、建物にとっては利用権の付随——を前提としたとみるのを至当とする。本条は、まさにこのような前提に立って規定されたものである。

判例も、そのような趣旨から、本条を拡張して解釈している(後述(2)～(5)など参照)。また、抵当権とは関係ない場合にも、同様の事態が生じる場合について、諸法律は、同じ趣旨の法定地上権(あるいは、法定借地権)の条文を定めており、この制度は、抵当権との関係のみにとどまらない一般的制度といえる状態になっているのである(具体例は、(5)参照)。

(3)　なお、本条は強行規定であって、抵当権設定の当事者が特約によってあらかじめ法定地上権の成立を排斥することはできない(大判明治41・5・11民録14輯677頁)。

〔2〕　抵当権設定の当時に、土地とその上の建物とが存在することを必要とする。

(ア)　建物が存在しない土地(更地)を抵当に入れ、その後にその土地の所有者がその上に建物を建てた場合には、389条の問題となり、本条の適用はないと解されている(大判大正4・7・1民録21輯1313頁、最判昭和36・2・10民集15巻219頁。後者は、抵当権者が建物の築造を承認したとしても、いけないとする)。更地の担保価値と、その上に建物が存在する土地の担保価値との間に相当の差がある実情からいって、多くの学者が判例の態度をやむをえないとするが、この場合にも、法定地上権の成立を認めようとする見解も主張されている。

(イ)　土地の上に抵当権が設定された当時において建物(未登記でもよい。大判昭和14・12・19民集18巻1583頁)が存在すれば、後にその建物が取り壊され、再築された場合にも、その再築建物のために法定地上権を生じる(大判昭和10・8・10民集14巻1549頁。

§388〔2〕〔3〕

大判昭和13・5・25民集17輯1100頁は、妻名義の建物再築にも成立を認めたが、最判平成9・2・14民集51巻375頁は、この判例を変更した)。同一土地内の移転の場合でも、認められた例がある(最判昭和44・4・18判時556号43頁)。さらに、土地抵当権設定時の旧建物の取り壊し、新建物の建築が予定されており、抵当権者もそれを承知していた場合につき、新建物を基準とする法定地上権が成立するとした判決もある(最判昭和52・10・11民集31巻785頁)。

もっとも、土地と建物が共同抵当(§392)の目的とされていた場合における再築について、最近の判例は限定的な解釈を採っている(〔4〕参照)。

〔3〕 抵当権設定の当時に、土地と建物とが同一人に属することを必要とする。

(ア) 土地と建物とが別個の人に属するときは、その間に土地利用権が現実に成立しているはずであるから、土地または建物の上の抵当権と土地の利用との関係は、その土地利用権の性質と効力とによって定まる。すなわち、

(a) 他人の土地の上の建物に抵当権が設定され、実行された場合には、買受人は建物とともに、その所有者が有していた土地利用権(地上権または賃借権。第4章解説③参照)をも取得する。もし、この土地利用権が地上権であれば、その地上権をもって土地所有者に対抗することができる。これに反して、それが賃借権であるときは、その賃借権の取得について土地所有者の承諾を得なければならないことになる(§612)。建物の担保としての利用価値をいちじるしく損じる点である。この点の不合理を是正するために、借地借家法20条は、土地所有者の承諾に代わる許可を裁判所に求める手続(非訟)を定めている(§612〔3〕(2)(ア)(b)参照)。

(b) つぎに、他人が建物を所有する土地の上の抵当権が実行された場合に、土地の買受人がその他人の土地利用権によって拘束されるかどうかは、もっぱらその土地利用権が第三者(すなわち買受人)に対する対抗力を有するかどうかによって決まる。すなわち、その利用権の登記があるかどうか(§§177・605〔改注〕)、または土地の上の建物について登記がされているかどうか(借地借家§10参照)、または大規模被災地借地借家法4条の適用を受ける土地かどうか、などによって定まる。

(イ) 抵当権設定の当時に土地と建物とが同一人に帰属していれば、抵当権実行の時までにその一方または両方の所有者に変更があっても、法定地上権が成立する(大連判大正12・12・14民集2巻676頁)。所有者の変更があったときに、建物のための土地利用についてもなんらかの合意がなされ、土地利用権が設定されていると考えられるが、その土地利用権は抵当権設定後のもので、抵当権に対抗できないから、法定地上権を認める必要があるのである。なお、この趣旨からすれば、2003年改正による新387条によってその土地利用権が対抗力を備えれば、この問題は解消する。

(ウ) 所有者を異にするときに建物に抵当権が設定されたが、その後同一人に属することになってから、建物に後順位抵当権が設定されたときは、法定地上権が成立する(大判昭和14・7・26民集18巻772頁、最判昭和53・9・29民集32巻1210頁。なお、最判昭和44・2・14民集23巻357頁は、建物抵当権設定時には土地と建物が別個の所有者に属し、その後同一人に帰した場合でも、その後の抵当権設定がない場合には適用を否定した)。これに対して、所有者を異にする場合に土地に甲抵当権が設定されていたときは、その後同一人

657

第2編　第10章　抵当権　第2節　抵当権の効力

に属することになってから土地に後順位の乙抵当権が設定されても、法定地上権は成立しない（最判平成2・1・22民集44巻314頁）。この場合には、先順位の土地抵当権者の期待を害しえないと考えられるのである。ただし、甲抵当権がその後解除により消滅したときは、乙抵当権の実行により法定地上権は成立するとされた（最判平成19・7・6民集61巻1940頁）。

　㈢　抵当権設定の当時に、土地と建物が同一人に属することについては、登記によって公示される必要はないとされる（大判昭和7・10・21民集11巻2177頁、最判昭和48・9・18民集27巻1066頁、前掲最判昭和53・9・29）。

　㈣　土地または建物が共有であり、共有者の一人が他方を所有する場合については、問題がある。

　土地の共有者の一人がその共有持分に抵当権を設定した場合に、他の共有者の同意がなければ、その土地上にその者が所有する建物のために法定地上権は成立しないが（最判昭和29・12・23民集8巻2235頁）、建物の共有者の一人が単独で土地を所有し、その土地に抵当権を設定した場合は、その土地は法定地上権を負担してよいと考えられる（最判昭和46・12・21民集25巻1610頁）。しかし、先代から贈与を受けた3名が共有する土地について3名が共同して抵当権を設定した場合に、そのうちの1名を含む9名（共同相続人）が共有する建物のための法定地上権を否定した判決もある（最判平成6・12・20民集48巻1470頁）。

　〔4〕　土地と建物の一方だけに抵当権が設定された場合だけでなく、土地と建物の両方の上に共同抵当権が成立し、競売の結果土地と建物が別々の人に競落された場合にも本条の適用がある（大判明治38・9・22民録11輯1197頁、最判昭和37・9・4民集16巻1854頁。原条文では「其土地又ハ建物ノミヲ抵当ト為シタルトキ」と規定されていたが、この語句を拡張解釈した）。〔1〕で述べた本条の趣旨から当然といってよい。

　ところが、最近の判例は、この場合（土地とその地上建物の共同抵当）に、建物が取り壊され、前の所有者以外の者によって再築された場合について、新建物についての本条の適用を原則として認めない（最判平成9・2・14民集51巻375頁は、新建物の所有者が土地所有者と同一であり、かつ、再築時の土地抵当権者が新建物について土地抵当権と同一順位の共同抵当権の設定を受けた場合以外は、法定地上権は成立しないとし、最判平成9・6・5民集51巻2116頁は、さらにそれだけではなく、以上の要件を充たしたとしても、新建物について国税に基づく交付要求がされたときは法定地上権は成立しないとした。最判平成10・7・3判時1652号68頁は、前者と同旨）。建物保護の公益的要請よりも、抵当権者が把握するべく予定した担保価値の期待を重視するという理由による。しかし、問題は、土地とその上の建物を別個の不動産とする矛盾から発していることからすると、この矛盾に対する対処という観点が必要と思われる。

　なお、最近、地上建物に対する仮差押えが本執行に移行して強制競売手続がされた場合において、土地および地上建物が当該仮差押えの時点で同一の所有者に属していたが、その後に土地が第三者に譲渡された結果、当該強制競売手続における差押えの時点では同一の所有者に属していなかったとしても、法定地上権が成立する、とした判決が出ているが、当然であろう（最判平成28・12・1民集70巻1793頁）。

658

§§388〔4〕～〔6〕・389

土地抵当権に対抗できない建物の一括競売に関する 389 条の改正なども関連する。とくに共同抵当における一括競売においては、土地建物が必ず一緒に同一人によって買い受けられるべきものとするとする解釈（それが無理なら立法）をし（§389〔3〕(3)参照）、かつ土地用益権の部分の価値は、土地に帰属させる（§389〔4〕参照）などの工夫がなされてしかるべきである（そうすれば、法定地上権を考える必要はなくなる）。そのうえで、土地抵当権者が一括競売を選ばなかったときは、建物譲渡の場合についての拡大解釈（〔3〕(イ)参照）や建物再築の場合についての拡大解釈（〔2〕(イ)参照）を維持して、法定地上権を適用するという考えを保持したいと思う。

〔5〕　原条文では、「競売ノ場合ニ付キ」とあった。ただし、その解釈としては、土地または建物の上の抵当権による競売に限らず、判例によってその他の手続による場合にも拡張された。その後、各種の手続について、それぞれの法律により（抵当権の存否とは関係なく）法定地上権の成立を認める規定がおかれ（立木§5、民執§81、税徴§127。なお、立木§§6・7、仮登記担保§10 は法定の賃貸借を規定し、これを「法定借地権」と名づけている）、立法上解決されている。

〔6〕　裁判所が地代を決定するときは、その地代はその法定地上権成立の時に遡ってその効力を生じる（大判大正 5・9・20 民録 22 輯 1821 頁）。なお、法定地上権の内容および効力については、つぎの諸点が問題となる。

　(ア)　法定地上権の範囲はその建物の利用に必要な広さに及ぶ。厳格な意味の敷地に限るのではない（大判大正 9・5・5 民録 26 輯 1005 頁）。

　(イ)　存続期間は、その定めがないものとして借地借家法の規定による。

　(ウ)　法定地上権の対抗力は一般の原則に従う。すなわち、法定地上権が成立するについての当事者である土地所有者と建物所有者との間においては、登記は必要ではない。しかし、その後に土地所有権を取得した者と法定地上権者との間、または、その後に法定地上権を譲り受けた者と土地所有者との間においては、いずれも登記を必要とする。

■（抵当地の上の建物の競売）
第三百八十九条
　1　抵当権の設定後に[1]抵当地に建物が築造されたときは[2]、抵当権者は、土地とともにその建物を競売することができる[3]。ただし、その優先権は、土地の代価についてのみ行使することができる[4]。
　2　前項の規定は、その建物の所有者が抵当地を占有するについて抵当権者に対抗することができる権利を有する場合には、適用しない[5]。

［原条文］
　抵当権設定ノ後其設定者カ抵当地ニ建物ヲ築造シタルトキハ抵当権者ハ土地ト共ニ其建物ヲ競売スルコトヲ得但其優先権ハ土地ノ代価ニ付テノミ之ヲ行フコトヲ得
〈改正〉　2003 年改正により、1 項の「其設定権者カ抵当地ニ建物ヲ築造シタルトキハ」が「抵当地ニ建物ガ築造セラレタルトキハ」と改められ、つぎの 2 項が新設された。
　前項ノ規定ハ其建物ノ所有者ガ抵当地ヲ占有スルニ付キ抵当権者ニ対抗スルコトヲ得ベキ権利ヲ有スル場合ニハ之ヲ適用セズ

659

第2編　第10章　抵当権　第2節　抵当権の効力

388条・389条前注で述べたように、本条の旧規定は、原案審議の過程で、土地とその上の建物が一体ではないことが確認されたことにより、急遽、370条［改注］の修正、388条の追加とともに追加されたものである。このときは、土地所有者自身が抵当権設定後に築造した建物につき、388条の法定地上権が適用されないことから、土地抵当権者にその建物を土地とともに競売することをその権利として認めるものであった。

旧規定による一括競売権は、抵当権設定後に抵当土地の所有者自身が築造した建物にのみ認められていたが、2003年改正により、抵当権設定後にだれが築造した建物であっても、その者の土地使用権が土地抵当権に対抗できない場合には、土地抵当権者は、建物を土地とともに競売することができるものと改められた。これは、土地とその上の建物が別個の不動産とされることによる矛盾の解決にとって、重要な前進を意味するものといえる（§86〔3〕(ア)(a)・§388〔1〕参照）。

〔1〕　抵当権の設定前から建物が存在した場合には、それが土地所有権者のものであれば、388条の問題になり（§388〔2〕参照）、他の者の所有であれば、その者の土地利用権が土地抵当権者に対抗できるかどうかの問題になる。対抗できれば、本条の問題になることはない（本条Ⅱ）。対抗できる利用権が存しない場合、土地抵当権が実行されたときは、建物は除去されるほかはない。

このような場合にも、土地抵当権者は本条のような建物の一括競売の方法を選ぶことができ、それによって、その建物がその後の土地利用権を享受できるとまでされれば、建物はその結果存置されることが可能になるが、改正による本条もそこまでは視野に入れていない。

〔2〕　2003年改正前の規定のように土地所有者自身がその建物を築造したことは必要とされていないので、土地所有者およびその他のだれが築造した建物であっても、本条が適用される。抵当権者からみると第三者の所有物を競売することができるとするのは、異例なことではあるが、本条によらなければ、その建物は取り壊わされざるをえないのであるから、それをいちおうは防ぐことができるという意味において、本条の趣旨は是認される。要するに、本条も、土地とその上の建物が別個の不動産とされることによる矛盾を調整するという意味をもつのである。

〔3〕　(1)　土地抵当権の効力はその上の建物に及ばないので（改正前§370〔1〕参照）、抵当権設定後に築造され、抵当権に対抗できる土地利用権を有しない建物が存在する場合、土地抵当権の実行による買受人は土地所有権のみを取得し、その建物は除去されることになる。本条は、その建物が存在するために容易に買受人が得られないという場合に備えて、土地抵当権者に、とくに、抵当権の効力の及ばない建物も土地と一緒に競売する権利（「一括競売権」と呼ばれる）を認め、抵当権の実行を容易にしたものであると説明される。この説明からすると、一括競売は土地抵当権者の権利であり、一括競売をするかしないかは土地抵当権者が自由に選択できることになる。

(2)　これに対して、本条が、土地とその上の建物が別個の不動産とされることによる矛盾を調整するものという理解に立てば、この一括競売は土地抵当権者の義務と考え、この権利を行使しなければ建物の存置を容認しなければならない（土地所有者の所

有建物であれば法定地上権を適用し、他の者の所有であれば、その者の土地利用権を抵当権者に対抗できるものとすることになるか)と解することが適切であることになる。旧規定に関して、この見解も有力に主張されたが、通説とはならなかった。

(3) 本条による一括競売が行われた場合には、問題の土地とその地上の建物が最後まで一体として(1個の不動産として)扱われ、同一の買受人によって買受けられることが望ましい。もし別人によって買受けられることになれば、この制度の、土地とその地上の建物の間の矛盾を調整するという趣旨はまったくといってよいほど失われてしまうのである。民事執行法61条・86条2項が定める「一括売却」の規定は、一般的規定であって、土地とその上の建物の関係にとくに着目したものではない。そこで、上記のような実務上の運用、ないし、必要であれば立法がなされることが望まれる。

〔4〕 抵当権の効力は土地の上に及ぶだけであるから、当然の趣旨の規定である。ただし、〔3〕(3)で述べたこととの関連で、競売代金の分け方については問題があると考えられる。

本条の一括競売権が行使された場合にも、土地と建物が別個の買受人に帰属することがあるとすると、建物の価値を土地利用権を伴ったものとして評価するか、いいかえれば、土地の価値を土地が土地利用権の負担を負ったものとして評価するかという問題を生じる。建物のための利用権が土地抵当権者に対抗できないという前提がある以上、そのような評価はされず、土地は建物の負担のないものとして評価することになるであろう。そうすると、売却代金は別々に定まるのであるから、このただし書は当然のことをいっているにすぎない。

土地と建物が一体として売却された場合には、その一括された売却代金のうちの土地の代価についてどう考えるかが、問題になる。この場合の「土地の代価」は、一体となった売却代金のなかで、土地利用権の負担は負わないものとして算定することになろう。

〔5〕 建物の所有者に土地抵当権者に対して対抗できる土地利用権があれば、土地抵当権が実行されても、建物を収去する必要はないのであって、本条の適用をそもそも認める必要はない。そのことを念のために規定したものである。

(抵当不動産の第三取得者による買受け)
第三百九十条
　　抵当不動産の第三取得者は、その競売において買受人となることができる[1]。
[原条文]
　　第三取得者ハ競買人ト為ルコトヲ得

〔1〕 競売の性質については、学説が分かれていて、あるいは国家が所有権を取上げて買受人に移すとするもの、あるいは売買であり、売主は競売申立人であるとするもの、もしくは売主は所有者であるとするものなどがある。しかし、どの説をとっても、抵当権設定者・第三取得者・抵当権者などは、だれでも買受人(原条文では競買人であったが、2004年改正で民事執行法に従って改められた)となることができると解される。

第2編　第10章　抵当権　第2節　抵当権の効力

本条は、第三取得者について注意的に規定したものであって、これを制限的に解釈するべきではない。

（抵当不動産の第三取得者による費用の償還請求）

第三百九十一条

　　抵当不動産の第三取得者は、抵当不動産について必要費又は有益費を支出したときは、第百九十六条の区別に従い[2]、抵当不動産の代価から、他の債権者より先にその償還を受けることができる[1]。

［原条文］

　　第三取得者カ抵当不動産ニ付キ必要費又ハ有益費ヲ出タシタルトキハ第百九十六条ノ区別ニ従ヒ不動産ノ代価ヲ以テ最モ先ニ其償還ヲ受クルコトヲ得

---

〔1〕　競売手続における売却代金の配当においては（民執§§181・188・87）、まず第1に、第三取得者にその支出した費用を本条の規定に従って償還するのである。けだし、第三取得者が支出した必要費または有益費は、抵当不動産の価値を維持するのに最も関係が深い一種の共益費だからである（§329Ⅱ参照）。

〔2〕　「第196条の区別に従い」とは、必要費、有益費などの区別により、その償還を受けることができる金額に差を生じることだが、同条2項末尾の期限の許与は、競売の場合には、問題とするべきではない。

共同抵当 ［§§392・393の前注］

　債権者が同一の債権の担保として1個の不動産だけでなく、複数の不動産の上に抵当権を取得する例は多い。これを「共同抵当」と呼ぶ。同時に複数の不動産に抵当権が設定される場合もあれば、あとから追加的に抵当不動産が付加される場合もある。登記については、各目的不動産について、他の共同抵当不動産がある旨が記載され、かつ、共同担保目録が作成されるが（不登§83Ⅱ。旧§§122～）、これは、対抗要件としての意味をもつものではない。

　共同抵当によって抵当権者が受ける利益は、より多くの担保価値によってその債権が担保されることである。複数の不動産のなかで、滅失するもの、価値を減損するものがあっても、債権は他の不動産によって担保されるということは、債権者にとっての、「危険の分散」という重要な利点である。

　複数の不動産のなかには、他者の先順位または後順位の抵当権が設定されていることもあり、また、債務者自身が所有するものも第三者（物上保証人・第三取得者）が所有するものもあって、そこには、かなり複雑な利害関係を生じる。その関係について規定するのが392条である。

　なお、普通は、その複数の不動産はまったく別個の不動産であるが、土地とその上に存する建物の両者を抵当に取る場合も、両者は共同抵当の関係になる。このことは

§391・共同抵当［前注］・§392〔1〕

間違いないが、土地の利用権の問題がからみ、この場合については、特別の考慮を必要とする（§392〔2〕参照。§§387・388・389が関連する）。

また、根抵当権における目的不動産が複数の場合については、「共同根抵当権」と呼ばれ、特別に規定が置かれている（§§398の16〜398の18）。

（共同抵当における代価の配当）
第三百九十二条
1　債権者が同一の債権の担保として数個の不動産につき抵当権を有する場合において[1)2)]、同時にその代価を配当すべきときは、その各不動産の価額に応じて、その債権の負担を按分する[3)]。
2　債権者が同一の債権の担保として数個の不動産につき抵当権を有する場合において、ある不動産の代価のみを配当すべきときは、抵当権者は、その代価から債権の全部の弁済を受けることができる[4)]。この場合において、次順位の抵当権者は、その弁済を受ける抵当権者が前項の規定に従い他の不動産の代価から弁済を受けるべき金額を限度として、その抵当権者に代位して抵当権を行使することができる[5)]。

［原条文］
債権者カ同一ノ債権ノ担保トシテ数個ノ不動産ノ上ニ抵当権ヲ有スル場合ニ於テ同時ニ其代価ヲ配当スヘキトキハ其各不動産ノ価額ニ準シテ其債権ノ負担ヲ分ツ
或不動産ノ代価ノミヲ配当スヘキトキハ抵当権者ハ其代価ニ付キ債権ノ全部ノ弁済ヲ受クルコトヲ得此場合ニ於テハ次ノ順位ニ在ル抵当権者ハ前項ノ規定ニ従ヒ右ノ抵当権者カ他ノ不動産ニ付キ弁済ヲ受クヘキ金額ニ満ツルマテ之ニ代位シテ抵当権ヲ行フコトヲ得

〔1〕　たとえば、Aが3000万円の債権のために、それぞれ3000万円、2000万円、1000万円の価値のある甲・乙・丙3個の不動産の上に一番抵当を有するような場合である。普通、これを共同抵当または総括抵当（ドイツ民法のGesamthypothek。連帯抵当と訳すこともできる）という。

共同抵当権者の利益は、他の抵当権者や物上保証人の利益と互いに衝突をきたすおそれがある。とりわけ、同一不動産の後順位抵当権者との利害の衝突は最も顕著である。たとえば、上の例で、Bが1500万円の債権につき甲不動産の上に、Cが1000万円の債権につき乙不動産の上に、Dが500万円の債権につき丙不動産の上に、それぞれ二番抵当権を有すると仮定しよう。この場合に、これを全体的に見れば、甲・乙・丙3個の不動産の価格の総和は6000万円であり、その上の抵当債権の総額も6000万円だから、A・B・C・D全員が完全に弁済を受けることができるはずである。しかし、Aは3個の不動産のうち任意の1個について全債権の弁済を受けることができるものとして、たとえば、甲不動産をまず競売し、これから3000万円の弁済を受けると、Bは全然弁済を受けられないことになり、反対に乙・丙両不動産をまず競売してこれから弁済を受ければ、C・D両人はまったく弁済を受けられないことになる。これは、はなはだ不公平であるばかりでなく、共同抵当権がある場合には、二番抵当は危険で付けられないことになり、不動産の担保価値を不当に減少させるものである。

663

第2編　第10章　抵当権　第2節　抵当権の効力

民法はこの不公平を避け、社会的不利益を除去しようと考えて、本条を設けたのである。

本条は、以上の趣旨による苦心の条文であるが、共同抵当のそもそもの趣旨は、共同抵当権者はどの目的不動産から優先弁済を受けてもよいということにある(〔3〕参照。ちょうど数人の連帯債務者に対する関係と同様に)。そのことから、本条2項による後順位抵当権者の代位権という工夫がなされているのであるが(〔4〕参照)、それが複雑な関係を生じることは否めない。

〔2〕　土地とその上の建物が共同抵当の目的となっているときは、普通の場合とは違う考慮が必要となる。この点については、388・389条前注を参照。この場合は、一括競売を義務づけるような配慮も必要となろう(§389〔3〕参照)。

〔3〕　上の例で、甲・乙・丙3個の不動産を同時に競売に付し、その配当が同時に行われる場合(「同時配当」の場合と呼ぶ)には、Aの抵当債権3000万円はこの3個の不動産の競売代価に比例して、これに割り付ける。これを「按分」(案分とも書く)するという。すなわち、甲に1500万円、乙に1000万円、丙に500万円を割り付けるのである。この場合、B・C・Dなどの二番抵当権者は、それぞれ甲・乙・丙の残額1500万円、1000万円、500万円について弁済を受けられる。

もしBの抵当債権が2000万円であったとすると、Bは甲不動産の売却代金3000万円からAの割付金1500万円を引いた残りの1500万円だけしか配当を受けられない。かりに乙・丙両不動産には二番抵当権が設定されておらず、その売却代金が余っていても、Bはそれについて優先権を主張することはできない(大判昭和10・4・23民集14巻601頁)。

債権者Aの共同抵当の目的である甲、乙、丙不動産のうち、たとえば、乙不動産につき他の債権者Eが同順位の抵当権を有する場合の計算方法につき、最高裁は、まず、乙不動産についてAとEの債権額の割合で案分した額を算定し、その額および他の甲、丙不動産の価額に応じて各不動産の負担を分けるべきものとした(最判平成14・10・22判時1804号34頁)。

なお、かりに丙不動産が物上保証人の不動産であるとすると、同時競売の場合でも、まず甲・乙不動産から配当が行われることが通常であろうが(求償の問題が避けられる。その場合は異時配当ということになる)、理論的には同時配当(案分による割付け)の可能性も否定はできない。

〔4〕　Aは、甲・乙・丙3個の不動産のうち、任意にどれかを、たとえば甲不動産をまず競売に付することができる(これを「異時配当」の場合と呼ぶ)。この場合には、その売却代金3000万円から債権の全部の弁済を受けることができるのである。経済事情の変化に応じて、このように任意の不動産を競売に付して、これから抵当債権の弁済を受けられるところに、共同抵当の長所があるのである。しかしその反面、第2項後段が定めるような当事者間の利害の調整が必要となるのである(ドイツ民法のように、そのような調整を行わない行き方もある)。

なお、かりに丙が物上保証人の不動産である場合に、この丙不動産から先に異時配当を行うこともちろん可能である。

664

§392〔2〕〜〔5〕

〔5〕 上述〔1〕の例で、甲不動産についてまず競売が行われた場合に、甲不動産の次順位の抵当権者Bは、3個の不動産について同時配当が行われたと仮定して、その場合に乙・丙両不動産が負担すべきAの債権につき、Aに代位して、乙・丙の上に抵当権を行使することができる。すなわち、乙に対して1000万円、丙に対して500万円の一番抵当権を行使することができるのである。条文は「次順位」というが、直近のつぎの順位である必要はない（大判大正11・2・13新聞1969号20頁。ただし、代位の利益は順位に従って認められることはいうまでもない）。以上の権利を「後順位抵当権者の代位権」と呼ぶ。問題となる点を指摘すると——

(ア) 後順位抵当権者の代位権を生じるのは、共同抵当権者が競売によって全部の弁済を受けた場合に限るのではない。たとえば、上の例で、Aが最初に乙不動産の競売を行い、その代価の配当を受けたと仮定すると、Aの共同抵当債権は、なお1000万円だけ残存する。しかし、乙不動産の二番抵当権者Cは、それでもなお、甲および丙不動産についてAの一番抵当に代位する。ただし、その代位はAの共同抵当の消滅を条件とする。すなわち、乙不動産についで甲不動産が競売されると、Aはそこから1000万円の配当を受け、その抵当権は消滅することになるから、Cはこの甲不動産につきAの債権の割り付けられるべき額1500万円の残額500万円、および丙不動産に対してAの債権の割り付けられるべき金額500万円について、Aの一番抵当権に代位することになる。以上のことは、はじめ判例は（全部弁済を要するとして）否定したのであったが、後に連合部判決で是認するに至った（大連判大正15・4・8民集5巻575頁）。

(イ) 本条2項後段で認められる後順位抵当権者の地位は、どの程度に保護されるであろうか。たとえば、(ア)の例で共同抵当権者Aが乙・丙不動産上の抵当権を放棄したうえで、甲不動産を競売に付すれば、Bは本条2項後段により代位すべき権利を失う。判例は、かつて、Aのこのような行為はBの抵当権の侵害として不法行為にならないかが問題になったさいに、これを否定した（大決大正6・10・22民録23輯1410頁）。学説はこれに反対し、あるいは不法行為の成立を認めるべきであるとし、あるいは抵当権の放棄は無効であると論じた。後に、判例は、抵当権の放棄自体は不法行為を構成しないが、Aが甲不動産の売却代金から優先弁済を受けるさいには、Bが乙・丙不動産について本来Aに代位しえたであろう債権額だけはBがAに優先するとした（大判昭和11・7・14民集15巻1409頁）。

(ウ) 本条による代位と改正前500条に基づく「弁済による代位」との関係については、問題がある。たとえばAの債権の担保として、債務者Bが所有する甲不動産と物上保証人Cが所有する乙不動産の上に共同抵当が存し、甲不動産の上にはDが、乙不動産の上にEが、それぞれ後順位の抵当権を有するとする。甲不動産につきまず配当が行われると、本条により、Dは乙不動産上のAの抵当権に代位することができる。これに対して乙不動産につきまず配当が行われると、甲不動産上のAの抵当権に、Cは改正前500条・501条により、また、Eも本条により、代位することができる。この両種の代位権が衝突あるいは交錯した場合に、どちらが優先するかが問題になる。問題は、つぎのような形で生じる。

665

第2編　第10章　抵当権　第2節　抵当権の効力

(a)　物上保証人Ｃが提供した乙不動産につきまず配当が行われた場合に(Ｅは存在しないとする)、Ｃは弁済による代位権を主張できるか。判例は、392条の代位権は債務者所有の数個の不動産が共同抵当の目的とされている場合に限るという理由を示して(この理由は一般化はできないであろう)、本条による、他の不動産上の後順位者であるＤの代位の利益を否定した上で(もっとも、これは甲不動産が競売された場合にはじめて問題になることであるが)、物上保証人Ｃの代位権を認めた(大判昭和4・1・30新聞2945号12頁)。その結果、ＤはＡの抵当権の消滅による順位上昇の利益を享受できない。物上保証人は、他に担保があることについて期待をもって担保提供をしているのであり、それが他の不動産に後順位抵当権が設定されることによって不利をこうむるのは妥当でないから、この考え方は是認できる。

なお、乙不動産の価額がＡの債権に満たない場合に(Ｃによる一部代位弁済になる)、甲不動産についてはＡの残りの債権が優先し、Ｃの弁済による代位は劣後するとする判決がある(最判昭和60・5・23民集39巻940頁。改正前§502⑴参照)。

(b)　甲不動産につきまず配当が行われた場合に、Ｄは物上保証人であるＣが提供した乙不動産に対して代位権を主張できるか。直接の判例はないが、(a)と同様の考えから物上保証人の代位権が優先するという考えに立てば、Ｄの代位権は否定されることになろう。この考えに立って、Ａが乙不動産に対する抵当権を放棄し(Ｄの代位権はなくなる)、甲不動産に対する抵当権を実行して全額の弁済を受けることを認め、Ｄの代位の利益が害されたという主張を否定した判決がある(最判昭和44・7・3民集23巻1297頁。前掲(イ)参照)。

(c)　(a)において、Ｅが存在する場合は、甲不動産上の抵当権に対して、物上保証人Ｃも代位権を有するし、後順位抵当権者Ｅも本条による代位権を有する。この両者の衝突について、判例は、Ｃが甲不動産上のＡの抵当権に代位して取得した抵当権について、Ｅはこれに物上代位したのと同様な関係において優先弁済を受けることができるという考えをとっている(最判昭和53・7・4民集32巻785頁。なお、それにつき付記登記も差押えも必要ないとされた)。ＣはＥの抵当権の負担をみずから負ったものであるから、この解決は妥当であろう(ＡとＣの間で、Ｃは代位弁済の権利を行使しないという特約があっても、Ｅの権利は否定できないとした最判昭和60・5・23民集39巻940頁もある)。

(d)　甲・乙不動産がいずれも同一の物上保証人に属する場合には、どうなるか。甲不動産上に後順位抵当権者Ｄがいて、甲不動産について先に配当が行われたときは、乙不動産上のＡの抵当権に代位できることに問題はないと考えられる(最判平成4・11・6民集46巻2625頁)。

(e)　甲・乙不動産がそれぞれ別の物上保証人所有のものであった場合に(甲不動産の所有者をＦとする)、後順位抵当権者はどういう立場に立つか。判例は、この事例について、甲不動産について先に配当が行われた場合は、ＤはＦが物上保証人として代位する乙不動産上の抵当権から物上代位と同様の優先弁済を受ける権利を有するという考えを、かなり以前に示していた(大判昭和11・12・9民集15巻2172頁)。

§§393・394〔1〕〔2〕

（共同抵当における代位の付記登記）
第三百九十三条
　　前条第二項後段の規定により代位によって抵当権を行使する者は、その抵当
　権の登記にその代位を付記することができる[1]。
　［原条文］
　　前条ノ規定ニ従ヒ代位ニ因リテ抵当権ヲ行フ者ハ其抵当権ノ登記ニ其代位ヲ附記スルコ
　トヲ得

〔1〕　後順位抵当権者が共同抵当権者に代位することは、理論的にいえば、共同抵
当権が一定の範囲で後順位抵当権者に移転することであるから、その対抗要件として
は代位の付記登記（不登§91。旧§119ノ4）をするべきである。ただし、判例は、たと
え共同抵当権の登記に付記登記がないためにそれが抹消されても、代位されるべき共
同抵当権の目的物について第三者が新たに利害関係を取得しない間は、代位により抵
当権を行使することができるとし（大決大正8・8・28民録25輯1524頁）、ただ、第三者
が利害関係を取得した場合にだけ代位できなくなると解している（大判昭和5・9・23新
聞3193号13頁）。

（抵当不動産以外の財産からの弁済）
第三百九十四条
　1　抵当権者は、抵当不動産の代価から弁済を受けない債権の部分についての
　　み、他の財産から弁済を受けることができる[1]。
　2　前項の規定は、抵当不動産の代価に先立って他の財産の代価を配当すべき
　　場合には、適用しない[2]。この場合において、他の各債権者は、抵当権者に
　　同項の規定による弁済を受けさせるため、抵当権者に配当すべき金額の供託
　　を請求することができる[3]。
　［原条文］
　　抵当権者ハ抵当不動産ノ代価ヲ以テ弁済ヲ受ケサル債権ノ部分ニ付テノミ他ノ財産ヲ以
　テ弁済ヲ受クルコトヲ得
　　前項ノ規定ハ抵当不動産ノ代価ニ先チテ他ノ財産ノ代価ヲ配当スヘキ場合ニハ之ヲ適用
　セス但他ノ各債権者ハ抵当権者ヲシテ前項ノ規定ニ従ヒ弁済ヲ受ケシムル為メ之ニ配当ス
　ヘキ金額ノ供託ヲ請求スルコトヲ得

〔1〕　抵当権者は、債務者に対する関係では、抵当権を実行しないで債務者の一般
財産に対して強制執行をしてもかまわない（大判大正15・10・26民集5巻741頁）。しか
し、他の一般債権者としては、抵当権者が抵当不動産に対する優先弁済権を先に行使
してほしいと期待する。そこで、本条は、一般債権者は抵当権者による他の財産に対
する強制執行に対して異議を申し立て、まず抵当不動産を競売して、その代価で弁済
を受けなかった部分についてだけ、一般財産から弁済を受けるよう主張することがで
きるものとしたのである（§369〔6〕(ウ)参照）。
〔2〕　たとえば、一般債権者が債務者の他の財産に強制執行をして、抵当債権者が

667

第2編　第10章　抵当権　第2節　抵当権の効力

これに対して配当加入をしたときは、これにも配当しなければならない。この場合には、一般債権者は、まず抵当権の実行をするべき旨の請求をすることはできない。

〔3〕　他の債権者の請求があると、抵当権者に配当すべき金額は供託することになる。抵当権者は、抵当権を実行して、それから優先弁済を受けたうえで、不足部分についてだけその供託金から弁済を受けることができる。供託金になお余りが生じれば、一般債権者に分配される。

競売建物の明渡しの猶予 [§395の前注]

(1)　2003年改正前の395条は、いわゆる「短期賃貸借の保護」を規定していた。改正により、この保護はなくなり、代わりに、建物賃借人は、抵当権が実行された場合に、建物の買受人に対する明渡しを6か月猶予されるという本条が設けられた。

(2)　短期賃貸借の保護は、抵当権設定によっても設定者は抵当不動産を他者に賃貸することは自由であるが、抵当権が実行されるとその賃貸借はくつがえされるということで、その不安を抱えた不動産の利用が妨げられることに着眼して、山林については10年、それ以外の土地については5年、建物については3年に限り、抵当権の実行によってくつがえされない賃借権の設定を可能にしたものである。ところが、現実には、この制度がその本来の趣旨のために利用されることは少なく、この規定を濫用して、実際には不動産を利用しないのに、抵当権を害することのみを目的とする短期賃貸借が目立つようになった。このような短期賃貸借を防ぐために抵当権者がみずからを権利者とする短期賃貸借の仮登記を行うという現象まで生じた。このことから、この制度の廃止を求める意見が強く唱えられていた。そこで、1996年の民事執行法の改正（同法§§55・77・187の2など。保全処分を強化した）により対策が講じられ、また、実務・判例によって、濫用短期賃貸借の効力を否定ないし限定する努力が行われた。

2003年改正は、これらの意見および動向を受けて、この制度を廃止したものである。しかし、この廃止は、規定の本来の趣旨からすれば、抵当権と所有権の釣り合い（第10章解説[4]参照）に重要な影響を与えるものであるから、改正は、単にこの制度を廃止するのではなく、賃借権者に与えられる代わりの保護として、新たに建物の賃貸借についてのみ、抵当権が実行された後の買受人に対する関係で明渡しの猶予が認められることを本条に規定したのである。

(3)　その結果、土地については、5年の保護がなくなり、土地所有者の他人に用益させる収益権能は大きく後退し、また、建物については、3年の保護が6か月の明渡し猶予に後退したことになる。本条は長期賃貸借にも適用されるので、長期賃貸借については、従来なかった保護が与えられることになる。なお、新しい387条によって抵当権設定後の賃貸借が抵当権者の同意によって対抗力を備える道が設けられたが、このことは、以上の問題と密接に関連する。

(4)　改正の施行（2004年4月1日）のさいに現に存する短期賃貸借については、従前の例によるものとされている（改正法附則§5）。ただし、長期賃貸借については、新規

§394〔3〕・競売建物の明渡しの猶予［前注］・§395〔1〕〔2〕

定による保護は新しく認められた保護であり、既得権を害するものではないので、施行日以前から存在する長期賃貸借にも、新規定が適用される。

（抵当建物使用者の引渡しの猶予）
第三百九十五条
1　抵当権者に対抗することができない賃貸借[1]により抵当権の目的である建物の使用又は収益をする者[2]であって次に掲げるもの（次項において「抵当建物使用者」という。）は、その建物の競売における買受人の買受けの時から六箇月を経過するまでは[3]、その建物を買受人に引き渡すことを要しない[4]。
　一　競売手続の開始前から使用又は収益をする者[5]
　二　強制管理又は担保不動産収益執行の管理人が競売手続の開始後にした賃貸借により使用又は収益をする者[6]
2　前項の規定は、買受人の買受けの時より後に同項の建物の使用をしたことの対価について、買受人が抵当建物使用者に対し相当の期間を定めてその一箇月分以上の支払の催告をし、その相当の期間内に履行がない場合には、適用しない[7]。

［原条文］
　第六百二条ニ定メタル期間ヲ超エサル賃貸借ハ抵当権ノ登記後ニ登記シタルモノト雖モ之ヲ以テ抵当権者ニ対抗スルコトヲ得但其賃貸借ガ抵当権者ニ損害ヲ及ホストキハ裁判所ハ抵当権者ノ請求ニ因リ其解除ヲ命スルコトヲ得

〈改正〉　2003年改正により、原条文が定めていた「短期賃貸借の保護」が廃止され、本条が定められた。

［2004年改正前条文］
　抵当権者ニ対抗スルコトヲ得ザル賃貸借ニ因リ抵当権ノ目的タル建物ノ使用又ハ収益ヲ為ス者ニシテ左ニ掲ゲタルモノ（以下建物使用者ト称ス）ハ其建物ノ競売ノ場合ニ於テ買受人ノ買受ノ時ヨリ六箇月ヲ経過スルマデハ其建物ヲ買受人ニ引渡スコトヲ要セズ
　一　競売手続ノ開始前ヨリ使用又ハ収益ヲ為ス者
　二　強制管理又ハ担保不動産収益執行ノ管理人ガ競売手続ノ開始後ニ為シタル賃貸借ニ因リ使用又ハ収益ヲ為ス者
　前項ノ規定ハ買受人ノ買受ノ時ヨリ後ニ同項ノ建物ノ使用ヲ為シタルコトノ対価ニ付キ買受人ガ建物使用者ニ対シ相当ノ期間ヲ定メテ其一月分以上ノ支払ヲ催告シ其相当ノ期間内ニ履行ナキ場合ニハ之ヲ適用セズ

〔1〕　抵当権に対抗できる賃貸借については、抵当権実行後も買受人に対して対抗できるので、問題はない。この対抗力は、もちろん、賃貸借の登記（§605［改注］、不登§81。旧§132）によるものだけではなく、借地借家法によるものでもよい（借地借家§31）。

〔2〕　本条の適用は、抵当不動産が建物である場合に限られる。土地については、この種の利用権の保護は消滅した。ただし、抵当権者の同意がある場合は、賃借権に抵当権に対する対抗力を備える道が新しく設けられた（§387）。
　また、本条の適用は、抵当建物の使用収益をする者に限られる。賃貸借契約は結ん

669

第2編　第10章　抵当権　第3節　抵当権の消滅

だが、実際には使用収益をしていない者は、本条の保護を受けられない。使用権を保護するという趣旨から、当然である。使用収益がいつまでに開始されなければならないかについては、〔5〕参照。

〔3〕　猶予が認められる猶予期間は、買受けの時から6か月である。本条による猶予が認められた場合について、買受人が不動産引渡し命令を申立てることのできる期間が9か月に延長された(民執§83 II)。

〔4〕　抵当権に対して対抗力を有しない賃貸借は、抵当権が実行されて、買受人から明渡し請求を受けると、応じなければならないが、本条が明渡しの猶予を求める権利を認めたものである。それが長期賃貸借であっても、短期賃貸借(§602③)であっても、本条の適用がある。

〔5〕　抵当権が実行されて、競売手続が開始された後に使用収益が開始されたのであれば、本条は適用されない。それ以後は、設定者は使用収益権を失うのであるから、それ以前から開始されていた賃借人による使用収益でなければ、保護に値しないのである。抵当権者に対抗することができない賃借権の設定された建物が、担保不動産競売により売却された場合において、その競売手続の開始前から当該賃借権により建物の使用または収益をする者は、その賃借権が滞納処分による建物差押え後に設定されたときであっても、395条1項1号の「競売手続の開始前から使用又は収益をする者」に当たる。なぜなら、同項は、抵当権者に対抗することができない賃借権は民事執行法に基づく競売手続における売却によってその効力を失い(同§59 II)、当該賃借権により建物の使用または収益をする占有者は当該競売における買受人に対し当該建物の引渡義務を負うことを前提として、即時の建物の引渡しを求められる占有者の不利益を緩和するとともに占有者と買受人との利害の調整を図るため、一定の明確な要件を満たす占有者に限り、その買受けの時から6か月を経過するまでは、その引渡義務の履行を猶予するものであるところ、この場合において、滞納処分手続は民事執行法に基づく競売手続と同視することができるものではなく、395条1項1号の文言に照らしても、同号に規定する「競売手続の開始」は滞納処分による差押えを含むと解することができないからである(最決平成30・4・17民集72巻59頁)。

〔6〕　民事執行法による強制管理、2003年改正で新設された担保不動産収益執行において管理人は当該不動産について賃貸などの権限を有するが(民執§§95・188)、この賃貸借についても、本条は適用される。抵当権の実行後も、本条による明渡しの猶予が保障されないと、目的不動産の賃貸による運用が円滑になされないことを考慮したものである。

〔7〕　本条の適用があっても、買受人と賃借権者の間には、賃貸借の関係が存在するわけではないので、賃料は存在しないが、従来の賃借権者が明渡しまでの賃料相当の対価を支払う義務があることは明らかである。従来の賃借権者が本条による明渡しの猶予を受けるためには、この対価(いわゆる賃料相当額)を支払っていることが必要である。第2項は、この支払が怠られた場合には、本条の猶予が受けられなくなること、およびそのための手続を規定したものである。

670

§ 395〔3〕〜〔7〕・第 3 節［解説］・§ 396〔1〕

第 3 節　抵当権の消滅

　本節には、抵当権の消滅と題して、3 か条の規定を置く。抵当権の消滅に関する特殊な事項を規定したものであって、抵当権の消滅事由のすべてを網羅したものではない。

　本節に収めるもののほか、まず、第 1 に挙げられなければならないのは、被担保債権が弁済などにより消滅すれば抵当権もまた消滅することであり、これは抵当権の付従性から当然のこととされるのである（より正確には、§ 369〔4〕(カ)・(キ)参照）。実際上も、大部分の抵当権は、弁済による被担保債権の消滅によって消滅する。この債権の消滅による抵当権の消滅は絶対的に生じ、登記の抹消がなくとも、消滅を主張できる（大判大正 9・1・29 民録 26 輯 89 頁）。

　また、代価弁済（§ 378）、抵当権消滅請求（§§ 379〜386）によっても、抵当権は消滅する。

（抵当権の消滅時効）
第三百九十六条
　　抵当権は、債務者及び抵当権設定者に対しては、その担保する債権と同時でなければ、時効によって消滅しない[1]。
［原条文］
　　抵当権ハ債務者及ヒ抵当権設定者ニ対シテハ其担保スル債権ト同時ニ非サレハ時効ニ因リテ消滅セス

　〔1〕　抵当権は、債権を担保する目的をもって存在する権利であるから、債権から離れて、単独で消滅時効にかかることはないというべきである。しかし、本条は「債務者及び抵当権設定者に対しては」消滅しないというから、その反対解釈として、その他の者、たとえば、次順位の抵当権者または抵当不動産の第三取得者に対する関係では、被担保債権が消滅時効にかからなくても、抵当権だけが単独で消滅時効にかかるということになる（大判昭和 15・11・26 民集 19 巻 2100 頁。第三取得者の事例である。第三取得者は本条の「抵当権設定者」に当たらないとする。もっとも、この判決が出された頃は第三取得者は被担保債権の消滅時効の援用権者とされていなかったことは後述する。この問題は、§ 397〔3〕と関連する）。その時効期間は 20 年である（改正前 § 167）。

　このように、債権そのものは時効の中断（更新）が繰り返されることによって消滅しない場合でも、抵当権だけが消滅することがありうるのは不当であって、立法論としては、疑問というべきである（ドイツ民法 § 216 I は、債権は時効で消滅しても、抵当権は物的有限責任として残るとする）。

　なお、被担保債権の消滅時効について、物上保証人や第三取得者は、当初援用権を否定されていたが、現在では判例によって援用権が認められているので（§ 145［改注］

671

第 2 編　第 10 章　抵当権　第 3 節　抵当権の消滅

(2)参照)、本条がもつ意味合いも大きく変わったことに注意を要する。

さらに、破産の免責許可決定の効力を受ける債権は、消滅時効の進行を観念することができず、本条が被担保債権について時効消滅する余地があることを前提としていること、抵当権が 167 条 2 項［改正前］の「債権又は所有権以外の財産権」に当たることを理由として 20 年の消滅時効にかかるとした判例（最判平成 30・2・23 民集 72 巻 1 頁）がある。

（抵当不動産の時効取得による抵当権の消滅）
第三百九十七条
債務者又は抵当権設定者でない者[3]が抵当不動産について取得時効に必要な要件を具備する占有[1]をしたときは、抵当権は、これによって消滅する[2][4]。

[原条文]

債務者又ハ抵当権設定者ニ非サル者カ抵当不動産ニ付キ取得時効ニ必要ナル条件ヲ具備セル占有ヲ為シタルトキハ抵当権ハ之ニ因リテ消滅ス

〔1〕　162 条参照。判例は、同条の善意・無過失は所有権についてのそれであるとし、抵当権の存在についてではないとする（最判昭和 43・12・24 民集 22 巻 3336 頁）。もっとも、抵当権を認容した占有の場合には、善意占有による取得時効の要件を充たしても、抵当権は消滅しないとする余地はあろう（大判大正 9・7・16 民録 26 輯 1108 頁の傍論）。

〔2〕　不動産についても占有の継続だけを基本として時効取得を生ずるとする民法の建て前からいえば、抵当不動産についてその所有権を時効取得する者があれば、登記簿上その不動産の上に負担があったとしても、その者は、その不動産について原則として完全な所有権を取得し、それに伴い、その不動産の上に存した他人の抵当権は消滅する（§162〔8〕・§289〔2〕参照）。

本条は、債務者または債務者でない抵当権設定者については、396 条により、被担保債権が消滅時効にかかったときのみ時効による消滅を主張でき、抵当権のみの独立の消滅時効は認められないとされるので、これらの者がたとえ時効取得に必要な占有状態を継続しても——たとえば、物上保証人が提供した抵当不動産を債務者が時効取得する場合——これによって抵当権の消滅をきたさないとして、上記の原則をこれらの者については制限するところに意義があるものとされる。

〔3〕　抵当不動産の第三取得者がこれに含まれるかについては、問題がある。

本条はまさに第三取得者についての規定であるとする見解もある（第三取得者は、所有権を有するから、取得時効を主張する必要はなく、まさに本条のいう「取得時効に必要な条件を具備した占有」をしたときに、抵当権の消滅を主張できるとする実益がある、とされる）。

しかし、判例は、第三取得者に本条は適用されず、第三取得者については、もっぱら 396 条の規定が適用され、抵当権の独立の消滅時効によるべきものとした（大判昭和 15・8・12 民集 19 巻 1338 頁。§396〔1〕参照）。そうすると、本条はもっぱら所有権承継者（第三取得者）でない、純然たる第三者が所有権を時効取得した場合に関することにな

§§397・398〔1〕〔2〕

る。

〔4〕 396条および本条の解釈については、制定時の事情、時効制度に関する理解などが絡んで、きわめて難解な論議が行われている。時効についていえば、わが民法が、自主占有の継続のみを要件として取得時効を認めているのに対して、これを登記と関連づけようとする努力が判例・通説によって行われている。また、本条についていえば、第三取得者に本条は適用されないとする判例・通説は、抵当権の存立をなるべく確実なものにしようとする努力と理解することもできる。最近の判例は、不動産を長年自主占有し、取得時効を完成した者Xが、取得登記をしないでいるうちに、登記簿上Yの抵当権が設定登記された場合に、Xが取得時効の完成が抵当権設定登記の後になるように起算日を繰り下げて再度の取得時効の完成による抵当権の消滅を主張した事例において、起算点をずらした再度の取得時効の主張は許されないという理由によって、Xの主張をしりぞけた(最判平成15・10・31判時1846号7頁。本条については触れていないが、本条は第三取得者には適用されないとする判例の立場に照応するものとみることもできよう)。

しかし、不動産の時効取得の完成後、不動産の移転登記がなされることのないまま、第三者が元の所有者から抵当権の設定を受けて抵当権設定登記を了した場合において、当該不動産の時効取得者である占有者が、その後引き続き時効取得に必要な期間占有を継続し、その期間の経過後に取得時効を援用したときは、当該占有者が同抵当権の存在を認容していたなど抵当権の消滅を妨げる特段の事情がない限り、当該占有者が同不動産を時効取得する結果、同抵当権は消滅するとした判例がある(最判平成24・3・16民集66巻2321頁)。この事例では、前掲最判平成15・10・31と異なり、時効起算点の繰り下げの主張は、行われていない。

(抵当権の目的である地上権等の放棄)
第三百九十八条
　　地上権又は永小作権を抵当権の目的とした地上権者又は永小作人は、その権利を放棄しても[1]、これをもって抵当権者に対抗することができない[2]。

[原条文]
　　地上権又ハ永小作権ヲ抵当ト為シタル者カ其権利ヲ抛棄シタルモ之ヲ以テ抵当権者ニ対抗スルコトヲ得ス

〔1〕 地上権者または永小作権者がどのような条件のもとでその権利を放棄できるかについては、特約または民法の規定による(§§268・279参照)。

〔2〕 地上権者または永小作権者がその権利を放棄したときは、それらの者と土地所有者との間では、放棄の効力を生ずる。しかし、これらの権利に対する抵当権を有する者は、権利は放棄されていないものとして、これらの権利に対する抵当権を主張することができるのである。けだし、抵当権の目的物としてその拘束を受けている権利は、その権利の主体である者であっても、これを自由に消滅させられるものではないからである。

第2編　第10章　抵当権　第4節　根抵当

　判例は、この規定の趣旨を拡張して、建物の上に抵当権を設定した場合に、建物所有者がその建物のために有する地上権または土地に対する賃借権を放棄しても、これをもって抵当権者に対抗できないと解している(大判大正11・11・24民集1巻738頁)。まことに妥当な拡張解釈である。同じ趣旨は、合意解除についても拡張されている(大判大正14・7・18新聞2463号14頁)。

第4節　根　抵　当

〈改正〉　1971年の改正により、本節が追加された(このとき設けられた規定を以下では「新規
　　　　定」という)。なお、以下の本節に属する§§398の2〜398の22については、この時の
　　　　改正に関する説明をいちいち加えることは省略する。
　　　　　その後の改正については、それぞれの個所で説明するが、2017年の改正は、債権法に
　　　　関連するものであり、新しい形態の債権に関する398条の2と398条の3、免責的債務
　　　　引き受けに関する398条の7において、改正がなされた。

① 根抵当の意義

　本節は、抵当権の一種である「根抵当権」について規定する。「根抵当」という表
題は、根抵当権をめぐる法律関係全体という意味で用いられている。

　根抵当権は、抵当権の一種であって、債権者と債務者の間に生じる現在および将来
の債権のうち、一定の範囲に属するものを一括して一定の極度額の範囲内において担
保するものである。担保される債権は通常複数であって(理論的には単数で終わってもか
まわないが)、発生しては消滅し、増減・変動・交替することが可能で、最後の確定時
に存在するものが最終的に担保されることになる。通常の抵当権(根抵当権と区別する
ためには、「普通抵当権」と呼ばれる)においては、被担保債権の全部が消滅すると、それ
によって抵当権は消滅し、一部が消滅すると、その分だけ抵当権が減少するのに対し
て、根抵当権においては、確定時までは、個々の被担保債権が消滅しても根抵当権は
それによる影響を受けない。

② 根抵当の沿革

　このような特色を有する根抵当については、すでに民法制定前の商取引においても、
ある程度存在していたと考えられ、立法者もその存在を認識していて、これについて
なんらかの規定を設ける必要があることについても論議された。しかし、その規定を
設けるまでの十分な調査をする余裕がなかったために、民法に規定が盛り込まれるに
は至らなかった。そのため、民法施行後間もない時期に、このような抵当権を有効と
認めてよいかが論議されたが、大審院は、施行3年後には有効判決を出して、有効無
効論そのものには、決着をつけた(大判明治34・10・25民録7輯9巻137頁)。

　問題は、条文の根拠なしに、この根抵当の法律関係をどのように理論構成するかで
あったが、それ以来、後述する1971年の改正まで70年もの間は、判例によりその理
論構成と問題の処理が行われてきたのである。判例集に掲載されたものだけでも、数
十を数える大審院・最高裁の判決が出され、下級審にはさらに多数のものがあり、そ
れらによって、いわば判例根抵当法ともいうべきものが形成されていた。この判例法
に基づき実務慣行も形成され、根抵当権に関する実際の運用がなされてきたものであ
る。

　第二次大戦後になり、実際の信用取引の状況が発展して、これまでの判例法による

第2編　第10章　抵当権　第4節　根抵当

規律だけではこれに対応できなくなるという事態が生じ、十数年の検討を経て、1971年の民法改正により本節が新設され、398条の2から398条の22までの21の条文が追加された(その後398条の10の2が追加されたが、2004年改正による条数整理で21の条文に戻っている)。民法施行以来、財産法の領域における最大の改正であった。

　従来、判例法によって処理されていた法律関係が、制定法によって改められるという珍しい例が生まれたのであるが、そのこともあり、また、新しい根抵当権の概念を理解するためにも、従来の根抵当権(以下、「旧根抵当権」と呼ぶ)の概念を踏み台にすることが必要であるので、まず、後者について説明することにする。

③　従来の判例法による根抵当

　(1)　戦前の判例法によってとらえられていた根抵当(以下、「旧根抵当」と呼ぶ)の観念は、当然のことであるが、民法施行の当初から行われていた根抵当の実際を踏まえて理論化されていたものである。その実際の取引とは、つぎのようなものであった。

　まず、債権者Aと債務者Bの間で将来にわたり取引を行うという合意がなされ、それについての契約が締結される。その例として、典型的なものとしては、A銀行と取引関係にあるBとの間で、当座貸越契約(A銀行にBが当座預金口座をもち、Bが振り出した小切手につきAが支払うことを約する当座勘定契約において、一定の額までは預金口座に預金がなくても支払うことを約する契約。貸越し分は貸付けの意味をもつことから、これを担保することが必要になるが、小切手の支払ごとに担保をとることは困難である)や、継続的な手形割引契約(A銀行がBの依頼により手形を割引いた場合、その手形が不渡りになった場合のAのBに対する債権を担保することが必要になるが、手形割引は度重ねて行われることが多く、そのたびに担保を設定することは煩わしいので、一定の限度額を定めておいて、一括して担保できるものとすることが望ましい)が締結される場合、あるいは、A商社と、Aから今後一定の種類の商品を継続的に仕入れようとするBとの間で、その取引の限度額や諸条件を定めた継続的商品供給契約が締結された場合(やはり、個々の売買ごとに担保を設定することはいちじるしく煩わしい)などが挙げられる。これらのAとBの間の取引契約に基づいて、複数の債権が継続的に発生し、一定の時期ごとにその決済が行われて消滅していくということになる。これらの債権を担保するためには、個別的に債権を担保する普通抵当権では、いちじるしく面倒なことになり、そこに、これらの債権をいわば一括して担保することを可能にする根抵当権の必要性が生まれるのである。明治以後の経済の発達のなかで、このような根抵当の必要性は否定するべくもないので、判例はこれを有効とし、その理論化に努めてきた。

　(2)　判例の課題としては、このような実務慣行を承認することに重点があったので、その理論は、つぎのような特色をもつこととなった。それは、上例のAとBとの間に存する取引契約を根抵当関係の基礎に据えるということである。すなわち、根抵当の前提にはつねに取引契約が存在するものとされ、すべての法律関係はこの取引契約を基本として解決されると考えるのである。この意味において、このA・B間の契約を「原因契約」とか「基本契約」と呼ぶことがあるが、以下にはたんに「取引契約」と呼ぶことにする。

第4節 ［解説］ ③④

そこで、旧根抵当権については、たとえば、「将来の債権を担保するものにして、当座貸越契約、手形割引契約等将来の債権の発生を期し得べき基本たる法律関係の存する場合には之を設定し得るもの」（大判昭和10・12・24民集14巻2116頁）、あるいは、「銀行と商人との間の当座貸越契約、卸商と小売商との間の継続的供給契約のような継続的な取引関係から生じ、事情に応じて増減する債権を、一定の額を限度として担保する抵当権」というような定義が行われていたのである。これは定義というよりも、実際の取引態様をとらえたものにすぎなかった。そして、このような把握でも、つぎに述べるように、実際の処理に大きな困難は生じないですんだのである。

(3) 旧根抵当権についての判例法の理論は、すべての問題を上記の取引契約を基準とするということに帰着する。その基本的観点によりながら、民法の抵当権に関する規定の適用について工夫するというのが、判例が行ってきた努力であった。いくつかの要点を示せば、つぎのとおりである。

　(a) 根抵当権の登記においては、根抵当権である旨の記載が必要とされ、通常の「債権額」に当たる記載としては、「極度額」の記載が行われるとされた。

　(b) 根抵当権によって担保される債権がいつどのようにして確定されるかは、取引契約がいつどのように終了するかによって決まる。A・B間の取引契約が終了した時に存在している債権が、被担保債権になる。判例は、根抵当権の存続期間という言葉を用いたが、それは同時に取引契約の存続期間でもあり、両者は必ず一致すると考えられた。

　(c) 根抵当権によって担保される債権の範囲は、当該の取引契約から発生した債権ということで問題はなかった。疑義を生じたのは、375条(旧§374)による利息債権への適用に関してであった。判例は、当事者が「元本極度額」を定めた場合には、同条が適用され(極度額の範囲内においても同条による利息の制限があるが、他面において元本が極度額に達しているときは、それを超えて同条が認める範囲での利息についての優先弁済が認められる)、「債権極度額」を定めた場合には、同条にかかわりなく、極度額の範囲内において元本と利息が担保されるという見解を採った。

　(d) 当事者の変更についても、取引契約における当事者の変更があれば、そのまま根抵当関係における当事者の変更を生じるとされた。

　(e) 債権から切り離された抵当権の処分(§376。旧§375)についても、これについての規定は根抵当権にもそのまま適用があるものとされた。

　(f) 共同抵当関係(§392)についても、同一の取引契約から生じる債権を担保する複数の根抵当権について、392条の趣旨がそのまま適用されるものとされた。

④ **1971年の民法改正による根抵当**

(1) 第二次大戦後の経済の発展に伴い、金融・信用取引の態様も大きな変動を遂げるようになり、ある時期から、上記のような根抵当関係の基本的な理解では実際の必要に応じきれないことが顕在化してきた。

具体的にいえば、たとえば、A銀行がBとの間でまず当座貸越取引を開始しようとする場合に、将来Bとの取引を他の種類の銀行取引にまで拡大することが期待さ

677

第2編　第10章　抵当権　第4節　根抵当

れるときには、その時に締結する当座貸越契約から生じる債権だけでなく、将来予想される手形割引取引などについても担保する根抵当権を取得しておきたいと考える。また、ある種類の商品についてBと契約を結んで継続的な取引を開始するA商社は、将来その取引の範囲を拡大する場合に備えて、もっと広い範囲をカバーする根抵当権を取得しておきたいと考える。そのような動機から、たとえば、「何年何月何日締結の当座貸越契約から生じる債権その他両者間の銀行取引から生じる債権」を担保するというような根抵当権が設定されはじめたのである。このうち、「その他……」の部分は、まだ実際には取引契約は存在せず、いわば将来の取引契約から生じる債権を担保するものである。この種の根抵当権で極端なものとして、「AとBとの間に今後生じる一切の債権」を担保する根抵当権が登場し、この種のものが「包括根抵当」と呼ばれた。さすがに、このような形態の根抵当権に対しては、従来の旧根抵当判例法による対応だけでは、その取扱いに窮することになった。とりわけ、上述の(1)(e)の根抵当権の処分、(f)の共同根抵当権の問題が、従来の観念に従って取引契約を前提とするということができなくなるので、難題となった。そして、法務省が1955年にこの包括根抵当は基本契約を欠くから無効であるとしたことから、問題が深刻化した。その後、十数年の論議と法制審議会の審議を経て、民法改正による本節の新設が行われたのである。

　(2)　新設された規定(以下、新規定と呼ぶ)による根抵当権の基本的な考え方は、根抵当権が担保する債権が債権者と債務者の間にすでに現実に存在する取引契約から発生するものである必要、すなわち「取引契約の既存在」の必要はなく、両者の間で将来成立するであろう「将来の取引契約」から発生するものでもよい、というものである。このことは、普通抵当権において、将来の債権を担保することも可能であるとされること(§369〔4〕(ウ)・(エ)参照。付従性の緩和として説明される)と同様な論理の線上において承認される。具体的にいえば、当事者間において予想される取引について、ともかく根抵当権を先行的に成立させておくことを可能にするものであって、その取引の成立可能性についての裏付けは、当事者が根抵当権設定契約を結んだということだけで十分とするものである。

　この基本的な考え方からすれば、「将来の取引契約」を予定しない、無限定な包括根抵当のようなものは認めることはできないことになる。

　このような新しい根抵当権を認めるためには、旧根抵当権について上述したような、従来の判例による処理をすることは不可能である。けだし、旧根抵当権においては、当事者間に存在する取引関係を基準として、根抵当に関するすべての問題も解決するとされていたものであるが、その基準とすべき取引契約の既存在が必要ではなくなり、具体的な取引契約を前提とすることが不可能になったからである。そこで、どうしても、明文の規定によって、根抵当権に関する法律関係を、取引関係とは切り離して、独自に解決できるだけの定めをしておくという必要が生じる。そのために設けられたのが、本節の21か条の新規定なのである。

　以上のような事情により、新しい根抵当権の法律関係は、実質的にその設定の原因となり、動機となっている当事者間の取引関係、取引契約からは独立して、関係者に

よるそれとは別個の物権的合意によって形成されるものとなる。その関係者とは、一方は、債権者でもある根抵当権者であるが、他方は、債務者である場合も、それ以外の者(「物上根保証人」)である場合もありうる根抵当権設定者である。後者については、その根抵当関係における重要な役割を強調して、これをとくに「根抵当負担者」(この表現には、根抵当権が設定されている不動産の第三取得者も含まれることになる)と呼ぶことが適切であろう。

このように、新しい根抵当権においては、その債権関係に対する付従性がいちじるしく弱められ(最後の段階において、確定した被担保債権のために優先弁済が行われるという点にのみ、付従性が認められる)、その独立性が強化されていることが注目される。

(3) 新規定における要点を整理しておくと、つぎのとおりである(2004年改正により条数に変更があったことに注意。以下には現在の条文番号を示す)。

(a) 根抵当権の定義　普通抵当権に対する特色が「被担保債権の不特定性」にあることが示されている(改正前§398の2〔1〕)

(b) 根抵当権設定の要件　取引契約の既存在が要件でないことが示されている(改正前§398の2〔2〕(ウ))

(c) 被担保債権の資格　根抵当権によって担保される債権は、現在および将来の取引契約から生じる債権に限られるが(改正前§398の2〔5〕・〔6〕)、例外的に二つの場合が認められている(改正前§398の2〔7〕・〔8〕)。

(d) 根抵当における諸要素とその変更　根抵当権の内容を決定する必要的要素は、①債権者(=「根抵当権者」。これは当然のことであり、独立の要素と考える必要はない)、②根抵当債務者、③「債権の範囲」、④「極度額」(その意義は、いわゆる「債権極度額」として明確化された。改正前§398の3〔5〕参照)であり、任意的要素は「確定期日」であること、そして、それらの変更について規定されている(§§398の4～398の6)。

(e) 確定前における被担保債権の譲渡など　確定前においては、被担保債権について譲渡、更改などの変動を生じて債権者・債務者が変わったときは、それらの債権は、もはや根抵当権によっては担保されないとされる(§398の7〔改正〕)。

(f) 確定前において生じた相続・合併・分割　確定前に、自然人である根抵当権者・根抵当債務者について相続が開始したときは、一定の要件のもとに新たな合意が行われないと、根抵当権は確定し(§398の8)、法人である根抵当権者・根抵当債務者について合併が行われたときは、原則として根抵当権は確定せずに存続し、ただ債務者でない根抵当負担者に確定請求権が認められるものとされる(§398の9)。2000年の改正により、会社の分割が行われた場合についての同趣旨の規定が追加された(§398の10の2。2004年改正により§398の10となる)。

(g) 確定前における根抵当権の処分　確定前は、普通抵当権について認められる処分(§376)のうち、根抵当権については「転抵当」(「転根抵当」)だけしか認められず、別に根抵当権独自の処分形態が定められた(§§398の11～398の13。なお、§375による順位譲渡・放棄を受けうることについて、§398の15参照)。

(h) 根抵当権の共有　複数の者に根抵当権が帰属する場合について定められた

第 2 編　第 10 章　抵当権　第 4 節　根抵当

（§398 の 14）。

　(i)　共同根抵当権　　複数の根抵当権によって同一の債権が担保される場合について、392 条が適用される場合（「狭義の共同根抵当権」あるいは「純粋共同根抵当権」と呼ばれる）と、適用されない場合（「累積式共同根抵当権」と呼ばれる）とに分けて規定された（§§398 の 16〜398 の 18）。

　(j)　根抵当権の確定　　取引契約を前提としない根抵当権において、いかなる場合に被担保債権が特定し、流動しなくなるかについて、民法は「元本の確定」という用語を用いて、網羅的に規定している（§§398 の 19・398 の 20。ほかにも、§§398 の 6 Ⅳ・398 の 8 Ⅳ・398 の 9 Ⅳ・398 の 17 Ⅱが関係する）。これを「根抵当権の確定」という概念としてとらえることもできる。以下の叙述では、むしろ、後者の用語を用いることにする。

　(k)　確定後における二種の請求権　　確定を生じた後に、根抵当負担者などに「極度額減額請求権」と「根抵当権消滅請求権」が認められる（§§398 の 21・398 の 22）。

5　経過規定

　根抵当についての改正によって、従来判例法によって規律されていた法律関係が、制定法によって改められるという、きわめて珍しい例が登場した。そこで、改正法は、経過規定を定めて、原則として旧根抵当権にも新規定が適用されるが、改正前に生じた効力を遡って否定することはしない、という考え方を示している（1971 年民法改正法附則 §2）。

（根抵当権）
第三百九十八条の二
　1　抵当権は、設定行為[2]で定めるところにより、一定の範囲に属する不特定の債権[3]を極度額[4]の限度において担保するためにも設定することができる[1]。
　2　前項の規定による抵当権（以下「根抵当権」という。）の担保すべき不特定の債権の範囲は、債務者との特定の継続的取引契約によって生ずるもの[5]その他債務者との一定の種類の取引によって生ずるもの[6]に限定して、定めなければならない。
　3　特定の原因に基づいて債務者との間に継続して生ずる債権[7]、手形上若しくは小切手上の請求権[8]又は電子記録債権（電子記録債権法（平成十九年法律第百二号）第二条第一項に規定する電子記録債権をいう。次条第二項において同じ。）は、前項の規定にかかわらず、根抵当権の担保すべき債権とすることができる[1]。
[改正前条文]
　1、2　同上
　3　特定の原因に基づいて債務者との間に継続して生ずる債権[7]又は手形上若しくは小切手上の請求権[8]は、前項の規定にかかわらず、根抵当権の担保すべき債権とすることが

第 4 節［解説］⑤・§398の2〔1〕〔2〕

できる。

〈改正〉　2017 年に改正された。3 項中「債権又は」を「債権、」に改め、「請求権」の下に「又は電子記録債権（電子記録債権法（平成十九年法律第百二号）第二条第一項に規定する電子記録債権をいう。次条第二項において同じ。）」を加えた。（1 項、2 項は変更なし）附則（根抵当権に関する経過措置）　第十三条 1　施行日前に設定契約が締結された根抵当権の被担保債権の範囲については、新法第三百九十八条の二第三項及び第三百九十八条の三第二項の規定にかかわらず、なお従前の例による。

［改正の趣旨］　〔1〕　新しい形態の債権が規定中に追加された。

［2004 年改正前条文］

　　　抵当権ハ設定行為ヲ以テ定ムル所ニ依リ一定ノ範囲ニ属スル不特定ノ債権ヲ極度額ノ限度ニ於テ担保スル為メニモ之ヲ設定スルコトヲ得

　　　前項ノ抵当権（以下根抵当権ト称ス）ノ担保スベキ不特定ノ債権ノ範囲ハ債務者トノ特定ノ継続的取引契約ニ因リテ生ズルモノ其他債務者トノ一定ノ種類ノ取引ニ因リテ生ズルモノニ限定シテ之ヲ定ムルコトヲ要ス

　　　特定ノ原因ニ基キ債務者トノ間ニ継続シテ生ズル債権又ハ手形上若クハ小切手上ノ請求権ハ前項ノ規定ニ拘ハラズ之ヲ根抵当権ノ担保スベキ債権ト為スコトヲ得

〔1〕　本項は、根抵当権が抵当権の一種であることを示すとともに、369 条以下が規定する普通抵当権に対する特色を示すことによって、根抵当権の定義を示すものである。

　根抵当権は、普通抵当権が特定の（単数であれ、複数であれ）債権を担保するものであるのに対して、債権者（根抵当権者）と債務者（根抵当債務者）の間の不特定の債権を担保するという点に特色を有する。普通抵当権においては、被担保債権の全部または一部が弁済などにより消滅すれば、その限りにおいて抵当権は消滅または減少するが、根抵当権においては、どの債権が担保されるかは、確定の時（本節解説④(3)(j)、§§398の19、§398の20など参照）までは特定しない。被担保債権は発生しては消滅し、いくらでも入れ替わることが可能である。この債権と根抵当権の結合関係の不特定性が根抵当権の本質的特徴である。

　その結果、個々の債権の消滅によって抵当権が消滅して、「順位上昇の原則」により後順位の抵当権の順位が繰り上がるということも生じない（本章解説③(3)、§373〔2〕参照）。根抵当権の独立的性格の一面ということができる。

〔2〕　これは、「根抵当権設定契約」と呼ばれ、債権者と債務者の間における債権契約の性質を有する取引契約とは別個の、根抵当権者と根抵当権設定者との間で結ばれる物権契約である。

　(ア)　当事者の一方の根抵当権者は、正確にいえば、「根抵当権者となるべき者」であるが、債権者と同一人である。さらに正確にいえば、債権がまだ発生していない場合がありうるから、「根抵当権により担保されるであろう債権の債権者となるべき者」である。

　他方の当事者の根抵当権設定者は、目的とされる不動産についてその処分権限を有する所有者であるが、債務者、正確にいえば、「根抵当権により担保されるであろう債権の債務者となるべき者」（このことをとくに強調するときは、この者を「根抵当債務者」

681

第2編　第10章　抵当権　第4節　根抵当

と呼ぶ）自身である場合もあるが、第三者である場合もある。後者を「物上根保証人」とよぶ。

なお、その不動産が当初の根抵当権設定者から第三者に譲渡されると、その者を「第三取得者」とよぶ。

このように、担保提供者の側にはいろいろな態様があるが、根抵当権という負担を負う不動産の所有者は、当初において設定者という立場に立つだけでなく、その後の根抵当権の存続中においても、根抵当関係について、物権的合意を行う一方の当事者として重要な役割をもつことになる。そこで、根抵当権をみずから設定した債務者、物上根保証人、第三取得者の全部を総称して、根抵当権の存する不動産の所有者の地位を「根抵当負担者」として、総合的に把握し、考察することが適切である。

　(イ)　根抵当権設定契約においては、一般の抵当権に必要な事項のほか、つぎの事項を定める必要がある。

　　(a)　根抵当権によって担保される「根抵当債務者」（§398の4参照）

　　根抵当債務者は、単数でも複数でもよい。複数の場合を、複数の債務者が利用できるという意味で「共用根抵当権」と呼ぶことができよう。この場合には、各債務者に対する債権が担保されるが、その総額がその根抵当権の極度額を超えるとき、またはその根抵当権に配当される額を超えるときは、各債務者の債務額に応じて案分して、それぞれの債務の弁済に充当されることになる（最判平成9・1・20民集51巻1頁。なお、複数の債務者が連帯債務を負っているような場合には、各自についてその債務の全額を案分の基礎にするとしている）。担保不動産競売の手続における配当表記載の根抵当権者の配当額について配当異議の訴えが提起されたためにその配当額に相当する金銭が供託され、その後、当該根抵当権者が上記訴えにおいて勝訴したことにより当該根抵当権者に対し上記配当表記載の通りに配当がされる場合には、当該供託金は、その支払委託がされた時点における被担保債権に対して民法489条から491条［改注］までの規定に従った充当がなされる（最判平成27・10・27民集69巻1763頁）。

　　(b)　根抵当権によって担保される「債権の範囲」（〔3〕参照）

　　この定めによって、根抵当権が確定したときに、根抵当権によって担保される債権が具体的に特定されるので、この定めを「（被担保）債権特定基準」と呼ぶのが適当であろう。

　　(c)　極度額（〔4〕、§§398の3［改注］・398の5参照）

　　(d)　確定期日　　ただし、この定めは任意的である（§398の6参照）

　根抵当権を第三者に対抗するためには、もちろんその抵当権が根抵当権である旨の登記をして、上記の事項を記載しなければならない（不登§§59・83Ⅰ・88Ⅱ。旧§117）。

　(ウ)　このようにして、根抵当権設定契約が締結されれば、それによって根抵当権は成立する。その前提として当事者間においてなんらかの取引契約が結ばれ、存在していることは、要件ではない。この趣旨は、そのようなことが条文上要求されていないことから、読み取ることができるのである（〔6〕参照）。

　〔3〕　「一定の範囲に属する不特定の債権」を担保するのが、根抵当権の特色である。

§398の2〔3〕～〔6〕

(ア) 「一定の範囲に属する債権」については、どのようなものでもよいのではなく、本条所定の債権に限られる。

本条は、根抵当権の被担保債権として認められるものとして、〔5〕～〔8〕において説明する、4種のものを規定している。この4種のいずれかに該当しないと、根抵当権の被担保債権となることはできない。その意味において、本条は、根抵当権の「被担保債権資格の限定」について規定しているという意味をも合わせもっているのである。

(イ) 「不特定の」という形容詞は、債権が特定か不特定かという意味ではない。〔1〕で述べたように、根抵当権によって担保される債権が、確定までは不特定であるという意味である。

〔4〕 「極度額」を定めることは、必要要件である。極度額とは、根抵当権の目的とされた不動産がその根抵当権によって受ける担保的負担の限度をなす額をいう（改正前§398の3〔5〕参照）。

極度額は、根抵当権の独立的性格（本章解説④(2)参照）における中核をなす重要な概念である。第1に、それは、債権者・債務者間の取引関係とは無関係に、根抵当関係の当事者である根抵当権者と根抵当負担者との間で独立に定められる。取引関係において取引の限度額が定められていても、それに拘束されることはない。第2に、当事者関係において債権が発生し、存在するかどうかに関係なく、不動産はこの極度額における拘束を受ける。たとえ、債権が現在存在しなくとも、その不動産上の後順位抵当権者などの利害関係人は、極度額の負担を覚悟しなければならない（最判昭和51・9・21判時832号47頁、譲渡担保権利者は先行する根抵当権について極度額をそのまま考慮しなければならない、とされた）。その意味において、根抵当権を極度額という枠において不動産を価値的に支配する「枠支配権」であると表現することもある。

〔5〕 根抵当権によって担保することのできる債権は無制限ではなく、本条が定める4種のものに限られる（〔3〕(ア)参照）。

その第1は、根抵当権者と「債務者との特定の継続的取引契約によって生ずるもの」である。

たとえば、A銀行とBの間で当座貸越契約が結ばれ、それから生じる債権を担保するために根抵当権を設定する場合はこれにあたる。じつは、これは旧根抵当権が前提としていた取引契約であって、この種のものだけであれば、新規定の必要はなかったはずである（本節解説④参照）。新規定の意味は、もっぱら、つぎの〔6〕を認めたことにある。また、論理的には、つぎの〔6〕が認められれば、この〔5〕はそれに包摂されて、とくに規定しなくともすむものと考えられる。ただ、旧根抵当権にあたるようなものも設定可能であることを念のために示す意味で、この文言が入れられたと思われる。

この文言に該当する「債権の範囲」が定められた場合、これを「具体的債権特定基準」と呼ぶことができる。

登記実務上は、具体的な取引契約がその締結の年月日や契約の名称などによって客観的に特定できるように表示されることになる（当事者だけに通用する呼称ではいけない）。

〔6〕 根抵当権によって担保することのできる債権の第2は、「その他債務者との一定の種類の取引によって生ずるもの」である。

第2編　第10章　抵当権　第4節　根抵当

(ア)　この場合には、被担保債権の範囲は、単に抽象的な取引の種類によって、たとえば、当座貸越取引、手形割引取引、手形貸付取引、消費貸借取引、売買取引などから生じる債権というように定められる。

この文言に該当する「債権の範囲」が定められた場合に、これを「抽象的債権特定基準」と呼ぶことができる。

(イ)　債権特定基準は、根抵当権が確定した場合に、その基準に則して被担保債権を特定するためのものであり、この抽象的債権特定基準の場合には、他の3種の場合と違い、とりわけ、被担保債権を特定できるだけの客観的明確性を備えている必要がある。たとえば、上記の諸取引から生じる債権というように定められることになるが、「銀行取引から生じる債権」、「信用金庫取引から生じる債権」(最判平成5・1・19民集47巻41頁はその例)というような定め方も可能であろう。「債権の範囲」は登記事項であるので、登記実務上の問題にもなるが、現在の実務において、以上のような例は認められているが、「商社取引から生じる債権」、「農業協同組合取引から生じる債権」などは認められていない。それほど厳格にする必要があるかは疑問である。もちろん、当事者間だけに通じる符牒あるいはニックネーム、たとえば、「松一号取引から生じる債権」というような定め方は、客観的明確性を欠くので、認められない。

(ウ)　なお、この規定によって、第1に、根抵当権設定には、根抵当権と根抵当債務者の間に特定の取引契約がすでに存在していることを必要としないこと、第2に、しかしながら、被担保債権は根抵当権と根抵当債務者の間の(過去・現在・将来の)取引契約から生じる債権でなければならないこと、いいかえれば、取引から生じる債権でないものまでを含む「包括根抵当」(本節解説④(1)(2)参照)のようなものは認めない趣旨が示されている、と考えられる。

〔7〕　根抵当権によって担保することのできる債権の第3は、「特定の原因に基づいて債務者との間に継続して生ずる債権」である。

被担保債権資格を〔5〕と〔6〕のもの、すなわち取引から生じた債権に限ると、それ以外に根抵当権を利用する必要が認められる場合には、いちいち立法上の手当てをする必要を生じ、不便である。たとえば、酒税債権のような税債権(酒税§§6・22)、公害のような継続的な不法行為から生じる損害賠償請求権などを担保する必要が生じた場合である。このような場合に備えて、上記のような一般的表現を用いて、根抵当権利用の道を開いておこうとしたものである。

この文言に該当する「債権の範囲」が定められた場合、これを「特定原因基準」と呼ぶことができる。

以上の趣旨からすれば、この基準を定めるためには、取引以外の原因で、継続的に債権を発生させる客観的具体的な原因(それが登記上も明確に示される必要がある)が存在していることが必要であると考えられる。単に「債務の引受けを原因とする債権」というような定め方は、ここにいう特定の原因にはあたらないというべきである。

〔8〕　根抵当権によって担保することのできる債権の第4は、「手形上若しくは小切手上の請求権」である。

文言は、このようになっているが、たとえば、AがBの依頼によって手形割引を

§§398の2〔7〕〔8〕・398の3

したような場合に、その割引によりAがBに対して有する債権は、両者の間の取引によって生じる債権であるから、上記の〔5〕または〔6〕によって被担保債権になりうる。したがって、ここにわざわざ第4の被担保債権資格を有するものとして特記されたのは、たとえば、Bが振り出した手形が、C→D→Eと経て、EからAのもとに持ち込まれ、割引が行われたような場合に、手形法上AがB、C、Dに対して取得する請求権について、Aとの間の直接の取引によって生じたものではないけれども、とくに被担保債権資格を認めようという趣旨である。この種の事例を、「回り手形(・小切手)」上の請求権と呼ぶ。

これを認めると、Aは、上例のB、C、D、Eのいずれに対しても根抵当権を行使でき、都合に応じて選択できるという不公平や、資産状態の危なくなった債務者に対する手形を駆け込み的に取得するという弊害などが予想される。そこで、立法にあたってはげしく論議された問題であったが、結論的にこれを認めることとなったものである。弊害に対する備えとして、398条の3〔改注〕の第2項が設けられた。

この文言に該当する「債権の範囲」が定められた場合に、これを「手形・小切手請求権基準」あるいは「回り手形・小切手基準」と呼ぶことができよう。通常は、第1や第2の基準に付加されて定められることが多い。

（根抵当権の被担保債権の範囲）
第三百九十八条の三
1　根抵当権者は、確定した元本[2]並びに利息その他の定期金[3]及び債務の不履行によって生じた損害の賠償[4]の全部について、極度額を限度として[5]、その根抵当権を行使することができる[1]。
2　債務者との取引によらないで取得する手形上若しくは小切手上の請求権[6]又は電子記録債権[1]を根抵当権の担保すべき債権とした場合において、次に掲げる事由があったときは、その前に取得したものについてのみ、その根抵当権を行使することができる[10]。ただし、その後に取得したものであっても、その事由を知らないで取得したものについては、これを行使することを妨げない[11]。
　一　債務者の支払の停止[7]
　二　債務者についての破産手続開始、再生手続開始、更生手続開始又は特別清算開始の申立て[8]
　三　抵当不動産に対する競売の申立て又は滞納処分による差押え[9]
〔改正前条文〕
1　同上
2　債務者との取引によらないで取得する手形上又は小切手上の請求権を根抵当権の担保すべき債権とした場合[6]において、次に掲げる事由があったときは、その前に取得したものについてのみ、その根抵当権を行使することができる[10]。ただし、その後に取得したものであっても、その事由を知らないで取得したものについては、これを行使することを妨げない[11]。
　一～三　同上

685

第2編　第10章　抵当権　第4節　根抵当

〈改正〉　2017 年に改正された。2項中「手形上又は」を「手形上若しくは」に改め、「請求権」の下に「又は電子記録債権」を加えた。附則（根抵当権に関する経過措置）第十三条1　施行日前に設定契約が締結された根抵当権の被担保債権の範囲については、新法第三百九十八条の二第三項及び第三百九十八条の三第二項の規定にかかわらず、なお従前の例による。

[改正の趣旨]　[1]　新しい形態の債権が規定中に追加された。

〈改正〉　1999 年の改正により、「和議」が「再生手続」に、2004 年の改正により「破産」が「破産手続開始」に改められた。

[2004 年改正前条文]

　　　根抵当権者ハ確定シタル元本並ニ利息其他ノ定期金及ビ債務ノ不履行ニ因リ生ジタル損害ノ賠償ノ全部ニ付キ極度額ヲ限度トシテ其根抵当権ヲ行フコトヲ得
　　　債務者トノ取引ニ因ラズシテ取得スル手形上若ハ小切手上ノ請求権ヲ根抵当権ノ担保スベキ債権ト為シタル場合ニ於テ債務者ガ支払ヲ停止シタルトキ、債務者ニ付キ破産手続開始、再生手続開始、更生手続開始、整理開始若クハ特別清算開始ノ申立アリタルトキ又ハ抵当不動産ニ対スル競売ノ申立若クハ滞納処分ニ因ル差押アリタルトキハ其前ニ取得シタルモノニ付テノミ其根抵当権ヲ行フコトヲ得但其事実ヲ知ラズシテ取得シタルモノニ付テモ之ヲ行フコトヲ妨ゲズ

〈改正〉　2005 年の改正により、2項2号の「、整理開始」が削られた。

本条は、根抵当権によってどの範囲の債権が担保されるかについて規定する。基本は、設定契約に定められた「債権の範囲」、すなわち「債権特定基準」に該当する債権であるが（改正前§398 の 2(2)(イ)(b)参照）、それに付随して、どの範囲のものが担保されるかについて規定し（1項）、合わせて、債務者の信用状況が悪化した後に取得する手形・小切手に基づく、いわば駆け込み的な債権について、これを被担保債権から除外することが規定されている（2項）。

〔1〕　本項は、根抵当権によって担保される債権の範囲を定める。被担保債権そのもの（元本）については、問題ないとして、その他のそれに伴う債権がどの範囲まで担保されるかについて、普通抵当権については 375 条による制限があるが（同条と旧根抵当権の関係については、〔5〕参照）、本項はそれに対する特則を定めて、範囲を広げたものである。質権についての 346 条の定めに近い広いものとなっている。

〔2〕　「確定した元本」とは、根抵当権の確定時（§398 の 19 前注参照）において存在する債権であって、設定契約に定められ、登記された「担保するべき債権の範囲」に該当するもののことである。確定時に債権としての法律上の存在に必要な要件が備わっていることが必要で、その後にはじめて債権としての存在要件を備えたものでは担保されない。たとえば、手形割引に基づく買戻し請求権は、手形割引契約の存在、手形の存在などの法律上の要件が備わっていることが必要であるが、もしその存在が認められれば、その後に具体的に行使されてもよい。なお、弁済期は確定の時に未到来でも、配当までに到来すれば、優先弁済を受けられることになる（これらの点については、§398 の 19 前注①(3)参照）。

〔3〕　〔2〕で述べた確定した元本債権から生じる利息のことである。その元本から確定後に生じる利息でも、極度額内において無制限に担保される（〔5〕参照）。確定後に生じた利息からさらに重利計算により生じる利息でもよいと解される。

§398の3〔1〕〜〔11〕・根抵当権の変更［前注］

〔4〕　確定した元本債権が転化し（元本債権が金銭債権以外のものであった場合）、あるいはそれから生じた損害賠償債権（金銭債権から生じる遅延損害金、いわゆる「遅延利息」など）をいう。

〔5〕　極度額の意義については、改正前398条の2〔4〕を参照。上記の債権はすべて、極度額の範囲内において無制限に担保され、極度額を超えた分についてはまったく担保されない。

375条の根抵当権への適用については、旧根抵当権に関して、375条が適用されず、利息がすべて極度額の範囲内において担保される「債権極度額」と、375条が適用されて、利息は極度額内においても2年分に制限されるが、2年分の利息は極度額を超えても担保される「元本極度額」の2種があるとするのが、判例であったが（大判昭和13・2・23民集17巻307頁、大判昭和13・11・1民集17巻2165頁）、新規定は、いわば前者に一本化したものである。根抵当権の特色上当然のことである（本章前注4(3)(c)参照）。

〔6〕　改正前398条の2〔8〕に述べた「回り手形・小切手」上の債権が、設定契約において担保される債権の範囲に含められた場合である。直接に「債務者との取引によって」生じた手形・小切手上の債権については、本項は適用されない。

〔7〕　破産法15条2項参照。

〔8〕　それぞれの事由について、破産法18条、民事再生法21条、会社更生法17条、商法旧431条（→商§§510・511［削除］）を参照。

〔9〕　民事執行法45条・181条、国税徴収法47条・56条・62条・68条・72条を参照。

〔10〕　〔7〕から〔9〕までのような事由が生じた債務者に対する回り手形・小切手上の請求権は、ほとんど無価値になっていることが多い。そのような手形・小切手を、根抵当権の極度額にまだ余裕をもっている根抵当権者が取得すれば、それによる請求権が根抵当権によって担保されることになる。そうなっては、他の債権者などを害することになり、いちじるしく不当である。そこで、これに該当する請求権は、根抵当権によって担保されないものとしたのである。

本項に該当しない場合でも、たとえば、回収不能となった債権を譲渡などによって根抵当権者が取得して被担保債権とするような行為については、権利濫用の要素が強いので、本条の類推適用により被担保債権から除外されるべき場合があるであろう。

〔11〕　〔7〕〜〔9〕に該当する根抵当債務者の信用悪化の諸事実についての悪意が、本項適用の要件である。その立証責任は根抵当権者にあり、根抵当権者はその事実を知らなかったことを立証しなければならないと考えられる。

根抵当権の変更　［§§398の4〜398の6前注］

根抵当権の必要的要素としては、前述のように（本節解説4(3)(d)参照）、①根抵当権者、②根抵当債務者、③債権の範囲、④極度額があり、任意的要素としては、⑤確定期日があるが、そのうち、①についての変更は「根抵当権の処分」として構成される。②

687

第2編　第10章　抵当権　第4節　根抵当

～⑤については、根抵当権の独立的性格を反映して、その当事者、すなわち根抵当権者と根抵当負担者の間の——債権関係からは切り離され、独立した物権的な——合意によって変更することができる。一見したところ重要な利害関係を有する根抵当債務者は、この点における当事者とはされず、根抵当負担者と根抵当債務者が異なる場合においては、根抵当債務者の意思は問われることがないことに注意を要する。また、後順位者などの利害関係者は、④の極度額だけについては、不利な変更を甘受させられることはないが、②・③・⑤の変更については、異議をいえないことにも、注意を要する（§398の4〔4〕参照）。

（根抵当権の被担保債権の範囲及び債務者の変更）
第三百九十八条の四

1　元本の確定前においては[1]、根抵当権の担保すべき債権の範囲の変更をすることができる[2]。債務者の変更[3]についても、同様とする。

2　前項の変更をするには、後順位の抵当権者その他の第三者の承諾を得ることを要しない[4]。

3　第一項の変更について元本の確定前に登記をしなかったときは、その変更をしなかったものとみなす[5]。

[2004年改正前条文]

　元本ノ確定前ニ於テハ根抵当権ノ担保スベキ債権ノ範囲ノ変更ヲ為スコトヲ得債務者ノ変更ニ付キ亦同ジ

　前項ノ変更ヲ為スニハ後順位ノ抵当権者其他ノ第三者ノ承諾ヲ得ルコトヲ要セズ

　第一項ノ変更ニ付キ元本ノ確定前ニ登記ヲ為サザルトキハ其変更ハ之ヲ為サザリシモノト看做ス

〔1〕　元本の確定については、§§398の19～398の22前注参照。変更が可能なのは、根抵当権が確定するまでであって、いったん根抵当権が確定を生じたら、それ以後は、流動性をもたなくなるので、変更も許されなくなる。

〔2〕　債権の範囲については、改正前§398の2〔5〕～〔8〕参照。そこで述べた、たとえば、〔5〕の具体的債権特定基準の内容を追加、削除、交換、変更したり、〔6〕の抽象的債権特定基準の内容を追加、削除、交換、変更したり、さらに、〔5〕に〔6〕を追加し、〔5〕を〔6〕に変更するなど、また、〔7〕の特定原因基準を追加したり、〔8〕の回り手形・小切手基準を追加、削除したりなどの変更を、根抵当権者と根抵当負担者の合意で自由にすることができる。

　根抵当負担者と根抵当債務者が別人である場合に、根抵当債務者の意見が問われることはない。その変更が根抵当債務者の期待に反することもありうるが、それは両人の間で（たとえば、担保提供委託契約があれば、その問題として）解決され、根抵当関係としては、それにかかわりなく、変更の効力が生じるのである。

〔3〕　債務者は、通常は単数であろうが、A・B・C3人の債務を担保するというように、複数であってもよい。これを「共用根抵当権」と呼ぶ（改正前§398の2〔2〕(イ)(a)参照）。

§§398の4・398の5・398の6

　従来はAの債務を担保するものであったものを、Bの債務を担保するものに変更したり(交換的変更)、債務者としてCを追加したり(追加的変更)、A・B・Cの債務を担保するものであったものから、Aを除いたり(削除的変更)する変更も、根抵当権者と根抵当負担者の合意で可能である。根抵当債務者の意見が問われないことについては、〔2〕と同様である。

　〔4〕　これらの変更について、後順位の抵当権者などの利害関係者は異議をいえない。この第三者には、根抵当権を目的とする転根抵当権者も含まれると解されることに注意を要する。これらの者は、その不動産について、極度額の存在を覚悟、ないし予定するという立場に立ち、その中身として、どのような債権がどれだけ存在するかについては、独立の利害関係を有しないと考えられているのである。

　〔5〕　この変更を行うのは、根抵当権の物権としての内容を変更する物権的行為であり、その登記がなされることによって、効力を生じるものとされる。当事者の間でまず合意がなされるであろうが、それだけでは債権的な効力が生じるのみであり、物権的効力としては、登記がいわば成立要件になるのである。

▎（根抵当権の極度額の変更）
▎第三百九十八条の五
▎　　根抵当権の極度額の変更は、利害関係を有する者[1]の承諾を得なければ、することができない[2]。
▎[2004年改正前条文]
▎　　根抵当権ノ極度額ノ変更ハ利害ノ関係ヲ有スル者ノ承諾ヲ得ルニ非ザレバ之ヲ為スコトヲ得ズ

　〔1〕　極度額の増額の場合と減額の場合とで、当然この「利害関係を有する者」の該当者は異なる。前者の場合は、目的不動産上の後順位抵当権者、差押え債権者など、後者の場合は、転根抵当権者(§398の11〔3〕参照)などがこれに当たることになろう。これらの者はいずれも登記を備えていることを要すると解される。

　〔2〕　極度額の変更も、根抵当権者と根抵当負担者の合意によって行われるが、極度額は、他の要素と異なり、根抵当権の担保価値支配権の限度、いわば「枠支配権」としての「枠」を決定するものであるので、その変更については利害関係者の承諾を必要とせざるをえない。

　極度額の変更は、利害関係者全員の承諾がある時にはじめて可能であると解するべきである。承諾をした利害関係者に対する関係でのみ効力を生じるというような相対的効果を認めるべきではない。

▎（根抵当権の元本確定期日の定め）
▎第三百九十八条の六
▎　1　根抵当権の担保すべき元本については、その確定すべき期日[1]を定め又は変更することができる[2]。

689

第2編　第10章　抵当権　第4節　根抵当

　　2　第三百九十八条の四第二項の規定は、前項の場合について準用する[3]。

　　3　第一項の期日は、これを定め又は変更した日から五年以内でなければならない[4]。

　　4　第一項の期日の変更についてその変更前の期日より前に登記をしなかったときは、担保すべき元本は、その変更前の期日に確定する[5]。

[2004年改正前条文]
　根抵当権ノ担保スベキ元本ニ付テハ其確定スベキ期日ヲ定メ又ハ之ヲ変更スルコトヲ得
　第三百九十八条ノ四第二項ノ規定ハ前項ノ場合ニ之ヲ準用ス
　第一項ノ期日ハ之ヲ定メ又ハ変更シタル日ヨリ五年内タルコトヲ要ス
　第一項ノ期日ノ変更ニ付キ其期日前ニ登記ヲ為サザルトキハ担保スベキ元本ハ其期日ニ於テ確定ス

　本条は、根抵当権設定契約における任意的約定事項として「確定期日」を定めることができること、および、それを変更することができることについて定める。
　〔1〕「確定期日」とは、根抵当権が確定(条文の言葉では、「元本の確定」)を生じるものとして予定された日をいう。その日が到来したときに、根抵当権について確定の諸効果を生じる(§398の19前注①参照)。
　旧根抵当においては、根抵当権者と債務者の間の取引契約が終了したときに根抵当権は確定し、根抵当権の存続期間は取引契約の存続期間と一致すると考えられていた。これに対して、新規定は、根抵当権独自の存続期間(被担保債権が特定せず、流動しうる期間)を、取引契約の存続とは無関係に当事者があらかじめ定めることができるものとしたのである。
　〔2〕　この確定期日の定めは任意的である。これが定められていないときは、「確定期日の定めのない根抵当権」となり、398条の19が適用され、根抵当負担者は、設定後3年を過ぎれば、いつでも確定請求でき、根抵当権者はいつでも確定請求できることになる(後者は、2003年の§398の19改正による)。
　確定期日に関する定めの変更も自由にすることができる。当初定めた期日を将来の別の日に早めたり、遅くしたりすることも(ただし、〔4〕参照)、期日の定めがあったものを定めのないものに変更し、定めがないものを定めのあるものに変更することもできると解される。
　〔3〕　398条の4〔4〕参照。
　〔4〕　確定期日の定めは、何年何月何日というように、将来の特定の日を決めることによって行われ、登記されるが、その日は約定の日から5年以内である必要がある。この制限は、確定期日の到来までは、根抵当負担者が根抵当権の負担を免れる手段がないので、根抵当権による担保的拘束があまりに長期にわたることを避ける趣旨のものである。
　〔5〕　確定期日の定めおよびその変更は登記される必要があり、この登記については、とくに規定はないが、398条の4〔5〕に述べたと同じことが妥当すると考えられる。
　この登記の特殊な性質は、この第3項の規定にもあらわれている。すなわち、たと

えば、ある年の6月30日が確定期日とされ、登記されている場合に、たとえ5月中に当事者間で確定期日をその先に延ばす合意がなされていても、その変更の登記がされずに、6月30日が到来してしまえば、その根抵当権は確定を生じてしまうのである。それを阻止するためには、6月30日の前に確定期日変更の登記をしなければならない。

個別の被担保債権に関する当事者の変更[§398の7の前注]

〈改正〉 2017年に改正された。

　根抵当権は、根抵当権者(A)の根抵当債務者(B)に対する所定の基準に該当する債権を担保するものである。したがって、その被担保債権について、債権譲渡や債務引受けなどの事由が生じ、債権者がAからCに変わり、または債務者がBからDに変わったような場合には、そのCのBに対する債権、またはAのDに対する債権は、被担保債権の基準から外れ、担保されなくなる。この種の事柄を規定したのが、398条の7である。

　旧根抵当においては、根抵当関係は取引関係に付従すると考えられていたので、このような場合にも、債権譲受人Cは、その債権につき根抵当権による担保を享受できると解されていたが(いわゆる随伴性)、論議が存した。その点の疑義は、同条の規定によってなくなったことになる。

　なお、これらの規定は、根抵当権の確定前に適用されるものであり、いったん確定を生じれば、根抵当権とそれにより担保される債権との間には特定的な結合を生じるのであるから、その後譲渡などの事由を生じても、被担保債権から外れることはない。

■（根抵当権の被担保債権の譲渡等）
第二百九十八条の七
　1　元本の確定前に[1)]根抵当権者から債権を取得した者[2)]は、その債権について根抵当権を行使することができない[3)]。元本の確定前に債務者のために又は債務者に代わって弁済をした者も、同様とする[4)]。
　2　元本の確定前に債務の引受け[5)]があったときは、根抵当権者は、引受人の債務について、その根抵当権を行使することができない。
　3　元本の確定前に免責的債務引受があった場合における債権者は、第四百七十二条の四第一項の規定にかかわらず、根抵当権を引受人が負担する債務に移すことができない[1]。
　4　元本の確定前に[1)]債権者の交替による更改[6)]があった場合における更改前の債権者は、第五百十八条第一項の規定にかかわらず、根抵当権を更改後の債務に移す[7)]ことができない。元本の確定前に債務者の交替による更改があった場合における債権者も、同様とする。

第2編　第10章　抵当権　第4節　根抵当

［改正前条文］

1、2　同上

3　元本の確定前に[1]債権者又は債務者の交替による更改[6]があったときは、その当事者は、第五百十八条の規定にかかわらず、根抵当権を更改後の債務に移す[7]ことができない。

〈改正〉　2017年に改正された。3項中「又は債務者」を削り、「ときは、その当事者は、第五百十八条」を「場合における更改前の債権者は、第五百十八条第一項」に改め、同項に後段として次のように加えた。「元本の確定前に債務者の交替による更改があった場合における債権者も、同様とする。」さらに、3項を4項とし、2項の次に、上記の3項を加えた（条文の整理である）。附則（根抵当権に関する経過措置）第十三条2　新法第三百九十八条の七第三項の規定は、施行日前に締結された債務の引受けに関する契約については、適用しない。3　施行日前に締結された更改の契約に係る根抵当権の移転については、新法第三百九十八条の七第四項の規定にかかわらず、なお従前の例による。

［改正の趣旨］　［1］　免責的債務引受に関する新設条文に対する対応である。

〈改正〉　2004年改正によって398条の7と398条の8が合体されて、§398の7となった。

［2004年改正前条文］

第三百九十八条の七

元本ノ確定前ニ根抵当権者ヨリ債権ヲ取得シタル者ハ其債権ニ付キ根抵当権ヲ行フコトヲ得ズ元本ノ確定前ニ債務者ノ為メニ又ハ債務者ニ代ハリテ弁済ヲ為シタル者亦同ジ

元本ノ確定前ニ債務ノ引受アリタルトキハ根抵当権者ハ引受人ノ債務ニ付キ其根抵当権ヲ行フコトヲ得ズ

第三百九十八条の八

元本ノ確定前ニ債権者又ハ債務者ノ交替ニ因ル更改アリタルトキハ其当事者ハ第五百十八条ノ規定ニ拘ハラズ根抵当権ヲ新債務ニ移スコトヲ得ズ

〔1〕　元本の確定については、398条の19前注を参照。根抵当権の確定後は、本条の適用はなく、被担保債権について譲渡などがあれば、根抵当権の効力はこれに随伴するのである。

〔2〕　この取得の原因は、有償の譲渡でも無償の贈与でも、またその他の原因でもよい。要するに、債権者という主体が変更すれば、その債権は根抵当権の被担保債権ではなくなる。債権の質入れについては、366条〔1〕参照。

〔3〕　本条前注に述べたように、新しい根抵当権は、物権の平面において定められた被担保債権を担保するものであり、当事者が取引の平面において、ある債権について譲渡後も根抵当権によって担保させたいと望んでも、これを認めることは理論上も実際上も混乱を生じることになるので、これを認めないこととしたものである。要するに、根抵当権の被担保債権のなかに根抵当権者以外の者が有する債権が混じることは、新規定による根抵当権の独立的な性格にはなじまないのである。

〔4〕　根抵当権の被担保債権について代位弁済（「のために」と「に代わって」については、§§459・499［両条につき改注］参照。改正前§500も参照）があると、やはり債権者が変わることになる。この場合については、代位弁済者の利益を否定してよいかという問題もあるが、新しい根抵当権の性質上はっきりとこれを否定した。

〔5〕　〔3〕に述べたことは、根抵当債務者が変更した場合にも妥当する。したがって、債務の引受けが行われた場合にも、その債務は根抵当権により担保されなくなる

§398の7〔1〕〜〔7〕・根抵当権者・根抵当債務者の相続・合併・分割［前注］・§398の8

のである。

　ここでいう債務の引受けは、厳密な意味におけるそれであって、いわゆる免責的債務引受けをいう。従来の債務者が離脱しないいわゆる重畳的債務引受けの場合には、その債務が被担保債権から外れることはない(第3編第1章第4節後注参照)。

　〔6〕　更改は、債権者と債務者の合意により、旧債務を消滅させ、その代わりに新債務を成立させるものであるが、変更される債務の要素には、各種のものがある。本項は、そのうち、債権者を変更するものと債務者を変更するものとに適用がある。

　〔7〕　更改により、債権者または債務者が変更された場合にも、前2項におけると同様の問題が生じる。更改に関しては、518条［改注］がある関係上、表現がやや異なった規定になっているが、その趣旨は、改正前398条の7前注と〔3〕に述べたところと同様である。

根抵当権者・根抵当債務者の相続・合併・分割

　　［§§398の8〜398の10の前注］

　根抵当権者または根抵当債務者について、包括承継の事由、すなわち(自然人の場合に)相続または(法人、とくに会社の場合に)合併や分割が生じたときに、根抵当関係はどうなるかは、ひとつの問題である。旧根抵当権においては、当事者の取引関係がどうなるかによって根抵当関係も決まると考えられたが、新規定においては、その関係の解決についても、取引関係に依拠しないで明記をしておく必要がある。

　解決の方向としては、おおまかにいって、包括承継が生じたときには、原則として承継人にそれぞれの地位が引き継がれるとして、承継性に重点をおくものと、原則としてそこで根抵当関係は流動状態を終了するとして、断絶性に重点をおくものとが考えられる。新規定としては、相続については後者、合併・分割については前者の方向を採用したものということができる。

　なお、相続・合併・分割が生じたときにすでに存在している債権が根抵当権によって担保されることは、いうまでもないことである。上に述べた問題は、相続・合併・分割後に承継人を債権者または債務者として生じる債権がその根抵当権によって担保されうるかどうかという問題である。

■（根抵当権者又は債務者の相続）
第三百九十八条の八
　1　元本の確定前に[1]根抵当権者について相続が開始したときは、根抵当権は、相続開始の時に存する債権のほか[2]、相続人と根抵当権設定者との合意により定めた相続人が相続の開始後に取得する債権を担保する[3]。
　2　元本の確定前に[1]その債務者について相続が開始したときは、根抵当権は、相続開始の時に存する債務のほか[4]、根抵当権者と根抵当権設定者との合意により定めた相続人が相続の開始後に負担する債務を担保する[5]。

693

第2編　第10章　抵当権　第4節　根抵当

　　　3　第三百九十八条の四第二項の規定は、前二項の合意をする場合について準
　　　用する[6]。
　　　4　第一項及び第二項の合意について相続の開始後六箇月以内に登記をしない
　　　ときは、担保すべき元本は、相続開始の時に確定したものとみなす[7]。
〈改正〉　2004年改正により、398条の9が398条の8になった。

［2004年改正前条文］
第三百九十八条ノ九
　　元本ノ確定前ニ根抵当権者ニ付キ相続ガ開始シタルトキハ根抵当権ハ相続開始ノ時ニ存
　　スル債権ノ外相続人ト根抵当権設定者トノ合意ニ依リ定メタル相続人ガ相続ノ開始後ニ取
　　得スル債権ヲ担保ス
　　元本ノ確定前ニ債務者ニ付キ相続ガ開始シタルトキハ根抵当権ハ相続開始ノ時ニ存スル
　　債務ノ外根抵当権者ト根抵当権設定者トノ合意ニ依リ定メタル相続人ガ相続ノ開始後ニ負
　　担スル債務ヲ担保ス
　　第三百九十八条ノ四第二項ノ規定ハ前二項ノ合意ヲ為ス場合ニ之ヲ準用ス
　　第一項及ビ第二項ノ合意ニ付キ相続ノ開始後六个月内ニ登記ヲ為サザルトキハ担保スベ
　　キ元本ハ相続開始ノ時ニ於テ確定シタルモノト看做ス

　〔1〕　元本の確定については、398条の19前注参照。本条の問題を生じるのは根
抵当権の確定前に限るのであって、確定後は、もはやその後に発生する債権が担保さ
れることはない。
　〔2〕　根抵当権者をAとし、Aが死亡して、a_1、a_2、a_3が相続人であると仮定する。
相続開始のときに、Aが根抵当債務者Bに対して甲債権、乙債権、丙債権を有する
とすれば、この3債権が根抵当権によって担保されることは問題ない。これらの債権
が、a_1、a_2、a_3によって、どのように相続されるかは別の問題であって、だれによっ
て相続されたとしても、それらの債権は、相続人に属している限りは、根抵当権によ
って担保される。
　〔3〕　問題は、相続開始後において、相続人がBに対して取得する債権が、その
相続された根抵当権によって担保されうるかどうかである。この点について、本条は、
相続人全員と根抵当負担者(根抵当債務者が別の場合、その同意は要らない)が合意して、
相続人のうち、たとえばa_1一人が、あるいは、a_1、a_2、a_3三人全員が引き続き根抵当
権者となって、根抵当権を存続させることを決定すれば、根抵当権は確定しないで、
その新しく定められた根抵当権者のために存続する。この合意が成立せず、登記(〔7〕
参照)がされないときは、根抵当権は確定するので、この解決は、どちらかといえば、
相続により根抵当関係は終了し、とくに合意をすれば、存続させることができるとい
う(「断絶性」を重視する)考えによっているということができる。
　〔4〕　〔2〕の例を、根抵当債務者Bが死亡して、b_1、b_2、b_3が相続したものと置き
換えても、同じことになる。
　〔5〕　この場合には、根抵当権者と根抵当負担者(Bが根抵当負担者でもあった場合は、
相続人全員ということになる。根抵当負担者が根抵当債務者と別であれば、その者の合意が必要
であり、b_1、b_2、b_3の意思は問われない)の合意があれば、根抵当権の存続が可能である。

§§398の8〔1〕～〔7〕・398の9〔1〕〔2〕

その合意により、相続人のうちのだれが(全員でもよい)引き続き根抵当債務者になるかが定められる。

〔6〕 398条の4〔4〕参照。

〔7〕 〔3〕および〔5〕の合意が成立したときでも、それが、相続開始後6か月以内に登記されることが、根抵当権が確定せずに存続するための要件である。登記がされないと、根抵当権は相続開始の時に確定し、死亡したAの債権、あるいは、Bの債務だけが、(相続人によって相続された状態で)担保されることになる。

(根抵当権者又は債務者の合併)

第三百九十八条の九

1　元本の確定前に[1]根抵当権者について合併[2]があったときは、根抵当権は、合併の時に存する債権のほか[3]、合併後存続する法人又は合併によって設立された法人が合併後に取得する債権を担保する[4]。

2　元本の確定前に[1]その債務者について合併があったときは、根抵当権は、合併の時に存する債務のほか[5]、合併後存続する法人又は合併によって設立された法人が合併後に負担する債務を担保する[6]。

3　前二項の場合には、根抵当権設定者は、担保すべき元本の確定を請求することができる[7]。ただし、前項の場合において、その債務者が根抵当権設定者であるときは、この限りでない[7]。

4　前項の規定による請求があったときは、担保すべき元本は、合併の時に確定したものとみなす[8]。

5　第三項の規定による請求は、根抵当権設定者が合併のあったことを知った日から二週間を経過したときは、することができない。合併の日から一箇月を経過したときも、同様とする[8]。

〈改正〉 2004年改正により、398条の10が398条の9になった。

[2004年改正前条文]

第三百九十八条ノ十

　元本ノ確定前ニ根抵当権者ニ付キ合併アリタルトキハ根抵当権ハ合併ノ時ニ存スル債権ノ外合併後存続スル法人又ハ合併ニ因リテ設立シタル法人ガ合併後ニ取得スル債権ヲ担保ス

　元本ノ確定前ニ債務者ニ付キ合併アリタルトキハ根抵当権ハ合併ノ時ニ存スル債務ノ外合併後存続スル法人又ハ合併ニ因リテ設立シタル法人ガ合併後ニ負担スル債務ヲ担保ス

　前二項ノ場合ニ於テハ根抵当権設定者ハ担保スベキ元本ノ確定ヲ請求スルコトヲ得但前項ノ場合ニ於テ其債務者ガ根抵当権設定者ナルトキハ此限ニ在ラズ

　前項ノ請求アリタルトキハ担保スベキ元本ハ合併ノ時ニ於テ確定シタルモノト看做ス

　第三項ノ請求ハ根抵当権設定者ガ合併アリタルコトヲ知リタル日ヨリ二週間ヲ経過シタルトキハ之ヲ為スコトヲ得ズ合併ノ日ヨリ一个月ヲ経過シタルトキ亦同ジ

〔1〕 398条の8〔1〕参照。

〔2〕 法人の「合併」においても、相続と同様な問題が生じる。「合併」として規

695

第2編　第10章　抵当権　第4節　根抵当

定上明確なものは、「会社の合併」であるが、これは、複数の会社(たとえば、A_1とA_2)が契約により合体して、一つの会社になることをいう。その結果、新しい会社(A_3、新設会社という)を設立する「新設合併」と、一つの会社(A_1、存続会社という)が存続して、他(A_2)を吸収する「吸収合併」とがあるが、本条はいずれにも適用される。

〔3〕　合併の時までに、たとえば、根抵当権者A_2が根抵当債務者Bに対してすでに取得していた債権が、新設会社A_3あるいは存続会社A_1に承継され、根抵当権によって担保されることは当然であって、問題はない。

〔4〕　合併の場合には、かなり「承継性」を重視する解決が定められている。すなわち、原則として、根抵当権は確定せず、新設会社または存続会社がその後も根抵当債務者に対して取得する債権を根抵当権は担保する。

〔5〕　根抵当債務者B_2についてB_1との合併が行われ、新設会社B_3あるいは、存続会社B_1に債務が承継された場合に、B_2においてすでに生じていた債務が根抵当権によって担保されることも問題はない。

〔6〕　この場合にも、新設会社または存続会社がその後も根抵当権者に対して負う債務が根抵当権によって担保される。

〔7〕　ただし、以上の〔4〕の場合においても、〔6〕の場合においても、根抵当負担者が根抵当債務者と違う場合には、その者に、合併後も従来通りに合併後の会社が取得する債権、あるいは負う債務についても、根抵当権による担保を継続する意思があるかどうかを問う必要がある。そこで、本項は、この場合における根抵当負担者に根抵当権を確定させる請求権を認めたのである。

〔8〕　〔7〕の請求が行われれば、根抵当権は会社合併の時に確定したものとして扱われ、合併前の債権・債務だけが担保されることになる。この請求は、合併を知った時から2週間、合併の日から1か月以内に行使することを要する。この期間は除斥期間(第1編第7章解説③参照)と解される。

（根抵当権者又は債務者の会社分割）
第三百九十八条の十

1　元本の確定前に根抵当権者を分割をする会社とする分割[1]があったときは、根抵当権は、分割の時に存する債権のほか、分割をした会社及び分割により設立された会社[2]又は当該分割をした会社がその事業に関して有する権利義務の全部又は一部を当該会社から承継した会社[3]が分割後に取得する債権を担保する[4]。

2　元本の確定前にその債務者を分割をする会社とする分割があったときは、根抵当権は、分割の時に存する債務のほか、分割をした会社及び分割により設立された会社又は当該分割をした会社がその事業に関して有する権利義務の全部又は一部を当該会社から承継した会社が分割後に負担する債務を担保する[5]。

3　前条第三項から第五項までの規定は、前二項の場合について準用する[6]。

〈改正〉　2000年の改正により、本条が398条の10の2として新設された。2004年改正によ

り、398 条の 10 になった。

2005 年の改正により、1・2 項が改められ、内容にも変化がみられる。

[2004 年改正前条文]

第三百九十八条ノ十ノ二

　　元本ノ確定前ニ根抵当権者ヲ分割ヲ為ス会社トスル分割アリタルトキハ根抵当権ハ分割ノ時ニ存スル債権ノ外分割ヲ為シタル会社及ビ分割ニ因リテ設立シタル会社又ハ営業ヲ承継シタル会社ガ分割後ニ取得スル債権ヲ担保ス

　　元本ノ確定前ニ債務者ヲ分割ヲ為ス会社トスル分割アリタルトキハ根抵当権ハ分割ノ時ニ存スル債務ノ外分割ヲ為シタル会社及ビ分割ニ因リテ設立シタル会社又ハ営業ヲ承継シタル会社ガ分割後ニ負担スル債務ヲ担保ス

　　前条第三項乃至第五項ノ規定ハ前二項ノ場合ニ之ヲ準用ス

　2000 年の商法改正により会社分割の制度が新設された（商旧§§373～374 の 31 →会社§§757～766）。それに伴い、398 条の 9 と同じ趣旨による手当てが必要になり、本条が設けられた。第 1 項は、根抵当権者について分割が行われた場合に関し、第 2 項は、債務者について分割が行われた場合に関する。

　〔1〕　会社の分割には、「新設分割」（商旧§§373～→会社§§2⑳・762～）と「吸収分割」（商旧§§374 の 16～→会社§§2㉙・757～）の 2 種がある。従来から存在する A 会社を分割して、A の営業の全部または一部を新しく設立する B 会社に承継させるものを新設分割という。A 会社の営業の全部または一部を既存の C 会社に承継させるものを吸収分割という。A 会社のことを「分割をする会社」または「分割をした会社」と呼ぶ。いずれにおいても、B 会社または C 会社への一種の包括承継が生じる。

　〔2〕　新設分割における B 会社のことを「分割により設立された会社」と呼ぶ。

　〔3〕　吸収分割における C 会社のことを営業（2005 年の改正は、これを「権利義務の全部又は一部」と言い換えた）を承継した会社と呼ぶ。

　〔4〕　会社の分割によって、従来 A 会社が有した根抵当権はどうなるか。本項は、その根抵当権は、分割時に A 会社が有した債権を担保するとともに（§398 の 9〔3〕参照）、分割後に A 会社および B 会社（新設分割のとき）または C 会社（吸収分割のとき）が取得する債権を担保することになるとする。

　〔5〕　第 2 項は、A 会社が根抵当権における債務者である場合について、その根抵当権は、分割時に A 会社が負っていた債務を担保するとともに（§398 の 9〔5〕参照）、分割後に A 会社および B 会社（新設分割のとき）または C 会社（吸収分割のとき）が負う債務を担保することになるとする。

　〔6〕　第 1 項および第 2 項は、会社の合併に関する前条と同じ趣旨で、「承継性」に重点をおいた解決をしているということができる（§398 の 9〔4〕参照）。抵当権設定者がこの継続を希望しない場合には、やはり 398 条の 9 と同じく、設定者に確定請求権を認めるのが妥当である。そこで、そのことに関する前条の第 3 項～第 5 項を準用したのである。

第2編　第10章　抵当権　第4節　根抵当

根抵当権の処分 [§§398の11〜398の15の前注]

1　根抵当権の処分の意義

　新しい根抵当権が、取引関係から切り離された独立的性格を有するものとなったことに伴い、その処分についてもまったく新しい考え方が必要となった。けだし、376条が定める「抵当権の処分」は、処分者が有する優先弁済権を処分の相手である受益者に与えるという相対的な性格を有するので、これを独立的性格を有する新根抵当権に適用するのは、まったく不可能に近いといってもよいからである。たとえば、受益者が受ける利益を処分者が有する被担保債権に限るとするのは適当でないし、処分者が弁済を受けて被担保債権を減少させることを受益者との関係で制限することも妥当でない（§376[2](イ)参照）。

　そこで、新規定においては、根抵当権者は根抵当負担者の承諾を得て、その根抵当権を独立の「枠支配権」として自由に処分することができるものとした（その諸形態については、[2]参照）。それは、あたかも、根抵当権者が根抵当権を自己の財産権として自由に処分する行為であるかのような印象を与える。しかし、根抵当負担者の承諾を要するという点に、とくに注意する必要がある。新規定が定める「根抵当権の処分」は、いわば根抵当権者と根抵当負担者の合意によって、根抵当関係を操作し、整序する手段である。むしろ、この手段は、根抵当負担者（すなわち目的不動産所有者）の——目的物の有する担保価値の活用を意図する——意思を軸として運用されることが望ましい。根抵当権という「枠支配権」それ自体は、けっして財貨としての経済的価値をもつものではなく、その枠を埋める被担保債権が存在することによってはじめて経済的価値をもつのであることをしっかりと認識する必要がある。

2　根抵当権の処分の種類

　上記の趣旨から、376条が定める処分の形態は、原則として、根抵当権については認められないものとされ（§398の11）、根抵当権の独立的処分ともいうべき、つぎの3種の処分形態が定められた。これらの処分を総称して（§398の11 I ただし書の定める転根抵当を含めてもよい）、「根抵当権の処分」と呼ぶことができよう（ただし、2004年改正は、この言葉を§398の11の表題として用いている）。

　　(a)　全部譲渡（§398の12 I）

　　(b)　分割譲渡（§398の12 II）

　　条文は、(a)と(b)を合わせて、「譲渡」とよんでいる（§398の15）。

　　(c)　一部譲渡（§398の13）

　ただし、375条が定めるもののうち、転抵当だけは、これを認めても、とくに支障は生じないので、これを認めることとした（§398の11 I ただし書）。これを「転根抵当」とよぶことができる。そのほか、根抵当権の独立的処分と376条の相対的処分がからむ場面は避けることができないので、その点を配慮した規定が設けられた（§398の15）。

698

根抵当権の処分［前注］・§§398の11・398の12

（根抵当権の処分）
第三百九十八条の十一
1　元本の確定前においては[1]、根抵当権者は、第三百七十六条第一項の規定による根抵当権の処分をすることができない[2]。ただし、その根抵当権を他の債権の担保とすることを妨げない[3]。
2　第三百七十七条第二項の規定は、前項ただし書の場合において元本の確定前にした弁済については、適用しない[4]。

［2004年改正前条文］
　　元本ノ確定前ニ於テハ根抵当権者ハ第三百七十五条第一項ノ処分ヲ為スコトヲ得ズ但其根抵当権ヲ以テ他ノ債権ノ担保ト為スコトヲ妨ゲズ
　　第三百七十六条第二項ノ規定ハ前項但書ノ場合ニ於テ元本ノ確定前ニ為シタル弁済ニ付テハ之ヲ適用セズ

〔1〕　元本の確定については、398条の19の前注参照。
〔2〕　根抵当権の確定前は、398条の11の前注[1]に述べたように、新しい根抵当権の性質上、376条の処分を認めることは困難であるので、後述の転根抵当を除いて、同条による他の4種の処分はできないものとしたのである。確定後は、原則に戻って、376条の処分はすべて可能になると解される。
〔3〕　376条の定める処分のうち、転抵当だけは、これを認めることとした。転抵当権は、処分される抵当権が有する優先弁済権の限りにおいて、その担保の利益を享受するものであり、他の4種の処分のようにそれ以上に複雑な関係を生じないからである。これを、根抵当権を転抵当に供したという意味において、「転根抵当」とよぶことができる。逆に、普通抵当権を根抵当に供する「根転抵当」のようなものは、根抵当権の独立的な性格に反するので、認められない。
　　転根抵当権の効力としては、根抵当権者が最終的に有する優先弁済的効力を転根抵当権者が享受できる。もし、根抵当権の被担保債権が皆無であれば、転根抵当権はなんらの担保的利益も享受できないのであって、これは当然のことである。
〔4〕　根抵当権により担保される債権の存在は、転根抵当権者にとって重要な関心事であるが、であるからといって、376条における処分のように、被担保債権の弁済につき377条による転根抵当権者の承諾を要するとすることは、根抵当権の独立的性格に反するので、同条は適用されず、被担保債権が弁済されれば、転根抵当権が享受する担保的利益も当然に減少するものとしたのである。

（根抵当権の譲渡）
第三百九十八条の十二
1　元本の確定前においては[1]、根抵当権者は、根抵当権設定者の承諾を得て[3]、その根抵当権を譲り渡すことができる[2]。
2　根抵当権者は、その根抵当権を二個の根抵当権に分割して、その一方を前項の規定により譲り渡すことができる[4]。この場合において、その根抵当権を目的とする権利は、譲り渡した根抵当権について消滅する[5]。

699

第2編　第10章　抵当権　第4節　根抵当

3　前項の規定による譲渡をするには、その根抵当権を目的とする権利を有する者の承諾を得なければならない[6]。

[2004年改正前条文]

　　元本ノ確定前ニ於テハ根抵当権者ハ根抵当権設定者ノ承諾ヲ得テ其根抵当権ヲ譲渡スコトヲ得

　　根抵当権者ハ其根抵当権ヲ二個ノ根抵当権ニ分割シテ其一ヲ前項ノ規定ニ依リ譲渡スコトヲ得此場合ニ於テハ其根抵当権ヲ目的トスル権利ハ譲渡シタル根抵当権ニ付キ消滅ス

　　前項ノ譲渡ヲ為スニハ其根抵当権ヲ目的トスル権利ヲ有スル者ノ承諾ヲ得ルコトヲ要ス

〔1〕　元本の確定については、398条の19前注を参照。本条の処分が認められるのは、根抵当権が確定する前に限られる。確定を生じた後は、根抵当権の被担保債権は特定するので、原則に戻って、376条の処分が可能になると解される。

〔2〕　たとえば、Aが極度額5000万円の根抵当権をB所有の不動産上に有するとして、Aはこの根抵当権の全部をCに譲渡できる。譲渡は、AとCの契約によって行われる。その効果として、Aはその根抵当権をまったく失い、Cは、これを取得し、その必要に応じて、5000万円の極度額を自由に利用することができる。Aが定めた「債権の範囲」のままで利用してもよいが、多くの場合、被担保債権の範囲や根抵当債務者の変更を行うことになろう。

この処分を、条文は単に「譲渡」といっているが、他と区別するために、「全部譲渡」とよぶ。

〔3〕　全部譲渡をすることは、根抵当権者Aができるが、根抵当負担者Bの承諾を得なければならない。すなわち、根抵当権が極度額の限度において有する担保としての枠は、根抵当権者が有する財産権であるとともに、根抵当負担者(＝目的不動産所有者)が有する利益でもあるので、これに当事者に準じるといってよい地位を認めたものである。したがって、Bがその不動産をAのための担保からCのための担保に切り替えたいと考えたときは、Aに働きかけて、Cへの本項の譲渡をしてもらうという形で利用することも期待されているのである。

〔4〕　上例の根抵当権において、たとえば、Aが根抵当権を極度額3000万円のものと、極度額2000万円のものに分割して、前者を自分に保留し、後者をDに譲渡することができる。これも「譲渡」の一種であるが、「全部譲渡」と区別して、「分割譲渡」とよぶ。

理論的には、根抵当権の分割という方法を認めれば、分割をした上で、片方につき第1項の全部譲渡をすれば、同じ目的を達することができるはずである。ただ、〔5〕と〔6〕の問題があるので、それらを総合して一度に目的を達する手段として、この方法が定められたものと思われる。

〔5〕　上例において、Dに譲渡される方の2000万円の根抵当権については、従来の根抵当権の上に存在した権利はすべて消滅させた上で、これをDが取得するのが望ましいと考えられる(そうしないと、これらの権利は、いくつにも分かれた根抵当権の上に存することになる)。そこで、この規定がおかれたのである。

§§ 398 の 12〔1〕〜〔6〕・398 の 13・398 の 14

「根抵当権を目的とする権利」としては、398 条の 11 の転根抵当権（§398 の 11〔3〕）、根抵当権により担保される債権の差押え債権者の権利などが考えられる。これらの権利は、A に保留された 3000 万円の根抵当権についてのみ存続する。

〔6〕　〔5〕で述べたように、D に移転するほうの根抵当権について、その上の権利を消滅させるためには、この分割譲渡について、それらの権利を有する者の承諾を得なければならないのは、当然である。

（根抵当権の一部譲渡）
第三百九十八条の十三
　　　元本の確定前においては[1]、根抵当権者は、根抵当権設定者の承諾を得て[2]、その根抵当権の一部譲渡[3]（譲渡人が譲受人と根抵当権を共有するため、これを分割しないで譲り渡すことをいう。以下この節において同じ。）をすることができる[4]。
[2004 年改正前条文]
　元本ノ確定前ニ於テハ根抵当権者ハ根抵当権設定者ノ承諾ヲ得テ其根抵当権ノ一部譲渡ヲ為シ之ヲ譲受人ト共有スルコトヲ得

〔1〕　398 条の 12〔1〕参照。
〔2〕　398 条の 12〔3〕参照。
〔3〕　「一部譲渡」は、新規定が定める第 3 の根抵当権の処分の形態である。一部譲渡という言葉は、398 条の 15、398 条の 17 でも用いられるが、必ずしもその内容を的確に示していないので、注意を要する。

たとえば、根抵当権者 A が E にその根抵当権を一部譲渡すると、E も根抵当権者になり、E の債権もその根抵当権により担保されることになり、根抵当権は、いわば A と E によって準共有（§264）されることになる。その効果については、〔4〕参照。
〔4〕　一部譲渡の結果、どのように譲渡人と譲受人の両者の債権が担保されるかについては、根抵当権の共有（準共有）について 398 条の 14 が規定する通り、各種の場合がありうる。その点についての定めは、一部譲渡にさいして同時に、一部譲渡人と一部譲受人および根抵当負担者の間で定めるのが普通であろう。

（根抵当権の共有）
第三百九十八条の十四
　　1　根抵当権の共有者[1]は、それぞれその債権額の割合に応じて弁済を受ける[2][3]。ただし、元本の確定前に、これと異なる割合を定め、又はある者が他の者に先立って弁済を受けるべきことを定めたときは、その定めに従う[4]。
　　2　根抵当権の共有者は、他の共有者の同意を得て、第三百九十八条の十二第一項の規定によりその権利を譲り渡すことができる[5]。
[2004 年改正前条文]
　根抵当権ノ共有者ハ各其債権額ノ割合ニ応ジテ弁済ヲ受ク但元本ノ確定前ニ之ト異ナル割合ヲ定メ又ハ或者ガ他ノ者ニ先チテ弁済ヲ受クベキコトヲ定メタルトキハ其定ニ従フ

701

第2編　第10章　抵当権　第4節　根抵当

　　　根抵当権ノ共有者ハ他ノ共有者ノ同意ヲ得テ第三百九十八条ノ十二第一項ノ規定ニ依リ
　其権利ヲ譲渡スコトヲ得

　〔1〕　根抵当権の共有の状態は、398条の13の規定により、元来一人の根抵当権者、たとえばAの根抵当権であったものが、Eに一部譲渡されることによって（§398の13〔3〕の例）、後発的に生じる場合もあるが、理論的には、最初から複数の者、たとえばAとBが共有する根抵当権を設定することも可能であると解される。

　この根抵当権の共有は、正しくは準共有であり、根抵当権の性質に反しないかぎり、共有に関する規定が準用される（§264）。たとえば、共有者の一人が権利を放棄すれば、その権利は他の共有者に属することになろう（§255）。しかし、共有根抵当権の場合の持分は特殊であるし、その他、共有の規定で律しえないことが多い。たとえば、共有根抵当権の確定がいかにして生じるかについては、A・Bの両者について確定事由が生じることを要すると考えるべきであろう。また、398条の19の根抵当権確定請求権は、A・Bの両者に対して行使される必要があるであろう。

　〔2〕　たとえば、極度額1000万円の根抵当権をAとBが共有する場合、原則は、各共有者は同順位の扱いがされ、それぞれの債権額の割合に応じて案分により優先弁済を受ける。たとえば、Aの債権が900万円、Bの債権が600万円で確定すると、Aが600万円、Bが400万円となる。ただし、〔4〕をみよ。

　〔3〕　根抵当債務者が複数である場合にも、類似の関係を生じる。この場合については、本項ただし書のような定めは予定されていない。改正前398条の2〔2〕(イ)(a)参照。

　〔4〕　当事者は、本項本文と異なる割合、および優先弁済の定めをすることができる（登記については、不登§88Ⅱ④）。たとえば、上の例で、AとBが50パーセントずつと定めてもよいし（Aが500万円、Bも500万円となる）、つねにAが優先すると定めてもよい（Aが900万円、Bが100万円となる）。この定めに根抵当負担者の承諾が必要であることは当然である（本節解説④(2)、改正前§398の2〔2〕(ア)参照）。

　〔5〕　たとえば、AとBが共有する根抵当権について、どのような処分が可能であろうか。本項は、AがBの同意を得てその権利を他に全部譲渡することを認めている。文理上、分割譲渡や一部譲渡は認められないと解される。それらを認めなかったのは、あまりに複雑な関係を生じるからである。これに対して、AとBが一致して、根抵当権全体を処分することは認めてもよいと考えられる。たとえば、AとBがその根抵当権をCに全部譲渡したり、Dに一部譲渡したりすることである。後者の場合には、根抵当権はA・B・Dの共有ということになる。

（抵当権の順位の譲渡又は放棄と根抵当権の譲渡又は一部譲渡）
第三百九十八条の十五
　　　抵当権の順位の譲渡又は放棄[1]を受けた根抵当権者が、その根抵当権の譲渡又は一部譲渡をしたときは[2]、譲受人は、その順位の譲渡又は放棄の利益を受ける。

§§398の14〔1〕～〔5〕・398の15・共同根抵当権［前注］①～③

［2004年改正前条文］
　抵当権ノ順位ノ譲渡又ハ抛棄ヲ受ケタル根抵当権者ガ其根抵当権ノ譲渡又ハ一部譲渡ヲ為シタルトキハ譲受人ハ其順位ノ譲渡又ハ抛棄ノ利益ヲ受ク

　〔1〕　根抵当権につき376条の処分をすることと、根抵当権者が先順位の抵当権者から376条による処分を受けることとを混同してはならない。前者は、398条の11により、転根抵当を除いて禁止されるが、後者は（具体的には、順位譲渡と順位放棄の2種になるが）、なんら差し支えない。
　〔2〕　根抵当権者が先順位の抵当権者から、順位譲渡または順位放棄を受けたときに、さらにその根抵当権について398条の12による譲渡、あるいは398条の13による一部譲渡をすることがありうる。その場合には、譲受人または一部譲受人は先に行われていた先順位抵当権からの順位譲渡または順位放棄の利益を受けることはいうまでもなく、本条は、このことを念のために規定したものである。

共同根抵当権 ［§§398の16～398の18の前注］

① 共同根抵当の問題点
　392条が規定する共同抵当は、同一の債権（単数でも複数でもよい）を担保する数個の抵当権のことである。ところが、根抵当権における被担保債権は、「債権の範囲」によって特定される「不特定の債権」を担保するものであるから、同一の被担保債権の存在というものを前提することができない。そこで、共同根抵当（広義）の関係については、立法による新しい解決が必要とされた。

② 純粋共同根抵当
　新規定は、第1に、当事者が392条が適用される共同根抵当権を希望する場合には、その旨が登記されることと、担保するべき債権の範囲、債務者、極度額の三者について複数の根抵当権がまったく同一であることとを必要としたうえで、これを認めることとした。これを「狭義の共同根抵当」、あるいは、「純粋共同根抵当」と呼ぶことができる。この方法によれば、たとえば、甲不動産にも乙不動産にも1000万円の根抵当権を設定し、1000万円の融資をすれば、1000万円の債権が2個の不動産によって担保され、「危険の分散」（どちらかの不動産が無価値になっても、残りのもので弁済を受けることができる）という利点を享受することができる。
　なお、2004年改正により、398条の16の表題は単に（共同根抵当）とされたが、共同根抵当には広義の意味もあり紛らわしいと考えられるので、本書では上記の用語を用いることとする。

③ 累積式共同根抵当
　第2に、新しい根抵当権にふさわしいものとしては、むしろ、各根抵当権がそれぞ

703

第2編　第10章　抵当権　第4節　根抵当

れに独立して極度額までの担保に応じるという考え方が登場するのである。たとえば、甲不動産に3000万円、乙不動産に2000万円の根抵当権を設定し、債権の範囲としての取引の種類を同じにしておくと、その取引から生じる債権が合計額(累積額)である5000万円まで担保されることになる。ただし、それでは上述の危険の分散にはならないので、その要素を加味したければ、実際に生じさせる債権の総額を3000万円程度にしておけばよい、ということになる。ただし、担保提供者からは、合計額の5000万円に近い額までの融資を要望されるということになろう。この新規定によって認められた関係の共同根抵当を「累積式共同根抵当」と呼ぶことができる。新規定は、こちらの形態を原則的なものと考えている。

　なお、2004年改正により、398条の18の表題は単に(累積根抵当)とされたが、累積根抵当にも理論的には広義の共同根抵当(同一の債権が複数の根抵当権により担保されるという)の要素があるので、本書では上記の用語を用いることとする。

　(共同根抵当)
　第三百九十八条の十六
　　　　第三百九十二条及び第三百九十三条の規定は、根抵当権については、その設定と同時に同一の債権の担保として数個の不動産につき根抵当権が設定された旨の登記をした場合に限り[1]、適用する[2]。
　　[2004年改正前条文]
　　　第三百九十二条及ビ第三百九十三条ノ規定ハ根抵当権ニ付テハ其設定ト同時ニ同一ノ債権ノ担保トシテ数個ノ不動産ノ上ニ根抵当権ガ設定セラレタル旨ヲ登記シタル場合ニ限リ之ヲ適用スル

〔1〕　392条が適用される「純粋共同根抵当権」を設定するための要件は、それぞれの設定登記においてその旨が登記されることである。具体的には、共同担保目録の作成が必要になる(不登§83Ⅱ。旧§§122〜)。

　この登記をするためには、各根抵当権につき、「債権の範囲」、「債務者」、「極度額」が同一である必要がある。そのことは、398条の17の規定に表現されている。「確定期日」は、同一であることを要しない(§398の17(2)参照)。

　なお、複数の根抵当権は、392条におけると同様に、同時に設定されても、追加的に設定されてもよいと解される。

〔2〕　本条の要件を充たした場合には、392条・393条が全面的に適用される(§§392・393の注釈参照)。

　(共同根抵当の変更等)
　第三百九十八条の十七
　　1　前条の登記がされている根抵当権の担保すべき債権の範囲、債務者若しくは極度額の変更又はその譲渡若しくは一部譲渡は、その根抵当権が設定されているすべての不動産について登記をしなければ、その効力を生じない[1]。

§§398の16・398の17・398の18〔1〕

2　前条の登記がされている根抵当権の担保すべき元本は、一個の不動産についてのみ確定すべき事由が生じた場合においても、確定する[2]。

［2004年改正前条文］
　　前条ノ登記アル根抵当権ノ担保スベキ債権ノ範囲、債務者若クハ極度額ノ変更又ハ其譲渡若クハ一部譲渡ハ総テノ不動産ニ付キ其登記ヲ為スニ非ザレバ其効力ヲ生ゼズ
　　前条ノ登記アル根抵当権ノ担保スベキ元本ハ一ノ不動産ニ付テノミ確定スベキ事由ガ生ジタル場合ニ於テモ亦確定ス

〔1〕　純粋共同根抵当権においては、各不動産上の根抵当権について、「債権の範囲」、「債務者」、「極度額」の変更（§§398の4・398の5）、譲渡、一部譲渡（§§398の12・398の13）は、揃って登記される必要がある。登記は一種の成立要件である。「確定期日」についての変更は、揃ってなされることは要しない（〔2〕参照）。

〔2〕　純粋共同根抵当権においては、元本の確定も、すべての不動産上の根抵当権について同時に生じるものとする必要がある。どういう場合に、いっせいに確定を生じるかについて、本項は、1個の根抵当権についてでも確定事由が生じたときは、すべての根抵当権について確定を生じるとした。このようにしないと、392・393条を適用することは不可能であるからである。

　各根抵当権について、確定期日が違っていたり、その定めのあるものとないものが混じっていたりすることがありうるが、たとえば、定めのない根抵当権について、根抵当負担者が確定請求（§398の19）をしたときは、他の根抵当権についても確定を生じる。また、早い時期に確定期日の到来した根抵当権があれば、まだ未到来のものについても確定が生じることになる。

（累積根抵当）
第三百九十八条の十八
　　数個の不動産につき根抵当権を有する者[1]は、第三百九十八条の十六の場合を除き[2]、各不動産の代価について、各極度額に至るまで優先権を行使することができる[3]。

［2004年改正前条文］
　　数個ノ不動産ノ上ニ根抵当権ヲ有スル者ハ第三百九十八条ノ十六ノ場合ヲ除ク外各不動産ノ代価ニ付キ各極度額ニ至ルマデ優先権ヲ行フコトヲ得

〔1〕　たとえば、Aが、Bに対するア取引から生じる債権を担保するために甲不動産上に根抵当権を有し、かつ、同じア取引から生じる債権を担保するために乙不動産上に根抵当権を有するとする。ア取引からa、b、c債権が生じたとすれば、これらの債権は、甲・乙2個の不動産上の根抵当権により担保されることになる。この場合の二つの根抵当権も、広い意味では、共同根抵当権ということができる。もし、乙不動産上の根抵当権が、ア取引だけでなくイ取引から生じる債権をも担保するものであれば、甲不動産上の根抵当権と乙不動産上の根抵当権の一部とが共同根抵当の関係に立つことになる。実際には、このような関係の根抵当権が、同時に設定されることも

705

第2編　第10章　抵当権　第4節　根抵当

あるが、追加的に設定されていくことが多くみられる。

　このような、広義の共同根抵当関係に立つ複数の根抵当権の間の関係について、新規定は、一方で、398条の16により392条の適用のある「純粋共同根抵当権」を設定する可能性を残しながら（上例の後者では、「債権の範囲」が違うので、できないが）、原則としては、本条による「累積式共同根抵当権」が成立するものとしたのである。

　〔2〕　398条の16注釈参照。

　〔3〕　398条の16による「純粋共同根抵当権」とされない場合は、すべて本条による「累積式共同根抵当権」とされることになる。たとえば、〔1〕の例で、甲不動産上の3000万円の根抵当権と乙不動産上の2000万円の根抵当権は、それぞれ別個独立に「債権の範囲」に該当する債権を担保する。上例のア取引から生じるa、b、c債権（計3000万円）は、両方の根抵当権によって担保されるが、そのことにより、392条が定めるような問題を生じることはない。イ取引からd、e債権（計2000万円）が生じたとすれば、これは乙不動産上の根抵当権によってのみ担保される。これによって、全債権の満足が可能になる。各根抵当権について、別々に処分することも可能であり、確定もそれぞれ別個に生じる。この扱いの方が、新しい根抵当権の独立的性格にふさわしいと考えられる。

根抵当権の確定・実行・消滅 ［§§398の19〜398の22の前注］

① 根抵当権の確定

(1) 確定の意義

　根抵当権が「不特定の債権」を担保している状態、いわばその流動性は、いつ、どのようにして終了するのであろうか。根抵当権者がその根抵当権による優先弁済権を行使する必要が生じた場合に、根抵当権の被担保債権は流動性を失い、特定されなければならない。旧根抵当においては、債権者と債務者の間において取引が終了し、支払われるべき債務が残存しているときに、根抵当権の確定が生じると考えれば、それですんだ。ところが、新しい根抵当権においては、取引関係を前提とすることはできないので、民法の規定において、確定が生じる場合を明確にしておく必要が生れたのである。

　これについて、新規定は、「元本の確定」という表現を用いて規定したが、学問上これを「根抵当権の確定」と呼ぶこともできる。根抵当権の確定とは、要するに、根抵当権について、その流動性が終了し、被担保債権が特定した状態になることをいう。

(2) 確定事由

　新規定が規定する根抵当権の確定事由、およびそれぞれの場合に確定を生じる時点は、つぎに挙げる通りである。このように、確定事由は多岐にわたるが、これらの規定は、上に述べた意味において、新しい根抵当権に関する規定の眼目のひとつである。これらの規定は、根抵当権という物権の重要な内容であり、したがって、当事者が勝手にこれを変更することのできない強行規定である。

§398の18〔2〕〔3〕・根抵当権の確定・実行・消滅［前注］①

①確定期日の到来（§398の6 Ⅳ）……………………………確定期日の日
②相続の場合の合意・登記の不達成（§398の8 Ⅳ）………………相続開始の時
③合併の場合の確定請求（§398の9 Ⅳ）………………………………合併の日
④会社分割の場合の確定請求（§§398の10 Ⅲ・398の9 Ⅳ）……………会社分割の日
⑤根抵当負担者の確定請求（§398の19 Ⅰ）………確定請求の後2週間経過した日
⑥根抵当権者の確定請求（§398の19 Ⅱ）……………………………請求の時
⑦根抵当権者による競売・担保不動産収益執行・物上代位のための差押え（§398
　の20 Ⅰ①）………………………………………………その申立ての時
⑧根抵当権者による滞納処分（§398の20 Ⅰ②）………………差押えの時
⑨第三者による競売・滞納処分など（§398の20 Ⅰ③）
　　　　　　　　…………………根抵当権者が知った時より2週間経過した日
⑩根抵当債務者・根抵当負担者の破産（§398の20 Ⅰ④）……破産手続開始決定の時
　なお、純粋共同根抵当権についての、398条の17第2項に注意を要する（§398の
17〔2〕参照）。

(3)　確定の効果
　根抵当権が確定すると、根抵当権が担保する債権（元本債権）は、その時点において
存在するものに特定し、その後発生するものは担保されなくなる。いわば、根抵当権
と被担保債権との特定的結合が生じるのである。
　(ア)　しかし、確定によって、根抵当権が完全に普通抵当権に転化してしまうのでは
ない。
　特定された債権を元本債権とする利息債権は、その後発生するものも、極度額の限
度内で担保される（§398の3［改注］参照）のであって、その限りでの流動性は残る。
　また、普通抵当権においては、その実行は被担保債権（それは登記によって特定されて
いる）の行使という意味をもつが、根抵当権においては、被担保債権の行使というよ
りも、根抵当権の行使により登記されている被担保債権特定基準に該当する債権が優
先弁済を受けるという意味が強い（これも根抵当権の独立的性格の一面といってよいだろう）。
通常は広範な特定基準が定められており、それに該当する債権のすべてについて債権
の行使があったとは必ずしもいえない。このことは、債権の消滅時効の中断に関係す
る。判例は、極度額を超える確定債権の合計を示して根抵当権を実行した場合に、配
当を受けられなかった請求債権の残部に時効中断の効力が及ぶとした（最判平成11・
9・9判時1689号74頁）。その根抵当権に基づく差押えにより、どれだけの債権につい
て、改正前147条2号が予定している中断事由としての実質が認められるかについて
の検討が必要ではないであろうか（改正前§147〔1〕(イ)参照）。
　確定した根抵当権について普通抵当権に変更する登記ができ、特定した債権を登記
に表示する道が設けられていれば、完全に普通抵当権に転化したといえるが、現在は
その方法は認められていない。
　(イ)　確定の時点において存在するといえるためには、その債権が法律上の要件を備
えて、法律上の存在といえる状態になっていることが必要である。
　たとえば、消費貸借の予約がなされているだけでは、貸金債権は存在しているとは

707

いえない（§§587・改正前589参照。なお、新587の2も参照）。手形割引契約に基づく行使される債権は、買戻し請求権がまだ具体的に行使されていなくても、行使できる要件が備わっていれば、被担保債権になりうる。保証人が保証債務の履行によって取得する求償権についていえば、まだ保証債務が履行されていなくても、その可能性のある保証契約が存在すれば足り、保証債務が履行され、求償権が現実に発生している必要はない（根抵当権の実行により優先弁済を受ける段階では必要になる。保証人の事前求償権に関する最判昭和34・6・25民集13巻810頁があるが、旧根抵当権に関するので、必ずしも参考にならない）。以上の点は、個別的に慎重に審査される必要がある（改正前§398の3⑵参照）。

　なお、被担保債権について、弁済期が到来していることは、まだ必要でない。

　(ｳ)　確定の効果として、根抵当権と被担保債権の特定的結合がないことを理由として認められていなかった事柄、すなわち、個別債権への根抵当権の随伴性（§398の7［改注］）が生じ、376条による処分が可能になり（§398の11）、確定前に認められていた事柄、すなわち、各種の変更（§§398の4・398の6）、相続・合併・分割に伴う承継（§§398の8〜398の10）、根抵当権の処分（§§398の12・398の13)が不可能になる。

　また、根抵当権の確定後に、根抵当負担者などに2種の請求権が認められることになる（§§398の21・398の22）。

②　根抵当権の実行

　根抵当権の実行について、民法はとくに規定していない。根抵当権の特色を考慮しながら、一般理論で考えることになる。

　(1)　被担保債権の一つについてでも、履行遅滞が生じれば、実行は可能になるといってよい。確定が実行のための要件と考える必要はない。むしろ、実行着手によって、根抵当権の確定を生じる場合が多い。しかし、実行の結果として被担保債権について優先弁済を受けるまでには、確定を生じている必要があり、また、個々の被担保債権について弁済期が到来していることももちろん必要である。

　目的不動産に対する他者の実行による手続のなかにおいて、根抵当権者が優先弁済を受けられることも、もちろんである。この場合にも、配当を受けるまでには、確定を生じ、弁済期が到来していることが必要である。

　(2)　実行により優先弁済を受けられるのは、いうまでもなく、398条の3［改注］に規定された債権についてであり、かつ極度額を限度とする。

　極度額を超える被担保債権が存在する場合に、売却代金に余剰があったらどうするかは、問題の存するところである。他に債権者がいなければ、根抵当権者に交付することにしてもよいという考えもありうるが、判例は、旧根抵当権についてではあるが、根抵当権者はその実行手続においては、弁済を受けられず、余剰は根抵当負担者（債務者と同一人の場合でも）に戻されるとしていた（最判昭和48・10・4判時723号42頁）。

　被担保債権が極度額を超えている場合に、根抵当権による優先弁済でどの債権が消滅するかは、弁済の充当の規定（§§488〜改正前491）によって決することになろう。

　複数の根抵当権者、複数の根抵当債務者が存在して、そのすべての被担保債務額が

極度額を超えている場合については、改正前398条の2[2](イ)(a)および398条の14を参照。

(3) 優先弁済にあたって、個々の債権が被担保債権特定基準に該当するかどうかが、審査されなければならない。

旧根抵当権の例で、新規定でいえば、具体的特定基準にあたる場合において、契約名としては、「手形取引契約」または「手形割引契約」と表示されていても、その契約において合意された債権はすべて含まれるとした判例がある(最判昭和50・8・6民集29巻1187頁)。また、「信用金庫取引による債権」を担保する根抵当権の被担保債権には、根抵当権者である信用金庫と根抵当債務者との間の保証契約に基づく保証債務も含まれるとした判例がある(最判平成5・1・19民集47巻41頁)。信用保証協会(A)の「保証委任取引より生じる債権」を担保するとされた根抵当権によって、当該根抵当権の根抵当債務者(B)がAに対するCの債務の保証をしていた場合のAの保証人Bに対する債権は担保されないとされた(最判平成19・7・5判時1985号58頁。同判決がこのBに対する債権をAの「保証債権」と呼んでいるが、適切な用語ではない)。

③ 根抵当権の消滅

民法は、根抵当権の消滅についても、とくに規定していない。

根抵当権は、確定前においては、被担保債権が皆無の状態になっても消滅しないことは当然である。

そこで、根抵当権が消滅するのは、(a)確定時に被担保債権がまったく存在しないとき、(b)確定時に存在した被担保債権がすべて消滅したとき、(c)根抵当権者自身または他者による実行が終了したとき、(d)抵当権消滅請求(§§378~386)の行使に対して抵当権者の全員が承諾し、提供金額が払渡し、または供託されたとき、(e)根抵当権消滅請求権(§398の22)が行使されたとき、である。(c)~(e)の場合に、満足を受けられなかった債権は、無担保債権(その不動産に関しては)として存続する。

その他の一般的な消滅事由(放棄・消滅時効など)によっても消滅することは、もちろんである。

(根抵当権の元本の確定請求)
第三百九十八条の十九

1 根抵当権設定者は[1]、根抵当権の設定の時から三年を経過したときは、担保すべき元本の確定を請求することができる[2]。この場合において、担保すべき元本は、その請求の時から二週間を経過することによって確定する[3]。

2 根抵当権者は、いつでも、担保すべき元本の確定を請求することができる[4]。この場合において、担保すべき元本は、その請求の時に確定する[5]。

3 前二項の規定は、担保すべき元本の確定すべき期日の定めがあるときは、適用しない[6]。

〈改正〉 2003年の改正により、つぎのような従来の規定(2項からなっていた)が改められて、新しい1項とされた。

第2編　第10章　抵当権　第4節　根抵当

　　　第三百九十八条の十九　根抵当権設定者ハ根抵当権設定ノ時ヨリ三年ヲ経過シタルトキハ
担保スベキ元本ノ確定ヲ請求スルコトヲ得但担保スベキ元本ノ確定スベキ期日ノ定アルトキ
ハ此限ニ在ラズ
　　前項ノ請求アリタルトキハ担保スベキ元本ハ其請求ノ時ヨリ二週間ヲ経過シタルニ因リテ
確定ス
　　そのうえで、2項と3項が追加された。

[2004年改正前条文]

　　根抵当権設定者ハ根抵当権設定ノ時ヨリ三年ヲ経過シタルトキハ担保スベキ元本ノ確定
ヲ請求スルコトヲ得此場合ニ於テハ担保スベキ元本ハ其請求ノ時ヨリ二週間ヲ経過シタル
ニ因リテ確定ス
　　根抵当権者ハ何時ニテモ担保スベキ元本ノ確定ヲ請求スルコトヲ得此場合ニ於テハ担保
スベキ元本ハ其請求ノ時ニ於テ確定ス
　　前二項ノ規定ハ担保スベキ元本ノ確定スベキ期日ノ定アルトキハ之ヲ適用セズ

　　本条1項による確定請求権は、1971年の改正(本節の新設)が認めた重要なものであ
る。この確定請求権を行使するためには、設定後3年の経過のほかには、まったくな
んの事由も必要ない。すなわち、この権利は、根抵当負担者の自由意思で行使できる
いわば無理由解約権である。この請求権を防ぐには、元本確定期日(§398の6)を定め
ればよいが([6]参照)、それも、約定の日から5年を超えた先まで拘束することはでき
ない。要するに、新根抵当権は、内容において強化されたが、その存続に関しては、
根抵当負担者に3年ないし5年を超える拘束を加えることは許さず、それ以内の時点
において終了させる機会を根抵当負担者に保障するという構造になっているのである。
したがって、この権利は、特約によって奪うことはできない。根抵当権者の側の確定
請求権を認める第2項については、[4]参照。

　[1]　「根抵当権設定者」に認められる権利は、当然、抵当不動産の第三取得者に
も認められるのであるから、この権利を有するのは、結局根抵当負担者、すなわち目
的不動産の所有者ということになる。

　[2]　確定期日の定めは任意的であるので、その定めのない根抵当権について、い
つになったら確定を生じるのか、根抵当負担者はいつまで根抵当権による拘束を受け
るのかは、立法上の一つの問題点であった。本条は、それに対する答えであって、根
抵当負担者は、根抵当権の設定後3年を経過したときは、なんの理由も要しないで、
根抵当権者に対する意思表示により根抵当権を確定させることができるものとした。

　この確定請求権の意味について考察すると、元本未確定の状態においては、根抵当
権者にとって将来債務者に対して取得する債権がその根抵当権によって担保されると
いう利益、根抵当債務者にとって将来根抵当権者に対して負担する債務がその根抵当
権によって担保されるという利益が存するのであるが、この根抵当負担者の確定請求
権は、その担保的負担から免れる機会を与えるものである。そのためには、上のよう
な根抵当権者、根抵当債務者(設定者自身であれば、みずからこの利益を放棄することにな
る)のいずれの利益をも無視することができるという意味を有するのである。

　この権利は、請求権と呼ばれているが、根抵当負担者の根抵当権者に対する意思表

示だけで効力を生じると解されるので、その性質は形成権(§1[1]参照)である。

なお、旧根抵当権について、債務者の信用状態が予期以上に悪化した場合に、物上保証人による解約を認めた判例があるが(最判昭和42・1・31民集21巻43頁)、この判例の趣旨は、基本的には本条による解決に定型化されて解消したと考えてよいであろう。

〔3〕 根抵当権者としては、根抵当負担者からこの確定請求権を行使されたら、2週間以内に根抵当債務者との間の取引を終了するなどして、被担保債権を確定できるように取引関係を整理する必要があるのである。

〔4〕 2003年改正によって、根抵当権者にも、確定請求権が認められた。すなわち、元本確定期日の定めのない場合において、根抵当権者は、いつでも——根抵当負担者の場合と違い、設定後3年を経過する必要はない——元本確定請求ができる。この請求があったときは、その請求の時に——根抵当負担者の場合と違い、2週間後ではない——確定が生じる。

根抵当権者は、被担保債務について履行遅滞が生じたときは、いつでも398条の20第1項1号の手段を採ることができるのであるが、その手段を採ることなしに、いつでも無理由で元本確定を生じさせることができることになる。〔2〕で述べた元本未確定状態において根抵当権者と根抵当債務者が有する利益のうち、前者は根抵当権者がみずから放棄するので問題はないが、後者を無視することには疑問がある。根抵当権者と根抵当債務者の間の継続的取引契約がなお存続しているようなときにも、この権利が行使されうることになるが、それでもよいであろうか(たとえば、根抵当権の存在を前提として根抵当債務者が保証を依頼した相手との関係など)。

なお、本項の確定請求がなされたときの元本確定の登記は、請求したことを証する書面を添えて根抵当権者が単独で申請できるものとされた(不登§93。旧§119ノ9)。

〔5〕 根抵当権者による確定請求の場合には、即時に確定を生じるものとされた。根抵当権者としては、もはや被担保債権を増やすつもりはないから、それでよいかもしれないが、根抵当権者と根抵当債務者の間で、取引の整理により新しい被担保債権が発生する可能性がないか(たとえば、取引終了に必要な追加融資など)、気懸りではある。

〔6〕 根抵当権者として、根抵当設定者の無条件の確定請求権を封じて、安定した根抵当関係を望むときは、確定期日を定めておくべきであるということになる。根抵当設定者としては、とくにそのような必要はないと思われるが、根抵当債務者としての立場では、やはり安定した融資を受けるという意味において、確定期日を望むということがありえよう。

（根抵当権の元本の確定事由）
第三百九十八条の二十
　　1　次に掲げる場合には、根抵当権の担保すべき元本は、確定する[1]。
　　　　一　根抵当権者が抵当不動産について競売若しくは担保不動産収益執行又は第三百七十二条において準用する第三百四条の規定による差押えを申し立てたとき。ただし、競売手続若しくは担保不動産収益執行手続の開始又は

第2編　第10章　抵当権　第4節　根抵当

　　　差押えがあったときに限る[2]。
　二　根抵当権者が抵当不動産に対して滞納処分による差押えをしたとき[3]。
　三　根抵当権者が抵当不動産に対する競売手続の開始又は滞納処分による差押えがあったことを知った時から二週間を経過したとき[4]。
　四　債務者又は根抵当権設定者が破産手続開始の決定を受けたとき[5]。
2　前項第三号の競売手続の開始若しくは差押え又は同項第四号の破産手続開始の決定の効力が消滅したときは、担保すべき元本は、確定しなかったものとみなす[6]。ただし、元本が確定したものとしてその根抵当権又はこれを目的とする権利を取得した者があるときは、この限りでない[7]。

〈改正〉　2003年改正により、従来の1項1号の「担保スベキ債権ノ範囲ノ変更、取引ノ終了其他ノ事由ニ因リ担保スベキ元本ノ生ゼザルコトト為リタルトキ」が削除され、2、3、4、5号が1、2、3、4号に繰り上げられ、2項中の「第四号」が「第三号」に、「第五号」が「第四号」に改められた。新1号の2か所に「若クハ担保不動産収益執行」が加えられた。2004年の改正により、「破産ノ宣告」が「破産開始ノ決定」に改められた。

[2004年改正前条文]
　左ノ場合ニ於テハ根抵当権ノ担保スベキ元本ハ確定ス
　一　根抵当権者ガ抵当不動産ニ付キ競売若クハ担保不動産収益執行又ハ第三百七十二条ニ於テ準用スル第三百四条ノ規定ニ依ル差押ヲ申立テタルトキ但競売手続若クハ担保不動産収益執行ノ開始又ハ差押アリタルトキニ限ル
　二　根抵当権者ガ抵当不動産ニ対シ滞納処分ニ因ル差押ヲ為シタルトキ
　三　根抵当権者ガ抵当不動産ニ対スル競売手続ノ開始又ハ滞納処分ニ因ル差押アリタルコトヲ知リタル時ヨリ二週間ヲ経過シタルトキ
　四　債務者又ハ根抵当権設定者ガ破産手続開始ノ決定ヲ受ケタルトキ
　前項第三号ノ競売手続ノ開始若クハ差押又ハ同項第四号ノ破産ノ宣告ノ効力ガ消滅シタルトキハ担保スベキ元本ハ確定セザリシモノト看做ス但元本ガ確定シタルモノトシテ其根抵当権又ハ之ヲ目的トスル権利ヲ取得シタル者アルトキハ此限ニ在ラズ

　本条は、根抵当権がいかなる場合に確定するかについて明確にしたが、これは、1971年における立法的解決の重要な眼目のひとつである。
　2003年改正は、第1項が定める確定事由のうち、従来の第1号を削除した。同号は、根抵当権が担保するべき債権が発生する可能性が消滅した場合について、いわば「客観的元本確定事由」ともいうべきものを定めていたものである。そのような場合の例としては、(a)被担保債権の範囲を特定の債権だけのものに変更したとき、(b)具体的債権特定基準のみが定められている場合に、その特定の継続的取引が終了したとき、(c)根抵当権者と根抵当債務者が将来取引を行わないことを合意したとき、(d)特定原因基準として、たとえば、酒税債権が担保されるとされていた場合に、根抵当債務者が酒造業を廃業したとき、などが考えられた。この確定基準が削除されたことにより、これらの場合にも、根抵当権は確定せず、その後も被担保債権の範囲の変更によってさらに他の取引から生じる債権を担保するものとすることが可能になる。また、元本確定期日の定めがなければ、398条の19第1項による確定請求の方法があるが、確定期日の定めがある場合は、その日までは他の確定事由があれば格別、そうでなけれ

ば、客観的に元本発生の可能性がなくなっても元本確定を生じさせることはできないことになる。

〔1〕 「元本の確定」については、398条の19前注参照。

なお、本条による確定は、確定期日の定めがあり、その期日が未到来である場合においても、生じるものと解される。

〔2〕 根抵当権者がその根抵当権の実行のために競売を申立てた場合はもちろん、他の債権に基づいて競売を申立てた場合も含むと解される（民執§§43・45・181・188参照）。担保不動産収益執行は、2003年改正により設けられた手続である（民執§§43・180）。物上代位のための差押えも同様である（民執§193参照）。これらの場合、根抵当権者は、もはや根抵当権の存続を欲していないと考えられている（§372〔2〕〔3〕参照）。取下げなどにより、競売が開始されなかったときは、確定の効果も生じない。

〔3〕 根抵当権者が税債権者などであって、国税徴収法に基づく滞納処分による差押えを行った場合も、〔2〕と同様である（税徴§§47・68）。

〔4〕 他者による競売などがあったときにも、根抵当権に関しての清算が行われるので、根抵当権は確定するものとされる。根抵当権者に対しては、一定の通知・催告が行われるが（民執§§49・87Ⅰ④・188、税徴§55）、根抵当権者は、競売の開始、差押えがあったことを知った時から2週間以内に根抵当債務者との間の取引を整理しなければならないことになる。

〔5〕 根抵当債務者が破産したときも、根抵当負担者が破産したときも、それ以上根抵当権を流動性をもった状態で利用することは考えられないからである（破§§30～参照）。

〔6〕 第1項3号・4号の確定事由の場合、それらの事由が消滅したときは、当然確定は生じないことになる（民執§§39・40、税徴§§79・81、破§§9・33参照）。

〔7〕 根抵当権が確定したものとして、たとえば、被担保債権の一部を譲り受けたような者に対しては、398条の7第1項により担保の利益を否定することはできなくなるという趣旨である。

（根抵当権の極度額の減額請求）
第三百九十八条の二十一
　1　元本の確定後においては[1)]、根抵当権設定者[2)]は、その根抵当権の極度額を、現に存する債務の額と以後二年間に生ずべき利息その他の定期金及び債務の不履行による損害賠償の額とを加えた額[3)]に減額することを請求することができる[4)]。
　2　第三百九十八条の十六の登記がされている根抵当権の極度額の減額については、前項の規定による請求は、そのうちの一個の不動産についてすれば足りる[5)]。

[2004年改正前条文]
　元本ノ確定後ニ於テハ根抵当権設定者ハ其根抵当権ノ極度額ヲ現ニ存スル債権ノ額ト爾後二年間ニ生ズベキ利息其他ノ定期金及ビ債務ノ不履行ニ因ル損害賠償ノ額トヲ加ヘタル

第 2 編　第 10 章　抵当権　第 4 節　根抵当

額ニ減ズベキコトヲ請求スルコトヲ得
　　第三百九十八条ノ十六ノ登記アル根抵当権ノ極度額ノ減額ニ付テハ前項ノ請求ハ一ノ不
動産ニ付キ之ヲ為スヲ以テ足ル

〔1〕　元本の確定については、398 条の 19 前注①参照。

〔2〕　398 条の 19〔1〕参照。

〔3〕　たとえば、極度額が 1000 万円として、確定時に根抵当権の被担保債権が全
部で 500 万円あったとする。その元本債権から生じる利息が 2 年で 100 万円になると
すると、合計 600 万円ということになる。

〔4〕　上の例で、利息などはなお極度額に満つるまで担保されることになり、そう
すると、根抵当権者としては、その根抵当権をいつまでも確定させないでおくことに
利益を感じることになるが、根抵当負担者にとっては、この極度額 1000 万円におけ
る負担をいつまでも負わなければならないのは酷である。そこで、根抵当負担者から、
極度額を 600 万円に減額することを請求できることとし、残りの 400 万円の担保価値
を活用する道を開いたものである。この請求権が行使されれば、根抵当権者は減額さ
れた極度額を超える利息を担保されないということになる。
　この請求権は、根抵当負担者の意思表示によって効力を生じ、したがって、その性
質は形成権（§1〔1〕参照）であると考えられる。

〔5〕　398 条の 16 による純粋共同根抵当権の場合には、1 個の不動産についてこの
請求をすれば、すべての根抵当権につき減額の効果が生じるとされる。

（根抵当権の消滅請求）
第三百九十八条の二十二

　1　元本の確定後において[1]現に存する債務の額が根抵当権の極度額を超える
　　ときは[2]、他人の債務を担保するためその根抵当権を設定した者[3]又は抵当不
　　動産について所有権、地上権、永小作権若しくは第三者に対抗することがで
　　きる賃借権を取得した第三者[4]は、その極度額に相当する金額を払い渡し又
　　は供託して、その根抵当権の消滅請求をすることができる[5]。この場合にお
　　いて、その払渡し又は供託は、弁済の効力を有する[6]。

　2　第三百九十八条の十六の登記がされている根抵当権は、一個の不動産につ
　　いて前項の消滅請求があったときは、消滅する[7]。

　3　第三百八十条及び第三百八十一条の規定は、第一項の消滅請求について準
　　用する[8]。

[2004 年改正前条文]
　元本ノ確定後ニ於テ現ニ存スル債務ノ額ガ根抵当権ノ極度額ヲ超ユルトキハ他人ノ債務
ヲ担保スル為メ其根抵当権ヲ設定シタル者又ハ抵当不動産ニ付キ所有権、地上権、永小作
権若クハ第三者ニ対抗スルコトヲ得ベキ賃借権ヲ取得シタル第三者ハ其極度額ニ相当スル
金額ヲ払渡シ又ハ之ヲ供託シテ其根抵当権ノ消滅ヲ請求スルコトヲ得此場合ニ於テハ其払
渡又ハ供託ハ弁済ノ効力ヲ有ス
　　第三百九十八条ノ十六ノ登記アル根抵当権ハ一ノ不動産ニ付キ前項ノ請求アリタルトキ

ハ消滅ス
第三百七十九条及ビ第三百八十条ノ規定ハ第一項ノ請求ニ之ヲ準用ス

〔1〕　398 条の 21〔1〕参照。

〔2〕　398 条の 21 の例とは逆に、たとえば、1000 万円の極度額のところ、被担保
債権は 1500 万円存在する場合である。旧根抵当権においては、抵当不動産の第三取
得者も、この場合、1500 万円の弁済がなければ、根抵当権は消滅しないとされてい
たが（最判昭和 42・12・8 民集 21 巻 2561 頁）、本条はこれを変更した。

なお、債務者自身が根抵当負担者である場合には、1500 万円全額を弁済しなければ、
根抵当権を消滅させることができないことは、当然である（〔8〕参照）。

〔3〕　いわゆる物上根保証人のことである。

〔4〕　これらの者は、第三取得者と総称される。なかでも、所有権を取得した者は
典型的な第三取得者で、物上根保証人とともに、根抵当負担者とよばれる。

ここに規定された者の範囲は、2003 年改正前に滌除権を認められていた者の範囲
（旧§378 参照）と類似し、また、賃借権を取得した者が含められているのが注目される。
これらの者にも一種の抵当権消滅請求が認められることになるからである（§§378～
386 の前注③参照）。

〔5〕　〔3〕〔4〕の者は、〔2〕の例で、1000 万円を根抵当権者に払渡すか、供託すれば、
根抵当権を消滅させることができる。新しい根抵当権が目的不動産に対する独立の担
保価値支配権という性格を有することを考慮して、根抵当債務者以外の（〔8〕参照）上記
の者が極度額を負担すれば、根抵当権はそれによって消滅するものとするのが適切で
あると考えられるのである。

〔6〕　この払渡しは、弁済そのものではない。しかし、払渡される極度額相当額は、
結局被担保債権の弁済に充てられることになるわけであり、弁済の充当（§§488～491）、
弁済による代位（改正前§§500～503）（代位弁済）などの規定が適用されることになる。

〔7〕　398 条の 16 による純粋共同根抵当権の場合は、1 個の不動産についてこの消
滅請求権が行使されれば、全部の根抵当権が消滅する。

〔8〕　〔4〕で述べたように、本条の権利は、一種の抵当権消滅請求権である。2003
年改正による抵当権消滅請求に関する 380 条、381 条が準用されているのも、その意
味においてうなずけるのである。とくに、380 条の準用により根抵当債務者、保証人
および承継人が本条の権利を有しないことに注意を要する。条件の成否未定の停止条
件付第三取得者が本条の権利を有しないとする 381 条の準用も妥当である。

譲渡担保など ［第 10 章後注］

① 権利移転型の担保

民法が債権の物的担保の手段として予定しているのは、質権（第 9 章）と抵当権（第 10
章）という 2 種の約定担保物権である。ところが、実際界において、債権担保のため

第2編　第10章　抵当権　第4節　根抵当

に、担保の目的としようとする権利そのもの（通常は有体物の所有権であるが、それ以外の各種の財産権についても行われることが可能である）を債権者に与えることによって物的担保の目的を達しようとする行為が登場した。権利そのものの移転その他の処分は、その権利者が自由になしうるところであるから、債権担保のためにその処分をすることを禁じることは困難である。たしかに、権利そのものを債権者に与えることは、債権担保という目的以上のものを与えることになるが、そのことを処分者（担保提供者。通常は債務者）自身が欲する以上、これを不可とする理由は見当らないからである。ともあれ、この手段を用いることによって、債権者はその債権を目的物に対する物権的優先権をもって確実にするという「物的担保」の目的を達することができるのである。この種のものを、「権利移転型の担保」とよぶことができる。

　この種の担保の代表的なものが「譲渡担保」であるので、以下においては、これについて詳しく述べる（②〜⑧）。その後で、この種のものに属する「所有権留保」、「仮登記担保」についても簡単に触れることにする（⑨および⑩）。

　なお、民法が定める担保形態以外のものを、「変則担保」、「非典型担保」、「非定型担保」などとよぶことがある。権利移転型の担保は、そのうちの最重要なものである（そのほかには、担保の目的による債権取立委任・代理受領などがある）。

② 譲渡担保の登場

　債務者が物の占有を移転しないで、すなわちこれを使用しながら、これを担保に供して金融を得ようとするならば、この物の上に抵当権を設定するほかはない。質権では、この目的は達せられない（§345）。ところが、抵当権を設定できるものは限定されていて、ことに動産には抵当権を設定することができない（§369⑴参照）。その結果、企業用の動産を担保化しようとする場合には、はなはだしく不便である。この不便を克服するために、取引界において、つぎのような特別な契約が行われる。

　それは、担保の目的をもって物の所有権を移転することである。たとえば、印刷業者が印刷機械を担保として100万円を1年間借りたいと思うときに、金融者から100万円借り、この機械の所有権をこれに譲渡し、さらにこれを1年間借り受けてみずから使用する。そして、1年内に100万円を返済するときは、この機械の所有権は、ふたたび印刷業者に復帰するものとする。このようにすると、金融者は機械の所有権を取得するから（§183⑴参照）、印刷業者が破産しても、その機械をもって融通した100万円の弁済にあてることができて、危険はない。また、印刷業者は機械を借り受けて使用できるから、これを質入れするような不便はない。しかも、1年内に100万円を支払えば、ふたたびこれを自分の所有とすることができる点においては、質入れしたのと同様である。担保の目的は、ほとんど完全に達せられる。このような契約を「譲渡担保」（かつては、「売渡抵当」、「売渡担保」などという言葉も用いられた）という。この種の契約はしばしば行われるので、今日では、これについての判例譲渡担保法ともいうべきものが形成されるに至っている。

③ 譲渡担保の必要性

譲渡担保は、要するに、担保の目的をもって目的物の所有権を移転するものであって、形式からいうと、質権や抵当権が発達する前の最も古いものである。そのような古い形式の担保が、質権・抵当権の制度を認め、所有権移転形式の担保制度としてはわずかに「買戻し」(§§579~[改注])を認めるにすぎないわが民法のもとでも、しきりに行われるのはなぜであろうか。

それは、民法の質権・抵当権の制度が狭隘であって、現実の経済的需要に応じ切れないからである。すなわち——

(1) 譲渡担保制度が最も必要とされ、したがってまた、最もしばしば行われるのは、企業用の動産についてである。この種の動産は抵当権を設定することができず、また、買戻し制度を利用することもできない。利用できる唯一の制度は質権であるが、これは目的物の占有移転を必要とするので、実際上は役に立たない。しかも、企業用動産を担保化する経済的需要はきわめて大きい。

(2) わが国の競売手続は面倒であり、また、費用も多くかかる。不動産の競売手続において、とくにそうである。そこで、譲渡担保制度を利用すると、このうるさい手続をさけ、費用を節約することができる。そうなると、当事者は目的物の担保価値を高く評価し、質権または抵当権を設定する場合よりも多額の金融を実施することができることになる。これも、譲渡担保制度が利用されるひとつの理由である。この場合に問題となるのは、債権者が債務者を不当に圧迫して、高価な担保目的物を僅少な債務のために没収する結果を生じる危険のあることである。民法が流質契約を禁じている(§349)のも、同じ趣旨である。したがって、譲渡担保契約が暴利行為 Wucher とならないかどうかが検討され、暴利行為となるならば90条が問題とされるべきである(改正前§90〔1〕(4)参照)。

(3) 譲渡担保が利用されるもう一つの必要性は、財産権としての法律制度の完備しない財産、いわば形成途上にある財産について認められる。たとえば、老舗権・営業権などは、経済的価値のあるものとして高価に売買されるが、民法上または商法上、権利としての存在を明瞭に認められていないから、これらのものの上に質権または抵当権を設定することは困難である。このような場合には、譲渡担保が可能であり、便利である。

(4) 同じような事情で、集合動産や集合債権の譲渡担保が行われるようになる。たとえば、ある倉庫に貯蔵されている商品やある店舗が有する売掛け代金債権について、それらが個々の物・債権としてだけでなく、まとまった集合体として価値を有する場合はまれではない。これらの物・債権を個別に担保物権の目的とするのには非常な手間を要するが、これらをまとめて譲渡することは容易にできる。そうすると、そのような譲渡をして、これを担保の目的として利用することが可能であり、便宜である。ただ、これに関しては、当然のことであるが、いろいろと複雑な問題が生じる。判例に登場した論点を取り上げておこう。

(a) まず問題となるのは、これらの集合動産・債権の構成部分に出入りがあり、流動する場合である。判例は、その動産の種類・量的範囲・所在場所が明確に特定され

第2編　第10章　抵当権　第4節　根抵当

ているという要件のもとに、構成部分の変動する集合動産の譲渡担保を有効としている(最判昭和54・2・15民集33巻51頁、最判昭和62・11・10民集41巻1559頁。とくに後者は、新しく構成部分になった動産に対する譲渡担保権者の占有改定による対抗力の取得を認め、その動産の売主の先取特権に優先させた。§333参照)。しかし、家財一切のうち何某所有の物といった指定では、目的物の特定があったとはいえない(最判昭和57・10・14判時1060号78頁)。

　(b)　つぎに、担保提供者が将来取得するであろう動産または債権を包括的に譲渡することが可能か、という問題である。判例は、医師が将来において社会保険診療報酬支払基金から支払を受けるであろう診療報酬債権を包括的に譲渡する契約を、一定の条件を示しながら有効とし(最判平成11・1・29民集53巻151頁。譲渡担保ではないが、一種の資金調達方法として共通性を有する)、さらに債務者が取引先11社に対して取得するであろう売掛代金債権について包括的に譲渡予約する契約を、目的債権の特定性・識別可能性を要件として、有効とし、公序良俗に反しないとした(最判平成12・4・21民集54巻1562頁。事例は譲渡予約であるが、譲渡担保と同様に考えてよい)。

　(c)　さらに、動産譲渡・債権譲渡の対抗要件が問題になる。とくに将来債権の譲渡については、検討を要するところである(上記最判平成11・1・29は、契約時における債務者である支払基金に対する通知を対抗要件として認め、最判平成12・4・21は、譲渡予約完結後の債務者11社に対する通知を債務者に対する対抗要件として認めた。さらに、最判平成13・11・22民集55巻1056頁は、集合債権譲渡担保契約時における対抗要件を有効と認めることを明言した)。

　ただし、債権譲渡の対抗要件については、種々の論議が交わされており、また新しい立法もされているので、その動向によっては、以上のような債権譲渡担保の理解にも影響が及ぶ可能性があることに注意を要する(第3編第1章第4節解説④・改正前§467注釈参照)。

　集合動産譲渡担保権の重複設定は可能であるが、その場合には、先行する譲渡担保権利者に優先的な機会が与えられるべきであり、後順位者が私的実行をすることはできないとされた(最判平成18・7・20民集60巻2499頁)。

　(d)　設定者の処分権

　この種の譲渡担保では、設定者の処分権が認められていることが多いが、そこで認められている通常の営業の範囲を超える売却処分をした場合には、その動産が集合物から離脱したと認められない限り、処分の相手方はその所有権を承継取得することはできないとされた(最判平成18・7・20民集60巻2499頁)。

④　譲渡担保の類型

　譲渡担保には二つの類型がある。第1は、消費貸借を締結せずに、単に目的物を売買するものであり、第2は、金銭の貸借をし、これに付随して担保として目的物の所有権を移転するものである。

　前に掲げた印刷機械の金融の例についていえば、第1の類型では、印刷機械を100万円で金融者に売り、印刷業者が、1年内にふたたびこれを買い戻す権利を留保する

ことになる(具体的には、「再売買の予約」の形をとる)。第2の類型では、金融者から100万円を借り、その担保の目的で機械の所有権をこれに移転し、1年内に100万円を返還すれば、機械の所有権は、ふたたび印刷業者に移転または復帰することになる(前者を「売渡担保」後者を「譲渡担保」と呼んで区別した判例がある。大判昭和8・4・26民集12巻767頁)。いずれの場合にも、金融者から機械を借り受けなければならないことは同様であるが、第1の類型では、その機械を賃借して、印刷業者が賃料を支払うのがつねであるのに反して、第2の類型では、100万円に利息を支払う代わりに、機械の貸借は賃料の不要な貸借、すなわち使用貸借によるのが合理的だということになる。

　この両類型の根本的な差異は、第1の類型においては、金融者は印刷業者に対して100万円を請求する権利がないのに反し、第2の類型においてはこの権利を有することである。その結果、機械が不可抗力で滅失すれば、その損失は第1の類型では金融者、第2の類型では印刷業者が負担する。また、1年が経過したとき、第1の類型では清算の必要がないのに反し、第2の類型では清算をする余地が存する。一般的にいって、第2の類型が担保制度として合理的であり、当事者の意思が具体的に明瞭でないときは、第2の類型とみるを至当とする。ここでは第2の類型を中心として、判例の理論を整理しておく(第1の類型について、第3編第2章第3節第3款解説・§§579[改注]～585注釈参照)。

　なお、近時においては、譲渡担保の観念そのものが熟してきているので、以上のような説明については、つぎのような論点も生じていることに注意する必要がある。その1は、上の第1の類型では、被担保債権が存在しないから、これを担保の形態とみることは疑問ではないか、というものである。その2は、金銭の貸借と目的物の貸借関係を切り離して考えるのではなく、両者が譲渡担保という1個の法律関係のなかに融合していると考えるのが適切ではないかというものである。

　買戻特約付売買契約の形式が採られていても、目的不動産の占有の移転を伴わない契約は、特段の事情のない限り、担保目的と推認され、譲渡担保と解するのが相当とした判決が現れたが(最判平成18・2・7民集60巻480頁)、上記の観点からの慎重な判断が必要であろう(第3編第2章第3節第2款解説参照)。

⑤　譲渡担保の有効性

　譲渡担保が判例法によって認められるまでには、譲渡担保を無効とする学説・判例もなかったわけではない。無効論の根拠の一つは、譲渡担保をもって虚偽表示だとするものであり、その二つは、脱法行為とするものであった。また、暴利行為が問題になったこともある。

　(1)　譲渡担保は虚偽表示か

　譲渡担保の当事者は、担保設定目的を有するにかかわらず、所有権の移転を仮装するから、虚偽表示であると、かつて主張されたことがあるが、それは正当でない。けだし、譲渡担保の経済的目的は債権担保であるが、当事者間において所有権移転の法律上の意思があることについては疑問の余地はないからである(§94〔1〕参照)。

　(2)　譲渡担保は脱法行為か

第2編　第10章　抵当権　第4節　根抵当

　問題になるのは、第1に、目的物の占有を債務者の占有にとどめておくことを禁ずる質権に関する345条であり、第2に、流質契約を禁じている349条である。譲渡担保はこれらの規定を潜脱するもので、脱法行為として無効ではないかという主張である。

　しかし、強行規定であっても、その適用の範囲は、民法の全体系との調和と、時代の社会・経済的要請とを考えて、判断するべきものである。この見地からみると、345条および349条に対して、所有権移転の形式を採る動産担保を全面的に禁ずる広範な意義を付与することは妥当ではない。けだし、実質的には動産譲渡担保が行われるのについて社会・経済的需要が存することは、上述のとおりであり、また、形式的には所有権移転の対抗要件として占有改定をすることは、民法が認めているところだからである（§178〔4〕参照）。判例も、これを上述の条文に違反するものではなく、有効と認めている（大判大正3・11・2民録20輯865頁、大判大正8・7・9民録25輯1373頁）。

　(3)　譲渡担保は暴利行為にならないか

　債権額の数倍の価値のある物件を譲渡担保にとるように、債権者が債務者の窮迫に乗じて不当な利を得ようとする場合には、暴利行為の観点からこれを防止する措置を講ずべきであって、一律に譲渡担保を無効とすべきではない。近時においては、物件の価値と債権（利息を含む）との清算を必要とすることによって対処しようとする傾向が強い。

　(4)　以上に述べたように、譲渡担保は有効と解されるのであるが、弊害もないわけではない。第1に、債権者が優位にあって高利をとるのに利用されること、第2に、担保化の手段として強力であるので、企業者がいったん破綻すると再起不能になること、第3に、その公示方法が不十分なので、一般債権者が強制執行をするべき物を発見できないような事態がありうること、などである。そこで、譲渡担保に代わるものとして、登録質制度（立法によって動産を登録する制度を作って、非占有担保を可能にする工夫。各国にみられる。本編第1章解説⑤参照）なども研究課題となっている。

　⑥　譲渡担保の要件

　(1)　目的物につき譲渡が行われることが、まず必要である。たとえば、売買の形式をとっていても、それが「担保のために」移転されるものであれば、これを譲渡担保と考えてよい。

　(2)　目的物は譲渡できる物であれば、なんでもよい。企業用動産、老舗権などが、多くこの方法で担保化される。定期預金などの指名債権、株式・社債などの有価証券が譲渡担保の目的とされることが多いが、これらのものについては、権利質が可能であるので、むやみに譲渡担保の形をとることには疑問がある。抵当権が可能な不動産についての譲渡担保にも、同様な疑問がある。

　(3)　目的物の占有を債務者にとどめておくことは、必ずしも要件ではない。しかし、債権者に占有を引渡すのであるなら、質権の設定でも多くの場合には、事はすむはずである。それを、わざわざ譲渡担保とし、占有を取り上げている場合には、暴利行為でないかどうか、について検討する必要があろう。なお、銀行が、輸入業者の輸入す

る商品に関して信用状を発行し、当該商品につき譲渡担保権の設定を受けた場合において、当該輸入業者が当該商品を直接占有したことがなくても、当該輸入業者から占有改定の方法によりその引渡しを受けたものとされた事例(最決平成29・5・10民集71巻789頁)がある。

目的物の占有を債務者にとどめておく場合には、そのための法律関係が問題になる。これについては、後述するように、従来は形式的に賃貸借か使用貸借かを問題にしたが、そうではなく、譲渡担保に伴う特別の使用関係と見て、債務者が支払うのはすべて利息であり、賃料とは考えないとする傾向が最近では強い。

[7] 譲渡担保の効力

(1) 譲渡担保の中心的効力は、債権者(「譲渡担保債権者」)が優先弁済を受ける権利である。判例の構成する理論は、およそつぎの通りである。

弁済期が到来しても債務者(「譲渡担保債務者」)が弁済しない場合に、譲渡担保債権者はその権利を行使することができることになる(これを「譲渡担保を実行する」と表現することができる)。ただし、この場合に、債権者がどういう権利を取得するかについては、二つの場合が分けられる。

(a) 第1の場合には、債権者は当然に目的物の全部を確定的に自分の所有とすることはできず、これを任意に売却し、または評価して弁済に充当し、残額があればこれを返還するべきものとされる(前者は「(処分)清算型」後者は「(帰属)清算型」とよばれる。一般に「清算」の文字が用いられるが、「精算」の意味も強いことに注意を要する)。この場合に、どの時点で譲渡担保実行の効果が確定的に生じ、債権者が目的物の所有権を確定的に取得するかについては、慎重な判断が必要である。原則的には、清算が終了した時(最判昭和62・2・12民集41巻67頁)、あるいは目的物が第三者に譲渡された時(最判平成6・2・22民集48巻414頁。最判平成14・9・12判時1801号72頁)、と解してよいであろう(それによって後述の受戻権が消滅する。それは、仮登記担保§11によるのではなくて、譲渡担保の法理による。前掲最判平成14・9・12参照)。

弁済期が到来して(未到来でも期限の利益を放棄して)、債務者が債務を弁済すれば、目的物の所有権が債務者に復帰することは、当然である(債務の弁済と目的物の返還は同時履行の関係にあるとされる。最判平成6・9・8判時1511号71頁)。弁済期が徒過した後でも、債権者が上の手続に着手し、清算が終了するまでは、なお債務者において元利を提供してその目的物の返還を請求することができると解されている。この権利を受戻権と呼ぶが、この受戻しの法律関係については、なお、検討を要する(仮登記担保法はこの言葉を用いるが(同法§11の表題)、単純に同法を類推適用することはできない)。

たとえば、譲渡担保が実行されて、確定的に所有権が移転するまでの間は、債務者は弁済すれば、所有権を回復して返還請求権をもち、あるいは弁済の提供を継続して受戻権を保有すると考えられるが、その権利をいつまで行使できるかという問題はあっても(消滅時効の適用)、その受戻権そのものを1個の形成権のようにとらえて消滅時効を論じることはできない(最判昭和57・1・22民集36巻92頁)。不動産譲渡

第2編 第10章 抵当権 第4節 根抵当

担保の事例で、被担保債権の弁済期経過後に譲渡担保債権者の債権者がその不動産を差押え、その登記がなされたときは、もはや設定者は受戻権を行使することはできないとされた(最判平成18・10・20民集60巻3098頁)。

また、譲渡担保設定者が受戻権を放棄しても、──単純に受戻権を喪失することにはなっても──それによって清算金請求権を取得するようなことは、譲渡担保権利者の実行権を奪うことになるから、認められない(最判平成8・11・22民集50巻2702頁)。

(b) これに反して、第2の場合には、弁済期の到来とともに(あるいは、弁済期到来後の譲渡担保実行の意思表示によって)当然に、目的物の全部が確定的に債権者の所有に帰する。債権者は清算をする必要はなく、また、債務者は元利を提供しても、もはや目的物の返還を求めることはできないものとされる(これは「流質型」とよばれる)。

(c) そこで、ある譲渡担保契約がこのどちらに該当するかは、具体的に契約の趣旨を判断して定めるべきである。判例は、かつて、上の第1の場合が原則であり、第2の場合はとくに当事者が明瞭に特約したときだけ認められる例外であるとしたが(大判大正10・3・5民録27輯475頁)、その後の態度は必ずしも一貫しなかった。最近では、不動産譲渡担保の事例についてであるが、最判昭和46・3・25(民集25巻208頁)が清算義務を承認して以来、清算型を原則とする考え方が有力になっている。

(2) 目的物の利用関係

目的物の利用関係については、上述のように、かつては賃貸借の形をとることが多く、まれに使用貸借の形がとられることがあった。そして、前者の場合には、債権者は賃料の不払いを理由として賃貸借の解除をすることができるかという問題を生じた。上述のように、この場合の賃料は利息に相当するのであるから、上の解除を肯定すると、債務者は利息の延滞を理由に担保物を没収されるわけで、その不当なことはもちろんである。

かつて、判例は、これを判断する標準として、つぎのような理論をとった。すなわち、譲渡担保においては、目的物の所有権は外部的には──すなわち第三者に対する関係においては──、つねに債権者に移転する。しかし、内部的には──すなわち、債権者と債務者との関係においては──、移転する場合とそうでない場合とがある。移転しない場合には、賃貸借というのは利息を賃料とするための形だけのものであって無効である(大判大正4・1・25民録21輯45頁)。これに対して、移転する場合には、1回の賃料不払いでも(当時は、1回の不払いでも解除できるとされていた。改正前§541(7)(1)参照)、債権者は賃貸借契約を解除して目的物の返還を請求することができる(大判大正6・11・15民録23輯1780頁)。そして、判例は、はじめは譲渡担保においては外部的にだけ移転し、内部的には移転しないのが原則であると解していたが、その後の連合部判決によってこれを改めて、原則として内外部ともに移転すると判示するに至った(大連判大正13・12・24民集3巻555頁〔譲渡担保・内外部とも移転判決〕)。その結果、債務者は、原則として、1回の賃料不払いによっても(上記参照)目的物を没収されることになった(大判昭和8・9・20新報345号9頁)。以上の判例理論に対しては、多くの学者

722

譲渡担保など［後注］ ⑦

は反対し、その賃料が実質的には利息であることに着眼して、貸与された金についての弁済期が到来しない間は、賃貸借の解除をすることはできないと解するべきであると主張した。

現在では、目的物の利用関係については、前述のように、譲渡担保契約に伴う特別の使用関係と見て、その目的にふさわしく構成する考え方が妥当である。

(3) 譲渡担保の対内的効力

譲渡担保の「対内的効力」(当事者間の効力)については、債権者は譲渡担保の目的物の所有権を取得するのであるが、この所有権は決して無制約のものではなく、目的物を譲渡担保の目的に適合するように管理する債務を負うと考えられる。したがって、(占有が債権者に移転された場合に)債権者がこれを取壊したり、または勝手に他に売却したりすれば、債務者に対して損害賠償の責任を負わなければならない。この責任の性質は不法行為であろうか、それとも債務不履行であろうか。

かつての判例は、(2)で述べた、所有権の内部的移転の有無を標準として、内部関係で移転していないときは不法行為、移転しているときは債務不履行であると解した。そして、はじめは前者を原則としたが(大判大正9・6・21民録26輯1028頁)、前述の連合部判決によって、所有権は原則として内部的にも移転するとされたので、債権者の取壊し行為は債務不履行であると解するようになった(前掲大連判大正13・12・24)。この理由づけに対しては、上述のように、多くの学者が反対した。

最近では、譲渡担保においては、つねに両当事者は実質的に目的物を担保として扱う権利義務を有するとし、譲渡担保権者の権利は、原則として担保に必要にして十分な範囲に限るべきであるとされる。したがって、譲渡担保関係に反する両当事者の行為はつねに債務不履行になると考えられている(最判昭和35・12・15民集14巻3060頁参照)。

(4) 譲渡担保の対外的効力

(ア) 譲渡担保の「対外的効力」については、上述の判例による、いわゆる外部的にだけ移転する場合と内部的にも移転する場合とでは、いずれの場合も外部的には移転していることになり、なんの差異もない。すなわち、どちらの場合にも所有権は債権者に移転し、債権者は(内部的に)債務者に対してこれを担保の目的にだけ利用すべき債務を負担するにとどまる。この理論からすると、つぎの諸結果が導かれる。

第1に、債権者から目的物を譲受ける第三者は、その善意・悪意を問わず、つねに目的物を取得する。譲渡担保債権者は債務不履行の責任を負うが、このことは所有権移転行為の効力には影響を及ぼさない(大判大正9・9・25民集26輯1389頁)。

第2に、譲渡担保債権者に対する債権者が譲渡担保の目的物に対して執行しても、債務者は第三者異議の訴え(§§38・194)を提起することはできない。また、譲渡担保債権者が破産した場合について、債務者は目的物について取戻権を有しないことを、旧破産法88条は明定していた(2004年の改正で削られた。債務を弁済して目的物を取戻すことを認めるという趣旨に理解してよいか)。

第3に、譲渡担保の目的物は債務者の財産から離脱するのであるから、債務者の一般債権者はこれを差押えることができない。かりに差押えても、譲渡担保債権者は第

723

三者異議の訴え（民執§§38・194）を提起できる。また、債務者が破産するときは、譲渡担保債権者は目的物の取戻権を有する。

第4に、債務者が譲渡担保の目的物である動産を占有する場合に、その動産を第三者に譲渡しても、第三者は、その所有権を取得することはできない。ただし、第三者が善意取得（§192）の要件を具備すれば別である。これらの場合には、債務者は、結果に応じて債権者に対して債務不履行の責任を負担することになる。

なお、債権者がその譲渡の効力を否定するのではなく、譲渡代金に対する譲渡担保に基づく物上代位を主張したのを認めた判決がある（最判平成11・5・17民集53巻863頁）。**8**で述べる担保化の思考が採り入れられている一つの表われである。

　(イ)　譲渡担保の対外的効力、すなわち第三者との関係については、ひとまずは、以上のように考えなければならない。けだし、当事者間において権利が譲渡されたという事実は尊重しなければならないからである。しかし、譲渡担保が債権担保のためであるという実質は、できるだけ対外的関係においても反映させるのが妥当ではないかと考える傾きが学説においては強くなり、判例にも、いくつかその例がみられる。

第1に、譲渡担保債権者から譲受けた者が、その物が譲渡担保の目的物であることを知っていたときは、譲渡担保債務者はその者に対して譲渡担保関係を対抗し、たとえば被担保債権につき弁済して目的物の返還を請求できるとしてよいのではないかという見解が有力に主張されている。

第2に、譲渡担保債権者が破産した場合について、株券の譲渡担保の事例であるが、大判昭和13・10・12（民集17巻2115頁）は、旧破産法88条（前記のように、譲渡担保債務者の取戻権を否定していた）の規定にもかかわらず、債務者が債務を弁済して目的物を返還する権利を認めた（同条が削除された新法においては、この判例がどういう影響を受けるか注意される）。

第3に、債務者について会社更生手続が開始した場合について、最判昭和41・4・28（民集20巻900頁）は、譲渡担保債権者に取戻権を認めず、更生担保権者に準じた権利行使を認めるにとどめた。これは学説によっても支持され、さらに債務者の破産についても譲渡担保債権者に取戻権を認めずに別除権を認めればよいとする見解や、破産管財人は被担保債権につき弁済して目的物を確保できるとする見解が主張されている（この点も、会更§64Ⅱが準用していた旧破§88が削られたこととの関連において、譲渡担保権ともいうべき担保権としての処遇がされるか、問題である）。

第4に、民事再生手続についても、会社更生手続についてと同様の立法の推移がある（民再§52Ⅱ）。

第5に、譲渡担保債務者に対する債権者が差押えた場合についても、譲渡担保債権者に第三者異議の訴えを認めず、民事執行法133条を類推適用して配当要求を認めれば足りるとする見解や、差押え債権者は被担保債権につき弁済して、第三者異議の訴えをしりぞけることができるとする見解が主張されている。

ただし、第6に、不動産譲渡担保において、被担保債権の弁済期経過後に譲渡担保債権者の債権者がその不動産を差押え、その登記がなされたときは、設定者はその後に債務の全額を弁済しても受戻権を行使することはできないとされ（最判平成18・10・

20 民集 60 巻 3098 頁）、そこにこの工夫の限界が認められる。

第 7 に、譲渡担保においては、所有権などの権利が移転するので、物的納税義務を定める国税との関係が問題になりうる。国税徴収法 24 条 8 項(旧 6 項)は、譲渡担保権者が納税者である設定者の法定納期限以前に譲渡担保財産となっている事実を証明したときは、その財産からは徴収しないことを規定している。集合債権譲渡担保契約において将来債権についても対抗要件を具備し、国税納期限の後に個別債権が発生した事例について、この条文に該当するとした判決がある(最判平成 19・2・15 民集 61 巻 243 頁)。

以上のように、譲渡担保が債権担保のためのものであるという実質を対外的関係においても反映させるという努力にとって、決定的な障壁となるのが、不動産譲渡担保についてであるが、「譲渡担保のための所有権移転」という登記が認められていないことである(実務上「登記原因」としてのみ認められている。昭和 54 年民三 2112 民事局長通達「不動産登記記載例」参照)。この点は、遡って、抵当権の設定が可能な不動産についてそもそも譲渡担保を認める必要があるかという疑問にもつながるものである。

(ウ)　譲渡担保の目的物に対する第三者の侵害行為があった場合に、これに対して、だれがどのような主張ができるか、も問題になる。

かつては、目的物の侵奪者に対しては、対外的な所有者である譲渡担保債権者が返還を請求できるとした判例がみられた(大判大正 6・1・25 民録 23 輯 24 頁)。しかし、最近では譲渡担保債務者に占有が認められている場合には、譲渡担保債権者は譲渡担保債務者への返還を請求できるだけであるとしたり、譲渡担保債務者も返還を請求できるとする見解もみられる。

また、侵害者に対する損害賠償請求についても、まずは譲渡担保債権者に請求権があると考えられるが、その請求できる額は被担保債権額を限度とする判例(大判大正 12・7・11 新聞 2171 号 17 頁)がある。この判断は妥当であろう。この場合には、残余は譲渡担保債務者が請求できることになろう。

構成部分の変動する集合動産を目的とする集合物譲渡担保権の効力は、譲渡担保の目的である集合動産を構成するに至った動産が滅失した場合に、その損害を塡補するために譲渡担保権設定者に支払われる損害保険金にかかる請求権に及ぶ(最決平成 22・12・2 民集 64 巻 1990 頁)。

(エ)　譲渡担保目的物によって第三者が損害を被った場合に、その第三者はだれに対して賠償を請求できるかも問題である。譲渡担保債権者と譲渡担保債務者のいずれに対して請求してもよく、両者の間の負担は内部関係の問題と考えることになろうか。

(オ)　譲渡担保の目的物についての保険契約はどうなるか、も問題である。最判平成 5・2・26 (民集 47 巻 1653 頁)は、譲渡担保債権者と譲渡担保債務者のいずれも譲渡担保目的物について被保険利益を有するとし、それぞれが保険契約を締結した場合には、各保険金額の割合によってそれぞれの保険会社による保険金支払の負担を決するとした(商§632 [削除] →保険§20 参照)。

(カ)　借地上に存する建物について、建物所有者＝借地人 A がその建物を他者 B に譲渡担保に供した場合に、土地所有者＝賃貸人 C との間にどのような問題を生じるか、

第2編　第10章　抵当権　第4節　根抵当

は問題である。Aが建物を占有し、使用している限りは賃借権の譲渡転貸にならないとする判例(最判昭和40・12・17民集19巻2159頁)は妥当であろう。これに対して、「譲渡担保権が実行されて」いなくても、Bが建物の引渡を受け、使用・収益しているときは、賃借権の譲渡または転貸となるとする判例(最判平成9・7・17民集51巻2882頁)は、建物所有権がまだAにあると考えられる限りは、疑問である。後に、612条に関して検討する。

8　譲渡担保に関する今日の理論動向

　譲渡担保についての理論的把握は、以上の説明から分かるように、全体として、権利移転という形式を重視する考え方(所有権的構成と呼ぶ者もいる)から、債権担保という実質を重視する考え方へと移行してきているということができる。この方向の延長上において、譲渡担保を抵当権に類似した一種の担保権として構成しようとする考え方(担保権的構成と呼ぶ者もいる)も浮上している。この考え方からすると、両当事者の呼び方も、「譲渡担保権者」、「譲渡担保権設定者」と変化してくることになる。
　しかしながら、譲渡担保がこのように譲渡担保権という一種の担保権として枠をはめられると、その制約をきらって、実務はふたたび権利の移転という形式に立ち戻り、その制約をふりはらおうとすることになる。このように、譲渡担保は宿命的に流動的であり、両義的(どっちつかず)であり、矛盾を内包し、したがってこれに対する対処も弾力的に行わなければならないものと考えられる。

9　所有権留保

　売買契約において、代金の全部または一部の支払が即時に行われずに、その弁済期が契約および売買目的物の占有移転の時期より後の時点に定められた場合には、その代金債権を担保するために、代金債権について支払が完了するまで目的物の所有権を売主のもとに留保する特約が結ばれることがある。これを「所有権留保」という。
　所有権留保は、被担保債権(代金債権)と担保目的物(売買目的物)の間に密接な関係が存在するところに特色を有するが、その法律関係は、基本的には、譲渡担保に準じて考えればよい。すなわち、目的物の所有権がいったん買主に移転したあと、買主がその物を売主に譲渡担保に供したと考えればよいのである(判例としては、買主の債権者による差押えに対して売主は第三者異議の訴えができるとした最判昭和49・7・18民集28巻743頁、ディーラーのサブディーラーに対する所有権留保に基づき、サブディーラーから買ったユーザーに対し返還請求をするのを権利濫用とした最判昭和50・2・28民集29巻193頁などがある)。
　ある種の取引においては、この所有権留保が慣行的に行われており、それに伴って、立法上も、この所有権留保を推定したり、その効力を制約したりする規定が設けられている例がみられる(割賦§7、宅建業§43)。最判平成21・3・10(民集63巻385頁)が、自動車の立替払契約(クレジット契約)に関して用いている所有権留保という言葉は、以上に述べた所有権留保とは異なる概念であることに注意を要する(AからBが自動車を購入し、Cが立替払いをした事例において、同判決は自動車の所有権はCに移転したとしたうえで、この所有権は、立替金請求権の担保であるとして、所有権留保と呼んでいる。Bの立替金債

務の弁済期が徒過すれば、自動車が置かれた駐車場所有者に対する関係ではCが所有者〔したがって、不法占拠者〕になるとしたが、所有権留保の概念の混用は疑問であり、この関係については深い考察が必要である。第3編第2章第5節解説④(2)(イ)(a)(iv)を参照）。

　金属スクラップ等の継続的売買契約において目的物の所有権が代金の完済まで売主に留保される旨が定められた場合に、買主が保管する金属スクラップ等を含む在庫製品等につき集合動産譲渡担保権の設定を受けた者が代金完済未了の金属スクラップ等につき売主に当該譲渡担保権を主張できないとされた判例（最判平成30・12・7民集72巻1044頁）がある。なお、最判平成22・6・4（民集64巻1107頁）や最判平成29・12・7（民集71巻1925頁）を契機として、所有権留保の法的構成が注目を浴びている。一つは、目的物の所有権は代金完済まで売主に留保され、代金完済の時点で買主に移転するという構成（留保構成と呼ばれる）である。もう一つは、売買契約の締結時に目的物の所有権は売主から買主に移転され、買主から売主に対して留保所有権が設定されるという構成（移転・設定構成と呼ばれる）である。本判決は、目的物の所有権移転の時期を明らかにしている点で、留保構成説をとっているが、先行する二つの判決がこの点を必ずしも明らかにしていないことからも分かるように、法的構成によって妥当な結論が導かれるわけではない。

⑩　仮登記担保

　不動産の譲渡担保の延長上において、いつの頃からか、つぎのような実務慣行が登場した。それは、債権者Aが債務者Bから不動産を担保にとる場合に、Bが債務を弁済しないときには、その不動産をその代物弁済としてAに移転することを約し（弁済期徒過と同時に効力を生じるものを「停止条件付代物弁済契約」、Aの予約完結の意思表示により効力を生じるものを「代物弁済予約」と呼んだ）、その予約に基づく権利を仮登記（不登旧§2)するというものである。この仮登記に、従来から認められていた順位保全の効力をそのまま認めると、Aの権利はきわめて強力な、抵当権をも凌駕する権利となり、しかもそれが費用も低額ですむ仮登記によって可能になるということで、この実務が一時は隆盛をきわめ、したがって問題化した。これが、「仮登記担保」と呼ばれるものである。判例（代表的なものとしては、先頭を切ったものが最判昭和42・11・16民集21巻2430頁、最も詳細なものが最大判昭和49・10・23民集28巻1473頁）は、この仮登記担保の効力を抑制することに努めたが、1978年に至り、「仮登記担保契約に関する法律」（昭和53年法律78号）が制定され、仮登記担保に対して、およそつぎのような制約が定められた。

(a)　猶予期間の保障

　第1に、仮登記担保契約により目的物がAに帰属するべきものと定められた日（予約完結の意思表示または停止条件成就の日）に直ちにその効果が生じないで、Aが目的物と債権額との差額に相当する清算金（正しくは「精算金」であろうが、法律は「清算金」と表記する）の有無ないし見積り額をBに通知してから2か月間の猶予期間（法律は「清算期間」という）を保障し、それが経過するまでは所有権移転の効力は生じないものとした（仮登記担保§2 I。清算金がないときは、(b)の問題を生じないで、清算期間経

第2編　第10章　抵当権　第4節　根抵当

過時に即時にその効果が生じる）

（b）　清算義務と同時履行

Ａは、目的物の価額が債権額を上まわる場合には、その差額（それをＢに通知する義務について、仮登記担保§2Ⅱ）を清算金として支払うことが義務づけられ（仮登記担保§3Ⅰ・Ⅲ）、しかもそれが目的不動産の所有権移転登記および引渡しと同時履行とされる（同Ⅱ）。

（c）　受戻権の保障

債務者は、清算金の支払を受けるまでは、債務を弁済して所有権を受戻す権利を保障される（仮登記担保§11）。

（d）　他の債権者による強制競売など

Ｂに対する他の抵当権者などは、清算期間内は、自己の債権が弁済期未到来でも、目的不動産に対する競売を開始することができる（仮登記担保§12）。

（e）　後順位抵当権者などの物上代位

目的不動産について後順位の抵当権者がいるときは、清算金はＢに返還するのではなく、後順位抵当権者に支払われるべきものである。これを「物上代位」の理を用いることによって保障した（仮登記担保§§4・5）。

（f）　その他

法定借地権（仮登記担保§10）、根仮登記担保（同§14）などについて、規定がおかれている。

以上のような制約が加えられた結果、実務における仮登記担保の利用は減少しているといわれる。この慣行は、結局のところ、民法の諸制度をその本来の趣旨から外れ、曲げて利用しようとした結果生じたあだ花であったと評してよいであろう。

728

第3編

債　権

第3編　債　権

第3編　債　権　[解説]

〈改正〉　債権編は、2017年に全般的に改正されたので、具体的には、各章ないし各節において、述べる。

[新法第3編　債権の構成]（第1章および第2章のみ詳細を掲げる）[☆印は新設]

第1章　総則

第1節　債権の目的

第2節　債権の効力

　　　　第1款　債務不履行の責任等／第2款　債権者代位権／第3款　詐害行為取消権☆[第1目　詐害行為取消権の要件／第2目　詐害行為取消権の行使の方法等／第3目　詐害行為取消権の行使の効果／第4目　詐害行為取消権の期間の制限]

第3節　多数当事者の債権及び債務

　　　　第1款　総則／第2款　不可分債権及び不可分債務／第3款　連帯債権☆／第4款　連帯債務／第5款　保証債務[第1目　総則／第2目　個人根保証契約／第3目　事業に係る債務についての保証契約の特則☆]

第4節　債権の譲渡

第5節　債務の引受け☆

　　　　第1款　併存的債務引受／第2款　免責的債務引受

第6節　債権の消滅

　　　　第1款　弁済[第1目　総則／第2目　弁済の目的物の供託／第3目　弁済による代位]／第2款　相殺／第3款　更改／第4款　免除／第5款　混同

第7節　有価証券☆

　　　　第1款　指図債権／第2款　記名式所持人払証券／第3款　その他の記名証券／第4款　無記名証券

第2章　契約

第1節　総則

　　　　第1款　契約の成立／第2款　契約の効力／第3款　契約上の地位の移転☆／第4款　契約の解除／第5款　定型約款☆

第2節　贈与

第3節　売買

　　　　第1款　総則／第2款　売買の効力／第3款　買戻し

第4節　交換

第5節　消費貸借

第6節　使用貸借

第7節　賃貸借

　　　　第1款　総則／第2款　賃貸借の効力／第3款　賃貸借の終了／第4款　敷金☆

第8節　雇用

第9節　請負

第10節　委任

第11節　寄託

第12節　組合

第3編［解説］①②

第13節　終身定期金
第14節　和解
第3章　事務管理
第4章　不当利得
第5章　不法行為

① **本編の内容**

　本編は、債権と題して、「総則」「契約」「事務管理」「不当利得」「不法行為」の5章からなっている。「総則」は、債権一般に通じる通則を規定する。学問上は、通常「債権総論」と呼ばれるものである。「契約」以下の4章は、各種の債権の発生原因について規定し、通常「債権各論」と呼ばれている。

　債権は、社会生活において、物権よりもさらにいっそうしばしば成立する財産関係であるが、その成立の原因は、契約(第2章)・事務管理(第3章)・不当利得(第4章)・不法行為(第5章)の4種に大別することができる。しかし、この4種のうちでは、契約は、民法がすでに13種類の典型的なものを挙げていることからも分かるように、きわめて広範多様な内容を有するものであり、また、不法行為も、法律的観点から分類してみても、その種類は多くはないが、実際上の態様は千態万様でありうるので、この二つのものが、債権発生の原因として有する実際的な意義は、すこぶる大きいのである。

　第1章の総則は、この4種の原因から生じる債権のほか、法律上当然に生じる債権についても適用される通則である。物権では、所有権以下の各種の物権がそれぞれの特色を有するので、民法は、それぞれの物権を各章に分けて規定し、物権全体の共通的な性格ないし効力については、ほとんど規定していない。これに反し、債権は、その発生原因に特色があるが、発生した債権自体の性質ないし効力は共通なので、民法も、第1章総則において、これらの共通なことをかなり詳しく規定し、そのほかについては、発生原因に従って、章を分けたのである。

② **物権と債権の関係**

　債権編の規定は、物権とも緊密な関係をもっている。

　(1)　第1に、上に一言したように、物権編の規定によって当然に生じる債権(§§189〜200・212・222・248など)についても、債権編の総則の規定は適用される。

　(2)　第2に、物権の得喪変更が当事者の合意によって生じる場合には、この合意は、一種の契約であるから、これについては、契約の通則(第2章第1節)の規定が、原則として適用されると解するべきである。のみならず、たとえば、所有権が売買によって移転するように、債権編の典型的な契約によって、結局、物権の変動を生じる場合には、物権編の通則(第2編第1章)の規定との関係上、複雑困難な問題を生じる(第2編第1章解説②、§176〔4〕参照)。

　(3)　物権編のなかの担保物権(第2編第7章〜第10章)は、債権の効力を強化する作

731

第3編　債権

用を有するものであるから(第2編解説4参照)、債権の効力を離れて考えることができない。のみならず、債権的な担保制度である連帯債務と保証債務(「人的担保」と呼ばれる)は、これらの担保物権(「物的担保」と呼ばれる)と緊密に関連し、ことに人的および物的の担保義務者の弁済による代位の制度(改正前§§499〜504)では、両者が錯綜した関係を生じる。

(4)　債権編のうちにも、物の利用を目的とする制度、すなわち、使用貸借(第2章第6節)と賃貸借(同第7節)があり、物権編の地上権(第4章)・永小作権(第5章)ときわめて類似した法律関係を構成するのみならず、いわゆる「賃借権の物権化」的傾向は、両者の差異を縮小しようとしている(本編第2章第7節解説参照)。

3　債権の本質と特色

民法は、債権についても、その意義ないし本質について総合的な規定をしていない。物権と対比しながら、これについて、いちおうの説明を加えておこう(第2編解説3参照)。

(1)　債権の本質

債権は、債務者の一定の行為(これを「給付」という)を請求し、受領することが法律上是認されるだけでなく、原則として、さらにこれを訴求することのできる権利であるが、物権と異なり、排他性がない。

(ア)　債務者が任意に給付するときは、債権者がこれを受領することは、法律的に是認されて、不当利得とはならない。これが債権の最小限度の効力である。

しかし、わずかの例外を除き、債権者は、さらに進んで、任意に給付をしない債務者に対して、給付を訴求する(裁判所に訴えて、給付を命じてもらう)ことができる。これに対する、わずかな例外的債権が、すなわち「自然債務」または「不完全債務」と呼ばれるものである(第1章第2節解説3参照)。

しかし、この僅少な例外を度外視すれば、債権は、訴求を本体とする権利だといってよい。そして、債務者に対して、この訴求力を行使し、現実的履行を強制し、または、不履行による損害の賠償を請求し、それについて、国家の助力を求めることができる。このように国家の助力を求める場合にも、現代法の理想として、債務者の人格を尊重しなければならないから、すべての種類の債権の効力は、債務者の人身に拘束を加えるものであることはできず、結局においては、債務者の財産を換価して、これから金銭的な給付を受けることに帰着する。この換価の対象、つまり債権の強制的実現のための引当てとなる財産は、債務者の「全財産」(民法の用語では「総財産」という。§306参照)である。もっとも、差押えを禁止された財産(民執§§131・152)は除外しなければならないので、これを除いた全財産である(これを、理論的には、「一般財産」、あるいは「責任財産」という)。しかし、この場合にも、特殊な場合の例外としてではあるが、債権実現の引当てとなる債務者の財産が制限されること(責任の限定)があるということを注意しておかなければならない(第1章第2節解説3(3)参照)。

要するに、理論的にいえば、債権は、債務者の給付すべき「当為」(給付すべきこと。ドイツ語で leisten sollen)を中核とし、これを実現するために、原則として、全財産に

第3編［解説］③

よる「責任」（強制的実現のための引当てとなること。ドイツ語でHaftung)を伴うものである。

以上のことについては、第1章第2節解説②でさらに詳しく述べる。

(イ) 債権には、排他性がない。これが、物権との違いの基本である。同一内容の債権がいくつも成立することが可能であり、しかも、その間に効力の差異はないのを原則とする。内容の衝突する多数の債務が成立したときは、一つの債務だけが履行され、他は履行が不可能になるであろうが、そのときにも、債務としては有効に成立し、その履行不能の問題として処理されるのである。この意味で、債権は、一面では自由競争の原理の徹底したものであり、他面では債務者の信義に信頼する制度であるといえる。

ただし、主要な不動産(宅地・農地および建物)の賃借権については、605条［改注］や借地借家法、農地法などの特別法によって一定の要件のもとに対抗力が認められ、それに伴う排他性が認められていることを注意しなければならない。これを「賃借権の物権化」の傾向という(第2編第4章解説③、本編第1章第2節解説⑤(2)(エ)、第2章第7節解説③参照)。

なお、物権は物を直接に支配する権利であるのに対して、債権は債務者の給付に対する請求権だといわれる。しかし、この区別は、さらに理論的に考察しなければならない。たとえば、上に挙げた賃借権は、他人の物を使用・収益する権利だから、物権のようにみえる。しかし、民法がこれを債権にしたのは、この権利は、賃借人が賃貸人に対して「使用・収益させよ」と請求する権利、すなわち債権であって、目的物を使用・収益するのは、この債権に付従する権能にすぎないとみたからである。そして、いわゆる賃借権の物権化の傾向とは、この付従的権能が強化されて、賃借権の本体的地位を占めたということにほかならない。だから、物の直接的支配か、債務者の給付に対する請求権かの差異は、結局のところでは、その権利の内容に排他性を与えるかどうかの立法政策上の問題だということができる。

(ウ) 債権の目的物は、物権の目的物と異なり、将来成立し、特定できるものであればよく、現に存在し、特定していることを要しない(第1章第1節解説④(3)参照)。

(エ) 債権は、弁済によって目的を達成して消滅することを本来の目的とする。しかし、この弁済が完了するためには、債務者の行為(これを「給付行為」という)のみでなく、多くの場合は債権者の行為(これを「受領行為」という)を必要とする。そして、この債権者の行為は、最初は軽視されたが、後に、しだいに重要視され、債権者がこれを怠ることは、一種の義務違反ではないかといわれるようになった。「債権者遅滞」または「受領遅滞」として論じられる問題であり、債権法を支配する信義の原則にも関連する(§413［改注］参照)。

(2) 債権の効力の特色

物権の効力と比較して、注意すべきことは、つぎのとおりである。

(ア) 内容が互いに衝突する債権相互の間でも、効力に優劣はない。債務者の個々の財産あるいは全財産を処分して債権の弁済に充てる場合には、債権相互においては、債権が成立した時の先後に関係なく、平等の割合で案分比例的に分配する。これを、

733

第3編　債　権

「債権者平等の原則」という。現民法には、その趣旨の規定はないが、旧民法債権担保編第1条がこの原則を明言していた(とくに、その第2項は、「債務者ノ財産カ総テノ義務ヲ弁済スルニ足ラサル場合ニ於テハ其価額ハ債権ノ目的、原因、体様ノ如何ト日附ノ前後トニ拘ハラス其債権額ノ割合ニ応シテ之ヲ各債権者ニ分与ス但其債権者ノ間ニ優先ノ正当ナル原因アリタルトキハ此限ニ在ラス」と規定していた)。

　(イ)　債権は、債務者に対する請求を本体とする権利であるが、この債権者の権利を債務者以外の者が侵害したときに、侵害者が不法行為の責任を負うかどうか、また、債権者がその侵害の排除を請求する権利があるかどうかは、別問題である。前者は判例・通説によって肯定されているが、後者については、説が分かれている(第1章第2節解説⑤参照)。

　(3)　その他

　物権と債権の対比については、さらに、つぎのような説明もなされるところである。

　(a)　物権は物を直接的に支配する「支配権」であるのに対して、債権は特定の相手方(債務者)に対して一定の行為を請求する「請求権」である。支配権は、一定の支配状態が存在し、それが社会的に承認されていることによって実現されているのに対し、請求権は、一定の相手方が請求に応じてその行為を実行しないことには実現されない。なお、私法上の権利の形態として、これに「形成権」を加えた三者を挙げることについては、§1〔1〕を参照。

　(b)　物権の主張が向けられる相手方(いわゆる「権利の名宛人」)は社会の構成員全員(「天下万人」と表現される)であるが、債権におけるそれは、特定の相手方、すなわち債務者である。この点に着眼して、物権を「対世権」、「絶対権」と呼び、債権を「対人権」、「相対権」と呼ぶこともある。しかし、この区別から、債務者以外の者は債権を尊重しないでよいという考えを引きだすことはまったく誤りである。債権は、債権という権利の本質と内容に則して、なんびとによっても権利として承認され、またなんびとによっても尊重されなければならない。

　(c)　同じ意味において、物権を「対物権」、債権を「対人権」と呼ぶこともある。

　(d)　物権においては「物権法定主義」が適用され、その種類・内容が法律により限定される(§175注釈参照)のに対して、債権においては、「契約自由の原則」(第1章第1節解説③参照)により、その種類・内容は、契約により原則として自由に定められるので、債権としては、きわめて多様なものが存在しうる。

④　債権の電子化について

　ある時期から、電子情報技術を応用することによってある種の債権についてその資産価値を流動化しようとする志向が登場した。とくに注目されるのは、「電子記録債権法」(平成19年法律102号。2008年12月1日に施行された)である(他にも、債権譲渡登記制度なども参照)。これは、指名債権や証券化された債権などの類型とは異なる新しい債権概念を創造するもので、電子債権記録機関へ電子記録されることにより発生・譲渡される債権である。手形債権に類似した無因性を有する。手形に代替する機能を持つものとして、あるいは売掛代金の流動化のために活用されることが予想されている。

2017 年の民法改正においても、電子化された債権への対応がなされた。

2008 年末葉にアメリカで低所得層向け高利住宅金融債権の証券化によって発生し、世界的金融危機を招いた経験を考えると、この種の金融技術が市民法の正しい発展の方向であるといえるかどうか、深い検証と研究が必要であるように思われる。

⑤ 2017 年の債権法の改正について

社会経済情勢の変化に鑑み、消滅時効の期間の統一化等の時効に関する規定の整備（総則領域）、法定利率を変動させる規定の新設、保証人の保護を図るための保証債務に関する規定の整備、定型約款に関する規定の新設等を行う必要があり、大規模な改正が行われた。具体的には、関連個所を参照。

第3編　第1章　総則

第1章　総　　則

〈改正〉　2017年に、本章では、第3編債権［解説］で概観したように、多くの条文が改正され
たので、具体的には、各節・各款において述べる。

1　本章の内容
　本章は、総則と題して、債権一般に通じる通則を規定する。すなわち、「債権の目
的」、「債権の効力」、「多数当事者の債権及び債務」、「債権の譲渡」、「債権の消滅」の
5節からなっている。民法のこの体系は、債権についての法律関係を純粋に論理的に
排列したものである。
　すなわち、まず最初に債権の目的(この「目的」は、対象という意味である)について規
定したのは(第1節)、債権の主体は、一般に権利の主体として総則編に規定するとこ
ろと共通だから、ここには、その目的だけについて規定したものである。ついで、債
権そのものの効力を取り上げて、主として、債務者に対する債権者の権利内容を規定
する(第2節)。そして、この債権者の権利の実現によって、債権は消滅するが、その
ことを規定する前に、債権関係の主体である債権者または債務者が複数いるという特
別の態様、すなわち、多数当事者の債権及び債務と、債権・債務がその主体を変える
主要な場合である債権の譲渡(第4節)と債務の引受け(新第5節)について規定し、最後
に、債権の消滅原因について規定したのである(第5節→第6節)。

2　債権の規定の重要性
　債権の経済社会における作用からみるときは、その重要度、ないし、その持ってい
る意義からすると、民法の定める順序を変えて理解する必要がある。
　(1)　債権は、債務者の「給付」(弁済)を受け、その目的を達して消滅することを本
来の目的として存在する権利だから、債務者に対して給付を請求する効力(第2節)が、
なんといっても、債権について最も重要な意義を有する。そして、そこでは、債務者
が任意に弁済しない場合に、債権者の取得する現実履行の請求権(§414)と損害賠償
の請求権(§§415〜422［改注］)(以上、第1款)、ならびに、債務者の一般財産が悪化し
た場合に、債権者が行使できる債権者代位権(§423［改注］)と債権者取消権(§§424〜
426［改注］)(以上、第2款と新設の第3款)が主要な内容をなしている。
　民法は、このほか、債務者が弁済しようとするのに債権者が受領しないか、または
受領できない場合(「受領遅滞」という)についても規定する(§413［改注］)。しかし、そ
れは、債務者がいかにして、いかなる弁済をするべきかという問題、すなわち、債務
者の弁済の提供(改正前§§491・492)および供託(§§494〜498［改注］)と密接に関連する制
度であって、債権の本来の効力とはやや趣きを異にする。
　(2)　ついで、債権者の給付を請求する権利に対応して、債務者の弁済行為が重要な
意義をもつ(第5節→第6節第1款)。債権がその目的を達して消滅する主要な場合だか

736

第1章 [解説]

らである。民法は、そこに、弁済の内容・方法（§§475～改正前477・481～498——改正に注意）、債務者以外の者の弁済とその効果（§§474・499～504 [改注]）、債権者でない者への弁済の効果（§§478～480 [改注]）などについて規定した。しかし、債権は、弁済以外にも、相殺（第5節→第6節第2款）・更改（同第3款）・免除（同第4款）・混同（同第5款）によっても消滅するので、民法は、第5節→第6節中にそれらのものについても規定する。

　(3)　第1節の債権の目的は、種々の原因から発生する債権であって、その目的が共通のもの、すなわち、債権の目的が特定物の引渡し、一定の種類によって指示された物の一定量、一定額の金銭などのものである場合についての通則を掲げたものである。実際上は、(2)の債務者の弁済の内容・方法についての一つの標準を示すものといってもよい。

　(4)　第3節の多数当事者の債権に関しては、民法はここでも、形式的に、当事者が複数である場合の種々の債権・債務関係を集めて規定している。しかし、そのなかの連帯債務（第3款→第4款）と保証債務（第4款→第5款）は、「債権の担保」（その意味については、第2編解説④参照）として重要な作用を営み、担保物権と密接な関係に立つものである。これに反して、他の不可分債権・債務（第2款）および分割債権・債務関係について定める規定（第1款）は、債務の目的である給付が可分か不可分か、という形式的な標準による債権の態様であって、債権の担保という意義はほとんどない。

　(5)　第4節の債権譲渡は、債権が1個の財貨として取引の目的となることを規定したものであり、債権そのものについての効力などはまったく問題とならず、かえって、物権の取引と同様に、公示の原則や公信の原則が問題となる（第2編第1章解説参照）。債権の取引は、経済の一定の発展後に生じる比較的新しい現象なので、この点に関する民法の規定は改正前においてはきわめて不十分であるだけでなく、商法との間に十分な連絡もなかった。民法のなかで、規定も解釈も最も発達の遅れた部分といっても過言ではないであろう。

　なお、民法は、債権者の変更である債権の譲渡についてのみ規定し、債務者の変更である「債務の引受け」については規定していなかった。しかし、これを無視するわけにはいかないので、改正されたが、第4節と第7節の注で説明することにする。さらに、2017年の改正で、第5節「債務の引受け」が新設された。

737

第3編　第1章　総則　第1節　債権の目的

第1節　債権の目的

〈改正〉　2017年に、本節では、特定物の引渡しの場合の注意義務に関する400条、法定利率に関する404条、不能による選択債権の特定に関する410条が改正された。特に、法定利率に関する改正が重要である。

① 本節の内容

　本節は、第1に、債権の目的（対象という意味である。本章解説①参照）である給付は金銭に見積ることのできないものでもよい、という大原則を掲げ（§399）、ついで給付が特定物の引渡しであるとき（§400［改注］「特定物債権」という）、一定の種類の物の一定量の交付であるとき（§401「種類債権」という）、金銭の一定額の支払であるとき（§§402・403「金銭債権」という）、利息の支払であるとき（§§404［改注］・405「利息債権」という）、数個の給付中、選択によって定まる1個の給付をするべきとき（§§406～411［§410の改正に注意］「選択債権」という）、の5種の給付について規定する。これらの種類の給付は、種々の契約から生じるだけでなく、不法行為、不当利得などからも、また、法律の規定からも生じるので、ここにそれらについての共通の規定を設けたのである。

　なお、ドイツ民法（§§249～）などにおいては、このほかに、給付が損害賠償をすることである場合についても、一般的規定を掲げているが、わが民法は、そのような規定をおかないで、損害賠償債権を生じる主要な場合である債務不履行と不法行為とについて、それぞれの個所で規定するにとどまる。したがって、本書でも、それぞれの場所で、対比しながら説明する。また、選択によって定まる給付を目的とする債権に類似するものに「任意債権」と呼ばれるものがあるが、これについても民法に規定はない。選択債権に関連して説明する（§406前注②参照）。

　債権の目的に関しては、上のような民法の規定とは別に、なお、一般的な問題が存在する。以下に、通常問題とされる点を略述しておこう。

② 債権の目的——給付

　「債権」は、特定の人（債務者）をして特定の行為をさせる権利である。

　したがって、「債権の目的」は、債務者の行為であり、この行為を「給付」（ドイツ法でLeistung）という。給付は、一定の物を交付すること（たとえば、特定の家屋の引渡し、一定の品質の米1000キログラムの引渡し、金100万円の支払など）であってもよく、また、物の交付以外の一定の行為をすること（たとえば講演、劇場への出演、証書の作成、自動車の運転など）であってもよい。前者を「与える債務」（フランス法でobligation de donner。「与える」といっても、贈与を意味するわけでないことは当然である）といい、後者を「なす債務」（「為す債務」）（フランス法でobligation de faire）という。前者において、交付すべき物は、「給付の目的」であって、これを「債権の目的」というのは誤りである。民法は、これを「債権の目的物」（§§401・402など）と表現するが、使い分けは必ずしも

第1節 ［解説］ ①〜④

厳格でない（§§402Ⅱ・419Ⅰ［改注］・422）。また、給付は、一定の行為をすること（これを「作為給付」という）だけでなく、一定の行為をしないこと、たとえば、1年間競業（競争関係に立つ業務を営むこと）をしないとか、他人が自分の所有地を通行するのを妨げないというように、消極的な不作為であってもよい（「不作為給付」という）。もっとも、これらの区別は、債権の強制履行に関連して、重要な差異を生じることになる（改正前§414(9)(10)）。

　なお、与える債務となす債務の分類ときわめて近似するものに、「引渡債権」と「行為債権」という分類も多く用いられる。概念としては、より明確になるということができよう。

　なお、最近において、「役務」という用語が私法上も登場し（たとえば、旧訪問販売等に関する法律、現在の特定商取引に関する法律§2など）、多く用いられる傾向にある。その厳格な定義は困難だが、多くの場合、単純な行為にとどまらず、設備・道具・場所などの提供、物品の供給などをも伴う給付内容を指す場合に用いられる。

③　給付に関する定め

　債権の目的である給付は、契約によって自由に定めることができる（「契約自由の原則」の一内容である。この原則については、第2章解説で述べる）。物権のように一定の種類のものに限られるのではない（§175参照）。民法は、本編第2章に各種の契約について規定し、そのなかに、売主・買主、貸主・借主その他一定の契約当事者の債務について、詳細な規定をしている。これは、特定の契約から生じる債権の内容、換言すれば、特定の債権の目的である給付について規定したことになる。しかし、これらの規定は、いずれも当事者が明瞭に定めなかった場合の解釈の標準ないしは意思の補充を定めるものであって、債権の目的を限定し、また、これを決定する効力を有するものではない（「解釈規定」、「補充規定」などという。§91(1)参照）。このことは、民法が本節で規定するところについても、同様にあてはまる。当事者は、ここに定める以外の種類の給付を債権の目的とすることができるし、また、ここに定めるのと異なる効力を生じる契約をすることもできるのである。

④　給付の要件

　上に述べたように、当事者は、債権の目的としてどのような給付を定めてもよいが、まったく無条件というわけではない。債権が有効に成立するためには、なお、つぎのような要件を備えなければならない。

　(1)　給付は、適法であって、かつ、社会的妥当性のあるものでなければならない。不法の内容を有するもの、たとえば、民法の認めない物権や身分関係を設定することを給付の内容とする債権、または公の秩序・善良の風俗に反する内容を有するもの、たとえば、人身売買や不倫の男女関係を結ぶことをもって給付の内容とする債権などは、無効である。このことは、90条［改注］・91条の解釈としても当然のことである。

　(2)　給付は、実現が可能なものであることを要する。不能の給付を目的とする債権は、無効である。不能であるかどうかは、結局、社会の取引概念によって定めるべき

739

第3編　第1章　総則　第1節　債権の目的

である(改正前§415〔3〕参照)。ただ、注意するべきは、給付が可能であることを要するというのは、契約または債権の成立の時にすでにその給付が不能(これを「原始的不能」という。原始的とは primitive という意味ではなくて、はじめからという意味である)であってはならないということである。債権がいったん有効に成立した後に給付が不能(これを「後発的不能」という。他人の物の売買については、問題があるが、最判昭和25・10・26民集4巻497頁は、後発的不能とした例)となった場合は、履行不能の問題となる(改正前§415〔3〕〔5〕参照)。もっとも、売買その他の有償契約においては、目的物の一部に原始的不能があっても、売主の担保責任の問題となる(改正前§§565・559参照)。これは、有償契約の特質に基づく特例である。2017年の改正で、412条の2が新設された。

なお、たとえば、別荘の売買において、契約締結の当時すでに別荘が焼失していて、給付が原始的に不能なため買主の債権が成立しないということと、売主がすでに焼失している別荘を過失によってその焼失の事実を知らずに売ったというような場合に、買主は、これによってこうむる損害の賠償を、売主に対して請求できるかということは、また別個の問題である。これについて、従来は焼失した別荘を給付するという債権はあくまでも無効であり、無効な売買契約を締結した者がどういう責任を負うかが問題とされたが、最近では原始的不能を必ずしも契約無効と直結させないで、契約責任の問題として処理しようとする議論も行われている(「契約締結上の過失」論その他。なお、⑥(4)を参照)。

⑶　給付の内容は、確定することができるものであることを要する。物権が成立できるためには、その目的である物が現存し、かつ特定していることを要するのに反し、債権が成立するためには、その目的である給付は、その内容を確定することができるものであればよい。「確定可能性」が存すればよいのである。たとえば、AからBにビール1ダースについて所有権を移転するには、Aの処分できるビール1ダースが現存し、特定していなければならないのに反し、BがAに対してビール1ダースを交付させる債権を取得するためには、Aが給付すべきビールの種類が定められれば足りる。Aの手もとにビールが存在する必要はない。行為債権(なす債権・為す債務)についても、履行期までにそのなすべき給付が確定できればよい。

そして、この給付を確定する標準は、当事者の意思表示または慣習によって定められるのであるが、それらが不明である場合のために、民法は、種々の標準を定めている(§§401〜403・406〜409など参照)。しかし、これらの諸標準をもってしても、なお給付の内容を確定することができない場合には、債権は、無効というほかはない。しかし、契約によって生じる債権は、なるべくこれを有効なものと解釈することが、契約自由の原則を尊重し、私的自治の理想を達成するゆえんであるから、裁判所は、できるだけ合理的な判断をして給付の内容を確定することに努めるべきである。

判例も、この趣旨に従っている。すなわち、分家(旧法下の家族制度の時代に、戸籍上の「家」を出て、独立の「家」を作ることを分家といった)のさいになされた贈与契約において、不動産100円以上200円以下その他動産などを贈与し、分家を維持するに不都合のないようにするという意味の約束を、その内容は確定することができるものであるとし(大判大正5・3・14民録22輯360頁)、また、第三者が指定する物を債権の担保に

第1節［解説］⑤⑥

供する旨の契約がなされた場合に、第三者が指定しないで死亡したときにも、当事者は反対の意思表示のない限り、客観的に相当な目的物を担保に供する意思であると推定すべきであり、裁判所がこれを確定することができるとした(大判大正9・6・24民録26輯923頁)。

⑤　給付の種類

　給付は、いろいろに分類することができる。給付の種類は、そのままそれを目的とする債権の種類になるから、この分類は重要である。これまでに挙げた給付の種類、たとえば、作為給付と不作為給付は、そのまま作為債権と不作為債権という分類につながる。また、与える給付に対応するのが与える債務であり、なす給付(為す給付)に対応するのがなす債務(為す債務)である。なお、この種の債権についての表示において、何々債権というい方と何々債務というい方は、便宜的に使い分けられるだけで、意味するところはまったく同一である。

　その他の分類としては、たとえば、可分給付(金銭債権のように、給付の趣旨を変えないで分割しても実現できる給付)と不可分給付(自動車1台を渡すというように分割したのでは給付の趣旨が実現できない給付)が分けられ、それぞれ、可分債権と不可分債権の目的となる。

　また、一時的または一回的給付(商品を譲渡するというように、給付が一回の行為によって実現されるもの、履行に多少の時日を要しても、所有権を移すという給付そのものは一回的である)・継続的給付(自動車を一定期間貸すというように、一定の状態が継続することによって実現される給付)・回帰的給付(毎月一定量のプロパンガスを供給するというように、一回的給付が繰り返し行われる給付)の分類もあり、それぞれの給付を目的とする債権(一回的債権・継続的債権・回帰的債権)の効力には相互にかなりの特色があるので、この分類を基礎にした考察は重要である。しかし、民法はこの点をあまり重視していない。

　民法が本節において取り上げている給付、したがって債権の分類は、給付ないしその目的の特定性に着目したものと、元本債権と利息債権の分類だけである。これらの分類については、それぞれ必要な個所で触れることにする。

⑥　付随的義務

　最近において、債権の目的である給付の実現、すなわち債務の履行に関連して、付随的義務論が展開されているので、これについて触れておく必要があろう(内容的な検討は、本編第2章第1節第2款解説④(2))。

　(1)　ここに付随的義務とは、ある種の債権について、その本体的給付のほかに、これに付随的に伴うものと認められる債務者の一定の義務であって、それに基づいて一定の効果が生じるとされるものである。たとえば、つぎのようなものである。

　(a)　売買契約における売主の債務は、売買目的物の所有権を買主へ移転する義務であるが、これを本体的給付義務として、なお、これに伴う付随的義務を負うことが考えられる。目的物が動産であれば、これを買主に引渡し、不動産であれば、移転登記をするなどは、本体的給付に属すると考えれば足りる。特定物引渡し債務に

741

第3編　第1章　総則　第1節　債権の目的

おいて、債務者に認められる善良な管理者の注意義務（§400 [改注]）についても、これを本来の給付と別個に考える必要はない。これに対して、たとえば、その目的物が買主に危険を及ぼす可能性があれば、これを除去し、あるいは、目的物の使用方法について指示し、使用上の危険について警告をしたりすることは、売主として負うべき付随的義務と考えられる。この種の事例は、主として消費者問題において論じられることが多い。

　(b)　雇用における雇い主の債務は、被用者に賃金を支払う義務であるが、このほかに、なお、被用者がその労働を行う場所において危険を生じないように配慮し、その安全を確保することもその付随的義務であると考えられる。この種の事例は、主として労働問題において論じられることが多い。

　このほか、この種の付随的義務の存在は、現代生活の多様化、複雑化に伴い、なおさまざまな事例において問題となることが予想される。

　(2)　付随的義務の効果としては、通常は、これに違背すると、債権者の債務者に対する損害賠償請求権が生じると考えられる（改正前§§415〜422前注②(2)(オ)参照）。それだけでなく、債権者から債務者に対する履行請求（たとえば、使用指示書の交付や危険な職場の改善）、反対給付の拒絶（履行があるまで、代金を払わない、あるいは就労しない）、契約の解除（履行に応じなければ、契約を解除する）も認められるかについては、論議が行われている。

　(3)　この付随的義務論は、民法体系上の問題を蔵していることを指摘しておく必要がある。

　すなわち、民法は、それが採用しているパンデクテン式編別（民法総説5参照）に従って編成されており、債権総則においては、抽象化された1個の債権、たとえば、AのBに対する特定物移転請求権や種類債権、金銭債権などを念頭において、その目的、効力などについて規定している。これに対して、上述の付随的義務の問題は、むしろ、契約の問題として、すなわち、売主Aと買主Bの間で、Aの代金支払請求権とBの目的物移転請求権という本体的債権のほかにどのようなAのBに対する、あるいはBのAに対する債権が認められるかという問題として考察するのが適切であるといえる。

　そこで、この問題については、本格的には契約法において取り上げることとし（本編第2章第1節第2款解説④(2)）、本章では、債務不履行の問題に関連して触れるにとどめる（改正前§§415〜422前注②(2)(オ)参照）。

　(4)　なお、この付随的義務論の延長上において、債務者の義務を時間的にも拡張して、あるいは、債権成立以前においても一定の責任が生じるとしたり（いわゆる「契約締結上の過失」論と共通する問題である）、あるいは、履行による債権消滅以後においても本来の給付義務以外に一定の予後的責任が生じるとしたりする見解が唱えられている（本編第2章第1節第2款解説④(2)(イ)参照）。しかし、この点も、債権の成立以前に、あるいは消滅以後にその債権の効果を論じようとするのであれば、論理矛盾であるので、やはり、単なる債権の効力ということではなく、契約法の問題として論じるのが適当であろう（本編第2章第1節第1款解説④参照）。

742

§399〔1〕〜〔3〕

(5) 最判昭和 50・2・25(民集 29 巻 143 頁)は、「ある法律関係に基づいて特別な社会的接触に入った当事者間において、当該法律関係の付随義務として当事者の一方又は双方が相手方に対して信義則上負う義務として一般的に認められるべき」「安全配慮義務」があると判示して、その違反(自衛隊員が同僚の運転する車両に轢かれた)による(国の)損害賠償義務を認めた(消滅時効を 10 年とした。この義務についての立証責任は原告にあるとしたものに、最判昭和 56・2・16 民集 35 巻 56 頁、この理論の適用を否定したものに、最判昭和 58・5・27 民集 37 巻 477 頁、また、遅延利息の発生日を請求時とした最判昭和 55・12・18 民集 34 巻 888 頁がある)。

しかし、公務員関係といえども、基本には国(その他の公共団体)と公務員の間の合意(すなわち契約)が存すると考えれば、もっと契約法理に依拠した理論構成も考えられるのではないであろうか。そうすれば、契約法における付随的義務論との接点も生まれ、整合性も求めることができるであろう。

(債権の目的)
第三百九十九条
債権は、金銭に見積もることができないもの$^{1)}$であっても、その目的$^{2)}$とすることができる$^{3)4)}$。
〔原条文〕
債権ハ金銭ニ見積ルコトヲ得サルモノト雖モ之ヲ以テ其目的ト為スコトヲ得

本条は、金銭に見積もることができない給付も債権の目的とすることができること、換言すれば、後述〔3〕に例示する行為のように経済的な取引行為以外の約束についても法律的拘束力を認めるという原則を規定したものである。なお、保険法 3 条は、本条の特則をなしている。

〔1〕 債権の目的、すなわち債務者の行為(給付)が金銭に見積もることができるかどうかということには、二つの意味がありうるであろう。その一つは、一般的にある債権に金銭的価値があるかどうかということであり、その二つは、債権者にとって金銭的価値があるかどうかということである。そして、本条の「金銭に見積もることができないもの」というのを、この後の意味に解すると、主観的に金銭的価値のないものはほとんどないから、本条は、無用のことを規定したことになると説く学者もある。

しかし、本条は、元来、消極的な意味をもつ規定であるから(〔3〕参照)、上の二つのいずれの意味においても、金銭的価値を必要としないと解して差し支えない。

〔2〕 「債権の目的」とは、債権の内容である債務者の行為、すなわち給付のことである。

〔3〕 本条は、金銭的価値のない行為、たとえばお経をあげるとか、夜 10 時以後はレコードをかけないとかいう行為についても、債務としての法律的拘束を生じさせることができる旨を明言したものである。すなわち、本条は、積極的な要件を定めたものではなく、金銭的価値のない行為をするべき拘束は、つねに必ずしも道徳律または宗教律などによる拘束を受けるにとどまるわけではなく、法律的拘束を受けること

743

第3編　第1章　総則　第1節　債権の目的

もありうるという、消極的意義を述べたにすぎない。したがって、このような行為を
するべき義務がはたして法律的拘束を受けるものかどうかは、さらに、各場合の当事
者の意思その他の事情に従って決しなければならない。

　たとえば、仏教徒が寺院に対して土地を寄進し、寺院をして永年にわたって祖先の
霊の冥福を祈るべき約束をさせたとしよう。このような金銭に見積ることができない
行為について、寺院に法律的拘束を負わせることができないわけではない。だからと
いって、この種の拘束はつねに法律的拘束を負わせるものでもない。そのいずれであ
るかは、各場合によって決するほかはない。これに関しては、興味ある下級審の判例
があり、つぎのようにいう。「供養」の方法として土地を寄進した場合に、寄進者が
「供養ノ功徳ニ因リ成仏セントスルモノ」であれば、それは内心の作用に関するから、
これを受けた寺院または僧侶は、なんらの義務を負担しない。「コレニ反シテ等シク
寺院又ハ僧侶ニ財物ヲ贈与スルモ其意僧侶ヲシテ念仏又ハ他ノ供養ヲ為スニ就テノ資
ト為サントスル場合ニ於テ、之ヲ受ケタル者ガ念仏供養等ヲ為スベキコトヲ約シタル
トキハ」、このような外形上の行為の部分についての契約は、「法律上有効ナルヲ以テ
之ガ当事者ハ之ヲ履行スベキ義務」があるとした(東京地判大正2(ワ)922号新聞986号25
頁[称名念仏事件])。

　本条がこのような規定を設けたのは、ドイツの普通法時代に存在した宗教上や徳義
上の約束の効力に関する学説上の争いを解決しようとしたものである。ドイツ民法に
は、本条に該当する規定がないが、ドイツにおける通説は本条と同様に解している。

　〔4〕　金銭に見積もることができない債務者の行為について、債権が成立した場合
におけるその債権の効力は、普通の債権となんら異ならない。すなわち、債権者は、
給付の実現を訴求することができるだけでなく、強制履行の手段をとることもできる
(第2節解説[2](2)(イ)参照)。その場合に、多くは「代替執行」によることになるであろう
が、「間接強制」の手段を採ることができる場合もあるであろう(改正前§414〔5〕〔8〕参
照)。また、債務者の不履行の場合に損害賠償を請求することもできる。もっとも、
損害賠償は、損害を金銭に見積って金銭の給付によって行われるものであるから(§
417参照)、債務の目的自体が金銭に見積もることができない場合に、これを認めるの
は一見矛盾しているようにも考えられる。しかし、そもそも、損害賠償は、債務の履
行がないことによって債権者がこうむった物質的ならびに精神的損害を金銭に見積
もって賠償させるものである。したがって、金銭に見積もることができない債権の目的
についても、その不履行による損害は、これを金銭に見積もることができるのである。
貞操義務違反の損害賠償(慰謝料)が金銭で支払われることをみれば、容易に理解でき
るであろう。

■　（特定物の引渡しの場合の注意義務）
　第四百条
　　債権の目的が特定物の引渡しであるときは、債務者は、その引渡しをするま
　で、契約その他の債権の発生原因及び取引上の社会通念に照らして定まる[1]善
　良な管理者の注意をもって、その物を保存しなければならない。

§§399〔4〕・400〔1〕〔2〕

〈改正〉　2017年に改正された。「するまで、」の下に「契約その他の債権の発生原因及び取引上の社会通念に照らして定まる」を加えた。附則（債権の目的に関する経過措置）第十四条　施行日前に債権が生じた場合におけるその債務者の注意義務については、新法第四百条の規定にかかわらず、なお従前の例による。

[改正の趣旨]　[1]　改正前400条によれば、特定物の引渡しが契約によって生じたものである場合には、当該契約と無関係に保存義務の内容や程度が定まるわけではなく、当該契約の趣旨に照らして定まる善良な管理者の注意をもってその物の保管義務を負うものと解されている（解説[3]参照）。新法は、その旨を条文上明らかにし、この趣旨を「契約その他の債権の発生原因及び取引上の社会通念に照らして定まる」と表現した。従来から用いられていた「契約の趣旨に照らして」と同様の意味であり、これは、契約の内容（契約書の記載内容等）のみならず、契約の性質（有償か無償かを含む）、契約の目的、契約の締結に至る経緯を始めとする契約をめぐる一切の事情を考慮し、取引通念をも勘案して、評価・認定される契約の趣旨に照らして、という意味であると解されているが、新法の表現もこれと同じであると解される。合理的に形成された当事者の意思が本質的に重要であり、それと異なる取引上の社会通念が強調されるべきではない。「善良な管理者の注意」の意義ないし表現についても、議論があったが、実務上定着している、として維持された。なお、契約以外の原因によって生じた債権については、条文化は見送られたが、従来の解釈を変更するものではない。

[改正前条文]

債権の目的が特定物の引渡しであるときは[1)]、債務者は、その引渡しをするまで[2)]、善良な管理者の注意[3)]をもって、その物を保存[4)]しなければならない[5)]。

[原条文]

債権ノ目的カ特定物ノ引渡ナルトキハ債務者ハ其引渡ヲ為スマテ善良ナル管理者ノ注意ヲ以テ其物ヲ保存スルコトヲ要ス

[改正前条文の解説]

本条は、特定物の引渡しを目的とする債権について、債務者が負う物の保存義務を規定している。なお、特定物の引渡しの債務の内容およびその場所に関しては、483条・484条[両条につき改正に注意]に規定がある。

〔1〕　特定物の引渡し、すなわち特定の物の占有の移転を目的とする債権である。これを「特定物債権」という。401条にいう「その目的が種類のみをもって指示された債権」、すなわち「種類債権」に対する観念である。軽井沢町何々番地所在の別荘1棟、醸造元の特定の貯蔵桶の日本酒などが前者の例であり、庄内産米1000キログラム、ビール1ダースなどが、後者の例である（なお、第1編第4章解説[3](5)参照）。また、占有を移転するというういうちには、現実の引渡しだけでなく、簡易な引渡し、占有改定、指図による占有移転などのすべてを含む。

なお、占有の移転をする目的は、なんでもよい。すなわち、対抗要件としての占有の移転でも（§178参照）、物権設定のためでも（§344参照）、贈与者・売主から受贈者・買主への引渡しでも、使用権者に対する目的物の引渡しでも、返還義務の履行であってもよい。また、その特定物の所有権については、債権者・債務者のいずれに帰属している場合でもよい。

〔2〕　「引渡しをするまで」とは、債務者が実際に引渡しをするまで、の意味であって、引渡しをするべき時、すなわち、履行期までの意味ではない（ただし、履行期ま

745

第3編　第1章　総則　第1節　債権の目的

でとする反対説もある）。

したがって、4月1日に目的物を引渡すべき売主が、遅滞して6月1日に引渡したとすれば、売主は6月1日まで本条の責任を負うわけである。もっとも、この遅滞が債務者である売主の責めに帰すべき事由に基づくものであれば（債務者遅滞）、債務者は、期限後は一定の不可抗力による損害についても責任を負わされるから、善良な管理者の注意をもって保管しただけでは、責任を免れないことになる（改正前§415〔4〕㈑参照）。また、この遅滞が債権者である買主の責めに帰すべき事由に基づくものであれば（債権者遅滞）、債務者は、期限後は自己の物に対すると同一の注意をもって物を保存すればよいことになるから（改正前§413〔5〕(2)(b)参照）、本条の義務は負わないことになる。したがって、履行期以後の債務者の責任について本条の適用があるのは、結局、債務者、債権者のいずれの責めにも帰することができない事由によって引渡しが履行期より遅延した場合に限ることになる。

〔3〕　この「善良な管理者の注意」（略して「善管注意」という）という言葉は、ローマ法の「善良な家父の注意」diligentia boni patris familias からきたものであり、債務者の属する階層・地位・職業などにおいて一般に要求されるだけの注意を意味する。自己の能力に応じた注意、すなわち、民法のいわゆる「自己のためにするのと同一の注意」（§827）、あるいは「自己の財産に対するのと同一の注意」（§659）、「自己の財産におけるのと同一の注意」（§940。なお、§918も参照）に対する観念である。この自己を基準とする程度の注意を欠くことを「具体的軽過失」または「主観的軽過失」といい、本条が定める一般的・客観的標準に基づく程度の注意を欠くことを、「抽象的軽過失」または「客観的軽過失」という。

軽過失とは、例外的に要件とされることがある、必要な注意をいちじるしく欠くこと、すなわち「重過失」（「重大な過失」、§§95ただし書［改注］・470［削除→§520の10］・698、失火責任法、国賠§1Ⅱなど）に対する概念である。無償の受寄者の注意義務に関する659条［改注］その他は、無償で債務を負う者の注意義務を具体的軽過失に軽減したものであり、本条の例外であるということになる。

〔4〕　「保存」とは、物の原状を変えないように、これを保管することである。ただし、その物が腐敗または変化するおそれのある場合に、適宜の処置を講じ、そのために目的物の原状に多少の変化を加えても、なお物の保存であることに変りはない。たとえば、生繭の売買において、引渡しが遅れている間に繭が変化する心配がある場合には、これを乾繭にすることは、生繭を保存する行為である。売主がこの種の行為をすることは、その権利であると同時に、その義務である（大判大正7・7・31民録24輯1555頁）。

〔5〕　債務者は、引渡しをするまで善良な管理者の注意をもってこの保存行為をするべきである。この義務に違反するときは、債務不履行の責めを負う（§415）。しかし、この義務に違反しない限りは、たとえ目的物が滅失・損傷しても、これに対して責任を負うことはない。なお、483条［改注］参照。

746

§§400〔3〕～〔5〕・401〔1〕

（種類債権）
第四百一条
1　債権の目的物を種類のみで指定した場合[1]において、法律行為の性質[2]又は当事者の意思[3]によってその品質を定めることができないときは、債務者は、中等の品質[4]を有する物を給付しなければならない。
2　前項の場合において、債務者が物の給付をするのに必要な行為を完了し[6]、又は債権者の同意を得てその給付すべき物を指定したときは[7][8]、以後その物を債権の目的物とする[5][9]。

［原条文］
　債権ノ目的物ヲ指示スルニ種類ノミヲ以テシタル場合ニ於テ法律行為ノ性質又ハ当事者ノ意思ニ依リテ其品質ヲ定ムルコト能ハサルトキハ債務者ハ中等ノ品質ヲ有スル物ヲ給付スルコトヲ要ス
　前項ノ場合ニ於テ債務者カ物ノ給付ヲ為スニ必要ナ行為ヲ完了シ又ハ債権者ノ同意ヲ得テ其給付スヘキ物ヲ指定シタルトキは爾後其物ヲ以テ債権ノ目的物トス

　本条は、いわゆる種類債権においていかなる物を給付するべきかの標準を示すとともに(1項)、給付するべき物を特定した場合の効果について定めている(2項)。
　〔1〕　その目的物が種類のみによって指示された債権とは、いわゆる「種類債権」であって、特定物債権(改正前§400〔1〕参照)に対する概念である。つまり、一定の種類の物の一定量を給付するべきことを内容とする債権である。「不特定物債権」とも呼ぶことができる。
　本条は、「種類のみで指定した場合」といっているが、数量の要件を付加してはならないという意味ではなく、むしろ、数量は通常この種の債権の内容を確定するために必要な要件である。物の占有とともに、その所有権をも移転するべき場合が普通である。この種の債権は、商品売買において最も普通に生じるが、ほかにも、消費貸借(§§587～)、消費寄託(§666〔改注〕)などにおいて生じる。
　種類債権について、さらに目的物をその種類の物のうち一定の範囲のものに限定するものは、「制限種類債権」または「限定種類債権」と呼ばれる。たとえば、特定の倉庫内の庄内米1000キログラム、特定の醸造業者による1995年産のワインなどがその例である。
　ただし、限定の仕方や範囲にはさまざまな程度があり、どの程度のものを制限種類債権とするかは、事例ごとに検討を要する。たとえば、銘柄や生産地方を特定するぐらいでは、まだ普通の種類債権といって差し支えない。上に挙げた例のように、指定された倉庫内の米、特定の年のワインがすべて売り切れるなどして消滅したことが給付不能を意味することになるような場合を、制限種類債権と呼ぶべきであろう。判例としては、ある施設に貯蔵された漁業用タール2000トンを渡せという債権を制限種類債権とした判例がある(最判昭和30・10・18民集9巻1642頁)。
　制限種類債権も種類債権の一種であるから、当事者がその制限内にある物であれば、どれが給付されるかについてなんの利害も感じないときであることを要する。当事者がその制限内においても、さらに給付される物の個性に重きをおくときは、むしろ一

747

第3編　第1章　総則　第1節　債権の目的

種の選択債権とみるべきであろう。ある団地のなかの同種の建売り住宅 30 戸のうちの 1 戸の売買のような例は、それに当たる。A の所有する 1000 平方メートルの土地のうち 100 平方メートルという場合も、同様に考えてよいであろう。かつての判例には、これをも種類債権とみて、ただ目的物の特定については選択債権に関する規定を準用すべきとしたものがあるが(大判大正 5・5・20 民録 22 輯 999 頁)、不動産はやはり特定物とみるのが正しい。最近においては、この種のケースにつき選択債権であると判断した事例がみられる(最判昭和 42・2・23 民集 21 巻 189 頁)。

〔2〕　法律行為の性質によってその品質が定まる場合としては、たとえば、消費貸借において借りたのと同一の品質を有する物を返還するべき場合などである(§587、なお§666［改注］参照)。

〔3〕　当事者の意思は、黙示であってもよい。また、慣習によって決まる場合には、それに従う。たとえば、遺贈の場合には、遺言者の所蔵する物から給付するべきである。また、その意思が慣習によって認定できる場合には、それに従う(§92 参照)。

〔4〕　なにが中等の品質かは、社会通念によって決まる。原則として、履行地の履行時における中等品と解するべきである。中等より上の品質のものを給付することは、原則として、──とくに中等品であることが必要とされる場合でない限り──差し支えないと解するべきである。

〔5〕　種類債権も、いよいよ履行される場合には、特定の目的物を給付することによって満足させられる。このように、特定の物をもって種類債権の目的物とするにいたることを、種類債権の「特定」、または「集中」(世の中にあるその種類のすべての物が目的物になる可能性をもっていたのが、その特定物のみが目的物になるという意味)という。通常の取引においては、この特定と履行とは同時に行われるので、特定が履行と区別される特別の意義をもつことはないが、この両者の間に時間的間隔がある場合には、危険負担その他について、問題が生じる(後述(9)参照)。そこで、本項は、どのような場合に特定が生じるかについて規定する。

〔6〕　「物の給付をするのに必要な行為を完了」するとは、その給付の性質と取引界の慣行とによって決定するべきであって、一般的な標準はない(§493 が定める弁済の提供とは近似しており、相互に参考になる)。ただ、引渡債権(第 1 節解説②参照)について、履行の場所との関連においてつぎのような標準が存するだけである。

(ア)　「持参債務」、すなわち目的物を債権者の住所において引渡すべき債務(§484 参照)にあっては、目的物を債権者の住所において提供する(§493 参照)ことによって、はじめて物の給付に必要な行為を完了したことになる。債務者が物を取り分け、郵便・鉄道などの運送機関に託して発送しただけでは、特約または慣習がない限り、まだ特定したというには不十分である(大判大正 8・12・25 民録 25 輯 2400 頁)。荷揚港で木材を引渡す義務を負う者が積出港に木材を集積しただけのときも同様である(最判昭和 47・5・25 判時 671 号 45 頁)。

(イ)　「取立て債務」、すなわち目的物を債務者の住所において引渡すべき債務にあっては、債務者がその住所において引渡すべき目的物を取り分け、これをいつでも債権者に引渡すことができる状態におき、かつ、その旨を債権者に通知することによって

§401〔2〕～〔9〕

特定する（§493ただし書参照）。

　(ウ)　「送付債務」、すなわち債権者または債務者の住所以外の土地（これを「第三地」という）において目的物を引渡すべきときは、その第三地において引渡すことが債務の内容になっている場合は上の(ア)、その送付が単に債務者の好意である場合には上の(イ)と同様に解するべきである。

　なお、債務の履行地は、当事者の特約によっていずれとも決めることができるのであるが、特約がなければ、持参債務とされることを注意するべきである（§484〔改注〕参照）。

　〔7〕　債務者が特定の物を指定することである。この場合には、債権者の同意を要件とするので、〔6〕に述べたような行為の完了を必要としない。債権者の同意（指定することへの同意であって、どの物にするかについての同意ではない）は、あらかじめ与えられてもよいし（指定権の授与）、指定と同時に、または事後に与えられた場合でもよい。また、指定行為は、分離・発送などいずれでもよく、特別の形式を必要としないが、物の同一性が認められる程度の独立性を与える行為でなければならない。

　〔8〕　民法が規定する特定の方法は、以上の二つの場合であるが、このほかにも、なお、指定権を第三者に与える特約があれば、その第三者の指定によって特定が生じる。また、両当事者の契約によって目的物を特定させることも、もとより差し支えない。

　〔9〕　種類債権が特定すると、つぎのような効果が生じる。

　(ア)　債務者は、それ以後は、その特定した物だけを給付する義務を負うにいたる。したがって、引渡しまでその物を善良な管理者の注意をもって保存し（§400〔改注〕）、過失によってこれを滅失・損傷させたときは、損害賠償の義務を負う。また、特定した物が債務者の責めに帰することができない事由で滅失すれば、債務者はその義務を免れる。特定する以前ならば、たとえ債務者の所有するその種類の物がすべて滅失しても、いやしくも取引界にその種類の物が存在する限り、これを調達して給付するべき義務を免れない。

　(イ)　売買その他の双務契約においては、目的物の特定の時から危険負担は債権者に移る。すなわち、目的物が売主の責めに帰することができない事由によって滅失した場合には、売主は、一方においてその債務を免れるにもかかわらず（(ア)参照）、その代金請求権を失わない（改正前§534注釈参照）。

　(ウ)　債権者は、特定した物を他の用に供し、改めて別の物を給付することができるか。債務者の変更権 iusvariandi として議論される問題であるが、取引慣行がこれを認めている場合には是認するべきものと考える。判例としては、株式現物の売買において現物商が買主のために買付けたＡ会社の株式と、後に現実に名義書換をした同じＡ会社の株式とが一部番号を異にしても履行として瑕疵がない——すなわち現物商は変更権がある——と判示したものがある（大判昭和12・7・7民集16巻1120頁）。変更権とまでいう必要はなく、種類債権の履行として当然であるとする理解もある。

　(エ)　目的物の所有権は、特約がない限り、特定によって移転のための支障が解消し、債務者から債権者に移転すると解される（§176〔4〕(エ)参照）。

749

第3編　第1章　総則　第1節　債権の目的

金銭債権 [§§402・403の前注]

① 金銭債権の重要性

金銭債権は、多様な種類の債権のなかでも、近代法においてきわめて重要な機能を営むものである。民法は、本条以下において、わずか数か条の通則的規定をおくにとどまるが、金銭支払手段などにおける今日の発展した形態からすると、内容的にもやや古い規定となっている感が否めない。

② 金銭債権の特色

402条は、金銭債権において給付するべき金銭の種類を規定する。金銭債権は、一種の種類債権とも見られないでもない。しかし、金銭債権は、その表示する金額、すなわち金銭価値について意義を有するものであり、給付される金銭（通貨）それ自体はただ、金銭価値の章標（価値を表現し、それ自体が価値そのものであるかのように扱われる有体物のこと）という手段としての意味をもつのであって、特別の個性は認められない。したがって、金銭債権には、種類債権と異なり、目的物の特定（§401Ⅱ）ということがない。したがって、また、経済的変革が生じない限り、履行はつねに可能であり、履行不能ということもない。履行遅滞があるだけである。

以上のことからすると、金銭債権は、今日では、もはや種類債権ではなく、抽象的な金銭価値を目的とする債権としてとらえる方が妥当である。

また、金銭債権が、その譲渡可能性を通じて、独立の財貨としての意義をもつに至ることについては、第4節解説を参照。

③ 外国為替など

資本主義経済における貨幣制度は、本質的に国際的な要素をもち、しかもその要素が近年においては飛躍的に増大しつつある。そのことを視野に入れないで金銭債権の問題を考えることは困難になっている。

わが国における大きな節目としては、1897年（明治30年）の金本位制度の採用（兌換紙幣制度と結びついている）、1917年（大正6年）におけるその停止、1930年（昭和5年）のそれへの復帰と1931年（昭和6年）の再停止と兌換制度の廃止、管理通貨制度への移行、第二次世界大戦の終了に備えた1944年（昭和19年）のブレントンウッズ協定による国際通貨基金の設立、1973年（昭和48年）以降の固定為替相場制から変動為替相場制への移行、1985年（昭和60年）のプラザ合意（ドル高是正の大幅介入）などが挙げられる。

402条・403条の各条文は、初期の金本位制・兌換紙幣の時代に定められたものであり、今日における通貨および為替の状況には必ずしも適合しないものであることに十分注意する必要がある。

金銭債権［前注］・§402〔1〕〔2〕

（金銭債権）
第四百二条
　　1　債権の目的物が金銭であるときは[1)]、債務者は、その選択に従い、各種の通貨[2)]で弁済をすることができる。ただし、特定の種類の通貨の給付を債権の目的としたときは、この限りでない[3)]。
　　2　債権の目的物である特定の種類の通貨が弁済期に強制通用の効力を失っているときは、債務者は、他の通貨で弁済をしなければならない[4)]。
　　3　前二項の規定は、外国の通貨の給付を債権の目的とした場合について準用する[5)]。

［原条文］
　債権ノ目的物カ金銭ナルトキハ債務者ハ其選択ニ従ヒ各種ノ通貨ヲ以テ弁済ヲ為スコトヲ得但特種ノ通貨ノ給付ヲ以テ債権ノ目的ト為シタルトキハ此限ニ在ラス
　債権ノ目的タル特種ノ通貨カ弁済期ニ於テ強制通用ノ効力ヲ失ヒタルトキハ債務者ハ他ノ通貨ヲ以テ弁済ヲ為スコトヲ要ス
　前二項ノ規定ハ外国ノ通貨ノ給付ヲ以テ債権ノ目的ト為シタル場合ニ之ヲ準用ス

〔1〕　一定量の金銭、たとえば、100万円、50万円などの支払を目的とする債権である。この種の債権を、「金銭債権」という。
　なお、本条が規定する通常の金銭債権のほかに、これと区別されるべき特別な性質を有する場合がありうる。
　(a)　たとえば、特定の金貨を装飾用に貸借し、または一定の金銭を封入した包みの保管を他人に託するような場合には、金銭は特定物となり、その債権は特定物の給付を目的とするものであるから、本条の適用を受けない。この種のものを、「特定金銭債権」と呼ぶ。
　(b)　たとえば、1946年（昭和21年）発行の100円の日本銀行券（聖徳太子の図柄で1930年に最初に登場したもの）を10枚渡せという債権は、通常は収集などの目的のためのものであって、一種の種類債権であり、やはり本条は適用されない。この種のものを「金種債権」と呼ぶ。本条2項が規定するものと区別するために、「絶対的金種債権」と呼ぶこともある（〔4〕参照）。
　(c)　これらの例外的な場合を除き、本条が適用される通常の金銭債権をとくに呼ぶときは、「金額債権」という言葉が用いられる。
〔2〕　「通貨」とは、強制通用力のある貨幣（硬貨および紙幣）、すなわち、これを用いての弁済が有効な金銭債務の弁済となり、債権者はその受領を拒絶できない貨幣の意味である（ただし、現在の法令用語では、硬貨のみを貨幣と呼んでいる）。「法貨」ともいう。
　なにが通貨であるかについては、その時の通貨制度とそれに関する法律に注意する必要がある。かつての金本位制の時代の貨幣法（明治30年法律16号）、管理通貨制度への移行の時代の臨時通貨法（昭和13年法律86号）などが過去にはみられたが、いずれも1987年に廃止され、現在では、「通貨の単位及び貨幣の発行等に関する法律」（昭和62年法律42号）と日本銀行法（平成9年法律89号）とが、このことについて定めている。前者によれば、政府により、通常は500円、100円、50円、10円、5円、1円の6種

751

第3編　第1章　総則　第1節　債権の目的

類の貨幣、臨時的に1万円、5000円、1000円、500円などの各種記念のための貨幣が発行され（同法§§5・10）、それぞれの法貨としての強制通用力は、額面価格の20倍まで（100円玉では2000円までの支払に用いうる）とされている（同法§7）。後者によれば、日本銀行は銀行券を発行する権限を有し（現在は、1万円、5000円、2000円、1000円の日本銀行券が発行されているが、過去発行のものには、500円、100円、10円、5円、1円の銀行券がある）、その強制通用力は無制限とされている（日銀§46）。

　なお、経済界の激変により、貨幣価値が暴落し、紙幣が紙くず同様になった場合にも、なお、本条によってその紙幣を名価(めいか)（名目上の価値）通りに通用させることができるかという問題がある。これは、第一次世界大戦後のドイツのインフレーション時代に論議された著名な問題である。思うに、貨幣は、価値の尺度としてそれ自体の価値は容易に変えられないものであり、また、多少の変動があってもこれを顧慮しないことが経済組織の安定を維持するゆえんであるから、貨幣価値の漸次的な多少の変動は、これを無視すべきである。しかし、経済界の異状な急変にさいし、貨幣価値の急激かつ甚大な変動が生じた場合には、貨幣の名価は社会の全商品の価値と均衡を失し、経済界の混乱を引き起こす。したがって、このような事情が生じた場合には、金銭債権の形式的数量を維持しないで、いわゆる「事情変更の原則」（§1〔4〕(オ)参照）に訴えて、しかるべき変更を認めるのが正当であろう。しかし、日本では、まだその適用が認められた例はない（適用を否定する判決に、最判昭和36・6・20民集15巻1602頁がある。旧植民地台湾における軍事郵便貯金の事例であるが、同旨、最判昭和57・10・15判時1060号76頁）。

　〔3〕　(1)　たとえば、10万円の貸借において、①必ず紙幣で支払う（この合意は暗黙に存在するとみられる場合が少なくないであろう）、②必ず1万円札または1000円札で支払う、③聖徳太子の肖像のある1万円札（1958年から1984年まで発行された）で支払う、④1990年に前記の通貨法によらずに、特別法により発行された天皇即位記念の10万円金貨で支払う、などという約束をした場合である。これらの約束は有効であり、それぞれ所定の通貨で支払うことを要するが、ただし、第2項の規定がある（〔4〕をみよ）。

　(2)　この点に関連して考える必要があるのは、いわゆる「金約款(きんやっかん)」gold clause、Goldklausel である。この種の約款は、貨幣価値の暴落または平価切下げの対策として、主として国際間の貸借において行われるものである。その約款には、大別して二種ある。

　その1は、債務者は金貨（現在日本では、通常の意味の金貨は通用していないので、いずれかの国の金貨ということになろうか）もしくは金(きん)で支払うべき旨を約するもので、たとえば100万円の借主が弁済期における100万円相当の金貨またはこれに該当する金をもって支払うべき旨を約するものである。普通に、「金貨約款」または「金貨債権約款」と呼ばれる。その2は、貸借契約当時における純分量目(じゅんぶんりょうもく)を有する金貨もしくは弁済期においてこれと同一の価値を有する他の通貨をもって支払うべき旨を約するもので、たとえば300万円の借主が300万円を金1グラム1500円の割合で計算して、そのなかに含まれる金の量、すなわち2キログラムを含む金貨または弁済期においてこれと同一の貨幣価値を有する他の通貨をもって支払うべき旨を約するものである。普通に「金貨価値約款」または「金価値約款」と呼ばれる。前者は、紙幣価値暴落の対策と

752

なりうるが、平価切下げの対策となりえないので、国際間の貸借においては、後者がより多く利用される傾向にある。

これらの約款は、貨幣の強制通用力を制限し、法律の定める各種の通貨間の割合を変更するものであるから、無効だと論じる者もある。しかし、とくに金貨をもって弁済するべき旨を約することは、本条が明らかに認めるところである。また、平価切下げは、過去にそのような特約がある金銭債権の内容を変更する効力を有するとみるべきではあるまい。したがって、金約款は一般に有効なものと解釈するのが普通である。ただし、具体的な契約において、はたして、どのような内容の金約款が定められているかを決定するのには、きわめて慎重であることを要する。

〔4〕 このような規定を設けたのは、金銭債権においては、当事者は、第一次的には一定量の貨幣価値を給付するべきことを目的とし、たとえ一定の種類の貨幣を給付するべきことを特約しても、それは、あくまでも第二次的な意義を有するにとどまるものだからである。この規定があるから、債務者は当該の種類の貨幣が強制通用力を失って無価値となった場合に、これを給付して債務を免れることはできない。また、逆に、その貨幣が骨董品として高い価値を有するような場合にも、特別の場合を除いて（〔1〕(a)(b)参照）、これを集めて給付する義務を負わないと解される。なお、592条注釈参照。

この規定が適用される場合を「相対的金種債権」と呼ぶことがあるが（〔1〕(b)(c)参照）、この用語は必ずしも適切ではない。〔3〕(1)に挙げた①と②の例は、通常の金銭債権と考えてよいであろう。③のような例は、むしろ種類債権そのもの、いわゆる「絶対的金種債権」と考えてよい。けだし、今日の社会では、貨幣が強制通用力を失うのは稀であるし、その時にはおおむね額面以上の骨董価値を有していると考えられるからである。今日の通貨事情のもとにおいては、この規定に該当するような実例はほとんどないといってよいと考えられる。

〔5〕 たとえば、10万アメリカ・ドル、1万ユーロなどを支払うべき債務においては、特約がない限り、その国（ユーロの場合は、ヨーロッパ連合のなかのユーロ通用国）の強制通用力を有する各種の貨幣で弁済することができる。ただし、特約によって一定の種類の貨幣で支払うべき旨を定めたときは、その特約に従う。しかし、この場合にも、その特約された種類の貨幣が弁済期において強制通用力を有しないことになったときは、他の強制通用力のある貨幣で弁済しなければならない。なお、外国の通貨で債権額を定めた債権においても、日本の通貨で支払うことができることについては、403条を見よ。

〔外国通貨債権〕
第四百三条
　　外国の通貨で債権額を指定したときは[1)]、債務者は、履行地[2)]における為替相場[3)]により、日本の通貨で弁済をすることができる[4)]。

〔原条文〕
　　外国ノ通貨ヲ以テ債権額ヲ指定シタルトキハ債務者ハ履行地ニ於ケル為替相場ニ依リ日

753

第3編　第1章　総則　第1節　債権の目的

■　本ノ通貨ヲ以テ弁済ヲ為スコトヲ得

〔1〕　402条〔5〕参照。

〔2〕　履行地は、特約によって定まる。特約がなければ、履行をする時の債権者の住所である（§484［改訂］参照）。

〔3〕　履行地におけるいつの時点の為替相場によるべきかは、本条の規定で明らかにされていない。近時の多数説は、履行期の相場ではなく、現実に履行をする時、すなわち履行時の相場だと解している。けだし、債務者は、履行をする時において外国の通貨によるか、あるいは日本の通貨によるかを選択する自由を有するものだからである（最判昭和50・7・15民集29巻1029頁は、事実審の口頭弁論終了時としているが、その前提としては本文のような考え方があるといってよい）。しかし、この点に関しては、手形法41条、小切手法36条に例外が規定されていることを注意するべきである。

〔4〕　当事者が必ず外国の通貨で、あるいは、外国の特種の通貨で支払うことを約した場合には、それに従う（手§41Ⅲ、小§36Ⅲ参照）。すなわち、本条は、任意規定である。

法定利率 ［§§404・405・417の2・419・722の前注］

　利息を生ずべき債権について別段の意思表示がないときは、法定利率によるものとし、年3％とされた。3年ごとの見直しルールが導入された。指標となる金利として、「新規かつ短期の貸出約定平均金利」を採用し、過去5年間（60ヵ月）のそれを合計し60で除して計算した割合を「基準割合」として、その変動を比較することとした（§404）。利息の元本への組入れに関する405条については、変更はない。中間利息を控除する場合の利率は、「請求権発生時の法定利率」であることを明示した。「将来において負担すべき費用」も同様である（新§417の2）。不法行為による損害賠償についても同様である（§722）。なお、金銭の給付を目的とする債務の不履行については、債務者が遅滞の責任を負った最初の時点における法定利率によるものとした（§419Ⅰ）。

▍（法定利率）
▍第四百四条
　1　利息を生ずべき債権について別段の意思表示がないときは、その利率は、その利息が生じた最初の時点における法定利率による[1]。
　2　法定利率は、年三パーセントとする[2]。
　3　前項の規定にかかわらず、法定利率は、法務省令で定めるところにより、三年を一期とし、一期ごとに、次項の規定により変動するものとする[2]。
　4　各期における法定利率は、この項の規定により法定利率に変動があった期のうち直近のもの（以下この項において「直近変動期」という。）における基準割合と当期における基準割合との差に相当する割合（その割合に一パー

754

§403〔1〕〜〔4〕・法定利率［前注］・§404

セント未満の端数があるときは、これを切り捨てる。）を直近変動期における法定利率に加算し、又は減算した割合とする[3]。

5　前項に規定する「基準割合」とは、法務省令で定めるところにより、各期の初日の属する年の六年前の年の一月から前々年の十二月までの各月における短期貸付けの平均利率（当該各月において銀行が新たに行った貸付け（貸付期間が一年未満のものに限る。）に係る利率の平均をいう。）の合計を六十で除して計算した割合（その割合に〇・一パーセント未満の端数があるときは、これを切り捨てる。）として法務大臣が告示するものをいう[4]。

〈改正〉　2017年に改正された。「年五分とする」を「その利息が生じた最初の時点における法定利率による」に改め、上記の4項を加えた（1項も修正）。附則（債権の目的に関する経過措置）第十五条2　新法第四百四条第四項の規定により法定利率に初めて変動があるまでの各期における同項の規定の適用については、同項中「この項の規定により法定利率に変動があった期のうち直近のもの（以下この項において「直近変動期」という。）」とあるのは「民法の一部を改正する法律（平成二十九年法律第四十四号）の施行後最初の期」と、「直近変動期における法定利率」とあるのは「年三パーセント」とする。

[改正の趣旨]　昨今の低金利政策が今後もある程度継続することを前提として、また、それが変更されることもありうることを考慮して、法定利率に関する規定を改正した。

〔1〕　別段の意思表示がない場合には、利率について一種の変動制を用いることが検討されたが、あまり煩雑にならないように、利用される利率を利息が生じた最初の利率で固定し、事後的には変更しないこととした。なお、国有地の不法占拠等継続的不法行為による損害賠償金債権は、当該不法行為の継続期間中日々累積し、また当該不法行為に係る毎日分についてそれぞれの翌日から納付の日までの延滞金が加算される、と解されているが（昭和33年10月3日　蔵計第2862号　大蔵大臣から大蔵大臣宛）、基地の騒音被害のような場合（不可分的被害）もあるので、その間に利率が変更された場合については、今後の課題となる。傷害の被害者が、それが原因で後に死亡した場合も同様であろう。なお、法定利率が適用になる場面は、遅延損害金、中間利息の控除、その他の場合があり、それぞれ趣旨は異なるといわれているが、統一的な利率とされた。もし、各当事者が3％は適切でないと考えれば、「別段の意思表示」を行うことになろう。

〔2〕　法定利率は3％に引き下げられ（2項）、以後、3年を1期として3年ごとに見直しを行うことにより、後に述べるように、長期的な観点から経済変動にも対応できるように配慮した（3項）。

〔3〕　各期の法定利率は、5項に従って算出されたその期の「基準割合」と直近で法定利率の変動があった期の「基準割合」とを比較し、上昇があった場合にはその差を現行の法定利率に加算し、下落があった場合には、減算する。したがって、法定利率は短期的な経済情勢の変動の影響を直接受けることはないと考えられる。

〔4〕　各期の「基準割合」が過去5年間という比較的長期間の平均の割合とされているから、法定利率の変動は実際には緩やかに発生するものと解されているようである。なお、商法514条を削除し（民法改正整備法第1章3条参照）、民法の法定利率に一元化された。

[改正前条文]
　利息を生ずべき債権[1]について別段の意思表示[3]がないときは、その利率は、年五分とする[2]。

[原条文]
　利息ヲ生スヘキ債権ニ付キ別段ノ意思表示ナキトキハ其利率ハ年五分トス

755

第3編　第1章　総則　第1節　債権の目的

[改正前条文の解説]

　利息は、歴史的には禁じられていた時代もあるが、近代法においては契約自由の原則のもとにおいて基本的には許容され、利息自由の原則が行われている。資本主義経済における利息債権の役割が大きいことからすれば、当然のことといってよい。ただし、あまりに高率な利息に対しては、さまざまな形での規制ないし抑制が行われている。いわゆる金利政策と密接に関連する事柄である。

　民法は、利息に関しては、上のことを前提として、本条においていわゆる法定利率について規定するほか、405条と二つの条文をおいているにすぎない。

〔1〕　「利息を生ずべき債権」が適用対象である（§419の方が広い）。

　(1)　「利息を生ずべき」かどうかは、特約（「約定利息」という）または法律の規定（§§442Ⅱ・545Ⅱ・575Ⅱ・647・650・665［改注］・669・704など。(2)参照）によって定まる。消費貸借をしても、当然に利息を支払う義務があるのではないことを注意するべきである（§§587・改正前590参照）。たとえば、200万円を2年間借りた者は、特約がない限り、2年後の期日に200万円返還すれば足り、その2年間分の利息を支払う必要はない。ただし、商人間の消費貸借では、特約がなくても年6パーセントの利息を支払うことを要する（商§§改正前513・削除前514参照）。なお、商人間でなくても、期日に弁済しないときは、たとえ利息の特約がなかった場合でも、その期日以後は年5パーセントの損害金を支払うことを要する（改正前§419Ⅰ）。これを通常、「遅延利息」と呼んでいるが、じつは、債務不履行による損害賠償であって、利息ではない。

　(2)　「利息」の性質に関しては、民法に規定がなく、その用語例も必ずしも統一されていないが、一般に、元本債権の所得として、その額と存続期間とに比例して支払われる金銭その他の代替物であると解されている。詳言すれば、

　　(a)　利息債権は、必ず、元本債権の存在を前提とする。そして、その元本債権は、特定物の返還を目的とするものではなく、同一種類の物の返還を目的とするものである。この点で、利息は、土地・家屋などの使用の対価である地代・小作料・家賃などと異なる。

　　(b)　利息は、元本の収入であって（ほとんどの場合に元本使用の対価であるともいえるが、そうといえない場合もある。たとえば、§§442Ⅱ・545Ⅱ・650Ⅰ・704）、元本そのものの返却ないし返還ではない。この点で、たとえば、200万円を月に10万円ずつ20か月で支払うというような割賦払債務における毎期の割賦金とは異なる。もっとも、実際の割賦払契約においては、たとえば、200万円を借りて、利息を含めて月に10万円ずつ22か月、合計220万円を支払うというような形態が多くみられる（これをアド・オンadd-on方式という。このような場合、一定の算式により実質上の利率を算出することが行われる。「実質年率」などと呼ばれる）。この場合は、元本の返却と利息の支払の両者が、月々の支払に含まれていることになる。

　　(c)　一定の利率によって計算される。一度に支払われる礼金などは利息ではない。

　　(d)　利息は、金銭その他の代替物である。そうでないと、利率を定めることができない。ただし、元本債権の目的物などと同一の物でなくてもよい。米を借りて、利息を金銭で支払ってもよい。

§404 〔1〕〜〔3〕

(3) 利息の支払を目的とする債権を、「利息債権」という。しかし、同じく利息債権と呼ばれるものに二つの種類があることを注意しなければならない。

一つは、元本に対して一定の時期に一定の率の利息を生じることを内容とする基本的な債権であり、これを「基本権としての利息債権」という。

二つは、この基本的な債権の効力として、毎期に発生する一定額の利息の支払を内容とする支分的な債権であり、これを「支分権としての利息債権」という。

前者は、元本債権の消滅とともに消滅し、元本債権が移転すれば、当然にこれとともに移転する(大判大正10・11・15民録27輯1959頁)。これに反し、後者は、いったん発生した以上は、元本債権が消滅しても、当然に消滅するものではなく、また、元本債権が移転しても、特約がない限り、これとともに移転するものでなく、また独立に処分することが可能であると解されている(大判大正9・2・14民録26輯128頁)。

通常、上の両者を合わせて利息債権と呼ぶが、前者を指している場合が多いことに注意を要する。

〔2〕 「年五分」とは、年に5パーセントということである。この利率を「法定利率」といい、また「民事利率」という(改正前§419参照)。商行為によって生じた債務の法定利率(「商事法定利率」)は、年6分、すなわち6パーセントであり、これを「商事利率」という(削除前商§514)。なお、民法上当然に利息を生じる場合(これを「法定利息」という。〔1〕(1)参照)の利率は、原則として本条による。

〔3〕 当事者は、特約によって法定利率と異なる利率(これを「約定利率」という)を定めることができることはいうまでもない。

利率に関する約定に関しても、基本的には契約自由の原則、利息自由の原則によって当事者が自由に定めることができると考えられるが、不当な高利に対しては、やはり規制を加える必要が認められる。現在のわが国の法制においては、つぎのような規制が行われている。

(ア) 刑罰による禁止

一定の利率以上の利息を契約することおよび受領することを刑罰によって禁止している法律として、「出資の受入れ、預り金及び金利等の取締りに関する法律」(昭和29年法律195号)がある。同法は複雑な経過で変化を経てきた。そこで、まず(a)で、2008年4月現在で効力を有する規定について述べ、つぎに(b)で、2006年12月20日の改正(平成18年法律115号による)によって改正された内容((b)の施行は2010年4月の政令により2010年6月18日とされた)を述べることとする(以下、条文は同法の条文を指す)。

(a) 5条1項は、一般的に、年109.5パーセント、1日につき0.3パーセント(この定めは、わが国旧来の「日歩」といわれる利息計算方法で、日歩30銭すなわち、元本100円につき1日30銭に当たる。この日歩の考えから、閏年については、1日分がプラスされる規定になっている。日歩2銭、3銭が通常とされていたことからすれば、いかに高利率であるかが分かる。後述の2項についても同じ)を超える利息の契約、受領または支払請求を5年以下の懲役または1,000万円以下の罰金で処罰することを規定している。同条2項は、「金銭の貸付けを行う者が業として金銭の貸付けを行う場合」について、その率を年29.2パーセント(1日0.08パーセント。日歩8銭)としていた(日賦貸金業者につ

いて、出資取締附則§8により特例が定められていたが、廃止された)。この第2項は、1983年にいわゆるサラ金(サラリーマン金融)問題が社会問題化したときに追加されたもので、サラ金二法といわれた立法の一部である(当初は利率はもっと高かったが、その後段階的に上述のものにまで低められた)。

以上の規定により、貸金を業とする者は年利29.2パーセントを超えると処罰され((b)参照)、一般人は109.5パーセントまでは取っても罰せられなかった。

(b) さらに2006年に改正され、2010年6月18日に施行される規定では、第2項による利率は年率20パーセントと改められた。また、第3項で「金銭の貸付けを行う者が業として金銭の貸付けを行う場合」に第1項の利率を超えたときは、10年以下の懲役または3000万円以下の罰金に処せられることとなった。その他、高額保証料に対する規制なども盛り込まれた。

(c) 以上の規定により違法性を有する消費貸借契約は公序良俗に反するものとして、その契約自体が無効になり(改正前§90〔1〕(4)(イ)・〔3〕参照)、また、708条本文の不法原因給付に該当すると判断される場合が多いと考えられる(§708〔3〕参照)。

この点に関し、上記の2006年の改正により新設された貸金業法42条1項が、貸金業者が日歩30銭を超える利息を定めた契約は無効とすると規定した趣旨は不明であり、疑問である。この規定がなくても、公序良俗違反により契約が無効であることは明瞭であろう。その場合に、貸金業者の借主に対する元本返還請求権があるかどうかは、上記の趣旨を踏まえた解釈によって決せられることになろう。

(イ) 私法上の効力の否定

(a) 公序良俗に反する暴利行為は無効である(改正前§90〔1〕(4)(イ)参照)。(ア)により刑罰を科せられる場合は、当然これに該当し、その利息債権は私法上の効力も認められないということになろう。この場合の無効は、超過部分だけではなく、利息債権全部に及ぶと解される。

(b) 利息債権の私法上の効力については、利息制限法(昭和29年法律100号)が規定する。同法に定められた利率を超えたときは、その超過部分は無効とされる(利息§1)。

この利息制限法の由来は、1877年の旧利息制限法(明治10年太政官布告66号)に遡り、その後の沿革に伴うさまざまな問題があるので、その内容についてやや詳しく述べる(なお、平成18年法律115号による改正に関する部分の施行日は、2010年4月の政令により2010年6月18日とされた。この改正については、なお、(viii)で述べる)。

(i)適用範囲

同法が適用されるのは、「金銭を目的とする消費貸借上の利息の契約」についてである(利息§1 I)。米などの貸借、売買代金、手形割引による債権(最判昭和48・4・12金法686号30頁)などに適用がないことに注意を要する(実質は消費貸借であるのに、別の形をとる脱法行為の問題や、類推適用の必要が生じることはありうる)。

社債への適用については、肯定説と否定説があるが、判例は、社債の発行が利息制限法の規制を潜脱することを企図して行われたものと認められるなどの特段の事情がある場合を除き、社債には同法1条の規定は適用されない、とした(最

§404〔3〕

判令和3・1・26民集75巻1頁)。

(ii)制限利率

利息制限法により制限される最高利率は、

元本10万円未満……………………年2割(20パーセント)

元本10万円以上100万円未満……年1割8分(18パーセント)

元本100万円以上 ………………年1割5分(15パーセント)

である(利息§1 I)。たとえば、元本120万円の場合には、全体について15パ
ーセントに制限されるのであって、10万円未満について20パーセント、10万円
～100万円の部分について18パーセントというように累積的に計算するのでは
ない。また、重利計算が行われる場合の利率については、405条〔3〕参照。

(iii)違反の効果

1条1項は、上記の制限利率を超える部分の利息(「超過利息」という)の契約は、
その超過部分について無効であると規定する。したがって、債権者はこれを請求
することはできない。ところが、同条には2項があって(同項は、2006年の改正で
削られた)、「債務者は、前項の超過部分を任意に支払ったときは、同項の規定に
かかわらず、その返還を請求することはできない」と規定していた。

この第1項と第2項の関係は、厄介な問題を含んでいた。第2項の削除によっ
て、問題は解消したが、この点に関する従来の論議の経過について述べておくこ
とは必要であると思われる。例として、AがBに100万円を10年間貸し、約定
利率を年25パーセント(年25万円)、1年ごとの後払としたとする(制限利率による
15万円を超える10万円は超過利息である)。

①1年経ってAがBに第1年目の利息25万円の支払を請求しても、Bは15
万円だけ支払えばよく、超過利息10万円を支払う必要はない(利息§1 I)。

②Bが任意に——利息制限法のことを知っていたにせよ、知らなかったにせ
よ——25万円を支払ったら(元本はそのままで)、その時の状態において、B
はAに対して超過利息10万円の返還を請求することはできない(利息§1 II)。

③①でも②でもない場合について、異なる解釈の余地が生じる。超過利息につ
いての元本組入れ(§405参照)、準消費貸借(§588〔改注〕参照)、更改契約(§
513参照)などは、第1項による無効を重視して、その効力を生じないとする
ことに、ほぼ異論はない。

④2年目に入った時点で、BはAに対して、1年目に支払った25万円のうち
10万円は超過利息として無効な分の支払だから、これを元本の弁済に充当
すると主張することができるか。最高裁は、かつては、これを認めると返還
請求を認めたのと同じことになるとして、第2項を重視して、これを認めな
かった(最大判昭和37・6・13民集16巻1340頁)。その後、判例変更があり、超
過利息の元本充当を認めるに至った(最大判昭和39・11・18民集18巻1868頁)。
学説の多くはこれを支持する。これによれば、第2年度における元本額は
90万円ということになる。

⑤BがAに対して約定利率どおりの利息25万円を支払いつづけて10年近く

759

第3編　第1章　総則　第1節　債権の目的

を経過したとする。④により超過利息の元本充当が認められれば、計算上元本は年々減少して（2年目は元本90万円に対して制限利率は18パーセントであるから、8万8000円が超過利息となり、3年目の元本は81万2000円となる、というように）、10年を経ずに元本が消滅することになる。その元本消滅後に利息として支払われた金額はどうなるか。最高裁は、この金額は不当利得となり、債務者Bが債務の不存在を知らないで支払った分は（§705参照）、Aに対して返還請求できるとした（最判昭和43・11・13民集22巻2526頁）。

⑥さらに、債務者が元本と約定利息を一時に支払った場合にも（上例で、1年目にBがAに元本100万円と利息25万円を支払ったとする）、最高裁は、超過部分の返還を請求できるとした（Bは、10万円の返還を請求できる。最判昭和44・11・25民集23巻2137頁）。

⑦とくに貸金業において、同一貸主と同一借主の間で連続して複数回の貸付が行われるという事例に関して、前回の貸付について利息制限法の制限を超える利息の過払があり、その後次回の貸付が行われるとどうなるか。かつて、支払時に存在する他の借入金債務に充当されるとした判決があったが（最判平成15・7・18民集57巻895頁）、その後、前回の過払分は次回の貸付の債権の弁済に充当されるという合意があるとした判決（最判平成19・6・7民集61巻1537頁〔カード利用による継続的貸付の例〕、最判平成19・7・19民集61巻2175頁）、貸主と借主の間に基本契約が存在せず、両貸付には関連はないとした判決（最判平成19・2・13民集61巻182頁）が見られた。その後、最判平成20・1・18（民集62巻28頁）は、第1の基本契約に基づく貸付けと第2の基本契約に基づく貸付けの間に中断があり、充当に関する合意など特別の事情がない限り、前者における超過利息は後者における元本には充当されないとした。また、金銭消費貸借に係る基本契約が順次締結され、それに基づく金銭の借入れと弁済が繰り返された場合において、基本契約1に基づく最終の弁済から基本契約2に基づく最初の貸付け、基本契約2に基づく最終の弁済から基本契約3に基づく最初の貸付けおよび基本契約3に基づく最終の弁済から基本契約4に基づく最初の貸付けまで、それぞれ約1年6か月、約2年2か月および約2年4か月の期間があるときには、各基本契約に自動継続条項が置かれていたとしても、過払金充当合意があったと解することはできないとされた事例（最判平成23・7・14判時2135号46頁）がある。なお、過払金と充当との関係については、①継続的な金銭消費貸借取引に係る基本契約が過払金充当合意を含むものである場合においては、過払金について発生した法定利息の充当につき別段の合意があると評価できるような特段の事情がない限り、まず当該法定利息を新たな借入金債務に充当し、次いで過払金をその残額に充当すべきものと解するのが相当である（最判平成25・4・11判時2195号16頁）、②元利均等分割返済方式によって返済する旨の約定で金銭消費貸借契約が締結された場合において、借主から約定の毎月の返済額を超過する額の支払がされたときは、特段の事情がない限り、超過額はその支払時点での残債務額に充

当され、将来発生する債務に充当されることはないとした判例（最判平成26・7・29判時2241号63頁）がある（改正前§404〔3〕(イ)(7)も参照）。

以上の事例はおおむね一方が貸金業者であることからすれば、相殺充当については、とりわけ公平の見地を重視する必要があると考えられる（業者が合意などを根拠に一方的に自己に有利な充当をすることには問題があるといえよう。§§506・512参照）。

以上の経過は、とりわけ、いわゆる庶民金融ないし消費者金融において重要な意味をもったものである。従来の判例によれば、利息制限法1条2項は、ほとんど適用されることはなくなった（上述②の場合においてのみ意味をもつ）。2006年の改正で同項は削除され、この問題はまったく消滅することになった。過払利息は当然に不当利得として返還請求の対象となる。上記(7)の問題は、改正利息制限法5条により処理されることになる。

(iv)いわゆるグレーゾーンの問題——とくに「みなし弁済」の問題

上に述べたことと密接に関連する問題として、グレーゾーンと俗称された問題がある。それは、(ア)で述べた刑罰により規制される利率と(イ)(ii)に述べた私法上無効とされる利率の間の部分を指す言葉である。この部分の利率の利息については、刑罰には処せられないが、私法上は無効であり、請求はできない（したがって、収受しても不当利得になる）ということは自明の理と考えられるが、それが、上記の問題のからみで、収受してしまえば、そのまま容認されるという感覚でことが運ばれた現象であった。利息制限法1条2項の削除で、そのような考えはまったく否定されることになった。

ただ、いわゆるサラ金二法((ア)参照)の一つとして1983年に制定された旧「貸金業の規制に関する法律」（昭和58年法律32号。平成18年法律115号により「貸金業法」と改称され、全面的に改正された）の43条が定めていた「みなし弁済」と呼ばれる規定がこの間において非常に問題をかもしていたので、それを考察しておく必要があろう。

同条は、貸金業者が業として行う金銭を目的とする消費貸借上の利息について、同条が定める一定の要件（一定の書面の交付など）を充たした場合に限ってではあるが、利息制限法の制限を超える利息を債務者が任意に支払った場合には、それを「有効な利息の弁済とみなす」とするものである。法律上違法な利息の弁済を有効な弁済とみなすという奇妙な論理であると同時に、(iii)で述べた最高裁の判例を貸金業者に限って適用しないという点においても、疑問のある条文であった。

この条文の適用に関して、最高裁は当初は寛大であったが（最判平成2・1・22民集44巻332頁、最判平成11・3・11民集53巻451頁）、その後厳格な判断を示して、同条の適用を否定する判断が続いた（最判平成11・1・21民集53巻98頁、最判平成16・2・20民集58巻475頁、最判平成16・7・9判時1870号12頁、最判平成17・12・15民集59巻2899頁、最判平成18・1・13民集60巻1頁、最判平成18・1・24民集60巻319頁、最判平成19・7・13民集61巻1980頁。最後の判決は貸金業者が悪意の不当利得者になるとする判断に重点がある。§704〔1〕(エ)参照）。2006年の改正による同条の削除（施行

第3編　第1章　総則　第1節　債権の目的

は2010年6月18日)は、このような判例の動向と政府の貸金業・金利政策を批判する世論によってもたらされたということができよう。

　なお、以上の経過のなかで、貸金業者に対しても、支払った利息制限法の制限を超える超過利息の返還を請求できることが明確になり、その請求事例が増加している。この返還請求権について、消滅時効は最終取引日(最終の借入れや返済の日)から10年であること(最判昭和55・1・24民集34巻61頁)や過払のあった時から年5パーセントの民事利率(§404〔改注〕)による利息を付すべきこと(前掲最判平成19・2・13、前掲最判平成19・7・13)が、判例上明らかにされた(§704〔3〕参照)。その後、貸金業者と借主の間で継続的消費貸借取引が存在した場合について、過払金返還請求権の消滅時効の起算点が問題になり、個別の過払金返還請求権が発生した時ではなく、取引が終了した時点を起算点とする判決が相次いだ(最判平成21・1・22民集63巻247頁、最判平成21・3・3判時2048号9頁〔田原睦夫裁判官の反対意見がある〕、最判平成21・3・6判時2048号9頁、最判平成21・7・17判時2048号9頁。なお、このうち、最後の判決は、過払金返還について§704による悪意の不当利得として法定利息を付するのはいつからかにつきとくに言及し、過払金発生時からであることを述べている。他の判決も同趣旨の解決をしている。2009年に出された以上の一連の判決は三つの小法廷にわたっているが、形を変えた大法廷のような趣がある)。

　なお、過払利息の請求が不法行為になるかについて論じた判例について、709条〔4〕(3)(サ)を参照。

(v)利息の天引

　利息に対する制限においては、〔1〕に述べた利息の厳格な概念にとらわれずに、弾力的に対象をとらえることが必要であり、利息制限法もそのような目配りをしている。その第1は、「利息の天引」の問題である。

　「天引」とは、期間中の利息をあらかじめ元金から控除するものである。たとえば、50万円を年18パーセントで1年間貸す場合に、利息9万円をあらかじめ控除して、41万円を交付し、期限に50万円を返還させるなどである。この契約に関しては、二つの問題がある。

　第1の問題は、消費貸借契約の要物性に関してである。消費貸借は、金銭などを引渡してはじめて成立する契約(いわゆる「要物契約」、§587参照)である。ところが、上の例においては、41万円の金銭の授受があっただけであり、50万円の貸借が成立しているかが問題となる。判例は、消費貸借の要物性はそれほど厳格に解する必要はないから、金銭授受の時において利息相当額を控除した残額を貸与することが、弁済期において利息相当額を加算した額を返還させるのと同等の経済的利益があると認められる場合には、全額についての消費貸借の成立を認めても差し支えないと判示する。たとえば、100万円を交付し、その場で直ちに15万の利息を受取るのと実質的に違いはない(利息の前払を禁ずる理由はない)。問題は、同時に作成された公正証書の効力、同時に設定された担保物権がどの範囲の債権を担保するかなどに関しても起こる(消費貸借の要物性については、§587注釈参照)。

762

第2の問題は、上の例では事実は41万円を渡したのだから、年9万円の利息は18パーセント以上に当たり、利息制限法に抵触しないかということである。利息制限法は、第2条において、これに対する解決を明確にした。それによれば、実際に授受した額を元本として計算し、天引された利息のうち制限を超える部分は元本に充当したとみなすことになる。上例では、41万円に対する制限利息は7万3800円であるので、1万6200円の超過利息は元本50万円に充当され、残りの元本は48万3800円ということになる。

なお、これと性質を同じくする問題に、いわゆる「拘束預金」の問題がある。これは、金融機関が融資にさいして歩積みまたは両建て預金と称して融資額の一部を強制的に預金させるものであり、その行為自体に独占禁止法19条などに関する疑問点が存在するが、利息制限法の適用に関しても、実質上の融資額を元本として計算した実質金利によって同条を適用するべきである(同旨、最判昭和52・6・20民集31巻449頁)。

(vi)みなし利息

同様の趣旨の第2は、「みなし利息」の問題である。利息制限法を潜脱するために、利息という形式を変えて、実質的には利息と同じ目的を達することが認められては、利息制限法が無意義にされてしまう。そこで、同法3条は、「金銭を目的とする消費貸借に関し債権者の受ける元本以外の金銭」を、「礼金、割引金、手数料、調査料その他いかなる名義をもってするかを問わず」、これを利息とみなすこととした。「契約の締結及び債務の弁済の費用」はこれには含まれないが(同条ただし書)、費用名義で交付されても、現実に費用として支出されなかったときは、利息とみなされる(天引の規定が適用される。最判昭和46・6・10判時638号70頁)。債権者が債務者に自分が指名する保証人を強要し、その保証人が要求する保証料も「みなし利息」に当たるとされた(最判平成15・7・18民集57巻895頁)。

(vii)賠償額の予定の制限

厳密な意味の利息は、元本債権についての弁済期が到来する前における元本の収入であって、弁済期が徒過した後に支払われるべき遅延による損害賠償とは区別されなければならない。しかし、後者も一定の率によって算定するところから、形の上では利息に酷似しているので、これを「遅延利息」と呼ぶことが多い。利息に対する規制は、この遅延利息をも対象としないと、意味がなくなるおそれがある。そこで、利息制限法4条は、「金銭を目的とする消費貸借上の債務の不履行による賠償額の予定」をも対象とすることとし、ただ、制限利率を利息の1.46倍としている(1999年に従来の2倍が改正された)。

なお、約定利率と遅延利息の利率との関係について、改正前§419[2]参照。

(viii)2006年の改正について

すでに述べたように、2006年12月20日の法律(平成18年法律115号)によって、利息制限法、貸金業の規制に関する法律(貸金業法と改称された)、出資の受入れ、預り金及び金利等の取締り等に関する法律などの関連法律が改正された。まだ述べていないものとしては、利息制限法に第2章「営業的金銭消費貸借の特則」が

第3編　第1章　総則　第1節　債権の目的

新設され、元本額の計算、みなし利息の範囲、賠償額の予定(年2割以内)、保証料の制限、などについての細かな特例が定められているが、本書ではとくに述べない。なお、この改正については、施行日が附則によって細かく定められていた(法律の施行は2007年12月19日だが、重要な条文については、2010年6月18日とされた)。

㈦　行政上の規制

臨時金利調整法(昭和22年法律181号)は、いわゆる金融機関(同法§1Ⅰが列挙する)が取扱う金利について、その最高限度を定めるものとしている(同法§2)。具体的には、所管大臣が一定の手続により定めて公告する(現在は金融庁・財務省告示)。これは、いわば行政的な規制であって、当該の利息債権の私法上の効力とは関係がない。

㈢　事実上の制約

このほか、法的な拘束力があるものではないが、日本銀行が市中銀行などの金融機関に対して行う取引における金利の基準として、「基準割引率および基準貸付利率」がある(「公定歩合」とも呼ばれる。日銀§15Ⅰ①②。同§20により公表が義務づけられている。旧§13ノ3②③・21参照)。それが事実上有する影響力は大きいものがある。

> **(利息の元本への組入れ)**
> **第四百五条**
> 　　　利息[1]の支払が一年分以上延滞した場合において、債権者が催告をしても、債務者がその利息を支払わないときは、債権者は、これを元本に組み入れることができる[2][3]。
>
> **[原条文]**
> 　利息カ一年分以上延滞シタル場合ニ於テ債権者ヨリ催告ヲ為スモ債務者カ其利息ヲ払ハサルトキハ債権者ハ之ヲ元本ニ組入ルルコトヲ得

本条は、「重利」について規定する。重利は、「複利」ともいい、利息に利息を付することをいう。民法は、本条において、債権者に一定の「元本組入れ権」があることだけを規定しているが、一般的に重利の特約は自由とされ、ただ、利息に対する規制(改正前§404〔1〕〔3〕)との関係が問題とされる(〔3〕参照)。

〔1〕　ここに「利息」とは、もちろん約定利息を意味するのであるが、判例は、いわゆる遅延利息(§419〔1〕参照)についても本条の適用があるとしている(大判昭和17・2・4民集21巻107頁)。

〔2〕　たとえば、100万円を3年間の約束で貸し、利息は年8パーセント、半年ごとに4万円ずつ支払う約束において、債務者が1年分(2期分)の利息8万円を支払わないときは、債権者は、その支払を催告し、それでもなお債務者がこれを支払わないときは、この8万円を元本に組入れることができる。この組入れをするには、債務者にその旨を通知すればよい(形成権の一種である)。組入れられた8万円はその時から元本になるから、以後108万円について、年8パーセントの利息が生じることになる。これを「法定重利」というが、法律の規定によって重利計算が当然に行われるというものではないので、より正確には、延滞利息の「元本への組入れ権」を法定したもの

というべきであろう。

　元来、債務者が利息をその支払時期に支払わなければ、利息債務の不履行となり、その時から損害賠償（いわゆる遅延利息の支払。〔1〕参照）をしなければならないはずである（§§412・419〔改注〕参照）。しかし、民法がとくに本条を設けて、債権者が一定の条件のもとに利息を組入れる権利を認め、この組入れを行った場合にだけ、延滞した利息に利息がつくものとしたのは、利息は、単にこれを遅滞しただけでは、それについて上記の損害賠償義務を生じないものとする趣旨だと解釈しなければならない。民法が利息債権についてこのような特例を定めたのは、利息の延滞によって当然に損害賠償の義務を生じるものとすると、あたかも当然の重利を認めることになり、債務者に酷な結果となるからである。

　〔3〕　本条は、当事者が特約によって、一定の期間ごとに精算し、元利の返済がなされないときは利息が自動的に元本に組入れられ、重利計算で利息が定められる（これを「約定重利」という）という契約を結ぶことを排斥するのものではない（大判明治44・5・10民録17輯275頁）。ただし、利息に対する法的規制（改正前§404〔3〕参照）との関係では、この重利計算が行われる場合の利率については、とくに注意を要する。たとえば、この場合に利息を返済するべきものとしないで、ただ計算の上で利息を算出して元本に組入れ、その結果、全体としてみると利息制限法の制限を超える場合——たとえば、100万円年15パーセントの利率であるが、年に数回の重利計算にしたような場合には、1年では制限された15パーセントを超えることになる——には、その超えた部分について、同法違反の問題を生じ、無効となる（最判昭和45・4・21民集24巻298頁）。

　なお、不法行為に基づく損害賠償債務の遅延損害金については、債務者にとって履行すべき債務の額が定かではないことが少なくなく、債務者が遅延損害金を支払わなかったからといって一概に債務者を責めることはできず、また、何らの催告を要することなく不法行為の時から遅延損害金が発生すると解されているから（§412〔5〕(b)最判昭和37・9・4参照）、遅延損害金の元本への組入れを認めてまで債権者の保護を図る必要性も乏しいので、同遅延損害金は、本条の適用又は類推適用により元本に組み入れることはできない（最判令和4・1・18民集76巻1頁）。

選択債権および任意債権 [§§406~411の前注]

〈改正〉　2017年に、不能による選択債権の特定に関する410条が改正された。

1　選択債権の意義

　選択債権とは、甲馬もしくは乙馬を与える、というように、数個の給付のなかから選択によって決定される1個の給付を目的とする債権である。種類債権のように、その種類に属する物であるならどれでもよいというのではなく、甲馬・乙馬はそれぞれ

765

第3編　第1章　総則　第1節　債権の目的

個性を有し、そのどちらであるかが重要な意義を有するものである。したがって、これを選択し、決定する権利がだれに属するかが重要な問題となり、また、この選択・決定を経なければ、債権者はその給付の履行を請求することはできず、強制履行も許されない。

民法は、406条以下において、主として、この選択・決定の権利がだれに属するか（§§406・408・409Ⅱ）、選択・決定の方法（§§407Ⅰ・409Ⅰ）、その選択・決定の効果（§§407Ⅱ・411）などについて規定する。しかし、選択債権は、最初の給付のなかに履行不能のものがあることによっても特定することがあるので、民法は、これについても規定を設けている（改正前§410）。

民法は、このように、甲・乙いずれも特定物を目的とする給付を念頭において規定しているが、そのいずれかが「なす給付」であったり、不特定物の給付であったりしても、これを選択債権と考えて、以下の条文を可能な限り（不特定物給付には履行不能はないなどを考慮しながら）、適用してよい。

② 任意債権

選択債権に似ているが、これと異なるものに「任意債権」（「任意債務」ということもある）と呼ばれるものがある。雑木林の取引にあたって、譲受人は伐り出した雑木のなかから薪20束を譲渡人に給付すべきであるが、これをその時の時価で換算して金銭で支払ってもよいという定めをしたとすれば、薪20束またはこれに該当する金銭という給付を目的とする譲渡人の債権は、任意債権である。

この種の債権について、民法に規定はないが、学説は、およそつぎのように説明している。すなわち、任意債権においては、選択債権と異なり、債権の目的物はいちおう薪と決定しており、ただ一方の当事者（上の例では債務者であるが、債権者の場合もある）が他のものをもって代える権利（代用権・補充権）を有するにとどまる。したがって、選択債権のように選択して債権の目的を特定しなければ履行をし、または請求することができないわけではない。代用権のない当事者、たとえば債権者は、いちおう決まっている本来の目的物（薪）の給付を請求するべきであり、また、債務者はこれを給付する義務を負う。また、この本来の目的物が債務者の責めに帰することのできない事由によって履行不能となるときは、債権は消滅し、だれが代用権を有するかを問わず、債権者は他の給付を請求することはできない（改正前§410参照）。なお、403条が定める外貨建て金銭債権を任意債権とする判例（最判昭和50・7・15民集29巻1029頁）があるが、そう呼ぶ意味があるかは疑問である。

（選択債権における選択権の帰属）
第四百六条
　　債権の目的が数個の給付の中から選択によって定まるときは[1]、その選択権は、債務者に属する[2]。
［原条文］
　　債権ノ目的カ数個ノ給付中選択ニ依リテ定マルヘキトキハ其選択権ハ債務者ニ属ス

選択債権および任意債権［前注］②・§§406・407・408

〔1〕 この定義は、ドイツ普通法上の選択債務 Wahlschuld を受けつぐものである。学説上、選択債権は数個の債権であるか、それとも数個の給付を目的とする1個の債権であるかの争いがあったが、そのいずれでもなく、1個の給付を目的とする1個の債権であるが、その給付の決定が特定の選択権者の選択にかかっているものと解すればよい。

なお、土地の一部を米屋営業のため賃貸するという契約で、適地が相当数あると認められる場合に、これを選択債権であるとして、貸主が選択しない場合における賃借人の選択を認めた判例がある（最判昭和42・2・23民集21巻189頁）。

〔2〕 当事者間に別段の定めがなければ、選択権は、原則として、債務者に属する旨を定める（ただし、§117 I ［改注］参照）。しかし、本条は任意規定であって、特約によってこれを債権者に与えることも、または第三者に与えることも、もちろん自由である（§409参照）。

（選択権の行使）
第四百七条
　1　前条の選択権は、相手方に対する意思表示によって行使する[1]。
　2　前項の意思表示は、相手方の承諾を得なければ、撤回する[2]ことができない。

［原条文］
前条ノ選択権ハ相手方ニ対スル意思表示ニ依リテ之ヲ行フ
前項ノ意思表示ハ相手方ノ承諾アルニ非サレハ之ヲ取消スコトヲ得ス

〔1〕 「前条の選択権」という言葉は、債務者に属する選択権の行使だけについて規定しているようにみえるが、債権者が選択権を有する場合（たとえば、§117 I ［改注］参照）にも、その相手方すなわち債務者に対する意思表示によって選択権の行使がなされると解される（§409 I 参照）。

〔2〕 撤回とは、「取消し」（第1編第5章第4節、改正前§120〔1〕参照）とは異なり、特別の理由に基づかないで、いったん有効になされた選択の効力を失わせて、やり直すことである。原条文では「取消」と規定されていたが、2004年改正で改められた。

民法がこのような規定を設けたのは、一度選択されると債権の目的物が特定し、相手方はこれを信頼するに至るから、その後において勝手に変更することを認めると、相手方に不測の損害をこうむらせるおそれがあるからである。したがって、選択の意思表示が詐欺または強迫に基づくような場合には、もちろんこれを「取消す」（第1編第5章第4節に定められた意味において）ことができるのである（§96［改注］）。

（選択権の移転）
第四百八条
　債権が弁済期にある[1]場合において、相手方から相当の期間を定めて催告をしても、選択権を有する当事者[2]がその期間内に選択をしないときは、その選

767

第3編　第1章　総則　第1節　債権の目的

択権は、相手方に移転する[3]。

［原条文］

　債権カ弁済期ニ在ル場合ニ於テ相手方ヨリ相当ノ期間ヲ定メテ催告ヲ為スモ選択権ヲ有スル当事者カ其期間内ニ選択ヲ為ササルトキハ其選択権ハ相手方ニ属ス

〔1〕　412条［改注］参照。

〔2〕　406条〔2〕参照。選択権が第三者に属する場合には、本条の適用はない。

〔3〕　本条は、選択権が債務者に属する場合だけでなく、債権者に属する場合にも適用があること、もちろんである。

（第三者の選択権）

第四百九条

　1　第三者が選択をすべき場合[1]には、その選択は、債権者又は債務者に対する意思表示によってする[2]。

　2　前項に規定する場合において、第三者が選択をすることができず、又は選択をする意思を有しないときは、選択権は、債務者に移転する[3]。

［原条文］

　第三者カ選択ヲ為スヘキ場合ニ於テハ其選択ハ債権者又ハ債務者ニ対スル意思表示ニ依リテ之ヲ為ス

　第三者カ選択ヲ為スコト能ハス又ハ之ヲ欲セサルトキハ選択権ハ債務者ニ属ス

〔1〕　選択権を第三者に与えることは、当事者間で自由にすることができる。しかし、第三者がこれを承諾しない限り、選択をするべき義務を負担することはない。

〔2〕　407条1項参照。同条2項は、本条の場合にも準用されると解される。

〔3〕　第三者が選択をするべき義務を負う場合（〔1〕参照）に、この義務の強制執行をすることができるかどうかは問題があり（改正前§414Ⅱただし書参照）、また、手数でもあるので、選択権を債務者に移転することとしたのである。

（不能による選択債権の特定）

第四百十条

　債権の目的である給付の中に不能のものがある場合において、その不能が選択権を有する者[2]の過失によるものである[1]ときは、債権は、その残存するものについて存在する[3]。

〈改正〉　1項中「、初めから不能であるもの又は後に至って不能となったものがある」を「不能のものがある場合において、その不能が選択権を有する者の過失によるものである」に改め、2項を削除した。附則（債権の目的に関する経過措置）第十六条　施行日前に債権が生じた場合における選択債権の不能による特定については、新法第四百十条の規定にかかわらず、なお従前の例による。

［改正の趣旨］　〔1〕　改正前410条の規定では、選択権のある当事者にも選択権を有しない当事者にも過失がない場合には、1項により残存債権に特定されることになるが、選択権者には過失がないにも関わらず選択権を奪われることになるし、選択権のない者はもともと選

§§408〔1〕～〔3〕・409・410〔1〕～〔5〕

択を受忍する立場にあったのだから、特定が生じない（なお不能の債権を選択することができる）という規範にしてもよいとの意見もあった。そこで、新法では改正前410条を上記のように改正した。新規定によると選択権を有する者の過失による場合は特定の効果が生じる点、および選択権を有しない者の過失による場合（改正前条文2項参照）には選択権者はなお不能の債権を選択できる点については改正前と同じであるが、選択権者にも、選択権がない者にも過失がない場合には、特定は生じず、選択権者は、なお不能の債権を選択できることになる。

〔2〕　改正前410条の「選択権を有しない当事者」という文言が、改正法では「選択権を有する者」という文言に変更された。これは、債権関係の「当事者」（債権者・債務者）だけでなく「第三者」が選択権を有する場合も本条の適用があることを明らかにするためであるとされている。

〔3〕　改正前2項は削除されたが、当事者双方の過失によらないで給付が不能となった場合においては、選択権者でない当事者は選択権の行使に従わざるを得ない立場だったのであるから、選択権者の選択権を奪わずに、不能の給付を選択する余地を認めることによって問題の柔軟な解決を図るのが合理的であるし、改正前2項の趣旨とも矛盾しないと考えられたようである。

[改正前条文]
1　債権の目的である給付の中に、初めから不能であるもの[1]又は後に至って不能となったもの[2]があるときは、債権は、その残存するものについて存在する[3]。
2　選択権を有しない当事者[4]の過失によって給付が不能となったときは、前項の規定は、適用しない[5]。

[原条文]
　債権ノ目的タルヘキ給付中始ヨリ不能ナルモノ又ハ後ニ至リテ不能ト為リタルモノアルトキハ債権ハ其残存スルモノニ付キ存在ス
　選択権ヲ有セサル当事者ノ過失ニ因リテ給付カ不能ト為リタルトキハ前項ノ規定ヲ適用セス

[改正前条文の解説]
〔1〕　甲馬または乙馬を与えるという契約が締結された時より以前に、甲馬が死亡してしまっているときは（いわゆる「原始的不能」である。改正前§415〔3〕参照）、債権は乙馬の給付を目的とする特定物債権として成立する。しかし、なお〔3〕参照。

〔2〕　上の例で、契約締結後に甲馬が死亡した場合（いわゆる「後発的不能」である。改正前§415〔3〕参照）にも、上と同様である。ただし、〔5〕参照。

〔3〕　甲馬または乙馬を給付するという債権の場合には、甲馬の給付の不能によって乙馬の給付に特定するが（〔1〕参照）、3個以上の給付、たとえば、甲・乙・丙馬の中から一頭を選択すべき選択債権において、甲馬の給付が始めから不能であるか、または後に不能になれば、その債権は、残りの2個以上の給付、上の例では乙馬または丙馬の給付、を目的とする選択債権となる。

〔4〕　「選択権を有しない当事者」とは、(a)債務者Bに選択権がある場合の債権者A、(b)債権者Aに選択権がある場合の債務者B、(c)第三者に選択権がある場合のAまたはBである。

〔5〕　〔4〕に挙げた選択権を有しない者の過失によって、一つの給付、たとえば甲

769

第3編　第1章　総則　第1節　債権の目的

馬の給付が不能になった場合には、債権は、残存する乙馬の給付に特定することはな
く、選択権者による選択権の行使が可能であるということである。すなわち、〔4〕(a)
の場合には、選択権者である債務者Bは、甲馬を選択して（§411〔1〕参照）債務を免れ
ることもできるし（債務の目的が債務者の責めに帰することができない事由によって履行不能
になるから）、あるいはまた、乙馬を選択してこれをAに給付するとともに、甲馬に
ついてAに対して損害賠償を請求することもできる。〔4〕(b)の場合には、Aは選択権
を失わず、すなわち乙馬を選択して給付を請求することもできるし、甲馬を選択して
（§411〔1〕参照）、甲馬に代わる損害賠償を請求することもできる（改正前§415〔5〕参照）。
また、〔4〕(c)の場合には選択権者である第三者が不能になった甲馬を選択するか、可
能な乙馬を選択するかに従って、債権者Aに過失がある場合には、Bは、(a)の場合
のいずれかの主張、債務者Bに過失がある場合には、Aは、(b)の場合のいずれかの
主張をすることができる。なお、給付のなかの一つが「選択権を有しない当事者」以
外の者、すなわち選択権を有する当事者の過失もしくは第三者の過失、または不可抗
力によって不能となった場合には、本条1項の原則によって、すべて残りの乙馬に特
定する。ただし、債務者Bは、過失ある債権者または第三者に対して損害賠償の請
求をすることができることはいうまでもない。

　（選択の効力）
　第四百十一条
　　選択は、債権の発生の時にさかのぼってその効力を生ずる[1]。ただし、第三
　者の権利を害することはできない[2]。
　［原条文］
　　選択ハ債権発生ノ時ニ遡リテ其効力ヲ生ス但第三者ノ権利ヲ害スルコトヲ得ス

〔1〕　甲馬または乙馬を給付するべきものとされる選択債権において、選択権者が
甲馬を選択すると、契約成立の時から甲馬だけが債権の目的であったとみなされるこ
とになる、というのが本条本文の規定の意味である。
　民法がこのような規定を設けたのは、選択権者に、契約締結の後、選択の時までに
不能となった給付をも選択する可能性を認めようとしたためである。すなわち、選択
債権の給付のなかの一つが履行不能になっても、なお選択権が消滅しない、という場
合を認めてみても（改正前§410Ⅱ参照）、もし本条の規定がないと、選択権者は不能の
給付を選択することができなくなり、結局、選択権を失ったと同様の結果となりはし
ないかという疑問を生じる余地がある。ところが、本条の規定によって選択の効果に
遡及効を与えておけば、選択権者が不能となった給付を選択しても、その給付は債権
成立の時、すなわち不能となる以前から債権の目的だったことになるから、この疑問
は解消するのである。つまり、本条本文の規定は、改正前410条1項の規定と互いに
補足し合って、改正前410条〔5〕に述べたような効果を発揮しているのである。
〔2〕　本条本文の効果として、甲・乙両馬中の甲馬が選択されると、甲馬だけが契
約締結の時から債権の目的物だったことになる。しかし、この遡及効は、契約締結の

770

§411

時から甲馬が選択される時までの間に、甲馬について、たとえば質権のような権利を取得した第三者がある場合には、この第三者の権利を害することはできない。民法がこのような規定を設けたのは、選択によって債権成立の時に遡って甲馬だけが債権の目的となるときは、これによって甲馬の所有権もその時に遡って移転すると考えた（もしそう解するのでないと、そもそも第三者を害するということにはならない）からである（§176〔4〕参照。もっとも、結局は対抗要件によって決せられることについて、§177〔3〕(ア)(b)参照。なお、§178〔2〕〔3〕も参照）。

第3編　第1章　総則　第2節　債権の効力

第2節　債権の効力

〈改正〉　本節も、条文の改正や新設があったが、各款において述べる。

① 本節の内容

　本節は、「債権の効力」について規定する。それは、債務者に対する「債権の本来の効力」(本来的効力)と、債務者以外の第三者に対する、いわゆる債権の「対外的効力」とに大別することができる。前者は、債権の現実的履行の強制(§414［改注］)と損害賠償(§§415～422の2)とからなり、さらに、債務の履行期に関する規定(§§412［改注］・新412の2)と債権者の受領遅滞に関する規定(§§413［改注］・新413の2)がこれに前置されている。後者は、債権者代位権(§§423～423の7)と債権者取消権(§§424～426)の規定(改正に注意)からなっている。

② 債権の本来の効力(債務者に対する効力)

　(1)　債権は、債務者に特定の給付をさせることを内容とし、その作用として、債務者に対して給付を請求する権利である。そこで、債務者が任意に給付をしない場合には、これを強制して、給付またはこれに代わる損害の賠償をさせるために、国家権力はまず債務者に対して債務の履行を命じ(判決)、それでも債務者が履行しなければ強制的実現の手段(強制執行)をとるのが原則である。本節の規定は、いずれもこのことを前提するものである。

　(2)　ここで、債権の本来的効力、すなわち債務者に対して有する効力についての概観をしておこう(本編解説③(1)(ア)に述べたことをさらに詳説するものである)。

　(ア)　まず、最小限度の効力としては、債務者による任意の弁済を受領する効力がある。

　これを、債権の「任意的実現力」と呼ぶことができよう。債務者による債務の任意的実現のことを「弁済」または「履行」(この両語は同義である。前者は、債権消滅原因という側面、後者は債務者の行為としての側面を表現するときに用いられる)というので、これを「弁済請求力」、または「履行請求力」ということもできる(この言葉、または単に「請求力」という言葉が、論者により後述の訴求力と同じ意味で用いられることもある)。また、「給付受領力」、「給付保持力」と呼ばれることもある。同じことを別の側面から表現しているが、意味としては、まったく同一のことを意味する。AがBに対して100万円をよこせと要求して受け取る行為は、AがBに対して100万円の債権を有することによって、違法な強要(刑§223参照)や恐喝(刑§249参照)とはならない(もちろん、刑法上の構成要件該当性や違法性の問題は別個に検討されなければならないが)。また、受け取った100万円は、債権の効力によって不当利得(§§703・705参照)とはならないので、Bからこれを返せと請求されることもない。

第2節［解説］1 2

　債権のこの効力については、第5節「債権の消滅」の第1款「弁済」の部分が主として規定している。実際に存在する債権の大部分はこの段階の効力によって、すなわち任意の弁済によって目的を達し、消滅する。
　なお、この段階においては、まだ、直接的には国家の助力を受けることはない。しかし、任意的実現が適法なものとして容認され、保護されているという意味においては、背後に国家による保障が存するといってよい。
　(イ)　債務者による任意的実現が行われないとき(広義における債務不履行)、債権には、その内容を国家の助力をえて強制的に実現する効力がある。
　これを、債権の「強制的実現力」と呼ぶことができよう。その内容は、国がそのためにどのような制度(原則として裁判所)を設けているかによっても決まるが、いちおうつぎのように整理することができよう。
　　(a)　訴求力　　債権者が債務者を裁判所に訴えて、判決の形で債務者に対して給付の実現を促してもらうことができる。そのための手続は、民事訴訟法(明治23年法律29号。1998年からは新しい平成8年法律109号による)に定められている。この効力のことを、「請求力」と呼ぶ例もある。
　　(b)　強制執行力　　給付の実現を命じる判決にもかかわらず、なお債務者が履行しないときは、その判決を「債務名義」(強制執行のための要件として必要なものである。一定の要件を備えた公正証書なども債務名義となりうる。この場合には、訴求力を用いることは省略できることになる。民執§22参照)として、裁判所の手により強制的に給付を実現してもらうことができる。そのための手続は、民事執行法(昭和54年法律4号)に定められている。
　強制的実現の方法としては、原則的には、給付内容を裁判所の手によって(執行官の助けを得ることが多い)直接的に実現する(これを「直接強制」という)。たとえば、物を引渡す債務であれば、それを債務者から取り上げて債権者に引渡す(民執§§168～170)。圧倒的に多い金銭債権においては、結局、債務者に属するすべての財産(総財産といってもよいが、差押えを禁止されたものは除かれる。民執§§131・152参照。これを、一般財産、責任財産ともいう)を対象としてこれに属する財産のいずれかを所定の方法で換価して、その代金から弁済に充てる(民執§§43～167)。例外的に、代替執行や間接強制の方法がとられることもある(民執§§171～173)(民執§§173・167の15に注意)。なお、2003、2004年民事執行法改正。
　(ウ)　以上の手段を講じても、給付が実現しない場合が生じうる。給付が不能になった場合はもちろんだが(履行不能)、給付が遅滞した場合においては、本来のままの(弁済期における)給付はすでに不可能であるから、遅滞によって生じた損害を賠償するという形で、債権が実現したものとする必要がある(「履行遅滞」)。また、不完全な給付の場合にも、その必要がある(「不完全履行」)。そこで、債権には、債務不履行の場合には損害賠償を請求する効力が認められる(§415［改注］)。
　これを、債権の「損害賠償請求力」と呼ぶことができよう。それは、結局、金銭の支払という形をとるので(§417)、その実現は、上の(イ)(b)によって債務者の責任財産を拠り所として行われるのである。

773

第3編　第1章　総則　第2節　債権の効力

(エ)　以上のように、債務者は、終局的にはその総財産を引当てとして、いわば最後の保塁として自己の債務の実現に当たらなければならない。このことを債務者の「責任」（原則として、その対象は債務者のすべての財産であり、限定されないので、それが限定される例外に対して、これを「無限責任」と呼ぶ）という。その責任の対象となるという意味で、「責任財産」という言葉が用いられるのである。

また、この責任を債権の効力の側からとらえた言葉が「摑取力」である。債権には、債務者の責任財産を引当てとして自己を実現する効力があることを意味する。

なお、以上のいずれの効力によっても債権が実現されない場合がある。その場合は、債権は、結局、満足を得ることなく消滅する運命をたどることになる。法律上債権が消滅することもあるし（たとえば、債務者の責めによらない履行不能）、法律上は存在しても実現が困難な場合もある。後者の場合には、債権はいわゆる「不良債権」となるのであって、回収不能な債権として破産制度などの手続を経て消滅したり、会計上処理されたりすることになる。

(3)　以上の効力を総合して、これを、債権が一般的に有する効力という意味において、債権の「一般的効力」と呼ぶことができる（この一般的効力にのみ依存する債権者を「一般債権者」といい、一般的効力が最後の拠り所とする債務者の総財産のことを「一般財産」という。「責任財産」と同義である。なお、とくに債権者取消権に関する判例のなかに、一般財産のことを債権者全体の「共同担保」、「一般担保」と呼ぶ例がみられる。改正前§424(1)(4)参照。しかし、担保という言葉は厳密に用いたいので、本書では共同担保という言葉は用いないことにする。「一般担保」についても、同様である。第3節解説②、第2編解説④(2)参照）。「一般的効力」という言葉は、債権が民法上原則として有する効力という緩やかな意味においては、後述の④・⑤の効力も含めた意味においても用いることができよう。

③　自然債務・責任なき債務（不完全債務）

(1)　債権は、原則として、上述した一般的効力を有すると考えられるが、例外として、債務の履行を社会の道徳ないし慣習の圧力にゆだね、国家権力が直接に関与しない場合がある。このような場合にも、国家は、その助力を待たないで任意に履行されたものをもってなお債務の履行として法律的に是認するのであるから、この種の債権もまた法律的関係であることに変りはない。このような債務を「自然債務」obligatio naturalis；Naturalobligation という。②(2)で用いた用語を用いれば、任意的実現力は有するが、強制的実現力、とくに訴求力を欠く債権ということができる。

なお、裁判所に訴えて履行を命ずる判決（給付判決）をもらうことはできるが、強制執行はこれを認められない（執行文の付与がされない。民執§§26～参照）債権も存在する。やはり、②(2)の用語によれば、訴求力は有するが、強制執行力を欠く債権ということになる。この種の債権をも自然債務と呼ぶこともあるが、この種のものは、これを「責任なき債務」と称し、両者を併せて「不完全債務」と呼ぶのが適当であろう。

(2)　自然債務

わが民法は、自然債務ないし不完全債務に関する規定を欠くので、解釈上、自然債務の観念を認めるべきかどうかについては争いがある。かつては、これを法律的な意

義を有する存在としては否定する説が多かったが、近時は、これを肯定する説が有力である（個別的な例外として説明すれば足り、統一的な観念としては認めるべきでないとする見解はなお存在する）。

　思うに、自然債務的効力を有する債権——任意の弁済は有効だが、訴えられることのない債権——を契約によって生じさせることができることは疑いない。この種の特約を無効としなければならない理由はない。のみならず、民法その他の法律上この種の債権を生じる例も、また決して乏しくないので、それらを自然債務の観念に統一して理解することは、自然な推論であるし、また、信義則によって任意に履行されるべき法律的意義を認めることは、信義則の支配を高調する見地からも重要な意義があると考えられる。判例にも、特殊の事情のもとに行われた贈与契約で、債務者がみずから進んで履行すれば債務の履行であるが、債権者において訴求できないものがあるとしたものがある（大判昭和10・4・25新聞3835号5頁［カフェー丸玉事件］）。なお、請求力を欠いている場合には、その債権者が提起した訴えは、却下されるものとなろう（カフェー丸玉事件では、却下せずに実質的判断がされている。なお、後掲最判平成5・11・11の第1審判決は係争の債権を自然債務と認定して、却下判決をしたが、最高裁では、自然債務ではないとして、棄却判決がされた）。

（3）　責任なき債務（債務と責任）

　また、給付の判決を求めることができるが、それに基づいて強制執行をすることができないという性質の債務も、判例が明らかに認めるところである。すなわち、強制執行をしない旨の特約のある場合について、判例は、その債権に基づいて給付判決を得ることはできるが、強制執行は認められない（当時の民訴§544Iが定める請求の方法に関する異議によって争うべきであるとした。現在では、民執§11の執行異議に当たる。もっとも、民執§35による請求異議の訴えも可能であるとする見解も有力である）と判示した（大判大正15・2・24民集5巻235頁、大判昭和2・3・16民集6巻187頁）。

　また、有限責任の事例であるが、債務者の相続人による限定承認の場合債務は全額が相続され、それに基づく執行は相続財産を限りとするが、この場合には給付判決は債務の全額についてこれを行い、相続財産の限度においてこれを執行することができる旨の留保を付けるべきだとされている（大判昭和7・6・2新聞3437号10頁。なお、最判昭和49・4・26民集28巻503頁は、前訴で、相続財産を限度として支払を命じた判決がなされた事例で、後訴で、限定承認と相容れない事実を主張することはできないとした判決である）。

　さらに、不執行の合意がある債権に基づく給付訴訟において、裁判所は、その判決主文の第1項において被告に給付を命じるとともに、第2項において、「前項については強制執行をすることができない」と明示するべきものであるとされた（最判平成5・11・11民集47巻5255頁）。

　以上のことを、「債務」と「責任」という概念を使い分けることによって説明することが、通常行われている。この場合、「債務」としては、たとえば債権者Aは債務者Bに対して債務額100万円を支払うように請求でき、BはAに支払うべきであるということを意味し、かつ、それにとどまる（債権の側からすれば、上述の任意的実現力および訴求力に相当する）。「責任」としては、債務者としてその総財産（一般財産・責任財産）を最後の引当てとしてその債務を強制的に実現されてもやむをえないこと、すな

第3編　第1章　総則　第2節　債権の効力

わち、それを甘受しなければならないということを意味する(債権の側からすれば、上述の強制執行力ないし摑取力に相当する)。そこで、摑取力を欠く債権について、これを債務の側から表現する言葉が「責任なき債務」なのである。

債務が存在すれば、通常は、債務者の総財産についての責任を生じる(債権には、通常、摑取力がある)。このことを、責任が限定されていないという意味において、「無限責任」という。これに対して、例外的に、責任が限定される場合がある。これを、「有限責任」という。これに、物的有限責任と数量的有限責任とがある。物的有限責任とは、債務者の一定の財産についてのみ責任が限定されるものであって、上述の相続人によって限定承認がなされた場合や営業質屋に対する債務者の責任が質物を限りとする(質屋営業§20Ⅱ。§342⑸(ウ)参照)などがその例である。数量的有限責任とは、一定の数額(普通は金額)に限って債務者が責任を負うとするものであって、会社における有限責任の法理(商旧§§157・200Ⅰ→会社§§580・104、旧有§17)にその例がみられる。ただし、会社制度においては、この法理がすでに制度に組入れられているので、存在するのは会社の債務のみであり、有限責任社員、株主、有限会社の社員などが個人として債務を負うことはないと解されており、明確な形での債務と限定された責任という関係ではない(上掲の条文の表現を参照されたい)。

なお、逆に、債務はないが、責任のみを負うという「債務なき責任」の例もみられる。物上保証人やこれに準じる担保不動産の第三取得者の場合(§351⑷参照)などがその例として挙げられ、説明に用いられている。

⑷　なお、不完全な効力を有する債権の例として、通常挙げられるものとしては、つぎのようなものがある。

　①当事者の特約によるもの

　②消滅時効にかかった債権(§145[改注]。任意に弁済すれば、時効利益の放棄または喪失になるとされ、また、相殺の自働債権となりうる。§§146⑶・508参照)

　③不法原因給付の返還請求権(§708⑸⑷参照。§708本文により返還請求はできないとされているが、不当利得者から任意に返還されれば、さらに返還を求められることはないと解されている)

　④勝訴終局判決の後に訴えの取下げがなされた債権(民訴§262Ⅱ)

　⑤破産において免責を受けた債務(破§§248〜。最近ではそれにより絶対的に消滅すると解するのが有力であるが、自然債務的な債務になるとする説もある)

このように、例が多様であり、それぞれについて、訴求力ないし強制執行力が否定されている理由を明確にすることが必要である。元来の自然債務の概念は、当事者間における任意的実現(弁済)が法的に正しいものとして、積極的に是認されるものを指すと考えられる。これに対して、外形上、自然債務的効力を有するとされるもののなかには、必ずしもそうではなくて、制度的その他の理由から結果的に弁済が有効なものとされるにすぎないものもあることに注意を要する。

　④　**債権の対外的効力**(責任財産保全の効力(2017年の改正に注意))

上に述べたように、債務者が任意に履行しないときは、債権者は、原則として、現

第2節 ［解説］ ④ ⑤

実的履行の強制をなし、また、不履行による損害の賠償をさせることができるが、その強制手段は──物の引渡しを目的とする債権などを除いて──結局、債務者に金銭の支払を命じることであり、また、損害賠償は、その損害を金銭に評価して塡補させることである。だから、債権の効力は、結局、金銭の支払を請求することに帰着する。ところが、現代法は、債務者をして金銭を支払わせるためには、財産を処分してこれを金銭に代える以外の手段を有しない。古代法にみるように、債務者を労役に服させ、または奴隷として売却して債務の弁済に当てることなどは許さない。すなわち、人身を引当てとすることは認められないのである。したがって、現代法における債権の効力の最後の保塁は、債務者の一般財産である。この観点から、民法は、この一般財産の維持のために、債権者に、債務者に代わってその権利を行使する権利（債権者代位権）と債務者が第三者との間で行った行為を取消す権利（債権者取消権。詐害行為取消権ともいう）を認めたのである（§§423以下・424以下［両条以下の改正に注意］）。詳しくは、423条以下において述べる。

　民法が債権者にとくに認めた二つの権利による債権の効力は、債務者の責任財産（一般財産）を保全するために認められた効力である。この二つの権利が行使されると、必然的に、債務者以外の第三者（債務者の責任財産と係わりをもった者）にその効果が及ぶ。このことに着眼して、この効力のことを伝統的に債権の「対外的効力」と呼ぶのがならわしであった。本書でも、この用語を用いることにする。この言葉の意味があいまいであるとして、その使用を避けた方がよいとする意見もある。

⑤　債権の侵害に対する効力

　④のように、債権の一般的効力の対象となる債務者の一般財産との関連において、これを保全するためにとくに第三者に債権の効力を及ぼさせるというのではなくて、第三者が直接に債権そのものを侵害する場合に、これに対して債権者はどのような主張ができるかという問題がある。

　そもそも、すべての法的に承認された権利は、その性質と内容に応じて、その侵害に対しては、法的な保護を受けることができるのであって、債権においても例外ではない。債権は対人権・相対権（本編解説③(3)(b)(c)参照）であるから第三者の権利侵害に対して保護されないというかつて存在した理解は、完全な誤りである（そのことを強調した判例に、後述の損害賠償請求について、大判大正4・3・20民録21輯395頁、妨害排除請求について、大判大正10・10・15民録27輯1788頁がある）。債権は、その性質と内容に応じて、侵害に対する法的保護を受けるものであることには疑いがない。

　学説のなかには、この第三者による侵害に対する債権保護の問題を債権の「対外的効力」と呼ぶ例がみられる。しかし、この問題は、権利侵害論（私法上の権利が第三者から侵害された場合に、どういう問題が生じるかについての理論。わが国の法体系では、損害賠償は不法行為の問題として、侵害に対する排除請求はそれぞれの権利の効力の問題として論じられる）の一環であって、債権が本来有する効力をさらに延長して第三者にまで効力を及ぼすという問題ではないので、この用語は妥当ではないと考える。そこで、この言葉は、その意味では用いず、④の意味において用いることとする。

777

第3編　第1章　総則　第2節　債権の効力

(1)　債権侵害に対する損害賠償請求

まず、たとえば、(a)無記名債権証書を横領して、債務者から弁済を受けてしまうように（§478〔改注〕参照）、債権の帰属自体を侵害し、(b)または、債権の目的物を破壊し、または債務者を拘禁するなどの行為によって、債権の目的である給付を侵害し、(c)さらに、第三者が債務者の債務不履行に加担する、などの諸態様が問題になる。

これらの場合には、第三者の行為が「債権侵害」として不法行為を構成し、債権者は第三者に対して損害賠償の請求をすることができることについては、今日、多数説がこれを認めている（詳細は§709〔4〕(2)(ア)(b)参照）。

(2)　債権侵害に対する排除請求

それでは、第三者の債権侵害に対して、債権者は、その侵害の排除を請求する権利を有するであろうか。

債権の本質、すなわち排他性を有する支配権である物権に対して、債務者に対する請求権にすぎない性質からみて、難しい問題の存するところである。

(ア)　判例は、一方では、専用漁業権の賃借人がすでに施業中の海面で不法に漁業をする第三者に対して、賃借権に基づいて妨害排除を請求した事案につき、「権利者カ自己ノ為メニ権利ヲ行使スルニ際シ之ヲ妨クルモノアルトキハ其妨害ヲ排除スルコトヲ得ルハ権利ノ性質上固ヨリ当然ニシテ、其権利カ物権ナルト債権ナルトニヨリテ其適用ヲ異ニスヘキ理由ナシ」として、これを肯定した（前掲大判大正10・10・15）。しかし、まだ目的である土地の占有を取得しない賃借人が、その賃借権に基づいて第三者に対して妨害排除を請求する事案においては、占有権に基づく訴えなら格別、賃借権では引渡しを請求することはできない、としてこれを否定した（大判大正10・2・17民録27輯321頁）。

(イ)　思うに、第三者の債権侵害について、物権の侵害に対する物権的請求権（第2編解説〔3〕(2)(イ)、同第3章解説〔2〕参照）のような侵害排除の請求を認めるべきかということも、結局、物権と区別された債権についてどれだけの法律的保護を与えるべきかという立法政策上の問題である。そして、債権の一般的性質としては、これを否定するのが当然であろう。また、このような請求権を認めるにしても、目的物を直接に債権者に引渡せという請求は、侵害の排除以上のことであって、これを認めるべきではないであろう。問題となるのは妨害の排除であるが、公示を伴わない債権について、侵害者の主観（故意・過失）を問わずに排除の請求を認めることは、取引の安全を害し、債権をして敏活な物資の取引関係を処理する制度としようとする法の目的に反するにいたるであろう。ただ、現行法制上、物の利用を目的とする債権は、しだいになんらかの公示方法を伴うことにより物権化しつつある。また、とくに金銭債権については、それが一種の独立財産化する現象が指摘されている。債権がこのような効力を取得するときは、これとともに第三者の侵害を排除する効力をも取得すると解するべきであろう。

(ウ)　その後も、肯定・否定の判決例がみられたが、それらについて、肯定例（後述）は賃借権者に占有が認められる事例であり、否定例（大判昭和5・7・26新聞3167号10頁、最判昭和28・12・14民集7巻1401頁など）は占有が認められない事例であるという分析

778

第2節［解説］⑤

がなされている。なお、これと並行して、不動産賃借権者が債権者代位権（§423）に
基づいて賃貸人が侵害者に対して有する妨害排除請求権を代位行使することを認める
判例が形成されている（改正前§423〔1〕(エ)(b)参照）ことにも注目する必要がある。

　(エ)　以上のように考えると、つぎのような場合に、債権にも妨害排除力が認められ
ることになる。

　(a)　第1は、不動産賃借権者が目的不動産の占有を備えた場合である。ただし、
この場合における妨害排除を認めた判例（前掲大判大正10・10・15、大判大正11・5・4
民集1巻235頁、大判大正12・4・14民集2巻237頁など）は、占有を要件とすることは
明言しないで、債権の不可侵性を根拠としている。また、これらの場合には、占有
訴権が認められるので、これによって解決を図ればよいとする見解もある。

　(b)　第2は、不動産賃借権ないしそれに準じる一定の債権が第三者に対する対抗
力を備えた場合に、第三者（二重賃借人と純然たる不法占拠者との区別が問題になることに
留意を要する）がその不動産を侵害した場合である。

　最高裁は、最判昭和28・12・18（民集7巻1515頁。旧罹災都市§10の例）を筆頭とし
て、この場合には妨害排除を請求できるという論旨を採用している（最判昭和29・
2・5民集8巻390頁は、賃借権が物権的効力を有することを根拠とする。その他、最判昭和
29・6・17民集8巻1121頁、最判昭和30・2・18民集9巻195頁、最判昭和30・10・18民集
9巻1633頁など——旧罹災都市§2の例。最判昭和30・4・5民集9巻431頁——旧罹災都市
§10の例。最判昭和45・11・24判時614号49頁——旧建物保護法の例）。

　このほぼ確立したといってよい判例をめぐって、対抗力ないし排他性は観念的な
ものであり、また、権利相互間の優劣関係を問題とするものであるのに対して、妨
害排除を認める必要性は事実上の支配である占有ないし利用権の保護に関するもの
であることから、両者の観念の関連をめぐって論議が交わされている。占有という
要件を重視するかどうか、対抗力のみを要件とするのは適当であるか、純然たる不
法占拠者に対しては対抗力は不要ではないか、などが主要な論点である。

　(c)　第3は、金銭債権などに一定の独立財産性が認められる場合についてであっ
て、それに対する侵害に対して妨害の排除が認められるべきであると考えられる。
たとえば、指名債権について、債権者からその証書を不当に取り上げた者、無記名
債権についてその証券を不当に奪った者などに対しては、債権者は、債権に基づい
て証書または証券の返還を請求できると解してよい（証書または証券に対する所有権に
基づくという必要はない）。

以上の各場合を考察するに、いずれもが、債権の本来の効力として妨害排除力を認
めようとするものではなく、占有ないし利用の保護の必要、不動産賃借権の物権化、
金銭債権の独立財産化などの事象に立脚して、物権の論理をその場合に借用すること
によって問題を解決しようとするものであることが指摘できよう。

779

第3編　第1章　総則　第2節　債権の効力

第1款　債務不履行の責任等

〈改正〉　2004年改正により、従来はなかった本款の表題が新設された。2017年に、履行期と履行遅滞に関する412条、受領遅滞に関する413条、履行の強制に関する414条、債務不履行による損害賠償に関する415条、損害賠償の範囲に関する416条、過失相殺に関する418条、金銭債務の特則に関する419条、賠償額の予定に関する420条、が改正され、履行不能に関する412条の2、履行遅滞中又は受領遅滞中の履行不能と帰責事由に関する413条の2、中間利息の控除に関する417条の2、代償請求権に関する422の2が新設された。

[債務不履行の主要改正点]　債務不履行による損害賠償について、履行不能以外の場合を含めて、「債務者の責めに帰すべき事由がないこと」が原則として債務者の免責事由となることが明文化された(新415条1項)。この免責要件は「契約その他の債務の発生原因及び取引上の社会通念に照らして」判断されるものとされた(同条1項ただし書)。履行遅滞中の履行不能の場合につき、債務者の帰責事由によるものでない場合であっても、免責事由に当たらない旨が明らかにされた(新413条の2第1項)。受領遅滞によって債務者の目的物保管に関する注意義務が軽減される旨が明文化された(新413条)。

（履行期と履行遅滞）
第四百十二条
　　1　債務の履行について確定期限[1)]があるときは、債務者は、その期限の到来した時から遅滞の責任を負う[2)]。
　　2　債務の履行について不確定期限[1]]があるときは、債務者は、その期限の到来した後に履行の請求を受けた時[2)]又はその期限の到来したことを知った時のいずれか早い時から遅滞の責任を負う。
　　3　債務の履行について期限を定めなかったときは、債務者は、履行の請求を受けた時から遅滞の責任を負う[5)6)]。

〈改正〉　2017年に改正された。2項中「債務者は、」の下に「その期限の到来した後に履行の請求を受けた時又は」を、「知った時」の下に「のいずれか早い時」を加え、本条の次に、次の1条（412条の2）を加えた。附則（債務不履行の責任等に関する経過措置）第十七条1　施行日前に債務が生じた場合（施行日以後に債務が生じた場合であって、その原因である法律行為が施行日前にされたときを含む。附則第二十五条第一項において同じ。）におけるその債務不履行の責任等については、新法第四百十二条第二項、第四百十二条の二から第四百十三条の二まで、第四百十五条、第四百十六条第二項、第四百十八条及び第四百二十二条の二の規定にかかわらず、なお従前の例による。

[改正の趣旨]　[1]　債務不履行には、伝統的な理解によれば「履行遅滞」「履行不能」「不完全履行」があるが（「債務不履行」前注[4]参照）、このうち「不確定期限」の場合については、期限が到来したが、債権者から履行の請求がなされる前に債務者が期限の到来を知る場合がありうる。この場合には、知った時から遅滞となるが、他方、期限は到来したが、債務者は期限の到来を知らない状態で、債権者からの履行の請求を受ける場合も生じうる。新法は、この点の法律関係を明文化した。

　　[2]　履行の請求を受けた場合には、その時から遅滞の責任を負うと解されているが、改

正前412条2項からこの趣旨を直ちに読み取ることは難しい。そこで、新法では、不確定期限の場合について、「期限が到来した後に」、「期限の到来を知った時」と並んで「履行の請求を受けた時」を条文に加えて、上記の趣旨を明らかにした。

[改正前条文]
1　同上
2　債務の履行について不確定期限[3]があるときは、債務者は、その期限の到来したことを知った時から遅滞の責任を負う[4]。
3　同上

[原条文]
　　債務ノ履行ニ付キ確定期限アルトキハ債務者ハ其期限ノ到来シタル時ヨリ遅滞ノ責ニ任ス
　　債務ノ履行ニ付キ不確定期限アルトキハ債務者ハ其期限ノ到来シタルコトヲ知リタル時ヨリ遅滞ノ責ニ任ス
　　債務ノ履行ニ付キ期限ヲ定メサリシトキハ債務者ハ履行ノ請求ヲ受ケタル時ヨリ遅滞ノ責ニ任ス

[改正前条文の解説]
　債務者が債務の本旨に従った履行をしないことを債務不履行というが（§415）、その三つの態様のなかで（改正前§§415～422前注[2]参照）、履行遅滞が最も多く問題になるものである（金銭債権については履行遅滞のみが問題になる。家を引渡すような債務その他について履行不能が問題になることももちろん多いが、よりひんぱんに履行期が遅れたことで問題を生じる）。

　本条は、この履行遅滞について、債務の履行期と履行遅滞が生じる時期との関係を規定する。すなわち、第1項は、債務に確定期限がある場合につき、第2項は、不確定期限がある場合につき、第3項は、期限の定めがない場合について、それぞれ、債務者が遅滞に付せられる（これを「付遅滞」という）時期を規定する。ただし、債務者について、これらの時期に履行遅滞としてのそれぞれの効果を生じるためには、問題に応じて、その他の要件をも必要とすることはいうまでもない（§§415・419・541［各条につき改注］参照）。

〔1〕　たとえば、2016年4月1日というように、いつ到来するかがはっきりしている期限である（§135〔1〕参照）。

〔2〕　確定期限（たとえば、4月1日）の経過によって、債務者は当然に遅滞となり、債権者において催告をすることを要しないという意味である（後述〔5〕参照）。なお、「月末までに」または「4月中に」というような、一定期間をもって期限とする債務においては、期間の終末が確定期限である意義を有し、その終末を経過することによって、当然に遅滞を生じる。したがってまた、終末までに履行すれば遅滞とはならない（大判昭和4・2・9新聞2962号11頁）。

　なお、以上の原則に対しては、つぎの例外がある。

　(a)　証券に化体した債務にあっては、その履行について確定期限の定めがある場合でも、その期限が到来した後に、証券の所持人が債務者にその証券を呈示して催告しなければ、遅滞を生じない（商§517など［削除］、民新§520の9以下参照）。

第3編　第1章　総則　第2節　債権の効力

(b)　取立て債務その他、債務の履行について先に債権者の協力を必要とする債務についても、債権者がまず必要な協力をして、またはその提供をして、履行を催告しなければ、遅滞とはならない。

〔3〕　たとえば、「Aが死亡したら支払う」というように、到来することは確実であるが(この点で条件と異なる)、いつ到来するかがはっきりしない期限である(§135〔1〕参照)。

〔4〕　単に期限を徒過したというのでは足りず、債務者がその事実を知ることを要する(大判大正4・12・1民録21輯1935頁——いわゆる「出世払」債務の例)という趣旨であり、債権者の催告があることは必要ではない(後述〔5〕参照)。しかし、期限到来後に債権者の催告があれば——本項は、次項との関係上、あえて催告がなくてもよいという意味だから——債務者が期限の到来したことを確知しなくても、遅滞となると解すべきである。なお、「Aの存命中に」、または「Aの死亡後1か年内に」支払うというような不確定な期間をもって期限とした債務においては、期間の終末が不確定期限である意義を有し、したがって、遅滞を生じるには、その終末の経過を債務者において知ることを要し、それをもって足りる。後の例において、債務者がAの死亡を知ってから1年後に期限がくるわけではない。

〔5〕　「履行の請求」のことを「催告」という。「催告」とは、債権者が債務者に対してその債務の履行を請求する意思の通知である。債権者は、いつでも催告することができ、債務者は、その時から遅滞になるという意味である。したがって、裁判上の請求による催告も、訴えの提起そのものの効果としてではなく、債務の履行をうながす債権者の意思が訴状の送達によって債務者に到達することによって、はじめて本条の請求としての効力を生じる。その反面、訴えの提起がたとえ訴訟法上不適法でも、また、後に訴えの取下げがあっても、訴状の送達によって生じた本条の履行請求としての効力には影響がない(大判大正2・6・19民録19輯463頁)。この点、時効中断の事由としての裁判上の請求とその性格を異にする(改正前§149参照)。なお、催告としての効力を生じるためには、債務の同一性が示されれば足りる。たとえば、売主の買主に対する代金の催告が実際の代金額より過大であっても、債務者が催告されている債務がどれであるかを認識できる場合には、遅滞を生じる(大判大正2・12・22民録19輯1050頁)。

本項に該当する債権の例としては、契約の無効・取消しまたは解除を理由とする返還請求権とか、売主の担保責任なども含まれ、その適用の範囲は広いが、つぎの二つの場合は、例外である。

(a)　期限の定めのない消費貸借による返還債務にあっては、貸主は相当の期間を定めて催告すべきであって、もし、これを定めないで催告すれば、催告の時から相当の期間を経過して後に遅滞を生じる(§591 I)。

(b)　不法行為による損害賠償債務は、催告をしなくても、不法行為の時から当然に遅滞を生じる(§709〔8〕(1)(ｵ)参照。最判昭和37・9・4民集16巻1834頁。最判昭和58・9・6民集37巻901頁は、不法行為に基づく弁護士費用の賠償の例)。なお、後期高齢者医療給付を行った後期高齢者医療広域連合は、その給付事由が第三者の不法行為によ

782

って生じた場合、当該第三者に対し、当該後期高齢者医療給付により代位取得した当該不法行為に基づく損害賠償請求権に係る債務について、当該後期高齢者医療給付が行われた日の翌日からの遅延損害金の支払を求めることができるとした判例（最判令和元・9・6民集73巻4号419頁）がある。

　金融商品取引法21条の2は、投資者保護の見地から、一般不法行為の規定の特則として、その立証責任を緩和した規定と解されるから、同条所定の損害賠償債務は不法行為の性質に基づく損害賠償債務の性質を有し、損害の発生と同時に、かつ、何らかの催告を要することなく、遅滞に陥ると解するのが相当であると解されている（最判平成24・3・13民集66巻1957頁）。

　労災保険法に基づく給付や公的年金制度に基づく各種年金給付は、それぞれの制度の趣旨目的に従い、特定の損害について必要額を補塡するために、塡補の対象となる損害が現実化する都度ないし現実化するのに対応して定期的に支給されることが予定されていることなどを考慮すると、著しく遅延するなどの特段の事情がない限り、これらが支給され、または支給されることが確定することにより、その塡補の対象となる損害は、不法行為の時に塡補されたものと法的に評価して損益相殺的な調整をすることが、公平の見地からみて相当というべきであるとした判例がある（最判平成22・9・13民集64巻1626頁、最大判平成27・3・4民集69巻178頁）。

　なお、いわゆる安全配慮義務違反による損害賠償請求（第1節前注6(5)参照）については、不法行為と類似しているが、請求時から遅滞に陥るとされる（最判昭和55・12・18民集34巻888頁。改正前§415前注2(2)(オ)参照）。

〔6〕　法律に定められた権利、たとえば遺留分減殺請求権（§1031［2018年の改正に注意]）について、一定の考慮が必要な場合がある（最判平成20・1・24民集62巻63頁は、遺留分権者が価額弁償権を確定的に取得し、かつ受遺者に対し支払を請求した日の翌日から遅滞を生じるとした。§1041参照）。

　なお、民法910条に基づく他の共同相続人の価額の支払債務は、履行の請求を受けた時に遅滞に陥るとした判例がある（最判平成28・2・26民集70巻195頁）。詐害行為取消判決の確定により発生した受益者の受領金支払債務は、受領時に遡って生じるものと解すべきであり、当該債務は期限の定めのない債務であるから、発生と同時に遅滞に陥ると解すべき理由はなく、詐害行為取消しによる受益者の取消債権者に対する受領済みの金員相当額の支払債務は、履行の請求を受けた時に遅滞に陥る。また、詐害行為取消判決の確定より前にされたその履行の請求も本条3項の「履行の請求」に当たる（最判平成30・12・14民集72巻1101頁）。高齢者の医療の確保に関する法律による後期高齢者医療給付を行った後期高齢者医療広域連合が当該後期高齢者医療給付により代位取得した不法行為に基づく損害賠償請求権に係る債務については、最判令和元・9・6（前掲）も参照。

第3編　第1章　総則　第2節　債権の効力

（履行不能）
第四百十二条の二
　　1　債務の履行が契約その他の債務の発生原因及び取引上の社会通念²⁾に照らして不能であるときは、債権者は、その債務の履行を請求することができない¹⁾。
　　2　契約に基づく債務の履行がその契約の成立の時に不能であったことは、第四百十五条の規定によりその履行の不能によって生じた損害の賠償を請求することを妨げない³⁾。

〈改正〉　2017年に新設された。前掲（412条）附則第十七条1参照。
[本条の趣旨]　[1]　原始的不能の契約も当事者の合意内容によっては有効であること（当事者意思の尊重）が出発点とされたため「債務の発生原因及び取引上の社会通念に照らして不能であるときは、その履行を請求することができない」という表現にとどめられた。したがって、稀ではあろうが、「原始的不能の場合には契約を無効にする意思で当事者が契約を締結していた場合には、契約は無効になる」との見解も主張されている。
　1項は、履行不能の定義をしているが、契約その他の発生原因を基準として、さらに取引上の社会通念も考慮するという趣旨のようである。改正前法では、原始的不能と後発的不能が明確に区別されていたが、新法下では契約が有効であるという点では、その区別はない。新542条1項、新410条も参照。改正前法では信頼利益の賠償と解されていた事例でも、本条2項を前提として履行利益の賠償が認められる場合があるとの主張もなされている。また、新法においても、契約締結上の過失による責任追及が可能であるかについても、今後の課題となろう。
　[2]　「取引上の社会通念」という概念（新95条1項、新400条などで用いられている）を使っているために、「履行期に履行がない」という場合に、それが、不能に見える長期の履行遅滞なのか、不能に見える履行拒絶なのか、本来の履行不能なのかについて判断することが困難になる場合がある、との批判がある。結局、上記の基準に従って判断するということであろう。なお、新415条2項も参照されるべきである。
　[3]　債務の履行が不能のときを、債務者がその債務の本旨に従った履行をしないとき（新415条）と同列に置いて、債務者に損害賠償義務を負わせることにした。ただし、新565条が、563条（564条）を準用することを通じて、原始的不能の問題は、無効の問題ではなく、債務不履行に基づく減額請求、契約解除、または損害賠償請求の問題であることを明らかにしているから、本項は、必ずしも必要な規定ではない、との批判がある。また、本条文の位置は履行不能を定義している条文の第2項であって、しかも効果として損害賠償しか規定していないから、読み方によっては、履行を求めることは不可能（つまり原始的無効）であるけれども、例外として契約締結上の過失による損害賠償請求だけは債務不履行責任として認めた規定として理解できるとの受け止め方もある。もしこのように理解できるとすれば、改正前の学説と大きな違いはないことになる。契約締結上の過失については、第3編第2章第1節第1款④(3)参照。これに対して、原始的不能と後発的不能を区別しないことを前提にすると、損害賠償請求は効果の例示にすぎないから、解除（542条1項1号）や代償請求（422条の2）も可能であるとの見解も有力である。

§412 の 2・債権者の受領遅滞［前注］①②

債権者の受領遅滞 ［§413 の前注］

〈改正〉　2017 年に改正された。

①　債権者遅滞の意義

　413 条は、いわゆる「債権者遅滞」mora creditoris：Gläubigersverzug について規定している。しかし、民法は、ドイツ民法（§§293〜）のように、その要件や効果について正確に規定せず、ただこの 1 か条を設けただけであるので、その基本的な意義、要件や効果について、学説は分れている。

②　学説の二つの方向

　学説は、大きく二つの方向に分れるといってよい。個々の点についてはさらに細かく意見が分かれるが、基本的にどちらの方向で考えるかが重要であると思われるので、まず、それについて述べることにする。

　ほとんどすべての債権において、債務の内容が実現されるためには、まず債務者による履行のための行為（「提供行為」という）があり、これに対する債権者の協力行為（「受領行為」という）が必要であって、その両者が相まって、履行（弁済）が実現する。債権者の協力を要しない例外は、不作為債権ぐらいしか考えられない（改正前§413③(1)参照）。そこで、

　第 1 の方向は、債権者遅滞とは、債務者が債務の本旨に従った提供行為をしたにもかかわらず、債権者の協力がないために履行できない状態にあるときに、債務者をして不履行の責任から免れさせる効果を認めるものと考えるものである。この方向を徹底させると、その効果は、債務者による弁済の提供の効果（§492［改注］）とまったく異ならないともいえる。改正前 413 条が「遅滞の責任」という言葉を用いているので、債権者にもなんらかの受領遅滞責任が認められると説明する場合にも、それは、債務者が負わされる「遅滞の責任」（§412）とはまったく異質のものであり、信義則に基づく法定責任であると説かれることもある。いずれにしろ、その内容は、債権者は、債務者が弁済の提供によって「不履行によって生ずべき一切の責任を免れる」（§492［改注］）ことによって受ける不利益を甘受しなければならない、ということに尽きる。かつての多数説はこの見解であり、判例は現在でもこの見解に立っている（大判大正4・5・29 民録 21 輯 858 頁、最判昭和 40・12・3 民集 19 巻 2090 頁）。

　第 2 の方向は、債権の実現には債権者と債務者の協力が必要なのであるから、債権者には受領義務があり、債権者の受領遅滞責任とは、この受領義務に違反するということであり、債権者の責めに帰すべき事由によりこの受領義務違反を生じたときは、債権者にも損害賠償責任が生じ、債務者に契約解除権も生じるとするものである。近時、この学説も有力に主張されている。

第3編　第1章　総則　第2節　債権の効力

両者の間の折衷説的な見解も主張されている。それは、一般論としては債権者の受領義務を認めないが、売買（とくに不動産など特定物の売買）、請負、寄託などの契約から生じた債権に限って、受領義務や引取り義務を認めようとするものである（最判昭和46・12・16民集25巻1472頁は、「引取り義務」を認めたが、それは、相手が採掘した硫黄鉱石を買い取る契約についてその契約の効果として認めたもので、買主の債権の効力として認めたものではないと考えられるので、判例は依然として第1の方向にあると考えられる。改正前§413〔5〕(2)参照）。

問題は、主として、債務者による弁済の提供との関係をどう考えるか、および債権の効力として債権者の受領義務が生じると考えられるか、をめぐって論議される。

③　従来の学説の一部の明文化
2017年の改正で、改正前条文では明らかでなかった点の一部が明文化された。解説〔5〕(2)(b)(e)参照。

（受領遅滞）
第四百十三条
1　債権者が債務の履行を受けることを拒み[1]、又は受けることができない場合において、その債務の目的が特定物の引渡しであるときは、債務者は、履行の提供をした時からその引渡しをするまで、自己の財産に対するのと同一の注意[2]をもって、その物を保存すれば足りる。
2　債権者が債務の履行を受けることを拒み、又は受けることができないことによって、その履行の費用が増加したときは、その増加額[3]は、債権者の負担とする。

〈改正〉　2017年に改正された。前掲（412条）附則第十七条1参照。
[改正の趣旨]　[1]　改正前413条からは、受領遅滞の具体的な効果は、明らかにならない。「受領遅滞」の法的性質については、法的責任説と債務不履行説との間で争いがあり（「債権者の受領遅滞」前注[2]参照）、債権者に損害賠償や解除まで責任を負わせる「受領義務」まで認めるのが債務不履行説であるが、新法では、このような「受領義務」の明文化は見送られた。この点、最判昭和40・12・3民集19巻2090頁は、受領遅滞に対し債務者のとりうる措置としては、供託・自動売却等の規定を設けているのであるから、特段の事由の認められない場合において受領遅滞を理由として契約を解除することはできないと判示していた（解説〔5〕も参照）。
[2]　受領遅滞の効果として、学説では、特定物の引き渡しにおける注意義務（改正前400条参照）が善管注意義務から「自己の財産に対するのと同一の注意」義務に軽減されること、増加費用の負担（改正前485条参照）、危険の移転がある、などとされてきた。新法では、これらの効果の一部を明文化した（注意義務の軽減）。
[3]　増加費用の負担も同様の趣旨である。
[改正前条文]
　債権者が債務の履行を受けることを拒み[1]、又は受けることができないときは[2)3)]、その債権者は、履行の提供[4]があった時から遅滞の責任を負う[5]。
[原条文]
　債権者カ債務ノ履行ヲ受クルコトヲ拒ミ又ハ之ヲ受クルコト能ハサルトキハ其債権者ハ

債権者の受領遅滞［前注］③・§413〔1〕〜〔3〕

■　履行ノ提供アリタル時ヨリ遅滞ノ責ニ任ス

[改正前条文の解説]
〔1〕　いわゆる「受領拒絶」である。たとえば、使用者が工場を閉鎖して労働者の就業を拒絶し、注文者が請負人である債務者の修繕すべき家屋への出入りを拒絶するなどである。

〔2〕　いわゆる「受領不能」である。たとえば、売買の目的物を特定の日時に特定の港へ船を持って受取りに行く契約において、船が途中で沈没してしまった場合などである。しかし、履行が不能なために受領も不能である場合には、受領不能ではない。履行が可能なのに受領が不能な場合に、はじめてここでいう本来の受領不能となるのである。

もっとも、この両者の区別は必ずしも明瞭ではない。たとえば、工場が焼失したために労働者の就業の申し出を受領することができない場合は履行不能であろうか、それとも受領不能であろうか。多くの説は、受領遅滞とは、履行が客観的に可能であるのに、債権者が強いて受領しない場合にだけ生じるという前提をとり、社会観念上、給付行為の基本的要素が欠ける場合には、履行不能であって受領不能ではないとみる。この説によれば、上の例は受領不能とはならないのであろう。しかし、債務の目的である給付は、債権者と債務者との協力によって完了するべきものであるという考え方からみるときは、履行が客観的に可能な場合にだけ受領不能を生じるという見方は、一方の利益を偏重するものである。給付を不能にする原因が、債権者と債務者のどちらの支配に属する範囲内の事由に基づくかを標準として、債務者のそれに基づくときは履行不能、債権者のそれに基づくときは受領不能となると解するのが正当であろう。この標準によれば、上の例は受領不能となる。

以上の点は、ドイツの民法学者の間でも争われたところであり、同法の危険負担の規定の解釈として実際上の差異を導く。わが民法の危険負担に関する規定、とくに536条2項［改注］の適用においては、差を生じないようである。しかし、債務の履行の性質に関する論点として、この論議の意義を認めるべきものと思う。

〔3〕　民法が債権者の遅滞の要件について規定するところは、以上の〔1〕・〔2〕で尽きる。しかし、学者はさらにつぎの諸要件を必要とすると説く。このうち、(3)は前注②で述べた第2の方向において考えた場合に必要になる要件である。

(1)　債務の性質上、履行の完成につき債権者の受領行為を要すること

債権者の受領行為を必要としない債務、たとえば「競業をしない」、「騒音を発しない」というような不作為債務にあっては、受領遅滞を生じる余地がない。しかし、これ以外の債務においては、ほとんどすべての場合に受領行為を要する。債権者Aの銀行預金口座に債務者Bが一定金額を振り込むという場合にも、Aはそのような口座を存置することによってそれを可能にしているのであって、そうでなければBは給付を完成できない。BがAのために、毎朝一定の場所(たとえば、郵便受け)に新聞を配達するという場合にも、一見したところAが知らないうちにBの給付は行われているようだが、Aがその場所に置けばよいと指示し、その場所を存置することに

787

第3編　第1章　総則　第2節　債権の効力

よって給付が可能になっているのであり、やはり債権者の受領行為が必要であること
は否定できない。

(2)　債務の本旨に従った履行の提供があること（§493参照）

(3)　債権者の受領拒絶または受領不能が、その責めに帰すべき事由に基づくこと

債権者遅滞を債権者の受領義務違反という一種の債務不履行であると考える前注2
で述べた第2の方向の立場からは、債務者の責めに帰すべき事由に基づくことを要す
る債務不履行と同様に（§415）、受領遅滞にもこの要件を必要とすることになる（「債務
者の責めに帰すべき事由」の意義については改正前§415[4]参照）。しかし、わが国で比較的
多い第1の方向の説は、ドイツ民法の学説にならって、受領遅滞には「債権者の責め
に帰すべき事由」を必要としないと説く。この説は、このようにその要件を軽減する
反面、その効果を狭く解し、債権者の損害賠償義務や、債務者の契約解除権を認めな
い（後述[5]参照）。

〔4〕　492条［改注］・493条注釈参照。

〔5〕　債権者遅滞の効果について、本条は、たんに「遅滞の責任を負う」とだけけ
って、その内容を明定していない。

(1)　思うに、ドイツ民法は、とくに売買における買主、請負における注文者の債権
についてだけ受領義務を認め（同法§§433Ⅱ・640）、別に債権者遅滞という制度を設け
て、債権者は債務者の提供を受領しないと遅滞におちいるものとした（同法§§293～
304）。したがって、同法のもとでは、債権者遅滞は、債権者の義務違反の効果ではな
く、信義則に基づいて法律の認めた責任である。このドイツ法の影響を受けた従来の
学説は、債権者遅滞について本条一か条しかないわが民法の解釈として、債権を行使
することは債権者の権利であって、その義務ではないという考え方をとり、債権者遅
滞をもって義務違反とはしないで、単に債権者・債務者間の信義則より要求される債
権者の責任にすぎないとしてきた。もっとも、これらの学説も、信義則を適用して、
債権者遅滞の効果をしだいに広く認めるようになってきた。そして、近時の学説には、
第2の方向として、さらに一歩を進めて、つぎのように説くものもある。

債権・債務は、両当事者の信頼の上に立つ一種の協同体を構成するものであり、そ
の内容の実現も、多くの場合に両当事者の協力によらなければ完成できないものであ
るから、債権者にも、信義則の要求する程度において給付の実現に協力するべき法律
上の義務があると考えるのが正しい。したがって、債権者は給付を受領するべき法律
上の義務を負い、その不受領は、あたかも債務者が履行しない場合と同じく、債務不
履行となると解するべきである。このように解することは、債権者遅滞の規定を債務
不履行の規定の中に挿入して置いた民法の構成にも適する（本編解説3(1)(エ)参照）。

(2)　そこで、債権者遅滞の効果としては、つぎのように考えられる（後述のように、
細目については、意見が分かれる。とくに、弁済の提供の効果との関係に注意を要する。§§
492・493参照）。

まず、(a)～(e)の効果は、改正前413条前注2に述べたいずれの方向の見解をとって
も認められる。第1の方向からすると、これらは債務者の弁済の提供の効果（§492）
そのものにほかならない（もっとも、このなかには、単なる弁済の提供の効果を越えるものも

788

あり、これを本条に基づく法定責任として説明する見解もある）。第2の方向からすると、これらも債権者遅滞の効果と考える（一部については、弁済の提供の効果と考えれば足りるとされる場合もある）。しかし、これらの効果については、通常は、上述の「債権者の責めに帰すべき事由」（〔3〕(3)参照）は必要ないとされている。もっとも、(e)については、この事由を必要とする意見が有力である。

(a)　債権者遅滞の後に履行不能になるときは、不可抗力に基づく場合にも、なお債権者の責めに帰すべき履行不能によるものとするべきである（改正前§415〔4〕㈢参照）。

(b)　債務者は、債務の履行につきそれ以後注意義務を軽減される。故意または重過失についてだけ責任を負うに至ると説かれたり、抽象的軽過失から具体的軽過失に変わると説かれたりする。

(c)　債務者は、利息支払義務を免れる（大判大正5・4・26民録22輯805頁）。

(d)　債権者が同時履行の抗弁権（§533〔改注〕）を有する場合には、これを失わさせる。

(e)　債務者は、受領遅滞のために増加した保管費用・弁済費用（§485参照）を債権者に請求することができる。

第2の方向で考える学説は、さらに、つぎの効果を債権者遅滞の効果として認める（債権者の責めに帰すべき事由を必要とすることにつき、〔3〕(3)参照）。

(f)　債務者は、債権者の受領遅滞によって生じた損害の賠償を債権者に対して請求することができる（§§415〔改注〕～が準用される）。

(g)　債務者は、債権者遅滞を理由として契約を解除することができる。債権者による受領がまだ可能であれば、相当な期間を定めて催告したうえで、もし不能であれば直ちに、解除できる（§§541〔改注〕～改正前543）。

第1の方向で考える学説は、この(f)と(g)の効果を認めない（最判昭和40・12・3民集19巻2090頁も、受領遅滞を理由とする解除を認めない）。もっとも、双務契約の場合、債務者は、弁済の提供によって相手方の同時履行の抗弁権を失わしめたうえで、自分が有する債権について相手方の債務不履行を主張し、損害賠償を請求したり、契約を解除したりすることができることはいうまでもない。すなわち、債権者遅滞を理由とする必要性は必ずしもないことに注意を要する。

（履行遅滞中又は受領遅滞中の履行不能と帰責事由）
第四百四十三条の二

1　債務者がその債務について遅滞の責任を負っている間に当事者双方の責めに帰することができない事由によってその債務の履行が不能となったときは、その履行の不能は、債務者の責めに帰すべき事由によるものとみなす[1]。

2　債権者が債務の履行を受けることを拒み、又は受けることができない場合において、履行の提供があった時以後に当事者双方の責めに帰することができない事由によってその債務の履行が不能となったときは、その履行の不能は、債権者の責めに帰すべき事由によるものとみなす[2]。

第3編　第1章　総則　第2節　債権の効力

〈改正〉　2017年に新設された。前掲（412条）附則第十七条1参照。

[本条の趣旨]　[1]　従来の通説・判例理論の明文化である（415条【4】㈡参照）。履行遅滞と履行不能との因果関係は前提であろう。

[2]　契約その他の債権発生原因または信義則に基づき、個別に受領義務や協力義務が認められるべき場合には債務不履行の一般準則に従うということを明文化した。この点については、双務契約につき、信義則上、債権者に受領義務が認められるとした判例がすでに存在しており（最判昭和46・12・16民集25巻1472頁等）、本項は判例の立場を明文化したものといえる（413条の解説【5】(2)(a)参照）。受領遅滞による対価危険の移転については、売買契約に特則があり（新567条2項）、他の有償契約にも準用されている（559条）。従って、413条の2第2項は、それ以外の債務の履行不能の場合に適用される。

（履行の強制）
第四百四十四条

　　1　**債務者が任意に債務の履行をしないときは、債権者は、民事執行法その他強制執行の手続に関する法令の規定に従い、直接強制、代替執行、間接強制その他の方法による履行の強制[1]を裁判所に請求することができる[2]。ただし、債務の性質がこれを許さないときは、この限りでない。**

　　2　**前項の規定は、損害賠償の請求を妨げない[3]。**

〈改正〉　1項中「その強制履行」を「民事執行法その他強制執行の手続に関する法令の規定に従い、直接強制、代替執行、間接強制その他の方法による履行の強制」に改め、2項および3項を削り、4項中「前三項」を「前項」に改め、同項を2項とした。

[改正の趣旨]　[1]　改正前414条における「強制履行」についても、現在では「直接強制」に限らず「代替執行」、「間接強制」等を含み、債権に強制執行を認める原則を明らかにした規定と解されるようになっている（解説【1】参照）。そこで新法は、その旨を明確にした。

[2]　代替執行や意思表示の擬制について定める改正前2項や代替執行や間接強制に関係する3項は、実質的には民事執行に関する規定であり、現行民事執行法との整合性も問われている。そこで改正法では、これらの規定を削除し民事執行法へ一元化した（民事執行法において必要な改正がなされた。整備法第1章23条）。

[3]　債務者が債務を履行しない場合には、債権者は強制執行ではなく債務不履行に基づく損害賠償請求を行うこともちろん可能である（改正前415条）。その旨を明らかにする改正前4項（新2項）は維持されている。

[改正前条文]

　　1　債務者が任意に債務の履行をしないときは、債権者は、その強制履行[1]を裁判所に請求することができる[2]。ただし、債務の性質がこれを許さないときは、この限りでない[3]。

　　2　債務の性質が強制履行を許さない場合[4]において、その債務が作為を目的とするときは、債権者は、債務者の費用で第三者にこれをさせることを裁判所に請求することができる[5]。ただし、法律行為を目的とする債務[6]については、裁判をもって債務者の意思表示に代えることができる[7][8]。

　　3　不作為を目的とする債務[9]については、債務者の費用で、債務者がした行為の結果を除去し、又は将来のため適当な処分[10]をすることを裁判所に請求することができる。

　　4　前三項の規定は、損害賠償の請求を妨げない[11]。

[原条文]

　　債務者カ任意ニ債務ノ履行ヲ為ササルトキハ債権者ハ其強制履行ヲ裁判所ニ請求スルコトヲ得但債務ノ性質カ之ヲ許ササルトキハ此限ニ在ラス

§414〔1〕

債務ノ性質カ強制履行ヲ許ササル場合ニ於テ其債務カ作為ヲ目的トスルトキハ債権者ハ債務者ノ費用ヲ以テ第三者ニ之ヲ為サシムルコトヲ裁判所ニ請求スルコトヲ得但法律行為ヲ目的トスル債務ニ付テハ裁判ヲ以テ債務者ノ意思表示ニ代フルコトヲ得

不作為ヲ目的トスル債務ニ付テハ債務者ノ費用ヲ以テ其為シタルモノヲ除却シ且将来ノ為メ適当ノ処分ヲ為スコトヲ裁判所ニ請求スルコトヲ得

前三項ノ規定ハ損害賠償ノ請求ヲ妨ケス

[改正前条文の解説]

債務者が任意にその債務を履行しないときは、債権者は、訴えその他の方法で、債権が存することの国家的な認証（これを債務名義という。民執§22）を得たうえで、その債権の内容である給付そのものの現実的履行を強制する手段をとることができる。本条は、この強制履行を許す範囲、およびその方法を規定したものである。しかし、そのための手続については1979年の「民事執行法」（昭和54年法律4号。従来の民事訴訟法第6編に代わって制定されたものである）が定めているのであって、本条と同法の規定とを総合してはじめて、わが国の強制履行制度の内容を明らかにすることができる。

〔1〕 ここに用いられている「強制履行」という言葉は、現実的強制のすべての手段を含むと解すべきか、それとも、いわゆる「直接強制」を意味するものと解すべきかが問題になる。

(ア) それに答えるためには、現在の日本の法律が認めている現実的履行の強制手段にどのようなものがあるかを知らなければならない。それには、つぎの三つがある。

(a) その1は、国家機関の権力をもって債務者の意思にかかわらず直接に債権の内容を実現するものである。たとえば、①金銭債権につき債務者の財産を処分して一定の金額を調達してこれを債権者に与え、あるいは、②動産の引渡し、または③不動産の明渡しを目的とする債権につき債務者の占有を解いて債権者の占有に移す、などである。これを「直接強制」という。

この手段は、債権の実現手段としてきわめて効果的であるばかりでなく、債務者の身体や意思に圧迫を与えることなしに（その意思を無視するのは当然だが）、裁判所（執行官を含む）の手によって実現することができる点で、人格尊重の理想にも合致する。ただ、金銭の支払、特定物の引渡しなどを目的とする、いわゆる「与える債務」について用いることができるが、絵を描き、演劇をすることなどを目的とする、いわゆる「なす債務」については、債務者の意思を無視して実現することはできないので、用いることができない。

(b) その2は、債務者から費用を取り立て、これをもって債権者または第三者をして債務者に代わって債務内容を実現させるものであって、たとえば、建築物を取り除くべき債務につき、債務者から取り立てた費用で、債権者が他人を雇ってこれを実施させることなどである。これを、「代替執行」という。

この手段は、「なす債務」のうち、第三者が代わってやっても実現できる、いわゆる「代替的給付」を目的とするものについてだけ用いられ、債務者自身がするのでなければ実現できない「不代替的給付」を目的とするものについては、用いるこ

791

第3編　第1章　総則　第2節　債権の効力

とができない。

(c)　その3は、債務者に対して、一定の時期までに履行しないときは、一定の損害賠償を支払わせるとか、罰金を科するとか、または債務者を拘禁するとかの命令を出し（この最後の手段は、後述するように、わが法制では認められていない。なお、民執§§172・173の平成15年以降の改正に注意。〔8〕参照）、これによって債務者を心理的に圧迫して給付を実現させるものである。たとえば、独占的地位を有する電力会社の配電装置を施工する債務につき、一定期間内に履行しなければ罰金を科する旨を命じて、これを実施させるなどである。これを、「間接強制」という。養育費につき、民執167条の15参照。

不代替的給付については、この手段があるだけである。

(イ)　以上のような三つの手段は、債務者の人格を極度に尊重して強制履行の範囲を狭くしたフランス民法の制度から、債務者の人格を尊重しつつも、債権の保護を厚くしようとして、強制履行の範囲をしだいに拡張したドイツの旧民事訴訟法へと発展した後において、認められるに至ったものである。わが法制の沿革においても、フランス民法にならった旧民法から、ドイツ民事訴訟法の主義を取り入れた民事訴訟法に移り、さらに本条の規定によって両者を総合した。本条の規定と旧民事訴訟法の規定（1979年の民事執行法の制定に伴う削除以前の§§730〜736）との間には、調整のとれていない面もあったが、民事執行法の制定によって、その問題点は解消した。

(ウ)　ところで、ここにいう「強制履行」を上に述べた三つの手段を含んだ概念と解するならば、本条1項は、近世法の上述の帰趨を示したことになる。しかし、このように解すると、本条2項が「強制履行を許さない場合に」代替執行を認めるとしているのとは、調和させることができない。したがって、本条の解釈としては、ここにいう「強制履行」とは、上述の三つの手段のなかの「直接強制」を意味するもの、換言すれば、本条1項は、債務は、その性質が許す限り直接強制によって実現できるとする原則を示したものと解するのが、穏当であろう。

〔2〕　直接強制の手続は、民事執行法に定められている。すなわち金銭債務については、同法第2章第2節に、さらに金銭以外の物の交付を目的とする債務については、同第3節168条〜170条に規定されている。

なお、直接強制を許す債務については、代替執行または間接強制を許さないと解すべきである。けだし、直接強制は、前述のように、人格尊重の理想に適し、しかも債権の保護として最も効果的なものであり、したがって、これが可能な場合には、他の強制履行の手段を認めることは不当だからである。判例もまた、この理を認める（大決昭和5・10・23民集9巻982頁）。ただし、2003、2004年民事執行法改正により、直接強制・代替執行が可能な場合にも債権者の申立てがあるときは間接強制の方法を用いることができる場合があることが規定されたことに注意（民執§§173・167の15）。直接強制・代替執行が可能な場合にも債権者の申立により間接強制を用いることができる場合がある（民執§§173・167の15）。

〔3〕　「債務の性質がこれを許さないとき」とは、債務の性質が直接強制を許さないときの意味である。たとえば、絵を描き、演劇をする債務のように、その給付の性

§414〔2〕～〔7〕

質上、債務者を強制して履行させても債権の目的を達することができない場合だけでなく、たとえば、特定の劇に出演しないという債務のように、債務者の身体に直接の強制を加えて出演させないようにすることが、近世法の人格尊重の理想に照らし、公序良俗に反する（§90〔改注〕参照）場合をも含む。問題となるのは、幼児引渡しの債務であるが、判例は、直接強制を認めず、間接強制だけを許している（後述〔8〕参照）。

　婚姻予約に基づく「婚姻するという債務」について強制履行（直接強制だけでなく、他の手段も）を許さない（大連判大正4・1・26民録21輯49頁）のも、身分行為の性質上当然である。

　〔4〕　第1項ただし書を受けて、債務の性質が直接強制を許さない場合を意味している。この「強制履行」は「直接強制」の意味と解するべきである（〔2〕〔3〕参照）。

　〔5〕　作為を目的とする債務について、代替執行を認めた規定であるが、例外なくつねに認められるわけではない。条文上は制限されていないが、代替的作為を目的とするものについてだけ、代替執行が許されると解される。たとえば、家屋を取り壊す債務などが、その適例である。判例は、新聞紙上に謝罪広告を出す債務につき、代替執行を許している（大決昭和10・12・16民集14巻2044頁。ただし、これを許すことには、債務者が自分の良心に反する表明を強いられるということで、憲法違反ではないかという問題が生じたが、最大判昭和31・7・4民集10巻785頁は合憲とした。広告の内容を債務者の直接の謝罪表明の形にはせず、裁判所によってこれこれの謝罪を命じられたという形にするなどの配慮が必要であろう。§723〔2〕〔3〕参照）。

　なお、代替執行を許す場合には、多くは間接強制によってもその目的を達することができるであろう。しかし、代替執行によってその目的を達することができる場合には、もっぱらこれによるべきものとすることが、人格尊重の理想に適し、かつ、旧民法が間接強制を代替執行の許されない不代替的給付についてだけ認めていたという沿革にも合致する。代替執行の手続については、民事執行法第2章第3節中の171条（整備法第1章23条により改正）に規定されている。

　〔6〕　たとえば、法律行為の成立に必要な同意もしくは承諾をする債務、または債権譲渡の通知をする債務のように、債務の目的である給付が、意思表示ないし準法律行為をすることである場合を意味する。

　〔7〕　この種の債務については、債務者がこのような行為を実際にすることを必要とするものではなく、このような行為をしたと同一の法律効果を生じれば、その目的を達するものである。したがって、このような行為をする義務のあることを確認し、それをするべきことを命じる裁判があれば、これによって、その意思表示ないし準法律行為があったと同一の効果を生じさせることとし、債務者を強制して自分でそのような行為をさせることに代えたのである。これは、一種の代替執行——そのさらに簡便なもの——と解することもできる。この最も簡便な強制履行の認められる債務については、他の手段は許されないと解するのが訴訟経済の理想に合する。

　この便法の認められる「意思表示」は、これを広義に解し、法律効果の発生を目的とする債務者の意思または認識の表現を内容とするものは、すべてこれを包含すると解するべきである。たとえば、電話加入権の売主が加入名義変更の手続に協力しない

793

第3編　第1章　総則　第2節　債権の効力

ような場合に、これに協力するべきことを命じる判決書を債務者の承諾書の代わりに
つけて電話官庁(当時)に申請すれば、あたかも債務者自身の承諾書をつけて申請した
のと同一の効力を生じるとした判例がある(大判大正6・12・22民録23輯2198頁)。

　この種の強制履行の手段は、民事執行法第2章第3節中の174条[2019年の改正に
注意]に規定されている。

　〔8〕　作為を目的とする債務であっても、それが不代替的作為、すなわち債務者自
身が行うのでなければ、その意味がない行為を目的とするものであれば、代替執行は
認められない。このような債務についてだけ、間接強制が許される。

　間接強制については、民法に規定がなく、民事訴訟法旧734条(1979年に民事執行法
により削除された)が、「債務の性質が強制履行を許す場合において」間接強制すること
ができる旨を規定していたので、疑義を生じていた。本条の「強制履行」を同条の
「強制履行」と同義と解すると、解釈に困難を生じるからである(同義に解する意見も存
した)。そこで、この文言は、「とくに間接強制を許す場合において」という意味に解
するべきであるとする見解が有力であった。けだし、間接強制は、すべての強制履行
を許す債務について認められるものではなく、強制履行の最後の手段とされるべきも
のだからである(直接強制の可能な債務について間接強制は許されないとしたものに、大決昭
和7・7・19新聞3453号13頁)。同条に代わる民事執行法の172条は、その趣旨を明ら
かにして、代替執行ができないものについてのみ間接強制ができることを明記した。

　そうすると、間接強制が認められるのは、いわゆる「なす債務」のうち不代替的作
為を目的とするものであるということになるが、この種の債務についても、つぎのよ
うな諸事情があれば、間接強制は許されない。

　(a)　たとえば、名画家に絵を描いてもらう債権のように、債務者の意思を強制し
て無理にこれをさせたのでは、債権内容に適した給付とならないものについては、
間接強制は、目的を達し得ないので、許されない。

　(b)　債務者が強制されて作為(履行のための行為)をしようと意思決定をしても、特
別の設備、技能または第三者の協力などがなければ、これを実現することができな
い給付については、間接強制は許されない。判例は、これを、「債務の履行が債務
者の意思のみに係る」場合でなければ間接強制は認められないと表現する(大判昭和
5・11・5新聞3203号7頁)。そして、この前提のもとに、財産管理の精算をするべき
債務については、間接強制の手段を肯定し(大判大正10・7・25民録27輯1354頁)、株
券を質入れした株主が、会社から株券の再発行を受けて質権者に引渡すべき——質
権者に対して負う——債務については、これを否定した(前掲大判昭和5・11・5)。仮
処分決定により(諫早湾)干拓地の潮受堤防の排水門を開放してはならない旨の義務
を負った者が第三者の提起した訴訟の確定判決により当該排水門を開放すべき義務
を負っているという事情があっても、執行裁判所は仮処分決定に基づき間接強制決
定をすることができるとした決定(最決平成27・1・22判時2252号33頁)がある。

　(c)　間接強制をすることが人格の尊重という現代の法律思想に反する場合には、
これを許さない。たとえば、判例は、旧法に定められていた妻の同居義務(旧法§
789 I。そこでは妻の夫に対する一方的な同居義務になっていたが、現在では相互的な規定に

§414〔8〕〜〔11〕・債務不履行［前注］

なっている。§752)について、これを認めなかった(大決昭和5・9・30民集9巻926頁)。しかし、幼児引渡しの債務については、これを許した判例がみられる(大判大正元・12・19民録18輯1087頁、大決昭和5・7・31新聞3152号6頁。最判昭和38・9・17民集17巻968頁は、直接強制を認めない趣旨を述べる)。申立てがあれば、間接強制の申立は可能であるが(民執§§172・173参照)、未成年者(9歳)の引き渡しを命ずる審判を債務名義とする間接強制の申立てが、過酷な執行として許されないとして、その申立てが権利の濫用に当たるとした判例がある(最決平成31・4・26判時2425号10頁)。

間接強制の手続については、民事執行法第2章第3節中の172条に規定されている。わが国においては、この間接強制の手段は「履行を確保するために相当と認める一定の額の金銭」の債権者への支払であり、拘禁などの手段は認められていない。子の引渡しの強制執行について、「民事執行法及び国際的な子の奪取の民事上の側面に関する条約の実施に関する法律の一部を改正する法律」(令和元年法律2号)により、民事執行法の規定(新§§174〜176)が改正された。

〔9〕「不作為を目的とする債務」、すなわち「不作為債務」とは、たとえば、「家屋を建築しない」、または「一定の土地への立入りを妨害しない」などという債務である。ただし、同じ不作為債務でも、「毎夜10時以後は騒がしくしない」というように、債務不履行の結果として有形的な状態が継続しないものには、本項の手段を用いる余地がない。このような場合には、間接強制が許されるであろう。

〔10〕不作為債務の場合には、それに反して建築された家屋を債務者の費用によって取り壊すように、違反の原因である物的状態を除去させたり、さらになおそのおそれがある場合に、それによって生じる損害の担保を供させるなどの手段を用いることができる(原条文の「且」を2004年改正は「又は」と改めたが、これはand／orの意味に解するべきである)。これもまた、一種の代替執行と解することもできよう。

この強制履行の手続は、民事執行法第2章第3節中の171条(2017年に改正)に規定されている。

〔11〕以上の各種の強制履行の手段のうち、どれをも用いることができない債権については、損害賠償を請求するほかはない。また、どれかを用いることができる場合にも、債権者は、それによらないで、損害を証明してその賠償を請求することも、原則として差し支えない(ただし、解除との関係については、改正前§415前注④(1)、同§415〔2〕(1)1(ア)(c)参照)。また、どれかを用いて債権を強制的に実現した場合にも、履行が遅滞したことから損害をこうむった場合には、その賠償を請求することができる。

債務不履行 ［§§415〜422の前注］

〈改正〉　2017年に、前述のように415条、416条、418条、419条、420条が改正され、中間利息の控除に関する417条の2が新設された。

[新法の債務不履行による損害賠償に関する前注]　契約の解除とは異なり(新541条)、債務不履行に基づく損害賠償については、帰責事由を必要とすることが明示された(新415条1

項）。塡補賠償請求権についても、具体的な要件につき明文の規定が設けられた（同2項）。帰責事由の判断基準については、「契約の趣旨」も検討されたが、最終的には「契約その他の債務の発生原因及び取引上の社会通念」とされた。すなわち、契約上の帰責事由が必要となったが、判例・学説上も大きな異論はないと思われる。従来から、中間利息の控除については、法定利率が利用されてきたが、変動制法定利率の導入に伴って、損害賠償請求権が生じた時点の法定利率で計算することが明記された（417条の2）。

① 債務不履行の意義

415条から新422条の2までは、「債務不履行」について規定している。ただし、債務不履行については、その広義における意味と狭義における意味とを区別する必要がある。

債務不履行は、広義においては、債務者により本旨に従った債務の弁済（給付の実現）がなされないことを意味する。換言すれば、債権の任意的実現力が発揮されていない状態をひろく指す。その場合には、債権者は、さらに債権の強制的実現力に依拠して、債務者を訴え、それでもだめなときは、強制履行（執行）という手段を講じることになる。

これに対して、415条［改注］以下が規定しているのは、もっと狭い意味における債務不履行である。すなわち、これらの規定は、広義の債務不履行に加えて、さらに「債務者の責めに帰すべき事由」その他の要件を要求しており、これが具備されると、債権者は、債務者に対して損害賠償を請求できることになる。このように、債権が損害賠償請求力を備えるに至った状態のことを、狭義において債務不履行というのである。通常、単に債務不履行というときは、この狭義における債務不履行を指すと考えられる。また、この狭義の債務不履行に基づいて債務者に認められる損害賠償責任のことを「債務不履行責任」という。

広義の債務不履行と狭義の債務不履行の差の部分は、「債務者の責めに帰すべき事由」などの要件が具備されず、したがって、債権者に損害賠償請求権が認められない場合である。この場合には、広義の債務不履行、すなわち債務の内容が債務者により実現されていない状態が存在し、しかも強制履行による実現ができないときでも（たとえば、債務者の無資力）、債権者には、結局、それ以上の法的な救済手段はないという事態が生じる。この場合、債権は、目的を達しないまま事実上消滅する。債権には、このような終了の仕方があることに十分注意を要する。

債務不履行の問題をめぐっては、とくに20世紀に入って以後の社会・経済情勢の変化・進展に伴って、複雑多様な問題を生じ、民法理論としても、さまざまな新規の議論が展開されている。そこには、単なる条文の注釈では説明し尽くせないものがあるので、以下に、若干の基礎的な問題点の整理をしておくこととする。

② 債務不履行の態様
(1) 三つの態様

債務不履行［前注］①②

現在では、債務不履行には、つぎの三つの態様があるとほぼ一般的に解されている。このうち、二者、履行遅滞と履行不能は、古くから認められてきたものであるが、最後の不完全履行は、比較的新しく——とはいえ、20世紀前半のことであるが——認められた態様であり、いろいろと複雑な問題を蔵している。これに関する論議によっては、債務不履行を三つの態様においてとらえること自体に対する異論もみられる（(3)参照）。

(a) 履行遅滞（改正前§415〔1〕(1)参照）

415条自体は、履行遅滞について明示していないが、その3条前の412条［改注］は、どういう場合に履行遅滞が生じるかを規定しており、415条前段の「債務の本旨に従った履行をしないとき」に履行遅滞が含まれることについては、疑問はない。

たとえ本来の給付が行われることは行われても、その時期が遅れることによって履行遅滞の問題を生じるという例は、実際にはきわめて多い。ことに、金銭債権については、履行不能はありえないと考えられているので（§402前注②参照）、履行遅滞だけが問題になるのであり（ただし、要件・効果について大きな例外が定められていることについて、改正前§419注釈参照）、その適用例はきわめて多い。履行遅滞の効果としては、遅滞による損害の賠償——「遅延賠償」といわれる——が認められる（ただし、改正前§415〔2〕(1)(ア)、改正前§416〔2〕参照）。

(b) 履行不能（改正前§415〔3〕参照）

履行不能については、415条後段が明確に規定している。履行不能の効果としては、本来の給付に代わる損害の賠償——「塡補賠償」といわれる——が認められる。

(c) 不完全履行（改正前§415〔1〕(2)参照）

債務者が履行行為を行ったが、それが履行としては不完全であるために、債権者に損害を与える場合がありうる。そして、その損害が、遅延賠償によっても、塡補賠償によっても、償われないことがあるので、そのような事態に対応するために、近時の学説・判例は、債務不履行の第3の態様として、不完全履行を独立の態様として認めることとしている。条文としては、415条の本文が「債務の本旨に従った履行をしないとき」という広い表現を用いているので、これに含まれると解することで、この不完全履行という第3の態様を認めることに、とくに条文上の困難はないとされている。不完全履行の効果については、種々論議があるが、少なくとも、遅延賠償によっても、塡補賠償によっても償われない「積極損害」（債権者が不完全履行によって怪我したなどの積極的にこうむった損害をいう。「拡大損害」ともいう）の賠償を含むことに、前二者に対する特色があることは間違いない。

(2) 不完全履行の問題点

不完全履行については、415条［改注］の注釈において説明するが、上に述べた経緯からうかがえるように、この概念をめぐっての論議も、きわめて複雑な形で行われている。そこで、注釈における理解を助けるために、いくつかの問題点を、以下に挙げておく。

(ア) 諸事例

797

第3編　第1章　総則　第2節　債権の効力

　不完全履行に当たるものとして論議される事例は、じつに多様なものがある。そこで、まず、しばしば取り上げられる代表的な事例を挙げておくことが、論議の理解に役立つであろう。つぎに挙げる事例は、後で、事例①、事例②のように引用する。

① 売り渡した建物に瑕疵があり、……そのために買主が怪我をした(特定物の瑕疵)。

② ニワトリの売主が病気のニワトリを引渡し、……その病気が買主の他のニワトリに伝染した(不特定物の瑕疵)。

③ 新刊書に落丁があり、……そのことによる思い違いのために読者が試験で失敗した(同上)。

④ 酸敗した酒を小売商に卸し、……そのために小売商が得意先を失った(同上)。

⑤ 頼まれた鉱山調査を不完全に行い、……その結果、依頼者が無価値の鉱山を購入した(役務履行上の瑕疵)。

⑥ 医療行為において診断・治療上の過誤があり、……患者の病気を悪化させた(同上)。

⑦ 注文された家具を届けるさいに、その方法が乱暴で、……不注意により注文主の家の壁をこわした(引渡し履行過程における過失)。

⑧ 壁塗りを乱暴に行い、……不注意で注文主の家具をこわした(役務履行過程における過失)。

⑨ 商品の使用方法に関する注意・指示・警告を怠り、……買主が誤った使用をして怪我をした(付随的義務の怠り)。

⑩ ホテルがガス洩れを起こし、……宿泊客が中毒した(同上)。

(イ)　瑕疵担保責任との関係(改正前§570参照)

　売主などが給付した目的物に瑕疵がある場合に認められる瑕疵担保責任(§§570・590)については、目的物が特定物である場合に限られるか、不特定物である場合をも含むか、その他について解釈上難しい問題の存するところであるが、事例①〜④は、明らかにこの瑕疵担保責任との関係が問題となる事例である。瑕疵担保責任と不完全履行責任との間には、要件(たとえば、過失の要否や主張しうる期間など)や効果(たとえば、対価を限度とするかとか、信頼利益の賠償に限るかという議論がある)に違いがあるので、これらを比較しながら、慎重に検討することを要する(これらの論点に密接に関わる判決であるが、最判昭和36・12・15民集15巻2852頁は、不特定物売買において、給付された物の受領後に瑕疵が発見された場合、買主は、完全履行請求権を有すると同時に、売主の責めに帰すべき事由があるときは、契約の解除も損害賠償も請求することができるとする)。

(ウ)　製造物責任との関係

　事例①・④・⑨などにおいては、いわゆる製造物責任が問われるような場合がありうる。製造物責任については、1994年に「製造物責任法」(平成6年法律85号)が制定されている。同法は、不法行為責任の特例と考えられる場合が多いが、債務不履行責任の特則と考えられる場合もありうる(製造者と被害を受けた者との間に直接の売買その他なんらかの契約関係が存する場合)。製造物責任法の眼目は、製造物責任を無過失責任としたことにあるが、債務不履行責任についていえば、製造物の欠陥による損害に関し

ては、「責めに帰すべき事由」を不要にした(「責めに帰すべき事由」の不存在を立証しても意味がない)という意味をもつことになる。

(ェ) 不法行為(§§709〜)との関連——積極的債権侵害論

上に挙げた事例のいずれにおいても、文章の前段は、債務者が履行行為を行ったが、その履行行為がなんらかの形で不完全であることを示している。また、後段においては、その不完全な履行行為の結果として、債権者において積極的に損害(上述した積極損害、拡大損害)が生じたことを示している。このような損害をどのようにして行為者に償わせたらよいであろうか。

履行遅滞と履行不能の二つの態様のみを前提すると、これらの損害は、遅延賠償によっても、塡補賠償によっても償われることはない。そこで、従来は、これらの損害は、債務者が行った不法行為によるものとして、債務者に不法行為責任を負わせ、賠償させるべきであると考えられていた。

これに対して、上記の債務者の行為は、いずれも債務者の債務履行行為にほかならないのであり、無関係な市民同士において生じる不法行為に関する規範によるよりも、債権者・債務者間に存在する債権関係の問題として、すなわち債務者の債務不履行責任の一つの態様として、解決が図られるべきであるとする主張が有力になってきた。この主張は、当初は「積極的債権侵害論」と呼ばれたが、その延長上において、履行遅滞と履行不能だけでは解決しきれない態様を指すものとして、不完全履行の概念が登場し、それが、今日では、第3の態様として定着しているのである。

(ォ) 付随的義務論との関係(第1節解説6参照)

不完全履行の問題は、最近において展開をみせている付随的義務論と密接な関連を生じている。付随的義務論は、ある種の債権については、その本体的な給付に加えて、これに付随的に伴う債務者の義務が存在することを認めようとするものであるが、事例⑨は、付随的義務の一例として挙げられる目的物の使用方法についての注意・指示・警告義務に関するものであり、事例⑩は、同じく安全保証義務に関するものである。これらの義務を怠る行為は、当然に債務不履行(不完全履行)となり、それによって債権者に積極損害を生じたときは、債務者はこれを賠償しなければならないと論じられる。

このようにして、学説・判例によって承認される付随的義務は、今後さらに多様化し、かつ内容を充実していくと予想されるので、それに伴い、不完全履行の事例も増加していくものと思われる。

なお、付随的義務の一つである安全保証義務に反したことによる積極損害の賠償請求権は、債権者が請求した時から遅滞に陥り、遅延利息が生じるものとされている(最判昭和55・12・18民集34巻888頁)。不法行為に基づく損害賠償請求権が不法行為ないし損害発生の時から遅延利息を生じるとされていることと、違いを設ける理由はないように思われる(改正前§412(5)(b)参照)。

(3) 債務不履行の類型論

以上のような諸問題との関連を視野におきながら、債務不履行の態様を厳密に概念化し、類型化することに関しては、各種の見解が唱えられている。

第3編　第1章　総則　第2節　債権の効力

　まず、第1に考えられるのは、履行遅滞を遅延賠償に、履行不能を填補賠償に、不完全履行を積極損害の賠償に、それぞれ対応させる見解である。この考えによれば、(2)(ア)に挙げた事例のそれぞれ前段の行為があったが、後段の結果を生じない場合には、とくに不完全履行を論じる必要はなく、履行遅滞または履行不能として処理すれば足りることになる。また、後段の結果を生じた場合には、債務者には履行遅滞または履行不能の責任と、それに加えて不完全履行の責任が(つまり、両種の責任が重複して)認められることになる。

　この見解は、論理的には明確であるが、実際の運用には弾力性を欠くうらみがあるように思われる。

　第2に考えられるのは、(2)(ア)に挙げた事例の前段の行為は、いずれもすでに不完全履行であるから、これらの不完全な履行行為があったことをもってすべて不完全履行としてとらえる見解である。その効果としては、事情に応じて、遅延賠償、填補賠償、積極損害の賠償の一つ、または二つ、ときには全部が認められることになる(改正前§415〔2〕(2)、改正前§416〔2〕参照)。

　不完全履行の概念を広く解し、その弾力的な適用が可能であることに、この見解の利点が認められる。以下の注釈においては、この見解に立って説明することにする。

　さらには、415条の広い表現に依拠しつつ、不完全履行の概念を拡大し、これと履行不能の二者を認めればよいとする見解、付随的義務違反を別個の類型とする見解、その他がみられる。

③　不法行為責任との関係に関する理論

(1)　不法行為責任に対する特色

　不完全履行に関して、いわゆる積極損害の賠償については、従来は不法行為責任の法理によって処理されていたのに対し、債務不履行責任の法理によるべきものとされるようになったという趣旨を述べた。それでは、債務不履行責任と不法行為責任とはどのような関係に立つのであろうか。

(ア)　基本的な違い

　両責任の基本的な違いは、つぎの点にある。まず、不法行為責任は、ある法的人格と他の法的人格との間で、相互になんの法的関係も存しないか(単に知人・友人であるというだけでは、法的関係とはいえない)、なんらかの法的関係が存在するとしても(たとえば、親族関係にあるとか、雇用関係があるとか)、その法的関係とは無縁の場面において(単なる市民と市民との関係において、と表現してもよい)、一方が他方に損害を与える事実が生じた場合に、一方(加害者)が他方(被害者)に対して損害を賠償するべき責任である。これに対して、債務不履行責任は、ある法的人格と他の法的人格とがなんらかの原因(契約が主なものであるが)に基づく債権・債務関係によって結ばれている場合に、その債権・債務関係という場面において(単なる市民相互というのではなく、債権者と債務者という関係において)、債務者が債権者に損害を与えた場合に、一方(債務者)が他方(債権者)に対して損害を賠償すべき責任である。

　両者は、理念的には、このように区別され、民法も、規定上両者の間にいくつかの

800

差異を設けている（第5章解説④の表を参照）。

たとえば、(a)損害賠償の範囲に関する416条［改注］に当たる規定が不法行為には
ない、(b)精神的損害に関する710条に当たる規定が債務不履行にはない、(c)過失相殺
に関する418条と722条2項とが内容を異にする、などである（④(2)で再説する）。しか
し、学説・判例では、このような条文上の違いにもかかわらず、とくに効果に関して
両者になるべく共通な扱いをしようとする傾向が強い（要件が相互に異なるのは、当然で
ある）。

(イ)　本来の債権の効力としての債務不履行責任

上述の違いから指摘されることの一つは、不法行為に基づく損害賠償請求権は、A
とBとの間に不法行為という事実が発生することにより、従来はなにも存在しなか
ったところに新たに発生する権利として考えられるのに対して、債務不履行に基づく
損害賠償請求権は、債務者Bに債務不履行の要件が備わったときに、債権者AがB
に対して有していた債権の効力として認められる権利であり、新たに発生する権利で
はないと考えられることである。

すなわち、債務不履行責任は、あくまで債権の効力として、その一環である損害賠
償力の具体的な現われとして（このことを、本来の債権の「損害賠償請求権への転化」と表現
することもある）認められるものである。

(ウ)　本来の債権との同一性

(イ)で述べたことの延長上において、一定の給付を請求するという本来の債権と、債
務不履行の効果として認められる（上述の表現によれば、本来の債権が転化した）損害賠償
請求権との間には、同一性が認められるという論理が登場する。すなわち、この論理
によって、具体的には、つぎのことが指摘される。

　(a)　塡補賠償は、本来の債権の内容の変更、遅延賠償は本来の債権の内容の延長、
積極損害の賠償は、本来の債権の内容の拡張と考えられる。

　(b)　本来の債権のために存在する担保（抵当権、保証債務など）は、損害賠償請求権
をも担保する。

　(c)　消滅時効の期間は、本来の債権について定まり、その起算点、中断（完成猶
予・更新）、援用など、すべて本来の債権が存続しているものとして判断される。不
法行為責任における消滅時効とはまったく異なる。消滅時効に関する改正に注意
［改注］。

　(d)　本来の債権について行われた譲渡の効力は、当然、損害賠償請求権にも及び、
債権譲受人はこれを取得する。

いうまでもなく、(b)や(d)の問題は、不法行為責任に関しては生じない問題である。

(2)　請求権競合論

(ア)　問題の所在

債務不履行責任と不法行為責任との違いについては、いちおう、(1)で考察したよう
に考えられるとして、そのうえで、つぎのような困難な問題が生じる。

②(2)(ア)において、不完全履行の例として考えられるさまざまな事例を挙げたが、そ
れらの事例をみると、それぞれにおける債務者Bの行為は、債権者Aに対する不完

全履行行為として評価されると同時に、また、ＡとＢを単なる市民同士の関係としてとらえて、ＢのＡに対する不法行為と評価することも可能なものがほとんどであることに気づく。それは、これらの事例のように、不完全履行において問題となることが多いが、履行不能においても（たとえば、借家人ＢがＡから借りている家を故意により滅失させたような場合——賃借建物返還債務の不履行とも、建物所有権侵害の不法行為ともとらえうる代表的な例である）、履行遅滞においても（たとえば、請負った建築が遅れたために、注文者がその建物によって予定した事業が挫折したような場合）、同じようなことが生じうる。適用される法条についていえば、Ｂの行為が、415条［改注］の要件にも該当し、709条の要件にも該当するということがありうるのである。

　このような場合に、Ｂは、どちらの責任をどのように負うべきであろうか。これが、二つの請求権で競合した場合の問題という意味で、「請求権競合論」と呼ばれ、これをめぐりかなり難解な論議が交わされている。

　㈠　二つの見解

　この問題についての見解は、大きくつぎの二つに分かれるといってよい。

　その1は、ＡとＢとの間に債権関係が存在し、その履行に関して生じた損害であれば、債務不履行責任によるべきであり、そのような関係が存しない場合には、両者は単に市民相互という関係における出来事として、不法行為責任によるべきである、とするものである。

　この見解によれば、ある事案については、それに適合するいずれかの責任が適用されるのであって、二つの責任がともに認められることはありえないという意味において（特別法と一般法の間では、特別法の適用が優先するという法論理が類推される）、「請求権非競合説」と呼ばれる。二つの条文（§415［改注］と§709）に該当するようにみえるが、それは法条のうえの競合にすぎず、請求権はどちらか一つしか認められないという意味において、「法条競合説」と呼ばれることもある。

　この見解は、論理的には明快であるが、この論理に厳格に従うと、いずれの責任を問うかを間違いなく判断して請求する必要があり、また、該当する責任について要求される立証の難易ということもあり、損害を受けた者が賠償を得ることに実際上困難を生じるという難点がある。

　その2は、損害を受けた者は、相手の債務不履行責任と不法行為責任のどちらを主張してもよいとするものである。この二つの責任では、とくに要件に関して大きな違いがあるが、どちらか一方だけの要件が充足されていれば、その責任を追及することができる。もし両方の要件が充足されていれば、両方を同時に主張してもよいし、順序をつけて主張してもよい。ただし、賠償されるべき損害が両者に共通して同一である限りは、一方の責任により損害が賠償されれば、その限りにおいて他方は認められないことになる（重複しては認められない）。以上が実体法上「請求権競合説」と呼ばれる理論であるが、問題が訴訟により争われるときは、訴訟物や既判力、請求の併合などの問題とのからみを生じることに注意を要する。

　この第2の見解の方が損害を受けた者の救済を容易にするので、裁判実務や通説はこの見解をとっている。

さらには、第2の見解から派生すると思われるが、つぎの(ウ)で検討するような問題点の検討をふまえて、二つの責任の内容（要件・効果）を近接させる努力をし、さらには差異をなくして一元化あるいは統合しようとする見解も主張されている。

(ウ)　請求権競合説における問題点

請求権競合を認める立場に立っても、なお、たとえばつぎのような問題が存し、かなり細密な議論が行われている。

(a)　両責任によって消滅時効期間が異なっていたり（§§167〜・724［両条とも改正に注意］参照）、債務不履行責任について短期の除斥期間が定められていたりする場合に（§621［改注］など）、Aが主張した方の責任によって決めるということでよいか。

(b)　債務不履行責任について、責任軽減事由（§659など）や免責事由（商§577など）が定められている場合に（特約による場合もありうる）、Aが不法行為責任を主張したときには、これを無視してよいか。商法587条は、商法577条等を準用している。

(c)　不法行為責任について、たとえば、「失火ノ責任ニ関スル法律」（明治32年法律40号）が重過失についてのみ責任を認める特則を設けているが、このような場合に、Aが債務不履行責任を主張したときには、その制約を受けないか（最判昭和30・3・25民集9巻385頁は、受けないとした）。

(d)　効果として生じた請求権について、一方の責任に関して特則が設けられているような場合（不法行為による債権は相殺における受働債権にできないとした§509［改注］など）に、Aが他方の責任を主張したときには、その適用を受けないか。

(e)　効果として賠償請求が認められる損害の範囲ないし損害額に食い違いがある場合に（例外的なことであろうが）、一方にのみ固有な損害について、両方に共通な損害とは別に、それぞれの責任が認められるということになるのか（たとえば、共通の損害として90万円、債務不履行に固有な損害として5万円、不法行為に固有な損害として10万円が認められるような場合に、債務不履行を主張すれば95万円が認められ、さらに不法行為をも立証すれば、その分として10万円、合計105万円が認められるというようになるのか）。

これらのことを論じる判例は少なく、必ずしも明確でない。大判大正15・2・23（民集5巻104頁）は、両請求権は競合しうるとしたうえで、商法577条の定める高価品についての運送人の責任の制限は、不法行為責任には及ばないとする。また、最判昭和38・11・5（民集17巻1510頁）は、大正15年の判決を引用して、請求権競合を認めたうえで、商法560条・566条［削除］・575条等の定める運送人の責任の制限を不法行為責任には認めない（ただし、事案は運送人ではなく、荷役業者の責任に関し、不法行為の要素が濃い）。もっとも、そのさいに、その過失行為が「運送品の取扱上通常予想される事態ではなく、かつ契約本来の目的範囲を著しく逸脱するものであるから」という付言がされていたので、もしそうでなければ、債務不履行責任のみを問うべきであるのかという疑義を生じかけた。しかし、最判昭和44・10・17（判時575号71頁）は、国際海上物品運送法14条による除斥期間の制限を不法行為責任について否定し、昭和38年判決の上記の付言は、不法行為責任が適用される場合を限定する趣旨ではないとした。その後、最判昭和55・3・25（判時967号61頁）も、不法行為責任に商法578条［2018年の改正前］（§577を参照）の適用を否定したが、他方で、原審の行った商法

第3編　第1章　総則　第2節　債権の効力

581条［2018年の改正前］（§576を参照）の定める重過失の認定を肯定する判旨（論理的には、不要のはずである）を述べている。また、宅配便約款において責任限度額が定められていた事例において、目的物の滅失について荷受人からの所有権侵害を理由として損害賠償を請求した場合について、その請求額を約款による限定額に制限した判例も見られる（最判平成10・4・30判時1646号162頁）。

④　債務不履行の効果——損害賠償の請求

　債務不履行の概念をめぐる論議の多様化に伴い、その効果、とくに債権者が請求できる損害賠償についても、活発な論議が交わされている。以下には、条文の注釈の理解を助けるために、いくつかのことを前提として述べておく。

　(1)　契約解除権の発生

　債務不履行は、一方において、上に述べたように、債権者に損害賠償請求権を生じさせるものであるが、他方において、債権者に、その債権を生じさせている契約（たとえば、売買契約）の当事者（たとえば、買主）としての立場において、その契約を解除する権利を生じさせる（売主が目的物移転債務を履行しないときには、その売買契約を解除する。それにより反対債務である買主としての代金支払債務を負わないでよくなることに解除権行使の主な意義がある。したがって、解除権の問題は、通常は双務契約について生じる）。後者の効果については、契約に関して取り上げるので（本編第2章第1節第3款参照）、ここでは、損害賠償請求の問題だけを論じるが、債務不履行がこの両種の効果を有することについては、とくに注意を払う必要がある。

　(2)　不法行為に基づく損害賠償との比較

　民法は、前述したように（③(1)(ア)参照）、債務不履行責任と不法行為責任について、いくつかの点で規定を異にしている。効果の問題にしぼってさらに詳説すれば、

　①債務不履行については、賠償されるべき範囲を定める416条［改注］をおいたが、不法行為についてはこれに当たる規定はない。

　②非財産的・精神的損害について、不法行為に関しては規定したが（§§710・711）、債務不履行に関しては規定していない。

　③いわゆる過失相殺については、両方に規定はあるが（§418［改注］と§722Ⅱ）、その内容に相違がある。

　④債務不履行について損害賠償者の代位の規定（§422）があるが、不法行為についてはこれに当たる規定はない。

　⑤名誉毀損に対する救済方法について、不法行為に関しては特則（§723）があるが、債務不履行に関してはない。

　⑥消滅時効に関しては、債務不履行については第1編第7章の規定によるが、不法行為については特則（§724［改注］）が設けられている。

　金銭賠償の原則に関しては、それを定めた債務不履行に関する417条の規定を不法行為に準用する規定をわざわざ設けているのであるから（改正前§722Ⅰ）、以上の相違は、どれも根拠があって定められたものに違いない。

　しかし、学説・判例の大勢は、ほぼ一致して両者の差異をなるべく少なくしようと

努めている(改正前§416注釈、改正前§418(3)など参照)。416条(損害賠償の範囲)に関する標準的な判決である大民刑連判大正15・5・22(民集5巻386頁[富喜丸事件])が、まさに、不法行為の事案にも同条が類推適用されることを述べた重要な判決(最判昭和48・6・7民集27巻681頁は、これを維持する旨を述べる)である。その後、賠償されるべき損害の範囲の問題については、債務不履行の事案であるか、不法行為の事案であるかを問わず、まったく区別せずに416条が適用されるというのがほぼ通念となっている。

このように、債務不履行責任と不法行為責任との間には、その効果の点ではほとんど差異はなくなっているが、要件との関連や前記の条文上の差異(§416の関係は別として)との関係で違いが生じる場合が絶無とはいえない。

(3) 相当因果関係論について

債務不履行責任に基づいて賠償されるべき損害は、債務不履行との間に因果関係が存在する(「債務の不履行によって」生じた)損害でなければならないことはいうまでもない。しかし、それが、因果関係の無限の連鎖によってつながる損害のすべてではないことも、また当然である。このことについて、416条は、第1項でいわゆる「通常損害」につき、第2項でいわゆる「特別損害」につき、それぞれ規定し、後者については、当事者が予見し、または予見することができたであろうときに限り、賠償させるべきものとした(改正前§416注釈参照)。

この条文について、これは、債務不履行を原因としてこれと自然的因果関係(「事実的因果関係」といってもよい)を有するすべての損害ではなく、「相当な因果関係に立つ損害」を賠償すべき旨を規定しているものであるという理解が、前掲大民刑連判大正15・5・22の富喜丸事件判決を代表とする判例、およびこれを支持する学説によって形成されてきた。この考え方を、相当因果関係説と呼ぶことができる。ただし、この「相当因果関係」という言葉の用い方としては、第1項と第2項の規定の両者を合わせて、同条全体が相当因果関係を定めていると解したり、第1項が相当因果関係の原則を示し、第2項は、その基礎とするべき特別の事情の範囲を定めたものと解したりするように、多少の見解の違いがみられる。

これに対して、近時において、ドイツ民法学において論議される「相当因果関係」adäquater Kausalzusammenhang という概念は、意義を異にするものであるから、用いない方がよいという見解が唱えられ、さらには、損害賠償の範囲をめぐって、多様な議論が行われている。

以下の条文の注釈においては、判例と従来の通説、すなわち相当因果関係説に基づいて説明を加えるにとどめることとする。

(4) 損害の多様性

賠償されるべき損害は、債務不履行の態様に応じて、じつに多様であり、また、それを、金銭賠償の原則(§417)により、必ず金銭に評価して、その支払を債務者に請求しなければならないので、その評価の仕方に関してもさまざまな問題が存する。そこで、以下には、損害の種類その他について、条文の注釈にとって参考になることを述べておくことにする。

なお、賠償されるべき損害の範囲の問題とその損害をいくらに評価するかという問

第3編　第1章　総則　第2節　債権の効力

題とは厳密に区別すべきであるとする見解も、有力に主張されている。しかし、両者がからみ合って、必ずしも区別できない場合があることも指摘されている。

　(ア)　損　害

　損害とは、通常、債務不履行によって債権者がこうむった財産的・精神的不利益をいう。それは、種々に分類され、また分析されるが、たとえば、つぎのとおりである。

　(a)　通常損害と特別損害

　条文上きわめて重要な分類であり、そのいずれと考えられるかによって、取扱いは大いに異なる(改正前§416[2][5]参照)。基本的に重要な区別である。

　(b)　遅延損害・給付に代わる損害(填補賠償の対象となるもの)・積極損害(拡大損害)

　それぞれが、履行遅滞、履行不能、不完全履行において主として問題になる損害であることについては、すでに述べた([2](1)参照)。

　(c)　財産的損害と精神的損害

　侵害された利益が財産的なものか、非財産的なものかによる分別である。非財産的損害は、ほとんど精神的損害というに等しい。精神的損害も金銭によって賠償されるのであって(§417)、これを慰藉料(以下、慰謝料と表記する)という。民法は、不法行為についてだけ精神的な賠償に関する規定をおいているが(§§710・711)、同条は、債務不履行についても類推適用されるべきものとされ、さらに一般的に精神的損害の賠償は認められるべきものとされている(ただし、最判昭和55・12・18民集34巻888頁は、契約に基づく安全保証義務違反について、債権者本人の慰謝料請求権は認めたが、遺族固有の慰謝料請求権は否定している)。

　この区別と、財産が受けた損害(財産損害)と人身が受けた損害(人身損害)の区別とは異なる。財産が受けた損害についても、精神的損害は問題になりうるし、人身損害についても、財産的損害と精神的損害の両者がありうる。

　(d)　積極的損害と消極的損害

　損害には、積極的損害も消極的損害も含まれるとされる。積極的損害((b)の積極損害とは意味の違うものであることに注意)とは、債権者が現に有する既存の(積極的な)財産の消滅・減少をいい(所有物の滅失・損傷や金銭の出費など)、消極的損害とは、債権者が得られたはずの、現存しない(消極的な)将来の利益を得られなくなること(その利益のことを「逸失利益」と呼ぶ)をいう(たとえば、目的物が手に入れば、転売したり、賃貸して得られたであろう利益、怪我をしなければ働いて得られたであろう収入などが、目的物が手に入らなくなることにより、あるいは怪我をすることにより、得られなくなることなどをいう)。

　後者について、それが通常損害か特別損害かが問題となることが多い。

　(e)　履行利益の損害と信頼利益の損害

　履行が行われれば得たであろうが、履行がなされなかったことによって失われた利益を「履行利益」といい(たとえば、ある建物を取得することによる利益)、履行がなされるだろうと信頼していたところ、その信頼に反して履行がなされなかったことによって失われた利益であって、もしその信頼をしなければその喪失を避けられたであろう利益を「信頼利益」という(たとえば、その建物が手に入ると信じていたために、

債務不履行［前注］ 4

他のもっと有利な建物の購入を断ったことによって失った利益）。しかし、この区別は、あまり実益のないものと考えられている。

(イ)　考慮されるべき事情

なにをもって損害と考えるか、賠償されるべき損害の範囲をどうとらえるか、その損害は金額としてはいくらと見積もられるかは、以上の説明からも分かるように、実際に生じる事態の多様性のために、ときにはきわめて複雑難解な判断を必要とする。以下には、これらの判断に当たって、考慮されるべきであるとされている事情を挙げておく。

(a)　債権を発生させている原因——主として契約——の類型および目的

売買、賃貸借、雇用、請負その他契約の種類、さらにそれがどういう目的をもって締結されたか（転売のためとか、自己使用のためとか）、契約が有償であるか無償であるか（無償の場合は、やはり賠償が認められる特別損害の範囲は狭くなるであろう）、などである。

(b)　当事者の属性

とりわけ、商人であるかどうかが重要である。そのほか、場合によって年齢、職業の種類、態様などが重要な要素になる場合もありうる。

(c)　目的物の種類

債権が物の引渡しを目的とする債権である場合に、その目的物が、特定物であるか不特定物であるか、さらに土地、建物、商品（投機性・換価性の高いものか、そうでないものか）、特定動産、有価証券、独立の財産としての債権などのどのようなものであるかは、判断に影響するところが大きい。

(d)　転売契約や賃貸契約の存否

やはり債権の目的が物の引渡しである場合に、債権者がその物の取得を前提として、その物を他者に有利に転売する契約、あるいは賃貸する契約を結んでいたかいないかという事情も問題になる。多くの場合、これらの契約の存在は、特別損害の問題として考慮されることになる。

(e)　交換価値と使用価値

契約が目的物の性質によって、目的物の交換価値（市場価格ないし通常の交換価格）が問題にされる場合と、使用価値（賃料ないし賃料相当額）が問題にされる場合とがあり、どちらによるべきかについての見定めも重要である。

(f)　目的物の性質・価格変動

目的物について、耐久性のあるものかどうか、性能の改善による新旧交替性の強いものかどうかも考慮される必要がある。

とりわけ重要なのは、価格（前記の交換価値についても使用価値についても問題になる）の変動である。一方において、目的物が希少性の増大や相場の変動による値上がりなどによって、価格が上昇することがありうる。他方において、陳腐性の増大や性能の劣化や相場の変動による値下がりなどによって、価格が低下することがありうる。両者の組み合わさったケースとして、値上りのあと値下がりしたような場合における「中間最高価格における賠償」が認められるか、というような問題も存する。

807

第3編　第1章　総則　第2節　債権の効力

これを含めて、上昇時における価格による賠償を認めるかどうかは、特別損害の問題とされることが多い(改正前§416[5](ｱ)(a)参照)。

(g)　客観的価値と主観的価値

給付の客体が有する客観的価値(といっても、それ自体が評価が難しいことが多いが)だけでなく、債権者にとってそれがとくに有するところの主観的価値(親の遺品であるとか、自宅の近辺の物件であるとか、である。「愛情価値」、「愛着利益」ともいう)が問題になることもある。後者は、通常、特別損害として考慮されることになろう。

(h)　その他

人身損害や慰謝料を視野に入れると、問題はさらに難しくなるが、これについては、不法行為の個所で論じるのを適当としよう。

（債務不履行による損害賠償）
第四百十五条

　　1　債務者がその債務の本旨に従った履行をしないとき又は債務の履行が不能であるときは、債権者は、これによって生じた損害の賠償を請求することができる。ただし、その債務の不履行が契約その他の債務の発生原因及び取引上の社会通念に照らして債務者の責めに帰することができない事由によるものであるときは、この限りでない[1]。

　　2　前項の規定により損害賠償の請求をすることができる場合において、債権者は、次に掲げるときは、債務の履行に代わる損害賠償の請求をすることができる[2]。

　　一　債務の履行が不能であるとき[3]。

　　二　債務者がその債務の履行を拒絶する意思を明確に表示したとき[4]。

　　三　債務が契約によって生じたものである場合において、その契約が解除され、又は債務の不履行による契約の解除権が発生したとき[5]。

〈改正〉　2017年に改正された。前掲(412条)附則第十七条1参照。

[改正の趣旨]　[1]　改正前の前段と後段（履行不能）が統合され、債務不履行により損害賠償請求権が発生することが規定され、かつ、帰責事由が要件となることが明記された（ただし書）。履行不能につき、解説[3]参照。なお、「履行請求権の限界事由」（中間試案第9.2）をめぐって詳細な議論がなされたが、本項のような表現になった。「債務者の責めに帰すべき事由」（改正前法の表現）の意義については、解説[4]参照。履行補助者の行為については、債務不履行の有無を契約内容に即して確定する際に、これをどのように組み込むかが問題になり、さらに債務不履行が認められた場合に「債務者の責めに帰することができない事由」の存否に付き判断する際にどのように評価するか、というレベルで問題になるとされている。帰責事由は、ただし書の形式をとっているため、免責事由の存在は、債務者が主張・立証しなければならない（解説[4](ｵ)参照）。なお、1項ただし書の帰責事由の内容は、他の条文の解釈についても影響を与えると思われる。

　　[2]　填補賠償の請求に関する新設規定であるが、「履行請求権の限界事由」との関連で、解釈に委ねられた点が残ったようである。新562条〜新564条との関連にも、注意が必要である。

　　[3]　1号は、通説の明文化である（解説[5]参照）。

808

§415〔1〕

　〔4〕　2号によれば、確定的とはいえない履行拒絶の場合は、塡補賠償請求は認められない。拒絶の意思が明確であり、不能に準じることが可能なような場合である。新§542Ⅱ②も参照。
　〔5〕　3号も、通説の明文化と解される（§545解説〔5〕参照）。「又は」以下の場合には、塡補賠償請求権と本来の請求権の選択的併存がありうるのであろうか。

[改正前条文]
　債務者がその債務の本旨に従った履行をしないときは[1]、債権者は、これによって生じた損害の賠償を請求することができる[2]。債務者の責めに帰すべき事由[4]によって履行をすることができなくなったとき[3]も、同様とする[5][6]。

[原条文]
　債務者カ其債務ノ本旨ニ従ヒタル履行ヲ為ササルトキハ債権者ハ其損害ノ賠償ヲ請求スルコトヲ得債務者ノ責ニ帰スヘキ事由ニ因リテ履行ヲ為スコト能ハサルニ至リタルトキ亦同シ

[改正前条文の解説]
　本条は、債務不履行による損害賠償責任の要件を定めるもので、きわめて重要な規定である。ただし、金銭債務の不履行の要件については、419条2項に、本条に対する重要な特則が規定されている。
　〔1〕　「債務者がその債務の本旨に従った履行をしないとき」とは、本条後段の「履行をすることができなくなったとき」（これを「履行不能」という）に対する観念であるから、債務者が履行が可能であるのに履行をしない場合（これを「履行遅滞」という）と、履行はしたが、それが債務の内容と異なって不完全である場合（これを「不完全履行」という）との両者を含むと、通常は解されている。以下には、まず、後の二つの態様について述べる（履行不能については、〔3〕参照）
(1)　履行遅滞
　「履行遅滞」は、「債務者遅滞」ともいい、債務者が履行期に履行が可能であるにもかかわらず履行しないことである。履行遅滞が成立するためには、まずは、債務者が、履行期の種類により、412条[改注]に定める時期を徒過したことを要する（§412注釈参照）。そのうえで、なおつぎの要件を必要とするものと解釈されている。
　(ｱ)　履行期において債務の履行が可能であること
　履行期を徒過した後に履行が不可能になれば、この時から履行不能を生じる（〔4〕(ｴ)参照）。履行が可能か不可能かを決定する標準については、〔3〕参照。
　(ｲ)　履行期に履行のない事実が債務者の責めに帰すべき事由に基づくこと
　(a)　民法は、履行不能については、本条後段において「債務者の責めに帰すべき事由」（「帰責事由」ともいえる）によることを必要とし、履行遅滞については、すなわち本条前段においては、このことを明言しない（なお、改正前§543〔3〕参照）。また、金銭債務の遅滞については、とくに「不可抗力をもって抗弁とすることができない」と定めているから（§419Ⅱ）、金銭債務以外の普通の債務の履行遅滞にあっては、不可抗力に基づかない限り、責めに帰すべき事由がなくても（たとえば第三者の行為による）、つねに責任があるものと解するべきかのようにもみえる。

809

第3編　第1章　総則　第2節　債権の効力

しかし、金銭債務以外の普通の債務の履行遅滞について、民法の過失責任主義の原則を排除し、絶対的責任（いかなる事情があっても負わなければならない責任のことをいう）を認めなければならない根拠もないし、履行不能と履行遅滞との取扱いを異にすべき十分な理由もない。したがって、現在の通説は、履行遅滞においても債務者の責めに帰すべき事由によることを必要とすると解している。判例も、はじめは履行遅滞には過失を必要としないとしていたが（大判明治40・11・2民録13輯1067頁）、後に過失を必要とするに至った（大判大正10・11・22民録27輯1978頁）。

(b)　「責めに帰すべき事由」の意義については、〔4〕参照。

(c)　債務者の責めに帰すべき事由に基づかないということの挙証責任は、債務者にある（〔4〕㋑参照）。いいかえれば、履行を遅滞した債務者は、その責めに帰すべき事由に基づかないことを証明しない限り、債務不履行の責任を免れることはできない。

㋒　債務者が履行しないことについて、違法性阻却の事由がないこと

債務者に留置権（§295）、同時履行の抗弁権（§533［改注］）、正当防衛（§720 I、刑§36参照）、緊急避難（§720 II、刑§37参照）など、とくに履行遅滞を正当づける事由があるときは、履行遅滞の責任を生じない。もっとも、これらの事由が存する場合は、そもそも履行遅滞を生じていないと解して、独立の要件としない見解もある。これについては、なお、改正前541条〔4〕㋑参照。

(2)　不完全履行

不完全履行とは、債務者が債務の本旨に違反した給付を行った事実をいう。わが民法は、これについて明確には規定していないが、その要件および効果において履行遅滞および履行不能と区別すべき点があるので、近時の学説・判例は、これをもって、両者とは区別される債務不履行のもう一つの態様とみている（ただし、その理解をめぐって見解が分かれることについて、本条前注②(2)・(3)参照）。

不完全履行の成立には、つぎの要件を必要とする。

㋐　履行があったこと

なんらの履行もないときは、履行遅滞または履行不能である。

㋑　履行が不完全なこと

債務者の行った履行行為が債務の本旨に違背していることである。その態様は、当然のことであるが、多岐にわたる。本条前注（②(2)㋐）に挙げた諸事例を参照されたい（最判平成16・1・15判時1853号85頁は事例⑥の例だが、医療過誤についてはっきりと債務不履行としている。事例については、§709〔2〕(3)㋒(c)(xiv)参照）。これらの多様な事例に応じて、要件における「債務者の責めに帰すべき事由」（〔4〕参照）、効果における賠償されるべき損害（改正前§416注釈参照）などの判断において、かなり念入りな検討が必要となる。

なお、不完全履行は、履行期の前後とは無関係である。すなわち、履行期前に不完全な給付をした場合にも、不完全履行である。ただ、このような場合には、その瑕疵の追完（瑕疵を除去して、瑕疵のない給付に改めることをいう）が可能であれば、債務者が履行期の徒過するまでにその瑕疵を追完することによって、責任は生じないですむ。ただ、追完のために期限を経過した場合に、はじめて履行遅滞の責任を負うことになる。

§415〔2〕

もっとも、不完全な履行をしたことによって債権者に損害を与えたときは、その賠償の責任を生じることはいうまでもない（後述〔2〕⑵参照）。

（ウ）不完全履行のあったことが債務者の責めに帰すべき事由に基づくこと、などの要件は、履行遅滞におけると同様である。

〔2〕　損害賠償の請求についても、履行遅滞の場合と不完全履行の場合とは、区別して考察することが必要である。

（1）　履行遅滞の場合

（ア）　履行遅滞の効果として、債権者は、遅滞によって生じた損害の賠償（これを「遅延賠償」という）を請求できることは疑いない（改正前§416⑵参照）。

問題は、遅滞があったからといって、直ちに本来の給付の受領を拒絶して、履行に代わる損害の賠償（これを「塡補賠償」という）を請求できるかどうか、である。これは、場合を分けて考える必要がある。ここでは、まず、双務契約が解除されない場合を想定し（(a)、(b)）、そのうえで解除との関連を(c)で考察する（売買契約で売主が目的物の給付を遅滞しているという例を用いる。買主は、代金について既払の場合と未払の場合がある。交換契約であれば、対価たる目的物の既給付の場合と未給付の場合がある）。

（a）　まず、債権者は、本来の給付を拒絶して、塡補賠償を請求できるか、が問題になる。

（ⅰ）初期において、下級審で、塡補賠償を請求するためには契約を解除することを要するとする判例が相次ぎ、これに対して、大審院は、契約解除を要しないとする判断を示した（大判明治32・10・14民録5輯9巻99頁、大判明治34・3・30民録7輯3巻93頁）。この趣旨は、現在でも維持されているが、その判旨のなかに、履行遅滞においても当然塡補賠償を請求できるとしたように解されるところがあり（とくに、明治34年の判決）、この趣旨は、到底支持できない。原則として、請求できるのは、本来の給付および遅延賠償であると考えるべきである。

（ⅱ）遅滞が生じた後に本来の給付の履行が不能になれば、それによって履行不能を生じると考えられるから（(1)(1)(ア)参照）、塡補賠償の問題となることは当然であるが、これに匹敵する場合、すなわち遅延後の履行が債権者にとってほとんど利益がない場合には、塡補賠償を請求できると考えてよかろう（大判大正4・6・12民録21輯931頁、大判大正7・4・2民録24輯615頁は、同旨を述べるが、具体的にはそれに当たらないので、塡補賠償を請求するには、契約解除を要するとした）。それに当たる適例は、定期行為の意味を有する債権（所定の期日に履行がされないと目的を達しない債権。契約解除に関する§542［改注］参照）であろう（塡補賠償が認められる場合において、上例の買主の代金が未払のときは、両者が相殺されて、精算されることになろう）。

（ⅲ）上の(ⅱ)に当たらない場合でも、債権者は、一定の期間を定めて催告し、債務者が履行しなければ、その時点において本来の給付の履行を拒絶して、塡補賠償を請求することができるか（契約解除に関する§541［改注］参照）。傍論として、その可能性を認めた判決がある（大判昭和8・6・13民集12巻1437頁。契約を解除しなければ、塡補賠償を請求できないとした原審を支持した上で、本文の趣旨を述べるが、契約解除の場合の賠償は信頼利益に限ることを前提としたかなり独自の見解である）。解釈上、

811

第3編　第1章　総則　第2節　債権の効力

この可能性を認める学説は多い（他方で、契約を解除しなければ塡補賠償を請求できないとする見解も主張されている）。

(b)　債権者が、本来の給付を請求し、それができない場合（履行不能ではなく、具体的には強制執行不能の場合をいうとされている）には、塡補賠償を請求するという形において請求をすることはできるか。そのような訴訟上の請求を認め（判決主文の第1項において、まず本来の給付を命じ、第2項において、その強制執行が不能のときはいくらを支払えと命じる）、塡補賠償の額としては、口頭弁論終結時の価格によるとした判決がある（大連判昭和15・3・13民集19巻530頁、最判昭和30・1・21民集9巻22頁）。(a)(iii)の論理を認めれば、その延長上において大差はないことを理由に、これを支持する見解も有力である（反対する見解もある）。

(c)　履行遅滞は、また同時に契約の解除権を発生させる（改正前§415前注4(1)参照）。わが民法は、契約が解除されても損害賠償の請求はできるものとしており（§545Ⅲ。これに対して、解除されたら、債務が消滅し、損害賠償請求権も生じないとするかつてのドイツ民法のような立法例もある。2002年の改正による§325はこれを改めた）、また、請求できるのは、いわゆる履行利益（債務の履行があれば得られたであろう利益）の賠償、すなわち、この場合、塡補賠償そのものであると考えられている（上記の立法例において、信頼利益、すなわち契約が有効に存在すると信じたが、それが解除され、信頼が裏切られたことによって失った利益の賠償が認められるとされ、わが民法§545Ⅲ［改注］の「損害賠償」もこれに限るとする説もあるが、少数説である）。そのように解すると、債権者が、上述の(a)(i)(ii)、(b)により解除しないで塡補賠償を請求するのと、解除した上で同じく塡補賠償を請求するのとの間には、ほとんど差が生じないことになり、このどちらを選ぶかによる違いは、債権者が自分が負っている反対債務を免れるかどうかにだけあることとなる（契約を解除した上で請求する場合には、上例の買主は代金債務を免れることになるので、その分は賠償額から控除されることになる。交換契約では、解除しなければ、交換の目的物を相手方に受け取らせることになるし、解除すれば、相手方に渡さないですむことになる。後者の場合には、その物の評価額を控除することになろう）。

以上のことから、片務契約の場合には、反対債務の問題は存しないので、解除を考えることは実益がなく、また、契約によらずに、たとえば、遺贈により生じた債権の場合には、解除の余地はないので、いずれについても、上述の(a)・(b)によって考えることになる。

(イ)　損害が発生したこと、およびその額は、債権者が立証しなければならない。ただし、金銭債務に関する419条2項および賠償額の予定が特約された場合の420条［改注］は、例外となる。

(2)　不完全履行の場合

不完全な給付があった場合には、債権者は給付が不完全であることに基づく損害の賠償を請求することができるが、なお、瑕疵のない給付を請求することもできないわけではない。そこで、両者の関係が問題になり、つぎのように追完が不能なときと、可能なときとを分けて論じる必要がある（以下の説明は、債務不履行の類型論における本条前注2(3)で述べた第2の見解によっている）。なお、債権者が損害の発生とその額を立証

§415〔3〕

するべきことは、履行遅滞と同様である。

(ア) 追完が不能なとき

すなわち、債務者が改めて瑕疵のない給付をしても、債権者がその債権の目的を達することができない場合である。たとえば、鉱山の調査を依頼したところ、不完全な調査書を給付し、それに基づいて鉱山を買収してしまったような場合(本条前注②(2)(ア)の事例⑤)である。このような場合には、債務者が改めて瑕疵のない給付をしても、債権の目的を達することはできないから、本来の給付を請求しても無意味であり、給付に代わる損害賠償を請求するほかはない。

なお、給付の一部に瑕疵がある場合に、全部の給付に代わる損害賠償を請求できるか、それともその一部に代わる損害賠償を請求すべきかは、一部の履行不能(〔5〕参照)に準じて、残りの一部分で債権の目的を達することができるかどうかによって決すべきである。また、たとえば、卸商が給付した酒の一部が酸敗していたために得意先の一部を失った小売商(同じく、事例④)は、その酸敗していた酒の部分に該当する損害の賠償を請求できるにとどまるのが原則であろう。そのことによって得意先を喪失し、損害が拡大した場合には、その賠償(これを「積極損害の賠償」という)は、「特別損害」(改正前§416〔5〕参照)として考慮することになろう(事例⑤において、無価値の鉱山を購入した場合も、同様である)。

(イ) 追完が可能なとき

この場合には、債務者は、まだ債務の本旨に従って履行をしていないが、その履行はまだ可能であるから、債権者は本来の債権を失っていない。したがって、債権者は瑕疵のないものの給付を請求することができる。追完が行われるまでに履行期が徒過していれば、遅延損害の賠償を請求することができる。

重要なのは、同時に瑕疵のある給付によって生じた損害の賠償(積極損害の賠償)を請求することができることである。たとえば、病気のニワトリの給付をうけた債権者(同じく、事例②)は、これを健康なニワトリと替えてもらうこと、および遅延によって生じた損害の賠償を請求することができるし、同時に、その病気が自分が以前から有するニワトリに感染して生じた損害の賠償をも請求することができる(やはり、特別損害とされる場合が多いであろう)。

ただし、この理論は、債権者が瑕疵があるものの給付を受領して長く使用した後で、その瑕疵を発見したような場合にまで、そのまま適用すると、信義に反し、不公平な結果を生じる場合がある。そこで、この種の場合を信義則によって、たとえば、第1に、債権者は、瑕疵を発見したときは、信義則上相当と認められる期間内にこれを債務者に通知するなどの適当な処置をとらなければ、瑕疵のない給付を請求することはできないとし、第2に、瑕疵のある目的物を使用した後において瑕疵のない新しいものを請求することが信義に反すると認められる場合には、瑕疵の修補または損害賠償を請求できるだけであると解するべきであるなどとする論議がある(瑕疵担保責任の問題と関連させて論じられる必要がある。改正前§570の注釈参照)。

〔3〕 「履行をすることができなくなったとき」(履行不能)とは、債権成立の時に履行が可能であって、その後に不能となったことである(これを「後発的不能」という)。

813

第3編　第1章　総則　第2節　債権の効力

これに対して、債権成立の時にすでに不能である場合（これを「原始的不能」という）には、債権が成立するかどうかの問題となるのであって、履行不能の問題とはならない（本章第1節解説④(2)参照）。

　(ｱ)　不能であるかどうかは、社会の取引観念に従って定める。売買の目的物が焼失した場合のような物理的不能に限らず、それを東京湾の真中に落したというような経済的不能（不可能ではなくても、巨額の経費を要する）、それを第三者に譲渡して引渡してしまったというような法律的不能をも含む。この最後の点は、判例は最初は反対に解していたが（大判明治44・6・8民録17輯371頁）、後にその見解を改め、不動産の売主が同一不動産を第三者に譲渡して、その移転登記をした場合には、第1の買主との関係では、特別の事情がない限り、履行不能になると判示した（大判大正2・5・12民録19輯327頁、最判昭和35・4・21民集14巻930頁）。他人の権利を売買の目的にしたときに（§560）、その権利を取得して買主に移転できないことに確定したときも、やはり履行不能である（最判昭和41・9・8民集20巻1325頁。なお、本章第1節解説④(2)参照）。目的物に対して仮差押えまたは仮処分が行われているにすぎない場合は、まだ履行不能になったとはいえない（最判昭和32・9・19民集11巻1565頁）。不動産の売主が第三者のために仮登記をしたにすぎない場合も、同様である（最判昭和46・12・16民集25巻1516頁）。

　(ｲ)　履行不能は、履行期に給付することが不能だということであるが、そのことが履行期以前に確実であれば、その時すでに履行不能の効果を生じると考えてよい。たとえば、請負工事が期限までに落成する可能性が全然ないことが分かれば、期限前に履行不能となり、したがって、注文者は履行期前に損害賠償の請求もできるし、また、契約の解除をすることもできる（改正前§543注釈参照）。なお、履行期以後になって、履行が遅延したまま不能になった場合については、〔1〕(1)(ｱ)、〔4〕(ｴ)参照。

　〔4〕　債務不履行（狭義）が成立するためには、「債務者の責めに帰すべき事由」（略して、「帰責事由」という）の存在が必要とされる。この「責めに帰すべき事由」をどう解するかについては、最近活発な論議が行われている。以下には、従来有力とされてきた考え方を述べることにする。

　従来の有力な見解によれば、まず、「債務者の責めに帰すべき事由」とは、債務者の故意・過失、または信義則上これと同視される事由をいうと解される。

　(ｱ)　ここに、故意とは、債務不履行を生じるであろうことを知っていながら、あえて不履行となる事態を招来することであり、過失とは、債務者の階層・地位・職業などにある者として信義則上要求される程度の注意を欠いたために、債務不履行を生じるであろうことを認識しないことをいう。

　このように、債務者の故意・過失は、不法行為の要件としての故意・過失（§709）に照応するものと考えられている。しかし、債務不履行の場合においては、通常は、履行すべき作為給付をしない（遅滞または不能）という不作為が問題になるので、それに故意・過失要件を適用するには注意を要する。すなわち、たとえば、債務者が渡すべき目的物を渡さなかったり、渡すのを遅滞したりしたときには、普通は当然それを知っており、つまり故意により行動している。また、その行動が過失によるというために、厳格な意味において作為義務とその怠りを問題とするのは適当でない。債務者と

§415〔4〕

しての不作為(履行すべきことを履行しないこと)には、普通は、当然、過失があると考えられてよいのである。

以上のように考えると、債務不履行における「債務者の責めに帰すべき事由」は、債権者の責任に帰せられるべき事由、第三者の責任に帰せられるべき事由、および不可抗力(改正前§419〔5〕参照)による場合を除くと、ほぼ例外なく認められるといってもよいのである(反証のためには、ここに挙げた事由を立証することになる)。

例外的に、不作為債務に反して作為行為をした場合や、不完全履行において積極損害を生じた場合(たとえば医療契約に基づく債務不履行の例として、最判昭和36・2・16民集15巻244頁[輸血梅毒事件]、最判平成7・4・25民集49巻1163頁、最判平成7・6・9民集49巻1499頁、最判平成8・1・23民集50巻1頁、最判平成31・3・12判時2427号11頁など)、債権の付随的義務(本章第1節解説⑥参照)に違反して債権者に損害を与えた場合(最判昭和59・4・10民集38巻557頁、最判平成2・11・8判時1370号52頁、最判平成3・4・11判時1391号3頁は、責任を肯定した例である)などにおいて、不法行為におけるのとほぼ共通したかなり難しい故意・過失の判断が行われることになろう。

以上のような配慮が必要なのは、不法行為とは違う債務不履行の特色からである(立証責任にも、それが現われる。㈩参照)。

㈣ 「債務者の故意・過失」に、さらに「信義則上これと同視される事由」が付け加えられるのは、この「責めに帰すべき事由」という要件が、不法行為における故意・過失の要件よりも広いものであることを強調するためである。

しかし、言葉としては「信義則上これと同視される」というように広い表現が用いられているが、具体的に問題とされるのは、実際上は、いわゆる「履行補助者の故意・過失」の理論だけである(他の例の可能性も残されてはいる。後述㈢の論理も、見様によっては、この信義則上同視されるという場合に含められるかもしれない)。

(a) 「履行補助者」とは、債務者の債務履行について債務者を補助してその履行に従事する者をいう。

履行補助者の過失について債務者の責任を認める規定は、商法には比較的に多く存在するが(商§§560・577・590・592・617・766など[いずれも2018年の改正前の条文であるが、§§577→575・592→593・617→610]が参考になる)、民法には一般的な規定はなく、ただ、復任権、寄託、遺言執行などについて、これに関連する規定(§§105[改注]・658Ⅱ[改注]・1016Ⅱ)が散在するにすぎない。そのため、はじめは履行補助者の故意・過失につき、債務者の責任を否定する説が優勢であった。しかし、1929年(昭和4年)に、これを肯定する二つの判決が出たのを契機に、これを肯定する説が有力になった。二つの判決というのは、一つは、賃借船舶が船員の過失によって沈没した場合に賃借人の責任を認めたものであり(大判昭和4・3・30民集8巻363頁)、他の一つは、建物の賃借人が賃貸人の同意を得て第三者に転貸していたところ、転借人の過失でその建物が焼失してしまった場合に、賃借人(転貸人)の責任を認めたものである(大判昭和4・6・19民集8巻675頁)。これらの事例は、いずれも債務者の履行補助者というよりは、債務者が有する利用権についての利用補助者の問題とみるべきものであるが、その理論は債務の履行の場合と共通のものを含んでいる。た

815

第3編　第1章　総則　第2節　債権の効力

だし、つぎのように、場合を分けて考察する必要がある。

(b)　まず、通常、履行補助者というときは、債務者に対して独立性を有せず、その者の履行行為がすなわち債務者の履行行為とみられるような場合をいう(「債務者の手足として」という表現が用いられることがあるが、必ずしも適当な表現ではない)。その例が非常に多いことは、たとえば、Aに対するB会社の債務の履行のために、B会社に雇用されたCその他の大勢の従業員が組織的に目的物の製造・販売に当たる場合を考えれば、容易に理解できる。Bが自然人である場合にも、そのようなCによって履行行為を行うという関係は数多く存在している。

このような場合には、その履行補助者に故意・過失があれば、それがそのまま債務者の故意・過失と同視される、とするのが、履行補助者の故意・過失の理論である。

この理論によって債務者Bに負わされる責任は、形式上は、あくまでCという他人の行為について認められる責任である。不法行為においては、自己責任の原則が基礎にあるので、他人の行為について不法行為責任を負わされるのは、あくまで例外である(§§714〜719参照)。これに対して、履行補助者については、そのように考えるべきでない。債務者は、その社会における活動において、履行補助者を用いることによってその活動範囲を飛躍的に拡大している。そのことの当然の反映として、履行補助者の行動について債務不履行責任を負わなければならないのである。すなわち、それは自己責任の原則の例外ではなく、むしろその拡張といってもよいものである。

(c)　例外的に、(b)に述べたことが妥当しない場合があることを認める必要がある(この場合につき、とくに「履行代行者」または「履行代用者」という用語を用いることが多い)。

(i)その1は、法律の明文(§§104［改注］・625Ⅱ・658Ⅰ［改注］・1016Ⅰなど)、特約などによって、履行代行者の使用が禁じられている場合である。それにもかかわらず、これを使用したときは、すでにこの点で債務不履行になるから、履行代行者の過失の有無を問わずに、債務者は責任を負う。もっとも、履行代行者を使用しなかったとしても生じたであろうと思われる損害については、責任を負わない。

(ii)その2は、法律の明文(§105［改注］など)、特約などにより積極的に履行代行者の使用を許された場合、または、とくに債権者の承諾を得た場合(§§658［改注］・1016など)である。この場合には、履行代行者の選任監督について過失がある場合にだけ、責任を負うと解される(§348は例外)。

(d)　以上の諸標準は、使用借主または賃借人のように目的物を利用する権能がある者が、目的物を利用するについて補助者(たとえば、妻・子・家事使用人など)または代用者(たとえば、転借人など)を使用する場合にも適合する。したがって、賃借人は、補助者についてはつねに上の(b)の責任を負い(責任を認めたものに、上記のほか、最判昭和30・4・19民集9巻556頁、最判昭和35・6・21民集14巻1487頁がある)、代行者すなわち転借人については、賃貸人の承諾のない場合には(c)の(i)の責任、承諾を得た

§415〔5〕〔6〕

場合には(c)の(ii)の責任を負うと解される。

(ウ) 債務者に故意・過失があるといえるためには、債務者に行為の結果を弁識するに足る精神能力があることを要するとするのが、通常の理解である。けだし、過失責任の理論は、その者にこのような精神能力があることを前提とするものだからである（§§712〔3〕・713〔1〕参照）。ただし、この精神能力は法律行為の有効要件としての事理弁識能力とは異なる（第1編第2章第2節解説、§7〔1〕参照）。

(エ) 債務者の責めに帰すべき事由によって履行期を徒過した後に、履行が債務者の責めに帰することができない事由によって不能となった場合には、債務者は、その責めに帰すべき事由に基づく不能として、その損害につき賠償責任を負うべきである。判例も、早くからこの趣旨を認めている（大判明治39・10・29民録12輯1358頁）。

(オ) 履行遅滞の場合（〔1〕(1)(イ)(c)参照）と同様に、債務者の責めに帰することのできない事由によって履行不能が生じたことは、債務者が立証しなければならない（大判大正14・2・27民集4巻97頁、最判昭和34・9・17民集13巻1412頁）。条文の表現は、「責めに帰すべき事由」をもって、履行不能の積極的要件としているから、債権者の方で立証すべきもののようだが、債務者は、そもそも債権成立の時から履行するべきことを予定されているものだから、不能となったら、その責めに帰すべき事由に基づかないことを立証しない限り責任を負う、とすることが信義則に合致するのである。

〔5〕 履行不能の効果として、債権者が損害賠償の請求をすることができるということである。

この場合の損害賠償は、給付に代わる損害の賠償、すなわち、不能になった給付の埋め合わせとなるべき損害賠償、つまり、「塡補賠償」に限る。給付の一部が不能な場合には、給付が不可分であるとき、または可分であっても残部だけでは債権の目的を達することができないときは、債権者は残部の受領を拒絶して全部に該当する塡補賠償を請求することができる。しかし、そうでない場合には、原則として、不能な部分に該当する塡補賠償を請求できるにすぎないと解される。

なお、債権者が損害の発生およびその額を立証するべきことは、履行遅滞におけるのと同様である（〔2〕(1)(イ)参照）。

履行遅滞の場合に、それが債務者の責めに帰することのできない事由に基づくときは、遅延による損害の賠償債務を生じないだけで、本来の債務は影響を受けない。これに反し、債務者の責めに帰することのできない事由によって履行不能を生じたときは、債務は消滅する。ただし、その場合に、その債務が双務契約から生じたもの（たとえば、売主の目的物引渡債務）であれば、他方の債務（買主の代金債務）もまた消滅するかどうか、の問題を生じる。これを、危険負担の問題という（改正前§534参照）。

〔6〕 なお、本条に関連して、代償請求権の問題がある（新§422の2参照）。

履行不能を生じたのと同じ原因によって債務者が利益を取得することがある。たとえば、債権の目的物を第三者が滅失または損傷したため、債務者は、債権者に対しては債務を免れ、第三者に対しては損害賠償請求権を取得するなどが、それである。このような場合には、債権者はこの債権の目的物に代わるもの（これを代償という。もちろん、債権者がこうむった損害を限度とする）を請求する権利を有するものと解されている。

817

第3編　第1章　総則　第2節　債権の効力

ドイツ民法はこのことを明定しているが(同法旧§281、現§285)、明文のないわが民法においても、同様に解することが公平に適するであろう。判例もこの理を認めた(最判昭和41・12・23民集20巻2211頁。借家人が取得した火災保険金の例である。この判決は改正前§536Ⅱただし書(原条文)を援用している)。

（損害賠償の範囲）
第四百十六条
　　　1　債務の不履行に対する損害賠償の請求は、これによって通常生ずべき[2]損害[1]の賠償をさせることをその目的とする[6)7)]。
　　　2　特別の事情によって生じた損害であっても、当事者がその事情を予見すべきであった[1]ときは、債権者は、その賠償を請求することができる。

〈改正〉　2017年に改正された。2項中「予見し、又は予見することができた」を「予見すべきであった」に改めた。前掲（412条）附則第十七条1参照。

[改正の趣旨]　[1]　損害賠償の範囲の問題は、単に認識可能性の問題ではなく、規範的価値判断の要素を含む点を考慮したものと解されている。これにより、例えば、契約の締結後に債権者が債務者に対してある特別の事情が存在することを告げさえすればその特別の事情によって生じた損害が全て賠償の範囲に含まれるとの解釈は否定される。その他の変更はないので、通常損害、特別損害という従来からの分類や、本条の不法行為への類推適用も否定されていないものと思われる。

[改正前条文]
　　　1　同上
　　　2　特別の事情によって生じた損害[3)]であっても、当事者[4)]がその事情を予見し、又は予見することができた[5)]ときは、債権者は、その賠償を請求することができる[6)7)]。

[原条文]
　　　損害賠償ノ請求ハ債務ノ不履行ニ因リテ通常生スヘキ損害ノ賠償ヲ為サシムルヲ以テ其目的トス
　　　特別ノ事情ニ因リテ生シタル損害ト雖モ当事者カ其事情ヲ予見シ又ハ予見スルコトヲ得ヘカリシトキハ債権者ハ其賠償ヲ請求スルコトヲ得

[改正前条文の解説]
　本条は、損害賠償の範囲についての原則的規定であって、不法行為による損害賠償の範囲も本条を基準とするべきものとされているので、きわめて重要な規定である。
　なお、2004年改正は、本条の冒頭に「債務の不履行に対する」を付加した。当然といえば当然だが、不要な修正ともいえる。本条を不法行為にも類推適用すべきものとする判例・学説の解釈(§709[7](1)参照)は、この語句がない状態において行われたものである。
　〔1〕「損害」の意味については、415条［改注］〜422条前注[4](4)(ア)参照。
　現実に損害が生じなければ、その賠償を請求することはできないが、いやしくも損害があれば、それが財産上の損害であるか、精神上の損害であるか、を問わない(大判大正5・1・20民録22輯4頁)。また、既存の財産が減少した場合のように、積極的損害であっても、「得べかりし利益」を失った場合のように、消極的損害であっても、

§416〔1〕〜〔5〕

差異はない。ただし、大量的・画一的な商取引においては、一定の制限的な基準が定められているものもある（商§§580（→576参照）・590Ⅱ［削除］・766［削除］など）。

〔2〕　1個の債務不履行から生じる損害は、自然の因果関係をたどっていくと無限にひろがることも可能である。しかし、本条は、それを「通常生ずべき損害」（これを「通常損害」という）に限った。これは、一般に「相当の因果関係に立つ損害」といわれるものであって、当該の債務不履行によって現実に生じた損害のうち、当該の場合の特有の損害を除き、そのような債務不履行から一般に生じるであろうと認められる損害を意味する。損害賠償は、一方のこうむった損害を他方に賠償させ、当事者間の公平を図ろうとする制度であるから、通常の場合に生じるべき損害を賠償させることが最もよくその目的に適すると考えられるのである。

この基準によれば、通常生じるべき損害は、履行遅滞の場合には、遅滞の期間だけの使用価値（遅延賠償）であり、履行不能の場合には、目的物の交換価値（塡補賠償）であり、不完全履行の場合には、追完が可能かどうかによって遅延賠償または塡補賠償を考えるとともに、その不完全履行から通常生じると考えられる積極損害を含むことになるであろう。この積極損害については、通常損害といえるか、それとも特別損害であるかの区別が問題となる事例が多いと考えられる。

〔3〕　「特別の事情によって生じた損害」（これを「特別損害」という）とは、「通常生ずべき損害」に対する概念であって、たとえば、債権者が利益を得て転売の契約をしていたというような、債権者個人に存する事情による損害と、債務不履行後の経済事情の激変というような、客観的事情による損害とを包含する。元来は、相当因果関係の範囲に入らない損害である。

〔4〕　ここに「当事者」とは、言葉としては債権者・債務者の双方を意味するが、もっぱら債務者を指すと解するのが通常である。けだし、予見しまたは予見することができたであろう、という要件は、ひとえに債務者を保護するためのものだからである（債権者の予見・予見可能性を問題としても、実効性のある制約とはならない）。

〔5〕　特別損害については、債務者がその損害を生じさせた事情を（損害を、ではない）予見し、または予見することができたはずである場合にだけ、その事情から通常生じるべき損害について（大判昭和4・4・5民集8巻373頁）、賠償を請求できるものとした。相当因果関係の一面を規定したものといえるが、この第2項の基準をも含めたものを「相当因果関係」と呼ぶ用語法もあるし、第1項の基準のみを「相当因果関係」と呼ぶ用語法もある。

(ア)　つぎに、判例上問題になったいくつかの論点を挙げておく。

　(a)　最も活発に問題とされたのは、いわゆる「中間最高価格」の問題である。すなわち、債権者において転売すべき商品の売買などにおいて、債務不履行の後に目的物の市場価格が一度暴騰し、さらに下落した場合に、債権者は履行期後損害賠償を請求するまでの間の最高価格（中間最高価格）を基準として損害額を算定することができるかという問題である。判例は、はじめつねに最高価格に従って損害賠償額を算定するべきであると解していた（大判明治39・10・29民録12輯1358頁）。これは債権者がつねに最高の価格で転売する機会をとらえることができたものと予定する

819

第3編　第1章　総則　第2節　債権の効力

ことであって、実際に適合しない。したがって、学者は、一般にこの判例理論を批判していたので、大審院もその説を改め、第1に、債権者が現に転売の契約をしていた場合には、この転売価格を基準とすべきであって、その時以後の目的物の騰貴を考慮するべきではないと判示した(大判大正10・3・30民録27輯603頁)。ついで、不履行後の騰貴は、原則として基準とならず、ただ、とくに騰貴するべき経済界の事情があったこと、および債権者があたかもその時期に転売したであろうということを債務者において知り、または知ることができたであろう事情があるときに、はじめて騰貴した価格を基準とすることができ(すなわち、特別損害と見たわけである)、この場合の立証責任は、債権者にあるとした(大判大正13・5・27民集3巻232頁)。

以上の経過を経て、大民刑連判大正15・5・22(民集5巻386頁[富喜丸事件])は、物の滅失による損害(事案は、不法行為による船の沈没)は、滅失当時の交換価格により(その後の使用利益の喪失の分はそれに含まれる)、その物の特別の使用収益により得ることができたであろう異常な(通常でない)利益や、価格の騰貴による利益は、特別損害に当たるとした。この判決がもった影響は大きい。

(b)　ただし、債務不履行を理由として契約が解除された場合(§§415〜422前注④(1)参照)には、解除時の価格を基準とする賠償が通常損害として認められる傾向が強い(最判昭和28・10・15民集7巻1093頁、最判昭和28・12・18民集7巻1446頁。後出最判昭和36・4・28民集15巻1105頁は履行期を基準とする)。

また、類似の考え方で、本来の給付を請求しながら、それが不能な場合には履行に代わる損害賠償を請求するときは、最終口頭弁論終結時の価格を基準とするとする判例もある(最判昭和30・1・21民集9巻22頁)。

また、不動産の売主が、履行期が到来する前に他に二重譲渡して履行不能を生じた場合について、その二重譲渡を登記した時点、すなわち履行不能発生時の価格を基準として算定すべきもの(これを通常損害としたものと思われる)とした判決がある(最判昭和35・4・21民集14巻930頁)。

(c)　土地の引渡しを受け、建物を建てて営業を営んでいれば得たであろう営業利益などは、特別損害となりうるものとされている(最判昭和32・1・22民集11巻34頁。最判昭和39・10・29民集18巻1823頁は、自動車売主の遅滞で、買主が運送事業免許を得ていなくても、営業利益の喪失による損害を認めた)。転売による利益についても、そうである(大判昭和4・4・5民集8巻373頁——ただし、売買代金の3倍の転売契約について、予見しえないものとされた)。

(d)　目的物が値下りした場合について、履行遅滞後に引渡しがされたときの損害額は、履行期の市価と引渡しの時の市価の差額であるとした判決がある(最判昭和36・12・8民集15巻2706頁。通常損害とみていると思われる)。

(e)　目的物が値上りした場合について、騰貴した現在の(結局、口頭弁論終結時における、ということになる)価格による賠償は、特別損害に当たるとする例(最判昭和37・11・16民集16巻2280頁、最判昭和47・4・20民集26巻520頁。いずれも、予見可能性がありうるとした)、履行期の値上りした価格と約定代金の差額を通常損害とした例(最判昭和36・4・28民集15巻1105頁。買主が契約を解除した例である)などがある。

（f） 弁護士費用

債権実現のために要した弁護士費用については、判例は必ずしも明確でない。不法行為を根拠とする事案については、不当な執行、訴訟提起、応訴などに対する損害賠償を認めたものがあるが（§709〔7〕(2)(オ)参照）、債務不履行については、金銭債権の取立てに要した弁護士費用につき否定した（§419〔改注〕を根拠とする）判例がみられる（最判昭和48・10・11判時723号44頁）。しかし、今後は、弁護士の専門知識を必要とする訴訟に要した弁護士費用について通常損害として認める方向に向うのではなかろうか。第3編第2章契約第1節第2款④(2)(イ)の最判平成24・2・24は、労働契約上の安全配慮義務違反と相当因果関係に立つ損害賠償請求について肯定したが、契約上の債務の履行を求める訴訟の追行等のための弁護士報酬を債務不履行に基づく損害賠償として請求することは認めなかった（最判令和3・1・22判時2496号3頁、給付利益を得るための取り立て費用に過ぎない等の理由で）。

（イ） 債務者が特別の事情を予見し、または予見することができたであろうかどうかは、契約締結の時ではなく、債務不履行の時を標準として決する。したがって、履行遅滞にあっては、履行期までに知り、または知ることができたであろう事情を標準とするべきである（大判大正7・8・27民録24輯1658頁）。

（ウ） 債務者が特別の事情を予見し、または予見することができたであろうことは、債権者の立証責任に属する（前出大判大正13・5・27参照）。

〔6〕 相当因果関係に従って損害賠償の範囲を定めるものとする以上の原則に対しては、三つの例外が規定されている。第1は、金銭債権の不履行（§419Ⅰ〔改注〕）、第2は、過失相殺（§418〔改注〕）、第3は、賠償額の予定（§§420〔改注〕・421）である。

〔7〕 なお、本条に関連して、損益相殺の問題がある。

債務不履行が債権者に損害を与えると同時に、利益を与えることがある。たとえば、劇団が旅費・滞在費は劇団持ちで地方の興業師と契約したところ、興業師が約束に違背したとすれば、劇団は、一方において、契約相当額の損害をこうむるとともに、他方において、旅費・滞在費の支出を免れる。このような場合には、得た利益を損害額から控除した残額が実際に請求できる賠償額となる。これは、ローマ法以来伝わる「損益相殺」compensatio lucri cum damno の法理である。

ただし、なにをもって控除されるべき利益と考えるかについては、慎重な判断を要する（最判昭和56・4・9判時1003号89頁は、リース物件が目的に適合しないということによる損害賠償請求で、その物件が使用可能であった期間のリース料相当額が控除された例である）。とくに、労働災害による補償などとの関係（労基§84など）、損害保険（最判昭和50・1・31民集29巻68頁は、家屋焼失による損害賠償請求において、火災保険金は損益相殺の対象にならないとする。相互の関係は、保険法理によって解決される）、生命保険、社会保険、社会保障制度による給付との関係についてどう考えるかは、困難で重要な問題をはらんでいる（労災により第三者または使用者に対して損害賠償請求権を有する者が、労災保険金を現実に受領した分は損害額から控除され、まだ現実に給付されていない分は控除されないとする判例がある。第三者に対する請求について、最判昭和52・5・27民集31巻427頁、使用者に対する請求について、最判昭和52・10・25民集31巻836頁）。以上の点について、不法行為に関

第3編　第1章　総則　第2節　債権の効力

する 709 条〔7〕(4)(イ)を参照。

▍（損害賠償の方法）
　第四百十七条
　　損害賠償は、別段の意思表示[2]がないときは、金銭をもってその額を定める[1]。
　［原条文］
　　損害賠償ハ別段ノ意思表示ナキトキハ金銭ヲ以テ其額ヲ定ム

〔1〕　損害賠償の方法に関しては、原状回復（債務不履行がなかったとしたら存したであろうと推測される状態への復旧）を原則とする主義と、金銭による賠償を原則とする主義とがある。ドイツ民法（§§249〜251）は前者をとるが、わが民法は後者に拠った。普通の場合には、この主義が便宜かつ有効であると考えたからである。

なお、本条は、不法行為に基づく損害賠償に準用されているが（§722 I ［改注］）、名誉毀損の場合の 723 条は、その例外である。また、鉱業法は、金銭賠償の原則をとりながらも、賠償金額に比していちじるしく多額の費用を要しないで原状回復（たとえば、炭鉱による陥没の復旧）をすることができるときは、被害者は原状回復の請求ができ、また、加害者側でも、原状回復の方法を裁判所に申し立てることができるものとしている（鉱業§111 IIただし書）。

〔2〕　たとえば、借りた自動車に故障を生じさせたら、代わりの自動車を返還するという特約などである。421 条参照。

▍（中間利息の控除）
　第四百十七条の二
　　将来において取得すべき利益についての損害賠償の額を定める場合において、その利益を取得すべき時までの利息相当額を控除するときは、その損害賠償の請求権が生じた時点における法定利率により、これをする[1]。
　　2　将来において負担すべき費用についての損害賠償の額を定める場合において、その費用を負担すべき時までの利息相当額を控除するときも、前項と同様とする[2]。

〈改正〉　2017 年に新設された。附則（債務不履行の責任等に関する経過措置）第十七条 2 新法第四百十七条の二（新法第七百二十二条第一項において準用する場合を含む。）の規定は、施行日前に生じた将来において取得すべき利益又は負担すべき費用についての損害賠償請求権については、適用しない。

［本条の趣旨］〔1〕　変動制法定利息（新 404 条参照）の導入に伴って、損害賠償の請求権が生じた時点の法定利率を用いることを定めた。その限りでは、従来の判例（最判平成 17・6・14、709 条〔7〕(2)(イ)(a)(vi)で引用）に変更はない。もっとも、現今の経済状況のもとでは年 3 ％（新 404 条 2 項参照）による運用は容易ではなく、また、損害賠償による被害者救済にとっても不十分であろう。事件・事故等の被害者・遺族にとって現行の年 5 ％とする実務の運用が、年 3 ％となることは、重大な変更となる。さらに、遅延損害金の催告が本法施行後であれば 3 ％だが、中間利息には事故発生時の 5 ％が適用されることもあるのだろうか。なお、中間利息控除の方法については、ライプニッツ方式（複利）とホフマン方式（単利）がある

822

§§417・417の2・418 [1]

が、民法改正後も、いずれによるかは、引き続き実務の運用に委ねられる。新法では、法定
利率の基準時は損害賠償請求権が生じた時点であるとされた。「損害賠償の請求権が生じた時
点」が何時であるかについては、消極的損害（逸失利益）と積極的損害に分けて考察すべき
であるとの指摘がなされている。消極的損害については、将来の各時点で生じる所得の喪失
が損害であると解するか（最判令和2・7・9民集74巻1204頁参照）、損害賠償請求権は不法
行為の時点で確定的に生じており、逸失利益の計算方式はその算定方法に過ぎないと解する
か（最判平成8・4・25民集50巻1221頁参照）、議論の余地があるとされる。積極的損害に
ついては、損害賠償請求権は不法行為の時点で確定的成立するという一般論から不法行為時
の法定利率によるとの考えもあるが、実際に費用が必要になった時点で損害が生じると解す
べきとの見解もある（最判平成11・12・20民集53巻2038頁参照）。なお、後遺障害につい
ては、さらに配慮が必要となろう。

〔2〕　いわゆる逸失利益や将来負担することになった費用について損害賠償を定める場合
にも、同様とされた。（§709の解説[7](2)(イ)(a)(vi)参照）。新722条による本条の準用と、民事
執行法88条2項と破産法99条が連動して改正されたことに注意。

（過失相殺）
第四百十八条
　　債務の不履行又はこれによる損害の発生若しくは拡大に関して[1]債権者に過
　　失があったときは、裁判所は、これを考慮して、損害賠償の責任及びその額を
　　定める。

〈改正〉　2017年に改正された。「不履行」の下に「又はこれによる損害の発生若しくは拡
大」を加えた。前掲（412条）附則第十七条1参照。

[改正の趣旨]　[1]　改正前418条は「債務の不履行に関して」債権者に過失があったとき、
と定めているが、判例・通説は、不履行の発生に関して過失がある場合だけでなく、損害の
発生や損害の拡大に関して過失がある場合も「債務の不履行に関して」債権者に過失があっ
た場合に含まれるとして過失相殺を認めてきた（解説[2]参照）。新法は、従来の判例・通説
を明文化し、「債務の不履行」または「これによる損害の発生若しくは拡大」に関して債権者
に過失があったとき、と定めた。このように「損害の拡大」について過失があった場合に過
失相殺を認めることは「損害軽減義務」という考え方に通じるとの理解もある。なお、722
条の「定めることができる」との間の表現上の違いは残された。

[改正前条文]
　　債務の不履行に関して[2]債権者に過失があったときは[1]、裁判所は、これを考慮して、損
　　害賠償の責任及びその額を定める[3]。

[原条文]
　　債務ノ不履行ニ関シ債権者ニ過失アリタルトキハ裁判所ハ損害賠償ノ責任及ヒ其額ヲ定
　　ムルニ付キ之ヲ斟酌ス

[改正前条文の解説]

本条は、いわゆる「過失相殺」compensatio culpae と呼ばれる法理を規定するもの
であって、損害賠償の指導精神である公平の観念に基づくものである。

〔1〕　「債権者に過失があった」とは、債権者が自分の行為（作為または不作為）の結
果として債務者の債務不履行を生じ、または損害が発生した場合に、そうなることを
債権者が予見したか（故意）、あるいは善良なる管理者の注意を用いれば予見できたで

第3編　第1章　総則　第2節　債権の効力

あろうと考えられることであるが、債権者自身の故意・過失のほかに、受領補助者（債権者による給付の受領を補助する者）の故意・過失のように、取引観念上、債権者自身の故意・過失と同視すべきものを含むこと（最判昭和58・4・7民集37巻219頁は、銀行の誤った手形支払の責任が問われたのに対し、債権者の経理担当事務員がその手形を偽造したという例である）、および、債権者に故意・過失があるとすることができるためには、債権者に責任能力があることを要することは（改正前§415〔4〕(ウ)参照）、ともに債務者側の故意・過失と同様である。

〔2〕「債務の不履行に関して」債権者に過失があるとは、債務不履行自体について債権者に過失がある場合だけでなく、損害の発生もしくは拡大について債権者に過失がある場合をも包含する。たとえば、債務の履行期前に債権者が転居してこれを債務者に通知せず、債務者もまた債権者の転居先を調査しなかったために履行遅滞が生じたような場合だけでなく、いったん債務不履行が生じた後に債権者が転居し、それを債務者に通知しなかったためにその後に損害が生じ、または損害が拡大したような場合をも包含する（大判大正12・10・20民集2巻596頁）。また、請負人が建物の配電工事をやりかけで放置し、注文者も通常の注意を払わなかったので、漏電で建物が焼けてしまった場合とか（履行不能）、ニワトリの売主が病気のニワトリを引渡し、買主にも管理に不注意があったために他のニワトリにも病気が伝染した（不完全履行）ような場合にも、事は同じである。

〔3〕「これ（債権者の過失）を考慮して、損害賠償の責任及びその額を定める」とは、裁判所は、債務者の賠償責任を否定することも、あるいはその賠償額を軽減するにとどめることもできるということである。はたして賠償責任を否定すべきか、またはどの範囲において賠償額を軽減すべきかは、債権者、債務者の両方の故意・過失の大小、その原因としての強弱その他諸般の事情を考量し、公平の原則に照らして、これを決定すべきものである。しかし、いやしくも債権者に故意・過失があることを認定した以上は、なんらかの程度において斟酌することを要する。

なお、不法行為による損害賠償についても、同じ過失相殺が規定されている（§722Ⅱ）。実際に問題になるのは、不法行為の場合が多いので、改正前722条〔2〕〜〔4〕参照。そのさい、過失相殺の効果について、条文上二つの点で差異が設けられていることに注意を要する。その1は、不法行為責任に関しては、賠償額を軽減しうるにとどまり、責任を否定することはできない。その2は、債務不履行責任に関しては、債権者の過失があれば、必ずこれを考慮（原条文では「斟酌」）しなければならないのに対し、不法行為責任に関しては、「考慮することができる」にとどまる。しかし、両者を区別する合理的な理由は乏しいので、適用のうえで両者を近づけるのが妥当であるとする意見が多い。

なお、過失相殺については、債務者の主張がなくても、裁判所が職権で斟酌することができるが、債権者の過失となるべき事実については、債務者が立証責任を負うとされる（最判昭和43・12・24民集22巻3454頁）。

824

§§ 418〔2〕〔3〕・419〔1〕

（金銭債務の特則）
第四百十九条
　1　金銭の給付を目的とする債務の不履行については、その損害賠償の額は、債務者が遅滞の責任を負った最初の時点における[1]法定利率によって定める。ただし、約定利率が法定利率を超えるときは、約定利率による。
　2　前項の損害賠償については、債権者は、損害の証明をすることを要しない[3]。
　3　第一項の損害賠償については、債務者は、不可抗力[5]をもって抗弁とすることができない[4]。

〈改正〉　2017 年に改正された。1 項中「額は、」の下に「債務者が遅滞の責任を負った最初の時点における」を加えた。附則（債務不履行の責任等に関する経過措置）第十七条 3　施行日前に債務者が遅滞の責任を負った場合における遅延損害金を生ずべき債権に係る法定利率については、新法第四百十九条第一項の規定にかかわらず、なお従前の例による。
[改正の趣旨]　[1]　改正前 1 項本文は、金銭債務の遅延損害金については法定利率によることを定めているから、変動制法定利息の導入により遅延損害金の率についても適用する利率の基準時を定める必要がある。新法では「当該債務につき債務者が遅滞の責任を負った最初の時点」の法定利率によることを定めた。したがって、債務不履行による損害賠償請求について期限の定めがないときは、履行の請求時の法定利率であるが、不法行為の場合は、不法行為時の法定利率になる。647 条後段、669 条、704 条、873 条 2 項の場合も同様である。
[改正前条文]
　1　金銭の給付を目的とする債務の不履行については、その損害賠償の額は、法定利率によって定める[1]。ただし、約定利率が法定利率を超えるときは、約定利率による[2]。
　2・3　同上
[原条文]
　　金銭ヲ目的トスル債務ノ不履行ニ付テハ其損害賠償ノ額ハ法定利率ニ依リテ之ヲ定ム但約定利率カ法定利率ニ超ユルトキハ約定利率ニ依ル
　　前項ノ損害賠償ニ付テハ債権者ハ損害ノ証明ヲ為スコトヲ要セス又債務者ハ不可抗力ヲ以テ抗弁ト為スコトヲ得ス

[改正前条文の解説]
〔1〕　金銭債権については、その履行遅滞（金銭債務については、履行不能はない。§402 前注〔2〕参照）によって実際に生じた損害額にかかわらず、不履行となった金銭債権の額と不履行の期間とを基準として、法定利率——民事においては年 5 パーセント（改正前§404）、商事においては年 6 パーセント（削除前商§514）——によって一律に計算した金額を損害賠償として支払うべきものとする趣旨である。債権者は、実際上の損害がこれより多額であることを証明しても、その賠償を請求することはできない。ただし、法律に特別の定めがあれば、それに従うことはもちろんである（§§647・669・873Ⅱ、商旧§69→会社§582Ⅱ参照）。また、当事者が損害賠償額の予定をした場合（§420）には、それに従う（改正前§420〔2〕参照）。いずれにせよ、この場合の損害賠償は一定の率によって定められ、形の上で利息に類似するので、慣行的に「遅延利息」と呼ばれる。しかし、それは、厳密にいえば、利息ではなく、損害賠償であることに注意

825

第3編　第1章　総則　第2節　債権の効力

を要する。

　金銭債務の不履行に関しては、ドイツ、スイス、フランス各民法は、それぞれ特則を設けており、一定の利率により計算された額の損害については、いずれも特別の証明がなくても債務者は責任を免れることができないものとするが、それを超える部分については、おのおのその内容を異にする。ドイツ民法（§288）においては、債権者は、実際上の損害が法定利息相当額以上であることをとくに証明すればその賠償を請求することができる。スイス債務法（§106）においては、債務者は、それより多額の分については無過失を証明して、その賠償責任を免れることができる。フランス民法（§1153→§1231-6）では、法定利率による遅延賠償を原則とするが、債権者は、債務者の悪意を証明して法定利息相当額より多額の、実際上の損害の賠償を請求することができる。これらの立法例に比して、わが民法の規定は債権者に不利であると批判する学者も少なくない。しかし、一般の消費信用における原則として、なお合理性を認めることができるのではなかろうか。

　なお、この損害賠償の計算は、履行期が到来した時（§412［改注］）から起算することはいうまでもない。特殊な場合として、旧借地法12条（現在の借地借家§11）により地代の増額請求があった場合について、判決によって認められた増額分については、その増額請求が借地人に到達したときから遅延利息を生じるとした判例がある（大判昭和17・11・13民集21巻995頁）。

　〔2〕　たとえば、利率年10パーセントという利息の特約がある消費貸借上の債務が履行されない場合には、損害賠償は、その年10パーセントの利率で計算した額とされるのである。ただし、この損害賠償については、約定利率とは別に、その率が定められることが多い（たとえば、約定利率の倍とするなど）。

　なお、元本が100万円で約定利率が年30パーセントであり、利息制限法1条1項により15パーセントに制限された場合に、賠償額の予定（いわゆる遅延利息）の定めがないとき、このただし書にいう約定利率は年15パーセントと考えるか、それとも、遅延利息としては利息制限法4条1項により許される約定利率の倍の年30パーセント（現在では倍ではなく、1.46倍。改正前§404〔3〕(イ)(b)(vii)参照）と考えるかは、見解の分かれるところである。判例は、前説をとる（最大判昭和43・7・17民集22巻1505頁）。

　〔3〕　債務不履行による損害賠償を請求するには、損害の発生および多少（結局はその数額）を証明することを要するという原則があるが（改正前§415〔2〕(1)(イ)参照）、この原則に対する金銭債権についての特則である。この特則を設けた理由は、金銭債務の不履行の場合においては、利息だけの損害はつねに必ず生じ、また、これより多くの損害は生じないとみなすことが公平に適すると考えたことに基づくのである。

　〔4〕　債務不履行による損害賠償の義務が発生するためには、履行期に履行しないことが債務者の責めに帰すべき事由に基づくことを要するという原則があるが（改正前§415〔1〕(1)(イ)、〔5〕参照）、これに対する特則である。しかも、それは、不可抗力をもっても抗弁とすることができない「絶対的責任」としたのである（改正前§415〔1〕(1)(イ)(a)参照）。

　〔5〕　「不可抗力」とは、外部からくる事実であって、取引上要求できる注意や予

§§419〔2〕～〔5〕・420

防方法を講じても防止できないものである。単に過失がないというだけでなく、より
いっそう外部的な事情である。

　たとえば、鉄道施設に瑕疵があって事故を生じたような場合に、善良な管理者の注
意をしても防止できないものであれば、普通の意味における過失はないということに
なる。しかし、企業の内部に存する原因に基づくことであるから、不可抗力とはなら
ない。

　不可抗力とは、大地震・大水害などの災害や、戦争・動乱などが代表的な例とされ、
最近では、新型コロナウイルス等の感染症を加える見解もある。単なる第三者の行為
などは、通常、不可抗力とはいわない。不可抗力は、ローマ法で無過失責任を認める
場合に、これを制限する観念(過失がなくても責任を負わなければならないが、不可抗力につ
いては責任はない)として認められたもので、現行法でも、客の来集を目的とする場屋
の主人の責任などに関して同一の観念が認められている(商§596)。しかし、本条は、
不可抗力でも責任を免れることができないとしているから、この用法とは違う意味、
すなわちいかなる抗弁も許されない「絶対的責任」という意味に解すべきである。な
お、不可抗力については、ほかに275条・609条〔改注〕・610条、商法576条→573
条2項参照・752条・748条2項参照・832条→828条参照。なお、国際物品売買契
約に関する国際連合条約79条1項も参考になる。

（賠償額の予定）
第四百二十条
　1　当事者は、債務の不履行について損害賠償の額を予定することができる[1]。
　2　賠償額の予定は、履行の請求又は解除権の行使を妨げない[3]。
　3　違約金は、賠償額の予定と推定する[4]。
〈改正〉　2017年の改正による。1項後段を削除した。附則（債務不履行の責任等に関する経
過措置）第十七条4　施行日前にされた旧法第四百二十条第一項に規定する損害賠償の額の
予定に係る合意及び旧法第四百二十一条に規定する金銭でないものを損害の賠償に充てるべ
き旨の予定に係る合意については、なお従前の例による。
［改正の趣旨］　[1]　改正前1項後段のもとでも実際には裁判所は過大な「損害賠償の予
定」や「違約金」の定めについては、公序良俗違反・信義則違反・過失相殺等により制限を
してきた（解説〔2〕参照）。新法は、損害賠償額の予定について契約自由の原則の下でその効
力を原則として是認しつつも、改正前後段の削除により、その額が過大な場合には、司法の
介入により減額がなされること、および損害賠償額の予定は無制限ではないことを明確にし
た。なお、公序良俗に反するような過大な賠償額の予定がなされた場合には、約定「全体」
が無効となる場合があることを排斥するものではないと解される。
［改正前条文］
　1　当事者は、債務の不履行について損害賠償の額を予定することができる[1]。この場合
　において、裁判所は、その額を増減することができない[2]。
　2、3　同上
［原条文］
　当事者ハ債務ノ不履行ニ付キ損害賠償ノ額ヲ予定スルコトヲ得此場合ニ於テハ裁判所ハ
　其額ヲ増減スルコトヲ得ス

827

第3編　第1章　総則　第2節　債権の効力

■　賠償額ノ予定ハ履行又ハ解除ノ請求ヲ妨ケス
　　違約金ハ之ヲ賠償額ノ予定ト推定ス

[改正前条文の解説]

〔1〕　たとえば、「売主が売買契約の履行ができなければ、30万円の違約金を支払う」とか、金額面の定めがある債権(金銭債権といってもよいが、100万円の価値のあるこれこれの物を給付するというような例についても、考えられる)の履行について「遅延すれば、日歩5銭(元本を100円とした表現で、1日につき0.05パーセントに当たる)の割合の利息を支払う」というなどである。この場合の賠償額も、金銭であることを原則とする(§421参照)。なお、金銭債務の不履行についても、賠償額の予定がなされうるが、これも一定の率によって定められるべきものと通常解されている(§417参照)。これも、利息になぞらえて、遅延利息に関する約定(遅延)利率と呼ぶことができよう。ただし、最近の判例は、この言葉を避けて、金銭債権についても「損害賠償額の予定」という厳密な用語を用いるようになっている。

　遅延利息についての遅延利率のことを「延滞金利」と呼ぶこともできよう。この延滞金利についても、利息についてと同様の規制が及ぶことはもちろんである(改正前§404〔3〕参照)。最近の低金利状況において、通常の利息についてはそれなりの取引上の配慮が行われて、交渉で定められるので、それに従うのは当然であるが、延滞金利については、借主の意思が無視されて比較的高率が定められていることが多く、問題を生じている(貸金業者に対する制限の29.2パーセント〔日歩8銭〕ぎりぎり、あるいはその半分の利息§4による14.6パーセント〔日歩4銭〕を定める例などが見られる。後者でも、今日では高すぎると考えられる。14.6パーセントの制限を定める消費契約§9②の問題にもなりうる)。なお、税債権における延滞税は、2か月は7.3パーセント、その後は14.6パーセントとされているが(税通§60)、上記7.3パーセントについては、最近では租税特別措置による特例基準割合といずれか低い割合とされていることが注目される。過誤納税の納税者への還付についても同様の問題がある(金融政策上の国税や銀行に対する配慮だけでなく、消費者についても状況に応じた適切かつ迅速な対応が望まれる)。

　そもそも、債権者が債務不履行による損害の賠償を請求するには、必ず損害の発生およびその数額を証明しなければならない建前であるが、実際上その証明は容易でない場合が少なくない。また、債務者がみずからの責めに帰することのできない事由に基づくことを立証すれば、責任を免れるということも、債権者にとっては煩わしいことである。そこで、債務不履行があれば、損害の有無・多少を問わず、また、債務者の責めに帰すべき事由に基づくかどうかを問題とせずに、債務者に予定の賠償額を支払わせることにして、立証の困難や煩わしさを排除して、履行を確保しようとするのが、賠償額の予定をする理由である。したがって、債務者において、債務不履行がその責めに帰することのできない事由に基づくこと、あるいは、損害が全然なかったこと、または、実際の損害額が予定賠償額より少ないことなどを立証しても、責任を免れ、または減額を請求することは許されないと解すべきである(大判大正11・7・26民集1巻431頁)。同様の理由によって、債権者において実際の損害額がさらに大きいこ

§ 420〔1〕〜〔3〕

とを立証しても、増額を請求することはできないと解される（大判明治 40・2・2 民録 13 輯 36 頁）。

ただし、以上の解釈は、賠償額の予定という文理からは多少離れる。たとえば、当事者の意思が、「債務者の責めに帰すべき事由」は必要であり、この事由が存在し、損害賠償の請求が認められる場合における、賠償されるべき額を予定するということにある場合には、その意思を尊重する必要があろう。

なお、労働契約に関しては、使用者は労働者の契約不履行について違約金を定め、または損害賠償額を予定する契約をしてはならないとされ（労基§ 16、船員§ 33）、これに違反すると処罰される（労基§ 119、船員§ 130）。割賦販売法 6 条、特定商取引法 10 条などにも、消費者保護のため同旨の規定がある（罰則はない）。

〔2〕 予定賠償額が過大であっても過少であっても、裁判所は、これを増減することはできない。

この「賠償額予定の自由」は、利息の自由とともに、近世取引法において確立した契約自由の原則の具体的な内容の一つであって、歴史的意義を有するものである。すなわち、フランス民法（§ 1152 → § 1231-5）がこの自由を規定した。しかし、その後の立法は、ドイツ民法（§ 343）もスイス債務法（§ 163 Ⅲ）も、この制度が債務者を不当に圧迫する手段に用いられることをおそれ、かえって、不当に巨額な賠償額の予定は、裁判所において適当に減額することができる旨を規定するに至った。フランス民法もその後明白に過大または過小の額につき裁判官による増減を認めることとした（1975・1985 年・2016 年の改正§ 1152 → § 1231-5）。

鉱業法が鉱害の賠償額の規定について、その額がいちじるしく不相当であるときは、当事者は、その増減を請求することができると規定しているのは、この新たな傾向に応ずるものである（鉱業§ 114。この規定は 1940 年の旧法以来のものである）。このような立法の推移にかんがみ、わが民法の規定の解釈としても、不当に巨額な賠償額の予定が、公序良俗に反して無効となることがある旨が強調され、判例もこれを認めている（大判昭和 19・3・14 民集 23 巻 147 頁、なお、改正前§ 90〔1〕(4)(ウ)参照）。

〔3〕 賠償額の予定をしても、それによって本来の給付の履行を請求できなくなるわけでもなく、また、契約の解除権を失うものでもないということである。

しかし、同じく賠償額の予定といっても、その趣旨については、つぎの 3 種の区別があると考えられ、それと履行請求、および解除権の行使との関係は一概に決することはできない。すなわち、

① 第 1 には、建築の請負において期日に完成しなければ一日 10 万円の割合で違約金を支払うというように、履行の遅延に対する賠償額の予定、
② 第 2 には、家屋の賃貸借において家屋が減失することがあれば、2,000 万円を賠償するというように、本来の給付に代わる賠償額の予定、
③ 第 3 には、売主が履行しない場合には、買主に対して代価の半額を賠償として支払うというような、制裁的な意味をもち、これによって契約関係を精算するための賠償額の予定、である。

①の場合には、本来の給付とともに、この予定賠償額を請求できることはもちろん

829

第3編　第1章　総則　第2節　債権の効力

であるが、それは、契約を解除した場合の損害賠償額の標準にはならない。②の場合には、本来の給付が履行不能になると、直ちにこの予定賠償額を請求することができ、解除の手続をとる必要はないが（大判大正8・4・14民録25輯680頁）、解除した場合にもこの予定額を基礎として——債権者側も履行すべき義務がある場合には、その給付の価格を控除して——損害賠償額を算定すべきことになる。③の場合には、債務不履行があれば、債権者は直ちにこの予定額を請求することができ、解除することを必要としない。のみならず、この請求によって債権者の本来の請求権は消滅する。ただし、解除しても、その賠償額は同じく予定額によるべきである（大判大正10・9・24民録27輯1548頁）。けだし、民法の解除の効果は、結局のところ、そのような精算をすることに帰すると解されるからである。そして、この場合にも、本来の給付とこの予定額とを合わせて請求することができないことはいうまでもない。

　なお、以上の問題は、いわゆる「手付」の問題とも関連するので、改正前557条注釈を参照。

　〔4〕　「違約金」とは、債務者が債務不履行の場合に給付することを約した金銭をいう。違約金は、あるいは賠償額の予定のために、あるいは賠償の最低額を予定するために、あるいは実際の損害のほかにこれを定めて債権をより強力にするために、あるいは損害賠償に関する立証責任を転換（原則は債権者にあるが、これを債務者に）するためになど、いろいろの趣旨で定められる。しかし、民法は紛争をさけるために、違約金は賠償額の予定であると推定した。普通の場合における当事者の意思に適するからである。これによって、当該の違約金が賠償額の予定と異なる内容のものであると主張する当事者が、これを立証する責任を負わされるのである。

　なお、質権および保証人の保証債務は、違約金にも及んでこれを担保することを注意するべきである（§§346・447）。

　〔賠償額の予定——つづき〕〔第8版凡例4 a)を見よ〕
　第四百二十一条
　　前条の規定は、当事者が金銭でないものを損害の賠償に充てるべき旨を予定した場合について準用する[1]。
　［原条文］
　　前条ノ規定ハ当事者カ金銭ニ非サルモノヲ以テ損害ノ賠償ニ充ツヘキ旨ヲ予定シタル場合ニ之ヲ準用ス

　〔1〕　420条〔改注〕は、損害賠償の予定が金銭でなされることを前提とした規定である。しかし、当事者が金銭以外のもので損害を賠償することを予定した場合——たとえば、ニワトリ100羽の引渡しが1日遅れるごとに卵100個を給付するというような場合——にも準用する、という意味である。すなわち、本条は、当事者は金銭賠償の原則に対する例外を特約することができることをも意味している。

（損害賠償による代位）

第四百二十二条

債権者が、損害賠償として、その債権の目的である物又は権利の価額の全部の支払を受けたとき[1]は、債務者は、その物又は権利[2]について当然に[3]債権者に代位する[4]。

［原条文］

債権者カ損害賠償トシテ其債権ノ目的タル物又ハ権利ノ価額ノ全部ヲ受ケタルトキハ債務者ハ其物又ハ権利ニ付キ当然債権者ニ代位ス

〔1〕 本条が適用されるためには、債権の目的である物または権利の価額の全部を受けることを要件とするのであるから、ここにいう「損害賠償」は、塡補賠償（§415(2)(5)参照）を意味する。また、「受けたとき」とは、弁済その他これと同視される事由（供託・相殺など）により債権が満足されることをいう。

〔2〕 「その物又は権利」とは、債権の目的であった物自体——受寄物を盗まれたときは、その所有権、手形を紛失したときは、その手形と手形債権——だけでなく、これに代わるものを含むと解される。たとえば、受寄者が預った物を過失によって第三者のために損傷された場合に、その物の価額の全部を寄託者に賠償したときは、その物の所有権、および寄託者が第三者に対して有する不法行為による損害賠償請求権は、受寄者に移転するのである。

労働者が第三者の不法行為により死亡した場合に、遺族補償（労基§79）を行った使用者は、本条の類推適用によって、遺族が第三者に対して有する損害賠償請求権に代位するとした判決もある（最判昭和36・1・24民集15巻35頁）。

ただし、注意すべきは、賃借人が借家を焼失した場合に、その家屋の価額の全額を賠償しても、家主の保険金請求権には代位しないことである。保険会社は、被保険者に生じた実際上の損害だけを賠償すべきものであるから、賃借人が全額の賠償をした場合には、家主にはその限りで損害は生じていないのであり、保険会社は、保険金支払義務を負わないことになる。のみならず、保険会社がまず保険金の全額を支払えば、かえって、保険会社が家主の賃借人に対する損害賠償請求権に代位するのである（商§662［削除］→保険§25）。

また、業務上災害において、使用者が労働者に損害賠償した場合に、被害者が有する労災保険金には代位しないとしたものがある（最判平成元・4・27民集43巻278頁）。労災保険給付の性質からみて、妥当であろう。

〔3〕 「当然に」とは、物または権利が債務者に移転するのに、別段の譲渡行為を必要としないということである。したがって、この移転には、動産の引渡しとか、損害賠償債権の譲渡の通知などの対抗要件を必要としないと解されている。

〔4〕 債権の目的物について債権者が有した、あるいは有したであろう権利が、当然に債務者に移転することである。

第3編　第1章　総則　第2節　債権の効力

代償請求権

[新設の趣旨]　学説・判例に従って認められたと解してよいが、要件(例えば、債務者の帰責事由)等については、具体的に定められていないし、効果(形成的効果か否か)や行使の方法も定められていない。従来の学説・判例の蓄積と今後の展開に期待するほかない。

（代償請求権）
第四百二十二条の二
　　債務者が、その債務の履行が不能となったのと同一の原因により債務の目的物の代償である権利又は利益を取得したときは、債権者は、その受けた損害の額の限度において、債務者に対し、その権利の移転又はその利益の償還を請求することができる。

〈改正〉　2017年に新設された。前掲（412条）附則第十七条1参照。

[本条の趣旨]　代償請求権について、判例（最判昭和41・12・23民集20巻2211頁）および通説の見解を明文化した（415条の解説(6)参照）。なお、履行不能につき、新法は、債務者の免責事由を要件としていない。債務者に帰責事由のないことが必要であるか、は解釈に委ねられたと解されている。そこで、債務者に帰責事由がない場合とある場合とが想定される。前者においては、債権者が代償請求権を行使すれば、反対給付の履行義務を負う。後者においては、債務者の危険負担等に関する536条1項の要件をみたさないから、債権者が代償請求権を行使すると反対給付の履行義務を負うが、損害賠償請求権と請求権競合の関係に立つと解されている。なお、代償請求権の発生要件として債務者に帰責事由がないことを要求するか、については、解釈に委ねられている。また、契約の成立が前提であるから、錯誤を理由として契約を取り消すことができる場合もあると解されている。

第2款　債権者代位権

〈改正〉　2004年改正により、従来はなかった本款の表題が「債権者代位権及び詐害行為取消権」として新設された。2017年の改正で、債権者代位権と詐害行為取消権が別の款において規定され、前者につき、423条が改正され、423条の2から423条の7が追加された。

[債権者代位権の主要改正点]　代位の要件につき、従来から、判例・学説で認められていた点を明文化したが（423条1項、3項）、裁判上の代位については、制度自体を廃止した（同2項）。代位権行使の範囲（423条の2）、債権者への支払又は引渡し（423条の3）、相手方の抗弁権（423条の4）、登記又は登録の請求権を保全するための債権者代位権（423条の7）も、従来の判例・学説の明文化である。しかし、債務者の取立てその他の処分の権限等を認めた点（423条の5）は従来の判例の変更である。また、被代位権利の行使に係る訴えを提起した場合の訴訟告知（423条の6）は、新たな制度である。

① 債権者の二つの権利

前に述べたように、債権の最後の効力は、債務者の一般財産を金銭に換えて、そこ

から強制的に弁済を受けることであるから、債務者の一般財産は、債権の効力の最後の保塁ともいうべきものである(本節解説②、とくに(2)㈋参照)。

そこで、民法は、この最後の保塁が不当に崩壊することを防止するために、債権者に、債権者代位権と債権者取消権(「詐害行為取消権」ともいう)の二つの権利を与えた(本節解説④参照)。前者は、債務者が一般財産を保全する行為をしないときに、債権者が債務者に代わってこれをする権利である。後者は、債務者が自己の一般財産を減少させる行為をするときに、債権者がその行為を取消して一般財産を復旧する権利である。423条[改注]以下は前者に関し、424条～426条[改注]は後者に関する。ただし、前者が、判例によってその本来の使命を拡張されていることは、最も注目すべき点である。

なお、この二つの権利は、債権者をして債務者以外の第三者の権利関係に干渉することを許すものであるから、「債権の対外的効力」と称される。しかし、債権の第三者に対する効力としては、このほかに、第三者による債権の侵害に対する債権者の損害賠償の請求と妨害排除の請求とが問題とされなければならないことは、前に述べたとおりである(本節解説⑤参照)。そこで、用語としては、ここで問題となる二つの権利については、「対外的効力」という言葉を避けて、債権者による債務者の「責任財産の保全」(「のための二つの手段」、あるいは、「のための効力」)という言葉で呼ばれることもある(②(2)参照)。

② 基本的な問題点

以上のように、民法は、債権の特別の効力として債権者にとくに二つの権利を認めたのであるが、この二つの権利については、その趣旨および適用をめぐって問題が多く、学説も錯綜している。整理のために、つぎのような若干の前置きが必要であろう。

(1) この二つの権利の意義を考えるために、つぎのような基本的視点を設定することが必要である。

まず、近代市民法においては、人(法的人格)はその有する財産についてその意思により自由に取扱い、処分することができることが前提とされる(財産処分の自由)。自分の有する権利を行使しないで放置することも、その権利を他人に贈与したり、放棄したりすることも自由である(所有物を滅失させ、損傷するようなことも自由である。ただし、このような事実行為は、ここでの問題とはならない。債権者代位権と債権者取消権は、法律行為のみに関するからである。改正前§424(3)参照)。それによってその人の財産が減少することがあっても、これに他人が干渉できる筋合いではない。

ところが、他方において、債権の効力は、終局的には債務者の責任財産に依拠するものである(本節解説②参照)。債権者の立場からすると、その肝心の債務者の財産が積極的(現に存在するものを減らすこと)または消極的(増えるべきものが増えないこと)に減少させられて、自己の債権の実現が覚束なくなるということに対しては、これを座視することは堪えられず、債務者の財産の減少を防ぐなんらかの手段を講じたいと欲することになる。

このような債権者の希望を無視して、財産処分自由の原則を貫き、債権者をまった

833

第3編　第1章　総則　第2節　債権の効力

く保護しないことも考えられるが、民法は、二つの権利を認めて、一定の場合に限り、債権者が債務者の財産に対して介入することを認めたのである。

　以上の趣旨から、二つの権利はあくまで例外的なものであって、債権者が債務者の自分の財産に対する自由処分権を有するという原則に反してむやみに債務者の財産に干渉するのを認めるのは正しくないということが確認される。そして、このことは、具体的には、二つの権利が認められるためには、債務者の責任財産が債権者の債権を満足させるのに不足を生じるという要件——これを通常「無資力要件」と呼ぶ。「資力不足要件」ということもできよう——が必要であるとする考えにつながるのである（改正前§423(1)、改正前§424(1)参照）。この趣旨を表現するのが、債務者の「責任財産の保全」という上述の言葉でもある。

　(2)　二つの権利について、基本的には、(1)で述べた趣旨において考えるということについては、ほぼ異論はない。しかし、債権者代位権については、423条［改注］の解釈として、以上のような本来の趣旨から逸脱して——具体的には、無資力要件を必要ないものとすることにより——より拡大した範囲においてその適用を認めようとする考えが、判例・学説上、登場した。

　具体的にいえば、債権者Ａが有する甲という特定の債権の実現——その本来の給付の実現——のために、債務者Ｂが有する乙という特定の権利を行使することが必要である場合には、債権者が債務者に代って乙権利を行使することを認めようとするものである。そのさい、債務者Ｂには十分な資産があって、債権者の甲債権を——損害賠償の形ではあるが、——十分に満足させることができるという事情があっても、それに関係なく、債権者に、債務者が行使しようとしない乙権利を代位行使することを認めるのである（具体的にどういう場合にそれが認められるかについて、改正前§423(1)(エ)参照）。すなわち、この場合の債権者代位権の機能は、債務者の「責任財産の保全」ではなく、債権者の「特定債権の保全」ということになる。

　以上のような、債権者代位権の要件として、責任財産保全の必要を要するか、それとも特定債権保全の必要で足りるか、の問題については、改正前423条の注釈で論じる。とりあえず、ここでは、前者が債権者代位権の本来の趣旨であったが、後者はこれを拡大するものという関係にあることを、確認しておくことが重要である。

　債権者取消権については、このような適用範囲の拡大という問題は生じていない（改正前§424(1)(1)(2)参照）。

　(3)　以上の説明からも察せられるように、この二つの権利は、訴訟制度、強制執行制度、破産制度、会社更生制度、民事再生制度などと密接な関連をもっていることが注目される。

　もちろん、債権者代位権は、訴訟に関係なく行使されることもありうる。たとえば、債務者Ｂの有する形成権（取消権、解除権など）を代位行使するときには、債権者Ａはその旨の意思表示をＢの相手方Ｃに対してするだけでよい。Ｂの有する請求権（金銭債権や物の引渡し請求権など）を代位行使する場合でも、その相手方Ｃがそれに応じて任意に履行すれば（金を払い、物を引渡すなど）、それでことはすむ。しかし、多くの場合、Ｃが任意に応じることはなくて、ＡはＣを訴えなければならなくなる。民事執行法

§423

上は、このような場合、AはBの有する権利を差押えて、強制執行を行うのが通常である（Bの権利が金銭債権であれば、転付命令を得るというように）。そのためには、AはBに対する債務名義を有することが必要である（民執§22）。ところが、債権者代位権を用いれば、Aは、Bに対する債務名義を要しないで、直接Cに対して、BのCに対する権利を行使して、訴えを提起することができることになる。

債権者取消権は、424条［改注］そのものが、必ず訴えによって行使するべきものと定めているので、わが法体系上「訴権」という性質をもつ珍しい権利である。訴訟と関係なしに当事者同士の関係で行使されることはない権利なのである。そのこととも関連して、この権利の行使は、実質的には、債権者Aがその甲債権を実現するために、債務者Bの財産から逸出していった財貨に対して強制執行を行うという意味をもつということができる。通常の強制執行では、現に債務者が有する財産だけが対象になるが、債権者取消権を行使すれば、逸出財産をも対象とすることができることになる。同様の機能を営むものとして、破産法や会社更生法の定める否認権（破§§160～、会更§§86～、民再§§127～）がある。これらの制度との関連も考慮される必要があり、破産手続が開始されれば、債権者取消訴訟は受継または中断される（破§45）。

このように、裁判所における手続と密接にからまっていることも、この二つの権利をめぐる論議を複雑にしているのである。

さらには、債権者代位権については、登記手続との関連で登記法上の問題もあり（上述の拡大適用の事例に関係するが、不登§59⑦が設けられている。旧§46ノ2。改正前§423〔1〕(エ)(a)参照）、また、保険制度との関連もある（改正前§423〔1〕(オ)末尾参照）。このように、二つの権利の趣旨、適用、機能に関しては、関連する事柄が多く、複雑な検討が必要である。

（債権者代位権の要件）
第四百二十三条

1 　債権者は、自己の債権を保全するため必要があるとき[1]は、債務者に属する権利（以下「被代位権利」という。）を行使することができる。ただし、債務者の一身に専属する権利及び差押えを禁じられた権利[2]は、この限りでない。

2 　債権者は、その債権の期限が到来しない間は、被代位権利を行使することができない。ただし、保存行為は、この限りでない[3]。

3 　債権者は、その債権が強制執行により実現することのできないものであるときは、被代位権利を行使することができない[4]。

〈改正〉　2017年に改正された。見出しを改め、1項中「保全するため」の下に「必要があるときは」を、「に属する権利」の下に「（以下「被代位権利」という。）」を加え、ただし書中「権利」の下に「及び差押えを禁じられた権利」を加え、2項中「裁判上の代位によらなければ、前項の権利」を「被代位権利」に改め、3項を加えた。附則（債権者代位権に関する経過措置）第十八条1　施行日前に旧法第四百二十三条第一項に規定する債務者に属する権利が生じた場合におけるその権利に係る債権者代位権については、なお従前の例による。

［改正の趣旨］　［1］ 改正前1項の趣旨を引き継ぎ、新法では、この「保全するため」とい

835

第3編　第1章　総則　第2節　債権の効力

う文言が保全の必要性と債務者の無資力を意味することを明らかにするために、自己の債権を保全するため「必要があるとき」との文言が付加された。その趣旨に鑑みて、債務者がすでに真摯な権利行使をしている場合には、遅れての代位権行使はできないと解すべきであろう。なお、債務者の「無資力」が要件として明示されていないのは、その点の厳格な立証が求められることがないようにとの配慮からのようである。

　　【2】　1項ただし書は、債務者の一身に専属する権利のほかに「差押えを禁じられた権利」についても代位行使ができない趣旨と解されてきたが、新法では、「差押えを禁じられた権利」についても代位行使ができないことを条文上も明らかにした。差押えを禁じられた権利には、民事執行法152条の差押禁止債権（給料の4分の3など）や年金・生活保護の受給権等が該当する。

　　【3】　裁判上の代位制度（解説〔6〕参照）そのものを廃止した（整備法56条）。【部会資料】によると、裁判上の代位の許可の制度は、その利用例が極めて少ないとのことである。これは、保存行為については裁判上の代位によらずに権利行使ができること、民事保全手続（同法20条2項）の活用ができることなどが理由のようである。

　　【4】　被保全債権の要件の明確化・詳細化を図った。強制執行により実現できない場合とは、不執行合意のある場合やある種の自然債務等が考えられる。具体的には、破産手続開始後に免責許可決定が確定した場合（破産253条1項）等。債権者代位制度は、強制執行の準備のために責任財産を保全するものであることから考えれば、当然の規定である。

[改正前条文]

（債権者代位権）

　1　債権者は、自己の債権を保全するため[1)]、債務者に属する権利[2)]を行使する[3)]ことができる[4)]。ただし、債務者の一身に専属する権利[5)]は、この限りでない。

　2　債権者は、その債権の期限が到来しない間は、裁判上の代位[6)]によらなければ、前項の権利を行使することができない。ただし、保存行為[7)]は、この限りでない。

[原条文]

　債権者ハ自己ノ債権ヲ保全スル為メ其債務者ニ属スル権利ヲ行フコトヲ得但債務者ノ一身ニ専属スル権利ハ此限ニ在ラス

　債権者ハ其債権ノ期限カ到来セサル間ハ裁判上ノ代位ニ依ルニ非サレハ前項ノ権利ヲ行フコトヲ得但保存行為ハ此限ニ在ラス

[改正前条文の解説]

　本条は、債務者が債務を履行する資力が十分でないにもかかわらず、自分が有する債権の取立てをしないというような場合に、債権者が、債務者に代わって、その債権の取立てをし、取立てたものをもって自分の債権の弁済に充てることができるという権能を債権者に与えたものである。「債権者代位権」、または「代位訴権」actio subrogatoire と呼ばれるものであって、フランス民法の制度（§1166→§1341-1）にならったものである。つぎの424条［改注］の債権者取消権とともに、債権の債務者以外の者に対する効力（その意味で、これを「対外的効力」という）を規定する。

　〔1〕　「自己の債権を保全するため」とは、債権者がその債権内容の満足を得るのに必要な場合ということである。その債権のことを、「被保全債権」と呼ぶ。

　(ア)　初期の判例においては、債権者代位権が認められるためには、「債務者が債権者に弁済する資力十分ならざる場合」であることを要するとする考えが採られていた（大判明治39・11・21民録12輯1537頁。もっとも、この事案は、金銭債権を有するAが債務者

836

§423 〔1〕

Bによる不動産のCへの贈与を無効と主張して、無効確認を求めたもので、むしろ§424に該当する事例であったと思われる)。

(イ) 債権の内容が金銭の支払を目的とするものである場合には、債務者の資力が債権の弁済に不十分な場合に、はじめてこの要件をみたすことになる。したがって、債務者が弁済するのに十分な金銭や不動産を有する場合には、債権者は、債務者が第三者に対して有する貸金債権を代位して取り立てるというようなことは許されない。このことは、最高裁の判例によって、改めて確認されている(最判昭和40・10・12民集19巻1777頁——農協職員の横領があり、とりあえず運転資金を提供した理事の農協に対する返還請求権に基づく、農協の身元保証人に対する債権の代位行使が認められなかった例。最判昭和49・11・29民集28巻1670頁——交通事故による損害賠償請求権に基づく保険金請求権の代位行使が認められなかった例)。

これに対して、金銭債権を被保全債権とするが、債務者の資力不足を必要としないと明言した判決がある(最判昭和50・3・6民集29巻203頁。被相続人が売却した不動産を承継した複数の相続人が買主に対して代金を請求するが、買主は、相続人の一人が移転登記に応じないことを理由に拒んでいる。そこで、原告である複数の相続人が、代金債権を被保全債権とし、登記を拒む相続人に対する買主の登記請求権を代位行使し、それが認められた)。しかし、この事案は特異であって、債権者代位権の助けを借りなければならなかったかも疑問であり、少なくとも被保全債権である金銭債権がその強制的実現力を発揮するためという関係においてではなく、相手方の同時履行の抗弁を破るための便宜として用いられているのであって、金銭債権に関する判例の上述の見解を変更するものではないといえよう。他の、金銭債権を被保全債権とする例については、(オ)末尾参照。

(ウ) 債権の内容が金銭以外の物の給付を目的とするものであるときには、この「債権保全の必要」という要件は、二様の意味に解される。

たとえば、A所有の特定の不動産をBが買い、BがさらにこれをCに転売した場合に、登記がまだAにあると仮定しよう。CはBに対し、BはAに対してそれぞれその登記移転の請求権を持つのであるが、CがBに対してその請求をしているのに、BがAから登記の移転を受けてこれをCに移転する手続を怠っている場合に、CはBの資力が十分であるかどうかに関係なく、そのBのAに対する移転登記請求権を代位して行使することができるであろうか。それとも、Bの資力が不十分であって、CはBの移転登記債務の不履行を理由として損害賠償の請求をしても十分に満足できない場合にだけ、この代位行使が許されるのであろうか。債権者代位権は、債権者に対して債務者の一般財産を保全する権利を認めたのにすぎないものだと解すれば、後者の見解を正当とするべきである。沿革的にみれば、この制度は、おそらくはこのような目的を有するものであろう。したがって、わが国の有力な学説は、この見解を固執する。これは、「責任財産保全の必要」があくまで要件であるとする見解である。言葉を変えれば、債務者の「無資力要件」(「資力不足要件」)を必要とするといってもよい。

(エ) しかし、判例は、かなり早期から、一定の場合には、特定の債権内容を実現するためにも代位権の行使を認めるという、前者の見解を持った。その最初のものであ

837

第3編　第1章　総則　第2節　債権の効力

る大判明治43・7・6（民録16輯537頁）は、(a)に述べる登記請求の事例であるが、一方において、資力の有無に関係がある場合（金銭債権を指している）には資力不足が必要だが、「いやしくも債権の保全に適切にしてかつ必要な限りは」、という限定を付して、資力不足は必要でないという判断を示した。これは、「債権保全の必要」の解釈として、「特定債権保全の必要」で足り、債務者の無資力要件は必要ない場合がありうるとする見解であり、「責任財産保全の必要」という本来の趣旨を拡大したものである。このことを、債権者代位権の「転用」とか、「借用」と呼ぶこともある。判例上、そのような場合として認められたのは、つぎの2種類の場合である。

　(a)　まず、不動産における登記手続において、甲という登記が乙という登記の前提となっており、乙登記をするために甲登記がなされる必要があるという場合に、乙登記請求権を有する者が、その登記義務者が有する甲登記請求権を代位行使することが認められている。

　(i)その代表的な例は、(ｳ)で挙げた不動産がA→B→Cと譲渡され、登記がまだAにあるときに、CがBに対して有する移転登記請求権を保全するためにBがAに対して有する移転登記請求権を代位行使する場合である（前掲大判明治43・7・6はこの例）。

　(ii)明治43年の判決を受けてのことと思われるが、不動産登記法の大正2年法律18号による改正は、旧46条の2を新設して（他の関連規定としては、旧§§51Ⅲ・60の2・65があった）、上例の甲登記の登記義務者Aが甲登記に応じる場合には、CがBの「登記申請権」──登記請求権ではなく──を代位行使して、A・Cの共同申請で甲登記（AからBへの移転）をすることができるとする規定をおいた。これらの条文は2004年の改正により削られて59条7号になった。

　このことは、登記の場面における債権者代位権の適用が、その本来の形とはかなり違う意味をもつものであることを示している。たとえば、未登記不動産の保存登記について、その譲受人が譲渡人に代位して保存登記を申請することが認められる（大判大正5・2・2民録22輯74頁）。さらに、未登記不動産の所有者に対する金銭債権者がこれを差押えるために債務者に代位して保存登記をすることが認められるが、これは不登法旧46条の2（現§59⑦）によるものであって、決して(ｲ)に述べた金銭債権を被保全債権とする場合についての原則的な考え方を変更したものではない、と考えるべきであろう（大判昭和17・12・18民集21巻1199頁。最判昭和38・3・28民集17巻397頁参照。ただし、これは虚偽の名義人Aに対する所有者Bの抹消登記請求につき、Bに対する金銭債権者Cが代位して登記をした例である）。

　(iii)Aが登記に応じない場合におけるBのAに対する登記請求権の代位行使については、その後さまざまな組合せで代位行使が認められている（大判昭和9・9・27民集13巻1803頁は、抵当権者が所有者に代位して変更登記をするについての承諾を求めた例。最判昭和39・4・17民集18巻529頁は、不動産がA→B→Cと売買された事例において、Cが、Aが第三者に対して有する無効登記抹消請求権についてのBの代位の権利をさらに代位行使した例、など）。

　(iv)不動産に関する対抗要件としての登記と類似する問題として、指名債権譲渡の

§423 [1]

対抗要件としての通知（§467［改注］）の問題がある。指名債権がA→B→Cと譲渡された場合に、CはBに対して、BはAに対して、譲渡人として債務者に通知するように請求する権利を有する。Cは、Bに代位してBがAに対して有する通知請求権を代位行使できるか。この点については、まだ判例はない（大判大正8・6・26民録25輯1178頁は、通知請求権が債権譲渡とともに移転するとした原審の判例を否定したもので、傍論として本条による代位行使によるべきとしているが、無資力要件にまでは言及していない。なお、債権譲渡通知そのものの代位については、[2](エ)参照）。

　(b)　つぎは、不動産賃借権を被保全債権とする場合である。借地人がその借地を不法に占拠する者に対して明渡しを請求する場合に、借地人が、地主に対する賃借権に基づいて、地主が占拠者に対して有する所有権に基づく妨害排除請求権を代位行使することが認められている。

　これを最初に認めたのは、大判昭和4・12・16（民集8巻944頁）であり、被保全債権は金銭債権であることを要しないとして、登記請求に関する前掲大判明治43・7・6を引用している。その後、同旨の判決が続いている（大判昭和7・6・21民集11巻1198頁、大判昭和7・7・7民集11巻1498頁。最判昭和29・9・24民集8巻1658頁、建物賃借人の例である）。ただし、この問題は、債権に基づく妨害排除請求の問題（本節解説[5]参照）と密接に関連しており、その観点からは、認められた事案がいずれも賃借権者が占有を有しなかった場合であることが指摘されている（占有を有する場合には、本条によらない解決が図られている）。

　なお、上の判決は、いずれも——所有者へではなく——賃借人への引渡しを命じており、とくに、昭和7年、昭和29年の両判決は、それが認められることを主な判旨としている。

　以上の判例により代位権が認められるのは、ある不動産上の賃借権という特定の債権がその不動産についての妨害排除請求権という特定の権利の行使によって保全される場合である。建物の賃借人が賃貸人が土地所有者に対して有する建物買取請求権を代位行使することなどは認められない（最判昭和38・4・23民集17巻536頁、最判昭和55・10・28判時986号36頁）。

　(オ)　以上のような判例（それに基づく実務はかなり定着している）に対して、学説上は、つぎのような多様な見解が述べられているが、結果的に判例を支持するのが大勢といってよい。

　(a)　一方の極は、債務者の無資力要件を一切不要とするものである。しかし、債権者が債務名義を要しないで債務者が有する権利の相手方（通常は第三債務者）に対して直接に請求し、訴えることが可能になるわけで、無理な見解といわざるをえない。

　(b)　つぎに、一般的には、責任財産保全の必要、すなわち無資力要件を必要とするが、判例が認めている上述(エ)(a)(b)の場合については、例外的に、債権者代位権の適用（転用または借用）を認めてもよいとするものがある。この例外を認めることについて、積極的な意見のなかには、上の場合以外にも、たとえば、金銭債権についても、(イ)で挙げた最判昭和40・10・12、最判昭和49・11・29のような事案においては、特定債権保全の必要を認めてもよいとする意見もある。

839

第3編　第1章　総則　第2節　債権の効力

(c)　これと同じ趣旨であるが、例外を認めるのには消極的で、上の(エ)(a)(b)の場合に限るべきであるとするものがある。そして、(エ)(a)に関しては、本来は登記請求権の問題であり、(エ)(b)に関しては、賃借権に基づく妨害排除請求権が認められるべきかという問題であって、それぞれの問題が本来的に解明されるまでの便宜的解決として、やむなく認めるのだと説く。

(d)　他方の極に、判例が認める例外的な適用にも反対し、責任財産の保全という本来の趣旨をあくまで貫くべきであるとするものがある。

いずれにしろ、この問題は、改正前423条前注[2](3)で述べたとおり、訴訟制度、強制執行制度、登記制度、保険制度(前掲最判昭和49・11・29の問題は、保険制度の仕組みそのものにおいて、損害賠償請求権者が直接保険会社から保険金を受領できるようになれば、問題としては解決する。最判昭和57・9・28民集36巻1652頁は、加害者と保険会社に対する請求を併合して訴求した訴訟において代位請求を認めたものである)などと密接に関連するので、かなり複雑で多角的な検討を必要とする。

(カ)　なお、財産分与請求権(§768)について、協議または審判によって具体的内容が形成される前は被保全債権たりえないとされる(最判昭和55・7・11民集34巻628頁)。また、抵当権者が、旧短期賃貸借を解除したうえで、債務者の返還請求権を代位行使することは、抵当権の性質上認められないとされた(最判平成3・3・22民集45巻268頁。この点については、その後の判例の変動があるので、第2編第10章第2節解説[3](2)(ア)(c)を参照。旧短期賃貸借については、§395の前注参照)。いずれも、被保全債権として適切であるかが問題となろう。後者について、最大判平成11・11・24(民集53巻1899頁)は、抵当権者には、「抵当不動産を適切に維持又は保存するよう求める請求権」があるとし、これを被保全債権として代位権を認めた。

〔2〕　代位の対象となる権利のことを「被代位権利」と呼ぶことができる。それは「債務者に属する権利」であれば、原則としてその種類を問わない。

(ア)　売買代金請求権、損害賠償請求権その他の債権、物権的請求権などはいうまでもないが、さらに、制限行為能力または意思の瑕疵を理由とする取消権、契約の解除権、売主の買戻権(とくに、§582が設けられている)のような形成権でもよい。債務者が有する消滅時効の援用権でもよい(最判昭和43・9・26民集22巻2002頁)。また、たとえば、債務者Bがその未登記不動産をCに贈与したとしても、Cが登記をしない間ならば、Bの債権者Aは本条に基づいてBに代位して保存登記をすることができる(大判昭和17・12・18民集21巻1199頁。〔1〕(エ)(a)(ii)参照。この場合は、登記申請権の代位という、やや特殊なものと考えらえる)。

所有権などの支配権については、単純にはいえない。所有権に基づく返還請求権などは、もちろん対象となるが、所有権そのものは対象とはならないと考えられる。たとえば、所有物を使用したり、処分(譲渡・賃貸など)する権利は、代位の対象とはならないと解される。

同じく、債権についても、これを免除したり、放棄したり、期限を猶予したりする処分行為をすることは、権利そのものの処分ということで、代位の対象とならない。

(イ)　本項ただし書が定める権利は、代位の対象とならない(〔5〕参照)。

§423〔2〕〔3〕

　なお、差押えを許されない権利(民執§§131・152など)は、はじめから債権者の責任財産の内容とはならないものであるから、代位権の目的とはならない。

　(ウ)　訴訟上の行為を代位することができるかは、しばしば問題とされた。債務者の実体上の権利を代位行使する必要から訴えを提起し、競売または強制執行の申立てをすることは、もちろん許される。しかし、債務者自身が訴訟を開始した後で、その訴訟を遂行するための訴訟上の個々の行為を代位することは許されない。けだし、この場合には、当事者以外の者がその手続に参与できるかどうかは、もっぱらその手続に関する規定によってこれを決するべきであって、民法の本条によって律するべきではないからである。判例は、競売事件や、仮差押え事件についてこの理論をとり(大決昭和7・6・3民集11巻1157頁、大判昭和7・7・22民集11巻1629頁)、多数説もこれに賛成する。

　(エ)　厳密には権利といえなくても、537条〔改注〕の受益の意思表示(大判昭和16・9・30民集20巻1233頁)、相殺の意思表示(大判昭和8・5・30民集12巻1381頁)については、代位行使が認められている。債権譲渡の通知(§467〔改注〕)については、その性質上認められない(〔5〕参照。通知請求権の代位行使については、〔1〕(エ)(a)(iv)参照)。

　〔3〕　代位権の行使については、なおつぎの諸点が問題となる。

　(ア)　債務者がみずからその権利を行使しないことが必要である。

　債務者がみずからすでにその権利を行使した場合には、たとえその行使が債権者にとって不利益——たとえば、口頭のみによる催告、期限の猶予、あるいは権利の放棄など——であっても、債権者は、もはや重ねてその権利を行使することはできない(最判昭和28・12・14民集7巻1386頁。もっとも、その行為が§424によって取消すことができるかどうかは、別問題である)。

　代位権行使の前に、債務者に対して権利行使を催告することは、要件ではない(大判昭和7・7・7民集11巻1498頁)。

　(イ)　行使の範囲

　債権の保全に必要な範囲に限られる。たとえば、50万円の債権者が、債務者の第三者に対する100万円の債権を代位行使する場合には、50万円の限度において許されるのである(最判昭和44・6・24民集23巻1079頁)。代位権は一般財産を保全するものであるから、自己の債権額には限定されないと考えるのも筋が通っているが、かりに100万円全額について代位行使できるとしても、それを債権者間で配分することを保障する手続は存在しない。

　(ウ)　行使の方法

　債権者は、自分の名で債務者の権利を行使するのであって、債務者の代理人になるのではない。しかし、相手方は、債務者自身がその権利を行使するときよりも不利な地位に立たされるべきではないから、債務者に対して有する同時履行その他のすべての抗弁を主張できる(相殺の抗弁について、大判昭和11・3・23民集15巻551頁)。

　債務者の権利の行使として相手方から物の引渡し、または金銭の支払を求める場合には、債権者は、債務者に引渡すように請求することができるのはもちろんであるが、直接自分に引渡し、支払うよう請求することもできると解される(債務者への給付しか

841

第3編　第1章　総則　第2節　債権の効力

請求できないとする説もある）。こう解釈しないと、債務者が受領しない以上、代位権は
その目的を達することができないからである（判例である。物の引渡しに関する大判昭和
7・6・21民集11巻1198頁、最判昭和29・9・24民集8巻1658頁。金銭の支払に関する大判昭
和10・3・12民集14巻482頁）。ただし、登記の移転を代位して請求する場合などには、
債務者の受領がなくても債務者の名義に移転することができるから（不登59⑦。旧§46
ノ2）、自分に移転せよと請求することは許されない。

〔4〕　代位権行使の効果に関して、つぎの諸点が問題となる。

(ア)　債権者が債務者の権利の行使に着手し、これを債務者に通知すると、債務者は
その時からその権利を行使したり（大判昭和14・5・16民集18巻557頁）、代位行使を妨
げるような処分行為をすることはできなくなる（削除前非訟§88参照）。

第三債務者が債務者に弁済しようとしたときに、債務者がこれを受領してよいかに
ついては、問題が存する。弁済の利益を奪ってよいか、代位権行使に受領を禁じるほ
どの強い効力を認めてよいか、については、両論がありえよう。

(イ)　被代位権利が形成権（取消権・解除権など）であるときは、債権者は、その相手方
に対して代位権の行使として意思表示をするだけで効果を生じる。請求権であれば、
相手方に請求して、相手方が応じれば目的を達するが、応じなければこれに対して訴
えを起こさなければならない。

(ウ)　債権者が代位権の行使として遂行した訴訟における既判力は、債務者に及ぶで
あろうか。通説は、代位して訴訟をする債権者もまた、債務者のために訴訟を管理す
る権利がある者とみて（旧民訴§201Ⅱに関する。現§115Ⅰ）、その判決は債務者をも拘
束すると解する（大判昭和15・3・15民集19巻586頁）。しかし、この点については、な
お、論議が存する。

(エ)　代位権行使の効果は、本来の趣旨からすれば、債務者に――いわばその責任財
産に――帰属し、そこから代位権を行使した者だけでなく、すべての債権者が等しく
利益を受けるべきものである。しかし、この点については、つぎのような問題がある。

　(a)　被保全債権が金銭債権であり（〔1〕(イ)参照）、被代位権利の内容も金銭の支払で
ある場合に、債権者は直接その金銭の支払を受けることができるものとされている
（〔3〕(ウ)参照）。この場合、金銭を受領した債権者はこれを債務者に返還するべきであ
るが、これと、自己が有する債務者に対する金銭債権とを相殺した形において、結
局はこれを――他の債権者への分配をすることなしに――取得し、いわば他の債権
に先立つ優先弁済を受けたのと同様の結果を事実上享受することができる。本来の
趣旨を生かす制度上の工夫もなされておらず、一つの問題点である。

　(b)　被保全債権は不動産賃借権であり、被代位権利が妨害排除請求権である場合
（〔1〕(エ)(b)参照）に、債権者は目的不動産の引渡しを受けることができるとされている
が（〔3〕(ウ)参照）、これはいわゆる転用の場合であるので、(a)のような問題は存しない。

(オ)　代位権行使の効果として、被保全債権について消滅時効を中断するかが問題に
なる。たとえ代位して訴訟が行われた場合でも、被保全債権自体が債権者との間で争
われたわけではないので、否定することになろうか。

〔5〕　行使するかどうかを債務者の自由な意思に委ねるべき権利（これを「行使上の

842

§§423〔4〕～〔7〕・423の2

一身専属権」という。「帰属上の一身専属権」と一致する場合もあるが、区別しなければならない）である。被害者による行使前の慰謝料請求権について、判例は代位の目的とはならないとしている（最判昭和58・10・6民集37巻1041頁。なお、最大判昭和42・11・1民集21巻2249頁は、帰属上の一身専属性については否定している）。親権（§818～）、配偶者の同居請求権（§752）、離婚離縁請求権（§§770～・814）のような純粋な非財産的権利は、すべて行使上の一身専属権である。夫婦間の契約取消権（§754）、人格権の侵害を理由とする慰謝料請求権（§710注釈参照）のように財産的意義を有する権利であっても、主として人格的利益のために認められる権利もそうである。

　相続法上の各種の権利、たとえば、遺産分割請求権（§907）、相続回復請求権（§884）、相続の承認・放棄をする権利（§915）、遺留分減殺請求権（§1031［2018年の改正に注意]）などが問題になる。このうち、遺留分減殺請求権については、代位の目的となるとする見解が有力であるが、最高裁は、これを行使上の一身専属権として否定した（最判平成13・11・22民集55巻1033頁。ただし、債務者が権利を第三者に譲渡するなど権利行使の確定的意思を有することを外部に表明したと認められる特段の事情がある場合は別だとしているが、基準としては明確を欠くうらみがある）。

　厳密な意味での一身専属権ではないが、その行使を権利者の意思のみに委ねるのが妥当と考えられる場合には、代位の目的とはならないと解するべきである。雇用、委任、賃貸借、使用貸借などにおける権利にはそのようなものが見受けられる（§§594・612・625・651［改注]など）。なお、同様の趣旨で、指名債権譲渡における譲渡人から債務者に対する通知（§467［改注]）も、代位の目的とはならないと解される（大判昭和5・10・10民集9巻948頁）。通知をするかどうかは、譲渡人の意思によって決せられるべきであるからである。そして、債権譲渡の法律関係としては、譲受人から譲渡人に対する通知請求権の問題となる（改正前§414〔6〕・本条〔1〕(エ)(a)(iv)参照）。錯誤無効を主張する権利については、表意者が錯誤の存在を認めているが、自身は無効を主張しないときに、代位行使できるとされた事例（最判昭和45・3・26民集24巻151頁）がある（改正前§95〔3〕参照）。

　〔6〕　裁判所の許可を得て代位権の行使をすることである。その手続については、非訟事件手続法85条～91条（2017年の改正で削除）に定められている。

　〔7〕　「保存行為」とは、債務者の権利の現状を維持する行為である。たとえば、消滅時効にかかりそうな債権のために時効を中断し、債務者の有する抵当権が未登記の場合に、その登記をするような行為である。この種の行為は、被保全債権の弁済期がまだ到来していなくても、「裁判上の代位」によらないで行使することができる。

　なお、維持に多くの費用を要したり、腐敗のおそれのある物を処分する行為などは、保存行為であるが、代位の目的とはならない。一種の支配権の行使であり、被代位権利の相手方が存在しないからである（〔2〕(ア)参照）。

▌（代位行使の範囲）
　第四百二十三条の二
　　　債権者は、被代位権利を行使する場合において、被代位権利の目的が可分で

843

第3編　第1章　総則　第2節　債権の効力

あるときは、自己の債権の額の限度においてのみ、被代位権利を行使すること
ができる[1]。

〈改正〉　2017年に新設された。前掲（423条）附則第十八条1参照。

[本条の趣旨]　[1]　被保全債権も被代位権も金銭債権の場合には、判例（最判昭和44・
6・24民集23巻1079頁）は、代位債権者は自己の債権を保全する範囲に限り代位行使でき
るとする。これに対して学説には、このような限定をつけることに反対するものもあった。
また、同様の前提を採りつつ、金銭債権については代位権利行使とその後の相殺（505条）に
よって優先弁済を受けるという結果が生じるのを回避することが困難なのでやむを得ないと
する立場もあった（通説）（改正前423条の解説[2]（イ）参照）。本条は、この点を明確にした。
なお、他の債権者が別訴で代位訴訟を提起した場合に関する判例（最判昭和45・6・2民集
24巻447頁）は、今後も維持されると思われるが、その場合の各債権者の認容額については、
見解が分かれるであろう。また、本条は、被代位権利を金銭債権に限定していないので、金
銭債権以外についての適用を巡って解釈論が展開されることになろう。

（債権者への支払又は引渡し）
第四百二十三条の三

債権者は、被代位権利を行使する場合において、被代位権利が金銭の支払又
は動産の引渡しを目的とするものであるときは、相手方に対し、その支払又は
引渡しを自己に対してすることを求めることができる。この場合において、相
手方が債権者に対してその支払又は引渡しをしたときは、被代位権利は、これ
によって消滅する[1]。

〈改正〉　2017年に新設された。前掲（423条）附則第十八条1参照。

[本条の趣旨]　[1]　従来の解釈を明文化したものと解される。（423条の解説[4]（エ）参照）。
新法では、債務者の処分権限が残るので、債権者としては、仮差押えをしておく方が安心で
あると解されている。なお、新法でも、この場合における相殺禁止規定は存在しないので、
従来通り可能と解されるが、相殺権の濫用のケースもありうるとの指摘もなされている。

（相手方の抗弁）
第四百二十三条の四

債権者が被代位権利を行使したときは、相手方は、債務者に対して主張する
ことができる抗弁をもって、債権者に対抗することができる[1]。

〈改正〉　2017年に新設された。前掲（423条）附則第十八条1参照。

[本条の趣旨]　[1]　債権者代位権の行使により、相手方が不利にならないように、明文で
配慮したものである。（423条の解説[3]（ウ）参照）。なお、94条2項との関連につき、同条の解
説[2]（イ）を参照。

（債務者の取立てその他の処分の権限等）
第四百二十三条の五

債権者が被代位権利を行使した場合であっても、債務者は、被代位権利につ
いて、自ら取立てその他の処分をすることを妨げられない[1]。この場合におい
ては、相手方も、被代位権利について、債務者に対して履行をすることを妨げ
られない[2]。

§§423の3・423の4・423の5・423の6・423の7

〈改正〉 2017年に新設された。前掲（423条）附則第十八条1参照。

[本条の趣旨] [1] 裁判上の手続とは無関係に債権者が代位行使に着手したことを債務者が知ったというだけで、債務者が自らの権利の取立・処分権限を失うとするのは妥当ではないという見解が従来から有力であった。423条の解説(4)参照。そのため、判例の立場とは異なるが、新法では、債務者が取立・処分権限をなお行使できることを明確にした。その結果、債権者と債務者とが共に当事者適格を有する場合が生じるが、訴訟物は請求権として同一であるから、別訴で請求する場合は、二重起訴（民訴142条）となるから許されない。同一訴訟において請求する場合には、債権者は自己への支払を請求すること（423条の3前段）が可能であり、両請求とも認容される。強制執行等との関係では早い者勝ちとなり、同時の場合には案分配当になるとの見解が有力である。

[2] 代位行使の相手方となる第三債務者は、債権者が代位行使に着手した後であっても、債務者への履行を妨げられないとの規範を明文化した。

（被代位権利の行使に係る訴えを提起した場合の訴訟告知）
第四百二十三条の六
債権者は、被代位権利の行使に係る訴えを提起したときは、遅滞なく、債務者に対し、訴訟告知をしなければならない[1]。

〈改正〉 2017年に新設された。前掲（423条）附則第十八条1参照。

[本条の趣旨] [1] 債権者が債権者代位訴訟を提起した場合には、債務者に対して訴訟告知を義務付ける規定である（裁判上、債権者代位権を行使する場合に関する規定である）。代位債権者は法定訴訟担当の地位にある（民訴法115条1項2号）から、代位訴訟の既判力は債務者の訴訟参加や債務者への訴訟告知等がなされなかった場合であっても、債務者に及ぶとするのが従来の判例の立場である（大判昭和15・3・15民集19巻586頁）。そこで、新法は、告知義務を定めることによって債務者が代位訴訟に関与する機会を保障した。代位債権者が上記の義務に違反した場合については、前掲大判によれば、代位債権者は債務者に善管注意義務を負っているから、訴訟進行上、過失があって敗訴した場合、たとえば債務者の協力を得ずに敗訴した場合には、債務者は債権者に対して損害賠償請求が可能である。ただし、被代位権利の存在を前提にした損害賠償請求は、訴訟告知による参加的効力により遮断される場合もある。改正前423条の解説(4)(ウ)参照。債権者が訴訟告知をしなかった場合については、規定が置かれなかったが、裁判所は実質審理に入る前に債権者に訴訟告知を求め、債権者がこれに応じない場合には訴えを却下すべきであるとの見解が有力である。なお、被保全債権が不存在の場合は、既判力は及ばないと解されるが、訴訟告知がなされていることの効果として、債務者のその旨の主張が信義則により制限されるとの主張もある。

（登記又は登録の請求権を保全するための債権者代位権）
第四百二十三条の七
登記又は登録をしなければ権利の得喪及び変更を第三者に対抗することができない財産を譲り受けた者は、その譲渡人が第三者に対して有する登記手続又は登録手続をすべきことを請求する権利を行使しないときは、その権利を行使することができる[1]。この場合においては、前三条の規定を準用する。

〈改正〉 2017年に新設された。前掲（423条）附則第十八条1参照。および、同条2 新法第四百二十三条の七の規定は、施行日前に生じた同条に規定する譲渡人が第三者に対して有する権利については、適用しない。

第3編　第1章　総則　第2節　債権の効力

[本条の趣旨]　**[1]**　従来から認められていたいわゆる「転用型の債権者代位権」を明文化
した。登記請求権以外の「転用型の債権者代位権」については、従来通りと解せられる。(改
正前423条の解説[1](エ)(オ)参照)。本条は、債権者と債務者の間に物権変動があり、その原因
が財産の譲渡である場合を前提にしているから、これに該当しない場合には、代位権行使は、
新423条1項によることになろう。

第3款　詐害行為取消権

〈改正〉　本款は2017年に、新設された。424条が改正され、さらに424条の2～424条の9が
　　　　新設された。

[詐害行為取消権の主要改正点]　関連規定は、詐害行為取消権の要件(第1目)、詐害行為取消
　　　　権の行使の方法等(第2目)、詐害行為取消権の行使の効果(第3目)、詐害行為取消権の
　　　　期間の制限(第4目)に分けて配置された。第1目では、「相当の対価を得てした財産の
　　　　処分行為の特則」(424条の2)、「特定の債権者に対する担保の供与等の特則」(424条の
　　　　3)、「過大な代物弁済等の特則」(424条の4)、「転得者に対する詐害行為取消請求」
　　　　(424条の5)は、従来から判例・学説上議論のあった点であるが、破産法上の否認権を
　　　　配慮しつつ明文化した。第2目では、「財産の返還又は価格の償還の請求」(424条の6)、
　　　　「詐害行為取消の範囲」(424条の8)、「債権者への支払又は引渡し」(424条の9)は、基
　　　　本的には従来の判例・学説の明文化である。「被告及び訴訟告知」(424条の7)は、被告
　　　　に関しては従来の学説・判例の明文化であるが、訴訟告知は新設規定である。第3目で
　　　　は、「認容判決の効力が及ぶ者範囲」(425条)、「債務者の受けた反対給付に関する受益
　　　　者の権利」(425条の2)、「受益者の債権の回復」(425条の3)、「詐害行為取消請求を受
　　　　けた転得者の権利」(425条の4)は、詐害行為取消の効果を「相対的効力」としていた
　　　　点を改めて、訴訟告知を前提として、債務者にも及ぶものとした。上記の関連規定はこ
　　　　れを前提としている。第4目では、取消期間が、「2年」は同じであるが、「20年」が
　　　　「10年」になった。

第1目　詐害行為取消権の要件

〈改正〉　当該目は2017年に新設され、424条の2から424条の5が新設された。

(詐害行為取消請求)
第四百二十四条
　1　債権者は、債務者が債権者を害することを知ってした行為[1]の取消しを裁
　　　判所に請求することができる。ただし、その行為によって利益を受けた者
　　　(以下この款において「受益者」という。)がその行為の時において債権者を
　　　害することを知らなかったときは、この限りでない。
　2　前項の規定は、財産権を目的としない行為[1]については、適用しない[2]。
　3　債権者は、その債権が第一項に規定する行為の前の原因に基づいて生じた

第3款［解説］・第1目［解説］・§424

ものである場合に限り、同項の規定による請求（以下「詐害行為取消請求」
という。）をすることができる³⁾。

4　債権者は、その債権が強制執行により実現することのできないものである
ときは、詐害行為取消請求をすることができない⁴⁾。

〈改正〉　2017年に改正された。本条の見出しを「（詐害行為取消請求）」に改め、第1項中
「法律行為」を「行為」に改め、同項ただし書中「又は転得者がその行為又は転得」を「（以
下この款において「受益者」という。）がその行為」に、「害すべき事実」を「害すること」
に改め、第2項中「法律行為」を「行為」に改め、本条に上記の2項を加えた。附則（詐害
行為取消権に関する経過措置）第十九条　施行日前に旧法第四百二十四条第一項に規定する
債務者が債権者を害することを知ってした法律行為がされた場合におけるその行為に係る詐
害行為取消権については、なお従前の例による。

［改正の趣旨］　［1］　文言上「法律行為」ではなく、「行為」に改められたことにより、債務
の承認や法定追認の効果を生ずる行為も含まれることが明らかにされた。解釈上、認められ
ていたので、実質的に変更はない（解説(3)を参照）。

　［2］　「行為」に変更された以外は、内容は維持された。厳密な意味での法律行為に限らず、
弁済、時効更新事由としての債務の承認、法定追認の効果を生ずる行為などを含むと解され
ている。

　［3］　「行為の前の原因」について規定したが、実質的には、従来通りである。債権が発生
していなくても、その発生の原因があればよい。

　［4］　新423条3項と同趣旨である。同条［改正の趣旨］の［4］参照。

［改正前条文］

（詐害行為取消権）

1　債権者は、債務者が債権者を害する¹⁾ことを知って²⁾した法律行為³⁾の取消しを裁判所
に請求することができる⁴⁾。ただし、その行為によって利益を受けた者又は転得者がそ
の行為又は転得の時において債権者を害すべき事実を知らなかったときは、この限りで
ない⁵⁾。

2　前項の規定は、財産権を目的としない法律行為⁶⁾については、適用しない。

［原条文］

　債権者ハ債務者カ其債権者ヲ害スルコトヲ知リテ為シタル法律行為ノ取消ヲ裁判所ニ請
求スルコトヲ得但其行為ニ因リテ利益ヲ受ケタル者^ハハ転得者カ其行為又ハ転得ノ当時債
権者ヲ害スヘキ事実ヲ知ラサリシトキハ此限ニ在ラス

　前項ノ規定ハ財産権ヲ目的トセサル法律行為ニハ之ヲ適用セス

［改正前条文の解説］

本条は、債権者に対して認められるいわゆる「債権者取消権」もしくは「詐害行為
取消権」（かつては「廃罷訴権」actio Pauliana とも呼ばれた）について規定したものである。
423条が認めている債権者代位権とともに、債権者がみずから債務者の資力を維持し
て債権の満足を得ることを認めたものであって、いわゆる債権の対外的効力の一つで
ある。債権者取消権は、破産法の認める否認権（破§§160〜）と同一の性質を有し、そ
の効力は否認権よりも弱いが、債務者を破産させないで行使できる点に独自の作用を
営む。これを代位権とともに民法に規定しているのは、フランス民法（§1167→§
1341-2)にならうものであって、ドイツでは、これを特別法で規定している。

847

第3編　第1章　総則　第2節　債権の効力

〔1〕　「債権者を害する」債務者の行為を、「詐害行為」という。その意味について
は、問題が多い。

(1)　第1に、金銭の支払を目的とする債権にあっては、債務者の「債権者を害す
る」行為とは、自分の資産を減少する行為をして債権者が十分の弁済を受けることを
できなくすることであって、これには疑問はない。

(2)　第2に、債権の内容が金銭以外の物の給付を目的とするものであるとき、たと
えば、AがBに対して特定の家屋の所有権の移転を請求する債権を有するような場
合には、Bがこの家屋をCに譲渡する行為は、Bの資産の多寡に関係なく詐害行為
となるのであろうか、それとも、Bが他に資力がなく、この譲渡行為の結果AはB
をして十分に損害を賠償させることができなくなり、その債権を実現できない場合に
だけ詐害行為になるのであろうか。

沿革的に見れば、債権者代位権も債権者取消権も、ともに後者の内容を有するもの
である。判例は、債権者代位権については、前者(特定債権の保全)の内容を与えること
もあるが(改正前§423〔1〕参照)、これに反し、債権者取消権については、後者の原則を
貫き(大民刑連判大正7・10・26民録24輯2036頁)、学説もまたこれを支持している。そ
れは、前者の場合にまでその適用を拡張することは、第三者に不当に損害をこうむら
せるおそれがあるからである。したがって、「債権者を害する」とは、債務者の行為
によって債務者の資産の総額が債権額を弁済するに不十分となることである。この趣
旨から、この要件を、債権者代位権におけると同様に、「無資力要件」、または「資力
不足要件」と呼ぶ。

(3)　第3に、このような意味で債権者を害するということについても、つぎのよう
に、種々の問題がある。

(ア)　取消権を行使できる債権者は、最初から金銭の支払を目的とする債権を有する
か、または債務不履行による損害賠償請求権、すなわち金銭債権を取得した者である。

債権者取消権によって保全される債権(これを、「被保全債権」と呼ぶことができる)は、
金銭債権に限られるか、それとも、特定物の移転を目的とする債権であってよいかに
ついて、かつて、前掲大民刑連判大正7・10・26は、無資力要件を強調するあまり、
金銭債権に限ると判示した。もっとも、詐害行為以前に損害賠償請求権に変じていれ
ばよいとするかのような判決もみられた(大判大正11・11・13民集1巻649頁)。その後、
学説の反対を受け、最大判昭和36・7・19(民集15巻1875頁)は、判例を変更し、特定
物債権者も、債務者がその目的物を処分することによって無資力となるときは、債権
者取消権を行使することができるとした。特定物債権も取消権行使の時には損害賠償
請求権という金銭債権に変わっていればよいと考えれば、いわば当然のことであるが
(対抗要件において敗れた譲受人Aが勝ったBに対して債権者取消権を行使できることになるが、
対抗要件の問題と債権者取消権の問題はその性質を異にし、効果にも違いがあるから、問題はな
いと同判決も論じている)、特定物債権のままで取消権を行使することもできるとする
見解もある。

(イ)　債権が債務者の財産上の物的担保権によって完全に担保されていれば、債務者
の総財産のいかんにかかわらず、債権は完全に満足を得ることができるから、債務者

§424〔1〕

の財産処分行為も詐害行為にはならない（大判大正12・5・28民集2巻338頁）。しかし、それが完全でなければ——たとえば、100万円の債権の担保物が80万円の価値しかなければ——、その担保されない金額については、詐害行為が成立する（大判昭和7・6・3民集11巻1163頁）。また、債権者が第三者の財産の上に物上担保権を有することは、詐害行為の成否には関係がないとされる（大判昭和20・8・30民集24巻60頁）。同様に、保証人・連帯債務者がある債権についても、これらの者の存在や資力の有無は度外視して、詐害行為になるかどうかを決定する（大判大正9・5・27民録26輯768頁）。

（ウ）「債権者を害する」時点について、つぎの問題がある。新424条3項を参照。

（a）その行為の当時において債権者を害する事実があることを要するのはもちろんであるが、なお、取消権行使の当時にも債権者を害する事実があることを要する。たとえば、債務者がその財産を第三者に譲渡した当時にはなお他にも財産があったが、後に他の事情で無資産となった場合には、その譲渡は詐害行為にはならない（大判大正10・3・24民録27輯657頁、大判昭和12・2・18民集16巻120頁）。また、これとは逆に、債務者がその不動産を第三者に贈与したときには他に資産がなかったが、後に資力がその債務を弁済するのに十分になったならば、同じく詐害行為にならない（大判大正15・11・13民集5巻798頁）。なお、売買一方の予約に基づいて本契約が成立した場合に、予約締結時を詐害行為の基準とする判例がある（最判昭和38・10・10民集17巻1313頁）。

（b）なお、問題とされる行為が被保全債権成立後に行われたことを要するのは当然である（大判大正6・1・22民録23輯8頁、最判昭和33・2・21民集12巻341頁。なお、最判昭和50・7・17民集29巻1119頁は、詐害行為の後に、被保全債権について準消費貸借がなされても、影響はないとする）。

（c）詐害行為とされる債務者Bと受益者Cの間の行為が、物権や債権の譲渡であって、その行為と対抗要件具備との間に時日が存する場合については、細かい検討を要する。債権者Aの債権取得の日を①とし、BからCへの権利移転行為の日を②とし、その移転につき対抗要件が備えられた日を③とする。

（ⅰ）不動産譲渡の例について、判例は、債権成立前に不動産譲渡行為が行われていれば（判例は、時価による売却も詐害行為になりうるとする。(4)(ウ)参照）、その後に登記移転行為がなされても、その登記行為が詐害行為になることはないとする（最判昭和55・1・24民集34巻110頁）。②が①よりも前であれば、詐害行為は成立しないとするものであり、いちおうは妥当であるが、②の時期の立証・認定には慎重を要するであろう。

（ⅱ）債権譲渡が詐害行為に当たるとされる場合における債権譲渡の対抗要件の具備行為（Bによる債権譲渡の通知）についても、同様の問題が生じる。判例は、これについても、対抗要件具備行為のみが詐害行為とされることはないという判断を示した（最判平成10・6・12民集52巻1121頁。ただし、BからAとCへの債権の二重譲渡担保の事例であり、第1の譲受人であるAがCへの対抗要件具備行為（③）が詐害行為になると主張したのを、②が①より前であるから、③が詐害行為になることはないとしてしりぞけた。Aの対抗要件とCの対抗要件の先後の問題が関連するように思われる）。

849

第3編　第1章　総則　第2節　債権の効力

(d)　その他、問題となった例としては、つぎのものがある。a)株式払込みの催告を予期してそれ以前に行った財産処分行為などは、取消しの対象となるといってよい(大判昭和3・5・9民集7巻329頁)。b)詐害行為前に存在した債権を詐害行為後に譲り受けた者も、取消権を行使することができる(大判大正12・7・10民集2巻537頁)。c)農地を贈与する行為が詐害行為になる場合、その後、これに知事の許可があったからといって、取消せなくなるものではない(最判昭和35・2・9民集14巻96頁)。d)変わった例としては、調停で認められた将来の婚姻費用分担債権を被保全債権として権利行使を認めた例もある(最判昭和46・9・21民集25巻823頁)。

(4)　以下の解説の参照に当たっては、新424条の2が新設された点に注意すべきである。

詐害行為は、財産を無償で贈与し、または時価よりも廉価で売却する場合のように、積極財産を減少することによって債権者を害するものであっても、または債務を引受け、保証人となるように、消極財産を増加することによって債権者を害するものであってもよい。要するに、債務者の法律行為が詐害行為となるためには、その債権者のための一般担保(共同担保ともいう。ただし、この用語については、第2節解説②(3)参照)を組成している自分の財産を減少し、弁済の資力を薄弱にすることを必要とする。

これに関連しては、一部の債権者への弁済、担保の供与、不動産の時価による売却などがとくに問題になる。

(ア)　債権者の一部に対して債務の本旨に従ってした弁済は、つねに詐害行為とはならないと解するべきである。けだし、既存の債権の弁済は、一方において積極財産の減少であるが、同時にその分だけ消極財産を減少させ、債務者の弁済資力は減少するものではないからである。もちろん、債務者の資力が全部の債権者に弁済するに足りない場合に、一部の債権者に額面どおり弁済してしまうことは、他の債権者にとっては不利益となろう。しかし、もしこれらの債権者が平等の立場で比例的弁済を得たいと思うならば、破産手続によるべきである(破§§24・42・100・103・160・193)。そうでない限り、債務者の自由な弁済を禁じる理由は、どこにもないはずである。

しかし、判例は、履行期にある既存の債務の弁済も、とくに一部の債権者と通謀し、他の債権者を害する意思をもってするときは、詐害行為になりうるという(大判大正5・11・22民録22輯2281頁、最判昭和33・9・26民集12巻3022頁。ただし、いずれも否定例である)。これを批判する学説は多いが、支持する学説もある(実質上、簡易な破産と同様な機能をもたせてもよいという理由からである)。

なお、代物弁済は、後に述べる売買と同様に、正当な価格に評価されたうえで行われたものであれば、詐害行為とはならないと考えられるが、判例の態度は、必ずしも明瞭でない(大判大正8・7・11民録25輯1305頁、最判昭和48・11・30民集27巻1491頁は、詐害行為になるとし、大判大正14・4・20民集4巻178頁などはならないとした)。

(イ)　債権者の一部の者に対して担保を供与することも、(ア)と同じ理由によって、詐害行為にならないと解される。しかし、判例は、「抵当権ノ設定ハ抵当権者ヲシテ抵当不動産ニ付他ノ債権者ニ優先シテ自己ノ債権ノ弁済ヲ受クルコトヲ得セシムルモノナルガ故ニ、債務者カ債権者ノ為ニ抵当権ヲ設定スルトキハ、他ノ債権者ノ共同担

保ハ之レカ為メ其価値減少スルコトトナリ従テ他ノ債権者ニ害ヲ及ホスコトアルハ自明ノ理ナルヲ以テ、抵当権ノ設定モ詐害行為タリ得ルコト従来本院ノ判例トスル所ナリ」と説く（大判大正8・5・5民録25輯839頁。同旨、最判昭和32・11・1民集11巻1832頁、最判昭和35・4・26民集14巻1046頁、最判昭和37・3・6民集16巻436頁など。ただし、営業継続や生計費のためで、詐害行為とならないとした最判昭和44・12・19民集23巻2518頁、最判昭和42・11・9民集21巻2323頁もある）。この判例を支持する学説もある。

(ウ) 債務者が自分の財産を相当の代価で売却することは詐害行為とならないといわなければならない。けだし、これによってその財産は債務者の財産からは減少するが、その分だけ同じ価値の代価がその財産に加わるから、債務者の資産の総額は減少しないと考えられるからである。そのうえ、もしこれを詐害行為とすると、債務者がその財産を整理して経済的な立直りを計ろうとしても、譲受人を見つけることができず、更生にとって不当な支障となるおそれがある。ところが、判例は、財産としての確実性の高い不動産を消費しやすい金銭に変更することは、債務者の財産の一般的担保力を薄弱にするものであるという理由で、このような行為も原則として詐害行為となるといい（大判明治39・2・5民録12輯136頁、大判明治44・10・3民録17輯538頁、大判大正7・9・26民録24輯1730頁、大判昭和3・11・8民集7巻980頁）、ただ、債権者たちに正当の弁済をする意思で売却したときは、詐害の意思がないので、取消権を成立させないものとする（大判大正6・6・7民録23輯932頁、大判大正13・4・25民集3巻157頁、最判昭和41・5・27民集20巻1004頁）。その後、債務者が相手方と通謀して債権者を害する目的で行った場合は、詐害行為になるとされた（最判昭和39・11・17民集18巻1851頁）。多数の学者は、これを批判するが、不動産と金銭とでは責任財産としての意味合いが違うことを理由に判例の判断を支持する意見もある。

(エ) すでに抵当権が設定されている不動産については、その価格から抵当権の被担保債権の額を差し引いた部分が詐害行為の対象となると考えられる（その効果については、(4)(ウ)(d)参照）。そのさい、その不動産が共同抵当（§392）の目的となっている場合には、案分によりその不動産に割り付けられる額（§392 I 参照）が控除されるべき額とされる（最判平成4・2・27民集46巻112頁）。

〔2〕 この「害することを知って」という要件のことを、一般に「詐害の意思」という。この言葉からは積極的な「害意」ないし意欲を必要とする感じがあるが、そうではなく、文字通り知っていること（「悪意」）で足りる（前掲最判昭和35・4・26）。ただし、判例が、一部の債権者と通謀したり、債権者を害する意欲のある場合に特別の取扱いをすることがあるのは、〔1〕(4)(ア)に述べたとおりであり、注意を要する。

悪意の時期については、債務者がその行為によって債権者を害することを行為の当時に現に知っていたことを要し、その時に現に知らない限り、それが債務者の過失に基づいていても詐害の意思はなく、したがって、その行為は取消しの対象とならない（大判大正5・10・21民録22輯2069頁）。

なお、詐害の意思の立証責任は債権者にあるが、この証明は、債務者の資産状態、処分行為の対価、債務者と処分の相手方との関係などから、裁判所によって比較的容易に認められる（大判昭和13・3・11新聞4259号13頁）。

第3編　第1章　総則　第2節　債権の効力

〔3〕　取消しの対象となるのは、「法律行為」に限る。「事実行為」（たとえば、価値ある物を壊して、無価値にするなど）は、対象とはならない。法律行為の種類は、問わない。一般には、契約が問題となるのであるが、債務免除のような単独行為でも、また、会社設立行為のような合同行為でもよい（大判大正7・10・28民録24輯2195頁。商旧§141→会社§832②参照）。債務の弁済、債務の承認、債権譲渡の通知（ただし、〔1〕(3)(ウ)(c)(ii)参照）、承諾のような準法律行為でもよいと解されている。なお、〔6〕参照。

なお、信託が詐害行為になりうることに関しては、特則がある（信託§11）。

〔4〕　〔1〕～〔3〕の要件が充たされた場合には、債権者は、裁判所に訴えて詐害行為を取消し、処分された財産を取戻すことができる。必ず訴えによらなければならない点が特色である（たとえば、抗弁の方法で行使することはできない。最判昭和39・6・12民集18巻764頁）。債権者は、自己の権利として請求できるのであって（大判大正6・3・31民録23輯596頁）、債務者に代位するのではない。また、取戻す対象が物の引渡し、または金銭の支払である場合に、自分に引渡すべきことを請求できることは、代位権と同様である（大判大正10・6・18民録27輯1168頁、なお改正前§423〔3〕(ウ)、および改正前§425〔1〕参照）。

この訴えが、だれを相手にしてどのような請求をするべきものであるかは、法文の上では明らかでない。学説は、この債権者取消権をどのような性質のものと考えるかとも関連して、大いに分かれていた（新第3款第2目§424の7等参照）。

(ア)　まず、いくつかの解釈の可能性を考えてみる。債権者Aの債務者Bが、資力不足であるにもかかわらず、その唯一といってもよい不動産をC（受益者）に贈与し、CがこれをさらにD（転得者）に売却したという典型的な例で考えてみる。

第1の可能性は、債権者取消権はB・C間の詐害行為の効力を否定する権利であって、第1編総則第5章第4節が規定する一般の法律行為の取消しと同じ性質を有し、形成権であるとするものである（形成権説と呼ばれる）。この見解によれば、取消訴訟の被告は法律行為の当事者であるBおよびCであり、詐害行為により逸出した財産を取戻すためには、取消訴訟のあと（同時に提起してもよいが）、Aは、さらに、BのC・Dに対する返還請求権を代位行使して、その返還を請求しなければならないという、二重の手間を要することになる。

第2の可能性は、債権者取消権は、CまたはDから逸出財産の取戻しを請求することをその本体とするものであり、その性質は請求権であるとするものである（請求権説と呼ばれる）。この見解によれば、詐害行為の効力そのものを問題にする必要はなく、取消訴訟の被告はCまたはDであり、Bを被告とすることはまったく必要としないことになる。

第3の可能性は、上の両意見を合わせたもので、債権者取消権は、詐害行為の取消しと逸出財産の取戻しの両方を求める権利であり、債権者取消訴訟は、B、C、（DがいればDも）を被告とする必要的共同訴訟であることになる（折衷説といわれる考え方の一つである）。

判例は、折衷説と呼ばれることもあるが、実質的には第2の見解に近い考えであることは、つぎに述べる。

§424〔3〕〔4〕

これに対して、債権者取消権を訴訟ないし責任(ある財産が債権実現のための強制執行、すなわち攞取力の対象となること)のレベルでのみとらえようとする見解が主張されている(責任説、あるいは訴権説と呼ばれる)。すなわち、Aに、その債権の実現のためにCやDへ逸出した財産に対して執行できるという権利を認めれば、それで足りるとするのである。この説明によれば、つぎに述べる判例の具体的結論には調和し、それがもつ論理的違和感(Bが当事者でないのに、B・C間の契約を取消したり、判決の効力がBに及ばないことなど)は除かれることになると思うが、本条の解釈としては、やはり裁判実務を支配している判例の見解に従っておくのがよいと考えられる。

(イ) 判例は、はじめ(ア)の第3の見解をとったが、大連判明治44・3・24(民録17輯117頁)で、これを変更し、債権者取消権の性質に関して、その後の裁判の基準となる総合的な解釈を示した。この解釈は、裁判実務上完全に定着しているので、これを正確に理解することが重要である。なお、新法下においては、この判例は、新425条との関連の限度で先例的意義を失ったと解すべきである。

(a) 同判決の要点は、債権者取消権は、受益者または転得者に対して債務者の財産の回復またはこれに代わるべき賠償を求める権利であって、その行使による取消しは、一般の法律行為の取消しと異なり、相対的効力を生じるにすぎず、したがって、債権者取消訴訟は、CまたはDを被告とするべきであって、Bを被告とする必要はない、というものである。

さらに、細説すれば、

(b) 詐害行為の取消しのみを請求する訴えも認められる。ただし、これは、単純な確認訴訟ではなく、被告である受益者・転得者に詐害行為の消滅を認めざるをえない覊絆(拘束)を与えるものである。

この場合の被告について、明言はしていないが、B・Cを共同被告とする趣旨ではないと思われる(大判大正9・6・3民録26輯808頁は、債務免除の例で、免除された債務者のみを相手方とすべきものとする)。このような訴訟も、詐害行為が契約であって(たとえば、贈与)、その契約がまだ履行されていないときには、その履行を防ぐ意味において、実益があるかもしれない。しかし、実際例はほとんどみられないようである。もしこの訴訟が行われれば、原告A、被告C間の訴訟において、「B・C間のこれこれの契約を取消す」という主文の判決がなされることになろう。

(c) 逸出財産について転得者を生じていなければ、被告は、受益者Cに限られるが、転得者が生じている場合に、受益者Cを被告とするか、転得者Dを被告とするかは、債権者の自由である。転得者に財産そのものを返還させようと思えば転得者を相手とするべきであって、受益者から財産または、(それが転得者に移っていて、不可能な場合)これに代わる利得を返還させようと思えば、受益者を相手とするべきである。

ただし、会社の設立行為を詐害行為として取消すためには、その社員と会社との両者を被告としなければならないとされている(商旧§141→会社§832②)。

株式会社を設立する新設分割がされた場合において、新設分割設立株式会社にその債権に係る債務が承継されず、新設分割について異議を述べることもできない新

853

第3編　第1章　総則　第2節　債権の効力

設分割株式会社の債権者は、詐害行為取消権を行使して新設分割を取り消すことが
できる（最判平成24・10・12民集66巻3311頁）。会社法は残存債権者の履行請求権（同
法§§759 IV・764 IV等）を認めているが、これは詐害行為取消権の特則として設けら
れたものではないので、残存債権者はいずれをも行使できると解されている。

　(d)　債権者は、受益者Ｃまたは転得者Ｄを被告として、詐害行為の取消しと逸
出財産の回復またはこれに代わるべき賠償を請求する。この請求が認められた場合
には、裁判主文の

　　第1項において、「Ｂ・Ｃ間のこれこれの行為は取消す」とし、

　　第2項において、「Ｃ（またはＤ）は、Ａにこれこれの財産の回復または損害賠償を
せよ」と命じる。

　　第1項において、名前が挙げられるＢが当事者でなく、これに判決の効力が及
ばないことに違和感があるが、第2項の給付命令の論理的前提として、やはり、こ
の第1項が必要と考えられているのであろう。

　(e)　判決がその主文(1項)で認めた詐害行為の取消しの効力は相対的(ＣまたはＤ
に回復を命じるに必要な限りでその行為の効力を否定する)であって、すべての人との関
係でその行為の効力を否定する絶対的なものではない。

　すなわち、Ｂ・Ｃ間の贈与契約(詐害行為)、ＣからＤへの財産権の移転契約(売買
その他)は、それぞれ、Ｂ・Ｃ間、Ｃ・Ｄ間では有効なものとして扱われる(債務者が
受益者に対する取戻しの請求権を取得するものではないのは、もちろんである。同旨、大判大
正8・4・11民録25輯808頁)。その後のことは、その契約に基づいて有効に所有権を
移転できなかったことによる責任の問題として解決されるのである。

以上の見解は、実質的には、むしろ、(ア)で述べた第2の請求権説に近いということ
ができる。

　(ウ)　債権者取消権が認められた場合に、具体的に、債権者は、受益者または転得者
に対してどのような請求ができるか。これについては、さまざまな問題があって、単
純ではない。判例上取り上げられた論点を示せば、つぎのとおりである。

　(a)　債権者が債務者の行為を取消して、利得の返還を請求できる範囲としては、
取消権を行使しようとする債権者の債権全額が標準となり(大判昭和8・2・3民集12
巻175頁)、他の債権者を考慮に入れない(大判大正9・12・24民録26輯2024頁)。

　(b)　相手方に対して処分された財産自体の返還を請求することができる場合には、
原則として、これを請求すべきであり、みだりにその財産の評価額の返還を請求す
べきではない(大判昭和9・11・30民集13巻2191頁、最判昭和54・1・25民集33巻12頁)。
しかし、被保全債権の額が処分された財産の評価額より少ないときは(たとえば、
100万円の財産に関する詐害行為を50万円の債権に基づいて取消す場合)、その行為の内容
が可分の場合(たとえば、数筆の土地の売却)には、詐害行為の一部分だけを取消し、
財産の一部の返還を請求し、それが不可分の場合(たとえば、1筆の土地の売却)には
全部の取消しを請求すべきであるとされる(大判大正7・5・18民録24輯993頁、最
判昭和30・10・11民集9巻1626頁)。後者の場合は、債権者にとって、土地全体が債
務者の責任財産に戻ることになるが、請求できるのは価格の賠償と解するのが妥当

854

§424〔4〕

ではなかろうか。

(c) 転得者が生じている場合に受益者に対して請求するときは、価格賠償による方法しかない(目的物を他人に譲渡したからといって、責任を免かれるものではないことを指摘したものに、最判昭和35・4・26民集14巻1046頁がある)。そのほかにも、価格による賠償がなされる場合があるが、そのときの価格は、取消訴訟の事実審の口頭弁論終結時のものとされる(最判昭和50・12・1民集29巻1849頁)。

(d) 抵当権が設定された不動産をめぐる詐害行為については、複雑な問題を生じることが多い。

まず、抵当不動産については、不動産の価格から抵当債権額を控除した残額だけが一般債権者のための責任財産と考えられる(最判昭和39・7・10民集18巻1078頁、最判昭和41・5・27民集20巻1004頁は、残額は零とされた例であり、最判平成4・2・27民集46巻112頁は、共同抵当においては、各不動産への割付け額が控除されるべきものとされた興味ある例である)。

そのうえで、抵当債権者自身がその不動産を代物弁済によって取得する行為が詐害行為になるとされた場合に、債権者取消権を有する他の債権者は、一部を取消して、価格賠償を請求できるだけであるとされた(最大判昭和36・7・19民集15巻1875頁。消滅した抵当権の回復が困難という理由も考えられるが、判旨は、目的物の不可分を理由とする)。

つぎに、抵当不動産を抵当債権者以外の者に売却し、その代金をもって抵当債権を弁済し、これが詐害行為になるとされた場合に、債権者取消権を有する債権者が求めうるのは、価格賠償であるとされた(最判平成4・2・27民集46巻112頁)。

最後に、抵当不動産が抵当権付のままで譲渡担保に供された行為が詐害行為になるとされた場合については、抵当債権者以外の債権者が債権者取消権を行使し、その不動産の回復の請求が認められた(前掲最判昭和54・1・25。この場合も、不動産の価格の一部についての詐害行為であるが、抵当権が存在したままの譲渡担保であるという事情からすれば、妥当と考えられる)。

(ｴ) 債権者が受益者または転得者に対して請求できる内容が物の引渡しまたは金銭の支払である場合には、自己への引渡しまたは支払を請求できるとされている(大判大正10・6・18民録27輯1168頁、前掲大判昭和8・2・3、最判昭和39・1・23民集18巻76頁)。金銭の支払の場合には、それを債務者の責任財産に戻す債務と被保全債権が相殺された形になり、取消債権者が事実上優先弁済を受けたと同じ結果になるという問題点は、債権者代位権と同様である(改正前§423〔4〕(ｴ)(a)参照。なお、改正前§425参照)。

請求できる内容が登記である場合には、事情は異なる。この場合には、債務者名義への登記の回復(通常はBからCへの移転登記の抹消)のみを請求できると解される(最判昭和53・10・5民集32巻1332頁)。

(ｵ) 債権者取消訴訟の提起によって、被保全債権の消滅時効は中断されるか。判例は否定する(最判昭和37・10・12民集16巻2130頁。改正前§149〔1〕(1)(ｱ)(d)参照)。被保全債権が訴訟物になっていないし、債務者も被告になっていないことは確かであるが、催告(削除前§153)としての効力は認めてもよいのではなかろうか(中断事由になるとする見

855

第3編　第1章　総則　第2節　債権の効力

解もある）。

　(ガ)　被保全債権の消滅時効について、受益者は援用権があるか、が問題になる。詐害行為取消訴訟の事実審口頭弁論終結までに、債務者(訴訟の当事者ではない)が時効を援用または放棄すれば、それにより判決し、どちらもないときは、裁判所は、訴訟の前提として時効の成否を確認する必要があるのではなかろうか。そして、受益者(被告)が時効完成を立証すれば、時効完成として扱うのが妥当であろうか(判例は、受益者に援用権があるとした。改正前§145〔2〕(エ)(a)参照)。

　〔5〕　債権者取消権が成立するためには、債務者が悪意であるだけでなく、受益者または転得者が、受益または転得の当時その事情を知っていたことを必要とする(ただし、信託§11の詐害信託については、注意を要する)。判例によれば、本条の詐害行為の受益者または転得者の善意、悪意は、その者の認識したところによって決すべきであって、その前者の善意、悪意を承継するものではないと解すべきであり、また、受益者または転得者から転得した者が悪意であるときは、たとえその前者が善意であっても本条に基づく債権者の追及を免れることができないというべきである(最判昭和49・12・12集民113号523頁)。

　(a)　もし、受益者・転得者がともに悪意のときは、債権者は、受益者に対する関係において詐害行為を取消し、これに対して財産の返還に代えて損害の賠償を請求することもできるし、また、転得者に対する関係において詐害行為を取り消し、これに対して財産の返還を請求することも可能である。そのどちらを選ぶかは、債権者の自由である(大判大正9・5・29民録26輯776頁参照)。

　(b)　つぎに、もし、受益者が悪意であって転得者が善意であるときは、債権者は、受益者から財産に相当する損害の賠償を請求することができる(大判昭和7・9・15民集11巻1841頁)。もし、転得者に影響を及ぼさないならば、その限度で財産の返還をも請求することができる。たとえば、悪意の受益者が善意の第三者(転得者)に抵当権を設定したような場合には、抵当権付の不動産の返還を請求することができる(大判大正6・10・3民録23輯1383頁)。

　(c)　最後に、もし、受益者が善意で、転得者が悪意のときは、もはや転得者に対して返還を請求できないとする説が多い。しかし、判例理論からいえば、悪意の転得者から返還の請求をすることができる(善意の受益者に影響を与えることはできないから、転得者は、受益者に交付した対価につき、債務者の一般財産に対して不当利得返還請求権を取得する)と解されるのではないか。

　なお、受益者・転得者は、善意の立証責任を負う(最判昭和37・3・6民集16巻436頁)。すなわち、債権者が債務者の悪意を立証すれば、受益者・転得者は、みずから善意であることを立証しなければ、返還の義務を免れないのである。

　〔6〕　婚姻、縁組、相続の承認・放棄などのいわゆる身分行為が、その例である。これらの行為は、債務者の責任財産に直接に関係するものではないし、たとえそれによって債務者の財産を悪化させる場合でも、これへの債権者の干渉を認めることは不当だからである。

　(ア)　純然たる身分行為が債権者取消権の対象とならないことは明らかである。たと

856

§424〔5〕〔6〕・特殊な詐害行為の類型〔前注〕

えば、債務者が多くの債務をかかえ、また浪費癖のある相手と婚姻しても、これを詐害行為とはいえない。ただし、具体的適用に関しては、問題の存するところである。

　(a)　債務者による相続の承認・放棄は、どうであろうか。相続財産が債務超過であることを承知で単純承認をしたり、せっかくの相続財産を承継できるにもかかわらず、相続を放棄することは、債権者取消権の対象となるであろうか。承認も放棄も身分行為であるから、対象にならないと考えるのが妥当であろう(最判昭和49・9・20民集28巻1202頁は、被相続人の債権者が相続人の放棄により被相続人の債務が承継されなくなることを理由に債権者取消権を行使したが、相続の放棄は身分行為であるから認められないとした。しかし、この事例の放棄は債務者の行為ではないから、そもそも債権者取消権の問題にはならない事例である)。ただし、相続の承認・放棄も、事情により債権者取消権の対象とする見解もある。遺産分割協議による事実上の放棄((イ)(b)参照)とのバランスの問題もあろうか。

　(b)　離婚に伴う財産分与については、どうであろうか。判例は、それが不相当に過大であるような特段の事情がなければ、詐害行為とはならないとする(最判昭和58・12・19民集37巻1532頁)。その後、「扶養的財産分与のうち不相当に過大な金額および慰謝料として負担すべき額を超える額」については、その限度で債権者取消権を認める判例が登場している(最判平成12・3・9民集54巻1013頁)。相当な範囲における財産分与行為は身分行為であるが、それを超える部分は、財産分与に名を借りた詐害行為になるという論理によるものであろうか。

(イ)　本項の反対解釈として、債権者取消権の対象となるのは「財産権を目的とする法律行為」に限られることになる。

　(a)　会社設立行為は「財産権を目的とする法律行為」であって、債権者取消権の対象となるとする判決がある(大判昭和7・12・6新聞3504号8頁)。具体的な財産権を直接目的とするわけではないので、誰が受益者になるかなどの問題は存すると思われる。

　(b)　遺産分割の協議(§907Ⅰ)により(事例では6分の1の相続分を)事実上放棄したに等しい結果を生じた場合についてはどうであろうか。判例は、遺産分割協議は共有物の分割と同様の意味をもつものとして、「財産権を目的とする法律行為」であり、債権者取消権の目的となりうるとした(相続不動産について当該相続人＝債務者の相続分6分の1をその債務者へ移転する登記をするように命じた。最判平成11・6・11民集53巻898頁)。

特殊な詐害行為の類型 〔§§424の2〜4の前注〕

新法(3か条)は、従来の関連判例法理と破産法上の否認権との平仄を図ったものと解されている。もちろん、平時における詐害行為取消しと倒産時の否認の場合とでは要件上の違いは存在する。なお、これら3か条と新424条との関係については、新424条は責任財産の減少行為を念頭に置いた狭義の詐害行為の規定と解するか、上記

857

第3編　第1章　総則　第2節　債権の効力

3か条に対する一般的規定でもある（重畳的規範構造）と解するか、につき見解の対立がみられる。

（相当の対価を得てした財産の処分行為の特則）
第四百二十四条の二
　　債務者が、その有する財産を処分する行為をした場合において、受益者から相当の対価を取得しているときは、債権者は、次に掲げる要件のいずれにも該当する場合に限り、その行為について、詐害行為取消請求をすることができる[1]。
　　一　その行為が、不動産の金銭への換価その他の当該処分による財産の種類の変更により、債務者において隠匿、無償の供与その他の債権者を害することとなる処分（以下この条において「隠匿等の処分」という。）をするおそれを現に生じさせるものであること。
　　二　債務者が、その行為の当時、対価として取得した金銭その他の財産について、隠匿等の処分をする意思を有していたこと。
　　三　受益者が、その行為の当時、債務者が隠匿等の処分をする意思を有していたことを知っていたこと。
〈改正〉　2017年に新設された。前掲（424条）附則第十九条参照。
[本条の趣旨]　[1]　厳格な法的清算手続である破産法において許容される行為が、取引の自由を原則とする民法における詐害行為取消の対象となるという「逆転現象」は妥当ではなく、債務者の財産処分による経済的再起・更生を図る機会を奪うこと（相手方も取引に萎縮せざるを得なくなる）も妥当ではない。そこで、民法上の詐害行為取消権についても相当価格処分行為について破産法161条1項と同様の規定を設けた。同条2項（相手方の悪意の推定規定）に対応する規定はないが、民法上の他の制度との関係における規律の密度や詳細さのバランス等を考慮し、同条2項のような規定を設けることが見送られたが、「実務上は、同項の類推適用や事実上の推定等によって対応が図られることを想定している」と説明されている。なお、改正前424条の解説[1](4)参照。

（特定の債権者に対する担保の供与等の特則）
第四百二十四条の三
1　債務者がした既存の債務についての担保の供与又は債務の消滅に関する行為について、債権者は、次に掲げる要件のいずれにも該当する場合に限り、詐害行為取消請求をすることができる[1]。
　　一　その行為が、債務者が支払不能（債務者が、支払能力を欠くために、その債務のうち弁済期にあるものにつき、一般的かつ継続的に弁済することができない状態をいう。次項第一号において同じ。）の時に行われたものであること[2]。
　　二　その行為が、債務者と受益者とが通謀して他の債権者を害する意図をもって行われたものであること[3]。
2　前項に規定する行為が、債務者の義務に属せず、又はその時期が債務者の

§§424の2・424の3・424の4

義務に属しないものである場合において、次に掲げる要件のいずれにも該当するときは、債権者は、同項の規定にかかわらず、その行為について、詐害行為取消請求をすることができる[4]。

一　その行為が、債務者が支払不能になる前三十日以内に行われたものであること。

二　その行為が、債務者と受益者とが通謀して他の債権者を害する意図をもって行われたものであること。

〈改正〉　2017年に新設された。前掲（424条）附則第十九条参照。

[本条の趣旨]　**[1]**　破産法162条1項1号にほぼ対応している。（担保の供与につき424条の解説[1](4)(イ)参照）。本条は、「既存の債務についての担保の供与」等について適用されることに留意すべきである。

　[2]　破産法2条11号参照。本号の「一般的」とは、債権者全体に対して履行ができない状態を意味し、「継続的」とは、突発的な出来事による資力の喪失ではないことを意味する、と解されている。

　[3]　ここでは、破産法の場合のように「受益者の悪意」のみならず、「通謀」が要件となっている。なお、従来の判例法理は通謀的害意を簡単には認めなかったという理解が一般的であるが、新法では私的整理の段階で抜け駆け的な弁済がなされた場合等には認められるのではないかとの指摘もなされている。

　[4]　破産法161条1項2号に対応している。判例（最判昭和33・9・26民集12巻3022頁）は、債務者と受益者とが通謀して他の債権者を害する意思をもって行われた弁済に限り、詐害行為取消しの対象になるとしていた。この点につき、424条の解説[1](4)(ア)参照。他方、破産法162条1項1号は、債務者（破産者）が支払不能になった後に行われた「偏頗」行為（破産者による特定の債権者にのみ利益を与える行為）に限り、否認の対象になるとする。本条2項は、この判例法理の要件と破産法の要件との双方を要求するものである。支払不能の要件を課すことによって、否認の対象にならないいわゆる「偏頗」行為が詐害行為取消しの対象になるという事態を回避し、通謀・詐害意図の要件を課すことによって真に取り消されるべき不当な「偏頗」行為のみを詐害行為取消しの対象にすることを意図している。なお、受益者の主観的要件（支払不能の事実や債権者を害すべき事実についての悪意）は、通謀・詐害意図という要件に包摂されると解されている。

（過大な代物弁済等の特則）
第四百二十四条の四

　　債務者がした債務の消滅に関する行為であって、受益者の受けた給付の価額がその行為によって消滅した債務の額より過大であるものについて、第四百二十四条に規定する要件[2]に該当するときは、債権者は、前条第一項の規定にかかわらず、その消滅した債務の額に相当する部分以外の部分については、詐害行為取消請求をすることができる[1]。

〈改正〉　2017年に新設された。前掲（424条）附則第十九条参照。

[本条の趣旨]　**[1]**　破産法160条2項に対応する規定である。支払不能前になされた過大な代物弁済等などにおける過大な部分は、債務者の財産状態を悪化させる行為となりうる。したがって、この過大な部分が、詐害行為取消の要件を満たしている場合には、取消を認めるべきであると考えられる。この点につき、破産法上の否認権においても、過大な代物弁済等が全体として破産法162条の「偏頗」行為の否認の対象となりうると同時に、過大な部分

859

第3編　第1章　総則　第2節　債権の効力

については破産法160条1項の否認の対象ともなりうる（破産法160条2項）。新法は、過大な代物弁済等による債務消滅行為について、過大な部分に関しては、支払不能前であっても、債務者が債権者を害することを知って当該行為をした場合には、詐害行為取消の対象となる旨を明文化した。

[2]　相手方が債権者を害するという事実を知らなかったときは（新424条1項参照）、詐害行為の取消はできないとした。

（転得者に対する詐害行為取消請求）
第四百二十四条の五
　債権者は、受益者に対して詐害行為取消請求をすることができる場合において、受益者に移転した財産を転得した者があるときは、次の各号に掲げる区分に応じ、それぞれ当該各号に定める場合に限り、その転得者に対しても、詐害行為取消請求をすることができる[1]。
　　一　その転得者が受益者から転得した者である場合　その転得者が、転得の当時、債務者がした行為が債権者を害することを知っていたとき。
　　二　その転得者が他の転得者から転得した者である場合　その転得者及びその前に転得した全ての転得者が、それぞれの転得の当時、債務者がした行為が債権者を害することを知っていたとき。

〈改正〉　2017年に新設された。前掲（424条）附則第十九条参照。

[本条の趣旨]　[1]　従来の破産法等における転得者に対する否認権行使の要件としては、債務者の悪意に加えて受益者または転得者もそれを知っていたこと（二重の悪意）が、要件とされていた。この要件が、本条により、緩和された。1項は、改正前破産法170条1項1号を参考としつつ、同号が「前者に対する否認の原因」についての転得者の悪意を要求しているため「前者の悪意」についての転得者の悪意（二重の悪意）を要求する結果となっていることへの批判を踏まえ、そのような二重の悪意を要求せずに、転得者および前者がいずれも「債権者を害すべき事実」について悪意であれば足りるとした（同法同項も、整理法により改正された）。なお、判例（最判昭和49・12・12前掲）は、改正前424条1項ただし書の「債権者を害すべき事実」について、受益者が善意で、転得者が悪意である場合にも、転得者に対する詐害行為取消権の行使を認めているが、破産法は、取引の安全を図る観点から、いったん善意者を経由した場合には、その後に現れた転得者に対しては、たとえその転得者が悪意であったとしても、否認権を行使することはできないとしている（同法170条）。改正前424条の解説[5](c)も参照。内容的には、判例変更となる。

第2目　詐害行為取消権の行使の方法等

〈改正〉　当該目は2017年に新設され、424条の6から424条の8が新設された。

（財産の返還又は価額の償還の請求）
第四百二十四条の六
1　債権者は、受益者に対する詐害行為取消請求において、債務者がした行為

§424の5・第2目［解説］・§§424の6・424の7・424の8

の取消しとともに、その行為によって受益者に移転した財産の返還を請求することができる。受益者がその財産の返還をすることが困難であるときは、債権者は、その価額の償還を請求することができる[1]。

2　債権者は、転得者に対する詐害行為取消請求において、債務者がした行為の取消しとともに、転得者が転得した財産の返還を請求することができる。転得者がその財産の返還をすることが困難であるときは、債権者は、その価額の償還を請求することができる[2]。

〈改正〉　2017年に新設された。前掲（424条）附則第十九条参照。

［本条の趣旨］　［1］　受益者との関連において、従来の判例（いわゆる折衷説）の内容を明文化したものである。改正前424条の解説[4]参照。現物返還の困難性の判断に当たっては、物理的困難のみならず、当該財産を債務者に返還することが債務者または債権者に不当に利益を与えるか否かも考慮されるべきであるとの主張もある。

［2］　転得者との関連においても同様である。

（被告及び訴訟告知）
第四百二十四条の七
　　1　詐害行為取消請求に係る訴えについては、次の各号に掲げる区分に応じ、それぞれ当該各号に定める者を被告とする[1]。
　　一　受益者に対する詐害行為取消請求に係る訴え　受益者
　　二　転得者に対する詐害行為取消請求に係る訴え　その詐害行為取消請求の相手方である転得者
　　2　債権者は、詐害行為取消請求に係る訴えを提起したときは、遅滞なく、債務者に対し、訴訟告知をしなければならない[2]。

〈改正〉　2017年に新設された。前掲（424条）附則第十九条参照。

［本条の趣旨］　［1］　従来の通説を明文化したものと解せられる。424条の解説[4]参照。

［2］　本項により、債務者に対する訴訟告知が義務付けられた。債務者は被告とはならないが、詐害行為取消請求認容判決の効力が債務者にも及ぶので（新425条）、債務者の手続上の保障のために原告に訴訟告知義務を課した。原告がこの訴訟告知を怠った場合の効果については規定はないが、訴訟告知義務が定められるのだから、債務者の手続保障の観点から、訴訟要件を欠くものとして、訴えを却下すべきであるとの見解があり、また、同義務違反により債務者に損害が生じれば、不法行為責任が生じるとの見解も見られる。

（詐害行為の取消しの範囲）
第四百二十四条の八
　　1　債権者は、詐害行為取消請求をする場合において、債務者がした行為の目的が可分であるときは、自己の債権の額の限度においてのみ、その行為の取消しを請求することができる[1]。
　　2　債権者が第四百二十四条の六第一項後段又は第二項後段の規定により価額の償還を請求する場合についても、前項と同様とする[2]。

〈改正〉　2017年に新設された。前掲（424条）附則第十九条参照。

［本条の趣旨］　［1］　423条の2と同趣旨である。「中間試案」では、被保全債権の額に限ら

861

第3編 第1章 総則 第2節 債権の効力

ず詐害行為を取り消すことができるものとされていたが、詐害行為取消権の制度は、債権者が自己の債権を保全するために行使するものであるから、その行使範囲は被保全債権の額の範囲に限定すべきであるとの見解などを踏まえ、判例理論を維持することとしたようである。改正前424条の解説〔4〕(ウ)(b)も参照。

〔2〕 価額償還の場合に関する規定である。

（債権者への支払又は引渡し）
第四百二十四条の九

　　債権者は、第四百二十四条の六第一項前段又は第二項前段の規定により受益者又は転得者に対して財産の返還を請求する場合において、その返還の請求が金銭の支払又は動産の引渡しを求めるものであるときは、受益者に対してその支払又は引渡しを、転得者に対してその引渡しを、自己に対してすることを求めることができる[1]。この場合において、受益者又は転得者は、債権者に対してその支払又は引渡しをしたときは、債務者に対してその支払又は引渡しをすることを要しない[2]。

　2　債権者が第四百二十四条の六第一項後段又は第二項後段の規定により受益者又は転得者に対して価額の償還を請求する場合についても、前項と同様とする[3]。

〈改正〉 2017年に新設された。前掲（424条）附則第十九条参照。

[本条の趣旨]　〔1〕　423条の3と同趣旨である。最判昭和39・1・23民集18巻76頁は、債権者への直接の引渡を肯定している。424条の解説〔4〕(エ)参照。新法では、この判例法理を明文化し、金銭・動産については価額償還請求の場合も含めて債権者に対する引渡請求ができる旨の規定を設けた。その結果、債権者は、自己の債権と債務者に対する返還債務（債務者の有する返還債権）とを相殺できると解される。ここまでは異論はないと思われるが、同時に受益者等の債権も復活するので（新425条の3）、受益者等が債務者の返還債権（債権者に対する）を仮に差し押さえることが可能か、という問題も生じるとの指摘がなされている。新511条参照。

〔2〕　受益者・転得者が、債権者からの直接請求に応じて、引渡し等をしたときは、債務者に対する義務を免れる。

〔3〕　価額償還の場合に関する規定である。

第3目　詐害行為取消権の行使の効果

〈改正〉 当該目は2017年に新設され、425条が改正され、425条の2から425条の4が新設された。

（認容判決の効力が及ぶ者の範囲）
第四百二十五条

　　詐害行為取消請求を認容する確定判決は、債務者[1]及びその全ての債権者[2]に

§424の9・第3目［解説］・§425〔1〕

対してもその効力[3]を有する。

〈改正〉 2017年に改正された。前掲（424条）附則第十九条参照。

[本条の趣旨] 【1】 新法は、改正前の解釈上の諸課題を踏まえて、詐害行為取消請求を認容する確定判決は、訴訟当事者（債権者および受益者または転得者）のほか、債務者（中間試案では被告としていたが）に対してもその効力を有する旨を定めた。

【2】 債務者の全ての債権者に対してもその効力を有することとした。「その全ての債権者」には、詐害行為の当時または判決確定の時より後に債権者になった者も含まれると解されている。

【3】 ここにいう「判決効」は、形成力および既判力であると解されるが、受益者に対する取消しの効力が転得者に及ばないこと（取消しの相対性）に鑑みれば、転得者がたまたま債権者であるとき（別口の債権を有しているとき）に、判決効が及ぼされ、当該債権者兼転得者が目的物の所有権を失うのは妥当でなく、形成力に限定しても、「全ての債権者」に及ぼすことは疑問である、との批判もある。この指摘に対して、そのような「誤解」は現行法の下でも同様に生じ得るにもかかわらず、現在そのような誤解が生じている旨の指摘は見当たらないとの反論がなされていた（部会資料）。しかし、改正前425条は、取消債権者が回復財産について優先権を有さないことを示すものであり、一般に判決効の規律とは解されていないので、上記の反論は当たらないとされている。結局、取消しの相手方（受益者等）との関係において、債務者・受益者間の詐害行為が取り消されたことにつき、既判力・形成力が及ぶものと解することとなろうとの指摘がなされている。なお、債務者に対する訴訟告知（新424条の7）が前提となっている。

また、詐害行為が取り消され、取消債権者による直接支払・引渡し請求が認められても、債務者も受益者等に対する支払い・引き渡し請求権を有することになるので、受益者等がいずれか一方に対して履行した場合には、他方は消滅する。したがって、事実上の優先弁済を受けるためには、取消債権者としては、債務者の受益者等に対する請求権（取消判決の確定を条件とする）を仮差押えする等の対応が必要であるとの指摘がなされている。

[改正前条文]

（詐害行為の取消しの効果）

前条の規定による取消しは、すべての債権者の利益のためにその効力を生ずる[1]。

[原条文]

前条ノ規定ニ依リテ為シタル取消ハ総債権者ノ利益ノ為メニ其効力ヲ生ス

[改正前条文の解説]

〔1〕 債権者取消権行使の結果、取戻された財産またはこれに代わる損害賠償は、債務者の一般財産となり、総債権者は、これについて平等の割合で弁済を請求することができるのであって、取消しをした債権者は、その上に優先権を取得するのではない、という意味である（もっとも、債権者は、取消権行使の費用については、共益費用として一般の先取特権を有する。§306①）。しかし、実際上は、取消権を行使した債権者は、優先的弁済を受ける機会を持つ（最判昭和37・10・9民集16巻2070頁）。けだし、他の債権者が平等の割合での弁済を請求しようと思えば、取消権によって取戻された財産について強制執行をするか、または配当加入をしなければならない。ところが、取消権を行使する債権者は、前に述べたように（改正前§424〔4〕(エ)）、受益者または転得者に対して金銭を自分に引渡すよう請求することができるものとされているので（債権者代位権についてと同様異論はあるが）、この自分の受取った金銭を自分の債権の弁済に充当す

863

第3編　第1章　総則　第2節　債権の効力

る機会をもつ（その金銭を債務者に返還する債務と自己の被保全債権を相殺する形をとることにより）からである（前掲最判昭和37・10・9、改正前§424〔4〕㋑参照）。また、債務者に対して債権を有する受益者が債権者の取消訴訟において自己の債権への配当を求めた事例について、これを認めず、全額を債権者に支払うよう命じた判例もある（最判昭和46・11・19民集25巻1321頁）。これらの判決も指摘するように、他の債権者への平等弁済のための立法上の配慮が必要であろう。

なお、詐害行為取消しによる受益者の取消債権者に対する受領済みの金員相当額の「支払債務は、履行の請求を受けた時に遅滞に陥るものと解するのが相当」とした判決（最判平成30・12・14民集72巻1101頁）がある。

（債務者の受けた反対給付に関する受益者の権利）
第四百二十五条の二
　　債務者がした財産の処分に関する行為（債務の消滅に関する行為を除く。）が取り消されたときは、受益者は、債務者に対し、その財産を取得するためにした反対給付の返還を請求することができる。債務者がその反対給付の返還をすることが困難であるときは、受益者は、その価額の償還を請求することができる[1]。

〈改正〉　2017年に新設された。前掲（424条）附則第十九条参照。

［本条の趣旨］　**[1]**　取消の効果の確認規定である。詐害行為取消権により行為が取り消された場合の受益者が債務者に対して履行した反対給付の帰趨について改正前には明文の定めがなかった。判例は、詐害行為取消は取消債権者と受益者との間の相対的効力であり、取消の効果は債務者には及ばないとの立場を採っていた（判例等につき、改正前424条の解説〔4〕(イ)(e)参照）。その結果、当然には受益者は債務者に対して反対給付の返還請求を行うことはできず、責任財産に回復された財産が他の債権者の弁済に充てられ、債務者の債務が消滅して初めて受益者は債務者に対して不当利得返還請求をなし得ると考えられてきた。しかし、このような結論は受益者にとって酷である。破産法168条は否認権が行使された際の相手方に反対給付の返還を請求する権利を認めている。新法では詐害行為取消権による取消の効力は債務者にも及ぶとされたので、民法上の詐害行為取消の際にも受益者の反対給付の返還を求める権利または価額の償還を請求する権利を肯定すべきである。そこで、新法では、受益者の反対給付の返還を求める権利等を明文で認めた。

なお、財産（不動産）処分行為が取り消された場合に、所有権移転登記抹消登記手続と反対給付返還請求権の関係をいかに解するか、が問題となる。後者の履行を確保する観点が必要であろうか。

また、破産法71条1項1号（破産手続開始後に負担した債務を受働債権とする相殺の禁止）のような規定は民法にはないが、受益者（返還請求権者）が債務者に対して反対債権を有する場合において、取消確定後に債務者との間で、受益者が相殺し、取消債権者への返還を免れることができるか、が425条の3とも関連して、問題となりうる。

（受益者の債権の回復）
第四百二十五条の三
　　債務者がした債務の消滅に関する行為が取り消された場合（第四百二十四条の四の規定により取り消された場合を除く。）において、受益者が債務者から

受けた給付を返還し、又はその価額を償還したときは、受益者の債務者に対する債権は、これによって原状に復する[1]。

〈改正〉 2017年に新設された。前掲（424条）附則第十九条参照。

[本条の趣旨] [1] 判例（大判昭和16・2・10民集20巻79頁）は、債務者の受益者に対する弁済や代物弁済が取り消された場合には、受益者の債務者に対する債権は回復するとしてきたが、他方で、判例が詐害行為取消の効果を相対的効力（債務者には及ばない）としてきたことに鑑みると、受益者の債権が回復するとの立場との整合性については疑問があるともされてきた。新法では、債務者に対しても詐害行為取消の効果が及ぶことを明文化したので、受益者の債権の回復を否定する理由は無くなった。そこで、新法では、詐害行為取消により受益者の債権が回復する旨の規定を設けた。これは、上記の判例法理の明文化である、とされている。破産法169条を参照。

（詐害行為取消請求を受けた転得者の権利）
第四百二十五条の四
　　債務者がした行為が転得者に対する詐害行為取消請求によって取り消されたときは、その転得者は、次の各号に掲げる区分に応じ、それぞれ当該各号に定める権利を行使することができる[1]。ただし、その転得者がその前者から財産を取得するためにした反対給付又はその前者から財産を取得することによって消滅した債権の価額を限度とする。
　　一　第四百二十五条の二に規定する行為が取り消された場合　その行為が受益者に対する詐害行為取消請求によって取り消されたとすれば同条の規定により生ずべき受益者の債務者に対する反対給付の返還請求権又はその価額の償還請求権[2]
　　二　前条に規定する行為が取り消された場合（第四百二十四条の四の規定により取り消された場合を除く。）　その行為が受益者に対する詐害行為取消請求によって取り消されたとすれば前条の規定により回復すべき受益者の債務者に対する債権[3]

〈改正〉 2017年に新設された。前掲（424条）附則第十九条参照。

[本条の趣旨] [1] 新法では、詐害行為取消の効力は債務者にも及ぶとする立場を採用し、それを前提として、転得者の立場を配慮している。本条は、取消債権者が、債務者の行為が転得者との関係で取り消された場合の事後処理について規定している。まず、転得者は受益者から得た財産を取消債権者または債務者に返還しなければならない。ここで取消の効果は、相対的であって、新425条により債権者・転得者間と被告ではない債務者との関係において生じる。したがって、取消の効果は転得者の前者（ここでは受益者）には及ばない。そうすると転得者は財産を債権者または債務者に返還したとしても、転得者が受益者に給付した財物の返還を受益者に対して請求できないことになり、転得者が一方的に不利となるため、本条が設けられた。破産法168条を参照。

[2] 425条の2の規定により取り消された場合における「反対給付の返還請求権又はその価額の償還請求権」に関する規定である。

[3] 債務者による債務の消滅に関する行為が取り消された場合における「回復すべき受益者の債務者に対する債権」に関する規定である。

第3編　第1章　総則　第2節　債権の効力

第4目　詐害行為取消権の期間の制限

〈改正〉　当該目は、2017年に新設された。

〔詐害行為取消権の期間の制限〕〔第8版凡例4 a)を見よ〕
第四百二十六条
　　詐害行為取消請求に係る訴えは、債務者が債権者を害することを知って行為
をしたことを債権者が知った時[2]から二年を経過したときは、提起することが
できない[1]。行為の時から十年[3]を経過したときも、同様とする。
〈改正〉　2017年に改正された。前掲（424条）附則第十九条参照。
[改正の趣旨]　[1]　改正前426条は、債権者が取消しの原因を知った時から2年間、行為
の時から20年間、取消権を行使しないときは「時効によって消滅する」と定めている。しか
し、詐害行為取消権は裁判所に取消訴訟を提起することによってのみ行使ができることから、
実体法上の形成権とは異なる。そこで新法では「…取消しの請求に係る訴えは…提起するこ
とができない」と改め、この期間制限を消滅時効ではなく除斥期間・出訴期間として規定し
た。なお、消滅時効ではないとされたことにより、時効の更新等は認められない。
　　[2]　改正前426条第1文の「2年」は、債権者が単に詐害行為の事実を知った時から起
算されるのか、それとも債務者が詐害行為について「債権者を害することを知りながらし
た」事実を知った時から起算されるのか条文上は明らかではない。この点につき、最判昭和
47・4・13判時669号63頁等は、「詐害行為取消の消滅時効は、取消権者が取消の原因を覚
知した時から進行するものであるところ、右にいう取消の原因を覚知するとは、取消権者が、
詐害行為取消権発生の要件たる事実、すなわち、債務者が債権者を害することを知って当該
法律行為をした事実を知つたことを意味し、単に取消権者が詐害の客観的事実を知っただけ
では足りないと解すべきである。」と判示していた。新法では、この判例法理を明文化し「債
務者が債権者を害することを知って行為をしたことを債権者が知った」時を起算点とする旨
の規定を設けた。なお、上記最判は「特段の事情のないかぎり、詐害の客観的事実を知った
場合は、詐害意思をも知ったものと推認する」としている。
　　[3]　改正前426条第2文では、詐害行為の時から20年の期間制限を定めているが、20
年もの期間につき詐害行為取消権の行使を可能とすることは取引関係を不安定にするととも
に、過度に取消債権者を保護するものであると批判されていた。そこで新法は、この20年の
期間制限を10年に半減した。
[改正前条文]
（詐害行為取消権の期間の制限）
　　第四百二十四条の規定による取消権は、債権者が取消しの原因を知った時から二年間行
使しないときは、時効によって消滅する。行為の時から二十年を経過したときも、同様と
する。
[原条文]
　　第四百二十四条ノ取消権ハ債権者カ取消ノ原因ヲ覚知シタル時ヨリ二年間之ヲ行ハサル
トキハ時効ニ因リテ消滅ス行為ノ時ヨリ二十年ヲ経過シタルトキ亦同シ

第4目［解説］・§426

［改正前条文の解説］

〔1〕「取消しの原因を知った時」とは、債務者の行為が債権者を害するものであることを知った時の意味である。転得者に対する関係でも同じ時が起算点であって、悪意の転得者を生じた時、または、これを知った時ではない。そうでないと、転得者が生じるごとに新たな取消権を生じ、法律関係がいつまでも確定しないことになる。この点、最判昭和47・4・13（判タ278号129頁等）は、本条「にいう取消の原因を覚知するとは、取消権者が、詐害行為取消権発生の要件たる事実、すなわち、債務者が債権者を害することを知って当該法律行為をした事実を知ったことを意味し、単に取消権者が詐害の客観的事実を知っただけでは足りないと解すべきである。」と判示していた。

〔2〕 普通の取消権の短期消滅時効期間（5年、§126）よりさらに短縮したのは、すみやかに法律関係を確定する必要が大きいからである。

普通の取消権は形成権であるが（§126〔1〕〔3〕〔5〕参照）、債権者取消権については、むしろ請求権の性質を有すると考えられるので（改正前§424〔4〕(イ)参照）、形成権の時効に関する論議（改正前§167〔3〕(イ)参照）は当てはまらないことに注意を要する。さらに、この権利は訴権という性格を与えられているので（§423前注②(3)、改正前§424〔4〕参照）、本条の定める期間は、出訴期間（第1編第7章解説③参照）としての性質をもっている。

〔3〕 普通の取消権の場合（§126後段）と同じ規定であるが、〔2〕を参照。

867

第3編　第1章　総則　第3節　多数当事者の債権及び債務

第3節　多数当事者の債権及び債務

〈改正〉　2004年改正により、表題が、「多数当事者ノ債権」から「多数当事者の債権及び債務」となった。2017年の改正で、本節の多くの規定が変更されたが、各条文の変更については、各款において述べる。なお、第3款が新設されたため、改正前3款以降が、それぞれ繰り下げになった。

[第1款～第4款における概念の整理]　多数の債務者が存在する場合において、債務の目的がその性質上可分である場合を分割債務とし(427条)、性質上不可分である場合を不可分債務(新430条)とした。そのうえで、債務の目的がその性質上可分である場合において法令の規定または当事者の意思表示により連帯して負担する債務を連帯債務とした(新436条)。多数当事者の債権関係についても、同様に、債権の目的がその性質上可分である場合を分割債権とし(427条)、性質上不可分である場合を不可分債権(新428条)とした。そのうえで、債権の目的がその性質上可分である場合において法令の規定または当事者の意思表示により連帯して有する債権を連帯債権とした(新432条)。

1　本節の内容

(1)　本節は、「多数当事者の債権及び債務」と題して、総則、不可分債権及び債務、連帯債務、保証債務の4款を収める。「多数」といっても、多い必要はなく、正確にいえば、複数の意である。このうち、総則は427条の1か条だけで、その内容は可分債権と可分債務に関する。本節は、結局、可分、不可分、連帯、保証の四つの態様について規定しているわけである。

(2)　これらの諸態様について、共通に問題となり、したがって、民法の規定の重要な部分を占めるものは、3点ある。

第1は、債権者の債務者に対する請求権の効力ないし債務者の債権者に対する弁済の方法である。複数の債権者の場合は、その一人一人が債務者に対してどういう請求ができるか、複数の債務者の場合には、その一人一人が債権者に対してどういう弁済をするべきか、という問題である。

第2は、一人の債務者または債権者について生じた事由の他の者に及ぼす影響である。

第3は、弁済をした一人の債務者の他の債務者に対する求償、または弁済を受けた一人の債権者の他の債権者に対する分与(§429[改注]が用いる言葉。分配といってもよい)であり、これを複数の当事者の間の内部関係の問題(さらにいえば、求償関係または分配関係)といってよい。

(3)　多数当事者の債権・債務に関する民法の規定には、つぎのような特色がある。

(a)　可分債権および可分債務をもって多数当事者の債権関係における原則とすること(§427(5)参照)

(b)　連帯債権を規定していないこと(改正前第3款解説2(2)参照)

(c)　保証債務を多数当事者の債務として構成していること(改正前第4款解説3参

868

第 3 節 [解説] 1〜3

照)。

2 人的担保について

民法の本節の規定は、以上のようにとらえることができるが、実質的にみれば、本節の内容の大部分は、「債権担保」(そのうちの「人的担保」)に関するということができる。

債権担保とは、債権の一般的効力(本章第 2 節解説2(3)参照)にのみ依存するのではなく、それを補強するために用いられる法的手段であり、これには、物的担保(担保物権や譲渡担保など)と人的担保とがある(第 2 編解説4(2)参照)。このうち、後者について規定しているのが、本節なのである。本来は、物的担保と人的担保の両者を合わせて規定するのが望ましいが(旧民法は、「債権担保編」を設け、そのなかで両者を規定していた)、わが民法の体系上(パンデクテン式編別。体系的・形式的論理が優先する)、このように離れて規定されているのである。

本節が規定する諸形態のうち、人的担保という意義をもつものは、連帯債務と保証債務である。

(1) 連帯債務は、規定上は、複数の債務者の一形態である。たとえば A から 300万円を借りた B・C・D がいる場合に、各人はどのような債務を負うかについて、民法上の原則は、分割債務だが(§427)、例外的に連帯債務にする特約をすれば、各人が全額の弁済義務を負うとされるのである。これだけのことであれば、債務者が複数の場合の一つの態様ということで、とくにこれを人的担保という必要はないかもしれない。しかし、これによってなぜ債権の効力が強くなるのかといえば、たとえば、B・C・D の負担部分がそれぞれ 100 万円であるとして、B の負担部分 100 万円について C・D 二人の責任財産がその実現の引当てになっているという関係が相互の間に存することに基づくのである。すなわち、連帯債務は、各人が相互に他の連帯債務者の負担部分を保証しあっている(「相互保証」の)関係といってよいのである。

このことを意識的に利用すれば、たとえば、300 万円を借りるのは B 一人であるのに、C・D を負担部分零の連帯債務者として加えることにより、実質的には、完全に人的担保の機能が果たされることになる(大判明治 42・9・27 民録 15 輯 697 頁はその例である)。

(2) 保証債務は、これに対して、まったく人的担保の手段そのものであり、それ以外のものではない。必ず主たる債務(被担保債務といってもよい)が存在し、保証債務はそれを担保するものである。負担部分の観念は存在せず、実質的に経済的負担に任じるのは主たる債務者だけである。

以上のような意味をもつ連帯債務と保証債務に関する規定が、本節の規定の重要な部分を占めている。

3 債権および債務の合有・総有的帰属について

債権者または債務者が多数存在し、しかも、その関係が民法の規定する上の四つの態様のどれにも属さないものも存在する。

869

第3編　第1章　総則　第3節　多数当事者の債権及び債務

(1)　たとえば、入会権の例に則して考察すると、ある村落の住民がその「総有」に属する林野を他の村落に賃貸したために取得する賃貸料債権、または、このような林野の管理を怠ったために他の村落へ損害を与えた場合に負担する損害賠償債務、などである。このような債権債務は、村落が1個の実在的総合人（第2編第3章第3節§263の前注「入会権」⑤参照）として取得するものであって、村落の住民個人個人はなんらの債権を有しないし、また、なんらの債務をも負担するものではない（§263前注⑤参照）。あたかも、村落の総有に属する財産について住民個人がなんらの所有権を有せず、また、なんらの共有持分権を有しないのと同様である。換言すれば、実在的総合人を構成する村落が山林原野などを所有するときは、それは総有という特殊の形態であって、民法の共有ではないと同様に、この総合人が債権を取得し、または債務を負担するときは、それは、債権債務の総有的帰属であって、民法が本節で規定している多数当事者の債権債務の態様に属しないのである（第2編第3章第3節解説②参照）。このことは、総有関係の研究が進むにつれて学者が明らかにしたところである。類似のことは、いわゆる法人格のない社団においても問題になる（第1編第3章解説③(2)参照）。

(2)　これと同様のことは、民法の共有と異なる団体的所有の一種である「合有」が成り立つ関係（第2編第3章第3節解説②参照）についてもいえる。すなわち、合有の主体である組合または遺産分割前の共同相続人が債権を有し、または債務を負担する場合には、それは、債権債務の合有的帰属となるといわなければならない。その詳細は組合に関する解説（§§676・677［両条につき改正に注意］注釈参照）および共有に関する解説（第2編第3章第3節②）に説くが、判例は、この合有理論の採用に消極的である。

　ここに合有理論について一言すれば、債権の合有的帰属においては、各債権者の権利は計算的な割合として考えられるにとどまり、独立の権利としての性質を有せず、したがって、全権利者が共同してのみこれを処分することができ、弁済として受領したものは、合有財産となる。また、債務の合有的帰属においては、各債務者の債務は同じく計算的な割合として考えられるにとどまり、合有財産だけがその実現のための引当てとなる。ただし、各債務者は、この合有的債務を負担すると同時に、それと平行して、負担部分に分割された債務額につき、自己の固有財産を引当てとする独立の債務を負担するのが妥当と考えられる場合も多い。

(3)　以上のことからすれば、本節の規定は、多数当事者の間に総有または合有的な関係が存せず、いわゆる狭義の共有関係が存在すると認められる場合に適用されることになる筋合いである（しかし、判例は、総有については格別、合有については肯定的ではない）。もしとくに規定がなければ、債権債務についても、これを準共有（§264）とみて、共有の規定により処理することになるが、それは適切でないので、本節の規定が設けられたのである（判例は、組合や遺産分割前の共有相続にかかる債権債務について、基本的に本節の規定によるとしている。第2編第3章第3節解説③参照）。

870

第1款　総　　則

　民法は、「多数当事者の債権及び債務」の総則として、「分割債権」(「可分債権」ともいう)と「分割債務」(「可分債務」ともいう)に関する427条の1か条をおく。すなわち、民法は、この形態をもって多数当事者の債権債務における原則としたのである。この民法の態度の当否については、427条[5]参照。

(分割債権及び分割債務)
第四百二十七条
　　　数人の債権者[1)]又は債務者[2)]がある場合において、別段の意思表示がないとき[3)]は、各債権者又は各債務者は、それぞれ等しい割合で権利を有し、又は義務を負う[4)5)]。
　［原条文］
　　　数人ノ債権者又ハ債務者アル場合ニ於テ別段ノ意思表示ナキトキハ各債権者又ハ各債務者ハ平等ノ割合ヲ以テ権利ヲ有シ又ハ義務ヲ負フ

　本条は、多数当事者の債権または債務につき、債権者間または債務者の間で平等に分割されるという原則を規定する。しかし、給付が不可分のときは、428条〔430条までの改正に注意〕～431条の例外規定があるから、本条の適用があるのは、1個の可分給付につき数人の債権者または債務者がいる場合である。

　〔1〕　1個の可分給付について数人の債権者がある場合とは、たとえば、数人がその共有物を売却して代金債権を取得した場合、数人の共有物を第三者が損傷し、共有者がこれに対して損害賠償債権を取得した場合(最判昭和41・3・3判時443号32頁)などである。数人で構成する民法上の組合が第三者に対して有する債権や、数人の共同相続人が被相続人の債権を相続した場合などにも、形の上では1個の可分給付につき数人の債権者がいることになるが、じつは、これらの場合には、債権の合有的帰属を生じ、本条にいう数人の債権者がいる場合に該当しないと解するべきである(本節解説[3][2]参照)。

　〔2〕　1個の可分給付について数人の債務者がいる場合とは、たとえば、数人が共同で物を買入れ、代金債務を負担した場合(最判昭和45・10・13判時614号46頁)、共同で金銭を借り入れて、消費貸借上の債務を負担した場合などである。数人が共同で保証債務を負担する場合については、別に明文の規定がある(§456)。

　なお、数人が共同して不法行為を行い、被害者に対して損害賠償債務を負担した場合には、連帯債務を生じる旨の規定がある(§719)。また、数人で構成する民法上の組合が他人に対して負う債務や、被相続人の金銭債務を数人の共同相続人が相続した場合にも、形の上では1個の可分給付につき数人の債務者が存在するが、じつは、債務の合有的帰属が生じ、ここにいわゆる数人の債務者がいる場合には属さないと解さ

第3編　第1章　総則　第3節　多数当事者の債権及び債務

れる（〔1〕参照）。

〔3〕　連帯その他の特約（改正前§§432・465 など）がない場合ばかりでなく、債権または債務が各債権者または各債務者にどのような割合で分割されるかについて特約がない場合をも含む。

〔4〕　たとえば、A・B・C 三人が共有の1頭の馬を売って 300 万円の債権を取得したとすれば、各自買主に対して 100 万円ずつの債権を有し（分割債権）、また、共同で買ったのであれば、各自売主に対して 100 万円ずつの債務を負うのである（分割債務）。ただし、つぎの諸点を注意するべきである。

　(a)　各債権者の債権または各債務者の債務は、それぞれ、独立の数個の権利または義務である。だから、債権者の一人または債務者の一人について生じた履行遅滞・履行不能・免除・混同などの事由は、他の債権者または債務者に影響を及ぼさないのが原則である。しかし、1個の契約から分割債権関係が生じた場合には、分割債権または分割債務の全部とその反対給付を目的とする債権または債務とは、同時履行の関係に立ち（§533［改注］参照）、また、契約の解除は、総債権者から、または総債務者に対してするべきである（§544 I 参照）。この意味においては、分割債権または分割債務も1個の契約から生じた効果であるという性質は失わない。

　(b)　本条は、分割債権者または分割債務者と、その相手方である債務者または債権者の間の効力についてだけ規定する。分割債権者または分割債務者相互の内部関係は、別問題である。

　もっとも、一般には、対外関係と同じく内部関係においても平等を原則とするであろう。しかし、両者の関係が一致しないとき、たとえば、上述の共有の馬を売った例で、A・B・C の内部関係では A が3分の2の持分、B・C がそれぞれ6分の1の持分を有していたとすれば、買主から平等に 100 万円ずつ受け取った B・C は、それぞれ 50 万円を A に分与（分配）するべきである。

上の関係以外においては、各債権または各債務はまったく独立のものとして取り扱われるから、各債権者は、自分の債権を行使しうるだけであり、各債務者は、自分の債務を弁済する義務を負うだけである。そして、債権者または債務者の一人について生じた事由は、まったく他に影響を及ぼさない。

なお、商行為から生じた債務（「商事債務」という）については、連帯の推定があるから（商§511）、その範囲で、本条は排除されて、連帯が原則とされる（「商事連帯」という）。

〔5〕　1個の可分給付につき数人の債権者または債務者が存する場合に、各債権者または各債務者が原則として平等の割合において権利を有し（分割債権）、または義務を負う（分割債務）ことは、ローマ法以来、ヨーロッパ大陸法系の立法例に多く採用されたところであり、わが民法もこれにならったものである。しかし、分割債権においては、債務者は各債権者に分割して給付するという煩雑さがあり、また、分割債務においては、債権者は債務者の中に無資力なものがいるときに、その者の負担する部分を他の債務者に請求することができないという不都合がある。そこで、諸外国では、立法や解釈でこの原則の適用範囲を狭めようとし、また、数人が契約によって共同し

§427〔3〕～〔5〕・第2款［解説］

て債務を負担した場合には連帯債務を生じるものとする、などの広い例外を認めている(スイス債務法§308、フランス民法§1887、ドイツ民法§427など)。ところが、わが民法は、前述のように、このような例外を認めず、わずかに商法が商行為によって生じた債務について連帯の推定をしているにすぎない(商§511Ⅰ。商事連帯)。そこで、解釈上この原則の適用に関し、合理的な制限をすることに努めるべきものと考えられる。組合または共同相続における債権債務の合有的帰属の理論(本節解説③参照)も、この努力の一つの表現である。また、判例が給付の性質上不可分なものという解釈を拡張したのも、この傾向に合致するものである(改正前§430〔1〕参照)。

なお、定額郵便貯金債権が共同相続された場合においても、相続開始と同時に当然に相続分に応じて分割されることはないとした判例がある(最判平成22・10・8民集64巻1719頁)。

また、被相続人が有した委託者指図型投資信託に係る受益権に基づいて、被相続人の死亡後に収益分配金および元本償還金が発生し、同信託の販売会社における被相続人名義の口座に預り金として入金された場合にも、同預り金の返還を求める債権は当然に相続分に応じて分割されることはないとした判例(最判平成26・12・12判時2251号35頁)、共同相続された普通預金債権、通常貯金債権および定期貯金債権は、いずれも、相続開始と同時に当然に相続分に応じて分割されることはなく、遺産分割の対象となるものと解するのが相当であるとした大法廷決定が出ている(最大決平成28・12・19民集70巻2121頁)。さらに、償還金請求権および収益分配請求権を内容とする投資信託受益権と国債につき(最判平成26・2・25民集68巻173頁)、共同相続された定期預金債権および定期積金債権につき(最判平成29・4・6判時2337号34頁)、同趣旨の判決がある。

第2款　不可分債権及び不可分債務

〈改正〉　2004年改正により、表題が、「不可分債務」から「不可分債権及び不可分債務」になった。2017年に、不可分債権に関する428条、不可分債権者の一人との間の更改又は免除に関する429条、不可分債務に関する430条が改正された。

本款は、不可分債権(§§428［改注］・429［改注］・431)および不可分債務(§§430［改注］・431)について規定する。言葉として単に不可分債権・債務といえば、不可分給付を目的とする債権または債務をすべて包含し、その主体が一人であっても、そう呼んでよいはずである(§465Ⅰは、「不可分」をその意味で用いている)。しかし、本款は、多数当事者の債権の中の一態様を定めるものであるから、本款にいう不可分債権とは、数人の債権者が1個の不可分給付を目的とする債権を有する関係を意味し、不可分債務とは、数人の債務者が1個の不可分給付を目的とする債務を負担する関係を意味する。すなわち、428条・429条は、この意味での不可分債権を、430条は、この意味

873

第3編　第1章　総則　第3節　多数当事者の債権及び債務

での不可分債務を規定し、431 条は、両者について規定している。

（不可分債権）
第四百二十八条

次款（連帯債権）の規定（第四百三十三条及び第四百三十五条の規定を除く。）は、債権の目的がその性質上不可分である場合において、数人の債権者があるときについて準用する[1]。

〈改正〉　2017 年に改正された。附則（不可分債権、不可分債務、連帯債権及び連帯債務に関する経過措置）第二十条 1　施行日前に生じた旧法第四百二十八条に規定する不可分債権（その原因である法律行為が施行日前にされたものを含む。）については、なお従前の例による。

[改正の趣旨]　[1]　新法は、債権の目的が可分か、不可分かでまず区別をし、可分である場合について、当事者の意思表示および法令による場合を「連帯債権」（第 3 款）とした。つまり当事者の意思表示により「不可分債権」となるという類型は存在しないことにした。その上で、不可分債権も連帯債権も「各債権者は、全ての債権者のために履行を請求し、債務者は、全ての債権者のために各債権者に対して履行をすることができる」こと、および「相対的効力が原則である」ことを維持した。これが、不可分債権の規制について、基本的には連帯債権の規制を準用することとしている趣旨である。なお、解除に関する 544 条に変更はない。

[改正前条文]

債権の目的がその性質上[1]又は当事者の意思表示によって[2]不可分である場合において、数人の債権者があるときは、各債権者はすべての債権者のために履行を請求し、債務者はすべての債権者のために各債権者に対して履行をすることができる[3]。

[原条文]

債権ノ目的カ其性質上又ハ当事者ノ意思表示ニ因リテ不可分ナル場合ニ於テ数人ノ債権者アルトキハ各債権者ハ総債権者ノ為メニ履行ヲ請求シ又債務者ハ総債権者ノ為メ各債権者ニ対シテ履行ヲ為スコトヲ得

[改正前条文の解説]

〔1〕　「その性質上」不可分であるとは、債権の目的である給付が分割されたのでは、その給付が行われる目的を充たすことができなくなるので、分割による給付が容認できないことである。たとえば、馬 1 頭の引渡しとか、土地や建物の明渡しとか（最判昭和 36・3・2 民集 15 巻 337 頁、最判昭和 42・8・25 民集 21 巻 1740 頁）、地役権を設定するとか、家屋を建築するというような給付がそれである。特定物の所有権または占有権を移転する給付は、数人の債権者にそれぞれ共有持分または共同占有の持分を給付するという方法をとれば、絶対に不可分というわけではない。しかし、これらのものも社会の一般取引において通常これを不可分として取り扱うものであるから、やはり性質上の不可分給付とし、ただ、当事者の意思によって可分ともなしうるとみるのが妥当である。けだし、性質上の不可分といっても、つまりは給付の固有の性質と取引観念と当事者の意思とを標準として決するべきものだからである。判例も、また、この見解をとり（大判大正 12・2・23 民集 2 巻 127 頁）、さらにその趣旨を拡張している。たとえば、衆議院議員の選挙に関して A・B・C 三人で保証として供託した公債 300

874

§§ 428・429

円の返還を A・B だけで請求してきた事案において、不可分債権であるとして、これを許容している(大判大正 4・2・15 民録 21 輯 106 頁、なお、不可分債務に関する改正前 § 430〔1〕参照)。

〔2〕 債権の目的が「当事者の意思表示によって」不可分であるとは、性質上可分のものであっても、当事者の合意によって分割しての給付を認めないことにすることである。たとえば、A・B・C 共同で 20 トンの石炭を買うに当たって、輸送の都合上分割給付をしない特約をした場合などである。

〔3〕 各債権者は、単独で自分に給付するべきことを請求することができ、債務者も任意に一人の債権者に履行することができるということである。各国の立法例としては、総債権者が共同しなければ請求できないとするもの、各債権者から総債権者に履行するべきことを請求できるとするものなど、まちまちであるが、民法は、不可分債権はそれぞれ独立の数個の債権であるという考え方から、本条のように規定した。その結果、第 1 に、一人の債権者の請求は総債権者のために効力を生じ、これを理由とする履行遅滞あるいは時効中断の効果もまた、総債権者のために生じる。第 2 に、一人の債権者への履行または履行の提供は、総債権者に対して効力を生じ、これを理由とする債権の消滅または受領遅滞の効果もまた、総債権者について生じる。

なお、本条は、不可分債権の債権者・債務者間における効力だけを規定する。しかし、不可分債権の履行を受けた債権者は、他の債権者に対して、債権者相互間の内部関係に従い、その利益を分与するべきことはいうまでもない(分配関係)。その割合は、特別の事情がなければ、平等と推定するべきである。

(不可分債権者の一人との間の更改又は免除)
第四百二十九条

 不可分債権者の一人と債務者との間に更改又は免除があった場合においても、他の不可分債権者は、債務の全部の履行を請求することができる。この場合においては、その一人の不可分債権者がその権利を失わなければ分与されるべき[1]利益を債務者に償還しなければならない[2]。

〈改正〉 2017 年に改正された。本条の見出しを「(不可分債権者の一人との間の更改又は免除)」に改め、1 項中「分与される」を「分与されるべき」に改め、2 項を削った。

[改正の趣旨] [1] 「更改」、「免除」について、金銭債権であれば、改正前 429 条の処理方法は迂遠であるから、連帯債権については、分与されるべき利益に係る部分については他の連帯債権者は履行を請求することができないとの規定が設けられたが(新 433 条)、目的物の引渡請求権のような場合を想定しうる不可分債権については、改正前 429 条 1 項の内容が維持された。

[2] 不可分債権も連帯債権も、「相対的効力が原則である」ことについては変わりがないので、不可分債権についても基本的には連帯債権の規定(435 条の 2)を準用することとしている(新 428 条)。

[改正前条文]
(不可分債権者の一人について生じた事由等の効力)
 1 不可分債権者の一人と債務者との間に更改[1]又は免除[2]があった場合においても、他の不可分債権者は、債務の全部の履行を請求することができる[3]。この場合においては、

875

第3編　第1章　総則　第3節　多数当事者の債権及び債務

その一人の不可分債権者がその権利を失わなければ分与される利益を債務者に償還しなければならない[3]。

2　前項に規定する場合のほか、不可分債権者の一人の行為[4]又は一人について生じた事由[5]は、他の不可分債権者に対してその効力を生じない[6]。

［原条文］

不可分債権者ノ一人ト其債務者トノ間ニ更改又ハ免除アリタル場合ニ於テモ他ノ債権者ハ債務ノ全部ノ履行ヲ請求スルコトヲ得但其一人ノ債権者カ其権利ヲ失ハサレハ之ニ分与スヘキ利益ヲ債務者ニ償還スルコトヲ要ス

此他不可分債権者ノ一人ノ行為又ハ其一人ニ付キ生シタル事項ハ他ノ債権者ニ対シテ其効力ヲ生セス

［改正前条文の解説］

本条は、不可分債権者の一人について生じた事由は、428条［改注］所定の債権者に対する正当な履行以外のものは、他の債権者に対して効力を生じないという原則を規定し、ただ、一人の債権者による更改と免除について、その債権者に実質的に帰属するべきであった利益について、簡易な決済方法を規定する。

〔1〕513条［改注］以下参照。たとえば、A・B・C三人がDに対して馬1頭を給付させる債権を有する場合に、A・D間でそれに代えて牛1頭を給付させるという更改契約が行われた場合がそれである。これによって、AのDに対する従来の債権は消滅する。

〔2〕519条参照。上の例でAがDの債務を免除した場合である。

〔3〕Aによる免除・更改があっても、他の債権者BまたはCは、なお、本来の給付の全部の履行を請求することができる。しかし、それだけにしておくと、履行を受けた他の債権者BまたはCは、更改または免除をした債権者Aに利益を分与し、Aはこれを債務者Dに返還しなければならないことになるが、それでは、あまりに煩わしいから、本条ただし書は、この利益を弁済を受けた債権者から直接に債務者に返還することとして、簡易に解決することにしたのである。なお、返還するべきものは、更改または免除をした債権者に分与するべきものの価額と解されている。

〔4〕たとえば、代物弁済、相殺などである。

〔5〕たとえば、消滅時効の完成、混同などである。なお、最判昭和36・3・2(民集15巻337頁)は、六人の共有者の有する土地の明渡し請求権を不可分債権とし、明渡し義務者がそのうち三人の持分を取得した場合においても、残りの三人は、本条の法意に従い、明渡し請求ができるとした例である。

〔6〕この場合にも、本条1項後段と同一の取扱い(前述〔3〕参照)をするべきものと解されている。

（不可分債務）

第四百三十条

第四款（連帯債務）の規定（第四百四十条の規定を除く[2]。）は、債務の目的がその性質上不可分である場合において、数人の債務者があるときについて準

§§429〔1〕～〔6〕・430〔1〕〔2〕

用する[1]。

〈改正〉　2017年に改正された。附則（不可分債権、不可分債務、連帯債権及び連帯債務に関する経過措置）第二十条2　施行日前に生じた旧法第四百三十条に規定する不可分債務及び旧法第四百三十二条に規定する連帯債務（これらの原因である法律行為が施行日前にされたものを含む。）については、なお従前の例による。

[改正の趣旨]　**[1]**　新法は、連帯債務については更改・相殺・混同以外については絶対的効力から相対的効力へと改正したので（新441条）、不可分債務についても連帯債務の規定の多くを準用することが可能となった。

[2]　混同に関する限り、連帯債務では債務と求償権の目的が同一であり相対的効力とすることに合理性がないのに対し、不可分債務では債務（目的物引渡債務等）と求償権（金銭債権）とでは目的物が異なるから、相対的効力とすることに合理性がある。したがって、混同について絶対的効力を維持する新440条の準用だけは除外する必要がある。他方、更改については連帯債務と異なる扱いをする合理性はないし、免除についても、債権者に償還義務が課せられることは債権者の合理的意思に反するので429条を準用することは相当ではないと考えられる。そこで、新法では、不可分債務については429条ではなく、連帯債務の規定を準用するとしつつ、混同について絶対的効力を維持する新440条の準用のみを除外する（相対的効力とする）としている。

[改正前条文]

　前条の規定[2]及び次款（連帯債務）の規定[3]（第四百三十四条から第四百四十条までの規定[2]を除く。）は、数人が不可分債務を負担する場合[1]について準用する。

[原条文]

　数人カ不可分債務ヲ負担スル場合ニ於テハ前条ノ規定及ヒ連帯債務ニ関スル規定ヲ準用ス但第四百三十四条乃至第四百四十条ノ規定ハ此限ニ在ラス

[改正前条文の解説]

〔1〕　たとえば、数人の共有者がその共有物を譲渡した結果、その所有権移転の債務、および目的物引渡の債務を負担した場合のように、給付が「性質上」不可分である場合と、A・B・C三人で野菜を一貨車分給付するというように「当事者の意思表示によって」不可分である場合とを含む（改正前§428〔1〕参照）。注意するべきことは、判例が性質上不可分の意義を拡張して解釈し、分割債務を原則とする民法の欠点を補修しようとしていることである（§427〔5〕参照）、すなわち、A・B・C共有の山林の管理人が有する費用請求権（大判昭和7・6・8裁判例(6)民179頁）、共同の賃借人（この事案では賃借人の共同相続人）の家賃債務（大判大正11・11・24民集1巻670頁）などのように、不可分給付の対価は、反対の事情がなければ、性質上同じく不可分と解するべきものであるという理由のもとに、債権者が債務者の一人に対して全額を請求した場合に、本条により、改正前432条を準用して、その請求は有効だと判示した。

〔2〕　準用される結果、債権者と一人の債務者との間に更改または免除があった場合にも、他の債務者は、本来の給付の全部を給付しなければならない。ただし、債権者は、更改または免除の相手方である債務者が負担するべき部分の価額を、弁済した債務者に返還しなければならない。そのほか、各債務者の一人の行為または一人について生じた事由は、履行、履行の提供とこれによる受領遅滞を除いて、他の債務者に対してなんらの効力を生じない。この場合、連帯債務に関する改正前434条～440条

877

第3編　第1章　総則　第3節　多数当事者の債権及び債務

の規定は準用されないのである。

〔3〕　債権者と不可分債務者の間および不可分債務者相互間の関係については、連帯債務に関する規定を準用するというのである。その結果として、たとえば、債権者は債務者の一人に対し、または総債務者に対して同時もしくは順次に、全部の履行を請求することができる（改正前§432の準用）。また、不可分債務を履行した債務者は、他の債務者に対して、その各自の負担部分につき求償権を有する（§§442～445〔改注〕の準用）。

■（可分債権又は可分債務への変更）
■第四百三十一条
　　　　不可分債権が可分債権となったときは、各債権者は自己が権利を有する部分についてのみ履行を請求することができ、不可分債務が可分債務となったときは、各債務者はその負担部分についてのみ履行の責任を負う[1]。
■〔原条文〕
　　不可分債務カ可分債務ニ変シタルトキハ各債権者ハ自己ノ部分ニ付テノミ履行ヲ請求スルコトヲ得又各債務者ハ其負担部分ニ付テノミ履行ノ責ニ任ス

〔1〕　たとえば、1個の特定物の引渡しを目的とする債権または債務が、債務者の過失による物の滅失により損害賠償債権または損害賠償債務に変じた場合などである。

　不可分債権または不可分債務は、本来、その主体の数だけの別個独立の債権または債務であるが、ただ、目的である給付が不可分であるために特別の効力が認められているにすぎないものである。したがって、給付が可分になると、当然に分割債権または分割債務に変わるのである。

第3款　連帯債権

〈改正〉　本款は、2017年に新設された。同一の債務につき数人の債務者がいる場合と同様に、同一債権につき複数の債権者がいる場合について、すでに解釈論によって認められていた「連帯債権」として明確化するための規定を設けた。

■（連帯債権者による履行の請求等）
■第四百三十二条
　　　　債権の目的がその性質上可分である場合において、法令の規定又は当事者の意思表示によって数人が連帯して債権を有するときは、各債権者は、全ての債権者のために全部又は一部の履行を請求することができ、債務者は、全ての債権者のために各債権者に対して履行をすることができる[1]。
〈改正〉　2017年に新設された。前掲（430条）附則第二十条2参照。同条3　新法第四百三十二条から第四百三十五条の二までの規定は、施行日前に生じた新法第四百三十二条に規定

878

§§430〔3〕・431・第3款［解説］・§§432・433・434・435

する債権（その原因である法律行為が施行日前にされたものを含む。）については、適用しない。

[本条の趣旨] [1] 改正前は連帯債務に関する規定のみであるが、連帯債権についても規定を新設した。連帯債権の沿革等については、第4款連帯債務②(2)参照。新法（436条）の連帯債務と同様に、債権が不可分である場合には不可分債権となる。可分債権ではあるが意思表示によって不可分債権とすることはできない（新432条）。新法では、債権の目的が性質上可分か不可分かで連帯債権か不可分債権かを区別しているからである。したがって、改正前428条のように、性質上可分な場合において、当事者の意思表示によって「不可分」債権とすることはできない。

[改正前条文] 改正前432条については、繰り下げ。新436条を参照。

（連帯債権者の一人との間の更改又は免除）
第四百三十三条
　　連帯債権者の一人と債務者との間に更改又は免除があったときは、その連帯債権者がその権利を失わなければ分与されるべき利益に係る部分については、他の連帯債権者は、履行を請求することができない[1]。

〈改正〉 2017年に新設された。前掲（432条）附則第二十条3参照。
[本条の趣旨] [1] 本条では、不可分債権者の一人と債務者との間に更改または免除があった場合に関する429条1項と同趣旨の規定を連帯債権について設けた。また、新法は、償還の循環を回避する趣旨で、一人の連帯債権者が更改または免除をした場合に、当該連帯債権者の権利部分についての絶対効を定めた、とされている（連帯債務（441条）との違いに注意）。相対効にした場合に生じうる免除者の無資力のリスク（免除を受けた者にとって）を回避する為である。また、「その連帯債権者がその権利を失わなければ分与されるべき利益に係る部分」は、いわば連帯債務の負担部分の裏返しであり、弁済等で得た利益は、この割合に応じて内部で分配される。
[改正前条文] 改正前433条については、繰り下げ。新437条を参照。

（連帯債権者の一人との間の相殺）
第四百三十四条
　　債務者が連帯債権者の一人に対して債権を有する場合において、その債務者が相殺を援用したときは、その相殺は、他の連帯債権者に対しても、その効力を生ずる[1]。

〈改正〉 2017年に新設された。前掲（432条）附則第二十条3参照。
[本条の趣旨] [1] 新法は、相殺を弁済受領と同視するのが妥当であるので、絶対効の規定を設けたとされている。
[改正前条文] 改正前434条については、2017年に削除された。新437条の次の条文箇所を参照。

（連帯債権者の一人との間の混同）
第四百三十五条
　　連帯債権者の一人と債務者との間に混同があったときは、債務者は、弁済をしたものとみなす[1]。

〈改正〉 2017年に新設された。前掲（432条）附則第二十条3参照。

第3編　第1章　総則　第3節　多数当事者の債権及び債務

［本条の趣旨］ **［1］** 本条は、償還の循環を回避する趣旨で、混同を弁済受領と同視し、絶
対効の規定を設けたとされている。改正前429条1項は、不可分債権者の一人と債務者との
間に混同があった場合にも類推適用されると解されていた（最判昭和36・3・2民集15巻
337頁参照、429条解説(5)参照）ので、これを反映している。
［改正前条文］ 改正前435条については、新438条を参照。

（相対的効力の原則）
第四百三十五条の二

　　第四百三十二条から前条までに規定する場合を除き、連帯債権者の一人の行
為又は一人について生じた事由は、他の連帯債権者に対してその効力を生じな
い[1]。ただし、他の連帯債権者の一人及び債務者が別段の意思を表示したとき
は、当該他の連帯債権者に対する効力は、その意思に従う[2]。

〈改正〉　2017年に新設された。前掲（432条）附則第二十条3参照。
［本条の趣旨］ **［1］** 本条は、改正前429条2項と同趣旨の規定を連帯債権について設ける
ものである。規定の趣旨は、429条の解説を参照。
　［2］ 連帯債権者の一人について生じた事由は相対的効力を有するが、他の連帯債権者の
一人及び債務者が別段の意思表示をしたときは、その者については、それを尊重することに
した。

第4款　連帯債務

〈改正〉　本款は、2017年の改正で、第3款から4款に繰り下げられた。
［連帯債務の絶対効に関する改正］ 従来6つの絶対効が定められていたが、更改、相殺、混同
の3つに絞られた。その結果、絶対効との関連で重要な意味を有していた不真正連帯債
務の必要性は減少した。なお、不真正連帯債務の概念の明文化も議論されたが、実現し
なかった。その点で、引き続き従来の判例・学説が参照されるべきである。
　改正法の下では、絶対的効力事由が削減された結果、不真正連帯債務についても、基
本的には、改正後の連帯債務規定を適用しても差し支えないといった指摘がなされるよ
うになっている。これに対し、不真正連帯債務については規定を置かなかった点を重視
する立場からは、共同不法行為事案において「弁済等により連帯債務者は、自己の負担
部分を超えて共同の免責を得た場合に、その超える部分について、他の連帯債務者に求
償をすることができる」との判例（最判昭和63・7・1民集42巻451頁、最判平成3・
10・25民集45巻1173頁）や、運行供用者責任に関し「運行供用者の死亡により被害者
がその債務を相続して混同が生じたという事案において、不真正連帯債務には混同の絶
対効を定めた438条の適用はない」との判例（最判昭和48・1・30判時695号64頁）の
事案については、解釈上、改正法の規定を適用しないものとして扱う余地もある、との
見解もある。今後の解釈論の動向が注目される。

1　本款の内容
本款は、「連帯債務」について規定する。その内容を概観すれば、(a)連帯債務者に

§435 の 2・第 4 款［解説］[1][2]

対する債権者の権利(改正前§§432・441)、(b)連帯債務の成立に関する規定(改正前§433)、(c)連帯債務者の一人について生じた事由の他の者に及ぼす影響(改正前§§434~440)、(d)連帯債務者間の求償関係(改正前§§442~445)、である。

[2]　不真正連帯債務など

連帯債務に似ているものに、「不真正連帯債務」がある。また、債権者に連帯関係が認められるものに「連帯債権」がある。民法は、そのどちらについても規定をおいていない。しかし、前者は、私法関係においてしばしば生じるものであり、後者は、古い沿革を有する観念である。いちおうの説明を必要とするであろう。

(1)　不真正連帯債務

多数の債務者が同一の内容の給付について全部を履行するべき義務を有し、しかも、一人の債務者が弁済をすれば全債務者が債務を免れる点においては、連帯債務とまったく同様だが、連帯債務と異なり、各債務者の債務は主観的に共同の目的を有するものではなく、その間に関連がないものを「不真正連帯債務」という。その結果、第1に、一人の債務者について生じた事由は、他の債務者に対して影響を及ぼさない。また、第2に、各債務者間に負担部分というものがなく、したがって、それに基づく求償権も発生しない(改正前§432[1](ニ)参照)。この点で、本来の真正な連帯債務と異なる。

不真正連帯債務は、主として同一の損害について、数人の者が、それぞれの立場において、填補するべき義務を負担する場合に生じる。たとえば、他人の家屋を焼いた者の不法行為に基づく賠償義務と保険会社の保険契約に基づく損害填補義務、受寄物を不注意で第三者に滅失または損傷された受寄者の債務不履行に基づく賠償義務と滅失または損傷した者の不法行為に基づく賠償義務、被用者の加害行為についての被用者自身の賠償義務(§709)と使用者または監督義務者の賠償義務(§715)、責任無能力者の加害行為についての法定監督義務者の賠償義務と代理監督者の賠償義務(§714)、被用者の加害行為についての使用者の賠償義務と監督者の賠償義務(§715)、動物の加害行為についての占有者の賠償義務と保管者の賠償義務(§718)などが、その例である。

719条の共同不法行為について、条文は「連帯にて」と規定するが、学説上はこれを不真正連帯債務とする見解が有力である(判例としては、時効に関する改正前§439の適用を否定した大判昭和12・6・30民集16巻1285頁、請求に関する改正前§434の適用を否定した最判昭和57・3・4判時1042号87頁、免除に関する改正前§437の適用を否定した最判平成6・11・24判時1514号82頁がある)。

これらの場合にも、債務者の一人が弁済をすれば、債権者は債権の満足を得るから、他の債務者もその債務を免れる。しかし、債務者の一人について生じた事由は、他に影響を及ぼさない(事情により改正前§§434~の適用を認めてもよいとする主張もある)。

判例も、不真正連帯の観念を認め、被用者に対する賠償請求権が消滅時効にかかっても、使用者の責任には影響がないと判示する(前掲大判昭和12・6・30。なお、最判昭和45・4・21判時595号54頁は、被用者との和解〔による一部免除〕の効力が使用者には及ばないとした例、最判昭和48・1・30判時695号64頁は、改正前§438による混同の絶対的効力を否

881

第3編　第1章　総則　第3節　多数当事者の債権及び債務

定した例である）。

　不真正連帯債務においても、弁済をした債務者が他の債務者に対して求償権を行使しうる場合が少なくない（§715Ⅲ参照）。しかし、それは、不真正連帯債務間に存する特別の法律関係（雇用とか寄託などである。最判昭和51・7・8民集30巻689頁は、使用者と被用者の例。最判昭和41・11・18民集20巻1886頁は、被用者と第三者の共同過失において使用者と第三者の負担を過失の割合によるとした例。その後、最判昭和63・7・1民集42巻451頁、最判平成3・10・25民集45巻1173頁と、求償を認める判例が定着している）、または各自の債務の有する特別の性質（たとえば、保険会社の債務）に基づいて生じるのであって、不真正連帯債務を負担すること自体を理由とするのではない。したがって、この求償権については、連帯債務者間の求償権の規定（§§442～445［改注］）を適用するべきではない。

　(2)　連帯債権

　そもそも連帯関係は、多数の債権がすべて同一の給付の全部を内容とし、しかもその一つが弁済されると、他のものもすべて消滅するという関係であるが、これには積極のものと消極のものとがある。前者は、債権者間の連帯関係（連帯債権）、後者は債務者間の連帯関係（連帯債務）であるというのがローマ法以来の考えであり、ヨーロッパ大陸の諸法制は、いずれもこの両種を認めている。しかし、わが国には、慣習上、積極的な連帯関係は存在せず、今日の取引界にもこの種の制度は利用されていない。したがって、民法に規定がないけれども、今日まで別段の不都合は感じられなかった。ただし、当事者がとくにそのような関係を生じさせることは可能である。その場合には、当事者の契約の趣旨の解釈と連帯債務に関する民法の規定の類推とによって解決するべきである。（新法により、本章第3款に連帯債権に関する規定が設けられた。）

3　人的担保としての連帯債務

　連帯債務は、元来は、債務者が複数存在する場合において、債権の効力を強めるために用いられる、多数当事者の債務関係の一種である。しかし、債権の効力を強めるという点において、すでに債権担保の要素を認めることができ、その要素を意識的に利用することもありうる（本節解説2(1)参照）。その意味において、連帯債務は債権担保の意味をももちうる法律関係である、ということができる（旧民法は、連帯債務をも「債権担保編」のなかに規定している）。

（連帯債務者に対する履行の請求）
第四百三十六条
　　債務の目的がその性質上可分である場合において、法令の規定又は当事者の意思表示によって数人が連帯して債務を負担するときは、債権者は、その連帯債務者の一人に対し、又は同時に若しくは順次に全ての連帯債務者に対し、全部又は一部の履行を請求することができる[1]。
（履行の請求）
第四百三十二条

第4款［解説］③・§436〔1〕

数人が連帯債務[1]を負担するとき[2]は、債権者は、その連帯債務者の一人に対し、又は同時に若しくは順次にすべての連帯債務者に対し、全部又は一部の履行を請求することができる[3]。

〈改正〉 2017年に改正された。

[改正の趣旨]〔1〕 改正前432条からは、どのような場合に連帯債務が発生するかが、条文上明確ではない。新法は、性質上可分な場合が連帯債務、性質上不可分な場合が不可分債務であることを明確にするとともに、連帯債務が成立するのは、法令の規定がある場合と、当事者の意思表示による場合であることを明記した。なお、債権者からの連帯債務に関する対外的な効力（履行の請求）に関する本条の規定は、改正前と同様である。なお、法律の規定による連帯債務の例として、日常家事債務に関する夫婦間の連帯債務（761条）、商行為による連帯債務（商法511条）、違法配当における取締役等の連帯責任（会社法462条）などが挙げられる。

[改正前条文] 改正前の432条が436条へ繰り下げられた。

[原条文]

数人カ連帯債務ヲ負担スルトキハ債権者ハ其債務者ノ一人ニ対シ又ハ同時若クハ順次ニ総債務者ニ対シテ全部又ハ一部ノ履行ヲ請求スルコトヲ得

[改正前条文の解説]

〔1〕 連帯債務とは、可分給付、多くの場合たとえば100万円というような金銭給付について問題となるものであって、給付が可分であるにもかかわらず、数人の債務者が同一内容の給付についてそれぞれ独立に全部の給付をするべき債務を負担し、しかも、そのうちの一人が給付をすれば債権は満足させられて（給付が一部の60万円であれば、その分だけ）消滅し、その結果、他の債務者も債務を（給付が60万円であれば、60万円だけ。残りの40万円は連帯債務として存続する）免れるものである。その性質に関しては、古来いろいろの議論があるが、わが民法上、つぎのように解するのが普通である。

(ア) 連帯債務は、債務者の数だけの数個の債務であって、各債務者の債務は、保証債務と異なって、その間に主従の関係はなく、それぞれ独立である。その結果、

(a) 債務者の一人に対する債権だけを譲渡することも可能である（大判昭和13・12・22民集17巻2522頁）。判例は、債権者が債権譲渡の通知を連帯債務者の一人だけにした事案においても、この趣旨を述べる（大判大正8・12・15民録25輯2303頁）。

(b) 債務者の一人についてだけ、保証人を立てることができる（§464参照）。

(c) 債務者の一人の債務が商事債務であって、他の債務者の債務は民事債務であることも可能である。たとえば、商人と商人でない者が連帯して借金をすれば、商人の債務だけは5年の消滅時効にかかる（削除前商§522、大判大正5・6・7民録22輯1145頁）。同様に、各債務者の債務について期限または条件を異にすることも差し支えない。

(d) 同じ理屈から、1個の契約で連帯債務を負担した場合であっても、債務者の一人についてだけ法律行為の無効または取消しの原因があるときには、他の債務者の債務の効力には影響を及ぼさない（改正前§433参照）。

(e) 連帯債務者の一人について共同相続が生じた場合には（連帯債務額を300万円として）、相続人らは被相続人の債務の分割されたものを承継すると解されるが（相

883

第3編　第1章　総則　第3節　多数当事者の債権及び債務

続人が子三人として、100万円ずつ)、各自は、その承継した範囲において(100万円の範囲で)、他の本来の連帯債務者とともに連帯債務者となることになる(最判昭和34・6・19民集13巻757頁)。

(イ)　各債務者の債務は、全部の給付、たとえば300万円の支払をすることをその本来の内容とする。不可分債務のように、給付が不可分であるために、やむをえず全部の給付をするのではなく、給付は可分であっても、全部の給付を要するのである。

(ウ)　一人の債務者の給付があれば、全部の債務が消滅する。各債務者の債務は、客観的に単一の目的(給付)を達するために存する手段と見られるものだからである。決して、全部の給付をすべての債務者から受けられ、上例では300万円を三人から受け取り、合計900万円受領できるというのではない。

(エ)　各債務者の債務は、主観的にもなんらかの共同の目的を有し、相互に関連するものと考えられる(これを「主観的共同関係」と呼ぶ。相互に無関係な者が連帯債務を負うとは考えられない。この民法上の連帯債務が予定する主観的関係を欠くものが、不真正連帯債務である。本款解説[2]参照)。その結果、債務者の一人について生じた事由は、一定の範囲で他の債務者に対してもその効力を生じる(改正前§§434〜439)。また、債務者の対内関係においては、つねに負担部分があり、したがって、一人の債務者が全員のための共同の免責を得る行為をした場合には、求償の問題を生じる(§§442〜445[改注])。

〔2〕　数人が連帯債務を負担するのは、当事者間に連帯債務を生じさせる旨の意思表示がある場合、たとえば、AからB・Cが100万円を借りる場合に、これを連帯債務とするという意思表示(これを「連帯の特約」という)をした場合、または法律にその旨の特別の規定がある場合である。

(ア)　連帯債務を生じさせる意思表示は、債権者と数人の債務者との間の契約であることを常とするが、それは1個の契約であることを必要としない。

たとえば、BがAに対して債務を負担した後で、Cが別個の契約でAに対してBとの連帯債務を負担してもよい。なお、AがBとCに負担付の遺贈をし、その負担についてBとCとが連帯して責めに任ぜよというような遺言によって成立させることも、可能であろう。

しかし、民法は、多数当事者の可分債務については、分割債務を原則とするから(§427)、連帯は推定されない(大判大正4・9・21民録21輯1486頁)。したがって、明示であると黙示であるとを問わないが(同判決)、とにかく連帯の旨の意思表示があることを必要とする。裁判所が連帯の特約を認定するには、具体的にその事情を示すことを要する(同判決)。

(イ)　法律の規定によって連帯債務が生じる例は、民法にも存するが(§§旧44Ⅱ・719・761など)、商法にことに多く(商旧§§23・80・192Ⅱ・203Ⅰ→会社§§9・52Ⅰ・54・580Ⅰ、商§§511Ⅰ・537・579など。これらを総称して「商事連帯」と呼ぶこともある)、その他の法律にもその例がみられる(鉱業§109など)。共同の事務ないし事業に関与する債務者に共同の責任を負担させることによって、その行動を慎重にさせるとともに、債権者の保護を十分にしようとする趣旨によるものである。

〔3〕　一人の債務者だけに全部または一部の請求をしてもよいし、そうしながら、

§§436〔2〕〔3〕・437・434〔旧〕

他の債務者または全部の債務者に全部または一部の請求をしてもよいし、一人の債務者から一部の弁済を得た後で、他の債務者に残額を請求してもよいという意味である。この規定は、訴訟に関連して意義を有する。元来、債権者は同一の債権については、一度訴えを提起すれば、その訴訟の係属中には、二度訴えを提起すること（これを二重訴訟、または重複訴訟という）はできない（民訴§142参照）。また、その債権について勝訴または敗訴の判決が出て、それが確定した後に、同じ債権に基づいて再度訴えを提起することはできない（これを判決の「既判力」という。民訴§§114・115参照）。ところが、連帯債務は、債務者の数だけの数個の債務であり、各債務は独立であるから、これらの制限をうけない。ただし、債務者が破産した場合の破産財団への加入については、改正前441条（破§104参照）に規定がある。

（連帯債務者の一人についての法律行為の無効等）
第四百三十七条
　　連帯債務者の一人について法律行為の無効[1]又は取消し[2]の原因があっても、他の連帯債務者の債務は、その効力を妨げられない[3]。
〈改正〉　2017年に改正された。
[改正前条文]　改正前の433条が437条へ繰り下げられた（条文の変更なし）。
[原条文]
第四百三十三条
　　連帯債務者ノ一人ニ付キ法律行為ノ無効又ハ取消ノ原因ノ存スル為メ他ノ債務者ノ債務ノ効力ヲ妨クルコトナシ

〔1〕　たとえば、B・C・D三人連帯でAから金を借りる契約をしたが、Bが意思能力（事理弁識能力）がない者（第1編第2章第2節解説参照）であったような場合である。
〔2〕　たとえば、上の例で、Bが制限行為能力者（第1編第2章第2節解説④、§§5・7・11・15参照）であったような場合である。
〔3〕　連帯債務は、各債務者が別個独立の債務を負担するものであるから、その成立原因も個別的に取り扱うのが当事者の意思に適すると考えたのである。ただし、本条は任意規定であるから、当事者が反対の意思を表示すれば、これに従う。

第四百三十四条〔旧〕　改正に伴い削除

[削除前条文]
（連帯債務者の一人に対する履行の請求）
第四百三十四条
　　連帯債務者の一人に対する履行の請求[1]は、他の連帯債務者に対しても、その効力を生ずる[2]。
〈改正〉　2017年に削除された。
[削除の趣旨]　請求の絶対的効力を定める改正前434条を削除し、請求については新441条に従い、他の連帯債務者には効力を生じないとする相対的効力に変更した。請求の絶対的効力を否定することは債権者側の連帯債務による利益を弱めることとなるが、他方で、債務者

885

第3編　第1章　総則　第3節　多数当事者の債権及び債務

側に利益となる事由のいくつかについても、新法では相対的効力化が図られているので、全体としてバランスは維持されていると説明されている。

[原条文]
　連帯債務者ノ一人ニ対スル履行ノ請求ハ他ノ債務者ニ対シテモ其効力ヲ生ス

[削除前条文の解説]

　本条から439条［改注］までは、連帯債務者の一人について生じた事由の効力が他の者に影響を及ぼす場合（これを「絶対的効力」を生じる事由という）を規定する。ドイツ民法に比して、その範囲が広い。民法がこれらの事由について絶対的効力を認めた理由は、本条では、債権の効力を強くするためであり、他の条文では、主として、連帯債務者間の求償関係を簡易に処理するためである。

　なお、連帯債務者の一人が行った弁済が絶対的効力を有するのは、連帯債務の性質上当然のことである（改正前§432〔1〕(ウ)参照）。代物弁済、供託もこれに準じると考えてよい。

　〔1〕　裁判上の請求であると、裁判外のそれであるとを問わない。ただし、時効の中断事由としての請求に関しては、改正前149条～155条参照。

　〔2〕　履行の請求が絶対的効力を生じる結果として、それから生じる履行遅滞（改正前§412Ⅲ参照）、時効の中断（改正前§148〔2〕(エ)参照、なお、裁判外の請求による中断については改正前§153参照）もまた、絶対的効力を生じる。連帯債務者に対する債権の効力は、このためにかなり強大になるが、立法論としては、債権者の保護に偏しているとして、その当否を疑う学者も多い。

　なお、注意するべきは、本条によって、履行の請求による時効の中断は絶対的効力を認められるが、債務の承認による中断（§§147Ⅲ［改注］・削除前156参照）には、これが認められないということである。すなわち、連帯債務者の一人が債務を承認することによって時効が中断しても、他の債務者については、中断が生ぜず、時効が完成することがある。多くの学者は、民法のこの区別には合理的理由がないと批判している。

（連帯債務者の一人との間の更改）
第四百三十八条
　　連帯債務者の一人と債権者との間に更改[1]があったときは、債権は、全ての連帯債務者の利益のために消滅する。

〈改正〉　2017年の改正で、「すべて」を「全て」に変更した（それ以外変更なし）。更改の目的が絶対効を必要とするからである（解説参照）。

[改正前条文]　改正前の435条が438条へ繰り下げられた。
第四百三十五条
　　連帯債務者の一人と債権者との間に更改[1]があったときは、債権は、すべての連帯債務者の利益のために消滅する[2]。

[原条文]
　連帯債務者ノ一人ト債権者トノ間ニ更改アリタルトキハ債権ハ総債務者ノ利益ノ為メニ消滅ス

§§434（旧）〔1〕〔2〕・438・439

〔1〕　513 条〔改注〕以下参照。たとえば、B・C・D の三人が連帯して A に対して 300 万円の債務を負担している場合に、A・B 間でこれを馬 1 頭を渡す債務に更改する契約をするなどである。

〔2〕　民法は、当事者の意思を推測して更改に絶対的効力を与えたのである（不可分債務の場合には、これを認めない。改正前§430 参照）。

ただし、本条は任意規定であるから、更改をする当事者において他の債務者に影響しない旨の特約をすれば、絶対的効力は生じないで、その当事者限りの相対的効力を生じるにとどまる。〔1〕の例で、もしこのような特約をすれば、A は、B からは馬 1 頭を請求することも、C・D から 300 万円を請求することもできる。そして、C から 300 万円を取得すれば、C は B に対してその負担部分について求償し、B はその額だけを A から不当利得として返還させることになるであろう。

（連帯債務者の一人による相殺等）
第四百三十九条
 1 連帯債務者の一人が債権者に対して債権を有する場合において、その連帯債務者が相殺を援用したときは、債権は、全ての連帯債務者の利益のために消滅する[1]。

 2 前項の債権を有する連帯債務者が相殺を援用しない間は、その連帯債務者の負担部分の限度において、他の連帯債務者は、債権者に対して債務の履行を拒むことができる[2]。

〈改正〉　2017 年に改正された。

[改正の趣旨]　[1]　連帯債務者の一人について生じた事由の効力に関して、援用された相殺を絶対的効力事由としている改正前 436 条 1 項の規制は維持した。

 [2]　連帯債務者の一人が債権者に対して債権を有する場合に関する改正前 436 条 2 項について、他の連帯債務者が相殺の意思表示をすることができることを定めたものであるとする判例（大判昭和 12・12・11、解説〔4〕参照）があったが、新法は、債権者に対して債権を有する連帯債務者の負担部分の限度で他の連帯債務者は自己の債務の履行を拒絶することができるにとどまることを明文化した。上記判例の結論に対しては、連帯債務者間で他人の債権を処分することができることになるのは不当であるとの批判がなされていた。

[改正前条文]　改正前の 436 条が 439 条へ繰り下げられ、かつ改正された。

第四百三十六条
 1 連帯債務者の一人が債権者に対して債権を有する場合において、その連帯債務者が相殺を援用したときは[1]、債権は、すべての連帯債務者の利益のために消滅する[2]。

 2 前項の債権を有する連帯債務者が相殺を援用しない間は、その連帯債務者の負担部分[3]についてのみ他の連帯債務者が相殺を援用することができる[4]。

[原条文]

連帯債務者ノ一人カ債権者ニ対シテ債権ヲ有スル場合ニ於テ其債務者カ相殺ヲ援用シタルトキハ債権ハ総債務者ノ利益ノ為メニ消滅ス

右ノ債権ヲ有スル債務者カ相殺ヲ援用セサル間ハ其債務者ノ負担部分ニ付テノミ他ノ債務者ニ於テ相殺ヲ援用スルコトヲ得

887

第3編　第1章　総則　第3節　多数当事者の債権及び債務

[改正前条文の解説]

〔1〕　505［改注］条以下参照。たとえば、B・C・D三人がAに対して300万円の連帯債務を負担している場合に、BがAに対して200万円の反対債権を取得し、B自身、これをもって相殺する旨の意思表示をしたような場合である。ここに「相殺を援用」といっているが、本項では、その意味は相殺するというのと変わりはない（〔4〕参照）。

〔2〕　相殺は、弁済と同じように連帯債務の目的を達するものとみて、これに絶対的効力を認めたものである。これによって、相殺された範囲で総債務者がその債務を免れる。〔1〕の例では、200万円が弁済された場合と同様に、それ以後B・C・Dは100万円の連帯債務を負担することになる。

〔3〕　改正前442条〔2〕参照。

〔4〕　本項の趣旨については、大判昭和12・12・11（民集16巻1945頁）を参照。なお、〔1〕の例で、Bが相殺をしない間にCがAから300万円の請求を受けた場合には、CはBの反対債権200万円のうち、Bの負担部分、たとえば、平等であるとして、100万円につき相殺を援用し、残額200万円を支払えばよい。これは、Cが全額を弁済してBに100万円を求償し、Bが反対債権の全額200万円をAに請求するという複雑な法律関係を簡単に決済しようという趣旨である。同時に、当事者が無資力になった場合に生じる不公平をなくそうとする趣旨をも含んでいる。たとえば、Cが全額を弁済した後で債権者のAが無資力になったとすると、BはCから100万円の求償を受けるが、Aから反対債権の200万円を取り立てることは不可能になって、Bは不利な地位に立たされる。本条は、このような不都合を避ける趣旨をも含んでいる（なお、改正前§443〔5〕参照）。なお、本項の「相殺を援用する」とは、Bの負担部分に相当する額だけCは弁済を拒絶する抗弁権を有するという意味である（改正前§457〔4〕参照）。

しかし、本条はまた、債権者にとって不利益となる場合があることも疑いない。たとえば、Bの反対債権以外にはB・C・Dのすべてに十分な資力がないとすると（B・Cが破産した場合の配当加入を考えよ）、Aは100万円で請求しても完全な弁済を受けることはできず、全額の300万円でC・Dに請求できるとすれば、3分の1の配当であれば、100万円は弁済を受けうる場合もありうるからである。

なお、上の例でBが破産した場合にも、CやDはBの債権をもってする相殺を――破産による相殺禁止（破§71）に該当しない限り――援用することができる（大判昭和7・8・29民集11巻2385頁）。なお、相殺障害に関する改正前505条〔4〕参照。

第四百三十七条（旧）　改正に伴い削除

[削除前条文]

（連帯債務者の一人に対する免除）

第四百三十七条

連帯債務者の一人に対してした債務の免除は、その連帯債務者の負担部分[1]についてのみ、他の連帯債務者の利益のためにも、その効力を生ずる[2]。

§§439〔1〕～〔4〕・437（旧）

〈改正〉 2017 年に削除された。

[削除の趣旨]　改正前 437 条の削除によって、免除は相対効の原則に委ねられることになる。なお、新 445 条を参照。

[原条文]
　連帯債務者ノ一人ニ対シテ為シタル債務ノ免除ハ其債務者ノ負担部分ニ付テノミ他ノ債務者ノ利益ノ為メニモ其効力ヲ生ス

[削除前条文の解説]

〔1〕　改正前 442 条〔2〕、とくに(イ)参照。

〔2〕　(ア)　本条は、(a)債権者が連帯債務者の一人に対して債務の免除をしても、それは、弁済や更改（§435［新§438 参照］）などと異なって、総債務者の債務を消滅させず、ただ、その免除を受けた債務者の負担部分（この負担部分の定めについての債権者の利害関係につき、§442〔2〕(イ)参照）を免除したものであるとみる、(b)その場合に、他の債務者に全額の弁済をさせ、その債務者から免除を受けた債務者へ求償をし、免除を受けた債務者から債権者に対して免除額の償還請求をさせるという繁雑な手続をさけ、簡易に決済する、という二つのことを規定する。

　(イ)　一部の免除の場合には、判例は、その額に比例した割合で本条の効果が生じるとする（保証連帯の例であるが、大判昭和 15・9・21 民集 19 巻 1701 頁）。例として、債権者 A、連帯債務者 B・C・D、債務額 90 万円、負担部分は平等とする。A が B に対して全部の免除をすれば、C・D が 60 万円の連帯債務（負担部分は 30 万円ずつとして）を負うことになる。A が B に対して 60 万円を免除すれば、B の負担部分 30 万円の 3 分の 2、つまり 20 万円につき C・D についても絶対的効力を生じることとなり、B は残りの 30 万円（負担部分は 10 万円）、C・D は 70 万円の連帯債務（負担部分は 30 万円ずつ）ということになるというのが判例である。これに対して、免除額全部について、B の本来の負担部分の限度で絶対的効力を生じるとする説（上例で、負担部分である 30 万円について絶対的効力が生じる。免除額が 25 万円であれば、25 万円について絶対的効力が生じる）と、免除額が B の本来の負担部分を超える額についてだけ絶対的効力を生じるとする説（上例で、負担部分を超える 30 万円について絶対的効力が生じる。免除額が 25 万円であれば、他に影響しない）とがある。また、この規定が債権者の不利益となる場合もありうることは、相殺の場合と同様である（改正前§436〔4〕参照）。

　(ウ)　なお、債権者が総債務者の債務を免除することはもちろんできるし、そのような意思表示を一人の債務者に対してすることも差し支えない。このような場合には、その債務者に他の債務者に対する免除の意思表示を受領する代理権があるかどうかを問題にする必要はない。代理権の有無に関係なく、その効力を生じると解するべきである。けだし、連帯債務は本来単一の目的を有し、各債務者がこれを消滅させることができるものだからである。

　(エ)　なお、本条の免除は、普通の債務免除だが、このほかにいわゆる連帯の免除と呼ばれるものがある（改正前§445 参照）。

889

第3編　第1章　総則　第3節　多数当事者の債権及び債務

（連帯債務者の一人との間の混同）
第四百四十条
　　連帯債務者の一人と債権者との間に混同[1)]があったときは、その連帯債務者は、弁済をしたものとみなす[2)]。
〈改正〉　2017年に改正された。迂遠な法律関係を生じさせることなく求償関係を単純にし、無資力者の出現による不利益を回避する趣旨で絶対効が維持された。430条参照。
[改正前条文]　改正前の438条が440条へ繰り下げられた（条文の変更なし）。
[原条文]
第四百三十八条
　　連帯債務者ノ一人ト債権者トノ間ニ混同アリタルトキハ其債務者ハ弁済ヲ為シタルモノト看做ス

〔1〕　520条参照。たとえば、B・C・D三人がAに対して連帯債務を負担しているときに、BがAを相続したような場合である。

〔2〕　本条による混同の絶対的効力の結果、連帯債務は消滅し、後はただ、BからC・Dに対してそれぞれの負担部分を求償するという関係になる。もし、この規定がなければ、Bは、Aから相続した債権につきCまたはDに対して全額の弁済を請求し、弁済した者は、Bに対してその負担部分を求償するという複雑な関係を生じるであろう。これを簡易に解決することになる。しかし、同時に、C・Dともに資力が不十分なときは、Bに不利益となることがあるのは、他の絶対的効力を生ずる場合と同様である（改正前§436〔4〕参照）。

なお、不真正連帯債務（本款解説[2]参照）の場合に本条の適用を否定した判例がある（最判昭48・1・30判時695号64頁）。

　　第四百三十九条（旧）　改正に伴い削除

[削除前条文]
（連帯債務者の一人についての時効の完成）
第四百三十九条
　　連帯債務者の一人のために時効が完成したとき[1)]は、その連帯債務者の負担部分[2)]については、他の連帯債務者も、その義務を免れる[3)]。
〈改正〉　2017年に削除された。
[削除の趣旨]　本条の削除によって、時効についても相対効の原則に従うことになる。なお、新445条参照。
[原条文]
　　連帯債務者ノ一人ノ為メニ時効カ完成シタルトキハ其債務者ノ負担部分ニ付テハ他ノ債務者モ亦其義務ヲ免ル

[削除前条文の解説]
〔1〕　連帯債務者の一人についてだけ時効が完成するというのは、たとえば、一人についてだけ商事時効の適用があって、時効が早く完成した（削除前商§522、なお§432

890

§§440・439（旧）・441

(1)(ア)(c)参照。大判大正5・11・21民録22輯2264頁はその例である）とか、一人についてだけ時効の停止（完成猶予）があり、あるいは、一部の者についてだけ債務の承認による時効の中断（更新）（§434(2)参照）があって、それ以外の者について時効が完成した、などといった場合に生じる。

〔2〕 改正前442条(2)、とくに(イ)参照。

〔3〕 たとえば、Aに対してB・Cが100万円の連帯債務を負っており、Bにつき時効が完成すれば、負担部分は平等として、Cは50万円の弁済義務を負うことになる。この規定は、時効が完成した債務者に、時効制度の利益を受けさせようとする意味をもつ。この規定がないと、その債務者も全額を弁済した他の債務者から求償の請求を受け（ただし、改正前§443Ⅰ第1文参照）、結局、時効の利益を受けられないことになるであろう。

しかし、本条は、消滅時効制度との関連で問題をはらんでいる。上例のBが時効を援用する意思がない場合にはどうするか（Cに独立の援用権を認めるのか）、Aが、Bによる弁済を期待せずに、Cに対する時効中断にのみ意を用いていた場合に、Bの負担部分につき債権消滅の効果が生じることを認めてよいか（Bの負担部分がとくに大きかった場合が問題とされることがあるが、それについては債権者Aも承知していることを前提とするべきであろう。改正前§442(2)(イ)参照）などである。

（相対的効力の原則）
第四百四十一条
　　第四百三十八条、第四百三十九条第一項及び前条に規定する場合を除き、連帯債務者の一人について生じた事由は、他の連帯債務者に対してその効力を生じない[1]**。ただし、債権者及び他の連帯債務者の一人が別段の意思を表示したときは、当該他の連帯債務者に対する効力は、その意思に従う**[2]**。**

〈改正〉 2017年に改正された。若干の修正あり。

[改正の趣旨] [1] 相対効の原則を明確にした。更改（新438条）、相殺（新439条1項）および混同（440条）については適用除外され、絶対効が生じる。

[2] これが任意規定であることを明確にした。その結果、時効等との関係で、債権者側から、別段の意思表示を含む条項が提案されるのではないかといわれている。債務者側においては注意が必要である。また、本条は任意規定であるから、負担部分について絶対的効力が及ぶような免除も可能であると解されている。本条ただし書は他の連帯債務者との合意についての規定であるが、最判平成10・9・10（§719(3)(2)(ア)）のような判例の趣旨は影響を受けないとする主張もある。原則と例外が逆転したとは言え、任意規定であるがゆえに、従来の議論が参考にされるべき場合が残されたと言えよう。

[改正前条文] 改正前は440条。441条へ繰り下げられた。

第四百四十条
　　第四百三十四条から前条までに規定する場合[1]**を除き、連帯債務者の一人について生じた事由は、他の連帯債務者に対してその効力を生じない**[2]**。**

[原条文]
　　前六条ニ掲ケタル事項ヲ除ク外連帯債務者ノ一人ニ付キ生シタル事項ハ他ノ債務者ニ対　シテ其効力ヲ生セス

891

第3編　第1章　総則　第3節　多数当事者の債権及び債務

［改正前条文の解説］

〔1〕　改正前 434 条〜439 条に掲げた事由（条文では、「場合」）については、絶対的効力を認めるが、それ以外の事由については、相対的効力しか認められないというのが民法の原則である。しかし、改正前 434 条〜439 条には、債権関係における主要な事由の大部分が掲げられているから、実質的に見れば、わが民法上、連帯債務者の一人について生じた事由は、他の債務者にその影響を及ぼすのが原則であるといっても、過言ではないほどである。なお、〔2〕参照。

〔2〕　この原則が適用される場合は、あまり多くない。その事由の主要な例を挙げれば、履行の請求以外の事由による時効の中断（更新。以下同じ）（改正前§434〔2〕参照）、時効の停止（完成猶予）、時効利益の放棄（大判昭和 6・6・4 民集 10 巻 401 頁）、連帯債務者の一人に対する転付命令（最判平成 3・5・10 判時 1387 号 59 頁）、債務者の過失（改正前§415〔4〕参照）、履行の請求以外の事由による時効の中断（改正前§434〔2〕参照）、第三者弁済における債務者の意思（§474 Ⅱ［改注］）に反するか否か（大判昭和 14・10・13 民集 18 巻 1165 頁）、債権譲渡の対抗要件（§467［改注］参照。大判大正 8・12・15 民録 25 輯 2303 頁）、債務者の一人に対する判決などである。

第四百四十一条（旧）　改正に伴い削除

［削除前条文］

（連帯債務者についての破産手続の開始）

第四百四十一条

　　連帯債務者の全員又はそのうちの数人が破産手続開始の決定[1]を受けたときは、債権者は、その債権の全額について各破産財団の配当に加入することができる[2]。

〈改正〉　2017 年に削除された。

［削除の趣旨］　本条と同様の規定は破産法 104 条 1 項に定められていることから、連帯債務者の破産についての規制は、同法 104 条に委ね、改正前 441 条は削除した。

［原条文］

　　連帯債務者ノ全員又ハ其中ノ数人カ破産ノ宣告ヲ受ケタルトキハ債権者ハ其債権ノ全額ニ付キ各財団ノ配当ニ加入スルコトヲ得

〈改正〉　2004 年の改正により、「破産ノ宣告」が「破産手続開始ノ決定」と改められた。

［削除前条文の解説］

〔1〕　破産法 30 条以下参照。

〔2〕　たとえば、B・C・D 三人が A に対して 300 万円の連帯債務を負担している場合に、B・C・D あるいは B・C が破産手続開始決定を受けたとすれば、A は 300 万円の全額で、B・C・D あるいは B・C の各破産財団の配当に加入することができる（債務者は破産によって期限の利益を失う。§137〔2〕参照）。そして、その後、たとえば B の財団から 50 万円の配当を受けたとしても、C または D の破産財団への加入額を 250 万円に減額する必要はない。債権者の各連帯債務者に対する債権が独立であるという理論の一つの適用である。債権者からすれば、連帯債務であることにより有利に

§§441〔1〕〔2〕・441（旧）・連帯債務者の求償権［前注］・§442

なる点のひとつである。

　ただし、上の例でBの破産手続が終了して、Aが50万円の配当を受けた後に、C
またはDが破産手続開始決定を受けた場合にも、Aは300万円の全額についてC・
Dの各財団の配当に加入できるかは立法例も分かれ、かつて本条の解釈としても説が
分かれたところである。旧破産法（1923年1月1日施行）は、これを「破産宣告ノ時ニ於
テ有スル債権ノ全額」についてだけ（上例で、250万円についてだけ）配当加入ができるこ
とを明記して（旧破§24）、これを否定し、新破産法104条もこれを承継した。Bが任
意に一部弁済をした場合にも同様であることは、疑問がない。

連帯債務者の求償権 ［§§442～445の前注］

〈改正〉　当該全条文について、2017年の改正に注意。

　民法は、442条以下に、連帯債務者の求償権について規定する。
　連帯債務は、債権者に対する関係では、各債務者が債務の全額を弁済すべき義務を
負うものであるが、連帯債務者の内部関係では、負担すべき割合が定まっている。こ
れが連帯債務の特色の一つとして挙げられる主観的関連（「主観的共同関係」）であって、
不真正連帯債務と異なる点である（本款解説[2]（1）、改正前§432〔1〕(ｴ)参照）。その結果とし
て、連帯債務者がその負担部分以上の弁済をすることは、債務者間の内部関係では
――あたかも委託を受けて保証人となった者の弁済と同様に――他人の債務の弁済と
なり、他の債務者に対する「求償権」を生じ、また、その求償権について法定代位を
生じるのである（改正前§500参照）。なお、求償権とは、弁償または償還を求める権利
の意であり、この権利を行使することを「求償する」と表現する。

（連帯債務者間の求償権）
第四百四十二条
　1　連帯債務者の一人が弁済をし、その他自己の財産をもって共同の免責を得
　　たときは、その連帯債務者は、その免責を得た額が自己の負担部分を超える
　　かどうかにかかわらず、他の連帯債務者に対し、その免責を得るために支出
　　した財産の額（その財産の額が共同の免責を得た額を超える場合にあっては、
　　その免責を得た額[2]）のうち各自の負担部分に応じた額の求償権を有する[1]。
　2　前項の規定による求償は、弁済その他免責があった日以後の法定利息[4]及
　　び避けることができなかった費用その他の損害[5]の賠償を包含する。

〈改正〉　2017年に改正された。

［改正の趣旨］　［1］　当初の改正案では、1項のような場合には、共同の免責を得た額のう
ち自己の負担部分を超える部分に限り、他の連帯債務者に対し、各自の負担部分について求
償権を有する、とされていたが、審議を経て、自己の負担部分を超えない弁済等についても

893

第3編　第1章　総則　第3節　多数当事者の債権及び債務

求償を認めることが公平であり、また債権者に対しても履行が促進されることなどの理由から、新法では「自己の負担部分を超えるかどうかにかかわらず」求償を認める旨の規定となった。この点につき、大判大正6・5・3民録23輯863頁を参照。

〔2〕　代物弁済等においては、免責を得た額と支出した財産の額が等しくない場合が起こりうる。このような場合における求償権の範囲については、改正前法では、明らかではない。新法では、求償権の範囲は、支出した財産の額を基本としつつ、支出した財産の額が共同の免責を得た額を超える場合には免責を得た額の範囲に制限される旨を明確にした。

[改正前条文]

1　連帯債務者の一人が弁済をし、その他自己の財産をもって共同の免責を得た[1]ときは、その連帯債務者は、他の連帯債務者に対し、各自の負担部分[2]について求償権を有する[3]。

2　同上

[原条文]

連帯債務者ノ一人カ債務ヲ弁済シ其他自己ノ出捐ヲ以テ共同ノ免責ヲ得タルトキハ他ノ債務者ニ対シ其各自ノ負担部分ニ付キ求償権ヲ有ス

前項ノ求償ハ弁済其他免責アリタル日以後ノ法定利息及ヒ避クルコトヲ得サリシ費用其他ノ損害ノ賠償ヲ包含ス

[改正前条文の解説]

〔1〕　「その他自己の財産をもって（ひろく財産的出費・拠出のことをいう。「出捐」といってもよい）共同の免責を得た」とは、代物弁済（§482［改注］）、供託（§494［改注］）、更改（改正前§435）、相殺（改正前§436 I）、混同（改正前§438）などによって、総債務者のために債務を消滅または減少させることである（有効な弁済でなければならないから、制限超過利息を支払っても、求償できないのは当然である。最判昭和43・10・29民集22巻2257頁）。「自己の財産をもって」共同の免責を得ることを要するから、免除（改正前§437〔2〕(ア)(ウ)参照）を受けた場合など、その者がなにも経済的出費をしていないときは、含まれない。

〔2〕　(ア)　「負担部分」とは、連帯債務者がその内部関係において出捐を分担する割合をいう。各連帯債務間に主観的共同の関連があることから生じる連帯債務の特質の一つである（改正前§432〔1〕(エ)参照）。そして、連帯債務者は、債権者に対する関係では全員が平等に全額を支払うべき義務を負うのであるが、債務者相互の内部関係では、必ずしも平等ではなく、それぞれの事情によって、負担に大小があったり、さらには、ある一人の債務者が全部を負担することもあれば、ある債務者の負担部分が零であるということもありうる。

負担部分の割合を決定する標準については、民法に規定がない。しかし、第1に、債務者間の特約によって定めることができることは疑いがない。債権者との合意を必要としない（大判大正4・4・19民録21輯524頁）。第2に、特約がなくても、連帯債務によって受けた利益の割合が異なれば、負担部分もまたその割合に従うのが妥当である。たとえば、B・C・D連帯で借りた300万円のうち、Bが200万円、Cが100万円を消費すれば、B・C・Dの負担部分は2・1・0の割合と考えてよい。第3に、この二つの標準で定まらない場合には、各自平等の割合と考えてよい。これが、共同分担の最後の標準としては公平に適するからである（大判大正3・10・29民録20輯834頁）。な

894

§442〔1〕～〔4〕

お、一度決まった負担部分を、後に至って債務者間の特約で変更することも、もちろんできる。判例は、その場合にも、債権者の同意を必要としないという（大判昭和7・4・15民集11巻656頁）。

（イ）　負担部分は、以上のように、直接には連帯債務者相互の内部関係に関するものであるが、種々の関係で債権者にとっても利害関係を生じることがありうる（§§437・439などにより免除や時効に負担部分に応じた絶対的効力が生じる）。その意味においては、債権者との関係については、別途の考慮を必要とする。

負担部分に関する合意が債権者にも知らされていれば、それは債権者をも拘束するといってよいが、債権者がそれに関与していなければ、債権者は、債務者間の負担部分に関する合意を対抗されることはなく、平等な負担部分という原則（§427）を主張できると解してよい（大判明治42・9・27民録15輯697頁は、連帯債務者の一人の負担部分が全部である場合に、債権者がそれを知らずに免除したときに§437［削除］により連帯債務は全部消滅するとしたもので、はなはだしく疑問である）。また、債権者をも含めていったん定まっている負担部分を連帯債務者の間で変更するについては、債権譲渡の規定を類推して、債権者にこれを通知しなければ、これに対抗できないと解するべきであろう（大判昭和7・4・15民集11巻656頁は、連帯債務者間で自由に変更でき、改正前§439の関係でも債権者に対抗できるとするが、これも疑問である）。

（ウ）　上述したうちの、負担部分に大小があったり、零の者があったりした場合に、それが担保の意義を有することについては、本節解説②参照。

〔3〕　連帯債務者の一人Bが弁済をすれば、他の債務者C・Dも負担部分を有する限り、その範囲で、実質的には、Bは他人すなわちC・Dの債務を弁済したことになる。そこで、民法は、その部分について弁償を求める権利を認めたのである。連帯債務者間に存在する主観的共同関係（改正前§432〔1〕（エ）参照）も根拠になっていると考えることができよう。この行為を「求償する」と表現し、この権利を「求償権」と呼ぶ。そして、求償権者は、その求償権の範囲において当然に債権者に代位すると解するべきである（改正前§500〔1〕参照）。

この求償権が成立する要件について、つぎのような問題がある。たとえば、B・C・D三人が平等の負担部分で300万円の連帯債務を負担する場合に、Bが求償権を取得するためには、自分の負担部分（100万円）を超えて免責を得たとき（たとえば、150万円を弁済したとき）、その負担部分を超えた部分（この例では50万円）につき他の債務者C・Dの負担部分に応じた金額（それぞれ25万円）を求償できるのか、それとも、免責を得た額の多少にかかわらず（たとえば、90万円として）、その全額について全債務者の負担部分の割合で求償権を認められるのか（この例では、B自身が30万円負担し、C・Dに対してそれぞれ30万円を求償できる）。有力な反対説もあるが、判例・多数説は、後説を採る（大判大正6・5・3民録23輯863頁）。この説では、負担部分は一定した金額ではなく、割合だとみるわけである。各債務者の負担を公平にするから、この説が正当であろう。

〔4〕　改正前404条〔2〕参照。免責があった日を加えて計算するべきであり（大判昭和11・2・25新聞3959号12頁）、また催告を要しない（大判大正4・7・26民録21輯1233頁）。

895

第3編　第1章　総則　第3節　多数当事者の債権及び債務

本項は、求償できるのが「元本と利息」であることを示しているだけであるから、不履行の場合には催告により遅滞に陥らせ金利の請求ができるが、多くの場合に、「別段の意思表示」（新§404 I）がなされているようである。

〔5〕　弁済の費用（§485参照）、債権者から訴えられて負担させられた訴訟費用や執行費用（大判昭和9・7・5民集13巻1264頁）などである。なお、判例は、弁済のために財産を換価してこうむった損害も、これに含まれるという（大判昭和14・5・18民集18巻569頁）。

（通知を怠った連帯債務者の求償の制限）
第四百四十三条

1　他の連帯債務者があることを知りながら[1]、連帯債務者の一人が共同の免責を得ることを他の連帯債務者に通知しないで弁済をし、その他自己の財産をもって共同の免責を得た場合において、他の連帯債務者は、債権者に対抗することができる事由を有していたときは、その負担部分について、その事由をもってその免責を得た連帯債務者に対抗することができる。この場合において、相殺をもってその免責を得た連帯債務者に対抗したときは、その[3]連帯債務者は、債権者に対し、相殺によって消滅すべきであった債務の履行を請求することができる。

2　弁済をし、その他自己の財産をもって共同の免責を得た連帯債務者が、他の連帯債務者があることを知りながら[4]その免責を得たこと[2]を他の連帯債務者に通知することを怠ったため、他の連帯債務者が善意で弁済その他自己の財産をもって免責を得るための行為をしたときは、当該他の連帯債務者は、その免責を得るための行為を有効であったものとみなすことができる。

〈改正〉　2017年に改正された。

[改正の趣旨]　**[1]**　新法においても、改正前の「事前通知義務」の制度は維持される。ただし、その存在を知らない連帯債務者に対して通知を義務づけることは酷であるから「他の連帯債務者があることを知りながら」という要件が付加された。

　[2]　この事前通知は債権者から請求を受けたことよりも共同の免責を得る行為（弁済等）をすることに意味があるから、通知の対象は「共同の免責を得たこと」とされた。

　[3]　相殺については、改正前1項第2文では「過失のある」連帯債務者とされているが、事前通知を懈怠したこと自体が「過失」であるから、「過失のある」との文言は不要であるとして削除された。

　[4]　改正前2項は事後の通知義務を定め、二重払を防ぎ、通知を受けなかったために善意で二重払をしてしまった他の連帯債務者を保護する目的で、事後通知義務の規定を設けている。新法でも、この事後通知義務の制度は維持されているが、事後通知義務は、他の連帯債務者の存在を知っている場合に限られる。なお、解説[8]の最判昭和57・12・17民集36巻2399頁も参照。

[改正前条文]

1　連帯債務者の一人が債権者から履行の請求を受けたことを他の連帯債務者に通知しないで[1]弁済をし、その他自己の財産をもって共同の免責を得た場合[2]において、他の連帯債務者は、債権者に対抗することができる事由[3]を有していたときは、その負担部分に

§§442〔5〕・443〔1〕～〔5〕

ついて、その事由をもってその免責を得た連帯債務者に対抗することができる[4]。この場合において、相殺をもってその免責を得た連帯債務者に対抗したときは、過失のある連帯債務者は、債権者に対し、相殺によって消滅すべきであった債務の履行を請求することができる[5]。

2　連帯債務者の一人が弁済をし、その他自己の財産をもって共同の免責を得たこと[2]を他の連帯債務者に通知することを怠ったため、他の連帯債務者が善意で弁済をし、その他有償の行為をもって免責を得た[6]ときは、その免責を得た連帯債務者は、自己の弁済その他免責のためにした行為を有効であったものとみなすことができる[7][8]。

［原条文］

連帯債務者ノ一人カ債権者ヨリ請求ヲ受ケタルコトヲ他ノ債務者ニ通知セスシテ弁済ヲ為シ其他自己ノ出捐ヲ以テ共同ノ免責ヲ得タル場合ニ於テ他ノ債務者カ債権者ニ対抗スルコトヲ得ヘキ事由ヲ有セシトキハ其負担部分ニ付キ之ヲ以テ其債務者ニ対抗スルコトヲ得但相殺ヲ以テ之ニ対抗シタルトキハ過失アル債務者ハ債権者ニ対シ相殺ニ因リテ消滅スヘカリシ債務ノ履行ヲ請求スルコトヲ得

連帯債務者ノ一人カ弁済其他自己ノ出捐ヲ以テ共同ノ免責ヲ得タルコトヲ他ノ債務者ニ通知スルコトヲ怠リタルニ因リ他ノ債務者カ善意ニテ債権者ニ弁済ヲ為シ其他有償ニ免責ヲ得タルトキハ其債務者ハ自己ノ弁済其他免責ノ行為ヲ有効ナリシモノト看做スコトヲ得

［改正前条文の解説］

本条は、連帯債務者の一人が弁済その他共同の免責を受ける行為をすることは、他の債務者にとって重大な影響があるので、その事前(1項)および事後(2項)に他の債務者に通知するべきことを規定している。この通知を怠ると、一定の範囲で求償権が制限されるという不利益を受けることになる。

〔1〕　「請求を受けたこと」を通知しなかった場合とあるが、請求を受けないが、進んで弁済しようとする場合にも、本項の適用があると解されている。換言すれば、連帯債務者の一人が、求償権を取得するような共同の免責を得る行為をする場合には、つねに、事前の通知を必要とする意味である。なお、本項は、事前の通知について、第2項の事後の通知のように「怠ったため」といっていないが、事の性質からいっても、第2文に「過失のある連帯債務者」といっていることから見ても、債務者に過失があることを必要とすると解するべきである。

〔2〕　改正前442条〔1〕参照。

〔3〕　この種の「事由」として、通常挙げられるのは、相殺に援用することができる債権の存在であるが、これについては、本項後段に明文の規定がある。そのほかに、同時履行の抗弁権(§533〔改注〕)の存在、消滅時効の完成などが考えられる。

〔4〕　たとえば、B・C・D三人共同でAから一定量の商品を買い、連帯債務を負担した場合に、Bがまだ自分の分の商品を受け取らないのに、CがBに通知しないで全額を弁済してしまったとすれば、BはAから商品を受け取るまでCに対して求償を拒絶することができる。

〔5〕　たとえば、Aに対する連帯債務者Bが他の連帯債務者Cに通知しないで全額(たとえば、50万円)を弁済した場合に、CがAに対して相殺に適する反対債権(たとえば、30万円)を有していれば、BからCの負担部分(たとえば、平等として25万円)を求

897

第3編　第1章　総則　第3節　多数当事者の債権及び債務

償された場合には、Cは、そのAに対する債権による相殺をBに対して主張することができる(本文。相殺の一般的な要件には合致しないが、とくに設けられた特例である)。そして、Bの求償権は消滅し、その対抗された25万円分の債権は、当然にBに移転し、BからAに請求することになる。

〔6〕　「有償の行為をもって免責を得た」とは、「自己の財産をもって免責を得た」というのと同じである(改正前§442(1)参照)。

〔7〕　「有効であったものとみなすことができる」とは、第2の弁済が当然に有効となるというのではなく、第2の弁済者の主張がある場合にはじめて、第2の弁済が有効になるのである。しかし、その結果として、(a)第2の弁済がすべての者に対する関係で有効となるのか、(b)あるいは、過失ある第1の弁済者と善意の第2の弁済者との間においてだけ、有効となるのかについて、説が分かれている。

たとえば、B・C・DがAに対して300万円の連帯債務を負担している場合に、Bが240万円の価格のもので代物弁済をしたが、事後の通知がないためにCが300万円の弁済をしたと仮定しよう。(a)説によれば、CはB・Dから100万円ずつ求償し、BはAから、不当利得として、代物弁済の目的物を返還させることになる。(b)説によれば、CはBからBの負担すべき100万円と、BがDから求償する80万円(240万円の3分の1)とを求償し、AはCから受領した300万円を非債弁済として、Bに260万円、Cに40万円を償還するべきこと(結局、Bによる代物弁済はそのまま有効として、B・C・D三人とも80万円ずつの負担となるようにする)となる。(b)説が正当であろう。けだし、善意の二重弁済者を保護しようとする民法の目的を達するためにはこれで十分であり、他の者に影響を与えるべきではないからである。判例は(b)説をとり(大判昭和7・9・30民集11巻2008頁)、学説でも、これを支持するものが多くなりつつある。

〔8〕　第1項と第2項が重複することも、考えられる。〔7〕所掲の例で、Bが代物弁済をして通知を怠っている間に、Cが事前の通知を怠って全額の弁済をするような場合である。学説は分かれているが、このような場合には、第1項、第2項ともに適用なく、原則にもどって第1の免責行為だけが有効と解するべきものと思われる(同旨、最判昭和57・12・17民集36巻2399頁。第2の免責行為をした者から、債権者に対して、非債弁済として返還請求をすることになる)。

（償還をする資力のない者の負担部分の分担）
第四百四十四条
　1　連帯債務者の中に償還をする資力のない者があるときは、その償還をすることができない部分は、求償者及び他の資力のある者の間で、各自の負担部分に応じて分割して負担する[1]。
　2　前項に規定する場合において、求償者及び他の資力のある者がいずれも負担部分を有しない者であるときは、その償還をすることができない部分は、求償者及び他の資力のある者の間で、等しい割合で分割して負担する[2]。
　3　前二項の規定にかかわらず、償還を受けることができないことについて求償者に過失があるときは、他の連帯債務者に対して分担を請求することがで

きない[3]。

〈改正〉 2017年に改正された。

[改正の趣旨] [1] 連帯債務者の中に無資力者がいる場合に、その負担を全て求償権者となる連帯債務者一人に押し付けることは不公平になるから、改正前本文は、求償権者と他の資力のある連帯債務者との間で、各自の負担部分に応じて分割して負担すると定めている。この規制は新法においても基本的に維持されている（改正前のただし書は削除、3項参照）。

[2] 連帯債務者のうち負担部分を有する者が全て無資力である場合に、負担部分を有しない求償権者および連帯債務者間において負担の分担を求めることができるかについては、改正前444条からは明らかではないが、判例（大判大正3・10・13民録20輯751頁）は連帯債務者間の公平という444条の趣旨から求償権者および他の負担部分を有しない資力のある連帯債務者において均等に分割して負担の分担を求めることができるとしている。解説(2)参照。新法では、この点について明文を設けた。なお、求償権者や他の資力のある連帯債務者の中に負担部分を有する者がいる場合は、この規定の適用はなく、負担部分を有しない連帯債務者は分担を求められることはない。

[3] 求償権者に過失がある場合に関する規定である。

[改正前条文]
　連帯債務者の中に償還をする資力のない者があるとき[1]は、その償還をすることができない部分は、求償者及び他の資力のある者の間で、各自の負担部分に応じて分割して負担する[2]。ただし、求償者に過失があるとき[3]は、他の連帯債務者に対して分担を請求することができない。

[原条文]
　連帯債務者中ニ償還ヲ為ス資力ナキ者アルトキハ其償還スルコト能ハサル部分ハ求償者及ヒ他ノ資力アル者ノ間ニ其各自ノ負担部分ニ応シテ之ヲ分割ス但求償者ニ過失アルトキハ他ノ債務者ニ対シテ分担ヲ請求スルコトヲ得ス

[改正前条文の解説]

〔1〕「償還をする資力のない者があるとき」とは、連帯債務者の一人が破産してしまったような場合である。しかし、現実に破産手続が行われなくても、求償が問題になった時に、その償還をするだけの資力がない（「無資力」ないし「資力不足」という）ことが証明できればよい。

〔2〕 たとえば、B・C・Dで300万円の連帯債務を負担した場合に、Bが弁済し、Dが無資力であるとしよう。通常は、B・C二人の間でその負担部分に応じて（たとえば、平等ならば、150万円ずつ）、分担する。多少問題となるのは、負担部分が零の者があるときである。BとDの負担部分が2分の1ずつで、C負担が零の場合は、Bが全額を負担することは、疑いない。Dの負担部分が全部で、B・Cの負担部分がともに零である場合には、B・Cの間で平等に分担すべきであろうか、それとも、Bだけが負担すると解すべきであろうか。判例は、前説をとり（大判大正3・10・13民録20輯751頁）、通説もこれを支持する。連帯債務者間の共同分担の思想に適し、公平に合するからである。

〔3〕 たとえば、求償権の行使を怠ったために、その間に資力が減少し、償還を受けられなかった場合などである。

第3編　第1章　総則　第3節　多数当事者の債権及び債務

（連帯債務者の一人との間の免除等と求償権）
第四百四十五条
　　　連帯債務者の一人に対して　債務の免除[2]がされ、又は連帯債務者の一人の
　　ために時効が完成[3]した場合においても、他の連帯債務者は、その一人の連帯
　　債務者に対し、第四百四十二条第一項の求償権を行使することができる[1]。
〈改正〉　2017年に見出しも含めて改正された。
[改正の趣旨]　[1]　改正前445条のような内容は、従来から債権者の通常の意思に反する
として強い批判があった。債権者としては連帯債務者の一人について、その者の負担部分ま
で債務を限定する意思はあっても、連帯債務者間の求償の場面において、一人の連帯債務者
が無資力であった場合の負担の分担をする意思までは認めがたく、「連帯の免除」をした債権
者の意思に反し酷であると考えられていた。解説[3]参照。連帯債務者の一人について免除を
した債権者の合理的意思としては、その一人に対して債務を免除したからといって、他の連
帯債務者に対してまで責任を軽減させる意思はないことがむしろ通常と考えられる。仮に連
帯債務者の三人の責任を軽減させたいのであれば、その三人について債務の一部免除をすれ
ばよい。また、相対的効力とした場合には、免除を受けた者はその後も他の連帯債務者から
の求償権の行使を受けることになるが、債権者の一連帯債務者に対する免除の意思表示によ
って、免除がなされた連帯債務者と他の連帯債務者との間の求償関係までが影響を受けるこ
との方が不自然である。そこで新法では、債権者に負担を分担させる改正前445条を削除し
た。同条が削除された結果、「連帯の免除」がなされた者が、無資力者の負担部分を分担する
ことになる。
　　　[2]　免除について絶対的効力を定める改正前437条を廃止し、これを相対的効力に転換
するとともに、この場合に、他の連帯債務者は免除がなされた連帯債務者に対しては、なお
求償権の行使が認められる旨の規定を設けた。具体的には、連帯債務者の一人が求償に関す
る留保なしに一部免除を受けた［例えば、免除を受けて和解に応じた］場合には、免除を受
けていない他の連帯債務者が残部につき債権者に対して弁済等の免責行為を行ったうえで、
被免除者に対して求償権を行使することが可能であるから、上記のような場合には、債権者
との間で、予め何らかの合意をしておく必要があると言われている。
　　　[3]　時効の完成についても同様である。
[改正前条文]
（連帯の免除と弁済をする資力のない者の負担部分の分担）
　　　連帯債務者の一人が連帯の免除[1]を得た場合において、他の連帯債務者の中に弁済をす
　　る資力のない者があるとき[2]は、債権者は、その資力のない者が弁済をすることができな
　　い部分のうち連帯の免除を得た者が負担すべき部分を負担する[3]。
[原条文]
　　　連帯債務者ノ一人カ連帯ノ免除ヲ得タル場合ニ於テ他ノ債務者中ニ弁済ノ資力ナキ者ア
　　ルトキハ債権者ハ其無資力者カ弁済スルコト能ハサル部分ニ付キ連帯ノ免除ヲ得タル者カ
　　負担スヘキ部分ヲ負担ス

[改正前条文の解説]
　〔1〕　「連帯の免除」とは、債権者が債務者との間で、債務者の債務を連帯債務で
はないものとし、その者の債務額をその負担部分の範囲に制限することである。債務
そのものをないものとする免除（§519）とは違うものである。しかし、連帯の免除も、
債務者の負担を軽減する意味において、一種の債務免除であるともいえるから、債権

900

§ 445・第 5 款［解説］

者の単独行為ですることができる（§ 519）。

連帯の免除には、二つの場合がある。

その 1 は、総債務者について連帯の免除をすることである（「絶対的連帯免除」という）。これによって連帯債務は、それまでの負担部分の割合による分割債務になり、負担部分の零であった債務者は、まったく債務を免れる。

その 2 は、連帯債務者の全員ではなく、その一人または数人についてだけ連帯の免除をすることである（「相対的連帯免除」という）。あたかも債権者と各債務者との別々の契約によって連帯債務を成立させることができるように、特定の債務者についてだけ連帯関係を消滅させることが認められるのである。これによって、免除を受けた債務者だけ分割債務を負担し、他の債務者は、依然として全部給付の義務を負う。本条の適用があるのは、この後者の場合についてであることはいうまでもない。

〔2〕 改正前 444 条〔1〕参照。

〔3〕 たとえば、B・C・D 三人が A に対して 300 万円（負担部分は平等とする）の連帯債務を負う場合に、A が B に対して（相対的な）連帯の免除をしたとしよう。C が全額の弁済をして B と D に求償した場合に、D が無資力であることが分かったとすれば、B と C で 150 万円ずつ負担するわけであるが（§ 444［改注］参照）、D の無資力のために B が新たに負担する 50 万円は、債権者 A においてこれを負担するものとされる。すなわち、C は B から 100 万円、A から 50 万円を求償することになる。

このような本条の規定は、連帯の免除を受けた債務者は、その内部関係でも負担部分以上の負担を免れる（§ 444［改注］の適用を受けない）とする考えによるものである。しかし、立法論として、その当否は、大いに疑問とされている。連帯の免除をする A の普通の意思は、自分からは B に対しては 100 万円しか請求しないというだけで、内部関係についてまで上のような責任を負うものでないのではないか、と考えられるからである。

第 5 款　保証債務

〈改正〉 2004 年改正により、本款に新しく目が設けられた。従来の規定は、第 1 目に収められ、第 2 目に属する条文は新たに設けられた規定である。2017 年の改正により、本款は第 4 款から第 5 款に変更された。なお、多くの規定が改正されたが、それぞれの個所で説明する。なお、本款に関する附則（保証債務に関する経過措置）第二十一条 1 「施行日前に締結された保証契約に係る保証債務については、なお従前の例による。」に注意すべきである（この点については、以下では繰り返さない）。

［保証債務の主要改正点］ 関連規定は、総則（第 1 目）、個人根保証契約（第 2 目）、事業に係る債務についての保証契約の特則（第 3 目）に分けて配置された。ここでは、新設規定を中心に述べておく。第 1 目では、主たる債務の履行状況に関する情報の提供義務（458 条の 2）、主たる債務者が期限の利益を喪失した場合における情報の提供義務（458 条の 3）、委託を受けた保証人が弁済期前に弁済等をした場合の求償権（459 条の 2）に関する規定が新設された。第 2 目では、「目」の名称が変更され、かつ個人根保証契約一般につい

901

第3編　第1章　総則　第3節　多数当事者の債権及び債務

ても極度額の定めが義務付けられた。保証契約も極度額も書面または電磁的記録によっ
て合意しなければその効力が生じない(465条の2)。第3目では、公正証書の作成と保
証の効力(465条の6)、保証に係る公正証書の方式の特則(465条の7)、公正証書の作成
と求償権についての保証の効力(465条の8)、公正証書の作成と保証の効力に関する規
定の適用除外(465条の9)、契約締結時の情報の提供義務(465条の10)に関する規定が
新設された。

1　本款の内容

本款は、「保証債務」について規定する。

従来の規定を収めた第1目「総則」の内容を概観すれば、(a)保証債務の成立要件と
しての書面の必要(§446Ⅱ・Ⅲ [改注])、(b)保証人に対する債権者の権利、および保証
人の義務(§§446~448 [改注]・452~456)、(c)保証契約および保証人の資格(§§449~451)、
(d)主たる債務について生じた事由の保証人への影響(§§457・458 [改注])、(e)保証人の
求償権(§§459 ~ 463 [改注]・464・465)、である。「保証」という言葉では、保証人の保
証する行為のこと、あるいは、保証債務の法律関係のことを指す。

2004年改正により、第2目「貸金等根保証契約(改正前)」が新しく設けられた。
これについては、4で述べる。2017年改正により、第3目「事業に係る債務につい
ての保証契約の特則」(§465の6以下)が新設された。

なお、民法は、保証のうちに連帯保証と共同保証の二種の特殊なものの存在を認め
ている。しかし、これに関する規定は一括されてはいない。前者に関するものは454
条・458条 [改注]、後者に関するものは456条・465条である(§454〔1〕、§456〔1〕参照)。

2　保証契約

保証は、保証契約によって成立する。立法例によっては、保証契約を特殊の契約と
見て、これを契約法の中に規定するものが少なくない。わが民法は、これを多数当事
者の債権(債務)関係の一種と見て、債権総則のなかに規定した。したがって、保証契
約の特殊性については、規定するところが少ない。判例法の発達にまつ領域である
(改正前§446〔2〕参照)。

3　人的担保としての保証債務

保証債務は、いうまでもなく、債権担保の一形態であり(本節解説2参照)、物的担保
に対して人的担保と呼ばれるものである。すなわち、保証債務には、必ずそれによっ
て担保される債務、すなわち、「主たる債務」(「主債務」ともいう。被担保債務あるいは被
担保債権ということもできる)が存在する。そして、保証債務は、その主たる債務の実現
を、保証人の人的信用に依拠して、具体的にはその総財産(一般財産・責任財産)を引当
てとすることによって、確実にすることを目的とするものである。民法の「多数当事
者」の債権・債務関係という形式的なとらえ方は、債権担保という実質を正面から総
合的にとらえるものではないことに注意を要する(旧民法は、「債権担保編」として、物的

902

担保と人的担保を一緒に規定していた）。

④ 根保証および根保証契約

特殊な保証契約の形態として、「根保証」がある。これに関連して、2004年改正により、「第2目 貸金等根保証契約（改正前）」と称する規定が新設された。これについては、(3)で述べるが、その前に、根保証についての一般的説明をしておく必要がある。

(1) 根保証一般について

根保証は、債権者と主たる債務者との間の継続的な契約関係から現在および将来発生し、消滅する（増減変動する）複数の債権を包括的に保証するものである。この種の継続的な契約関係から生じる不確定な債務の保証については規定がなく、いろいろ問題が生じる。そこで、この種の保証契約の内容は、契約締結当時の具体的事情に関する両当事者の了解を基礎とし、取引慣行と信義則とに従ってこれを決定するべきものとされるのである。主要な判例理論を示せば、

　(ア) 「Aに対してBが負担する既存または将来負担することあるべき約束・為替手形上の債務」を担保するという保証も、主たる債務が十分特定されていて、有効とされる（最判昭和33・6・19民集12巻1562頁。「根保証」という言葉は用いていない事例である。包括的な無制限な保証だから、公序良俗に反するという主張をしりぞけた）。

　(イ) 根保証の限度額が定められることは望ましいが、その定めがなくても無効とはせず、合理的な範囲において保証の効力が認められるものと解してよい。

　(ウ) 保証期間の定めのない根保証においては、保証契約締結当時の事情が変化し、たとえば、保証人の主たる債務者に対する信頼が害されるなど相当の理由があるときは、保証人は保証契約の告知権（解約権）を取得し、一方的に解約できる（大判昭和7・12・17民集11巻2334頁）。さらに広く、客観的事情の変化による解約の可能性を認める判決もある（大判昭和9・2・27民集13巻215頁）。

　(エ) 主たる債務が取引慣行と信義則に反して拡大したときは、その不当に拡大した部分には保証債務の効力は及ばない（大判大正15・12・2民集5巻769頁）。

　(オ) 主たる債務者が取引上負うことのあるべき諸種の債務を担保するというような内容を有する保証債務には、相続性がなく、保証人が死亡した後に生じた主たる債務者の債務につき相続人は支払義務はない（大判大正14・5・30新聞2459号4頁。ただし、最判昭和37・11・9民集16巻2270頁は、責任の限度額および保証期間の定めがない場合はという限定を付している）。

　(カ) その他、この根保証については、近時においては、根抵当権（第2編第10章第4節参照）と並行して利用される事例が主となっているので、根抵当権との均衡を考慮した解釈が必要になっている。なお、根保証契約の被保証債権を譲り受けた者は、その譲渡が同契約に定める元本確定期日前にされた場合であっても、根保証契約の当事者間において被保証債権の譲受人の請求を妨げるような別段の合意がない限り、保証人に対し、保証債務の履行を求めることができると解されている（最判平成24・12・14民集66巻3559頁）。

第3編　第1章　総則　第3節　多数当事者の債権及び債務

(2)　包括根保証について

包括根保証とは、「AのBに対する一切の債権を担保する」とされる根保証をいう。

根抵当については、包括根抵当についてどう考えるかが基本的問題として存在し（第2編第10章第4節解説参照）、長期にわたる検討の結果、包括根抵当の効力は認めず、根抵当権の被担保債権について一定の資格を要求する立法が成立した（同前④(3)(c)参照）。その資格のなかでもっとも重要なのは、「債務者との一定の種類の取引によって生じるもの」である（§398の2(6)参照）。この場合には、根抵当権者と根抵当債務者との間の具体的な取引契約が論理的に前提されていないので、根抵当関係について両者の取引関係とは別の物権的な次元における関係が法定されることとなったのである。元本確定期日、元本確定などの概念は、このような前提において生まれたものである。

つぎに述べる2004年改正により設けられた貸金等根保証契約の規定が、根抵当に関するこれらの概念を借用しているが、そもそも基本的に包括根保証についてどのような考えを採っているかが明らかでない点には、疑問がある。包括根保証については、物権である根抵当権と違い、契約の自由の観点から有効とするという考えも可能であり、従来は深く論じられなかった。今後は、おそらく、根保証に関する一般論として、包括根保証は、根保証人に不当な負担を負わせるものとして、公序に反し無効とする解釈が一般的になるものと思われる。

(3)　貸金等根保証契約についての2004年改正

2004年改正は、民法全体にわたるいわゆる「現代用語化」のほかに、本節に第2目「貸金等根保証契約」を新設し、それに関する規定（§§465の2～465の5［改注]）を追加するという内容を含んでいた。

この部分改正は、「貸金等債務」を含む債務に関する自然人による根保証に限って、物権である根抵当にならった条文を導入するものである。原則的に任意規定と考えられる債権法の規定のなかに、異質の条文を持ち込むものであり、原理的に疑問が感じられる。(1)および(2)で述べた根保証に関する一般的理解を踏まえた立法が望ましいが、新設条文の適用範囲は「貸金等債務」を含む債務の保証に限定されていて、一般論との脈絡が明確でない点にも違和感がある。身元保証に関する立法（5、改正前§446(1)(イ)、§623(1)(2)(d)参照）のように、一種の保証人保護法として特別法によるのが適切であったのではないだろうか。

(4)　借地人や借家人の債務を包括的に保証する保証契約も、根保証の一種といえなくはないが、(3)で述べたものとは区別することが必要である。

たとえば、期間の定めのない借家人の債務の保証において、保証後相当の期間を経過し、かつ借家人がしばしば賃料の支払を怠ったような場合に、保証契約の解除を認めた例（大判昭和8・4・6民集12巻791頁）、借家人の保証人の相続人は、相続開始後に生じた賃料債務についても保証の責めを負うとした例（大判昭和9・1・30民集13巻103頁）、賃借人の債務を主たる債務として保証した場合、賃借人が死亡しても、その相続人の債務を保証するとした例（大判昭和12・6・15民集16巻931頁）、などがある。

賃貸借契約が解除された場合については、447条④参照。

(5)　なお、身元保証も根保証の一種であるが、これについては、特別法が制定され

ており、雇用の節に説く（§623〔1〕(2)(d)参照）。

第1目　総　　則

〈改正〉　新設規定については、本款〈改正〉も参照。446条、448条、457条、458条、459条、460条、461条、462条463条が改正され、458条の2、458条の3、459条の2が新設された。

[本目の主要改正点]　主たる債務の目的または態様が保証契約の締結後に加重された時であっても保証人の負担は加重されない(448条2項)。保証人は主たる債務者が主張することができる抗弁をもって債権者に対抗することができる(457条2項)。主たる債務の履行状況に関する情報の提供義務に関する458条の2および主たる債務者が期限の利益を喪失した場合における情報の提供義務に関する458条の3が新設された。委託を受けた保証人の求償権に関する459条が改正され、委託を受けた保証人が弁済期前に弁済などをした場合の求償権に関する459条の2が新設された。通知を怠った保証人の求償の制限等に関する新463条では、事前通知義務を負う主体が委託を受けた保証人に限定され、それに違反した場合の効果も明文化された。

（保証人の責任等）
第四百四十六条
　1　保証人²⁾は、主たる債務者がその債務を履行しないときに、その履行をする責任を負う¹⁾。
　2　保証契約は、書面でしなければ、その効力を生じない³⁾。
　3　保証契約がその内容を記録した電磁的記録¹⁾によってされたときは、その保証契約は、書面によってされたものとみなして、前項の規定を適用する。

〈改正〉　2017年に改正された。3項中、電磁的記録の括弧書を削る。
[改正の趣旨]　[1]　電磁的記録については、電子署名及び認証業務に関する法律（平成十二年五月三十一日法律第百二号）2条等で定められている。
[改正前条文]
　1、2　同上
　3　保証契約がその内容を記録した電磁的記録（電子的方式、磁気的方式その他人の知覚によっては認識することができない方式で作られる記録であって、電子計算機による情報処理の用に供されるものをいう。）によってされたときは、その保証契約は、書面によってされたものとみなして、前項の規定を適用する⁴⁾。
[原条文]
　保証人ハ主タル債務者カ其債務ヲ履行セサル場合ニ於テ其履行ヲ為ス責ニ任ス
〈改正〉　2004年改正は、2項と3項を追加した。

〔1〕　本条は、保証の定義を下したものである。保証の法律的性質は古くから争われたところであり、本条の法文上も決して明瞭ではない。しかし、わが民法上は、つぎのように解されている。

第3編　第1章　総則　第3節　多数当事者の債権及び債務

(ア)　法文には、保証人は、「その(主たる債務者の債務の)履行をする責任を負う」と
あるが、保証人は、自身が主たる債務者の債務(主たる債務)とは別個の債務(保証債務)
を負担するものである。したがって、たとえば、主たる債務は民事債務、保証債務は
商事債務であるため、保証人の債務が主たる債務と別個に、より短期で消滅時効にか
かることもありうる(大判昭和13・4・8民集17巻664頁)。

(イ)　保証債務は、主たる債務と同一の内容を有する。したがって、主たる債務は、
保証人によっても実現可能な内容の債務でなければならない。

雇用契約に当たって締結される被用者のための保証は、被用者の労務に服する債務
をそのまま担保する内容の保証であるわけにはいかないので、被用者が雇用契約に関
連して負担することのあるべき損害賠償債務を担保する保証とみるべきである。いい
かえれば、将来の債務の保証の一種である。もっとも、いわゆる身元保証または身元
引受と称するものには、被用者に賠償義務が生じたかどうかを問題にしないで、その
雇用関係から雇い主がこうむった一切の損害(たとえば、被用者が病気になったために生じ
た損害)を担保するものがむしろ多いであろう。この種の場合には、主たる債務がな
いから、保証ではなく、いわゆる損害担保契約 Garantievertrag の一種であるとされ
る(§449(5)参照)。両者の根本的差異は、後者には、主たる債務が前提とされてなく、
したがって、いわゆる保証債務の付従性がないことである。具体的な場合に、その契
約がどちらの契約であるかは、解釈の問題であるが、この点について、民法に関連す
る一つの推定規定(§449)があることを注意するべきである。

以上のように、保証債務は、主たる債務と同一の内容を有するべきであるから、主
たる債務は代替的給付を内容とするのが普通である。しかし、特定物を給付する債務
のように、普通には主たる債務者だけが実現できるものでも、他の者も実現する可能
性があるものであれば、これについて普通の保証の成立を認めてもよい。そして、保
証人は、本来の給付を実現するべきであり、それが不可能な場合に債務不履行による
損害賠償債務を保証するべきものと解されている。判例は、以前は反対であったが、
後に、これを改めた。すなわち、特定の土地の譲渡人の保証人は、主たる債務者(譲
渡人)が債務を履行しない間にその土地が競売されて、自分が競落人(現在の買受人)と
なったときは、保証人としてその土地を引渡す義務があるという(大決大正13・1・30
民録3巻53頁)。

(ウ)　保証債務は、独立の目的を有しないで、ただ、主たる債務を担保する目的のた
めに存する。具体的には、つぎのような性質を有する。これを、(主たる債務に対する)
「保証債務の付従性」という。

(a)　保証債務は、主たる債務が契約の無効などのために成立しなければ、成立し
ない(大判昭和5・11・13裁判例(4)民107頁)。しかし、主たる債務は条件付債務または
将来の債務でもよく、現実に発生していることは要件ではない。ただし、このよう
な場合には、保証債務もまた条件付または将来の債務となると解するべきである
(大判大正4・4・24民録21輯595頁)。

同様の理由によって、継続的な取引関係から生じる多数の債務を、一定の決算期
において――多くは一定の限度まで――担保しようとする保証債務(これを「根保

§446〔1〕

証」という）も成立しうる。判例は、早くから、これを、主たる債務の成立するべき時期および額について限度がないという理由で無効と解すべきではないとして、有効とした（大判大正14・10・28民集4巻656頁。根保証については、本款解説④参照）。

(b) 主たる債務が弁済、時効（保証人には援用権があるとされる。改正前§145〔2〕(イ)、後述(e)参照）、免除、取消し、解除などによって消滅すれば、保証債務も消滅することは、疑いない。このことは、連帯保証においても同様であるとする判例がある（大判明治43・11・26民録16輯817頁）。解除によって主債務が消滅した後に、債権者と主たる債務者とが解除がなかったことにすると合意しても、保証債務は復活することはない（大判昭和4・3・16評論19巻（民）29頁）。しかし、主たる債務を消滅させた行為が取消し・否認によって復活したときは、保証債務も元通りになることは問題ない（最判昭和48・11・22民集27巻1435頁）。

主たる債務につき一部免除があれば、保証債務もそれに伴い減縮されるのは当然であるが、連帯保証人が元の全額の支払を承諾したときは、免除部分については独立の債務を負担するものとした事例がある（最判昭和46・10・26民集25巻1019頁）。

主たる債務が免除によって消滅した後に、その債権が譲渡され、これに債務者が異議をとどめない承諾（§468〔改注〕）をしたらどうなるかという問題があるが、判例は、連帯保証人は、免除があったという事由を譲受人に対抗しうるとした（大判昭和15・10・9民集19巻1966頁）。異議をとどめない承諾が、抵当権を復活させる効果を有するかという問題（§376前注③(3)、改正前§468〔2〕(キ)参照）とも関連し、議論のあるところである。

(c) そのほか、主たる債務について生じた事由は、原則として、保証債務にもその影響を及ぼす。たとえば、保証付債権を譲渡した場合には、主たる債務者に対して通知すれば（§467〔改注〕参照）、保証債務についても、対抗要件が備わったことになる（大判大正元・12・27民録18輯1114頁）。ただし、主たる債務が強制和議（旧破産法§§290〜346）によって免除を受けたことは保証債務には影響しないことは、旧破産法（§326Ⅱ）に定められていたが（大判昭和5・12・24民集9巻1205頁）、破産法の改正でこの制度および条文は消滅した（民再§§178・246・247参照）。

これに対して、保証債務に生じた事由は、弁済などの債権を満足させる事由を除いて（この場合は、まさに保証債務の担保としての効能が発揮されたのであって、主たる債務が消滅するのは当然である）、一切主たる債務に影響を及ぼさない（ただし、§458〔改注〕参照）。

(d) 保証債務は、その範囲および態様において、主たる債務より重いことはありえない（§448〔改注〕参照）。

(e) 保証人は、主たる債務者が有する抗弁権を行使することができる。すなわち、買主の保証人は、同時履行の抗弁権を有し（§533〔改注〕）、主たる債務が消滅時効にかかったときは、保証人もまた、これを援用することができる（改正前§145〔2〕(イ)参照、大判大正4・7・13民録21輯1387頁、大判昭和8・10・13民集12巻2520頁。主たる債務者が時効の利益を放棄しても、かまわず援用できる。§146〔4〕参照、大判大正5・12・25民録22輯2494頁、大判昭和6・6・4民集10巻401頁）。また、主たる債務者が、支払

907

第3編　第1章　総則　第3節　多数当事者の債権及び債務

確保のために振り出された手形の返還との引換給付の抗弁権を有すれば、保証人も
それを主張できる（最判昭和40・9・21民集19巻1542頁）。けだし、保証人が主たる債
務者に対する債権の効力を制限する抗弁権を援用して、自分に対する債権の効力を
制限することができると解さなければ、保証債務の付従性に反するからである（改
正前§457〔4〕参照）。

　（f）　保証人が主たる債務者の有する取消権を行使できるかどうかについては、問
題の存するところである（改正前§120〔6〕参照）。判例は否定するが（大判昭和20・5・21
民集24巻9頁）、保証人にも一定の弁済拒絶の抗弁権的な権能を認める見解も有力
である（改正前§457〔4〕、同条前Ⅲ参照）。

なお、この付従性の適用に関連しては、つぎの諸点が問題となる。

第1に、主たる債務者である会社が破産した結果、解散してしまった場合には、理
論上、主たる債務は消滅するが、会社は、残債務の主体である範囲においてはなお観
念上その権利能力を保持するとみて、保証人の債務には影響しないと解するべきであ
ろう。しかし、判例は、この種の場合に一種の損害担保契約の存在を認めて保証人の
債務に影響なしとみているようである（大判大正11・7・17民集1巻460頁）。最判平成
15・3・14（民集57巻286頁）は、主債務者である会社の法人格が破産終結決定によって
消滅した場合について、主債務について消滅時効を観念する余地がないから、保証人
は主債務の消滅時効を援用できないという判断を示した。債権者としては、保証債務
が消滅時効にかからないように時効管理をしていればよいということになる。人的担
保である保証債務は、まさにこのような場合のために存在しているのである。いずれ
にしろ、被担保債権の債務者の法的人格が消滅した場合の法律関係については、検討
すべき点が多い（改正前§145〔2〕(イ)、§369〔4〕(キ)参照）。

第2に、主たる債務者の相続人が限定承認をした場合には、限定承認の結果主たる
債務者の責任は縮限されるが、その債務は縮限されないから、保証人の債務にはなん
の影響をも及ぼさないと解するべきである（大判大正13・5・19民集3巻215頁参照）（本
章第2節解説③(3)参照）。

　(エ)　保証債務は、主たる債務に対して、「随伴性」を有する。すなわち、主たる債
務に対する債権が移転するときは、これとともに移転する。主たる債務について、債
務引受け（第4節後注参照）が行われたときについては、保証人の意思を問う必要がある
ので、当然に随伴するとはいえない。いわゆる免責的債務引受けが行われ、保証人が
これを承諾しないときは、保証債務は消滅すると解するべきである。

随伴性は、付従性から派生する性質であるが、当事者はこれを否定できることが、
付従性との違いである。随伴を否定されると、保証債務は担保すべき主たる債務を喪
失して、付従性により消滅するのである。

　(オ)　保証債務は、原則として、「補充性」を有する。補充性とは、「主たる債務者が
その債務を履行しないときに」、第二次的に履行することを要する債務であることを
意味する。このことは、保証人の催告の抗弁権（§452）および検索の抗弁権（§453）に
現われる。ただし、連帯保証にあっては、この補充性がなく、連帯保証人はこの二つ
の抗弁権を有しない（§454）。そして、商事保証は、すべて連帯保証とされることを

注意するべきである(商§511)。

補充性も付従性から派生する性質である。そして、当事者は、連帯の特約によってこれを否定することができるのである。

〔2〕 ある人が保証人になるのは、債権者との間の保証契約による。保証契約は、当事者間の強い信頼関係を基礎とする特別な性格のものであるが、民法は、これについてとくに規定するところがない。したがって、判例が大いに活躍し、重要な判例法を形成するに至っている。その大略は、つぎの通りである。

(ア) 保証契約は、保証人と債権者との間の契約である(大判大正6・9・25民録23輯1364頁)。すなわち、保証契約の当事者は保証人と債権者である。

(a) わが国の実際では、保証人が契約証書に押印してこれを主たる債務者に手渡し、主たる債務者がこれを債権者に交付して、保証契約を締結する例が多い。しかし、その場合には、債権者と保証人との間の保証契約締結に当たって、主たる債務者が保証人の代理人または使者となったものと解するべきである。したがって、主たる債務者がその代理権を有することが必要であるが、もし、その権限を越えた行為をすれば(たとえば、約定の金額を勝手に増額すれば)、表見代理の法理の適用の問題になる(大判昭和6・10・28民集10巻975頁。なお、改正前§109前注参照)。

なお、主たる債務者が保証人を欺罔して保証契約を締結させた場合は、主たる債務者は保証契約では第三者であるので、第三者の詐欺(改正前§96〔4〕参照)の問題になる。同じく、主たる債務についての錯誤は動機の錯誤になる(改正前§95〔2〕(ア)参照)。

(b) つぎに、保証契約については、とくに書面によることを必要とする立法例もあるが(ドイツ民法§766。電子式方式は認められない)、わが民法はこれを要件としていなかった。しかし、実際上は多く書面により、主たる債務者と債権者との契約証書に保証人の名を連記する例が多い。保証人の保証契約を締結する意思(保証の意思)は、きわめて重要であるので、その確認には慎重を期する必要がある。それがおろそかであるために——記名押印のみに依存するなど——、保証意思があったかなかったかが争われる例が多かった(最判平成2・9・27民集44巻1007頁は、保証意思を「推認」したもので、単なる推認でよいかは疑問である)。2004年改正は、保証契約を要式契約に変更したが、これについては、〔3〕を参照。なお、手形および小切手の保証については、特則が設けられている(手§§30〜32、小§§25〜27)。

(c) 保証人の資格には、制限がない。ただ、債務者が保証人を立てる義務を負う場合には、一定の資格がある者を保証人とすることを要する(§450)。

(イ) 保証人と主たる債務者との間には、なんらかの関係が存在するのが常である。保証人は、主たる債務者の委託なしに、ことにその意に反してさえ、保証人となることができるが(§462〔改注〕参照。主たる債務者と保証人の間の保証委託契約がたとえ無効であっても、保証契約には影響しないのは当然である。大判大正6・9・25民録23輯1364頁。同じく、委託の撤回も、保証契約の効力には影響しない。前掲大判昭和6・10・28。ただし、この判決は債権者の善意を要求している)、実際上は、そのような例は少ない。主たる債務者の懇請によって保証人となるのが普通の例であり、さらに、主たる債務者が他に十分

第3編　第1章　総則　第3節　多数当事者の債権及び債務

な物的担保を供することを条件としたり（大判昭和4・12・17新聞3090号11頁）、あるいは保証する債務額を主たる債務の額よりも制限したり（これを「有限保証」という。――大判昭和5・2・15新聞3114号9頁）、その他、種々の条件を付するのを常とする。したがって、この主たる債務者と保証人との間の特約が保証債務の成立にどのような影響を及ぼすかということがしばしば問題になる。

判例は、大体において、この種の特約も債権者に知られない場合には、保証契約の成立になんら影響を及ぼさないものとする。けだし、そうでないと、債権者の利益を不当に害するからである。たとえば、主たる債務者が他に抵当権をも設定するといったので、それを信じて連帯保証人になったが、じつは設定しなかった場合にも、保証人は錯誤を理由に保証契約の無効を主張することはできないとされた（前掲大判昭和4・12・17参照。また、上述(ア)(a)参照）。また、主たる債務者に対して保証人となることを承諾して調印した契約書を渡したが、後になってこれを撤回する旨申し入れ、主たる債務者もこれを了承して決して使用しないと回答したが、なお、その証書を保管していたところ、後にこの証書を利用して借金をしたときには、109条［改注］の適用により、保証人はその責任を免れないとされた（大判昭和6・10・28民集10巻975頁）。主たる債務者が保証人を欺罔して保証契約を締結させた場合には、(ア)(a)に述べたように第三者による詐欺の問題になる。

なお、金融機関が、主債務者が反社会的勢力であるか否かについて相当な調査をすべきであるという信用保証協会との間の信用保証に関する基本契約上の付随義務に違反した結果、反社会的勢力を主債務者とする融資について保証契約が締結された場合には、当該基本契約に定められた保証債務の免責条項にいう金融機関が「保証契約に違反したとき」に当たるとした判例（最判平成28・1・12民集70巻1頁）がある。

〔3〕　2004年改正は、本条に改正を加え、保証契約における書面要件を規定した。これにより、保証契約は要式行為となった（(2)(ア)(b)参照）。

(1)　その趣旨は、保証約束が保証人によって安易かつ軽率になされることを防ぎ、またその意思を確認しようとするものと推察される。しかし、その趣旨であれば、単に「書面」を要件とするだけで足りると考えるのは、安易といわざるをえない。実際に問題になっているケースを考えても（(2)(ア)(b)参照）、口頭による保証契約を根拠に債権者が保証人を追及する事例は皆無といってよく、債務者が署名捺印した書面について、保証人が保証意思の不存在を主張している場合がほとんどである。書面を要件としただけでは、なんら解決にならないと考えられる。諸種の消費者立法における書面要件とは、内容も意味も異なることに注意を要する（とりわけ、保証契約書に記載すべき必要事項が明確でないことは問題である）。

(2)　「書面」といえば、贈与に関する550条［改注］の規定が想起される。同条の解釈においては、書面の意義を比較的広く解する傾向が認められるが（改正前§550〔1〕参照）、もし、同じような方向で本条の書面について緩やかな解釈が採られれば、著しい弊害を生じると予想される。なんらかの書面が存在すれば、保証人に保証の意思が存在しないということの立証責任はもっぱら保証人に負わされることになるであろう。そのようにはならない解釈・運用が望まれる（たとえば、保証人が債権者と会ったことがな

§§446〔3〕〔4〕・447

く、債権者と保証契約を結ぶ意思などなかったと主張したような場合に、債権者の方で保証意思を確認した事実などを証明する負担を負うものとするなど)。

(3) さらに、契約一般における不要式の原則(第2章解説④(4)・同章第1節解説③(3)参照)との整合性という問題がある。すなわち、保証契約は主債務を発生させる契約(売買契約、金銭消費貸借契約などの典型契約あるいは非典型契約)に対する従たる契約であるが、その主債務を生じさせる契約については書面が要求されていないこととの関連が問題になる。

　(a) 通常は、たとえば、A・B間の金銭消費貸借契約書の末尾に、保証人Cが保証人の肩書で署名押印するという形式で行われるから、本項の書面要件はそれによって充たされるということになろう。しかし、そう考えると、本項による保証契約の要式性が主たる契約にまで及ぼされるという感じが否めない。また、このような安易な形式が保証の不確実性などの種々の問題を生じていたことからすれば、本項が書面を要件とした趣旨がこれによって果たして生かされるかも疑問である。

　(b) AとCがA・B間の契約とは別に保証契約書を作ることを考えると、その保証契約書にはBのAに対する主債務についての正確かつ詳細な表示が必要になる。また、いかに詳細にそれが表示されていても、保証債務の内容は主債務の内容によって決せられるのであるから(改正前§446〔1〕(イ)・§448〔改注〕参照)、その主債務についての書面が存在しないのでは(それが存在しても、その写しを添付しただけでは十全ではない)、保証債務の内容についての不明確性は免れず、やはり、本項の趣旨はあまり生かされないことになろう。

〔4〕　〔3〕で述べた危惧は、この新設された第3項についても当てはまる。電磁的記録による保証契約が、どれだけ保証人の保証意思の存在を保障できるものとなるであろうか。前項は、あるいは本項を導き出すための規定であったのかとさえ疑われるが、もし、この改正の底に保証意思に関する軽視が伏在するとすれば、大きな疑問とせざるをえない。

(保証債務の範囲)
第四百四十七条
　1　保証債務は、主たる債務に関する利息[1]、違約金[2]、損害賠償[3]その他その債務に従たるすべてのもの[4]を包含する。
　2　保証人は、その保証債務についてのみ、違約金又は損害賠償の額を約定することができる[5]。

[原条文]
　保証債務ハ主タル債務ニ関スル利息、違約金、損害賠償其他総テ其債務ニ従タルモノヲ包含ス
　保証人ハ其保証債務ニ付テノミ違約金又ハ損害賠償ノ額ヲ約定スルコトヲ得

　保証債務が担保する範囲は、保証契約によって定まるが、とくにこの点についての定めがなされなかったときは、本条の規定によるのである。

911

第3編　第1章　総則　第3節　多数当事者の債権及び債務

〔1〕　利息については、§404〔1〕参照。2017年の改正に注意。

〔2〕　違約金については、改正前§420〔4〕参照。

〔3〕　損害賠償については、改正前§415〔2〕・〔5〕参照。

〔4〕　「その他その債務に従たるすべてのもの」とは、たとえば、訴訟費用などである。

　なお、契約の解除によって生じる原状回復義務および損害賠償義務（§545）が保証債務の担保する範囲に属するか、という問題がある。たとえば、売買契約の売主の保証人は、売主の債務不履行によって解除された場合に生じるこれらの義務について責任を負うかの問題である。

　判例は、かつて、場合を分けてつぎのように解釈した。第1に、売買契約・請負契約のように解除によって契約関係が遡及的に消滅する場合には、保証人は責任を負わない。けだし、これらの義務は主たる債務が契約解除によって消滅した結果生じる別個独立の法律上の義務であって、主たる債務に従たるものではないからである（大判明治36・4・23民録9輯484頁、大判大正6・10・27民録23輯1867頁）。第2に、特約があれば、これらの義務にも及ぶ（大判昭和6・3・25新聞3261号8頁）。第3に、賃貸借契約のように、解除によって契約関係が将来に向かってだけ消滅する場合（§620参照）には、保証人の責任は当然に損害賠償義務に及ぶ（大判昭和13・1・31民集17巻27頁）。

　しかし、判例のこの態度には疑問がある。けだし、当事者の普通の意思は、むしろ原則として、契約が完了するまでの責任を保証するものであろう。また、解除による損害賠償の性質は、本来の債務の不履行による損害賠償請求権だとみる見解に従えば、保証人がこれを保証するのが当然であろう。

　そこで、判例は、学説の批判を容れて、従来の判断を変更し、特定物の売買契約における売主のための保証人も、契約が解除された場合の原状回復義務について保証の責めに任じるものとした（最大判昭和40・6・30民集19巻1143頁。その後、請負について、最判昭和47・3・23民集26巻274頁）。いずれにしろ、保証人がなにを保証したのかという保証契約の解釈——明確に示されていれば、それに従う——の問題である。

〔5〕　「保証債務についてのみ」違約金または損害賠償の額を約定することができるのは（§420［改注］）、保証債務は主たる債務と別個の債務であり、また、このような約定は保証債務の内容自体の拡張ではなく（§448［改注］参照）、したがって保証債務の付従性に反するものでもないからである。同じ理屈から、保証債務だけのために保証を立てたり（これを「副保証」という）、質権・抵当権を設定することもできる。

▌（保証人の負担と主たる債務の目的又は態様）
　第四百四十八条
　　1　保証人の負担が債務の目的[1]又は態様[2]において主たる債務より重いときは、これを主たる債務の限度に減縮する[3][4][5][11]。
　　2　主たる債務の目的又は態様が保証契約の締結後に加重されたときであっても、保証人の負担は加重されない[2]。
〈改正〉　2017年に改正され、見出しを改め、2項を加えた。

§§ 447〔1〕〜〔5〕・448・449

[改正の趣旨]　〔1〕　改正前448条は、付従性を定めており、これは新法でも維持される。

〔2〕　主たる債務が保証契約の締結後に加重された場合に、保証債務も加重されるかについては改正前448条では必ずしも明らかではないが、付従性は保証人に有利に働くものであり、保証債務は加重されないとするのが通説である。解説〔4〕参照。新法では、保証人の責任は加重されない旨を明文化した。なお、破産法253条2項、会社法571条2項（特別清算）、会社更生法203条2項、民事再生法177条2項、同法203条1項、同法235条7項も参照。

[改正前条文]
　同上1項のみ。

[原条文]
　保証人ノ負担カ債務ノ目的又ハ体様ニ付キ主タル債務ヨリ重キトキハ之ヲ主タル債務ノ限度ニ減縮ス

[改正前条文の解説]
　本条は、保証債務の本質的な特徴である「付従性」のひとつの現れを規定する。付従性一般については、改正前446条〔1〕(ウ)を参照。

〔1〕　たとえば、主たる債務が100万円なのに、保証債務が150万円を保証するものとして保証契約が締結されたような場合である。

〔2〕　たとえば、主たる債務が条件付なのに、保証契約においては、保証債務が無条件となっているような場合である。

〔3〕　〔1〕・〔2〕の例で、保証債務も100万円となり、または条件付となる（改正前§446〔1〕(ウ)(a)参照）。

〔4〕　主債務者が主たる債務の目的または態様を従来より重いものに変更しても、当然には保証債務の内容が変わることはないことは、本条を根拠としてもいえることである。保証契約そのものがそれに合わせて変更されれば、別である。

　ただし、主たる債務について期限が延長されれば、それは保証債務にも及ぶと解される（大連判明治37・12・13民録10輯1591頁）。期限の延長は、むしろ付従性によって当然に及び、保証債務をより重いものとするとは考えないのである。

〔5〕　本条の規定とは逆に、たとえば、主たる債務が100万円であるところ、そのうち、60万円だけを保証するということは可能である。これを、「一部保証」あるいは「有限保証」という。

　一部保証の場合に、主たる債務につき一部弁済が行われると、それにより保証された部分が消滅したのか、保証されない部分が消滅したのかの事実関係を確定する必要を生じることになる（最判昭和39・4・17判時376号25頁は、保証された融資契約の貸付限度を超えて貸付が行われた事例に関し、同旨を述べて、保証部分が残存するとした原審判決を破棄・差戻したものである）。

（取り消すことができる債務の保証）
第四百四十九条
　　　行為能力の制限によって取り消すことができる[1]債務を保証した者[2]は、保証契約の時においてその取消しの原因を知っていたとき[3]は、主たる債務の不履

913

第3編　第1章　総則　第3節　多数当事者の債権及び債務

行⁴⁾の場合又はその債務の取消しの場合⁵⁾においてこれと同一の目的を有する独立の債務を負担したものと推定する⁶⁾。

[原条文]

　無能力ニ因リテ取消スコトヲ得ヘキ債務ヲ保証シタル者カ保証契約ノ当時其取消ノ原因ヲ知リタルトキハ主タル債務者ノ不履行又ハ其債務ノ取消ノ場合ニ付キ同一ノ目的ヲ有スル独立ノ債務ヲ負担シタルモノト推定ス

〈改正〉　1999年改正により、「無能力」が「能力ノ制限」と改められた。

　主たる債務が、取消しによってはじめから成立しなかったことになれば、保証債務の付従性から、保証債務もまた成立しなかったことになり、保証人は、その責任を免れる道理である（手形保証はその例外とされる。手§32Ⅱ、なお、小§27Ⅱ）。しかし、保証人が、主たる債務が行為能力の制限を理由に取消されるかも知れないことを知りながら、これを保証した場合には、たとえ、主たる債務が取消されても、なお保証人の責任を認めるのが妥当であろう。本条は、この趣旨を規定したものである。

　〔1〕　未成年（§5Ⅱ）、成年後見（§9）、保佐（§13Ⅳ）、補助（§17Ⅳ）を理由として、取消すことができる場合である。詐欺または強迫を理由とする取消しを含まないことに注意する必要がある。

　〔2〕　取消しうる債務を保証した保証人も、その債務の原因である制限行為能力者の行為を取消すことはできない（改正前§120〔6〕参照。大判昭和20・5・21民集24巻9頁。なお、改正前§457〔4〕参照）。

　〔3〕　取消しの原因を知らなかったときは——それが立証されれば——、本条の推定は働かない。

　〔4〕　保証人が、「主たる債務の不履行」の場合についても独立の債務を負担するとした規定は、無意味である。けだし、債務が主たる債務者の取消しによって（§120〔6〕参照）消滅しない限り、主たる債務者に債務の不履行があれば（債務者の責めに帰することができない事由による履行不能でない限り）、債務はそのまま、または損害賠償債務となって存続し、したがって、保証債務もそのまま存続することは明らかであるから、保証人に独立の債務を負担させる必要は全然ない。債務者の責めに帰することのできない事由による履行不能の場合には、主たる債務は消滅する（改正前§415〔5〕参照）から、保証人をして独立の債務を負担させる意義はある。しかし、保証債務の付従性からみても、当事者の普通の意思からみても、このような場合に保証人が独立の債務を負担すると推定するのは、妥当でない。結局、本条のこの部分は無意味な文字と解するべきである。

　〔5〕　保証人は、主たる債務が取消されるかも知れないことを知って保証したのだから、取消しによって債権者がこうむるであろう損害をも担保する意思であるとみようという趣旨である。本条が適用される場合には、主たる債務者が債務を免れるにもかかわらず、保証人だけが独立の債務を負担するわけで、これは、もはや厳格な意味における保証債務ではなく、一種の損害担保契約である（改正前§446〔1〕(イ)参照）。一見、保証債務の付従性に反するようにみえるが、主たる債務のない保証債務を認めたわけ

§§449〔1〕～〔6〕・450〔1〕

ではないから、そうではない。

なお、本条の推定は、保証債務の性質に反するものであるから、拡張解釈をするべきではない。たとえば、契約書が偽造文書であることを知って保証人となった者について、本条の推定が適用されるということはない（大判昭和5・11・13裁判例(4)民107頁）。

〔6〕 この推定を破るような特約があれば、それに従うのである。取消しの原因は知っていたが、取消されたときはなんらの債務も負わないという意思だったことが立証されればよい。手形保証においては、形式的な瑕疵以外にはこの反証を認めない（手§32Ⅱ、なお小§27Ⅱ）。その意味において、本条の例外をなすものである。

（保証人の要件）
第四百五十条
 1 債務者が保証人を立てる義務を負う場合[1]には、その保証人は、次に掲げる要件[4]を具備する者でなければならない[2]。
  一 行為能力者であること[3]。
  二 弁済をする資力を有すること。
 2 保証人が前項第二号に掲げる要件を欠くに至ったときは、債権者は、同項各号に掲げる要件を具備する者をもってこれに代えることを請求することができる[5]。
 3 前二項の規定は、債権者が保証人を指名した場合には、適用しない[6]。

［原条文］
 債務者カ保証人ヲ立ツル義務ヲ負フ場合ニ於テハ其保証人ハ左ノ条件ヲ具備スル者タルコトヲ要ス
  一 能力者タルコト
  二 弁済ノ資力ヲ有スルコト
  三 債務ノ履行地ヲ管轄スル控訴院ノ管轄内ニ住所ヲ有シ又ハ仮住所ヲ定メタルコト
 保証人カ前項第二号又ハ第三号ノ条件ヲ缺クニ至リタルトキハ債権者ハ前項ノ条件ヲ具備スル者ヲ以テ之ニ代フルコトヲ請求スルコトヲ得
 前二項ノ規定ハ債権者カ保証人ヲ指名シタル場合ニハ之ヲ適用セス

〈改正〉 1947年の改正により、1項3号が削除され、2項の「前項第二号又ハ第三号」の「又ハ第三号」が削られた。2項の「缺ク」がいつ「欠ク」になったかは不明。
 1999年改正により、1項1号の「能力者」が「行為能力者」と改められた。

〔1〕 保証人となる資格については、一般的にはなんら制限はない。制限行為能力者であっても（ただし、保証契約が取消されるという可能性はある）、無資力の者であっても、債権者が承知して、これと保証契約を結べば、保証は有効に成立する。本条は、債務者がとくに保証人を立てる義務を負っている場合における保証人について一定の条件を必要としている。

債務者が「保証人を立てる義務を負う場合」というのは、契約による場合がほとんどである。しかし、法律上「担保を供する」べき義務が規定されている場合に、物的担保でなく保証人を立てることで足りるとされることは多い（§29〔1〕参照）。この種の

915

第3編　第1章　総則　第3節　多数当事者の債権及び債務

ものとしては、(a)法律の規定による場合(§384Ⅰ・Ⅱ、建設§21など)、(b)裁判所の命令による場合(§§29Ⅰ・830Ⅳなど)、(c)その他、法律上一定の請求により担保を供すべき場合(§§199・461Ⅰ[改注]・650Ⅱ・991など)などがある。

〔2〕　債務者の立てた保証人が本条の定める条件を具備しない場合にも、保証人・債権者間の保証契約には影響がない。ただ、債務者・債権者間では、債務者の担保供与義務の不履行となり、債務者は期限の利益を失う(§137③)のみならず、債権者は、契約の解除をすることもできると解するべきである(§541[改注])。けだし、保証人の有無は、主たる契約を維持するべきかどうかを決するについて、重要な意義を有するからである。

〔3〕　制限行為能力者の保証契約は、取消されるおそれがあるからである(§§5・9・13・17)。もっとも、制限行為能力者も法定代理人によって、あるいは法定代理人または保佐人の同意を得て、取消すことのできない保証契約を結ぶこともできるのであるが、本条は、そもそも制限行為能力者は本条による資格を有しないものとしていると解される。

〔4〕　従前は、保証人の住所に関する要件を規定する第3号が存在していたが、1947年改正のさいに、現在の社会生活においては不要なものとして、削除された。

〔5〕　保証人が弁済の資力を失ったときは、債務者の担保供与義務の不履行になる(〔2〕)。第1号を挙げなかったのは、能力者が能力を失っても、保証債務の効力には影響がないからである。

〔6〕　債権者が制限行為能力者であるA、または無資力者であるBを指名したときは、これを保証人とすれば足りる。この場合には、債権者を保護する必要はないからである。ただし、制限行為能力者Aを指名した場合には、Aは、法定代理人によって、あるいは法定代理人、保佐人または補助人の同意をえて、取消すことのできない保証契約を結ぶべきであると解するのが妥当であろう。

（他の担保の供与）
第四百五十一条

　債務者は、前条第一項各号に掲げる要件を具備する保証人を立てることができないときは、他の担保[1]を供してこれに代えることができる。

［原条文］
　債務者カ前条ノ条件ヲ具備スル保証人ヲ立ツルコト能ハサルトキハ他ノ担保ヲ供シテ之ニ代フルコトヲ得

450条を受けた規定である。

〔1〕　たとえば、質または抵当である。この場合にも、質権または抵当権を設定するには、普通の場合と同様に、当事者間の契約を必要とすること、すなわち債権者の合意を必要とすることはいうまでもない(§450〔6〕参照)。

§§450〔2〕〜〔6〕・451・452・453

（催告の抗弁）
第四百五十二条
　　債権者が保証人に債務の履行を請求したときは、保証人は、まず主たる債務者に催告をすべき旨を請求することができる[1]。ただし、主たる債務者が破産手続開始の決定を受け[2]たとき、又はその行方が知れないときは、この限りでない[3]。

［原条文］
　　債権者カ保証人ニ債務ノ履行ヲ請求シタルトキハ保証人ハ先ツ主タル債務者ニ催告ヲ為スヘキ旨ヲ請求スルコトヲ得但主タル債務者カ破産ノ宣告ヲ受ケ又ハ其行方カ知レサルトキハ此限ニ在ラス

〈改正〉　2004年の改正により、「破産ノ宣告」が「破産手続開始ノ決定」と改められた。

　いわゆる「催告の抗弁権」に関する規定であり、その効果は、455条に定められている。連帯保証には、本条の適用はない（§454）。

　〔1〕　これは、もちろん、債権の存在を否認できるということではなく、債権者が主たる債務者に催告をするまで一時的に債務の履行を拒絶することができるということである。「保証債務の補充性」の現われである。保証人がこの抗弁権を行使したにもかかわらず、債権者が主たる債務者に対する催告を怠ると、一定の不利益な効果を受ける（§455）。しかし、債権者の催告は、裁判上の請求である必要はなく、裁判外の催告で足り、また、催告の効果があったことを要しない（大判大正5・11・4民録22輯2021頁）から、この抗弁権の実効性は乏しい。

　また、債権者が主たる債務者と保証人とに同時に請求した場合にも、保証人は、本条の抗弁権を有しないと解される（大判大正9・11・24民録26輯1871頁）。

　〔2〕　破産法30条以下。

　〔3〕　これらの場合には、主たる債務者に対してまず催告することを要求することは無意味であるから、保証人は、本条の抗弁権を有しないのである。

　もちろん、連帯保証人もこの抗弁権を有しない（§454）。

（検索の抗弁）
第四百五十三条
　　債権者が前条の規定に従い主たる債務者に催告をした後であっても、保証人が主たる債務者に弁済をする資力[2]があり、かつ、執行が容易であること[3]を証明したときは、債権者は、まず主たる債務者の財産について執行をしなければならない[1]。

［原条文］
　　債権者カ前条ノ規定ニ従ヒ主タル債務者ニ催告ヲ為シタル後ト雖モ保証人カ主タル債務者ニ弁済ノ資力アリテ且執行ノ容易ナルコトヲ証明シタルトキハ債権者ハ先ツ主タル債務者ノ財産ニ付キ執行ヲ為スコトヲ要ス

　いわゆる「検索の抗弁権」を規定する。その効果は、455条に定められている。な

917

第3編　第1章　総則　第3節　多数当事者の債権及び債務

お、連帯保証には、本条の適用はない（§454）。

〔1〕　保証人が〔2〕・〔3〕に述べる事実を証明した場合（これは、もちろん、単に証明の行為をしただけではなく、債権者に対してその証明をしたうえで本条に基づく検索の抗弁の意思表示をした場合を指す）には、債権者は、まず主たる債務者の財産に執行をするべく、それまでは、保証人に対して債務の履行を請求することはできないという趣旨である。この抗弁権を「検索の抗弁権」という。催告の抗弁権と同じく、「保証債務の補充性」の現われである。保証人がこの抗弁権を行使したにもかかわらず、債権者が執行を怠ると、一定の不利益な効果を受ける（§455）。この抗弁権は、催告の抗弁権に比べて、実効性が大きい。

〔2〕　「弁済をする資力があり」とは、債務を完済するに足りる資力があることを要するか、それとも、一部の弁済をする資力でも足りるか、は争われた問題である。保証債務の補充性からみて、相当な程度弁済する資力があれば足りると解するべきであろう。判例は、はじめ債務全額を弁済する資力があることを要するとしたが（大判明治39・12・15民録12輯1650頁）、後にこれを改めた（大判昭和8・6・13民集12巻1472頁）。

〔3〕　「執行が容易である」とは、結局、各場合について判断するほかはない。債務者の財産が有体動産、有価証券、金銭などであれば、一般に執行は容易とみられるが、それが遠隔の地にあれば、事情は異なるであろう。不動産や債権は、執行が容易でないのを常とするが（大判昭和5・4・23新聞3122号10頁、前掲大判昭和8・6・13）、債権者と近い住所にあるなどの場合に、容易といえる場合も全然ないわけではない（大判昭和10・7・10判決全集2輯1040頁）。

（連帯保証の場合の特則）
第四百五十四条
保証人は、主たる債務者と連帯して債務を負担したとき[1]**は、前二条の権利を有しない**[2]**。**

[原条文]

　保証人カ主タル債務者ト連帯シテ債務ヲ負担シタルトキハ前二条ニ定メタル権利ヲ有セス

〔1〕　保証人が主たる債務者と連帯して債務を負担する（これを「連帯保証」という。§458［改注］を参照）には、保証契約においてとくに連帯である旨を特約することを要する（改正前§432〔2〕参照）。もっとも、商法上は、保証は連帯保証であるのを原則とする（商§511Ⅱ）。

〔2〕　連帯保証人は、催告ならびに検索の抗弁権を有しないということである。いいかえれば、連帯保証は、普通の保証と異なって、補充性を有しないということである。債権者に対する関係では、連帯保証人も主たる債務者と並んで、いわば連帯債務者と同様の地位に立つことになる。しかし、連帯保証も保証であることに変りないから、主たる債務に対する付従性を有する点では、連帯債務とは異なる（改正前§457〔1〕・改正前§458〔2〕（ア）参照）。

918

§§453〔1〕〜〔3〕・454・455・456〔1〕〔2〕

（催告の抗弁及び検索の抗弁の効果）
第四百五十五条
　　　第四百五十二条又は第四百五十三条の規定により保証人の請求又は証明があ
　　ったにもかかわらず、債権者が催告又は執行をすることを怠った[1]ために主た
　　る債務者から全部の弁済を得られなかったときは、保証人は、債権者が直ち
　　に[2]催告又は執行をすれば弁済を得ることができた限度において、その義務を
　　免れる[3]。
　[原条文]
　　　第四百五十二条及ヒ第四百五十三条ノ規定ニ依リ保証人ノ請求アリタルニ拘ハラス債権
　　者カ催告又ハ執行ヲ為スコトヲ怠リ其後主タル債務者ヨリ全部ノ弁済ヲ得サルトキハ保証
　　人ハ債権者カ直チニ催告又ハ執行ヲ為セハ弁済ヲ得ヘカリシ限度ニ於テ其義務ヲ免ル

　〔1〕「怠った」とは、債務者が催告または検索の抗弁の意思表示（原条文はこれを
「請求」と呼んだ）をしたのにかかわらず、催告または執行をしないで、時日を経過する
ことである。一度執行しさえすれば、その後債務者の資産状態がよくなっても、重ね
て執行する必要はない。
　〔2〕「直ちに」とは、抗弁権の行使があった場合には遅滞なく、という意味であ
る。債務の履行期が来たら直ちに、という意味ではない。したがって、債権者が主た
る債務の履行期がきたのに請求を怠っていても、それだけでは、保証人の責任にはな
んらの消長もないのである。ただし、460条2号参照。
　〔3〕本条の事由が存することの立証責任は、保証人が負うことはいうまでもない。

（数人の保証人がある場合）
第四百五十六条
　　　数人の保証人がある場合[1]には、それらの保証人が各別の行為により債務を
　　負担したときであっても、第四百二十七条の規定を適用する[2]。
　[原条文]
　　　数人ノ保証人アル場合ニ於テハ其保証人カ各別ノ行為ヲ以テ債務ヲ負担シタルトキト雖
　　モ第四百二十七条ノ規定ヲ適用ス

　〔1〕債権者との間で、数人が1個の契約で同時に保証人となることもあり、また、
債権者と順次に別々の契約で保証人となることもある。両者を含めてこれを「共同保
証」といい、その数人を共同保証人という。
　〔2〕Aに対するBの300万円の債務につき、C・Dが保証人となれば、C・Dは、
各自150万円ずつ保証債務を負担する。その後、Eがさらに保証人として追加的に加
わると、C・D・E各自100万円ずつの負担となる（大判大正7・2・5民録24輯136頁）。
これを共同保証人の「分別の利益」という。
　(ア)　ただし、三つの例外がある。
　　(a)主たる債務が不可分のとき（§465Ⅰ参照）
　　(b)共同保証人が相互に連帯の特約をして、分別の利益を放棄したとき（これを「保

919

第3編　第1章　総則　第3節　多数当事者の債権及び債務

証連帯」という。「連帯共同保証」といってもよい。連帯保証との違いに注意を要する。(イ)参照)。

(c)数人の保証人が連帯保証人であるとき、すなわちＣがＢのＡに対する債務につき連帯保証人となり、Ｄが同じ債務につきＢの連帯保証人となった場合(これを「共同連帯保証」ということができる)には、ＣとＤとの間に互いに直接に連帯の関係はないが、なおＣ・ＤともＡに対しては全額の弁済義務があり、したがって分別の利益を有しないと解される(大判大正6・4・28民録23輯812頁、大判大正8・11・13民録25輯2005頁、§465(3)参照)。

(イ)　保証連帯(連帯共同保証)と連帯保証(連帯保証人が数人いる場合の共同連帯保証)との違いは、債権者に対する関係においては、とくにはなく、全員が全部の弁済義務を負う。共同保証人の一人について生じた事由が他の者に影響を及ぼすかの問題において、両者の間に違いを生じる。すなわち、保証連帯の場合には、改正前434条〜438条が準用されると解されるのに対して、保証連帯関係のない共同連帯保証の場合には、その準用はないと解される(最判昭和43・11・15民集22巻2649頁は、一人に対する免除が他に影響しないとした例である)。数人の連帯保証人の間で保証連帯の特約がある場合には、もちろん、改正前434条〜438条が準用される(大判昭和15・9・21民集19巻1701頁)。

(ウ)　共同保証は、なお求償権の点で特異性を示す。これについては、465条参照。

（主たる債務者について生じた事由の効力）
第四百五十七条

　　1　主たる債務者に対する履行の請求その他の事由による時効の完成猶予及び更新[1]は、保証人に対しても、その効力を生ずる。

　　2　保証人は、主たる債務者が主張することができる抗弁[2]をもって債権者に対抗することができる。

　　3　主たる債務者が債権者に対して相殺権、取消権又は解除権を有するときは、これらの権利の行使によって主たる債務者がその債務を免れるべき限度において、保証人は、債権者に対して債務の履行を拒むことができる[3]。

〈改正〉　2017年に改正された。1項中「中断」を「完成猶予及び更新」に改め、2項中「の債権による相殺」を「が主張することができる抗弁」に改め、3項を加えた。

[改正の趣旨]　[1]　新法で用いられる用語に従った整理である。

[2]　債権者に対する対抗事由が、相殺以外の「抗弁」に拡大された。その趣旨については、解説(4)参照。なお、446条の解説の(1)(ウ)(e)と同所で引用している最判昭和40・9・21も参照。

[3]　通説の明文化である。解説(4)を参照。ただし、(4)の大判昭和20・5・21は、履行拒絶の限度で変更された。

[改正前条文]

　　1　主たる債務者[2]に対する履行の請求その他の事由による時効の中断は、保証人[3]に対しても、その効力を生ずる[1]。

　　2　保証人は、主たる債務者の債権による相殺をもって債権者に対抗することができる[4]。

[原条文]

　　主タル債務者ニ対スル履行ノ請求其他時効ノ中断ハ保証人ニ対シテモ其効力ヲ生ス

§457

■ 保証人ハ主タル債務者ノ債権ニ依リ相殺ヲ以テ債権者ニ対抗スルコトヲ得

[改正前条文の解説]

〔1〕 主たる債務について生じた事由は、原則として、保証人に対してもその効力を及ぼすのであるが(保証債務の付従性による。改正前§446〔1〕(ウ)(b)・(c)参照)、本項は、とくに時効の中断に関してこのことを規定している。しかし、同時にこの規定により、主たる債務者に対する時効の中断(更新。以下同じ)は、履行の請求によるものだけでなく、その他の事由によるもの(たとえば、主たる債務者の承認)もその効力を生じるとされていることに注意すべきである(大判大正9・10・23民録26輯1582頁。改正前§434〔2〕参照)。主たる債務が時効にかからない間は、保証債務もまた時効にかかることがないとするのが、保証契約の当事者の意思に適し、かつ債権者の利益であると考えた結果である。このことは、連帯保証人についても同様である(〔3〕参照)。

〔2〕 主たる債務者に対する時効の中断は、保証人に対してその効力を及ぼすが、保証人に対する時効の中断は、主たる債務者にその効力を及ぼさないことはいうまでもない(大判昭和5・9・17新聞3184号9頁)。しかし、連帯保証人に対する請求は、主たる債務者に効力を及ぼす(改正前§458〔2〕(イ)(a)参照。大判昭和2・3・17新聞3968号17頁)ことを注意すべきである。

〔3〕 ここに「保証人」とは、連帯保証人をも包含する。すなわち、主たる債務者に対する請求以外の時効中断(たとえば、主たる債務者の承認)の効力が連帯保証人にも及ぶ点で、改正前434条よりもその効果が広いのである(大判昭和7・2・16民集11巻125頁)。

〔4〕 保証人は、保証債務の付従性により、とくに規定がなくても、一般的に主たる債務者が有する抗弁権を援用することができると解される(改正前§446〔1〕(ウ)(e)参照)。本項は、その趣旨に関する唯一の規定である。しかし、相殺は、反対債権を処分することになるので、本条による保証人の相殺権を、保証債務の付従性から生じる当然の結果ということはできない。したがって、本項は、相殺によって消滅する限度で単に弁済を拒絶する抗弁権を認めたものと解するのが妥当であろう(連帯債務に関する§436〔4〕参照)。

本項に関連しては、保証人が主たる債務者の有する取消権を行使できるかが問題となる。ドイツ民法は、主たる債務者が取消権を有する間は、保証人は、履行を拒絶することができると定めている(同法§770Ⅰ)。商法は、合名会社の社員の責任について類似の規定をおいている(商旧§81Ⅱ→会社§581Ⅱ)。しかし、民法には規定がないばかりでなく、保証人は120条の取消権者の中に含まれていないから(改正前§120〔6〕参照)、保証人は主たる債務者の取消権についてなんらの権利がないというのが従来の通説であり、判例もまたこの見解をとる(大判昭和20・5・21民集24巻9頁)。ただし、近時、保証人に取消権または履行拒絶権を認めるべきであるとする説が有力になりつつある(いわゆる付従性に関する。改正前§446〔1〕(ウ)(f)、新§457Ⅲ参照)。主たる債務者が有する解除権についても、同様の問題がある。

第3編　第1章　総則　第3節　多数当事者の債権及び債務

（連帯保証人について生じた事由の効力）
第四百五十八条
　　第四百三十八条、第四百三十九条第一項、第四百四十条及び第四百四十一条の規定は、主たる債務者と連帯して債務を負担する保証人について生じた事由[2]について準用する[1]。

〈改正〉　2017 年に改正された。

[改正の趣旨]　[1]　新法では、連帯債務についても絶対的効力の規制を縮小することにしている。連帯保証人について生じた事由についても、連帯債務の規定の変更に伴い、更改（438 条）、相殺（439 条1 項）、混同（440 条）についての絶対的効力の規定と、相対的効力の原則を定める 441 条を準用することとした。

　　[2]　保証人には自己の負担部分が存しないので、免除・時効についての相対的効力への変更については、影響はない。重要な改正点としては、請求が絶対的効力から相対的効力に改められた点である。従来は連帯保証人に対する請求がなされた場合には、主たる債務につき時効が中断（完成猶予）していたが、相対的効力に変更される結果、連帯保証人に対する請求は主たる債務者の消滅時効期間の進行には影響を及ぼさないことになる。なお、主たる債務者について生じた事由の効力についての改正前 457 条1 項は、内容的には改正の対象とされていない。従って、主たる債務者に対する履行の請求その他の事由による時効の完成猶予は保証人に対してもその効力を生ずるが、付従性が保証人に不利に機能する場面であり、保証人にとっては酷な面があるとの指摘もある。

[改正前条文]
　　第四百三十四条から第四百四十条までの規定は、主たる債務者が保証人と連帯して債務を負担する場合[1]について準用する[2]。

[原条文]
　　主タル債務者カ保証人ト連帯シテ債務ヲ負担スル場合ニ於テハ第四百三十四条乃至第四百四十条ノ規定ヲ適用ス

[改正前条文の解説]
〔1〕　これは、結局、連帯保証人のことである。ここに「主たる債務者が保証人と連帯して」という表現を用いているのは、主たる債務者について生じた事由の効力は原則として保証人に及ぶが、連帯保証の場合には、保証人について生じた事由の効力が主たる債務者に及ぶことにもなることを念頭においたためと思われる。通常は、「保証人が主たる債務者と連帯して」債務を負担するというふうに理解されている。こうして、連帯保証は、債権者に対する関係では、連帯債務と同一の法律関係ではあるが、やはり保証債務の一種であるということから、普通の連帯債務とは異なる性格を持つことが注意されなければならない。

〔2〕　〔1〕に述べたところにより――

　㋐　主たる債務者について生じた事由については、保証債務の付従性により、すべてその効力を連帯保証人に及ぼすと解するべきである（大判昭和 13・2・4 民集 17 巻 87 頁）。したがって、改正前 434 条から 440 条までの準用はない。たとえば、主たる債務者の承認によって生じる時効中断（更新。以下同じ）の効力は、連帯保証人に及ぶ（§ 457〔1〕・改正前§434〔2〕参照。大判昭和 11・3・17 新聞 3968 号 17 頁）。主たる債務者に対する債権譲渡の通知の効力も、連帯保証人に及ぶが、逆はそうではない（大判昭和 9・3・

29 民集 13 巻 328 頁。なお、改正前 §440〔2〕参照）。

(イ) 連帯保証人について生じた事由については、本条により、連帯債務の規定を準用して、一定の範囲においてその効力を主たる債務者に及ぼすものと解さなければならない。しかし、本条による準用の効果は、必ずしも大きくない。すなわち、

(a) 連帯保証人に対する請求は、主たる債務者にその効力を及ぼす（§434〔削除〕の準用）。準用の効果のうちで最も注目するべきものである（大判昭和 3・2・15 新聞 2847 号 10 頁。連帯債務者に対する破産債権の届け出も、この請求に当たるとしたものに、大判昭和 14・9・9 新聞 4468 号 11 頁。ただし、連帯保証人に対する競売の申立ては請求にはならないとしたものに、大判昭和 14・8・30 新聞 4465 号 7 頁がある）。

(b) 連帯保証人と債権者との間で混同が生じると、弁済したものとみなされる（改正前 §438 の準用）。

この 2 か条以外では、準用の実益がない。第 1 に、連帯保証人には負担部分がないから、負担部分を前提とする規定（改正前 §§436 II・改正前 437・改正前 439）は準用の余地がない。第 2 に、債権が保証人の更改・相殺などによって満足させられれば、主たる債務も消滅すること（改正前 §§435・436 I）は保証債務の性質上も当然であり、とくに連帯保証に限ったことではない。最後に、その他の事由は主たる債務に効力を及ぼさないこと（§440〔改注〕）も、保証債務の性質上当然である。したがって、連帯保証債務について、時効中断（履行の請求による場合は除く）や時効利益の放棄がされても主たる債務の消滅時効には影響せず、みずから保証債務についてそれらの行為をした連帯保証人も主たる債務の消滅時効を援用できる（改正前 §446〔1〕(ウ)(e)。大判昭和 7・6・21 民集 11 巻 1186 頁）。

(ウ) 主たる債務と連帯保証債務の関係が問題になった事例に、つぎのものがある。すなわち、複数の債務者の債務を担保する根抵当権については、各債務者の債務額により案分で配当が決められるべきものとされるが（§398 の 2〔2〕(イ)(a)参照。いわゆる共用根抵当である）、主債務者とその連帯保証人がその複数の債務者である場合に、それぞれの債務の全額が案分計算の基礎とされるべきものとされた（最判平成 9・1・20 民集 51 巻 1 頁）。付従性の観点からは、いちじるしく疑問である。

なお、連帯保証については、454 条も参照。

（主たる債務の履行状況に関する情報の提供義務）
第四百五十八条の二
　　保証人が主たる債務者の委託を受けて保証をした場合において、保証人の請求があったときは、債権者は、保証人に対し、遅滞なく、主たる債務の元本及び主たる債務に関する利息、違約金、損害賠償その他その債務に従たる全てのものについての不履行の有無並びにこれらの残額及びそのうち弁済期が到来しているものの額に関する情報を提供しなければならない[1]。

〈改正〉 2017 年に新設された。

[本条の趣旨] [1] 主債務者が主債務について債務不履行に陥ったが、保証人が長期間にわたってその事情を知らず、保証人が請求を受ける時点では遅延損害金により多額の履行を

第3編　第1章　総則　第3節　多数当事者の債権及び債務

求められるという酷な事態が発生する場合があることが従来から指摘されていた。また、債権者の側からも、金融機関が守秘義務を負うことを考慮すると、保証人からの照会に対して回答することが許されるかどうか判断に迷う場合があるとの指摘もなされていた。これが、新法が本条を設けた理由である。ここでは、債務不履行の有無や主債務の額などは主債務者の信用などに関する情報であるから、主債務者の委託を受けていない者に情報を提供するのは相当でないとして、規律の対象は委託を受けた保証人に限定された。

（主たる債務者が期限の利益を喪失した場合における情報の提供義務）
第四百五十八条の三

1　主たる債務者が期限の利益を有する場合において、その利益を喪失したときは、債権者は、保証人に対し、その利益の喪失を知った時から二箇月以内に、その旨を通知しなければならない[1]。

2　前項の期間内に同項の通知をしなかったときは、債権者は、保証人に対し、主たる債務者が期限の利益を喪失した時から同項の通知を現にするまでに生じた遅延損害金（期限の利益を喪失しなかったとしても生ずべきものを除く。）に係る保証債務の履行を請求することができない[2]。

3　前二項の規定は、保証人が法人である場合には、適用しない[3]。

〈改正〉　2017年に新設された。

［本条の趣旨］　**［1］**　保証人は主債務者の履行状況について常に情報を把握しているわけではないので、主債務者の期限の利益が失われていても、そのことが通知されず、保証人が請求された時点では「利率」よりも高い割合で計算された遅延損害金が発生しているという事態も生じうる。これは保証人にとって酷である。新法では、債権者に通知義務を課した。

　　［2］　主債務者が期限の利益を失ったことを債権者が2か月以内に保証人に通知しなかった場合には、通知の懈怠に対する制裁として、主債務者が期限の利益を失った時から通知の時までに生じた遅延損害金を請求することができないこととした。

　　［3］　個人保証人の保護規定であることを明確にした。

保証人の求償権 [§§459〜465の前注]

〈改正〉　委託を受けた保証人の求償権に関する459条、委託を受けた保証人の事前の求償権に関する460条、主たる債務者が保証人に対して償還する場合に関する461条、委託を受けない保証人の求償権に関する462条、通知を怠った保証人の求償権の制限等に関する463条が改正され、委託を受けた保証人が弁済期前に弁済等をした場合の求償権に関する459条の2が新設された。

民法は、459条［改注］以下に、保証人の主たる債務者に対する「求償権」について定めている（求償権については、改正前§442前注も参照）。すなわち、保証人が主たる債務者の委託を受けて保証をした場合（§§459〜461［改注］）と、そうでない場合（§462［改注］）とを区別して、規定している。前者の場合の保証人（これを「受託保証人」とい

§458の3・保証人の求償権［前注］・§459

う）の弁済は、委任事務の処理に該当し、その求償は、事務処理に必要な費用の償還請求に当たる（§§649・650参照）。これに反して、後者の場合には、事務管理であって、その求償は、事務管理者の費用の償還請求に当たる（§702）。

民法の求償に関する規定は、大体以上の理論によっているが、ただ、受任者は費用の前払を請求できる（§649）のに反して、保証人には、一定の制限のもとでだけ認めている（改正前§460〔1〕参照）。

民法は、さらに、求償権行使の要件としての通知（§463［改注］）、および特別な態様の保証における求償権について規定している（§§464・465）。

なお、保証においては、主たる債務と保証債務との間には付従性の関係があり、したがって保証人の主たる債務者に対する求償のみが認められ、主たる債務者の保証人に対する求償が認められないのは、当然のことである（最判昭和46・3・16民集25巻173頁は、債権者に対しては主たる債務者だが、内部関係では実質上連帯保証人の一人にすぎないとされた事例であるが、ごく変則的なことといわなければならない。連帯保証人の主債務者に対する求償権を負担部分──特約なければ半分──に限った）。

（委託を受けた保証人の求償権）
第四百五十九条
　1　保証人が主たる債務者の委託を受けて保証をした場合において、主たる債務者に代わって弁済その他自己の財産をもって債務を消滅させる行為（以下「債務の消滅行為」という。）をしたときは、その保証人は、主たる債務者に対し、そのために支出した財産の額（その財産の額がその債務の消滅行為によって消滅した主たる債務の額を超える場合にあっては、その消滅した額）の求償権を有する[1]。
　2　第四百四十二条第二項の規定は、前項の場合について準用する[5]。

〈改正〉　2017年に改正された。1項中「過失なく債権者に弁済をすべき旨の裁判の言渡しを受け、又は」および「をし、」を削り、「消滅させるべき行為」を「消滅させる行為（以下「債務の消滅行為」という。）」に、「対して」を「対し、そのために支出した財産の額（その財産の額がその債務の消滅行為によって消滅した主たる債務の額を超える場合にあっては、その消滅した額）の」に改め、本条の次に、関連する1条を加えた。（改正前459条前段については、新460条3項参照）。改正前1項前段の「過失なく債権者に弁済をすべき旨の裁判の言渡しを受け」たときの「事前」求償権については、本条から、事前求償権に関して定める460条に移した。

［改正の趣旨］　[1]　新法では、原則として支出した財産の額全額を求償できるとしつつ（求償要件の緩和）、それが消滅した主たる債務の額を上回る場合には、主たる債務の額を限度とする旨の規定を設けた。改正前の2項は維持される。

［改正前条文］
　1　保証人が主たる債務者の委託を受けて保証をした場合において、過失なく債権者に弁済をすべき旨の裁判の言渡しを受け[1]、又は主たる債務者に代わって弁済をし、その他自己の財産をもって債務を消滅させるべき行為[2]をしたとき[3]は、その保証人は、主たる債務者に対して求償権を有する[4]。
　2　同上

第3編　第1章　総則　第3節　多数当事者の債権及び債務

[原条文]

　保証人カ主タル債務者ノ委託ヲ受ケテ保証ヲ為シタル場合ニ於テ過失ナクシテ債権者ニ弁済スヘキ裁判言渡ヲ受ケ又ハ主タル債務者ニ代ハリテ弁済ヲ為シ其他自己ノ出捐ヲ以テ債務ヲ消滅セシムヘキ行為ヲ為シタルトキハ其保証人ハ主タル債務者ニ対シテ求償権ヲ有ス

　第四百四十二条第二項ノ規定ハ前項ノ場合ニ之ヲ準用ス

[改正前条文の解説]

〔1〕　この場合には、弁済前に求償することができるわけである（§460［改注］参照）。

〔2〕　改正前442条〔1〕参照。

〔3〕　ここでは、一部の弁済をすれば、その額について求償をすることができることは疑いない（連帯債務の場合については、改正前§442〔3〕参照）。なお、このような行為をする前にあらかじめ求償権を行うことができる場合につき、460条［改注］参照。

〔4〕　保証人の弁済は、債権者に対する関係において、他人の債務の弁済である実質を有するから、その求償権の範囲において、当然に債権者に代位できる（改正前§500）。

〔5〕　保証人の求償権の範囲は、連帯債務者のそれと同一である。ただし、保証人には、負担部分がないから、つねに債務消滅の効果を生じた出捐の全額を基礎として求償権の範囲を定めるべきことは、いうまでもない。

（委託を受けた保証人が弁済期前に弁済等をした場合の求償権）
第四百五十九条の二

　1　保証人が主たる債務者の委託を受けて保証をした場合において、主たる債務の弁済期前に債務の消滅行為をしたときは、その保証人は、主たる債務者に対し、主たる債務者がその当時利益を受けた限度において求償権を有する[1]。この場合において、主たる債務者が債務の消滅行為の日以前に相殺の原因を有していたことを主張するときは、保証人は、債権者に対し、その相殺によって消滅すべきであった債務の履行を請求することができる[2]。

　2　前項の規定による求償は、主たる債務の弁済期以後の法定利息及びその弁済期以後に債務の消滅行為をしたとしても避けることができなかった費用その他の損害の賠償を包含する[3]。

　3　第一項の求償権は、主たる債務の弁済期以後でなければ、これを行使することができない[4]。

〈改正〉　2017年に新設された。

[本条の趣旨]　[1]　保証人は義務的にではなく期限前に弁済を行う場合がある。これにより主たる債務者が不利益になることは妥当ではないので、本条が設けられた。保証人による期限の利益の放棄に当たらない場合には、新463条1項前段の問題として処理すべきであるとの見解がある。

　[2]　主たる債務者が債権者に対し相殺を対抗しうる場合についても規定を設けた。これは、主たる債務者の意思に反して保証をした者の求償と相殺についての改正前462条2項の規制と整合性を図ったものである。

926

§§459〔1〕～〔5〕・459の2・460〔1〕

〔3〕 求償の内容に関する規定である。

〔4〕 弁済期前の弁済であるため、必要となる規定である。大判大正3・6・15民録20輯476頁の法理を明文化したものである。

（委託を受けた保証人の事前の求償権）

第四百六十条

保証人は、主たる債務者の委託を受けて保証をした場合[1]において、次に掲げるときは、主たる債務者に対して、あらかじめ、求償権を行使することができる。

一 主たる債務者が破産手続開始の決定[2]を受け、かつ、債権者がその破産財団の配当に加入しないとき[3]。

二 債務が弁済期にあるとき[4]。ただし、保証契約の後に債権者が主たる債務者に許与した期限は、保証人に対抗することができない[5]。

三 保証人が過失なく債権者に弁済をすべき旨の裁判の言渡しを受けたとき[1]。

〈改正〉 2017年に改正された。

[改正の趣旨]〔1〕 改正前の本条3号については、実務上ほとんど利用されていないとの指摘がなされており、いかなる事前求償権を行使できるのかも不明確との批判があった。本書で掲げている例も、現実性がないものであった（解説〔6〕参照）。新法では同3号を削除した。その上で、改正前459条1項中の「過失なく債権者に弁済をすべき旨の裁判の言渡しを受け」たときの求償権は、事前求償権に関する規定であるから、新法では、改正前459条1項から本条に移した。

[改正前条文]

本文、一号、二号 同上

三 債務の弁済期が不確定で、かつ、その最長期をも確定することができない場合[6]において、保証契約の後十年を経過したとき。

[原条文]

保証人カ主タル債務者ノ委託ヲ受ケテ保証ヲ為シタルトキハ其保証人ハ左ノ場合ニ於テ主タル債務者ニ対シテ予メ求償権ヲ行フコトヲ得

一 主タル債務者カ破産ノ宣告ヲ受ケ且債権者カ其財団ノ配当ニ加入セサルトキ

二 債務カ弁済期ニ在ルトキ但保証契約ノ後債権者カ主タル債務者ニ許与シタル期限ハ之ヲ以テ保証人ニ対抗スルコトヲ得ス

三 債務ノ弁済期カ不確定ニシテ且其最長期ヲモ確定スルコト能ハサル場合ニ於テ保証契約ノ後十年ヲ経過シタルトキ

〈改正〉 2004年の改正により、「破産ノ宣告」が「破産手続開始ノ決定」に改められた。

[改正前条文の解説]

〔1〕 これは、一種の委任契約であるが、保証人は、つねに必ず主たる債務者に代って免責行為をするとは限らないから、受任者の費用の前払請求権に関する649条によることは適当でないので、本条所定の要件をみたした場合にだけ、あらかじめ求償権を行うことを認め、461条〔改注〕も含めた仕組みによって、保証人の求償権を保護することとしたのである。これを受託保証人の「事前求償権」という。

この事前求償権は、このようにかなり特殊な性質を有するので、その適用には注意

927

第3編　第1章　総則　第3節　多数当事者の債権及び債務

を要する。たとえば、つぎのような判例がある。(a)事前求償権が認められる場合でも、その後に弁済により求償権を取得したときは、その求償権の時効は弁済したときから進行する(最判昭和60・2・12民集39巻89頁)。なお、事前求償権を被保全債権とする仮差押えは、事後求償権の消滅時効をも中断する効力を有する(最判平成27・2・17民集69巻1頁)。(b)求償権を担保する根抵当権者は、この事前求償権に基づいても優先弁済を主張することができる(最判昭和34・6・25民集13巻810頁)。(c)委託を受けた物上保証人に本条の事前求償権の規定を類推適用することはできないとされるが、疑問である(最判平成2・12・18民集44巻1686頁。§649によることになるのであろうか)。

〔2〕　破産法30条以下参照。

〔3〕　債権者が破産債権者として届け出て、破産財団から配当を受けるためにその権利を行使(破§§111〜)しない場合である。なお、求償権者の破産手続参加については、破産法104条2項・3項に規定がある。

〔4〕　求償権を担保する根抵当権が設定されている場合に、主たる債務の弁済期が到来すれば、免責行為がまだなくても、求償権について根抵当権による優先弁済が受けられることになる(前掲最判昭和34・6・25)。

〔5〕　たとえば、2008年8月31日を弁済期とする債務を保証した場合に、債権者が主たる債務者に対して6か月の期限の猶予を与えたとしても、保証人は、なお2008年9月には、弁済期にあるものとしてあらかじめ求償権を行使することができる。保証人は、弁済期における主たる債務者の資力を考慮して保証人となるのを常とするから、債権者の一方的な意思によって保証人の求償の時期を変更、延期できるものとするべきではないというのが、立法の理由である。なお、この場合に、債権者は、保証人に対しても猶予した期間内は弁済を請求できないことは、保証債務の付従性から、当然である。

〔6〕　たとえば、無期限の年金を保証するなどである。

（主たる債務者が保証人に対して償還をする場合）
第四百六十一条
1　前条の規定により主たる債務者が保証人に対して償還をする場合[1]において、債権者が全部の弁済を受けない間は、主たる債務者は、保証人に担保を供させ[2]、又は保証人に対して自己に免責を得させることを請求することができる[3]。
2　前項に規定する場合において、主たる債務者は、供託をし[4]、担保を供し[5]、又は保証人に免責を得させて[6]、その償還の義務を免れることができる。

〈改正〉　2017年に改正された。1項中「前二条」を「前条」に改めた。
[改正の趣旨]　事前求償権を前提とした規定だからである。
[改正前条文]
1　前二条規定により、……（以下、同上）
[原条文]
前二条ノ規定ニ依リ主タル債務者カ保証人ニ対シテ賠償ヲ為ス場合ニ於テ債権者カ全部ノ弁済ヲ受ケサル間ハ主タル債務者ハ保証人ヲシテ担保ヲ供セシメ又ハ之ニ対シテ自己ニ

§§460〔2〕～〔6〕・461・462

免責ヲ得セシムヘキ旨ヲ請求スルコトヲ得
　右ノ場合ニ於テ主タル債務者ハ供託ヲ為シ、担保ヲ供シ又ハ保証人ニ免責ヲ得セシメテ
其賠償ノ義務ヲ免ルルコトヲ得

〔1〕　459条［改注］、460条［改注］の規定によって保証人から求償の請求をうけて、
これに弁償するさいに、または弁償した後に、という意味である。
〔2〕　保証人があらかじめ弁償として得たものを弁済に使用することを担保するた
めに、適当な担保を供することを請求することができるのである。
〔3〕　債権者に対する主たる債務者の責任の免責という意味だから、当然の規定で
ある。主たる債務者は、保証人が求償を得ておきながら弁済しない場合には、これに
対して債務不履行に基づく損害賠償を請求することができる。
〔4〕　494条～498条［改注］参照。保証人に弁償するべき金額を現実に支払わない
で、保証人が主たる債務者に免責を得させることを条件として支払うという趣旨で供
託するのである。
〔5〕　質権または抵当権を設定し、保証人をたてるなどである。
〔6〕　たとえば、みずから弁済し、または債権者に保証債務を免除させるなどであ
る。

（委託を受けない保証人の求償権）
第四百六十二条
　1　第四百五十九条の二第一項の規定は、主たる債務者の委託を受けないで保
　　証をした者が債務の消滅行為をした場合について準用する[1]。
　2　主たる債務者の意思に反して保証をした者は、主たる債務者が現に利益を
　　受けている限度においてのみ求償権を有する[3]。この場合において、主たる
　　債務者が求償の日以前に相殺の原因を有していたことを主張するときは、保
　　証人は、債権者に対し、その相殺によって消滅すべきであった債務の履行を
　　請求することができる[4]。
　3　第四百五十九条の二第三項の規定は、前二項に規定する保証人が主たる債
　　務の弁済期前に債務の消滅行為をした場合における求償権の行使について準
　　用する[2]。
〈改正〉　2017年に改正された。1項の変更と合わせて、3項を追加した。
[改正の趣旨]　[1]　委託を受けた保証人の場合との整合性を図った。
　[2]　委託を受けた保証人の場合との整合性を図った。
[改正前条文]
　1　主たる債務者の委託を受けないで保証をした者が弁済をし、その他自己の財産をもっ
　　て主たる債務者にその債務を免れさせたとき[1]は、主たる債務者は、その当時利益を受
　　けた限度において償還をしなければならない[2]。
　2　同上
[原条文]
　　主タル債務者ノ委託ヲ受ケスシテ保証ヲ為シタル者カ債務ヲ弁済シ其他自己ノ出捐ヲ以
テ主タル債務者ニ其債務ヲ免レシメタルトキハ主タル債務者ハ其当時利益ヲ受ケタル限度

929

第3編　第1章　総則　第3節　多数当事者の債権及び債務

ニ於テ賠償ヲ為スコトヲ要ス
　　主タル債務者ノ意思ニ反シテ保証ヲ為シタル者ハ主タル債務者カ現ニ利益ヲ受クル限度
　ニ於テノミ求償権ヲ有ス但主タル債務者カ求償ノ日以前ニ相殺ノ原因ヲ有セシコトヲ主張
　スルトキハ保証人ハ債権者ニ対シ其相殺ニ因リテ消滅スヘカリシ債務ノ履行ヲ請求スルコ
　トヲ得

［改正前条文の解説］

〔1〕　改正前442条〔1〕参照。

〔2〕　この範囲は、本人の意思に反しない事務管理者の費用償還請求権の範囲と同一である（改正前§459前注参照。なお、§702〔2〕参照）。この範囲を定めるについて、標準となる時期は免責の時である。

〔3〕　この範囲は、本人の意思に反する事務管理者の費用償還請求権の範囲と同一である（§702〔6〕参照）。この範囲を定めるについて、標準となる時期は求償の時である。したがって、免責を得た後、求償の時までに主たる債務者が債権者に対して相殺に供することができる債権を取得したときは、保証人の求償権は、債務者によってその債権の対抗を受けるのである。その効果については、本項後段が規定している（〔4〕参照）。

〔4〕　たとえば、50万円の債務の保証人が4月1日に弁済し、6月1日に求償をしたとして、主たる債務者が5月中に債権者に対して70万円の反対債権を取得し、これをもって保証人の50万円の求償に対抗した場合（§505［改注］参照）、保証人の求償権は消滅し、主たる債務者の債権者に対する70万円の反対債権のうち50万円は当然に保証人に移るのである。

なお、無委託保証人が主たる債務者の破産手続開始前に締結した保証契約に基づき同手続開始後に弁済をした場合において、同保証人が主たる債務者である破産者に対して取得する求償権は、破産債権であると解されるので、これを自働債権とし、主たる債務者である破産者が保証人に対して有する債権を受働債権としてなされる相殺は、破産法72条1項1号の類推適用により許されないとした判例がある（最判平成24・5・28民集66巻3123頁）。

（通知を怠った保証人の求償の制限等）
第四百六十三条

1　保証人が主たる債務者の委託を受けて保証をした場合において、主たる債務者にあらかじめ通知しないで債務の消滅行為をしたときは、主たる債務者は、債権者に対抗することができた事由をもってその保証人に対抗することができる[1]。この場合において、相殺をもってその保証人に対抗したときは、その保証人は、債権者に対し、相殺によって消滅すべきであった債務の履行を請求することができる[1]。

2　保証人が主たる債務者の委託を受けて保証をした場合において、主たる債務者が債務の消滅行為をしたことを保証人に通知することを怠ったため、そ

§§462〔1〕~〔4〕・463〔1〕〔2〕

の保証人が善意で債務の消滅行為をしたときは、その保証人は、その債務の
消滅行為を有効であったものとみなすことができる[2]。

3　保証人が債務の消滅行為をした後に主たる債務者が債務の消滅行為をした
場合においては、保証人が主たる債務者の意思に反して保証をしたときのほ
か、保証人が債務の消滅行為をしたことを主たる債務者に通知することを怠
ったため、主たる債務者が善意で債務の消滅行為をしたときも、主たる債務
者は、その債務の消滅行為を有効であったものとみなすことができる[3]。

〈改正〉　2017 年に改正された。

[改正の趣旨]　[1]　改正前 463 条 1 項は同 443 条を準用している。しかし、委託を受けな
い保証人の求償権は、同 462 条により、それぞれ「その当時利益を受けた限度」(意思に反し
ない場合)または、「現に利益を受けている限度」(意思に反する場合)に制限されているか
ら、事前の通知義務の懈怠による制限について改めて 443 条を準用する意味はないと解され
ていた。本条の解説(2)参照。そこで、新法では、事前の通知義務については委託を受けた保
証人に限定して、改正前 443 条 1 項と同様の規定を設けた。

[2]　事後の通知義務についても、先に弁済をした主たる債務者が事後の通知をする前に、
後に善意で弁済等をした保証人が事後の通知をした場合には、保証人は、自己の弁済等を有
効とみなすことができるものとした。

改正前 463 条 2 項は、委託を受けた保証人が存する場合の主たる債務者の事後の通知義務
について同 443 条 2 項を準用しているが、この規制は新条文でも実質的に維持されている
(同条新 2 項)。

[3]　主たる債務者の委託を受けないが、その意思に反しないで保証をした保証人の事後
の通知に関する規定である。なお、主たる債務者の意思に反して保証をした保証人について
は、意味がなくなったので事後の通知義務は廃止された。

[改正前条文]

(通知を怠った保証人の求償の制限)

1　第四百四十三条の規定は、保証人について準用する[1]。

2　保証人が主たる債務者の委託を受けて保証をした場合において、善意で弁済をし、そ
の他自己の財産をもって債務を消滅させるべき行為をしたときは、第四百四十三条の規
定は、主たる債務者についても準用する[2]。

[原条文]

第四百四十三条ノ規定ハ保証人ニ之ヲ準用ス

保証人カ主タル債務者ノ委託ヲ受ケテ保証ヲ為シタル場合ニ於テ善意ニテ弁済其他免責
ノ為メニスル出捐ヲ為シタルトキハ第四百四十三条ノ規定ハ主タル債務者ニモ亦之ヲ準用
ス

[改正前条文の解説]

〔1〕　保証人が、債務者の委託を受けて保証をした場合であるか、そうでない場合
であるかを問わず、あらかじめ通知をしないで免責行為をし(§443 Ⅰ [改注])、また、
免責行為をしたことを通知しないとき(§443 Ⅱ [改注])は、連帯債務者におけると同
様の求償権の制限を受けるということである(同条注釈参照)。

〔2〕　「443 条 [改注]の規定は、主たる債務者について準用する」とあるが、主た
る債務者が保証人に対して求償することはないから、同条 1 項は、主たる債務者に準

931

第3編　第1章　総則　第3節　多数当事者の債権及び債務

用されることはない。しかし、同条2項は準用がある。すなわち、主たる債務者が免責行為をした旨の事後の通知を怠ったために、その委託による保証人が善意で二重に免責行為をしたときは、保証人は、自分の免責行為を有効とみなし、主たる債務者に対して求償権を行使することができるのである。委託を受けない保証人に対しては、この通知は必要ない。

（連帯債務又は不可分債務の保証人の求償権）
第四百六十四条
連帯債務者又は不可分債務者の一人のために保証をした[1]者は、他の債務者に対し、その負担部分のみについて求償権を有する[2]。

[原条文]
連帯債務者又ハ不可分債務者ノ一人ノ為メニ保証ヲ為シタル者ハ他ノ債務者ニ対シテ其負担部分ノミニ付キ求償権ヲ有ス

本条は、数人の主たる債務者のうちの一人のために保証した者が——本来なら、その債務者の負担する割合だけの債務（§427参照）を弁済する義務があるのにとどまるはずだが——、その債務が、連帯または不可分であるために全額を弁済しなければならない場合の求償権についての特別の規定である。

〔1〕　数人の連帯債務者または不可分債務者がある場合に、各自の債務はそれぞれ独立の債務であるから（改正前§428〔3〕・改正前§432〔1〕参照）、その一人のために保証することは、可能である。

〔2〕　債務者の一人Aの保証人は、他の債務者B・Cと直接の関係はないから、本条の規定がなければ、保証人は、自分の保証した債務者Aに対してだけ全額を求償し、Aがこれに応じれば、Aは、結局自分の出捐によって共同の免責を得たことになるから（§§442［改注〕・430［改注〕）、他の債務者B・Cに対してその負担部分につき求償することになる。本条は、この保証人から他の債務者B・Cに対して直接にその負担部分を求償することを認めて、簡易な決済を図ったものである。しかし、このために保証人が自分の保証した債務者Aに対して全額の求償をすることが否定されたと解するべきではないであろう。

負担部分のない他の債務者に対しては、求償できないとされ（大判大正15・6・3民集5巻444頁）、この場合は自分の保証した主たる債務者に対する求償しかできない。

なお、連帯債務者間の求償における事前・事後の通知の要件（§443［改注〕）は、本条が適用される場合にも、類推適用されることになろう。

（共同保証人間の求償権）
第四百六十五条
1　第四百四十二条から第四百四十四条までの規定は、数人の保証人がある場合[1]において、そのうちの一人の保証人が、主たる債務が不可分[2]であるため又は各保証人が全額を弁済すべき旨の特約[3]があるため、その全額又は自己

§§464・465〔1〕〜〔4〕

の負担部分を超える額を弁済したときについて準用する[4]。

2　第四百六十二条の規定は、前項に規定する場合を除き、互いに連帯しない保証人[5]の一人が全額又は自己の負担部分を超える額を弁済したときについて準用する[6]。

［原条文］

　数人ノ保証人アル場合ニ於テ主タル債務カ不可分ナル為メ又ハ各保証人カ全額ヲ弁済スヘキ特約アル為メ一人ノ保証人カ全額其他自己ノ負担部分ヲ超ユル額ヲ弁済シタルトキハ第四百四十二条乃至第四百四十四条ノ規定ヲ準用ス

　前項ノ場合ニ非スシテ互ニ連帯セサル保証人ノ一人カ全額其他自己ノ負担部分ヲ超ユル額ヲ弁済シタルトキハ第四百六十二条ノ規定ヲ準用ス

　本条は、464条と反対に、保証人が数人ある場合（共同保証人）の求償権の特則である。分別の利益を有しない場合（1項）と有する場合（2項）とを分けて規定する。

〔1〕　1個の債務について数人の保証人がある場合は、共同保証であり、共同保証人は、原則として、いわゆる分別の利益を有し（§456〔2〕参照）、本条2項によるが、分別の利益を有しない場合（〔2〕〔3〕参照）には、本条1項による。

〔2〕　本節第2款は、不可分給付を目的とする債務について、多数の債権者または債務者のいる場合についても定めているが、本条で不可分債務というのは、広く給付が不可分である場合を指し、したがって、債務者が一人の場合をも含む（本節第2款解説）。なお、給付が不可分であるとは、給付の性質上または当事者の意思表示によって不可分なことである（改正前§428〔1〕〔2〕参照）。

〔3〕　この特約は、共同保証人が分別の利益を放棄する旨の意思表示を債権者に対してした場合（保証連帯。連帯共同保証ともいう）を指すが（§456〔2〕参照）、各共同保証人が主たる債務者と連帯して債務を負担する場合（連帯保証。共同連帯保証ともいえる）も同様であると解されている（大判大正8・11・13民録25輯2005頁）。いいかえれば、共同保証人が分別の利益を有しない場合である。

〔4〕　本項の共同保証人相互間の関係は、一種の不可分債務者または連帯債務者相互間の関係である。そこで、一人の保証人の他の保証人に対する求償権につき不可分債務（§430〔改注〕参照）および連帯債務に関する規定である442条〜444条〔改注〕を準用したのである。このような場合にも、弁済をした保証人がその全額について主たる債務者に対して求償をなしうることは、もちろんである。そして、もし、主たる債務者が無資力で求償に応じないときには、その部分について、弁済をした保証人から他の保証人に対して求償することができるであろう。本項は、さらに、保証人間の公平を保つために、主たる債務者に対して求償せずに、直接に他の保証人に対して求償することを認めたものである。なお、この求償に応じた保証人は、さらに、主たる債務者に対して求償することができることはいうまでもない。

　また、保証人の主たる債務者に対する求償権の消滅時効の中断事由がある場合であっても、共同保証人間の求償権について消滅時効の中断の効力は生じないとした判例（最判平成27・11・19民集69巻1988頁）がある。

933

第3編　第1章　総則　第3節　多数当事者の債権及び債務

なお、本項の求償権は、連帯債務の場合（改正前§442〔3〕）と異なり、自己の負担部分を超える弁済についてのみ認められると考えられる（大判大正8・11・13民録25輯2005頁は、その趣旨と解される）。共同保証人は、自分の負担部分については、主たる債務者への求償で満足するべきものと考えられるからである。

〔5〕　数人の保証人が分別の利益を有する場合である（§456参照）。

〔6〕　たとえば、BのAに対する50万円の債務をC・Dの二人が保証し、C・Dは、分別の利益を有するとしよう。Aは、Cに対しては25万円の請求しかできないのであるが（§456〔2〕参照）、Cが任意に40万円を弁済したとすれば、その負担部分を越える15万円は、あたかも債務者の委託をうけない保証人が弁済した場合に似ている。そこで、462条〔改注〕を準用しCからDに求償することができることにして、保証人間の公平を保とうとしたのである。求償に応じた保証人Dが主たる債務者に対してさらに求償できること、および弁済した保証人Cが主たる債務者に対して免責を行った総額について求償できることは、もちろんである（〔4〕参照）。

第2目　個人根保証契約

〈改正〉　2004年改正により、本目が「貸金等根保証契約」との題名で新設され、465条の2〜465条の5が追加された。その内容は、同改正の現代用語化の趣旨からは外れるものである。以下の465条の2〜465条の5の各条については、いちいちこの改正のことについては説明しない。2017年に題名が改正され、かつ、個人根保証契約の保証人の責任等に関する465条の2、個人貸金等根保証契約の元本確定期日に関する465条の3、個人根保証契約の元本の確定事由に関する465条の4、保証人が法人である根保証契約の求償権に関する465条の5が改正された。

[本目の趣旨]　本目は、基本的には、個人保証人の保護が目的であるから、同じ「根」担保でも、個人保証（個人の将来収入等）と根抵当（主として物的担保価値）とでは保護の趣旨が異なる場合があることに注意すべきであろう。

（個人根保証契約の保証人の責任等）
第四百六十五条の二
1　一定の範囲に属する不特定の債務を主たる債務とする保証契約（以下「根保証契約」という。）であって保証人が法人でないもの（以下「個人根保証契約」という。）の保証人は、主たる債務の元本、主たる債務に関する利息、違約金、損害賠償その他その債務に従たる全てのもの及びその保証債務について約定された違約金又は損害賠償の額について、その全部に係る極度額を限度として、その履行をする責任を負う[1]。

2　個人根保証契約は、前項に規定する極度額を定めなければ、その効力を生じない[2]。

3　第四百四十六条第二項及び第三項の規定は、個人根保証契約における第一

項に規定する極度額の定めについて準用する³⁾。

〈改正〉 2017年に改正された。見出しを改め、1項中「その債務の範囲に金銭の貸渡し又は手形の割引を受けることによって負担する債務（以下「貸金等債務」という。）が含まれるもの（保証人が法人であるものを除く。以下「貸金等根保証契約」を「保証人が法人でないもの（以下「個人根保証契約」に、「すべて」を「全て」に改め、2項および3項中「貸金等根保証契約」を「個人根保証契約」に改めた。

[改正の趣旨] **[1]** 新法では、極度額の規制を根保証契約一般に拡大した。すなわち、貸金等債務が含まれるか否かを問わない。また、①「根保証契約」のうち保証人が法人でないものを「個人根保証契約」とした。②「個人根保証契約」の保証人は、主たる債務の元本、主たる債務に関する利息、違約金、損害賠償その他その債務に従たる全てのものおよびその保証債務について約定された違約金または損害賠償の額について、その全部に係る極度額を限度として、その履行をする責任を負うこととした。

[2] この極度額の定めがない「個人根保証契約」は無効である。例えば、不動産賃貸借契約における賃借人の債務の個人根保証契約にも、極度額を定める必要があると解されている。その趣旨については、賃料債務がいつまで継続するか不特定であるからという考えと、契約を巡って原状回復債務、用法違反による損害賠償債務等の額が不特定だからという考えがある。

[3] この「極度額」の定めは書面によることが必要である。「極度額」自体の上限は存しない。「極度額」の定めがある場合においても公序良俗や信義則の適用による保証人の責任制限がなされるべき場合は、今後も存すると解されている。改正後は、例えば、賃貸借契約においては「極度額」が適切な水準（家賃の数ヶ月程度など）に抑えられるのか、が注目されている。

[改正前条文]

(貸金等根保証契約の保証人の責任等)

1　一定の範囲に属する不特定の債務を主たる債務とする保証契約（以下「根保証契約¹⁾」という。）であってその債務の範囲に金銭の貸渡し又は手形の割引を受けることによって負担する債務（以下「貸金等債務³⁾」という。）が含まれるもの⁴⁾（保証人が法人であるものを除く⁵⁾。以下「貸金等根保証契約²⁾」という。）の保証人は、主たる債務の元本、主たる債務に関する利息、違約金、損害賠償その他その債務に従たるすべてのもの及びその保証債務について約定された違約金又は損害賠償の額について、その全部に係る極度額⁸⁾を限度として、その履行をする責任を負う。

2　貸金等根保証契約は、前項に規定する極度額を定めなければ、その効力を生じない⁶⁾。

3　第四百四十六条第二項及び第三項の規定は、貸金等根保証契約における第一項に規定する極度額の定めについて準用する⁷⁾。

[改正前条文の解説]

[1] 普通の根保証および根保証契約一般については、本款解説④を参照。

本条は、根保証契約を「一定の範囲に属する不特定の債務を主たる債務とする保証契約」と定義しているが、この定義は明らかに根抵当に関する定義（§398の2Ⅰ）にならっている。しかし、根抵当権については、その必要があってこのような抽象的定義が用いられているのであって(本款解説④(2)参照)、根保証については、もっと実態や沿革を踏まえて把握する必要があるのではないだろうか。

それはそれとして、本条以下が規定する貸金等根保証契約以外の一般的な根保証に

935

第3編　第1章　総則　第3節　多数当事者の債権及び債務

ついては、今後も従来の学説・判例（本款解説④(1)に述べた）を参考にし、発展させながら、その解釈および運用を考えていく必要がある。そのさい、本条以下が定めることは同じような意味において問題になりうる。これを、貸金等根保証契約に特有なものであって、一般的な根保証にはすべて当てはまらないと考えるのは、大きな誤りであることを注意しておきたい。

〔2〕　本条とこれにつづく465条の4までの3か条［改注］が適用されるのは、「貸金等根保証契約（改正前）」に限られる。その当事者は、債権者（丁寧にいえば、貸金等債権者である）と根保証人（丁寧にいえば、貸金等根保証人である。以下の条文は単に保証人と呼ぶ。(5)に述べるように、自然人に限られる）である。

〔3〕　本条とこれにつづく465条の4までの3か条［改注］が適用されるのは、保証される「債務の範囲に金銭の貸渡し又は手形の割引を受けることによって負担する債務が含まれる」根保証契約に限られる。この限定の仕方にも疑問を感じる。

まず、「貸金等債務」とは、つぎの二つをいうとされる。

その1は、「貸渡しを受けることによって負担する債務」であるが、これは、金銭消費貸借契約から生じる債権をいうのであろうか。他の売買代金債権、賃料債権、給料債権その他の種々の債権は準消費貸借（§588［改注］）によって、消費貸借に転じることができるのであるが、この種のものは含めないという趣旨であろうか（そのような解釈が可能であろうか）。「貸渡し」という用語は概念として厳密を欠くと思われる（「借財」に関する改正前§13(5)参照）。

その2は、「手形の割引を受けることによって負担する債務」である。これは、意味としては——割引依頼人の割引人に対する債務ということで——明確であるが、根抵当権の場合と比べると、いわゆる「回り手形」債権はここには含まれないということであろうか（改正前§398の2(8)参照）。
「貸金等債務」とは、この二つを限定的に呼ぶ用語であって、それ以外のものを含まない。

〔4〕　貸金等根保証契約は、その担保する「債務の範囲に（(3)で述べた）「貸金等債務」が含まれるもの」とされる。

その意味は、担保される債務の範囲に貸金債権または手形割引に基づく債権が一つでも含まれていれば、その他の債権がどのように含まれていても、貸金等根保証に該当して、本条以下が適用されることになるというのであろうか。極端な場合、包括根保証のようなものでも容認するというのであろうか（本款解説④(2)参照）。この「含まれるもの」という表現は、適用範囲の限定としても、異例な表現と思われる。

〔5〕　本条とこれにつづく465条の4までの3か条［改注］が適用されるのは、自然人が根保証人になった契約に限られる。法人が根保証した場合には、その契約は、本条以下にいう「貸金等根保証契約」ではないのである。

これは、本条以下の規定が、自然人である根保証人が過大な保証義務を負わされることに対して保護しようとする趣旨であることからの限定であろう。しかし、個人企業のように、法人とそのオーナーである自然人の間に実質的に違いがないような場合には、いわば弱者である法人による根保証を適用除外とすることは適切でなかろう。

936

したがって、この種の弱い法人による根保証についても、根保証の一般理論による保護を図る必要があることになろう。なお、このような場合において、法人の根保証について他の（いわゆる保証業務を行っている）根保証人が保証債務を履行したときに取得する法人に対する求償権について、たとえば実質上のオーナーである自然人が根保証をしたような場合については、465条の5〔改注〕が規定している。

〔6〕「極度額」は、元来、根抵当権について不動産の物的負担を限定するために形成された概念である。根保証においては、従来は、債権者と債務者の間の取引契約の限度額が保証の限度額と考えれば足りると考えられてきたものである。ところが、根保証の利用が拡大されてきて、根保証人の保護が必要になった。そのために極度額の定めを根保証契約の有効要件とするのは、適切であると考えられる。ただ、このことは根保証一般についていえることである。この規定が設けられたために、「貸金等根保証契約」以外の根保証一般についても極度額が必要であるとする理論の形成が妨げられるようなことがあってはならない。

〔7〕 極度額の定めは、貸金等保証契約における必要的合意事項であるが、口頭で定めただけでは効力を生じないとしたものである。そもそも、446条2項・3項〔改注〕は、保証契約一般について書面要件を定めているのであるが、その記載事項が明確でない（改正前§446〔3〕(1)）。そこで、このような規定が設けられたのであろうか。

（個人貸金等根保証契約の元本確定期日）
第四百六十五条の三

1　個人根保証契約であってその主たる債務の範囲に金銭の貸渡し又は手形の割引を受けることによって負担する債務（以下「貸金等債務」という。）が含まれるもの（以下「個人貸金等根保証契約」という。）において主たる債務の元本の確定すべき期日（以下「元本確定期日」という。）の定めがある場合において、その元本確定期日がその個人貸金等根保証契約の締結の日から五年を経過する日より後の日と定められているときは、その元本確定期日の定めは、その効力を生じない[1]。

2　個人貸金等根保証契約において元本確定期日の定めがない場合（前項の規定により元本確定期日の定めがその効力を生じない場合を含む。）には、その元本確定期日は、その個人貸金等根保証契約の締結の日から三年を経過する日とする。

3　個人貸金等根保証契約における元本確定期日の変更をする場合において、変更後の元本確定期日がその変更をした日から五年を経過する日より後の日となるときは、その元本確定期日の変更は、その効力を生じない。ただし、元本確定期日の前二箇月以内に元本確定期日の変更をする場合において、変更後の元本確定期日が変更前の元本確定期日から五年以内の日となるときは、この限りでない。

4　第四百四十六条第二項及び第三項の規定は、個人貸金等根保証契約における元本確定期日の定め及びその変更（その個人貸金等根保証契約の締結の日

第 3 編　第 1 章　総則　第 3 節　多数当事者の債権及び債務

から三年以内の日を元本確定期日とする旨の定め及び元本確定期日より前の日を変更後の元本確定期日とする変更を除く。）について準用する。

〈改正〉　2017 年に改正された。見出しを改め、1 項中「貸金等根保証契約に」を「個人根保証契約であってその主たる債務の範囲に金銭の貸渡し又は手形の割引を受けることによって負担する債務（以下「貸金等債務」という。）が含まれるもの（以下「個人貸金等根保証契約」という。）に」に改め、「貸金等根保証契約の」を「個人貸金等根保証契約の」に改め、2 項から 4 項までの規定中「貸金等根保証契約」を「個人貸金等根保証契約」に改めた。

[改正の趣旨]　[1]　本条の適用対象は、個人貸金等根保証契約である。元本確定期日に関する改正前 465 条の 3 の適用を個人根保証契約一般に拡大することは議論の末、見送られた。

[改正前条文]

（貸金等根保証契約の元本確定期日）

1　貸金等根保証契約において主たる債務の元本の確定すべき期日（以下「元本確定期日[1]」という。）の定めがある場合において、その元本確定期日がその貸金等根保証契約の締結の日から五年を経過する日より後の日と定められているときは、その元本確定期日の定めは、その効力を生じない。

2　貸金等根保証契約において元本確定期日の定めがない場合（前項の規定により元本確定期日の定めがその効力を生じない場合を含む。）には、その元本確定期日は、その貸金等根保証契約の締結の日から三年を経過する日とする。

3　貸金等根保証契約における元本確定期日の変更をする場合において、変更後の元本確定期日がその変更をした日から五年を経過する日より後の日となるときは、その元本確定期日の変更は、その効力を生じない。ただし、元本確定期日の前二箇月以内に元本確定期日の変更をする場合において、変更後の元本確定期日が変更前の元本確定期日から五年以内の日となるときは、この限りでない。

4　第四百四十六条第二項及び第三項の規定は、貸金等根保証契約における元本確定期日の定め及びその変更（その貸金等根保証契約の締結の日から三年以内の日を元本確定期日とする旨の定め及び元本確定期日より前の日を変更後の元本確定期日とする変更を除く。）について準用する[2]。

[改正前条文の解説]

〔1〕　この「元本確定期日」は、根抵当権についての概念（§398 の 6 参照）を借用したものである。本条 1～3 項の内容は、当事者が（契約またはその変更から）5 年以内で元本確定期日を定めれば、根保証はその期日に存在する債権を保証するが、もし、当事者が元本確定期日を定めない場合、または 5 年以上後の元本確定期日を定めたときは（その定めは効力を生じない）、契約または変更から 3 年後を元本確定期日とするというものである。元本確定期日の変更についても、その時から 5 年以後となる延長は認めない。

根抵当権における元本確定期日は、新しい根抵当権の規定が具体的な取引契約を前提としないことになったので、根抵当の負担がいつまで存続するかが明確にできないことから、物権的なレベルで被担保債権が確定する時期を明確にするという趣旨のものであり、根抵当負担者が不当に長期の負担を受忍するのを防ごうという趣旨をもっている。ところが、本条の規定では、根抵当権に関して元本確定期日がもっている趣旨とは異なるものとなっている。

938

§§465の3〔1〕〔2〕・465の4

　根抵当権の場合には、根抵当負担者は、設定後三年を経過すれば、いつでも自由に元本確定請求権を行使でき（§398の19参照）、債権者がこれを封じるためには、最長で5年後までの元本確定期日を定めることにより、その間の確定請求ができないことにするものである。これに対して、本条によれば、3年以内の、たとえば1年後の元本確定期日を定めた場合はよいとして、そうでなければ、根保証人は通常は3年ないし5年は根保証を確定させることはできないことになる。これによって、かえって、根保証による拘束をその期間内は保障される(いわば法定保障期間)という機能を営むことになるのである。根保証により長期にわたり根保証人が拘束されることから根保証人を解放するための努力は、根保証一般について学説・判例が積み重ねてきたところであるが、本条は、むしろ、それを逆行させるものである(本款解説④(1)(ウ)参照)。

　むしろ、根保証一般について、根抵当権における以上に根保証人を保護し、元本確定期日(それも最長3年でよかろう)の定めがなければ、根保証人による広汎な元本確定請求権を、立法または解釈により認めるのが妥当であろう(債権者は、それ以後の貸付けには根保証は及ばないと考えればよい。根保証人が債務者との間で「債務を根保証する義務」を負う契約を結んでいれば、その義務違反という問題を生じるが、それは別問題である)。

　〔2〕　元本確定期日の定めは、貸金等根保証契約における任意的合意事項であるが、口頭で定めただけでは効力を生じないとするものである(改正前§465の2(7)参照)。

（個人根保証契約の元本の確定事由）
第四百六十五条の四

1　次に掲げる場合には、個人根保証契約における主たる債務の元本は、確定する[1]。ただし、第一号に掲げる場合にあっては、強制執行又は担保権の実行の手続の開始があったときに限る。
　一　債権者が、保証人の財産について、金銭の支払を目的とする債権についての強制執行又は担保権の実行を申し立てたとき。
　二　保証人が破産手続開始の決定を受けたとき。
　三　主たる債務者又は保証人が死亡したとき。

2　前項に規定する場合のほか、個人貸金等根保証契約における主たる債務の元本は、次に掲げる場合にも確定する[2]。ただし、第一号に掲げる場合にあっては、強制執行又は担保権の実行の手続の開始があったときに限る。
　一　債権者が、主たる債務者の財産について、金銭の支払を目的とする債権についての強制執行又は担保権の実行を申し立てたとき。
　二　主たる債務者が破産手続開始の決定を受けたとき。

〈改正〉　2017年に改正された。見出しを改め、「貸金等根保証契約」を「個人根保証契約」に改め、1項にただし書を加えた。1号中「主たる債務者又は」を削り、ただし書を削り、2号中「主たる債務者又は」を削り、2項を新たに加えた。

[改正の趣旨]　[1]　根保証契約においては、同契約締結当時に予想をし得なかった事由が発生した場合や契約を締結した時点における主債務者に対する信用が破綻した後に、新たに発生した債務についてまで根保証人に負担をさせると、酷な場合が生じうるので、2004年の改正で、貸金等根保証契約について改正前465条の4が設けられた。このような事態は根保

939

第3編　第1章　総則　第3節　多数当事者の債権及び債務

証契約締結時に予想し得なかったことであるとともに、根保証契約を締結する前提となった信用が破綻したと定型的に認められるときは、それ以後に発生する負債についてまで根保証人に負担させることは不合理であると考えられたからである。このような元本確定事由の考え方は、貸金等根保証契約に限らず個人根保証契約一般に妥当する。そこで、新法では、改正前465条の4の規制を個人根保証契約一般に拡大する方向で、本条のような条文に改正した。

〔2〕　全ての元本確定事由において本条の適用が拡大されたのではないので、注意を要する。

[改正前条文]
（貸金等根保証契約の元本の確定事由）
　　次に掲げる場合には、貸金等根保証契約における主たる債務の元本は、確定する[1]。
　一　債権者が、主たる債務者又は保証人の財産について、金銭の支払を目的とする債権についての強制執行又は担保権の実行を申し立てたとき。ただし、強制執行又は担保権の実行の手続の開始があったときに限る[2]。
　二　主たる債務者又は保証人が破産手続開始の決定を受けたとき[3]。
　三　主たる債務者又は保証人が死亡したとき[4]。

[改正前条文の解説]

〔1〕　本条が定める元本確定事由（この用語も根抵当権から借用しているが、貸金等債務根保証契約によって保証される主たる債務が特定されるための事由のことをいう）については、学説・判例によって根保証一般についてこれまでに形成されてきた解釈によって、十分に対応できる事柄であると考えられる。

元本確定期日（§465の3 [改注]）に元本が確定することは、自明のこととして規定されていない。また、その根保証契約によって担保されていた取引契約がすべて終了したような場合に、主債務がその取引契約から生じた残存債務に特定するのは、当然と考えられる。

〔2〕　根抵当権についても、同様の規定があるが（§398の20Ⅰ①参照）、当然のことといってよい。

〔3〕　これも当然である（§398の20Ⅰ④参照）。

〔4〕　根保証人の根保証債務について、相続性がないことは通説・判例であるが（本款解説[4](1)(オ)参照）、主債務者が死亡した場合にも、根保証関係は終了すると考えるのが当然であろう。

（保証人が法人である根保証契約の求償権）
第四百六十五条の五
　1　保証人が法人である根保証契約において、第四百六十五条の二第一項に規定する極度額の定めがないときは、その根保証契約の保証人の主たる債務者に対する求償権に係る債務を主たる債務とする保証契約は、その効力を生じない[1]。
　2　保証人が法人である根保証契約であってその主たる債務の範囲に貸金等債務が含まれるものにおいて、元本確定期日の定めがないとき、又は元本確定

§§465の4〔1〕〜〔4〕・465の5〔1〕

期日の定め若しくはその変更が第四百六十五条の三第一項若しくは第三項の
規定を適用するとすればその効力を生じないものであるときは、その根保証
契約の保証人の主たる債務者に対する求償権に係る債務を主たる債務とする
保証契約は、その効力を生じない。主たる債務の範囲にその求償権に係る債
務が含まれる根保証契約も、同様とする^{2]}。

3　前二項の規定は、求償権に係る債務を主たる債務とする保証契約又は主た
る債務の範囲に求償権に係る債務が含まれる根保証契約の保証人が法人であ
る場合には、適用しない^{3]}。

〈改正〉 2017 年に改正された。

[改正の趣旨]　[1]　保証人が法人である根保証契約であってその主たる債務の範囲に貸金
等債務が含まれる場合については、極度額規制（改正前465条の2）や元本確定期日の制限
（465条の3）が適用されない。しかし、法人保証人の主たる債務者に対する求償権について
個人が保証契約をした場合には、自らが根保証契約をしていなくても、求償の範囲について
上限も期間制限もない状態になってしまい、予想の範囲を超える過大な保証債務を負担させ
られる恐れがある。そこで、改正前465条の5は、法人による貸金等債務を主たる債務の範
囲に含む根保証契約の個人による求償権保証については、法人保証人の根保証契約に極度額
の定めがない場合や元本確定期日の定めがない場合、または元本確定期日の定めや変更後の
元本確定期日が5年を超える場合には、無効とする旨を定めた。新法では、改正前465条の
2をさらに改正して、極度額規制が個人根保証契約一般に拡大されたことに鑑み、法人が保
証人となる根保証契約の個人による求償権のための保証についても規制を拡大し、改正前
465条の5をも改正し、法人保証人の根保証契約に極度額の定めがない場合には個人による
求償権保証は無効となる旨の規定を設けた。

　[2]　個人による求償権保証についても、元本確定期日に関する規制は、貸金等債務を主
たる債務の範囲に含む根保証契約の場合に関する規定として、改正前465条の5が引き続き
維持される。

　[3]　求償権保証の保証人が法人である場合には、これら規定の適用はない。

[改正前条文]

（保証人が法人である貸金等債務の根保証契約の求償権）

　　保証人が法人である根保証契約であってその主たる債務の範囲に貸金等債務が含まれる
ものにおいて、第四百六十五条の二第一項に規定する極度額の定めがないとき、元本確定
期日の定めがないとき、又は元本確定期日の定め若しくはその変更が第四百六十五条の三
第一項若しくは第三項の規定を適用するとすればその効力を生じないものであるときは、
その根保証契約の保証人の主たる債務者に対する求償権についての保証契約（保証人が法
人であるものを除く。）は、その効力を生じない¹⁾。

[改正前条文の解説]

〔1〕　本条の趣旨は、はなはだ難解である。

AがBに対して貸付けを行うさいに、C(信用保証協会を想定すればよいが、それには限
られない)がその債務を保証してBから保証料を受領し、かつ、CがAに対して保証
債務を履行したときは、Bに対する求償権を取得するという事例が、かなり多く存在
し、これが根保証である場合も少なくない。この根保証の主たる債務の範囲に貸金等
債務が含まれていても、Cが法人である場合は、465条の2〜465条の4 [改注] は適

941

第3編　第1章　総則　第3節　多数当事者の債権及び債務

用されない。

　問題は、自然人のDが上のBがCに対して負う求償債務を根保証した場合にどうなるかである。本条は、このDのためにも、465条の2〜465条の4［改注］を適用する必要があるという考えを前提として（ただし、債権の範囲に貸金等債務が含まれていず、求償権のみであるときは、適用されないことになるが）、その適用のためには、法人であるCの結ぶ「貸金等債務の根保証契約」において、極度額の定めおよび元本確定期日の定めが465条の2および465条の3の定めに合致していることが必要であり、そうでない場合は、求償債務についての根保証は効力を生じないとしたものである。

　この規定については、自然人であるCが保証業務を行う場合にも、Dについての保護規定（極度額の定めのないときについては465条の2Ⅱ［改注］があるが、元本確定期日の定めがない場合、および定めが効力を生じないとされる場合については、契約を無効とする規定はない）は必要ではないかという疑問と、改正前465条の2の定める「貸金等債務」のなかに、「保証による求償債務」を加えればすむことではないかという疑問が感じられる。

　さらにいえば、保証債務についての保証（副保証）ということもありうるのであるから（§447(5)参照）、本条のような規定を設けるなら、貸金等債務根保証契約に相当する（法人による）根保証債務についての（自然人による）副根保証についての手当てまで考えなければならないということになろう。

第3目　事業に係る債務についての保証契約の特則

〈改正〉　2017年の改正による新設である。公正証書の作成と保証の効力に関する465条の6、保証に係る公正証書の方式の特則に関する465条の7、公正証書の作成と求償権についての保証の効力に関する465条の8、公正証書の作成と保証の効力に関する規定の適用除外に関する465条の9、契約締結時における主たる債務者の情報の提供義務に関する465条の10が新設された。以下の改正は、保証人保護の方策の拡充であるとされている。本目の条文も全て新設である。

［本目の趣旨］　標題にいう事業とは、一定の目的を以ってなされる同種の行為の反復的継続的遂行であると解されているが、規制の対象とされる「事業」に係る債務に該当するか否かは、個人保証の情誼性、軽率性さらには未必性という特徴に照らして、判断されるべきであるといわれている。なお、本目の規定の解釈に当たっては、保証人が関係者からの心理的圧迫を受けて保証契約の締結をしてしまう恐れもあるため、保証人の保証意思については慎重な確認が必要であるとされている。

▍（公正証書の作成と保証の効力）
▍第四百六十五条の六
▍　1　事業のために負担した貸金等債務を主たる債務とする保証契約又は主たる債務の範囲に事業のために負担する貸金等債務が含まれる根保証契約は、そ

第3目［解説］・§465の6

の契約の締結に先立ち、その締結の日前一箇月以内に作成された公正証書で
保証人になろうとする者が保証債務を履行する意思を表示していなければ、
その効力を生じない[1]。
2　前項の公正証書を作成するには、次に掲げる方式に従わなければならない。
　一　保証人になろうとする者が、次のイ又はロに掲げる契約の区分に応じ、
　　それぞれ当該イ又はロに定める事項を公証人に口授すること[2]。
　　　イ　保証契約（ロに掲げるものを除く。）　主たる債務の債権者及び債務者、
　　　　主たる債務の元本、主たる債務に関する利息、違約金、損害賠償その他
　　　　その債務に従たる全てのものの定めの有無及びその内容並びに主たる債
　　　　務者がその債務を履行しないときには、その債務の全額について履行す
　　　　る意思（保証人になろうとする者が主たる債務者と連帯して債務を負担
　　　　しようとするものである場合には、債権者が主たる債務者に対して催告
　　　　をしたかどうか、主たる債務者がその債務を履行することができるかど
　　　　うか、又は他に保証人があるかどうかにかかわらず、その全額について
　　　　履行する意思）を有していること。
　　　ロ　根保証契約　主たる債務の債権者及び債務者、主たる債務の範囲、根
　　　　保証契約における極度額、元本確定期日の定めの有無及びその内容並び
　　　　に主たる債務者がその債務を履行しないときには、極度額の限度におい
　　　　て元本確定期日又は第四百六十五条の四第一項各号若しくは第二項各号
　　　　に掲げる事由その他の元本を確定すべき事由が生ずる時までに生ずべき
　　　　主たる債務の元本及び主たる債務に関する利息、違約金、損害賠償その
　　　　他その債務に従たる全てのものの全額について履行する意思（保証人に
　　　　なろうとする者が主たる債務者と連帯して債務を負担しようとするもの
　　　　である場合には、債権者が主たる債務者に対して催告をしたかどうか、
　　　　主たる債務者がその債務を履行することができるかどうか、又は他に保
　　　　証人があるかどうかにかかわらず、その全額について履行する意思）を
　　　　有していること。
　二　公証人が、保証人になろうとする者の口述を筆記し、これを保証人にな
　　ろうとする者に読み聞かせ、又は閲覧させること。
　三　保証人になろうとする者が、筆記の正確なことを承認した後、署名し、
　　印を押すこと。ただし、保証人になろうとする者が署名することができな
　　い場合は、公証人がその事由を付記して、署名に代えることができる。
　四　公証人が、その証書は前三号に掲げる方式に従って作ったものである旨
　　を付記して、これに署名し、印を押すこと。
3　前二項の規定は、保証人になろうとする者が法人である場合には、適用し
　ない[3]。

〈改正〉　2017年に新設された。附則（保証債務に関する経過措置）第二十一条2　保証人に
なろうとする者は、施行日前においても、新法第四百六十五条の六第一項（新法第四百六十
五条の八第一項において準用する場合を含む。）の公正証書の作成を嘱託することができる。

943

第3編　第1章　総則　第3節　多数当事者の債権及び債務

3　公証人は、前項の規定による公正証書の作成の嘱託があった場合には、施行日前において
も、新法第四百六十五条の六第二項及び第四百六十五条の七（これらの規定を新法第四百六
十五条の八第一項において準用する場合を含む。）の規定の例により、その作成をすることが
できる。

[本条の趣旨]　[1]　「事業のために負担した貸金等債務を主たる債務とする保証契約」また
は「主たる債務の範囲に事業のために負担する貸金等債務が含まれる根保証契約」が、個人
の場合においては（法人については3項参照）、保証人になる者が保証契約の「締結の日前1
箇月以内に作成された公正証書」で「保証債務を履行する意思」を表示していなければ、保
証契約は効力を生じないとしている。本条の保証契約は、一定の例外がある場合を除き、事
前に公正証書が作成されていなければ無効であるが、施行日から円滑に保証契約の締結をす
ることができるよう、施行日前から公正証書の作成を可能とすることとされている。本条は
強行規定と解される。また、「事業のために負担した貸金等債務」に何が含まれるかも問題で
あるが、キャッシングカードを用いた貸金債務は含まれると解されている。事業とは、一定
の目的を以ってなされる同種の行為の反復・継続的遂行を意味すると解せられており、営利
性は要件ではないと解せられている。結局は「目的」を意識しつつ「社会通念」に従って判
断されることになろう。なお、保証意思宣明公正証書の対象と第465条の10の対象事実とは、
国会の付帯決議にも関わらず、一致していないようである。また、公証人法26条、同施行規
則13条との関連も、今後議論される可能性がある。この規定は、2020年3月1日から施行
される（附則1条3号、平成29年12月20日政令309号）。

　[2]　手続の細目が示されている。特に連帯保証人になる場合には、その者が契約書を作
成する公証人にいわゆる催告の抗弁および検索の抗弁を行使せずに保証債務を履行する意思
を口授することが要件とされている。

　[3]　以上の規定の適用は、法人については除外されている。

（保証に係る公正証書の方式の特則）
第四百六十五条の七

　1　前条第一項の保証契約又は根保証契約の保証人になろうとする者が口がき
けない者である場合には、公証人の前で、同条第二項第一号イ又はロに掲げ
る契約の区分に応じ、それぞれ当該イ又はロに定める事項を通訳人の通訳に
より申述し、又は自書して、同号の口授に代えなければならない。この場合
における同項第二号の規定の適用については、同号中「口述」とあるのは、
「通訳人の通訳による申述又は自書」とする。

　2　前条第一項の保証契約又は根保証契約の保証人になろうとする者が耳が聞
こえない者である場合には、公証人は、同条第二項第二号に規定する筆記し
た内容を通訳人の通訳により保証人になろうとする者に伝えて、同号の読み
聞かせに代えることができる。

　3　公証人は、前二項に定める方式に従って公正証書を作ったときは、その旨
をその証書に付記しなければならない[1]。

〈改正〉　2017年に新設された。前掲（465条の6）附則第二十一条2、3参照。

[本条の趣旨]　[1]　本条の趣旨については、969条の2（公正証書遺言の方式の特則）参照。

§§465の7・465の8・465の9

（公正証書の作成と求償権についての保証の効力）
第四百六十五条の八
　　1　第四百六十五条の六第一項及び第二項並びに前条の規定は、事業のために
　　負担した貸金等債務を主たる債務とする保証契約又は主たる債務の範囲に事
　　業のために負担する貸金等債務が含まれる根保証契約の保証人の主たる債務
　　者に対する求償権に係る債務を主たる債務とする保証契約について準用する。
　　主たる債務の範囲にその求償権に係る債務が含まれる根保証契約も、同様と
　　する[1]。
　　2　前項の規定は、保証人になろうとする者が法人である場合には、適用しな
　　い[2]。
〈改正〉　2017年に新設された。
[本条の趣旨]　[1]　本条のような契約の場合も、465条の6と同様に厳格な手続に従った
公正証書の作成が有効要件とされ、また、465条の7と同様に、保証人になろうとする者が、
口がきけない場合や耳が聞こえない場合の特則が適用される旨が定められた。
　　[2]　1項は、法人が保証人になる場合には適用されない。

（公正証書の作成と保証の効力に関する規定の適用除外）
第四百六十五条の九
　　　前三条の規定は、保証人になろうとする者が次に掲げる者である保証契約に
　　ついては、適用しない[1]。
　　一　主たる債務者が法人である場合のその理事、取締役、執行役又はこれらに
　　準ずる者
　　二　主たる債務者が法人である場合の次に掲げる者
　　　イ　主たる債務者の総株主の議決権（株主総会において決議をすることがで
　　　　きる事項の全部につき議決権を行使することができない株式についての議
　　　　決権を除く。以下この号において同じ。）の過半数を有する者
　　　ロ　主たる債務者の総株主の議決権の過半数を他の株式会社が有する場合に
　　　　おける当該他の株式会社の総株主の議決権の過半数を有する者
　　　ハ　主たる債務者の総株主の議決権の過半数を他の株式会社及び当該他の株
　　　　式会社の総株主の議決権の過半数を有する者が有する場合における当該他
　　　　の株式会社の総株主の議決権の過半数を有する者
　　　ニ　株式会社以外の法人が主たる債務者である場合におけるイ、ロ又はハに
　　　　掲げる者に準ずる者
　　三　主たる債務者（法人であるものを除く。以下この号において同じ。）と共
　　　同して事業を行う者又は主たる債務者が行う事業に現に従事している主たる
　　　債務者の配偶者[2]
〈改正〉　2017年に新設された。前掲（465条の6）附則第二十一条3参照。
[本条の趣旨]　[1]　465条の6〜465条の8が定める保証契約を締結するにあたって、公
正証書を必要としない場合に関する特則を定めた規定である。このような制度趣旨から考え
て、事業に実質的に関与しない者については、公正証書による手続を踏まなければならない

945

第3編　第1章　総則　第3節　多数当事者の債権及び債務

（465条の6）。また、主債務者が保証意思宣明公正証書の作成を潜脱する意図で、個人をこれらの地位に就任させた場合であって、債権者も悪意であるときは、本条の要件を満たしていないとの主張と同時に90条違反も問題になるとの説が有力である。
　　[2]　この「配偶者」については、本条の趣旨から考えて、債務者の業務の執行・決定に関与する場合等、限定的に解釈すべきであるとの主張が有力である。

（契約締結時の情報の提供義務）
第四百六十五条の十
　　　　主たる債務者は、事業のために負担する債務を主たる債務とする保証又は主たる債務の範囲に事業のために負担する債務が含まれる根保証の委託をするときは、委託を受ける者に対し、次に掲げる事項に関する情報を提供しなければならない[1]。
　　一　財産及び収支の状況
　　二　主たる債務以外に負担している債務の有無並びにその額及び履行状況
　　三　主たる債務の担保として他に提供し、又は提供しようとするものがあるときは、その旨及びその内容
　2　主たる債務者が前項各号に掲げる事項に関して情報を提供せず、又は事実と異なる情報を提供したために委託を受けた者がその事項について誤認をし、それによって保証契約の申込み又はその承諾の意思表示をした場合において、主たる債務者がその事項に関して情報を提供せず又は事実と異なる情報を提供したことを債権者が知り又は知ることができたときは、保証人は、保証契約を取り消すことができる[2]。
　3　前二項の規定は、保証をする者が法人である場合には、適用しない[3]。

〈改正〉　2017年に新設された。

[本条の趣旨]　**[1]**　事業のために負担する債務を主たる債務とする保証契約等の場合には、保証人に対して、通常は主たる債務者の状況につき重要な説明がなされるが、それをめぐって後にトラブルが発生する場合も指摘されていた。本条は、このような場合に対する配慮である。この場合の「説明」ないし「情報提供義務」として具体的にどの程度の行為をすべきなのかは、解釈に委ねられるようである。今後、本条の「情報提供」の具体的内容として、保証人の保護の観点からは、書面の交付・送付だけで足りるか否かも、議論の対象になる可能性もある。改正の議論でも途中までは、説明と情報提供の両文言が混在していたようである。本条の保証人が「債権回収リスク」を判断するうえで基礎になる情報は、主債務者により可能な範囲内で提供されるべきであると解されている。この義務が規定された趣旨は、事実としての情報提供という趣旨に過ぎないのか、保証人の情報量を補う趣旨もあるのかについては、意見が分かれている。
　　[2]　趣旨において、消費者契約法4条に通じる規定である。新95条の錯誤取消も考えられる。例えば、「事実と異なる情報を提示」したことが、錯誤が「法律行為の目的及び取引上の社会通念に照らして重要なものであるとき」に当たり、またはその事情が法律行為の基礎とされていることが表示されている場合に当たることがある。改正前法では、動機の錯誤とされていたが、少なくとも本条との関係では、取り扱いが異なることになろう。
　　なお、主債務者が1項の事項を保証人に説明していないことを、債権者が知りえた場合には、保証人の誤認を指摘すべき義務等が生じ、場合によっては契約締結上の過失が問題にな

946

§465の10

るとの指摘もある。また、債権者が金融機関である場合において、主債務者の信用状況が芳しくないにもかかわらず、保証人になる者が現れたような場合には、虚偽の情報提供がなされている可能性があるので、提供された情報内容を確認する義務があるとの主張も見られる。なお、金融機関については、最判平成28・1・12（改正前§446[2](イ)）の判断が参考になろう。

　[3]　本条の趣旨から、当然の規定である。

第3編　第1章　総則　第4節　債権の譲渡

第4節　債権の譲渡

〈改正〉　2017年の改正において、本節のいくつかの条文が改正され(466条・467条・468条・
　　　　469条)、削除され(470条・471条・472条・473条)、もしくは新設された(466条2項
　　　　～466条4項)。附則(債権の譲渡に関する経過措置)第二十二条　施行日前に債権の譲
　　　　渡の原因である法律行為がされた場合におけるその債権の譲渡については、新法第四百
　　　　六十六条から第四百六十九条までの規定にかかわらず、なお従前の例による。

[債権譲渡の主要改正点]　債権譲渡は、譲渡制限特約があっても可能であることが明文化され
　　　　た(新466条2項)。ただし、このような特約付き債権が譲渡された場合には、悪意、重
　　　　過失・善意の譲受人その他の第三者に対しては、債務者はその債務の履行を拒むことが
　　　　できる(同条3項、4項)。これは、債権譲渡自由の原則(同条1項)の具体化であり、同
　　　　時に債務者に対する一定の配慮である。ただし、預金債権または貯金債権に係る譲渡制
　　　　限の意思表示の効力に関する466条の5は、466条2項の特則を定めている。さらに譲
　　　　渡制限の意思表示がされた債権に係る債務者の供託に関する新466条の2、同条の3、
　　　　譲渡制限の意思表示がされた債権の差押えに関する466条の4、将来債権の譲渡性に関
　　　　する466条の6が新設された。債務者による異議なき承諾に抗弁権喪失の効果を認めて
　　　　いた改正前法468条1項の規定は廃止され、債権の譲渡における債務者の抗弁に関する
　　　　規定となった(新同条)。債権の譲渡における相殺権に関する規定も新設された(新469
　　　　条)。

① 本節の内容

　本節は、債権の譲渡と題して、債権の譲渡性に関する大原則を掲げる(§466)ほか、
普通の債権である指名債権(§§467［改注］・468［改注］)ならびに証券的債権である指図
債権(改正前§§469・改正前470・改正前472)、記名式所持人払債権(改正前§471)および無
記名債権(改正前§473)の譲渡について規定する。債権(とりわけ金銭債権)が、経済界に
おいて、1個の財貨として取引の客体とされること(独立財産化といってよい)に対応す
る法律制度であるが、民法のこの点に関する規定には、不十分な点が多い(本章解説②
(5)参照)。

② 財貨としての債権の譲渡

　(1)　近代法における債権の譲渡には、それによって「債権の財産化」、より丁寧に
いえば、債権とくに金銭債権の独立財産化ともいえる現象を可能にしているという重
要な作用が認められる。

　たとえば、AがBに対して6か月先に弁済期が到来する1000万円の債権を有する
とする。債権譲渡の可能性が認められることによって、Aは現在すでにCに対して
この債権を譲渡し、たとえば950万円の対価を取得することができる(対価の決定につ
いては、利息の利率、6か月分の利息、費用、債務者の信用度、経済界における平均利潤率、な
どが考慮に入れられる。利率などの具合いで、場合によっては、1000万円より高く譲渡されるこ
ともありうる)。このようにして、その債権は、債権者にとって950万円の価値を有す

948

る独立の財貨であるのと同じ意味をもつことになる。

債権の本体は債務者に対する請求権であるが、それが資本主義経済の仕組みのなかで流通性を取得し、以上のようにあたかも独立の財貨であるような意味をもち、それ自体が富の主要な存在形態となる。そこで、債権譲渡の法律関係についても、これを債権という財貨の取引ととらえて、それが安全確実に行いうるものとし、かつ、関係当事者に不当な損害をこうむらせないようにする配慮が必要となるのである。

(2) そうだとすると、考え方としては、債権譲渡を動産(ないしは不動産)の譲渡と同じようにとらえて、いわば物権変動になぞらえて、その法律関係を構成することが望ましいということになる。それと同時に、債権の本体はあくまで請求権であるということに対する配慮も必要であることに留意しなければならない。

問題になることを、具体的に挙げておこう。

(a) 債権が譲渡されたことを債務者に知らせて、弁済に不都合を生じないようにしなければならない。

(b) 債務者以外の第三者にも分かるようにして、二重譲渡などの不都合を避けるようにしなければならない。

(b)は、物権変動における公示の原則に該当する問題である。これに対して、(a)は債権譲渡に特有な問題である(ただし、土地の譲受人は登記をしないと借地人に対して地代の請求ができないと解するとすると、この関係とは類似していることになる。§177〔8〕(エ)参照)。

(c) 譲渡人の有した債権について、特約により譲渡できないとか、抗弁権を伴うとか、弁済・免除などにより消滅したとかの事由がある場合に、これを知らないで譲渡を受けた譲受人が不測の損害をこうむらないように工夫する必要がある。

この種のことは、物権変動においても生じる場合があるが(たとえば、譲渡禁止の特約についての§272〔1〕など参照。また、制限物権の存在も類似の問題である)、債権特有の抗弁事由が問題になることが多い(改正前§468〔2〕参照)。いずれにしろ、この種の譲受人の保護は、一種の公信の原則に該当するものと考えてよい。

(d) さらに進んで、たとえば債権がA→B→Cと譲渡されたが、A・B間の譲渡が無効または取消されたような場合(すなわち、流通上の瑕疵がある場合)に、Bは無権利者となり、これから善意で譲受けたCが債権を取得できなくなるのでは、債権取引の安全を害するので、これを保護する必要が生じうる。

これは、まさに物権変動における公信の原則の問題に該当する。民法は、動産についてだけその適用を認めている(§192、第2編第1章解説〔5〕参照)。債権譲渡について、この場合にまで公信の原則を認めることについては、問題がある。指名債権の譲渡についてこれを認めることは、困難といわざるをえない(改正前§468〔2〕(カ)参照)。債権の証券化という工夫が、この困難を乗り越えるという意味をもつことになる。すなわち、証券的債権の善意取得者は、流通上の瑕疵に対して保護されることになる(真の債権者は、動産の善意取得の場合と同様に、反射的にその権利を失う)。

(e) 以上のように、一面において、債権の取引の安全を図る考慮がなされるが、その反面において、債務者の弁済を保護する必要がある。

949

第3編　第1章　総則　第4節　債権の譲渡

すなわち、債務者は債権譲渡そのものに対して異議はいえず、債権譲渡は債務者の意思にかかわりなく行われるのであるが、そのことによる債務者の不利は取り除かれなければならない。その不利というのは、債権譲渡が可能とされることによって、債権者は特定のAならAであると決めていたのでは足りず、AからBへ、BからCへと移転しうることになり、そのために、債務者がたとえばCが債権者と思って弁済したところ、BからCへの債権譲渡が無効であったというような場合に、誤った債権者に弁済してしまう危険が生じるのである。そのような危険を、十分に注意して弁済した善意の債務者に負担させることは、妥当ではない。そこで、債権に譲渡性を認めることの反面として、このような場合における「善意弁済の保護」を図る必要がある。民法上は、478条［改注］をはじめ、改正前470条、改正前471条などがこの意味をもつ規定であるが、証券的債権については、とくに商法、手形法、小切手法などにおいてさらに進んだ保護が定められている。

(3)　債権譲渡の以上のような意義を考えると、経済情勢に応じてさまざまな新しい譲渡の態様が生じてくることには注意する必要がある。とくに、つぎの点には留意を要する。また、④参照。

　(a)　指名債権に関して、多数債権の包括的譲渡（集合債権譲渡）という問題が生じている。医師が将来取得する診療報酬債権を包括的に譲渡した契約について、これを有効とした判決がある（最判平成11・1・29民集53巻151頁。有効とするための詳細な判断基準を示している）。この事例は、債権を譲渡して、資金を調達しようとするものである。

　(b)　個別の指名債権または集合債権について、譲渡担保ないし譲渡予約をして、担保として利用する事例が多く、これとの関連については慎重な検討が必要である（第2編第10章後注③参照）。判例は、この種の契約について、比較的寛大な態度を採っているが、指名債権譲渡予約の対抗要件については、必ずしもそうではないので（改正前§467⑵(イ)参照。とくに、最判平成13・11・27民集55巻1090頁が指名債権譲渡予約についての対抗要件の効力を否定することの問題は大きい。(c)において取り上げる）、そこに齟齬が生じることが危惧される。

　(c)　いわゆる預託金制ゴルフ会員権の譲渡について、指名債権譲渡に準じて467条［改注］による対抗要件を認める判例（最判平成8・7・12民集50巻1918頁）があるが、この考えについては、慎重を要すると考えられる（預託金返還請求権について§467を適用するのは正しいが、会員権そのものに適用するのは正しくないとする少数意見が正しいであろう）。ゴルフ会員権の譲渡に467条が適用されるとしたうえで、その譲渡予約には対抗要件の効力を認めないとした判決（最判平成13・11・27民集55巻1090頁）には、そもそもの前提および譲渡担保との整合性に問題があると思われる。

③　債権譲渡に関する民法の規定

〈改正〉　2017年の各条文の改正に注意。

(1)　本節の内容は、以上のような諸点について、十分な理解をし、配慮を払ったものとはいえない。

そこで、まず、民法の規定の概略を眺めておこう。

(ア)　指名債権(改正前§467〔1〕参照)

(a)　債務者に対する対抗要件は、無方式の通知または承諾である(§467Ⅰ)。な
お、外見上で債権者らしい者に対する債務者の弁済は、債権の準占有者に対する弁
済として保護される(改正前§478)。

(b)　債務者以外の第三者に対する対抗要件は、確定日付のある証書による通知ま
たは承諾である(§467Ⅱ)。

(c)　譲渡禁止の特約は、善意の第三者に対抗できない(§466Ⅱ〔改注〕)。抗弁権
その他の瑕疵については、債務者の異議をとどめない承諾が公信力をもつ(改正前§
468Ⅰ)。

(d)　ただし、この公信力は、限定されたものであって、物権変動におけるそれと
は大いに異なる(改正前§468〔2〕(カ)参照)。

(イ)　指図債権(改正前§469〔1〕参照)

(a)　債務者に対する対抗要件は、証券の裏書交付である(改正前§469)。債務者の
弁済は、悪意または重大な過失のない以上、保護される(改正前§470)。債権の準占
有者に対する弁済(§478〔改注〕)以上の保護である。

(b)　債務者以外の第三者に対する対抗要件は、(a)と同じである(改正前§469)。

(c)　この種の債権には、つねに譲渡性がある。そして、譲受人に対抗しうる事由
は、証券面の記載などによって制限される(改正前§472)。その関係は、一種の公信
力といってよい。

(d)　商法519条〔削除〕(→民§520の3)の適用を受ける有価証券については、小
切手法21条によって、動産の善意取得(§§192～194)以上の保護を受ける。

(ウ)　無記名債権(改正前§473〔1〕参照)

(a)　債務者に対する対抗要件は証券の引渡しである(削除前§§86Ⅲ・178)。なお、
債務者の弁済が債権の準占有者に対する弁済として保護されることは、指名債権と
同様である(§478〔改注〕)。

(b)　債務者以外の第三者に対する対抗要件は、(a)と同様である(削除前§§86Ⅲ・
178)。

(c)　つねに譲渡性があり、譲受人が抗弁権に対して保護されることは、指図債権
に同じである(改正前§473)。

(d)　すべてについて動産の善意取得の規定(§192～194)が適用されるはずだが、
商法519条〔削除〕(→民§520の3)の適用を受ける種類(無記名債権の大部分)のものに
ついては、小切手法21条が優先的に適用される(§192〔2〕(イ)・§193〔2〕参照)。

(エ)　記名式所持人払債権(改正前§471〔1〕参照)

債務者の弁済が上述の指図債権におけると同様に保護されること(§471〔改注〕)以
外には、民法に規定がないが、すべて無記名債権と同一に取り扱うべきものと解され
ている。

(2)　そこで、本節の各条文の解釈に当たっては、[2]で述べた観点に基づきながら、
検討する必要がある。とくに注意するべき点をつぎに述べておこう。

第3編　第1章　総則　第4節　債権の譲渡

(ア)　指名債権の場合には、債務者に対する通知または債務者の承諾が対抗要件とされている(改正前§467⑵⑶参照)。ところが、第1に、債務者に対する関係と、債務者以外の第三者に対する関係とでは、「対抗」ということの意味合いが違うことから、後者についてだけ確定日付のある証書を要求しているが、そこから複雑な問題が起こる(改正前§467⑼参照)。第2に、とくに債務者の承諾については、それが異議をとどめないものである場合に、善意取得に類似する制度を認めているが、それは、やはり債務者に対する関係であって、第三者が確定日付の要件を備えて現われた場合には、同じく困難な問題が起こるのである(改正前§468⑵(ウ)参照)。

(イ)　証券的債権の譲渡に関しては、第1に、そもそも証券に化体(かたい)する債権が当事者の合意だけで移転し、証券の裏書交付または引渡しを単なる対抗要件としていることは(指図債権については改正前§469、無記名債権については削除前§§86Ⅲ・178)、証券的債権の本質に合致しないものとして批判されている。第2に、指図債権・記名式所持人払債権・無記名債権の三者に関する規定が民法・商法・手形法などのなかに散在し、その取扱いが別々であって統一がとれていない点も問題であり、民法または商法において取りまとめて規定するべきことが主張されている。

④　債権譲渡に関する特別法の登場

②で述べた債権譲渡の機能については、最近における経済発展のなかで、とくにいわゆる債権の流動化への動きに関連して大きな変化が見られ、それに対応する特別法が出現していることに注意を要する。

(1)　まず、1992年の「特定債権等に係る事業の規制に関する法律」(平成4年法律77号)が、クレジット会社、リース会社など(「特定事業者」と呼ばれる)が有する「特定債権」(クレジット債権・リース債権などが定められている)を「特定債権譲受業者」(認可を要する)へ譲渡する場合における債権譲渡の対抗要件について特例を定めていた。この法律は2004年12月3日に廃止されたが(平成16年法律154号)、民法からみてきわめて違和感の強いその内容については、記憶にとどめておく必要があろう。その要点は、つぎのとおりである。

　(a)　民法の定める対抗要件を遅滞なく備える義務がある(§5。違反すると、30万円以下の罰金、§80)。

　(b)　債権譲渡をしたときは、経済産業省令の定めるところによる「公告」をすれば、民法467条[改注]による確定日付のある通知と同じ対抗要件を備えたことになる(§7)。

　(c)　債務者は、その公告にさいして提出された書面を閲覧して、債権譲渡を知ることができる(§8)。

　(d)　債務者が特定事業者に弁済してしまった場合を保護するために、特定事業者は、譲受人である特定債権譲受業者から取立ての委任を受けておくものとされる(§6③)。

(2)　さらに、1998年の「債権譲渡の対抗要件に関する民法の特例等に関する法律」(平成10年法律104号。同年10月1日施行)が登場した。この法律は、2004年12月1日

第4節［解説］④

に改正され（平成16年法律148号）、「動産及び債権の譲渡の対抗要件に関する民法の特例に関する法律」と改称された。

(ア) その内容の概要は、つぎのとおりである。

(a) この法律は、法人がその有する、金銭の支払を目的とする指名債権を他人（法人には限らない）に譲渡する場合に限って適用される。

(b) 法人がその債権を譲渡した場合、その債権譲渡について、法務省が設ける登記所において、「債権譲渡登記ファイル」（磁気ディスクをもって調製される）に譲渡の登記をすれば、債務者以外の第三者に対してその登記の日付をもって確定日付とする民法467条2項の対抗要件を備えたものとされる（§4Ⅰ）。

(c) 債権の譲渡人もしくは譲受人が登記事項証明書を債務者に交付して通知し、または、債務者が承諾したときは、債務者に対する対抗要件も備えたものとする（§2Ⅱ）。

(d) 債権譲渡登記において記録される事項は、8条が規定する。とくに、債権譲渡登記の存続期間（原則として50年以内。債務者不特定なら10年以内）が注目される。

(e) その他、再譲渡の登記、延長登記、抹消登記、登記事項概要証明書・登記事項証明書の交付などについての手続規定が設けられている。

(f) 債権譲渡に関する規定は、債権質に準用される（§14）。

(イ) この制度については、さまざまな問題について注意を要する。

(a) まず、登記が、目的物（債権）についての物的基準により編成されるのではなく、債権者である法人を基準として、いわば人的基準により編成され、また検索されることに注目するべきである（債権譲渡登記の概略は、法人の商業登記簿に自動的に記録されるとされていたが、2004年の改正により、登記事項概要ファイルに改められた。人的基準による検索であることは変わらない）。それとも関連し、登記された債権が架空のものである可能性が存在し、また、指名債権の特定性についての保障も不十分である。

(b) 規定上は明示されていないが、いわゆる将来の包括的債権の譲渡（②(3)参照）への適用が予定されていることにも留意を要する（電子媒体に何百という債権の譲渡を記載して、登記できる）。その記載の正確さにはとくに注意する必要がある（最判平成14・10・10民集56巻1742頁は、業務委託契約に基づいて継続して発生する債権の譲渡担保の事例であるが、その債権の発生期間について、債権譲渡登記には契約で定めた始期のみが記載され、終期が記載されていないときは、その始期当日に発生した債権だけについて対抗力が生じるとした）。関連するが、譲渡された債権の特定のための基準が2004年の改正により緩和された（債務者が不特定でもよいなど）ことにも疑問が感じられる（新§8Ⅱ④）。

(c) また、民法上の対抗要件においては、論理上、まず債務者に対する対抗要件が存在し、それに債務者以外の第三者に対する対抗要件が重なるという構造を有する（§467Ⅰ・Ⅱ）。これに対して、債権譲渡登記では、まず、債務者以外の第三者に対する対抗要件が先行し（むしろ、債務者に知らされないのが通常である）、あとから債務者に対する対抗要件が付加されるという構造になっていることにも注目を要する。この対抗要件が備えられていない債務者が債権譲渡人に弁済したときには、（たとえ悪意であっても）弁済は有効になる。債権譲渡登記を調べなかったことが過失と評

953

第3編　第1章　総則　第4節　債権の譲渡

価されるようなことは考えられない(債務者が不特定である債権については、およそ債務者に対する対抗要件は考えることができない)。

　(d)　さらには、本法による譲渡の登記がされた債権について民法468条［改注］による債務者の異議をとどめない承諾による譲渡が行なわれた場合の法律関係、本法による譲渡の登記がされた債権について再譲渡が行われた場合の法律関係(§8Ⅳに、再譲受人が法人である場合について登記の存続期間についての手当てがされているが、譲受人が法人でない場合なども考える必要がある)などの問題があると考えられる。

　(e)　動産譲渡の場合(第2編第1章解説6参照)と同様に、法人と自然人の法律関係に差異を設けることについての原理的な問題点があると思われる。

(3)　電子記録債権の譲渡については、本編解説4を参照。

5　債権取立てのための債権の譲渡

(1)　債権の譲渡は、しばしば債権取立ての便宜のために行われる。すなわち、譲受人をしてその債権を取立てさせ、その取得したものを譲渡人に交付させる目的で譲渡をするものである。民法は、このような態様の債権譲渡についてはなにも特別の規定を設けていないが、判例は、これを虚偽表示ではなく、合法と認め(大判明治41・12・7民録14輯1268頁)、これについて特別の理論を構成している。すなわち、「取立てのための債権譲渡」について、さらに二つの場合を区別する。その1は、譲受人にただ債権取立ての権能を与えるにすぎず、債権自体の帰属に変更を生じないものであり、その2は、債権自体の帰属に変更を生じ、ただ、譲受人が譲渡人に対してこれを債権取立てのためだけに行使すべき債務を負担するものである。債権は信託的に譲受人に譲渡されたものとみることができる。そして、取立てのための債権譲渡は、通常、前者であると推定するべきものとされる(大判大正15・7・20民集5巻636頁)。

　判例による2種類の取立てのための債権譲渡の効果は、つぎの通りである。

(2)　単に取立て権能だけを付与する場合については、つぎの諸点が明らかにされている。

　(a)　債務者は、譲渡通知後に取得した譲渡人に対する債権で相殺をすることができる(前掲大判大正15・7・20)。

　(b)　譲渡人は、譲渡の後においても、なおその債権を処分する権能を失わない。たとえば、免除をすれば、債務者は債務を免れる(大判大正6・12・8民録23輯2066頁)。

　(c)　譲受人は、さらにその権能を第三者に譲渡することはできない(大判昭和2・4・5民集6巻193頁)。

　(d)　訴訟上の取立て行為をさせるために譲渡をする場合が多いが、その場合に、譲受人が訴訟上の請求の放棄をしたときは、譲渡人がその後譲渡契約を解除し、その債権を第三者に譲渡しても、請求放棄の既判力(民訴§267)はこれらの者に及ぶ(大判昭和19・3・14民集23巻155頁)。

　(e)　この場合に、このいわゆる取立て権能だけの譲渡なるものが、譲渡人・譲受人および債務者以外の第三者に対してどのような効果を生じるか。たとえば、譲受

人の債権者は、この債権を譲受人の財産として差し押さえることができるか、などの点については、判例理論はなお不明である。

(3) 債権が信託的に譲渡された場合には（いわゆる訴訟信託が許されないことについては、信託§10参照）、譲受人は、すべての関係において債権者としての権能を有効に行使することができる。たとえば、債務者に対する譲受人による免除も有効であり、ただ、譲渡人に対して信託違反の責任を負うことがあるにとどまる（大判昭和9・8・7民集13巻1588頁）。そして、その当然の結果として、譲渡人はその債権を処分する権能を喪失する。

(4) 以上のように、取立てのためにする債権譲渡は、②で検討したような、独立財産化の意味をもつ債権譲渡とはまったくその意義と機能を異にする。したがって、本節において後者の意味をもつ債権譲渡に焦点を当てて行う考察は、これには妥当しないことに注意を要する。

⑥　債務の引受け

わが民法は債権の譲渡について規定するだけであって「債務の引受け」についてなんらの定めもしていない。しかし、学説・判例ともこれを有効としている。これについては、新第5節（旧本節後注）を見よ。

〈改正〉　2017年に、第5節として新470条〜472条の4が新設された。

（債権の譲渡性）
第四百六十六条

1　債権は、譲り渡す[2]ことができる[1]。ただし、その性質がこれを許さないとき[3]は、この限りでない。

2　当事者が債権の譲渡を禁止し、又は制限する旨の意思表示（以下「譲渡制限の意思表示」[1]という。）をしたときであっても、債権の譲渡は、その効力を妨げられない。

3　前項に規定する場合には、譲渡制限の意思表示がされたことを知り、又は重大な過失によって知らなかった譲受人その他の第三者に対しては、債務者は、その債務の履行を拒むことができ、かつ、譲渡人に対する弁済その他の債務を消滅させる事由をもってその第三者に対抗することができる[2]。

4　前項の規定は、債務者が債務を履行しない場合において、同項に規定する第三者が相当の期間を定めて譲渡人への履行の催告をし、その期間内に履行がないときは、その債務者については、適用しない[3]。

〈改正〉　2017年に改正された。前掲（第4節）附則第二十二条参照。

[改正の趣旨]　[1]　債権の譲渡制限に関する意思表示（債権譲渡禁止特約）に違反してなされた譲渡の効力につき、判例および有力説では、禁止は「物権的な効力」を有すると解釈されていた。解説[4]参照。しかし、このような物権的な効力まで認めることは、債権の流動化や担保化にとって支障となるため、新法は、譲渡制限の意思表示に違反しても、債権は移転する（譲渡禁止特約は債権的な効力を有するにすぎない）ことを明確にした（1項、2項）。したがって、譲渡制限の意思表示に違反しても、債権は移転することになり、債権者は譲受

第3編　第1章　総則　第4節　債権の譲渡

人であり、譲受人に悪意・重過失があっても、債権者は譲受人ということになる。解説〔4〕で引用する最判平成21・3・27は、このような方向を示していた。当該判例と解説〔5〕(イ)で引用している最判は、制度的前提が異なることになるから、預金債権の譲渡（466条の5）の場合を除いて、先例的意義がなくなるであろう。さらに、債権の譲渡制限がなされている場合において、譲受人が悪意・重過失であるときは、弁済は譲渡人を経由することになるから、譲受人は、譲渡人の破産の場合を除いて（466条の3）譲渡人の無資力リスクを負担することになる。また、債権譲渡の効力は妨げられないとは言っても、「譲渡禁止特約」に違反したことには変わりはないから、その効果が問題になる。もっとも損害が発生しなければ、その賠償も問題にならないが、取引基本契約の解除や違約金の支払等が問題となりうる。これに加えて、債務者から包括的に「一切の抗弁を放棄する」という意思表示を取り付けることが可能か否かも議論されている。新法の趣旨からすれば、無制限に認めるべきではない。そこで「譲受人の知らない抗弁は主張しない」という限度で認める見解も主張されている。この見解であれば、468条の〔改正の趣旨〕〔1〕および〔改正前条文の解説〕〔3〕で引用している最判昭和42・10・27趣旨に近い結論となる。466条の5に注意。

　　〔2〕　債務者の利益を保護するために、債務の履行拒絶と、譲渡人に対する弁済その他の債務消滅行為を対抗できることとした。466条の3に注意。

　　〔3〕　債務者が債務を履行せず、相当期間を定めて譲受人への履行を催告してもその期間内に債務者が履行をしない場合には、そのような債務者を保護する必要はないから、3項の規定を適用しないこととした。債権者である譲受人が請求しても債務者が履行せず、また、譲渡人に履行するように催告しても履行しないという不適切な状態（いわゆるデットロック状態）を解消するための規定である。

［改正前条文］

　1　同上
　2　前項の規定は、当事者が反対の意思を表示した場合[4]には、適用しない。ただし、その意思表示は、善意の第三者に対抗することができない[5]。

［原条文］

　債権ハ之ヲ譲渡スコトヲ得但其性質カ之ヲ許ササルトキハ此限ニ在ラス
　前項ノ規定ハ当事者カ反対ノ意思ヲ表示シタル場合ニハ之ヲ適用セス但其意思表示ハ之ヲ以テ善意ノ第三者ニ対抗スルコトヲ得ス

［改正前条文の解説］

〔1〕　ここで、「債権の譲渡」とは、債権を、その同一性を失わせることなしに、契約によって移転することをいう。そして、本条は、債権が、その同一性を失うことなく、現在の債権者(譲渡人)から新債権者(譲受人)に、債務者の意思を問うことなく、移転することができるという原則を表明するものである。

　元来、ローマ法においては、債権は特定の債権者と債務者を個人的に結ぶ法の鎖 vinculum iuris と考えられたので、債権者が変わることは、債権の同一性を喪失させるとされ、したがって、債権譲渡は認められなかった。もっとも、このような態度は、ローマの社会でも、経済取引が盛んになるにしたがって不便とされ、その目的を達するために種々の制度が利用された。後に述べる更改(債権者の交替による更改)は、その重要な一つであった。しかし、近代の資本主義経済組織のもとにおいては、債権を譲渡することは、投下した資本の流動化を図るために不可欠の要請となった。そこで、近代法は、いずれの国でも債権譲渡の法律的可能性を認める。本項も、この傾向に従

い、債権は譲渡性を有することを原則とする旨を宣言したものである。しかし、債権のうち、指名債権(改正前§467〔1〕参照)については、つぎのような広範な例外があることを注意すべきである。

(a) 法律の明文によって譲渡を禁止されているもの

扶養請求権(§881)、災害補償をうける権利(労基§83Ⅱ、労災§12の5Ⅱ)、社会保険における保険給付を受ける権利(厚年§41、健保§68、国民健保§67、雇保§11、国公共済§49など)、恩給請求権(恩給§11Ⅰ)、年金受給権(国民年金§24など)などがその主要な例である。これは、債務者をして本来の債権者自身に対して弁済させることを必要とする趣旨に基づく。なお、記名の乗船切符(商§777[削除])の譲渡が禁止されているのは、その譲渡(その商品化)に弊害を伴うことを考慮しての処置である。

(b) 債権の性質が譲渡を許さないもの

これについては、本項ただし書に規定がある(後述〔3〕参照)。

(c) 当事者が譲渡禁止の意思表示(特約ともいう)をしたもの

これについては、本条2項に規定がある(後述〔4〕参照)。

なお、差押えを禁止された債権でも、同時に譲渡も禁止されていなければ、譲渡することはできると解して妨げない(民執§152で差押えを禁止された債権につき、最判昭和43・5・28判時519号89頁)。

〔2〕 債権の譲渡は、売買または贈与として、さらには、代物弁済、譲渡担保、特定遺贈などとして、行われることが多い。このような場合における売買契約、贈与契約などと債権の移転ないし債権譲渡契約との関係は、動産または不動産についての、売買契約または贈与契約と目的物の所有権の移転との関係、ないし、とくに所有権移転契約がなされた場合における、売買などの契約とその移転契約との関係と同様である。すなわち、債権譲渡契約は、これによって債権の移転を生じる合意であって、その性質は債権を移転すべき債務を生じる売買契約とは別個のものである。しかし、普通に債権の売買契約がなされると、この契約は、当然に債権移転の合意をも包含し、これによって債権移転の効果をも生じるものと解するべきである。したがってまた、この売買契約が無効であったり、取消されたりすれば、債権移転の効果は生じない。また、売買契約が解除されれば、債権は、当然に譲渡人に復帰するのである(物権変動に関する§177〔3〕(ア)(c)(d)参照)。

なお、債権を譲渡した場合に、その債権がすでに消滅して存在しないものであれば、その債権譲渡は無効である。このことは、特定の家屋を譲渡した場合にその家屋がすでに焼失してしまっていれば、その所有権移転契約が無効であるのと同様である。譲渡人は、売主または贈与者として、無効な契約を締結した責任を負うことがあるにとどまる(第2章第1節第1款解説④(2)(イ)(ウ)・3参照)。ただし、債務者が異議をとどめない承諾をした場合の問題について、改正前468条〔2〕(ア)参照。

なお、以上のような契約によるほか、債権の移転は、相続、遺贈、会社の合併などによっても生じる。また、民事執行法上、転付命令(民執§159)、譲渡命令など(同§161)によっても生じる。それらの法律関係は、本条以下による譲渡とはかなり異なることに注意を要する。

957

第3編　第1章　総則　第4節　債権の譲渡

〔3〕　債権の性質が譲渡を許さないというのは、給付の性質上、原債権者だけに給付するべきものと認められる債権をいう。つぎのようなものが挙げられる。

(a)　債権者を異にすることによって、その給付内容がまったく変更されることになるものは、絶対に譲渡性がない。たとえば、特定の人が教授を受けることを内容とする債権とか、自分の肖像を描かせる債権などである。不作為債権も、多くの場合に、これに属する。

(b)　特定の債権者に給付すること、または特定の債権者が債権を行使することに重要な意義が存する債権も、債務者の承諾がなければ譲渡できない。民法は、雇用における使用者の債権（§625 I）、賃借人の債権（§612 I）がこの種のものであることを明言する。委任者の債権も、これに属すると解するべきである（大判大正6・9・22民録23輯1488頁）。そのほか、契約上の一方当事者の権利については、その契約の性格・内容を十分考慮して判断する必要がある（最判昭和50・7・25民集29巻1147頁は、いわゆる預託制ゴルフ会員権の譲渡性を認めた例。なお、最判平成7・1・20判時1520号87頁は、これにつき譲渡禁止の特約を認めた例である）。

(c)　特定の債権者との間に決済させることを必要とする特別の事由がある債権も譲渡できない。交互計算（商§529以下）に組み入れられた債権は、この意味において譲渡性がないとする判例がある（大判昭和11・3・11民集15巻320頁）。

(d)　弁護士法28条が、弁護士は係争権利を譲り受けることはできないと規定していることとの関連で、A（中国の有限公司）のYに対する債権について取立てを委託された弁護士Xがその債権の譲渡を受けて、Yの預金債権を差押えたところ、Yがその債権譲渡は弁護士法28条に違反して無効であると異議を申し立てた事例がある。第一審は、この債権は係争権利ではないとしてXを勝訴させたが、原審は、そうであるとしても、弁護士法28条の趣旨に照らして譲渡は私法上効力なしとして、Yの異議を認めた。Xが許可抗告し、最高裁は、委託を受けた債権の管理・回収の手段として譲り受けたのであれば、公序良俗に反する事情があれば格別、直ちに私法上の効力が否定されるものではないとして、破棄し差戻した（最決平成21・8・12民集63巻1406頁）。

以上のような、債権の性質に基づく譲渡性の範囲も、時代の経済関係と相関的に定まるものである。そして、現代の取引関係がしだいに個人的要素を喪失し、画一的内容を有するに至ると、これに伴って、そこから生じる債権もまた個別性を失う。ことに、企業組織の中に包摂される債権は、ますます非人格化する。そうすると、その債権の内容である給付も画一的となり、譲渡性を取得することとなる。借地借家関係における賃借権がその譲渡性を促進させられ、企業の一内容を構成する使用者の債権や競業をさせないという不作為債権なども、企業とともに譲渡するときは（本節後注③(2)(a)参照）、これを譲渡できると論じられるのは、いずれもこの現象に基づくものである。

〔4〕　反対の意思表示、すなわち、譲渡禁止の意思表示（特約）は、債権者と債務者との契約によるのが普通であるが、単独行為によって債権を成立させる場合（たとえば、遺贈）には、その単独行為で債権の譲渡を許さないものにすることができる。なお、

958

§466〔3〕〜〔5〕

譲渡禁止の意思表示の効力が絶対的のものでないことについては、本項ただし書に規定がある（〔5〕参照）。

譲渡禁止の特約に反して行われた債権譲渡は効力を生じないとされる（これを譲渡禁止特約の「物権的効力」という。大判大正4・4・1民録21輯422頁は同旨と思われる）。これに対して、特約の効力を弱く解して、債権譲渡自体は効力を生じ、特約違反の責任を生じるにすぎないとする見解もある（これを「債権的効力」という）。

そのほか、債権、とくに金銭債権が独立財産性を有することにかんがみ、これからその自由処分性を奪う譲渡禁止の特約については、その効力をなるべく限定的に考えるべきであるとする主張が有力になされている。

最判平成21・3・27（民集63巻449頁）は、AのBに対する工事代金債権について譲渡禁止の特約があったところ、Aがそれに反してその債権をC信用金庫に根譲渡担保に供した事例において、Bが債権者不確知の理由で債務額を供託し、AとCが自分の方に供託金還付請求権があると争った訴訟である。同判決は、債権譲渡の禁止は「債務者の利益の保護のため」であって、「債務者に譲渡の無効を主張する意思があることが明らかであるなどの特段の事情がない限り」は、Aみずからがその特約を理由に譲渡無効を主張することはできないとした。この判旨は、譲渡禁止の特約の効力を最も弱い「債権的効力」と解する見解であって、疑問である（原審は、譲渡についての債務者Bの承諾はない、Cは譲渡禁止特約について善意無重過失とはいえず、本条Ⅱただし書の適用はない、Aの禁反言とはいえない、などの理由でAを勝たせたが、最高裁は、これを破棄自判して、Cの主張を認めた。この問題については、当該債権の他の譲受人、差押債権者などの関係者、債権者の倒産、債務者の支払不能などの要素も考慮に入れられるべきであり、上記の判旨は安易に過ぎると思われる）。

〔5〕 当事者の譲渡禁止の意思表示に絶対的効力を認めると、善意でその債権を譲り受け、あるいは、その上に質権を取得した第三者に不測の損害をこうむらせるおそれがある。そこで、当事者の譲渡禁止の意思表示は、これをもって善意の第三者に対抗できないこととし、債権の財産性とこれを生じさせた取引関係の特殊性との調和を図ったのである。

債権の財産性、したがって譲渡性を重視する考えからすれば、このただし書による譲受人の保護をより拡張し、債権の流通性を強めるように配慮するべきであろう。

(ア) 判例は、譲渡禁止の特約を知らなかったことが譲渡契約における要素の錯誤にはならないとし（大判大正10・5・28民録27輯976頁）、悪意の譲渡人から債権を善意で譲り受けた者は債権を有効に取得するとし（大判昭和13・5・14民集17巻932頁）、譲渡禁止の特約の存在および第三者の悪意については、債務者に立証責任があるとしている（大判明治38・2・28民録11輯278頁）。

(イ) また、譲渡禁止の特約をした債務者が、債権譲渡に承諾を与えれば、譲渡前の承諾であればもちろんのこと（最判昭和28・5・29民集7巻608頁）、譲渡後の承諾であっても、債権譲渡は譲渡の時に遡って有効となることについては、とくに問題はないであろう（最判昭和52・3・17民集31巻308頁）。

なお、この譲渡の承諾（禁止解除）の遡及効は、それまでに生じた第三者を害しえな

959

第3編　第1章　総則　第4節　債権の譲渡

いと解する必要がある。たとえば、譲渡禁止について悪意の第三者に譲渡した後に、善意無過失の第三者に譲渡した場合、その後に前者に承諾しても、後者への譲渡をくつがえすことはできない。その第三者が債権を差押えた者である場合も（㈢参照）、同様である（最判平成9・6・5民集51巻2053頁。「§116ただし書の法意に照らし」とするが、自明のことといってよい）。なお、対抗要件としての承諾と譲渡禁止解除の意味をもつ承諾とは区別する必要がある。

　㈦　条文は、第三者の善意のみを要求している。これに対して、譲渡禁止の特約を知らなくても、これにつき重大な過失のある譲受人は本項の保護を受けないとした判例がある（最判昭和48・7・19民集27巻823頁。無過失を要求する説もある）。事例は銀行預金債権に関するもので、この種の債権については譲渡禁止の特約があることは周知であることを根拠とするが、疑問である。むしろ、預金者に対して銀行が支払を拒否したので、預金者が必要上その預金債権を譲渡した場合に、その譲受人が悪意であっても譲渡を有効とした判例（大判昭和13・12・17民集17巻2651頁）の方が、方向としては正しいといってよかろう。

　㈢　これに関連して問題となるのは、譲渡禁止の特約がある債権を差押えることができるかである。債務者の一般財産のなかに差押えられないものを作ることは、私人が自由にできるところではない。これを認めると、はなはだしく債権者を害する場合が生ずる。したがって、譲渡禁止の特約は、その債権の差押え可能性を奪うものではないと解するべきである（本条Ⅱの適用はない。最判昭和45・4・10民集24巻240頁）。

> **（譲渡制限の意思表示がされた債権に係る債務者の供託）**
> **第四百六十六条の二**
> 　　1　債務者は、譲渡制限の意思表示がされた金銭の給付を目的とする債権が譲渡されたときは、その債権の全額に相当する金銭を債務の履行地（債務の履行地が債権者の現在の住所により定まる場合にあっては、譲渡人の現在の住所を含む。次条において同じ。）の供託所に供託することができる[1]。
> 　　2　前項の規定により供託をした債務者は、遅滞なく、譲渡人及び譲受人に供託の通知をしなければならない[2]。
> 　　3　第一項の規定により供託をした金銭は、譲受人に限り、還付を請求することができる[3]。

〈改正〉2017年に新設された。前掲（第4節）附則第二十二条参照。

［本条の趣旨］ **［1］** 譲受人が譲渡制限の特約の存在を知っていたか否かが分からないため、債務者が抗弁に基づく履行拒絶（新466条3項）に踏み切れない場合もありうるので、金銭債権の場合に限って、本条1項による供託を認めた。なお、債権者は譲受人であることが確定しているから、「債権者不確知」を理由とする供託はできないであろう。

　　［2］ 供託をした債務者に、通知を義務付けた規定である。

　　［3］ 還付請求権は譲受人にのみ帰属することを明記した。

§§466の2・466の3・466の4・466の5

〔破産手続開始の場合の供託〕〔第 8 版凡例 4 a)を見よ〕
第四百六十六条の三
　　前条第一項に規定する場合において、譲渡人について破産手続開始の決定が
　あったときは、譲受人（同項の債権の全額を譲り受けた者であって、その債権
　の譲渡を債務者その他の第三者に対抗することができるものに限る。）は、譲
　渡制限の意思表示がされたことを知り、又は重大な過失によって知らなかった
　ときであっても、債務者にその債権の全額に相当する金銭を債務の履行地の供
　託所に供託させることができる。この場合においては、同条第二項及び第三項
　の規定を準用する[1]。
〈改正〉　2017 年に新設された。前掲（第 4 節）附則第二十二条参照。
[本条の趣旨]　[1]　本条が前提としているような場合には（法律関係の複雑化を回避する
ため「全額」とされていることに注意）、破産管財人が受領権限を承継するから、債務者が譲
渡人の破産管財人への弁済をもって譲受人に対抗できるとすると、財団債権としては保護さ
れても、譲受人による債権の全額回収が困難になる。これが、本条の制定理由である。なお、
366 条 3 項も参照。

（譲渡制限の意思表示がされた債権の差押え）
第四百六十六条の四
　　1　第四百六十六条第三項の規定は、譲渡制限の意思表示がされた債権に対す
　る強制執行をした差押債権者に対しては、適用しない[1]。
　　2　前項の規定にかかわらず、譲受人その他の第三者が譲渡制限の意思表示が
　されたことを知り、又は重大な過失によって知らなかった場合において、そ
　の債権者が同項の債権に対する強制執行をしたときは、債務者は、その債務
　の履行を拒むことができ、かつ、譲渡人に対する弁済その他の債務を消滅さ
　せる事由をもって差押債権者に対抗することができる[2]。
〈改正〉　2017 年に新設された。前掲（第 4 節）附則第二十二条参照。
[本条の趣旨]　[1]　私人間の合意により差押え禁止債権を創造することを認めない趣旨で
ある（改正前 466 条の解説[5](エ)参照）。約定担保権に基づく差押えの場合には、本条は適用
されない。この場合については、解釈に委ねられるものと思われる。
　[2]　譲渡人の差押債権者は、譲受人が有する地位を引き継ぐので、譲受人以上の権利が
認められる必要はない。新法では、債務者は、悪意・重過失の譲受人の差押債権者に対して
も履行の請求を拒絶し、また譲渡人に対する弁済等を対抗できるとした。

（預金債権又は貯金債権に係る譲渡制限の意思表示の効力）
第四百六十六条の五
　　1　預金口座又は貯金口座に係る預金又は貯金に係る債権（以下「預貯金債
　権」という。）について当事者がした譲渡制限の意思表示は、第四百六十六
　条第二項の規定にかかわらず、その譲渡制限の意思表示がされたことを知り、
　又は重大な過失によって知らなかった譲受人その他の第三者に対抗すること
　ができる[1]。
　　2　前項の規定は、譲渡制限の意思表示がされた預貯金債権に対する強制執行

961

第3編　第1章　総則　第4節　債権の譲渡

をした差押債権者に対しては、適用しない[2]。

〈改正〉　2017 年に新設された。前掲（第 4 節）附則第二十二条参照。

[本条の趣旨]　[1]　新法では、譲渡禁止特約付き債権が悪意・重過失者に譲渡されても、有効に譲受人に帰属する旨の規定を設けることとしたが（新 466 条）、預貯金債権については、特約違反の譲渡がなされた後に、当該預貯金口座に入金がされ、その後に差押えがあると、譲渡に劣後する差押えであるとして差押債権者に支払っても免責されないことになるのか、譲渡対象外債権に対する差押えであるとして差押債権者に支払わなければならないことになるのか、が明確でない場合がありうるので、実務上混乱が生ずるとの指摘がなされていた。新法は、このような指摘に配慮して、預貯金債権については、改正前の判例法理を維持し、悪意・重過失者への特約に反する譲渡は効力を有しないものとする旨の規定を設けた。

なお、預貯金債権以外にも、譲渡になじまない債権はありうるので、預貯金債権についてのみ、その譲渡制限特約に特別の効力を定めるやり方が、妥当であったのか、立法の在り方として疑問であるといわざるを得ない、との批判があったが、預貯金債権の特殊性が認められた。

[2]　譲渡制限特約のある預貯金に対する差押えの場合には、新 466 条の 4 が適用される。

（将来債権の譲渡性）
第四百六十六条の六

1　債権の譲渡は、その意思表示の時に債権が現に発生していることを要しない[1]。

2　債権が譲渡された場合において、その意思表示の時に債権が現に発生していないときは、譲受人は、発生した債権を当然に取得する[2]。

3　前項に規定する場合において、譲渡人が次条の規定による通知をし、又は債務者が同条の規定による承諾をした時（以下「対抗要件具備時」という。）までに譲渡制限の意思表示がされたときは、譲受人その他の第三者がそのことを知っていたものとみなして、第四百六十六条第三項（譲渡制限の意思表示がされた債権が預貯金債権の場合にあっては、前条第一項）の規定を適用する[3]。

〈改正〉　2017 年に新設された。前掲（第 4 節）附則第二十二条参照。

[本条の趣旨]　[1]　現に発生していない債権（将来債権）を譲渡することが可能かについて改正前には規定がないが、実務上、将来発生する医師の診療報酬債権を担保とした融資を受けるための将来債権の譲渡等が行われてきた。これについて最判平成 11・1・29（本節[2](3)(a)参照）は、将来債権譲渡の有効性を承認している。現在では、消費者ローンなどにおいて多数の債務者に対する集合債権（将来債権を含む）を「担保として譲渡」して資金調達をする方法などが行われており、動産・債権譲渡特例法では、債務者が不特定の将来債権譲渡について登記することができる。新法では、将来債権の譲渡性を承認する規定を設けた。

[2]　上記の場合には、譲受人は発生した債権を当然に取得する。

[3]　将来債権の譲渡後、対抗要件具備時までに債務者・譲渡人間で譲渡制限特約を付することがあり得る。この場合には、譲渡制限特約が付されたことにつき悪意・重過失である譲受人に影響を与えるかという問題があるため、本項が設けられた。譲渡人による通知または債務者の承諾でよいが、通常は前者になるだろう。なお、最判平成 24・9・4（判時 2171 号 42 頁）で問題になった将来の賃料債権の譲渡の場合については、立法化は見送られた。

なお、将来の預金債権の譲渡に付き、預金契約締結よりも前に債務者対抗要件が具備され

ることもありうるので、預金については、譲渡可能な預金の作出を否定できないことを前提に、場合によっては口座開設拒否による銀行の対応が必要になるとの指摘等がなされている。

（債権の譲渡の対抗要件）
第四百六十七条

　　1　　債権の譲渡（現に発生していない債権の譲渡を含む。）は、譲渡人が債務者に通知をし、又は債務者が承諾をしなければ、債務者その他の第三者に対抗することができない¹⁾。

　　2　　前項の通知又は承諾は、確定日付のある証書⁸⁾によってしなければ、債務者以外の第三者に対抗することができない⁷⁾⁹⁾。

〈改正〉　2017 年に改正された。見出し中「指名債権」を「債権」に改め、同条第一項中「指名債権の譲渡」を「債権の譲渡（現に発生していない債権の譲渡を含む。）」に改めた。前掲（第 4 節）附則第二十二条参照。

[改正の趣旨]　[1]　指名債権とは、要するに、証券によることなく債権者が特定している債権をいう（解説(1)参照）。新条文では、この点が簡明になった。

　改正前 467 条は（指名）債権譲渡の対抗要件について定めているが、将来債権の譲渡に関する対抗要件についても同条の方法によるのかについては必ずしも明らかではない。この点につき、最判平成 13・11・22 民集 55 巻 1056 頁は、上記のような債権譲渡について第三者対抗要件を具備するためには、指名債権譲渡の対抗要件（2 項）の方法によることができるとしている。新法では、対象となる債権について「現に発生していない債権の譲渡を含む」旨を明らかにした。

[改正前条文]
（指名債権の譲渡の対抗要件）

　　1　　指名債権¹⁾の譲渡²⁾は、譲渡人が債務者に通知をし³⁾、又は債務者が承諾⁴⁾をしなければ、債務者⁵⁾その他の第三者⁶⁾に対抗することができない⁷⁾。

　　2　　同上

[原条文]
　　指名債権ノ譲渡ハ譲渡人カ之ヲ債務者ニ通知シ又ハ債務者カ之ヲ承諾スルニ非サレハ之ヲ以テ債務者其他ノ第三者ニ対抗スルコトヲ得ス
　　前項ノ通知又ハ承諾ハ確定日附アル証書ヲ以テスルニ非サレハ之ヲ以テ債務者以外ノ第三者ニ対抗スルコトヲ得ス

[2018 年相続法改正・899 条の 2]
[改正の趣旨]　同条 1 項は不動産の場合の規定であるが（177 条 [3](イ)参照）、同条 2 項は、相続財産に属する財産が債権である場合の対抗要件について定めている。通常の債権譲渡では、譲渡人による通知があればそれだけで債務者に債権譲渡の事実を対抗することができるとされているが、この場合は、債務者は譲渡人が誰であるかを把握していることが前提となっている。これに対し、遺言によって債権を取得した場合には、譲渡人に相当する遺言者は既に死亡しているため、その相続人が譲渡人の地位を承継するが、債務者は、相続開始の事実およびその相続人の範囲を通常知り得ないため、相続人全員から通知があっても、それだけではその相続人が譲渡人の地位を承継した者であるかどうか分からない。このため、新法は、債務者対抗要件として共同相続人が債務者に通知をする場合には、通知の事実に加えて、債務者に相続人の範囲（当該遺産分割の内容）を明らかにすることを要求している。この場合には、共同相続人全員が債務者に通知したものとみなして 1 項を適用する（なお、動産及び債権の譲渡の対抗要件に関する民法の特例等に関する法律 4 条 2 項も参照）。

第3編　第1章　総則　第4節　債権の譲渡

相続人による通知に加え、遺言執行者による通知でも、債務者対抗要件となる。遺言執行者については、1014条2項、3項において、対抗要件を備えるために必要な行為をする権限を有するとされている。（なお、遺言執行者がない場合には、家庭裁判所に選任を求めることができる。1010条参照）。改正後の899条の2の規定は、施行日前に開始した相続に関し遺産の分割による債権の承継がされた場合において、施行日以後にその承継の通知がされるときにも、適用する（附則3条）とされている。

［改正前条文の解説］

本条の規定のうち、指名債権譲渡の対抗要件である通知・承諾が、債務者に対抗する場合と債務者以外の第三者に対抗する場合とで、その意味および方式を異にすることを注意するべきである（それぞれ、〔5〕と〔9〕で述べる）。

〔1〕　「指名債権」とは、指図債権（改正前§469〔1〕参照）、記名式所持人払債権（改正前§471〔1〕参照）、無記名債権（改正前§473〔1〕参照）などのような、いわゆる証券的債権に対して、証券化されていない（証券に化体されていない）、普通の債権を呼ぶ名称である。これらの証券的債権にあっては、債権は、証券の存否と密接な関係を持ち、また、債権者は、証券の記載または占有によって変更され、特定されるものであるが、これに対して、指名債権にあっては、債権者は、証書の有無に関係なく特定し、また、債権は、証書の記載や占有と関係なく、債権者と債権を譲り受ける者との合意のみによって移転する。証書は、ただ債権についての証拠方法にすぎない。指名債権とは、要するに、証券によることなく債権者が特定している債権をいう。

〔2〕　(ア)　指名債権の譲渡は、つぎのようにして行われる。

(a)　債権は、従来の債権者である譲渡人と新しく債権者となる譲受人の間の債権譲渡契約（改正前§466〔2〕参照）によって移転する。債務者の承諾は必要ない。債権証書などの証拠書類も通常は同時に引渡されるであろうが、それが債権移転の要件ではない。

(b)　譲受人は、債務者に対して債権者として請求する資格を、本条1項が定める通知または承諾によって取得する（〔3〕〔4〕〔5〕参照）。条文は、「対抗することができない」という表現を用いているが、(c)で述べる公示の原則の適用としての対抗要件とは意味を異にする。

(c)　譲受人が、その債権について利害関係を有する第三者に対して債権の取得を対抗するためには、本条2項が定める確定日付のある通知または承諾（§467Ⅱ参照）を必要とする。これは、公示の原則の適用としての厳密な意味における対抗要件である。

(d)　譲受人は、さらに債務者から異議をとどめない承諾（改正前§468〔1〕参照）を得ておけば、善意・無過失である限り、その債権が有する一定の瑕疵に対して保護される。これは、動産物権変動における192条のように完全なものではないが、一種の公信の原則の適用とみることができる（改正前§468〔4〕参照）。

(イ)　債権譲渡の予約についても、本条の対抗要件は有効になされるものであろうか。この点について、譲渡予約については、確定日付のある証書をもってする承諾があ

っても、予約の完結をもって第三者に対抗することはできないとする判決がある（最判平成13・11・27民集55巻1090頁）。この判決の事例はゴルフ会員権に関するものであることにそもそも疑問があるが（本節解説②(3)(c)参照）、本判旨と、債権の譲渡担保を認める判例（とりわけ、集合債権の譲渡予約を認めた最判平成12・4・21民集54巻1562頁）の傾向との整合性にも問題があると考えられる（第2編10章後注③(4)参照）。

〔3〕「通知」とは、債権の譲渡があったという事実を知らせる行為である。通知は、いわゆる準法律行為（観念の通知）であるが、法律行為と同様、その到達によって効力を生じる（§97〔改注〕）。

通知は、必ず譲渡人から債務者に対してすることを要し、譲受人が譲渡人に代位して行うことはできない（大判昭和5・10・10民集9巻948頁、改正前§423②(エ)・(5)参照。もっとも、通常は、譲渡人は通知をする義務、すなわち、譲受人のために対抗要件を具備する義務を負う。その強制履行については、改正前§414(6)参照）。法文の文字上もそうであるし、従来の権利者が行うのでなければ、対抗要件を具備させる行為としては十分でなく（単に事実を知らせる行為ではない）、譲渡人やその代理人を僭称する者が行う可能性もあり（そのような通知は対抗要件としての効力を生じない）、法律関係の安定を害するからである。ただし、譲受人が譲渡人の代理人または使者として本条の通知をすることができるとする判例（大判昭和12・11・9法学7巻242頁）がある。譲渡人の意思を受けているからである。また、通知は、譲渡があったことの通知であることを要し、したがって、債権譲渡の後でしてもよいが（通知の到達の時から効力を生じる）、譲渡前にあらかじめすることは、明確性を欠くので、できないと解する意見が有力である。ただし、他人の債権を譲渡することとし、債務者に確定日付のある通知をした者が、その後その債権を取得したときには、譲受人は、その取得の時において当然に対抗要件を備えるとした判例（最判昭和43・8・2民集22巻1558頁）がある。

通知の方式は、債務者に対抗するためにはなんら特別の形式を必要としないが（本条I）、債務者以外の第三者に対抗するためには、確定日付のある証書によることを要する（本条II）。また、通知の対抗要件としての効果は、通知の時の状態で債権が譲受人に移転したことを主張できることである（改正前§468(8)）。

〔4〕「承諾」とは、譲渡の事実があったことを認識している旨を表示する債務者の行為である。譲渡人または譲受人のどちらに対してしても、有効であると解されている。

また、通知の場合と異なり、債権者が特定の債権を特定の者に譲渡することに対して、債務者があらかじめ承諾を与えることは可能であり、本条の対抗要件としての効力をもつとされている（最判昭和28・5・29民集7巻608頁）。さらには、譲受人を特定しないで事前の承諾をすることもできるといえよう。通知と異なり、債務者がそれでもよいとしたのであれば、その効力を否定する理由はないと考えられるからである（ただし、第三者との対抗関係を生じる場合には、問題がないとはいえない）。

承諾の方式が、その対抗要件が債務者に対する場合と債務者以外の第三者に対する場合とで異なることは、通知と同様である（(2)参照）。その「対抗要件」としての効果は、異議をとどめた承諾では通知と同一だが、異議をとどめない承諾はいわば公信力

第3編　第1章　総則　第4節　債権の譲渡

をもち、通知と大いに異なることに注意を要する（改正前§468注釈参照）。

　なお、この異議をとどめない承諾が特別の効力をもつことに関して、判例は、以前に、この承諾は抗弁権を伴わない債務を負担すべき旨の意思表示であって、必ず譲受人に対してなされるべきものであると判示したが（大判大正6・10・2民録23輯1510頁）、その後、その見解を改めたと見てよい（大判昭和9・7・11民集13巻1516頁、§468〔1〕参照）。

　〔5〕　「債務者……に対抗することができない」とは、通知または承諾がなければ、譲受人は、債務者に対して、自分が債権を譲り受けたので、弁済を請求する資格のある債権者であることを主張できないということである。「対抗することができない」という同じ語句が用いられているが、この場合は、債務者に対して請求する資格を取得するかどうかに関するのであって、「その他の第三者」に対する関係において、債権の取得そのものを争う場合とは、意味がまったく異なることに注意を要する。

　なお、債権譲渡契約が解除されて債権が譲渡人Aへ譲受人Bから復帰することについても、対抗要件を備える必要があると解される（大決昭和3・12・19民集7巻1119頁。ただし、大判大正14・10・15民集4巻500頁は、AからBへの譲渡について通知がなかったときは、BからAへの復帰についても通知は要らないとするが、債務者がBへの譲渡を知っていた可能性もあるのであるから、疑問である）。

　また、指名債権の特定遺贈についても、この対抗要件を備える必要があるとされる（最判昭和49・4・26民集28巻540頁。改正前§466〔2〕参照）。

　(ア)　通知または承諾がない間は、悪意の債務者に対しても対抗できない（請求できない）と解されている。けだし、債務者に譲渡の有無に関する危険を負担させずに、画一的に取り扱うのを至当とするからである。この点、若干反対説もあるが、判例は古くからこれを認め（大判明治45・2・9民録18輯88頁）、通説もまたこれを支持している。

　(イ)　通知または承諾がない間は、債務者において譲受人を債権者として認めず、弁済を拒絶できることはいうまでもない。さらに、譲受人は、破産申立て（大決昭和4・1・15民集8巻1頁）、抵当権の実行（大連判大正11・9・23民集1巻525頁、大判昭和6・12・9民集10巻1204頁）、時効の中断（更新）（大判大正8・10・15民録25輯1871頁）などの行為をすることもできない。

　(ウ)　しかし、この「対抗要件」は、譲受人が債権を主張するための積極的要件ではなく、債務者がその欠缺を主張した場合に、はじめて問題とするべきである（最判昭和56・10・13判時1023号45頁）。いいかえれば、債務者は債権譲渡を認めて、譲受人に弁済することもできる。けだし、債務者に対する対抗要件という面では、通知または承諾は、債務者を保護することだけを目的とする制度だからである（大判昭和2・1・28新聞2666号16頁）。同じ理由から、債権者が債権を譲渡した場合に通知または承諾を必要としないということを債務者が債権者との間で特約した場合にも、その効力を認めるべきである。しかし、判例は、本条1項は強行規定であるという理由で、このような特約は債務者に対しても無効であるという（大判大正10・2・9民録27輯244頁）。債務者以外の第三者に対する対抗要件の場合と区別して考えるのが正しいであろう（〔9〕(オ)参照）。

　ただし、このような場合において、債務者が債権の移転を知らないで譲渡人との間

§467〔5〕～〔9〕

で合意解除をするというような場合が起こる。判例は、善意の債務者はこれによって債務を免れ、譲受人は譲渡人に対して損害賠償の請求をするほかはないという（大判昭和19・4・28民集23巻251頁）。もし、上のように対抗要件を不要とする特約が有効と解すれば、このような場合にも、債務者は、譲受人に合意解除を主張できないことになるのであろう。

　(エ)　なお、債務者に対する関係においては、通知または承諾の対抗要件は、特別の方式を必要としない。しかし、〔8〕で述べるように、債権の二重譲渡が行われたような場合には、確定日付のある証書による通知または承諾の要件を備えない譲受人は、後から確定日付のある証書によって通知をし、または承諾を得た譲受人に対抗できない。その結果として、債務者に対しても自分が債権の譲受人であると主張できなくなる場合が生じることを注意するべきである（後述〔9〕(エ)(a)参照）。

　〔6〕　ここに、「その他の第三者」とあるが、本条2項にいう「債務者以外の第三者」とその意義を異にするものではない（後述〔9〕参照）。したがって、第三者に関しては、1項と2項とが重複して規定していることになる。しかし、債務者に対するのと、「その他の第三者」に対するのとで、意義を異にするので、後者については、2項の規定がとくに意味をもつと考えられる。すなわち、2項は、「ただし、債務者以外の第三者に対抗するためには、その通知または承諾は確定日付のある証書をもってすることを要する」という趣旨を定めたものと解すべきである。

　〔7〕　「対抗することができない」という意味は、債務者に対する場合と（前述〔5〕参照）、その他の第三者に対する場合とでは、その内容を異にする（後者については、後述〔9〕。なお、§177〔9〕参照）。

　〔8〕　「確定日付のある証書」とは、およそつぎのようなものである（民施§5参照）。すなわち、

　　(a)　公正証書（公証§36⑩参照）
　　(b)　公証人役場または登記所で日付のある印章を押した私署証書
　　(c)　官庁または公署（いわゆる民営化後の郵便局もこの機能は継続する）で、ある事実を記入して日付を記載した私署証書（普通は、内容証明郵便および配達証明郵便を利用する。最判昭和43・10・24民集22巻2245頁は、市役所文書係員が受付印を押印した例である）
　　(d)　指定公証人が電磁的記録に記録する方式で作成した日付情報（公証§§62ノ6～62ノ8参照）

などである。

　〔9〕　債権譲渡の通知または承諾が債務者以外の第三者に対する関係において対抗要件となるというのは、たとえば、AのBに対する債権がAからCおよびDに二重に譲渡された場合に、C・Dのどちらが優先するか、いいかえれば、C・Dのどちらが真の債権者であることを主張することができるかは、譲渡の通知または承諾の有無または前後——確定日付で決まる——によって決することである。すなわち、この場合の対抗要件とは、あたかも、物権変動における対抗要件と同様の——それになぞらえた——意味を与えられたものとなる。しかし、この規定の適用に関しては、多くの

967

第3編　第1章　総則　第4節　債権の譲渡

複雑な問題が生ずる。

　(ア)　この場合の通知または承諾に確定日付のある証書を必要としたのは、譲渡人・譲受人および債務者の三者の通謀によって第三者が不測の損害をこうむることを防止しようとしたのである。たとえば、AのBに対する債権をCが譲り受けた後で、Dが二重に譲り受けた場合に、A・B・Dが通謀して、その第2の譲渡がCへの譲渡より以前になされ、かつ以前に対抗要件を備えたような証書を作ると、Cは債権を取得できなくなる。このCの地位の不安を除去するため、CとDの間の優劣を決するためには、日付を遡及させることの不可能な確定日付のある証書によるべきこととしたのである。

　「通知又は承諾は、確定日付のある証書によってしなければ」とは、通知または承諾という行為につき、確定日付のある証書が存すればよいとするのが判例である(大連判大正3・12・22民録20輯1146頁)。これによると、通知が内容証明郵便・配達証明郵便によって行われた場合には、とくに到達が大幅に遅れる心配はないが、私署証書に公証人が日付のある印章を押した場合などには、それがいつ発送され、到達するかについての保証がないので、問題を生じるおそれがある。

　この判例——実務はそれによって行われている——は、それ以前の判例(大判明治36・3・30民録9輯361頁)による、通知・承諾がなされたことが確定日付によって証明される必要があるという解釈を変更したものであるが、以前の判例であれば、上の危惧は大幅に軽減されたであろうと考えられる。

　(イ)　ところが、さらに、最判昭和49・3・7(民集28巻174頁)が、譲受人Cと債権差押権者Dの確定日付が同日付であった事案について、その通知(差押権者の方は執行官による送達)の到達の前後によって優劣を決するとしたことから、(ア)に述べたように確定日付を基準とするのではなく、通知の到達時を基準とする理解がかなり多くの学説によっても行われるようになった。

　上記の判決は、確定日付が同日付であるという稀な事例において、到達を基準としたものにすぎないのであるが、その判旨のなかで、民法の定める対抗要件は、通知によって債務者が債権譲渡の有無を認識し、第三者が債務者に対してそれを確かめ、債務者がそれを第三者に表示することを根幹として成立するという趣旨を述べていたことから、通知については、それが備えた確定日付ではなく、その到達の日時が基準になるとする理解が拡大したのである。この理解が、判例として定着しそうにも思われる(最判昭和58・10・4判時1095号95頁)。

　しかし、この理解に対しては、通知の到達の日時を客観的に確定することが困難(債務者の記憶ないし証言に依拠することになる)であることから、これを基準にすることに対する強い疑義も述べられている。判例においても、その後、通知の同時到達の事例(最判昭和53・7・18判時905号61頁——互いに優先を主張できないが、その後の第三者に対しては対抗できるとした。最判昭和55・1・11民集34巻42頁——ある日の午後0時から6時までの間に同時到達したと認定し、譲受人間の優劣は決しえないが、その一人からの請求を債務者は拒絶できないとした)や先後不明の事例(最判平成5・3・30民集47巻3334頁——弁済供託された金額を案分により還付請求ができるとした)が生じ、混迷が危惧されている。

§467〔9〕

　なお、実務においては、多くの場合、譲受人は債務者から確定日付のある承諾書を徴しているので、あまり支障を感じていないものと思われる。

　(ウ)　「債務者以外の第三者」とは、同じ債権につき譲受人の地位と両立しえない法律上の地位を取得したものである。すなわち、債権を二重に譲り受けた者(大判昭和11・7・11民集15巻1383頁など)、その債権について仮差押命令・差押命令・転付命令を得た者(大判大正8・11・6民録25輯1972頁、前掲最判昭和49・3・7、前掲最判昭和58・10・4)、その債権が破産財団に属した場合の破産債権者(破産した譲渡人に対する破産債権者、したがって破産管財人、大判昭和8・11・30民集12巻2781頁)などである。考え方としては、物権変動における第三者になぞらえて考えられている(本節解説②(2)参照、§177(8)参照)。

　これに反して、その債権の譲渡によって間接に影響を受ける者は、ここにいう第三者に該当しない。たとえば、AのBに対する甲債権をCが譲り受けて、自分がBに対して負う債務(すなわちBのCに対する乙債権)と相殺する場合に、乙債権を差押えたBの債権者Dは、ここにいう第三者ではない(大判昭和8・4・18民集12巻689頁)。また、AがBに対する甲債権をCに譲渡して、自分がCに対して負う債務(すなわちCのAに対する丙債権)の代物弁済とした場合に、その代物弁済によって消滅した丙債権を差押えたCの債権者Eも、同様である(大判昭和9・6・26民集13巻1176頁)。したがって、これらの者に対しては、A・C間の譲渡の通知または承諾が確定日付のある証書によらなくても、これに対抗することができる(もちろん、譲渡の事実の証明は必要であり、また、債務者との関係で通知・承諾は必要である)。

　もっとも、これらの場合にもA・B・Cの通謀によって譲渡の日付を遡らせるということは可能であり、それによってD・Eが不当に不利益を受けるということは想像できる。そのことから、これらの第三者との関係でも確定日付を要求するという見解もありうる。しかし、これらの間接の関係に立つ第三者に対してまですべて確定日付のある証書を要求することは、債権譲渡の迅速を害するに至り、決して妥当なものではない((エ)(b)参照)。

　(エ)　債権の譲受人が債務者以外の第三者に対抗するためには、その債権譲渡に関する通知または承諾は、確定日付のある証書によってなされることを要するが、債務者に対抗するためには、確定日付のある証書によることを必要としない。したがって、ある債権が譲渡された場合に、確定日付のある証書によらない通知または承諾がなされたにとどまるときは、この譲渡は、債務者には対抗できるが、第三者には対抗できないものとなる。その結果、つぎのような問題を生ずる。

　　(a)　AのBに対する債権の譲受人Cと二重譲受人D(または差押え債権者)との間の優劣が、確定日付のある証書による通知または承諾の有無・前後によって、たとえばDと決まり、債権の帰属が決せられると、その効果は債務者にも及び、債務者Bはこの債権帰属者Dだけを真の債権者と認めなければならない(大連判大正8・3・28民録25輯441頁)。その結果、本条1項がその適用を排除される(前述(5)(エ)参照)。それ以前の判例は、Cへの譲渡についての1項の対抗要件が先であれば、債務者はCに対して弁済すべきであり、Cに対して2項の対抗要件で勝ったDは、Cに対

969

第3編　第1章　総則　第4節　債権の譲渡

してその受領したものを請求できるとしていた。しかし、債権の譲渡を一種の財貨の移転と考えれば、2項の対抗要件によって勝った譲受人は、債務者に対する請求の資格をも取得するというべきである。Bが誤ってCに弁済したようなときは、善意弁済（§478［改注]）による保護の問題になる。

　(b)　これと区別するべき問題は、確定日付のある証書によらない通知または承諾をした第1の譲受人Cが弁済を受け、または債務を免除したことなどによって債権が消滅した後で、第2の譲受人Dが現れて、確定日付のある証書による通知をした場合である。この場合には、DはCに優先しない。けだし、対抗要件は、同一債権の帰属について両立しない地位が成立した場合にだけ問題になるのであって、すでに債権が消滅した後には、対抗の問題を生ずる余地がないと解するのが妥当だからである。

　もっとも、こう解すると、確定日付のある証書を要求して通謀を防ごうとする立法の趣旨は破られるおそれがある。けだし、A・B・Cの通謀によって、CはじつはDの確定日付よりも前に債権を譲り受けた事実がないのに、債権譲渡と通知・承諾の日付を遡らせ（確定日付の要件が必要でなければ、可能である)、すでに弁済をしてしまったように虚構の事実を作出すれば、確定日付のある証書による通知がなされた譲受人Dの地位も安全ではないからである。つまるところ、指名債権の譲受人の地位は、譲渡人がはなはだしく不信である限り、その安全は保障できないというほかはない。判例もまた、上記の結論を肯定する（大判昭和7・12・6民集11巻2414頁)。上記のDのような立場の譲受人が、さらにその安全をはかるためには、債務者から異議をとどめない承諾を得る必要があるのである（改正前§468[2]参照)。

　(ヨ)　本条2項は、強行性を有する。債権者と債務者または譲受人などとの間で、確定日付のある証書による通知または承諾がなくても第三者に対抗できる旨の特約をしても、第三者に対しては効力を生じない。けだし、これは、一般取引の安全を図る制度だからである（前述[5]（ウ)参照)。

（債権の譲渡における債務者の抗弁）
第四百六十八条

　1　債務者は、対抗要件具備時までに譲渡人に対して生じた事由をもって譲受人に対抗することができる[1]。

　2　第四百六十六条第四項の場合における前項の規定の適用については、同項中「対抗要件具備時」とあるのは、「第四百六十六条第四項の相当の期間を経過した時」とし、第四百六十六条の三の場合における同項の規定の適用については、同項中「対抗要件具備時」とあるのは、「第四百六十六条の三の規定により同条の譲受人から供託の請求を受けた時」とする[2]。

〈改正〉　2017年に改正された。前掲（第4節）附則第二十二条参照。
[改正の趣旨]　[1]　債権譲渡は、譲渡人と譲受人との間で行われるが、これにより、譲渡に関与していない債務者の地位が損なわれてはならないから、通知・承諾という権利行使の要件が備えられるまでに債権者に対して生じた事由（抗弁）を、債務者は、譲受人に対して

§ 468〔1〕

も原則として対抗できる（改正前2項）。新法においても、この原則は維持された。ただし、改正前の1項は債務者が債権譲渡について異議をとどめないで承諾をした場合には、抗弁権が切断される旨を定めている。しかし、債務者が積極的に抗弁権を放棄する意思表示をするのではなく、単に異議をとどめないで債権譲渡の承諾をする（観念の通知）だけで抗弁権が奪われるという効果をもたらすことは債務者にとって酷であるため、この規定については批判もあった。判例も、譲受人が悪意である場合には抗弁は切断されないとし（最判昭和42・10・27）（解説(3)参照）、学説ではさらに無過失を要件として求めるものもあり、この規定の適用を制限する傾向が見られた。判例については、最判平成27・6・1（解説(3)）を参照。改正の審議においても、改正前の本条1項は債務者の保護の観点から妥当でなく、その正当化根拠の説明も困難であるため、新法では、この異議をとどめない承諾による抗弁権の切断を定める1項を削除した。同条項の削除は妥当であろう。なお、中間試案においては、抗弁権の放棄の意思表示にかかる規制（書面要件）を設けることが提案されていたが、これについての改正は見送られ、解釈に委ねられることとなった。債権譲渡の安定的取引を望む譲受人からは、抗弁権の放棄の要請が出る場合があり、そのときは、債権者と債務者の間で、例えば継続的契約の開始時点において放棄特約が契約書に盛り込まれることがあるようである。もちろん包括的な放棄が無制限に認められないことは当然であるが、今後、約款問題と消費者契約法10条との関連でも議論されることになろう。事業者間の契約では消費者契約法の適用はできないが、民法90条の問題とすることは可能である。

〔2〕　第2項は読み替え規定である。

[改正前条文]
（指名債権の譲渡における債務者の抗弁）
1　債務者が異議をとどめないで前条の承諾をしたときは[1]、譲渡人に対抗することができた事由[2]があっても、これをもって譲受人[3]に対抗することができない[4]。この場合において、債務者がその債務を消滅させるために譲渡人に払い渡したものがあるとき[5]はこれを取り戻し、譲渡人に対して負担した債務があるときは[6]これを成立しないものとみなすことができる[7]。
2　譲渡人が譲渡の通知をしたにとどまるとき[8]は、債務者は、その通知を受けるまでに譲渡人に対して生じた事由[10]をもって譲受人に対抗することができる[9]。

[原条文]
　債務者カ異議ヲ留メスシテ前条ノ承諾ヲ為シタルトキハ譲渡人ニ対抗スルコトヲ得ヘカリシ事由アルモ之ヲ以テ譲受人ニ対抗スルコトヲ得ス但債務者カ其債務フ消滅セシムル為メ譲渡人ニ払渡シタルモノアルトキハ之ヲ取返シ又譲渡人ニ対シテ負担シタル債務アルトキハ之ヲ成立セサルモノト看做スコトヲ妨ケス
　譲渡人カ譲渡ノ通知ヲ為シタルニ止マルトキハ債務者ハ其通知ヲ受クルマテニ譲渡人ニ対シテ生シタル事由ヲ以テ譲受人ニ対抗スルコトヲ得

[改正前条文の解説]
　本条の規定によって、債務者の「異議をとどめない（留めない、とも書く）承諾」があると、それが公信力をもつものと解釈されていること（これを「公信力説」という）に注意するべきである。

〔1〕　たとえば、譲渡人から債務の一部または全部の免除を受けたとか、また、譲渡人に対して同時履行の抗弁権を有するとかいう事由が存するにもかかわらず、これに関する留保をしないで無条件の承諾を与えることである（なお、〔8〕参照）。なお、こ

971

第3編　第1章　総則　第4節　債権の譲渡

の場合の承諾も、とくに意思表示であることを要せず、また、譲渡人・譲受人のいずれに対してなされても、妨げないと解される。けだし、本条は、債務者の承諾という事実に公信力を与えたものであって、債務者の債務負担の意思表示の効果を認めたものではないとするのが、今日の通常の理解であるからである（改正前§467〔4〕参照）。かつては、債務者の「異議をとどめない承諾」に本条のような効果を認めたのは、債務者が債務承認という意思表示をしたからであるとする見解もあったが（これを「債務承認説」という）、そうすると、意思表示に関する無効・取消しなどの問題がすべて適用されることになる。今日の理解では、それは適当ではない。今日では、この承諾は、「観念の表示」と考えられており（第1編第5章解説②(b)参照）、債務者がそれをどのような意思で行ったかは問題とはならない。もちろん、意思が自由な状態で行ったことは必要である（最判平成8・6・18判時1577号87頁は、錯誤の主張を認めた）。

〔2〕　対抗できなくなる事由については、以下のような問題がある。

(ア)　債務者は、弁済または免除によって債権が消滅したとか、同時履行の抗弁権があるとかいう事由はもちろんのこと、債権が不法な原因その他で成立しなかったというような主張もできなくなる（もちろん、債権譲渡行為および譲受人に不法な要素がないことが必要である）。判例も、取引所法違反の無効な取引行為に基づく債権の譲渡を無条件に承諾した事件について、同じ理論を説く（大判昭和9・7・11民集13巻1516頁）。

(イ)　債務者自身が譲受人に対抗できない場合には、第三者もまたその事由を主張できない。たとえば、AのBに対する債権が消滅した後に、Bの異議をとどめない承諾を得て、Cがこの債権を譲り受けたときは、Bに対する他の債権者であるDもまた、Cの譲り受けた債権が存在しない旨を主張することはできない（大判大正5・8・18民録22輯1657頁）。

(ウ)　債務者BがCに対して異議をとどめないで承諾した場合にも、他に譲受人Dが存する場合には、どうなるであろうか。債務者は、Cに対しては、その確定日付の有無、Dの譲受けとの前後を問わず弁済の責めに任ずべきか、それとも、Cが得た承諾は確定日付を有せず、Dの通知が確定日付のある証書による場合、または、両者とも確定日付を有するが、DのものがCのそれよりも前である場合には、CはDに優先できない関係上、債務者もまたCに対して責任がないと解すべきであろうか。改正前467条〔9〕(エ)(a)で述べたように、債権譲渡の対抗要件の基調を、467条2項による確定日付のある証書による通知または承諾の有無とその前後におく点からみて、後説を正当とするべきであろう。

(エ)　これと微妙に異なるのは、AがCへの譲渡につき確定日付のある通知をして、完全に無権利者となった後に、Dに譲渡して、これに債務者が異議をとどめないで承諾した場合である。この場合には、債務者が弁済した場合と事情は同じなので、Dは債権を善意により取得すると解する余地があるであろう（ただし、(カ)の流通上の瑕疵と同様に、Dの善意取得を否定する見解が有力である）。

(オ)　AのBに対する債権について、無権利者Eが債権者と称して債権を善意のCに譲渡し、債務者Bがこれに対して異議をとどめない承諾を与えた場合はどうなるか。これについてまでCによる債権の善意取得を認めることは困難であろう。Bのその

§468〔2〕～〔6〕

ような観念の表示によって、Aが債権を失ういわれはないからである。

　㋑　さらに問題となるのは、債権がAからC、CからDと譲渡され、債務者がCからDへの譲渡について異議をとどめずに承諾をした場合に、AからCへの譲渡が無効または取消されたときである。異議をとどめない承諾が公信力をもつのは、債権の成否、抗弁権の有無などに関するものに限り、債権の帰属には及ばないと解し、Dは債権の取得を主張しえないとみるべきである。したがって、指名債権の譲渡については、物権変動になぞらえるとはいっても、限界があり、動産物権の善意取得に該当するような公信力がそのまま認められるわけではないのである(本節解説③(1)(ア)(d)参照)。

　このことは、いいかえれば、債権の流通上の瑕疵、つまり譲渡人が債権を有しないことについては、異議をとどめない承諾の公信力は及ばないということである。そうでないと、真の債権者Aがその債権を失うことになって、不当であるし、失わないとすると、異議をとどめない承諾があるごとに債権の数が増えることになって、いずれの結果も妥当でないからである。

　㋖　さらに重要な問題となるのは、抵当権付債権が弁済によって消滅した後に、債務者が異議をとどめないで債権譲渡を承諾した場合に、債務者は債権の消滅を主張しえず、いわば債権は復活した形になるが、それに伴って抵当権は復活するか、である。これは否定せざるをえないと考えられる(最判平成4・11・6判時1454号85頁。§376前注③(3)参照)。保証人にどういう影響を生じるかというのも、類似した問題である(判例は影響しないとするが、賛否両論のあるところである。改正前§446〔1〕(ウ)(b)参照)。

　〔3〕　条文には単に譲受人とあって、その善意・悪意を区別していないが、悪意・有過失の譲受人を含まないと解するべきである。けだし、本条の規定を、債務者の異議をとどめない承諾という事実に公信力を与え、譲受人の信頼を保護して債権譲渡の安全を保護しようとする趣旨のものと解すれば、当然のことだからである(最判昭和42・10・27民集21巻2161頁。未完成工事部分に対する請負報酬金債権の譲渡で、譲受人がそのことを知っていた例である。異議をとどめない承諾をした債務者である注文者は工事未履行による解除をもって債権譲受人に対抗できるとした。無過失を要するかについては触れていないが、この点については、学説上、無過失要件を緩める見解もある)。判例は、有過失の譲受人を含まない旨を以下のように判示した。債務者が異議をとどめないで指名債権譲渡の承諾をした場合において、譲渡人に対抗することができた事由の存在を譲受人が知らなかったとしても、このことについて譲受人に過失があるときには、債務者は、当該事由をもって譲受人に対抗することができる(最判平成27・6・1民集69巻672頁)。

　〔4〕　譲受人は、承諾に示された通りの、抗弁権の伴わない完全な債権を取得する、ということである。したがって、譲受人は譲渡人の有した以上の権利を譲り受けることになる。異議をとどめない承諾に公信力を与えて、債権譲渡の安全を保護しようとする趣旨である。なお、債務者が異議をとどめて承諾すれば、その異議の限りにおいて、譲受人は、結局、対抗要件として通知がなされた場合((8)参照)と同一の地位に立つ。

　〔5〕　たとえば、弁済または代物弁済として払い渡したものがある場合などである。

　〔6〕　たとえば、更改によって債務を負担した場合などである。

973

第3編　第1章　総則　第4節　債権の譲渡

〔7〕　〔1〕・〔2〕で述べたように、「異議をとどめない承諾」の効果を善意で債権を譲り受けた者のための公信力による保護と理解すると、譲渡人がそれ以前に、たとえば弁済を受けたり、更改により新しい債権を取得していたら、それを譲渡人がなお保持することは不当利得となる。これを調整するために、この後段の規定がおかれたのである。いわゆる債務承認説によるときは、債務承認という意思表示によりいわば新しい債務を負担することになるので、このような調整は不要となるはずである。

〔8〕　譲渡人から通知した場合だけを規定しているが、それだけでなく、債務者が異議をとどめて承諾した場合も、もちろん同様であると解される。

なお、「異議をとどめた承諾」という語感からは、積極的に異議を述べておかないと、「異議をとどめない承諾」になると解されるかもしれないが、これは適切でない。単に「承諾」をしたときは、異議をとどめた承諾(債権が同一性をもって移転することへの承諾という意味)がなされたと解するべきである。けだし、異議をとどめない承諾により生じる効果の重大性を考えると、「異議をとどめない」ことについての明示を必要とするのが適切だからである。もっとも、これこれの事由について異議を留保すると表示した場合には、それ以外の事由については、異議をとどめていないと解してもよいであろう。

〔9〕　債権譲渡が債権の同一性を失わないでこれを移転するものであることからすれば、これが当然の結果である。

〔10〕　たとえば、弁済その他の事由によって債権の一部または全部が消滅したこと(大決昭和6・11・21民集10巻1081頁。ただし、抵当権は復活しないと論じる)、各種の抗弁権・取消権などが挙げられるが、もちろんこれらに限られない。契約の解除(前掲最判昭和42・10・27の事例)、利息の有無、期限の猶予など、さまざまな事由が問題となりうる。

問題となるのは、債務者の譲渡人に対する相殺である。通知以後に債務者が譲渡人に対して反対債権を取得しても相殺できないことは疑いない。これに対して、通知以前に弁済期のきている反対債権を有していた場合には、譲渡の通知後においても相殺することができる点も争いがない(同旨、最判昭和32・7・19民集11巻1297頁)。しかし、債務者の反対債権が弁済期がきていないために相殺できないでいる間に、債権譲渡の通知がなされた場合については、争いがある。債権譲渡によって債務者の不利益を増加させるべきでない(異議をとどめない承諾があれば、もちろん別問題である)とする本項の立法趣旨からみて、譲渡通知の当時にすでに相殺をすることができる原因が存すれば足り、相殺適状にあることを要しないと解してよかろう(最判昭和50・12・8民集29巻1864頁は同旨か)。

（債権の譲渡における相殺権）
第四百六十九条
1　債務者は、対抗要件具備時より前に取得した譲渡人に対する債権による相殺をもって譲受人に対抗することができる[1]。
2　債務者が対抗要件具備時より後に取得した譲渡人に対する債権であっても、その債権が次に掲げるものであるときは、前項と同様とする。ただし、債務

§§468〔7〕～〔10〕・469

者が対抗要件具備時より後に他人の債権を取得したときは、この限りでない[2]。

一　対抗要件具備時より前の原因に基づいて生じた債権

二　前号に掲げるもののほか、譲受人の取得した債権の発生原因である契約に基づいて生じた債権

3　第四百六十六条第四項の場合における前二項の規定の適用については、これらの規定中「対抗要件具備時」とあるのは、「第四百六十六条第四項の相当の期間を経過した時」とし、第四百六十六条の三の場合におけるこれらの規定の適用については、これらの規定中「対抗要件具備時」とあるのは、「第四百六十六条の三の規定により同条の譲受人から供託の請求を受けた時」とする[3]。

〈改正〉　2017年に新設された。前掲（第4節）附則第二十二条参照。改正前469条については、新520条の2参照。

[本条の趣旨]　[1]　本条は、債権譲渡があった場合に、債務者が譲渡人に対して有する反対債権が対抗要件具備時より前に取得したものであるときは、その反対債権による相殺を譲受人に対抗できるとするものである。

1項は、「無制限説」を相殺の場面でも採用した規定と解されている。このような場面では、自働債権の債権者は自働債権の弁済期まで受働債権の不履行を継続して相殺の意思表示をすることになり、そのような不履行を継続しながらの相殺を認めるかどうかが問題になるが、無制限説によれば相殺を認めることになる。この無制限説的考えを本条における相殺でも採用すると、債務者が譲渡債権の対債務者対抗要件の具備前に有していた反対債権であれば、当該反対債権の弁済期如何を問わず、相殺を認めることになる。

[2]　2項柱書で前提としての「限定」がなされている。すなわち①対債務者対抗要件の具備後に債務者が取得した譲渡人に対する債権であって、②他人から取得した債権ではない債権であることが前提である。その上で、まず1号は、対抗要件具備の時点より前の原因に基づいて生じた債権を債務者が取得した場合には譲渡債権との相殺を認める。2号では、譲受人の取得した債権の発生原因である契約に基づいて生じた債権と、譲渡債権との相殺を認める。ここで一般的に想定されるのは将来債権の譲渡である。譲渡された将来債権を発生させるのと同一の契約に基づいて債務者が反対債権を取得しても相殺できないとすることは、衡平を失するとの観点から2号を設けた。

[3]　3項は、468条2項と同趣旨の読み替え規定である。

[旧第469条～旧第473条の削除に関する前注]

改正前民法においては、指名債権の規定の後に、指図債権、記名式所持人払債権、無記名債権(いわゆる証券的債権)に関する規定を置いていた。この証券的債権については、手形法、小切手法、商法、会社法等の適用はないと解されたが、その実例は少なく、学校法人債や医療法人債等が挙げられていた。他方、株券等の個別の有価証券制度は別として、証券的債権に関する規定は、民法、同施行法、商法等に分散しており、相互の関係も明確ではなく、「法の欠缺」も生じていた。そこで、債権総論の末尾に、「有価証券」の「節」を新設した。その結果、「指名債権の譲渡」は「債権の譲渡」へと名称変更がなされた。新規定では、指図「債権」等ではなく、指図「証券」

975

第3編　第1章　総則　第4節　債権の譲渡

等に変更された点も注目される。なお、旧規定については、363条(削除)の解説 [1] を参照。

第四百六十九条（旧）　改正に伴い削除

[削除前条文]
（指図債権の譲渡の対抗要件）
第四百六十九条
　　指図債権[1]の譲渡は、その証書に譲渡の裏書[2]をして譲受人に交付[3]しなければ、債務者その他の第三者に対抗することができない[4]。

〈改正〉　2017年に改正により削除された。削除前469条については、新520条の2参照。

[削除の趣旨]　改正前469条の指図債権は、「証書」に「裏書」ができることを前提としていることなどから、有価証券上の債権、すなわち「指図証券」を定めていると解するのが通説である。この立場からは、指図債権の譲渡は裏書によって譲渡されることになるはずであるが（削除前商法519条、手形法14条1項）、改正前469条はこれを「対抗要件」に留めている。新法では、通説的立場を採用し、改正前469条を削除して、指図証券については、裏書・交付が譲渡の効力発生要件であることを明らかにした（520条の2）。

[原条文]
　　指図債権ノ譲渡ハ其証書ニ譲渡ノ裏書ヲ為シテ之ヲ譲受人ニ交付スルニ非サレハ之ヲ以テ債務者其他ノ第三者ニ対抗スルコトヲ得ス

〔1〕　「指図債権」とは、特定の人またはその指図人（その特定の人からその者に支払うべき旨を指図された者、およびその指図された者からさらに指図された者をいう）に弁済するべきものとされる証券的債権である。手形・小切手・倉荷証券・貨物引換証（2018商法改正により廃止）・船荷証券などのような商法の定める典型的有価証券は、すべてこの種の証券的債権である（手§§11・77、小§14、商§§606・627［削除］・776［削除］参照）。これ以外にも、もっぱら民法の適用を受ける指図債権を発行することも自由であると考えられるが、わが国の社会において実際上行われる例を見ないようである。

〔2〕　「裏書」とは、証券に債権譲渡の意思表示を記載することである（通常、証券の裏面に記載されるが、それに限るわけではない）。民法上は別段の形式は定められていないが、指図債権のうち、金銭その他の物または有価証券の給付を目的とする有価証券には手形の裏書に関する規定が準用されるから、その範囲において手形法の規定に従わなければならない（商§519［削除］→民§520の3、手§§12〜14）。

〔3〕　「交付」とは、証券の占有を移転することである。

〔4〕　民法は、指図債権の譲渡は、指名債権の譲渡の場合と同じく、譲渡の意思表示だけでその効力を生じ、証券の裏書交付はその対抗要件にすぎないとみている。しかし、これは、証券的債権の性質に反するものである。裏書交付によってはじめて指図債権の譲渡の効力を生じるものとするべきであると、学説は主張する（本節解説③(2)(ｲ)参照）。なお、指名債権の譲渡の場合と異なり、譲受人が債務者に対して債権の譲り受けを主張する場合（これは、債務者に対して請求する資格の問題である）と債務者以外の第三者に対して債権帰属の優位を主張する場合との間に、対抗要件の形式に差異は認

976

§§469（旧）・470（旧）〔1〕～〔5〕

められない（改正前§467の1項および2項と対比せよ）。

第四百七十条（旧）　改正に伴い削除

[削除前条文]
（指図債権の債務者の調査の権利等）
第四百七十条
　　指図債権[1]の債務者は、その証書の所持人[2]並びにその署名及び押印[3]の真偽を調査する
　　権利を有するが、その義務を負わない[4]。ただし、債務者に悪意又は重大な過失があると
　　きは、その弁済は、無効とする[5]。
〈改正〉　2017年に削除された。改正前470条については、新520条の10参照。
[原条文]
　　指図債権ノ債務者ハ其証書ノ所持人及ヒ其署名、捺印ノ真偽ヲ調査スル権利ヲ有スルモ
　　其義務ヲ負フコトナシ但債務者ニ悪意又ハ重大ナル過失アルトキハ其弁済ハ無効トス

　本条は、証券的債権の流通を保護する趣旨の規定であるが、手形・小切手などの典
型的な流通証券については、それぞれ同じ趣旨の特別規定が設けられている（手§40
Ⅲ、小§35など）。
　〔1〕　改正前469条〔1〕参照。
　〔2〕　「所持人……の真偽」を調査するとは、証券面上知られる債権者と、現に証
券を所持する者とが果たして同一人かどうかを調査することである。
　〔3〕　「その署名および押印」とは、所持人の署名・押印だけでなく、証券上のす
べての署名・押印である。すなわち、「その」は「所持人の」でなく、「証書の」の意
味と解されている。
　〔4〕　指図債権が転々と譲渡された場合の真正の権利者とは、証券面の連続した各
指図についての署名・押印が真正である場合の最後の被指図人（被裏書人ともいう）であ
る。指図債権証書の所持人が、つねに必ずしも真正の権利者であるとは限らない。そ
こで、指図債権の債務者が、その証券の所持人がはたして真正の債権者であるかどう
かを確かめるために相当の調査（有価証券の場合には裏書の有効性なども含まれる）をし、
そのために弁済が遅滞しても履行遅滞とならない。これが「調査する権利を有する」
という意味である。
　また、債務者はこの調査をしないで弁済をしたために、真正でない者に弁済してし
まったときでも、その弁済は有効となる。これが「調査する……義務を負わない」と
いう意味である。このような弁済を有効としたのは、指図債権の弁済を容易にして、
その流通を円滑にしようとする趣旨である。債務者に「悪意又は重大な過失」がない
限り保護される点で、債権の準占有者に対する弁済に対するよりも保護が厚い（改正
前§478〔3〕参照。手§45Ⅲにも同旨の規定がある。同条における注意義務違反については、かな
り厳しく認定されている）。
　〔5〕　債務者に悪意または重大な過失があって真正でない債権者に弁済した場合に
は、弁済は無効とされ、債務者は真正の債権者に重ねて弁済することを要するのであ

977

第3編　第1章　総則　第4節　債権の譲渡

る。

第四百七十一条（旧）　改正に伴い削除

［削除前条文］
（記名式所持人払債権の債務者の調査の権利等）
第四百七十一条
　　前条の規定は、債権に関する証書に債権者を指名する記載がされているが、その証書の所持人に弁済をすべき旨が付記されている場合[1]について準用する[2][3]。
〈改正〉　2017 年に削除された。改正前 471 条に関する附則（記名式所持人払債権に関する経過措置）第二十四条　施行日前に生じた旧法第四百七十一条に規定する記名式所持人払債権（その原因である法律行為が施行日前にされたものを含む。）については、なお従前の例による。改正前 471 条につき新 520 条の 18 および 520 条の 10 参照。
［原条文］
　　前条ノ規定ハ証書ニ債権者ヲ指名シタルモ其証書ノ所持人ニ弁済スヘキ旨ヲ附記シタル場合ニ之ヲ準用ス

〔1〕　たとえば、「金 50 万円を A 殿またはこの証書の所持人にお支払い下さい」などと記される場合である。この種の債権を「記名式所持人払債権」という。無記名債権の一つの変形であるが、商法の典型的な有価証券以外に、その実例は少ない。小切手の場合には、この種のものを記名式持参人払の小切手という（小§5Ⅱ）。

〔2〕　記名式所持人払債権は、債務者の弁済の保護については指図債権と同一に取り扱うという趣旨である。その他の点については民法に規定がない。しかし、この債権は、性質上、無記名債権の変形と考えられるので、これと同一に取り扱うべきものである。したがって、民法上は、その譲渡は意思表示だけで効力を生じ、その対抗要件は証券の交付である。また、その存続・内容の瑕疵などについての債務者の抗弁権の制限についても、無記名債権に関する規定（改正前§§473・472）を準用するべきである（本節解説③、ことにその㈣参照）。

〔3〕　この記名式所持人払債権に似ているものに、「免責証券」Legitimationspapier と呼ばれるものがある。これは、証券の所持人に弁済すれば、その者がたとえ真正の債権者でない場合にも、債務者が善意である限り、その責任を免れさせるものであって、鉄道旅客の手荷物引換証、百貨店・劇場などの携帯品預り証・下足札などがその例である。これらは、債務者の弁済が保護される点では記名式所持人払債権と同一である。しかし、これらの証券は債権の行使を容易にする目的をもつだけで、債権の流通性を増大するために発行されるものではない。したがって、その譲渡は証券の交付を対抗要件とするものではなく、また、改正前 472 条に規定するような譲受人の保護もない。つまり、この種の債権は証券に化体しているわけではない（紙片は証書、すなわち証拠の一つにすぎない。他の方法で証明して履行を請求することもできる）。したがって、本条所定の債権とは別種のものとみるべきである。この種の債権における債務者の弁済の保護は、本条によるのではなく、その免責証券であるという性質から直接に由来

§§471（旧）・472（旧）〔1〕～〔5〕

するものなのである。

　なお、有価証券の多くは、その所持人に弁済すれば免責されるという「免責性」（「免責証券性」ともいう）を有している。上の「免責証券」という概念は、この免責性のみを備えた紙片が用いられている債権という意味である。

第四百七十二条（旧）　改正に伴い削除

[削除前条文]
（指図債権の譲渡における債務者の抗弁の制限）
第四百七十二条
　　指図債権[1]の債務者は、その証書に記載した事項[2]及びその証書の性質から当然に生ずる結果[3]を除き、その指図債権の譲渡前の債権者[4]に対抗することができた事由をもって善意の譲受人に対抗することができない[5]。
〈改正〉　2017年に削除された。改正前472条につき新520条の6参照。
[削除の趣旨]　改正前472条は、指図債権の譲渡における債務者の抗弁の制限について規定しているが、裏書の方式・裏書の連続による権利の推定・善意取得については規定していない。この点、商法519条［削除］は有価証券の性質に応じて、手形法・小切手法の準用を規定している。そこで「指図証券」の規律の整備においては、これらの有価証券としての基本的な規律を設けておくことが必要である。すなわち、裏書の方式（新520条の3、商法519条1項［削除］参照）・権利の推定（新520条の4、小切手法19条参照）・善意取得（新520条の5、小切手法21条参照）および抗弁の制限（新520条の6、改正前472条参照）についての規定を設けた。ただし、商法519条［削除］1項は、譲渡の裏書の方式について手形法12条・13条および14条2項を準用しているが、手形に関する厳格な規律を全ての有価証券にそのまま及ぼすことが適切とはいい難いことから、新法では、概括的な規定にとどめてある。
[原条文]
　　指図債権ノ債務者ハ其証書ニ記載シタル事項及ヒ其証書ノ性質ヨリ当然生スル結果ヲ除ク外原債権者ニ対抗スルコトヲ得ヘカリシ事由ヲ以テ善意ノ譲受人ニ対抗スルコトヲ得ス

〔1〕　改正前469条〔1〕参照。
〔2〕　たとえば、一部または全部の弁済があった旨の記載などである。
〔3〕　たとえば、債権の履行期がきていても（§412 I 参照）、証書の提示(呈示)がなければ支払わなくてもよいこと(商§517[削除]（→民§520の9）、手§38参照、これを「呈示証券性」という)、裏書の連続を欠いた場合の効果(手§16参照)などである。
〔4〕　「譲渡前の債権者」といっているが、必ずしも直前の債権者という意味に狭く解するべきではない。A→B→C→Dと譲渡された場合のA・B・Cのすべてを意味する。
〔5〕　譲渡前の債権者に対する抗弁事由のうち、証券に記載された事項(前述〔2〕参照)およびその証券の性質(たとえば、呈示証券であること)から当然に生ずる効果(たとえば、呈示がなければ履行遅滞にならない)以外は、譲受人が譲受けのさいに知っていた事由についてだけ譲受人に対抗することができるということである。指図債権の譲受人

979

第3編　第1章　総則　第5節　債務の引受け

を保護することによって、その流通の安全を図ろうとする趣旨である。

　なお、指図債権がA→B→C→Dと裏書によって譲渡された場合に、B・C間の譲渡が無効であったり、または取消されたりした場合には、CもDも債権を取得できないはずである。しかし、この場合には、その指図債権が商法519条［削除］（→民§520の3）の適用を受ける限り、手形の譲受人と同様の保護を受けるのである（本節解説③(1)(イ)(d)参照）。

第四百七十三条（旧）　改正に伴い削除

[削除前条文]
（無記名債権の譲渡における債務者の抗弁の制限）
第四百七十三条
　　前条の規定は、無記名債権1)について準用する2)。
〈改正〉　2017年に削除された。改正前473条につき新520条の20および520条の6参照。
[原条文]
　　前条ノ規定ハ無記名債権ニ之ヲ準用ス

〔1〕　「無記名債権」とは、証券面に特定の債権者名が記載されていなくて、債権証書（すなわち「証券」）の正当な所持人に弁済するべき証券的債権である。商法の典型的な有価証券のほかにも、その実例はきわめて多く、各種の公債（国債・地方債をいう）・商品券などは、みなこれである。

〔2〕　改正前472条が準用される結果、無記名債権の譲渡においても、債務者の抗弁権が制限される。しかし、指図債権の譲渡の対抗要件に関する改正前469条、同じく債務者の弁済の保護に関する470条［改注］は準用されない。

　民法は無記名債権を動産とみなしているから（改正前§86(6)(7)参照）、その譲渡は意思表示だけで効力を生じ、証券の交付はその対抗要件とみるべく（§§176・178）、債務者の弁済にさいしての保護は、債権の準占有者に対する弁済保護の規定（§478）に準拠するべきことになる。

　また、無記名債権が転々譲渡される間に、無効または取消された譲渡が介在する場合における譲受人の保護は、192条～194条、または商法519条［削除］（→民§520の3)の規定によって達せられる（本節解説③(1)(ウ)(d)参照）。

§473（旧）・第5節［解説］①②

第5節　債務の引受け

〈改正〉　2017年の改正で、第4節の次に、本節が追加され、「第1款　併存的債務引受」と
「第2款　免責的債務引受」が新設され、第1款では、併存的債務引受の要件及び効果
（470条）と併存的債務引受における引受人の抗弁等（471条）が、第2款では、免責的債
務引受の要件及び効果（472条）、免責的債務引受における引受人の抗弁等（472条の2）、
免責的債務引受における引受人の求償権（472条の3）、免責的債務引受による担保の移
転（472条の4）が新設された。これに伴い、既存の第5節は第6節となった。新設条文
に関する附則（債務の引受けに関する経過措置）第二十三条　新法第四百七十条から第四
百七十二条の四までの規定は、施行日前に締結された債務の引受けに関する契約につい
ては、適用しない。

[二つの類型の関係]　免責的債務引受と併存的債務引受は、いずれを原則的形態とみるべきか
について議論がある。当事者の意思が明確でない場合には、前者の免除的要素と後者の
保証的要素を当事者の意思との関係で考慮して決定すべきではないだろうか。

①　本節について

新設された本章の内容は、基本的に通説・判例を条文化したものであるから、既存
の解説（旧第4節後注）をここに採録しておく。

②　債務の引受けの意義

(1)　債権譲渡は、債権関係の積極的な面における主体の変更である。これに対して、
債権関係の消極的な面における主体の変更が考えられる。「債務の引受け」（「債務引受
け」）がそれである。ドイツ民法はこれを Schuldübernahme という一つの制度として
規定し（同法§§414〜）、スイス債務法もこれにならっている（同法§§175〜）。わが民法に
は規定がないが、学説・判例ともに、これを有効と解している。けだし、債権は、今
日においては、債権者と債務者とを結びつける人格的な法鎖であることから脱却して、
1個の客観的な給付を内容とする財産とみられるから、その債務者を変更しても、必
ずしも債権の同一性を害するものというべきではないからである。

(2)　このように考えると、わが民法上規定は存しなくても、解釈上、債務引受けと
は、債務をその同一性を維持したまま、従来の債務者から債務引受人へ移転すること
をいう概念であるとして、これを承認し、その理論構成に努めるべきである。同じこ
とは、債務者の交替による更改（§514［改注］）によって可能であるが、だからといって、
必ず更改によるべきであって、債務引受けの概念は必要ないと考えるべきではない。

(3)　もっとも、債権の種類によっては、特定の債務者自身が行う給付でなければ、
債権の満足を得られない場合も少なくない。たとえば、名工が絵を描く債務、専門学
者が講演をする債務などがそれである。このような一身専属的給付を目的とする債権
においては、債務の引受けは不可能である。

(4)　債務者の変更が給付の同一性を失わせることなく、したがって債務の引受けが

981

第3編　第1章　総則　第5節　債務の引受け

可能な場合においても、債務者が変更することは、その債権の経済的基礎である債務者の一般財産に変更を生じることであるから、債権者にとっての影響は少なくない。このことは、債務引受けの可能な典型的な例としての金銭債権について、富裕な債務者が、たとえば500万円の債務を負担する場合に、貧困な者がこれに代わって債務者となることを想像すれば、容易に理解できるであろう。したがって、債務の引受けは、債権者の意思と無関係に行うことは許されず、必ず債権者の同意を必要とする。これは、債権譲渡が債務者の意思と無関係に行われるのとは、その趣を異にする。

③　債務の引受けに関する判例理論

以上のような理解からすると、従来の判例による債務引受けについての見解は、最近の債務引受けの需要との関連では不徹底なものといわざるをえない。

債権者をA、従来の債務者(旧債務者という)をB、これから債務を引き受ける引受人(新債務者である)をCとして、①で考察した債務引受けの概念は、BがCに債務を移転し、そのさいAの承諾を要件とするというものである。ところが、従来の判例は、AとCの合意を軸とし、Bが債務者でありつづける重畳的債務引受けとBが債務者でなくなる免責的債務引受けの二種に分け、前者にはBの意思は不要だが、後者にはBの意思を要するとする考えを基本としている。判例の理論を眺めると、つぎのとおりである。

(1)　「重畳的債務引受け」

従来の債務者の債務を免脱させずに、引受人がこれと同一内容の債務を負担することをいう。「併存的債務引受け」ともいう。従来の債務者は債務を免れないから、債務の移転ではなく、したがって、真の意味の債務引受けではないが、判例は、これも一種の債務引受けとする。その実質は、むしろ一種の保証である。

(ア)　債権者と引受人との間でこのような引受けを約することは、債務者の意思に反してできると解される(大判大正15・3・25民集5巻219頁)。けだし、債務者の地位に影響を生じないことは、保証契約と同様だからである(債務者の意思に反しても保証ができることにつき、§462 Ⅱ参照)。なお、引受人は、従前の債務者との間では連帯債務者になるとされている(大判昭和11・4・15民集15巻781頁)。もっとも、通常は、両者の間に主観的共同関係のない、いわゆる不真正連帯債務(第3節第3款解説②(1)参照)と考えるべきであるとする見解も有力である。

(イ)　引受人と債務者との契約でその債務の履行を引受けるという場合がありうる。この場合、通常は、④に述べる履行の引受けとして、引受人は債務者に対してその債務を弁済すべき義務を負担するにとどまり、債権者は、その引受人に対して直接に債権を取得しないと考えられる。しかし、その引受人と債務者との間の契約が、とくに債権者をして直接債権を取得させる趣旨のものであるときは、一種の第三者のためにする契約(§§537~539 [改注])として、有効に成立するといってよい(大判大正6・11・1民録23輯1715頁)。ただし、この場合にも、従来の債務者は、依然として債務を負担するのであるから、債務者と引受人は、ここでも連帯債務関係に立つことになる。この点につき、最判昭和41・12・20(民集20巻2139頁)を参照。

982

第5節［解説］③④

(2) 「免責的債務引受け」

従来の債務者を免責させ、引受人だけが債務者となる——すなわち、債務の移転を生じる——ものであって、真の意味における債務引受けである。「免脱的債務引受け」ともいう。これについては、判例は、つぎのような理論を採っている。

(ア) 債権者・債務者・引受人の三当事者間の契約ですることができる。

(イ) 債権者と引受人との契約ですることも可能であると解されている。ただし、この場合には、債務者の意思に反してなすことはできない。けだし、債務を免れるということも債務者に影響を及ぼすものであり、利害の関係のない第三者の弁済（§474Ⅱ［改正］）および債務者の交替による更改（改正前§514ただし書）と同様に取り扱うのを至当とするからである。判例は、債務者の積極的な意思表示を必要とせず、かえって意思に反しないことが推定されるという（大判昭和12・6・25判決全集4輯589頁）。もっとも、債務者の意思に反しても、債権者は債務者に対して免除することはできるのであり、債権者と引受人の契約にはそれなりの効力を生じることになろう。

(ウ) 債務者と引受人との間の契約で免責的債務引受けをすることができるか。今日の債務引受けの概念においては、むしろこの場合が原則と考えるべきであるが、判例は明らかでない。もちろん、債権者はこの債務引受けにより大きな影響を受けるから、債権者の承諾を停止条件とするべきことは当然である。

(エ) 免責的債務引受けの効果として、債務は同一性を失わずに移転する。その結果、旧債務者の有した抗弁権は、ことごとく移転する。従たる権利も移転するのを原則とする。ただし、保証債務および第三者の提供した物上担保は、原則として、その保証人または物上保証人の同意がなければ、移転しないと解するのが妥当であろう（大判大正11・3・1民集1巻80頁、最判昭和37・7・20民集16巻1605頁、最判昭和46・3・18判時623号71頁）。けだし、債務者の変更は債権の経済的価値を変じ、これを保証した者の責任に事実上の影響を及ぼすからである。

④ 債務の引受けの機能

(1) 債権者A、旧債務者Bと第三者Cの間で、なんらかの都合により、Bの債務をCに移したいという必要が生じた場合に、A・B・C三者が合意すればその目的を達しうることには、とくに問題はない。債務者の交替による更改（§514［改注］）の形式によることが妥当であることが多いであろう（§518［改注］により、担保を移転することもできるとされる）。

(2) これに対して、債務の同一性をもってする移転という概念が必要とされるのは、近時において増加しているつぎのような需要によるものである。

(a) 企業の譲渡

ある企業の所有者Aがその企業全体を他の者Bに譲渡したいということがありうる。Aはその所有する不動産、動産、債権などの積極財産をBに譲渡するとともに、債務もBに移転しなければならない。企業の譲渡とは、これらのものを一括して譲受人に移転する取引である。そのためには、Aは、積極財産についてそれぞれ所要の手続をとるとともに、債務については、Bとの間で債務引受け契約を

983

第3編　第1章　総則　第5節　債務の引受け

結ばなければならない。この場合の債務引受けは、まさにA・Bの合意を軸として行われなければならないものである。

いわゆる預託金制ゴルフ場の営業譲渡があった場合について、承継企業が同じゴルフ場名を継続使用し、会員が債務引受けがあったと信じても無理からぬものがある場合に、従来の会員による使用を認めた例がある（最判平成16・2・20民集58巻367頁）。当事者間における債務引受けの合意は否定しているが、商法17条1項、会社法22条1項（商旧§26 I。商号の承継の場合の規定）を類推適用している。このような場合には、債務引受けがあったと認定してもよいのではなかろうか。

(b)　双務契約上の地位の移転（新§529の2参照）

売買契約、賃貸借契約、請負契約などの双務契約上の一方の当事者のAの地位を、たとえばBに移転する必要が生じる場合もある。この場合も、(a)と同様に、移転すべきものは当然その契約から生じる債権だけでなく、債務も含まれることになる。すなわち、双務契約上の地位の移転には、当然に、債権譲渡と債務引受けの両要素が含まれることになる（もちろん、契約上の地位の移転には、このほか、解除権など他の要素も含まれるので、さらに別途の検討が必要である）。

(c)　貸金業者間における債権・債務の譲渡

貸金業者Aが貸金債権を一括して他の貸金業者Yに譲渡する旨の合意をした場合において、債権譲渡した貸金業者Aの有する資産のうち何が譲渡の対象であるかは、当該合意の内容いかんによるのであり、それが営業譲渡の性質を有するときであっても、Aの借主Xとの間の金銭消費貸借取引に係る契約上の地位が同債権の譲受業者Yに当然に移転すると解することはできないとする判例がある（最判平成23・3・22判時2118号34頁、最判平成23・7・7判時2137号43頁、最判平成23・7・8判時2137号46頁）。しかし、その後、貸金業者Yとその完全子会社である貸金業者Aの顧客Xとが、金銭消費貸借取引に係る基本契約（子会社再編の目的等が示されていた）を締結した場合において、YがXとの関係において、AのXに対する債権を承継するにとどまらず、AのXに対する債務についてもすべて引き受ける旨を合意したものと解するのが相当であるとした判例が出た（最判平成23・9・30判時2131号57頁、これは「切替事案」と呼ばれている）。さらにその後、貸金業者Yの完全子会社である貸金業者Aが、その顧客Xとの間の基本契約（地位の移転条項の有無や過払金等返還債務の承継の有無等が重要）に基づく継続的な金銭消費貸借取引に係る債権をYに譲渡した場合において、YがAのXに対する過払金返還債務を承継したとはいえないとする判例が出ている（最判平成24・6・29判時2160号20頁）。それぞれ事案が異なるのであるが、経済的背景としては、国内消費者金融子会社の再編という共通点があった。理論的には、単なる債権譲渡を基本としているか、過払金返還債務を併存的に引き受けた場合に受益の意思表示（第三者のための契約）があったか、さらに包括的に契約当事者の地位を移転させようとしたものであるか、といった観点から、類型的に検討してみる必要があろう。

これらの法律関係においては、債務は、債権者と債務者の人的結合という性質を離れて、一種の客観的な関係として同一性を保持したままAからBに移転されるとい

984

第5節［解説］⑤・第1款［解説］・§470

うことになる。これが、今日①に述べた意味における債務引受けの概念が必要とされる根拠である。

　なお、債務引受けに債権者の承諾が必要であることは、もちろん基本であるが、(a)、(b)、(c)に述べたような関係においては、AとBの間の企業譲渡に関する、あるいは契約上の地位の移転に関する包括的合意がある場合には、そのなかに、すでに必要な債権者の承諾は、客観化されて、含まれているといってよい場合が多いであろう。

⑤　**履行の引受け**(2017年の改正には直接関係はない。)

　債務の引受けと似ているが、区別されるべきものとして、「履行の引受け」(「履行引受け」)がある。これは、債権者Aの債務者Bに対する債権について、CがBとの間の履行引受け契約により、債務の履行を引受け、Aに弁済する義務(第三者弁済をするべき義務)をBに対して負うものである。Cを「履行引受人」とよぶ。Aは、それによりCに対する債権を取得するものではなく(大判大正4・7・16民録21輯1227頁)、Cが弁済をしないときには、Bは、Cに対して、Aへの履行を求め(大判昭和11・1・28新聞3956号11頁)、また、履行引受け契約不履行の責任を問うことができる(大判明治40・12・24民録13輯1229頁)。

第1款　併存的債務引受

〈改正〉　本款は、2017年に新設された。併存的債務引受と債権譲渡または差押えが競合する場合の法律関係については、新規定は設けられず、解釈に委ねられた。

（併存的債務引受の要件及び効果）
第四百七十条
　1　併存的債務引受の引受人は、債務者と連帯して、債務者が債権者に対して負担する債務と同一の内容の債務を負担する[1]。

　2　併存的債務引受は、債権者と引受人となる者との契約によってすることができる[2]。

　3　併存的債務引受は、債務者と引受人となる者との契約によってもすることができる。この場合において、併存的債務引受は、債権者が引受人となる者に対して承諾をした時に、その効力を生ずる[3]。

　4　前項の規定によってする併存的債務引受は、第三者のためにする契約に関する規定に従う[4]。

〈改正〉　2017年に新設された。前掲（第5節）附則第二十三条参照。

[本条の趣旨]　**[1]**　改正前には債務者の交代が生じる債務引受についての明文の規定はない。債務引受に関する3つの類型については、本節の解説参照。1項は、併存的（重畳的）債務引受の定義規定である。併存的債務引受がなされた場合の両債務者の関係について、最判昭和41・12・20民集20巻2139頁は「重畳的債務引受がなされた場合には、反対に解すべき特段の事情のないかぎり、原債務者と引受人との関係について連帯債務関係が生ずるもの

985

第3編　第1章　総則　第5節　債務の引受け

と解するのを相当とする」と判示している（新法下では、消滅時効の相対効への変更に注意）。新法はこの判例法理を明文化し、併存的債務引受人間における債務の負担は「連帯債務」であるとする規定（1項）を設けた。

　　[2]　「併存的債務引受」は、債権者・旧債務者・新債務者（引受人）の三面契約によるほか、判例・通説は、債権者と引受人との二者間の契約で行うことも可能としている。保証契約が債権者と保証人との二者間契約で成立し、主債務者の意思に反するか否かは問われないとされていることとの対比から債務引受も旧債務者の意思を問うことなく二者間契約で行うことも可能とされている。実質的には保証契約だからである。新法では、これを明文化した（1項～3項）。しかし、併存的債務引受が保証の代わりに用いられることによって、個人保証の規制が回避されうるとすれば問題である。

　　[3]　判例・通説によれば、併存的債務引受は、旧債務者と新債務者（引受人）との間の契約でも行うことができるとされている（債権者の承諾を要する）。この場合の「承諾」は、新472条3項の「承諾」とは異なり、債務者を免ずるわけではないので、黙示の「承諾」でもよいとの見解もある。債権者にとって新債務者が併存的に債務を負うことは有利となるからである。この場合には、両者の負担部分は、当該合意の解釈により、それが明らかでないときは、両者それぞれ受けた利益の割合に従うべきであるとの主張がある。

　　[4]　新法は、この場合には、第三者のためにする契約（537条以下）の規定に従うとしている（4項）。受益者の権利取得には、受益の意思表示を必要とする。

（併存的債務引受における引受人の抗弁等）
第四百七十一条
　1　引受人は、併存的債務引受により負担した自己の債務について、その効力が生じた時に債務者が主張することができた抗弁をもって債権者に対抗することができる[1]。
　2　債務者が債権者に対して取消権又は解除権を有するときは、引受人は、これらの権利の行使によって債務者がその債務を免れるべき限度において、債権者に対して債務の履行を拒むことができる[2]。

〈改正〉　2017年に新設された。前掲（第5節）附則第二十三条参照。

[本条の趣旨]　**[1]**　併存的債務引受では、旧債務者が負担していた債務が同一性を保ったまま引受人の負担となるから、引受人は旧債務者が有していた抗弁権を債権者に対抗することができる。

　　[2]　旧債務者がその債務を発生させた契約について取消権・解除権を有している場合には、引受人はその契約の当事者ではないから取消・解除はできないが、旧債務者が取消権・解除権を行使すれば引受人の債務も消滅するから、引受人に履行拒絶権を認めている。なお、相殺権については、併存的債務引受においては元の債務者と引受人は連帯債務の関係となるから相殺権主張による履行拒絶権行使が可能である（新439条）。

第2款　免責的債務引受

〈改正〉　本款は、2017年に新設された。

§471・第2款［解説］・§§472・472の2

（免責的債務引受の要件及び効果）
第四百七十二条
1 免責的債務引受の引受人は債務者が債権者に対して負担する債務と同一の内容の債務を負担し、債務者は自己の債務を免れる[1]。
2 免責的債務引受は、債権者と引受人となる者との契約によってすることができる。この場合において、免責的債務引受は、債権者が債務者に対してその契約をした旨を通知した時に、その効力を生ずる[2]。
3 免責的債務引受は、債務者と引受人となる者が契約をし、債権者が引受人となる者に対して承諾をすることによってもすることができる[3]。

〈改正〉 2017年に新設された。前掲（第5節）附則第二十三条参照。

［本条の趣旨］ ［1］ 免責的債務引受に関する定義規定である。債務の内容が第三者によっても実現しうるものであることが前提となる。なお、数人が連帯して免責的債務引受をすることも可能と解されている。

［2］ 免責的債務引受では、旧債務者が離脱し、新債務者だけが責任を負うので、新債務者の信用（支払能力等）により債権者は大きな影響を受ける。したがって、債権者の承諾なくして免責的債務引受は認められない。新法によれば、免責的債務引受については、債権者が引受人と免責的債務引受の契約をし、債権者が債務者にその旨を通知する方法が認められている。この方式による場合には、元の債務者の意思に反するか否かは要件とされていない（第三者弁済についての改正前474条2項参照）。債権者と引受人の二者間で併存的債務引受をした上で、債権者が旧債務者に対して免除の意思表示をする場合には旧債務者の意思は問題とならないから、旧債務者の意思に反するか否かという要件は無意味であると解されている。ただし、旧債務者の知らないうちに免責的債務引受がなされないように、旧債務者に対する通知を債権者が行うべき旨が規定された。514条1項も参照。

［3］ 債務者と引受人が免責的債務引受の契約をし、これについて債権者が承諾をする方法でも、免責的債務引受が成立する。

（免責的債務引受における引受人の抗弁等）
第四百七十二条の二
1 引受人は、免責的債務引受により負担した自己の債務について、その効力が生じた時に債務者が主張することができた抗弁をもって債権者に対抗することができる[1]。
2 債務者が債権者に対して取消権又は解除権を有するときは、引受人は、免責的債務引受がなければこれらの権利の行使によって債務者がその債務を免れることができた限度において、債権者に対して債務の履行を拒むことができる[2]。

〈改正〉 2017年に新設された。前掲（第5節）附則第二十三条参照。

［本条の趣旨］ ［1］ 免責的債務引受も併存的債務引受と同様に、旧債務者が負担していた債務が同一性を保ったまま引受人の負担となるものであるから、引受人は旧債務者が有していた抗弁権を債権者に対抗することができる。

［2］ 旧債務者が債務を発生させた契約について取消権・解除権を有している場合には、引受人は契約の当事者ではないから取消・解除はできないが（契約上の地位の移転とは解されていない）、旧債務者が取消権・解除権を行使すれば引受人の債務も消滅するから、免責的

987

第3編　第1章　総則　第5節　債務の引受け

債務引受においても引受人に履行拒絶権を認めている。なお、相殺権について、併存的債務引受においては、旧債務者と引受人は連帯債務の関係となるから相殺権主張による履行拒絶権行使が可能となるが、免責的債務引受においては、旧債務者は債務を免れること、相殺は旧債務者の財産権の処分となることから、免責的債務引受における引受人は旧債務者の相殺権主張による履行拒絶権行使は認められないと解されている（新439条参照）。

（免責的債務引受における引受人の求償権）
第四百七十二条の三
　　免責的債務引受の引受人は、債務者に対して求償権を取得しない[1]。
〈改正〉　2017年に新設された。前掲（第5節）附則第二十三条参照。
［本条の趣旨］　［1］　免責的債務引受において、引受人が旧債務者に対して求償することができるかについて、判例・通説は、引受人は「自己の債務」を履行しただけであるから求償することはできないと解している。新法では、この点を条文上明らかにした。
　本条によれば、引受人が免責的債務引受により引き受けた債務を履行しても債務者に求償することはできない。この点については既に判例が存在していた（大判昭和15・11・9法学10巻415頁）。免責的債務引受の場合には、引受人は債務履行に関する負担を最終的に自らが引き受ける意思を有していると考えられ、したがって求償権を発生させる基礎を欠くと考えられるからである。ただし、本条は強行規定ではない。これと異なる合意、つまり債務者と引受人間で引受の対価として債務者が引受人に債務相当額を支払う合意をすることは妨げられない。また、このような合意がなくとも、引受人が債務者の委託により債務を引き受けた場合には、委任事務処理費用の償還請求権（改正前649条、650条）として、引受人は債務者に債務相当額の支払請求権を取得すると解することもできる。

（免責的債務引受による担保の移転）
第四百七十二条の四
　　1　債権者は、第四百七十二条第一項の規定により債務者が免れる債務の担保として設定された担保権を引受人が負担する債務に移すことができる。ただし、引受人以外の者がこれを設定した場合には、その承諾を得なければならない[1]。
　　2　前項の規定による担保権の移転は、あらかじめ又は同時に引受人に対してする意思表示によってしなければならない[2]。
　　3　前二項の規定は、第四百七十二条第一項の規定により債務者が免れる債務の保証をした者があるときについて準用する[3]。
　　4　前項の場合において、同項において準用する第一項の承諾は、書面でしなければ、その効力を生じない[4]。
　　5　前項の承諾がその内容を記録した電磁的記録によってされたときは、その承諾は、書面によってされたものとみなして、同項の規定を適用する[5]。
〈改正〉　2017年に新設された。前掲（第5節）附則第二十三条参照。
［本条の趣旨］　［1］　免責的債務引受では、債務は同一性を保ちながら引受人に移転し、旧債務者は債務を免れるので、この債務について保証人（人的担保）や抵当権など物的担保が付されていた場合には、その帰趨が問題となる。保証人や抵当権設定者等担保権設定者にとっては誰が債務者であるかについて重大な利害関係を有するからである。そこで、判例・学

§§472の3・472の4

説は、保証人や抵当権等担保権設定者の承諾を得ない限り、保証や担保権は移転せずに消滅すると解している。債務引受契約が債権者と引受人間の契約によって成立したときは、第三者の設定した質権は特段の事情のないかぎり消滅して引受人に移転することはないというのが判例（最判昭和46・3・18判時623号71頁等参照）である。「債務の引受け」に関する解説②(2)(エ)参照。新法では、このような判例・学説の立場を明文化した。引受人以外の者により担保が設定されている場合には、その承諾を得なければならない。なお、債務者が設定した担保についても、承諾がなければ消滅することになろう。

　[2]　債権者は引受人に対し免責的債務引受に先立って、あるいは、同時に引受人に対し、担保権を移転する旨の意思表示をすることが必要である。この意思表示により、後順位抵当権者がいる場合でも順位は維持されると解されている（更改後の債務への担保の移転についての新518条参照）。

　[3]　保証人は人的担保と呼ばれるが、「担保」に関する規定が準用されている。

　[4]　保証契約については、書面によることが求められており、本条の債務の移転の際にも同様の要請があるので、保証の移転の承諾には、書面等によることが求められている。

　[5]　書面については、電磁的記録による代替は可能である。

第3編　第1章　総則　第6節　債権の消滅

第6節　債権の消滅

〈改正〉　2017年の改正で、第5節が第6節に変更され、多くの条文が改正された。具体的な改正については、各款で述べる。

1　本節の内容
　本節は「債権の消滅」と題して、「弁済」、「相殺」、「更改」、「免除」、「混同」の5款を収める。五つの債権消滅原因を定めるといってもよいが、「弁済」の款のなかには「代物弁済」（§482［改注］）、「弁済目的物の供託」（第1款第2目）についても規定されている。それぞれの性格については、各款および目の解説参照。

2　債権の消滅原因
　上記の消滅原因のほかにも、債権消滅の原因は存する。
　(1)　債務者の責めに帰することができない事由によって履行が不能になれば、債権は消滅する。これに反して、債務者の責めに帰すべき事由によって履行不能が生じても、債権は消滅することなく、なお損害賠償請求権となって存続する（改正前§415後段参照）。
　(2)　債権もまた権利消滅の一般的事由、たとえば、消滅時効、除斥期間ないし存続期間の満了などによって消滅する。
　(3)　その債権を発生させた基本である法律関係が消滅すれば、債権もまた消滅する。解除条件の成就、契約の解除、法律行為の取消しなどがその例である。
　(4)　なお、債権者・債務者間の債権消滅を目的とする契約によっても消滅することはいうまでもない（大判昭和8・5・24新聞3561号16頁）。

3　債権の消滅に関する二、三の問題
　(1)　普通に債権の消滅というときは、特定の個々の債権の消滅を意味する。しかし、個々の債権の消滅原因は必ずしもそれを包摂する債権関係の全部の消滅原因ではない。そこで、両者の相関関係が問題になる。たとえば、売買という双務契約から生じた債権関係のうちの目的物引渡しの債権と代金債権の一方が消滅した場合の両者の牽連関係——とくに重要なものとしては危険負担——が検討されなければならない（第2章第1節第2款解説3参照）。また、たとえば、賃貸借という継続的な債権関係の基本的な債権である賃借権が消滅した場合に、その継続的関係全体の処理については、これに関連のある諸法令の規定の適用や信義則の活用が考慮されなければならない。その詳細は契約について述べるが、本節の規定は、個々の債権の内容である給付義務の消滅に関するものであって、その債権を包括する債権関係の全部的な終了に関するものでないことを注意するべきである。
　(2)　一度消滅した債権は、当事者間の契約で復活させることはできない。債務者が

第6節［解説］・第1款［解説］①②

従前通りの債権がなお存在するような給付をする旨の契約をすることは可能である。しかし、これに第三者に対する関係でも債権を復活させるような効力を認めることはできない。これを認めると、第三者に対して思わぬ損害を及ぼすおそれがあるからである（大判明治37・12・1民録10輯1535頁、大判昭和6・2・28新聞3243号11頁）。ただし、法律は、特別の目的のために、消滅するはずの債権を特定の人のために存続させることがある。弁済者の代位は、その例である（改正前§§499～）。また、一度消滅した債権を消滅しなかったものと擬制することもある。債務者が異議をとどめないで承諾した場合の債権譲渡の特則がその例である（改正前§468Ⅰ参照）。

第1款 弁 済

〈改正〉 2004年改正により、本款の条文が3目に分けられた。2017年にも改正された。具体的には、各「目」において述べる。本款に関する附則（弁済に関する経過措置）第二十五条1 施行日前に債務が生じた場合におけるその債務の弁済については、次項（本条2項、後述）に規定するもののほか、なお従前の例による。

① 本款の内容

本款は、「弁済」と題する。その内容は、きわめて多方面にわたる。

2004年改正によって三つの目に分けられたが、その目にかかわりなく、本款の内容をやや論理的に配列してみると、つぎのようになる。

(1) 弁済　2017年の改正で、473条が新設された。

(2) 第三者の弁済　原則（§474）および弁済による代位（改正前§§499～504）

(3) 弁済の態様　提供の一般的標準（§§492・493）、弁済の具体的標準（§§483［改注］～485）、弁済者の権限と能力（§§475～477［改注］）、弁済受領者の無権限と弁済者の保護（§§478～480）、新477条と「改正前法480条の削除」に注意。

(4) 弁済の充当（§§488～491［改注］）

(5) 弁済の証拠（§§486［改注］～487）

(6) 債権者の弁済受領の制限（§481［改注］）

(7) 弁済目的物の供託（§§494～498［改注］）

(8) 代物弁済（§482［改注］）

2004年改正は、この大部分を「第1目　総則」とし、(7)を「第2目　弁済の目的物の供託」とし、(1)のうちの「弁済による代位」を第3目とした。2017年の改正においては、上記の多くの条文に変更が加えられているので注意。

② 民法の規定の特徴

以上のうち、わが民法の特色とみられる点を挙げると、つぎの通りである。

第3編　第1章　総則　第6節　債権の消滅

(1)　弁済による代位を統一的に規定したのは、わが民法の特色である。

(2)　弁済の態様のうち、提供の一般的標準に関する規定は、やや形式的であって、信義の原則が支配するべきことが明示されていないことが遺憾とされていた。ただ、判例は、幾多の重要な例を通じて、債務者の履行および債権者の受領は、ともに信義の原則に従ってなされるべきことを説いてきた(大判大正14・12・3民集4巻685頁、いわゆる[深川渡し事件判決]が最も有名である。§1〔4〕(ア)参照)。ところで、1947年の改正によって加えられた民法1条2項は、「権利の行使及び義務の履行は、信義に従い誠実に行わなければならない」と規定したので、その適用の主要な部分である債権法の領域、ことに履行の面において、信義則はさらに一段と展開されることになった。

(3)　なお、弁済者保護の規定(本款解説①(2)参照)のなかで、債権の準占有者に対する弁済を有効とする規定(改正前§478)は、わが民法の特色であり、実際に重大な作用を営むものである。

(4)　弁済の証拠に関する規定(本款解説①(4)参照)、ことに債権証書の返還請求に関する規定は、債権の消滅が弁済による場合に限らないから、弁済の款に規定するのは、やや不適当である。しかし、判例・学説は、これを他の事由による債権の消滅に類推適用しているから、実際上不都合はない。

(5)　供託によって債権が当然に消滅するという規定(本款解説①(6)参照)も、わが法の特色であり、その妥当性は疑われている(本款第2目解説参照)。

第1目　総　　則

〈改正〉　2004年改正により、従来はなかったこの目の表題が新設された。弁済に関する新473条、預金又は貯金の口座に対する払込みによる弁済に関する新477条、合意による弁済の充当に関する新490条が新設され、受取証書の持参人に対する弁済に関する480条が削除され、その他多くの規定が改正(繰り上げを含む)された。

(弁済)
第四百七十三条
　　債務者が債権者に対して債務の弁済をしたときは、その債権は、消滅する。
〈改正〉　2017年に新設された。
[本条の趣旨]　債務は弁済によって消滅する旨を明文化した。本条の新設により、弁済による債権の消滅が、第三者弁済(＝債権の相対的消滅)と区別されることが、条文上も明確にされた。
[削除の趣旨]　改正前473条は削除されたが、これについては、新法520条の20および同520条の6を参照。
[削除前条文]
(無記名債権の譲渡における債務者の抗弁の制限)
第四百七十三条

前条の規定は、無記名債権について準用する。

（第三者の弁済）
第四百七十四条

1 　債務の弁済は、第三者もすることができる[1]。

2 　弁済をするについて正当な利益を有する者でない第三者は、債務者の意思に反して弁済をすることができない[2]。ただし、債務者の意思に反することを債権者が知らなかったときは、この限りでない[3]。

3 　前項に規定する第三者は、債権者の意思に反して弁済をすることができない。ただし、その第三者が債務者の委託を受けて弁済をする場合において、そのことを債権者が知っていたときは、この限りでない[4]。

4 　前三項の規定は、その債務の性質が第三者の弁済を許さないとき、又は当事者が第三者の弁済を禁止し、若しくは制限する旨の意思表示をしたときは、適用しない[5]。

〈改正〉　2017 年に改正された。1 項ただし書を削り、2 項中「利害関係を有しない」を「弁済をするについて正当な利益を有する者でない」に改め、同項に、以下のただし書「ただし、債務者の意思に反することを債権者が知らなかったときは、この限りでない。」を加え、さらに、3 項、4 項を加えた。前掲（第 1 款）附則第二十五条 1 参照。

[改正の趣旨]　[1]　新法は、1 項については、改正前法の規範を基本的に維持した。

　[2]　改正前 2 項は債務者の意思に反する弁済について、利害関係を有しない第三者の弁済を無効としており、その趣旨は、第三者により弁済がなされることを快く思わない債務者の意思の尊重や、悪質な第三者による債務者に対する過酷な求償の防止などであるとされている。新法はこの規範を原則的に維持した。文言の変更は、第 500 条の文言と一致させるためであるとされている。「第三者」に関する文言の変更は、その範囲に関する従来の判例（解説[5]参照）の方向は維持されると思われる。

　[3]　債務者の意思に反するか否かは主観的なものであるから、債権者にとってみれば第三者により行われた弁済が有効か無効かについて不安定な立場におかれることになる。そこで、新法は、債務者の意思に反することを知らなかった旨を債権者が立証した場合には、弁済を有効とする旨の「ただし書」を設けた。

　[4]　第三者は、債権者の意思に反して弁済することができないが、その場合でも、第三者が債務者の委託を受けて弁済することを債権者が知っていたときは拒絶することができない旨を明文化した。履行引受の場合に、第三者弁済が従来よりも制約されないようにとの配慮から、定められたとされている。

　[5]　改正前 1 項ただし書が、4 項として維持された。

[改正前条文]

1 　債務の弁済[1]は、第三者もすることができる[2]。ただし、その債務の性質がこれを許さないとき[3]、又は当事者が反対の意思を表示したとき[4]は、この限りでない。

2 　利害関係を有しない第三者[5]は、債務者の意思に反して[6]弁済をすることができない[7]。

[原条文]

　　債務ノ弁済ハ第三者之ヲ為スコトヲ得但其債務ノ性質カ之ヲ許ササルトキ又ハ当事者カ反対ノ意思ヲ表示シタルトキハ此限ニ在ラス

　　利害ノ関係ヲ有セサル第三者ハ債務者ノ意思ニ反シテ弁済ヲ為スコトヲ得ス

第3編　第1章　総則　第6節　債権の消滅

[改正前条文の解説]

〔1〕　「弁済」は、債務の内容である給付を実現させる債務者その他の者の行為である。「履行」と同義であるが、履行は債務者のなすべき行為の側面に重点をおいて用いられ（「不履行」ということがある）、弁済はそれにより債権が消滅するという側面に重点をおいて用いられる（非弁済とはいわない）。

弁済の内容である給付は、法律行為である場合も、事実行為である場合もあるが、弁済それ自体は、単なる意思表示ではないので、法律行為ではない。しかし、準法律行為と考えられている（事実行為とする見解もある）。

〔2〕　弁済は、本来債務者がするべきものであるが、債務者以外の第三者も、原則として、弁済をすることができるという趣旨である。債権の目的は、第三者の給付によってもこれを達することができるのが普通だからである。これを「第三者の弁済」または「第三者弁済」という。つぎの諸点が注意されるべきである。

(1)　第三者がなしうるのは、本来の意味の弁済だけに限らない。代物弁済でも供託でも、それぞれの要件を満たせば、できる。

相殺（第三者が債権者に対して有する債権を自働債権とする相殺）でもよいかは問題である。一般的にこれを肯定すると、相対立する債権という相殺の基本的要件（§505 I）をないがしろにすることになるので、否定するのが正しいであろう（改正前§505〔1〕(1)参照）。しかし、物上保証人のような保証人に準ずる立場の第三者には認めてもよいと考えられる（保証人は、自己の債権と保証債務を相殺できるだけでなく、主債務者の債権による相殺も援用できるのである。§457 II ［改注］参照）。判例は、抵当不動産の第三取得者の事例について、否定している（大判昭和8・12・5民集12巻2818頁。改正前§505〔1〕(2)参照）。

(2)　第三者は、自分の名で、しかし、他人の債務として、弁済することを要する。債務者の代理人または使者として債務者の名において弁済した場合には、ここにいう第三者の弁済ではなく、弁済者と債務者との間に委託事務の処理や事務管理の問題が生じるだけである。また、自分の債務として弁済した場合には、本来の他人の債務は消滅せず、弁済者と債権者との間に非債弁済の関係（§707参照）が生じる。

(3)　第三者が弁済をしようとする場合に、債権者が受領しなければ、債権者遅滞となる。第三者も弁済する権利があるからである。第三者の行った弁済も、弁済としてのすべての効果を生じる。しかし、弁済者と債務者との間に求償の関係が残る場合が多く、そこに、弁済による代位の問題が生じる（改正前§§499〜参照）。その限りにおいては債権は、債務者の立場からすれば、債権者との関係では消滅するが、求償権を有する第三者との関係では消滅したとはいえないので、いわば相対的に消滅するにすぎないというべきであろう（本款第3目解説②参照）。

(4)　本項ただし書および第2項の定める例外がある。それぞれの注釈参照。

(5)　第三者による弁済も、債務者による弁済（いわば「本来の弁済」）とその性質は異ならないと説かれている。しかし、その第三者が弁済による代位権を有するときは、(3)で述べたように、本来の弁済においては生じない問題を生じることに注意を要する。

〔3〕　債務が一身専属の給付を目的とする場合を意味する。たとえば、名優の演技、著名な学者の講演のように、債務者自身が給付しなければその債務の目的である給付

994

§§474〔1〕～〔7〕・475

とみられない場合(「絶対的な一身専属的給付」という)や労働者の労働(§625Ⅱ)、受寄者の保管(改正前§658Ⅰ後段)のように、債権者の同意がなければ第三者に給付させることのできない場合(債権者が同意すれば許されるという意味で、「相対的な一身専属的給付」という)がそれである(なお、改正前§466〔3〕参照)。

〔4〕 債権者と債務者との契約で、第三者の弁済を許さない旨の特約(債権の発生と同時でなくともよい)をした場合である。債権者の単独の意思表示で第三者の弁済を禁じることはできない。もっとも、債権が単独行為によって生じる場合(たとえば、遺贈)には、その単独行為をする者の単独行為でこれを禁じることができる。

なお、第三者の弁済に関するこの例外は、債権の内容は当事者が任意に定めることができるという理論に基づくものであるが、立法論としては、その当否は疑問とされる。現にフランス、ドイツ、スイスなどの民法には、この例外は認められていない(なお、改正前§466〔4〕〔5〕参照)。

〔5〕 弁済をすることにつき法律上の直接の利害関係を有しない者である(なお、改正前§500の「正当な利益」を有する者についても参照。改正前§500〔1〕)。単に姻戚関係にあるというだけでは、利害関係があるとはいえない(大判昭和14・10・13民集18巻1165頁、債務者の妻と第三者の妻が姉妹である例)。

物上保証人、担保不動産の第三取得者、後順位抵当権者などは、利害の関係を有する第三者である(最判昭和39・4・21民集18巻566頁。債務者のいわゆる第二会社について、利害の関係を否定した)。地代の弁済について、借地上の建物の賃借人は、利害関係があるとされた(最判昭和63・7・1判時1287号63頁)。なお、保証人・連帯債務者の弁済も、実質的には他人の債務の弁済とみるべきであり、その弁済について利害の関係を有することはもちろんである。しかし、これらの者は、債権者に対しては、自分自身弁済をするべき債務を負うものであるから、その弁済は、本条にいう第三者の弁済には該当しない。

〔6〕 「債務者の意思に反して」とは、債務者が反対の意思を表示したことを要せず、諸般の事情から反対の意思が認定されればよい(大判大正6・10・18民録23輯1662頁)。ただし、第三者の弁済が債務者の意思に反したかどうかについては、意思に反したことを主張する者において証明するべきものと解される。けだし、意思に反するのは、例外的な場合だからである(大判大正9・1・26民録26輯19頁)。

〔7〕 「弁済をすることができない」とは、債権者において弁済の提供を拒絶することができ、また、たとえ債権者が受領しても、その弁済は無効であるという意味である。本項は、債務者の意思を尊重したものであるが、立法論としては疑問であると主張する学説も少なくない。

(弁済として引き渡した物の取戻し)
第四百七十五条
　　弁済をした者が弁済として他人の物を引き渡したときは[1]、その弁済をした者は、更に有効な弁済[2]をしなければ、その物を取り戻すことができない[3]。

[原条文]

995

第3編　第1章　総則　第6節　債権の消滅

弁済者カ他人ノ物ヲ引渡シタルトキハ更ニ有効ナル弁済ヲ為スニ非サレハ其物ヲ取戻スコトヲ得ス

〈改正関連〉　2017年には、本条の改正はないが、改正前476条の削除に注意。

　本条以下の3か条は、不特定物の引渡しを目的とする債務の弁済行為に欠陥がある場合を規定する。フランス民法の2016年改正前1238条にならうものであるが、実際上、適用をみることは稀である。

〔1〕　本条の適用があるのは、債権の目的が物の給付である場合に限り、また、単に「他人の物」とあるが、不特定物の引渡しを目的とする債権に限る。特定物の引渡しを目的とする債権の場合には、他の物をもって「更に有効な弁済を」することはあり得ないからである。

〔2〕　「更に有効な弁済をしなければ」というから、他人の物の引渡しが有効な弁済にならないことを前提とする。したがって、もし、債権者が他人の物の引渡しを受けた場合に、善意取得の要件を具備して、その物の所有権を取得すれば（§192(7)参照）、債権はその目的を達して消滅する。したがって、債権者は弁済者に対して返還することを要しないのはもちろん、原所有者に対しても返還することを要しない（大判大正9・11・24民録26輯1862頁）。この場合は、原所有者と弁済者との間に不当利得返還の問題が残るだけであって、さらに有効な弁済をするという問題は起きない。

〔3〕　〔2〕に述べたように、他人の物の引渡しが有効な弁済にならない場合には、弁済者はその引渡した物の返還を請求することができるはずである。しかし、債権者の立場を考慮して、弁済者がその返還を請求するには、まず別に有効な弁済をすることを要することとしたのである。なお、改正前477条は、本条の例外を定める。

第四百七十六条（旧）　改正に伴い削除

[削除前条文]

第四百七十六条

　譲渡につき行為能力の制限を受けた[1]所有者が弁済として物[3]の引渡しをした場合において、その弁済を取り消したとき[2]は、その所有者は、更に有効な弁済をしなければ、その物を取り戻すことができない[4]。

〈改正〉　2017年に削除された。475条を参照。前掲（第1款）附則第二十五条1参照。

[削除の趣旨]　新法は、弁済として引き渡した物の取戻しに関する改正前475条および同477条は維持する一方で、改正前476条は削除した。同条は、譲渡について行為能力の制限を受けた所有者が行った物の引き渡しによる「弁済」を「取り消した」場合の規定であるが、弁済は「法律行為」ではなく、そもそも「取り消し」が観念できないこと（代物弁済契約の時にのみ意味があると解されている）、債務の発生原因となる契約等が取り消されると債務自体も消滅するから、同条の適用のある場面は極めて稀であるなどの指摘が従来からなされていた。これが、本条の削除の理由である。

[原条文]

　譲渡ノ能力ナキ所有者カ弁済トシテ物ノ引渡ヲ為シタル場合ニ於テ其弁済ヲ取消シタルトキハ其所有者ハ更ニ有効ナル弁済ヲ為スニ非サレハ其物ヲ取戻スコトヲ得ス

§§475〔1〕〜〔3〕・476（旧）・476

［削除前条文の解説］

〔1〕 「譲渡につき行為能力の制限を受けた」者とは、未成年者（§5Ⅰ）・成年被後見人（§8）・被保佐人（§12）・被補助人（§16）、すなわち制限行為能力者のことである。

〔2〕 本条は、「弁済を取り消した」場合に適用がある。したがって、弁済のための給付行為が物の所有権を移転するというように法律行為であることを前提とする。給付行為が、たとえば物の製作のように事実行為であるときには、それを取消すという問題はありえず、制限行為能力者がこれをした場合にも、有効な弁済となる。

なお、本条は、「弁済を取り消した」場合に限って適用がある。たとえば、未成年者が法定代理人の同意を得て、近く収穫されるキャベツを売却したが、キャベツの引渡しに当たって法定代理人の同意を得なかったような場合に、未成年者がその弁済、すなわちキャベツの所有権移転行為を取消した場合などが、その例である。債務発生の原因である行為自体――上の例では、キャベツの売買契約そのもの――を制限行為能力を理由に取消した場合には、債務そのものがはじめから存在しないことになるのであるから（§121［改注］参照）、制限行為能力者の返還請求権は、本条の制限に服しない。

〔3〕 この「物」は、475条と同様に、不特定物に限る（§475〔1〕参照）。

〔4〕 弁済の取消しによって物の所有権は債権者に移転しないことになり、弁済者はその返還を請求できるはずである。しかし、債権者の立場を考慮して、引渡した場合の返還を請求するには、まず、別に有効な弁済をすることを要することとしたのである（§475〔3〕参照）。なお、改正前477条が例外を定める。

（弁済として引き渡した物の消費又は譲渡がされた場合の弁済の効力等）
第四百七十六条
　　前条の場合において、債権者が弁済として受領した物を善意で消費し、又は譲り渡したときは、その弁済は、有効とする。この場合において、債権者が第三者から賠償の請求を受けたときは、弁済をした者に対して求償をすることを妨げない。

［改正前条文］
第四百七十七条
　　前二条の場合において、債権者が弁済として受領した物を善意[1]で消費し、又は譲り渡したときは、その弁済は、有効とする[2]。この場合において、債権者が第三者から賠償の請求を受けたとき[3]は、弁済をした者に対して求償をすることを妨げない[4]。

〈改正〉 2017年の改正で、改正前476条が削除されたので、同477条中「前二条」を「前条」に改め、同条を476条とした。条文の繰り上がりであり、実質的な改正ではない。

［原条文］
　　前二条ノ場合ニ於テ債権者カ弁済トシテ受ケタル物ヲ善意ニテ消費シ又ハ譲渡シタルトキハ其弁済ハ有効トス但債権者カ第三者ヨリ賠償ノ請求ヲ受ケタルトキハ弁済者ニ対シテ求償ヲ為スコトヲ妨ケス

997

第3編　第1章　総則　第6節　債権の消滅

[改正前条文の解説]
〔1〕　ここに「善意」とは、弁済として受け取った物が他人の物であること（§475の場合）、または弁済者の譲渡の能力がないこと（§476［削除］の場合）を知らないという意味である。無過失を要件としていない点を注意するべきである。

〔2〕　債権者が受け取った物を善意で消費し、または譲渡した場合には、その弁済は有効となり、債権は消滅する。したがって、弁済者は、さらに別の弁済を提供して、消費または譲渡によって債権者が得た利得の返還を求めることはできないし、また、債権者の側からも、そのような主張をすることは許されない。法律関係を簡易に決済しようとしたのである。

〔3〕　本条前段の規定によって弁済が有効とされるのは、ただ、債権者・債務者間の関係を簡易に決済しようとするものである。その物が第三者の所有に属している場合には（§475）、債権者は、その物の消費または譲渡によって、その所有者に対して不法行為（本条前段は債権者に過失があっても適用されることに注意せよ。前述〔1〕参照）または不当利得の責任を負うことがありうる。しかし、弁済として他人の物の引渡しを受けたときにも、善意取得（§192）の要件を具備すると（無過失が要件だが）、債権者はその物の所有権を取得するのであるから（§475〔2〕参照）、本条の適用がある場合は比較的稀であろうと思われる。

〔4〕　弁済を無効とせずに、求償関係として決済しようとするのである。

（預金又は貯金の口座に対する払込みによる弁済）
第四百七十七条
　　　債権者の預金又は貯金の口座に対する払込みによってする弁済は、債権者がその預金又は貯金に係る債権の債務者に対してその払込みに係る金額の払戻しを請求する権利を取得した時[2]に、その効力を生ずる[1]。

〈改正〉　2017年に新設された。前掲（第1款）附則第二十五条1参照。

[本条の趣旨]　〔1〕　債権者の預金口座への振込みによって行う弁済について、その効力が生じる時期を明確にした。

〔2〕　この「権利を取得した時」の具体的内容については、解釈に委ねられるので、銀行等の取引の実情に応じて定まることになる。本条によれば、銀行の過誤によって債権者の預貯金口座に振り込まれなかった場合には、債権者が預金債権を取得することはないため、弁済の効力は生じない。どのような場合に預貯金口座への振込みによって弁済をすることができるかという点については、今後も解釈に委ねられる。

（受領権者としての外観を有する者に対する弁済）
第四百七十八条
　　　受領権者（債権者及び法令の規定又は当事者の意思表示によって弁済を受領する権限を付与された第三者をいう。以下同じ。）以外の者であって取引上の社会通念に照らして受領権者としての外観を有するもの[1]に対してした弁済は、その弁済をした者が善意であり、かつ、過失がなかったときに限り、その効力を有する。

998

§§476〔1〕～〔4〕・477・478〔1〕

〈改正〉　2017年に改正された。見出しを改め、「債権の準占有者」を「受領権者（債権者及び法令の規定又は当事者の意思表示によって弁済を受領する権限を付与された第三者をいう。以下同じ。）以外の者であって取引上の社会通念に照らして受領権者としての外観を有するもの」に改めた。前掲（第1款）附則第二十五条1参照。

[改正の趣旨]　〔1〕　改正前478条の「債権の準占有者」とは、債権者ではないにもかかわらず、外観上はあたかも債権者であるかのように見える者をいう。しかし、この「準占有者」という文言がわかりにくいこと、また、「準占有」について205条は「この章の規定は、自己のためにする意思をもって財産権の行使をする場合について準用する」と定めているが、改正前478条の適用に際しては「自己のためにする意思」は不要とする見解が判例（最判昭和37・8・21民集16巻1809頁、代理人と称した場合についても改正前478条の適用があるとした）および通説である。そこで、新法では「債権の準占有者」という文言を上記のように改めた。「受領権者としての外観」が要件となるが、結局は、善意・無過失の判断に帰着するであろう（解説〔1〕(g)参照）。なお、本条も、外観法理の具体化であるが、真の権利者の帰責事由は要求されていない。

[改正前条文]
（債権の準占有者に対する弁済）
　　債権の準占有者1)に対してした弁済2)は、その弁済をした者が善意であり、かつ、過失がなかったとき3)に限り、その効力を有する4)。

[原条文]
　　債権ノ準占有者ニ為シタル弁済ハ弁済者ノ善意ナリシトキニ限リ其効力ヲ有ス

[改正前条文の解説]

だれがみても債権者らしい者に善意で弁済した債務者を保護する趣旨の規定である。これを「善意弁済の保護」という。民法は、本条のほかに、同じ趣旨から、指図債権証書もしくは記名式所持人払債権証書の持参人に対する弁済（改正前§§470・471）および受取証書の持参人に対する弁済（改正前§480）を保護している。

〔1〕　「債権の準占有者」とは、「自己のためにする意思をもって債権の行使をする」者（§205参照）、さらにいえば、取引観念上、真実の債権者らしい外観を有する者である。債権を行使するというには、債権者としての行為を続行したという事実を必要とするものではなく、一般取引の観念において債権者であると信じさせるような事由に基づいて債権を利用した場合には、その利用行為は一回であっても、これを債権の行使であるといって差し支えない（大判大正10・5・30民録27輯983頁）。なお、債権の準占有者は、債権証書を占有する場合が多いが、これは必ずしも要件ではない。債権証書の占有がなくても、諸般の事情から債権者らしい外観を呈するときは、準占有者となる（大判明治38・6・7民録11輯898頁）。債権の準占有者として、判例などで問題になるものには、つぎのものがある。

(a)　債権譲渡行為が無効な場合の事実上の譲受人（大判大正7・12・7民録24輯2310頁）

(b)　無記名債権証書の所持人

(c)　表見相続人（大判大正10・5・30民録27輯983頁）

(d)　預金証書もしくは恩給証書などとその弁済を受けるのに必要な印鑑を所持す

999

第3編　第1章　総則　第6節　債権の消滅

る者など。

実際上、この例が最も多く争われる。

(e)　不動産を滅失または損傷されたことを原因とする損害賠償請求権については、その登記名義人は、その準占有者とみるべきであろう(§177〔8〕(ク)参照)。

(f)　偽造の受取証書を提示することは、削除前480条の要件を充たさないが、この証書と他の事情とが総合されて準占有を成立させることもありうる(〔削除前〕§480〔1〕末尾参照)。

(g)　債権者の代理人として請求する者に対して弁済することは準占有者に対する弁済となるであろうか。判例は、これに当たらないと判示したことがあるが(大判昭和10・8・8民集14巻1541頁)、準占有にも代理占有関係が成立するのであるから、このような場合にも本条の適用を認めるのが通説である。厳密にいえば、真の債権者Aの代理人Bと称した者が代理権を有しない場合は、無権代理の問題になり(保護が必要なら、表見代理の規定による)、じつは債権者ではないAの代理人Bに弁済したときは本条の問題になるというべきであろう。とはいえ、実際上からいうと、証書と印鑑を窃取した者が、本人と偽るときと、本人の代理人と偽るときとで、受領権限を有するような外観を信頼して弁済した債務者の保護を異にするべきではないといってよかろう。判例もその後、本条の適用があるとしている(最判昭和37・8・21民集16巻1809頁)。

(h)　以上に反し、たとえば、債権者から債権をAに譲渡したことを口頭または普通の文書で通知された債務者が、その後にBのための当該債権の差押えの通知を受けたとき、またはBへの譲渡の確定日付のある通知を受けたときは、以後はBに弁済するべきであり(改正前§467〔9〕(エ)(a)参照)、Aへの弁済は、当然には準占有者に対する弁済とはいえない。けだし、そうでなければ、債権譲渡の対抗要件の規定によって後者のみが債権者とされる趣旨が破られるからである(大判昭和7・5・24民集11巻1021頁)。

　もっとも、この点は必ずしも絶対的ではない。たとえば、債権が二重譲渡され、譲受人A・Bがいずれも確定日付を備えた場合に、債務者は優先譲受人Aに弁済すべきだが、善意・無過失で劣後譲受人に弁済したときも、本条の適用はありうるとされる(最判昭和61・4・11民集40巻558頁。事案としては無過失は否定されている)。

(i)　無効な転付命令を得た者

　一般的には、無効な転付命令に基づいて債権を行使する者は、債権の準占有者といえる(大判昭和3・5・30新聞2892号9頁)。たとえば、BのCに対する債権につき、Bに対する債権を有しないAが転付命令を得た場合に、その転付命令を信じて、CがAに弁済したようなときにも、本条の適用がある。

　債権が差押えられた場合には、債務者は債権者への弁済を制限されるが(§481)、同じ債権が二重に差押えられると、後の差押えは無効とされる。この後の無効な差押えに基づく転付命令を得た者は、債権の準占有者といえるであろうか。判例は、これをいちおうは肯定する(最判昭和40・11・19民集19巻1986頁)。しか

し、前の差押え債権者に対する関係では、弁済の有効を主張しえないとされるので、結局は保護されない(改正前§481〔3〕参照)。

〔2〕 本条の弁済のほか、代物弁済でもよいと解される。これは当然であろう。

なお、これ以外に、つぎのような問題がある。

(a) 判例によって、相殺にも類推適用されていることに、注意を要する(金融機関Bが預金者はAであるのに、Cを預金者と誤り、Cに対して貸付けを行った場合に、本条を類推適用して、その貸付権とAに対する預金債務を相殺できるものとした。最判昭和48・3・27民集27巻376頁——当時可能だった無記名預金の事例——、最判昭和59・2・23民集38巻445頁。貸付けの行為を預金の払戻しと同視できることを根拠とし、貸付け時に銀行として尽くすべき相当な注意を用いたことを要件とする)。しかし、この解釈は疑問である(改正前§505〔1〕〔4〕参照。実質的には、Aの債権を無権利者Cから担保にとったことに等しい。債権が証券化していれば格別、また、無権利者から動産を質にとった場合なら格別、指名債権についてこのような場合の善意取得を認めることは困難であろう。改正前§468〔2〕(ｱ)参照。相殺に担保的効力を認める感覚と関連しているともいえよう。第2款解説②(3)参照。Aからの払戻し請求を拒むことは難しいのではないか)。なお、いわゆる総合預金口座(第2款解説③(2)参照)において、貸越しに当たる支払をした場合は、払戻しを弁済と同視してよいであろう(最判昭和63・10・13判時1295号57頁。盗人が通帳・印鑑を持参した例)。

(b) さらに、保険会社に対する債権者A(保険契約の保険金受取人)の妻Bが保険契約者貸付制度を利用して、A名義で保険会社から貸付けを受けた事例について、最高裁は、Bの表見代理を否定した上で、本条の類推適用を認めて、貸付取引を有効とした原審を維持した(最判平成9・4・24民集51巻1991頁)。貸付行為を保険金の前払と同視するという論理によるものであるが、ここまで類推適用が拡大されることには問題があろう。

(c) 転付命令による差押え債権者の債権の消滅(民執§160)のような、債務者の任意による債権消滅行為でないものについては、認めるべきではあるまい(大判昭和15・5・29民集19巻903頁はこれを認める。すなわち、AのBに対する債権に基づき、Aの表見相続人のような、実は債権者でない者が、BがCに対して有する債権につき転付命令を得た場合、Bは善意・無過失なら免責されるとする。〔1〕(ｲ)においてCが免責されることとは問題が異なることに注意)。

〔3〕 債権の準占有者が真正の債権者であると信じることである。

(ｱ) 準占有者に対する弁済が有効であるためには、弁済者の無過失を要するかについて、原条文は明記していなかったが、個々の取引についてその安全を保護する制度であるから、これを要件とするのが、削除前480条との対比からいっても妥当とされ、判例も、無過失を要件としていた(最判昭和37・8・21民集16巻1809頁など)。2004年改正は、条文上それを明記したが、学説・判例に委ねておくのが望ましかったと思われる。

(a) とくに銀行実務において、預金通帳と印鑑の持参人に対して行った払戻しについて、過失の有無が争われることが多い(最判昭和42・12・21民集21巻2613頁は、預金通帳の提示もないのに、無過失が認定された例である)。なお、たとえば、預金通帳と印鑑の持参人に弁済したときは、債務者はつねに免責されるというような、無条

1001

第3編　第1章　総則　第6節　債権の消滅

件的な免責条項が特約されている場合でも、判例はこれを無視して、過失の有無を問題にするのが習わしとなっている。

　(b)　とりわけ、銀行実務などにおいて、現金自動支払機（入出機、出入機、出納機などともいう。CD : cash dispenser、ATM : automatic teller machine などと呼ばれる）を用いて行われる弁済事務が一般化しており、この場合についての本条の適用には問題の存するところである（事柄は、弁済に限らず、貸付け・譲渡などにおける金銭授受一般に共通する大きな問題でもある）。判断はきわめて難しいが、最近の判例を紹介しておく（なお、偽造カード等による不正払戻しについて、偽造カード§§1～11 参照）。

　最判平成5・7・19（判時 1489 号 111 頁）は、「銀行の設置した現金自動支払機を利用して預金者以外の者が預金の払戻しと受けたとしても、銀行が預金者に交付していた真正なキャッシュカードが使用され、正しい暗証番号が入力されていた場合には、銀行による暗証番号の管理が不十分であったなど特段の事情がない限り、銀行は、現金自動支払機によりキャッシュカードと暗証番号を確認して預金の払戻しをした場合には責任を負わない旨の免責約款により免責されるものと解するのが相当である」とした。また、最判平成 15・4・8（民集 57 巻 337 頁）は、現金自動入出機による預金の払戻しについても改正前 478 条が適用されるとしたうえで、同条の適用につき銀行が無過失というためには、「払戻しの際に機械が正しく作動したことだけではなく、銀行において、預金者による暗証番号等の管理に遺漏がないようにさせるため当該機械払の方法により預金の払戻しが受けられる旨を預金者に明示すること等を含め、機械払システムの設置管理の全体について、可能な限度で無権限者による払戻しを排除し得るよう注意義務を尽くしていたことを要する」とし、預金者への明示を怠ったなどの事情のある事案について、本条の適用を否定した。

　㈠　なお、条文上は要求されていないが、債権者にも一定の帰責事由があることを必要とする見解も唱えられている。

〔4〕　弁済受領の正当な権限がない者にした弁済は、本来、無効なはずであるが（§479 ［改注］参照）、取引の安全という立場から、例外を認めたのである。もっとも、その理由づけについては、もう少し立ち入った考察を必要とする。たとえば、〔1〕の(a)・(b)・(h)の事例では、債権に譲渡性を認めた反面において、債務者の善意弁済を保護し、それによって債権の流通性を高めようとするものであり、(d)の事例では、大量な弁済事務の処理を容易にして、債権の簡便な実現に資そうとするものである。(c)は表見相続の法理、(i)は転付命令制度の運用に、それぞれかかわるものである。

　本条の適用によって弁済が有効とされれば、その結果、債権は消滅し、債務者は債務を免れる。したがって、真正の債権者は、債務者に対してその履行を求めることはできず、ただ、弁済の受領者、すなわち債権の準占有者に対して不当利得返還請求権を取得する。

　なお、善意弁済者が本条による免責を主張せずに、弁済をした相手に対して給付したものの返還を請求できるかについては、見解が分かれている。判例は否定しているが（大判大正 7・12・7 民録 24 輯 2310 頁）、疑問である（受領者に対する不当利得返還請求を認めた最判平成 17・7・11 判時 1911 号 97 頁参照。この事案は、X 銀行が預金者 A の相続人 Y に

§§478〔4〕・479〔1〕〔2〕

全額を払い戻したのに対し、他の相続人がX銀行に対し、自分の相続分の払戻しを請求し、それを受けて、X銀行がYに支払った金額の返還を請求したものである。X銀行のYへの支払が債権の準占有者への善意弁済であることがそもそも否定されている）。

（受領権者以外の者に対する弁済）
第四百七十九条
　　前条の場合を除き、受領権者以外の者に対してした弁済は、債権者がこれによって利益を受けた限度においてのみ、その効力を有する。

〈改正〉　2017年に改正された。見出しを改め、「弁済を受領する権限を有しない者」を「受領権者以外の者」に改めた。文言上の変更に過ぎない。

［改正前条文］
（受領する権限のない者に対する弁済）
　　前条の場合を除き[1]、弁済を受領する権限[2]を有しない者に対してした弁済は、債権者がこれによって利益を受けた限度においてのみ、その効力を有する[3]。

［原条文］
　　前条ノ場合ヲ除ク外弁済受領ノ権限ヲ有セサル者ニ為シタル弁済ハ債権者カ之ニ因リテ利益ヲ受ケタル限度ニ於テノミ其効力ヲ有ス

［改正前条文の解説］
〔1〕　真正の権利者でない者に対する弁済が有効とされるのは、改正前478条の場合に限らない。すなわち、指図債権証書または記名式所持人払債権証書の所持人に対する弁済（§§470［削除］・471［削除］）および受取証書の持参人に対する弁済（削除前§480）は、たとえそれらの者が真正の債権者でない場合にも、有効とされる。これらの者は、「弁済受領の権限があるものとみな」されるので（削除前§480本文参照、改正前§470も同じ趣旨で規定されていると解される）、本条の適用はない。
〔2〕　弁済は、弁済受領の権限を有する者（「弁済受領権者」）に対してしたときにのみ、効力を生じる。
　弁済受領権者は、いうまでもなく、債権者およびこれに代って弁済受領の代理権を有する代理人である。これに対して、つぎのような例外がある。
　(a)　債権者であっても、弁済受領権を有しない場合
　①債権が差押えられた場合（改正前§481Ⅰ、民執§145）、②債権者が破産した場合（破§§50・51・78Ⅰ。ただし、一定の弁済が効力を生じることはありうる）、③債権に質権が設定された場合（改正前§364〔5〕参照）などに、債権者は弁済受領権を失う。それぞれの場合に、債権者に代って他の者（差押え債権者・破産管財人・質権者など）が弁済受領権をもつことになる旨が定められている。債務者の債権者が債権者代位権を行使している場合も、これに準じると解されている。
　(b)　債権者でない者が弁済受領権を有する場合
　上述の(a)の場合に、債権者に代って弁済受領権を有する者への弁済が有効とされることには、とくに問題はない。
　(c)　弁済受領権がない者への弁済が有効とされる場合

第3編　第1章　総則　第6節　債権の消滅

債務者によるいわゆる善意弁済の保護であり、民法上は改正前470条・同471条・同478条がその趣旨の規定である。削除前480条も、「弁済受領の権限」があるものと「みなす」といっているが、同じ趣旨と考えてよい。破産法50条1項により、破産手続開始があったことを知らない債務者が破産者に対して行った弁済が破産手続の関係においても効力が認められるのも、一種の善意弁済の保護といってよかろう。

〔3〕　たとえば、債権者の無権代理人が弁済として受け取ったものを債権者に引渡した場合などである。このような場合には、債権は、その弁済によって事実上その目的を達しているのみでなく、その弁済を無効とするときは、債権者はその受け取ったものを返還し、弁済者はさらに弁済をすることを要し、無用の煩雑をまねくので、これを避けようとしたのである。判例は、弁済者が受領者に権限のないことを知っていたことは、本条適用の妨げにならないという（大判昭和18・11・13民集22巻1127頁）。

第四百八十条　削除

〈改正〉　2017年に削除された。前掲（第1款）附則第二十五条1参照。
[削除の趣旨]　削除前480条は、「受取証書」の持参人に対する弁済について規定しているが、「受取証書」の持参人も「取引上の社会通念に照らして受領権者と認められる外観を有する者」の一例であること、偽造された受取証書については480条ではなく478条により規制されるとするのが判例・通説であることなどから、廃止された。
[削除前条文]
（受取証書の持参人に対する弁済）
第四百八十条

　　受取証書[1]の持参人[2]は、弁済を受領する権限があるものとみなす[3]。ただし、弁済をした者がその権限がないことを知っていたとき、又は過失によって知らなかったときは、この限りでない[2]。

[原条文]

　　受取証書ノ持参人ハ弁済受領ノ権限アルモノト看做ス但弁済者カ其権限ナキコトヲ知リタルトキ又ハ過失ニ因リテ之ヲ知ラサリシトキハ此限ニ在ラス

[削除前条文の解説]

〔1〕　「受取証書」とは、弁済の受領を証する文書である。本条適用の要件として、受取証書が真正に成立したものであることを要するかどうかは、争われている。

取引の安全を強く保護しようとする学説は、偽造でもよいと説く。しかし、真正の債権者の静的安全と調和させるために、受取証書は真正のものであることを要するとする判例・多数説が正当である（大判明治41・1・23新聞479号8頁）。ただし、受取証書が真正であるというのは、受取証書作成の権限のある者が作成したという意味であるから、代理権ある者、たとえば、商店の集金人が代理人として作成したものは、たとえそれを着服・逃走する意図があったとしても、ここでいう真正の受取証書である。のみならず、権限のない者が作成したものでも、その作成につき表見代理の要件（§§109・110・112参照）をみたす場合には、その受取証書もまた真正なものとみなすべき

§§479〔3〕・480（旧）・481

である。たとえば、保険会社の代理店の会計係が、解雇された後に領収証用紙と印章を盗用して保険料領収書を作成し、保険料の支払を求めたような場合には、これに善意・無過失で弁済をした者との関係では、その受取証書は真正なものであり、したがって、本条の適用があると解される（大判昭和7・8・17新聞3456号15頁）。

なお、提示した受取証書が偽造であった場合、本条には該当しないが、他の事情と総合して、債権の準占有者と認められるときは、改正前478条の適用を受けて弁済者が保護されることはいうまでもない（大判昭和2・6・22民集6巻408頁）。

〔2〕　受取証書の持参人に弁済受領の権限がなくてもよい。むしろ、その場合に本条がはたらくのである。また、持参人がその受取証書を入手した理由を問わない。すなわち、受取証書が盗品または遺失物であっても、本条の適用がある（§193参照）。ただし、受取証書は真正であっても、持参人その人について受領権限を疑わせるような事情——たとえば、大金の受取証書を持参している者がとてもそのようには見えない服装をしていて態度に落着きがなかったなど——があったのに、弁済者の過失で支払ったような場合には、本条ただし書の適用によって、弁済は無効となるであろう（§479〔改注〕参照）。

〔3〕　これによって、弁済は有効とされ、弁済者は債務を免れる。いうまでもなく、取引の安全を確保する趣旨に出るものである。真実の債権者は、受領者に対して不当利得の返還請求権または不法行為による損害賠償請求権を取得することは、債権の準占有者に対する弁済に関する改正前478条におけると同様である。

（差押えを受けた債権の第三債務者の弁済）
第四百八十一条
　　1　差押えを受けた債権の第三債務者が自己の債権者に弁済をしたときは、差押債権者は、その受けた損害の限度において更に弁済をすべき旨を第三債務者に請求することができる。

　　2　前項の規定は、第三債務者からその債権者に対する求償権の行使を妨げない[6]。

〈改正〉　2017年に改正された。見出しを改め、1項中「支払の差止めを受けた」を「差押えを受けた債権の」に改めた。文言上の変更である。

［改正前条文］
（支払の差止めを受けた第三債務者の弁済）
　　1　支払の差止めを受けた第三債務者[1]が自己の債権者[2]に弁済をしたときは[3]、差押債権者[4]は、その受けた損害の限度において更に弁済をすべき旨を第三債務者に請求することができる[5]。

　　2　同上

［原条文］
　　支払ノ差止ヲ受ケタル第三債務者カ自己ノ債権者ニ弁済ヲ為シタルトキハ差押債権者ハ其受ケタル損害ノ限度ニ於テ更ニ弁済ヲ為スヘキ旨ヲ第三債務者ニ請求スルコトヲ得

　　前項ノ規定ハ第三債務者ヨリ其債権者ニ対スル求償権ノ行使ヲ妨ケス

第3編　第1章　総則　第6節　債権の消滅

[改正前条文の解説]

〔1〕　AのBに対する債権をAの債権者Cが差押えた(仮差押えも同じ)ときは、債務者Bは、自分の債権者Aに対して支払をすることを禁じられる(民執§145)。この場合におけるBが、本条にいわゆる「支払の差止めを受けた第三債務者」である。

〔2〕　第三債務者の債権者、すなわち〔1〕の例ではAである。

〔3〕　もちろん、支払の差止めを受けた後の弁済である(相殺についての§511参照)。差止めの前に弁済のために振り出した小切手の支払を差止め後にすることはかまわないとされる(最判昭和49・10・24民集28巻1504頁)。

差止めを受けた後の弁済かどうかが争われた事例で、BがAに対して弁済のために銀行において振込依頼をした後にCによる仮差押命令が送達されたというものがある。原審は、振込依頼に基づく弁済をもってCに対抗できるとしたが、最高裁は、Bは振込依頼の撤回をするべきで、それが著しく困難であるなどの特段の事情がある場合に限り、弁済をもって対抗できるとして、破棄・差戻した(最判平成18・7・20民集60巻2475頁)。

上例のAに対する弁済が制限されることは問題ない。また、差押えによりAによる債権譲渡も封じられるから、譲受人が生じることもありえない。しかし、同じ債権をDが二重に差押え、転付命令を得たときに、この無効な転付命令を有効と信じて、債務者がDに弁済した場合に、これを債権の準占有者に対する弁済(§478[改注])といえるであろうか。判例は、いちおうは肯定するが、本条により、先に差押えたCに対しては弁済の有効を主張しえないとする(最判昭和40・11・19民集19巻1986頁)。弁済を有効として、CはDに対して返還請求できるものとするべきだとする見解も有力である。

〔4〕　〔1〕の例で、AのBに対する債権を差押えたAの債権者、すなわちCである。

〔5〕　本項の文言は、やや明瞭でないが(損害賠償を請求できるような語句が用いられているが)、〔1〕の例で債務者BのAに対する弁済は、Aに対する関係では有効であるが、差押え債権者Cに対抗することはできず、したがって、CはAから弁済を受けない限り、なお差押えた債権が存在するものとして、これにつき転付命令などを得てBに対して弁済を請求することができる(民執§§159〜)という意味に解するのが、制度の趣旨に適するであろう。判例・多数説も、このように解している(大連判明治44・5・4民録17輯253頁、大判大正15・9・8新聞2621号12頁参照)。

〔6〕　第三債務者Bは、その債権者Aに弁済した後に、さらに差押え債権者Cから請求を受けて、これに弁済した場合には、Aは不当利得したことになるので、Aに対して弁済したものの償還を請求することができる、という意味である。

（代物弁済）
第四百八十二条

　弁済をすることができる者（以下「弁済者」という。）が、債権者との間で、債務者の負担した給付に代えて他の給付をすることにより債務を消滅させる旨の契約[1]をした場合において、その弁済者が当該他の給付をしたときは、その

給付は、弁済と同一の効力を有する。

〈改正〉　2017 年に改正された。「債務者が、債権者の承諾を得て、その」を「弁済をすることができる者（以下「弁済者」という。）が、債権者との間で、債務者の」に改め、「給付を」の下に「することにより債務を消滅させる旨の契約をした場合において、その弁済者が当該他の給付を」を加えた。前掲（第1款）附則第二十五条1参照。

[改正の趣旨]　**[1]**　従来から代物弁済は要物契約であると解されてきたが、合意による代物弁済の予約や停止条件付代物弁済契約なども実務上認められており、最判昭和57・6・4判時1048号97頁等も含めて、代物弁済を諾成的契約として考えるべきとの見解が有力に主張されていた。新法は弁済者が、「債権者との間で、債務者の負担した給付に代えて他の給付をすることにより債務を消滅させる旨の契約をした場合において」と規定することで諾成的代物弁済契約を認めた。債務消滅の効果が生じるのは「弁済者が当該他の給付をしたとき」（物権契約的要素）である点については、変わりはない。最判昭和43・11・19（民集22巻2712頁）が参考になる。

[改正前条文]
　債務者が、債権者の承諾を得て[1]、その負担した給付に代えて[2]他の給付[3]をしたとき[4]は、その給付は、弁済と同一の効力を有する[5]。

[原条文]
　債務者カ債権者ノ承諾ヲ以テ其負担シタル給付ニ代ヘテ他ノ給付ヲ為シタルトキハ其給付ハ弁済ト同一ノ効力ヲ有ス

[改正前条文の解説]
債務者が、その負担した給付、たとえば金100万円の支払に代えて、他の給付、たとえばピアノ一台の引渡しを行い、それによって債権を消滅させることを、「代物弁済」という。わが民法は、本条1か条をもってその要件と効果を規定している。

〔1〕　「債権者の承諾を得て」するべきだというのは、代物弁済が債権者と債務者との契約によって行われるべきことを意味する。そして、それは一方で本来の債務を消滅させ、他方でこれに代わる対価を給付するものであるから、一種の有償契約である。

〔2〕　「その負担した給付に代えて」他の給付をするとは、本来の給付と異なる給付をし、本来の給付を目的とする債務を消滅させることである。

この点に関して、債務者が既存の金銭債務のために手形または小切手を交付した場合が問題となる。

　(ア)　債務者が既存債務の履行の手段として、すなわち、いわゆる「弁済のために」（erfüllungshalber）手形・小切手を交付した場合には、手形・小切手はいわば一種の支払手段として用いられているのであって、代物弁済とはならない。これに対して、既存債務を消滅させるために、すなわち、いわゆる「弁済に代えて」（erfüllungsstatt）手形・小切手を交付した場合には、代物弁済となる。債務を負担する者が手形または小切手を振り出した場合に、そのいずれであるかは、各場合の事情によって決するべき問題であるが、一般的には、既存債務の弁済に代える意思はなく、弁済のためになされたものと推定するを至当とする。けだし、債権者は手形または小切手を取得しても、はたしてこれによって金銭を取得できるかどうか不確実であるだけでなく、これを弁

第3編　第1章　総則　第6節　債権の消滅

済に代えるものとすると、既存債権に伴う質権・抵当権・保証などはすべて消滅するのであり、債権者は一般にこのような意思はないものとみるのが妥当だからである（大判大正11・4・8民集1巻179頁）。

　(イ)　前者、すなわち、既存債務の履行のために手形または小切手が交付された場合には、債権者は、まず手形または小切手によって弁済を得るのに努めるべきであり、これによって現実の弁済を得た場合には、既存債務は消滅する。しかし、手形・小切手が不渡りとなったり、または効力を失うときは、債権者は、既存債権について改めてその手形・小切手によらない弁済を求めることができる（この点につき、なお、§493(2)(ア)(f)以下参照）。

　(ウ)　後者、すなわち、既存債務について手形・小切手を交付することが、例外的に、履行に代えてされた場合には、代物弁済となる。ところが、民法は、債務の履行に代えて為替手形を発行する場合には、更改となると規定した（§513 Ⅱ後段［原条文参照］。［改注］）ので、判例は、以前には、既存債務の履行に代えて手形・小切手を交付することは債務の要素の変更であり、つねに更改になるとし（大判明治38・9・30民録11輯1239頁）、ついで、当事者の意思によって、あるいは代物弁済となり、あるいは更改となると判示した（大判大正8・11・28民録25輯2189頁）。しかし、これらの証券の交付が、たとえ例外的にもせよ、更改となるというのは理論に反する。けだし、更改は、更改契約によって、一方において旧債務を消滅させるとともに、他方において新債務を生じさせるものである。したがって、旧債務が存在しないときは、更改契約自体が無効となり、新債務も発生しないものである（改正前§513(3)参照）。ところが、手形・小切手の交付は、たとえ旧債務を消滅させるために、すなわち履行に代えてなされた場合にも、これによって債権者が新たに取得する債権は、手形行為という別個の行為によって生じたものである。のみならず、旧債務が存在しない場合には、手形債権も発生しないということは、手形理論（いわゆる無因性）からいって、とうてい是認できないものだからである。そこで、近時の学説は、為替手形の発行に関する民法のこの規定は、手形理論の正当な理解を欠き、背理の規定として無視するほかはないと解していたが、2004年改正は513条2項後段を削除した。そうであるならば、当事者がとくに既存債務の履行に代えて手形・小切手を交付する場合には、つねに代物弁済であるとみられる。そして、このような場合には、既存債務はこれによって消滅するから、これに伴う担保もことごとく消滅する。債権者はもっぱら手形・小切手によって弁済の利益を受けるべく、その手形・小切手が不渡りになっても、既存債務は当然に復活することはない。

　〔3〕　「他の給付」は、どのような種類の給付であってもよい。金銭の給付の代わりに動産または不動産の給付でもよいし、その逆でもよい。また、債権の譲渡でも代物弁済となる。手形・小切手の交付も代物弁済になることがある（上述(2)(ウ)参照）。しかし、単なる給付の約束だけではなく、給付の実現があることを要する（不動産の所有権の移転などの場合には、なにをもって給付の実現とするかについては、当事者の意思を十分考慮する必要がある）。債務者が新債務を負担するというだけでは原則として更改になるだけであって、代物弁済とはならない。もっとも、その新債務がいわゆる無因債務

§482 〔3〕～〔5〕

——上述の手形・小切手はその例である——である場合には、代物弁済とみるべきである。けだし、この場合には無因債務の負担は1個の有価物の給付と見られるからである。

　なお、他の給付の価格は、問題でない。債権額よりも価値の少ない給付であっても、とくに、一部についての代物弁済である趣旨が表示されない限り、債権全額が消滅すると解すべきであり、超過額について債務免除などの行為を必要としない(大判昭和5・5・30新聞3134号9頁)。

　〔4〕　元来、代物弁済は、既存債務に代えて現実に他の給付をした場合に成立する。いわば一種の要物契約または践成契約(合意のみによって成立する諾成契約に対して、目的物の引渡しなどの一定の給付がなされてはじめて成立する契約のことをいう)である。

　ところが、消費貸借の当事者間などにおいて、予約という形式で代物弁済が行われることが少なくない。たとえば、50万円の貸借をするに当たり、期限に弁済しなかったら特定の財産の所有権を移転するというものである。この場合には、この「代物弁済の予約」には、実質的にみて、一種の担保としての機能があると認められる。

　とくに、第二次大戦前後のある時期から、目的物が不動産である場合に、その不動産に抵当権が設定されるとともに、同時に代物弁済の予約、または停止条件付代物弁済契約(被担保債権についての不履行を条件とする)を結び、かつ、それから生じる請求権について仮登記をするという実務が広く行われるようになった。この実務は、仮登記の効力(いわゆる「順位保全の効力」。§177〔5〕(ウ)(b)参照)によって不当に強力な効力を発揮することになったので、現在では、「仮登記担保契約に関する法律」(昭和53年法律78号)によって、その効力を制限されている(第2編第10章後注⑩参照)。

　以下には、それ以外の場合(たとえば、動産による代物弁済の予約)について考察しておく。

　(ア)　この契約の内容が、もし期限に弁済しない場合には、目的物の所有権が当然に債権者に移転するということに存するときは、これは、停止条件付代物弁済契約である。それは、譲渡担保契約に類似する作用を営む。したがって、その効力は、これと対比して考えられるべきである(第2編第10章後注②～⑧参照)。また、その目的物が当該債権の担保として設定された質権の目的物である場合には、あたかも流質契約をしたことになる。したがって、流質契約の禁止との関係において、その効力が吟味されなければならない(§349参照)。

　(イ)　この契約の内容が、もし債権者または債務者の一方もしくは双方が、特定の物の給付をもって代物弁済とすることができる機能を保留するにとどまるものであるときは、真の意義における代物弁済の予約である。したがって、この場合には売買の予約に関する規定(§556)が準用されるべきである(§559)。そして、債務者だけがこの機能を保留している場合には、譲渡担保契約ないし流担保契約とはまったく関係がないが、債権者だけがこの機能を保留する場合には、譲渡担保契約または流担保契約と同一の効果を持つこととなりうるので、(ア)の場合と同様に考えるべきである。

　〔5〕　「弁済と同一の効力を有する」とは、債務が消滅するということである。代物弁済として給付されたものに瑕疵があっても、債権者は瑕疵のないものの給付を請

1009

第3編　第1章　総則　第6節　債権の消滅

求することはできないし、また、本来の給付を請求することもできない。けだし、代物弁済は、給付をするべき債務を生じるものではなく、一方において、直ちに給付をし、他方において債権を消滅させる契約だからである。債権者は、売買の瑕疵担保の規定の準用によって（§559）、代物弁済契約の解除または損害賠償の請求をすることができるにとどまる（改正前§§570・566参照）。

（特定物の現状による引渡し）
第四百八十三条
　　債権の目的が特定物の引渡しである場合において、契約その他の債権の発生原因及び取引上の社会通念に照らしてその引渡しをすべき時の品質を定めることができないときは[1]、弁済をする者は、その引渡しをすべき時の現状でその物を引き渡さなければならない。

〈改正〉　2017年に改正された。「である」の下に「場合において、契約その他の債権の発生原因及び取引上の社会通念に照らしてその引渡しをすべき時の品質を定めることができない」を加えた。前掲（第1款）附則第二十五条1参照。

[改正の趣旨]　[1]　「中間試案」では、引き渡すべき特定物の品質については、当事者間の合意によって常に定まるのであるから、483条を存置する必要はなく、かつ、同条がこれまで「特定物ドグマ」の根拠の一つとされることがあったことなどの理由に基づき、同条の削除を予定していた。しかし、当事者間の合意に基づかずに、例えば、不当利得返還請求権に基づき特定物の引渡しをする債務が生じた場合において、履行遅滞後の保管に関して善管注意義務を尽くしていたにもかかわらず生じた損耗等について債権者が責任を負うときは、同条が根拠となるが、同条を削除すると、このような場合についての解釈が不明確になり得るという問題が指摘された。そこで、新法は、「契約その他の債権の発生原因および取引上の社会通念に照らしてその引渡しをすべき時の品質を定めることができないときは」との文言を加えて存置することとした。本条は、このような趣旨で残されたものであるから、契約関係の場面では契約の解釈を中心にして問題の解決を図るべきであると解されている。

[改正前条文]
　　債権の目的が特定物の引渡し[1]であるときは、弁済をする者は、その引渡しをすべき時の現状でその物を引き渡さなければならない[2]。

[原条文]
　　債権ノ目的カ特定物ノ引渡ナルトキハ弁済者ハ其引渡ヲ為スヘキ時ノ現状ニテ其物ヲ引渡スコトヲ要ス

[改正前条文の解説]
〔1〕　改正前400条〔1〕参照。
〔2〕　特定物の引渡しは、目的物のいかなる時の状況を標準として、これをするべきであろうか。3個の標準が考えられる。第1は、債務発生の時を標準とすること、第2は、その引渡しをするべき時、すなわち、履行期を標準とすること、第3は、現に引渡しをする時を標準とすることである。民法は、そのうち、第2の標準が最も当事者の意思に合致するものと考えたのである。したがって、履行期までに損傷すれば損傷のままで引渡すべく、また、同一性を失うようなことがあれば履行の義務を免れる。ただし、その損傷もしくは変更が債務者の責めに帰すべき事由に基づくときは、

債務不履行の責任を免れない（改正前§415〔4〕参照）。なお、履行期までに果実を生じれば、債務者がこれを取得することができる。履行期以後の果実は、債権者に引渡すべきことはもちろんである。ただし、売買については、特則が定められている（§575参照）。

（弁済の場所及び時間）
第四百八十四条
 1　弁済をすべき場所について別段の意思表示がないとき[4]は、特定物の引渡しは債権発生の時にその物が存在した場所において[1]、その他の弁済は債権者の現在の住所において[2]、それぞれしなければならない[3]。
 2　法令又は慣習により取引時間の定めがあるときは、その取引時間内に限り、弁済をし、又は弁済の請求をすることができる[1]。

〈改正〉　2017年に改正された。見出しを改め、第2項を加えた。前掲（第1款）附則第二十五条1参照。

[改正の趣旨]　**[1]**　商法削除前520条は「取引時間」として「法令又は慣習により商人の取引時間の定めがあるときは、その取引時間内に限り、債務の履行をし、又はその履行の請求をすることができる」と定めている。新法は、このような規定を商人の取引に限らず、私人間の取引一般に適用される規範として、民法に定めた。

[改正前条文]
（弁済の場所）
　　第1項は上記と同じ。（第2項は新設）

[原条文]
　　弁済ヲ為スヘキ場所ニ付キ別段ノ意思表示ナキトキハ特定物ノ引渡ハ債権発生ノ当時其物ノ存在セシ場所ニ於テ之ヲ為シ其他ノ弁済ハ債権者ノ現時ノ住所ニ於テ之ヲ為スコトヲ要ス

[改正前条文の解説]
〔1〕　たとえば、東京で特定の木材の売買がされた場合にも、契約成立の当時それが仙台にあったのであれば、別段の意思表示がない限り、引渡し場所は仙台である。これは、各国の法制が一致するところである。なお、特定物の引渡しを目的とする債務も、履行不能によって損害賠償債務に変わるときは、「その他の弁済」となるから、本条後段の原則に従う（大判昭和11・11・8〔12・8が正しいと思われる〕民集15巻2149頁）。
〔2〕　「債権者の現在の住所」とは、現に弁済をする時の住所の意である。履行期の住所ではない。したがって、弁済をする以前に債権者がその住所を変更した場合には、新住所が弁済地となる。この点については、疑問はない（§485ただし書参照）。
やや疑問となるのは、債権の譲渡があった場合である。判例は、新債権者の住所が弁済地となるものとし（大判大正9・3・13民録26輯312頁、大判大正12・2・26民集2巻71頁）、通説はこれを支持する。一般論としては、おそらく正当であろう。しかし、債権者の住所において弁済するべき場合にも、債務の性質上とくにその場所を特定の弁済地としたものと認めるべき場合には、債権の譲渡があっても弁済地の変更を生じないことを注意するべきである（〔4〕参照）。その意味で、地主に納入する小作米支払の債

第3編　第1章　総則　第6節　債権の消滅

務について、その弁済地を小作米（の引渡しを求める）債権の譲受人の住所であるとした判例（前掲大判大正9・3・13）は、おそらく正当ではあるまい。なお、商行為によって生じた債務にあっては、住所の代わりに営業所が第一次の履行場所となる（商§516Ⅰ）。

〔3〕　これを「持参債務の原則」という。この点は、各国の法制において一様ではない。ドイツ民法（§§269・270）、スイス債務法（§74）は、ともに、金銭債務以外の債務については、債権者の住所地とする（「取立て債務の原則」）。わが民法は、従来の慣習に従い、金銭債務とそれ以外の債務とを区別せず、持参債務の原則を採用したのであるが、売買代金の支払については例外がある（§574）。なお、商法は、指図債権および無記名債権については取立て債務の原則を採用していることを注意するべきである（商§516Ⅱ〔削除〕（→民§520の8））。

〔4〕　〔3〕に述べた原則は、当事者が別段の意思表示をした場合には、適用がなく、その意思に従う。なお、別段の意思表示がない場合にも、その債権発生行為の性質上、弁済地が特定される場合には、本条の適用はない。商法は、商行為によって生じる債権について、このことを明言するが（商§516Ⅰ〔Ⅱのみ削除〕）、規定のない民法の解釈においても、同様に解するべきものと考える（〔2〕参照）。新2項参照。

（弁済の費用）
第四百八十五条
　　弁済の費用[1]について別段の意思表示がないときは、その費用は、債務者の負担とする[2]。ただし、債権者が住所の移転[3]その他の行為によって弁済の費用を増加させたときは[4]、その増加額は、債権者の負担とする。

［原条文］
弁済ノ費用ニ付キ別段ノ意思表示ナキトキハ其費用ハ債務者之ヲ負担ス但債権者カ住所ノ移転其他ノ行為ニ因リテ弁済ノ費用ヲ増加シタルトキハ其増加額ハ債権者之ヲ負担ス

〔1〕　「弁済の費用」とは、目的物の輸送を必要とする場合の荷造費・運送費など、目的物の輸入に要する関税、送金に要する為替料、送金手数料などである。契約に関する費用（§§558・559）とは異なる。債権取立てに要した弁護士費用も、ここにいう弁済の費用ではない。

〔2〕　弁済費用を負担するのは、債務者の給付義務に含まれているとみるべきものだからである。

〔3〕　改正前484条〔2〕参照。

〔4〕　債権者遅滞によって弁済費用が増加したような場合である（改正前§413〔5〕(2)(e)参照）。

（受取証書の交付請求）
第四百八十六条
　　弁済をする者は、弁済と引換えに、弁済を受領する者に対して受取証書の交付を請求することができる[1]。

§§484〔3〕〔4〕・485・486・487〔1〕

〈改正〉 2017年に改正された。「した者は」を「する者は、弁済と引換えに」に、「受領した」を「受領する」に改めた。前掲（第1款）附則第二十五条1参照。

[改正の趣旨] **〔1〕** 受取証書（領収書）は債務者にとって弁済を立証するための重要な書類であるから、改正前にも、その交付請求権が定められている。判例・通説はこの領収書の交付と弁済は同時履行の関係にあると解してきた。弁済を先履行とすると領収書という重要な書類の交付が受けられなくなる懸念があるからである。そこで、本条も同時履行の関係（引き換え給付の関係）にあることが明確となるように改正された。「弁済をする者」とは「弁済の提供をした者」の意味に解すべきであるとされている。なお、改正前487条は維持された。

[改正前条文]
　弁済をした者¹⁾は、弁済を受領した者に対して受取証書²⁾の交付を請求する³⁾ことができる⁴⁾。

[原条文]
　弁済者ハ弁済受領者ニ対シテ受取証書ノ交付ヲ請求スルコトヲ得

[改正前条文の解説]
　民法は、487条において弁済者に債権証書の返還請求権を認めたが、本条は、さらに、受取証書の交付請求権を認めた。債権証書のない債権もあること、債権証書が紛失したような場合もあること、さらに、一部弁済の場合などを考慮したものである。

　〔1〕「弁済をした者」は、もちろん、債務者以外の第三者である弁済者をも含む（改正前§474〔2〕参照）。弁済は、代物弁済でも一部弁済でもよい。

　〔2〕「受取証書」とは、弁済の証拠となる文書である。その形式には制限はなく、取引観念上適切なもので足りる。

　〔3〕 弁済者が弁済後に受取証書を請求することができるのはもちろんであるが、弁済と引換えにその交付を請求できると解するべきである（改正前§533前注②(2)(イ)(a)参照。なお§487〔4〕も参照）。けだし、本条が弁済受領者に受取証書交付の義務を課したのは、弁済者に弁済の証拠を得させようという趣旨だから、弁済と受取証書の交付とは同時履行の関係に立つと解するのが正当だからである（大判昭和16・3・1民集20巻163頁）。

　〔4〕 受取証書作成の費用については規定がないが、その交付が債権者の義務とされている点から見て、債権者の負担と解するのが正しいであろう。

（債権証書の返還請求）
第四百八十七条
　債権に関する証書¹⁾がある場合において、弁済をした者が全部の弁済²⁾をしたとき³⁾は、その証書の返還を請求することができる⁴⁾。

[原条文]
　債権ノ証書アル場合ニ於テ弁済者カ全部ノ弁済ヲ為シタルトキハ其証書ノ返還ヲ請求スルコトヲ得

　〔1〕「債権に関する証書」とは、債権の成立を証する文書である（原条文のように、

1013

第3編　第1章　総則　第6節　債権の消滅

「債権の証書」という方が適切であろう。「債権証書」と同義である。§503〔1〕参照）。その所有権は、債権者に属するものと解されている（大刑判明治43・10・13刑録16輯1701頁）。そして、債権者がこの証書を所持するときは、債権はなお存在するものと推定される（大判昭和8・12・13裁判例〔7〕民282頁）。

〔2〕　一部の弁済をするにすぎない者は、債権証書の返還を請求できないことは、もちろんである。しかし、503条2項を類推して、債権証書にその旨の記載をするべきことを請求できると解するべきである。ごく少額の不足があるにすぎないときは、債権証書の引渡しを拒みえないとする判例がある（大判昭和9・2・26民集13巻366頁）。

〔3〕　本条の弁済に代物弁済を含むことはもちろんであるが、そのほか、相殺・更改・免除などの原因によって債権全部が消滅した場合も、これと同視するべきである。けだし、本条は、債権者が債権の消滅後になお債権証書を所持することは、一種の不当利得であり、これを債務者に返還するべきものとする趣旨であるが、この関係は、債権の消滅が弁済によるか、その他の理由によるかで、差異はないからである（大判大正11・10・27民集1巻725頁は相殺の例である）。

〔4〕　弁済者が債権証書の返還を請求できるのは、弁済後である。弁済と引換えに債権証書の引渡しを請求することはできないと解するべきである（改正前§486〔3〕参照）。けだし、「全部の弁済をしたときは」との法文の字句にも適するだけでなく、弁済と受取証書の交付との間に同時履行の関係を認めれば（改正前§486〔3〕）、債務者の保護としては十分であり、債権証書紛失の場合などを軽易に解決できるからである。なお、ドイツ民法（§371）は、債権者が債権証書を紛失したときは、債務者は「公の認証ある債務消滅承認書」を請求できると規定する。わが民法はこのような規定を設けないから、同一に解することはできないが、債務者は、債権者をしてその受取証書に債権証書を紛失した旨を記載させることができると解するべきである。なお、債権証書返還の費用は、いわば不当利得返還債務の弁済費用であるから、返還者の負担である（§485参照）。

弁済の充当 [§§488～491 の前注]

〈改正〉　同種の給付を目的とする数個の債務がある場合の充当に関する488条、元本、利息および費用を支払うべき場合の充当に関する489条、数個の給付をすべき場合の充当に関する491条が改正され、合意による弁済の充当に関する490条が新設され、改正前法491条が削除された（→新489条）。

債務者が同一の債権者に対して同種の目的を有する数個の債務、たとえば、数個の金銭債務を負担する場合（§488［注］参照）、または、1個の債務の弁済として数個の給付をするべき場合、たとえば、売買代金を何回かの分割払で支払をする場合（改正前§490参照）において、弁済者が提供したものがその債務の全部を消滅させるのに

§487 〔2〕～〔4〕・弁済の充当［前注］・§488

足りないときは、それをどの債務、またはどの給付の弁済に充てるかを決定する必要がある。これを「弁済の充当」という。

弁済の充当は、つぎのように行われる。

(a) 「合意充当」　まず、当事者の合意によってこれを定めることができるのはいうまでもない。これを「合意充当」という。合意は、給付がなされるときに行われるのが通常であろうが、あらかじめの合意でも、事後の合意でも、それによって第三者の利益を害しないときには、かまわない。

(b) 元本・利息・費用への充当　つぎに、この三者の間では、費用・利息・元本の順で充当することが必要とされる(改正前§491 I)。

(c) 「指定充当」　合意による充当がない場合について、民法は、まず弁済者に、つぎに弁済受領者に、充当をする権利(これを「充当指定権」という)を認め、その場合の一定の制限を定めている(§§488［改注］・改正前491 I)。

(d) 「法定充当」　以上によって充当が定まらない場合について、民法は、充当の順序を法定している(改正前§§489・改正前491 II)。これを「法定充当」という。

以上のことから、(b)の充当の順序(費用・利息・元本)は、(a)の合意充当によって変更することはできるが、(c)の指定充当によっては変更できないことに注意するべきである。なお、不動産競売における配当においては、裁判所は、当事者の合意には拘束されず、改正前489条、改正前491条によるべきものとされている(最判昭和62・12・18民集41巻1592頁)。なお、債権差押命令の申立書に請求債権中の遅延損害金につき申立日までの確定金額を記載させる執行裁判所の取扱いに従って債権差押命令の申立てをした債権者が当該債権差押命令に基づく差押債権の取立てとして第三債務者から金員の支払を受けた場合には、申立日の翌日以降の遅延損害金も前記金員の充当の対象となる(最決平成29・10・10民集71巻1482頁)。

2017年の改正において、弁済の充当に関する488条から改正前491条までについては、規定相互の関係が必ずしも分かりやすくないとの指摘がなされていたこと等を踏まえて、これらの規範の関係を整理し、規定相互の明確化を図った。

（同種の給付を目的とする数個の債務がある場合の充当）

第四百八十八条

1　債務者が同一の債権者に対して同種の給付を目的とする数個の債務を負担する場合において、弁済として提供した給付が全ての債務を消滅させるのに足りないとき（次条第一項に規定する場合を除く。）[11]は、弁済をする者は、給付の時に、その弁済を充当すべき債務を指定することができる。

2　弁済をする者が前項の規定による指定をしないときは、弁済を受領する者[4]は、その受領の時に[5]、その弁済を充当すべき債務を指定することができる[6]。ただし、弁済をする者がその充当に対して直ちに異議を述べたときは、この限りでない[7]。

3　前二項の場合における弁済の充当の指定は、相手方に対する意思表示によってする。

第3編　第1章　総則　第6節　債権の消滅

　　4　弁済をする者及び弁済を受領する者がいずれも第一項又は第二項の規定に
　　よる指定をしないときは、次の各号の定めるところに従い、その弁済を充当
　　する[2]。
　　　一　債務の中に弁済期にあるものと弁済期にないものとがあるときは、弁済
　　　期にあるものに先に充当する。
　　　二　全ての債務が弁済期にあるとき、又は弁済期にないときは、債務者のた
　　　めに弁済の利益が多いものに先に充当する。
　　　三　債務者のために弁済の利益が相等しいときは、弁済期が先に到来したも
　　　の又は先に到来すべきものに先に充当する。
　　　四　前二号に掲げる事項が相等しい債務の弁済は、各債務の額に応じて充当
　　　する。

〈改正〉　2017年に改正された。見出しを改め、1項中「すべて」を「全て」に改め、「とき」
の下に「（次条第一項に規定する場合を除く。）」を加え、さらに4項を加えた。附則（弁済に
関する経過措置）第二十五条2　施行日前に弁済がされた場合におけるその弁済の充当につ
いては、新法第四百八十八条から第四百九十一条までの規定にかかわらず、なお従前の例に
よる。

[改正の趣旨]　[1]　「（次条第一項に規定する場合を除く。）」が挿入された。改正前488条
（指定充当）の規制は基本的に維持された。
　　[2]　費用、利息または元本の間においては、新488条および同489条の規定が適用され
る。この場合に指定充当が認められるか、につき争いがあったが、これについても規範関係
を明確化した。

[改正前条文]
（弁済の充当の指定）
　　1　債務者が同一の債権者に対して同種の給付を目的とする数個の債務を負担する場合[1)]
　　において、弁済として提供した給付がすべての債務を消滅させるのに足りないときは、
　　弁済をする者[2)]は、給付の時に[3)]、その弁済を充当すべき債務を指定することができる[6)]。
　　2・3　同上

[原条文]
　　債務者カ同一ノ債権者ニ対シテ同種ノ目的ヲ有スル数個ノ債務ヲ負担スル場合ニ於テ弁
済トシテ提供シタル給付カ総債務ヲ消滅セシムルニ足ラサルトキハ弁済者ハ給付ノ時ニ於
テ其弁済ヲ充当スヘキ債務ヲ指定スルコトヲ得
　　弁済者カ前項ノ指定ヲ為ササルトキハ弁済受領者ハ其受領ノ時ニ於テ其弁済ノ充当ヲ為
スコトヲ得但弁済者カ其充当ニ対シテ直チニ異議ヲ述ヘタルトキハ此限ニ在ラス
　　前二項ノ場合ニ於テ弁済ノ充当ハ相手方ニ対スル意思表示ニ依リテ之ヲ為ス

[改正前条文の解説]
〔1〕　たとえば、金銭債務を数個負担する場合などである。ただし、元本と利息ま
たは費用との関係については、改正前491条の特則があることを注意するべきである。
なお、本条による指定の場合には、数個の債務のうち弁済期にあるものと弁済期にな
いものとがあっても、弁済者は期限の利益を放棄して（§136〔2〕参照）、後者に充当す
ることができると解される（§489［改注］参照）。
〔2〕　弁済者は、充当について最も利害を感じる者なので、これに第一次の充当指

§§ 488〔1〕〜〔7〕・489

定権を与えたのである。

〔3〕 給付と同時に、という意味である（〔5〕参照）。

〔4〕 「弁済を受領する者」とは、債権者または債権者から受領の権限を与えられた者であるが、これに第二次の充当指定権を認めたのである。弁済期の定めのない債務は、成立と同時に弁済期にあるものとみられるから、債権者は催告をして債務者を遅滞に付する手続をとっていなくても（§§412Ⅲ・591〔改注〕参照）、これに充当することができる（大判大正5・1・26民録22輯125頁）。しかし、弁済期にある債務と弁済期にない債務とがある場合に、後者に充当することは許されない。

〔5〕 「受領の時に」とは、「受領後遅滞なく」という意味に解するべきである。これを「同時に」と解すると、弁済者が債権者の面前で弁済をしたような場合のほかは、受領者の充当ということはあり得ないこととなり、本項の適用を不当に制限するからである（大判大正10・2・21民録27輯445頁）。

〔6〕 弁済充当の方法が相手方に対する意思表示であることは、本条3項が規定している。

〔7〕 弁済者が直ちに異議を述べれば、弁済受領者の充当はその効力を失うということである。その結果、弁済者が改めて充当しうることになるのか、それとも法定充当（§489〔改注〕参照）によるべきかについては、争いがあるが、後説が正当である。けだし、改正前本条1項の充当指定権を行使しない弁済者は、これを失ったものと解するのが公平に適するからである。

なお、本条1項の弁済者による充当指定と本条2項の受領者による充当指定に対する異議を排除する目的で、債権者において任意の時期に弁済充当の指定ができる旨の特約が交わされることがあるが、弁済受領者が弁済後1年以上経過した時期にはじめて、当該特約に基づく充当指定権を行使した場合には、法的安定性を著しく害するものとして許されないとした判例（最判平成22・3・16判時2078号18頁）や元利均等分割返済方式によって返済する旨の約定で金銭消費貸借契約が締結された場合において、借主から約定分割返済額を超過する額の支払がされたときには、当該超過額を将来発生する債務に充当する旨の当事者間の合意（いわゆる「ボトルキープ」論）があるなど特段の事情のない限り、当該超過額は、その支払時点での残債務に充当され、将来発生する債務に充当されることはないと解するのが相当である（最判平成26・7・24判時2241号63頁、最判平成26・7・29判時2241号65頁）とした判例がある。

（元本、利息及び費用を支払うべき場合の充当）
第四百八十九条
　1　債務者が一個又は数個の債務について元本のほか利息及び費用を支払うべき場合（債務者が数個の債務を負担する場合にあっては、同一の債権者に対して同種の給付を目的とする数個の債務を負担するときに限る。）において、弁済をする者がその債務の全部を消滅させるのに足りない給付をしたときは、これを順次に費用、利息及び元本に充当しなければならない[1]。
　2　前条の規定は、前項の場合において、費用、利息又は元本のいずれかの全

1017

第3編　第1章　総則　第6節　債権の消滅

てを消滅させるのに足りない給付をしたときについて準用する[2]。

〈改正〉　2017年に改正された（改正前490条および491条参照）。前掲（488条）附則第二十五条2参照。

[改正の趣旨]　[1]　費用・利息が発生している場合は、改正前では、債権者の利益を考慮し、費用・利息・元本の順に充当される（改正前491条）。同条と、指定充当について定める改正前488条のいずれが優先されるかについて、改正前では明らかではないが、491条が優先されるとするのが判例（複数の大審院判例）・通説であった。そして、費用ごと、利息ごと、元本ごとのグループにおいて全てを消滅させるに足りない場合には、改正前491条2項は489条により規律されるとしている。その前提として、指定充当について定める改正前488条の適用があるかについては、見解が分かれていた。そこで、新法は、費用・利息が発生している場合には、新489条（改正前491条）により優先的に規律されることを定めた。

[2]　その上で、費用ごと、利息ごと、元本ごとの各グループ内では、まず新法488条の指定充当が考慮され、指定がないときには法定充当（新489条）がなされることを条文上明らかにした。

[改正前条文]
（法定充当）

弁済をする者及び弁済を受領する者がいずれも前条の規定による弁済の充当の指定をしないときは[1]、次の各号の定めるところに従い、その弁済を充当する[2]。

一　債務の中に弁済期にあるものと弁済期にないものとがあるときは、弁済期にあるものに先に充当する。

二　すべての債務が弁済期にあるとき、又は弁済期にないときは、債務者のために弁済の利益が多いもの[3]に先に充当する。

三　債務者のために弁済の利益が相等しいときは、弁済期が先に到来したもの[4]又は先に到来すべきものに先に充当する。

四　前二号に掲げる事項が相等しい債務の弁済は、各債務の額に応じて充当する[5]。

[原条文]

当事者カ弁済ノ充当ヲ為ササルトキハ左ノ規定ニ従ヒ其弁済ヲ充当ス

一　総債務中弁済期ニ在ルモノト弁済期ニ在ラサルモノトアルトキハ弁済期ニ在ルモノヲ先ニス

二　総債務カ弁済期ニ在ルトキ又ハ弁済期ニ在ラサルトキハ債務者ノ為メニ弁済ノ利益多キモノヲ先ニス

三　債務者ノ為メニ弁済ノ利益相同シキトキハ弁済期ノ先ツ至リタルモノ又ハ先ツ至ルヘキモノヲ先ニス

四　前二号ニ掲ケタル事項ニ付キ相同シキ債務ノ弁済ハ各債務ノ額ニ応シテ之ヲ充当ス

[改正前条文の解説]

〔1〕　弁済者が充当の意思表示をせず、また、受領者も遅滞なく充当をしない場合（§488［改注］参照）や、あるいは受領者の充当の意思表示に対して弁済者が、直ちに異議を述べた場合（改正前§488〔7〕参照）などである。

〔2〕　本条の規定に従って充当が法律上当然に行われれば、その債権は消滅する。これを「法定充当」という。ただし、元本と利息・費用の間の充当の順序については、改正前491条の特則がある。

〔3〕　たとえば、無利息債務より利息付債務（大判大正7・10・19民録24輯1987頁）、

1018

同じ利息付でも低利率の債務より高利率の債務(大判大正7・12・11民録24輯2319頁)、無担保債務より担保付債務、連帯債務より単純債務(大判明治40・12・13民録13輯1200頁)の方が「債務者のために弁済の利益が多い」ものとされる。

しかし、これらの諸条件が錯綜するときは、すべての事情を総合的に考慮して決定されるべきである(最判昭和29・7・16民集8巻1350頁はその趣旨を述べる)。もっとも、上の大正7年12月11日の判決は、利息1割2分の担保付債務より利息1割5分の無担保債務の方が弁済の利益が多いという。いちおう正当であろうが、すべての場合に利率の高低だけで決するべきものでもあるまい。

〔4〕 期限の定めのない債務は、つねに「弁済期が到来したもの」と解し、その間においては、先に成立したものを「弁済期が先に到来したもの」とする。二回にわたって行われた売買の代金債務について、この理論を肯定する判例がある(大判大正6・10・20民録23輯1668頁)。

〔5〕 たとえば、条件がまったく同じ60万円と30万円の債務がある場合に、債務者が60万円を弁済すれば、2対1の案分で、すなわち40万円と20万円の割合で充当されるということである。

(合意による弁済の充当)
第四百九十条
　　　前二条の規定にかかわらず、弁済をする者と弁済を受領する者との間に弁済の充当の順序に関する合意があるときは、その順序に従い、その弁済を充当する[1]。

〈改正〉　2017年に新設された。前掲(488条)附則第二十五条2参照。

[本条の趣旨] [1] 合意による弁済については、改正前には規定がないが、当事者の合意があればそれに従うべきであり、多くの場合は、契約において充当に関する合意がなされているといわれている。新法は、合意が優先することを明文化した。弁済の充当に関しては、実務上、合意の果たす役割が大きいことを踏まえた規定の新設である。なお、前記の「弁済の充当」の「前注」の(d)の判例も参照。

(数個の給付をすべき場合の充当)
第四百九十一条
　　　一個の債務の弁済として数個の給付をすべき場合において、弁済をする者がその債務の全部を消滅させるのに足りない給付をしたときは、前三条の規定を準用する。

〈改正〉　2017年に改正された。改正前490条は新491条に繰り下げられた。改正前490条中「前二条」を「前三条」に改め(新条文を含める)、同条を491条とした。なお、前掲(488条)附則第二十五条2参照。

[改正前条文]
第四百九十条
　　一個の債務の弁済として数個の給付をすべき場合[1]において、弁済をする者がその債務の全部を消滅させるのに足りない給付をしたときは、前二条の規定を準用する。

[原条文]

第3編　第1章　総則　第6節　債権の消滅

　　　一個ノ債務ノ弁済トシテ数個ノ給付ヲ為スヘキ場合ニ於テ弁済者カ其債務ノ全部ヲ消滅
　　セシムルニ足ラサル給付ヲ為シタルトキハ前二条ノ規定ヲ準用ス

［改正前条文の解説］
〔1〕　たとえば、売買代金を分割払で支払う場合、売買の目的物である商品を数回
に分割して給付するべき場合、などである。

第四百九十一条（旧）　改正に伴い削除

［削除前条文］
（元本、利息及び費用を支払うべき場合の充当）
第四百九十一条
　　1　債務者が一個又は数個の債務について元本のほか利息及び費用を支払うべき場合にお
　　　いて、弁済をする者がその債務の全部を消滅させるのに足りない給付をしたときは、こ
　　　れを順次に費用、利息及び元本に充当しなければならない[1]。
　　2　第四百八十九条の規定は、前項の場合について準用する[2]。
〈改正〉　2017年に削除された。新489条を参照。
［原条文］
　　債務者カ一個又ハ数個ノ債務ニ付キ元本ノ外利息及ヒ費用ヲ払フヘキ場合ニ於テ弁済者
　　カ其債務ノ全部ヲ消滅セシムルニ足ラサル給付ヲ為シタルトキハ之ヲ以テ順次ニ費用、利
　　息及ヒ元本ニ充当スルコトヲ要ス
　　第四百八十九条ノ規定ハ前項ノ場合ニ之ヲ準用ス

［削除前条文の解説］
〔1〕　この順序は、費用および利息の性質上双方の当事者の意思に適する当然の順
序であるから、一方の当事者が488条［改注］によって充当指定権を認められる場合
にも、これと異なった充当をすることはできない。
　もっとも、民法に特別の規定はないが、弁済者および弁済受領者の契約によって弁
済の充当の順序を定めることができるのは、もちろんであって、その場合には、本項
の制限を受けないことを注意するべきである（改正前§488前注参照。なお、制限超過利息
に関する改正前§404[3](イ)(b)(iii)参照）。判例は、債権者が最後の2年間の利息と元本の一
部とを請求し、債務者がこれに応じて請求全額を支払ったときは、合意の充当がある
ものとし、債権者は本条によって請求以外の利息への充当を主張することができない
という（大決昭和3・3・30新聞2854号15頁）。
　なお、費用・利息・元本の順序は、費用または利息の中に弁済期がこないものがあ
る場合にも（大決大正4・2・17民録21輯115頁）、また、他の事情により一方の利息より
他方の元本を弁済した方が利益が多い場合でも（最判昭和29・7・16民集8巻1350頁）、
守られるべきものとするのが判例である。
〔2〕　費用相互間、利息相互間および元本相互間においては、改正前489条の法定
充当の例によるという意味である。

§§491〔1〕・491（旧）・492〔1〕〔2〕

（弁済の提供の効果）
第四百九十二条
　　債務者は、弁済の提供の時から、債務を履行しないことによって生ずべき責任を免れる。

〈改正〉　2017年に改正された。「の不履行」を「を履行しないこと」に改め、「一切の」を削った。文言上の変更である。

[改正の趣旨]　「債務の不履行」は、必ずしも「債務不履行責任」を意味しないことを表現し、また、「一切」を削除することにより、提供の効果と受領遅滞の効果とを明確に区別する趣旨で改正されたようである。改正前条文の表現では、履行不能の場合の責任も含まれるように読めるとの指摘があったことを配慮したためであるとされている。また、債権者の同時履行の抗弁権の消滅は、533条に委ねられている。

[改正前条文]
　　債務者は、弁済の提供[1]の時から、債務の不履行によって生ずべき一切の責任を免れる[2]。

[原条文]
　　弁済ノ提供ハ其提供ノ時ヨリ不履行ニ因リテ生スヘキ一切ノ責任ヲ免レシム

[改正前条文の解説]
　〔1〕　「弁済の提供」とは、債務の履行について債権者の受領という協力（これを「受領行為」という）を必要とする場合において、債務者がなすべき行為である。

　債務の履行について債権者の協力を全然必要としないとき、たとえば、1年間同じ町内で債権者と同じ商売はしないというような不作為債務においては、債務者の不作為という履行行為によって債権は満足させられ、債務は消滅するから、提供の問題は起きない。これに反して、債務の履行について債権者の協力を要する場合には、債権者の協力がなければ弁済を完了して債務を消滅させることはできない。そこで、民法は、このような場合に、債務者が履行のためになす行為を「弁済の提供」としてとらえて、たとえ弁済が完了しなくても、これに一定の効果を付与することとしたのである。その効果は、債務者は——債務を免れることはできないが——債務不履行の責任を負わない（〔2〕参照）という消極的なものである。しかし、債務者は提供を前提として、なお、413条［改注］によって債権者に対して受領遅滞の責任を問うことができる場合もあり（この点に議論の存することにつき、改正前§413〔1〕〜〔3〕参照）、また、494条［改注］の定めるところに従い、弁済の目的物を供託することによって、債務を免れることもできる。なお、弁済の提供としてなすべき行為の内容については、493条参照。

　〔2〕　「不履行によって生ずべき一切の責任を免れる」とは、債務不履行を理由とする損害賠償、遅延利息もしくは違約金の請求を受けず、強制執行を受けず、また、担保権を実行されないことである。これらが提供の本質的な効果である。しかし、このほかに、双務契約においては、相手方に解除権を生じさせず（§§541［改注］〜）、また、相手方の同時履行の抗弁権を失わせる効果がある（改正前§533〔2〕〔4〕参照）。

　また、弁済の提供には、約定利息の発生を止める効果があると解するべきである。けだし、弁済の提供が約定利息の発生を止めるかどうかが問題になるのは、その提供が弁済期前にされた場合に限るわけであるが、弁済期前の提供が「債務の本旨に従

1021

第3編　第1章　総則　第6節　債権の消滅

う」もの（§493〔1〕参照）と見られるのは、債務者が期限の利益を放棄できる場合である（§136〔2〕参照）。したがって、この場合、債務者が債務の本旨に従った提供をしているのに、なおその後の約定利息を支払うべしというのは、あたかも提供後の遅延利息を支払うべしというのと同一に帰するからである。判例もまた、この結果を認めている（大判大正5・4・26民録22輯805頁）。

なお、多くの学説においては、債権者が受領しないために生じた増加費用を債権者が負担するものとされること、債務者の注意義務が軽減されることも提供の効果であるとする。しかし、これらの点については、提供の効果と債権者遅滞の効果との関連という問題があり、債権者遅滞に対する考え方の違いによって見解の分かれるところである（改正前§413前注参照）。

> **（弁済の提供の方法）**
> **第四百九十三条**
> 　　弁済の提供は、債務の本旨に従って[1]現実に[2]しなければならない。ただし、債権者があらかじめその受領を拒み[3]、又は債務の履行について債権者の行為を要するとき[4]は、弁済の準備をしたことを通知してその受領の催告をすれば足りる[5]。
>
> ［原条文］
> 　　弁済ノ提供ハ債務ノ本旨ニ従ヒテ現実ニ之ヲ為スコトヲ要ス但債権者カ予メ其受領ヲ拒ミ又ハ債務ノ履行ニ付キ債権者ノ行為ヲ要スルトキハ弁済ノ準備ヲ為シタルコトヲ通知シテ其受領ヲ催告スルヲ以テ足ル

弁済の提供が492条〔改注〕所定のような効果を生じるためには、その内容が本条に定める要件をみたさなければならない。そして、本条の解釈に当たっては、とくに信義誠実の原則が重要な役割を占めることを注意するべきである（本款解説②(2)参照）。

〔1〕「債務の本旨に従」うとは、弁済の提供が、その内容・その場所・その時間などにおいて、すべて債務成立の事情に適合することをいう。しかし、提供がはたして債務の本旨に従うものかどうかを具体的に決定する場合には、取引の慣行と信義則とが十分に考慮されなければならない。つぎの諸点が問題となる。

(ア)　特定物を給付するべき債務にあっては、その特定物を提供すれば、債務の本旨に従った提供となる。それに瑕疵があったとしても、後から瑕疵担保責任の問題が起こることがあるだけである。不特定物を給付するべき債務にあっては、その品質と数量とが債務の内容に適合しなければ、本旨に従った提供ということはできない。しかし、それにきわめて軽微な瑕疵または僅少な不足があった場合に、それを理由として提供を無効とすることが信義則に違反するような事情があるときは、提供としての効力を認めるべきである。判例は、529円8銭の債務に528円を提供した事案について、このことを肯定する（大判大正9・12・18民録26輯1947頁）。

(イ)　提供が履行の場所において行われなければ──口頭の提供でよい場合は、別問題である（〔5〕(イ)参照）──、債務の本旨に従う提供にはならない。しかし、提供が債権

§493〔1〕〔2〕

者にとってより有利な場所で行われた場合には、たとえ本来の履行の場所でなくても、有効と解するべきであろう。

(ウ) 提供が履行期(§§136・412［改注］・591［改注］・597［改注］・617・662［改注］参照)に遅れてなされた場合には、やはり債務の本旨に従う提供ということはできない。しかし、履行遅滞を理由に契約が解除されるとか(§541［改注］)、遅延した弁済の提供を受領することが債権者にとって無意味なものになったというような事情(§542［改注］参照)がない限り──これを逆にいえば、債権者が受領を拒絶することが信義則に反するという事情がある限り──、履行期に遅れた提供にも492条［改注］所定の効力が認められると解するべきである。ただし、この場合に、債権者が履行遅滞から生じた損害の賠償を請求できることはいうまでもない。のみならず、金銭債務では、原則として遅滞後の遅延賠償(いわゆる遅延利息)を併せて提供することを必要とする。

(エ) 近時において強調される、本来の債務に伴ういわゆる付随的義務(第1節解説 6 参照)についても、その内容に応じた、しかるべき提供がなされる必要がある。

〔2〕 「現実にする」弁済の提供(「現実の提供」または「事実上の提供」という。判例は多く後者を用いる)とは、本条後段の「弁済の準備をしたことを通知して、その受領を催告する」をもって足りる提供(「口頭の提供」または「言語上の提供」という。判例は多く後者を用いる)に対するものである。

前者、すなわち現実の提供は、債権者の協力を待たないで、まず債務者が給付の主要な部分をすることができ、債権者はただ受領さえすればよい場合において債務者がするべき弁済のための準備であり、後者、すなわち口頭の提供は、給付の主要な部分を完成するためには、まず債権者の協力を必要とし、その協力がない限り、それ以上履行の完了に接近できない場合において債務者がするべき弁済のための準備である。

この両種の提供の差は、債務者が弁済のためにどの程度までの準備をしなければならないかという程度の差である(大判大正10・7・8民録27輯1449頁)。

このように、民法が弁済の提供について二種を区別したのは、債務の履行は債務者と債権者との間の協力行為であることを前提として、その協力の程度についていちおうの形式的標準を示したにとどまるものである。具体的な場合における両種の提供の程度およびこれに対する債権者の協力の程度は、もっぱら取引上の慣習と信義則とに従って定められなければならない。この意味において、提供が債務の本旨に従ってなされなければならないという要件も(〔1〕参照)、じつは同じ関係を別の側面から見たものということができよう。判例も、この点に関して多くの重要な判断を示している。

(ア) 金銭債務の弁済は、債務者自身においてその主要な部分を完了できる場合が多い。ただ、債権者が指定する場所または期日において、または方法によって支払うというような場合に、例外となるにすぎない。したがって、金銭債務については、多く現実の提供の有無が問題となる。

(a) 債務全額の提供が必要なことは当然であるが(大判明治44・12・16民録17輯808頁)、債務者が元利の計算を誤って、僅少な金額が不足したときは、信義則上有効な提供となるとされた例もある(〔1〕(ア)参照。そこに示した判例のほか、最判昭和35・12・15民集14巻3060頁)。

1023

第3編　第1章　総則　第6節　債権の消滅

(b)　所定の金額の通貨を持参して債権者の住所に行けば、現実にこれを債権者の面前に呈示しなくてもよいし(最判昭和23・12・14民集2巻438頁)、また、債権者が不在のためにこれを呈示できなかったとしても、現実の提供となる(大判明治38・3・11民録11輯349頁。最判昭和39・10・23民集18巻1773頁は、賃借人が賃料を持参して賃貸人の代理人である弁護士の事務所に赴いたが、弁護士が不在であった事例である)。なお、売買代金を持参して約定の履行場所に行ったが、債権者がその場所に来なかった場合にも、同様である(大判大正7・6・8民録24輯1166頁)。

(c)　買主がみずから通貨を持参しなくても、これを持参する転買人を同道したような場合には、一般に現実の提供となる(大判昭和5・4・7民集9巻327頁)。

(d)　支払われるべき金額やその趣旨について争いがある場合には、個別的判断が必要になろう。賃貸人は甲不動産の賃料を催告したのに対し、賃借人は乙不動産も賃借していることを主張して、両者の賃料を合わせた金員の全額を受領しなければ支払わないといってその全額を提供したが、債権者が受領を拒絶した場合、弁済の提供にならないとした判例がある(最判昭和31・11・27民集10巻1480頁)。

(e)　しばしば問題となるのは、不動産の売買において、登記と引換えに代金を支払うべきものとされている場合の代金債務の提供である。売主が期間を定めて催告し、買主がその期間の末日に代金を持参して登記所に出頭すれば、弁済の提供となるとした判例がある(最判昭和32・6・27民集11巻1154頁)。この点は、不動産取引の実務慣行に注目する必要がある。近時において、所定の司法書士事務所またはその他の場所で司法書士の立会いのもとに代金の提供がなされる慣行が一般化しつつあるように思われる。

金銭に代わるものをもって現実の提供とすることができるかについては、問題が多い。

(f)　かつての判例は、小作人が金30円の小作料を郵便為替で地主に送付した事案(大判大正8・7・15民録25輯1331頁)、および借地人が地代金27円を振替貯金払出証書で地主に送付した事案(大判大正9・2・28民録26輯158頁)において、いずれも現実の提供となるという。しかし、手付金の倍額400円を償還して売買契約を解除しようとする場合(§557 I [改注]参照)に、これを小切手で送付することは、特約または特別の慣習がない限り現実の提供にはならないとした(大判大正8・8・28民録25輯1529頁)。銀行取組みの送金小切手についても同様とした(大判昭和9・2・21評論23巻民392頁)。ただし、特約があれば、預金証書の交付などでもよいとした(大判大正15・9・30民集5巻698頁)。

しかし、通貨によらない、金銭の支払方法については、経済関係に伴う変化があるので、つねに最新の状況に注意する必要がある((g)以下。なお、改正前§482(2)参照)。

(g)　小切手を用いる支払については、銀行の自己宛小切手(「預金小切手」と俗称される)や銀行の支払保証のある小切手は、現金同様といってもよいから、その提供は、特段の事情のない限り、弁済の提供になるとされる(最判昭和37・9・21民集16巻2041頁)。債権者がその受領を拒絶すれば、受領遅滞となる。それ以外の小切手、すなわち個人振出しの小切手などは、特別の意思表示または慣習がなければ、弁済

§493〔3〕～〔5〕

の提供とならない（最判昭和35・11・22民集14巻2827頁）。もちろん、債権者がそれを受領すれば、——その小切手による金銭価値移転の実現の不成功が解除条件ではあるが——弁済の提供があったといってもよいであろう。

　(h)　債権者の銀行預金口座などへの振込みによって支払がなされる場合が多くなっている。通常は、それによって弁済の提供（さらには弁済の完了）があるといってもよいが、債権者が受領を拒絶していたり、振り込むべき口座を指定しなかったような場合に、債務者が一方的に振込んだような場合には、そうはいえない場合も生じうるであろう。

(ㇱ)　金銭以外の物を目的とする債務の弁済については、一般的な原則といえるほどの共通する標準はない。主要な事例を示せば、——

　(a)　しばしば問題になるのは、商品の売主が買主において処分できる形式の貨物引換証（2018商法改正により廃止）を添えた荷為替を発行する場合である。判例は、売主から荷為替を送付することは、同時履行の抗弁権のある買主に、まず代金の支払を強いるものであるから、特別の慣習があるか、または特約ないし相手方の承諾がある場合のほかは、現実の提供にならないとする（大判大正9・3・29民集26輯411頁）。しかし、学説はこれを疑問としている（代金支払があれば、所有権移転を生じるから、提供といってよい。§176〔4〕(ㇰ)(a)参照）。

　(b)　一定の期日または一定の期間内に債権者が一定の場所に来て受領するという債務においては、その期日またはその期間中、その場所に目的物を保管し、いつでも債権者に引渡せるようにしておくことが、現実の提供となる。ただし、引渡場所は横浜港というように場所が漠然としている場合には、債権者に対して、たとえば、横浜港内のＡ倉庫というように特定の場所を指示しなければ、現実の提供とならないことが多いであろう（大判大正10・6・30民録27輯1287頁。なお、〔5〕(ㇱ)参照）。

　(c)　不動産の売主の債務は、期日に移転登記の準備をして登記所に出頭することによって、現実の提供になる。占有移転の提供がなくても、原則として差し支えない（大判大正7・8・14民録24輯1650頁）。近時の慣行では、登記に必要な書類を持参して、司法書士の立会い場所に行くことが現実の提供とされているようである。

〔3〕　この「受領を拒み」は、黙示でもなされる。たとえば、理由なく受領期日の延期または契約の解除を求め、自己の負担する反対給付の履行を拒むような行為は、一般に受領の拒絶であると解される。また、建物の賃貸借において、ある時に賃料の受領が拒絶されたときは、特段の事情がない限り、その後の賃料についても受領が拒絶されたものとする判例がある（最判昭和45・8・20民集24巻1243頁）。

〔4〕　「債務の履行について債権者の行為を要するとき」というのは、(a)債権者が債務者の住所にきて給付を受領するべき債務（取立て債務）、債権者の供給する材料に加工するべき債務、共同申請が必要な登記に応じる債務などのように、債権者と協力してはじめて実現できる債務はもちろん、(b)債権者が指定する場所または期日において履行するべき債務などをも含む。

〔5〕　いわゆる口頭の提供または言語上の提供でよいということである（前述〔2〕参照）。この場合に必要な「弁済の準備」の程度も、結局、取引慣行と信義則とによっ

1025

第3編　第1章　総則　第6節　債権の消滅

て定まる。

やや具体的な標準を、〔3〕と〔4〕の要件の差に従って示せば、

(ア)　債権者の受領拒絶の場合に口頭の提供で足りるというのは、もっぱら信義則によるものである。けだし、この場合においては、給付の性質から見れば、債権者の協力がなくても現実の提供をすることができるものもあろうが、債権者においてあらかじめ受領を拒絶しているのに、なお、債務者だけはまず弁済としてできるだけのことをせよと要求するのは、信義則に反するからである。したがって、この場合になすべき債務者の準備は、債権者が受領の催告によって考えなおして受領しようと申し出た時に、債務者がこれに応じて給付を完了できるだけの程度のものでよい。債権者の受領拒絶の態度のいかんに対応して、その程度に差異があってよい。しばしば問題になる金銭債務についていえば、

(a)　一般に、債権者の飜意（ほんい）に応じて金銭を調達できるだけの確実な方法を講じておけば十分である（大判大正7・12・4民録24輯2288頁）。その確実さの程度は、各場合に信義則に従って決定するべきである。債権者の拒絶の態度がきわめて強固な場合には、その準備はきわめて軽微なもので十分であろう。

(b)　債権者（賃貸人）が（賃貸借）契約そのものの存在・存続を否定するなど、受領拒絶の意思が明確である場合には、債務者（賃借人）は言語上の提供をする必要さえもないとする判例があるが（最大判昭和32・6・5民集11巻915頁、最判昭和34・6・2民集13巻631頁。地代不払による地上権消滅請求についても、最判昭和56・3・20民集35巻219頁は同旨）、疑問とする学説も多い（改正前§541〔7〕(1)(e)参照）。

(c)　債務者が弁済の準備もできない経済状況にあり、言語上の提供もできない場合、債権者が受領拒絶を明確にしていても、債務者は債務不履行の責めを免れないとする判例がある（最判昭和44・5・1民集23巻935頁）。

(イ)　「履行について債権者の行為を要する」債務において、口頭の提供で足りるというのは、まず債権者の協力がなければ、債務者は、それ以上給付の完了に近づくことができないからである。しかし、この理を厳格に解して債務者において債権者の協力がなくてもできるすべての行為を完了しない限り、債権者は手をこまねいて協力しなくてもよいとするときは、信義則に反するおそれがある。たとえば、債務者が指定した場所で引渡しを受領するべき債務について、債務者の行った指定が不明瞭な場合には、債権者は、進んでその場所を明瞭にするために問い合わせるなどの協力をするべきはもちろんである（大判大正14・12・3民集4巻685頁［深川渡し事件判決］）。同様のことは、履行の期日についても問題になる。一定の期間内に登記をするべしというような債務においては、当事者双方がさらにそのなかの特定の日を決定するように協力するべきであり、その協力互譲の程度は、もっぱら信義則に従って決するべきである。

(ウ)　〔3〕または〔4〕の要件が存しないときには、現実の提供をしなければならない。557条1項により、売主は手付の倍戻しをして契約を解除することができるが、この倍戻し金についてはもちろん現実の提供が必要であり、口頭で倍戻しをする旨を告げるだけでは足りない（最判平成6・3・22民集48巻859頁）。

第2目 ［解説］

第2目　弁済の目的物の供託

〈改正〉　2004年改正により、従来はなかったこの目の表題が新設された。2017年の改正で、供託に関する494条、供託に適しない物等に関する497条、供託物の還付請求等に関する498条が改正された。

① 供託の意義
　供託とは、弁済者が弁済の目的物を債権者のために供託所に寄託して、債務を免れる制度である。債権者の協力がない場合にも、債務を免れうることに実益がある。供託制度そのもの（供託法が規定する）は、種々の目的に供されるが、民法が規定するのは、弁済の代用としての供託（これを「弁済供託」という）に限る。すなわち、494条 ［改注］ にその要件と効果、495条にその方法、496条に供託物の取戻し、497条 ［改注］ に特別な物の供託方法、498条 ［改注］ に供託物受領のための要件について規定する。

② 弁済供託の問題点
　わが民法は、供託によって債権が当然に消滅するとする（改正前§494⑥参照）。しかし、この点は、ドイツ民法のように、債務者は供託をしても当然には債務を免れるのではなく、単に債権者に対して抗弁権を取得するにとどまり、債務者の供託物取戻権が消滅した場合にはじめて債権は消滅する、とするのが勝れているであろう（同法§§376〜379）。けだし、わが民法のように、供託によって債務は直ちに消滅するとすると、債務者の供託物取戻権に制限を加えなければならないばかりでなく（§496 Ⅱ）、その取戻しを許す場合には、一度消滅した債務は消滅しなかったものと擬制しなければならなくなり、その関係が紛糾する心配があるからである。

③ 供託制度
　供託法（明治32年法律15号）が定める供託制度は、民法が定める弁済供託（弁済のための供託）に用いられるだけではなく、ほかにも、担保供託（§§367 Ⅲ［削除］・461 Ⅲ・民訴§§76・259・400、民保§4など）、保管供託（商§527など）、供託命令による供託（民執§157）、公職選挙に立候補するための供託金の供託（公選§92）などに用いられる。それぞれの法令に定められた供託の根拠——要件といってもよい——を「供託原因」と呼ぶ。供託原因を欠く供託は無効であるが、供託に当たっての供託原因の審査は形式審査であるので、供託原因の存否に関する実質審査は事後的に行われることに注意を要する。
　ここで問題になる弁済供託についていえば、民法494条 ［改注］ が弁済供託の根拠法条であり、同条が定める要件（改正前§494⑴⑵参照）が供託原因である。たとえば、債権者の受領拒絶を供託原因として供託が行われても、後に争われて、受領拒絶の事実がないことが判明すれば、その供託は効力がないことになる。

1027

第3編　第1章　総則　第6節　債権の消滅

（供託）
第四百九十四条
　　1　弁済者は、次に掲げる場合には、債権者のために弁済の目的物を供託することができる。この場合においては、弁済者が供託をした時に、その債権は、消滅する[1]。
　　　一　弁済の提供をした場合において、債権者がその受領を拒んだとき[2]。
　　　二　債権者が弁済を受領することができないとき[3]。
　　2　弁済者が債権者を確知することができないときも、前項と同様とする。ただし、弁済者に過失があるときは、この限りでない[4]。

〈改正〉　2017年に改正された。

[改正の趣旨]　[1]　弁済供託の効果として、弁済の目的物の供託をした時点で債権が消滅することを明文化した。口頭の提供をしても債権者が受け取らないことが明らかな場合には、弁済の提供をすることなく供託することができるとする現在の判例（大判大正11・10・25民集1巻616頁）および供託実務は、引き続き維持されることが前提と思われる。解説[1](1)参照。
　　[2]　本号は、受領拒絶を供託原因とする弁済供託の要件として、受領拒絶に先立つ弁済の提供が必要であるという判例法理（大判大正10・4・30民録27輯832頁）を明文化した。解説[1]参照。
　　[3]　本号は、受領不能を供託原因とする規範を維持している。
　　[4]　本項ただし書は、債権者の確知不能を供託原因とする弁済供託の要件のうち、債務者が自己の無過失の主張・立証責任を負うとされている点を改め、債権者が債務者に対して過失があることの主張・立証責任を負担することとした。債権者不確知の原因の多くが債権者側の事情であることを考慮すると、債務者の過失について、債権者が主張・立証責任を負うとすることが合理的であると考えられたようである。

[改正前条文]
　　債権者が弁済の受領を拒み[1]、又はこれを受領することができないとき[2]は、弁済をすることができる者[3]（以下この目において「弁済者」という。）は、債権者のために弁済の目的物[4]を供託して[5]その債務を免れることができる[6]。弁済者が過失なく債権者を確知することができないとき[7]も、同様とする。

[原条文]
　　債権者カ弁済ノ受領ヲ拒ミ又ハ之ヲ受領スルコト能ハサルトキハ弁済者ハ債権者ノ為メニ弁済ノ目的物ヲ供託シテ其債務ヲ免ルルコトヲ得弁済者ノ過失ナクシテ債権者ヲ確知スルコト能ハサルトキ亦同シ

[改正前条文の解説]
　本条に関連しては、商人間の売買・運送・海上運送について、商法に重要な特則が設けられていることを注意するべきである（商§§524・582・583参照）。
　[1]　弁済供託の供託原因の第1である「受領拒絶」である。
　(1)　法文には、単に「債権者が弁済の受領を拒み」とあり、「あらかじめ」（§493参照）受領を拒んだ場合を区別していない。しかし、判例は、債務者が弁済の提供をしたのに債権者がその受領を拒んだ場合（改正前§413[1][2]参照）であることを要すると解する。したがって、債権者があらかじめ弁済の受領を拒んだだけでは足りず、債

§494〔1〕〜〔5〕

務者は、さらにいわゆる口頭の提供をした（§493〔3〕〔4〕〔5〕参照）うえでなければ供託をすることはできないことになる。そうでなければ、供託をしても債権消滅の効果を生じない（大判明治40・5・20民録13輯576頁、大判大正10・4・30民録27輯832頁など）。ただし、判例も、債権者の拒絶の態度が強固であって、たとえ債務者が口頭の提供をしてみたところで、受領しないであろうことが明瞭である場合には、例外として、提供を要しないとする（大判明治45・7・3民録18輯684頁、大判大正11・10・25民集1巻616頁。なお、§493〔5〕(ア)(b)参照）。

　判例のこの考え方に対しては、多数の学説は反対する。すなわち、債務者が正当な弁済をしようとするのに、債権者がその受領を拒絶すれば、債務者は供託することができると主張する。その結果、債権者があらかじめ弁済の受領を拒絶した場合には、債務者は一方において、口頭の提供をして（§493）、債務不履行から生じるべき一切の責任を免れ（§492［改注］）、さらに、場合によっては債権者に対して受領遅滞の責任を問うこともでき（改正前§413〔5〕参照）、他方、供託によってその債務を免れることもできる。債務者は、選択の自由を有するというのが学説の主張するところである。

　(2)　交通事故による損害賠償請求訴訟の係属中に、被告は第一審判決が認めた賠償額（aとする）を供託し、原告はそれ以上の賠償額（bとする）を請求して、控訴審判決で第一審より多額の賠償額（cとする）が認容されたという場合、原告がaの提供に対して受け取らないとしていたときは、受領拒絶があったとして被告の供託は有効であり、cの一部であるaの範囲において、供託は効力を生じるとした判例がある（最判平成6・7・18民集48巻1165頁）。

　〔2〕　弁済供託の第2の供託原因である「受領不能」である。たとえば、交通の途絶によって債権者が履行場所に来ることができないような事実上の受領不能であるか、債権者が制限行為能力者であって、これに法定代理人または保佐人がいないために受領ができないというような法律上の受領不能であるかを問わない。債権者の責めに帰すべき事由に基づくことを必要としないことは、もちろんである。

　〔3〕　供託をすることができる者は、弁済者、すなわち弁済をすることができる者であって、債務者に限らない（改正前§474〔2〕参照）。

　〔4〕　弁済の目的物は、動産であっても不動産であってもよい。ドイツ民法372条のように動産に限ることはない（§495〔4〕参照）。

　〔5〕　供託の方法については、495条参照。供託の法律的性質は、第三者のためにする寄託契約である（§§537〜 ［改注］539・657〜 ［改注]）。すなわち、弁済者と供託所との関係は寄託契約であるが（最大判昭和45・7・15民集24巻771頁は、この私法上の側面を認めるとともに、公法上の側面も指摘している。§496〔3〕参照）、これによって債権者をして供託所に対して供託物の交付を請求する寄託契約上の権利を取得させるものである。弁済者が供託によりその債務を免れるのは、債権者がこの権利を取得するからである。したがって、債権者が供託によって供託所に対して取得する権利は、本来の権利と内容を同じくする必要がある。供託物受領について本来の債権にはない条件を付した供託は、債権者の受諾がない限り、その効力がないとされる（大判昭和18・9・29民集22巻983頁、最判昭和41・9・16判時460号52頁。いずれも抵当権抹消を条件としたものである）。

1029

第3編　第1章　総則　第6節　債権の消滅

　なお、民法上第三者のためにする契約によって第三者が権利を取得するためには、その受益の意思表示を必要とするが(§537 II [改注])、供託はこの要件を必要としない特例である。なお、本目解説[2]及び[3]参照。

　〔6〕　供託の効果は、債務者が「その債務を免れる」ことである。債務が消滅するといってもよいが、本来の弁済とは異なるつぎのような問題がある。

　(1)　債権者は、供託所(または供託物保管者)に対して供託物の交付(供託規則では、「還付」)を請求する権利を取得する(§498・同条新 I 参照)。通常の第三者のためにする契約と異なり(§537 II [改注]参照)、債権者の受益の意思表示を必要としない。

　債権者がその権利に基づき供託物を受領すると、弁済はいわば完成して完全に効力を生じる。債権者が請求している金額よりも少ない供託金を受領した場合、留保の意思表示がなければ、債権全部が消滅することになるとされている(最判昭和33・12・18民集12巻3323頁)。もちろん、不足の部分について留保の意思表示があると認められる場合には、供託金の部分だけの債権消滅を生じると解される(最判昭和42・8・24民集21巻1719頁)。

　債権者が供託を受諾した場合、その他一定の事由がある場合に、弁済者は供託物の取戻権を失い(§496参照)、それによって債務は確定的に消滅したことになる。それ以後は、債権者は供託物を受け取ることによって満足を受けるしかないことになる。この供託物交付請求権は、供託の通知(§495 III)を受けた時から10年の消滅時効にかかる(改正前§167)と解される(§496[3]参照)。

　(2)　弁済者は、供託後も496条により供託物取戻権を有するので、この取戻権が存する限りは、債務は確定的に消滅したことにはならない(§496[4]参照)。しかし、弁済者が取戻権を行使しない限りは、弁済者は弁済をしたのと同一の効果を主張しうるのである。

　供託金額が債務総額(約15万円)に比してわずか不足する(約1300円)場合が問題になったが、債務者は弁済をしたのと同一の効果を主張しうるとした判決がある(最判昭和35・12・15民集14巻3060頁)。もちろん妥当であるが、債権消滅の効果は供託額についてのみ生じるというべきであろう。債務の一部ずつの供託がなされ、合計額が債務全部に達したときに、債務全体についての弁済供託があったとされる(最判昭和46・9・21民集25巻857頁)のも、当然である。

　〔7〕　弁済供託の供託原因の第3である「債権者確知不能」であり、債権者がだれであるかを確知できないことである。

　たとえば、相続・債権譲渡などに疑問が存するような場合である。判例は、譲渡禁止の特約がある債権について転付命令が発せられたときも、これに該当するものとしている(大判大正14・4・30民集4巻209頁)。

(供託の方法)
第四百九十五条

　1　前条の規定による供託は、債務の履行地[1]の供託所[2]にしなければならない。

　2　供託所について法令に特別の定めがない場合[3]には、裁判所は、弁済者の

§§494〔6〕〔7〕・495・496

請求により、供託所の指定及び供託物の保管者の選任⁴⁾をしなければならない。

3　前条の規定により供託をした者は、遅滞なく、債権者に供託の通知をしなければならない⁵⁾。

[原条文]

供託ハ債務履行地ノ供託所ニ之ヲ為スコトヲ要ス

供託所ニ付キ法令ニ別段ノ定ナキ場合ニ於テハ裁判所ハ弁済者ノ請求ニ因リ供託所ノ指定及ヒ供託物保管者ノ選任ヲ為スコトヲ要ス

供託者ハ遅滞ナク債権者ニ供託ノ通知ヲ為スコトヲ要ス

〔1〕　484条参照。

〔2〕　「供託所」、すなわち供託をするべき場所は、金銭および有価証券については、法務局もしくは地方法務局またはその支局もしくは法務大臣が指定する出張所である（供託§1）。その他の物品については、法務大臣が指定する倉庫営業者または銀行である（供託§5）。

〔3〕　〔2〕によっても供託所が決まらない場合である。

〔4〕　この供託物保管者の選任という方法で、不動産を供託することもできるのである（改正前§494〔4〕参照）。本項による供託所の指定、保管者の選任の手続および保管者の地位については、非訟事件手続法94条参照。

〔5〕　この通知は、原則として供託者自身が行わなければならないが、供託者が、供託官に対し、供託通知書、送付に要する郵便切手等を添えて、被供託者に供託通知書を発送することを請求した場合は、供託所が被供託者に対してこれを発送する（供託規則§§16・18・20）。この場合、第3項の通知は、供託者がみずからする必要はない。この通知がなんらかの事情で行われなくても、供託の有効要件ではない。この通知にかかわりなく、債務は消滅する。

なお、供託者は、供託所より受け取る供託受領証書（供託規則§18参照）を、債権者に交付すべきである（債権証書の返還まで供託書の交付を拒むということはできない。大判昭和13・5・26民集17巻1118頁）。しかし、これが供託の有効要件でないことは、供託の通知と同様である（最判昭和29・2・11民集8巻401頁）。

（供託物の取戻し）

第四百九十六条

1　債権者が供託を受諾¹⁾せず、又は供託を有効と宣告した判決が確定²⁾しない間は、弁済者は、供託物を取り戻すことができる³⁾。この場合においては、供託をしなかったものとみなす⁴⁾。

2　前項の規定は、供託によって質権又は抵当権が消滅した場合には、適用しない⁵⁾。

[原条文]

債権者カ供託ヲ受諾セス又ハ供託ヲ有効ト宣告シタル判決カ確定セサル間ハ弁済者ハ供託物ヲ取戻スコトヲ得此場合ニ於テハ供託ヲ為ササリシモノト看做ス

1031

第3編　第1章　総則　第6節　債権の消滅

前項ノ規定ハ供託ニ因リテ質権又ハ抵当権カ消滅シタル場合ニハ之ヲ適用セス

〔1〕　この供託の受諾は、債権者が供託所または債務者に対する意思表示によって
する。

〔2〕　たとえば、債権者から債務者に対して弁済を請求する訴えにおいて、債務者
が供託により債務を免れた旨の抗弁をし、これに基づいて請求を棄却する判決が下っ
て、それが確定したようなときである。

〔3〕　この取戻しの手続については、供託法8条2項、供託規則25条参照。

本条によって認められる「供託物取戻請求権」は、供託所に対する請求権であるが、
供託所は多くの場合に行政機関であるので、一方において公法的な側面をもち、供託
所は、請求に理由がないときはこれを「却下」する「処分」を行うことになる。しか
し、この請求権は、他方において私法的な側面をもち、弁済供託に関しては、この私
法的側面を重視するべきである。たとえば、その消滅時効については、167条が適用
されて、10年と考えられる［改注］。そして、その起算点については、供託の時から
ではなく（取戻請求権をこの時から行使できるのは確かであるが）、供託の基礎となった債務
について紛争が解決するなどして、供託者が免責の効果を受ける必要が消滅した時か
ら進行するとされる（以上について、最大判昭和45・7・15民集24巻771頁）。弁済供託制
度の趣旨に照らして、妥当であろう。

供託金取戻請求権も譲渡または転付命令の対象とすることができると解される。転
付命令により供託者に対する債権者に転付されたからといって、それだけで債権者の
供託物交付請求権には影響をしないので、供託の効力が失われることはない（最判昭和
37・7・13民集16巻1556頁）。

〔4〕　すなわち、債権は消滅しなかったことになり、保証債務なども復活する。た
だし、この点については、本条2項の制限がある。なお、本目解説2参照。

〔5〕　質権または抵当権付の債権にあっては、供託によって債権が消滅すれば、そ
の質権または抵当権も消滅する。したがって、もし、前項の規定によって供託物の取
戻しを許すときは、債権が復活するとともに、これらの権利もまた消滅しなかったこ
ととなるわけである（(4)参照）。しかし、質権・抵当権について、このような復活を認
めることは、第三者に不測の損害を及ぼすおそれがある。けだし、たとえば、供託物
の取戻しの前にその供託によって消滅した抵当権の目的物につき抵当権の設定を受け
た者があるとすると、この者の抵当権は、供託物の取戻しによって復活する抵当権よ
りも後順位となるからである。そこで、民法は、供託によって質権または抵当権が消
滅した場合には、質物の返還、または抵当権登記の抹消など、その消滅につき対抗要
件が具備されたかどうかとは関係なく、供託者に取戻権がないものとして紛争が起こ
ることをさけたのである（本目解説2参照）。

（供託に適しない物等）
第四百九十七条
　弁済者は、次に掲げる場合には、裁判所の許可を得て、弁済の目的物を競売

§§496〔1〕～〔5〕・497・498

に付し、その代金を供託することができる。

　一　その物が供託に適しないとき。

　二　その物について滅失、損傷その他の事由による価格の低落のおそれがあるとき[1]。

　三　その物の保存について過分の費用を要するとき。

　四　前三号に掲げる場合のほか、その物を供託することが困難な事情があるとき[2]。

〈改正〉　2017年に改正された。

[改正の趣旨]　〔1〕　2号は、物理的な価値の低下でなくても、市場での価格の変動が激しく、放置しておけば価値が暴落し得るようなものについては、自助売却を認める必要があるという現実の必要性に応えたものである。

　〔2〕　4号で新たに弁済の目的物を「供託することが困難な事情があるとき」を加えている。供託所について特別の法令の定めがない場合に、裁判所が適当な供託所または保管者を選任すること（改正前495条2項参照）は、現実的には難しく、物品供託をすることは困難でもあり、自助売却までに時間もかかるという実務的な不都合が、従来から指摘されていた。債務の履行地に当該物品を保管することができる供託法所定の供託所が存在しない場合には、同項の規定による供託所の指定または供託物保管者の選任を得る見込みの有無にかかわらず、迅速に自助売却をすることができることになろう。なお、商人間の売買に関する規定（[改正前条文の解説] 2行目参照）は、変更されていない。

[改正前条文]

　弁済の目的物が供託に適しない[1]とき、又はその物について滅失若しくは損傷のおそれがあるとき[2]は、弁済者は、裁判所の許可を得て、これを競売に付し[3]、その代金を供託することができる。その物の保存について過分の費用を要するときも、同様とする[4]。

[原条文]

　弁済ノ目的物カ供託ニ適セス又ハ其物ニ付キ滅失若クハ毀損ノ虞アルトキハ弁済者ハ裁判所ノ許可ヲ得テ之ヲ競売シ其代価ヲ供託スルコトヲ得其物ノ保存ニ付キ過分ノ費用ヲ要スルトキ亦同シ

[改正前条文の解説]

　本条に関連しては、商人間の売買・運送について、商法上、重要な特則があることを注意すべきである（商§§524・582～583参照）。

　〔1〕　たとえば、弁済の目的物が爆発物である場合などである。

　〔2〕　たとえば、その物が果実・魚肉である場合などである。

　〔3〕　その手続については、民事執行法195条、非訟事件手続法95条・94条1項・2項・4項に規定されている。

　〔4〕　たとえば、その物が牛馬であって、その飼育にかなりの手間と経費が必要な場合などである。

（供託物の還付請求等）

第四百九十八条

　1　弁済の目的物又は前条の代金が供託された場合には、債権者は、供託物の還付を請求することができる[1]。

1033

第3編　第1章　総則　第6節　債権の消滅

2　債務者が債権者の給付に対して弁済をすべき場合には[1]**、債権者は、その給付をしなければ、供託物を受け取ることができない**[2]**。**

〈改正〉　2017年に改正された。見出しを改め、改正前の条文を2項とし、上記の1項を加えた。

［改正の趣旨］〔1〕　本項は、弁済供託によって債権者が供託物の還付請求権を取得するという基本的な規範を明文化した。

［改正前条文］

（供託物の受領の要件）

上記第2項と同。

［原条文］

債務者カ債権者ノ給付ニ対シテ弁済ヲ為スヘキ場合ニ於テハ債権者ハ其給付ヲ為スニ非サレハ供託物ヲ受取ルコトヲ得ス

［改正前条文の解説］

〔1〕　たとえば、売買の目的物の引渡しと引換えに代金を支払うべき買主（§533参照）が代金を供託したような場合である。売主は、目的物の引渡しと引換えでなければ、供託物を受領することができない。この場合には、買主は、供託に当たって供託書にその旨を記載することを要する（供託規則§13Ⅱ⑧参照）。

〔2〕　たとえば、〔1〕の例で、売主は目的物を買主に給付し、その証明を添えて供託物還付の手続をとることを要するのである（供託§10、供託規則§24Ⅰ②参照）。

第3目　弁済による代位

〈改正〉　2004年改正により、従来はなかったこの目の表題が新設された。2017年には、弁済による代位の要件に関する499条、同500条、弁済による代位の効果に関する501条、一部弁済による代位に関する502条、債権者による担保の喪失等に関する504条が改正された。

［改正前法の法定代位と任意代位について］　改正前法においては、法定代位（500条）と任意代位（499条）との区別があり、後者は、「債権者の承諾」を要する点で異なるとされていたが、新法ではいずれの場合にも、債権者の承諾は不要となったため、この用語は、条文上消滅したが、対抗要件（467条の準用）や担保保存義務（504条1項）については、両者の違いは残存している。

① 本目の内容

499条〜504条［改注］において、「弁済による代位」（「弁済者の代位」、「代位弁済」ともいう）について規定する。それは、債務者以外の者が弁済をし、債務者に対して求償権を取得した場合に、弁済者をして、その求償権の範囲内において債権者の債務者に対する権利を行使させることを内容とする。民法は、代位を普通の第三者の弁済による代位（これを「任意代位」という。改正前§499）と、弁済をするにつき正当の利益を

§498〔1〕〔2〕・第3目〔解説〕①～③

有する第三者の弁済による代位(これを「法定代位」という。改正前§500)とに分けて規定する。そして、両者に共通の効果として、代位者相互の関係(§501〔改注〕)、一部代位(§502〔改注〕)、代位弁済と証書・担保物(§503)に関して規定し、また、法定代位者のための担保保存義務(§504〔改注〕)について規定する。

民法がこのように一般的な規定を設けているのは、フランス民法(§§1249→1346～1252→1346-5)にならうものであって、ドイツ民法およびスイス債務法は、保証人・物上保証人・連帯債務者などが弁済をした場合に代位権を生じる旨の規定を設けているにすぎない。

② 代位弁済の機能

代位弁済の機能として、つぎのことが指摘され、重要である。

(1) 弁済をした第三者に求償権が生じ、それに基づく代位が生じた場合には、債務者からすると、債権者に対する債務は消滅するが、代位弁済者に対しては、代位が認められる限りにおいて、債務が存続すること、すなわち債務のいわば相対的消滅を生じるにすぎないことに注意を要する。ただ、実際には、第三者が債務者に贈与する意思で——求償する意思なしに——弁済するということもありうる。この場合には、代位の問題を生じないで、債権は絶対的に消滅する。

(2) なお、代位弁済の法律関係においては、代位弁済者が債権者に金員を支払い、その債権およびこれに伴う権利が債権者から代位弁済者に移転するので、その実質において債権譲渡と近似していることに注意を要する(§§398の7Ⅰ・499Ⅱ〔改注〕参照)。

③ 代位弁済の法律関係

ある債権について代位弁済の利益を有する者には、保証人、物上保証人、第三取得者などの各種の利害関係者があり、そのそれぞれが複数いるということもありうる。複数の者同士の関係については、共同保証(§§456・465)、共同抵当(§392)などの規定もからむので、法律関係はかなり複雑になる。

そこで、以下の条文の理解を助けるために、ごく基本的な態様を想定して、具体的にどのような形で問題になるかを眺めておこう。

(1) 債権者Aが債務者Bに対して有する100万円の債権について、B自身が自分の所有する甲不動産のうえに抵当権を設定し、そのほかに、保証人C、第三取得者DB が抵当権を設定した乙不動産を取得した者、自己所有の丙不動産にBのために抵当権を設定した物上保証人Eがいるとする。

(2) C、D、Eのいずれであっても、Bの債務100万円の全額を代位弁済した者が、その求償権の範囲で、甲不動産上の抵当権に代位できることは問題ない。法定代位権者以外のいわゆる任意代位者については、債権者の承諾を要する。

(3) C、D、Eのいずれかが債務全額を代位弁済したときに、Aが有した他のすべての担保に代位できるとしたら、早い者勝ちということになるので、妥当ではない。そこで、501条〔改注〕が、これらの者相互間のいわば交通整理の目的で定められているのである。代位弁済をした者は、この定めに従った優先順位および限度額におい

1035

第3編　第1章　総則　第6節　債権の消滅

て他の者に対して代位ができ、また、それに反しては代位できない（原条文の「代位セス」の表現はこの側面からの適切な表現であった）ことになる。

(4)　以上は、一人によって債権全部の代位弁済が行われた場合であるが、たとえば、保証人Ｃが60万円、第三取得者Ｄが40万円を弁済した場合にはどうであろうか。一部代位については502条〔改注〕があるが、同条は、代位弁済者と債権者Ａとの関係のみを規定している。Ｂ所有の甲不動産については、それぞれの弁済額に応じて、つまり、Ｃ、Ｅは6対4の割合で（もちろんその求償権の範囲で）代位すると考えるのが妥当であろう。すなわち、501条〔改注〕の規定（この場合は、その1号・2号）はこの場合には関係しないと考えるのである。

(5)　この複数者による代位弁済の場合に、他の代位弁済の利益を有した者との関係がどうなるかは、かなり複雑になるが、保証人Ｃについて60万円、物上保証人Ｅについて40万円を基準にして、改正前501条に即して考えることになろうか。

（弁済による代位の要件）
第四百九十九条
**　　　債務者のために弁済をした者は、債権者に代位する[1]。**

〈改正〉　2017年に改正された。見出しを変更し、1項中「、その弁済と同時に債権者の承諾を得て」および「ことができる」を削り、2項を削った。

[改正の趣旨]　〔1〕　正当な利益を有しない第三者による弁済については、改正前499条1項では債権者の承諾がある場合に代位するとしている（任意代位）。新法では、任意代位の規定と法定代位の規定とを統合し、正当な利益を有しない者も債務者の意思に反しない場合は弁済できるとしたが（新474条2項）、この場合に、債権者が弁済を受けたにも関わらず、承諾をしない自由を認めることは不合理である。そこで、新法では、任意代位における債権者の承諾という要件を廃止し、さらに、正当な利益を有しない第三者による弁済について債権譲渡における対抗要件の規定を準用し、対債務者対抗要件や対第三者対抗要件を要求している改正前499条2項は維持している（新500条）。弁済による代位は、原債権については債権譲渡と類似した構造になるので、債権譲渡と同様に、債務者・第三者にとっては、誰が代位弁済者であるかを含め、原債権の移転の有無が分からない場合もあるからである。

[改正前条文]
（任意代位）

1　債務者のために弁済をした者[1]は、その弁済と同時に債権者の承諾を得て[2]、債権者に代位することができる[3]。

2　第四百六十七条の規定は、前項の場合について準用する[4]。

[原条文]

債務者ノ為メニ弁済ヲ為シタル者ハ其弁済ト同時ニ債権者ノ承諾ヲ得テ之ニ代位スルコトヲ得

第四百六十七条ノ規定ハ前項ノ場合ニ之ヲ準用ス

[改正前条文の解説]

〔1〕　「債務者のために弁済をした者」とは、文字の上からいえば、債務者のために有効な弁済をした者一般を意味するが（§474〔改注〕参照）、そのうち「弁済をするにつき正当の利益を有する者」には、改正前500条の適用があり、本条の適用はない。

§§499・500〔1〕

したがって、本条が適用されるのは、前者から後者を除いた第三者で、債務者に対して償権を有する者である。

〔2〕 債権者の承諾を要する点が、本条が改正前500条と異なるところである。この意味において、本条の代位は、任意代位と呼ばれる。ただし、本条によって債権者の同意を要する場合にも、代位は、この承諾さえあれば、債権者の権利が当然に弁済者に移転するのであって、債権者と弁済者との間に代位の目的である権利の譲渡行為がなされるのではない。

〔3〕 「代位する」とは、債権者がその債権に関して債務者に対して有する権利が、当然に弁済者に移転することである。したがって、権利の移転についての対抗要件を必要としない。ただし、本条が定める任意代位については、次項がある。また、代位をすることができる者の間の関係では、登記を必要とする場合がある(改正前§501〔6〕〔7〕参照)。なお、移転する権利の内容および範囲は、改正前501条に規定されている。

〔4〕 債権譲渡の場合と同じく、通知または承諾をもって代位の対抗要件とするという意味である。これは、任意代位が、法定代位と違い、任意の譲渡と同様の実質をもつことと、債権者の同意があったかどうかを債務者に知らせる必要とからきている(改正前§500〔3〕参照)。

〔準用規定〕〔第8版凡例4a)を見よ〕
第五百条
　　第四百六十七条の規定は、前条の場合(弁済をするについて正当な利益を有する者が債権者に代位する場合を除く。)について準用する[1]。
〈改正〉 2017年に改正された。改正前500条については、新499条を参照。
[改正の趣旨]〔1〕 任意代位の規定と法定代位の規定とを統合した結果である(改正前499条2項の解説も参照)。改正前500条は、新499条に吸収された。
[改正前条文]
(法定代位)
　　弁済をするについて正当な利益を有する者[1]は、弁済[2]によって当然に債権者に代位する[3][4]。
[原条文]
　　弁済ヲ為スニ付キ正当ノ利益ヲ有スル者ハ弁済ニ因リテ当然債権者ニ代位ス

[改正前条文の解説]
本条は、改正前499条と違い、一定の弁済者に法律上の当然の権利として債権者に代位することを認めるものである。これを「法定代位」という。この場合には、代位弁済の利益を有する者は「代位弁済権」を有すると表現することもできる(〔4〕参照)。
〔1〕 弁済をするについて正当な利益を有する者」とは、まず、物上保証人、担保目的物の第三取得者、後順位担保物権者などである(§474の「利害関係」を有する者と非常に近似している。改正前§474〔5〕参照)。問題は、その他の第三者たとえば債務者に対する一般債権者である。判例は、一般債権者であっても、債務者の資産状態のいかんによってはこれに該当する場合がある旨を判示し、債権額1800円の抵当債権者が、

1037

第3編　第1章　総則　第6節　債権の消滅

時価8000円ばかりの抵当不動産につき代物弁済の権利を有する場合につき、一般債権者の法定代位を肯定した(大判昭和13・2・15民集17巻179頁)。その不動産が債務者所有のものであれば、これを認めてもよいと考えられるが、物上保証人や第三取得者に対しては代位できないと解するべきである(改正前§501(5)(h)参照)。

このほか、保証人は、自分の負担する保証債務を弁済するものであるが、実質的には他人の債務の弁済であるから代位の利益を与えるべきことは当然である(大判昭和9・11・24民集13巻2153頁。なお§501[改注]参照)。連帯債務者については、多少争いがあるが、その弁済は、負担部分を超える範囲においては他人の債務の弁済である実質を有し、その求償権はこの点を基礎とするものと解するべきであるから(改正前§442(3)参照)、代位の利益を与えるのが正当である(大判昭和11・6・2民集15巻1074頁)。すなわち、両者とも、ここにいわゆる「弁済をするにつき正当の利益を有する者」に該当する。

〔2〕　この「弁済」の中に、代物弁済・供託を含むことはもちろんである。弁済者が連帯債務者・保証人である場合には、相殺をも含む(改正前§474(2)(1)参照)。また、連帯債務者の一人もしくは連帯保証人がその債権を譲り受け、またはこれを相続した場合のように、弁済とみなされるとき(改正前§§438(→§440)・458[改注]参照)にも、本条の適用がある(大判昭和6・10・6民集10巻889頁、大判昭和11・8・7民集15巻1661頁)。さらに、物上保証人または抵当不動産の第三取得者に対する抵当権の実行のように、債権が執行によって満足させられた場合にも、本条の適用があると解される。この点については、以前に反対の判決があったが(大判大正10・11・18民録27輯1966頁)、その後、判例もこれを肯定したとみてよいであろう(大判昭和4・1・30新聞2945号12頁など)。

〔3〕　「当然に債権者に代位する」とは、債権者の意思に関係なく代位するということである。債権者の承諾を必要とする改正前499条の代位が任意代位といわれるのに対して(改正前§499(2)参照)、本条の代位が法定代位といわれるゆえんである。なお、この代位には、債権の移転についても、別に対抗要件を必要としないことを注意するべきである(改正前§499(3)(4)参照)。ただし、抵当権などについては、代位の付記登記(不登§4Ⅱ。旧§53)を請求できる(大判昭和2・10・10民集6巻554頁)。

〔4〕　本条による代位弁済は、代位弁済者の当然の権利(代位弁済権)と考えられる。

ところが、銀行や金融業者などが、保証人や物上保証人に、この代位弁済権(弁済による代位の権利)を放棄させたり、制限する特約を結ばせることがままある。契約自由の原則からすれば、このような特約も有効と考えられるが、事情によっては不当性が認められ、その効力を否定ないし制限する必要を生じることもありえよう(改正前§504(5)参照)。第三取得者のような相手に対しては、このような特約をさせる機会はないのであり、また、物上保証人がした特約の効力を第三取得者に及ばせる手段もないことに注意する必要がある。

§§ 500〔2〕〜〔4〕・501

（弁済による代位の効果）
第五百一条
1　前二条の規定により債権者に代位した者は、債権の効力及び担保としてその債権者が有していた一切の権利を行使することができる[1]。
2　前項の規定による権利の行使は、債権者に代位した者が自己の権利に基づいて債務者に対して求償をすることができる範囲内（保証人の一人が他の保証人に対して債権者に代位する場合には、自己の権利に基づいて当該他の保証人に対して求償をすることができる範囲内）に限り、することができる[1]。
3　第一項の場合には、前項の規定によるほか、次に掲げるところによる。
　一　第三取得者（債務者から担保の目的となっている財産を譲り受けた者をいう。以下この項において同じ。）は、保証人及び物上保証人に対して債権者に代位しない[3]。
　二　第三取得者の一人は、各財産の価格に応じて、他の第三取得者に対して債権者に代位する[4]。
　三　前号の規定は、物上保証人の一人が他の物上保証人に対して債権者に代位する場合について準用する[4]。
　四　保証人と物上保証人との間においては、その数に応じて、債権者に代位する。ただし、物上保証人が数人あるときは、保証人の負担部分を除いた残額について、各財産の価格に応じて、債権者に代位する[5]。
　五　第三取得者から担保の目的となっている財産を譲り受けた者は、第三取得者とみなして第一号及び第二号の規定を適用し、物上保証人から担保の目的となっている財産を譲り受けた者は、物上保証人とみなして第一号、第三号及び前号の規定を適用する[6]。

〈改正〉　2017年に改正された。「、自己の権利に基づいて求償をすることができる範囲内において」を削り、後段および各号を削り、2項、3項を加えた。

[改正の趣旨]　[1]　代位の効果について、判例・通説は、債権者が有していた原債権が担保と共に弁済者に移転するとしているので（解説[3]等参照）、弁済者は求償債権の範囲内で原債権や担保権を行使できる（改正前501条第1文）。保証人が複数の場合には、弁済をした保証人は主債務者のみならず他の保証人に対しても求償権を取得する（改正前465条1項・442ないし444条）。この場合には、保証人は他の保証人に対しては、その求償権の範囲内で代位をする。しかし、これを定める規定は改正前にはない。そこで、新法は改正前501条第1文を2つに分けて、上記の規範を定めた（1項と2項）。

　[2]　改正前501条1号は「代位の付記」について定め、また、6号は、保証人と物上保証人がいる場合についても同号を準用している。同号は債権が消滅したという不動産の第三取得者の信頼を保護する趣旨であるとされているが、そもそも付記登記がない場合に債権が消滅したという第三取得者の信頼が生ずると言えるか疑問であるなどの批判がなされていた。そこで、新法は、改正前の1号と6号を削除した。その結果、保証人は、履行期前に第三取得者はもとより、履行後に登場した第三取得者との関係においても、代位の付記登記は不要になった。物上保証人の場合も同様である。

　[3]　債務者から担保の目的となっている財産を譲り受けた「第三者」は、担保の負担を前提に財産を譲り受けているから、弁済による代位を認める必要はないと解されている。そ

1039

第3編　第1章　総則　第6節　債権の消滅

こで改正前501条2号は「第三取得者は、保証人に対して債権者に代位しない」と定めている。明文の規定はないが、物上保証人に対しても代位はできないとするのが通説であった。そこで、新法は、その旨を明らかにした。(3項1号)

　　【4】　代位をなすべき者が複数いる場合に、債権者が有した権利のすべてを他の保証人等に代位できるとすると、代位権者に弁済をした者が再度代位をすることで代位の循環が生ずるとされている。他方で、再度の代位を禁止すると先に弁済をした者だけが有利になる。改正前にも代位をなすべき者が複数いる場合の負担の公平を調整する規定を設けていたが、新法は、担保の対象は不動産に限られないので「各財産の価格に応じ」ることに変更した。

　　【5】　改正前501条5号は、新法でも、維持された（第4号）。

　　【6】　物上保証人から担保の目的となっている財産を譲り受けた者は、物上保証人とみなすのが通説である。そこで、新法は、本号に第三取得者を加えたうえで、1号、3号および4号の規定を適用する旨を定めた。「第三取得者」と「物上保証人」が区別された。

[改正前条文]

　　前二条の規定により債権者に代位した者は、自己の権利に基づいて求償をすることができる範囲[1]内において、債権の効力[3]及び担保[4]としてその債権者が有していた一切の権利を行使することができる[2]。この場合においては、次の各号の定めるところに従わなければならない[5]。

　一　保証人は、あらかじめ[6]先取特権、不動産質権又は抵当権の登記にその代位を付記[7]しなければ、その先取特権、不動産質権又は抵当権の目的である不動産の第三取得者に対して債権者に代位することができない[2]。

　二　第三取得者は、保証人に対して債権者に代位しない[8]。

　三　第三取得者の一人は、各不動産の価格に応じて、他の第三取得者に対して債権者に代位する[9]。

　四　物上保証人[10]の一人は、各財産の価格に応じて、他の物上保証人に対して債権者に代位する。

　五　保証人と物上保証人との間においては、その数に応じて[11]、債権者に代位する。ただし、物上保証人が数人あるときは、保証人の負担部分を除いた残額について、各財産の価格に応じて、債権者に代位する[12]。

　六　前号の場合において、その財産が不動産であるときは、第一号の規定を準用する[13][2]。

[原条文]

　　前二条ノ規定ニ依リテ債権者ニ代位シタル者ハ自己ノ権利ニ基キ求償ヲ為スコトヲ得ヘキ範囲内ニ於テ債権ノ効力及ヒ担保トシテ其債権者カ有セシ一切ノ権利ヲ行フコトヲ得但左ノ規定ニ従フコトヲ要ス

　一　保証人ハ予メ先取特権、不動産質権又ハ抵当権ノ登記ニ其代位ヲ附記シタルニ非サレハ其先取特権、不動産質権又ハ抵当権ノ目的タル不動産ノ第三取得者ニ対シテ債権者ニ代位セス

　二　第三取得者ハ保証人ニ対シテ債権者ニ代位セス

　三　第三取得者ノ一人ハ各不動産ノ価格ニ応スルニ非サレハ他ノ第三取得者ニ対シテ債権者ニ代位セス

　四　前号ノ規定ハ自己ノ財産ヲ以テ他人ノ債務ノ担保ニ供シタル者ノ間ニ之ヲ準用ス

　五　保証人ト自己ノ財産ヲ以テ他人ノ債務ノ担保ニ供シタル者トノ間ニ於テハ其頭数ニ応スルニ非サレハ債権者ニ代位セス但自己ノ財産ヲ以テ他人ノ債務ノ担保ニ供シタル者数人アルトキハ保証人ノ負担部分ヲ除キ其残額ニ付キ各財産ノ価格ニ応スルニ非サレハ之ニ対シテ代位ヲ為スコトヲ得ス

　　右ノ場合ニ於テ其財産カ不動産ナルトキハ第一号ノ規定ヲ準用ス

§501〔1〕〜〔5〕

[改正前条文の解説]

〔1〕 代位の及ぶ範囲は、弁済者が「求償をすることができる範囲」である。その範囲は、弁済者と債務者との間の関係によって定まる。弁済者が物上保証人(§§351・372)、連帯債務者の一人(§§442〜444[改注])、保証人(§§459〜465の5[改注])である場合には、それぞれ民法に規定があるから、それによる。このような関係に立たない第三者が弁済をした場合には、もし、第三取得者が弁済したのであれば、売主の担保責任の規定(改正前§567Ⅱ)、もし、その債務者の委託を受けて弁済したものであれば、委任事務処理の費用の償還請求の規定(§650)により、また、もし、委託を受けないで弁済したものであれば、事務管理の費用の償還請求の規定(§702)によって、その求償権の範囲が定まる。第三者の弁済が、債務者に対する贈与の意思により行われた場合には、当然求償権の問題は生じない(債権はいわば絶対的に消滅する。本目解説2(1)参照)。

〔2〕 代位の効力を規定したものである。その内容は、〔3〕・〔4〕を見よ。なお、債権者は代位弁済者に対して、代位した権利の行使を容易にするよう協力する義務(付記登記など)があると解される。なお、503条・504条[改注]参照。

〔3〕 「債権の効力……としてその債権者が有していた……権利」とは、履行請求権(改正前§414)、利息請求権(原則として、法定利率による。改正前§404。ただし、保証人と債務者との間で求償権についての約定利率を定めることは有効とされる。最判昭和59・5・29民集38巻885頁)、損害賠償請求権(§§415[改注]〜)、債権者代位権(§423[改注])、債権者取消権(§424[改注])など(改正に注意)のように、その債権につき債権者が有する機能である。これらの一切の権利を行うことができるとは、その権利を行使できるという意味である。

もっとも、代位の対象としての債権それ自体は、通常、求償権と同じ債務者に対する金銭債権であり、これに代位するだけではとくに代位による利益はない(求償権と代位の対象としての債権との関係については、後者は前者に対して付従する性質を有するとする最判昭和61・2・20民集40巻43頁、債務者から弁済があれば、両方の債権について弁済があったとして、充当の規定を適用するとする最判昭和60・1・22判時1148号111頁がある)。その債権に伴う権利や担保に代位していくことができることに弁済による代位の実益があるのである。

また、近時、財団債権となる労働債権(最判平成23・11・22民集65巻3165頁)と民事再生法上の共益債権となる双方未履行双務契約の解除に伴う原状回復請求権(最判平成23・11・24民集65巻3213頁)について、いずれも代位弁済者への財団債権性、共益債権性の承継をそれぞれ肯定した判例が出され、代位弁済者への優先性の承継を一般的に肯定するルールが確立された。

〔4〕 「担保としてその債権者が有していた……権利」とは、その債権を担保する質権・抵当権その他の担保権または保証人に対する権利などである。代物弁済予約上の権利も、代位の対象となる(最判昭和41・11・18民集20巻1861頁)。

〔5〕 弁済者は、〔3〕・〔4〕に述べた一切の権利を行使できる。したがって、弁済をした保証人Bは、債権者Aが有した担保権、たとえば、第三者C(物上保証人)の所有

1041

第3編　第1章　総則　第6節　債権の消滅

物の上に設定された抵当権を行使できることになる。

　ところが、保証人Bが弁済するのに先んじて、物上保証人Cが抵当権の実行を免れるためにみずから債権者Aに弁済をすると、今度は、その求償権（§351）について本条の適用があり、Cは債権者Aが保証人Bに対して有した権利を行使できることになる。このような対立による混乱をさけ、代位をすることができる者相互の公平を計るために、民法は、本条の旧但書を設けたのである。なお、この規定は、「……従わなければならない」という表現からも、強行規定と解することもできると思われるが、保証人と物上保証人との間で第5号所定の割合と異なる割合を特約した場合、これを後順位抵当権者などに対して主張できるとする判例がある（前掲最判昭和59・5・29）。

　代位弁済権を有する者は各種存在するが、同種の者が複数存在する場合におけるその相互の関係については、本条ただし書の定めだけでは十分でなく、また、このただし書の規定も必ずしも整理されたものではないので、ここで全体を整理しておくことにする。

　(a)　複数の保証人の間

　いわゆる共同保証（§456参照）の関係であるが、共同保証人相互の間においては、465条による求償権が認められている。求償の相手である共同保証人の保証債務について担保が存在するようなときに、代位の利益があることになる。

　(b)　連帯債務者の間

　連帯債務者相互の間においては、442条［改注］以下による求償権が認められている。その限度において代位の利益も認められる。

　(c)　複数の物上保証人の間

　物上保証人が複数存在する場合に、その一人が求償権（§§351・372参照）を有し、他の物上保証人が有する財産に対する担保権に代位するのについては、第4号が規定していて、財産の価格に応じて代位する（（10）参照）。

　(d)　複数の第三取得者の間

　たとえば、担保不動産の第三取得者が複数存在する場合に、その一人が求償権（§§351・375が準用されると解される）を有し、他の第三取得者が有する不動産に対する担保権に代位するのについては、第3号が規定しており、不動産の価格に応じて代位する（（9）参照）。不動産以外の担保財産については規定はないが、同号を準用することになろう。

　(e)　物上保証人と第三取得者の間

　この場合も、(c)・(d)と同様に解してよい。これに対して、物上保証人からの第三取得者については、保証人と同じ扱いをするべきであるとする見解も存する（（8）参照）。

　(f)　保証人と物上保証人の間

　これについては、第5号が規定していて、その数（これを頭数という）に応じて代位する（（11）参照）。頭数で分けたあと、物上保証人が複数いるときは、(c)による（（12）参照）。

§ 501 〔6〕〔7〕

(g) 保証人と第三取得者の間

第2号により、第三取得者は保証人に対して代位できず（〔8〕参照）、保証人は、第三取得者に対して、第1号によって代位する（〔6〕〔7〕参照）。

(h) その他の第三者との間

以上に挙げた以外の第三者が第三者弁済をした場合に（それは、§ 474〔改注〕により可能である）、債務者に対して求償権を取得することはありうるが（委託を受けた場合は§ 650により、委託を受けない場合は§ 702により）、これにより以上に挙げられた第三者に対する債権者の権利に代位することはできないと解される（本条はこの関係については定めていない）。他方、これらの第三者は、債権者に対してなんの義務も責任も負わないから、代位の対象となることもない。

〔6〕「あらかじめ」とは、なにを標準としてあらかじめというのか、法文上は必ずしも明らかでない。債務者Bが債権者Aに対して負う債務につきCが保証人となり、なお、Bの不動産上に抵当権が設定されているとしよう。その後、抵当不動産を第三者Dが買いうけた場合に、Cによる弁済との前後によって、場合を分けて考える必要がある。

(a) その1は、Cが弁済をした後にDが抵当不動産を買い受けた場合である。CはDの出現する以前に「あらかじめ」代位の付記登記をしておかなければ、Dに対抗できないことは疑いない。Aの債権が弁済によって消滅し、したがって、抵当権も消滅していると信じて不動産を買い受けたDを保護する必要が、まさに本号の立法理由だからである。したがって、Cが弁済をし、代位の付記登記をしないでいる間に、Dが移転登記をしたときは、Cはもはや代位の付記登記はできない（大判昭和11・5・19民集15巻823頁）。

この場合に、Cは自分が弁済をする前に「あらかじめ」登記（つねに仮登記をすることになる）することが要求されてはいないと解するべきである（大判昭和6・10・6民集10巻889頁）。

(b) その2は、Dが抵当不動産を買い受けた後に、Cが弁済した場合である。この場合にも、CはDの出現前に「あらかじめ」登記（仮登記をしておかないと、安心できないことになる）をしておくことが要求されるのであろうか。そう解するべきではない。けだし、この場合にまで保証人Cに対してこの要求をすることは、難きを強いるものであって、実際にはなはだ合わないのみならず、第三取得者Dは登記簿上債権および抵当権の存在を確認できるのであるから、後に保証人が代位することによって不測の損害をこうむるわけではないからである。

(c) はたしてそうであるならば、保証人が「あらかじめ」登記をしないことによって代位することができないのは、すべての第三取得者に対してではなく、その弁済後に現われた第三取得者に対してだけであると解するべきこととなる（最判昭和41・11・18民集20巻1861頁）。これを逆にいえば、保証人は、弁済後第三取得者が現われる以前に登記をしておけば、すべての第三取得者に対して債権者に代位することができる。

〔7〕 代位の付記登記は、弁済による代位である旨を記入するのを本則とする（不

第3編　第1章　総則　第6節　債権の消滅

登§4Ⅱ参照）。しかし、担保権移転の付記登記でもよい（前掲大判昭和6・10・6参照）。

〔8〕　第三取得者は、負担を覚悟するべきものであり、民法は、代価弁済・抵当権消滅請求（§378前注参照）などの方法でこれを保護するからであると説明されている。しかし、物上保証人が提供した財産については、物上保証人と保証人との間には第5号（〔11〕参照）が適用されるのであるから、物上保証人から取得した第三者については、同号の物上保証人の地位を承継すると考えるのが妥当であろう。

なお、これに関連して、本条の第三取得者はすべて債務者本人の財産の第三取得者に限り、物上保証人および物上保証人からの第三取得者については、保証人と同じように解する見解もある。

〔9〕　たとえば、90万円の債務の担保として、価格100万円の不動産甲と50万円の不動産乙の上に共同抵当権（§392参照）が設定されているとしよう。甲不動産を譲り受けた第三取得者 D_1 が債権全額を弁済した場合には、債務者に対する関係ではその90万円の全額について乙不動産の上の抵当権を行使できるのであるが、その乙不動産も他の第三取得者 D_2 の所有に帰している場合には、D_2 に対しては90万円を甲不動産と乙不動産の価格の比2対1で配分した額、すなわち30万円についてだけしか、債権者に代位できないということである。この代位のためには、〔6〕で述べたと同様の「あらかじめ」の付記登記が必要と解される。

〔10〕　自己の財産をもって他人の債務の担保に供した者をいう。すなわち、〔9〕の例で、$E_1 \cdot E_2$ がそれぞれ自分の所有する甲・乙両不動産の上に、債務者のために、抵当権や質権を設定したような場合である。

〔11〕　たとえば、120万円の債務について保証人C、物上保証人Eがいる場合、Cが弁済したのならCがEに対して、Eが弁済したのならEがCに対して、60万円につき債権者に代位する。保証人が物上保証人を兼ねる場合にも、一人として頭数を計算し、たとえば、120万円の債務につき保証人と物上保証人を兼ねるCと物上保証人Eがいる場合には、弁済したCはEに対して60万円につき債権者に代位する（大判昭和9・11・24民集13巻2153頁）。この場合、資格の数と考えて、三人と数え、CはEに対して80万円につき不動産の価格に応じて代位するとするのも、合理的かもしれない（最判昭和61・11・27民集40巻1205頁はこれを否定する）。

なお、担保財産の単独所有者である物上保証人の地位が複数の相続人によって承継されたときは、その人数がここでいう頭数になるとする判決（最判平成9・12・18判時1629号50頁）があるが、やはり頭数としては一人と数え、その分を相続人で分つと考えるのが妥当であろう。

〔12〕　たとえば、120万円の債務につき保証人 $C_1 \cdot C_2$、物上保証人 $E_1 \cdot E_2$ があり、E_1 の不動産の価格100万円、E_2 の不動産の価格50万円とすれば、弁済をした C_1 は、$E_1 \cdot E_2$ に対して、保証人 $C_1 \cdot C_2$ の負担部分、すなわち頭数で分けた60万円（〔11〕参照）を除いて、残りの60万円のうち、E_1 40万円、E_2 20万円についてだけ債権者に代位する。なお、判例は、本号が定める割合を変更する保証人と物上保証人の間の特約を有効としている（最判昭和59・5・29民集38巻885頁）。

〔13〕　物上保証人の担保目的が不動産であるときは、保証人は、前号による代位を

§§501 〔8〕～〔13〕・502

物上保証人に対して主張するためには、あらかじめ(この場合には、物上保証人はすでに
存在するのであるから、「弁済前に」の意味になるか)付記登記(もし「弁済前に」と解すれば、
その仮登記)を要する。

(一部弁済による代位)
第五百二条
　　1　債権の一部について代位弁済があったときは、代位者は、債権者の同意を
　　　　得て、その弁済をした価額に応じて、債権者とともにその権利を行使するこ
　　　　とができる[1]。
　　2　前項の場合であっても、債権者は、単独でその権利を行使することができ
　　　　る[2]。
　　3　前二項の場合に債権者が行使する権利は、その債権の担保の目的となって
　　　　いる財産の売却代金その他の当該権利の行使によって得られる金銭について、
　　　　代位者が行使する権利に優先する[3]。
　　4　第一項の場合において、債務の不履行による契約の解除は、債権者のみが
　　　　することができる。この場合においては、代位者に対し、その弁済をした価
　　　　額及びその利息を償還しなければならない[4]。
〈改正〉　2017 年に改正された。1 項中「代位者は」の下に「、債権者の同意を得て」を、「行
使する」の下に「ことができる」を加え、2 項中「前項」を「第一項」に改め、同項を 4 項と
し、1 項の次に 2 項、3 項を加えた。
[改正の趣旨]　[1]　新法は、債権者の権利が優先されることを確認したうえで、債権の一
部について代位弁済があったときは、代位者は「債権者の同意を得て」その弁済をした価額
に応じて、債権者とともにその権利を行使することができることとした。解説[1]の判例も参
照。大決昭和 6・4・7 は変更されたことになる。
　　[2]　その場合でも、債権者は、単独でその権利を行使することができる。
　　[3]　債権者が行使する権利は、その権利の行使によって得られる担保の目的となってい
る財産の売却代金その他の金銭について、代位者が行使する権利に優先すること(配当手続
等における債権者優先主義)を明記した。
　　[4]　解除権は契約上の地位に伴うものであるから、もともと代位の対象とならないと解
されている。改正前 502 条 2 項はその旨を確認した規定であるが、新法においてもこの規定
は維持された。
[改正前条文]
　　1　債権の一部について代位弁済があったときは、代位者は、その弁済をした価額に応じ
　　　　て、債権者とともにその権利を行使する[1]。
　　2　前項の場合において、債務の不履行による契約の解除は、債権者のみがすることがで
　　　　きる[2]。この場合においては、代位者に対し、その弁済をした価額及びその利息[3]を償還
　　　　しなければならない[4]。
[原条文]
　　債権ノ一部ニ付キ代位弁済アリタルトキハ代位者ハ其弁済シタル価額ニ応シテ債権者ト
　　共ニ其権利ヲ行フ
　　　前項ノ場合ニ於テ債務ノ不履行ニ因ル契約ノ解除ハ債権者ノミ之ヲ請求スルコトヲ得但
　　代位者ニ其弁済シタル価額及ヒ其利息ヲ償還スルコトヲ要ス

1045

第3編　第1章　総則　第6節　債権の消滅

[改正前条文の解説]

〔1〕　たとえば、100万円の抵当債権につき、保証人が50万円の弁済をするときは、50万円につき債権および抵当権の移転を生じるということである。

しかし、その結果として、代位者がその範囲において単独に代位した権利を行使することができ、かつ債権者と平等の地位に立つものとすると、はなはだしく債権者を害する。すなわち、たとえば、債権者の意思にかかわりなく抵当権を実行できるとするときは、債権者は、将来にわたる担保の作用を実現することができないことになり、また、抵当不動産の価格が債権全額にみたないのに債権者と一部代位者とに比例的分配をするときは、担保権の不可分的性質(§§296・305・350・372)に反し、債権者の優先権を害する。

そこで、フランス民法は、一部の代位弁済によって債権者を害することができないものと規定し(同法§1252→§1346-3)、ドイツ民法は、代位によって債権者を害する効果を生じさせてはならないと規定している(同法§§268Ⅲ・426Ⅱ・774Ⅰなど)。

わが民法の解釈としても、一部代位者は「債権者とともにその権利を行使する」とは、債権者がその権利を行使する場合にだけ、これとともに代位した権利を行使できるという趣旨であり、しかも、この場合にも、その分配に当たっては債権者が優先すると解することができるのではあるまいか。

後者について、判例は同旨の判断を示したが(最判昭和60・5・23民集39巻940頁)、前者については、分割払債務の1回分を弁済した保証人は直ちに債権者に代位して抵当権を単独で実行できるとし、その場合に債権者の債権残額がまだ弁済期に達せず、したがって、債権者はまだ抵当権を実行できない時でも差し支えないとした古い判決があるだけである(大決昭和6・4・7民集10巻535頁)。

〔2〕　債権者だけが契約の解除権を有することは、いうをまたないところである。けだし、解除権は、契約当事者の地位に付随するものであるから、代位の目的とはならないのである。その理は、債権の全部につき代位弁済があった場合でも同様である。すなわち、全部の代位弁済があれば、債権者が解除をする余地はなくなるが、代位弁済者が解除権を取得するわけではない。なお、債権者が解除をするのに、一部代位弁済者の同意を必要としないことも当然である。

〔3〕　いわゆる法定利息であり、その利率は年5パーセントである(改正前§404参照)。

〔4〕　債権者がまだ弁済を受けていない残額債務に基づいて契約を解除すると、債権は、すでに弁済を受けた部分についても遡及的に消滅するから、債権者の一部受領は非債弁済となる。民法は、これを悪意の不当利得に準じて償還請求権を認めたのである。

（債権者による債権証書の交付等）

第五百三条

1　代位弁済によって全部の弁済を受けた債権者は、債権に関する証書[1]及び自己の占有する担保物[2]を代位者に交付しなければならない。

§§502〔1〕~〔4〕・503・504

　　2　債権の一部について代位弁済があった場合には、債権者は、債権に関する
　　証書にその代位を記入し、かつ、自己の占有する担保物の保存を代位者に監
　　督させなければならない。
〔原条文〕
　　代位弁済ニ因リテ全部ノ弁済ヲ受ケタル債権者ハ債権ニ関スル証書及ヒ其占有ニ在ル担
　　保物ヲ代位者ニ交付スルコトヲ要ス
　　債権ノ一部ニ付キ代位弁済アリタル場合ニ於テハ債権者ハ債権証書ニ其代位ヲ記入シ且
　　代位者ヲシテ其占有ニ在ル担保物ノ保存ヲ監督セシムルコトヲ要ス

　〔1〕　「債権に関する証書」とは、たとえば、借用証、売買の目的物の受取証など、
債権の存在の証拠となる書類である。原条文が第2項で規定していた「債権証書」よ
りやや広い概念である（§487参照）。
　〔2〕　たとえば、留置権者が留置する物、ある種の先取特権者が占有する物（たと
えば§318参照）、質物などである。

（債権者による担保の喪失等）
第五百四条
　　1　弁済をするについて正当な利益を有する者（以下この項において「代位権
　　者」という。）がある場合において、債権者が故意又は過失によってその担
　　保を喪失し、又は減少させたときは、その代位権者は、代位をするに当たっ
　　て担保の喪失又は減少によって償還を受けることができなくなる限度におい
　　て、その責任を免れる[1]。その代位権者が物上保証人である場合において、
　　その代位権者から担保の目的となっている財産を譲り受けた第三者及びその
　　特定承継人についても、同様とする[2]。
　　2　前項の規定は、債権者が担保を喪失し、又は減少させたことについて取引
　　上の社会通念に照らして合理的な理由があると認められるときは、適用しな
　　い[3]。
〈改正〉　2017年に改正された。「第五百条の規定により代位をすることができる者」を「弁
済をするについて正当な利益を有する者（以下この項において「代位権者」という。）」に、
「その代位をすることができる者は、その」を「その代位権者は、代位をするに当たって担保
の」に、「できなくなった」を「できなくなる」に改め、後段として、「その代位権者が物上
保証人である場合において、その代位権者から担保の目的となっている財産を譲り受けた第
三者及びその特定承継人についても、同様とする。」とした。さらに第2項を加えた。
〔改正の趣旨〕　〔1〕　改正前504条は、債権者の「担保保存義務」を定めた規定であると理
解されているが、法文上は、債権者の義務として規定されていない。そこで、新法は、債権
者は、法定代位をすることができる者のために、その担保を喪失し、または減少させない義
務を前提とした規定を置き、さらに、担保保存義務違反の効果として、代位をすることがで
きる者は、その喪失または減少によって償還を受けることができなくなった限度において、
その責任を免れる旨を定めた。
　〔2〕　代位権者が物上保証人である場合に関する規定である。「同様」の意味については、
物上保証人における免責を援用する趣旨か、それとも第三取得者にも援用権が認められる趣

1047

第3編　第1章　総則　第6節　債権の消滅

旨か、解釈の余地が残されている。なお、解説〔1〕に引用している最判平成3・9・3も参照。

　〔3〕　金融実務においては、銀行は担保保存義務を免れる旨の特約を結ぶことが多いという。解説〔5〕参照。長期的な融資においては、債務者の状況により担保を（一部）解除する場合があるので、その都度担保保存義務違反が問われると融資の円滑が害されるからである。そこで、新法は、最判（最高裁平成7・6・23民集49巻1737頁）などを参考に、「…その担保を喪失し、または減少させたことについて取引上の社会通念に照らして合理的な理由があると認められるときは、」1項の規定を適用しないとして、そのような場合には、法定代位をなしうる者は免責されない旨を明らかにした（解説〔5〕参照）。

[改正前条文]

　　第五百条の規定により代位をすることができる者¹⁾がある場合において、債権者が故意又は過失²⁾によってその担保を喪失し、又は減少させた³⁾ときは、その代位をすることができる者は、その喪失又は減少によって償還を受けることができなくなった限度⁴⁾において、その責任を免れる⁵⁾。

[原条文]

　　第五百条ノ規定ニ依リテ代位ヲ為スヘキ者アル場合ニ於テ債権者カ故意又ハ懈怠ニ因リテ其担保ヲ喪失又ハ減少シタルトキハ代位ヲ為スヘキ者ハ其喪失又ハ減少ニ因リ償還ヲ受クルコト能ハサルニ至リタル限度ニ於テ其責ヲ免ル

[改正前条文の解説]

　本条は、法定代位をすることのできる者を保護するために、債権者に一種の「担保保存義務」を負わせたものである。思うに、質権または抵当権を伴う債務については、比較的に安心して保証人（または連帯債務者・物上保証人）となることができる。なぜならば、その保証人は、たとえみずから弁済しても、債権者に代位してその抵当権または質権によって債務者から確実に求償をすることができるからである。ところが、債権者がその質権または抵当権を任意に放棄することができるとすれば、保証人はこれに代位できないことになり、その期待は裏切られ、不測の損害をこうむることになるであろう。本条は、保証人（他に連帯債務者、物上保証人など）のこの期待を裏切らないように設けられたのである。

　〔1〕　「（改正前）第500条の規定によって代位をすることができる者」とあるが、「弁済をするについて正当な利益を有する者」（改正前§500〔1〕参照）のすべてを指すのではなく、債権者に対して直接に債務を負い（保証人・連帯債務者）、または責任を負担する者（物上保証人・第三取得者）に限る（最判平成3・9・3民集45巻1121頁は、第三取得者について免責の主張を認めた例である）。けだし、これらの者についてだけ免責が問題となりうるからである。

　〔2〕　「故意又は過失」とは、担保を喪失し、または減少させることを知っているか、または過失によって喪失又は減少を生じさせることである。それによって代位権者が償還を受けることができなくなることについての故意・過失は必要ない。

　過失の有無に関して問題となるのは、債権者が抵当権の実行を躊躇する間に目的不動産が値下りした場合である。すでに弁済期がきている債務を理由なく猶予し、抵当権の実行をしなかったことが、当時の取引界の事情より見て不適当な処置と認められる場合にだけ過失があるというべきである。判例は、500円の債権を担保するための

§504〔1〕～〔5〕

抵当家屋がわずか35円になるまで放置し、かつ利息も取り立てなかったので、元利合計がはなはだしく多額になった場合について、懈怠(旧民法以来、過失による不作為を意味した言葉であった。2004年改正により過失と改められた)があると認めた(大判昭和8・9・29民集12巻2443頁)。債権者である銀行が、4800円ほどの根抵当不動産が1600円に低下するまで見送ったとしても、貸出しの中止または貸付限度額の減少をすることは取引の情誼上、また事の行懸り上行いにくかったと認められる場合には、懈怠とはいえないと判示した(大判昭和11・6・9判決全集3輯272頁)。

〔3〕 ここに「担保」とは、特別担保に限る(債務者の総財産に対する一般の先取特権などは除かれる)。譲渡担保も含まれると解される(最判昭和30・9・27民集9巻1435頁)。

したがって、債務者の一般財産を差押えた債権者が差押えを解除しても、保証人の免責は生じない(大判大正元・10・18民録18輯879頁)。ただし、すでに成立した担保だけではなく、担保設定の予約があって、まだ現実に成立していない担保をも含む。したがって、登記済の抵当権の放棄、質物の返還などはもちろんであるが、設定された抵当権につき登記を怠っている間に(§177〔9〕・§373〔3〕参照)、その目的物が第三者に譲渡された場合(大判昭和6・3・16民集10巻157頁、大判昭和16・3・11民集20巻176頁)だけでなく、質権設定の予約があったのに質物の受領を怠り、質権の設定を受けなかった場合(大判昭和8・7・5民集12巻2191頁)も担保の喪失(または減少)に当たる。

〔4〕 免責される「限度」を算定する時期が問題である。

(a) 担保権の減少については、減少した時ではなく、担保権実行の時を標準とする。すなわち、債権者が抵当権の一部を放棄した当時には残りの抵当権で債権全額を十分カバーしたとしても、その後保証債務の履行または抵当権の実行の時に、抵当不動産の値下りのために債権の全額をカバーしなくなれば、その範囲で代位弁済権者は免責される(大判昭和8・9・29民集12巻2443頁、大判昭和11・3・13民集15巻339頁)。

(b) この理論からいえば、担保権の喪失についても、担保権を喪失しなければ実行したであろうと考えられる時期を標準とすべきはずであるが、判例は、喪失の時を標準とするようである(大判昭和6・3・16民集10巻157頁)。認定の困難を避けるためであろうか。

〔5〕 この規定のことを、「法定代位権者のための担保保存義務」の規定と呼ぶ。担保保存義務とはいっても、この義務に違反したことの効果は、保証人や連帯債務者は、〔4〕で定まる限度において、債権者に対する弁済を拒絶することができ、また、物上保証人や第三取得者は、債権者による抵当権の実行に対して、その限度において、異議を述べることができるということである。これらの者は、債権者に対して債務または責任の消滅の確認を求めることもできるとする見解もある。

なお、銀行や金融業者などの債権者が、保証人や物上保証人に、あらかじめこの担保保存義務を免除する特約を結ばせることがままみられる(代位弁済権についての類似の特約に関する改正前§500〔4〕参照)。本条を任意規定とみて、これを有効とする判例もみられるが(大判昭和12・5・15新聞4133号16頁。なお、最判平成7・6・23民集49巻1737頁は、債権者と物上保証人の間の特約の効力を物上保証人からの第三取得者にも及ぼしている)、

1049

第3編　第1章　総則　第6節　債権の消滅

事情によっては、代位弁済の正当な利益を奪うものとして、その効力に疑問を生じることもありうるであろう。

第2款　相　殺

〈改正〉　本款は 2017 年に改正され、具体的には、505 条、509 条、511 条、512 条が改正され、512 条の 2 が新設された。

[相殺の主要改正点]　相殺禁止の意思表示の対抗に関する規定が設けられた(新 505 条 2 項)。不法行為により生じた債権についての基本的な規制は維持したが、実効的な救済を図ればよいとし、ただし書で悪意の不法行為の場合等につき、例外を認めた(新 509 条)。また、差押えの担保的効力に配慮した従来の判例の考え方(無制限説)を明文化した(新 511 条)。差押えまたは債権譲渡と相殺の優劣については、「無制限説(判例)」を明文化した。さらに、相殺の充当に関する詳細な規定を設けた(新 512 条、新 512 条の 2)。

① 本款の内容

相殺(そうさい)は、債務者が弁済をする代わりに、自分が債権者に対して有する債権で、その債務を対当額まで消滅させる行為であり、実際上、きわめて重要な作用を営む制度である。弁済(それに準じる代物弁済、供託)に次ぐ重要な債権消滅原因の一つといえる。

本款の内容は、相殺の基本的要件(§505 I 本文)、相殺の制限(§§505 I ただし書・II [改注]、509 [改注]〜511 [改注])と特例(§§507・508)、相殺の方法(§506 I)と効果(§§506 II・512 [改注]・新 512 の 2)である。

② 相殺を認める理由およびその機能

民法により相殺が認められる理由および相殺がもつ実質上の機能については、かなり大きな問題が存在し、論議されている。

A が B に対して 50 万円の甲債権を有し、B が A に対して 80 万円の乙債権を有するという例で考える(相殺をしようとする者の債権を、後述のように、自働債権といい、相手方の債権を受働債権というが、甲債権も乙債権も、いずれも自働債権となりうる)。

(1) 簡易決済の機能

民法が相殺を認める理由の第 1 は、A と B がそれぞれ別々に請求し、別々に弁済することの不便と無駄を除去することである。B が A に 50 万円を支払い、A が B に 80 万円を支払うのは、無用の手間であり、A が B に 30 万円を支払えば足りるとするのが便利であることは多言を要しない。これを、相殺の「簡易決済の機能」と呼ぶことができる。

民法の規定は、この簡易決済の機能を主として念頭においているものと思われる。この機能において重要なのは、いわゆる「相殺適状」(改正前§505[4])を生じる時期である。相殺適状は、A の債権と B の債権につき、ともに弁済期が到来した時に生じるのであって、相殺の意思表示があれば、相殺適状時に遡って両債権が対当額におい

第2款［解説］①②

て消滅し、A・B両者が相互に弁済し合う無駄を省くことができる。相殺が効力を生じた時（相殺適状の時）以後に登場する第三者は、両債権がすでに消滅したということをいわば既成事実として承認しなければならない。これに対して、相殺適状より前にいずれかの債権と利害関係をもった第三者がある場合に、この第三者とAまたはBが有する相殺に対する期待とのどちらを保護するかは、つぎの(2)以下の問題になる。

(2)　公平の機能

第2に、相殺には、AとBの間の公平を図るという機能があると考えられる。すなわち、AのBに対する請求とBのAに対する請求とをまったく別個のものと考え、それぞれの請求が別々に行われ、その一方だけが実現されるようなことがあれば、不公平な結果を生じることになる。相殺は、この不公平を除去するという意義をもつのである。これを、相殺の「公平の機能」と呼ぶことができる。

(ア)　たとえば、Bが破産したと仮定しよう。Aの相殺を認めないと、Aは、自分の債務80万円は全額において請求されるのに反し、自分の債権50万円は破産債権として配当に加入できるに過ぎなくなり、債権額の何分の一かの弁済しか得られないことになるであろう。このことは、債権の実質的価値はその債権額だけで定まるものではなく、債務者の資力のいかんによって定まるものであることからいえば、一見当然のことのようにもみえる。しかし、A・B相互間において相対立する債権があれば、その対当額において決済可能なものとして信頼し合うものであるから、A・B両当事者間においては、その資力に関係なく、数額の等しいものはこれを等しいとして、対当額で相殺を認めることが公平に適すると考えられる。

(イ)　この公平の機能を、第三者の利益をしりぞけてでも、どこまで尊重するかという問題がある。第三者として、Bの乙債権を差押えたBに対する債権者Cを考えてみる。

Cが差押えた時点において、すでに相殺適状が存在したとすれば、上述のように、すでに簡易決済がすんだものとして、とくに問題は生じない。これに対して、かりに、Aの甲債権についてはすでに弁済期が到来しており、AはいつでもBに対して請求できるのに、Bの乙債権については弁済期が未到来だと仮定する。そうすると、相殺適状はまだ成立していないので、AはCに対して相殺を主張できないことになる。しかし、これでは、Aは債務を弁済させられるのに、債権は実現できないという結果を生じ、いかにも公平に反すると考えられる。しかも、Bの債権はAにとっての債務であって、その弁済期という期限の利益は通常はAのためにあり、それがかえってAに不利に働くのはおかしいと考えられる。

判例は、かつては、Aが、Cによる差押えの前に、Bに対する債務につき期限の利益を放棄する意思表示をしていれば、相殺できるとしていたが（大判大正元・11・8民録18輯951頁など。これは、すでに簡易決済の論理からいって当然のことである）、その後、Aは期限の利益を放棄しうる場合であれば、（その意思表示をしていなくても）相殺による乙債権の消滅をCに対して主張できるとした（大判昭和8・5・30民集12巻1381頁、最判昭和32・7・19民集11巻1297頁。とくに、後者は、相殺適状はCの差押えの後にくるのでもよいとしている点が注目される。もしそれを認めると、つぎの債権担保の機能に一歩踏み出すこと

1051

第3編　第1章　総則　第6節　債権の消滅

になるからである）。これは、相殺に公平の機能を与えるものとして、きわめて妥当な
解釈であると考えられる。

(ウ)　しかし、この公平の機能には、その公平という趣旨そのものからくる限界があ
る。

同一の当事者間における数額の等しい債権・債務を等価値として取り扱うことは、
たとえば、破綻しそうなBに対して債務を負うAが、ほとんど無価値になったBに
対する債権を買い集めて対当額で相殺するような場合には、かえって不公平な結果を
導く。これは、債務者Bがすでに資力が乏しくなり、債権の実質的価値が下がった
後にこれを譲り受けた者に、その数額どおりの効力を認めることから生じる不公平で
あって、相殺制度が妥当性を有するとされる範囲を逸脱するものである。破産法
71・72条、会社更生法49・49の2条、民事再生法93・93の2条は、まさにこの結
果を防止しようとするものである。改正前505条の解説【4】(ア)(m)も参照。

なお、請負人である破産者の支払の停止の前に締結された請負契約に基づく注文者
の破産者に対する違約金債権の取得が、破産法72条2項2号の「前に生じた原因」
に基づく場合に当たり、当該違約金債権を自働債権とする相殺が許されるとされた判
例(最判令和2・9・8民集74巻1643頁)がある。

(3)　債権担保の機能

さらに、相殺に債権担保の機能を認めることが適切であるかが問題とされる。

上例において、Aの債権は、AがB銀行に有する50万円の預金債権であり、これ
に対して、Bの債権は、B銀行がAへ80万円を貸付けたことによる貸付債権である
という具体例で考えると、理解しやすい。B銀行は、Aの預金債権を自己の貸付債権
のための担保とするという目的を相殺制度を利用することによって達することができ
るか。もし、これを認めると、相殺は、「債権担保の機能」を有するということにな
る。

(ア)　そのさい、注意するべきことは、上記の(1)と(2)の機能によっても、AまたはB
は、その債権につき安全確実かつ簡易な弁済を受けられるという利益を享受している
ということである。しかし、これをもって、債権担保というのは当たらない。債権担
保とは、あくまで厳格な意味においてとらえるべきである。すなわち、債権担保とは、
上例でいえば、B銀行が、その貸付債権の実現をより確実にするために、Aの預金債
権に対する優先的、排他的な権利をもつことをいうと理解したうえ、検討することが
必要である。

(イ)　上の事例において、B銀行がAに貸付けを行うに当たり、Aの預金債権を担
保にとりたいと考えた場合に、B銀行が用いることができる民法上の手段としては、
364条による指名債権質がある。

当該の質入債権がB銀行自身を債務者とする点に奇異な感じがあるが、指名債権
を1個の客観的な財貨と考えれば(第4節解説[2]参照)、これを認めるのは当然である
(大判昭和11・2・25新聞3959号12頁はこれを認める)。質権設定の対抗要件(改正前§364
[3]参照)としては、AからB銀行(みずからが質入債権の債務者である)への通知、または
B銀行(質入債権の債務者)からB銀行(質権取得者)自身への承諾が行われるという形に

なる。もちろん、確定日付を備える必要がある。

これだけの担保設定の手順を踏めば、B銀行は、指名債権質権者として、Aの預金債権に対する拘束力を取得し、これについての他者への譲渡・質入れを禁じ、他の取引関係者を排除して、優先弁済権を行使することができることになる（改正前§364[5]参照）。

なお、実務上多く行われる債権の譲渡担保の手段は、債務者自身が有する債権が対象である限りは（物上保証でも同様だが）、債権が混同により消滅してしまうので、不可能であると考えられる。

(ウ) B銀行が、(イ)の手段をとらないで、相殺という手段によって、それと同じ目的と効果を達することが認められるか。これが、相殺の債権担保機能の問題である。

問題は、いうまでもなく、第三者との間に生じる。第三者としては、いちおう、預金債権を差押さえた債権者C、これを譲り受けた者D、これにつき質権を取得したEを考えてみる。これらの者が対抗要件を備えるより以前に、B銀行が質権を取得し、(イ)の対抗要件を備えていれば、なにも問題はないのであるが、(イ)の手段を講じることなしに、B銀行は、相殺によって担保の目的を達することができるか、すなわち、Aに対する貸付債権につき、その本来の弁済期までに生じる一切の第三者を排除して、弁済期が到来した時に、未弁済の元本および利息と相殺することにより、Aの預金債権からの優先的な回収を図ることができるか。これが問題なのである。

もし、貸付債権の弁済期が、第三者の登場以前に到来していれば、(1)および(2)の問題として、B銀行の相殺が第三者に優先することは問題ない。受働債権すなわち預金債権の弁済期が未到来であっても、その点は(2)の論理によって解決できる。問題は、自働債権すなわち貸付債権の弁済期が未到来で、相殺適状がまだ生じていない場合である。この場合でも、B銀行が、CやDやEに優先し、相殺を主張できるとすれば、相殺に債権担保の機能を認めたことになる。

約言すれば、相殺適状の成否にかかわりなく、すなわち、自働および受働債権の弁済期の到来・未到来にかかわりなく、それ以前に登場するC、D、Eなどの第三者に対して、B銀行は相殺を主張できるかが、問題である。このことにつき、種々の論議と曲折はあったが、判例（最大判昭和45・6・24民集24巻587頁。ただし、この判例は、改正前§511の反対解釈という論拠を用いるので、差押え権者Cとの関係にとどまる。また、判文からは相殺適状との関係についての考え方は不明確である）および多数の学説は、これを承認する（改正前§511[4]参照）。これに対して、これを無制限に認めることに疑問をもち、一定の合理性が存在する場合に限って認める見解、相殺の主張が権利濫用になる場合や信義則に反する場合があることを認める見解、相殺の機能を(1)と(2)にとどめるべきだとする見解などがみられる。とりわけ、従来は差押え債権者Cとの関係が主に論じられ、債権譲受人D（受働債権の譲渡人に対する相殺を認めた最判昭和50・12・8民集29巻1864頁があるが、判旨は明確でない。なお、改正前§468[10]参照）、債権質権者Eとの関係については、問題が残されていると思われる（銀行における預金債権については、通常は譲渡・質入れが禁じられているので、問題が顕在化しなかったといえようか）。

1053

第3編　第1章　総則　第6節　債権の消滅

③　相殺に関する契約

(1)　相殺は、当事者の合意によって行うこともできる。

この合意による相殺に対して、民法の規定に従う相殺を「法定相殺」と呼ぶことがある。しかし、民法の定める要件が存する場合に、その定める方法により相殺を行い、その結果、民法が定めるとおりの効果を生じることは、当然であって、この言葉が意味するのは、「法定の要件・効果に従う相殺」ということに過ぎない。

民法の定めと同一の内容の相殺を、当事者が合意によって定めても、それはとくに意味をもたない。民法と異なる内容が定められたときに、あるいは、合意の内容に民法と異なる部分があるときに、はじめて、相殺に関する契約として、その効力が問題になる。

(2)　相殺契約

契約自由の原則によって、相殺は、原則として、契約によってもなされると解される。これを「相殺契約」という。交互計算契約(商§§529～)、手形交換制度、いわゆる総合預金口座(その普通預金の部分の残額が零であっても、定期預金の部分の一定の割合における貸越しに当たる払戻しを自動的に認めるもの)などは、その発展した形態といってよい重要な制度である。

しかし、相殺契約が自由であるといっても、債権が独立の財産的価値をもつ財貨としての機能をもつようになっているので、これをめぐる法律関係については、債権取引の安全を図ることが重要な要請となる。したがって、その観点からする相殺契約の効力の検討がなされなければならない。

(ｱ)　本来の相殺契約は、相対立する債権を、関係者の合意によって、直ちに消滅させるものをいう。そのような合意も、第三者の利益を害しない限り、効力を生じるといってよい。たとえば、Aの甲債権とBの乙債権のどちらも弁済期が未到来であっても、第三者に影響がなければ、AとBの合意によって対当額で消滅させることには、なにも問題はないであろう。

民法その他が相殺を認めない事由、すなわち相殺禁止を定めている場合には、その相殺禁止の性質によって、相殺契約が有効かどうかを判断すべきである(改正前§505〔4〕(ｲ)参照)。

(ｲ)　AがBに対して有する甲債権、BがCに対して有する丙債権、CがAに対して有する丁債権が存する場合に、A・B・C三者の合意によって三つの債権を消滅させることも認めて差し支えない。また、AのBに対する甲債権とBのAに対する乙債権の債権額が多少異なる場合に、両債権をすべて消滅させる合意も、相殺の概念に含めて考え、原則として有効としてよいであろう。債権の財貨としての価値は、債権額とは異なることがありうるからである(双方の額が大きく異なる場合は、差額の部分は免除と考えた方がよい場合もあろう)。

これに対して、AのBに対する甲債権とBのCに対する丙債権をA・B・C三者の合意で消滅させたり(大判大正6・5・19民録23輯885頁は、これも相殺契約という。この例は、第三者弁済の問題と関連する。改正前§474〔2〕(1)参照)、AのBに対する甲債権とCのDに対する戊債権をA・B・C・D四者の合意によって消滅させたり、同種の目的

を有するものではない債権（AのBに対する労務提供を求める債権とBのAに対する動産引渡し債権と）を消滅させたりすることは、もちろん合意によって可能であるが、これらを相殺の概念に含めることは適当ではないであろう。

(ウ)　相殺契約が第三者の利益を害するときは、当然その効力を制限する必要がある。たとえば、対立するA・Bの甲・乙両債権において、Bの乙債権に質権が設定されているときは、民法上可能な場合は別として、そうでない限り、合意によっても相殺により債権を消滅させることはできない。たとえば、(ア)に挙げた両債権の弁済期未到来の場合も、第三者を無視して相殺できないのは当然である。また、質権者に優先する相殺適状が存するとしても、(イ)前段で述べたような、たとえば、Aの債権は80万円、Bの債権は100万円として、両者を相殺する合意をしても、Bの乙債権に対する質権者に対しては、20万円の消滅は主張できないことになろう。

(3)　相殺の予約など

直ちに相殺の効力を生じさせるのではなく、相殺に関するあらかじめの合意をしておくことがある。これには、予約完結の意思表示によって効力を生じる「相殺の予約」と、一定の事由を条件とする「停止条件付相殺契約」とがあると考えられる。

(ア)　これについても、基本的には、(2)に述べたことが当てはまる。すなわち、合意による相殺は自由であるが、第三者の利益を害することはできないなど、一定の制約を受けることは当然である。

(イ)　相殺契約と違うのは、その効力の発生の仕方である。

相殺の予約においては、予約完結の権利を生じる要件が成立したときに、予約完結権を有する当事者（一方の予約と双方の予約で異なるが、元来両者の対等性を前提とする相殺の趣旨からすると、原則として双方の予約であるとするのが妥当である）が予約完結の意思表示をしたときに効力を生じる（§556参照）。停止条件付相殺契約の場合には、履行遅滞など一定の条件が成就したときに当然に効力を生じる（§127 I参照）。

このように、相殺の効力を生じさせる仕方が、民法が定める相殺の方法（§506。すなわち、相殺の意思表示とその遡及効）と異なる点はあるが、第三者の利益を害しない限り、これで差し支えはないと考えられる。

(ウ)　ただし、上述の債権担保の機能との関係で、つぎのことを付言しておく必要がある。

相殺の債権担保の機能の問題は、銀行などが、特約において（「銀行取引約定書」など）、無制限的な相殺予約の条項を定めたことに端を発している。そのことからすれば、相殺に関する契約が、民法の規定との関係において、どのように効力を認められるか、という観点からの検討が必要である。ところが、判例は、この問題を511条[改注]の反対解釈という観点から取り上げ、契約自由の原則により原則として自由であると論じたので（改正前§511〔4〕参照）、その結果、民法上の相殺適状などの他の要件との関係が十分吟味されていないきらいがある。

その問題の一つであるが、相殺予約として論じられているもののなかには、たとえば、第三者による受働債権に対する差押えがあれば、自働債権についても期限の利益が失われ、直ちに相殺適状を生じることをその実質的な内容としていると考えられる

第3編　第1章　総則　第6節　債権の消滅

ものが多い。現在標準的判決とされている最大判昭和45・6・24(民集24巻587頁)も、そのような把握をしている。もしそうであれば、その期限の利益の喪失の約定の有効性は別の問題となりうるとしても、相殺適状に関しては、上述②(2)の公平の機能で理解すれば足り、債権担保の機能を問題にする必要はないことになる(その繰り上げられた相殺適状以後の利息は生じないことに注意)。

④　訴訟上の問題

訴訟上の相手方甲の弁済請求に対して、乙がその訴訟のなかで自己の反対債権によって相殺の抗弁をすることはしばしばありうる。甲の債権(受働債権)が訴訟物となっているときの相殺の抗弁は、甲の訴えによる訴訟において主張すべきであり、別訴を提起して主張することは重複起訴(民訴§142)になる(最判平成3・12・17民集45巻1435頁)。しかし、乙が甲に対する反訴を提起して自動債権を主張している場合に、相殺の抗弁を主張することは重複起訴にはならない(最判平成18・4・14民集60巻1497頁。もし抗弁が認められたら、乙の反訴は予備的反訴であったということになるとされる)。本訴と反訴を分離してしまうと、審理の重複や判決の矛盾抵触が生じる恐れがあるので、これを回避するための配慮がうかがわれる。なお、請負契約に基づく請負代金債権と同契約の目的物の瑕疵修補に代わる損害賠償債権の一方を本訴請求債権とし、他方を反訴請求債権とする本訴及び反訴が係属中に、本訴原告が、反訴において、当該本訴請求債権を自動債権とし、反訴請求債権を受働債権とする相殺の抗弁を主張することは許される(最判令和2・9・11民集74巻1693頁)。

また、本訴請求権が時効消滅したと判断されることを条件とする、反訴における当該債権を自動債権とする相殺の抗弁は許されると解されている(最判平成27・12・14民集69巻2295頁)。

（相殺の要件等）
第五百五条

1　二人が互いに[1)]同種の目的を有する債務[2)]を負担する場合において、双方の債務が弁済期にあるとき[3)4)]は、各債務者は、その対当額[5)]について相殺によってその債務を免れることができる[6)]。ただし、債務の性質がこれを許さないときは、この限りでない[7)]。

2　前項の規定にかかわらず、当事者が相殺を禁止し、又は制限する旨の意思表示をした場合には、その意思表示は、第三者がこれを知り、又は重大な過失によって知らなかったときに限り、その第三者に対抗することができる[11)]。

〈改正〉　2017年に改正された。附則（相殺に関する経過措置）第二十六条1　施行日前にされた旧法第五百五条第二項に規定する意思表示については、なお従前の例による。

[改正の趣旨]　[1]　本条第1項は改正されず、「二人が互いに」をめぐる問題は、新法下においても解釈に任されている。なお、改正前法に関する通説によれば、第三者が悪意のみならず重過失である場合にも相殺禁止の合意をこの者に対抗できるとされている（債権譲渡禁止特約についての改正前466条2項をめぐる議論につき、同条の解説[4]も参照）。2項は、この旨を条文上明確にした。また、「第三者の主観」の立証責任については、相殺禁止の合意

の対抗を争う第三者が「善意」を立証すべきか、相殺禁止の合意の第三者への対抗を主張する債務者等が「悪意（重過失）」を立証すべきか、多様な考え方があり得るが、新法は、相殺禁止の合意を対抗する債務者等に、第三者の悪意・重過失の立証責任がある旨を規定ぶりにより明確化した。債権の譲受人や債務の引受人は「第三者」に該当する。本項は趣旨において、新466条3項に類似する。

[改正前条文]

1 　同上
2 　前項の規定は、当事者が反対の意思を表示した場合[8]には、適用しない。ただし、その意思表示は、善意の第三者に対抗することができない[9]。

[原条文]

　二人互ニ同種ノ目的ヲ有スル債務ヲ負担スル場合ニ於テ双方ノ債務カ弁済期ニ在ルトキハ各債務者ハ其対当額ニ付キ相殺ニ因リテ其債務ヲ免ルルコトヲ得但債務ノ性質カ之ヲ許ササルトキハ此限ニ在ラス

　前項ノ規定ハ当事者カ反対ノ意思ヲ表示シタル場合ニハ之ヲ適用セス但其意思表示ハ之ヲ以テ善意ノ第三者ニ対抗スルコトヲ得ス

[改正前条文の解説]

〔1〕　二人が互いに債務を負担していること、換言すれば「債権の対立」があることが、相殺の要件の第1である。相殺をしようとする者Aの債権を「自働債権」（「反対債権」という用語が用いられることもある）、相殺される者Bの債権を「受働債権」という。

(1)　自働債権は、相殺をするA自身が被相殺者Bに対して有する債権であることを原則とする。ただし、Aが連帯債務（改正前§436）、または保証債務（§457Ⅱ［改注]）を負担する場合には、第三者がBに対して有する債権をもって相殺できること（つまり他人の債権で相殺する）、また、連帯債務（§443Ⅰ［改注]）、保証債務（§463Ⅰ［改注]）、債権譲渡（§468Ⅱ［改注]）などにおける一定の場合においては、被相殺者B以外の者に対する債権をもって相殺できること（つまり他人に対する債権で相殺する）について、特例が生じうる（その場合の相殺の意思表示の相手方について、§506〔1〕参照）。

(2)　受働債権は、被相殺者Bが相殺者Aに対して有する債権である。Aは、自分がBに対して有する債権をもって、Bが第三者に対して有する債権との間で相殺することはできない。たとえば、抵当不動産の第三取得者Aは、自分が抵当権者Bに対して有する債権をもって、Bが債務者Cに対して有する債権と相殺することは、抵当債務を引受ければ別であるが、そうでない限り（第4節後注[1]参照）、許されないとされる（大判昭和8・12・5民集12巻2818頁）。これは、BのCに対する債権について、Aは原則として第三者弁済ができる（§474［改注]）こととの関連において問題になるところであり（改正前§474〔2〕(1)参照）、異論もあるが、妥当であろう（個々の債権債務には、利息、弁済期、その他その債務を成立させている契約をめぐる都合などの事情が存する。相殺がこれらを無視して双方の消滅を認めるのは、AとBの債権の対立を根拠とする公平の趣旨からであって、この債権の対立という要件は厳格に解するのが妥当である）。

担保不動産収益執行（第2編解説[5](3)参照）が行われた場合、賃料などの収益にかかる給付を求める権利は、手続開始決定後に発生するものも所有者に属し（管理人は単にそ

第3編　第1章　総則　第6節　債権の消滅

の権利を行使する権利を有するにすぎない）、賃借人は、所有者＝賃貸人に対する保証金
返還請求権を自働債権とし、賃料債権を受働債権として相殺できるとされた（最判平成
21・7・3民集63巻1047頁）。

　(3)　ある組合がAに対して有する債権と、Aが組合員Bに対して有する債権とは、
一見債権の対立があるようにみえるが、実質的にはそうではないから、相殺は認められ
れない（改正前§677）。

　(4)　相殺の両当事者に関して、債権の準占有者に関する改正前478条が類推適用さ
れるかが問題とされている（改正前§478(2)(a)参照）。AのBに対する債権が存在すると
きに、BがCを誤ってAと思ってこれに貸付けを行った場合に、後者の債権をAに
対する債権とみて、相殺を認めてよいかという問題である。相殺では、形式的な明確
性を尊重すべきであるから、改正前478条の類推適用を認めるのは疑問だが、判例は
これを認める（最判昭和59・2・23民集38巻445頁。Cへ貸付けた時点で相当の注意を払って
いれば、相殺の時点ではCとAが同一人でないことを知っていてもよいとする）。

　(5)　一方の債権が無効または不存在であれば、相殺が効力を生じないのは当然であ
る（大判大正2・3・27民録19輯173頁は、利息制限法の制限超過利息に関する）。

　〔2〕　両債権が同種の目的を有することが、相殺の要件の第2である。したがって、
相殺が利用されるのは、金銭債権について最も多く、種類債権がこれに次ぐ。特定物
を目的とする債権については、両債権が同一物を目的とするという稀な場合にだけ利
用されることがありうるにすぎない。

　〔3〕　両債権が弁済期にあることが、相殺の要件の第3である。しかし、自働債権
（〔1〕の例ではAの債権）の弁済期がきていなければ相殺できないのはもちろんであるが、
受働債権（すなわち、Aの債務）は、相殺をしようとする者Aがその期限の利益を放棄
できる限り（§136(2)参照）、実際に放棄の意思表示をしていなくても、相殺ができる
と解されている。これは、相殺に公平の機能を与える重要な論点である（本款解説[2](2)
参照）。ただし、すでに弁済期にある自働債権と弁済期の定めのある受働債権とが相
殺適状にあるというためには、受働債権につき、期限の利益を放棄することができる
というだけではなく、期限の利益の放棄または喪失等により、その弁済期が現実に到
来していることを要する（最判平成25・2・28民集67巻343頁）。

　なお、弁済期の定めのない消費貸借上の債権は、591条［改注］の規定にもかかわ
らず、成立の時から相殺可能とされている（大判昭和17・11・19民集21巻1075頁）。

　両債権が弁済期にある状態がいったん成立しても、その後にその一方について弁済
期の猶予がなされたときは、その猶予された弁済期が到来するまでは相殺適状にはな
らないと解される。旧和議法（現民事再生法）による和議において、和議債権の弁済期
が猶予された事例について相殺権を否定した判決があるが（大判昭和10・1・16民集14
巻21頁）、上の意味において妥当と考えられる。

　〔4〕　以上の〔1〕・〔2〕・〔3〕に述べた要件が備れば、原則として相殺をすること
ができる。この状態のことを「相殺適状」と称する（ときには、以下に述べる相殺を妨げ
る事由が存在しないことをも含めて「相殺適状」と呼ぶこともある）。

　(ア)　この3個の要件を具備したにもかかわらず、相殺が許されない例外が多い。こ

§505〔2〕～〔4〕

れを「相殺禁止」と称する。「相殺障害」と呼ばれる場合もある。

法律の明文による例外としては、(a)～(g)のようなものがある。

(a) 債務の性質が相殺を許さない場合（〔7〕参照）

(b) 相殺禁止の特約がある場合（〔8〕参照）

(c) 受働債権が不法行為によって生じた場合（§509 ［改注］）

(d) 受働債権が差押えを禁止されている場合（§510）

(e) 受働債権が支払の差止めを受けている場合（§511 ［改注］）

(f) 受働債権が株式払込み請求権である場合（商旧§200 Ⅱ→会社§208 Ⅲ、旧有§57）
　これは、会社における資本充実の原則の要請によるものである。

(g) 受働債権が賃金債権である場合
　労働基準法17条は、前借金その他の前貸し債権と賃金債権の相殺を禁止して
いるが、さらに判例は、直接・全額支払の原則を定める同法24条を根拠として、
賃金債権と労働者の債務不履行、不法行為を原因とする損害賠償請求権との相殺
を否定している（最判昭和31・11・2民集10巻1413頁、最大判昭和36・5・31民集15巻
1482頁）。ただし、労働者の生活の安定をおびやかすおそれのない場合に、例外
的に認められる場合もある（最判昭和44・12・18民集23巻2495頁、最判昭和45・10・
30民集24巻1693頁。最判平成3・11・26判時1392号149頁は、労働者の自由意思を前提
にした相殺予約を認めた例である）。なお、給料の3分の1を超えない額について、
船員の犯罪行為による損害賠償請求権との相殺を認める船員法35条ただし書を
参照。

これ以外にも、つぎの諸場合に解釈上相殺が許されないとされる。

(h) 自働債権に抗弁権が付着するとき、たとえば、自働債権が保証人に対する債
権であるため、相手方に催告および検索の抗弁権があるとき（§§452・453。最判昭
和32・2・22民集11巻350頁）、または売買代金であるため相手方に同時履行の抗
弁権があるとき（§533。大判昭和13・3・1民集17巻318頁）などである。もし、相殺
を認めると、相手方からこれらの抗弁権を奪うことになるからである。ただし、
両債務が同一の双務契約から生じ、相互に同時履行関係にある場合には、上記の
ことに該当しないのは当然である（最判昭和51・3・4民集30巻48頁）。

(i) 差押えられた債権を自働債権として相殺をしても、これをもって差押え債権
者に対抗できない。このような債権を相殺の用に供することは、あたかもその弁
済を受けることと同視されるからである（§481 ［改注］ 参照）。

(j) 自働債権に質権が設定されたときは、これをもって相殺の用に供することは
できない。質権は、設定者に対しその目的物の価値を破壊する行為をすることを
禁止する効力を有すると解するべきだからである（改正前§364〔5〕参照）。

(k) 質権が設定された債権を受働債権として相殺をする――たとえば、AのB
に対する債権の上にCが質権を有する場合にBがAに対して有する債権を自働
債権とし、Aの債権を受働債権として相殺をする――ことは、(e)と同様に許さ
れないと解するべきである。けだし、債権の質入れは、その債権の債務者に対し
てもこれを消滅させる権能を奪うことは、あたかもその債権が差押えられた場合

1059

第3編　第1章　総則　第6節　債権の消滅

と同様だからである(§511［改注］・改正前§364⑸参照)。

　これと類似の趣旨で、仮登記担保権者の清算金支払義務(第2編第10章後注⑩(b)(e))について、後順位担保権者がいるときは、これによる一定の拘束を受けるので、相殺に供することはできないと解されている(最判昭和50・9・9民集29巻1249頁。仮登記担保法制定前の事例である)。

(1)　訴訟との関係で、別訴において訴訟物となっている債権を自働債権とする相殺は、既判力をめぐる矛盾を生じるおそれがあることを理由として、認められないと解されている(最判昭和63・3・15民集42巻170頁、最判平成3・12・17民集45巻1435頁)。

(m)　一方の債権者に破産、会社更生、民事再生などの事由が生じたときは、一定の場合について相殺が禁止される(破§§71・72、会社更生§§49・49の2、民再§§93・93の2、本款解説②(2)(ウ)参照)。民事再生法93条に関して、再生債務者が支払の停止の前に再生債権者から購入した投資信託受益権に係る再生債権者の再生債務者に対する解約金の支払債務の負担が、同条2項2号にいう「前に生じた原因」に基づく場合に当たらず、上記支払債務に係る債権を受働債権とする相殺が許されないとされた判例がある(最判平成26・6・5民集68巻462頁)。また、同法92条に関して、再生債務者に対して債務を負担する者が自らと完全親会社を同じくする他の株式会社が有する再生債権を自働債権としてする相殺は、民事再生法92条1項によりすることができる相殺に該当しないとした判例がある(最判平成28・7・8民集70巻1611頁)。同項は、相殺の禁止を定めたものではないが、相互性を欠く相殺も合意に基づけば認められるとすれば、同項の存在意義を否定することになりかねず、相殺禁止規定に反してなされた相殺は合意に基づいても無効であることとのバランスをも考慮すれば、合意に基づくものでも相互性を欠く相殺は認められないと解すべきだからであろう。

　なお、以上のほかにも、債権がまだ十分に現実性を備えず、これを相手方のすでに現実性を有する債権との相殺を認めることが適切でないと認められる例がある。消費貸借予約上の債権(改正前§589参照。大判大正2・6・19民録19輯458頁)、保証人の主たる債務者に対する事前求償権(§460［改注］。大判昭和15・11・26民集19巻2088頁)、受任者が委任者に対して有する代弁済請求権(§650Ⅱ。最判昭和47・12・22民集26巻1991頁)などである。

　AがB銀行に預託した手形不渡異議申立預託金返還請求権を受働債権とすることを認めた判例があるが(最判昭和45・6・18民集24巻527頁)、相殺の債権担保の機能に関連して(§511⑷)、疑問である(銀行業務上負うこの種の債務から優先弁済を受けようとするのは、妥当でない)。類似の事例で、手形買戻し請求権を自働債権とする相殺が認められているが(最判昭和51・11・25民集30巻939頁)、第三者による受働債権の差押えの申請時を相殺適状の基準としている。

(イ)　相殺契約(本款解説③(2)参照)において、これらの相殺禁止の存在がどう影響するかは、事由ごとに検討する必要がある。相殺の当事者の合意を尊重する趣旨や一方を保護する趣旨で設けられている相殺禁止((ア)(a)・(b)・(c)・(d)・(h)。ただし、(g)は、それ以上

§§505〔5〕～〔9〕・506

に強く労働賃金を保護する趣旨なので、労働者が同意しても相殺は認められないと解される）は、その相殺契約の効力を妨げないと解してよい（場合によっては公序良俗に反するとして許されない場合もあろう。労働者が過失で使用者に損害を与えた場合に、賃金債権を相殺するなどはこの意味でも許されない）。それに対して、利害が当事者にとどまらず、第三者を保護する趣旨の相殺禁止の場合には（（ア）(e)・(f)・(i)・(j)・(k)）、その相殺契約による債権の消滅を第三者に対しては主張できないと考えることになろう（たとえば、Aの債権が差押えを受けた債権である場合、A・B間の相殺契約があっても、Bは差押債権者への弁済を拒めない。§481〔改注〕参照）。

〔5〕 「対当額」とは、自働債権が50万円、受働債権が80万円とすれば、双方の50万円と50万円とが対当額となり、相殺によって消滅し、受働債権は30万円だけ残るということである。そして、そのことは、相殺においては、両債権が額面通りの価値を認められることを意味する。すなわち、たとえ自働債権が債務者の破産によって実際は10万円の価値しかないとしても、額面通り50万円として相殺できるのである（本款解説②(2)参照）。

〔6〕 相殺適状が生じれば、当然に債務が消滅するのではなく、「相殺によって」、すなわち、相殺の行為をすることによってはじめて債務を免れる。その方法については、506条参照。

相殺によって消滅する債権額は、もちろん相殺適状（〔4〕参照）の時を基準とする（最判昭和54・3・20判時927号186頁）。

〔7〕 相互に現実の履行をしなければ債権存在の目的を達することができない債務である。互いに競業をしないという不作為債務、収穫時期に相互に協力するという作為債務などがその例である。

〔8〕 反対の意思表示、すなわち相殺禁止の意思表示（相殺禁止の特約ともいう）は、債権者・債務者間の契約であるのが普通であるが、単独行為で成立する債権については、その単独行為によって相殺禁止の債権を成立させることができる。この相殺禁止の意思表示の効力は相対的である（〔9〕参照）。

〔9〕 たとえば、AのBに対する50万円の債権について相殺禁止の特約があれば、A・Bともにこれを相殺によって消滅させることはできないが、Aから善意でその債権を譲り受けたCは、これを相殺に供して、自分のBに対する債務を免れることはできるし、また、Bのその債務を善意で引受けたDは、自分のAに対する債権と相殺してその50万円の債務を消滅させることができる。債権を成立させる当事者の意思と、債権の融通性との調和を図ったものである。

（相殺の方法及び効力）
第五百六条

　1　相殺は、当事者の一方から相手方に対する意思表示によってする[1]。この場合において、その意思表示には、条件又は期限を付することができない[2]。

　2　前項の意思表示は、双方の債務が互いに相殺に適するようになった時にさかのぼってその効力を生ずる[3]。

第3編　第1章　総則　第6節　債権の消滅

［原条文］

　　相殺ハ当事者ノ一方ヨリ其相手方ニ対スル意思表示ニ依リテ之ヲ為ス但其意思表示ニハ
条件又ハ期限ヲ附スルコトヲ得ス
　　前項ノ意思表示ハ双方ノ債務カ互ニ相殺ヲ為スニ適シタル始ニ遡リテ其効力ヲ生ス

　〔1〕　相殺は、当事者の一方からその相手方に対する意思表示によって行われる。
すなわち、単独行為である。立法例としては、相殺の効力が法律上当然に生じるとす
るもの（フランス民法）もあるが、このような主義をとると、往々にして当事者の意思
に反する結果となることがあるので、わが民法はこれを採用しなかった。

　意思表示の相手方について、判例は、AのBに対する債権をCが代位行使してい
るときは、BはCに対して相殺の意思表示をするべきものとし（大判昭和11・3・23民
集15巻551頁）、Aの債権につきCが転付命令を得たときは、BはCに対してするべ
きであり（最判昭和32・7・19民集11巻1297頁）、Cが取立命令を得たにとどまるときに
も、BはCに対してすればよいとする（最判昭和39・10・27民集18巻1801頁）。いずれ
の場合にも、A・B間で対立する両債権が消滅するのだから、Aに対して意思表示を
するべきであり、Cにこの旨を通知するものと解するべきであろう。なお、Cから請
求されて、Bが相殺の抗弁をするという形で相殺の意思表示をする場合もありうる。

　相殺は、契約（相殺契約）によっても目的を達することができる（本款解説3(2)参照）。
なお、この場合に、必ずしも民法上の制限に服しないことについて、改正前505条
〔4〕(イ)参照。

　〔2〕　相殺に条件を付けることは、一方的意思表示によって相手方を不確定な関係
に陥れ、いちじるしく相手方の利益を害するからである。また、相殺は遡及効を生じ
るのであるから（本条Ⅱ）、期限を付することは、無意味である。

　〔3〕　相殺に遡及効を認めたものである。

　(1)　思うに、相殺適状にある債権を有する者は、債務関係は決済したように考える
のが一般であるから、実際に相殺をした時期がその後であっても、相殺の効果を相殺
適状を生じた時に遡らせることが、この信頼を保護し、かつ、相殺の理想である当事
者間の公平を徹底させるゆえんだからである。その結果として、相殺適状以後におい
ては利息を生じなかったことになる。たとえば、80万円の受働債権が利息付である
場合にも、50万円の自働債権で相殺すれば、自働債権の弁済期がきて、相殺適状が
生じた以後は、残額の30万円についてだけ利息を生ずる。また、相殺適状が生じる
（自働債権の弁済期がくる）以前に受働債権について生じていた履行遅滞は消滅しないが、
それ以後の履行遅滞は消滅する。たとえば、AのBに対する50万円の債権の履行期
（たとえば4月1日）がきて履行遅滞が生じていた（遅延利息が生じ、また催告して解除するこ
とも可能、§541［改注］参照）としても、その後、BのAに対する80万円の債権の履行
期（5月1日）がきて、相殺適状が生じ、その後（6月1日）に、Bが相殺の意思表示をし
たとすれば、5月1日以後は遅延利息は生じないし、Aがたとえば5月25日に10日
の期限を定めて行った解除の催告も、その効力を失う。

　(2)　しかし、相殺の遡及効も、相殺がなされる前に法律関係の変更を生じたときは、

その状態をくつがえす効力を有するものではない(消滅時効の完成については、§508参照)。

　　(a)　たとえば、相殺適状が生じた後に、一方の債務について更改、相殺、契約の解除などが行われたとき(上の例で5月中に有効に解除が行われた場合)、または一方の債権が弁済されたときなどにおいては、相殺によってこの更改、相殺、解除を無効ならしめ、または弁済を非債弁済であり、効力を生じないとすることはない。判例は、相殺(最判昭和54・7・10民集33巻533頁)、解除(最判昭和32・3・8民集11巻513頁。ただし、信義則に反するとして解除を認めなかった最判昭和39・7・28民集18巻1220頁がある)、弁済(大判大正4・4・1民録21輯418頁)について、このことを認めている。

　　(b)　相殺適状にある債権について、その存在を前提として和解契約が結ばれたときは、その後に相殺の意思表示をしてその債権を遡って消滅させることは認められないと考えてよいであろう(債権の存在や相殺適状を知らなかったことによる錯誤の問題があれば、別として)。

　　(c)　一方の債務者について破産、会社更生、民事再生などの手続が開始した場合については、それぞれの法律において相殺権がどうなるかについての規定がある(破産においては、相殺権は認められる。破§67。会社更生、民事再生においては、債権届出期間までの相殺権行使が認められる。会更§48、民再§92。一定の場合には相殺禁止が定められていることについて、改正前§505(4)(m)参照。なお、民事再生法の前身である旧和議法において、相殺権を認める旧破産法を準用する規定があることを根拠にして、相殺とその遡及効を認めた最判平成11・3・9民集53巻420頁がある)。

　　(d)　ただし、訴訟において、口頭弁論終結以前に相殺適状があれば、確定判決後に相殺の意思表示がなされた場合でも、請求異議の訴え(民執§35)の原因となりうるとする判例がある(同条の前身である旧民訴§545Ⅱに関する大連判明治43・11・26民録16輯764頁、および最判昭和40・4・2民集19巻539頁)。

（履行地の異なる債務の相殺）
第五百七条
　　　相殺は、双方の債務の履行地が異なるときであっても、することができる。この場合において、相殺をする当事者は、相手方に対し、これによって生じた損害を賠償しなければならない[1]。
[原条文]
　　　相殺ハ双方ノ債務ノ履行地カ異ナルトキト雖モ之ヲ為スコトヲ得但相殺ヲ為ス当事者ハ其相手方ニ対シ之ニ因リテ生シタル損害ヲ賠償スルコトヲ要ス

〔1〕　たとえば、AはBに対して東京でその債務を履行するべきであり、BはAに対し大阪で履行するべき場合に、もしAが相殺をすれば、Bはあたかも東京で受け取るべきものを大阪で受け取るのと同一の結果となる。そのためにBがその債権の目的物を大阪から東京に輸送する必要が生じたとすれば、AはBにその費用を償わなければならないということである。債権の目的が金銭の支払であるようなときは、今日ではほとんどこの損害という問題を生じないと思われる。

第3編　第1章　総則　第6節　債権の消滅

（時効により消滅した債権を自働債権とする相殺）
第五百八条
　　時効によって消滅した債権がその消滅以前に相殺に適するようになっていた
　　場合には、その債権者は、相殺をすることができる[1]。
［原条文］
　　時効ニ因リテ消滅シタル債権カ其消滅以前ニ相殺ニ適シタル場合ニ於テハ其債権者ハ相
　　殺ヲ為スコトヲ得

〔1〕　たとえば、AとBの相対立する債権につき、4月1日に相殺適状が生じたの
であるが、いずれからも相殺の意思表示がされないでいて、5月1日にAの債権が
消滅時効にかかったとしても、Aはその後たとえば6月1日に相殺をすれば、これ
に対して、Bは消滅時効を援用することができないということである（4月1日の時点
で両債権は消滅する）。相殺適状にある債権を有する者は、ほとんどその債務関係が決
済されたものと考えるのが常であるから、この信頼を保護しようとする趣旨である。
Bの方から相殺することは、消滅時効の利益を放棄することとなるから（§146〔3〕参照）、
もとより自由である。
　本条による特則については、つぎの点に注意する必要がある。
　(a)　本条の趣旨からすれば、すでに時効にかかった債権を譲り受けて、これを自
働債権として相殺することは認められない（最判昭和36・4・14民集15巻765頁）。
　(b)　相殺適状の要件として、時効によって消滅した債権を自働債権とする相殺を
するためには、消滅時効が援用された自働債権がその消滅時効期間経過以前に受働
債権と相殺適状にあったことを要すると解されている（最判平成25・2・28民集67巻
343頁、改正前§505〔3〕も参照）。
　(c)　連帯保証において、主たる債務について消滅時効が完成した場合において、
債権者と連帯保証人との間にもこの特則が適用されるか。たとえば、AのCに対
する債権をBが連帯保証し、BがAに対して債権を有するとする。AのCに対す
る債権が時効にかかっても、AはBとの間で相殺を主張し、Bの債権を消滅させ
ることができるか。肯定する判例があるが（大判昭和8・1・31民集12巻83頁）、主た
る債務の消滅によって連帯保証債務も消滅する（付従性による）という連帯保証人の
期待に反するとして、反対する見解もある。
　(d)　判例は、除斥期間が経過した債権（たとえば、改正前§637が定める請負契約の目
的物に関する注文者の瑕疵修補に代わる損害賠償請求権）についても、本条の類推適用が
なされるとする（最判昭和51・3・4民集30巻48頁）。

（不法行為等により生じた債権を受働債権とする相殺の禁止）
第五百九条
　　次に掲げる債務の債務者は、相殺をもって債権者に対抗することができない。
　　ただし、その債権者がその債務に係る債権を他人から譲り受けたときは、この
　　限りでない[3]。

§§508・509〔1〕

一　悪意による不法行為に基づく損害賠償の債務[1]

二　人の生命又は身体の侵害による損害賠償の債務（前号に掲げるものを除く[2]。）

〈改正〉　2017 年に改正された。附則（相殺に関する経過措置）第二十六条2　施行日前に債権が生じた場合におけるその債権を受働債権とする相殺については、新法第五百九条の規定にかかわらず、なお従前の例による。

[改正の趣旨]　[1]　双方的不法行為において、受働債権が物的損害賠償債権の場合には、改正前 509 条は適用されないと解する学説があり（相殺禁止事例の縮小）—解説[1]の最判昭和 42・11・30 も参照、他方では、安全配慮義務違反（債務不履行）に基づく損害賠償請求権については不法行為と同様に保護がなされるべきという学説もあった（相殺禁止事例の拡充）。新法は、相殺禁止の対象を不法行為に基づく損害賠償請求のうち「悪意」によるものに限定した。「故意」とは意図的に区別された用例としては、破産法 253 条 1 項があり、そこでは、「悪意」とは「故意」とは異なり、積極的な害意を必要とすると解されている。その結果、新法によれば、これまで相殺が禁止されていた物損の過失事故の加害者（債務者）は相殺をすることが可能となった（悪意による器物損壊の加害者は除外）。故意による債務不履行の場合への類推適用が問題になる。解説[1]の最判昭和 49・6・28 のような交叉的不法行為の場合については、条文化は見送られたが、物損の場合には、悪意による不法行為に限られるから、同判例のような事例では相殺が可能になる。なお、損害保険との関連では、損害は相殺された額を含めて考慮されるべきであると解されている。

[2]　一方で被害者保護の要請の強い、生命または身体の侵害に基づく損害賠償請求権については、不法行為のみならず債務不履行に基づく損害賠償請求権についても相殺を禁止する旨を定めた。これにより、安全配慮義務違反の人身損害（生命または身体の侵害に限られる）の債務者は、相殺が禁止される。どの程度まで類推適用が可能であるか（最判平成 14・9・24 判時 1803 号 28 頁のような事例）、についての基準作りが課題になるとの指摘がなされている。

[3]　賠償義務者に対するサンクションという意味のみならず、被害者の現実的救済という意味が明確にされている。すなわち、このような相殺は、被害者でない者との間でなされるため、「相殺禁止」の趣旨に反しないのである。破産法 253 条 1 項 2 号・3 号が参考になる。

[改正前条文]

（不法行為により生じた債権を受働債権とする相殺の禁止）

　　債務が不法行為によって生じたときは、その債務者は、相殺をもって債権者に対抗することができない[1]。

[原条文]

　　債務カ不法行為ニ因リテ生シタルトキハ其債務者ハ相殺ヲ以テ債権者ニ対抗スルコトヲ得ス

[改正前条文の解説]

〔1〕　たとえば、A が誤って B に負傷させ、そのため 30 万円の損害賠償債務を負担したとしよう。これより先、A は B に対して 30 万円の貸金債権を有していたとしても、A は相殺によって 30 万円の損害賠償債務を免れることはできない。不法行為の被害者には、現実の弁済によって損害の填補を受けさせようとする趣旨であるが、同時に上の例で、B が債務の履行をしないので、A は B を負傷させ、または B の所有物をこわした上で相殺を主張するようなことを防ぐ趣旨も含まれている。715 条の使用者責任を負う者にも、本条は適用される（最判昭和 32・4・30 民集 11 巻 646 頁）。

1065

第3編　第1章　総則　第6節　債権の消滅

　ここに、「相殺をもって債権者に対抗することができない」というのは、相殺をしたと主張して債務の履行を拒むことはできないというほどの意味である。

　なお、受働債権が不法行為債権である場合に自働債権も不法行為によって生じたものである場合にも、相殺は許されないと解されている(大判昭和3・10・13民集7巻780頁、最判昭和49・6・28民集28巻666頁。この場合は、相殺を認めてもよいとする見解もある)。この点につき、新規定参照。これに対して、受働債権が不法行為債権でない場合には、不法行為から生じた債権を自働債権とする相殺は許される(最判昭和40・11・5判時431号24頁、最判昭和42・11・30民集21巻2477頁)。

　（差押禁止債権を受働債権とする相殺の禁止）
　第五百十条
　　　債権が差押えを禁じたものであるとき[1]は、その債務者は、相殺をもって債権者に対抗することができない[2]。
　［原条文］
　　　債権カ差押ヲ禁シタルモノナルトキハ其債務者ハ相殺ヲ以テ債権者ニ対抗スルコトヲ得ス

　本条は、相殺そのものが禁じられている場合(改正前§505〔4〕参照)だけでなく、債権の差押えが禁止されている場合にも、相殺ができない旨を定めるものである。
　〔1〕　民事執行法152条参照。同条は、その債権の実現によって生活を支えている者のために、その収入の道を絶たない趣旨である。すなわち、各種の扶養料・給料・賃金・俸給・退職年金・退職手当・賞与などの一定割合がそれに含まれる。同じ趣旨から、同種の債権について差押えを禁じている法律の例は多い。恩給法11条3項、厚生年金保険法41条1項、生活保護法58条、船員法115条、自動車損害賠償保障法18条・74条などがそれである。なお、健康保険法68条、国民健康保険法67条、労働基準法83条2項などは、療養費などを受ける権利の譲渡・差押えを禁じている。
　〔2〕　差押え禁止によってその債権者を保護する趣旨を徹底するものである。

　（差押えを受けた債権を受働債権とする相殺の禁止）
　五百十一条
　　1　差押えを受けた債権の第三債務者は、差押え後に取得した債権による相殺をもって差押債権者に対抗することはできないが、差押え前に取得した債権による相殺をもって対抗することができる[1]。
　　2　前項の規定にかかわらず、差押え後に取得した債権が差押え前の原因に基づいて生じたものであるときは、その第三債務者は、その債権による相殺をもって差押債権者に対抗することができる[2]。ただし、第三債務者が差押え後に他人の債権を取得したときは、この限りでない[3]。
　〈改正〉　2017年に改正された。見出しを改め、「支払の差止めを受けた」を「差押えを受けた債権の」に、「その」を「差押え」に、「ができない」を「はできないが、差押え前に取得した債権による相殺をもって対抗することができる」に改め、2項を加えた。附則（相殺に

§§510・511〔1〕〜〔4〕

関する経過措置）第二十六条3　施行日前の原因に基づいて債権が生じた場合におけるその債権を自働債権とする相殺（差押えを受けた債権を受働債権とするものに限る。）については、新法第五百十一条の規定にかかわらず、なお従前の例による。

[改正の趣旨]　**[1]**　判例（最判昭和45・6・24）は、自働債権と受働債権の弁済期の前後を問わず相殺を認め、また相殺予約の効力も無制限に認める旨判示していた（解説**[4]**(3)参照）。相殺の担保的機能（更には銀行の相殺権と預金担保貸付の円滑）を重視する立場を明確にしたと言える。新法は、上記最判等の無制限説の立場を明文化した（1項）。なお、この文言により無制限説が明確となっているかは、なお検討を要するとの意見もある。

　[2]　たとえば、差押えよりも前に締結されていた賃貸借契約に基づき差押え後に発生した賃料債権等が考えられる。破産法67条1項と平仄を合わせる改正であるが、差押え（個別執行）の場合の方が破産（包括執行）の場合よりも相殺の期待の保護がやや強く求められているといえよう。すなわち、「差押え前の原因に基づいて生じた」を「同一契約上の牽連性」があることを要求することにより、制限的に解釈すること等が主張されている。

　[3]　相殺の期待がないからである。

[改正前条文]
（支払の差止めを受けた債権を受働債権とする相殺の禁止）
　支払の差止めを受けた第三債務者¹⁾は、その後に²⁾取得した債権による相殺をもって差押債権者に対抗することができない³⁾⁴⁾。

[原条文]
　支払ノ差止ヲ受ケタル第三債務者ハ其後ニ取得シタル債権ニ依リ相殺ヲ以テ差押債権者ニ対抗スルコトヲ得ス

[改正前条文の解説]
〔1〕　改正前481条〔1〕参照。
〔2〕　債権差押え命令の送達の時以後という意味である（民執§145Ⅳ参照）。
〔3〕　差押えの効力が無にされることを防ごうとする趣旨である。
〔4〕　本条に関連して、相殺の意義・趣旨・機能にも関連する重要な問題が提起されている。

(1)　問題は、つぎのようにして生じた。

たとえば、AがB銀行に50万円の定期預金債権（甲債権とする）を有し、その弁済期は10月1日とする。B銀行は、Aに80万円を貸付け（乙債権とする）、その貸付債権の弁済期を①9月1日、または②11月1日とする。8月1日にAに対する債権者Cが甲債権を差押えたとすると（同様の問題は、Dが甲債権を譲り受け、あるいはEが甲債権を質にとった場合にも生じるが、銀行は預金債権について通常、譲渡・質入れの禁止が特約されているので、差押えの事例が主として論じられる）、これに対して、B銀行は甲・乙債権の相殺を主張して、Cの差押えを否定することができるか。

銀行は、通常、取引先との間で「相殺予約」を結び、上のような場合に甲・乙債権を相殺する旨を特約しているので、この特約をCに対しても対抗できるかという形でも問題になる（本款解説**[3]**(3)参照）。

(2)　この問題は、相殺にどのような機能を認めるかということと密接に関連する（本款解説**[2]**参照）。

Cの差押えが12月1日であれば、甲・乙両債権の弁済期が到来していて、相殺適

1067

第3編　第1章　総則　第6節　債権の消滅

状が先であるので、簡易決済の趣旨から、相殺が認められることは問題ない。乙債権の弁済期が①9月1日で、Cの差押えが9月15日とすると、自働債権の弁済期は到来していて、受働債権の弁済期は未到来であるが、公平の趣旨から、この場合にも相殺を認めてもよい(本款解説②(2)参照)。

　これに対して、上例のように、Cの差押えが8月1日で、甲・乙両債権ともに弁済期が未到来である場合については、どう考えたらよいであろうか。

　(3)　判例は、この問題を本条の解釈問題としてとらえた。すなわち、第三者の差押えが相殺を妨げる事由(相殺禁止)となることを規定しているのは本条のみであるので、本条の反対解釈として、第三者により受働債権(甲債権)が差押えられる以前にB銀行が自働債権を取得していれば、本条の相殺禁止には抵触しない、としたのである。

　まず、最大判昭和39・12・23(民集18巻2217頁)は、そのように考えたうえで、ただ、正当に保護されるべき将来の相殺に対する期待は、自働債権(乙債権)の弁済期が受働債権(甲債権)のそれよりも先に到来する場合(上例の①9月1日の例)に制限されるとした(そこで、「制限説」と呼ばれる)。そして、相殺予約は、民法の解釈上許される場合に限って効力が認められるとした。

　ついで、最大判昭和45・6・24(民集24巻587頁)は、上の判例を変更して、上のような制限を不要とし、弁済期の先後にかかわらず(②11月1日であっても)、契約自由の原則によって相殺予約は認められるとした(「無制限説」と呼ばれる。同旨、最判昭和51・11・25民集30巻939頁)。第三者Cの利害に関しては、「預金債権は貸付金債権などの担保としての機能を営んでいる」事情や、相殺予約の存在は公知の事実となっている事情などを根拠として、考慮する必要はないとしている。

　(4)　学説としては、上記判例の無制限説、またはかつての制限説を支持する見解のほか、相殺に対する合理的な期待が認められる場合に限る見解、権利濫用・信義則違反になる場合は認めないとする見解、債権担保の機能は認めるべきでないとする見解などがある。

　(5)　以上の経過において、留意されるべきは、相殺適状(改正前§505〔4〕)の問題であって、相殺に債権担保の機能を認める立場に立てば、相殺適状は、Cの差押えに関係なく、両債権について本条の弁済期が到来した時、すなわち、①であれば10月1日に、②であれば11月1日に成立すると考えられるという点である(本款解説②(3)参照)。

　ところが、昭和45年の最高裁大法廷判決は、Cが差押えた8月1日に相殺適状を生じさせてもよいという趣旨を述べている。それであれば、公平の趣旨で事は足りるはずである(本款解説②(2)参照)。そして、問題は、甲債権について第三者の差押えがあれば、乙債権の弁済期が直ちに(厳密にいえば、その一瞬前に)到来するという特約が──いわゆる「相殺予約」にその趣旨が含まれていると解して──、はたして有効かという論点にしぼられることになるはずである。この点を考えると、問題の肝心の部分は、まだ明確になっていないと考えざるをえない。

　(6)　ここで問題になる相殺の方法に関して、B銀行は相殺の意思表示をだれに対してなすべきかという問題がある(§506〔1〕参照)。Aに対してするのが本来であると思われるが、判例は、差押えのうえ転付命令または取立命令を得たCに対してしてもよ

§512

いとしている（最判昭和 32・7・19 民集 11 巻 1297 頁、最判昭和 39・10・27 民集 18 巻 1801 頁）。

（7）　なお、以上の検討においては、問題の性質上 B 銀行からの相殺のみを問題と
したが、相殺は、その本質上相互的なものであるから、相殺適状が存する場合には、
当然、A からも相殺(いわゆる「逆相殺」)できることについて、とくに留意を要する。

（相殺の充当）
第五百十二条
　1　債権者が債務者に対して有する一個又は数個の債権と、債権者が債務者に
　　対して負担する一個又は数個の債務について、債権者が相殺の意思表示をし
　　た場合において、当事者が別段の合意をしなかったときは、債権者の有する
　　債権とその負担する債務は、相殺に適するようになった時期の順序に従って、
　　その対当額について相殺によって消滅する [1]。
　2　前項の場合において、相殺をする債権者の有する債権がその負担する債務
　　の全部を消滅させるのに足りないときであって、当事者が別段の合意をしな
　　かったときは、次に掲げるところによる [2]。
　一　債権者が数個の債務を負担するとき（次号に規定する場合を除く。）は、
　　第四百八十八条第四項第二号から第四号までの規定を準用する。
　二　債権者が負担する一個又は数個の債務について元本のほか利息及び費用
　　を支払うべきときは、第四百八十九条の規定を準用する。この場合におい
　　て、同条第二項中「前条」とあるのは、「前条第四項第二号から第四号ま
　　で」と読み替えるものとする。
　3　第一項の場合において、相殺をする債権者の負担する債務がその有する債
　　権の全部を消滅させるのに足りないときは、前項の規定を準用する [3]。

〈改正〉　2017 年に改正された。附則（相殺に関する経過措置）第二十六条4　施行日前に相
殺の意思表示がされた場合におけるその相殺の充当については、新法第五百十二条及び第五
百十二条の二の規定にかかわらず、なお従前の例による。

[改正の趣旨]　[1]　相殺の充当に関し、判例は、まず相殺適状となった順序に従い、その
上で相殺適状となる時期を同じくする債権については、改正前 489 条・491 条の充当の規定
に従うという考えを示していた。解説(1)参照。
　新法は、この判例の法理を基礎として、まず当事者の合意があれば相殺の充当の順位はそ
の合意に従うが、合意がない場合には、指定充当を認めず相殺適状となった順序に従うとの
規範を定めた（1 項）。相殺適状になると当事者の相殺への期待が高まるから、その順序で充
当を認めることが当事者の意思に沿う等と説明されている。
　[2]　その上で、相殺適状となる時期が同じ場合において、当事者間に合意がないときに
ついては、費用・利息がある場合と無い場合を分けて規定した。数個の債務を負担するに過
ぎないときは、新法 489 条を優先的に準用した（2 項 2 号）。費用・利息がある場合を含め、
いずれの場合も全ての債務を消滅させるに足りないときは、新 488 条 4 項 2 号ないし 4 号を
準用するとした（2 項 1 号）。指定充当に関する新法 488 条 1 項の準用を否定したのは、相殺
の遡及効と充当の指定が整合しないから等と説明されている。
　[3]　反対に、受働債権が自働債権全てを消滅させない場合の充当の順序についても、本
条 2 項を準用することを明らかにした（3 項）。これは、厳密には相殺充当の問題ではないが、

1069

第3編　第1章　総則　第6節　債権の消滅

「分かりやすさ」の観点から、ここに規定されたとされている。

［改正前条文］

　第四百八十八条から第四百九十一条までの規定は、相殺について準用する[1]。

［原条文］

　第四百八十八条乃至第四百九十一条ノ規定ハ相殺ニ之ヲ準用ス

［改正前条文の解説］

　〔1〕　被相殺者が相殺適状にある数個の受働債権を有し、自働債権がその全部を消滅させるに足りないときは、弁済充当の規定を準用して、相殺されるべき債権を決定するということである。これを「相殺充当」という。

　弁済充当の規定によれば、まず相殺者による指定充当が行われることになるが、充当指定権が相殺者によって不当に有利に行使されるおそれがあるので、一定の場合（甲・乙債権がすでに相殺適状にある場合に、その後に取得した丙債権を相殺に用いるなど）にはこれを抑制して、公平を期する必要があることが指摘されている。

　判例は、指定充当がなかった場合は、元本債権を基準として相殺に供しうる状態になった時期に従い、時期を同じくする場合および元本と利息・費用の間で問題になったときは、改正前489条・改正前491条によるとする（最判昭和56・7・2民集35巻881頁）。

〔一個の給付につき数個の給付がなされる場合〕〔第8版凡例4 a)を見よ〕

第五百十二条の二

　　債権者が債務者に対して有する債権に、一個の債権の弁済として数個の給付をすべきものがある場合における相殺については、前条の規定を準用する。債権者が債務者に対して負担する債務に、一個の債務の弁済として数個の給付をすべきものがある場合における相殺についても、同様とする。

〈改正〉　2017年に新設された。前掲（512条）附則二十六条4参照。

［本条の趣旨］　このような場合について、条文化の段階で、相殺に関する準用条文を設けた。

第3款　更　　改

〈改正〉　本款は2017年に更改に関する513条、債務者の交替による更改に関する514条、債権者の交替による更改に関する515条、更改後の債務への担保の移転に関する518条が改正され、準用規定である516条および更改前の債務が消滅しない場合に関する517条が削除された。

□1　本款の内容

　本款は、「更改」と題して、その成立要件（§§513～515）、その効果（改正前§§516～518)について規定する。

1070

§§512〔1〕・512の2・第3款［解説］・§513

2　更改の機能

　更改は、同一性を有しない新たな債務を成立させることによって旧債務を消滅させる契約である。債権の譲渡や債務の引受けが認められない時代には、これらに代わる重要な作用を営んだ制度であるが、債権譲渡・債務引受けが認められる法制においては、あまり重要な作用を営まない。債権譲渡と債務引受けの両方の制度を規定するドイツ民法は、更改について規定をおいていない。債務引受けを規定しなかったわが民法は、主としてフランス民法にならって更改を認めた。しかし、債務引受けは、わが法制のもとでもこれを認めるべきであり（新第5節「債務の引受け」参照）、また、わが国の社会において更改が行われる例は比較的少ない。判例が容易にこの契約の成立を認めない（改正前§513〔1〕参照）のも、これによるのである。なお、日常用語において、従来の条件を再検討したうえで契約を更新することを更改と呼ぶ例がみられるが（たとえば、プロ野球選手の契約更改）、これは民法が定める更改とは違う概念である。

（更改）
第五百十三条
　　当事者が従前の債務に代えて、新たな債務であって次に掲げるものを発生させる契約をしたときは[2]、従前の債務は、更改によって消滅する。
　　一　従前の給付の内容について重要な変更をするもの[1]
　　二　従前の債務者が第三者と交替するもの[1]
　　三　従前の債権者が第三者と交替するもの[1]

〈改正〉　2017年に改正された。1項中「債務の要素を変更する」を「従前の債務に代えて、新たな債務であって次に掲げるものを発生させる」に、「その」を「従前の」に改め、同項に上記の各号を加えた。さらに、2項を削除した。附則（更改に関する経過措置）第二十七条　施行日前に旧法第五百十三条に規定する更改の契約が締結された更改については、なお従前の例による。

［改正の趣旨］　［1］　新法は、債権者または債務者を第三者に交替する場合（2号、3号）、給付の内容を従前とは異なる内容とすること（1号）のいずれかに該当する場合に更改が成立するとした。1号ないし3号だけでは、従前の債務に代えて新たな債務が成立するとは限らない（代物弁済契約→内容の変更、債権譲渡→債権者の変更、免責的債務引受→債務者の変更の場合にもみられる）。解説〔1〕参照。

　　［2］　新法は、本文において「当事者が従前の債務に代えて、新たな債務であって次に掲げるものを発生させる契約をしたとき」とし、更改の意思に基づく契約をすることが必要である旨を明らかにした。判例・学説は、当事者に更改の意思があることが必要としている。更改の意思とは、従前の債務に代えて新たな債務を成立させる意思と解されている。

　　改正前513条2項は、条件付債務の条件の削除、無条件債務に新たに条件を付すことを債務の要素の変更とみなす旨を定めているが、条件の変更は必ずしも債務の核心的な部分の変更には当たらないので、同項の存在は疑問視されてきた。解説〔4〕参照。そこで、新法は、同2項を削除した。

［改正前条文］
　　1　当事者が債務の要素を変更する[1]契約をした[2]ときは、その債務は、更改によって消滅する[3]。
　　2　条件付債務を無条件債務としたとき、無条件債務に条件を付したとき、又は債務の条

1071

第3編　第1章　総則　第6節　債権の消滅

件を変更したときは、いずれも債務の要素を変更したものとみなす[4]。

[原条文]

　当事者カ債務ノ要素ヲ変更スル契約ヲ為シタルトキハ其債務ハ更改ニ因リテ消滅ス
　条件附債務ヲ無条件債務トシ、無条件債務ニ条件ヲ附シ又ハ条件ヲ変更スルハ債務ノ要
　素ヲ変更スルモノト看做ス債務ノ履行ニ代ヘテ為替手形ヲ発行スル亦同シ

[改正前条文の解説]

〔1〕　「債務の要素を変更する」とは、その債務の同一性を決定する重要な部分を変更して、同一性のない債務とすることである。民法は、本款において、債権者の交替による更改、債務者の交替による更改、および債務の目的の変更による更改の三種が存することを認めている(改正前§§514・515・518参照)。したがって、債務の要素には、債権者・債務者および債務の目的の三者が含まれるわけである。

しかし、注意するべきことは、これらの三者のうちの一つの変更がつねに債務の要素の変更となるわけではないということである。

(a)　たとえば、AがBに対して100万円の債権を有する場合に、A・B・C三人の契約でCが100万円の債権を取得し、Aが債権を失うことにしたとしよう。この契約は、CがAの従来有した債権と同一性のない新たな100万円の債権を取得する趣旨であることもあろうが(この場合にはAの有した担保権およびBの有した抗弁権はいずれも消滅する)、そうではなくて、Aが従来有した債権と同一性のある債権をCが取得する趣旨であることもあるであろう(この場合には上の担保権・抗弁権ともに消滅しない)。そして、前の場合は更改であるが、後の場合はA・B・C三人の合意(基本はAとCの譲渡契約)による債権の譲渡である。

(b)　同様のことは、債務者の交替する場合についてもいいうる。すなわち、債務者Bが従来負担した債務の同一性を保ちながらこれをDに移すことが可能であって、この場合には、更改ではなく、債務の引受けである(第4節後注参照)。

(c)　さらに、債務の目的を変更する場合においても、保証人または連帯債務者を加え、利息を元本に組み入れ、利率を変更するなどの変更を加え、証書を書き換えても、更改とならないのが普通であろう。100万円の代金債権を改めて100万円の消費貸借とすること(§588[改注]参照)さえ、つねに必ずしも更改となるとは限らない。判例も、大体同じ趣旨を認めている。すなわち、連帯債務者を加え、かつ利率を変更した場合(大判明治40・12・4民録13輯1161頁)、証書を書きかえ、弁済期を新たにした場合(大判昭和7・10・29新聞3483号17頁)、雇用契約において賃金を給料制から歩合制にした場合(大判大正5・2・24民録22輯329頁)、などに更改にならないと判示している。

(d)　もっとも、古い判例で、100円ずつの2口の債権を1口200円の債権にした場合や(大判大正4・4・8民録21輯464頁)、代金債権を売主・買主・第三者の三者の合意で直接に第三者に支払うべき契約をした場合に(大判大正10・6・2民録27輯1048頁)、更改の成立を認めた判例があるが、学説の批判を受けた。また、判例は、かつていわゆる準消費貸借が行われた場合には債権の同一性は失われると解したが

§§513〔1〕～〔3〕・514

(大判大正 5・5・30 民録 22 輯 1074 頁)、その後はこの見解を改めて、むしろ通常は同一性を失わないとするに至っているから(大判昭和 8・2・24 民集 12 巻 265 頁、なお、§588〔3〕参照)、更改についても、上記の 2 判決は、判例としての意義を失っていると解して大過ないであろう。

〔2〕　更改契約の当事者については、(a)債務者の交替による更改は、債権者と新債務者間の契約(§514〔改注〕。ただし書に注意)により、(b)債権者の交替による更改は、新旧両債権者と債務者間の契約(§515〔改注〕)により、(c)債務の目的の変更による更改は、もちろん債権者・債務者間の契約による。

〔3〕　更改によって一方において旧債務は消滅し、他方において新債務が成立するのであるが、この旧債務が存在し、かつ消滅することと、新債務が成立することとは互いに因果関係を有する。すなわち、

(a)　新債務が成立しない場合には旧債務は消滅しない。ただ、この点については 517 条〔削除〕に特則がある。

(b)　旧債務がもともと存在しないのであれば、更改契約は無効であり、新債務も成立しない(大判大正 8・3・7 民録 25 輯 405 頁)。

なお、更改契約の効果として注意すべきは、

(c)　旧債務が消滅する結果、その担保のために存した保証債務・違約金債権・留置権・先取特権・質権・抵当権などはすべて消滅する。ただし、質権・抵当権については例外がある(§518〔改注〕)。

(d)　新債務は、旧債務とその要素を異にし、同一性を有しないから、旧債務について存する抗弁権を伴わないことはもちろんである(前掲大判大正 10・6・2)。ただし、改正前 516 条は、とくに改正前 468 条 1 項を債権者の交替による更改に準用するから、債務者は、異議をとどめて抗弁権を留保することができると解すべきであろう。また、旧債務が商事債務であっても、更改契約に商事性がなければ、新債務は商事性のないものになることはいうまでもない(大判明治 42・10・4 民録 15 輯 707 頁)。

〔4〕　条件に関するこのような変更がつねに更改となるものと解するのは、実際に適さない。したがって、通説は、このような条件に関する変更も、これによって債務の同一性を変更する程度の重要な変更と認めるべき客観的および主観的事情があるときにだけ、要素の変更となると解している。

原条文には、このあと「債務ノ履行ニ代ヘテ為替手形ヲ発行スル亦同シ」とあったが、この規定は、更改の性質からみても、手形の性質から見ても、理に反するものである。したがって、通説は、既存債務のために為替手形を発行することは、一般には「履行のために」なされるものであり、とくに「履行に代えて」なされる場合には、これを代物弁済とみるべく、更改とみるべきものでないと解していたが、2004 年改正により、この部分は削られた(改正前§482〔2〕〔3〕参照)。

▌（債務者の交替による更改）
▌第五百十四条

1　債務者の交替による更改は、債権者と更改後に債務者となる者との契約に

第3編　第1章　総則　第6節　債権の消滅

よってすることができる[1]。この場合において、更改は、債権者が更改前の債務者に対してその契約をした旨を通知した時に、その効力を生ずる[2]。

2　債務者の交替による更改後の債務者は、更改前の債務者に対して求償権を取得しない[3]。

〈改正〉　2017年に改正された。ただし書を削り、後段を加えた。さらに第2項を加えた。前掲（513条）附則第二十七条参照。

[改正の趣旨]　[1]　債務者の意思に反するか否かにより更改契約の効力が左右されるのでは不安定であること、委託に基づかない保証契約は債権者と保証人間で締結が可能であること、更改契約により更改後の債務者は自己の債務を履行する義務を負うのであり、旧債務者の債務を履行するのではないから求償関係は生じないことなどから、改正前514条ただし書には批判的な見解が有力であった。そこで、新法は、同条ただし書の債務者の意思に反しないことという要件を削除した。

[2]　債務者の交替による更改は、債権者と更改後に債務者となる者との契約によってなしうるが、債権者が更改前の債務者に対してその契約が成立した旨を通知することによりその効力を生ずる旨を明文化した（1項後段）。通知を要件とすることにより債務者が知らない間に契約関係から離脱することを防止すること、「免除」の場合にも債権者から債務者に意思表示がなされることとの整合性が理由であるとされている。

[3]　更改により更改後の債務者は自己の債務を履行することになるので、求償の問題は生じない旨を明らかにする規定を設けた。これらの規定は債務者の意思に反しないことという要件の削除に対する手当であるとも言われている。新472条の3も参照。

[改正前条文]

債務者の交替による更改[1]は、債権者と更改後に債務者となる者との契約によってすることができる。ただし、更改前の債務者の意思に反するときは、この限りでない[2]。

[原条文]

債務者ノ交替ニ因ル更改ハ債権者ト新債務者トノ契約ヲ以テ之ヲ為スコトヲ得但旧債務者ノ意思ニ反シテ之ヲ為スコトヲ得ス

[改正前条文の解説]

本条は、AのBに対する債権を消滅させて、代わりにAのCに対する債権を生じさせる更改について規定するが、今日では、債務の引受けの概念の方がより重要である（第4節後注参照）。

〔1〕　たとえば、AのBに対する100万円の債権を消滅させて、AのCに対する100万円の債権を生じさせるなどである。

〔2〕　債務者の交替による更改は、旧債務者が当事者になることを要しないが、その意思に反してこれをすることはできない。これは、第三者の弁済におけるのと同一の趣旨である（改正前§474(6)参照）。債務者の意思に反することの立証責任は、これを主張する者が負担する（大判明治42・4・22民録15輯371頁）。

（債権者の交替による更改）

第五百十五条

1　債権者の交替による更改は、更改前の債権者、更改後に債権者となる者及び債務者の契約によってすることができる[1]。

§§514〔1〕〔2〕・515・516（旧）〔1〕

2　**債権者の交替による更改**[1]**は、確定日付のある証書によってしなければ、第三者に対抗することができない**[2][2]**。**

〈改正〉　2017年に改正された。改正前515条を本条2項とし、1項を加えた。前掲（513条）附則第二十七条参照。

[改正の趣旨]　[1]　改正前515条は債権者の交替による更改の対第三者対抗要件のみを定めているが、債権者の交替による更改自体は旧債権者・新債権者・債務者の三者間の合意のみによって成立する。新法は、その旨を明らかにする規定を設けた。

　[2]　その上で、第三者対抗要件についての改正前515条の規制内容を維持した（2項）。

[改正前条文]
　上記第2項と同じ。

[原条文]
　債権者ノ交替ニ因ル更改ハ確定日附アル証書ヲ以テスルニ非サレハ之ヲ以テ第三者ニ対抗スルコトヲ得ス

[改正前条文の解説]
　本条は、AのBに対する債権を消滅させて、代わりにCのBに対する債権を生じさせる更改について規定するが、その実質は債権の譲渡にきわめて近く、後者の概念の方がより重要である（第4節解説参照）。

　〔1〕　たとえば、AのBに対する100万円の債権を消滅させ、CのBに対する100万円の債権を生じさせるなどである。債権者の交替による更改は、新旧両債権者および債務者を当事者とする三面契約でなされる。債務の更新があるから（旧債務と新債務の間に同一性はない）、債権譲渡と異なって、債務者もまたつねに契約の当事者とならなければならないのである。

　〔2〕　この種の更改に確定日付のある証書を要求したのは、第2の更改契約の当事者の通謀によって日付を遡らせ、第1の更改契約による新債権者を害することを防止する趣旨であって、債権譲渡におけると同様である（改正前§467〔8〕参照）。

第五百十六条　削除

[削除前条文]
第五百十六条
　第四百六十八条第一項の規定は、債権者の交替による更改について準用する[1]。

〈改正〉　2017年に削除された。前掲（513条）附則第二十七条参照。

[削除の趣旨]　改正前516条は、債権譲渡における異議をとどめない承諾による抗弁の切断を定める改正前468条1項を準用している。しかし、新法は同条1項の異議をとどめない承諾による抗弁の切断に関する規定を削除した。これに合わせて改正前516条も削除された。

[原条文]
　第四百六十八条第一項ノ規定ハ債権者ノ交替ニ因ル更改ニ之ヲ準用ス

[削除前条文の解説]
　〔1〕　更改の性質からいえば、債権者の交替による更改にあっては、債務者は、旧

1075

第3編　第1章　総則　第6節　債権の消滅

債権者に対抗し得た抗弁権をすべて失うが、もし旧債権が消滅していたときは、新債権は成立しない。しかし、改正前468条1項が準用される結果（同条〔1〕～〔4〕参照）、二面において、その結果が制限される。すなわち、債務者は異議をとどめることによって抗弁権を留保することができるが、異議をとどめないときは、債権消滅の抗弁権をも失う。後の点は、新債権者を保護しようとする趣旨である（改正前§513〔3〕参照）。

　　　第五百十七条　　削除

[削除前条文]
（更改前の債務が消滅しない場合）
第五百十七条
　　更改によって生じた債務が、不法な原因のため[1)]又は当事者の知らない事由[2)]によって成立せず又は取り消されたときは、更改前の債務は、消滅しない。
〈改正〉　2017年に削除された。前掲（513条）附則第二十七条参照。
[削除の趣旨]　改正前517条の反対解釈をするならば、当事者が、更改後の無効・取消し事由があることを知っていた場合には更改前の債務は消滅するとも読めるが、常に更改前の債務が消滅すると解することの合理性には疑問があるとされていた。解説〔2〕参照。また、更改前の債務が消滅するか否かについては個別の事案ごとに判断されるべきであるとも言われていた。そこで、新法は本条を削除した。
[原条文]
　　更改ニ因リテ生シタル債務カ不法ノ原因ノ為メ又ハ当事者ノ知ラサル事由ニ因リテ成立セス又ハ取消サレタルトキハ旧債務ハ消滅セス

[削除前条文の解説]
　〔1〕　不法の原因のために新債務が成立しないとは、たとえば、50万円の債務を消滅させて、妾となる債務を成立させるというように、善良の風俗を害する給付を目的とするため、新債務が成立しないときである。この場合には、旧債務は消滅しない。これは、更改の性質上当然のことであるが、むしろ、不法の原因のため給付した者は、その給付したものの返還を請求することができない（§708）という、いわゆるクリーン・ハンズの原則の適用がないことを明らかにしたのである。なお、不法の原因のために新債務が「成立しない」ということはあっても、「取消される」ということはない。
　〔2〕　「当事者の知らない事由によって」新債務が成立しないとは、たとえば、不能の給付を目的としたため新債務が成立しないような場合である。同じく、当事者の知らない事由で取消されたときとは（ただし、「当事者の知らない事由によって」という語句は「取消されたとき」にかからないとする見解も有力である。知っていたとしても、そのような新債務でよいとする意思だったとみるものである）、更改契約が債務者の制限行為能力を理由として取消され、新債務が成立しなかったことになるような場合である。これらの場合には、旧債務は消滅しない。これは、更改の性質上当然のことである。更改契約が解除されたときにも、同様とされる（当事者の変更ではない事例について、大判昭和3・3・10新聞2847号15頁。ただし、債務者の交替による更改において、新当事者同士が合意解除

§§517（旧）・518〔1〕

をしても、旧債務は復活しないとする大判大正6・4・16民録23輯638頁がある。学説上は、新債務の不履行を理由とする更改契約の解除を認めるべきであるとする意見も有力である）。

　本条は、むしろその反対解釈として、不成立または取消しが不法の原因に基づくものではなく、しかもその原因を当事者が知っていた場合には、旧債務は消滅することを規定したもの、と解されている。このような例外を認めた理由は、このような当事者は、債権を放棄したものと見て差し支えないからである。したがって、ここに「当事者」とは、債権者だけを意味すると解するべきである。

（更改後の債務への担保の移転）
第五百十八条
　　1　債権者（債権者の交替による更改にあっては、更改前の債権者）は、更改前の債務の目的の限度において、その債務の担保として設定された質権又は抵当権を更改後の債務に移すことができる[1]。ただし、第三者がこれを設定した場合には、その承諾を得なければならない[3]。
　　2　前項の質権又は抵当権の移転は、あらかじめ又は同時に更改の相手方（債権者の交替による更改にあっては、債務者）に対してする意思表示によってしなければならない[2]。

〈改正〉　2017年に改正された。「更改の当事者」を「債権者（債権者の交替による更改にあっては、更改前の債権者）」に改め、2項を加えた。前掲（513条）附則第二十七条参照。

[改正の趣旨]　[1]　改正前本文は、更改契約の両当事者が合意することにより抵当権・質権が移転する旨を定めていると解されており、債務者や新債務者は担保権の移転を拒絶することが可能である。しかし、債務者や新債務者は担保の移転により利益を受ける立場にあり、担保の移転を拒絶することに利益を有する立場にはない。新法は、要件上、合意による担保の移転から、債権者の単独の意思表示による担保の移転へと変更した。新472条の4参照。

　　　　[2]　担保権には付従性があるので、この意思表示は、更改契約前に予めなされる必要がある。

　　　　[3]　第三者が質権・抵当権を設定している場合に、その承諾を要する点については、改正前のただし書を維持している（1項）。

[改正前条文]
　　　更改の当事者は、更改前の債務の目的の限度において[2]、その債務の担保として設定された質権又は抵当権を更改後の債務に移すことができる[1]。ただし、第三者がこれを設定した場合には、その承諾を得なければならない[3]。

[原条文]
　　　更改ノ当事者ハ旧債務ノ目的限度ニ於テ其債務ノ担保ニ供シタル質権又ハ抵当権ヲ新債務ニ移スコトヲ得但第三者カ之ヲ供シタル場合ニ於テハ其承諾ヲ得ルコトヲ要ス

[改正前条文の解説]
　〔1〕　更改によって旧債務は消滅するのであるから、その担保に供されていた質権・抵当権もまた消滅する（改正前§513〔3〕参照）。したがって、当事者が新債務のために同一物の上に新たに質権・抵当権を設定しても、前の質権・抵当権の順位を喪失する。しかし、それでは当事者が困る場合があるので、本条は、とくにその順位を保存

1077

第3編　第1章　総則　第6節　債権の消滅

することができるように、例外を認めたのである。

〔2〕　当該質権または抵当権が担保していた債務の範囲でということである。たとえば、元本100万円の債務で利息が2年分10万円、遅延利息が1年分10万円あるとすれば、質権の場合は、120万円の限度で（§346）、抵当権の場合は、100万円と最後の2年分の利息（遅延利息と通算して）15万円、合計115万円の限度で（§374）、新債務に移すことができる。

〔3〕　第三者が供した質権または抵当権を別個の債務を担保することに変えるのであるから、その意思を無視することはできないのである。

第4款　免　除

免除とは、弁済・相殺・更改のように対価または代償を得ることなく、債権者が意思表示によって債務を消滅させる行為である。わが民法は、これを519条の1か条だけで規定し、債権者の単独行為としている。しかし、多くの立法例は、免除をもって契約としている（フランス民法§§1285・1287、ドイツ民法§397、スイス債務法§115）。債権のように義務者との緊密な関係を生ずる権利にあっては、物権と異なり、義務者の意思に反してこれを放棄することはできないとする外国の立法例の方が妥当であろう。

〔免除〕
第五百十九条
　　債権者が債務者に対して債務を免除する意思を表示したとき[1]は、その債権は、消滅する[2]。
［原条文］
　債権者カ債務者ニ対シテ債務ヲ免除スル意思ヲ表示シタルトキハ其債権ハ消滅ス

〔1〕　「免除」は、単独行為である。契約によって債権放棄の効果を生じさせることは、もちろん可能である（これを「免除契約」または「放棄契約」という。大判大正5・6・26民録22輯1268頁は、債権者と第三者が債務者のために結ぶ免除契約を、第三者のための契約として有効とし、大判昭和4・3・26新聞2976号11頁は、免除契約が解除されれば、債権は復活するとする）。しかし、民法上の免除は、債務者の意思に関係なく、債権者の意思だけですることができる。すなわち、債務者がどんなに免除を受けることを欲しなくとも、債権者がその意思を表示し——たとえば、借用証書を債務者に送付するというように黙示の意思表示でもよい——それが債務者に到達した以上、免除は効果を生ずる。民法上は、免除は債権という権利の放棄であるから、権利者の意思だけですることができるのである（本款解説参照）。

このように、免除は、単独行為であるが、相殺とは異なり（§506 I参照）、条件を付することを妨げない。たとえば、ある作品をいつまでに仕上げれば、債務は免除する

§518〔2〕〔3〕・第4款［解説］・§519・第5款［解説］・§520

というような意思表示であり、これによって債務者をとくに不利益にすることがない
からである。

なお、「連帯の免除」(改正前§445)は、同じ言葉が用いられているが、意義をまっ
たく異にする。

〔2〕 一部免除のときは、債権の一部消滅を生ずる。全部免除のときは、債権全部
の消滅を生じ、その結果、担保物権や保証債務なども消滅する。また、債務者は、借
用証書の返還など債権消滅に伴う措置を請求することができる(§487〔4〕参照)。

なお、債権者は、自由に免除して債権を消滅させることができるのが原則であるが、
その債権が他の権利(たとえば、質権)の目的となっているときは、放棄できないことは
いうまでもない(改正前§364〔5〕参照)。のみならず、免除によって第三者に不当な不利
益を与えることは許されないと解さなければならない。けだし、権利の放棄も公序良
俗に反してはすることができないからである。たとえば、賃借地上の建物の上に抵当
権を有する者がある場合に、その建物を所有する借地権者が借地権を放棄する——賃
貸借契約上の賃貸人の債務を免除する——ことは、抵当権を害するものとして制限を
受けなければならない。判例も、すでにこのような事例について、債権の放棄はこれ
をもって正当な利益を有する第三者に対抗できないものと判示している(§398〔2〕参
照)。

また、特定の債権につきその実現がとくに保障される必要が存すると認められるよ
うなときに、免除の可能性についても検討を必要とする場合も生じうると考えられる。
たとえば、株式払込み請求権(商旧§176。会社法に該当条文はない)は、株式会社の資本
充実の原則上、免除は許されないと解されたり(大判大正4・11・20民録21輯1886頁、
大判昭和3・4・23民集7巻225頁)、退職金債権の放棄は、債権者である労働者の自由な
意思に基づくものと認めるに足りる合理的な理由が客観的に存するときに限り有効と
される(最判昭和48・1・19民集27巻27頁)などである。

第5款 混 同

債権と債務が同一人に帰すれば、債権は原則として消滅する(これを「混同」という)。
これを存続させる意味がないからである。民法は、520条でこの原則を規定する。し
かし、このような債権をなおかつ存続させる意義がある特別の場合には、混同が生じ
ても、債権は消滅しないものとしなければならない。520条ただし書がおかれるゆえ
んである(§179 Ⅰただし書参照)。さらに、債権が証券に化体して、特定の人の間の給
付関係であるという性格を失い、独立の財貨である性質を取得した場合には、混同の
法理はまったく適用がないというべきである(手§11 Ⅲ、小§14 Ⅲ参照)。

第五百二十条
債権及び債務が同一人に帰属したとき[1]は、その債権は、消滅する[2]。ただし、

1079

第3編　第1章　総則　第7節　有価証券

その債権が第三者の権利の目的であるときは、この限りでない[3]。

[原条文]

債権及ヒ債務カ同一人ニ帰シタルトキハ其債権ハ消滅ス但其債権カ第三者ノ権利ノ目的
タルトキハ此限ニ在ラス

〔1〕　このように債権および債務が同一人に帰する事実(法的概念として「事実」と呼び、「行為」と区別する)を、「混同」という(§179参照)。この事実は、債務者が債権者を相続し、債権者たる会社が債務者たる会社を合併し、債務者が自分に対する債権を譲り受けるなどを原因として生じる(大判昭和5・6・12民集9巻532頁は、賃借人が賃借目的物の所有権を買戻しにより取得した例である)。

〔2〕　自分に対して債権を有するということは、無意味だからである。したがって、このような債権を存続させることに意味がある場合には、例外が認められる(本条ただし書参照)。また、証券的債権も例外に属するというべきである(本款解説参照)。

なお、不法行為債権の債務者が被害者である債権者に対して有する債権に基づいて、不法行為債権について転付命令を受けても、相殺に関する改正前509条の趣旨に照らして、混同を生ずることは認められず、転付命令を無効とした判例がある(最判昭和54・3・8民集33巻187頁)。

組合員が組合に対して他者が有する債権を譲り受けた場合についても同様である(改正前§677参照。大判昭和11・2・25民集15巻281頁)。

〔3〕　たとえば、AのBに対する債権がAの債権者Cの質権の目的となっているような場合には、A・B間に混同が生じても、Aの債権は消滅しない。第三者Cを害しないために、Aの債権を存続させる必要があるからである。これを「混同の例外」という(相続の限定承認に関する§925参照)。

このただし書には必ずしも該当しないが、判例上混同の例外が認められたものとして、家屋の賃貸人A、賃借人B、転借人Cの関係においてCが家屋の所有権を取得しても、転借権は当然には消滅しないとするもの(最判昭和35・6・23民集14巻1507頁)、家屋の賃貸人Aから賃借人Bが家屋の贈与を受けても、その後Bが移転登記をする前にCが家屋の譲渡を受けて移転登記をしてしまえば、賃借権は消滅しないとするもの(最判昭和40・12・21民集19巻2221頁)、まず土地を譲り受け、ついでその地上建物と土地賃借権を取得した者が、土地のみを所有していた時期に設定した抵当権が実行された場合に、土地競落人に対して賃借権を主張できるとしたもの(最判昭和46・10・14民集25巻933頁。もっとも、同判決は§179Ⅰただし書の問題とする)、などがある。自動車損害賠償保障法が適用される場合に、被害者Aと損害賠償義務を負う保有者Bが同一人によって相続されたときは、Aの損害賠償請求権は混同によって消滅し、Aの保険会社に対する請求権も消滅するとされるが(最判平成元・4・20民集43巻234頁)、反対する見解もある。

§520〔1〕〜〔3〕・第7節［解説］・第1款［解説］・§§520の2・520の3

第7節　有価証券

〈改正〉　本節(第1款〜第4款)は2017年に創設された。本節に関する附則(有価証券に関する
経過措置)第二十八条　新法第五百二十条の二から第五百二十条の二十までの規定は、
施行日前に発行された証券については、適用しない(以下の各条文では省略)。
［改正前法による証券的債権等について］　これについては、債権質の設定に関する363条(削
除)の解説〔1〕を参照。なお、新法については、［各条の趣旨］を参照。なお、関連条文
の従来の判例については、各款・各条において指示した。

第1款　指図証券

［従来の判例について］　520条の2から同7までについては、削除前商法519条の関連判例が
参考になる。

(指図証券の譲渡)
第五百二十条の二
　　　指図証券の譲渡は、その証券に譲渡の裏書をして譲受人に交付しなければ、
その効力を生じない[1]。
〈改正〉　2017年に新設された。改正前469条を参照。
［本条の趣旨］　［1］「指図証券」とは、証券上権利者と指定された者またはその者が証券上
の記載により指定(指図)した者が権利を行使できる有価証券をいう。改正前469条の指図
債権は、「証書」に「裏書」ができることを前提としているので、有価証券上の債権、すなわ
ち「指図証券」であると解するのが通説とされている。同条の解説〔2〕参照。この立場からは、
指図債権の譲渡は裏書によって譲渡されることになるはずであるが(商法削除前519条、手
形法14条1項)、改正前469条はこれを「対抗要件」に留めている。新法は、この点につき
通説的立場を採用し、改正前469条を削除して、指図証券については、裏書・交付が譲渡の
効力発生要件であることを明らかにした。すなわち、証券と権利が結合しているという有価
証券の性質を踏まえ、譲渡の裏書および証書の交付を対抗要件とする改正前民法469条の規
律に代えて、これらを譲渡の効力要件とした。ただし、「その効力を生じない」という表現は、
裏書以外の譲渡方法を認めない趣旨であるか否かについては、異論もあるであろう。

(指図証券の裏書の方式)
第五百二十条の三
　　　指図証券の譲渡については、その指図証券の性質に応じ、手形法(昭和七年
法律第二十号)中裏書の方式に関する規定を準用する[1]。
〈改正〉　2017年に新設された。

1081

第3編　第1章　総則　第7節　有価証券

[本条の趣旨]　[1]　改正前472条は指図債権の譲渡における債務者の抗弁の制限について
規定しているが、裏書の方式・裏書の連続による権利の推定・善意取得に関する規定は、改
正前にはない。この点につき、商法削除前519条は有価証券の性質に応じて、手形法・小切
手法の準用を規定している。そこで「指図証券」については、これらの有価証券としての基
本的な規定を設けておくことが必要とされた。新法は、裏書の方式（520条の3、商法削除前
519条1項参照）・権利の推定（520条の4、小切手法19条参照）・善意取得（520条の5、小
切手法21条参照）および抗弁の制限（520条の6、改正前472条参照）についての規定を民
法に設けた。ただし、商法削除前519条1項は、譲渡の裏書の方式について手形法12条・13
条および14条2項を準用しているが、手形に関する厳格な規律を全ての有価証券にそのまま
及ぼすことが適切とはいい難いから、概括的な規定振りにとどめたとされている。

（指図証券の所持人の権利の推定）
第五百二十条の四
　　　指図証券の所持人が裏書の連続によりその権利を証明するときは、その所持
　　人は、証券上の権利を適法に有するものと推定する[1]。

〈改正〉　2017年に新設された。

[本条の趣旨]　[1]　第520条の3の説明参照。小切手法19条1文と同趣旨の規定を民法に
置いたものと解されている。この規定は、商法上の証券についても指図証券一般に適用され
ると解されている。

（指図証券の善意取得）
第五百二十条の五
　　　何らかの事由により指図証券の占有を失った者がある場合において、その所
　　持人が前条の規定によりその権利を証明するときは、その所持人は、その証券
　　を返還する義務を負わない。ただし、その所持人が悪意又は重大な過失により
　　その証券を取得したときは、この限りでない[1]。

〈改正〉　2017年に新設された。

[本条の趣旨]　[1]　第520条の3の説明参照。裏書欄のあるゴルフ会員権証券などについ
ては、改正前商法519条2項を類推適用すべきであるとの説が有力であったが、本条では、
指図証券の目的を問わず、かつ喪失の理由を問わず善意取得を認めるものとした。

（指図証券の譲渡における債務者の抗弁の制限）
第五百二十条の六
　　　指図証券の債務者は、その証券に記載した事項及びその証券の性質から当然
　　に生ずる結果を除き、その証券の譲渡前の債権者に対抗することができた事由
　　をもって善意の譲受人に対抗することができない[1]。

〈改正〉　2017年に新設された。

[本条の趣旨]　[1]　第520条の3の説明参照。改正前472条および同473条も参照。520
条の5、520条の10と異なり、本条では、「重過失」にふれていない。文理上は、重過失の譲
受人も保護される。

§§520の4〜10

（指図証券の質入れ）
第五百二十条の七
　　第五百二十条の二から前条までの規定は、指図証券を目的とする質権の設定
　について準用する[1]。
〈改正〉　2017年に新設された。改正前365条を参照。
[本条の趣旨]　[1]　改正前363条は「債権であってこれを譲り渡すにはその証書を交付す
ることを要するもの」を質権の目的とする場合について規定し、同365条は「指図債権」を
目的とする質権の対抗要件について規定しているが、新法は、これらの規定についても「指
図証券」の質入れについての規定として整備した。すなわち、改正前363条・365条を削除
し、指図証券の譲渡と同様に、裏書を対抗要件から効力要件に変更するとともに、裏書の方
式・権利の推定・善意取得・抗弁の制限についても譲渡の場合に準じるとするものとした。

（指図証券の弁済の場所）
第五百二十条の八
　　指図証券の弁済は、債務者の現在の住所においてしなければならない[1]。
〈改正〉　2017年に新設された。
[本条の趣旨]　[1]　改正前には、証券の弁済に関する場所についての規定はない。そこで
新法は、指図証券についても商法改正前516条2項と同様の規定を設けた。改正前商法516
条2項の「営業所」が削除されているが、民法典では客観的意義の「営業」概念が用いられ
ていないためであり、「営業所」を排除する趣旨ではないと解されている。

（指図証券の提示と履行遅滞）
第五百二十条の九
　　指図証券の債務者は、その債務の履行について期限の定めがあるときであっ
　ても、その期限が到来した後に所持人がその証券を提示してその履行の請求を
　した時から遅滞の責任を負う[1]。
〈改正〉　2017年に新設された。
[本条の趣旨]　[1]　商法削除前517条は期限の定めがある場合でも期限が到来した後に証
券の提示と履行の請求があった時から遅滞となることを定めているが、民法上には、これに
ついての規定はない。そこで、新法は、指図証券についても商法削除前517条と同様の規定
を設けた。したがって、同条の関連判例が参考になる。履行の請求をするためにその提示を
必要とする証券を「提示証券」という。なお、裁判上の請求を行う場合において、訴状の送
達または支払督促の送達をもって付遅滞効を認めてよいか（判例）については批判的意見も
ある（民訴133条1項、382条以下参照）。

（指図証券の債務者の調査の権利等）
第五百二十条の十
　　指図証券の債務者は、その証券の所持人並びにその署名及び押印の真偽を調
　査する権利を有するが、その義務を負わない。ただし、債務者に悪意又は重大
　な過失があるときは、その弁済は、無効とする[1]。
〈改正〉　2017年に新設された。改正前470条および471条を参照。
[本条の趣旨]　[1]　改正前470条は、指図債権について、証券の所持人が真の権利者であ
るか否かを調査せずに弁済しても原則として免責される旨を定めている。これは証券の流通

第3編　第1章　総則　第7節　有価証券

と決済の円滑を図るための制度である。新法は、改正前470条の内容は維持しつつ、これを指図証券についての規定とした。この調査義務の免除・免責の規範は520条の4の規制からも導くことができると解されている。すなわち、同条の権利推定により、手形法40条3項と同様に、裏書の連続の記載が形式的に整っているかを調査する義務を負うが、裏書の偽造・変造など証券的法律行為の実質的有効性を調査する義務はないと解されている。なお、本条の悪意・重過失については、所持人の無権利を容易に証明できるような場合を前提に判断すべきであるとの意見がある。

（指図証券の喪失）
第五百二十条の十一
　　　指図証券は、非訟事件手続法（平成二十三年法律第五十一号）第百条に規定する公示催告手続によって無効とすることができる[1]。

〈改正〉　2017年に新設された。

[本条の趣旨]　[1]　指図証券等について、民法施行法削除前57条は公示催告手続により無効とすることができる旨を定めている。新法は、指図証券について公示催告手続に関して同様の規定を設けた。削除前商法518条の関連判例が参考になる。なお、株券に付き、会社法233条参照。

（指図証券喪失の場合の権利行使方法）
第五百二十条の十二
　　　金銭その他の物又は有価証券の給付を目的とする指図証券の所持人がその指図証券を喪失した場合において、非訟事件手続法第百十四条に規定する公示催告の申立てをしたときは、その債務者に、その債務の目的物を供託させ、又は相当の担保を供してその指図証券の趣旨に従い履行をさせることができる[1]。

〈改正〉　2017年に新設された。

[本条の趣旨]　[1]　商法削除前518条は、有価証券喪失の場合の権利の行使方法について定めている。新法は、指図証券についても、公示催告手続に関して同様の規定を設けた。したがって、同条の関連判例が参考になる。

第2款　記名式所持人払証券

（記名式所持人払証券の譲渡）
第五百二十条の十三
　　　記名式所持人払証券（債権者を指名する記載がされている証券であって、その所持人に弁済をすべき旨が付記されているものをいう。以下同じ。）の譲渡は、その証券を交付しなければ、その効力を生じない[1]。

〈改正〉　2017年に新設された。改正前471条を参照。

[本条の趣旨]　[1]　改正前471条は「記名式所持人払債権」について、指図債権の免責等について定めた改正前470条を準用している。また、民法施行法削除前57条では、記名式所持人払債権についても公示催告手続が利用できることが定められているが、譲渡の効力要件・権利の推定・善意取得・抗弁の制限・質入などについての規定はない。新法（520条の

§§520の11・520の12・第2款［解説］・§§520の13〜17

13以下）は、改正前471条を「記名式所持人払証券（債権者を指名する記載がされている証券であって、その所持人に弁済をすべき旨が付記されているものをいう）」についての規定に改め、証券の交付を譲渡の効力要件とすること（同条の13）、権利の推定（同条の14）、善意取得（同条の15）、抗弁の制限（同条の16）、質権の設定（同条の17）、指図証券の規定の準用（同条の18）につき、規定の整備を行った。結局、新法の意義は、権利の移転に関する「現在の有価証券の通念」に条文上の表現を合わせて分かりやすくした点にあるといわれている。

（記名式所持人払証券の所持人の権利の推定）
第五百二十条の十四

記名式所持人払証券の所持人は、証券上の権利を適法に有するものと推定する[1]。

〈改正〉　2017年に新設された。

［本条の趣旨］　［1］　520条の13の説明を参照。改正前民法86条3項の削除にも関係している。

（記名式所持人払証券の善意取得）
第五百二十条の十五

何らかの事由により記名式所持人払証券の占有を失った者がある場合において、その所持人が前条の規定によりその権利を証明するときは、その所持人は、その証券を返還する義務を負わない。ただし、その所持人が悪意又は重大な過失によりその証券を取得したときは、この限りでない[1]。

〈改正〉　2017年に新設された。

［本条の趣旨］　［1］　520条の13の説明を参照。520条の5も参照。

（記名式所持人払証券の譲渡における債務者の抗弁の制限）
第五百二十条の十六

記名式所持人払証券の債務者は、その証券に記載した事項及びその証券の性質から当然に生ずる結果を除き、その証券の譲渡前の債権者に対抗することができた事由をもって善意の譲受人に対抗することができない[1]。

〈改正〉　2017年に新設された。

［本条の趣旨］　［1］　520条の13の説明を参照。520条の6も参照。

（記名式所持人払証券の質入れ）
第五百二十条の十七

第五百二十条の十三から前条までの規定は、記名式所持人払証券を目的とする質権の設定について準用する[1]。

〈改正〉　2017年に新設された。改正前363条を参照。

［本条の趣旨］　［1］　520条の13の説明を参照。520条の7、520条の20も参照。

第3編　第1章　総則　第7節　有価証券

（指図証券の規定の準用）
第五百二十条の十八
　　　第五百二十条の八から第五百二十条の十二までの規定は、記名式所持人払証
　　券について準用する[1]。
〈改正〉　2017年に新設された。改正前471条も参照。
[本条の趣旨]　[1]　520条の13の説明を参照。520条の8から520条の12も参照。

第3款　その他の記名証券

第五百二十条の十九
　　1　債権者を指名する記載がされている証券であって指図証券及び記名式所持
　　人払証券以外のものは、債権の譲渡又はこれを目的とする質権の設定に関す
　　る方式に従い、かつ、その効力をもってのみ、譲渡し、又は質権の目的とす
　　ることができる[1]。
　　2　第五百二十条の十一及び第五百二十条の十二の規定は、前項の証券につい
　　て準用する[2]。
〈改正〉　2017年に新設された。
[本条の趣旨]　[1]　指名証券等に準じる証券に関する規定である。およそ「債権者を指名
する記載がなされている」有価証券から、指図証券および記名式所持人払証券を除いた有価
証券が、記名証券ということになる。
　　[2]　記名式所持人払証券に関する規定の準用規定である。削除前472条の[削除の趣
旨]も参照。民法施行法旧57条は「記名証券」を公示催告手続によって無効と為しうる証券
として挙げておらず、そのような先例も見当たらなかったので、本条の新設は、実質的な意
味で「改正」であると理解されている。本項が準用していない規定のうち、520条の8と520
条の9は、公示催告の申立てを認めることとの一貫性から、類推適用されるべきであるとの
指摘がなされている。
　　なお、本条については、削除前商法519条等の関連判例が参考になる。

第4款　無記名証券

第五百二十条の二十
　　　第二款（記名式所持人払証券）の規定は、無記名証券について準用する[1]。
〈改正〉　2017年に新設された。改正前86条3項、363条および473条を参照。
[本条の趣旨]　[1]　「無記名債権」とは、商品券・乗車券など証券に債権者名が記載されて
おらず、証券の正当な所持人が権利行使をする証券的債権である。改正前86条3項は無記名
債権を動産とみなすと規定しているが、この無記名債権も有価証券であることから、新法は、
改正前86条3項を削除し、記名式所持人払証券の規定を無記名証券に準用することとした。
　　本条については、削除前商法519条等の関連の判例が参考になる。本条が関連規定の最後
になったのは、証券上の記名の有無で有価証券を分類したためであるが、証券上の記名の有
無にかかわらず、単なる証拠証券や免責証券にすぎないものもあるため、このような形式的

§ 520 の 18・第 3 款 ［解説］・§ 520 の 19・第 4 款 ［解説］・§ 520 の 20

分類には限界があるとの指摘もなされている。

第3編　第2章　契約

第2章　契　　約

〈改正〉　2017年に本章の多くの規定が改正されたが、具体的な変更は各節または款において述べる。

① 本章の内容

本章は、債権発生の原因として最も重要であり、かつ最も広範な内容をもつ「契約」について規定する。契約とは、二者以上の法的人格による2個以上の相対立する意思表示の合致(合意)であって、その効力として債権を発生させるものをいう(なお、⑤・⑥参照)。

本章は、この民法のなかでも最重要な概念の一つである契約について、第1節に総則をおき、契約の通則を定め、第2節以下第14節までに13種の典型的な契約について規定する。

② 典型契約

(1)　民法が規定する13種類の契約のことを、民法が社会に存在する典型的な契約として選別し、取り上げて規定したという意味において、「典型契約」(かつて、民法上命名されているという意味において、「有名契約」と呼ばれたこともある)という。この13種の典型契約を、その内容ないし社会的機能に着眼して分類してみると、およそつぎのようになる。

(ｱ)　移転型の契約　　所有権その他の財産権の移転を目的とするものであって、なかでも代表的なのは、いうまでもなく、売買(第3節)であるが、贈与(第2節)と交換(第4節)とが、これに属する。社会的には、商品流通の面を担当する。

(ｲ)　貸借型の契約　　他人の物を利用することを目的とするものである。そのうち、消費貸借(第5節)は、借主が目的物を消費し、これと同種・同等・同量の別な物を返還する貸借であり、もっぱら金融の面を担当する。これに対して、賃貸借(第7節)と使用貸借(第6節)とは、借りた物を使用・収益して、その物を返還する貸借であり、日常生活における軽易な動産の貸借(たとえば、貸ビデオ・貸衣裳など)から、宅地・建物・農地などの貸借にいたるまで、その担当する作用は相当に広い。

(ｳ)　労務供給型の契約　　他人の労力を利用することを目的とするもの(労務供給契約)である。その性格にはそれぞれの特質があるが、雇用(第8節)、請負(第9節)、委任(第10節)がこれに属する。そのうち、いわゆる従属的労働関係については、労働諸立法および労働法学によってさらに独自な理論が構成されている(第8節解説③参照)。

(ｴ)　団体型の契約　　多数人が集まって団体を構成することを目的とするものである。組合(第12節)がこれに属する。これは元来契約ではなく、むしろ合同行為と目すべきものとする見解もあるが、民法は、組合を契約の一種として、そのために、本章のなかに一節を設けているのである。

第2章 ［解説］ ①②

(ｵ) その他の契約　以上の四つの基本的な型の契約のほかに、民法は、(a)預託型の契約として寄託(第11節)を、(b)互譲型の契約として和解(第14節)を、さらに、(c)特殊のものとして終身定期金(第13節)を規定している。

(2) 民法が本章において13種の典型契約について規定したのは、各種の契約について代表的な型を示したものである。当事者は、私的自治の範囲内で自分の欲するどのような内容の契約をも締結できるのであり(契約自由の原則)、それにいちいち名前をつける必要もない。しかし、当事者の契約内容が不完全・不明瞭である場合には、法は、あるいはこれを補充し、あるいはこれを解釈する必要がある。そこで民法は、典型的な契約の型を分けて、それぞれについてその趣旨の標準を定めているのである。

以上のことに関して、つぎのことに注意する必要がある。

(3) 13種類の典型契約を定めた民法が制定されてから、1世紀余が経過した今日においては、その間の社会の変動から、契約をめぐる状況についても、当然、変化が生じていると考えなければならない。それぞれの典型契約について、制定当時に典型的なものとして定められた規定の内容が、今日では必ずしも典型的なものとはいえなくなっていることもありうる。民法の規定については、そのような観点からの弾力的かつ創造的な解釈や配慮が必要である。

(a) まず、民法が典型契約として選択したが、その後の推移においてはほとんど利用されることがなく、その典型契約性に疑問がもたれるに至っているという例がありうる。第13節が定める終身定期金契約がそのよい例である。民法の起草者は、この種の契約が大いに利用されることを予想したが、実際にはそうはならなかった。今日における典型契約という観点からは、規定を削除することも検討されることになろう。

(b) つぎに、民法の典型契約に関する規定は、おおむね簡潔であって、その後の複雑多様化した契約の実態に、必ずしも十分に対応しきれていないきらいがあることが指摘できよう。その弱点を補うために、学説・判例の努力によって民法上規定されていない事柄についても適切な理論的検討を加えて、その契約に関する内容を充実させていく必要がある。

そのよい例が、「付随的義務」の理論である(本編第1章第1節解説⑥参照)。すなわち、典型契約に関する民法の規定においては、その契約から生じるいわば本体的な債務が主として想定され、それについての定めに力点が置かれ、せいぜい付随債務が視野に入れられているのであるが(本章第1節第2款解説④(1)参照)、今日の社会におけるその契約の作用に着目すると、本体的な債務だけでなく、これに付随する義務の存在を承認することが、その契約の適正なあり方を実現するために必要と考えられる事例が増しているのである。この理論は、さらに充実・発展させられることが予想される。そして、各種の契約における付随的義務の観念(同前(2)参照)が具体的に確定され、定着すれば、それぞれの典型契約に関する規定のなかに、これを新しく盛り込むことが必要になることもありうるのである。

(c) さらに、このように典型契約の観念ないし内容が充実してくると、そのなかに、いわば亜型が形成されてくることにも注目する必要がある。たとえば、割賦販

1089

第3編　第2章　契約

売などは、売買の類型に属するが、「特殊な売買」と呼ばれて、売買契約の類型の
なかにおけるその特殊性が論じられるようになっている。しかし、このような特殊
な態様をあまりに民法の規定のなかに盛りこむと、かえって典型性が希薄になるの
で、民法の規定としては原則的・基本的な事項に限るというのが正しい態度である
ということもできる。

　(d)　以上のような問題点の延長上に、各種の典型契約に関する特別法の登場とい
う現象がみられる。売買に関する割賦販売法など、賃貸借に関する借地借家関係法
など、雇用に関する労働関係法などがそれである。これらの特別法においては、強
行規定（§91〔1〕参照）の性質をもつ条文が盛りこまれることが多い。民法の典型契約
に関する規定は任意規定（同前）であることを原則とするので（もちろん、若干の例外は
ある。§§572［改注］・改正前604・626［改注］・628・改正前640など）、強行性をもつ新
しい規定は民法に織りこまずに、特別法とすることが適切であったという関係も認
められる。

　それにしても、これらの特別法をも視野に入れるのでなければ、今日における典
型契約そのものをも十分に把握することはできなくなっている。本書においても、
詳述は避けるが、必要な限りにおいて特別法にも言及することとする。

　(e)　典型契約が変化・発展して、もはや民法が予定する典型契約の概念の枠内で
はとらえきれなくなるという場合もありうる。この場合には、これを非典型契約と
してとらえ直して、その理論構成に努めることになる（3参照）。

　また、場合によっては、新しく生まれた非典型契約が一定程度の重要性と一般性
を備えるに至れば、これを新しい典型契約ととらえて、民法の規定に織りこむ必要
が生じることもありうるであろう。

　(f)　以上の問題と密接に関連するのが、いわゆる約款［新3編第2章第1節第5款
も参照］の問題である。すなわち、当事者は、契約自由の原則により、契約の内容
を自由に定めることができるのであるが、そのさい、民法が定める内容よりもかな
り詳細に、また、あらかじめ定型的に、その内容を定めておくということが慣行的
に行われるようになる。そのような約款の内容が、ある程度の一般性をもち、民法
の規定よりも重要な機能を含むという現象がみられる。この約款の問題は、複雑で
重要なものがあるので、別に論じる（本章第1節第2款解説5参照）。

3　非典型契約・混合契約

(1)　典型契約に対して、当事者は、これらの型のいずれにも該当しない契約（これ
を「非典型契約」という。かつては、民法上名称を与えられていないという意味において「無名
契約」と呼ばれたこともある）を結ぶことも、また、1個の契約のなかに二つ以上の型（典
型契約と典型契約のこともあれば、典型契約と非典型契約のこともある）の混合したような契
約（これを「混合契約」という）を結ぶことも、自由である。それらの場合には、あるい
は典型契約の一部の規定を参照し、また、法律行為解釈の一般的標準に従って、その
不完全・不明瞭な点を補充し、解釈するべきである。

(2)　典型契約について述べたことに対応して、つぎの諸点に注意する必要がある。

第2章〔解説〕③④

(a) 非典型契約には、民法が定める典型契約のどれともまったく関係のない別の種類の契約である場合と、典型契約が変型して、もはや典型契約とはいえなくなったような場合とがありうる。前者を「狭義の無名契約」と呼んで区別することもあるが、この区別はとくに意味をもつわけではない。

(b) 典型契約と非典型契約との違いは流動的であって、いたずらにこの区別にこだわることは正しくない。たとえば、実際に存在する契約を強いて典型契約のどれかに入れようとするのは、ときに無理であり、無用であり、有害でさえあることもありうる。要は、その契約の内容を実質的に的確にとらえて、適正に理論構成し、妥当な効力を与えることである。

(c) 非典型契約については、学説は、法社会学的な方法を駆使してその実態を把握し、適切な理論化を行うことがその責務である。そのような理論化の結果、社会的重要性と一般性を備えた非典型契約について、典型契約として民法の規定に新たに盛りこむ必要が認められるということもありうる。

その意味においては、契約法の解釈としては、今日重要と考えられる非典型契約をあまさず視野に入れなければ、十全とはいえないが、本書においては、その余裕はないので、各種の典型契約と関連させながら、若干の代表例を取りあげるにとどめることとする(第3節解説②、第5節解説④、第7節解説⑤参照)。

④ **契約の種類・態様**

契約については、以上に述べたほかに、いろいろな観点からの分類が行われている。なかでもつぎに挙げるものは、その契約の成立や効力をめぐる問題点に関連をもつ重要な分類である。

(1) 有償契約・無償契約

契約の当事者が相互に対価的出捐(しゅつえん)(経済的な出費・損失のことをいうが、最近は使われることが少なくなりつつある)をするかどうかによる区別である(§559〔1〕参照)。

相互の出捐が互いに対価としての意義を有するかどうか(出捐の対価性)の決定は、場合によって必ずしも容易ではない。原則的には、この対価性は、当事者の主観、すなわち両当事者の合意された意思によって決せられる。たとえば、当事者が売買のつもりであれば、代金がいかに少額でも、それは対価としての意義をもち、当事者が贈与のつもりであれば、他方の出捐が多少重くても、その出捐は対価としての意義をもたない(いわゆる負担付贈与になる。§553参照)。しかし、主観といっても限度があり、授受された物の時価に十分相当するだけの金額が支払われれば、当事者がいかに贈与だと言いはっても、売買と認定した方が適切であるという場合もありえよう。

また、一見相互が出捐し合っているようにみえても、対価とはいえない場合がある。たとえば、無償委任(§648〔改注〕参照)はもちろん無償契約であるが、委任者が受任者に対して費用を償還することがありうる(§650参照)。しかし、これは、受任者が負担する出捐(委任事務のための労務)と対価関係に立つ出捐ではないから、有償契約とはいえない。

有償契約には、売買の規定が準用されるなど(§559。そのほか、§1039、破§§160Ⅲ・

1091

第3編　第2章　契約

161 I など)、無償契約との間に重要な差異が認められる。

(2)　双務契約・片務契約

契約の当事者が、相互に対価としての意義を有する債務を負担するかどうかによる区別である(改正前§533(1)参照)。

対価としての意義については、(1)に述べたのと同様である。たとえば、使用貸借(§593 [改注])は片務契約であって、当事者が無償と考えている限り、使用借主が対価関係にはない多少の出捐を義務づけられていても、双務契約とはならない。また、使用借主は契約終了により物を返還する債務を負うが、これと貸主の使用させる債務とは対価関係にあるわけではないから、双務契約とはいえないのである。

有償契約・無償契約の区別と双務契約・片務契約の区別とはきわめて近似するが、同一ではない。双務契約は、すべて有償契約である。しかし、逆に、有償契約は、すべてが双務契約であるとは限らない。その大部分は双務契約であるが、ごく僅かな場合に片務契約である場合もある。そのような差が生じるのは、後述の要物契約においてである。要物契約においては、一方の当事者の出捐がなされてはじめて契約が成立するとされるので、その場合には、その者の出捐については契約によって債務として成立することがなく、他方の当事者の債務のみが成立する。すなわち、有償契約であるが、片務契約であることになる(もちろん、使用貸借のように、無償の要物契約の場合には、当然に無償・片務契約となる)。たとえば、利息付消費貸借契約は、元本の供与と利息の支払が対価関係にあるので有償契約であるが、元本の供与がなされてはじめて契約が成立するとされているので(§587参照)、貸主の、借主に対して目的物を貸す債務が成立することはない。契約によって生じるのは、借主の元本を返還する債務と、利息を支払う債務だけであるので、したがって、片務契約であるということになる(§587(6)参照)。

双務契約と片務契約との間には、適用される規定に重要な差異がある。とくに、同時履行の抗弁権(§533 [改注])と危険負担(削除・改正前§§534~536)の規定が双務契約にのみ適用されることが重要である(そのほか、破§53など)。

(3)　諾成契約・要物契約

契約が当事者同士の合意のみによって成立するか、合意のほかに一方の当事者による一定の給付(物の引渡し、その他)がなされることによってはじめて成立するかによる区別である(改正前§549(3)・§587(3)参照)。

合意のみによって成立する契約を「諾成契約」といい、一定の給付を要するものを「要物契約」または「践成契約」という。民法の規定上、要物契約とされているのは、消費貸借・使用貸借・寄託の三種の契約である。

民法がこれらの契約を要物契約としていることには、一方において沿革的な理由があるのであるが、他方、今日でもそれに一定の合理性が認められることもありうる。たとえば、民法が消費貸借の法律関係は貸主が目的物(たとえば金銭)を借主に引渡した時から開始するものとしているのは、沿革的な理由に基づくものであろう(後述のように、諾成的消費貸借を否定する必要はない。§587(6)、新§587の2参照)。他方、寄託の法律関係については、寄託者が受寄者に物を預けた時からその効力を認めれば十分であ

る(預けると約束したからといって、預ける必要がなくなったときにまで、預ける義務があると
する必要はない)と考えることには、現在でも合理性が認められよう。

　しかし、今日の契約自由の原則からすれば、たとえば、当事者間に100万円の貸借
の合意が成立すれば、貸主には100万円を貸す義務を生じ、借主は借りた100万円を
返還する債務を生じると考えることになんの支障もないはずである。また、寄託契約
についても、合意だけで効力を生じ、受寄者は目的物を預かるための場所などの準備
をし、寄託者が預ける必要がなくなったときは、──預けろという請求権を認める必
要はないが──準備のためにこうむった損害を寄託者の債務不履行責任として請求で
きるといってもよい場合はありうるであろう。

　そこで、これらの場合には、民法が想定した要物的消費貸借契約または要物的寄託
契約ではなく、非典型契約としての諾成的消費貸借契約または諾成的寄託契約が結ば
れたものと考えてよいとする傾向が、学説としては大勢を占めている。なお、この問
題は、消費貸借の予約または寄託契約の予約という形で論じられることもあることに
注意を要する((8)参照)。

　(4)　不要式契約・要式契約

　契約が成立するために、当事者の合意以外に、なんらかの方式を備えることを要す
るか、要しないかによる区別である。

　なんらの方式をも要しない契約を「不要式契約」(または、「不方式契約」)といい、な
んらかの方式を要する契約を「要式契約」(または、「方式契約」)という(要物契約も一種
の要式契約といえる)。

　沿革的には、たとえば土地の移転に占有に関連する一定の外形的行為を必要とした
り、領主による一定の形式に従った承認を必要としたりする例が多かったが、近代市
民法においては、契約自由の原則のもとにおいて(方式自由の原則。本章第1節解説③(3)
参照)、これらの古い意義を有する要式契約は消滅したといってよい。

　しかし、近代的契約においても、あるいは、法律関係の明確性を確保するため、あ
るいは消費者などの弱い立場の当事者を保護するために、一定の書面の作成が義務づ
けられている例がかなり多く認められる(農地§21、割賦§§4・29の3・30の2、特定商取
引§4、貸金業§17、建設§19、宅建業§37、旅行業§12の5、など。なお、2004年改正により、
民法自体のなかに書面を効力要件とする規定が挿入されたが、この規定には問題があると思われ
る。保証契約に関する§446Ⅱ・Ⅲ［改注］参照)。ただし、その書面作成が契約成立のた
めの要件であるか(すなわち、要式契約であるか)、契約の成立そのものには関係のない
(有効要件ではない)、単なる作成・交付義務であるのか、あるいは、契約そのものの成
立要件でなく、一部の特約の有効要件であるのか(借地借家§§22・24にその例がみられ
る)、については、それぞれの規定について慎重に見極める必要がある。

　なお、婚姻・養子縁組・離婚・離縁・遺言などの身分行為については、一定の届け
出や証書の作成が有効要件とされている場合が多いが(§§739・764・799・812・960)、
これらも要式行為の性質を有するものといってよい。これらの場合の要式性の根拠は、
身分上の行為のもつ性質から説明される。

　(5)　一回的契約・継続的契約・回帰的契約

第3編　第2章　契約

契約の効力として、一回的給付を目的とする一回的債務を成立させる契約を一回的契約と呼び、継続的給付を目的とする継続的債務を成立させる契約を継続的契約と呼ぶ(一回的給付・債務、継続的給付・債務の概念については、本編第1章第1節解説5参照)。一回的給付を繰返し継続して行う債務を成立させる契約を回帰的契約と呼ぶことができる(同上)。

民法の定める典型契約のうちでは、贈与・売買・交換・請負(§632(1)参照)は一回的契約に属し、消費貸借・使用貸借・賃貸借・雇用・委任・寄託・組合・終身定期金は継続的契約に属するとされる(和解については、それによって生じる債務が一回的債務であるか、継続的債務であるかによって判断することになる)。後者のうち、とくに賃貸借・雇用・組合は、継続的契約関係としての性質を強く有し、重要である。回帰的契約は、たとえば売買のような一回的給付が周期的に、もしくは繰り返して行われるような契約を指し、一回的と継続的の両要素が混在していると解すれば足りるともいえるが、場合によっては、継続的契約関係としての性質を強く帯びることもありうる(いわゆる継続的供給契約など)。

一回的契約と継続的契約の間には、効力その他の点で類型的ともいえる重要な差異が認められる。その差異が最も顕著に現われるのは、契約の効力の終了に関してである。一回的契約が効力を失う場合は、その契約から生じた一回的債務が消滅すると考えれば足りる。これに対して、継続的契約の効力の終了は、すでに経過した期間についての効力を遡って否定するものではなく、将来に向ってのみ契約の消滅をもたらすものと考えることになる(第1節第3款解説2(3)・3(2)、改正前§541(7)(1)、改正前§543(5)、改正前§545(6)(7)、§§620[改注]・630・652・684参照)。

しかし、民法の規定は、この類型的差異を必ずしも明確にしていないので、契約がどちらの類型に属するかは、つねに留意して考察する必要がある。契約の解除の問題その他に関連して論じられる問題である(第1節第3款解説3(2)参照)。

(6)　複合契約・各個契約・単独契約

今日の契約においては、当事者の間で、複数の、互いにいちおうは別個の契約が結ばれるが、それらの契約が相互に密接な関係をもち、これを切り離して、互いに無関係なものとしてとらえることは適切を欠くという場合が少なくない。たとえば、金銭消費貸借契約とそこから生じる債権を担保する抵当権設定契約、不動産の売買契約とその不動産を直ちに売主に貸す賃貸借契約、マンション売買契約とそのマンション内のプールを利用することなどを内容とする会員権契約などである。この場合、密接に関連しあう関係にある複数の契約を「複合契約」(または、結合契約)と呼び、そのような関係にある個々の契約を「各個契約」、そのような関係を有しない契約を「単独契約」と呼ぶことができよう。一つの各個契約についての債務不履行などが他の各個契約にどう影響するか、などが問題になろう(解除に関して、§540(4)参照)。

(7)　総括契約・個別契約

当事者の間で、将来継続的に取引をすること、たとえば物品の売買を行い、金銭貸借を行うことを合意し、まずその取引に関する諸条件や期間などを定める総括的な契約を締結し、そのうえで、そのような合意に基づいて個別の売買や金銭貸借が行われ

第2章 ［解説］ [4]

るという事例が増加している。その呼称については、まだ熟していないが、前者を
「総括契約」、「総括的契約」、「基本契約」、「枠契約」（わく）（ドイツ語で Rahmenvertrag）など
と呼び、後者を「個別契約」と呼ぶことができよう。

　このような契約の存在態様に伴って生じる問題点の検討は、今後の課題である。

　(8)　本契約・予約

　将来、一定の内容の契約を締結するべきことを約する契約を「予約」といい、これ
に基づいて締結される契約を「本契約」という。

　予約も一種の契約であって、拘束力を生じるが、当事者が意図する給付義務そのも
のを直ちに生じさせるものではなく、相手方に対して本契約締結義務を負わせるもの
である。当事者の双方がその請求権（「予約完結請求権」ともいう）を有するものを「双務
予約」といい、一方だけがこれを有するものを「片務予約」という。

　予約に基づく予約完結請求権を有する者が相手方に対してその権利を行使したが、
相手方が本契約の締結に応じないときには、どうするか。相手方に対して本契約締結
の承諾を請求することができる（改正前§414 IIただし書）とするのも一案である。そし
て、このような予約を「本来の予約」と呼ぶことができる。

　しかし、民法は、原則としてそれを不要とし、予約完結請求権の行使（「予約完結の
意思表示」という）によって本契約が直ちに成立するものとした（§§556・559。この両条の
体裁からすれば、条文上は有償契約に限られ、無償契約については規定はないことになる）。当
事者の合意が当事者を拘束するという近代契約法の観念からすれば、当然のこととい
ってよい。さらにいえば、予約という言葉が用いられていても、それは、実質的には
予約完結の意思表示を停止条件とする本契約そのものと、なんら変りないということ
もできる。そして、本来の予約ともいうべき形態は、規定上は、要物契約とされる消
費貸借に関する 589条［改注］に、いわばその形をとどめているにすぎないのである。
この予約完結権を双方が有するものを「双方の予約」、一方だけが有するものを「一
方の予約」という。

　このように、予約の観念は、要物契約や要式契約との関連で問題を含んでいる。本
契約が要物契約または要式契約とされている場合には、予約に上記のように予約完結
の意思表示だけで契約が成立するという効力を認めるわけにはいかず、要物性あるい
は要式性を備えた本契約を締結するように請求する権利が生じるものと考えなければ
ならないからである。この場合には、それらの要物契約性や要式契約性がどのような
意味をもつかによって、それについての予約の効力についても判断する必要がある。

　たとえば、民法上、要物契約とされている消費貸借契約について諾成的消費貸借を
認めてもよいという判断に立てば（(3)参照）、その予約に上記のような効力を認めて、
なんら差しつかえない。他方、要式契約性が当事者に慎重な判断を促そうとする趣旨
に出ている場合には（§550［改注］参照）、予約も本契約と同様の方式を必要とすると
解しなければならない。また、要物契約性が、当事者の一方に、相手方に目的物を引
渡すことによって契約を成立させるかどうかの判断を自由に下させる意味をもつもの
であるとすれば、その者は、本契約の締結を拒否できると考えなければならない。そ
の場合、本契約の不締結による損害賠償義務を予約の効力として認めるかどうかの問

1095

第3編 第2章 契約

題となるが、契約自由の原則からは、肯定するのを妥当としよう。婚姻などの要式行
為の場合には、身分上の行為は本人の自由意思を尊重するという趣旨からも、予約
(いわゆる婚約)にその身分行為を行う(すなわち、婚姻届をする)ことを強制する拘束力を
認めることはできない((4)末尾参照)。しかし、その予約の不履行について損害賠償義
務を生じるという効果は認められている。

(9) 有因契約・無因契約

契約によって成立する債務が、それを成立させる原因となった事実と結びついて、
その前提である事実がなければ、債務も成立しないという関係に立つ契約が有因契約
であり、そのような関係が切り離され、その前提事実がなくても、債務だけは成立す
るものとされる契約が無因契約である。

物権変動を生じさせる合意に関して、いわゆる物権契約(物権行為)の無因(契約)性が
論議されることがある(第2編第1章解説②参照)。しかし、債権の発生を目的とする無
因契約の例は、わが民法では規定されていない。そのことからすれば、この分類をと
くに問題とする必要はないと考えられる。ただし、当事者が——非典型契約として
——とくにそのような趣旨の契約を結ぶことは妨げないと解されている。

(10) 二面契約・三面契約・多面契約

通常の契約は、相対立する二当事者間の合意によって締結される。これに対して、
近時において三者が相互に合意することによってその三者間に相互の債権を成立させ
る契約形態の例が増加しており、これを「三面契約」と呼ぶことがある。言葉として
熟してはいないが、これに対して、通常の二当事者による契約形態のことをとくに指
すときは、「二面契約」と呼ぶことになろうか。さらには、四面契約、五面契約、そ
れにとどまらずに「多面契約」の展開ということもありえよう。

三面契約の代表例は、いわゆるクレジット契約である(第5節解説④(2)(イ)(a)参照)。そ
れは、物品を販売するAとこれを購入するBに、信用を供与するCが加わって締結
される。この三者の法律関係を、AとB、BとC、AとCというように、二者同士
の関係に分解して考察することも、もちろん可能である。しかし、この3個の契約関
係は相互に密接に関連しており、これを互いに無関係のものとして切り離して考察す
ることによっては、決して妥当な結論は得られない。むしろ、この三者が相互に関連
して形成している法律関係として考察することが必要と考えられる。この種の問題の
検討も、(7)と同様に、民法学の今後の課題といえよう。

(11) 消費者契約と一般の契約

(ア) 2000年の消費者契約法は、消費者契約(同法§2Ⅲは、「消費者と事業者との間で締
結される契約」と定義、「消費者」と「事業者」のそれぞれの定義を置いている。同条Ⅰ・Ⅱ)に
ついての特別規定をおいている(本章第3節解説②(7)・改正前§§90〔1〕(3)(エ)・改正前96〔3〕参
照)。さらに、電子消費者契約の概念まで登場している(改正前§95〔5〕(ウ)参照)。

消費者契約とそうでない一般の契約(非消費者契約と呼ぶことになろうか)との類別があ
ることになるが、この問題は、契約一般と消費者契約との関係に関する基本的な理論
分析が必要な事柄であることを確認しておきたい(なお、2002年に改正されたドイツ民法
が、各種の消費者保護のための法律、たとえば訪問販売・通信販売などに関する1986年法を§§

1096

312〜312f に、消費者信用に関する 1990 年法を§§491〜506 に織り込んだことも参考になろう。同法§13 には消費者の、§14 には事業者の定義規定もある）。

(ｲ)　なお、消費者契約法の内容の要点について述べる。

(a)　同法第 2 章は、消費者契約と題され、つぎの 2 節を置く。

第 1 節は、民法の意思表示の取消しに関する規定に対する特則を定める。とくに 4 条は、消費者契約締結に当って、重要事項について事実と異なることを告げたり、重要事項を告げないことなどにより消費者に誤認をさせて意思表示をさせた場合（誤認の三類型）、また、不退去などにより困惑させて意思表示をさせた場合（困惑の二類型）に、消費者に契約の取消権を認めた（この取消権は 1 年、5 年の時効にかかる。同法§7。民§126 参照）。この規定は、媒介の委託を受けた第三者、代理人の行為に準用される（§5）。

これらの行為は、民法 96 条［改注］の詐欺強迫に該当する行為のなかで、消費者において生じやすい類型を示すものである。民法 96 条の適用を妨げないという同法 6 条（§11 もあるが、意味不明な規定である）による注意規定があるが、つぎの点に留意すべきである。

(ⅰ)消費者契約以外の契約についても、上記の行為は民法の詐欺強迫に該当すると判断される場合は多いと思われる。この種の行為が、非消費者契約については許されるなどと理解されることがあってはならない。

(ⅱ)同法によって消費者にとっての取消権の主張が容易になったといえるが、民法 96 条による詐欺強迫の認定は、これらの類型に限らず、さらに弾力的に広くなされる必要があることを忘れてはならない。

(ⅲ)同法による取消権が時効で消滅した後も、民法 96 条［改注］による取消権の主張は民法 126 条によって消滅するまで可能と考えなければならない。

(ⅳ)以上の意味において、民法 96 条［改注］と同法 4 条の規定はつねに同時に考慮に入れられなければならない。

第 2 節は、民法の意思表示の無効に関する規定の特則を定める。8 条［改注］〜10 条が、無効とされる条項を詳細に列挙する。これについても、上記と同様に、民法の 90 条をはじめとする無効規定を限定するものではなく、さらに充実させるものとして理解しなければならない。

以上の内容は、重要なものではあるが、消費者が結ぶ個別の契約に関するものであって、いわゆる約款そのものの規制という趣旨を含まないことに留意する必要がある。

(b)　同法は 2006 年に改正され（平成 18 年法律 56 号。2007 年 6 月 7 日から施行された）、第 3 章差止請求が新設された。これは、事業者が 4 条に定められた行為を行い、または行うおそれがあるとき、8 条［改注］〜10 条により無効とされる条項を含む意思表示を行い、または行うおそれがあるときに、内閣総理大臣が認定した「適格消費者団体」がその差止めを請求することができるとするものである。この差止請求権は、もちろん訴訟によって主張することができる。この制度は、2008 年の特定商取引法の改正（本章第 3 節解説②(5)を参照）により認められた差止請求（同法§§58 の 4

第3編　第2章　契約

~58の9)についても認められた(平成20年法律29号の改正による消費契約§43Ⅱ③参照)。

　この制度がいわゆる消費者団体訴訟制度として有効な働きを発揮することができるかについては、いわゆる約款それ自体を対象としないなどさまざまな制約があるが、判例は制度の活用に努力している。例えば、「上記各規定にいう「勧誘」について法に定義規定は置かれていないところ、例えば、事業者が、その記載内容全体から判断して消費者が当該事業者の商品等の内容や取引条件その他これらの取引に関する事項を具体的に認識し得るような新聞広告により不特定多数の消費者に向けて働きかけを行うときは、当該働きかけが個別の消費者の意思形成に直接影響を与えることもあり得るから、事業者等が不特定多数の消費者に向けて働きかけを行う場合を上記各規定にいう「勧誘」に当たらないとしてその適用対象から一律に除外することは、上記の法の趣旨目的に照らし相当とはいい難い。したがって、事業者等による働きかけが不特定多数の消費者に向けられたものであったとしても、そのことから直ちにその働きかけが法12条1項及び2項にいう「勧誘」に当たらないということはできないというべきである」としている(最判平成29・1・24民集71巻1頁)。

5　債権契約

　本章の契約は、債権発生の一原因として債権編に規定されているのであるから、債権の成立を目的とする合意(いわゆる「債権契約」)の意義に用いられている。しかし、契約という語は、すべての合意を含む広い意義にも用いられる。その場合には、物権の設定、物権・債権その他の権利の移転、さらにまた親族法上の効果を生じるすべての合意(いわゆる「物権契約」・「準物権契約」・「身分的契約」)を含む。113条から117条[改注]までの「契約」は、この意味である。ドイツ民法は、同様に契約(Vertrag)の語をこのような広義に用い、その通則を民法総則に掲げている(同法§§145~)。これに反し、イギリス、フランスの法律では、契約(contract, contrat)の語を狭義に用い、広義には合意(agreement, convention)というのを常とする。

　このように、本章の規定は、狭義の契約(債権契約)を対象とすることに疑いはないが、わが民法には、広義の契約についての規定はないから、性質がはなはだしく異なる身分的契約は別として、物権契約および準物権契約についても、その成立要件、成立の時期などに関しては、本章の規定を準用するべきである。のみならず、正確にいえば、わが民法では、債権契約と物権契約ないし準物権契約との間には必ずしも明確な区別をしていないのであるから、本章に定める各種の契約においても、それによって物権の成立ないし移転の効果をも生じる場合があることを注意するべきである(§176[4]参照)。

6　契約と区別されるもの

　契約は、相対立する二つの意思の合致、たとえば、ある物を10万円で売ろうという意思と、その物を10万円で買おうという意思との合致、によって成立する。したがって、つぎの諸観念と区別される。

第2章［解説］ 5 6

(1) 単独行為　　単独の意思表示によって効力を生じるものをいう。遺言・取消し・解除・相殺などが、これに属する。

(2) 合同行為　　共同の目的に向っていわば平行的に合致する数個の意思表示によって成立するものを「合同行為」という。社団法人や会社の設立行為などが、これに属する。

(3) 協　約　　二つの意思が合致するという点では契約と異ならないが、当事者の一方もしくは双方が団体を構成していて、その個々の団体構成員が相手方と締結している個々の契約に対して一定の法規的基準を設定するようなものを、とくに「協約」または「団体協約」と呼ぶことがある。労働協約は、その適例である（第8節解説 3 (2)(a)参照）。協約は、団体法理によって支配され、契約の規定をそのまま適用することはできない。しかし、相対立する意思の合致によって成立するという点では契約的性格を有し、その限りにおいて、本章の規定を、団体法理による修正をほどこしつつ、類推適用するべき場合が多いであろう。

　協約が、個々の団体構成員が結ぶ個々の契約の内容にもなるという点において、約款（第1節第2款 5 参照。さらに、新法第2章第1節第5款・定型約款も参照）と共通の問題点を有することも指摘できよう。ただし、協約は双方の間の団体的交渉による合意によって成立する点が、約款と違うところである。

1099

第3編　第2章　契約　第1節　総則

第1節　総　　則

〈改正〉　本節の多くの規定が改正されたが、具体的には各款において述べる。

[第1節の改正条文に関する前注的解説]　新法では、第1款「契約の成立」に、契約の締結及び内容の自由(521条☆)と契約の成立と方式(522条☆)が定められた。契約に関する基本的なルールを明文化したことにより、非法律家にもわかりやすくなったといわれている。それぞれの内容については、[改正前法に関する解説]③を参照。第2款「契約の効力」では、債権者の危険負担(534条)と停止条件付双務契約における危険負担(535条)が削除されたが、これは、これらの規定に関する合理的根拠について批判がなされていたことを受けた改正(削除)である。第3款「契約上の地位の移転」として「539条の2☆」が新設されたが、これは、債権譲渡とも債務引受とも異なり、契約当事者の地位が移転する場合について、明文化したものである。従来の第3款「契約の解除」は第4款となった。第5款として「定型約款」(584条の2～584条の4☆)が新設された。これは約款が多く用いられている実態に対応した改正であるが、約款のすべてを規制するものではない。[☆印は新設]

① [改正前法に関する解説] 本節の内容

改正前本節は、「総則」と題して「契約の成立」、「契約の効力」、「契約の解除」の三つの款から成っている。本節は、形の上では、すべての契約に共通な成立・効力・消滅の三者について規定している。しかし、第1款の契約の成立はともかくとして、第2款の契約の効力は、契約の効力に関する諸問題のうちのきわめて特殊な事項に限って規定しており、また、改正前第3款の契約の解除も、契約消滅(終了といってもよい)の原因のうちの一つに過ぎないばかりでなく、各種の契約の節に、それぞれの契約に特有な解除原因が定められていることにも注意するべきである。

② 本節が適用される範囲

本節の規定は、第2節以下に規定する各種の典型契約に対する通則としての意味を持つが、そればかりでなく、混合契約・非典型契約のすべてに通じる通則である。のみならず、いわゆる物権契約および準物権契約についても、準用されるものである。しかし、身分的契約については、おそらくは準用されるものがないであろう。けだし、婚姻・養子縁組なども一種の契約ではあるが、財産法上の契約とはその本質を異にし、その成立や効力については、親族編に詳細な規定があり、本節の規定が準用される余地は少ない。のみならず、親族編に規定のない、たとえば婚約などについても、本節の規定によらずに、婚姻・縁組などの規定の類推適用と、身分行為の本質によって解決するのが妥当と考えられるからである(本章解説④(4)・⑤参照)。

③ 契約自由の原則

今日において、契約の通則として最も重要な問題は、「契約自由の原則」であろう。

第1節［解説］・第1款［解説］

本節には、これについてなんら規定していない。しかし、近代法は、個人の生活関係はその自由な意思によって処理されるべきものであるとの理想に立って、いわゆる契約自由の原則（「私的自治の原則」といってもよい）を認めた。その結果、社会は活発な自由競争の支配するところとなり、一方では経済活動の自由、ひいては資本主義文明の進歩を促し、他方では、個人人格の尊重の理想を確立した。しかし、19世紀の末頃から人々の間にいちじるしい富の不平等を生じ、富める者と貧しい者の間の契約の自由は、富める者に有利な内容をもつようになり、貧しい大衆はその生存をおびやかされるようになった。そこで、法の理想は、個人の自由の獲得というところから、すべての人に人間らしい生存を保障しようとすることに移り、契約自由の原則も、公共の福祉と調和する限りにおいてのみその存在意義を認められるようになった。その結果、契約の自由も種々の観点から制限されなければならない運命に立ち至っている。

詳細は、それぞれ該当する個所で説くが、つぎに、その大綱を指摘しよう。

(1) 契約締結の自由

契約を締結するかしないかの自由、および契約の相手方を選択する自由を含む。しかし、現在では、多くの点において強弱さまざまな制限を受けている（第1款解説③参照）。新521条1項を参照。相手方選択の自由は明記されなかった。

(2) 契約の内容決定の自由

強行法規または公序良俗に反しない限り、契約の内容は、当事者が自由に決定することができるという原則である。この原則は、強行法規の多少および公序良俗の概念の広狭によって、その重要性が定まる性質のものである。従来は、両種の制限ともに、できる限り狭くするべきものとされたが、現在では、経済的弱者を保護し、または公共の福祉を増進する立場から、公序良俗の概念はいちじるしく拡大され（§90〔1〕参照）、強行法規はその数を増している（§91〔1〕参照）。のみならず、経済事情の急激な変化または契約当事者間の事情のいちじるしい不均衡などの理由によって、契約の内容が改定されるという、契約法特有の理論も発達している（第2款解説②）。新521条2項を参照。

(3) 契約の方式の自由

契約は、いかなる形式によっても当事者の自由であって、とくに法律の要求する方式を必要とするものではないという原則である。裁判における立証および事実認定方式の進歩に伴ってしだいに認められ、さらに封建制度的な拘束を脱し、当事者の意思の自由を尊重する立場から、近世になって確立されたものである。しかし、現在では、従来の観念とは異なる新たな立場から、一定の方式を要求される契約が多くなってきていることは、注目に値する（本章解説④(4)、第1款解説③(3)参照）。新522条を参照。

第1款　契約の成立

〈改正〉　本款は、2017年に改正され、521条(繰下げ)、522条(削除)、523条(繰下げ)、524条(繰下げ)、525条(削除)、526条、527条、529条、530条が改正され、521条、522条、

第3編　第2章　契約　第1節　総則

529条の2、529条の3が新設された。本款に関する附則（契約の成立に関する経過措置）　第二十九条1　施行日前に契約の申込みがされた場合におけるその申込み及びこれに対する承諾については、なお従前の例による（本款の以下の各条文では引用省略）。

[本款に関する前注的解説]　契約の自由に関する新設条文は2か条であるが、これによって、内容的には、契約締結の自由（相手方選択の自由も含まれると解されている）、契約内容決定の自由、契約方式の自由が、基本的なルールを明文化するという観点から新設された。内容決定の自由のみを規定する案も検討されたが、「バランス」を考慮して上記3原則が明文化された。いずれも原則や理念を定めたものと解されている。なお、当然のことであるが、「自由」は無制限に認められるわけではない。各条文も、「法令に特別の定めがある場合」（521条1項）（具体的には、[改正前法に関する解説]③(2)参照）、（522条2項）（例えば、446条2項・465条の2第3項等）、「法令の制限内において」（521条2項）（具体的には、第1節 [改正前法に関する解説]③(2)参照）という留保を規定している。

1　[改正前法に関する解説] 本款の内容

本款は、「契約の成立」と題し、大別して二つの部分から成っている。その1は、契約自由の原則（新§§521・522）について規定する。その2は、契約が申込みと承諾とによって成立する普通の場合について、主として、隔地者間の申込みの効力（改正前§§521・524・527）およびその一般の意思表示に対する特則（改正前§525）、同じく承諾の遅延（改正前§§522・523）および変更を加えた承諾の効力（§528）、ならびに契約成立の時期（改正前§526）について規定する。その3は、懸賞広告（§§529～[新設規定に注意] 531）および優等懸賞広告（§532）について規定する。

契約は、相対立する二つの意思表示の合致によって成立する。その二つの意思表示は、普通には申込みと承諾であるが、この両者が主観的にも合致し（AとBの間。ただし、AのBへの申込みにCが承諾したという変則的な成立を認めた判例に、大判昭和8・4・12民集12巻1461頁がある）、その内容が客観的に合致していることが必要である（大判昭和19・6・28民集23巻387頁）。契約は、いわゆる「意思の実現」と「交叉申込み」によっても成立するが（改正前§526(5)・(6)(イ)参照）、この場合は、申込み・承諾の結合とは、やや趣を異にする。民法は、前者について規定したが（§526Ⅱ [改注]）、後者については、規定してない。しかし、学者は、一般にそれによる契約の成立を認めるから、正確にいえば、契約の成立する原因としては、申込みと承諾の合致のほかに、この二つの場合を挙げなければならない。なお、民法が懸賞広告を本款に規定したのは、これを契約の申込みが広告という特殊な方法による場合と考えたからであろう。しかし、懸賞広告の性質については、これを単独行為とする学説もある（改正前§529(3)参照）。

2　契約の有効要件

(1)　契約が有効に成立するためには、申込みと承諾とがそれぞれ意思表示として完全なものでなければならないことはいうまでもない。実際問題として心裡留保・虚偽表示・錯誤・詐欺・強迫などの不完全な意思表示の問題は、主として契約に関連して起こるものである。しかし、民法は、これを意思表示一般に通じる通則として、第1

編総則に規定している。

(2) また、契約が有効に成立するためには、(a)その内容が適法であり(§91参照)、(b)社会的妥当性があり(§90[改注]参照)、かつ、(c)実現が可能なものでなければならない。契約内容が法令または公序良俗に違反し、もしくは実現不能なものであれば、その契約は無効である。しかし、民法は、これらについても法律行為一般に通ずる通則として総則編に規定している。ただし、契約自由の原則が従来のような絶対性を失うに及び、その効力がさらに一層大きな制限に服するようになっていることは、とくに注意を要する点である(第2款解説②参照)。2017年の改正で412条の2が新設された点に注意すべきである。

(3) 契約が上記の有効要件を欠いているときは、契約はその効力を生じることはできない。すなわち、契約は成立しない。

たとえば、よく挙げられる例であるが、AとBとの間で遠隔地にある建物を売買する契約を結んだところ、その建物は前日に焼失して、いわゆる原始的全部不能を生じていたときは、その売買契約は成立しない(一部不能の場合には、担保責任の問題として処理されることもありうる。改正前§565参照)。このことは、その契約の効力として給付(建物所有権の移転)を請求する権利を認めることは無意味であるから、当然のことである。412条の2の新設に注意。しかし、それは、A・B間において建物売買契約は成立しないということであって、上のような経過においてAとBとの間でなんの法律効果も生じないということではない。この事例は、従来は「契約締結上の過失」の問題として論じられてきた問題であり、別途検討を要する事柄である(④(3)参照)。

③ 契約締結の自由とその制限

(1) 契約は、自由な申込みと自由な承諾によって成立するのを原則とする。つまり、契約を締結するかしないかは、また、締結するにしてもだれと締結するかは、各人の自由であるのを原則とする。これは、近代法の最も重要な原則の一つである契約自由の原則の一内容としての契約締結の自由である(本節解説③(1)参照)。新521条を参照。

(2) しかし、この契約締結の自由について、現在では、つぎのような諸制限が存在する。

(ア) 第1に、電気・ガス・水道・運送・道路・通信などの独占的企業(電気事業法§18、ガス事業法§16、水道法§15、道路運送法§§13・65、海上運送法§12、電気通信事業法§34など参照)、公証人などの公共的職務(公証§3参照)、医師・歯科医師・保健師・助産師・看護師・旅館業などの公益的職務(医師法§19Ⅰ、歯科医師法§19Ⅰ、保健師助産師看護師法§39、旅館業法§5参照)については、従来から、正当な理由なしには業務ないし職務を拒むことができないという公法的義務が課せられている。もっとも、このような場合に、——不当に拒んだ者の不法行為としての責任を生じることは明らかであるが——、正当な申込みがあれば、それによって当然に契約成立の効果を生じるかどうかは問題である。

(イ) 第2に、契約を締結するなら一定の者としなければならないという制限があるが、現在では酒類の販売が免許を与えられた者に限られる例(酒税法§9)ぐらいしか存

第3編　第2章　契約　第1節　総則

在しない。

(ウ)　第3に、一定の者が申込みをした場合には、法律の定める事由がなければ拒絶することができないもの、すなわち承諾義務があるとされる例も少なくない。借地・借家・小作などの継続的契約の期間の更新請求がその適例であるが（借地借家§§5Ⅰ・26Ⅰ、農地§18）、借地権者などの建物買取請求権（借地借家§§13・14）、借家権者の造作買取請求権（借地借家§33）なども同様である。もっとも、これらの場合には、一方当事者の請求があれば、相手方の承諾をまたずに契約が成立したものとみなされる場合が多く、厳密にいえば、承諾義務を課したものということはできない。しかし、相手方の承諾の意思の有無を問わずに契約が成立する点では、締結自由の制限であることは疑いない。

(エ)　第4に、一定の者の申込みがあれば、これと協議して契約を締結するべき義務が課され、それに従わないときは、一定の国家機関の裁定によって契約的効果が当然に発生するものとされる例も相当に多い。耕作者が必要とする農業用林野の上の利用権の設定（農地§§22等参照）、採石権の設定（採石§§9〜14参照）、隣接鉱区相互間の鉱区の増減の協定（鉱業§§89〜99参照）などがその例である。このような場合には、——当事者が任意に契約をしないことを要件としてではあるが——、国家機関の命令によって契約関係が成立するのであるから、「命令契約」（diktierter Vertrag）と呼ばれるけれども、もはや契約の本質を失ったものともいうことができよう。

(オ)　第5に、一定の土地などの売買などについて、都道府県知事などの許可やこれへの届け出などを必要とするものと定められている例がある。農地についての農地法3条・5条、一定の区域の土地についての国土利用計画法14条・23条などである（第3節解説[2](3)参照）。

(カ)　最後に、一定の者が申込みをするべき義務を課されることもある。重要美術品を有償で譲渡しようとする者の国に対する売渡申込義務（文化財保護法§46参照）、NHKの放送を受信できる受信設備を設置した者のNHKと放送の受信についての契約を締結する義務（放送法§32）などがその例である。

以上は、どれもがいわば特殊な例にすぎないといえばいえる。また、民法の解釈には直接無関係のものも多いであろう。しかし、この種の締結強制は、その時の社会の必要性と相関的にその範囲が定まるものである。したがって、現行法制のもとにおけるこれらの諸事例を理解しておくことは、契約締結の自由の原則の今日における意義を知るうえにおいてきわめて重要なことである。

(3)　契約は、申込みと承諾の合致があれば成立し、その申込みと承諾にはなんらの形式を必要としないのが近代法の原則である。契約自由の原則の一つの表現である「契約の方式の自由」である（本節解説[3](3)参照）。民法が消費貸借・使用貸借・寄託などについて、これを要物契約としているのは、主として沿革的理由に基づくものであるが、この原則がなお徹底していない点ということができるであろう。学説・判例ともに、これを無用の制限と見て、実際上その緩和に努めている（第2章解説[4](4)、§587(3)参照）。しかし、これとは異なり、新しい観点から一定の方式が要求されるものがある。すなわち、あるいはその契約内容を明確にし、あるいは当事者間の社会的地位

の強弱がその契約に不当な影響を与えないようにするために、書面を作成することが要求されるものがある（農地§25、建設§19、旅行業§12の5、宅建業§37、割賦§§4・29の3・30の2、特定商取引§§4・14など。なお、労基§§15・89・106参照）。また、取引関係の明確と敏活の要請から一定の形式の書面を要求される契約も少なくない。後者の例は、商法上の契約に多い（たとえば、商旧§§175・301→会社§§59・677など参照）。なお、2004年改正が導入した保証契約における書面要件については、改正前§446〔3〕を参照。

④ 契約の成立過程に関する問題

(1) 民法が想定する契約の成立態様

民法は、いわゆる隔地者（土地を隔てて互いに意思表示を行う者のこと。改正前§97〔1〕参照）間の契約を想定して、基本的に申込みと承諾という二つの意思表示によって契約が成立することを規定している。そして、申込みと承諾が合致した時点——極端にいえば、合意成立の瞬間——において契約が成立するものと考えている。

これらの民法の規定は、いわば一つの基本的な理念型を定めるという意味をもつものであって、現実に契約がすべてこのようにして成立するわけではない。だからといって、民法の規定が意味を失うものではない。現実の契約がさまざまな態様において成立するのに対して、これを分析するための基本的な概念と論理を民法は示しているということができる。

(2) 実際の契約成立態様

実際の契約は、さまざまな態様において成立するが、とくにつぎの点に注意する必要がある。

(ア) 一方において、いわゆる対話者間における契約の成立がある。

対話者としてまず考えられるのは、対面者である。AとBが対面しながら、交渉し、合意に到達することによって契約が成立する場合である。意思表示の伝達に時間を要しないので、伝達の時間を前提とした民法の規定が適合しない場合が多く、どちらが申込み、どちらが承諾したかが必ずしも明確でないこともあると考えられるが、基本的には民法の想定する理念型を適用していけば、法律関係は明確にできると考えられる。

隔地者間であっても、電話で意思を伝達し合う場合には、上の対面者と同様に考えてよいであろう。

隔地者間で、ファクシミリや電子メールなどを用いて意思を伝達しあい、契約を締結することもありうる。意思の伝達に時間を要しないという点では対面者に類似する側面もあるが、基本的には隔地者間におけるのと同様に考えてもよいであろう（ただし、2001年に制定された「電子消費者契約に関する民法の特例に関する法律」は電子消費者契約に関して§95（錯誤）［改注］の特例を定めている。なお、2017年の民法改正前は、§§526Ⅰ・527（契約の成立）［改注］の特例を定めていた）。しかし、スカイプ利用による場合は、テレビ電話と同様の扱いとなろう。

(イ) 他方において、重要な財貨の取引などにおいて、交渉の開始から契約の成立に

第3編　第2章　契約　第1節　総則

至るまでに、かなりの時間の経過と交渉の曲折を要する場合がある。

　通常の場合を想定すると、(a) A と B が契約締結に目標をおいて接触を開始する段階、(b)契約の内容や諸条件をめぐっての交渉を行う段階、(c)両者がほぼ契約締結の意思を固めて、相互に契約締結のための準備(契約書面の作成や締結場所の準備、契約が成立した場合に必要な給付のための事前準備など)を行う段階、(d)両者が通信により、あるいは直接対面して契約を締結する段階、などの各段階を踏んで、契約が成立するに至るということが考えられる。

　この場合に、当事者 A・B が意図した本来の契約が成立するのは、いうまでもなく、(d)の段階(時点)においてである。しかし、それ以前の段階(契約締結前段階)において、両者の間になんらの法的効果、すなわち相互の権利・義務も生じないと考えるのは適切ではない。とりわけ、(c)の段階(契約準備段階)に入れば、両者は相互に一定の拘束を受けることになり、したがって、なんの根拠もなく契約締結を拒否することは許されず、また、一定の理由(注意義務や相手への情報提供義務に違反するなど)で契約締結が不可能になったときにそれなりの法的効果(損害賠償義務)を生じると考えることは必要であると考えられる。学説は、この方向における思考を進めており、判例も、「契約準備段階における信義則上の注意義務違反を理由とする損害賠償責任」を肯定している(最判昭和 59・9・18 判時 1137 号 51 頁。マンションの買受け希望者の希望に従った設計により施工したが、同人が契約を締結しなかった事例)。このように、契約前における信義則上の注意義務というとらえ方もありうるが、また、上述(c)の段階においても、A・B 間に一定の合意形成があり、いわば契約準備契約ともいうべき契約(予備的合意、中間的合意という観念が用いられることもある)が成立していたと構成することも考えられるであろう。

　同種の問題として、交渉過程において新商品や新技術の開発が問題となり、それに契約の効力がからむことがありうる。最判平成 19・2・27(判時 1964 号 45 頁)は、その種の事例に関する(X 社がアメリカの A 会社の意向を受けてゲーム機の開発製造を行い、その商品は、継続的に、Y を経て、A が購入・販売することになっていたところ、販売契約の締結に至らなかった。X が Y に対して開発・製造費用の損害賠償を請求し、原審は認めなかったが、最高裁は、契約準備段階における信義則上の注意義務違反があるとして、原判決を破棄し、差戻した。判決は明示していないが、不法行為の問題と考えているようである。この点、§709【4】(2)(ア)(f)(ii)が関連するので、参照)。最判平成 23・4・22(民集 65 巻 1405 頁)も参照。

　(ウ)　前項において登場した契約締結前段階における当事者の注意義務や情報提供義務については、理論上難しい問題が存する。

　これらの義務を、契約によって生じるいわゆる付随的義務の(契約締結前への)時間的遡及としてとらえようとする試みもあるが、これは、明らかに論理的に矛盾すると思われる。けだし、契約前(すなわち、契約の未存在)または契約の不成立の場合にも、その契約から生じる効果を認めることになるからである。やはり、信義則を根拠とするか、契約締結前における一定の合意の存在を前提とするしかないであろう。

　なお、一定の商品の販売などに一定の事項を表示することが、法律・条例によって義務づけられている場合(食品衛生法§19、消費生活用製品安全法§§5・10・15 など)が多く

なっているが、これと上記の問題は密接に関連する。一般的な表示義務に違反した場合には、行政上・刑事上の制裁が加えられるにすぎないが、具体的な契約成立過程((イ)の(a)～(d))においてこれらの表示義務の怠りが具体的な影響(たとえば、誤表示による誤った判断)を与えるようになれば、その段階に応じての契約法上の効果を生じると考えてよい。このような、主に消費者法の分野で強められた表示義務の問題が背後にあって、上に論じた情報提供義務の観念も発展してきたといってよい。なお、この義務違反が不法行為にもなりうるとした判例も登場したことについて、709条[4](3)(ケ)参照。

(エ) 契約成立の問題に、実際には、契約書の問題が関連し、重要である。

民法が考える理念型においては、契約は、申込みと承諾、すなわち両当事者の意思表示の合致によって成立し、契約書が作成されても、それは契約の成立および内容を証する証拠としての意味をもつにすぎない。

しかし、実際においては、対話者間においても、隔地者間においても、また、とりわけ契約前の段階に日時を要したような場合はとくに、契約書の作成およびその調印、交換に重きがおかれ、その行為が行われた時点において契約が成立したものとするのが当事者の意思である場合が少なくない。これは、決して書面作成を契約成立のための要件(要式契約)とする趣旨ではなく、契約書の作成・調印・交換の時点で本格的な契約締結、すなわち意思表示の合致が行われたものと当事者が考えているということなのである。このことは、いいかえると、契約書作成・調印・交換といういわば儀式的な行為の時点を契約成立の時点とするということであるので、それ以前においてすでに一定の実質的合意が形成されているということもいえる。(イ)で述べた契約締結前段階について一定の法的効果を認めるという必要性は、このことによってもさらに強く裏付けられるということができよう。

なお、契約書の問題は、国が結ぶ契約に関する会計法29条の8(地自§234 V参照)の規定との関係で問題を含んでいる。同条は、競争入札や随意契約(競争の方法によらずに、適当と思われる相手を選択して締結する契約)によって契約の相手方が決定したときは、契約書を作成しなければならないものとし、その契約書に契約担当官が記名押印しなければ、「当該契約は、確定しないものとする」と規定する。この点に関する現在の基準的判例は、競争入札による落札者があったときは、国および落札者は互いに契約を結ぶ義務を負うが、この段階では予約が成立するだけで、本契約は契約書の作成によって成立するとするものである(最判昭和35・5・24民集14巻1154頁。落札と契約書作成までの間に行われた詐術に§21の適用を認めたものである。§21[3]参照)。

(3) いわゆる契約締結上の過失論について

上に述べたことは、いわゆる「契約締結上の過失」の理論と密接な関連を有する。

この理論は、原始的不能による契約の不成立の問題について論じられたものである([2](3)参照)。すなわち、AとBが建物売買契約を締結した前夜にその建物が焼失したとすると、その契約は効力を生じない。

したがって、建物焼失につき売主Aに過失があったり、その事実を知りながら隠していたということがあっても、Aは、なんら損害賠償債務を負担しない理屈である。しかし、このような無効の契約を締結することに過失のある者は、相手方に対し、せ

第3編　第2章　契約　第1節　総則

めてその契約を有効だと誤信したことによってこうむった損害を賠償する義務を負わなければ、はなはだしく公平に反するのではないかと論じられた。このことは、「契約締結上の過失」(culpa in contrahendo)としてイェーリング(Rudolf von Jhering, 1818～1892)が主張したところであるが、ドイツ民法は、明文をもってこれを規定した(同法旧§307。現§311aがこれに関する)。わが民法には規定はないが、取引における信義の原則を理由として、学説は、ほとんど一致してこれを認めてきた。それによれば、この原則が適用される要件は、契約の一方当事者が契約の内容が不能であることを過失によって知らず、相手方は善意・無過失であることである。そして、その効果は、過失ある当事者は相手方がその契約を有効だと誤信したことによってこうむった損害(信頼利益)を賠償する責任を負うことである。たとえば、相手方が目的物件を検分に行った費用、代金支払のために資金を調達した利息、他の有利な申込みを拒絶したための損害などである。しかし、履行利益、すなわち、塡補賠償や転売利益などは含まれないとされた。

しかし、最近では、(2)に述べたように、契約の成立過程に関する検討が進んできているので、契約締結上の過失に関する議論は過去のものになりつつある。そして、従来の議論においては、AとBは契約当事者とはいえないので、いわば一般の市民同士の関係としてとらえられ、そこに認められる責任も理論的には不法行為責任の性質をもつものと考える傾向が強かったが、最近においては、むしろ契約締結交渉・準備段階に入った者同士の、むしろ一定の債権関係にある当事者同士の関係であり、それに基づく責任と考える方向に向っているといえよう。

5　競争による契約締結

契約成立の一つの態様として、複数の者に競争させて、最も有利な条件の者を相手方として契約を締結する場合がある。これを契約の「競争締結」という。

(1)　これに、競売と入札の二つの方法がある(物品の売却の例で説明する)。

(a)　競売は、競争者が互いに他の競争者の条件を知ることができるものである。いわゆる「せり」を行うものであるが、さらに二つに分かれる。

(i)その1は、競売申出者が一定の価格を示し、しだいに低い価格を示して受諾者が現れるのを待つものである。これを「せり下げ」競売という(「たたき売り」もこれに入る)。この場合には、競売の申し出が申込みに当たり、受諾は承諾であり、それによって契約は成立する。

(ii)その2は、競売申出者は価格を示さないで、より高価の購入の申し出を待つものである。これを「せり上げ」競売という。この場合には、それ以上の高額の申し出がない最高価格の購入申し出に対しても、なお承諾するかどうかの自由を留保しているのが普通である。すなわち、購入申し出は申込みであり、それに対する承諾があってはじめて契約が成立すると考えられる。もっとも、競売申出者が最低価格を示していた場合は別であって、その価格を越える最高価格の申し出は承諾と考えられる。

(b)　入札は、競争者が他の競争者の条件を知ることができず、それぞれが自分の

第1款［解説］⑤・§§521・522

判断と根拠に基づいて入札価格を通常は書面の形で申し出る方法である。それらの書面を全部開封して、最高価格を申し出た者に落札する。入札が申込みであり、落札の決定が承諾と考えられる。もっとも、最も有利な入札者に落札しない自由を留保し、入札者の資力や業績を考慮して落札者を決定する例も少なくない。これらは、入札に当たって示される表示によって定まることである。

以上の説明は、競売申出者が購入希望者である物品購入契約や工事の請負人を求める請負契約などの場合には、より低い価格の方が競売申出者に有利になるので、逆の形になる。

(2)　いずれにしろ、申込みと承諾という基本的論理構造を変える必要はなく、これを当てはめて判断すれば足りるといえる。

国をはじめ公共団体においては、公正を期するため、競争締結の方法が用いられることが多いので（会計§§29の3〜、地自§234）、さらに詳細な検討を必要とするところである（一例として、④(2)(エ)参照）。

（契約の締結及び内容の自由）
第五百二十一条[1]
　　1　何人も、法令に特別の定めがある場合を除き[2]、契約をするかどうかを自由に決定することができる[3]。
　　2　契約の当事者は、法令の制限内において、契約の内容を自由に決定することができる。

〈改正〉　2017年に新設された。改正前521条は523条に繰り下げられた。

[本条の趣旨]　**[1]**　新521条に、「契約自由の原則」を明確に宣言する規定が新設された。この新設規定は、新522条と共に、ユニドロワ国際商事契約原則等の、国際的な契約法の動向を取り入れたものと解されている。この「条約原則」の全体的な特色を標語的に言うと、「19世紀的契約自由から20世紀的な実質的公正さの実現へ」である、と言われている。この原則については、本節③を参照。

　　[2]　関連特別法については、第1款③(2)参照。関連判例として、最判平成11・1・21（民集53巻13頁—水道法）、最大判平成29・12・6（民集71巻1817頁—放送法）がある。

　　[3]　契約交渉が不当に破棄された場合について、損害賠償責任を規定する提案もあったが、「コンセンサス形成が困難である」として、明文化されなかった。この点については、今後も最判昭和59・9・18、最判平成19・2・27（いずれも本款④(2)(イ)参照）等が、先例となると思われる。

（契約の成立と方式）
第五百二十二条
　　1　契約は、契約の内容を示してその締結を申し入れる意思表示（以下「申込み」という。）に対して相手方が承諾をしたときに成立する[1]。
　　2　契約の成立には、法令に特別の定めがある場合を除き、書面の作成その他の方式を具備することを要しない[2]。

〈改正〉　2017年に新設された。2項につき、改正前526条1項参照。

[本条の趣旨]　**[1]**　通信手段が発達した現代社会において、承諾の意思表示について「発

1109

第3編　第2章　契約　第1節　総則

信主義」を採用する合理性は失われたとする考え方が有力となっていた。新法は、承諾の意思表示について「発信主義」の例外を定める改正前526条1項を削除し、かつ、これを前提とする改正前527条を上記のように変更した。なお、「契約の内容を示して」という文言は、申込みの誘因と区別するためであるというが、具体的基準は示されていない。

　〔2〕　近代契約法の原則である。本款③(3)参照。

（承諾の期間の定めのある申込み）
第五百二十三条

　　1　承諾の期間を定めてした申込みは、撤回することができない[1]。ただし、申込者が撤回をする権利を留保したときは、この限りでない[2]。

　　2　申込者が前項の申込みに対して同項の期間内に承諾の通知を受けなかったときは[5]、その申込みは、その効力を失う[6][3]。

〈改正〉　2017年に改正された。改正前521条が523条に繰り下げられた。改正前523条については、新524条を参照。改正前521条1項中「契約の」を削り、同項にただし書を加えた。

[改正の趣旨]　[1]　申込みには、承諾期間を定めてする場合（改正前521条、新523条）と、承諾期間を定めないでする場合（改正前524条、新525条）とがある。承諾期間の定めのある申込みについて、本条1項は、撤回をすることはできないと定めた。申込を受けた側の利益に対する配慮である。

　〔2〕　新法は、改正前521条1項の内容を維持しつつ、ただし書きで「申込者が撤回をする権利を留保したときは、この限りでない」と明文を設け、撤回権を留保することが可能であることを条文上明らかにした。

　〔3〕　承諾期間内に承諾の通知を受けなければ申込みは効力を失うとする改正前521条2項の規制は維持された。

　なお、改正前523条は、申込者は遅延した承諾を新たな申込みとみなすことができると定めているが、この規律は新524条として維持される。

[改正前条文]
第五百二十一条

　1　承諾[2]の期間を定めてした契約の申込み[1][3]は、撤回することができない[4]。

　2　同上

[原条文]
　承諾ノ期間ヲ定メテ為シタル契約ノ申込ハ之ヲ取消スコトヲ得ス
　申込者カ前項ノ期間内ニ承諾ノ通知ヲ受ケサルトキハ申込ハ其効力ヲ失フ

[改正前条文の解説]

　〔1〕　「申込み」とは、特定の内容を有する契約を締結しようという意思をもって他人に対してなされる意思表示である。たとえば、「あの土地を1000万円で売ってほしい」というように、その内容が最終的に確定している場合でも、「金1キログラムを時価で買ってくれ」というように客観的に確定することができる場合でも、「あの雪舟の画を売ってくれ、値段は何某の鑑定または双方の話合いで決めよう」というように、契約内容の一部を将来の手続ないし折衝にゆずった場合でもよい。また、相手方は、特定しているのが普通であるが、不特定多数の人でもよい。しかし、たとえば、「貸間あり」という広告のように、相手方の意思表示をまってそのうえでさらに契約

§ 523 〔1〕～〔6〕

を成立させるかどうかを考慮する余地を残す場合は、「申込みの誘引」(invitation to offer)であって、まだ申込みではない。これに対して相手方が行う意思表示が申込みとなる。通常、自動販売機の陳列は申込みであるが、店頭に商品を陳列してあるのは申込みの誘引であるというように説かれる。

〔2〕「承諾」とは、申込みに対してこれを応諾し、申込みの通りの契約を締結しようという意思表示である。これによって契約が成立する。もっとも、申込みに条件を付し、その他変更を加えた承諾は、その申込みを拒絶して、新たな申込みをしたものとみなされる(§528参照)。

承諾も、意思表示に関する一般原則に従い、通常は明示によってなされるが、黙示によってもなされうる(大判大正8・10・9民録25輯1761頁。最判昭和47・10・12民集26巻1448頁は、仲裁の申立てに対して仲裁期日に異議なく出頭したことを黙示的承諾とした例である)。しかし、契約に関する意思表示は、なるべく明確に、疑問の余地を残さずに行われることが望ましい。

なお、いわゆる「意思の実現」による契約の成立(改正前§526 II)は、黙示の承諾といちじるしく近似するが、概念的にはこれと異なる(改正前§526〔5〕参照)。

〔3〕「承諾の期間を定めてした契約の申込み」とは、たとえば「来たる10月1日までに返事をいただきたい」という申込みなどがそれである。

〔4〕 契約の申込みを受けた者は、定められた期間までに調査その他の準備をするのが普通であるから、申込者が任意にその申込みを撤回できるものとすると、相手方は不測の損害をこうむるおそれがある。これが本項の設けられた理由である。このように、申込みをした者がそれを撤回することができない効力を「申込みの拘束力」という。原条文は、ここに「取消スコトヲ得ス」と規定していたが、この「取消」とは120条以下が規定する取消しではないので、2004年改正で「撤回」(いったん、瑕疵なく有効に成立した法律行為をそれ以後ないものとする行為をいう)と改められた(同じ改正は§§改正前524・改正前527・530・540などにみられる。改正前§550については、同条〔2〕参照)。申込者が制限行為能力または詐欺・強迫などを理由としてその申込みを取消す場合には、本条の適用はないのである。

なお、承諾の期間を定めない申込みの撤回については、改正前524条、広告の方法による申込みの撤回については、530条〔改注〕参照。

〔5〕「10月1日までに返事をいただきたい」といって申込んだ場合において、10月1日以前に承諾の通知が申込者に到達しなければ、という意味である(改正前§526参照)。なお、期間内に承諾が到達した場合における契約の成立時期については、改正前526条〔2〕参照。

〔6〕 上の例で、10月1日の経過によって、申込みはその効力を失う。したがって、10月2日に承諾の通知が到着したとしても、すでに申込みがその効力を失っている結果、契約は成立しない。承諾と合して契約を成立させることができる申込みの効力を、申込みの「承諾適格」という。したがって、承諾期間を定めた申込みの場合には、申込みの拘束力も、承諾適格も、ともに期間の間だけ存続し、期間の経過とともに消滅するわけである。承諾が郵便の遅延などのために10月1日以前に到着しな

IIII

第3編　第2章　契約　第1節　総則

かった場合については、改正前522条参照。

第五百二十二条（旧）　改正に伴い削除

[削除前条文]
（承諾の通知の延着）
第五百二十二条

1　前条第一項の申込みに対する承諾の通知が同項の期間の経過後に到達した場合であっても、通常の場合にはその期間内に到達すべき時に発送したものであることを知ることができるとき[1]は、申込者は、遅滞なく、相手方に対してその延着の通知を発しなければならない[2]。ただし、その到達前に遅延の通知を発したとき[3]は、この限りでない。

2　申込者が前項本文の延着の通知を怠ったときは、承諾の通知は、前条第一項の期間内に到達したものとみなす[2]。

〈改正〉　2017年に削除された。

[削除の趣旨]　新法は、契約の承諾の通知に関する526条の発信主義の規定を削除し、97条の改正後の新規定により、契約成立について到達主義の立場を取ることとした。その結果、承諾の通知の延着によるリスクは、承諾の意思表示をする者が負担するべきとして、522条を削除した。同条は承諾期間の定めのある申込みにつき、承諾期間内に承諾の意思表示が到達しなかった場合について定めているが、通信手段が発達した現代社会において、このような隔地者間取引における意思表示の延着を念頭に置いた複雑な規律は合理的とは言えないし、承諾の延着への申込者側の対応により契約の成否が左右されることも妥当とは言えないので、承諾の延着のリスクはむしろ承諾者側が負うべきとする立場をとったのである。

[原条文]
承諾ノ通知カ前条ノ期間後ニ到達シタルモ通常ノ場合ニ於テハ其期間内ニ到達スヘカリシ時ニ発送シタルモノナルコトヲ知リ得ヘキトキハ申込者ハ遅滞ナク相手方ニ対シテ其延著ノ通知ヲ発スルコトヲ要ス但其到達前ニ遅延ノ通知ヲ発シタルトキハ此限ニ在ラス
申込者カ前項ノ通知ヲ怠リタルトキハ承諾ノ通知ハ延著セサリシモノト看做ス

[削除前条文の解説]

〔1〕　たとえば、10月1日までを承諾の期間とした場合に、承諾の通知が10月5日に到達したとしよう。10月1日の経過によって、申込みはその効力（承諾適格）を失うから（改正前§521〔6〕参照）、もちろん、契約は成立しない。しかし、その通知の郵便局の消印を見ると9月26日に発送していて、通常ならば9月28日頃までには到達したはずであるということが分かるような場合に、本条の適用があるのである。

〔2〕　上の例で、9月26日に承諾の通知を発送した承諾者は、当然に契約は成立したものと信じてその準備を進めるであろうから、遅滞なく承諾が延着した旨の通知を発するという信義則上の義務を申込者に課し、申込者がこの義務を怠った場合には、承諾の通知は延着しなかったものとみなして、承諾者の信頼を保護したのである。その結果、契約は承諾の通知を発した時に成立する（改正前§526〔2〕参照）。

〔3〕　承諾の到達前にその遅延が分かるというのは、文字の上ではおかしい規定であるが、その真意は、期間内に承諾が到達しなかったという旨を、遅延した承諾が到達する前（上の例で、たとえば10月2日）に、申込みの相手方に通知していたらというこ

§§ 522（旧）・524・525

とである。

（遅延した承諾の効力）
第五百二十四条
　　申込者は、遅延した承諾を新たな申込みとみなすことができる[1]。
〈改正〉　2017 年に改正された。改正前は 523 条。524 条に繰り下げられたが、条文自体に改
正はない。改正前 524 条は 525 条に繰り下げられた。
［原条文］
　　遅延シタル承諾ハ申込者ニ於テ之ヲ新ナル申込ト看做スコトヲ得

〔1〕　　新たな申込みとみなされる結果、申込者がこれに対してさらに承諾をすれば、
契約は成立するのである。

（承諾の期間の定めのない申込み）
第五百二十五条
　　1　承諾の期間を定めないでした申込みは、申込者が承諾の通知を受けるのに
　　　相当な期間を経過するまでは、撤回することができない。ただし、申込者が
　　　撤回をする権利を留保したときは、この限りでない[1]。
　　2　対話者に対してした前項の申込みは、同項の規定にかかわらず、その対話
　　　が継続している間は、いつでも撤回することができる[2]。
　　3　対話者に対してした第一項の申込みに対して対話が継続している間に申込
　　　者が承諾の通知を受けなかったときは、その申込みは、その効力を失う。た
　　　だし、申込者が対話の終了後もその申込みが効力を失わない旨を表示したと
　　　きは、この限りでない[3]。
〈改正〉　2017 年に改正された。改正前 524 条中「隔地者に対して」を削り、同条を 525 条と
し、1 項にただし書を加えた。さらに 2 項、3 項を加えた。改正前 525 条は、削除された。
［改正の趣旨］　〔1〕　1 項は、改正前 524 条の規範を維持しつつ、その適用対象を隔地者以
外に拡大するとともに、申込者の意思表示によって撤回する権利を留保することができる旨
の規定を追加した。本項の趣旨は、申込みを承諾するか否かを決めるために費用を支出した
相手方が、申込みの撤回によって損失を被ることを防止する点にある。
　　〔2〕　1 項の趣旨は、時間的な隔たりの有無に関わらず妥当すると考えられるので、本項
では、隔地者に限定せずに本条を適用することとした。
　　〔3〕　承諾期間の定めのない申込みについて、承諾適格の存続期間を新たに定めた。申込
み後に、もはや相手方が承諾することはないと申込者が考えるのも当然であるといえる程の
時間が経過すれば、その信頼は保護すべきと考えられるからである。古い判例だが、大判明
治 39・11・2（［改正前条文の解説］〔5〕参照）と同趣旨である。なお、商法 507 条は削除さ
れた（整備法 3 条、［改正前条文の解説］〔5〕参照）。
［改正前条文］
第五百二十四条
　　承諾の期間を定めないで隔地者[1]に対してした申込みは、申込者が承諾の通知を受ける
　　のに相当な期間[2]を経過するまでは、撤回[3]することができない[4)5]。
［原条文］

1113

第3編　第2章　契約　第1節　総則

　　承諾ノ期間ヲ定メスシテ隔地者ニ為シタル申込ハ申込者カ承諾ノ通知ヲ受クルニ相当ナル期間之ヲ取消スコトヲ得ス

[改正前条文の解説]

〔1〕　改正前97条〔1〕参照。

〔2〕　この「相当な期間」(「相当の期間」ではないことに注意)は、申込みを受けた者が諾否を決するために必要な考慮をする時間、および承諾の通知が申込者に到達するのに必要な時間などを加えたものである。承諾期間を定めない申込みは、この相当な期間が経過するまで、申込みとしての拘束力を有するのである(改正前§521〔4〕参照)。

　なお、割賦販売法などにおいて認められるいわゆるクーリング・オフの権利は、消費者保護のために申込みの無条件の撤回を認めるもので、注目するべきものである(第3節解説②(4)(イ)(b)参照)。

〔3〕　改正前521条〔4〕参照。

〔4〕　上の期間内は撤回することができないとは、その期間を経過すれば、撤回しようと思えば撤回できるということであって、この期間の経過によって申込みが当然に申込みとしての効力(すなわち、承諾適格)(改正前§521〔6〕参照)を失うのではない。したがって、撤回の通知が到達する前に承諾の通知が発せられたときは、原則として契約は成立する(§527参照)。この点が承諾期間の定めがある申込みと異なるのである(改正前§521参照)。

　申込者が申込みを撤回しないで放置した場合に、承諾者は、何年たっても承諾することができるのだろうか、つまり、承諾期間の定めのない申込みの承諾適格は、申込み自体が撤回されない限り、何年でも続くのだろうか。商法508条1項は、「……相当の期間内に承諾の通知を発しなかったときは、その申込みは、その効力を失う」と規定するが、民法には規定がなかった。しかし、申込みの趣旨、取引慣行および信義則に従って、相当の期間(本条の「相当な期間」よりも長い)が経過した後に、申込みの承諾適格は消滅し、承諾はできないと解されている。本条新3項を参照。

〔5〕　対話者間において、承諾の期間を定めないでなされた申込みの効力については、民法に規定がなかった。商法削除前507条は、「……直ちに承諾をしなかったときは、その申込みは、その効力を失う」と規定する。民法においても、ほぼ同一に解するべきであろう。本条新3項を参照。けだし、対話者間において申込みをする場合には、特別の意思表示がない限り、その対話者関係が継続している間にだけ契約を成立させることができると解することが、当事者の通常の意思に適するからである(大判明治39・11・2民録12輯1413頁)。

　　第五百二十五条（旧）　改正に伴い削除

[削除前条文]
（申込者の死亡又は行為能力の喪失）
第五百二十五条

第九十七条第二項の規定は、申込者が反対の意思を表示した場合又はその相手方が申込者の死亡若しくは行為能力の喪失の事実を知っていた場合には、適用しない[1]。

〈改正〉 2017年に削除された。新526条を参照。

[削除の趣旨] 改正前525条についても、死亡・意思能力の喪失や、成年後見だけでなく保佐・補助など行為能力の制限があった場合についても改正が検討された。同条の規律は申込み到達時まで及ぶのか、申込み到達後も承諾の通知を発するまで及ぶのかについては解釈上争いがあった。同条は改正前97条2項を前提にその例外を定めており、同条2項は、意思表示は到達時に効力を生じるとする同条1項を受けた規定であるから、条文上は申込みが到達した後に死亡等の事由が生じ、相手方がそのことを知った場合等においても申込みは効力を有するようにも考えられたからである。しかし、契約の申込みがあっても承諾があるまでは契約自体は成立しておらず、暫定的な意思表示にすぎないから、新法は承諾の通知を発するまで、新526条の規定が及ぶとの立場を採用し、525条を削除した。

[原条文]
第九十七条第二項ノ規定ハ申込者カ反対ノ意思ヲ表示シ又ハ其相手方カ死亡若クハ能力喪失ノ事実ヲ知リタル場合ニハ之ヲ適用セス

[削除前条文の解説]

〔1〕 申込者が、申込みの通知を発した後、その到達前に死亡し、またはその能力を喪失しても、申込みは効力を生じる、というのが、改正前97条2項の意思表示一般の原則からくる帰結である(改正前§97〔4〕参照)。

しかし、本条は、これに対して例外を定めた。すなわち、これらの事実がある場合にも、もし申込者が反対の意思を表示したとき(たとえば、自分が生存する間だけ申込みがその効力を生じる旨の留保をしたとき)、または、申込受領者が、申込者が申込みの到達以前に死亡し、もしくは行為能力を喪失したこと(正確にいえば、行為能力を制限されて、その申込みを単独ではなしえなくなったこと)を申込み到達の時に知っていたときには、申込みはその効力を生じない。前の例外は、申込者の意思を尊重したものである。後の例外は、申込みは承諾と合してはじめて契約を成立させるものであって、その効力は終局的なものではなく、暫定的・経過的なものであり、しかも、申込受領者が申込み到達の時に申込者の死亡または行為能力喪失の事実を知っていたとすれば、その申込みを信頼して承諾のための準備をするということもないから、とくにその効力を否定したのである。

したがって、申込者が申込みの通知が相手方に到達した後に死亡し、または行為能力を喪失した場合には、本条の適用はない。この場合には、一般の理論によって解決しなければならない。すなわち、申込者の行為能力喪失は、たとえ相手方がこれを知っても申込みの効力になんらの影響を及ぼさないのを原則とする(申込者は行為能力喪失を理由として取消すことができない)。また、申込者の死亡については、相続人において申込者の地位を相続することが可能かどうかによって、契約の効力も決するべきである。申込みの内容が一身専属的なものであるときには、申込みは効力を失うが、そうでなければ、その効力に影響はない。ただし、これらの場合にも、申込者が特別の留保をしたときは、これに従うべきことはいうまでもない。

第3編　第2章　契約　第1節　総則

（申込者の死亡等）

第五百二十六条

　　申込者が申込みの通知を発した後に死亡し、意思能力を有しない常況にある者となり、又は行為能力の制限を受けた場合において、申込者がその事実が生じたとすればその申込みは効力を有しない旨の意思を表示していたとき、又はその相手方が承諾の通知を発するまでにその事実が生じたことを知ったときは、その申込みは、その効力を有しない[1]。

〈改正〉　2017年に改正された。附則（契約の成立に関する経過措置）第二十九条2　施行日前に通知が発せられた契約の申込みについては、新法第五百二十六条の規定にかかわらず、なお従前の例による。（電子消費者 §4の削除に注意。）

[改正の趣旨]　[1]　改正前97条2項（新3項）の趣旨に従い、申込みの意思表示の通知後に、死亡・意思無能力や制限行為能力となっても申込みの意思表示は有効であるという枠組みは維持しつつ、申込者が反対の意思表示をしていた場合や相手方が死亡・意思無能力の常況や制限行為能力となったことを知っていた場合には、申込みの効力を有しないとした。

　　なお、改正前525条との関係については、同条の解説参照。改正前526条1項については、新522条1項を、改正前526条2項については、新527条を参照。

[改正前条文]

（隔地者間の契約の成立時期）

　1　隔地者[1]間の契約は、承諾の通知を発した時に成立する[2]。

　2　申込者の意思表示[3]又は取引上の慣習[4]により承諾の通知を必要としない場合には、契約は、承諾の意思表示と認めるべき事実があった時に成立する[5][6]。

[原条文]

　　隔地者間ノ契約ハ承諾ノ通知ヲ発シタル時ニ成立ス

　　申込者ノ意思表示又ハ取引上ノ慣習ニ依リ承諾ノ通知ヲ必要トセサル場合ニ於テハ契約ハ承諾ノ意思表示ト認ムヘキ事実アリタル時ニ成立ス

[改正前条文の解説]

〔1〕　改正前97条〔1〕参照。

〔2〕　民法は、相手方のある意思表示の効力は原則として到達によってその効力を生じるものとする（「到達主義」という。改正前§97Ⅰ）。したがって、この原則によれば、契約は、承諾の通知が申込者に到達した時に成立するべきである。しかし、民法は、本条によって到達主義の原則に対する一大例外を定め、承諾は、その発信によって契約を成立させる効力を生じるものとしたのである（「発信主義」という）。その理由は、契約の成立を欲する取引当事者の間においては、承諾の発信があれば、その到達をまたないでも、直ちに契約は成立するものとすることが、取引界の要求に合するであろうと考えたからである。

　　しかし、本条の解釈について、学説は大いに分かれている。従来、むしろ多数の学者は到達主義の原則に忠実な態度を示し、契約は承諾の通知を発した時に「成立」するけれども、その「効力」を生じるのは、つねに承諾の通知が到達した時で、したがって、郵便事故などで到達しないときは、結局契約は効力を生じない、と解していた。しかし、こう解したのでは、民法が上に述べたような理由で契約について発信主義を

§526〔1〕〜〔5〕

とったことの意義は、はなはだ少なくなる。

そこで、近時の有力な説は、つぎのように解する。契約は、原則として承諾の通知を発した時に成立し、かつその効力を生じる。ただ、申込みが承諾の期間を定めてなされた場合には、その期間内に承諾の通知が到達しないときは、改正前521条2項により、申込みはその効力(承諾適格)を失うので、結局、契約は効力を生じないことになる。これに反して、申込みが承諾の期間を定めないでなされた場合には、たとえ承諾の通知が不到達に終わっても、承諾の発信によって効力を生じた契約の効力には影響がない。一見、申込者が不安定な立場におかれるように思えるが、承諾者も自分の承諾は到達したと信じているのであるから、要は、不到達の不利益を申込者と承諾者のどちらに負わせるか、にある。また、この見解によると、承諾の発信とともに、申込みの撤回(改正前§521〔4〕・改正前§524〔4〕参照)、承諾の撤回は封じられ、契約の成立がすみやかに確定されることになる。

なお、判例には、この問題を取扱ったものが見当たらない。実際上争いとなった事例がないのであろう。

本項の規定に対して、旧簡易生命保険法42条は、特殊の目的からさらに例外を認め、申込みに対して承諾があれば、契約は申込みの時に成立したものとしていた。

また、本項は、「電子承諾通知」には適用されないとされていた(旧電子消費者§4、2017年に改正)。

〔3〕 この申込者の意思表示は、黙示でもすることができる。たとえば、売却の申込みと同時に商品を送付するような場合には、一般にこの意思表示があるとみるべきであろう。判例は、Aが年金の受領を委任する旨の白紙委任状と年金証書とをBに交付し、Bがさらに第三者から金融を得るためにこれをCに交付した事案において、CがAの代理人として年金を受領している場合には、A・C間に委任契約が成立しており、したがってAはいつでもこの委任契約を解除して(§651〔改注〕参照)、Cに対して年金証書の返還を請求することができるとする(大判大正7・10・30民録24輯2087頁)。本条のこの規定により契約が成立した一つの例とみることができよう。

ただし、以上のことは、申込みを受けた者が契約の成立を主張する場合に関するものであることに注意を要する。申込みを受けた者は承諾する義務を負うものではないから、申込者がその申込みに当たって、返事がなければ承諾したものとみなすというような趣旨を表示しても、申込受領者の無回答によって契約が成立するものでないことは当然である(〔6〕〔ア〕参照)。

〔4〕 たとえば、書店が顧客の注文によってではなく、いわゆる見計らいで本を顧客に届けた場合に、その行為は申込みとみることができるが、顧客がその本の購入を承諾するのにその通知を発する必要がないことは、一般に取引上の慣行ということができよう。

〔5〕 売買申込者が申込受領者に送付した商品を申込受領者が消費または処分し、書店から見計らいの本を届けられた顧客がその本の利用を開始し、名宛人を白紙とする申込みの書面を受け取った者がその白紙に自分の名を記入する、などである(前述〔3〕〔4〕参照)。このような行為は、「意思の実現」と呼ばれている。その性質に関して

は、説が分かれているが、承諾の意思表示と同一の内容を有し、ただ申込者に通知される必要がないという点だけが普通の承諾と異なるものと解するのが妥当であろう。けだし、申込みを受けた者がそのような行為をするのはまったく承諾の意思をもってするのであり、また、このような行為は、一般に承諾の意思があることを推測させる行為にほかならないからである。黙示の承諾と近似するが、黙示の承諾の場合には、黙示という形ではあれ、相手方への通知があったとされるのであって、概念上は区別される（改正前§521(2)参照）。

〔6〕 本条に関連して、考察するべき問題が二つある。

(ア) その1は、申込受領者がなんら積極的な行為をしないで沈黙していることが申込みを承諾したものとみられるか、である。申込受領者の沈黙は、原則として、承諾とはみられないというべきである。たとえ申込者が「諾否の回答がなければ承諾されたものとみなす」という趣旨を通知しても、申込受領者に諾否の通知をする義務を負わせることはできない。したがって、申込受領者がこの通知をしなくても、承諾の意思がない限り、これに対して契約成立の効果を押しつけることはできない。しかし、不承諾の場合にはとくに通知を要するという当事者間の特約または取引上の慣行があるときは、もちろん、例外として申込受領者の沈黙によって契約は成立するに至ると解してよい。また、すでに取引関係が存在する当事者間において、申込受領者がとくに不承諾の通知をするべき信義則上の義務があると認められる特別の事情があるときは、同じくその沈黙によって契約は成立するに至ると考えられる。なお、商法は、「平常取引をする者からその営業の部類に属する契約の申込みを受けた」商人に対して、一律にこの信義則上の義務があることを認め、遅滞なく諾否の通知を発しないと、その申込みを承諾したものとみなしている（商§509）。

ただし、消費者問題において、注文もないのに商品を送りつけるという押しつけ販売（「ネガティブ・オプション」と呼ばれる）が行われて、弊害を生じているので、これを封じるための規定が「特定商取引に関する法律」（「訪問販売等に関する法律」が改称された）に設けられていることに注意を要する（同法§59）。

なお、契約を締結する予約をした者は、予約に基づく承諾義務を負う。そこで、民法は、予約権利者の単独の意思表示で契約が成立するものとしているので（§§556・559）、あえて承諾があったものとみなす必要もない（§556(1)(2)参照）。また、公共的立場から承諾義務が課せられ、または契約の成立が強制される場合については、本款解説③(2)(ウ)(エ)参照。

(イ) その2は、いわゆる「交叉申込み」（「交差申込み」とも表記できよう）によって契約は成立するかということである。交叉申込みとは、AがBに自転車1台を3万円で売りたいという申込みをしたのに対し、Bは別にAに対してAの意図しているものと同一の自転車1台を3万円で買いたいという申込みをしたというように、相結合して契約となりうるような同一内容を有する2個の申込みが交叉してなされることである。承諾は、特定の申込みに対してなされるものであるから、この場合には、たとえBの申込みがAの申込みの発信後に発信されたとしても、Bの申込みが承諾となるわけではない。したがって、これによって当然に契約が成立するとするわけにはい

§§526〔6〕・527・527（旧）〔1〕

かない。

　交叉申込みによって契約が成立するかに関しては、民法に規定がなく、学説は分かれている。近時の多数説は、これを肯定する。けだし、交叉申込みにおいても、2個の意思表示は客観的に同一内容を有し（客観的合致）、かつ、両表意者は互いに相手方とその内容を有する契約を締結しようとする意思をもっている（主観的合致）のであるから、これによって契約を成立させるだけの要件は充たされたものということができるからである。ただし、この場合、後の申込みが承諾となるのではないから、これによって契約の成立する時期は、後の申込みが相手方に到達した時であり、これを発信した時（本条Ⅰ参照）ではないと解される。

（承諾の通知を必要としない場合における契約の成立時期）
第五百二十七条
　　　　　申込者の意思表示又は取引上の慣習により承諾の通知を必要としない場合には、契約は、承諾の意思表示と認めるべき事実があった時に成立する[1]。
〈改正〉　2017 年に改正された。改正前 526 条 2 項を参照（電子消費者§4 の削除に注意）。
[改正の趣旨]　[1]　新法は、承諾の意思表示について「発信主義」の例外を定める改正前 526 条 1 項を削除し、これを前提とする改正前 527 条を削除したので、契約は承諾が申込者に到達した時に成立することになる。到達主義を採れば、契約の成否は承諾の到達と申込みの撤回の到達の先後で決まることになるが、承諾者はその先後関係を知ることができないから、「通知」（改正前 527 条 1 項）は不可能である。改正前 526 条 2 項の解説〔5〕も参照。

第五百二十七条（旧）　改正に伴い削除

[削除前条文]
（申込みの撤回の通知の延着）
第五百二十七条
　1　申込みの撤回[1]の通知が承諾の通知を発した後に到達した場合であっても、通常の場合にはその前に到達すべき時に発送したものであることを知ることができるときは、承諾者は、遅滞なく、申込者に対してその延着の通知を発しなければならない[2]。
　2　承諾者が前項の延着の通知を怠ったときは、契約は、成立しなかったものとみなす[2]。
[削除の趣旨]　契約の成立時期について発信主義の特則（改正前 526 条）を廃止したことに伴って、改正前 527 条を削除した。
[原条文]
　　申込ノ取消ノ通知カ承諾ノ通知ヲ発シタル後ニ到達シタルモ通常ノ場合ニ於テハ其前ニ到達スヘカリシ時ニ発送シタルモノナルコトヲ知リ得ヘキトキハ承諾者ハ遅滞ナク申込者ニ対シテ其延著ノ通知ヲ発スルコトヲ要ス
　　承諾者カ前項ノ通知ヲ怠リタルトキハ契約ハ成立セサリシモノト看做ス

[削除前条文の解説]
　〔1〕　改正前 521 条〔4〕参照。なお、本条は、承諾の期間を定めない申込みについてだけ適用される。承諾期間を定めた申込みには、撤回という問題はないからである（改正前§521 Ⅰ参照）。

1119

第3編　第2章　契約　第1節　総則

〔2〕　元来、申込みの撤回は、相手方に到達した時に効力を生じるものであるから（改正前§97 I）、その到達前に承諾の通知を発すれば（改正前§521 I）、契約は有効に成立している。しかし、本条所定のような事情があると、申込者は申込みの撤回によって契約は成立しないと信じるであろうから、相手方に延着の通知義務を課したのであり、改正前522条と同じ趣旨の規定である。

なお、本条は、「電子承諾通知」には適用されないとされていた（旧電子消費者§4、2017年に改正）。

（申込みに変更を加えた承諾）
第五百二十八条
　　　承諾者が、申込みに条件を付し[1]、その他変更を加えて[2]これを承諾したときは、その申込みの拒絶[3]とともに新たな申込み[4]をしたものとみなす。
［原条文］
　　　承諾者カ申込ニ条件ヲ附シ其他変更ヲ加ヘテ之ヲ承諾シタルトキハ其申込ノ拒絶ト共ニ新ナル申込ヲ為シタルモノト看做ス

〔1〕　たとえば、建物賃借の申込みに対して、賃借人に営業許可が出なければ止めるという条件（解除条件）を付して承諾し、または、土地を売りたいという申込みに対して、近傍の道路計画が実現したら買おうという条件（停止条件）を付して承諾するなどである。本条は、申込みに承諾の期間が定められた場合にも、そうでない場合にも、適用される。

なお、期間40年の申込みに対して30年なら貸すとしたり、建物を営業に使わないならとしたりするのは、「契約条件」の問題であって、つぎの内容の変更に当たる。

〔2〕　代金の減額を要求し、または履行方法を変更するなど、申込みの内容の一部を変更することである。ただし、その変更は、契約の全内容から見てその成否に関係する程度の重要性を有するものであることを要する。軽微な付随的内容の変更があるに過ぎない場合には、契約は、それにもかかわらず成立し、その変更された部分はさらに両当事者の協議と信義則とによって決定されるべきものとするを妥当としよう（改正前§521〔1〕参照）。また、契約の一部分を承諾したときには、この部分について契約は成立し、その他の部分については契約不成立に終わるとみるべき場合が多いであろう。

〔3〕　申込みの拒絶とみなされるから、それによって第一次の申込みの効力は失われる。したがって、いったん〔1〕・〔2〕に述べるような承諾をした後では、改めて無条件の承諾をしても、契約は成立しない。

〔4〕　新たな申込みとみなされるのであるから、これについては申込みに関する規定がそのまま適用される。そして、前の申込者がこれに対して改めて承諾をすることによって、契約は成立する。

§§527（旧）〔2〕・528・懸賞広告［前注］・§529

懸賞広告 ［§§529~532の前注］

〈改正〉 529条、530条が改正され、指定した行為をする期間の定めのある懸賞広告に関する529条の2と指定した行為をする期間の定めのない懸賞広告に関する529条の3が新設された。

　民法は、529条~531条において、いわゆる「懸賞広告」について規定し、532条にその特別の種類である「優等懸賞広告」についての特則を定める。民法が「契約の成立」の「款」の中にこれを規定したのは、その申込みが広告という特殊な方法による一種の契約と考えたからであろう。契約の内容としては、請負（本章第9節）に近いといえる。しかし、懸賞広告を契約とすることは、不都合な結果を生じる場合があるので、これを単独行為と解する説もある（改正前§529〔3〕参照）。

　懸賞広告、ことに優等懸賞広告では、懸賞広告者（以下、広告者と略称する）が誇大な広告をして、これを誠実に実行しない不都合が往々にして生ずる。応募者は、私法上の関係としてその実行を請求する権利があるわけだが（§532〔5〕〔7〕参照）、実際問題としては、その実行が困難である。不誠実な広告者を取締るには、私法上の特別の規定を設けるだけでなく、公法的措置にまたなければならないであろう。

（懸賞広告）
第五百二十九条
　　ある行為をした者に一定の報酬を与える旨を広告した者（以下「懸賞広告者」という。）は、その行為をした者がその広告を知っていたかどうかにかかわらず、その者に対してその報酬を与える義務を負う[1]。
〈改正〉 2017年に改正された。「この款において」を削り、「その行為をした者」の下に「がその広告を知っていたかどうかにかかわらず、その者」を加えた。附則（契約の成立に関する経過措置）第二十九条3　施行日前にされた懸賞広告については、新法第五百二十九条から第五百三十条までの規定にかかわらず、なお従前の例による。
[改正の趣旨]　[1]　懸賞広告の指定行為であることを知らずに対象行為をした者に報酬請求権があるかという問題がある。これは懸賞広告を契約と解するか、広告者の単独行為と解するかという法的性質論とも関連するが、報酬請求権を認めるのが通説であった。解説〔3〕参照。当該行為者の知・不知に関わらず、懸賞広告者において広告の目的が達せられた以上は、報酬を負担させるべきであると考えられるからである。新法は、その旨を明文上明らかにした。
[改正前条文]
　　ある行為[1]をした者に一定の報酬を与える旨を広告[2]した者（以下この款において「懸賞広告者」という。）は、その行為をした者に対してその報酬を与える義務を負う[3]。
[原条文]
　　或行為ヲ為シタル者ニ一定ノ報酬ヲ与フヘキ旨ヲ広告シタル者ハ其行為ヲ為シタル者ニ対シテ其報酬ヲ与フル義務ヲ負フ

1121

第3編　第2章　契約　第1節　総則

[改正前条文の解説]

〔1〕　この「行為」の種類には、制限がない。家出人の捜索、遺失物の拾得、学術的発明・発見など、その例は多い。ただし、公序良俗に反するものであってはならないことは、もちろんである。また、特定の行為をした者のうちで優等者だけに報酬を与える場合には、とくに「優等懸賞広告」と呼ばれ、532条に特則がある。一定の状態にある者、たとえばある商品展示会の入場者中の年齢の一番高い人にある物を与えるという例などは、本条にいわゆる懸賞広告ではない。それは、普通の贈与の申込みであって、その相手方が特別の方法で定まるというだけである。

〔2〕　「広告」とは、不特定多数の人に了知されるべき表示方法である。新聞紙上に掲載する場合でも、特定の人、たとえば家出した息子に対する意思表示などは、ここにいう広告による意思表示ではない。

〔3〕　広告者がこのような義務を負う根拠は、どこにあるのであろうか。二つの説が対立する。その1は、懸賞広告を一つの特殊な契約の申込みと解するものである。これによれば、その指定された行為をする者は、この申込みに対して承諾をし、それによって契約が成立するから、広告者はその契約上の義務を負うことになる。その2は、懸賞広告を一つの単独行為と解するものであり、広告者は、この単独行為によって、その指定した行為を完了した者に報酬を与えるべき一種の条件付義務を負担するのであると説く。

　両説は、広告の存在を知らないで指定行為を完了した者がある場合（たとえば、Aがその遺失した鞄を拾って届けた者に、10万円の報酬を与えるという広告をしたのに、Bは、それを知らないでその鞄を拾って届け出たような場合）に、その適用上の差異を示す。すなわち、契約説によればBは報酬請求権を取得しない。けだし、広告者は契約が成立してはじめて義務を負担するのであるが、この場合Bの行為は申込みを知った上で、これに対する承諾の意思をもってされたのではなく、したがって、契約は成立していないからである。これに反し、単独行為説によれば、Bは報酬請求権を取得する。けだし、Aはいやしくも当該指定行為をした者があれば、これに対して報酬を与えるという条件付義務を負うからである。従来の多数説は、民法が「懸賞広告」を「契約の成立」の款の中に規定していることを理由として契約説を採っていた。しかし、その結果、上記のような結論を肯定することは不公平でもあり、また、多くの場合、広告者の意思にも適しない。

　そこで、近時の学説は、一般に懸賞広告は単独行為であると説くか、あるいは、少なくとも、広告者がとくに指定行為を完了する者の意思を問わないでこれに対して報酬を与えようとする意思を有する場合には、単独行為としての懸賞広告が成立するものと解している。この点に関する判例は見当らないが、実際の慣行としても、一般に後者のような取扱いがされているようである。

　なお、いずれの説によっても、報酬を受けるためには指定行為を完了することを要する。たんに指定行為をしようとする意思を表示し、またはその準備に着手しただけでは、報酬請求権を取得しない。のみならず、広告者が530条［改注］によって広告を撤回した場合にも、それまでに指定行為を完了していない者がその準備に要した費

§§529〔1〕〜〔3〕・529の2・529の3・530

用の返還請求権などを取得するものではない。けだし、広告者は指定行為完了者に対してだけ債務を負担するものだからである。

（指定した行為をする期間の定めのある懸賞広告）
第五百二十九条の二
　1　懸賞広告者は、その指定した行為をする期間を定めてした広告を撤回することができない。ただし、その広告において撤回をする権利を留保したときは、この限りでない[1]。
　2　前項の広告は、その期間内に指定した行為を完了する者がないときは、その効力を失う[2]。

〈改正〉　2017年に新設された。前掲（529条）附則二十九条3を参照。
[本条の趣旨]　**[1]**　新法は、期間の定めがある場合につき、その期間内の撤回を不可能（撤回権の留保は可能）とした。
　[2]　1項を前提として、その間に指定した行為を完了する者がいない場合につき、その効力を失う旨を明確にした。

（指定した行為をする期間の定めのない懸賞広告）
第五百二十九条の三
　　懸賞広告者は、その指定した行為を完了する者がない間は、その指定した行為をする期間を定めないでした広告を撤回することができる[1]。ただし、その広告中に撤回をしない旨を表示したときは、この限りでない[2]。

〈改正〉　2017年に新設された。前掲（529条）附則二十九条3を参照。
[本条の趣旨]　**[1]**　改正前には懸賞広告がなされた場合の有効期間についての規定がない。特に期間の定めがない場合に、いつまでも懸賞広告の効力が続くとなると、広告者にとって過度の負担となるおそれがある。そこで、新法は、期間の定めがない場合については、相当な期間内に指定した行為を完了する者がない間は、その撤回を原則的に可能にした。
　[2]　不撤回留保がある場合に関する規定である。

（懸賞広告の撤回の方法）
第五百三十条
　1　前の広告と同一の方法による広告の撤回は、これを知らない者に対しても、その効力を有する[1]。
　2　広告の撤回は、前の広告と異なる方法によっても、することができる。ただし、その撤回は、これを知った者に対してのみ、その効力を有する[2]。

〈改正〉　2017年に改正された。前掲（529条）附則二十九条3を参照。
[改正の趣旨]　**[1]**　広告の撤回は、それを知った者に対してのみ効力を有するという規定さえあれば、撤回の方法につき前の方法と同一のものとするという規定までは必要はないと考えられるから、新法は、撤回の方法を制限せず、「懸賞広告の撤回は、前の広告と異なる方法によっても、することができる」とした。
　[2]　1項を前提として、「これを知った者に対してのみ、その効力を有する」とした。
[改正前条文]
（懸賞広告の撤回）

1123

第3編　第2章　契約　第1節　総則

第五百三十条
　1　前条の場合において、懸賞広告者は、その指定した行為を完了する者がない間は、前の広告と同一の方法によってその広告を撤回¹⁾することができる²⁾。ただし、その広告中に撤回をしない旨を表示したときは、この限りでない³⁾。
　2　前項本文に規定する方法によって撤回をすることができない場合には、他の方法によって撤回をすることができる。この場合において、その撤回は、これを知った者に対してのみ、その効力を有する⁴⁾。
　3　懸賞広告者がその指定した行為をする期間を定めたときは、その撤回をする権利を放棄したものと推定する⁵⁾。

［原条文］
　前条ノ場合ニ於テ広告者ハ其指定シタル行為ヲ完了スル者ナキ間ハ前ノ広告ト同一ノ方法ニ依リテ其広告ヲ取消スコトヲ得但其広告中ニ取消ヲ為ササル旨ヲ表示シタルトキハ此限ニ在ラス
　前項ニ定メタル方法ニ依リテ取消ヲ為スコト能ハサル場合ニ於テハ他ノ方法ニ依リテ之ヲ為スコトヲ得但其取消ハ之ヲ知リタル者ニ対シテノミ其効力ヲ有ス
　広告者カ其指定シタル行為ヲ為スヘキ期間ヲ定メタルトキハ其取消権ヲ抛棄シタルモノト推定ス

［改正前条文の解説］
〔1〕　改正前521条〔4〕参照。
〔2〕　広告者が適法にその広告を撤回したときは、たとえすでに指定行為をする準備をし、または半分それに成功した者があっても、これらの者に対してその費用を償還する義務を負うものではない。
〔3〕　この場合は撤回はできない。後述〔5〕参照。
〔4〕　たとえば、懸賞広告を掲載した新聞が廃刊になったために異なる新聞にその広告の撤回の広告をしたとすれば、後の新聞広告を見た者に対してだけ撤回の効果が生じる。したがって、これを知らないで指定行為を完了した者があれば、広告者はこれに対して報酬を与える義務がある。撤回の広告を知らなかったという事実は、報酬を請求する者において立証するべきであろう。
〔5〕　広告者が指定行為を完了するべき期間を定めた場合には、この時期までは広告を撤回しない意思を有するのが普通であるから、このような推定規定を設けた。改正前521条1項と同趣旨である。しかし、本項は推定規定であるから、広告者は、その意思がない旨の反証を挙げて広告の撤回をすることができる。

（懸賞広告の報酬を受ける権利）
第五百三十一条
　1　広告に定めた行為をした者¹⁾が数人あるときは、最初にその行為をした者のみが報酬を受ける権利を有する。
　2　数人が同時に前項の行為をした場合には、各自が等しい割合で報酬を受ける権利を有する。ただし、報酬がその性質上分割に適しないとき、又は広告において一人のみがこれを受けるものとしたときは、抽選でこれを受ける者

§§530〔1〕〜〔5〕・531・532〔1〕

を定める[2]。

    3　前二項の規定は、広告中にこれと異なる意思を表示したときは、適用しない。

[原条文]

    広告ニ定メタル行為ヲ為シタル者数人アルトキハ最初ニ其行為ヲ為シタル者ノミ報酬ヲ受クル権利ヲ有ス

    数人カ同時ニ右ノ行為ヲ為シタル場合ニ於テハ各平等ノ割合ヲ以テ報酬ヲ受クル権利ヲ有ス但報酬カ其性質上分割ニ不便ナルトキ又ハ広告ニ於テ一人ノミ之ヲ受クヘキモノトシタルトキハ抽籤ヲ以テ之ヲ受クヘキ者ヲ定ム

    前二項ノ規定ハ広告中ニ之ニ異ナリタル意思ヲ表示シタルトキハ之ヲ適用セス

〔1〕　「行為をした者」とは、行為を完了した者という意味である。
〔2〕　抽選の方法には制限がない。広告者が普通の方法で抽選をすればよい。

(優等懸賞広告)
第五百三十二条

    1　広告に定めた行為をした者が数人ある場合において、その優等者のみ[2]に報酬を与えるべきとき[1]は、その広告は、応募の期間を定めたときに限り、その効力を有する[3]。

    2　前項の場合において、応募者[5]中いずれの者の行為が優等であるかは、広告中に定めた者が判定し[4][6]、広告中に判定をする者を定めなかったときは懸賞広告者が判定する。

    3　応募者は、前項の判定に対して異議を述べることができない[7]。

    4　前条第二項の規定は、数人の行為が同等と判定された場合について準用する。

[原条文]

    広告ニ定メタル行為ヲ為シタル者数人アル場合ニ於テ其優等者ノミニ報酬ヲ与フヘキトキハ其広告ハ応募ノ期間ヲ定メタルトキニ限リ其効力ヲ有ス

    前項ノ場合ニ於テ応募者中何人ノ行為カ優等ナルカハ広告中ニ定メタル者之ヲ判定ス若シ広告中ニ判定者ヲ定メサリシトキハ広告者之ヲ判定ス

    応募者ハ前項ノ判定ニ対シテ異議ヲ述フルコトヲ得ス

    数人ノ行為カ同等ト判定セラレタルトキハ前条第二項ノ規定ヲ準用ス

〔1〕　広告に定めた行為をした者が数人ある場合において、その優等者にのみ報酬を与える広告は、これを「優等懸賞広告」という。優等懸賞広告は、懸賞広告の一種であるから、その法律的性質はこれと同一である。すなわち、契約説と単独行為説とが対立する(改正前§529〔3〕参照)。しかし、優等懸賞広告においては、いずれの説をとっても、重大な差異を生じない。けだし、この場合には、応募者は、——指定行為は広告前にしても妨げないが——広告者に対して期間中に応募(指定行為を完了した旨の通知)をしなければ、判定の対象となることはできないから、広告を知らないで指定行為を完了した者が報酬を請求することができるか、という問題が生じる余地がないか

1125

第3編　第2章　契約　第1節　総則

らである。

　優等懸賞広告の目的となりうる行為は、学術的もしくは芸術的労作、競技などその種類が多い。しかし、その行為は優劣を定めることができる性質のものでなければならないことは、もちろんである。なお、優等懸賞広告も、懸賞広告の一種として、本条の規定のほかに、529条～［新設規定に注意］531条の規定が適用される。

　〔2〕　「優等者のみ」というが、優等者は、一人に限らず、数人でもよいし、1等・2等・3等の等級があってもよい(優等者の意義について、後述〔4〕参照)。

　〔3〕　応募の期間を定めないときは、永久に、より優等の応募者が現われる可能性があり、結局「応募者の中の優等者」というものを決定することができないからである。

　〔4〕　優等者とは、応募者中の相対的優等者であって、客観的標準による絶対的優等者ではない。したがって、「優等者がない」という判定をすることは、原則として許されないと解するべきである。ただし、毎年優等懸賞広告をして、おのずから客観的標準が定まっているときや、広告者があらかじめ広告の中に異なる標準、たとえば、「優秀なものがいなければ、1等はおかない」というような定めを表示している場合には、それに従うべきはもちろんである。また、特別の意思表示がなくても、支払われる報酬の総額が同じである限り、「1等に該当する者がいないから、2等を2名にする」というような判定は差しつかえないと解するべきである。

　〔5〕　「応募者」とは、広告の期間中に指定の行為を完了して応募に応じる旨の通知をした者である。行為を完了した時期は、原則として広告がされる以前であってもよいが、応募は、必ず期間中にされることを要する。契約説によれば、この応募が承諾であって、これによって広告者と応募者との間の契約が成立し、広告者は判定をし、報酬を与えるべき義務を負担する。また、単独行為説によれば、広告者は応募という条件の成就によってその義務を負担することになる。いずれにしても、広告者が判定をしないときは、各応募者は、広告者に対して判定をするべき旨の請求をすることができる。

　〔6〕　優等懸賞広告によって生じる法律関係は、広告者が判定をし、優等者に報酬を与えることに尽きる。広告者は、応募者の作品のうえに所有権・著作権または特許権などを当然には取得するものではない。ただし、広告に特別の定めがあれば、これに従うことはもちろんである。文芸作品の懸賞募集には、特別の定めがなされている例が多い。

　〔7〕　判定の内容である価値判断に対して異議を述べることはできないということである。したがって、判定が明瞭に学術上の誤謬に立脚するような場合には、応募者は、判定の無効を主張することができる。また、判定は意思表示ではないが、これに類する精神的作用の発表であるから、錯誤・詐欺・強迫などに関する規定(改正前§§95・96)の準用があると解するべきである。

第2款　契約の効力

〈改正〉　2017年に本款が改正され、具体的には同時履行の抗弁権に関する533条、債務者の危険負担等に関する536条、第三者のためにする契約に関する537条、第三者の権利の確定に関する538条が改正され、危険負担に関する534条と535条が削除された。

① 本款の内容

本款は、「契約の効力」と題しているが、契約から生じる効力のすべてについて規定しているわけではない。契約の本来の効力として発生する債権については、わが民法は、本編第1章総則のなかの第2節「債権の効力」(§§412［改注］～)において規定している。本款では、とくに双務契約の効力のなかの「同時履行の抗弁権」(§533［改注］)、「危険負担」(削除・改正前§§534～536)について規定し、なお、特殊な形式の契約として「第三者のためにする契約」に関する規定をおいている(§§537～539［改注］)にすぎない。

② 契約内容決定の自由

契約の一般的な効力として、最も重要なことは、契約は、どのように当事者を拘束する効力をもつかの問題である。進歩的社会の推移は、今日までのところ、「身分から契約へ」という標語で示すことができるというメーン(Sir Henry James Sumner Maine, 1822～1888)の言葉のように、古代社会においては、われわれの法律関係は、大部分、生まれながらの身分によって決定されたが、社会が進歩するにつれて、契約すなわち本人の意思によって決定される領域が拡大してきた。そして、近代法が個人意思の自治の原則を宣言するに及び、契約は、当事者間においては法たる効力をもつものとされ、その内容は、強行法規または公序良俗に反しない限り、当事者の欲する通りの効果を生じるものとされた。これが、契約自由の原則の最も重要な表現の一つである契約内容決定の自由である。しかし、今日においては、この原則も、個人の向上・発展と社会公共の福祉の増進との調和を最高の指導原理とする新しい法理想のために制限を受けることになった。そのことは、まずは、強行法規の数の増大と公序良俗の観念の拡大に現われるのであるが、なお、契約法特有の立場からも、つぎのような制限が加えられる(本節解説③、§1(2)(3)参照)。

(1) 第1に、独禁法、すなわち私的独占の禁止及び公正取引の確保に関する法律(昭和22年法律54号)は、「私的独占又は不当な取引制限」を禁止している(同法§3)。同法に対する事業者の遵法意識が今日なお希薄なのはきわめて遺憾といわざるをえない。

(2) 第2に、独占的事業者が、多数の顧客と迅速に契約を締結するために、一方的に定める約款(⑤参照)については、事実上、相手方において個別的に折衝する余地がないので、多くの場合、あらかじめ国家の承認を受けることが必要とされている(⑤(3)(4)参照)。

第3編　第2章　契約　第1節　総則

(3)　第3に、経済的地位にいちじるしい差のある者の間の契約について、弱者に不利益な一定の条項の効力が否認される例は、相当に多い(借地借家§§9・16・30、農地§21Ⅱ、割賦§§4の4Ⅶ・5Ⅱ・27Ⅱ・30の4Ⅱ、特定商取引§9Ⅷなど)。

(4)　第4に、契約締結後の経済事情に急変が生じた場合に、裁判官は契約内容を合理的に改定する権限をもつものとする理論(「事情変更の原則」。§1(4)(オ)参照)は、すでに立法によって相当に広く認められている(借地借家§§11・7、身元保証§§3~5など)。のみならず、判例は、保証契約に関連して、主たる債務者の資産状態が悪化しているのに手形割引契約の債権者が放恣な貸出しをしているような場合について、この原則の適用を認めて、保証人の解約告知を是認している(大判昭和7・12・17民集11巻2334頁。なお、類似の例としては大判昭和8・4・6民集12巻791頁。§540(3)参照)。なお、本編第1章第3節第4款(新第5款)第2目参照。

(5)　第5に、契約の内容がはじめからはなはだしく不合理なものであるときには、経済事情の変更がなくても、裁判官がこれを改定する権限を与えられることも絶無ではない。旧罹災都市借地借家臨時処理法にその例があった(同法§17)。

3　双務契約に共通な効力

本款に規定されている事項のうち、その主要なものは双務契約に共通な効力であるので、これについて一言しておく。

双務契約とは、契約の双方の当事者が対価的意義を有する債務を負担する契約である(第2章解説4(2)、改正前§533(1)参照)。この双方の当事者の負担する債務は、互いに一方がその債務を負担すればこそ、他方もまたその債務を負担するという関係——これを「牽連関係」という——に立つものである。したがって、両債務間には、具体的にはつぎのような法律的な牽連関係が存在するとされるのである。

(1)　成立上の牽連関係

一方の債務が原始的履行不能・公序良俗違反その他の理由で成立しないときは、原則として、他方の債務もまた不成立に終る。また、一方の債務が制限行為能力・詐欺・強迫などの理由で取消されるときは、原則として他方の債務もその効力を喪失する。このことは、民法には規定されていないが、判例・学説の均しく認めるところである。

(2)　履行上の牽連関係

一方の債務が履行されない以上は、原則として、他方の債務もまた履行される必要がない。いわゆる同時履行の抗弁権といわれる制度であって、民法は、これを533条[改注]に規定している。

(3)　存続上の牽連関係

一方の債務が債務者の責めに帰することのできない事由によって履行不能となり、消滅するときは(改正前§415(5)参照)、他方の債務もまた原則として消滅する。ただし、この点については、重大な例外が存し、いわゆる危険負担の制度として論じられるものである。民法は、これを削除・改正前534条~536条に規定している。

1128

第2款［解説］③④

④　契約から生じる債権・債務

契約が有効に成立すると、その契約の効力として、それが双務契約であれば当事者双方の債務が、片務契約であれば片方の当事者の債務が発生する。それぞれの債務の内容は、それぞれの契約の趣旨および内容によって定まるのであって、具体的には、典型契約に関する民法の規定、当該契約の内容によって個別的に判断することになる。契約の効力に関して一般的にいえることは、以上のことに尽きるのであるが、なお、つぎのことに留意する必要がある。

(1)　本体的債務と付随債務

㋐　たとえば、売買契約からは、目的物を買主に移転する売主の債務と売主に代金を支払う買主の債務とが生じ、賃貸借契約からは、目的物を賃借人の使用に適した状態におき、その使用をこれに許容する賃貸人の債務と賃貸人に賃料を支払う賃借人の債務とを生じる。これらの債務は、それぞれの契約から生じる本体をなし、要素となる債務であって、これを「本体的債務」（または「要素的債務」）と呼ぶことができよう。もしこの本体的債務についての当事者の合意が成立していなければ、契約は成立しえないし、本体的債務についての不履行があれば、契約解除権を生じることになる。民法の規定は、ほぼこの本体的債務を念頭において設けられているということができる。

㋑　これに対して、これらの本体的債務に付随して生じ、必ずしもその契約の要素とはいえない債務が成立させられている場合が実際には少なくない。これを「付随債務」と呼ぶことができよう。

(a)　民法の典型契約に関する規定自体が、このような付随債務を定めている例も多くみられる。売買契約における買主の利息支払義務（§575Ⅱ）、賃貸借契約における貸主の修繕義務（§606［改注］）、費用償還義務（§608）、借主の一定の事実についての貸主への通知義務（§615）、委任契約における受任者報告義務（§645）、引渡し義務（§646）、委任者の費用前払義務（§649）、費用償還義務（§650）、寄託契約における受寄者の一定の事実についての寄託者への通知義務（§660［改注］）などである。

(b)　当事者の契約によって種々の内容を有する付随債務が定められることも考えられる。その定めは、契約に伴う合意（「特約」と呼ばれることが多い）によって行われるが、その合意は、明示によっても黙示によってもよい。事実たる慣習（§92）による場合もありえよう。

例としては、売買契約に付随して、契約の時から買主が土地に対する公租公課を負担するとする義務、買主の代金支払債務について担保を提供する義務、買主が目的物を引取る義務（改正前§413前注②参照）、売主が目的物に関連して一定の役務（使用方法の教授など）を提供する義務を負担したり、消費貸借契約に付随して、借主が借入金の運用状況について一定の報告を行う義務を負担したり、賃貸借契約に付随して、借主が借りた住宅の庭園を一定の状態に維持するように手入れする義務や無断で増改築をしない義務を負担したり、雇用契約に付随して、被用者が職務上知りえた秘密を他に洩らさない義務や、使用者と競争関係に立つ業務を営まない義務を負担したりすること、などが挙げられよう。

(c)　付随債務についても、原則としてその効力は本体的債務と同一であると考え

1129

第3編　第2章　契約　第1節　総則

てよい(任意的実現力・強制的実現力・損害賠償請求力がある)。ただし、それは、契約の本体としての意味はもたないので、契約の存立そのものにかかわるような効果は生じないと考えるべきである。すなわち、付随債務がなんらかの理由で不能であっても、契約の成立には影響しないと考えられるし、付随債務のみの不履行が生じたときも、契約の解除権は、原則として、発生しないと考えるべきである(土地の売買で、所有権移転の前から買主が土地の公租公課を負担する義務を約定した事例について、大判昭和13・9・30民集17巻1775頁、最判昭和36・11・21民集15巻2507頁は、これを契約の要素ではない、付随的な債務であるとして、解除を認めなかった。農地の売買における知事への宅地への転用許可申請につき、最判昭和42・4・6民集21巻533頁は、売主がこれを怠った場合に買主による解除を認め、最判昭和51・12・20民集30巻1064頁は、買主がこれを怠った場合に売主による解除を認めない。この事例は、前者では代金が未済、後者では代金が完済されているという事情もあり、むしろ本体の債務にかかわる問題と考えた方が適切かもしれない。なお、解除が認められた例について、改正前§541〔1〕(2)参照)。

付随債務が違法もしくは公序良俗違反のものであるときは、その付随債務のみが無効となると考えればよい。たとえば、相殺適状が成立した場合に、一方の相殺は認めるが、他方には相殺しない義務を定めるような定めは無効である(改正前§511〔4〕(7)参照)。

なお、本体的債務と付随債務の違いは、相対的であり、両者の境界は流動的なものである。一見付随的にみえても、当事者にとっては本体的債務であることもありうるので、その判定には慎重を要するところである。

(2)　付随的義務について

最近議論される「付随的義務」(本編第1章第1節解説6参照)は、上の付随債務の問題と近似しているが、若干異質なものがあると感じられるので、ここで改めて論じることとする。異質と考えられる点は、付随債務はあくまで契約当事者の意思を根拠として認められ、その効果も契約から当然生じる効果と考えられるのに対して、付随的義務として論じられる事例は、必ずしも当事者の意思を前提としていないと考えられる場合が多く、また、効果についても、契約に付随して生じる信義則上の効果と解されるのが多いことである。もちろん、両者の違いは、本来的債務と付随債務におけると同様に、相対的であり、両者の境界は流動的である。

(ア)　付随的義務の例としては、つぎのようなものを挙げることができよう。

(a)　売買契約に付随して、目的物の使用方法が特殊である場合に、とくに使用方法について説明する義務や、その目的物に一定の危険性がある場合に、それについて警告する義務があると考えられるケースがありうる。

(b)　賃貸マンションにおいて、賃借人に家庭用廃棄物の廃棄や騒音などに関してそのマンション全体の居住環境を適正に保全し、みだりにこれを破壊することのないようにする義務があると考えられるケースがありうる。

(c)　雇用契約において、使用者は被用者のためにその労務提供の環境に関して被用者に危険が及ばないようにその安全を保証する義務(「安全保護義務」、「安全配慮義務」などと呼ばれる)があると考えられるケースは、一般的に認められるといってよ

1130

い（ドイツ民法では、条文上明記されている。同法§618）。最近では、使用者は、必ずし
も労働者からの申告がなくても、その健康にかかわる労働環境等に十分な注意を払
うべき安全配慮義務を負っているところ、労働者にとって過重な業務が続くなかで
その体調の悪化が看取される場合には、労働者の精神的健康（いわゆるメンタルヘル
ス）に関する情報については労働者本人からの積極的な申告が期待し難いことを前
提としたうえで、必要に応じてその業務を軽減するなど労働者の心身の健康への配
慮に努める必要がある、とした判例がある（最判平成 26・3・24 判時 2297 号 107 頁）。
なお、最判平成 30・2・15 判時 2383 号 15 頁も参考になる（消極）。

　(d)　貸金業者には、債務者の請求に対して取引履歴を開示する付随義務があると
された（最判平成 17・7・19 民集 59 巻 1783 頁。違反が不法行為になるとされた）。

　(イ)　これらの付随的義務がもたらす法的効果については、その怠りによって契約の
相手方に損害が発生した場合に、これを賠償する責任を生じるのが、その主なもので
あると考えられる（通常、不完全履行と考えられ、債務不履行に関する一般論に従う。本編第1
章第1節解説6、改正前§415以下の注釈、とくに同条前注2(2)(オ)参照）。

　賠償されるべき損害は、生命・身体・健康に加えられた損害である事例が多いであ
ろうが、それに限るわけではない。たとえば、マンションの賃借人による生活環境の
破壊により、マンションの他の部分の借り手がなくなったような場合の財産的損害と
いうこともありえよう。

　なお、使用者の安全配慮義務違反を理由とする債務不履行に基づく損害賠償請求権
は、労働者がこれを訴訟上行使するためには弁護士に委任しなければ十分な訴訟活動
をすることが困難な類型の請求権であるから、労働者が、安全配慮義務違反を理由と
する損害賠償を請求するため訴えを提起することを余儀なくされ、訴訟追行を弁護士
に委任した場合には、その弁護士費用は、事案の難易、請求額、認容された額その他
諸般の事情を斟酌して相当と認められる額の範囲のものに限り、安全配慮義務違反と
相当因果関係に立つ損害というべきであるとした判例（最判平成 24・2・24 判時 2144 号
89 頁）がある。

　その他、その義務の不履行に対する現実的履行の強制、その履行がなされるまで反
対給付をしないという給付拒絶の抗弁権、場合によっては契約そのものの解除権も、
認められるケースもありうると考えられるが、そこまでの効力を認めることは一般的
ではないということができよう。

　なお、付随的義務の効果が、多くの場合に、契約関係はすでに終了した後にかなり
経ってから生じる事態（たとえば、後遺症）について問題になることもある。契約から生
じるいわば予後的効力ないし責任ともいうべき、新しい問題ということができよう。

　(ウ)　契約の付随的義務として、以上のようなことが承認されるようになってきてい
ること（§623(3)(6)参照。なお、契約上の責任としてではなく、特別の身分関係の効果として
「安全配慮義務」を認めたものに最判昭和 50・2・25 民集 29 巻 143 頁などがある。本編第1章第
1節解説6(5)参照）について、この義務の理論的根拠はなにかを検討することは、今日
の契約法の基本理解にかかわる重要な論点になっている（多くの下級審判例もある）。

　今日、一定の契約関係に入る市民相互間においては、上に見た程度および内容の注

第3編　第2章　契約　第1節　総則

意義務が要求されるということが、市民間の規範観念において当然と考えられるようになっているということ、いいかえれば、現代市民生活における条理がその根拠であるといえるであろうか。そのことは、問題とされる事例が、おおむね、消費者問題、環境問題、労働問題などの現代生活において強く意識されるようになってきた事柄に関していることにかんがみて、指摘できることであるように思われる。また、これらの事例は、従来は不法行為の範疇でとらえられていたと考えられるが、それが契約法の領域に移しかえられてきた現象ということもできよう。いずれにしろ、契約を結ぶという当事者の意思が根底にあること（たとえば、スタントマンとして雇用されるような場合に、安全保護義務の内容は、当事者の意思によって大きく変化すると考えられる）は、無視してはならないであろう。

5　約款の問題

契約がどのような内容において効力を生じるかに関して、大きな役割を果たしているものに約款があり、重要な問題を含んでいる。

(1)　ひろく約款というときは、当事者が合意した契約条項一般を指す。しかし、とくに約款問題として論議の対象とされる場合の「約款」とは、主として事業者（約款使用者という）によって用いられるもので、他の事業者あるいは消費者（約款使用の相手方）との契約に関して、あらかじめ詳細な契約条項を定型化して定めておき、契約の相手方との間で、その条項をそのまま包括的に契約の内容とする前提のもとに契約を締結するということがしばしば行われるが、その場合の定型的な契約条項を指す。

なお、協約（第2章解説6(3)）とも共通点をもつが、協約は双方の団体的合意によるものであるのに対し、約款は当事者の一方が一方的に内容を定めたものをいうと考えられている。

このような意味における約款を、より正確に指す用語としては、「普通契約条件」、「普通取引約款」、「普通契約約款」、「一般取引条項」など（いずれも、ドイツ語のAllgemeine Geschäftsbedingungen の訳である）が用いられる。また、これと同じ事柄を別の角度からとらえて、契約を結ぶと、それに定型的な内容が付着してくるという意味において、そのようにして結ばれる契約のことを「付合契約」、あるいは「付従契約」と呼ぶこともある（フランス語の contrat d'adhèsion の訳である。adhèsion は付着という意味の言葉である）。本書では、単に約款と呼ぶことにする。

約款の例はしだいに多くなり、多種多様になっている。若干の例を挙げれば、保険約款（正確には、「保険契約約款」というべきであろうが、実務および法令用語においては、契約の語が省かれていることが多いので、これに従うことにする。以下同じ）、運送約款、電気・ガス・水道の供給約款（「供給規程」と呼ばれる）、倉庫寄託約款、電気通信役務約款、預金約款、旅行業約款、宿泊約款などである。銀行取引などにおいて利用されている「基本約定書」の類も、総括契約（第2章解説4(7)参照）としての問題をも含みながら、一種の約款としての性質を有するといえよう。また、市販の不動産賃貸借契約用紙の使用なども、規模は小さくて、約款問題の主流とはいえないが、同様の問題を有している（第1編第5章解説3参照）。

第2款［解説］⑤

(2)　このような約款の存在意義および利用価値は明確である。契約の種類・性質によっては、結ぶべき契約の内容の詳細にまでわたって個々的に検討して交渉することは、労力および時日を要して能率が悪いから、事業者においてあらかじめ約款の形でその細目を定めておいて、これをそのまま取り入れて契約を締結することは、きわめて合理的であり、効率がよい。また、相手方としては、その約款を見ることによって契約の内容をよく知り、契約を締結するかどうかの判断を下すことができる。

このような事情を考えると、約款を用い、それを内容とする契約の効力を否定する理由はない。なぜ個々的に合意していない約款の条項が契約の内容となるかについては、諸説の存するところであるが（当事者の約款によるという意思を根拠とする見解、一種の商慣習とする見解、一種の自主的法規性を認める見解など）、約款を内容とする契約の拘束力を原則的に承認すること自体については、異論はないといえよう。

約款の拘束力について判断した最初の、そして現在でも標準的といってよい判決は、大判大正4・12・24（民録21輯2182頁）である。これは、火災保険約款に含まれた免責条項について、相手方がこの条項の存在を知らなかったのでこれには拘束されないと主張した事案に関して、当事者双方がとくにその約款によらない旨の意思を表示することなく契約したときは、たとえ約款の内容を知悉しなかったとしても、反証のない限り、その約款による意思をもって契約したものと推定するとしたものである。その後、約款の問題をめぐる学説の議論の展開は多彩を極め、この判決の論理だけで問題が片づくものではないことはいうまでもないが、同判決は、約款の拘束力を原則的に承認する判例の出発点としての意味をもっているといえる。

(3)　約款の拘束力が原則的に承認されるとしても、現実には、約款がさまざまな弊害を生んでいることが指摘される。

第1は、独占的な事業者が約款を用い、そのなかに不当な内容が盛りこまれる場合である。とりわけ、電気・ガス・水道などの生活必需物資の供給契約などにおいては、相手方はその約款による契約を結ぶほかに選択肢はない。約款の内容に不満があっても、その内容による契約を締結せざるをえないのであって、これは契約締結および契約内容決定の自由が害されていることになる（第1款解説③、本款解説②参照）。

第2は、約款の内容が必ずしも十分に相手方に周知されていないことが、ままあることである。とくに詳細な約款の場合には、その約款文書自身が厖大になったり、あるいは印刷活字が微細になったりして、相手方がそれを知る機会が減少させられることが少なくない。ときには、事業者が意図的に約款が周知されないように図ることもありうる。このようなことがあると、複数の事業者の約款を比較して、契約を結ぶ相手を選択することができるという、約款の利点は失われることになる。

これらの弊害にどう対処するかは、約款問題における最も重要な課題である。

(4)　約款に伴う弊害に対処するために約款の効力を制約するための手法としては、さまざまなものが考えられるので、それを略述しておこう。

(ｱ)　まず、当事者、とくに約款使用の相手方の意思を重視する手法である。それは、約款に盛られたすべての条項が当然に契約の内容となると考えるのではなく、一定の合理性が認められる条項のみが契約の内容に「取り入れ」られる（「取りこみ」、「組み入

1133

第3編　第2章　契約　第1節　総則

れ」などともいう）と考えるものである。換言すれば、もしその条項を認識していれば契約を締結しなかったであろうと考えられる条項、あるいは、そのような条項が存在するとは通常はまったく予想されないような条項（「不意打ち条項」などという）は、契約の内容には取り入れられないとして、その条項の拘束力を排除するという方法である。

　契約の本体的な内容について約款の取り入れが否定されれば、契約全体が効力を生じないことになるが、多くの場合は、個々の条項についてだけ拘束力が排除されることになろう。

　ドイツでは、民法に対する特別法として、約款に関する一般法が制定されていたが（正確な名称は、「普通契約約款の規制に関する法律」1976年）、2002年1月1日からはその内容は民法のなかに編入された。そこでは、約款の契約への「取り入れ」（Einbeziehung）（同民法§§305〜）という概念が中核をなす概念として用いられている。

　(イ)　つぎに、立法ないし行政によって一定の種類の約款について、事前的にその内容を吟味して、不当な条項についてはその効力を否定する手法である。

　(a)　現在、法律・条例に基づいて、行政が約款の内容を審査して、これに免許、許可ないし認可を与えるもの（届け出事項とされる場合もある）と定められている例は、かなりの数に上っている。たとえば、保険業法4条2項3号（普通保険約款の審査が営業免許のための要件とされている）、電気事業法19条、ガス事業法17条、水道法14条（これらにおいては、供給規程を認可事項としている）、道路運送法11条、貨物自動車運送事業法10条、港湾運送事業法11条、海上運送法9条、倉庫業法8条、電気通信事業法19条、旅行業法12条の2、などである。これらの約款内容に対する行政規制が、市民の立場に立って適正に行われることが、約款の円滑な運用のためにも不可欠な要請となっている。

　(b)　約款に対する直接的な内容規制ではないが、法律に基づいて、その種の契約に関する標準約款や標準条件を定めるという手法もこれに類するものといえよう（建設§34Ⅱ、割賦§§9・10などにその例がみられる）。法律に基づかずに、条例に基づいたり、あるいは業界団体の自主的な規制として、同様なことが行われる例もみられる。

　(ウ)　約款使用者とその相手方との間で約款をめぐって争いが生じた場合に、裁判によって事後的に約款の内容が効力をもつかどうかが判断されることがありうる。ある条項の拘束力が否定される場合には、公序良俗違反や信義則違反が根拠とされることになろう。請負契約中で、注文者を「甲」、請負人を「乙」と表記し、公正取引委員会の排除措置命令および課徴金納付命令が確定した際には甲が乙に対して約定の賠償金と遅延損害金を求めることができると定められていた場合において、乙が共同企業体であったときは、排除措置命令等が確定したことを要する乙とは、その共同企業体または共同企業体を構成する全ての者を含むと解すべきであるとした判例（最判平成26・12・19判時2247号27頁）が参考になる（第1編第5章解説③(ア)も参照）。

　(エ)　労務関係における労働協約にみられるように、たとえば、消費者に関係する契約類型について、事業者団体と消費者団体が交渉して約款の内容を定めるような手法が活用されることが望ましい。

同時履行の抗弁権［前注］1 2

(ｵ) 2000年制定の消費者契約法が、消費者契約の取消し・無効に関する重要な規定を設けたが、個別の契約に関するものであって、いわゆる約款の直接的な規制の意味をもつものではない。同法の2006年の改正で追加された差止請求の規定も、「消費者団体訴訟」と呼ばれてはいるが、上記のドイツにおいて認められている不当な約款そのものの効力を否定する団体訴訟制度(2002年のUnterlassungsklagengesetzによる)とはその実質を異にしている(本章解説4(11)参照)。

(5) 2017年の改正で、第1節に第5款として「定型約款」に関する規定が新設された。新548条の2以下を参照。

同時履行の抗弁権 ［§533の前注］

〈改正〉 2017年に改正され、カッコ書が追加された。

1 同時履行の抗弁権の意義

同時履行の抗弁権とは、公平の理念に基づき、契約の当事者間において、一方がその契約上の債務の履行について、他方がその債務の履行をするまでは、履行しないことを主張しうる権利をいう。

533条は、そのような抗弁権のなかでも基本的な意味をもつ双務契約に共通に認められる効力としての同時履行の抗弁権について定める。実際上きわめて重要な意義を有し、作用を営むものである。本条の抗弁権が認められる根拠は、双務契約から生じる両債務間に認められる「履行上の牽連関係」である(本款解説3(2)参照)。

2 同時履行の抗弁権の拡張適用

本条が定める同時履行の抗弁権は、上のように、双務契約から生じる対価関係にある両債務について認められるものであるが、その公平を守るという趣旨の一般的妥当性から、これに類似するといってよい場合にも拡大されて承認される傾向にあり、その傾向は妥当なものといってよい。

(1) まず、民法の規定自身が、本条の規定を類似の関係に準用する旨を定めている場合がある(負担付贈与について§553、契約が解除された場合に両当事者が原状に回復する義務を負う場合について§§546・692、売主の担保責任について改正前§571、請負人の瑕疵修補責任について改正前§634。なお、この最後のものについては問題があるので、改正前§634(7)参照)。その他、特別法にその例は多い(借地借家§§13Ⅲ・31Ⅲ、農地§16Ⅲ、仮登記担保§3Ⅱなど)。

(2) 明文による準用規定がなくても、解釈上、同時履行の抗弁権を認めてもよいとされる場合も多い。

(ｱ) つぎの場合に、本条の類推適用が認められている。いずれも、双方の給付に対価性が認められるので、妥当といえよう。

第3編　第2章　契約　第1節　総則

　　(a)　借地借家法によって認められる建物買取請求権(同法§§13・14)、造作買取請
求権(同法§33)が行使された場合には(本章第7節解説[4](2)参照)、厳密には双務契約と
はいえないが、効果としては、売買契約とまったく同じといってよい、目的物移転
と代金支払の両債務が成立するので、この間に同時履行の関係を認めてよいことは
自明の理であろう(旧借地§10について、大判昭和7・1・26民集11巻169頁、旧借地§4
Ⅱについて、最判昭和35・9・20民集14巻2227頁)。問題は、造作買取請求権に基づい
て建物の引渡しを拒絶できるか(最判昭和29・7・22民集8巻1425頁は、否定した)、建
物買取請求権に基づいて土地の引渡しを拒絶できるか(前掲最判昭和35・9・20は、買
取りの対象の建物と合わせて敷地の引渡しも拒みうるが、その賃料相当額は不当利得になると
した)、であるが、この種の事例は、むしろ留置権の問題として検討されるのが適
当であろう(§295[3](イ)(b)参照)。
　　(b)　双務契約が無効であったり、取消された場合に、双方がすでに受領した給付
を返還しあう関係は、双務契約から生じた両債務とはいえないが、実質的には同じ
ものとして、これに同時履行の関係を認めてよいことに、ほぼ異論はない(未成年者
の取消しについて、最判昭和28・6・16民集7巻629頁、詐欺による取消しについて、最判昭
和47・9・7民集26巻1327頁)。
　　(c)　賃貸借契約における修繕義務(§606[改注])と賃料支払義務との間には同時
履行関係があるとされる(大判大正4・12・11民録21輯2058頁、大判大正10・9・26民録
27輯1627頁)。すなわち、賃貸人が必要な修繕を怠るときは、賃借人は賃料の支払
を拒絶できる(ただし、その程度によっては、賃料の一部の支払のみを拒絶できるとする大
判大正5・5・22民録22輯1011頁、すでに居住した期間の賃料支払は拒みえないとする大判
昭和7・11・19法学2巻814頁、賃料が地代家賃統制令の統制に服していることなどを理由と
して賃料全部の支払を拒絶することはできないとした最判昭和38・11・28民集17巻1477頁
などがある)。しかし、賃貸人が賃料支払があるまで修繕を拒絶することはできない
と考えられるので、上記のことを同時履行の抗弁権として説明するのは正しくない
であろう。
　　(d)　譲渡担保が実行されて、債権者が目的物の引渡しを請求した場合に、債務者
は債権者による清算金(第2編第10章後注[7](1)参照)の支払との同時履行を主張できる
か(仮登記担保§3Ⅱと類似の問題である)。判例は、肯定する(最判昭和46・3・25民集25
巻208頁。なお、(ウ)(e)参照)。
　(イ)　双方の給付に、厳密な意味での対価性が存しない場合でも、つぎのような例に
おいて同時履行の抗弁権が認められている。
　　(a)　弁済と受取証書の交付(§486[改注])との間には、将来の二重払を防ぐ意味
において、同時履行の関係が認められている(大判昭和16・3・1民集20巻163頁)。
　　(b)　金銭債務の弁済のために手形・小切手が振出された場合には、手形・小切手
が返還されるまでは、その原因債権について弁済を拒絶することができる(最判昭和
33・6・3民集12巻1287頁、最判昭和35・7・8民集14巻1720頁。ただし、最判昭和40・
8・24民集19巻1435頁は否定した事例)。手形・小切手上の請求権が無因債務(第2章解
説[4](9))である以上、二重払の危険を避ける意味において、妥当であろう。

(c)　修繕契約において、修繕代金の支払義務と修繕のすんだ目的物の返還義務とは、同時履行関係にあるとされる。返還義務そのものは代金と対価関係には立たないが、実質的に妥当といってよい。

　(d)　賃貸借の終了による立退料の支払義務と建物の明渡し義務との間には、同時履行関係があるとしてよい（最判昭和38・3・1民集17巻290頁、最判昭和46・11・25民集25巻1343頁などが引用されることがあるが、これらは、賃貸人が借家人に対して一定額の立退料を示し、それと引換えの明渡しを求めた場合に、解約の「正当の事由」があるとしたものである。改正前§604〔1〕〔2〕〔イ〕〔c〕参照）。

　(ウ)　以上の(ア)・(イ)に対して、つぎのような場合には、同時履行の関係が否定されている。

　(a)　弁済と債権証書の返還（§487）は、同時履行の関係にはないとされる（§487〔4〕参照）。

　(b)　賃貸借契約における特約による賃借権設定登記義務と賃料支払義務とは、同時履行の関係にないとされる（最判昭和43・11・28民集22巻2833頁）。

　(c)　賃貸借の終了時における敷金（§§316〔改正〕・619Ⅱ〔改正〕参照）支払義務と建物の明渡し義務との間については、判例は同時履行関係はないとする（最判昭和49・9・2民集28巻1152頁）。建物明渡しの方が先_{せん}履行であるとするのであるが、反対説もある。改正後については、新622条の2の解説〔2〕参照。

　(d)　請負契約において、工事遅延の場合の違約金が約定されていた場合、——工事完成と報酬代金は同時履行関係にあるが——違約金と報酬代金とは同時履行ではないとされた（大判大正5・11・27民録22輯2120頁）。

　(e)　ゴルフ会員権の譲渡担保において、債務者が譲渡担保が実行されたときは会員権譲受人のために理事会承認手続協力義務を負うとされている場合、債務者は清算金支払がないことを理由に手続への協力を拒絶することはできないとされた（最判昭和50・7・25民集29巻1147頁）。上述(ア)(d)との事案の違いに注意する必要がある。

　(f)　問題は、被担保債務の弁済とその担保についての消滅手続（目的物の返還や担保権登記の抹消）との関係である。判例は、一般的には、両者の同時履行関係を否定する。被担保債務の弁済を先履行とする考えである（一般的に、大判明治37・10・14民録10輯1258頁、抵当権の抹消登記請求について、最判昭和57・1・19判時1032号55頁、最判昭和63・4・8判時1277号119頁、仮登記担保の仮登記抹消について、最判昭和61・4・11金法1134号42頁、譲渡担保目的物の返還について、最判平成6・9・8判時1511号71頁）。しかし、実務上は同時履行の慣行が行われており、一般的にこれを承認してよいのではないかとする意見も有力である。

③　他の弁済拒絶権

解釈上、つぎのような弁済拒絶権を認めることが提案されている。機能として、同時履行の抗弁権と類似の作用を営むので、留意する必要がある（規定上認められる保証人の催告の抗弁権と検索の抗弁権は、弁済拒絶の権能を認めるものではない。§§452・453・455の注釈参照）。

第3編　第2章　契約　第1節　総則

　なお、留置権（§§395〜）も、一種の弁済拒絶の抗弁権である。つぎに、項を改めて取り上げる。

　(ア)　主たる債務者が取消権を有する場合に、保証人はそれにつきどのような主張をすることができるかが問題とされる（改正前§446〔1〕(ウ)(f)・改正前§457〔4〕参照）。主たる債務者に取消権が存する限りにおいて、保証人に弁済を拒絶する権利を認める見解が有力である。理論的には、保証債務の付従性に関する。

　(イ)　Aの債務とBの債務が対価関係にあり、Aの債務が先履行の関係にある場合、あるいはAの債務の履行期が到来し、Bの債務の履行期が未到来である場合において、Bの資産状況がいちじるしく悪化し、Bの債務の実現が危ぶまれるときには、Aはその債務の弁済を拒絶することができないか。これは、学説上、「不安の抗弁権」(Unsicherheitseinrede)として論じられる問題である。

　この問題を、533条が定める両債務の履行期の到来という要件（改正前§533〔7〕参照）の緩和の問題としてとらえることも可能であろうが、むしろ信義則あるいは事情変更の原則の問題として、条理上認められる同時履行の抗弁権と並ぶ抗弁権としてとらえるのが妥当ではないかと考えられる（東京地判平成2・12・20判時1389号79頁は、ほぼ同趣旨を認める）。

　ドイツ民法（§321）、スイス債務法（§83）には、このような抗弁権を認める明文の規定が設けられており、これにならってこの抗弁権を承認するべきであるとする見解が有力である。

④　留置権との関係

　留置権（§§295〜）は、物権の一種であるが、やはり公平の理念に基づき、被担保債権についての弁済拒絶の抗弁権を認めるものであり、その機能は同時履行の抗弁権と近似している。そこで、両者の比較および相互の関係が問題とされる。

　(1)　両者の違いは、主としてその成立要件に認められる。留置権の成立要件は、「物に関して生じた債権」であり（§295）、この「物と債権の牽連性」を狭く解すると、同時履行の抗弁権の成立と重なりあう場合はめったにないと考えられるが、これが拡大されて、「債権が物の返還請求権と同一の法律関係から生じたとき」という意味に解されると、533条［改注］の適用範囲と重複してくることが少なくない（§295〔3〕参照）。

　もっとも、留置権は物権であるので、債務者以外の第三者に対しても行使できる（同条〔2〕参照）ことが、その特色である。

　これに対して、効果については、ほとんど違いはない。もし留置権が物権的抗弁権であることを考慮して、債務者がこれを行使すると債権者は請求できない（訴訟では敗訴する）と解すれば、大きな違いがあることになるが、判例は、同時履行の抗弁権と同じように、引換え給付を求めうるにすぎないと解している（同条〔4〕参照）。留置権については、果実を収取し、それから優先弁済を受ける権利（§297Ⅰ）、競売権（民執§195）、代担保の供与による消滅（§301）、無断使用による消滅請求（§298Ⅲ）などが定められているが、同時履行の抗弁権については、これらのことが妥当しないのは、いわば自明のことである。

同時履行の抗弁権［前注］④・§533〔1〕〜〔3〕

(2)　留置権についてその適用範囲が拡大されており、他方、同時履行の抗弁権についても②(2)(ア)(イ)にみたように、その適用が拡大されている結果、同一の事案において両方の要件が充たされる場合が少なからず生じる。

この場合に、いずれをも主張できるとするのが、判例・通説である（もっとも、売買契約から生じる目的物引渡し請求権と代金請求権などについては同時履行の抗弁権だけを認めれば足り、上例②(2)(イ)(c)の修繕契約における目的物返還請求と修繕代金請求権については留置権だけを認めれば足りるというように考えられないではない）。

（同時履行の抗弁）
第五百三十三条
**　　双務契約の当事者の一方は、相手方がその債務の履行（債務の履行に代わる損害賠償の債務の履行を含む。）を提供するまでは、自己の債務の履行を拒むことができる。ただし、相手方の債務が弁済期にないときは、この限りでない。**

〈改正〉2017年に改正された。附則（契約の効力に関する経過措置）第三十条　1　施行日前に締結された契約に係る同時履行の抗弁及び危険負担については、なお従前の例による。

［改正の趣旨］　追加されたカッコ書きは、改正前571条、634条2項の削除に関連する。すなわち、契約上の本旨債務の履行請求が可能な場合には、カッコ外の債務の履行に該当し、それが不能になるとカッコ内の債務の履行になると解されている。

［改正前条文］
　　双務契約[1)]の当事者[6)]の一方は、相手方がその債務の履行を提供する[2)]までは、自己の債務の履行を拒むことができる[3)4)]。ただし、相手方[5)]の債務が弁済期にないときは、この限りでない[7)]。

［原条文］
　　双務契約当事者ノ一方ハ相手方カ其債務ノ履行ヲ提供スルマテハ自己ノ債務ノ履行ヲ拒ムコトヲ得但相手方ノ債務カ弁済期ニ在ラサルトキハ此限ニ在ラス

［改正前条文の解説］

〔1〕　双務契約 contractus bilaterales は、片務契約 contractus unilaterales に対する観念であるが、民法は、その定義を示さない。しかし、民法は、双務契約の特色として本条による同時履行の抗弁権と削除前534条以下による危険負担とを規定するから、これによってその意義を定めることができる（本章解説④(2)参照）。

すなわち、「双務契約」とは、契約の双方の当事者が対価的意義を有する債務を負担するものである。この意味において、第1に、贈与・使用貸借・無償寄託・無償委任のように、契約当事者の一方が出捐（しゅつえん）をし、他方がこれに対して対価的意義を有する出捐をしない、いわゆる「無償契約」は、ことごとく双務契約ではない。第2に、契約当事者の双方が対価的意義を有する出捐をするいわゆる「有償契約」のうちでも、両当事者の出捐が債務として対立しないもの、たとえば、利息付消費貸借などは双務契約ではない。売買・賃貸借・請負・有償寄託・有償委任などは双務契約である。双務契約と片務契約、有償契約と無償契約の分類については、第2章解説④(1)・(2)参照。

〔2〕　提供の程度および方法については、493条を見よ。

〔3〕　同時履行の抗弁権は、双務契約から生じる対価関係にある債務は、原則とし

1139

第3編　第2章　契約　第1節　総則

て、同時に履行されるのが公平であり、かつ信義に合致するという理由で、認められるものである。したがって、その適用に当たっては、強く信義の原則に支配されることに注意しなければならない。問題となる主要な例を示せば、

㋐　相手方が対価関係に立つ債務の履行を提供する以上、付随的な意味を有するにすぎない債務について履行の提供がなくても、同時履行の抗弁を提出できない。

たとえば、不動産の売買においては、売主が登記移転について履行を提供すれば、特別の事情がない限り、買主は不動産の引渡しの提供がないことを理由に代金の支払を拒絶することはできない（大判大正7・8・14民録24輯1650頁参照）。もっとも、家屋の売買において、買主がみずから使用することを目的とし、売主もそのことを知って契約した場合には、借家人が居住している家屋について登記の移転を受けても、契約の目的を達することはきわめて困難な事情にあるから、結論を異にするであろう（最判昭和34・6・25判時192号16頁は、建物の売買において移転登記と引渡しの両者と代金支払とが同時履行関係にあるとした例である）。このように、対立するどの債務とどの債務が同時履行関係に立つかの判断については、個々の案件ごとに慎重に判断する必要がある（本款解説④(1)で取り上げた本体的債務と付随債務の区別と密接に関連するが、決して形式的、画一的に定まるものではない）。

㋑　相手方が対価関係に立つ債務の一部を履行しない場合にも、その主要な部分について履行または履行の提供をしたときには、自分の債務の全部の履行を拒絶することはできず、ただ、相手方の不履行の部分に相当する一部の履行を拒絶することができるだけである。

たとえば、土地家屋の売買において、売主が土地の一部について他人の使用権があるのを排除する義務を履行しない場合に、買主はこれを理由にして代金全部の支払を拒絶することはできないとされた（大判明治32・2・9民録5輯2巻28頁）。貸主が賃貸借の目的物の一部の修繕を怠った場合における賃料との同時履行についても、同趣旨の判例がある（大判大正5・5・22民録22輯1011頁参照）。

㋒　継続的な契約関係において、一方がある時期の債務を履行しないときは、他方はその後の時期の債務の履行を、これに相応する範囲において拒絶することができるのを原則とする。たとえば、家主が修繕義務を履行しないため、8月、9月の間、賃借の目的を達することができなかったとすれば、借家人は、その後の10月、11月分の家賃の支払を拒むことができるとされた（大判大正10・9・26民録27輯1627頁）。また、相手方が前の弁済期に属する債務の履行を提供しないことを理由として、後の弁済期に属する自己の債務の履行を拒むことができると解されている（大判明治41・4・23民録14輯477頁、大判昭和12・2・9民集16巻33頁）。

㋓　問題となるのは、一方の当事者が一度自分の債務の履行の提供をして（相手方に同時履行の抗弁権を提出できないようにして）相手方の債務の履行を請求した後にも、この者が重ねて請求をする場合において、もう一度自分の債務の履行を提供しないと、相手方はなお同時履行の抗弁を提出することができるか、である。

たとえば、売主が目的物の引渡しの提供をして裁判外で代金の請求をしたが買主が応じないので、裁判所に代金の支払を請求したとしよう。買主は、なお同時履行の抗

弁権を提出して、目的物の引渡しと「引換えに支払え」という判決(後述〔4〕(b)参照)を求めることができるか。多数の学者は、これを否定する。その理由は、本条の文字から見て、一方の当事者がいやしくも一度提供した以上は、他方は同時履行の抗弁権を喪失するのが当然であり、信義則から見ても、相手方はもはや同時履行の抗弁をすることができないというのである。しかし、判例は肯定する(大判明治44・12・11民録17輯772頁、大判昭和6・9・8新聞3313号15頁。最判昭和34・5・14民集13巻609頁)。判例を支持する学者も少なくない。同時履行の抗弁権を破るためには、弁済の提供の継続を要するとするのである。けだし、一度相手方の提供したものを受領しなかった者は、その時から履行遅滞の責任を負うことになるが、相手方がその者の債務の履行を改めて請求する場合には、——この者も自己の債務を免れているのではないから——なお、交換的に履行させることが公平であって、双務契約本来の目的に適するとも考えられるからである。なお、この問題は、解除の要件にも関連するが、解除の場合には別に考える必要がある(改正前§541〔4〕(イ)(b)参照)。

なお、一方の当事者が履行を完了し、他方がこれを受領した場合は、もちろん、同時履行の抗弁権は消滅する。前者が後者から目的物を取り戻した事実があっても、それは別の問題である(最判昭和34・5・14民集13巻609頁)。

(オ) 同時履行の抗弁を破るために履行の提供が必要であるということは、あくまで、相手方が履行を請求していることを前提としている。一方の当事者が履行を請求する意思がないことが明確であるときは、他方は自己の債権を行使できるのであって、相手方に対して履行の提供をする必要はないことは当然である(大判大正3・12・1民録20輯999頁、最判昭和41・3・22民集20巻468頁)。

〔4〕 同時履行の抗弁権の効力は、相手方の履行の提供があるまで自分の債務の履行を拒むことができることである。その内容を分析すれば、つぎのとおりである。

(a) 第1に、双務契約の当事者の一方が相手方に対して履行の請求をするために、自分の債務の履行の提供をすることが要件となるわけではない。たとえば、売主が買主に対して代金を請求するのに、みずから目的物の引渡しをし、またはその提供をすることは要件ではない。したがって、売主が引渡またはその提供をしないで代金を請求してきた場合には、買主の同時履行の抗弁権は認められるが、もし買主が同時履行の抗弁を提出しなければ、売主の勝訴となる。

(b) 第2に、買主が売主の請求に対して同時履行の抗弁を提出しても、原告である売主の全部的敗訴とはならず、被告である買主に対して、売主の提供と引換えに支払うべき旨の判決——すなわち、原告の一部勝訴である。これを「引換給付判決」と呼ぶ——がされるにとどまる。この点について、民法に明文はないけれども、判例・学説の一致するところである(大判明治44・12・11民録17輯772頁)。

(c) 第3に、原告である売主が上のように買主に対して自己の債務の履行の提供と引換えに支払えという一部勝訴の判決を得た場合に、これに基づいて強制執行をするためには、執行文の付与(民執§26)を受けるまでに、その提供をするべきか、あるいは、執行開始の時までにこれをすれば足りるかについて、かつて判例は後説を採ったが(大判大正5・8・10民録22輯1425頁)、民事執行法31条1項は、これを確

第3編　第2章　契約　第1節　総則

認した。この方が両債務の履行の時期を接近させるという同時履行の趣旨にいっそう適するから、妥当である。

〔5〕　同時履行の抗弁権の本質的効力は、〔4〕に述べたように、その権利を有するものがこれを行使してはじめて発生するものである（大判昭和10・2・19新聞3816号7頁）。しかし、同時履行の抗弁権を有するという事実だけでも、ある種の法律効果を生じる（これを、すでに述べてきた効果を「行使効果」と呼ぶのに対して、「存在効果」と呼ぶことがある）。すなわち、(a)同時履行の抗弁権が付着する債権は相殺の自働債権とすることができない（改正前§505〔4〕(ｱ)(h)参照）。(b)抗弁権を有する債務者が期限を徒過しても、原則として履行遅滞の責めを負わない（改正前§415〔1〕(1)(ｳ)参照）。(c)したがって、また、相手方が契約の解除をするためには、自分の債務の履行を提供しなければならない。この、同時履行の抗弁権と契約の解除がからむ場合については、解除の個所で検討することにする（改正前§541〔4〕(ｲ)参照）。

〔6〕　本条は、双務契約の「当事者」に同時履行の抗弁権を認めている。しかし、この抗弁権は双務契約から生じる両債権間の関係であるから、双務契約から生じた債権の譲受人または債務の引受人にも、あるいはこれらの者に対しても、同じく同時履行の抗弁権が認められる。

たとえば、買主Aの売主Bに対する目的物の所有権移転請求権を譲り受けたCがBに対して履行を請求しても、Bは、AがBに売買代金を支払うか、またはその提供をするまでは履行を拒絶することができる（改正前§468Ⅱも参照）。もっとも、Cが双務契約上の債権ではなく、すでに所有権を得ていて、これに基づいて目的物の引渡しを求めることができる場合には、Bは同時履行の抗弁権を提出することはできない。Bは、留置権を主張するほかはない（§295〔3〕参照）。この点が留置権と同時履行の抗弁権との差異である。

〔7〕　双務契約によって両当事者が負担する債務についても、当事者は、特約によって履行期を任意に定めることができることはいうまでもない。そして、もし一方の当事者が他方の当事者よりも先に履行するべき旨（これを「先履行」という）を約束したのであれば、この者が同時履行の抗弁権を有しないことは当然である。たとえば、月末払の特約で日用品を供給する商人などは、原則として同時履行の抗弁権を有しない。ただし、契約が、はたして一方が先履行をするべき義務を負う趣旨であるかどうかは、慎重に決するべき問題である。判例に現われた二、三の例を挙げれば、

　(a)　不動産の売買において、「登記済みのうえ代金を支払う」という表現が用いられることがある。しかし、これは、一般に移転登記手続を履行することと代金の支払とは同時に履行されるべき趣旨と解するべきであって、売主において代金の支払より先にまず移転登記をするという趣旨に解するべきではない（大判大正7・2・2民録24輯245頁）。

　(b)　物品を製作して代金と引換えにこれを引渡す請負契約のように、一方の給付がその最後の過程において他方の給付と同時になされるべきものであっても、一方がまずその一部を履行するべき場合には、その者は、まずその履行するべき部分（上の例では製作）をなすべきであって、相手方の履行がないことを理由として、この

部分の履行を拒むことはできない（大判大正 13・6・6 民集 3 巻 265 頁）。売主がまず目的物を一定の土地に送付して、そこで買主に代金と引換えに交付するべき場合も、上と同様である。すなわち、売主はまず約定の期日に積出しをしない以上、買主の代金の提供の有無を問わず、債務不履行の責めを免れることはできないとされた（大判大正 10・6・25 民録 27 輯 1247 頁）。

(c) これと同様の理論から、売主が荷為替付きで目的物を送付するべき特約のある売買においては、売主による目的物の発送と荷為替の取組み（荷為替に必要な書面を整え、手順を踏むことをいう）が先履行であって、売主は、買主の代金の提供がないことを理由に荷為替の取組みを拒絶することはできないとされている（大判昭和 10・6・25 民集 14 巻 1261 頁）。

(d) たとえば、一方の債務の履行期が 9 月 1 日であり、他方の債務の履行期が 10 月 1 日であった場合に、いずれも履行されないままに 10 月 1 日が経過したときは、どうなるであろうか。とくに前者が先履行である旨の合意ないし明確な理由があれば、後者につき同時履行は主張できないが、通常は、10 月 1 日以後は同時履行の関係になると解してよいであろう。

双務契約における危険負担 [§§534～536 の前注]

〈改正〉　2017 年に債権者の危険負担に関する 534 条と停止条件付双務契約における危険負担に関する 535 条が削除され、債務者の危険負担等に関する 536 条が改正された。

[危険負担に関する改正の趣旨]　改正前 534 条については、目的物の引渡しも受けず、自己の支配下に置いていない債権者に危険を負担させるのは不当であるとの批判が広くなされていた（改正前 534 条〔4〕(3)参照）ため、新法はこの規定を削除し、同条の特則である改正前 535 条も削除した。危険の移転は、原則として、目的物の引渡し（受領）によって、売主から買主に移転することとされた（新 567 条 1 項）。また、債務が後発的に不能になっても、それは当然には消滅せず（新 412 条の 2）、債務消滅のためには、債権者の解除の意思表示を必要とする。そこで、当該意思表示の前に反対給付を請求された場合には、履行拒絶権を付与した（新 536 条 1 項）。なお、このようにして残存した「危険負担」規定は任意規定であることに変わりはない。

1　危険負担の意義

(1)　危険負担とは、たとえば、A と B との間の双務契約から、A を債権者、B を債務者とする甲債権と、B を債権者、A を債務者とする乙債権の両債務が生じている場合に、片方の債権、たとえば、甲債権が後発的に不能（「履行不能」と同一ではない。「給付不能」と呼んで区別することが提案されている）になり、消滅した場合に、他方の乙債権も消滅するかどうか、という問題である。不能によって生じた損失、いいかえれば危険を A と B のいずれが負担しなければならないかという意味において、これを「危険負担」の問題という。

1143

第3編　第2章　契約　第1節　総則

この問題は、基本的には、双務契約から生じる両債務の間に認められる「存続上の
牽連関係」(本款解説3(3)参照)に関連させて考察される。

(2)　どういう場合に危険負担の問題が生じるかを考えると、

(a)　甲債権の不能が債務者Bの責めに帰すべき事由によって生じたときは(債務
者の履行遅滞中に不可抗力による不能が生じたときは、債務者の責めによるものと解されるこ
とに注意。改正前§415(4)(ェ)参照)、その債権は損害賠償請求権として存続し、消滅す
るわけではないので、危険負担の問題は生じない。債権者Aの責めに帰すべき事
由が重なっていたとしても、過失相殺の問題になるだけで、事柄は変らない。

(b)　甲債権の不能が債権者Aの責めに帰すべき事由によって生じたときは(たと
えば、AがBから借りている家をBから買う契約をしたが、Aの失火により焼失した)、甲
債権は消滅するので、危険負担の問題になる。しかし、この場合には、危険はA
に負担させるべきこと、すなわち、乙債権は消滅しないと考えるのが妥当であるこ
とは明らかである。

(c)　問題は、甲債権の不能が債権者A、債務者Bのいずれの責めにも帰するこ
とができない事由によって生じた場合(たとえば、売買の目的である建物の近所からの類
焼による焼失)に生じる。

危険負担の問題は、上の(b)・(c)の場合において、そのなかでもとりわけ(c)の場合
において生じるものである。民法は、改正前536条において(b)の場合について、削
除前534・535条において、(c)の場合について、解決のための準則を定めている。

② 債権者主義と債務者主義

(1)　不能となった債権(上例では、甲債権。建物売買の例では、買主の債権)を基準として、
その債権者(上例では、A)が危険を負担するべきである(BのAに対する乙債権、すなわち
代金債権は消滅せず、Aは反対給付である代金を支払わなければならない)とされる場合に、
これを「債権者主義」という。不能になった債権の債務者(上例では、B)が危険を負担
するべきである(BのAに対する乙債権は消滅し、Bは反対給付すなわち代金を受ける権利を
失う)とされる場合、これを「債務者主義」という(以上について、削除前§534(4)で再説
する)。

(2)　双務契約における両債務の存続上の牽連関係からすれば、債務者主義を原則と
するべきであるように考えられる。しかし、民法は、債務者主義を原則としながらも
(§536Ⅰ[改注])、かなり広範に例外としての債権者主義を定めている(削除前§§534・
535Ⅱ・536Ⅱ[改注])。このうち、不能が債権者の責めに帰すべき事由によって生じ
た場合(§536Ⅱ)については異論はないところであるが、そうでない場合(①(2)(c)の場
合)については問題が多く、議論が交わされる。

(3)　危険負担に関する民法の規定の強行性については、問題のあるところである。
不能が債権者の責めによって生じた場合についての債権者主義については、これを特
約によっても債務者主義に改めることを認めることは妥当でないと考えられる。しか
し、①(2)(c)の場合に関して債権者主義を定めている規定については、特約による変更
を一定の程度認められる(削除前§534Ⅰは強行規定ではない)と考えてよい。実務におい

1144

双務契約における危険負担［前注］②・§534（旧）〔1〕～〔3〕

ても、その趣旨の特約（たとえば、建物の売買における売主の危険負担）が結ばれる例は少なくないと思われる。

第五百三十四条　削除

[削除前条文]

（債権者の危険負担）

第五百三十四条

1　特定物に関する物権の設定又は移転を双務契約の目的とした場合[1]において、その物が債務者の責めに帰することができない事由[3]によって滅失し、又は損傷[2]したときは、その滅失又は損傷は、債権者の負担に帰する[4][5]。

2　不特定物に関する契約については、第四百一条第二項の規定によりその物が確定した時から、前項の規定を適用する[6]。

〈改正〉　2017年に削除された。前掲（533条）附則第三十条1参照。

[削除の趣旨]　改正前534条については、契約締結と同時に債権者が目的物（特定物）の滅失または損傷の危険を負担するという規範が妥当でないとして、多くの批判がなされていた。解説〔4〕(3)参照。また、その適用場面を目的物の引渡時以降とする有力な学説があったが、これを踏まえた規定については、売買の領域において、いわゆる危険の移転時期に関する規範として明文化した（新567条）。そこで、改正前534条を契約の通則として維持する必要性はないと考えられ、削除された。

[原条文]

特定物ニ関スル物権ノ設定又ハ移転ヲ以テ双務契約ノ目的ト為シタル場合ニ於テ其物カ債務者ノ責ニ帰スヘカラサル事由ニ因リテ滅失又ハ毀損シタルトキハ其滅失又ハ毀損ハ債権者ノ負担ニ帰ス

不特定物ニ関スル契約ニ付テハ第四百一条ノ第二項ノ規定ニ依リテ其物カ確定シタル時ヨリ前項ノ規定ヲ適用ス

[削除前条文の解説]

〔1〕　たとえば、BがAにその所有する特定の家屋を売るという契約は、家屋という特定物に関する所有権の移転を目的とする双務契約の例であり、また、Bがその所有する特定の土地の上に一定の対価を得てAのために50年間の地上権を設定する契約は、特定物に関する地上権の設定を目的とする双務契約の例である。判例は、抵当権付債権の売買が行われ、その履行前に抵当権が公売のために消滅した事案について、本条の適用があると判示する（大判昭和2・2・25民集6巻236頁）。しかし、抵当権は債権に従として付随するものであり、抵当権の滅失は必ずしも売買の目的である債権の滅失となるものではないから、この判旨は疑問である。

〔2〕　ここに「滅失し、又は損傷」とは、物質的滅失または損傷には限らない。目的物が公用徴収で取り上げられ、売主の所有権が消滅する場合などをも含む（前掲大判昭和2・2・25）。

〔3〕　本条は、物の滅失・損傷によって債権が消滅する場合に適用されるものだから、両当事者の責めに帰すべからざる事由に基づく場合、たとえば、いわゆる不可抗力（改正前§419〔5〕参照）、すなわち、戦災・地震などで滅失した場合などは適例であろ

第3編　第2章　契約　第1節　総則

う(最判昭和24・5・31民集3巻226頁)。債権者の責めに帰すべき事由に基づいて滅失または損傷した場合については、536条2項[改注]があるが、特定物に関する物権の設定または移転に関するときは、本条によって債権者主義によることになると解される。

これに反して、債務者の責めに帰すべき事由に基づいて滅失または損傷したときは、本条の適用がない。この場合には、債権者は、債務不履行による損害賠償請求権(§415[改注])および契約の解除権を取得するが(改正前§543)、解除権を行使しない限り、その負担する反対給付をするべき債務を免れることができない。債権者および債務者の両当事者の責めに帰すべき事由により滅失または損傷したときにも、本条の適用がないこと、および債権者が損害賠償請求権および契約解除権を取得することも、同様である。ただ、債権者の取得する損害賠償請求権につき、いわゆる過失相殺の規定が適用されるにとどまる(§418[改注])。

〔4〕　(1)　「その滅失又は損傷は、債権者の負担に帰する」とは、その滅失または損傷した物についての物権の設定または移転を請求する債権を基準として、その債権者の損失に帰すること、すなわち、その給付をするべき債務者は、その物の滅失または損傷によって債務の全部または一部を免れ、他方、債権者は、その双務契約から生じる自分の債務を免れないということである。

たとえば、B所有の特定の家屋の売買契約がBとAとの間で成立した後に、その家屋が火事で類焼してしまったとすれば、債務者である売主Bは、その家屋を給付するべき債務を免れるが、その家屋の給付を受けるべき債権者である買主Aは、自分の負担する代金債務を免れることができないのである。この原則を「債権者主義」という。本条を適用した判例としては、最判昭和24・5・31(民集3巻226頁[蚊取線香事件]。売買された蚊取線香が戦災により焼失した事件。この事案は、買主への簡易な引渡しがあったとみることができるとする指摘がある)がある。

(2)　そもそも、双務契約から相対立する2個の債権が生じた場合において、一方の甲債権(上例でAの債権、Bの債務)につき債務者の責めに帰することができない事由で全部または一部の履行不能を生じたときは、その甲債権がその範囲において消滅することは疑いない。しかし、その場合に他方の乙債権(Bの債権、Aの債務)もまた消滅するものとするべきかどうかは、双務契約に関する危険負担の問題(本条前注参照)として、古来、立法例が分かれたところである。もしこの乙債権もまた消滅するものとすれば、上の甲債務の履行不能による損失は、その甲債権の債務者(すなわちB)が負担することになる(反対給付を受けることができないから)。これを、不能になった債権の債務者が負担するという意味において、「債務者主義」という。これに反し、上の乙債権は消滅しないものとすれば、損失は甲債権の債権者(すなわちA)が負担することになる(反対給付をしなければならないから)。この主義を、不能になった債権の債権者が負担するという意味において、「債権者主義」という。そして、ローマ法においては、売買にあっては危険は買主が負担し(買主は危険を買う)(債権者主義)、賃貸借にあっては賃貸人がこれを負担する(債務者主義)とされ、フランス民法は、この主義を踏襲し(同法2016年の改正前§1138Ⅱ)、スイス債務法もまた、大体においてこれに従っている

§534（旧）〔4〕

が（同法§§119・185）、ドイツ民法においては、すべての双務契約について債務者主義が採られている（同法§326。§446により、目的物の引渡しで危険は移転する）。ただし、これらの諸国では、建物は土地に属して売買されるので、建物滅失の例により比較するのは適切ではない。

　以上のような債権者主義・債務者主義とは標準を異にして、目的物が滅失または損傷した当時においてその所有権を有した者が危険を負担するという所有者主義なるものがあり、英米法は大体この主義を採るものといわれる（イギリスの動産売買法§20、アメリカの統一動産売買法§22）。わが民法は、536条〔改注〕において債務者主義を採用し、これをもって双務契約の原則とし、本条においてその例外として債権者主義を採ったのであるが、本条が規定する範囲は広範である。

　(3)　そもそも、双務契約においては、一方がその債務を履行できないならば、他方もまたその債務を履行する必要がないと考えることが、両当事者の普通の意思に合致し、公平にも適すると思われるのに、本条において債権者主義が採られるのは、どういう理由によるのであろうか。

　これに賛成する一方の学者はいう。売買契約の成立によって、買主は目的物をその支配の下に収め、目的物の価格の騰貴、物自体の自然的増加などによる利益を享受するものであるから、危険もまたこれを負担することが、いわゆる「利益の帰するところ、損失もまた帰する」という原理に合致する、と。しかし、買主は、他方において、目的物の価格の下落、物自体の自然的減少などによる不利益をも免れることができないものであって、損得の均衡は、すでにこれによって保たれているはずである。さらに、買主に目的物滅失の危険を負担させなければならない根拠はないように思われる。

　あるいはまた、つぎのように説明される。「所有権は危険を負担する」という原理は、最も基本的なものであり、双務契約においても目的物の所有権を有する者が危険を負担するべきものである。ところが、わが民法のもとでは、特定物の買主は、契約の成立によってその所有権を取得するのであるから（§176〔4〕参照）、以後その物についての危険を負担するのは当然である、と。

　しかし、双務契約における危険負担の問題は、契約が履行される前、すなわち、買主が目的物の引渡しまたは登記を受けて完全に所有者としての実を収める前に、目的物が滅失または損傷した場合の法律関係に関するものである。したがって、この「所有者は危険を負担する」という原理を肯定するとしても、買主をして危険を負担させよ、という結果にはならない。のみならず、本条は、売主が売買契約にさいして所有権を——たとえば、代金の支払の時まで——保留した場合にも適用されるものと解しなければならないのであるから、この点からいっても、この説明は、本条を基礎づけるのに十分でない。

　そこで、多数の学者は、本条の解釈に当たって、つぎのように説く。すなわち、立法者は、買主は双務契約の成立によってその目的物を自分の支配に収めるから、以後その危険をも負担することが公平に適すると考えて本条を設けたものであろうと考えるほかはない。しかし、それが公平にも合致しないし、当事者の普通の意思にも適合しない場合がしばしば生じうる。したがって、解釈にあたっては、この本条が定める

1147

第3編　第2章　契約　第1節　総則

例外をなるべく狭く解するという態度をとるのが妥当である。こう考えるのが今日の大勢である((4)(f)参照)。

(4)　以上の見地から、つぎの諸点が問題になる。

(a)　物権以外の権利、たとえば、債権の移転を目的とする双務契約には、本項を適用するべきではない。対価(いわゆる「権利金」)を得て債権である賃借権を設定または移転する場合にも、同様である。このことは、物権化した不動産賃借権についても解釈を異にするべきではあるまい。

(b)　特定物について二重に双務契約が成立した場合、たとえば、Bがその所有家屋をAに2000万円で売り、ついでCに2500万円で売り、どちらの履行をもしない間に家屋が類焼してしまった場合には、どうなるであろう。見解が分かれているが、本条の適用はない(BはAに対してもCに対しても代金を請求できない)とするのが、多数説である。けだし、そのような場合には、目的物はまだAの支配にもCの支配にも収められるに至っていないといわなければならないからである。

(c)　債務者がその債務を免れたことによって利益を得たとき、これをどうするかについては、規定がない。しかし、536条2項後段[改注]の規定を類推するべきである(大判昭和2・2・25民集6巻236頁。なお、後述(5)、改正前§536(5)参照)。

(d)　いわゆる所有権留保売買の場合については、問題がある。

通常の売買においては、所有権留保の特約に関係なく、本条(これを制限的に解釈する(f)の諸学説をも前提として)を適用するものと考えてよい(危険は移転しないという結論になることが多いであろう)。割賦販売における所有権留保(割賦§7参照)の場合には、目的物の引渡しによって危険が移転すると考えるのが妥当であろう。ただし、所有権留保を一種の物的担保と考える観点に立てば(第2編第10章後注9参照)、所有権留保の特約の存在は危険負担の問題と関係はないことになる(売買における危険負担一般の問題となり、所有権留保との関係では、担保物の滅失という問題になる)。

(e)　強制競売の場合については、民事執行法に特別の規定が設けられ、債権者主義の原則は実質上排除されている(民執§§53・75Ⅰ・79)。

(f)　学説としては、危険が移転するのは、特定物に関する物権の設定または移転(の契約)の時ではなく、目的物の引渡しもしくは所有権移転登記の時、または代金の支払の時(その他、目的物に対する「支配」の移転の時と考える見解などがある)と考えた方が合理的であり、当事者はそのような意思を有するのが通常と考えられる(したがって、その趣旨の特約があるものとして解決する)とする見解が有力である。

(5)　なお、目的物が不特定物である場合については、本条2項を、双務契約が停止条件付である場合については、削除前535条を見よ。

(6)　双務契約による両債務がすでに履行された後に契約が解除された場合の相互の返還義務の一方について、当事者のいずれの責めにも帰しえない原因により不能が生じた場合については、どうであろうか。この場合の相互の請求権は不当利得返還請求権の性質を有するものであるが、公平の見地から、危険負担の規定が類推適用されると考えてよかろう(解除に関する§546(2)参照)。

〔5〕　目的物の滅失または損傷によって、債務を免れた債務者がその代償(たとえば、

§§534（旧）〔5〕〔6〕・535（旧）〔1〕

それが第三者の不法行為による場合の損害賠償請求権、保険金、補償金など）を得ているとき
は、債権者はその代償の自己への移転を請求できる（最判昭和41・12・23民集20巻2211
頁。保険金の例）。公平の観念から当然といってよい。これを、「利益償還請求権」あ
るいは「代償請求権」という（(4)(c)、改正前§536(5)参照）。新422条の2を参照。

　〔6〕　特定以後に、その特定された目的物が滅失・損傷したときは、その債務者は、
債務を免れるにもかかわらず、反対給付を請求する権利を失わない。これに反して、
契約成立以後目的物の特定以前においては、たとえ債務者が予定していた目的物が滅
失・損傷しても、債務者はなお債務を免れず（そもそも、履行不能にはならない）、別に契
約の趣旨に適した物を調達して給付しなければならない（大判大正12・2・7新聞2102号
21頁）。

第五百三十五条　削除

［削除前条文］
（停止条件付双務契約における危険負担）
第五百三十五条
　　1　前条の規定は、停止条件付双務契約の目的物が条件の成否が未定である間に滅失した
　　　場合には、適用しない[1]。
　　2　停止条件付双務契約の目的物が債務者の責めに帰することができない事由によって損
　　　傷したときは、その損傷は、債権者の負担に帰する[2]。
　　3　停止条件付双務契約の目的物が債務者の責めに帰すべき事由によって損傷した場合に
　　　おいて、条件が成就したときは、債権者は、その選択に従い、契約の履行の請求又は解
　　　除権の行使をすることができる。この場合においては、損害賠償の請求を妨げない[3]。
〈改正〉　2017年に削除された。前掲（533条）附則第三十条1参照。
［削除の趣旨］　1項および2項は、534条の特則であるから、同条の削除に伴って当然に削除
される。また、3項の規定内容は、債務不履行による損害賠償や契約の解除に関する一般原
則から導くことができ、存在意義が乏しいと考えられる。解説〔3〕参照。その結果、本条は全
体として削除された。
［原条文］
　　　前条ノ規定ハ停止条件附双務契約ノ目的物カ条件ノ成否未定ノ間ニ於テ滅失シタル場合
　　ニハ之ヲ適用セス
　　　物カ債務者ノ責ニ帰スヘカラサル事由ニ因リテ毀損シタルトキハ其毀損ハ債権者ノ負担
　　ニ帰ス
　　　物カ債務者ノ責ニ帰スヘキ事由ニ因リテ毀損シタルトキハ債権者ハ条件成就ノ場合ニ於
　　テ其選択ニ従ヒ契約ノ履行又ハ其解除ヲ請求スルコトヲ得但損害賠償ノ請求ヲ妨ケス

［削除前条文の解説］
　〔1〕　たとえば、Bが、今年中に地方に転勤になれば、その居住する所有家屋をA
に2000万円で売るという契約を締結したとしよう。Bが転勤するかどうか未定の間
に、その家屋が類焼により消滅すれば、たとえBが後に転勤することに確定しても、
Bは2000万円の代金を請求することはできない、というのが本項の趣旨である。民
法がこのような規定を設けた理由について、多数説は、停止条件の成否未定の間は、

第3編　第2章　契約　第1節　総則

債権者は、なお目的物を自己の支配内に収めたとはいうことができないからである、と説く(削除前§534〔4〕(3)参照)。

　もっとも、本条については、別な説がある。それによれば、停止条件が成就する前に目的物が滅失すれば債権は発生することができないから、このような履行不能は、債権の原始的不能であって、契約自体を不成立に終らせ、したがって、代金債権もまた成立しないことは当然だというのである。この説は、本項をもって危険負担の問題ではなく、契約成立の一般理論の注意的規定にすぎないとするものである。本条2項が目的物の損傷について債権者主義を採ったことからみると、立法者は、あるいはこの説のように考えたのかとも思われる。けだし、目的物が損傷しただけの場合には、とにかく債権は成立することができるからである。しかし、多数の説は、債権の原始的不能を決定する標準を債権の成立時期とはしないで、債権を成立させる契約の成立(締結)の時とし、契約締結後に生じた不能は——たとえ、その債権が停止条件付きのものであっても——後発的不能というべきであるとする。そして、本項をもって危険負担を規定したものと解する。

　この問題は、危険負担に特有の問題ではなく、原始的不能一般の問題であるが、多数説を正当とする。けだし、原始的不能に関する両説の差は、停止条件付双務契約の目的物が、条件の成否未定の間に、債務者の責めに帰すべき事由に基づいて滅失した場合の効果について現われる。すなわち、上記の別説によれば、契約は不成立なのだから、債権者は条件付権利の侵害として損害賠償の請求をするほかに救済手段はないわけであるが(§§128・709)、それさえも契約が不成立なのに条件付権利だけは生じるというような無理な理屈をいわなければならない。これに反して、多数説によれば、契約は成立しているのだから、普通の場合の債務不履行と同じく、債権者において損害賠償の請求権(改正前§415)と契約解除権(改正前§543)とを取得することになる。この説が、優っていることは明らかであろう。

　〔2〕　たとえば、〔1〕のはじめに挙げた例で家が類焼のために一部損傷したと仮定すれば、Bが後に転勤することに確定したときには、Bはこの半焼の家屋を給付することに対して2000万円の対価をAから請求できるというのが本項の意味である。多くの学者は、民法がこのように滅失と損傷とによってまったくその取扱いを異にする合理的根拠はないとして、本項の規定を批判する。

　〔3〕　たとえば、〔1〕のはじめに挙げた例で、家がBの失火によって一部損傷したとすれば、Aはその一部損傷した家の引渡しと損害賠償とを請求することもできれば、契約を解除して、損害賠償を請求することもできるというのが本項の意味である。しかし、これは家がBの失火で全焼(滅失)したとしても、理論は異ならないはずであり(〔1〕末段参照)、債務不履行の一般的規定による当然の結果を注意的に規定したものである(改正前§§415・545Ⅲ参照)。

（債務者の危険負担等）
第五百三十六条
　1　当事者双方の責めに帰することができない事由によって債務を履行するこ

§§535（旧）〔2〕〔3〕・536

とができなくなったときは、債権者は、反対給付の履行を拒むことができる[1]。

2　債権者の責めに帰すべき事由によって債務を履行することができなくなったときは、債権者は、反対給付の履行を拒むことができない[2]。この場合において、債務者は、自己の債務を免れたことによって利益を得たときは、これを債権者に償還しなければならない。

〈改正〉　2017年に改正された。具体的修正点については、〔改正の趣旨〕を参照。前掲（533条）附則第三十条1を参照。

〔改正の趣旨〕　〔1〕　契約の解除につき、新法は、「債務者の帰責事由」を要件とせず、債務者に帰責事由がなくても債務不履行の際には、債権者は原則として契約解除ができるとした（新541条参照）。従来、契約締結後の後発的不能については、債務者に帰責事由がない場合は「危険負担」とし、帰責事由がある場合は「解除」による、とするのが伝統的な学説であった。しかし、債務者の帰責事由を問わずに解除ができるとすると債権者は契約を解除することにより反対債務を免れることができることになる。「審議」の過程では、①危険負担に関する「債務者主義」（改正前536条1項）の規定が不要となるとの考え方、②危険負担制度の全面的な廃止（解除の一元化）も主張された。しかし、新法のように、様々な理由により解除権の行使が困難な場合もありうるので、新法は、改正前536条の内容を維持しつつ、これを改正して「反対給付の履行拒絶権」の規定として再構成することとした。すなわち、改正前1項では「債務者は、反対給付を受ける権利を有しない」とされていたのを「債権者は、反対給付の履行を拒むことができる」と改めた。つまり、解除されるまでは、反対債務は存続するが、履行拒絶ができるとして、債権者の利益を保護している。債権者が解除をした場合には、反対債務は消滅すると解することにより、理論的整合性を図ったようである。本条の履行拒絶権を行使すると、請求棄却判決がなされる点で、同時履行の抗弁権（533条）の行使の場合とは異なると解されている。ただし、履行拒絶権を行使するのみで契約解除をしない場合について、相手方の「催告権」についての規定はない。この履行拒絶権は同時履行の抗弁権（履行上の牽連性）とは趣旨を異にすると解すべきである。

〔2〕　債権者に帰責事由がある場合の改正前2項についても同様に「反対給付の履行を拒むことができない」と表現を改めた（例えば、労働契約において使用者の責めに帰すべき事由により労働者が就労できない場合には、使用者は賃金請求を拒絶できない。請負、委任についても同様である）。改正前法では、使用者による不当解雇のような場合には、労働者は報酬請求が可能であったが、新法の規定ぶりから、同様に解することができるか、という問題については、「旧法の実質的な規律を変更しないことを前提」にした「字句の修正」であると解されている。したがって、従来の多くの裁判例は維持されると思われる。なお、債権者に帰責事由がある場合につき、新543条参照。

〔改正前条文〕

1　前二条に規定する場合を除き[1]、当事者双方の責めに帰することができない事由によって債務を履行することができなくなったときは、債務者は、反対給付を受ける権利を有しない[2]。

2　債権者の責めに帰すべき事由[3]によって債務を履行することができなくなったとき[4]は、債務者は、反対給付を受ける権利を失わない[5]。この場合において、自己の債務を免れたことによって利益を得たときは、これを債権者に償還しなければならない。

〔原条文〕

前二条ニ掲ケタル場合ヲ除ク外当事者双方ノ責ニ帰スヘカラサル事由ニ因リテ債務ヲ履行スルコト能ハサルニ至リタルトキハ債務者ハ反対給付ヲ受クル権利ヲ有セス

1151

第3編　第2章　契約　第1節　総則

　　債権者ノ責ニ帰スヘキ事由ニ因リテ履行ヲ為スコト能ハサルニ至リタルトキハ債務者ハ
　　反対給付ヲ受クル権利ヲ失ハス但自己ノ債務ヲ免レタルニ因リテ利益ヲ得タルトキハ之ヲ
　　債権者ニ償還スルコトヲ要ス

[改正前条文の解説]

〔1〕　労働の供給・電力の供給・物の使用などを目的とする双務契約はもちろん、特定物に関する物権の設定または移転を目的とする双務契約であっても、削除前534条および削除前535条が適用される場合以外においては、本条の適用がある。これが、本条が危険負担に関する民法の原則であるといわれるゆえんである。

〔2〕　いわゆる「債務者主義」である(改正前§534〔4〕参照)。たとえば、家屋の賃貸借契約・画家が相手の肖像を描く契約・使用者と被用者の雇用契約・倉庫業者の物品保管契約などが成立した後に、両当事者の責めに帰することのできない事由によって家主・画家・被用者・倉庫業者の債務の履行が不能となったときは、これらの者は、自分の負担を免れるとともに、反対給付を受ける権利を失うのである。

　このことは、債務の全部について履行不能が生じた場合だけでなく、一部の不能を生じた場合にも同様である。すなわち、この場合に、もし一部の不能が契約を締結した目的自体の達成を不能にする場合には、全部不能と同様に取扱い、そうでない場合には、その一部不能に対応するだけ反対給付を受ける権利が当然に消滅するのである。ただし、改正前611条は、賃貸借に関して例外を設け、また、商法改正前576条は、運送賃の請求権に関して本項に対する重要な特則を規定している。

〔3〕「債権者の責めに帰すべき事由」は、すなわち債務者の責めに帰することのできない事由であるから、問題は、なお危険負担の問題としてとらえられる。しかし、この場合には、過失のある債権者の責任を認めることが公平に適するから、債務者主義を制限したのである。債務者は、反対給付を受ける権利を失わない(大判大正元・12・20民録18輯1066頁、最判昭和52・2・22民集31巻79頁。いずれも請負契約の例である)。

　どのような場合に「債権者の責めに帰すべき事由」があるといえるかは、社会観念によって決するほかはない。たとえば、労働者の一部がストライキを行った場合に、ストライキに参加しない労働者が履行をすることができないのは、債権者の責めに帰すべき事由であるとする判断もありうる(この判断は微妙である。最判昭和62・7・17民集41巻1283頁、最判昭和62・7・17民集41巻1350頁は、否定例)。

　なお、債務者の責めに帰すべき事由による履行不能においては、債権者は、債務不履行による損害賠償請求権(§415［改注］)および契約解除権(改正前§543)を取得し、また、解除権を行使しない限り反対給付をするべき義務を免れない。すなわち、危険負担の問題を生じない(削除前§534前注①(2)(a)、同条〔3〕参照)。債権者・債務者の両者の責めに帰すべき事由による履行不能についても、本項を適用するべきではない。一般の原則に従って、債権者は、なお損害賠償請求権(§§415［改注］・418［改注］参照)、および契約解除権(改正前§543)を取得するが、解除権を行使しない限り、反対給付をするべき義務を免れない。

〔4〕　ここに「履行することができなくなった」とは、いわゆる履行不能と受領不

§536〔1〕～〔5〕・第三者のためにする契約［前注］

能との両者を含むと解するべきである。すなわち、たとえば、雇い主の失火により工場が焼失して労働を供給できないような場合には、これを受領不能とみるべきであるが（§413〔2〕参照）、なお、本項の適用をも認めるべきである。雇い主が労働者の就業を拒んだ場合も同様である（大判大正4・7・31民録21輯1356頁）。なお、この点に関しては、労働基準法26条に休業手当の特別の定めがされている（§623〔3〕(ウ)参照）。

〔5〕　たとえば、肖像を描く債務が債権者の過失によって履行不能となり、画家が対価を得たときは、画家が負担するはずであった絵具代その他の製作費などは、これを償還しなければならない（「利益償還請求権」あるいは「代償請求権」という。前掲最判昭和52・2・22は、請負契約の例について同旨）。その償還するべき利益の範囲は、債務を免れたことと相当因果関係（改正前§416〔5〕参照）の範囲内にあるものに限るべきである。したがって、画家がその債務を免れて得た時間に他の製作をしたとしても、それによる収入を償還する必要はない、と解するのを正当としよう。

第三者のためにする契約 ［§§537～539の前注］

〈改正〉　2017年に第三者のためにする契約に関する537条と第三者の権利の確定に関する538条が改正された。

(1)　民法は、改正前537条から539条までにおいて、第三者のためにする契約について規定する。すなわち、契約によって第三者に権利を取得させることが可能であること（§537Ⅰ）、ただし、第三者の権利は、その第三者が受益の意思表示をした時に発生するべきこと（改正前§537Ⅱ）、さらに、その第三者の権利が発生した後は、契約の当事者もこれを変更することができないこと（改正前§538）、ただし、債務者は、契約に基因する抗弁、たとえば同時履行の抗弁権をもって受益者に対抗できること（§539）、などを規定する。

(2)　たとえば、A（「要約者」という）がB（「諾約者」という）との契約において、Bが第三者C（「受益者」という）に100万円を支払うべきことを約束し、これによって、CがBに対して100万円の支払を目的とする債権を取得するというのが、第三者のためにする契約の適例である。元来、ローマ法においては、契約は、当事者間に権利義務を発生させるにすぎないという原則が固執されたので、第三者のためにする契約は、後期において、実際上の必要に基づき、狭い範囲に限って認められたにとどまる。フランス民法は、大体その主義を踏襲したが（2016年の改正前§§1119・1121・1165→§§1119・1203・1204・1205）、実際上の必要に基づき、判例はしだいにその範囲を拡張した。ドイツ民法（§§328～）、スイス債務法（§112）は、ともに、この契約を一般的に有効であると認める。しかし、英米法においては、信託法、その他特殊な法律の規定によるほかは、なにびとも、みずから当事者でない契約により権利を取得し、契約上の責任を負うことを認めない。

1153

第3編　第2章　契約　第1節　総則

わが民法は、ドイツ民法、スイス債務法と同じく、第三者のためにする契約を有効と認めている。契約自由が認められる近代法においては、当事者が第三者に直接権利を取得させる契約をするときは、これを認めるべきことはむしろ当然だからである。

(3)　第三者のためにする契約によって生じる効力は、第三者Cが諾約者Bに対して債権(上例では100万円の金銭債権)を取得することである。これに関連して、要約者Aが諾約者Bに対してなんらかの出捐(しゅつえん)をすることが通常であり(たとえば、Aの絵画のBへの移転)、これを「補償関係」(ドイツ語で、Deckungsverhältnis)という。また、要約者Aと第三者Cとの間には、Aがそのような契約をCのために結ぶなんらかの理由があると考えられ、これを「対価関係」(ドイツ語で、Valutaverhältnis)という(たとえば、Cへの債務の弁済、Cから受けた好意への謝礼など)。最も重要な動機と思われる対価関係はこの契約の内容とはされず、補償関係は契約の内容となり、その効力に影響を及ぼす、という点にとくに注意を要する(改正前§537[1][a]・[4]参照)。

(第三者のためにする契約)
第五百三十七条
　　1　契約により当事者の一方が第三者[2]に対してある給付をすることを約したとき[1]は、その第三者は、債務者[5]に対して直接にその給付を請求する権利を有する[3][4][7]。
　　2　前項の契約は、その成立の時に第三者が現に存しない場合又は第三者が特定していない場合であっても、そのためにその効力を妨げられない[1]。
　　3　第一項の場合において、第三者の権利は、その第三者が債務者[5]に対して同項の契約の利益を享受する意思を表示した時に発生する[6][7]。

〈改正〉　2017年に改正された。2項中「前項」を「第一項」に改め、同項を3項とし、1項の次に2項を加えた。前掲(533条)附則第三十条1を参照。さらに以下の同条2も参照。「新法第五百三十七条第二項及び第五百三十八条第二項の規定は、施行日前に締結された第三者のためにする契約については、適用しない。」
[改正の趣旨]　[1]　第三者のためにする契約の締結時に第三者が存在していなかったり、第三者が特定されていなかったりした場合であっても、契約は有効かという問題があった。これについて、判例は、その第三者は、胎児のように、契約の当時に存在していなくても、将来出現するであろうと予期した者をもって第三者となした場合でも足りると判示している。解説(2)の判例参照。これは、学説上も、通説と解されていた。新法は、その旨を条文上明確にした。
[改正前条文]　2項として、上記3項の「第一項」が「前項」となっていた。
[原条文]
　　契約ニ依リ当事者ノ一方カ第三者ニ対シテ或給付ヲ為スヘキコトヲ約シタルトキハ其第三者ハ債務者ニ対シテ直接ニ其給付ヲ請求スル権利ヲ有ス
　　前項ノ場合ニ於テ第三者ノ権利ハ其第三者カ債務者ニ対シテ契約ノ利益ヲ享受スル意思ヲ表示シタル時ニ発生ス

[改正前条文の解説]
[1]　この「要約者」A・「諾約者」B間の契約(本条前注(2)参照)の成立要件に関し

§537〔1〕

ては、つぎの諸点が問題となる

　(a)　Ａ・Ｂ間の契約は、単に第三者Ｃに権利を取得させることだけを目的とするものであることを要しない。たとえば、Ａの所有物をＢに移転し、その対価としてＢがＣに100万円を支払うという契約であっても、もちろんよい。この場合には、Ａ・Ｂ間の売買契約において、代金を第三者に支払う特約がされたことになる。そのほか、贈与・賃貸借などの契約において、一方の当事者が普通には相手方に対して負担するべき債務を、第三者に対して負担する特約がなされる場合が少なくない。要するに、第三者のためにする契約は、それだけで独立の契約形態であるのではなく、他の契約の一つの態様（契約のいわゆる「付款」であるともいわれる）であるにすぎないとみるべきものである。そして、このＡ・Ｂ間の契約において、諾約者Ｂの債務負担の原因となる法律関係――上の例でいえば、Ａがその所有物をＢに移転するべき関係――が「補償関係」である。

　補償関係が第三者のためにする契約と結合して、1個の法律関係を構成しているときは、この補償関係の瑕疵は、原則として、第三者の権利に影響を及ぼすと解される。たとえば、上の例でＡの所有物、たとえば絵画が契約締結以前にすでに滅失しているためにこれをＢに移転するべきＡの債務が成立しないときは、ＢのＣに100万円を払うべき債務も成立しないのである（§539〔1〕参照）。

　(b)　第三者のためにする契約は、第三者に権利を取得させる趣旨のものであることを要する。たとえば、Ａが第三者Ｃに対し100万円の債務を負担する場合において、Ａ・Ｂ間の契約で、ＢがＣに対してＡの債務100万円を弁済する約束をしたと仮定しよう。もしＡ・Ｂ間の契約の趣旨が、単にＢが弁済をするべき義務をＡに対して負担するにとどまり、Ｃが直接にＢに対して弁済を請求する権利を取得するのではない、という場合には、第三者のためにする契約ではない。第三者に直接権利を取得させる旨の合意が、第三者のためにする契約の成立要件である。

　そして、この合意の有無は、当事者の意思だけでなく、契約の種類、取引の慣行などを顧慮して認定しなければならない。たとえば、供託契約などは、つねに第三者のためにする契約を包含するものである。これに反して、履行引受契約などはとくに第三者（債権者）に直接に債権を取得させる合意がある場合にだけ、第三者のためにする契約となるのが普通であるとされる（大判昭和11・7・4民集15巻1304頁）。なお、判例は、ＡがＣに送金するためにＢ銀行に電信送金を委託した場合について、ＣはＢ銀行に対して債権を取得しないとし（大判大正11・9・29民集1巻557頁、最判昭和32・12・6民集11巻2078頁、最判昭和43・12・5民集22巻2876頁）、また、ＡがＢ銀行と当座預金勘定契約をして小切手を振り出した場合に、小切手所持人ＣはＢ銀行に対して支払保証を請求する権利を取得しないとし（大判昭和6・7・20民集10巻561頁）、いずれも第三者のためにする契約ではないとした。しかし、ＢがＡとの和解契約において、第三者であるＣを本件建物から立退かせる場合にはあらかじめＣにその居住に適した代わりの家屋を提供する旨を約束した場合には、ＣはＢから立退きを訴求された場合に、その事実を主張して抗弁とすることができるとし、第三者のためにする契約の存在を認めた（大判大正9・12・17新聞1825号22

第3編　第2章　契約　第1節　総則

頁）。

　(c)　第三者のためにする契約は、第三者に単純に権利だけを与えるものである必要はない。第三者が一定の対価を支払うこと、その他一定の条件のもとに権利を与えるものであってもよい。このような場合には、第三者は、その条件付きないし負担付きの権利を一括して享受するかどうかを決するべきであって、条件ないし負担を拒絶して、権利だけを享受するという意思表示をすることが許されないのはいうまでもない。

　〔2〕　「第三者」は、契約の当時には存在しなくてもよい。第2項の受益の意思表示をするときに存在すれば足りる。したがって、まだ出生しない者、またはまだ設立されない法人などのためにする契約も有効に成立する（大判大正7・11・5民録24輯2131頁、最判昭和37・6・26民集16巻1397頁）。2017年の本条2項の改正を参照。

　〔3〕　この第三者による権利の取得が、第三者のためにする契約の本体的効果である。その権利の発生時期については、後述〔6〕参照。

　なお、民法は、第三者が諾約者に対する債権を取得する場合を前提として規定しているが、債権以外の権利を取得させる契約も、これに準じてその効力を認めて差しつかえない。たとえば、A・B間の契約で、B所有の不動産をCに贈与することを約し、Cが受益の意思を表示すれば（後述〔6〕参照）、Cは所有権を取得する（大判昭和5・10・2民集9巻930頁）。また、A・B間でBのCに対して有する債権を免除することを約すれば、Cの受益の意思表示によってCの債務は消滅する。BのCに対する免除の意思表示（§519）を必要としない（大判大正5・6・26民録22輯1268頁）。このことにつき、第三者のためにする物権契約または準物権契約が有効であるかという問題として、とくに問題にする学説もある。しかし、第三者のためにする契約は、普通であるならば、契約当事者が取得する権利を第三者に取得させるものなのであるから、契約によって物権移転の効果をも生じうるわが民法のもとでは、第三者に上述のような効果を取得させることも、もとより可能だといわなければならない（§176〔4〕参照）。

　〔4〕　要約者Aは、多くの場合に、自分の出捐において——たとえば、物の所有権を諾約者Bに移転して——第三者Cに権利を取得させるものである。そして、Aがこのようなことをするのは、AとCとの間になんらかの関係があることによるであろう。この関係を「対価関係」という。対価関係は、場合によって種々である。あるいは、AがすでにCに対して負担する債務を弁済するためであることもあろう。あるいは、AがこれによってCに対して債権を取得するためである場合もあろう。しかし、いずれの場合にも、この対価関係は、補償関係（前述〔1〕(a)参照）と異なり、第三者のためにする契約の要素とはならないのを常とする。したがって、対価関係に瑕疵があっても、第三者のためにする契約には影響を及ぼさないのが原則である。たとえば、AがCに対して負担する債務を弁済するために第三者のためにする契約を締結し、BをしてCに一定の金額を支払う債務を負担させた場合に、そのCに対する債務がすでに消滅して存在していなかったとしても、Cの権利は有効に成立し、したがって、CはBの弁済を受領してもBに対して不当利得をしたことにはならない。ただ、Aとの間において、不当利得その他の制度による精算が行われることになろう。

§537 〔2〕～〔7〕

〔5〕 ここに、「債務者」とは、諾約者のことである。

〔6〕 利益といえども、その意思に反してこれを強いることは妥当ではないから、第三者は、受益の意思表示をして、はじめて権利を取得するものとしたのである。ただし、これに対して、保険契約については多くの例外がある（商旧§§647・648（保険§8）・675 I（保険§§43 II・73 II）、簡易生命保険§31〔2007年に廃止〕など）。なお、これについては、つぎの諸点が問題となる。

(ア) 諾約者と要約者の間の特約で、第三者は、その受益の意思表示を要しないで、当然に権利を取得するものとすることができるであろうか。肯定する説が、むしろ多数説である。その理由とするところは、これによって第三者に不当な不利益をこうむらせることはないし、また、保険法は他人のためにする保険契約について受益の意思表示を要しないものとし（保険§8）、民法の解釈においても、供託は、債権者の受益の意思表示をまたないでこれに権利を取得させるものとされるなど、多くの例外規定が存するのであるから、本項の規定を強行規定と解するべきではない、というのである。しかし、反対説も有力であって、保険・供託のような特殊な契約を除いて、一般には、なにびともその意思に反して利益を強いられるべきではないという原理を尊重するべきである。ことに、当事者は、第三者をして一定の制限付権利を取得させることができるのであり、第三者は、これを放棄してもその放棄には遡及効を認めないから、肯定説の結果は、第三者に不当の損害をこうむらせることとなる、と説く。大審院は、上記の旧675条を追加した商法改正（明治44年法律73号）前の保険契約に関してであるが、第三者の権利発生のためには必ず受益の意思表示を必要とすると判示した（大判大正5・7・5民録22輯1336頁）。後説を採ることを示したものといえる。

(イ) 第三者は、いつまでに受益の意思表示をすることを要するか。契約に別段の定めがあれば、それに従うべきことはもちろんである。契約になんらの定めもなければ、その権利が時効で消滅するまでの間に、これをするべきである。では、その消滅時効の期間は、何年であろうか。受益の意思表示は一種の形成権だから、その消滅時効期間は20年のようにも考えられるが、解除権などの形成権と同様に、その形成権行使の結果生じる債権と同じく10年と解するべきである（§126〔3〕〔5〕・改正前§167〔3〕(イ)参照）。判例は、要約者の権利が消滅時効にかかる前に受益の意思表示をすることを要するという理由で、同じ結論を認めている（大判大正6・2・14民録23輯152頁）。なお、この消滅時効の起算点は、契約締結の時である（大判昭和18・4・16民集22巻271頁）。

(ウ) 第三者が受益の意思表示をすることを拒絶したときは、どのような効果が生じるか。問題は、主として要約者と諾約者との関係に移行する。〔7〕参照。

〔7〕 本条は、第三者のためにする契約によって第三者がどのような権利を取得するかを規定し、要約者と諾約者との関係について規定していない。しかし、つぎのように考えてよいであろう。

(a) 要約者が諾約者に対して第三者に給付をするべき旨を請求する権利を有することは疑いないであろう（ドイツ民法§335はこの趣旨を規定する）。

(b) 要約者のこの権利——諾約者の義務——は、第三者の受益の意思表示の有無に関係なく成立し、第三者が受益の意思表示をしない場合にも、諾約者は、第三者

1157

第3編　第2章　契約　第1節　総則

に対して給付の提供をし、その受領を促すことを要し、これを怠れば、要約者に対して債務不履行の責めに任じなければならない（大判大正3・4・22民録20輯313頁）。この諾約者の義務は、第三者が単に受益の意思表示をすることを拒絶しただけでは消滅せず、第三者が諾約者の実質上の提供を拒んだときに、はじめて履行が不能であるということになる。

　(c)　この最後の場合には、要約者は、さらに別の第三者を指定することができる場合もあろうし、あるいは、その給付を自分に対してするべきことを請求できる場合もあるであろう。あるいは、このような権利を有しない場合もあろう。そのいずれであるかは、契約の趣旨および取引の慣行によって定まるのである。

　(d)　なおまた、諾約者の責めに帰すべき事由による不履行の場合に、要約者は、自分に損害賠償をするべきことを請求することができるか。あるいは、第三者に損害賠償をするべき旨の請求をすることができるにすぎないか。判例は、特約がある場合に、自分に支払うべきことを請求できるとするが（前掲大判大正3・4・22参照）、その論調から推して、特約がない場合についても、損害の証明があれば、これを肯定するものと思われる。

　(e)　要約者・諾約者間の解除については、改正前538条〔1〕(イ)参照。

（第三者の権利の確定）
第五百三十八条
　　1　前条の規定により第三者の権利が発生した後は、当事者は、これを変更し、又は消滅させることができない[1]。
　　2　前条の規定により第三者の権利が発生した後に、債務者がその第三者に対する債務を履行しない場合には、同条第一項の契約の相手方は、その第三者の承諾を得なければ、契約を解除することができない[1]。

〈改正〉　2017年に改正された。2項を加えた。前掲（533条）附則第三十条1を参照。さらに以下の同条2も参照。「新法第五百三十七条第二項及び第五百三十八条第二項の規定は、施行日前に締結された第三者のためにする契約については、適用しない。」

[改正の趣旨]　[1]　本条に関連して、諾約者に債務不履行があった場合に、要約者は第三者の承諾なしに契約を解除することができるか学説上争いがあった。解説〔1〕(イ)参照。第三者の承諾なしには解除ができないとするのが通説とされてきたが、新法は、この通説に従い、改正前538条の内容を維持しつつ、新2項を設けた。なお、この規定のもとでも、当事者は、契約締結時に、第三者の承諾なしに要約者は契約を解除できる旨の合意をすることは可能と解されている（任意規定）。

[改正前条文]　上記の1項と同じ。

[原条文]
　　前条ノ規定ニ依リテ第三者ノ権利カ発生シタル後ハ当事者ハ之ヲ変更シ又ハ之ヲ消滅セシムルコトヲ得ス

[改正前条文の解説]
　〔1〕　第三者による受益の意思表示がなされた後は、第三者の権利は確定的に生じるのであるから、要約者や諾約者はいくらその債権を発生させた当事者であるからと

いって、その債権を変更したり、消滅させたりすることができないのは当然である。その債権について、譲渡したり、更改契約を結んだり、免除したりすることができるのは、第三者であり、この者に限られる。

(ア) 本条の反対解釈として、第三者が受益の意思表示をするまでは、要約者・諾約者間の契約によって第三者が取得するべき権利の内容を変更し、またはこれを消滅させることができる。のみならず、第三者が受益の意思を表示した後においても、一般の原則により、制限行為能力・詐欺・強迫などを理由として契約を取消すことは、もとより妨げない。その結果、第三者の債権が消滅するのもやむをえないところである（改正前§537〔1〕参照）。

(イ) 問題となるのは、契約の解除である。要約者がその債務を履行しないために諾約者が解除をすることは自由である。そして、その結果、第三者が取得した権利もまた消滅する。諾約者がその債務を履行しない場合は、どうであろうか。第三者は、単に権利を取得するにすぎず、契約の当事者となるのではないから、第三者は、解除権を有しない。では、要約者はどうであろうか。少数説は、自由に解除できるとするが、多数説は、第三者の同意を得た場合にだけ解除できると解している。新2項を参照。

（債務者の抗弁）
第五百三十九条
　　債務者は、第五百三十七条第一項の契約に基づく抗弁をもって、その契約の利益を受ける第三者に対抗することができる[1]。
　　［原条文］
　　　第五百三十七条ニ掲ケタル契約ニ基因スル抗弁ハ債務者之ヲ以テ其契約ノ利益ヲ受クヘキ第三者ニ対抗スルコトヲ得

〔1〕　たとえば、第三者のためにする契約が双務契約である場合——要約者が諾約者に対してする給付に対して、諾約者が対価を第三者に支払う旨の契約である場合——には、諾約者は、第三者に対して、同時履行の抗弁権（§533〔改注〕）を提出できる。また、契約に制限行為能力・詐欺・強迫などが伴うときは、諾約者は、まず要約者に対して契約の取消しをした上で（§123）、第三者に対して、その権利が消滅したことを主張することができる。のみならず、第三者は、この契約の善意の第三者としての保護を受けることも許されない。たとえば、第三者のためにする契約が虚偽表示であるときは、第三者は、たとえ善意であっても、94条2項の保護を受けることはできない。また、要約者の詐欺を理由に諾約者が契約を取消した場合には、第三者は、改正前96条3項〔改注〕の保護を受けることはできない（大判大正14・7・10民集4巻623頁）。けだし、第三者の権利は、その契約から直接に生じたものだからである。

第3編　第2章　契約　第1節　総則

第3款　契約上の地位の移転

〈改正〉　本款は 2017 年に新設された。

第五百三十九条の二
　　契約の当事者の一方が第三者との間で契約上の地位を譲渡する旨の合意をした場合において、その契約の相手方がその譲渡を承諾したときは、契約上の地位は、その第三者に移転する[1]。

〈改正〉　2017 年に新設された。附則（契約上の地位の移転に関する経過措置）第三十一条　新法第五百三十九条の二の規定は、施行日前にされた契約上の地位を譲渡する旨の合意については、適用しない。

[**本条の趣旨**]　[1]　契約上の地位の移転に関しては、第1章第5節「債務の引受」④(2)(b)の記述を参照。契約上の地位の移転は、契約の相手方が有する債権について、債務者が譲渡人から譲受人に変更されるという点では、免責的債務引受と同じである。契約上の地位の移転は譲渡人と譲受人との間の合意により行うことができるが、重大な影響を受ける当該契約の相手方の承諾が要件となると解されていた。新法は、このような内容の規定を新設したが、「合意」に譲渡人の免責が当然に含まれるかは、議論の末、明らかにされなかった。なお、不動産賃貸借契約の目的物となる不動産所有権の譲渡に伴う賃貸人の地位の移転については、賃貸借において別途規定が設けられる（新 605 条の 2）。この場合には、二重譲渡も問題になりうるが、467 条 2 項を類推適用することになろう。なお、契約上の地位の移転に関する一般的な第三者対抗要件は規定されていない。当該契約に依り物権や債権が移転する場合には、それぞれについて対抗要件が具備されるべきである。契約上の地位全体の移転に付き、第三者に対抗したい場合には、譲渡人と譲受人による譲渡契約の場合には契約の相手方の承諾を、三者間契約の場合には当該契約自体を確定日付ある証書に依って行っておくとよいとの指摘がなされている。

第4款　契約の解除

〈改正〉　本款は、2017 年に第 4 款に繰り下げられ、541 条～ 543 条、545 条および 548 条が改正された。

[**契約の解除に関する主要改正点**]　改正論議の際には、催告解除制度を廃止し、重大不履行による無催告解除に一本化することも検討されたようであるが、催告解除制度が実務においても定着していることなどが考慮されて、これが維持され（債務者の帰責事由は要件ではない）、ただし催告を原則としたうえで、催告が意味を持たない場合（債務の全部の履行不能等）について無催告解除を認めた（新 542 条）。債権者の責めに帰すべき事由による不履行の場合には、解除権は発生しないことが明文化され（新 543 条）、解除の効果については、金銭以外の物の返還につき、受領の時以後に生じた果実の返還が明記された（新 545 条 3 項）。なお、改正前法 548 条 2 項は、新 548 条から自明であるとして削除され、新 548 条は解除権の黙示的放棄のような規定になったと評されている。

第3款［解説］・§539の2・第4款［解説］ ① ②

① 本款の内容

本款は、「契約の解除」と題して、解除権の発生（§§541〜改正前543）、解除権の行使（§§540・544）、解除の効果（§§545・546）、解除権の消滅（§§547・548）について規定する。各条文の改正に注意。

② 解除の意義とこれに類似するもの

本款が定める「解除」は、契約または法律の規定によって発生する「解除権」に基づくもので、この解除権が相手方に対する単独の意思表示によって行使されることによって、契約の効力を遡及的に失わせる。したがって、つぎの諸観念と区別される。

(1) 失権約款

一定の事実が生じるとき（たとえば、割賦払の売買契約において、1年分の割賦金を延滞したとき）は、契約は、当然に解除されたものとして、その効力を失うという、一種の停止条件付解除の合意を内容とする契約条項のことを「失権約款」という。相手方に対する意思表示を必要としない点で、解除と異なる。失権約款を定めることは、一般的に自由であるが、たとえば、賃貸借契約（ただし、これは継続的契約であるので、別途の考察を必要とする。後述(3)、③(2)参照）において1回の賃料延滞によって契約は当然解除されるというように、あまりに契約の一方の当事者に酷な失権約款は、90条［改注］によって無効とするべきである。したがって、このような条項を解釈するに当たっては、当事者双方がはたしてこのような不合理な条項を文字どおり強行する合意をしたものであるかどうかを検討し、できる限り合理的に解釈するべきである。判例も、借地人が「賃料支払ヲ延滞シタルトキ」は「通知催告ヲ為サスシテ本契約ハ解除セラルルモノトス」という条項は、むしろ、借地人が相当期間継続して賃料の支払を怠った場合に、地主は「催告ヲ要セス直ニ契約ヲ解除シ得ル」趣旨と解するべきであるという（大判昭和10・10・14新聞3920号5頁）。

(2) 合意解除

両当事者の合意によって、既存の契約の効力を消滅させることができることはいうまでもない。これを、「合意解除」、「解除契約」または、契約を成立させるのではなく、反対に消滅させる合意という意味において、「反対契約」という。相手方との契約である点で解除と異なる（約定解除とは異なることに注意。§540〔1〕参照）。その効果については、合意で特別の定めをしない限り、不当利得の規定によるべきであり、545条［改注］は適用されないとされる（大判大正8・9・15民録25輯1633頁、最判昭和32・12・24民集11巻2322頁）。

合意解除によって第三者の権利を害することができないのは当然であろう（つぎに引用する判例は§545Ⅰただし書を援用しているが、同条を援用する必要もなかろう）。もっとも、問題が目的物である不動産の帰属をめぐる対立である場合には、その第三者が対抗要件を備えていることは必要である（最判昭和33・6・14民集12巻1449頁、最判昭和58・7・5判時1089号41頁）。

(3) 告 知

賃貸借・雇用・委任・組合などのような継続的契約関係において、一方当事者の意

1161

第3編　第2章　契約　第1節　総則

思表示によってその契約関係を将来に向かって消滅させることを、学者は「告知」
（ドイツ語の Kündigung の訳。動詞の kündigen は、継続的契約の終了を相手に告げることを意
味する）と呼んでいる。遡及効が認められていない点で解除と異なる（§§620 [改注]・
630・652・684）。民法は、これをも「解除」と呼んでいるが、その効果について本款
の適用がないことは明らかである。ことに、解除権行使の方法に関する 544 条の適用
もない。ただし、540 条 2 項のように、理論上当然の規定については、告知について
も同様の結果となると解される。

　しかし、告知権の発生については、改正前 541 条～543 条の適用があると解するの
が、判例および通説である。たとえば賃借人が賃料の支払を遅延するときは、賃貸人
は相当の期間を定めて催告した上で賃貸借を解除することができ、その解除は告知と
しての効力をもち、その賃貸借を将来に向かって終了させると解するのである。

　告知については、さらに、本款解説 ③(2)、改正前 541 条 [7](1)、改正前 543 条 [5]、
改正前 545 条 [6]・[7] で検討する。

③　契約の終了

　民法は、このように、契約の解除について規定しているのであるが、もっと広く、
契約の終了（消滅といってもよい）一般について考察しておくことも必要である。そのさ
い、一回的契約と継続的契約（第 2 章解説 ④(5) 参照）とによって、かなり大きな、類型的
ともいってよい差異があることがとくに重要である。

(1)　一回的契約の終了

　贈与・売買・交換・請負（改正前 §620[1] を参照）などの一回的契約の終了は、比較的
簡単である。

　契約がなんらかの原因によって無効であったり、取消された場合も契約の終了とい
えないではないが、厳密にいえば、これらの場合は、いちおうは有効に――法的欠陥
なく――成立した契約の終了とはいえない。そうすると、一回的契約の終了原因は、
ほとんど契約の解除に尽きるといってよい。ごく稀には、契約に解除条件が付されて
いるときにその条件が成就したとか、契約について新たな無効原因が発生したという
ようなときに、契約が終了する場合もありえよう。

　一回的契約から生じるすべての債権が、その債権の消滅原因（弁済・債務者の責めに
よらない不能・免除・消滅時効など）によって消滅すれば、その契約はもはや存在しない
といってよい。しかし、これをとくに契約の終了としてとらえる必要はないであろう。

　民法は、一回的契約を主に念頭においているので、契約の終了と契約の解除はほぼ
一致するものとして、本款において契約の解除についての規定をおいているのである。
このことから、解除の観念および用語がまずは一回的契約に関して用いられているこ
ともうなずける。したがってまた、解除の観念および用語を継続的契約について用い
ることについては、――誤りとはいえないが――十分に注意をしなければならないこ
とも指摘できる。

(2)　継続的契約の終了

　典型契約でいえば、消費貸借・使用貸借・賃貸借・雇用・委任・寄託・組合・定期

第4款〔解説〕3

金契約が継続的契約であるが、これらの契約においては、契約の成立後、当事者の一方または双方による継続的給付が開始され、続行されることになる。そして、その契約の終了ということは、すでに経過し、終了した給付には触れるものではなく、それ以後の、将来における継続的契約関係の不継続、すなわち終了だけが問題になるのを原則とする。このことをさらに検討すれば、つぎのようになろう。なお、継続的契約のなかにも類型による差異があるので、従来多く論議されてきた賃貸借・雇用・委任を主に念頭におくことにする（消費貸借・組合などについては、さらに別途の検討を必要とする）。

(a) 継続的契約においても、まだ給付が開始されていない段階においては、一回的契約におけると同じ意味の解除が問題になりうる。たとえば、貸すことを約束した目的物を貸主が引渡さない場合には、借主は賃貸借契約を解除することができると考えてよい。

(b) 契約の存続期間が契約に定められていれば、その存続期間が満了することによって、その継続的契約は終了する。

(c) 契約の存続期間が定められていない場合に、当事者の一方が契約の終了を希望し、これを相手方に申入れた場合、相手方の承諾の有無にかかわらず、即時あるいは一定の期間（これを「解約申入れ期間」という）の経過後に契約が終了するとされる場合は少なくない。これを、「解約申入れ」による契約の終了という。この場合をも、「告知」による契約の終了と呼ぶ（(e)の告知と区別するために、「解約申入れに相当する告知」あるいは「解約告知」と呼ぶこともある）。また、このような申入れの権利が承認されている場合に、これを「告知権」と呼ぶこともある。

(d) 契約の存続期間の定めの存否にかかわりなく、契約の両当事者は、合意によって――一方の申入れと他方の承諾によってといってもよい――契約を終了させることができる。これは当然のことである。これを、「合意解約」、「解約契約」と呼ぶことができる。

(e) 当事者の一方に契約上の債務についての不履行が生じれば、それを理由として、他方はその継続的契約を「解除」（民法の用いる用語）することができる（§540〔2〕、§§541〔改注〕～参照）。より正確には、「告知」（(c)の告知と区別するために、「解除に相当する告知」あるいは「解除告知」と呼ぶこともある）することができるというべきである。上記の例は、民法の定める一般的法定解除権に相当する「告知権」による告知であるということができる。

このほかにも、上記以外の法律の規定による法定告知権、あるいは契約によって定められた約定の告知権による告知もありうる。

(f) 継続的契約の終了においては、すでに経過した期間における終了した給付を否定することは意味がない。すなわち、解除における遡及効（改正前§545〔2〕(1)参照）は問題にならない。契約が終了した以後、その継続的契約の効力は消滅するので、その後の相互の給付義務が発生しなくなるとともに、その契約が存在しなかった状態に戻すことが必要になる。すなわち、原状回復義務であるが、その態様は、継続的契約の種類によって異なるので、どのような原状回復義務ないしそれに伴う義務

1163

第3編　第2章　契約　第1節　総則

が生じるかについては、その契約の種類に応じた考察が必要である。

以上のように、民法が用いる「解除」という言葉の用法とも関連して、継続的契約の終了に関して用いられる用語は錯綜している。論者がそれぞれの用語をそれぞれの場合にどういう意味において用いているかについては、とくに注意する必要がある。

④　解除権の消滅

解除権に特有な消滅原因について、民法は、544条2項・547条・改正前548条の規定を置いている。解釈上、債務者の提供による消滅も問題になる（改正前§541⑥(b)参照）。

このほかの一般的消滅原因で、とくに問題となるのは消滅時効である。解除権も形成権であるから、形成権の消滅時効に関する論議（§126⑴〜⑸、第1編第7章解説③、改正前§167⑶(イ)参照）がそのまま妥当する。すなわち、解除権はその行使によって生じる債権と同様に10年［改注］（商事であれば5年）の消滅時効（改正前）にかかるというのが判例・通説である（大判大正5・5・10民録22輯936頁、大判大正6・11・14民録23輯1965頁、大判大正7・4・13民録24輯669頁、最判昭和35・11・1民集14巻2781頁、最判昭和56・6・16民集35巻763頁）。

（解除権の行使）
第五百四十条
1　契約[1]又は法律の規定[2]により[3]当事者の一方が解除権を有するときは[4]、その解除は、相手方に対する意思表示によってする[5]。
2　前項の意思表示は、撤回することができない[6]。

［原条文］
契約又ハ法律ノ規定ニ依リ当事者ノ一方カ解除権ヲ有スルトキハ其解除ハ相手方ニ対スル意思表示ニ依リテ之ヲ為ス
前項ノ意思表示ハ之ヲ取消スコトヲ得ス

〔1〕　たとえば、買戻しの特約（§579参照）は、契約による解除権（「約定解除権」といい、それによる解除を「約定解除」という）の適例である。そのほか、法律に定める解除の条件を変更する場合——たとえば、売買代金の月賦支払を一回でも怠るときは催告を要しないで直ちに解除できる（後述⑥末尾参照）という特約をした場合——なども、その例である。

〔2〕　法律の規定によって生じる解除権（「法定解除権」といい、それによる解除を「法定解除」という）としては、改正前541条〜改正前543条が最も重要な例（債務不履行を理由とする解除権であり、「一般的法定解除権」と呼ぶ）であるが、そのほかにも、改正前561条〜567条（売主の担保責任）、改正前570条（同上）、改正前635条（注文者の解除権）、610条・611条［改注］・612条（賃貸人の解除権）など、その例が多い。

なお、割賦販売や訪問販売などにおいて認められるいわゆるクーリング・オフの権利は、消費者保護のために認められる無条件解除権であり、とくに注目される（第3

第 4 款［解説］④・§§540・541

節解説②(4)(イ)(b)参照）。

〔3〕 契約上の特約または法律の規定はないが、事情変更の原則によって解除権が
発生する場合がある。判例も、土地の売買契約成立後その履行期前に宅地建物等価格
統制令が施行されたため、売買価格の認可を受ける必要が生じ、それに長期の期間を
要し、また、認可になってもその価格によっては契約は結局失効するかも知れないよ
うな事情が生じると、当事者は、事情変更により解除権を取得するという（大判昭和
19・12・6民集23巻613頁。最判昭和29・1・28民集8巻234頁は否定例である）。なお、継
続的契約においても、事情変更の原則によって告知権の発生が認められることがある
（本節第2款解説②(4)参照）。

〔4〕 同じ当事者間に2個以上の契約が存する場合に、その一つについて解除権の
要件が成立したときは、解除できるのはその契約についてであって、他の契約に影響
を及ぼさないことは当然である。しかし、いわゆる複合契約（第2章解説④(6)参照）にお
いて、相互に密接に関連する2個以上の契約の1個に債務不履行を生じたときに、他
の契約についての解除を認める必要があるという事態もありうることに注目を要する
（最判平成8・11・12民集50巻2673頁は、リゾートマンション売買契約と一緒に締結されたス
ポーツクラブ会員権契約について不履行があったときに前者も解除できるとした例である。会員
権契約の問題性〔第3節解説②(8)参照〕も含まれている）。

〔5〕 544条も参照。なお、〔6〕を見よ。

〔6〕 「撤回」については、5条〔3〕、6条〔7〕、407条〔2〕を参照。すなわち、いっ
たん解除の意思表示をした以上は、その効力を一方的に消滅させることはできないと
いう意味である。けだし、解除権は、一つの形成権であって、これを行使することに
よって新たな法律関係を生じるものであり（§545［改注］参照）、これを任意に撤回す
ることを許すときは、相手方に不当な不利益をこうむらせるおそれがあるからである。
したがって、解除の意思表示をした者が、制限行為能力（§§4〜）または詐欺・強迫（§
96）などを理由として、その意思表示を取消すことは本条が禁じるところではない。

なお、解除の意思表示には、条件を付することはできないと解されている。けだし、
解除のように、単独行為によって重大な法律効果を生じさせる行為に条件を付すると
きは、相手方を不当に不利益にするからである。民法は、相殺についてとくに規定を
設けたが（§506Ⅰ後段）、解除も同様に解されるのである。ただし、「一定の期限内に
履行しなければ当然に解除されたものとする」というように、相手方が当然にするべ
き行為を条件とし、条件の付加によってなんら相手方の不利益を増さない場合には、
このような条件付解除も有効である（改正前§541〔6〕(c)参照）。

（催告による解除）
第五百四十一条
　　当事者の一方がその債務を履行しない場合[1]において、相手方が相当の期間[2]
　を定めてその履行の催告をし[3]、その期間内に履行がないとき[4][5]は、相手方は、
　契約の解除をすることができる[6][7][11]。ただし、その期間を経過した時における
　債務の不履行がその契約及び取引上の社会通念に照らして軽微であるときは、

1165

第3編　第2章　契約　第1節　総則

この限りでない[2]。

〈改正〉　2017年に改正された。見出しを改め、ただし書を加えた。附則（契約の解除に関する経過措置）第三十二条　施行日前に契約が締結された場合におけるその契約の解除については、新法第五百四十一条から第五百四十三条まで、第五百四十五条第三項及び第五百四十八条の規定にかかわらず、なお従前の例による。

[改正の趣旨] [1]　本条の解除要件の判断に当たっては、催告期間中に債務者がどのように追完を試み、不履行後の契約当事者間の信頼維持義務を尽くしたかといった規範的評価がなされるべきであるとの指摘がなされている（542条の場合との相違点）。

[2]　債務の不履行が軽微であったり、付随的な債務の不履行にすぎなかったりした場合等にまで解除を認めるのは債務者にとって酷であるから、その場合には契約の拘束力を維持してよい。改正前541条では債務の不履行が軽微な場合には解除ができない旨の規範は明文化されていないが、新法は、ただし書きを新設した。「軽微」であるか否かについては「当該契約及び取引上の社会通念」に照らして判断される。例えば、売買においては、代金減額による調整などができることを念頭に置いたうえで判断すべきである、との意見がみられる。

なお、本条ただし書の反対解釈により、解除の要件として債務者の帰責事由を要しないことが規定されたと解する余地があるとされている。この背景には、近時、解除は債務不履行の責任追及ではなく、債権者を契約から解放する制度であると解されるようになっているという認識がある。なお、本条の改正は、従来の判例の考え方に従ったとされているが、それは、本条 [改正前条文の解説] [1] (2)最判昭和43・2・23、同 [7] (1)大判昭和14・12・13、第3編第2章契約第1節総則第2款契約の効力 [4] (1)(イ)(c)最判昭和36・11・21等である。なお、最判昭和44・4・15判時560号49頁、および大判昭和7・3・17民集11巻434頁も同様と解されている。

なお、従来の判例で、その趣旨が今後も維持されると思われるものについては、本条 [改正前条文の解説] 中の判例の末尾に＊を付した。

[改正前条文]
（履行遅滞等による解除権）
　上記本文と同じ。

[原条文]
　当事者ノ一方カ其債務ヲ履行セサルトキハ相手方ハ相当ノ期間ヲ定メテ其履行ヲ催告シ若シ其期間内ニ履行ナキトキハ契約ノ解除ヲ為スコトヲ得

[改正前条文の解説]

〔1〕　本条および改正前542条、改正前543条は、いわゆる債務不履行を理由とする解除の要件を定めるものであるが、本条は、債務不履行のうちでも履行遅滞を理由とするものについて規定する。実際上、きわめて適用の多い条文であって、解釈上、種々の困難な問題を生じている。そして、その解決に当たっては、信義の原則によってその条件がときには緩和され、ときには厳しくされていることがとくに注目するべき点である。

（1）　ここに、「その債務を履行しない場合」とは、履行期に履行が可能であるのに、履行をしない場合である。履行が不能な場合については、改正前543条による。のみならず、履行期に履行しないと、履行期以後において履行しても契約の目的を全然達しない場合については、とくに改正前542条において催告の要件を不要としている。

（2）　その債務が、いわゆる付随債務（第2款解説 [4] (1)(イ)参照）である場合に、その不履

行を理由として解除できるかは、問題である。それが契約締結の目的に必要不可欠ではないが、その不履行が契約目的の達成に重大な影響を与えるものであるときは、解除できるとした判例がある（最判昭和43・2・23民集22巻281頁。土地代金完済までは建物を築造しないとする「付随的約款」に関する）。

(3) 債務の目的物が不可分性を有するとき——たとえば、家屋・宅地——は、たとえその一部の履行があっても、契約の全部を解除することができる。

(4) これに反し、目的物が可分性を有するとき——たとえば一定量の米・石炭など、ことにこれらの物を一部分ずつ順次に供給するべきとき——には、一部の不履行は、必ずしも契約全部の解除権を生じない。各場合における契約の目的、不履行の部分の割合などを考慮し、信義の原則に従って、解除の許否を決するべきである。

判例の大体の傾向を示せば、

(a) 第1に、目的物を順次に供給するべき場合にその第一回分から履行遅滞に陥るときは原則として全部の——まだ履行期が到来しない部分も含めて——解除をすることができる（大判大正8・7・8民録25輯1270頁）。

(b) 第2に、すでに一部の履行がされた場合には、その部分については解除をすることはできず、未履行の部分についてだけの解除——契約の一部の解除——をすることができるにすぎない（大判大正14・2・19民集4巻64頁）。

(c) 第3に、すでに履行された部分も、品質が契約で定められたところと異なり、契約の目的を達しえないものである場合には、その部分の解除もすることができるが、その契約違反の程度がそれほどはなはだしくない場合には、その部分については損害賠償の請求をすることができるだけで、解除はすることができないと解するべきである。このような場合に、解除権者が、すでに履行された部分については損害賠償で満足し、未履行の部分についてだけ解除することは、もちろん許される（大判大正10・2・10民録27輯255頁）。もちろん、全部の給付がなければ契約の目的を達することができないときは、契約全部を解除できることもありうる（最判昭和52・12・23判時879号73頁）。

〔2〕 「相当の期間」とはどれほどの長さの期間であるかは、債務の目的物の種類と量、債務者の住所と履行地との距離、交通機関の状態その他すべての事情を考慮して、これを決するべきである。また、「相当の期間を定めて」とは、条文の上では、解除しようとする者にどれだけの期間が「相当の期間」であるかを判断する責任を負わせた——その判断を誤り、不当に短い期間を定めると催告が無効になる——もののようにみえるが、その判断の責任は、むしろこれを債務者が負う——催告後相当な期間内に履行しないと解除される——と解するのが、信義の原則に適合するであろう。

従来、この点に関し、「相当の期間」は比較的長く解されたばかりでなく、相当な期間（改正前§524のみが「相当な期間」という言葉を用いるが、とくに意味を異にすると考える必要はない）より短い期間を定めた催告は、何回繰り返しても、結局解除権を発生させることができないものとされ（たとえば大判大正6・7・10民録23輯1128頁）、その結果、しばしば不信の債務者を利することになった。

そこで、判例は、しだいにその見解を改め、(a)第1に、「相当の期間」とは、債務

第3編　第2章　契約　第1節　総則

者が催告を受けてから履行の準備に着手するものと仮定してその履行を完了するのに必要な期間を算定するべきものではなく、すでに履行の準備の大部分を済ませているものと仮定して、これを算定するべきであるとし（大判大正13・7・15民集3巻362頁*）、(b)第2に、催告に定められた期間が不相当な場合にも、また期間を明示しなかった場合にも、催告としての効果を生じ、その時から相当な期間を経過した後ならば、なお、解除をすることができると解し（大判昭和2・2・2民集6巻133頁、最判昭和29・12・21民集8巻2211頁）、(c)最後に、全然期間を定めないで催告した場合でも、その催告から相当な期間を経過したときは、解除することができると判示するに至った（大判昭和9・10・31新聞3771号11頁）。この判例の変遷は、債務者は、催告がなくても、履行期には履行をするべきもので、たとえ履行が遅れている場合にも、その準備の大部分を終わっているべきものである、という信義の原則に立って、解除に必要な催告の要件を判断したもので、至当な態度といわなければならない。したがって、近時の学説は、一般にこれを支持している。

〔3〕　この催告は、債務の履行を促すことを内容とすれば足りる。期間内に履行しなければ解除する、ということを明示する必要はない。なお、催告に当たっては、履行するべき債務を指示する必要があることはもちろんであるが、その指示は、当該の債務の同一性を示すものであれば十分である。したがって、たとえば、催告に示した債務額が実際の債務額を多少超過するような場合にも、催告としての効力を生じる（大判昭和2・3・22民集6巻137頁、最判昭和32・3・28民集11巻610頁）。

債務者があらかじめ履行を拒絶しても、この催告を省略できないものとするのが、通説である（ただし、〔4〕(イ)参照)。

履行期の定めのない債務は、催告によってはじめて債務者を遅滞に陥れることになる（§412 Ⅲ）。ところが、本条は、遅滞に陥った債務者に対して催告をするべきことを要するのであるから、これを厳格に解するときは、履行期の定めのない債務についてその遅滞を理由にして解除をするためには、一度催告して相手方を遅滞に陥れ、さらに相当な期間を定めて催告するべきこととなるように考えられる。しかし、それは無用な手続なので、判例は、このような債務についても、直ちに相当な期間を定めて催告をしてもよく、その期間の終了によって解除権を生じるものと解している（大判大正6・6・27民録23輯1153頁*）。もっとも、契約の趣旨が債権者の催告後に両者協議によって履行期を定めるということにある場合には、単なる催告によって解除権を生じるものではない。

〔4〕　解除は、債務不履行の制裁的効果であるから、本条の適用があるためには、単に債務者が期間内に履行しないという事実があるだけでなく、その事実について、さらにつぎの諸要件が備わることを要する。

(ア)　履行遅滞がその債務者の責めに帰すべき事由に基づくことを要する。民法は、履行不能についてだけこの条件を掲げているが（改正前§543。なお、改正前§415後段参照)、履行遅滞についても同様に解するのが通説であり、また、判例上も定説である。この点は、債務不履行による損害賠償責任におけると同様である（改正前§415〔1〕(1)(イ)参照)。この要件につき、541条［改正の趣旨］【1】を参照。

§541〔3〕〔4〕

(イ)　債務者の履行しないことが違法であることを要する。いいかえれば、不履行が正当の理由に基づくときは、解除権を生じない。この点に関して、実際上しばしば問題になるのは、債務者が同時履行の抗弁権を有する場合である。売主が買主の代金不払を理由に売買契約を解除しようとする例について考えてみよう。

(a)　第1に、買主は、売主が目的物の提供をしない以上、代金支払につき同時履行の抗弁権を有するのであるから(§533〔改注〕)、売主が提供を怠る場合には、買主が代金を払わないからといって、契約を解除することができないことはいうまでもない(最判昭和29・7・27民集8巻1455頁、最判昭和51・12・2判時852号64頁。買戻しの例について、最判昭和35・10・27民集14巻2733頁)。

もし、相手方があらかじめ弁済の受領を拒絶したり((e)参照)、相手方に受領遅滞があったときは(最判昭和32・6・27民集11巻1154頁)、解除が可能である。

(b)　第2に、しかし、売主が一度提供したにもかかわらず、買主が代金を支払わないため、相当な期間を定めて催告した場合には、どうであろうか。買主は売主の提供によってすでに同時履行の抗弁権を失ったのであるから、売主はその後提供を継続しなくても、解除は有効である。

この場合に、売主が代金の支払を訴求するのであれば、買主はなお同時履行の抗弁を提出することができる——すなわち、目的物の引渡しと引換えに支払え、という条件付判決をするべきことを主張できる(改正前§533〔3〕(エ)参照)——のであるが、解除については、同時履行の抗弁権を理由として解除権の不発生を主張することはできない、とするのが判例である(大判昭和3・5・31民集7巻393頁)。多数の学者は、これを支持する。

(c)　第3に、売主が、催告をした時までには提供をせず、催告をした後になってはじめて提供をした場合には、解除権を生じるであろうか。判例は、これを否定する(大判大正10・3・19民録27輯563頁)。しかし、買主が催告に応じて履行をするときは、いつでも自分の債務を履行できるようにしておけば、必ずしも催告前に提供しなくてもよい、と解するのが至当と思われる。けだし、公平の原則から見てなんらの不都合もないからである((3)参照)。

(d)　第4に、相手方の弁済の提供が一部の場合には、同時履行の抗弁権は残りの不履行の部分に限られるのが原則とされるが(改正前§533〔3〕(イ))、解除の問題としては、すべての弁済がなければ契約の目的を達することはできないとして、解除が認められる場合が多いであろう(ただし、大判大正12・5・28民集2巻413頁は、買主が代金1万6000円のうち600円しか支払わなかった事例について、買主が目的物である大豆粕の売主による引渡し不履行を理由として解除したのを、認めなかった例である。反対給付の割合が少ないことがその根拠と考えられる。判決は売主の全面的な同時履行の抗弁権を理由とするが、600円分については売主の同時履行の抗弁権はなく、買主の履行請求、したがって売主の債務不履行による解除は認められるのではないかという指摘もある)。

(e)　第5に、買主側において、すでに明瞭に履行を拒絶した場合のように、たとえ売主が提供しても買主において履行しないと推測される特殊の事情があるときは、売主は催告さえすればよく、提供する必要はないと解されている(大判大正10・11・

1169

第3編　第2章　契約　第1節　総則

9民録27輯1907頁、最判昭和34・8・28民集13巻1301頁）。

〔5〕　わが民法は、債務不履行のうちに不完全履行という観念を明文によっては認めていないので（改正前§415〔1〕(2)・〔2〕(2)参照）、解除に関しても、これについて定めるところがない。しかし、不完全履行のうち、いわゆる追完が可能な場合には、本条を準用して、債権者は、相当の期間を定めて完全な物の給付を請求し、その期間内に履行がないときにはじめて契約を解除できると解するべきである。けだし、このような不完全履行にあっては、契約の目的到達はまだ不能ではないから、債権者をしていちおう完全な履行を催告させた上で解除を認めるべきことは、あたかも履行遅滞の場合と同様であると解されるからである。ただし、売買契約における売主の不完全履行の場合には、担保責任と関連して、判例は、必ずしもここに述べた見解をとっていない（改正前§570〔1〕(2)参照）。

〔6〕　解除の意思表示は、催告期間を経過した後にするべきであるが、つぎの諸場合に、注意するべきである。

　(a)　催告期間内に相手方が履行拒絶の意思を表示したときは、催告期間経過を待たずに解除できるとされる（大判昭和7・7・7民集11巻1510頁*）。

　(b)　催告期間を経過した後でも、債権者が解除の意思表示をする前に、債務者が遅滞による損害を加えて完全な履行の提供をした場合には、解除権は消滅し、債権者は解除をすることはできなくなる（大判大正6・7・10民録23輯1128頁）。

　(c)　債務者が何月何日までに履行しなければ当然に解除されたものとするという催告（条件付解除の意思表示）をしたときは、その期間の経過によって、当然に解除の効果を生じる。債権者は、改めて解除の意思を表示する必要はない（§540〔6〕末尾参照）。わが国の実務には、このような解除の例がきわめて多い（大判明治43・12・9民録16輯910頁がその一例である）。なお、保険料の払込みがされない場合には履行の催告なしに生命保険契約が失効する旨を定める約款の条項は、消費者契約法10条の「民法第1条第2項に規定する基本原則に反して消費者の利益を一方的に害するもの」には該当しないとした判例（最判平成24・3・16民集66巻2216頁）がある。

〔7〕　本条の適用範囲について、つぎのような問題がある。

(1)　本条は一回的契約を想定した規定と考えられるが、これが継続的契約（の告知）にもそのまま適用されるかは、基本的な考え方にもかかわる問題である。判例は、原則的に適用されるという立場をとっている。しかし、継続的契約に本条を形式的に適用して、たとえば、賃貸借における賃料債権の遅滞による解除を無条件に適用し、直ちに履行遅滞が生じ、契約を解除できるとしては、適切を欠くことになると考えられ、とりわけ軽微な賃料の滞納を理由に安易に解除を認めるべきではない（同旨の判例は多い。大判昭和14・12・13判決全集7輯109頁、最判昭和32・9・12法新72号5頁、最判昭和39・7・28民集18巻1220頁。最判昭和51・12・17民集30巻1036頁は、「1カ月延滞すれば当然解除」とする訴訟上の和解について、同旨）。賃貸借への本条の適用を認める判例においても、そのような考慮が働いている場合が多い。

継続的契約の告知については、契約類型ごとに考察する必要があるが、つぎに、主として不動産の賃貸借に関するもので、上述のほかに、一般的な通用性があると思わ

§541〔5〕〜〔7〕

れる判断を示した判例を掲げる。

(a)　度重なる賃料遅滞があっても、本条による解除をするためには、催告を要する(最判昭和35・6・28民集14巻1547頁。ただし、9年10カ月の滞納の例で催告せずとも解除できるとした最判昭和49・4・26民集28巻467頁もある)。他方において、催告を要しないとした特約も、とくに不合理でなければ、有効とされた例もある(最判昭和43・11・21民集22巻2741頁*)。

(b)　過大な賃料額の催告も、通常は催告としての効力を生じるが(最判昭和34・9・22民集13巻1451頁、最判昭和37・3・9民集16巻514頁)、賃貸人がその額でなければ受領しないことが明確であるときは、催告としての効力を生じない(最判昭和29・4・30民集8巻867頁、最判昭和39・6・26民集18巻968頁)。

(c)　解除(告知)の前提としての催告には相当な期間が必要であり、期間を定めなかったときは、催告から相当な期間が経過した時に解除できる(1年分の延滞賃料の催告後10日後に解除したのを有効としたものに、最判昭和31・12・6民集10巻1527頁*がある)。

(d)　賃貸人に賃料の受領の拒絶があった場合について、一方で、その後に賃借人が賃料の提供をしないときは、賃貸人は解除(告知)できるとした判例があり(最判昭和32・9・12民集11巻1510頁)、他方で、賃貸人が受領遅滞を解消させるに足りる意思表示をしたうえでないと、催告は効力を生じないとする判例がある(最判昭和35・10・27民集14巻2733頁)。

(e)　さらに、賃貸人が賃貸借契約の存在そのものを否定するなどして、賃料受領拒否の意思が明確である場合には、賃借人は賃料について言語上の提供をしないでも、履行遅滞にならないとする判決がある(最大判昭和32・6・5民集11巻915頁など。§493〔5〕(ア)(b)参照)。これについては、賃貸人が(賃料支払の)催告をしていないことを理由として、賃貸人の解除(告知)を無効とすればよいという指摘が学説によってなされている。

(f)　賃貸借の一方の当事者に、当事者相互の信頼関係を裏切って、賃貸借関係の継続をいちじるしく困難にするような不信行為があった場合には、他方は催告なしで契約を解除(告知)できるとする一連の判決がある(最判昭和27・4・25民集6巻451頁、最判昭和31・6・26民集10巻730頁、前掲最判昭和35・6・28、最判昭和40・8・2民集19巻1368頁、最判昭和47・2・18民集26巻63頁、最判昭和47・11・16民集26巻1603頁、最判昭和50・2・20民集29巻99頁、最判平成3・9・17判時1402号47頁など。最後の例は、借地人が地上建物を賃貸したまま、8年以上所在不明というものである)。きわめて重要な判断である。

(g)　(f)と同趣旨の判断として、賃借人に軽微な賃料不払があっても、相互の信頼関係を破壊するに至る程度の不誠実があると断定できない場合には、解除権の行使は信義則に反するとした判例がある(前掲最判昭和39・7・28)。

(h)　契約上借地上の建物の増改築が禁じられている場合にも、信頼関係を破壊するおそれのない程度の増改築のときは、信義則上解除(告知)できないとした判決がある(最判昭和41・4・21民集20巻720頁)。

第3編　第2章　契約　第1節　総則

(i)　いわゆる「更新料」の不払をもって、解除(告知)の原因となるとした判例がある(最判昭和 59・4・20 民集 38 巻 610 頁)。

(j)　告知ではなく、合意解約に関してであるが、土地賃貸借契約を合意解除(正確には、合意解約)しても、特別の事情がない限り、土地の賃貸人は地上建物の賃借人に合意解除を対抗できないとした判決がある(最判昭和 38・2・21 民集 17 巻 219 頁。最判昭和 41・5・19 民集 20 巻 989 頁は、合意解約が裁判上の和解であったような場合は、特別の事情に当たるとした)。

(2)　借地関係・借家関係・農地賃貸借関係のように、特別法による特別の保護が定められている場合には、民法の解除(告知)に関する規定がそのままには適用されない(第 7 節解説④(2)参照)。とくに農地の賃貸借について一言すれば、解除(告知)その他には原則として都道府県知事の許可を必要とし、その許可は、「賃借人が信義に反した行為をした場合」その他でなければ与えられないとして(農地§18)、一般の履行遅滞よりも重い要件が定められている。

(3)　厳密な意味で契約といえないものに本条が適用されるかについては、慎重に検討する必要がある。裁判上の和解(大判大正 9・7・15 民録 26 輯 983 頁)、旧金銭債務臨時調停法による調停(大判昭和 13・12・7 民集 17 巻 2285 頁)について解除ができるとした判決があった一方、共同相続人間の遺産分割協議については、本条による解除はできないとされた(最判平成元・2・9 民集 43 巻 1 頁)。

（催告によらない解除）
第五百四十二条

次に掲げる場合には、債権者は、前条の催告をすることなく、直ちに契約の解除をすることができる[1]。

一　債務の全部の履行が不能であるとき。

二　債務者がその債務の全部の履行を拒絶する意思を明確に表示したとき。

三　債務の一部の履行が不能である場合又は債務者がその債務の一部の履行を拒絶する意思を明確に表示した場合において、残存する部分のみでは契約をした目的を達することができないとき。

四　契約の性質又は当事者の意思表示により、特定の日時又は一定の期間内に履行をしなければ契約をした目的を達することができない場合において、債務者が履行をしないでその時期を経過したとき。

五　前各号に掲げる場合のほか、債務者がその債務の履行をせず、債権者が前条の催告をしても契約をした目的を達するのに足りる履行がされる見込みがないことが明らかであるとき。

2　次に掲げる場合には、債権者は、前条の催告をすることなく、直ちに契約の一部の解除をすることができる[2]。

一　債務の一部の履行が不能であるとき。

二　債務者がその債務の一部の履行を拒絶する意思を明確に表示したとき。

〈改正〉　2017 年に改正された。前掲 (541 条) 附則第三十二条を参照。

§542〔1〕

[改正の趣旨] 〔1〕 債務者が履行の「催告」をすることが無意味な場合もある。改正前542条は、いわゆる定期行為の場合に無催告解除を定めており、また、履行ができない場合（履行不能）にも催告をしても無意味であるから、催告をしないで解除ができると解されている（改正前543条）。学説では、債務者がその債務の履行をする意思がない旨を明らかにしたときや、債務者がその債務の履行をせず、債権者がその履行の催告をしても契約をした目的を達しうる履行の見込みがないことが明らかである場合等にも、無催告解除ができると解されてきた。解説〔4〕も参照。そこで、新法は、履行不能と拒絶の場合（1号）（2号—415条2項2号参照）を無催告解除の要件として整理するとともに、新たに「債務者がその債務の履行をする意思がない旨を明らかにしたとき」（2号・3号—履行拒絶の明確性の要件）、定期行為の場合（4号）、および「債務者がその債務の履行をせず、債権者がその履行の催告をしても契約をした目的を達するのに足りる履行がされる見込みがないことが明らかであるとき」（5号）を無催告解除ができる場合として明記した。「債務者の責めに帰することができない事由」（改正前543条）による場合を除外する定めは設けられなかった。5号は受け皿的規定として、立法者の予期していなかった事例を処理できると解されている。例えば、履行後であれば催告は可能であるから、履行拒絶が「明確性」の要件を満たさない場合でも、仮に催告をしても「契約目的」達成の見込みがないと評価されれば、5号により無催告解除が認められるとの見解がある。なお、ある事項が契約目的達成に必要であるといえるためには、一方当事者だけがそのように考えていただけでは不十分であると解されている。

〔2〕 一部不能の場合には不能部分についてのみ解除できるが（2項1号）、その履行拒絶の意思を明確にしたときにも、一部解除ができる（同2号）。本条は、数量的な一部不履行の場合であるから、質的な一部不能と評価される場合には、新563条2項1号の適用を検討すべきであろう。

[改正前条文]
（定期行為の履行遅滞による解除権）
　　契約の性質[1]又は当事者の意思表示[2]により、特定の日時又は一定の期間内に履行をしなければ契約をした目的を達することができない場合において、当事者の一方が履行をしないでその時期を経過したとき[3]は、相手方は、前条の催告をすることなく、直ちにその契約の解除をすることができる[4]。

[原条文]
　　契約ノ性質又ハ当事者ノ意思表示ニ依リ一定ノ日時又ハ一定ノ期間内ニ履行ヲ為スニ非サレハ契約ヲ為シタル目的ヲ達スルコト能ハサル場合ニ於テ当事者ノ一方カ履行ヲ為サスシテ其時期ヲ経過シタルトキハ相手方ハ前条ノ催告ヲ為サスシテ直チニ其契約ノ解除ヲ為スコトヲ得

[改正前条文の解説]
〔1〕 「契約の性質……により、特定の日時又は一定の期間内に履行をしなければ契約をした目的を達することができない場合」（そのような給付を「絶対的定期行為」という）とは、たとえば、一定の時間に出帆する友人に贈る花束をその船室に備えさせるという贈り主と花屋との間の契約、一定の休日に挙行する遠足会に食事を持参して供給させるという遠足会の主催者と料理店との間の契約、商人が顧客に中元の贈物とするうちわを夏の前に製造させるという商人とうちわ製造業者との間の契約（大判大正9・11・15民録26輯1779頁）、酒の醸造業者に転売する麹製造用の（初冬から使用する）麹蓋を供給するという契約（大判大正10・3・2民録27輯389頁）などである。

1173

第3編　第2章　契約　第1節　総則

〔2〕　「当事者の意思表示により、特定の日時又は一定の期間内に履行をしなければ、契約をした目的を達することができない場合」（そのような当事者の意思によるものを「相対的定期行為」という）の意味については、判例にも参考になるものはなく、学説も多少分かれている。

　思うに、契約に示された債権者の特別の目的から見て、その債務が履行期に履行されない場合には、その特別の目的を達することができない性質のものであるときにはじめて、催告を要しないで解除することを認めるべきであろう。たとえば、普通に洋服を注文するのは定期行為にはならない。しかし、注文者が外国旅行をするためのものであることを明示した場合には、履行期に履行しなければ、この契約をした目的を達することができないものとなる、などである。したがって、当事者が単に期日を厳守すべき旨を約しただけでは本条の適用を受けない。もっとも、期日を厳守するというだけでなく、期日に履行しなければ直ちに解除できる旨を約束した場合には、催告なしに解除ができるが、これは、本条によって生じるのではなく、約定解除権の留保として生じるのである（§540〔1〕参照）。

〔3〕　この場合にも、その不履行につき債務者の責めに帰すべき事由があり、かつ、その不履行が違法性を有するものであることを要するのは、履行遅滞の場合と同様である（改正前§541〔4〕参照）。

〔4〕　本条の適用がある場合には、その履行期に履行がないことによって債務は履行不能になるから、さらに催告させることは無意味となる。この点からいえば、本条は543条［改注］に吸収され、とくに規定する必要はないということができる。しかし、543条は履行期に履行すること自体が不能な場合であるのに反し、本条は、履行期に履行することは可能であり、履行期を経過することによって債務の本旨に従った履行が不能になる場合なので、民法は、とくに疑いを避けるために規定したものと考えられる。

　なお、一部についての不履行と解除との関係は、履行遅滞におけると同様である（改正前§541〔1〕〔4〕参照）。また、本条については、商法に重大な特則がある。すなわち、定期行為である商事売買の履行期が徒過された場合に、相手方が直ちに履行の請求をしなければ、契約の解除をしたものとみなされる（商§525）。

（債権者の責めに帰すべき事由による場合）
第五百四十三条

　債務の不履行が債権者の責めに帰すべき事由によるものであるときは、債権者は、前二条の規定による契約の解除をすることができない[1]。

〈改正〉　2017年に改正された。前掲（541条）附則第三十二条を参照。改正前543条については、新542条1項1号、2項2号を参照。

［改正の趣旨］　［1］　本条は、債権者に帰責事由がある場合には債務不履行解除ができないとする規定であり、新法536条2項において債権者の帰責事由に基づく履行不能の場合に債権者が反対給付にかかる債務を免れないとされるのと同趣旨である。なお、審議過程では、債権者と債務者の双方に帰責事由がある場合の取扱いについても議論されたが、その場合に関する条文化は見送られたので、引続き解釈（過失相殺など）に委ねられる。なお、大判大

§§542〔2〕～〔4〕・543〔1〕～〔5〕

正15・11・25（解説〔3〕参照）も、新法下でも維持されると思われる。

[改正前条文]
（履行不能による解除権）
　　履行の全部又は一部[2]が不能[1]となったときは、債権者は、契約の解除をすることができる[3][4][5]。ただし、その債務の不履行が債務者の責めに帰することができない事由[6]によるものであるときは、この限りでない。

[原条文]
　　履行ノ全部又ハ一部カ債務者ノ責ニ帰スヘキ事由ニ因リテ不能ト為リタルトキハ債権者ハ契約ノ解除ヲ為スコトヲ得

[改正前条文の解説]

〔1〕　「不能」の意味については、改正前415条〔3〕参照。

〔2〕　契約の一部の履行不能と解除との関係については、履行遅滞におけると同様に、信義則上、つぎのような制限が考えられる。

　第1に、債務の内容が可分であり、一部の履行が不能であっても残部の履行が可能なときは、原則として不能な部分だけの解除が許される。ただ、残部の履行では契約の全目的を達することができないときにだけ、全部の解除をすることができる（§541〔1〕(4)参照）。

　第2に、債務の内容が不可分なものであっても、その不能な部分が全体から見て軽微なものであり、その不能によっていまだに契約の目的を達することができない程度にまで至らない場合には、解除は許されず、単に不能な部分について損害賠償を請求できるにとどまる。

〔3〕　催告をしないで解除できることが、本条と改正前541条との差である。注意するべきは、解除をする時期である。一般には、履行期到来の後に解除するべきであるが、履行期に履行することの不能なことが確実になった場合には、履行期の到来を待たずに、その時から解除をすることができる（改正前§415〔3〕(イ)参照）。判例は、請負契約に関して、このことを明言する（大判大正15・11・25民集5巻763頁）。

〔4〕　いわゆる不完全履行において、追完の不能の場合には、本条を準用して、催告をしないで解除をすることができると解するべきである（改正前§541〔5〕参照）。

〔5〕　継続的契約において、当事者の一方がその提供義務を負う継続的給付が不能を生じたときは、どうなるか。

　(1)　すでに行われた給付に影響しないことは、再三論じたように、明らかである。また、不能を生じた後にその契約を存続させる意味が通常は存しないことも自明であり、とくに告知という行為を必要とすることもないと考えられる。

　(2)　例外的に、契約の趣旨によっては、このような場合に債務者は不能になった給付と同様な代わりの給付を行うべき債務を負っている場合もありうる。この場合には、その契約は、そのような趣旨のものとして存続する（債務者がその責めに帰すべき事由により代わりの給付をしないと、本款解説[3](2)(a)の意味における解除ができる）。

　(3)　一部の履行不能が生じたときに、当事者の一方が契約の終了を希望した場合には、残りの部分によっては契約の目的を達することができないときは、その者に告知

1175

第3編　第2章　契約　第1節　総則

権が認められることになる。この場合は、その一部不能が告知者の責めに帰すべき事由によって生じた場合でも、——契約目的達成が不能なら——告知権は認めてもよい。

(4)　契約の終了ないし告知については、以上のように考えられるが、その契約が終了せざるをえなくなったことによって損害をこうむった当事者がいれば、その不能が相手方の責めに帰すべき事由によって生じた場合に、損害賠償を請求できることになる(改正前§545(7)参照)。

〔6〕　「責めに帰することができない事由」の意味については、改正前415条(表現は裏返しであるが)におけるとまったく同一に解されている(改正前§415(4)参照)。立証責任については、2004年改正によって規定上も債務者にあることが明確にされた(債務不履行についての改正前§415〔1〕(1)(イ)(a)(c)・〔4〕(オ)参照)。

(解除権の不可分性)
第五百四十四条

1　当事者の一方が数人ある場合¹⁾には、契約の解除は、その全員から又はその全員に対してのみ、することができる²⁾。

2　前項の場合において、解除権が当事者のうちの一人について消滅したときは、他の者についても消滅する³⁾。

[原条文]

当事者ノ一方カ数人アル場合ニ於テハ契約ノ解除ハ其全員ヨリ又ハ其全員ニ対シテノミ之ヲ為スコトヲ得

前項ノ場合ニ於テ解除権カ当事者中ノ一人ニ付キ消滅シタルトキハ他ノ者ニ付テモ亦消滅ス

〔1〕　たとえば、Aがその所有山林を、共同の買主B・C・Dの三人に売り渡し、または、A・B・C三人が共有の山林をDに売った場合である。当事者の双方が数人ある場合にも、本条を適用するべきことは、もちろんである。なお、共有物の管理として、その物が賃貸されているような関係における共有者については、その内部関係における意思決定の問題であるので、本条は関係ない(最判昭和39・2・25民集18巻329頁。§252〔1〕参照)。

〔2〕　このような規定を設けたのは、契約の当事者が数人ある場合に、そのなかのある者との間の契約関係は解除され、他の者との間の契約関係は有効に存続するという結果を認めると、それらの者の間の契約関係をはなはだ複雑なものにするからである。したがって、解除権を有する当事者が数人あるときは、これらの全員が解除をするべきであり、また、解除を受ける当事者が数人あるときは、これらの全員に対して解除をするべきである。

しかし、解除の意思表示は、いずれの場合にも、時間的に同時にすることを必要とするわけではない。時を異にして、順次にしてもよい。その場合には、全員が解除をし、または全員に対して解除がされた時に、はじめて解除の効果を生じる(大判大正12・6・1民集2巻417頁)。

1176

§§543〔6〕・544・545〔1〕〔2〕

　なお、本条は、約定解除権および法定解除権の両者に適用がある。ただし、任意規定であって、特約でこれと異なる定めをすることができると解される。
　〔3〕　本条1項の趣旨（〔2〕参照）を貫くために設けられた規定である。解除権の消滅は、時効（改正前§167Ⅱ）、相手方の催告（§547）、解除権者の特定の行為（改正前§548）、その他、理由のいかんを問わない。一人が解除権を放棄した場合にも、消滅に準じて、本条の適用がある。

（解除の効果）
第五百四十五条
　1　当事者の一方がその解除権を行使したとき[1]は、各当事者は、その相手方を原状に復させる義務[2]を負う[6]。ただし、第三者の権利を害することはできない[3]。
　2　前項本文の場合において、金銭を返還するときは、その受領の時から利息を付さなければならない[4]。
　3　第一項本文の場合において、金銭以外の物を返還するときは、その受領の時以後に生じた果実をも返還しなければならない[1]。
　4　解除権の行使は、損害賠償の請求を妨げない[5][7]。

〈改正〉　2017年に改正された。3項を4項とし（繰り下げ）、2項の次に3項を加えた。前掲（541条）附則第三十二条を参照。

[改正の趣旨]　〔1〕　改正前545条2項は「金銭」の返還について「利息」を付すことを定めているが、「物」の返還の際の「果実」の扱いについては規定していない。しかし、「原状回復義務」における全部返還という考え方からは、物の使用利益（果実）も返還しなければならないというのが通説である。この点につき、判例は、中古自動車の売買が解除された場合に、解除までの間目的物を使用したことによる利益を売主に返還すべき義務を負うと判示している。解説〔2〕〔1〕〔イ〕〔d〕参照。そこで、新法は、原状回復においては物から生じた果実の返還をする義務がある旨の規定を追加した。なお、使用利益の返還をめぐる問題については、今後も解釈に委ねられたと解されている。

[改正前条文]
　1　同上
　2　同上
　3　上記第4項と同じ。

[原条文]
　　当事者ノ一方カ其解除権ヲ行使シタルトキハ各当事者ハ其相手方ヲ原状ニ復セシムル義務ヲ負フ但第三者ノ権利ヲ害スルコトヲ得ス
　　前項ノ場合ニ於テ返還スヘキ金銭ニハ其受領ノ時ヨリ利息ヲ附スルコトヲ要ス
　　解除権ノ行使ハ損害賠償ノ請求ヲ妨ケス

[改正前条文の解説]
　〔1〕　解除権の発生原因については、540条〔1〕〜〔3〕・改正前541条〜改正前543条参照。解除権の行使については、540条〔5〕・544条参照。
　〔2〕　「原状に復させる義務」とは、契約の締結がなかったと仮定した場合におい

1177

第3編　第2章　契約　第1節　総則

て存在するであろうと想定される財産状態を生じさせる義務である。解除の効果として、このような義務を生じる理由およびその法律関係については、解除の本質いかんに関連して学説が分かれている。考え方としては、大きく二つの方向に分かれるということができる。

(1)　近時の通説および判例は、解除は契約の効力を遡及的に消滅させるという直接的効果を生じ、したがって、各当事者はこのような義務を負担するのであると説く。これを、「直接効果説」と呼ぶのが普通である。この見解によれば、解除に基づく原状回復義務は、その性質において不当利得返還義務の一種であるが、民法は、703条以下の規定に対して本条の特則を設けたものであって、本条に規定がない限り、703条以下の規定が補充的にその適用をみるものとする。判例も、合意解除の事案についてであるが、このことを明言する(大判大正8・9・15民録25輯1633頁)。この見地から解除の効果を細説すれば、つぎのとおりである。

(ア)　当事者がまだ履行しない部分については、これを履行するべき債務を免れる。たとえば、売主が売買の目的物の一部を履行したが、買主が代金を支払わないために契約を解除したとすれば、売主は残部を給付する義務を免れ、買主は代金を支払う義務を免れる。また、相殺に供した代金請求権の発生原因である売買が解除されたときは、その債権はそもそも生じなかったことになるので、相殺は効力を生じない(大判大正9・4・7新聞1696号22頁、最判昭和32・3・8民集11巻513頁)。

(イ)　すでに履行された部分については、これを返還するべき債務を生じる。しかし、この点については、場合を分けて考える必要がある。

(a)　特定物の売買のように、その契約によって所有権移転の効果を生じた場合には、解除によってその所有権も遡及的に売主に復帰して、所有権の移転は全然起こらなかったと同様の効果を生じる(§176[4](カ)参照)。ただし、この点については、本項ただし書の制限がある(後述(3)参照)。

(b)　不特定物の売買契約におけるように、売買契約に基づいてさらに目的物の所有権を移転する契約がされた場合には、はじめの売買契約が解除されても、所有権は当然には復帰しない。したがって、当事者は、それについて改めて所有権を元の所有者に移転する行為をするべきである。

(c)　上のいずれの場合にも、給付された物が原物のままで存在すれば、これを返還するべきことはもちろんであるが、もし、それがすでに消滅している場合には、その価格を返還するべきである。そして、その返還の範囲は、不当利得の規定に従って決するべきことになる(大判大正6・10・27民録23輯1867頁。§703注釈参照)。

(d)　受領していた特定物の使用・収益による利益は、不当利得として返還するべきである(大判昭和11・5・11民集15巻808頁、最判昭和34・9・22民集13巻1451頁、最判昭和51・2・13民集30巻1頁)。

(e)　債務の履行として労務の給付を受けた場合にも、不当利得の規定に従って、その返還義務の範囲を決定するべきことになる。

(f)　解除された契約が商行為であるときは、原状回復義務も商事性を有する(大判大正5・7・18民録22輯1553頁)。

§545 〔3〕

(g) 原状回復義務およびその不履行による損害賠償義務の消滅時効は、契約解除の時から進行する（大判大正7・4・13民録24輯669頁、最判昭和35・11・1民集14巻2781頁）。

(h) 債務の履行として金銭を受領した場合には、その返還義務の範囲につき、本条2項に特則があり、利息（改正前§404参照）を付する必要がある。

(ウ) 解除は、契約の効力を遡及的に消滅させるものであると解するときは、契約の当事者の一方が債務不履行をし、そのために契約を解除された場合でも、解除の結果その債務不履行に基づく損害賠償債務を免れることになるはずである。しかし、民法は、本条3項でこの点につき特別の取扱いをしたものであると解することになる（後述〔5〕参照）。

(2) これと対立する見解は、解除は、その契約を遡及的に消滅させるものではなく、その契約に基づいてすでに発生している状態を前提として、未履行の債務については、解除を根拠とする履行拒絶権が認められ、既履行の債務については、その履行によって生じた状態を契約が存しない場合の状態に戻す義務、すなわち返還義務を発生させるというように、いわば間接的な効果を生じるにすぎないとするものである。これを普通「間接効果説」と呼ぶ。このように解するほうが、損害賠償義務の規定（§545Ⅲ。債務が遡及的に消滅したのに、なぜ損害賠償が認められるか）などをより矛盾なく説明できると考えられる。しかし、他方、この見解によれば、第三者保護規定（§545Ⅰただし書）は必要ないことになる（遡及効を認めたときに、はじめて第三者が害されるという問題を生じる）。

(3) 以上の学説の対立については、判例・実務は、直接効果説にほぼ確定していることを現実論としては尊重する必要があろう。

なお、両説の難点を補う趣旨で、折衷説も主張されており、その契約に基づきすでに行われた給付については返還義務が生じ、未履行のものについては債務が消滅したものと考えるのが妥当であると説かれている。

(4) なお、継続的契約関係については、解除の遡及効は排除されることになる。正確にいえば、告知によって、その継続的契約の効力が将来に向かって消滅すると考えることになる（本款解説②(3)・③(2)(f)参照）。契約に基づいて相手方から取得していた物（たとえば、賃借物）を返還するなどの原状回復義務が、それによって生じることになる。具体的には、それぞれの継続的契約について考察される必要がある。

〔3〕 特定物（たとえば家屋）の売主がその目的物を給付した後にその売買契約を解除するときは、その目的物の所有権は遡及的に復帰するから（〔2〕(1)(イ)(a)参照）、買主は、かつて所有権を取得しなかったことになり、解除以前に買主よりその目的物を転得した第三者も、その所有権を取得できないことになるはずである。しかし、それでは第三者は不測の損失をこうむるおそれがある。そこで、これを制限し、このような場合に、解除はその第三者の権利に影響しないものとしたのである。ただし、その第三者が目的物について登記（または引渡し）を受けていないときは、その所有権の取得は対抗要件を備えないから、これをもって解除権者に対抗できない（大判大正10・5・17民録27輯929頁。立木の売買の例）。解除権を行使した者が第三者より早く登記の返還（ま

1179

第3編　第2章　契約　第1節　総則

たは引渡し)を受ければ、完全に所有権を取得するに至る(§176〔4〕(カ)・§177〔3〕(ア)(d)参照)。

ここにいう第三者とは、解除以前において契約の目的物につき別個の新たな権利関係を取得した者に限る。したがって、たとえば、売買契約によって生じた代金債権の譲受人のように、解除によって消滅するべき権利自体の承継人は、これに包含されない(大判明治42・5・14民録15輯490頁)。

また、土地賃貸借契約の解除において、借地上の建物の抵当権者が第三者でない(最判昭和48・11・29金法708号32頁)のは、当然である。

なお、合意解除にもこのただし書が準用されるかのようにいう判例があるが(最判昭和33・6・14民集12巻1449頁)、第三者は対抗要件を備える必要があるとしており、いわば当然のことをいっていることになる。

〔4〕　解除権が行使された結果としての原状回復義務は、反面からみれば一種の不当利得の返還請求権であるが、本項は、返還するべきものが金銭である場合には、その受領の時から利息を付するべきものとしたのである。金銭を受領した者は、当然にこれを利用したであろうという考え方に立つものである。

〔5〕　解除の効果に関する上述の直接効果説を理論的に貫くときは、債務不履行の損害賠償請求権も消滅するはずである(前述〔2〕(1)(ウ)参照)。民法は、とくにこれを存続させ、解除によって契約関係を清算するとともに、一方に生じた債務不履行による損害だけは、その賠償を請求できるものとして、公平を保とうとしたのである。

(1)　そもそも、解除と損害賠償との関係については立法例は分かれ、ドイツ民法は、解除をするときは、損害賠償の請求はできないものとしていたが、2002年1月1日からの改正で、解除しても損害賠償の請求は可能とし(同法§325)、スイス債務法は、解除によって新たに損害賠償債務を生じ、その範囲は契約の消滅による損害に限るとし(同法§109Ⅱ)、フランス民法は、解除をするとともに、債務不履行による損害賠償を請求できるものとする(同法改正前§1184→§1228)。英米法もまた、契約違反が契約の全価値を破壊する程度に重要なものであれば、契約を解除して損害賠償を請求することを認めている。わが民法は、フランス民法と同一の主義をとっているのである。

(2)　もっとも、本項の意義をこのように解するについては、多少学説の争いが存した。反対説は、解除は契約の効果を遡及的に消滅させるという理論を貫き、本項の損害賠償は解除によって新たに生じるものであり、その結果、損害賠償の範囲は、契約が有効に成立したと信頼したことによってこうむった損害、すなわちいわゆる信頼利益の賠償に限るものと解する。しかし、現在の多数説は、前述のように解する。判例も、やや一貫しないものがあったが、今日では同様に解するものということができる(大判大正7・11・14民録24輯2169頁。最判昭和28・12・18民集7巻1446頁)。

(3)　契約により受領していた特定物の使用・収益による利益は、原状回復義務により返還されるべきであり、損害賠償ではない(〔2〕(1)(イ)(d)参照)。

(4)　契約解除の場合の損害賠償請求権における損害の算定については、解除時を基準とする傾向が強い(改正前§416〔5〕(ア)(b))。

(5)　本項の損害賠償請求権の性質をこのように解すると、約定解除権の行使によって契約が解除される場合には、損害賠償請求権は生じないものといわなければならな

い。民法は、この旨を明文により示している場合もある(改正前§557Ⅱ)。しかし、それは当然のことであって、明文のない場合、たとえば買戻しの場合などにも、買戻権を行使した者は損害賠償請求権を有しないと解するべきである。

〔6〕 継続的契約が告知(解除)されたときは、当事者双方は、契約によって生じていた状態を契約がない状態に戻す義務を互いに負うことになる。これをも原状回復義務ということができる。

ただし、この義務は、一回的契約の解除における債務の遡及的消滅とは異なり、不当利得返還請求権の性質を有するものではない。告知によって生じる新しい義務と考えられる。すなわち、直接効果説的説明は、遡及効を有する一回的契約の解除に妥当するが、継続的契約の告知には妥当しない。

この原状回復義務の内容は、契約の種類によって多様でありうるので、各契約ごとに判断する必要がある。

〔7〕 継続的契約が告知(解除)された場合に認められる損害賠償については、若干の考察を要する。

(1) 告知前、すなわち継続的契約が存続中に、当事者の一方の責めに帰すべき事由により他方が損害賠償請求権を有した場合には、告知があっても、これに影響しないことは当然である。

(2) 告知により生じた原状回復義務について不履行が生じた場合は、一般原則に従い、損害賠償請求権が生じるが、これも当然のことである。

(3) 告知のために継続的契約が終了したことが、当事者の一方の期待に反して、これに損害を生じ、それが相手方の責めに帰すべき事由によるときは、損害賠償が認められると解してよい。

（契約の解除と同時履行）
第五百四十六条
　　第五百三十三条の規定は、前条の場合について準用する[1)2)]。
［原条文］
　　第五百三十三条ノ規定ハ前条ノ場合ニ之ヲ準用ス

〔1〕 契約の解除によって、両当事者が互いに相手方に対して原状回復義務を負い、また、債務不履行のあった当事者が損害賠償義務を負担する場合には、そのすべての債務は、同時履行の関係に立つものとするのである。したがって、一方の当事者が——解除権を行使した者であっても同様である——、自分の債務の履行を提供しないで、相手方の原状回復義務の履行を請求したときは、相手方は、同時履行の抗弁を提出することができる。公平に適するというのが、その立法理由である。

〔2〕 本条は同時履行についてのみ規定するが、危険負担に関しては、削除前534条〔4〕(6)を参照。

第3編　第2章　契約　第1節　総則

（催告による解除権の消滅）
第五百四十七条
　　解除権の行使について期間の定めがないときは、相手方は、解除権を有する者に対し、相当の期間を定めて[2]、その期間内に解除をするかどうかを確答すべき旨の催告をすることができる。この場合において、その期間内に解除の通知を受けないとき[3]は、解除権は、消滅する[1]。
［原条文］
　　解除権ノ行使ニ付キ期間ノ定ナキトキハ相手方ハ解除権ヲ有スル者ニ対シ相当ノ期間ヲ定メ其期間内ニ解除ヲ為スヤ否ヤヲ確答スヘキ旨ヲ催告スルコトヲ得若シ其期間内ニ解除ノ通知ヲ受ケサルトキハ解除権ハ消滅ス

〔1〕　本条は、制限行為能力者の相手方に認められる催告権に関する20条と同趣旨の規定である。約定解除権と法定解除権の両方に関する規定ではあるが、主として、約定解除について適用され、法定解除に適用される例は少ないであろう（解除の原因につき責任をもつ者が、みずから催告することになる）。

〔2〕　なにが「相当の期間」であるかは、社会観念に従って判定するべきである。不相当な期間を定めた場合の効果については、541条に準じて解釈するべきであろう（改正前§541〔2〕参照）。

〔3〕　本条の場合には、定められた期間内に相手方が「解除の通知を受けないとき」、すなわち、解除の通知が相手方に到達しなければ、解除権は消滅するとされている。この点、20条［改注］が「確答を発しないとき」と規定しているのと異なることを注意するべきである。

（解除権者の故意による目的物の損傷等による解除権の消滅）
第五百四十八条
　　解除権を有する者が故意若しくは過失によって契約の目的物を著しく損傷し、若しくは返還することができなくなったとき、又は加工若しくは改造によってこれを他の種類の物に変えたときは、解除権は、消滅する。ただし、解除権を有する者がその解除権を有することを知らなかったときは、この限りでない[1]。
〈改正〉　2017年に改正された。見出し中「行為等」を学説に従い、「故意による目的物の損傷等」に改め、1項中「自己の行為」を「故意」に改め、同項にただし書を加えた。さらに、2項を削除した。前掲（541条）附則第三十二条を参照。
［改正の趣旨］　〔1〕　解除権を有する者が解除権を有することを知らない段階で、目的物につき損傷等を加えた場合にまで解除権を喪失するのでは解除権者にとって酷であり、解除権の存在を知らない段階の行為であるから、解除権を放棄した場合と同視すべきでもない。そこで、新法は、改正前の規範を基本的には維持した上で、1項に上記の「ただし書」を新設し、解除権があることを知らなかった場合には、解除権は消滅しない旨を定めた。結果的に、本条は黙示的な解除権の放棄の規定と考えるほうが分かりやすいといわれている。なお、改正前条文の2項に相当する規定はないが、なくても自明であるとの認識による。
［改正前条文］
（解除権者の行為等による解除権の消滅）

§§547・548・第5款［解説］

1 解除権を有する者[1]が自己の行為若しくは過失[2]によって契約の目的物を著しく損傷し、若しくは返還することができなくなったとき[3]、又は加工若しくは改造によってこれを他の種類の物に変えたときは、解除権は、消滅する[4]。

2 契約の目的物が解除権を有する者の行為又は過失によらないで滅失し、又は損傷したときは、解除権は、消滅しない[5]。

［原条文］

解除権ヲ有スル者カ自己ノ行為又ハ過失ニ因リテ著シク契約ノ目的物ヲ毀損シ若クハ之ヲ返還スルコト能ハサルニ至リタルトキ又ハ加工若クハ改造ニ因リテ之ヲ他ノ種類ノ物ニ変シタルトキハ解除権ハ消滅ス

契約ノ目的物カ解除権ヲ有スル者ノ行為又ハ過失ニ因ラスシテ滅失又ハ毀損シタルトキハ解除権ハ消滅セス

［改正前条文の解説］

〔1〕「解除権を有する者」の行為とは、解除権が現実に発生した後（§541参照）における解除権者の行為というように厳格に解するべきではなく、たとえば、不完全な履行を受領した者がみずから目的物を損傷した後で催告し、解除をしようとする場合にも、本条の適用があると解するべきである。

〔2〕「行為若しくは過失」という文言は、民法のなかで他に例を見ない用例であるが、「故意若しくは過失」と同義であると解されている。

〔3〕 物質的な滅失および法律的な返還不能（たとえば、転売）を含むこと、もちろんである。なお、目的物が不特定物である場合には、通常はなお返還可能と考えられるので、本条の適用はない。

〔4〕 目的物の損傷・返還不能をみずから生じさせた者が契約を解除することは信義則に反するから、解除権そのものを認めないこととしたのである。損傷・返還不能が目的物の小部分について生じたにすぎないときは、解除権は消滅しない（大判明治45・2・9民録18輯83頁）。目的物が可分の場合には、原則として、損傷・返還不能が生じた部分についてだけ解除権が消滅する。

〔5〕 この場合には、解除権者は、なお解除をすることができる。その結果、解除権者は、一方において、滅失の場合には目的物の返還義務を免れ、損傷の場合には損傷した物を返還すればよく、他方において、相手方に対しては自分が給付した金銭や物の返還を請求することができる。

第5款 定型約款

〈改正〉 本款は、2017年に創設された。本款に関する附則（定型約款に関する経過措置）第三十三条1 新法第五百四十八条の二から第五百四十八条の四までの規定は、施行日前に締結された定型取引（新法第五百四十八条の二第一項に規定する定型取引をいう。）に係る契約についても、適用する。ただし、旧法の規定によって生じた効力を妨げない。

2 前項の規定は、同項に規定する契約の当事者の一方（契約又は法律の規定により解除権を現に行使することができる者を除く。）により反対の意思の表示が書面でされた場

1183

第3編　第2章　契約　第1節　総則

合(その内容を記録した電磁的記録によってされた場合を含む。)には、適用しない。

3　前項に規定する反対の意思の表示は、施行日前にしなければならない(以下では各条文での引用省略)。

[本款の趣旨]　民法に約款に関連する規定がないのは、法的不備であるとの指摘がなされてから久しい。消費者契約法は、事業者と消費者との間の契約に適用されるが、事業者間においても、約款に相当する合意等が利用されるから、民法に関連規定を置くべきであるとの意見が出されていた。そこでは、厳密な意味での合意がない場合において、どのような規範を用意すべきかが問題とされた。広く約款について議論がなされたが、新法は、最終的に、本款のような「定型約款」に関して一定の規定を設けた。本款が「約款」ではなく「定型約款」とされたのは、規制対象を定型的な取引に限定したためである。その結果、具体的には、契約書のひな型が使われる事業者間取引(事業者間取引のすべてではない)や就業規則が使われる労働契約は規制対象外となる。そのため、今後は、通常の合意(契約)、従来の約款法理、または以下の定型約款の合意による場合があることになる。

なお、上記附則(33条2項・3項)の反対の意思表示がされて、改正後の民法が適用されないこととなった場合には、施行日(2020年4月1日)後も改正前の民法が適用されることになる。改正前民法には約款に関する規定がなく、確立した解釈もないため、法律関係は不明瞭と言わざるを得ない。万一反対の意思表示をするのであれば、十分に慎重な検討を行ってする必要がある。契約または法律の規定により解除権や解約権等を現に行使することができる者(契約関係から離脱可能な者)は、そもそも反対の意思表示をすることはできないとされているので、注意が必要である。反対の意思表示は、書面やメール等により行う必要がある。書面等では、後日紛争となることを防止するため、明瞭に意思表示を行うよう留意すべきである。

[約款に関する解説]　約款については、第2款「契約の効力」⑤「約款の問題」の解説参照。

(定型約款の合意)
第五百四十八条の二
1　定型取引(ある特定の者が不特定多数の者を相手方として行う取引であって、その内容の全部又は一部が画一的であることがその双方にとって合理的なものをいう。以下同じ。)を行うことの合意(次条において「定型取引合意」という。)をした者は、次に掲げる場合には、定型約款(定型取引において、契約の内容とすることを目的としてその特定の者により準備された条項の総体をいう。以下同じ。)の個別の条項についても合意をしたものとみなす。
　一　定型約款を契約の内容とする旨の合意をしたとき[1]。
　二　定型約款を準備した者(以下「定型約款準備者」という。)があらかじめその定型約款を契約の内容とする旨を相手方に表示していたとき[2]。
2　前項の規定にかかわらず、同項の条項のうち、相手方の権利を制限し、又は相手方の義務を加重する条項であって、その定型取引の態様及びその実情並びに取引上の社会通念に照らして第一条第二項に規定する基本原則に反して相手方の利益を一方的に害すると認められるものについては、合意をしなかったものとみなす[3]。
〈改正〉　2017年に新設された。

§§548の2・548の3

[本条の趣旨] [1] 定型約款の具体例としては、鉄道の旅客運送取引における運送約款、電気供給契約における電気供給約款、普通預金規定、保険約款等が挙げられている。なお、鉄道営業法等の8つの法律については、整備法303条・309条・310条等で「表示していた」が「表示し、又は公表していた」に変更された。また、建物賃貸借契約書については、個人が小規模建物について利用しているひな型は定型約款には該当しないが、大規模な住宅用建物において多数を相手に用いられる同一契約書のひな型はこれに該当しうると解されている。なお、合意は黙示でもよいと解されている。

[2] 「表示」は「公表」とは異なり、利用申込書に約款の利用を表示しておけばよいと解されている。なお、契約のひな型として標準的な内容が予め定められているに過ぎない場合には、本款の規定の適用はないが、これらに基づいて定型取引の当事者が約款を準備した場合には、その適用は排除されない。なお、相手方が異議を述べれば、契約は成立しないと解されている。

[3] 不当条項や、不意打ち条項に対する規制を行っている。1条2項に規定する基本原則（信義則）違反となる場合とは、「消費者の利益を不当に害することとなる」条項を無効とする消費者契約法上の概念と必ずしも一致するものではないが、本項により、企業間取引における約款が場合によっては無効とされる可能性があるとの指摘もなされている。企業間の定型取引において、画一的であることが不合理であり定型約款に該当しないと判断されるような約款も出てくる可能性があり、その場合には、約款ではなく民法の規定に沿って解釈されることもあり得るとの指摘もなされている。内容の不当性については、今後、類型化がなされるべきであるとの主張もある。なお、本項によって約款の一部が契約内容から排除された場合には、残存部分を合理的に解釈して契約内容を確定することになるが、定型取引の合意自体が不成立になる場合もあり得よう。なお、組み入れの判断は、第2款契約の効力5約款の問題」で引用している大判大正4・12・24では、「意思推定理論」に基づいていたが、今後は、本条1項、2項に基づいて検討されることになる。なお、不当条項の規制に関連しては、消費者契約法における不当条項リストにも注意すべきである（8条・8条の2・8条の3・10条）。なお、消費者契約法は、不当条項を無効としているが、本条では、「合意をしなかったものとみなす。」としている。

（定型約款の内容の表示）
第五百四十八条の三

1　定型取引を行い、又は行おうとする定型約款準備者は、定型取引合意の前又は定型取引合意の後相当の期間内に相手方から請求があった場合には、遅滞なく、相当な方法でその定型約款の内容を示さなければならない。ただし、定型約款準備者が既に相手方に対して定型約款を記載した書面を交付し、又はこれを記録した電磁的記録を提供していたときは、この限りでない[1]。

2　定型約款準備者が定型取引合意の前において前項の請求を拒んだときは、前条の規定は、適用しない。ただし、一時的な通信障害が発生した場合その他正当な事由がある場合は、この限りでない[2]。

〈改正〉 2017年に新設された。

[本条の趣旨] [1] 1項では、相手方に対して定型約款の内容を知る権利を保障するために、定款内容の表示義務が規定された。「相当な期間」とは、定型取引の合意の時点に接近した期間を意味しないと解されている。5年程度と解する見解もある。

[2] 2項では、1項の請求を拒んだ場合には、「みなし合意」は原則として排除される旨

1185

第3編　第2章　契約　第2節　贈与

が規定された。定型約款準備者は、表示義務に違反すると、相手方から、強制執行、損害賠償請求さらには定型取引の解除がなされる場合もありうる。なお、この義務は、消費者契約法等の特別法上の情報提供義務とは、その目的を異にしている点には注意が必要である。

（定型約款の変更）
第五百四十八条の四

　　1　定型約款準備者は、次に掲げる場合には、定型約款の変更をすることにより、変更後の定型約款の条項について合意があったものとみなし、個別に相手方と合意をすることなく契約の内容を変更することができる[1]。

　　一　定型約款の変更が、相手方の一般の利益に適合するとき。

　　二　定型約款の変更が、契約をした目的に反せず、かつ、変更の必要性、変更後の内容の相当性、この条の規定により定型約款の変更をすることがある旨の定めの有無及びその内容その他の変更に係る事情に照らして合理的なものであるとき。

　　2　定型約款準備者は、前項の規定による定型約款の変更をするときは、その効力発生時期を定め、かつ、定型約款を変更する旨及び変更後の定型約款の内容並びにその効力発生時期をインターネットの利用その他の適切な方法により周知しなければならない[2]。

　　3　第一項第二号の規定による定型約款の変更は、前項の効力発生時期が到来するまでに同項の規定による周知をしなければ、その効力を生じない[2]。

　　4　第五百四十八条の二第二項の規定は、第一項の規定による定型約款の変更については、適用しない[3]。

〈改正〉　2017 年に新設された。

[本条の趣旨]　[1]　定型約款の変更に関する規定である。本項は、定型約款においては、相手方が多数であるため、個別の同意を得ることは困難であるから、その変更内容の相当性や合理性を前提として、変更を許容することにした。したがって、契約の性質を変容させるような変更はできないと解される。なお、本条の解釈に当たっては、第1編第1章通則第1条[4](ｵ)で引用した最判平成9・7・1等が参照されるべきであるが、「相当性に基づく合理性」の評価に際しては、既存の契約当事者を当初の契約内容に拘束することが不当であることが判断基準とされるべきであると解されている。

　　[2]　2項および3項では、周知義務を定めている。

　　[3]　新548 条の2第2項の内容よりも、本条の要件の方が厳格だからである、と解されている。

§548の4・第2節［解説］・§549 〔1〕

第2節　贈　　与

〈改正〉　本節は、2017年に改正された。具体的には、贈与に関する549条、書面によらない贈与の解除に関する550条、贈与者の引渡義務等に関する551条が改正された。附則（贈与等に関する経過措置）第三十四条　施行日前に贈与、売買、消費貸借（旧法第五百八十九条に規定する消費貸借の予約を含む。）、使用貸借、賃貸借、雇用、請負、委任、寄託又は組合の各契約が締結された場合におけるこれらの契約及びこれらの契約に付随する買戻しその他の特約については、なお従前の例による（以下本節各条文での引用省略）。

1　本節の内容

本節は、無償契約の典型である贈与（ぞうよ）について規定する。すなわち、その定義（§549）、方式（§550）、贈与者の担保責任（§551）、および特殊の贈与（§§552~554）から成る。

2　贈与の問題点

このように、民法の贈与に関する規定は、比較的簡単である。他の立法例においては、公正証書に相当する形式を有効要件としたり（ドイツ民法§518、スイス債務法§243、フランス民法§931など）、受贈者の背恩的行為（Undank）に基づく取消権（ドイツ民法§530、スイス債務法§249など参照）に関する規定、贈与者の財産状態の悪化に基づく履行拒絶権（ドイツ民法§519、スイス債務法§250など参照）に関する規定などがおかれている場合が多いが、わが民法はこの種の規定を欠いている。しかし、実際上は、書面によらない贈与の取消し（改正前§550(2)参照）についてしばしば問題が起こるだけで、その他については、あまり不都合を生じていないもののようである。

（贈与）
第五百四十九条
　　贈与は、当事者の一方がある財産[1]を無償で相手方に与える意思を表示し、相手方が受諾をすることによって、その効力を生ずる。

〈改正〉　2017年に改正された。「自己の」を「ある」に改めた。
[改正の趣旨]　〔1〕　新法では、「自己の」を削除することにより、他人の権利を目的とする贈与契約の有効性を明確にした。
[改正前条文]
　　贈与は、当事者の一方が自己の財産[1)]を無償で[2)]相手方に与える意思を表示し、相手方が受諾をすることによって、その効力を生ずる[3)4)]。
[原条文]
　　贈与ハ当事者ノ一方カ自己ノ財産ヲ無償ニテ相手方ニ与フル意思ヲ表示シ相手方カ受諾ヲ為スニ因リテ其効力ヲ生ス

〔1〕　「自己の財産」は、動産・不動産・債権などなんでもよいが、自分が現に所有しない特定の財産を贈与する契約の効力はどうであろうか。判例は、古くこのよう

1187

第3編　第2章　契約　第2節　贈与

な贈与契約は「他人の財産を取得して移転する旨の条件」を付したときにだけ有効で
あるとした（大判明治38・12・14民録11輯1742頁）。しかし、贈与契約は、これによっ
て贈与者が相手方に対して目的物を移転する債務を負担すれば足りるものであって、
この契約と同時に目的物の所有権が移転することを必要とするものではない（後述〔3〕
参照）。したがって、第三者の所有に属する特定物を贈与する契約においても、贈与
者は、原則として、その目的物を取得してこれを相手方に移転する債務を負担するも
のと解するべきである（最判昭和44・1・31判時552号50頁）。ただ、贈与者が自分の所
有しない特定物につき贈与契約をした場合には、これを自分の所有に属するものと誤
信していることが多いであろう。その場合には、錯誤によって契約が無効となる（改
正前§95）。しかし、それは別問題であって、一般に、他人の所有に属する物の贈与も
有効と考えてよく、とくに条件を付した場合にだけ有効であるとするべきではあるま
い。

〔2〕「無償」であるかどうかは、当事者の主観による。当事者が実質的に無償で
あると考えるときは、贈与を受ける者が多少の出捐を贈与者に対して行う場合にはも
ちろん、その出捐が客観的には対価としての実質がある場合でも、なお贈与の一種で
ある（改正前§§551〔3〕・553参照）。

〔3〕　贈与は、いわゆる諾成契約であり、特定の方式または目的物の引渡しを要し
ないで成立する（ただし、〔4〕参照）。もっとも、贈与者が現に所有する特定の動産を贈
与する場合などには、その目的物の所有権は、原則として、贈与契約によって当然に
移転するものと解するのが通説である（§176〔4〕参照）。したがって、このような場合
には、贈与者は目的物の占有を移転する義務だけを負担することになる。しかし、贈
与契約と同時に贈与者がその目的物を受贈者に交付する場合には、贈与契約と同時に
すべての関係が終了し、その契約の後に履行をするべき債務を残さないことになる。
そこで、このような贈与（「現実贈与」という）は、債権的契約と考えられている民法の
贈与とは異なるのではないかという疑問を生じる。しかし、一般の学者は、この種の
贈与においても、債務の成立とその履行が同時に行われるのであり、これも贈与契約
の一種として、本節の規定、とくに担保責任の規定の適用があると解している。

〔4〕　贈与の意思は、書面で表示されない場合には、その効力は弱い（§550〔改注〕
参照）。のみならず、書面で表示された場合にも、その意思表示が軽率にされたもの
であって、法律の理想からみてこれに法律的拘束を与えることが不当であると考えら
れる場合には、なお、契約として完全な効力をもつことはできない。判例は、カフェ
ーで知り合って間もない女性に「一時ノ興ニ乗シ女ノ歓心ヲ買ハンカ為メ相当多額ナ
金員ノ供与ヲ諾約スルコトアルモ」、これでその女性に裁判上の請求権を付与する趣
旨に出たものと速断することはできず、このような場合には、「贈与意思ノ基本事情
ニ付更ニ首肯スルニ足ルヘキ格段ノ事情ヲ審査判示スル」ことが必要であるとする
（大判昭和10・4・25新聞3835号5頁〔カフェー丸玉事件〕）。これは、「自然債務」の存在
を認めたものとしても注目される判決である（本編第1章第2節解説③参照）。

1188

§§549〔2〕〜〔4〕・550〔1〕

（書面によらない贈与の解除）

第五百五十条

　　書面によらない贈与は、各当事者が解除[1]をすることができる。ただし、履行の終わった部分については、この限りでない。

〈改正〉　2017年に改正された。見出し中「撤回」を「解除」に改め、「撤回する」を「解除をする」に改めた。

[改正の趣旨]　〔1〕　契約成立前に、申込みの「撤回」という用語を使うのは正しいが、本条の贈与の「解除」は、契約成立後になる。そこで、新法は「撤回」を「解除」に改めた。

[改正前条文]

（書面によらない贈与の撤回）

　　書面によらない贈与[1]は、各当事者が撤回することができる[2]。ただし、履行の終わった部分については、この限りでない[3)4]。

[原条文]

書面ニ依ラサル贈与ハ各当事者之ヲ取消スコトヲ得但履行ノ終ハリタル部分ニ付テハ此限ニ在ラス

〔1〕　本条の立法理由は、贈与者が軽率に契約をすることをいましめ、かつ、証拠が不明瞭となり、紛争が生じることを避けようとすることにある（(3)参照）。

(1)　したがって、贈与が書面によったというのは、「贈与契約証書」が存在することを必要とする意味ではなく、贈与者の財産を移転するという意思が書面によって表示されていれば足りると解されている。たとえば、贈与の目的物と贈与の意思が書面に表示されていれば、受贈者がだれであるか、およびその承諾の意思が他の証拠で認められる限り、同じ書面に表示されていなくてもよい（大判昭和2・10・31民集6巻581頁）。また、贈与契約の当時に書面を作らなくとも、後日にこれを作成すれば、その時から取消すことができなくなる（大判大正5・9・22民録22輯1732頁）。のみならず、不動産の登録税（現在の登録免許税。登録免許税法§2、別表第一—(二)、および相続税法§§21〜参照）を安くするために贈与を売買に仮託（かたく）して売買証書を作成したような場合にも、「書面による」ものとされる（大判大正15・4・7民集5巻251頁）。

　その他、書面によるとされたものに、つぎのような例がある。方式に欠陥があって遺言書としては無効とされても、贈与の書面と認められた場合（最判昭和32・5・21民集11巻732頁）、県知事に対する農地所有権移転許可申請書に贈与の旨が表示されている場合（最判昭和37・4・26民集16巻1002頁）、AとBとの間の調停事件にCが利害関係人として参加した調停が成立し、その調停調書にBからCへの土地の贈与が記載された場合（最判昭和53・11・30民集32巻1601頁）、Aから土地を取得したBがこれをCに贈与し、Aに対して直接Cに登記を移転するよう求めた内容証明郵便を出した場合（最判昭和60・11・29民集39巻1719頁）、などである。

(2)　上と異なり、単に目的物を指示した書面があっても、これを贈与する旨の表示がなければ、書面による贈与とはいえない（大判大正7・11・18民録24輯2216頁）。また、贈与の意思自体が書面に表示されることを要し、贈与があったことを証する書面があるだけでは足りない。たとえば、村会（現在の村議会）で、ある個人に贈与することを

1189

第3編　第2章　契約　第2節　贈与

決議したことが議事録によって証明できても、それだけでは、書面による贈与とはならず、その贈与契約を本条によって取消すことの妨げとはならない(大判昭和13・12・8民集17巻2299頁)。

(3)　なお、直接本条に関するものではないが、受贈者が贈与者の相続人に対して所有権確認と相続人名義の保存登記の抹消を求めて勝訴した場合、その判決の既判力の効果として、本条による取消権を行使することはできないとした例がある(最判昭和36・12・12民集15巻2778頁)。

〔2〕　原条文では、この部分は「之ヲ取消スコトヲ得」となっていた。2004年改正は、これを「撤回することができる」と直したが、この贈与者の権利を撤回権と理解するか、取消権と理解するかについては、そもそも贈与についてどう考えるかに絡んで、容易でない問題が存する。そもそも、撤回はある意思表示についての概念であって、2個以上の意思表示の合致により成立する契約について用いられる概念ではない。贈与は契約であるから、これを一方的に撤回できるとすることには、やはり疑問があろう。ここでは、一種の取消権と解するのが妥当であると考えるので、その理解に基づいて、本書では「取消し」の用語を用いて解説を行うことにする。改正に注意。

これを取消権と解しても、それが制限行為能力や意思表示の瑕疵を理由とする「取消し」と、その性格を異にすることは明らかである。しかし、その効果(前掲大判大正7・11・18参照)、その方法(大判大正14・3・3民集4巻90頁)については、それぞれ後者に関する121条〔改注〕・123条を準用するべきである(改正前§120〔1〕参照)。ただし、126条は準用するべきでなく、履行が終わらない限り、何年後においても取消すことができると解されている(大判大正8・6・3民録25輯955頁)。

なお、本条の取消(解除)権は、主として贈与者に与えられる趣旨のものであるが、このような贈与は、受贈者において取消したいと考えるならば、これを拒否する理由はないので、本条は「各当事者」に取消権を認めたのである。

なお、当事者が死亡した場合には、取消権は、一般承継人である相続人に移転する。しかし、書面によらないで贈与された目的物の贈与者からの譲受人は、本条の取消権を行使できないものと解される。けだし、贈与するかどうかは、贈与者(一般承継人を含めて)の意思によるべきだからである。

〔3〕　本条の立法理由は、「口頭又ハ暗黙ノ如キ極メテ簡易ナル方法ニ依リ意思表示ヲ為ストキハ、或ハ軽率ニ之ヲ為シテ後日悔ユルコトナキヲ保スヘカラサルノミナラス、贈与者ノ真意明確ナラサル為メ後日ノ紛争ヲ惹起スルコトアルヲ免レ」ないからである(前掲大判大正7・11・18参照)。この趣旨からすれば、このただし書は当然の規定であろう。

「履行の終った」ということは、各場合について決定するべき事項である。

(a)　動産はもちろん、不動産も目的物を引渡すときは履行を終わったものとされる(大判大正9・6・17民録26輯911頁)。

(b)　不動産は、たとえ引渡しがなくとも、移転登記があれば履行を終わったものとするのが正当である。判例は、かつて、まだ履行を終わらないと解して、これを否定したが(前掲大判大正7・11・18)、その後、不動産の贈与者が移転登記のために

§§ 550〔2〕〜〔4〕・551

必要な登記済証(いわゆる権利証)を交付することは不動産の占有を移転する通常の方法であるから、その交付があるときは、引渡しがあったものと推定するべきであると判示し(大判昭和 6・5・7 新聞 3272 号 13 頁)、途中で引渡しを必要とした例もあったが(最判昭和 31・1・27 民集 10 巻 1 頁)、その後、移転登記が経由されたときは、引渡しの有無を問わず、履行を終わったものとすると明言するに至った(最判昭和 40・3・26 民集 19 巻 526 頁)。

(c)　その他、入院中の男性が内縁の妻に居住していた家屋を贈与し、家屋買受けの時の書類と実印を妻に交付したことで簡易な引渡しがあり、占有移転により履行の終了があったとした例(最判昭和 39・5・26 民集 18 巻 667 頁)、贈与者(所有者)の承諾なく目的不動産を占有し、登記名義を有する者に対して、受贈者が起こした移転登記請求訴訟に贈与者が協力したなどの事情に基づき履行の終了を認めた例(最判昭和 56・10・8 判時 1029 号 72 頁)などがある。

(d)　ただし、農地の贈与については、農地の引渡しがあっても、農地法 3 条 1 項による知事の許可があるまでは取消しができるとされた(最判昭和 41・10・7 民集 20 巻 1597 頁)。

〔4〕　本節解説に述べたように、ドイツ、スイスなどでは贈与は要式行為とされるが、その場合でも、ドイツ民法(§518 Ⅱ)、スイス債務法(§243 Ⅲ)などのように、このただし書と類似の規定がある。英米法でも、贈与は捺印証書によるか、信託宣言をするか、あるいは、現実贈与(契約と同時に目的物を受贈者に引渡す場合をいう)でなければ、後から取消すことができるとされている。

(贈与者の引渡義務等)
第五百五十一条
　1　贈与者は、贈与の目的である物又は権利を、贈与の目的として特定した時の状態で引き渡し、又は移転することを約したものと推定する[1]。
　2　負担付贈与[3]については、贈与者は、その負担の限度において、売主と同じく担保の責任を負う[4]。

〈改正〉　2017 年に改正された。見出しを改め、1 項を上記のように改めた。

[改正の趣旨]　[1]　改正前 1 項は原則として、贈与者は瑕疵担保責任を負わないことを定めているが、贈与者が瑕疵あるものであることを知りながら、その旨を受贈者に告げただけで担保責任を免れるとする規範については、その合理性に疑問があるとされていた。解説〔2〕参照。また、瑕疵ある目的物であってもそれを引き渡せば責任を負わないとするのは「特定物ドグマ」の考え方であり、贈与者が追完義務等を常に負うとする規範も妥当ではないので、審議の過程では最後まで条文案が変遷したようである。結局、1 項においては、上記のような「推定」規定を新設した。それにより反証がない限りは、特定物については贈与契約時に、種類物については特定がなされた時に、その「状態」で引き渡せばよいとの合意があるものと推定される。不特定物贈与においては、目的物が特定した時の状態で引き渡せばよい。なお、負担付贈与についての改正前 2 項の規定は、維持された。

[改正前条文]
(贈与者の担保責任)
　1　贈与者は、贈与の目的である物又は権利の瑕疵又は不存在について、その責任を負わ

1191

第3編　第2章　契約　第2節　贈与

ない[1]。ただし、贈与者がその瑕疵又は不存在を知りながら受贈者に告げなかったとき
は、この限りでない[2]。

2　同上

[原条文]

贈与者ハ贈与ノ目的タル物又ハ権利ノ瑕疵又ハ欠缺ニ付キ其責ニ任セス但贈与者カ其瑕
疵又ハ欠缺ヲ知リテ之ヲ受贈者ニ告ケサリシトキハ此限ニ在ラス

負担附贈与ニ付テハ贈与者ハ其負担ノ限度ニ於テ売主ト同シク担保ノ責ニ任ス

[改正前条文の解説]

〔1〕　売主は、重い担保責任を負うのに対して(§§561～572〔改注〕)、贈与者は、原
則として、担保責任を負わない。これは、贈与の無償性に基づくものである。けだし、
特定の物を贈与する者は、その物を現状のままで交付する意思を有するのが普通であ
り、たとえその物に瑕疵があっても(たとえば、特定の時計を贈与した場合に、それが故障
で動かない)、担保責任(修繕してやる義務)を負わせないのが公平だからである。権利に
不存在などの欠陥があった場合も、同様である。

〔2〕　このような場合には、贈与者は責任を負うのである。その責任の内容につい
ては、民法に規定がなく、判例にも参考にするべきものはない。しかし、学者は、一
般に受贈者が瑕疵のないものと誤信したためにこうむった損害の賠償に限り、瑕疵が
なければ得たであろう利益の全部を賠償する責任はない、と解している。けだし、贈
与者は受贈者に対して、瑕疵がある物を贈与したことによってとくに損害をこうむ
らせない責任があるとすれば、それで十分であって、瑕疵のない物を贈与したと同一の
利益を与える責任があるとする必要はないからである。そして、こう考えると、受贈
者が瑕疵を知っているときは贈与者は担保責任を負わないと解するべきことになる。

なお、本項の責任についても、改正前566条3項(1年の除斥期間)を類推適用するべ
きであろう。

〔3〕　「負担付贈与」(§553)とは、受贈者をして一定の給付をするべき債務を負担
させる贈与契約である。たとえば、貸家を贈与して収入家賃の3割を贈与者の妻に贈
与するという債務を受贈者に負担させる契約のようなものである。田地を贈与し、受
贈者をして僅少の金銭を贈与者に交付させる場合にも、当事者が廉価の売買をしたの
ではなく、贈与に多少の負担を伴うものと考えているときは、なお、負担付贈与であ
る(大判大正8・10・28民録25輯1921頁、改正前§549(2)参照)。負担付贈与もまた贈与で
あるから、その成立については、550条〔改注〕の適用があることは、もちろんである。
民法は、負担付贈与につき、本項のほかに553条の規定を設けている。

〔4〕　負担付贈与においても、その負担の限度においては両当事者の給付は対価関
係に立つものだからである。〔3〕に掲げた二つの例のうち、受贈者が一定の金額を交
付するべき贈与においては、贈与者は、目的物につきその金額に相当するまでの責任
を負うことになる。しかし、田地の収穫の1割を交付するべき負担の例を考えると、
土地に瑕疵があって収穫が予想より減少する場合には、その減少した収穫の1割を交
付すればよいのであるから、贈与者が格別担保責任を負うことはないであろう。

§§551〔1〕~〔4〕・552・553〔1〕~〔4〕

（定期贈与）
第五百五十二条
　　定期の給付を目的とする贈与[1]は、贈与者又は受贈者の死亡[3]によって、その効力を失う[2]。
　　［原条文］
　　定期ノ給付ヲ目的トスル贈与ハ贈与者又ハ受贈者ノ死亡ニ因リテ其効力ヲ失フ

〔1〕　たとえば、毎月末 10 万円ずつ、または毎年末リンゴ 30 キログラムを無償で与えるという契約などである。この給付が当事者の一方の死亡まで継続する約束であれば、無償の終身定期金契約であり、689 条以下の適用がある。
〔2〕　定期の給付を目的とする贈与が、終期の定めのない無期限贈与であっても、終期の定め（たとえば 10 年間）がある期間付贈与であっても、反対の意思表示がない限り、贈与者または受贈者が（たとえば 3 年目に）死亡すれば、その効力を失うのである（大判大正 6・11・5 民録 23 輯 1737 頁）。なお、当初から当事者の一方が死亡するまで定期に給付する契約であれば（終身定期金）、本条をまつまでもなく、その契約の趣旨によって贈与は失効するのである。
〔3〕　ここに死亡とは、失踪宣告（§§30~参照）を含む。

（負担付贈与）
第五百五十三条
　　負担付贈与[1]については、この節に定めるもの[2]のほか、その性質に反しない限り[3]、双務契約に関する規定[4]を準用する。
　　［原条文］
　　負担附贈与ニ付テハ本節ノ規定ノ外双務契約ニ関スル規定ヲ適用ス

〔1〕　改正前 551 条〔3〕参照。
〔2〕　とくに、551 条 2 項参照。
〔3〕　この 2004 年改正が追加した「その性質に反しない限り」は不要と思われる。負担と贈与の間に対価的関係が認められる限りにおいて（改正前§551〔4〕参照）、双務契約の規定が適用されるのは当然のことだからである。
〔4〕　双務契約に関する規定として、負担付贈与に準用される主要なものは、同時履行の抗弁権に関する 533 条［改注］、および危険負担に関する削除・改正前 534 条~536 条である（第 1 節第 2 款解説③参照）。しかし、これらの規定を準用するに当たっては、負担の性質に応じて具体的に検討することを要する。
　　たとえば、貸家を贈与して受贈者に毎年その収入の 3 割を贈与者の妻に交付させるという負担付の贈与についていえば、負担の履行は、明らかに貸家の移転を受けた後にこれをするべきであるから、贈与者は、同時履行の抗弁権を有しない。これは、贈与の債務の方が先履行だからである。また、この贈与は特定物に関する所有権移転を目的とするものであるから、目的物が履行前に贈与者の責めに帰することのできない

1193

第3編　第2章　契約　第3節　売買

事由によって滅失すれば（たとえば公用徴収を受けたとき）、危険負担の一般原則からいえば、受贈者は反対給付をするべき債務を免れないわけである（削除前§534 I）。しかし、このような負担付贈与において、受贈者の負担は目的物の給付を受けないでは履行できないものであるから、目的物の給付が不能になった以上は、受贈者もまた債務を免れると解さなければならない。

以上の例は、負担が贈与の履行後に行われ、あるいは贈与の履行を前提として行われるのが通常であることを示している。しかし、負担が先履行である場合（たとえば、ある人を1年間介護したら家屋を贈与する）、あるいは、同時履行である場合（たとえば、贈与者が気に入っている品を受贈者が贈与者に贈るのと引換えに家屋を贈与する）もありうるのであって、このような事情に応じて双務契約に関する規定を適用することを準用という（なお、「準用」の意義については、本章第3節解説①・§§319・559参照）。

負担によっては、その不履行を理由として、贈与者が贈与契約を解除することもありえよう（§§541・542［改注］参照）。最判昭和53・2・17判タ360号143頁が参考になる。

なお、負担付死因贈与については、特別の定めがある（§§554・1002・1003参照）。

（死因贈与）
第五百五十四条
　　贈与者の死亡によって効力を生ずる贈与[1]については、その性質に反しない限り[2]、遺贈に関する規定を準用する[3]。
［原条文］
　　贈与者ノ死亡ニ因リテ効力ヲ生スヘキ贈与ハ遺贈ニ関スル規定ニ従フ

〔1〕　たとえば、Aが「自分が死んだら、特定の家屋を贈与する」という契約をBと締結したような場合である。これは、一種の停止条件付契約であって、「死因贈与」という。「自分が死んだら、特定の農地をBに与える」という遺言（単独行為）によって財産を与える場合（「遺贈」）と異なる。

〔2〕　553条〔3〕参照。準用は、〔3〕に述べるような形で行われるのであって、それは当然のことである。

〔3〕　本条は、広く「遺贈に関する規定を準用する」と規定しているが、遺贈は、遺言によってなされるのに反し、死因贈与は、当事者間の契約によって成立する（遺言におけるような方式は必要ない。最判昭和32・5・21民集11巻732頁）。

(1)　したがって、遺贈が単独行為であることに由来する規定は準用されないと解されている。すなわち、遺贈の能力（§§961・962）、方式（§967）などに関する規定は、死因贈与には準用されない。たとえば、満15歳以上の未成年は、遺贈をする能力はあるが、死因贈与をするには原則として法定代理人の同意を必要とする（§5 I）。また、死因贈与には、遺贈に関する厳格な方式は必要ではなく、ただ書面によらないと当事者が取消すことができる（改正前§550）にすぎない。

(2)　これに反して、遺贈の効力（§§991～）に関する規定は、原則として準用される。

§554

たとえば、死因受贈者は、その履行を請求できる時から果実を取得し(§992)、また、贈与者の相続人は、目的物について支払った費用の償還を請求することができる(§993)などである。ただし、判例は、贈与者 A の死亡前に受贈者 B が死亡した事案において、B の相続人 C からの死因贈与履行の請求権を認め、994 条(旧法§1096)を死因贈与に準用することを否定している(大判昭和 8・2・25 彙報 44 巻㊤民 529 頁)。

(3) 遺言の取消し(2004 年改正により、「撤回」と改められた)に関する 1022 条が準用されるかは、一つの問題である。一方で、準用を認め、死因贈与の取消しを認めた判決があるが(最判昭和 47・5・25 民集 26 巻 805 頁。もちろん、遺言の方式に関しては準用されない。夫婦間の死因贈与の事例で、§754 による取消しは認められなくても、§1022 の準用による取消しは認められるとした)、これを否定する傾向の方が有力であろうか(最判昭和 57・4・30 民集 36 巻 763 頁は、受贈者が負担を履行している事例で、取消しがやむをえないと認められる事情がなければ、§§1022・1023 は準用されないとした。最判昭和 58・1・24 民集 37 巻 21 頁は、農地の占有耕作者と争った者が、訴訟上の和解で自分の所有権の確認を得るとともに、一定の条件のもとに相手方への死因贈与を約束した事例で、§1022 の準用を否定した)。1022 条・1023 条は、遺言に特有な規定とみる方が妥当であろう。

第3編　第2章　契約　第3節　売買

第3節　売　　買

〈改正〉　本節は、2017年に改正された。手付に関する判例理論が明文化され(557条1項ただし書)、売主の対抗要件具備義務(新560条)、危険の移転時期(567条)、買主の代金支払義務(新567条・577条)が新設され、買戻しの特約に関する規定も改正された(579条・581条)。なお、理論的には、「売主の担保責任に関する発想の転換」がなされた点が重要である。従来は、売買の目的物が契約の内容に適合しない場合において、特に特定物であるときは「瑕疵」概念が用いられ、「売主の瑕疵担保責任」と呼ばれていた。しかし、新法下においては、特定物か不特定物かを問わず、売主は売買契約の内容に適合した物を引き渡す義務があるとされた(契約責任説)。つまり、「瑕疵」概念に代わって「契約内容不適合」概念が用いられることになる。前掲(549条)附則(贈与、売買等に関する経過措置)第三十四条1参照(以下本節の各条文では引用省略)。

① 本節の内容

本節は、「売買」と題し、三つの款から成っている。第1款「総則」は、主として売買の成立に関する規定である。わが国の慣行に基づくものが若干含まれている。第2款は、「売買の効力」に関して規定する。第3款「買戻し」は、売主が一定の期間内に代金を返還して目的である不動産を取戻すことができるという、わが国に特有な制度である。

なお、民法は、売買と題する本節において、有償契約一般に通じる原則をやや詳細に規定し、これを他の有償契約に準用することとしている点に注意するべきである(§559参照)。

② 売買に関連する契約類型

売買は、資本主義経済において基本的に重要な意味を有する商品流通に関する契約であるので、その重要性はいうをまたない。したがってまた、それが実際にはきわめて多様な形態をとって展開されていることも当然のことである。その全容を描くことはとてもできないが、以下には、売買に関連する契約類型の若干に触れておくこととする。このうち、(4)以下は、消費者問題に関するものである。

(1)　製造物供給契約

AがBのために自己の所有する材料を用いて、Bが希望する物を製造し、完成後Bに引渡すという契約類型を製造物供給契約と呼ぶ。一般に、売買契約と請負契約の両要素が含まれており、混合契約の代表例とされる。本書では、請負契約において取りあげることとする(第9節解説参照)。

(2)　継続的供給契約

経済の発展に伴い、売買が当事者の間で単発的に行われるだけでなく、同一の当事者の間で繰り返し継続的に行われる例が増加してきていることが指摘できよう。

この場合、個々の売買契約はもちろん一回的契約であるが、それが継起して行われると、全体としては、同時に継続的な契約関係という性格を濃厚に帯びることになる。

1196

いわゆる回帰的契約というとらえ方も可能であろうが（第2章解説④(5)参照）、また、このような場合には、両当事者の間で、まず、全般的な契約条件を定める総括的な契約が締結され、そのうえで、それに従いながら、個別的な契約が結ばれるという、総括契約・個別契約の関係が認められることも多いと考えられる。ときには、異種の複数の契約関係が相互に関連をもたされながら締結されるという、複合契約・各個契約の関係が認められることもありうる。したがって、それらの角度からの考察も必要である（同上(6)(7)参照）。

この種の契約関係については、商慣習や信義則を十分考慮して、検討を加える必要がある。

(3) 不動産売買契約

不動産（土地・建物）の売買において、特別の規制がなされ、注意するべき例が存在する。その主なものとしては、つぎのものがある。

(a) 農地の売買契約

農地法3条等によって、農地の売買その他の取引に都道府県知事等の許可が必要とされている。許可を受けないでした行為は効力を生じない（同法§§3Ⅶ・5Ⅲ）。

(b) 国土利用計画法上の一定の地域内の土地の売買契約

国土利用計画法（昭和49年法律92号）に定められた規制区域（同法§12）内の土地の売買には、都道府県知事の許可が必要であり、許可を受けないで締結した契約は効力を生じない（同法§14）。また、一定の区域内の一定の条件にある土地について、都道府県知事に対する届け出義務が定められている（同法§23）。届け出義務の怠りには罰則があり（同法§47）、土地の利用目的に対する勧告（同法§24）がなされるなど、かなりの実効性が認められる。

(c) 宅地建物取引業者による宅地・建物売買契約

宅地建物取引業者がみずから売主となって締結する土地・建物の売買契約については、宅地建物取引業法（昭和27年法律176号）が適用され、書面の交付義務、クーリング・オフの権利、損害賠償額の予定の制限、手付の額の制限などが規定されている（同法§§37〜）。

(4) 割賦販売

(ア) 割賦販売一般

割賦販売とは、一般的には、売買において、買主が代金を分割して支払い（これを、分割代金、賦払金、割賦金などと呼ぶ）、売主がこれを受領する条件で行われるものをいう。その限りでは、これを、代金支払形態が分割払であるという特色をもつ売買の一種というとらえ方ですませることもできる。たとえば、つぎのようにいうことができる。

(a) 当事者に限定はない。事業者同士でもよいし、個人同士でもよく、民事契約である場合も、商事契約である場合もある。

(b) 代金は、分割払である。これは一回払と対比される。分割の仕方は、いろいろありうる。1年ごとに支払われる場合を年賦といい、1月ごとに支払われる場合を月賦という。その他、一定の時（たとえば、ボーナス時）には、とくに多くの金額を

第3編　第2章　契約　第3節　売買

支払うというような例もみられる。

　分割払は、各回の分割代金支払債務について、期限の利益(§136)が認められていることを意味する。期限の利益は放棄できる(§136Ⅱ)ことや、一定の場合に期限の利益の喪失を生じることなどは、一般の場合と同様である。

　分割払の代金には、通常、実質的な意味における利息が生じるが、その作用は複雑であり((イ)(e)参照)、民法の利息に関する規定(たとえば、§575)により律するのは適当ではない。実際にも、手数料・費用などの名義が付されることが普通である。また、たとえば、100万円の商品につき、11万円を10か月支払うというような方法も用いられる(これは、アド・オンと呼ばれる方法である。改正前§404〔1〕(2)(b)参照)。

　分割払の代金は、定期金債権ではないから、消滅時効に関しては、168条[改注]・169条[改注]は適用されず、むしろ、短期消滅時効(削除前§173①)の問題になる。

　(c)　目的物は、不動産・動産、生産財、消費財その他どのような財産権でもよい。いわゆる役務でもよい。役務の場合は、本来は雇用・請負・委任などの対価が分割払ということになろうが、近時の取引では、役務をいわば商品とみて、これを販売する取引としてとらえる傾向が有力になっている。

　(d)　代金支払と目的物の引渡しとの関係については、前渡し型・中間渡し型・後渡し型などがありうるが、通常問題になるのは、前渡し型である。

　目的物の所有権は、原則としては、契約の時に移転することになるが、引渡しの時に移転すると考えた方が適切である場合も多い。代金の完済まで、売主に所有権を留保する場合も多いが、これは、代金債権担保の意義を有するものと考えるのが妥当である(第2編第10章後注⑨参照。また、割賦§7、宅建業§43参照)。

　(イ)　特別法による割賦販売(最近の法律改正に注意、とくに(ii)について)

　割賦販売については、以上のような民法による解決に委ねることが適切ではない場合が多発するようになっている。

　その原因は、つぎの2点にあるといってよい。

　(i)第1は、分割払による支払の容易化である。買主は、現在は購入資金の準備がなくとも、目的物を入手することができる(前渡し型の場合)。このことは、買主が安易に購入を決めることになるという弊害、売主としては販売が容易になるというメリットにつながる。

　(ii)第2は、これが経済学でいう商業信用の授与という意味をもつことである。すなわち、商品代金の繰延払(くりのべ)と同じ意味をもち、実質的には、代金相当の金銭を貸し借りするのと同じことなのである。売主は、手数料という名義において、実質的には利息を収取し、買主は、これを負担する(もちろん、無利息の場合もありうる)。

　以上のような要因によって、割賦販売は、消費者問題を引き起こすことになる。すなわち、消費者が軽率に購入意思を決定したり、あるいは、過重に代金債務を負担したりするという問題を生じる。そこで、割賦販売法(昭和36年法律159号)は、元来はいわゆる業法(事業規制法)として制定されたものであるが、その後の、1968年(昭和43年)をはじめとする数次の改正によって、消費者を保護する観点からの改正が盛りこ

第3節 [解説] ②

まれるに至ったのである（割賦販売以外の「ローン提携販売」、「割賦購入あっせん」、「前払式
特定取引」などの取引についての規定もある。第5節解説④(2)参照）。その民法に直接関係す
る規定の大要は、つぎのとおりである。

(a) 適用範囲（割賦§§2・8）

同法が適用されるのは、割賦販売一般ではなく、同法により厳格に限定された取
引である。当事者の限定などによる適用除外、代金が2月以上にわたり、かつ、3
回以上に分割して受領するということを基本とする支払の方法、目的物の種類（政
令で指定された「指定商品」に限られる。いわゆる消費財が指定されており、不動産は含まれ
ていない。不動産の割賦販売については、宅地建物取引業法〔昭和27年法律176号〕のなか
に1971年の改正により関連する規制が定められている）などが規定されている。

(b) 購入者の無条件撤回権・解除権（割賦§旧4の4、§35の3の10、同3の11）

契約の申込みをしたとき、あるいは、契約が成立したときも、割賦販売業者が撤
回権・解除権の存在を告知した日から数えて、その日を含めて8日目の終了するま
でに（月曜日に申込んだ場合、次週の月曜日中にこの権利行使の意思表示を発信する必要があ
る）、購入者は、無条件で申込みを撤回し、あるいは、契約を解除することができ
る。これを「クーリング・オフ」の権利と呼ぶ（この権利が認められる商品も、政令で
定められている）。熟慮を欠いた購入意思は不完全なものであるという考えに基づく
もので、「熟慮期間制度」と呼ぶことができよう。通常の必要量を超える商品を販
売した場合は、契約後1年間、契約が解除できるようになった。

(c) 割賦販売業者の解除権などの制限（割賦§5）

購入者が賦払金の支払を怠った場合、20日以上の相当な期間を定めて催告する
ことが、契約解除および期限の利益喪失を生じさせるための要件である。

(d) 割賦販売業者の損害賠償請求に対する制限（割賦§6）

購入者が債務不履行におちいった場合に、割賦販売業者が過大な損害賠償を請求
することを防ぐために、損害賠償額を一定の標準による額に限った。

(e) 一定の事項の表示義務・書面の交付義務など（割賦§§3~4の2）

購入者の適正な判断やその権利の保全に資するために、割賦販売業者に一定の表
示義務や書面交付義務が定められている。表示事項のなかで重要なのは、いわゆる
「割賦販売の手数料の料率」である（割賦§3Ⅰ④）。これは、前述のように、実質的
には利息に相当するが、概念としては利息とはいえず、利息制限法の適用はない。
しかし、購入者にとっては、重要な利害が存するところであるから、その表示を義
務づけて、購入者の便に供することとしたのである。これを、「実質年率」と呼ぶ。

(f) 所有権留保の推定（割賦§7）

賦払金の全部の履行が行われるまで、割賦販売業者は目的物の所有権を留保した
ものと推定されている。これは、割賦販売業者のために、その代金債権の担保とい
う作用を営むものである（第2編第10章後注⑨参照）。

割賦販売法については、2008年6月18日にかなり大がかりな改正が行われた（平
成20年法律74号による）。改正法は、一般の市民・消費者には分かりづらい内容で
あり、消費者信用に関する法制としては、特定商取引法とも絡み、整然さと明快さ

1199

第3編　第2章　契約　第3節　売買

を欠くものと評さざるをえない。改正の要点はつぎの通りである(施行日は、以下に挙げる条文については、政令により 2009 年 12 月 1 日とされた)。

(i)本法の目的および運用上の配慮(割賦§1)、定義(割賦§2)の手直し

(ii)信用購入あっせん(従来の割賦購入あっせん)についての指定商品制度と指定役務制度の廃止(割賦§2)

従来批判の強かった、本法が適用される商品と役務を限定する指定商品制度と指定役務制度が、信用購入あっせんについて廃止された(割賦§2Ⅲ・Ⅳおよび同法第3章の規定)。個別信用販売あっせんについては、指定権利制には変更はない。

(iii)信用購入あっせんに対する規制の強化

改正法は、通称「クレジット契約」と呼ばれるものの法律用語を「割賦購入あっせん」から「信用購入あっせん」に変更し(割賦§2Ⅲ・Ⅳおよび同法第3章の表題。ただし、同法第3章第4節の適用除外には注意を要する)、これについての規制にさまざまな変更を加えた(以下には、説明の便宜上、条文の形式的な整理にとどまり、実質的に変更のない場合も含めて示す)。その概要を述べれば、

(iii)-1　包括信用購入あっせんについての規制(割賦§§30〜35 の 3 〔同法第3章第1節〕)

取引条件の表示(割賦§30)、包括支払可能見込額の調査義務(割賦§30 の 2)、包括支払可能見込額を超える場合のカード等の交付の禁止(割賦§30 の 2 の 2)、書面の交付義務(割賦§30 の 2 の 3)、契約の解除権の制限(割賦§30 の 2 の 4)、契約の解除に伴う損害賠償等の額の制限(割賦§30 の 3)、包括信用購入あっせん業者に対する抗弁(割賦§§30 の 4・30 の 5)、業務の運営に関する措置(割賦§30 の 5 の 2)、改善命令(割賦§30 の 5 の 3)、包括信用購入あっせん業者の規制(割賦§§31・34 の 2)などを定める。

(iii)-2　個別信用購入あっせんについての規制(割賦§§35 の 3 の 2〜35 の 3 の 35 〔同法第3章第2節〕)

取引条件の表示(割賦§35 の 3 の 2)、個別支払可能見込額の調査義務(割賦§35 の 3 の 3)、個別支払可能見込額を超える場合の個別信用購入あっせん関係受領契約の締結の禁止など(割賦§§35 の 3 の 4〜35 の 3 の 7)、関係業者の書面の交付義務(割賦§§35 の 3 の 8・35 の 3 の 9)、個別信用購入あっせん関係受領契約のクーリングオフ(割賦§§35 の 3 の 10・35 の 3 の 11)、個別信用購入あっせん関係受領契約の申込み又はその承諾の意思表示の取り消し(割賦§35 の 3 の 13)、同条 1 項 6 号に関する判例として、最判平成 29・2・21(民集 71 巻 99 頁)がある。過量販売・不実告知などによる取消権など(割賦§§35 の 3 の 12〜35 の 3 の 16)、業者による解除権の制限(割賦§35 の 3 の 17)、契約の解除に伴う損害賠償等の額の制限(割賦§35 の 3 の 18)、個別信用購入あっせん業者に関する抗弁(割賦§35 の 3 の 19)、業務の運営に関する措置(割賦§35 の 3 の 20)、改善命令(割賦§35 の 3 の 21)、情報通信の技術の業者による利用(割賦§35 の 3 の 22)、個別信用購入あっせん業者の登録制(割賦§§35 の 3 の 23〜35 の 3 の 35。新設)などを定める。

(iii)-3　指定信用情報機関制度の創設(割賦§§35 の 3 の 36〜35 の 3 の 59 〔同法第3章第3節〕)

第3節［解説］②

(iv)クレジットカードについての規制（割賦§§35の16・35の17〔同法第3章の4〕）

業者によるクレジットカード番号等の適切な管理が義務づけられている（割賦§§35の16・35の17）。

以上の改正が消費者被害の防止、救済、根絶にどこまで寄与できるかを、今後見守る必要がある。

(5) 訪問販売等

訪問販売は、購入者が販売者の店舗におもむいて購入するのではなく、販売者が積極的に——ときには、攻撃的に——働きかけ、たとえば、消費者の自宅を訪問して売込みを図った結果成立した売買である。往々にして、購入者の自由で完全な意思によらずに締結されることがあるので、そのような契約の拘束力を弱める工夫が、「特定商取引に関する法律」（昭和51年法律57号。当初の「訪問販売等に関する法律」が平成12年法律120号により改称された）によってなされている。外出の困難な消費者にとっては、訪問販売は便宜であると説かれることがあるが、そうであれば、購入者は、その契約の拘束力を争わないはずであるから、これらの販売者に対する抑制を不当とする理由とはならない。

同法により訪問販売とされるものは、訪問販売という言葉の語感よりもかなり広く、「無店舗販売」というに近く（同法§2Ⅰ）、また、「電話勧誘販売」（同法§§2Ⅲ・16〜）にもほぼ同様な規定が適用されている。また、適用される目的物は、政令による「指定商品」、「指定権利」、「指定役務」に限られる。その他、同法の適用範囲は、その後の改正で、連鎖販売取引、特定継続的役務提供に係る取引、業務提携誘引販売取引に拡大されていた。

2012年の改正で、同法第1条の第7番目の規制対象として、「訪問購入」が追加された。訪問購入とは、物品の購入を業として営む者（「購入業者」）が、営業所等以外の場所において、売買契約の申し込みを受け、または売買契約を締結して行う物品（政令で定めるものを除く）の購入をいう。同時に、購入業者の氏名の明示、勧誘の要請をしていない者に対する勧誘の禁止等、申し込み内容を記載した書面の交付、物品の引き渡しの拒絶に関する告知等を定めている。なお、違反者に対しては、業務の停止などが定められている。

抑制の手法は、割賦販売法に類似しており、販売に当たっての氏名などの明示義務（同法§§3・16）、書面の交付義務（同法§§4・5・18・19）、不当行為の禁止（同法§§6・21）、クーリング・オフの権利（同法§§9・9の2・24・40・40の2・48・58）、解除などに伴う損害賠償額の制限（同法§§10・25・40の2Ⅱ・49・58の3。最判平成19・4・3民集61巻967頁は、外国語教室において受講契約を解約した場合の解約料の定めが、特定継続的役務提供契約の解除に伴う違約金について規制する同法§49Ⅱ①を超えているから無効とした例である）、などである。

特定商取引法についても、2008年6月18日に重要な改正が行われた（同日公布の改正法は、割賦販売法を改正した法律と同一である。施行日も、以下の条文については、政令により2009年12月1日とされた）。

主な改正（細目の変更は多くある）の要点は、つぎの通りである。

第3編　第2章　契約　第3節　売買

(i)指定商品・役務制の廃止

規制の対象を政令により指定された商品・役務の取引に限る指定商品・指定役務制は廃止し、商品・役務一般に適用することにした(特定商取引§2。指定権利については従来どおり)。

(ii)訪問販売に関する規制の強化

業者の禁止行為について、不実を告げてはいけない事項を追加した(特定商取引§6Ⅰ⑤)。主務大臣が業者に対して指示を行う場合について、日常生活において通常必要とされる分量を著しく超える商品の売買契約について勧誘する行為をした場合などを付け加えた(特定商取引§7③)。過量売買契約について1年内は効力を否定できる規定を新設した(特定商取引§9の2)。

(iii)電話勧誘販売についての規制の強化

業者の禁止行為について、不実を告げてはいけない事項を追加した(特定商取引§21)。

(iv)連鎖販売取引・特定継続的役務提供取引・業務提供誘引販売取引に関する定義の修正(特定商取引§§33・41・51)

(v)差止請求権(特定商取引§§58の4〜58の10〔同章第5章の2〕)の新設

消費者契約法の定めるところにならって、各種の差止請求権を認めるとともに、適格消費者団体による消費者団体訴訟制度を認めた。

(6)　通信販売

特定商取引法は、通信販売についても規制している。通信販売は、販売業者が、広告などにより宣伝をし、郵便などで申込みを受けて締結する販売契約である(同法§§2Ⅱ・11〜)。その利用は増加の傾向をたどっている。それだけに弊害も憂慮されるので、広告における一定の事項の表示義務(同法§11)、誇大広告の禁止(§12)、などを定めている。

通信販売についても、指定商品制・指定役務制の廃止など、特定商取引法の改正がなされた。

主務大臣が業者に対して指示を行う場合について、売買契約などの解除によって生ずる債務の履行を拒否したり、遅延する行為をした場合を追加した(特定商取引§14Ⅰ①)。通信販売についてのクーリングオフの権利を認めた(特定商取引§15の2。ただし、特定商取引§15の2Ⅰただし書・Ⅱには注意)。

(7)　悪徳商法——消費者契約法

消費者問題がいわば病態化した現象に、悪徳商法問題がある。すなわち、相手方(若年者、高齢者、身体障害者など)の判断能力や行動能力が不十分なのに乗じて、欺罔的・脅迫的な手段を弄して、不当な取引行為を行うものである。先物取引(現物の売買ではなく、将来の時点における商品の売買を行うことで、投機性が強い)などは、事業者間においては、正当な行為といえるが、素人である消費者を巻きこむことによって、悪徳商法化する可能性が高い。さらには、豊田商事事件の現物まがい商法などもある。このような商法による契約は、とてもまともな契約類型とはいえないのであるが、重要であるので、ここで一言することとした。

これに対しては、2000年に消費者契約法(法律61号)が制定され、民法に比べて取

消または無効の要件が緩和されたが、民法の規定(§§4〜・90・96・109〜・120〜・415 [これらの条文につき改正に注意]〜・改正前543〜・709〜など)に基づいて最大限の強い対応に努めるとともに、前述の特定商取引法などが定める不当行為の禁止規定、その他を駆使して、これを根絶するべく努力する必要がある。

(8) 会員権販売契約

労務などの役務の提供、場所や機会の提供、ときには一定の商品の供給などをセットにして提供することを約し、それらの便益を総合するものとして、何々会員権(たとえば、レジャー会員権などといわれるものの多くがそのようなものである)と称し、それを販売するという行為も数を増している。

この種の契約は、分析すれば、雇用・請負・委任・売買その他の契約の要素を多様に含み、これらをいわば束ねたものということができるが、実際上その「会員権」の売買という形をとることによって、これをより簡明な取引対象にすることができるということに、この実務のねらいがあるのであり、その実態に即した理論構成を考える必要があると考えられる。

(9) 金融商品取引契約

証券などのいわゆる金融商品についての取引契約についても、売買契約に類するものと考えてよいであろう。これについて、金融商品取引法(平成19年法律65号により従来の「証券取引法」が改題され、全面的に改正された。消費者保護法の要素も強められた)、「金融サービスの提供に関する法律」(平成12年法律101号)がある。

(10) フランチャイズ契約

なお、ある時期から広く行われるようになった、いわゆるフランチャイズ契約というものについての説明を追加する。これは、一方に、事業のいわば元締めとなる事業者A(「フランチャイザー」と呼ばれる)があり、他方に、B_1、B_2、B_3……という多数の加盟店(「フランチャイジー」と呼ばれる。同一のAとの間で同じ関係をもつ店はAのチェーン店と呼ばれる)があり、Aが、B_1らとの間で、自己の商標、トレード・ネーム、サービス・マーク、経営ノウハウなどを利用させ、商品の販売等の事業を行うことを認め、資金の供与や指導・援助を行い、それに対する対価・報酬を得る継続的関係をいう。この関係に基づきAが供給する商品をBが購入し、販売することが多いので、この種の契約関係を売買の節で取り上げることとするが、ほかにも、委任、委託、賃貸借などの多様な関係が含まれていることに注意を要する。AとB_1らの間で多種多様なトラブルが生じている。

なお、この関係に関する最高裁判決として、AがB_1らから発注された商品の仕入れと仕入れ先への支払を行うというシステムが存在する場合において、B_1らがAに対して、支払先、支払日、支払金額、商品名とその単価・個数、値引きの有無などの報告を求めた事例について、最判平成20・7・4(判時2028号32頁)は、民法の受任者の報告義務の規定の適用を認めて、これを否定した原審判決を破棄し差戻した。

1203

第3編　第2章　契約　第3節　売買

第1款　総　則

〈改正〉　2017年に手付に関する557条が改正された。

①　本款の内容
　本款は、「総則」と題して、売買の定義(§555)、予約(§556)、手付(改正前§557)および売買の費用(§558)について規定する。なお、最後に、売買に関する本節の規定は、その性質が許す限り、すべての有償契約に準用される旨を規定する(§559)。したがって、本節の規定は、有償契約の総則的規定であるという実質を有する。

②　売買に関する問題点
　売買に関する総則的な問題としては、つぎの諸点が注意されるべきであろう。
　(1)　売買は、他人の所有に属する特定物についても有効に成立する。民法もこのことを間接に明言している(改正前§560参照)。しかし、売主が現に所有する特定物をもって目的とする売買契約においては、目的物の所有権は、原則として売買契約と同時に買主に移転するものと解されている(§176〔4〕参照)。したがって、このような場合に、売買契約と同時に目的物の交付(占有の移転)および代金の支払をするときは、売買契約の後に履行をするべき債務を残さないことになる。しかし、このような契約(これを「現実売買」という)も、また売買の一種として本節の規定および契約の一般理論を適用するべきものと解するのが通説である。すなわち、特定物についての現実売買(たとえば、古本屋の店頭の売買)については、売主の担保責任の規定(改正前§570)の適用があり、不特定物についての現実売買(たとえば、店頭におけるタバコの売買、新刊書の売買)については、売主は、もし目的物に瑕疵があったら完全なものを給付する債務を負う。
　(2)　わが民法の「売買の予約」に関する規定は、他に立法例の少ない規定である。その反面、わが民法には、他の立法例に多い「見本売買」や「試験売買」(「試味売買」ともいう。一種の売買の予約とみてよい)に関する規定(たとえば、ドイツ民法§§454・455、スイス債務法§§224・225、フランス民法§§1587・1588、イギリス動産売買法§18 Ⅳなど)が設けられていない。わが民法のもとでも、この種の売買がそれぞれの特徴をもちつつ有効なことはもちろんであるが、実際上は、このような事例が裁判所に現われた例はあまりないようである。

（売買）
第五百五十五条
　　売買は、当事者の一方がある財産権[1]を相手方に移転する[2]ことを約し[4]、相手方がこれに対してその代金[3]を支払うことを約する[5]ことによって、その効力を生ずる[6]。

第1款［解説］・§555〔1〕～〔4〕

［原条文］
　売買ハ当事者ノ一方カ或財産権ヲ相手方ニ移転スルコトヲ約シ相手方カ之ニ其代金ヲ払フコトヲ約スルニ因リテ其効力ヲ生ス

〔1〕　「財産権」とは、財産的価値のある権利であって、物権・債権・無体財産権などが主要なものである。電気は、有体物ではないから、「物」ではなく、したがって、電気供給契約は所有権の売買ということができるかは多少疑問であるが、判例は、これを少なくとも売買に準じる有償契約であると解して、その代金債権の消滅時効につき、削除前173条を適用した（大判昭和12・6・29民集16巻1014頁、なお§85〔1〕(イ)参照）。

　財産権は、売主が現に所有せず、第三者の所有に属するものでも差しつかえない（本款解説②(1)参照）。また、現存せず、将来生じるものであっても差しつかえない（本編解説③(1)(ウ)参照）。たとえば、鉱山採掘出願者がその許否の未定の間に、将来許可によって取得するべき採掘権を売ることも可能とされた（大刑判大正2・1・23刑録19輯23頁）。

〔2〕　財産権を「移転する」とは、売主が有する所有権または地上権などをそのまま買主に移転することだけでなく、土地所有者が地上権を創設してこれを買主に移転するというような、いわゆる「設定的移転」（「創設的移転」ともいう。§378〔1〕参照）でもよい。ただし、それが売買であるためには、これに対して代金が支払われることを要件とするから、他人のために地上権を設定しても、毎年の地代の支払を約した（§266参照）だけでは売買ではなく、単なる地上権設定契約である。その反面、土地所有者または家屋所有者が土地または家屋を他人に賃貸する場合に、地代または家賃とは別個に借地権または借家権の利益に対して代金（いわゆる権利金）を受取る場合には、通常、借地権または借家権の売買があったとみることもできるであろう。そう考えられる場合には、これに本節の規定を適用するべきである。

〔3〕　契約当事者の一方が財産権を移転し、これに対して、他方がその対価——「代金」と呼ばれる——を金銭で支払うことを約することが売買の要件である。対価がはじめから金銭以外のもので支払われる約束であれば、それは、売買ではなくて、交換（§586参照）である。

　代金についての意思表示の合致は必要であるが、必ずしも確定額である必要はなく、確定可能であればよい。不明である場合は、時価によると解してよい（ただし、最判昭和24・11・8民集3巻485頁は、統制価格を理由に時価より低い認定をした例）。代金の支払は売主に対してなされるのが通常であるが、第三者に支払うことを合意しても妨げない（大判大正8・5・3民録25輯827頁）。

　代金の支払に関しては、573条以下にやや詳しい規定がおかれている。

〔4〕　売買当事者間の申込みと承諾とは、自由であるのを原則とする。すなわち、売主は、売ると売らないとの自由を有し、買主は、買うと買わないとの自由を有する。このような自由を有しない場合としては、民法上は、ただ当事者が売買の予約をした場合に限る（§556参照）。これは、いわゆる「契約締結の自由」の問題であるが、こ

1205

第3編　第2章　契約　第3節　売買

の自由については、近時、公益的理由ないし国家経済上の必要に基づいて種々の制限が加えられていることについては、本章第1節第1款解説③を参照。

〔5〕　上の〔4〕に述べたところと同様の理由によって、当事者は、その合意で財産権の対価を自由に決定することができる。いわゆる「契約内容の自由」の問題であるが、売買における「代金決定の自由」は、そのなかでも最も重要で、中心的なものである。

一時は強力な制限であった物価統制令(昭和21年勅令118号。昭和27年法律88号により法律となる)も形だけの存在となり、また、食糧管理法も「主要食糧の需給及び価格の安定に関する法律」(平成6年法律113号)に代わられ、ごく微弱な規制を定めるにとどまっている。この点については、第1節第2款解説②を参照。

〔6〕　本条は、債権契約としての売買について規定している。しかし、売買と同時に目的物の引渡しも完了し、履行するべき債務を残さない、いわゆる「現実売買」についても、これを売買の一種として本節の規定を適用するべきものとするのが通説である(本款解説②(1)参照)。

なお、このようにして成立した契約の効力については、第2款解説③参照。とくに、売買の目的物の移転という本体的債務のほかに、付随的に債務ないし義務が生じると認められることが多いことに注意を要する(同(4)参照)。

> **(売買の一方の予約)**
> **第五百五十六条**
> 1　売買の一方の予約[1)]は、相手方[2)]が売買を完結する意思を表示[3)]した時から、売買の効力を生ずる[4)]。
> 2　前項の意思表示について期間を定めなかったときは[6)]、予約者は、相手方に対し、相当の期間を定めて、その期間内に売買を完結するかどうかを確答すべき旨の催告をすることができる。この場合において、相手方がその期間内に確答をしないとき[7)]は、売買の一方の予約は、その効力を失う[5)]。
> **[原条文]**
> 売買ノ一方ノ予約ハ相手方カ売買ヲ完結スル意思ヲ表示シタル時ヨリ売買ノ効力ヲ生ス
> 前項ノ意思表示ニ付キ期間ヲ定メサリシトキハ予約者ハ相当ノ期間ヲ定メ其期間内ニ売買ヲ完結スルヤ否ヤヲ確答スヘキ旨ヲ相手方ニ催告スルコトヲ得若シ相手方カ其期間内ニ確答ヲ為ササルトキハ予約ハ其効力ヲ失フ

〔1〕　本条は、売買の予約がなされた場合につき、通常はいわゆる売買の一方の予約であると考えて、以下のような規定をおいている(第2章解説④(8)参照)。

(1)　「売買の一方の予約」とは、売主または買主となる者が、もし、他方が売買の成立を欲する場合には、目的物を売り、または買うということをあらかじめ約束することである。だから、普通の契約成立の論理でいえば、他方が売買の成立を欲して申込みをするときは、相手方は、これに対して承諾するべき債務を負うわけである。しかし、民法は、このような約束がある場合に、一方の申込みに対して改めて承諾をさ

1206

§§555〔5〕〔6〕・556〔1〕〔2〕

せるのは無用な手続だと考えて、本条をもって、一方が相手方に対して売買の成立を
欲する旨の意思表示をすれば、相手方の承諾の意思表示をまたないで、売買は成立す
るものと定めた(いわゆる「予約完結権」を認めた。〔2〕参照)。しかも、本条は一般に有償
契約に準用されるので(§559)、わが民法上、普通に契約の予約がなされれば、それ
は一方の予約であり、当事者の一方の契約完結の意思表示で契約が成立する場合を指
すことになっている。

　しかし、本条は強行規定ではないから、当事者において改めて承諾をするべきもの
と特約することは、もちろん差しつかえない。この場合には、一方の当事者は、相手
方に対して承諾を求め、相手方がこれに応じないときは、これを裁判所に訴求しなけ
ればならない(改正前§414Ⅱただし書参照)。この意味の予約は、「本来の予約」と呼ば
れ、「片務予約」と「双務予約」とがある(第2章解説④(8)参照)。

　(2)　なお、当事者の双方が上に述べたような予約をし、双方が売買を完結する権利
を有する場合がある。これを「売買双方の予約」という。この場合には、本条を類推
して、当事者のいずれか一方が売買の成立を欲する旨の意思を表示すれば、売買契約
は成立するものと解されている。

　(3)　売買の予約に当たっては、将来成立するべき売買の内容の主要な部分(目的物と
代金など)を決定すれば、細目(履行の時期・場所など)を決定しなくとも、予約は有効に
成立する。のみならず、代金もこれを決定するべき標準が定まっていればよい。たと
えば、時価で買うという予約も有効であると解される(大判大正10・3・11民録27輯514
頁)。

　(4)　売買の予約は、「再売買の予約」として行われることが多い。すなわち、Aが
Bに自分の所有の不動産を売却し、将来一定の値段または時価で買戻すことができる
というような約束である。そして、この種の契約は、金融に対する担保的作用を営む
ことは、容易に理解されるであろう(第2編第10章後注「譲渡担保など」参照)。

　そこで、問題となるのは、民法が規定する「買戻し」(§§579〔改正〕~585)とこの
再売買の予約との関係である。買戻しもまた、不動産担保の作用を営むのであるが、
民法は、これに対して種々の厳密な制限を付している。したがって、再売買の予約に
ついてその条件を自由に認めるときは、「買戻し」について設けた制限が崩れるおそ
れがある。しかし、判例は、再売買の予約については、買戻しの制限に関する規定の
準用はないものとして、これを自由に認めている(大判大正9・9・24民録26輯1343頁、
大判昭和13・4・22民集17巻770頁)。思うに、買戻しについて民法が規定するような厳
格な制限を加えることは、所有権移転の形式による担保制度の作用をいちじるしく狭
くするものであって、今日の経済事情に適さない。判例の態度は、このような事情に
基づき、買戻しに関する民法の制限が結果において緩和されることをむしろ歓迎して
いるものとして是認されるべきであろう。なお、〔2〕(イ)および本節第3款解説参照。

　〔2〕　この約束の相手方、すなわち売買を完結する権利(「予約完結権」)を有する者
を「予約完結権者」という。この予約完結権は、予約完結の意思表示によって売買関
係を成立させる権利であるから、一種の形成権である。

　(ア)　判例は、この権利について、つぎの諸点を明らかにしている。

1207

第3編　第2章　契約　第3節　売買

(a)　この完結権は、10年の消滅時効にかかる（大判大正4・7・13民録21輯1384頁、大判大正10・3・5民録27輯493頁）。なお、改正前167条〔3〕(イ)参照。

(b)　完結権行使の意思表示は、相手方に対する意思表示である。買戻しと異なり（§583参照）、代金を提供する必要はない（大判大正7・9・16民録24輯1699頁）。しかし、特約をもって、代金を提供しなければ予約を完結できない旨を定めた場合には、それに従うべきことはいうまでもない（大判大正7・11・27民録24輯2265頁）。

(c)　完結権は、一種の条件付請求権という実質を有する。したがって、判例は、不動産を買う予約の完結権は、これにつき仮登記をすることができるものとする（大判大正4・4・5民録21輯426頁）。その結果、たとえ売主となるべき者が目的不動産を第三者に移転しても、完結権者は、売主に対して完結の意思表示をしてこれに代金を支払い、仮登記を本登記にすれば、第三者に対抗できることとなる（§177〔5〕(ウ)(b)参照。大判昭和13・4・22民集17巻770頁）。

(d)　完結権は、相手方の承諾がなくてもこれを譲渡することができ（大判大正13・2・29民集3巻80頁。債権譲渡の規定によるとする）、目的物が不動産で予約上の権利が仮登記されている場合には、仮登記についての付記登記を要するとされる（最判昭和35・11・4民集14巻2853頁。債権譲渡の対抗要件は不要とする）。

(イ)　判例がこのように完結権について仮登記をして第三者に対抗する効力を取得することを認め、また、その譲渡の自由を認めたことは、再売買の予約の有する担保的作用をいちじるしく助長するものである。けだし、この場合の売主が、予約完結権の存続期間内は、目的物がだれの手に帰してもこれを買戻すことができるということは、あたかも不動産について抵当権を設定した者がその競売が行われるまでは、弁済をしてその不動産の完全な所有権を確保できるのと同様である。また、その売主が予約完結権を譲渡できるということは、あたかも不動産につき抵当権を設定した者がその抵当不動産を自由に譲渡できる――実際問題としては、売買の目的物または抵当不動産の時価と約定の買戻し価格または抵当債権との差額で――のと同様である。したがって、再売買の予約を伴う不動産の売買は、売主に対してあたかもその不動産に抵当権を設定するのと同様の便宜を供することになる。このような利益は、民法の「買戻し」を利用する場合にも存するが（§581〔改注〕参照）、買戻しは厳格な制限に服するので、当事者にとって不便が多い。

再売買の予約について、判例が以上のような理論を認めたことは、今日において買戻しが実際に利用されることが少ないのを補うものである。こうして、再売買の予約は、「譲渡担保」とともに、判例法上の一制度を構成するに至ったということができる（(1)(4)参照）。

〔3〕　(2)(ア)(b)参照。

〔4〕　売買契約が成立し、普通の売買の場合と同一の効果を生じる。すなわち、もし売主が目的物を現に所有するときは、その所有権は、当然に買主に移転する（§176〔4〕(ウ)参照）。もし売主が現にこれを所有しないときは、これを取得して買主に移転するべき債務を負うに至る（改正前§560参照。大判大正11・2・27民集1巻73頁）。なお、売主は目的物引渡し・移転登記などの債務を負い、買主は代金支払の債務を負う。

§§556〔3〕～〔7〕・557〔1〕

〔5〕 本条2項は、法律関係を長く不確定の状態におくことを避けようとする趣旨であって、解除権に関する547条、制限行為能力を理由とする取消権に関する20条[改注]と同様のものである。なお、この権利の消滅時効については、前述〔2〕(ア)(a)参照。

〔6〕 特約によって一定の期間内に完結するべきことを定めた場合はもちろん、一定の期日までに完結するべき約定がある場合にも、本項の適用はない。そして、この約定期間は長期であっても差しつかえない(〔1〕(4)に掲げた前掲大判大正9・9・24参照)。

〔7〕 「確答をしないとき」とは、意思表示の一般原則に従って、確答が予約者に到達しないときは、と解するべきである(§97 I[改注])。この点、20条[改注]が「確答を発しないとき」といっているのと異なることを注意するべきである。

（手付）
第五百五十七条
　　買主が売主に手付を交付したときは、買主はその手付を放棄し、売主はその倍額を現実に提供して、契約の解除をすることができる。ただし、その相手方が契約の履行に着手した後は、この限りでない[1]。
　　2　第五百四十五条第四項[2]の規定は、前項の場合には、適用しない。

〈改正〉 2017年に改正された。1項中「当事者の一方が契約の履行に着手するまでは、買主はその手付を放棄し、売主はその倍額を償還して」を「買主はその手付を放棄し、売主はその倍額を現実に提供して」に改め、ただし書を加えた。さらに、2項中「第五百四十五条第三項」を「第五百四十五条第四項」に改めた。

[改正の趣旨]　[1] 新法は、自らが履行に着手をしていても相手方が履行に着手するまではなお解除することができるとする判例（最判昭和40・11・24）の考え方を明文化した（解説〔2〕参照）。また、履行に着手したことによる解除の制限についての立証責任が相手方にあることを明らかにするために、1項を改正した。

[2] 545条の改正に伴う変更である。

[改正前条文]
　1　買主が売主に手付[1]を交付したときは、当事者の一方が契約の履行に着手するまで[2]は、買主はその手付を放棄し[3]、売主はその倍額を償還して[4]、契約の解除をすることができる[5]。
　2　第五百四十五条第三項の規定は、前項の場合には、適用しない[6]。

[原条文]
　　買主カ売主ニ手附ヲ交付シタルトキハ当事者ノ一方カ契約ノ履行ニ著手スルマテハ買主ハ其手附ヲ抛棄シ売主ハ其倍額ヲ償還シテ契約ノ解除ヲ為スコトヲ得
　　第五百四十五条第三項ノ規定ハ前項ノ場合ニハ之ヲ適用セス

[改正前条文の解説]
〔1〕 「手付」(arrha)（手附と表記されることも多い）は、契約の締結にさいして当事者間に授受される有価物である。「手金」または「内金」（元来は、代金の一部の支払の意味であるが、手付の意味をもつとされる場合が多い）といわれる場合もある。売買の場合に多く行われ、通常、買主から売主に対して交付されるが、稀には売主から買主に交

1209

第3編　第2章　契約　第3節　売買

付されることもある。金銭を普通とするが、時には金銭以外の物が授受されることもある。判例は、山林の売買について立木が手付として授受された事件に本条の適用があるとしている(大判明治34・5・8民録7輯5巻52頁)。また、手付が授受されるのは、売買に限らない。賃貸借・請負などにおいて交付される場合も少なくないが、民法は、売買についてこれを規定し、他の有償契約にこれを準用する形式をとったのである(§559参照)。

　手付の授受は、少なくとも、これによって契約の成立したことを確認する目的を有する(これを「証約手付」という)。イギリス動産売買法(§4Ⅰ)、アメリカ統一動産売買法(§4)は、この趣旨の規定である。しかし、それ以上にどのような目的を有するかは、各場合の当事者の意思によって異なるわけであるが、民法は、わが国の慣習に基づいて、手付に一種の解除権の留保としての効力を認めた(これを「解約手付」という)。この規定の内容は、フランス民法(§1590)に類するものである。スイス債務法(§158)は、むしろ解約手付を例外とする。

　(2)　手付については、このほかに「成約手付」(手付の交付によって契約が成立する。今日の売買は諾成契約であるから、これは認められない)、「違約手付」(債務不履行の場合の損害賠償をその手付額によって決するという意味のものをいう)などの観念がある。

　このうち、違約手付については、つぎのことが注意される。

　(a)　厳格な意味における違約手付は、解除権の留保という内容を有しないものをいう。

　しかし、実際には、解約手付の意味を有する手付に、同時に違約手付としての性質が合わせ認められている場合が少なくない(それが可能なことにつき、最判昭和24・10・4民集3巻437頁。とくに宅建業§39が適用される場合には、解約手付の性質を否定することができない。(5)(ウ)参照)。

　(b)　違約手付の趣旨としては、債務不履行(解約手付の性質をも有する場合には、それによる解約)の場合における損害賠償額を手付の額(その没収または倍戻し)に限る(立証を要しないし、それ以上の額の立証も認めない)という意味をもつ場合が通常である(この場合には、理論的には、損害賠償の予定という意味をもつ)。しかし、当事者がさらにそれ以上の損害を立証した場合にはその賠償を求めることができる旨を約定したときは、その効力を認めて、手付の額以外の損害賠償を認めることもありうる(最判平成9・2・25判時1599号66頁。この場合には、手付それ自体は制裁的違約罰という性質をももつ)。

　(c)　手付が解約手付ではなくて、たとえば違約手付であると主張する者は、それを立証しなければならないとされる(最判昭和29・1・21民集8巻64頁)。なお、(5)参照。

〔2〕　「履行に着手する」とは、債務の内容である給付の実行に着手すること、さらにいえば、履行の一部または履行の前提をなす行為をすることである。

　(1)　履行の着手に関する判例は多い。

　(a)　履行の着手が肯定された例としては、家屋の買主が売主に対して再三家屋の明渡しを求め、それが実行されれば、いつでも代金を支払える状態にあった場合の

1210

§557〔2〕～〔5〕

買主(最判昭和26・11・15民集5巻735頁)、賃貸中の家屋の売買において、売主・買主ともに賃借人を立退かすための努力をした場合の売主・買主の双方(最判昭和30・12・26民集9巻2140頁)、第三者所有の不動産の売主が第三者からその所有権移転登記を受けた場合の売主(最大判昭和40・11・24民集19巻2019頁)、転用目的の農地の売買において、売主・買主連署の知事あての許可申請書が提出された場合の売主・買主の双方(最判昭和43・6・21民集22巻1311頁)について、履行の着手がなされたものとされた。

(b) 履行の着手が否定された例としては、売主は一定期間に山林を伐採し、全部の木材を所定の駅の構内の貨車積場に搬出して引渡しを了し、買主は貨車積込みごとに代金を計算して支払う、という契約において、買主が代金を用意し、作業員を雇い入れ、受渡しの準備ができた旨を売主に通知しても、履行の準備にすぎず、履行に着手したものではないとした例(大判昭和8・7・5裁判例(7)民166頁)、土地・建物の売買において、履行期が約1年9か月先に定められている場合に、土地測量や買主からの代金提供と履行の催告が行われても、買主に履行の着手があったとはいえないとした例(最判平成5・3・16民集47巻3005頁)がある。

(c) なお、履行期到来前においても、履行の着手はなしうるとされる(最判昭和41・1・21民集20巻65頁。それが客観的に外部から認識しうることを要求している)。

(2) 当事者の一方が履行に着手した場合でも、相手方が履行に着手するまでは、本条による解除権を行使できるとされている(前掲最大判昭和40・11・24。相手方がもう解除はないと信頼した場合に解除を認めるのは不当であるとする批判もある)。

〔3〕 手付の返還請求権を放棄することである。なお、契約が解除されないで履行されるときは、手付は、代金の一部(内金)として精算されるのが普通である(大判大正10・2・19民録27輯340頁)。

〔4〕 売主は、受領した手付の2倍の金銭を買主に交付(これを「倍戻し」と呼ぶ)するのであるが、その金額を提供し、かつ解除の意思表示をするのでなければ、解除の効果を生じないと解釈されている(大判大正3・12・8民録20輯1058頁)。また、この金銭の提供は、単なる口頭の提供では足りず、現実の提供を要するとされている(最判平成6・3・22民集48巻859頁。§493〔5〕(ウ)参照)。相手方が受領しないときは、供託せざるをえない。

〔5〕 本条は強行法規ではないから、当事者は、本条と異なる特約をしても、もちろん差しつかえない。

(ア) しかし、はたして本条と異なる特約があるかどうかを認定するには、当事者が使った用語にとらわれることなく、慎重に判定すべきである。主要な判例を示せば、つぎのとおりである。

(a) 代金900円の売買契約において、買主から売主へ手付として6円が交付された場合に、買主がこの手付を放棄して契約の解除を主張した事例について、大審院は、本条の適用を認め、代金に対してこのような少額の解約手付を認めると契約の解除がきわめて容易に行われることになり、当事者の真意に適合しないという原審の見解をしりぞけた(大判大正10・6・21民録27輯1173頁)。学説には、このような少

第3編　第2章　契約　第3節　売買

額の手付は、むしろ単なる証約手付とみるべきだとする見解が強い。

　　(b)　契約書に、「買主本契約ヲ不履行ノ時ハ手付金ハ売主ニ於テ没収シ返却ノ義務ナキモノトス。売主不履行ノ時ハ買主ヘ既収手付金ヲ返還スルト同時ニ手付金ト同額ヲ違約金トシテ別ニ賠償シ以テ各損害補償ニ供スルモノトス」という条項があるだけでは、解約手付でないとする趣旨であるということはできないとされた(最判昭和24・10・4民集3巻437頁)。また、農家と商人との玄米の売買において、契約書に「金百円約定金トシテ代金ノ内受取」と記載し、買主から売主に100円を交付し、同約定書に売主は「万一約定期日ニ至リ、違約延期ニ及ヒ候 節ハ、其期日ニ当時相当相場之計算ヲ以テ外諸掛リ共貴殿ノ御損害金御請求通り異議ナク直ニ勘定可 仕 候」と記入した事例について、売主が200円提供して契約を解除したのに対し、判例は、これを是認した(大判大正10・11・3民録27輯1888頁)。

　　(c)　土地を3000円で売買するに当たって、買主が500円を支払ったが、契約書のなかには500円を解約手付と認めるべき記載がなく、かえって、土地の引渡しと同時に残額2500円を支払う旨の記載がある事例で、売主が1000円を提供して解除の意思表示をした場合に、これを是認し、500円が内金であるとすると、解約手付にならないという原審の考え方を排斥した(大判昭和7・7・19民集11巻1552頁)。

　　(d)　代金4000円の不動産売買契約において、買主から売主に手付として200円が交付され、買主が違約の時は手付金を放棄し、なお違約金1000円を支払うこと、売主が違約の時は手付金を返還し、なお違約金1000円を支払うことが取りきめられた事例について、本条の適用はなく、したがって、売主は400円を提供して契約を解除することはできないとした(大判大正6・3・7民録23輯421頁)。

　(イ)　稀に売主が手付を交付した場合にも、本条を準用するべきである。

　(ウ)　宅地建物取引業法は、宅地建物取引業者が売主になって行う宅地・建物の売買について、手付の額を代金の20％に制限し、また、つねに解約手付の意味をもつものとしている(同法§39。なお、同法§§41・41の2参照)。

　〔6〕　手付を放棄し、またはその倍額を償還して行う本条の解除は、債務不履行を理由とするものでないからである。なお、手付を交付した場合でも、当事者は、相手方の債務不履行を理由として契約を解除することはできる。たとえば、手付を交付した買主は、売主に対して——売主が買主の履行に着手するまでに手付の倍額を提供して解除をしない限り——相当の期間を定めて履行を請求し、その期間内に売主が履行しない場合には契約を解除することができる。この場合には、手付の返還を請求することができるのはもちろんであり、さらに損害賠償を請求することもできる(大判大正7・8・9民録24輯1576頁)。また、当事者が本条とは別個に合意解除をした場合にも、手付を返還するべきである(大判昭和11・8・10民集15巻1673頁)。

■（売買契約に関する費用）
第五百五十八条
　　売買契約に関する費用[1]は、当事者双方が等しい割合で負担する[2]。
［原条文］

§§557〔6〕・558・559

　　　売買契約ニ関スル費用ハ当事者双方平分シテ之ヲ負担ス

〔1〕　「売買契約に関する費用」とは、売買契約の締結に必要な費用、たとえば目的物の評価、証書の作成などに要した費用である。各当事者がその債務を履行するに要する費用、すなわち弁済の費用ではない（§485参照）。

　不動産売買における登記費用については問題がある。その性質は弁済の費用であるが、本条の売買の費用とする考えもあり、また、買主が対抗要件を備えるという利益を受けるためであるから、買主の負担とする考えもある。実際には、買主が負担する例が多いと思われる。判例は明確でない（買戻しに関する§579［改注］の「契約の費用」に買主が負担した現在の登録免許税に当たる登録税が含まれるとした大判大正7・11・1民録24輯2103頁、利息§3の「契約締結の費用」に消費貸借に伴い貸主が負担した抵当権設定費用が含まれるとした最判昭和42・9・7判時500号25頁がある）。

〔2〕　本条と異なる特約または慣習があれば、それに従うべきことはもちろんである。

　（有償契約への準用）
　第五百五十九条
　　　この節の規定は、売買以外の有償契約[1]について準用する[2]。ただし、その有償契約の性質がこれを許さないときは、この限りでない[3]。
　［原条文］
　　　本節ノ規定ハ売買以外ノ有償契約ニ之ヲ準用ス但其契約ノ性質カ之ヲ許ササルトキハ此限ニ在ラス

〔1〕　「有償契約」とは、契約当事者双方が対価的意義を有する出捐をする契約であり、売買・交換・賃貸借・利息付消費貸借・雇用・請負・有償寄託・有償委任などがその例である。

　これに対して、当事者の一方だけが出捐をし、他方がこれに対して対価的意義を有する出捐をしない契約が「無償契約」であり、贈与・使用貸借・無利息の消費貸借・無償寄託・無償委任などがその例である。なお、双務契約・片務契約との関係について、第2章解説④(2)参照。

〔2〕　本節の規定のうち他の有償契約に準用される主要なものは、予約（§556）、手付（§557［改注］）、売主の担保責任（改正前§§563〜）などである。

〔3〕　たとえば、消費貸借や賃貸借のように、財産権の終極的移転を生じないで、使用の対価を支払う契約には、代金の支払に関する規定（573〜575・576〜577［改注］・578）は準用の余地がないし、また、雇用・寄託のように労務の提供を目的とする契約には、瑕疵担保に関する規定（改正前§§560〜）を準用する余地はない。なお、各種の有償契約について本節の規定と相容れない特別の規定があれば（たとえば、請負人の担保責任に関する改正前§634）、本節の規定は準用されないこと、もちろんである。

第3編　第2章　契約　第3節　売買

第2款　売買の効力

〈改正〉　本款は、2017年に改正された。権利移転の対抗要件に係る売主の義務に関する規定（新560条）を設けた。そのため、改正前法の規定が移動した。

　　　　本款では、新旧の条文の対応関係が複雑になっているので、その概要を示しておく。ただし、「対応」といっても「関連」程度の場合もある。まず、他人の権利の売買における売主の義務に関する561条は新旧対応している。売主の追完請求権に関する新562条は新設条文である。買主の代金減額請求権に関する新563条は全面改正であるが、改正前法563条と565条に対応している。買主の損害賠償請求及び解除権の行使に関する新564条は、全面改正であるが、改正前法566条と570条に対応している。移転した権利が契約の内容に適合しない場合における売主の担保責任に関する新565条は、全面改正であるが、改正前法561条、563条、566条および570条に対応している。目的物の種類又は品質に関する担保責任の期間の制限に関する新566条は、全面改正であるが、改正前564条と566条3項に対応している。目的物の滅失等についての危険の移転に関する新567条は、新設規定である。競売における担保責任等に関する新568条は、新旧対応している。抵当権がある場合の買主による費用の償還請求に関する新570条は、改正前法567条2項に対応している。571条は削除されたが、新533条括弧書を参照。担保責任を負わない旨の特約に関する572条も、新旧対応している。権利を取得することができない等のおそれがある場合の買主による代金の支払の拒絶に関する576条も新旧対応している。抵当権等の登記がある場合の買主による代金の支払拒絶に関する577条も新旧対応している。

[改正前条文に関する解説]
①　本款の内容

　売買の効力は、売主の目的物を給付する債務と、買主の代金を支払う債務とを中心とするものであるが、そのほか、売主の担保責任もその重要な内容をなす。民法は、560条から572条（2017年に、571条削除）までに担保責任を規定し、573条から578条［576条と577条の改正に注意］までに売主の目的物を給付するべき債務と、買主の代金を支払うべき債務とに関して重要な諸点を規定している。これらの諸規定から、売買の効力を統一的に理解することは、少し難しい感があるので、ここにある程度統一的な解説を述べることとしよう。

　商事売買については、商法524条以下に特則が規定されていることを注意するべきである。なお、同法526条（売主による目的物の検査及び通知）2項と3項が今回の民法改正に連動して改正されている。

②　売主の担保責任

　(1)　売主の「担保責任」とは、売買の目的物に不完全な点があって、買主が売買契約の締結にさいして予期した効果を十分に収められない場合に、売主が負担するべき担保（この「担保」は、債権の効力を補強するための「債権担保」とは意味を異にする。第2編

1214

解説⑤、本編第1章第3節解説②参照）の責任である。そもそも、契約の一般理論からいえば、特定物の売主は売買の目的物についてそれが一定の数量・性能・品質などを有するという保証（この「保証」は、人的担保としての「保証」と意味を異にする。本編第1章第3節第4款解説参照。実際上、商品の売買に当たって「保証書」が交付される場合が多いが、ここで用いられる「担保」の意味は、この保証書における「保証」という言葉の意味に近い）をした場合には、当然にその担保責任を負うが、そうでない場合には、必ずしもそのような責任を負うという根拠はない。たとえば、ある村の一番地の土地を売買した場合には、売主は、その特定の土地を給付しさえすれば履行を終わるのであって、たとえその土地が意外に坪数が少なく、あるいは居住に適しない湿地であり、あるいはその土地の上に地上権とか抵当権とかが設定されていたとしても、買主は、別の土地を給付するべきことを請求できないことはもちろん、これらの欠点をなんらかの方法で塡補するべき旨を請求することも、必ずしもつねに認められるという根拠はないのである。ただ、売主に詐欺的行為があったとすれば、あるいはその契約を取消し（§96［改注］）、あるいは不法行為として損害賠償を請求することができ（§709）、また、買主に錯誤があれば、売買の無効を主張できる（改正前§95）にとどまるであろう。しかし、売買のような有償契約を以上のような一般理論にまかせておくことは、信義の原則に反し、公平にもとる場合が多い。そこで、民法は、売主は、たとえ目的物についてその数量・性能・品質について保証する旨の特約をしなくても、一定の条件のもとに、当然に担保責任（代金減額・契約解除・損害賠償を内容とする）を負うべきものと定めたのである。以上のように考えると、この担保責任は、契約から当然生じる債務不履行責任とは区別された、一種の法定責任という性質を有することになる。

　以上の説明は、売主の担保責任がもっぱら特定物の売買についてだけ適用があるという見解に立ったものであるが、これが不特定物の売買にも適用があるという見解をとれば、その部分については、また、おのずから別の説明を必要とする。すなわち、不特定物（たとえば、ビール1箱）の売買においては、もし給付された物が不足であったり、瑕疵があったりすれば（たとえば、そのうち2本がこわれていたり、腐敗していたりした場合）、買主は、不足分を請求し、または瑕疵のない物と取り換えることを請求できるというのが、債権法の一般理論である。けだし、その部分については債務の本旨に従う履行がまだなされていないからである。しかし、売買のような迅速に処理することを必要とする取引関係においては、目的物の受渡しがあった以上は、売買はいちおう履行されたものとして取扱い、そのために生じる不公平は、代金の減額、契約の解除、損害賠償によって処理するのを適当とする場合が多い。そして、このような担保責任は1年の除斥期間にかかるものとするのが妥当であるとも考えられる。以上のように考えると、担保責任の規定は、一般の債務不履行責任の内容を修正する意味をもつものということになる。

　しかし、いまでも、不特定物の売買には瑕疵担保の規定は適用がないという説をとる学説は多い（改正前§570〔1〕参照）。

　(2)　民法が定める売主の担保責任の内容は、まず、大きく権利の瑕疵に対する担保責任と物の瑕疵に対する担保責任に分けられる。そのうえで、さらに(ウ)(エ)の規定がお

第3編　第2章　契約　第3節　売買

かれている。

　(ア)　権利の瑕疵に対する担保責任

　売買の目的である財産権の全部または一部が売主に属さないか、または売主に属するが、他人の権利によって制限されているために、買主が完全な財産権を取得できない場合に、売主が負うべき担保責任である。この担保責任を追奪担保責任と呼ぶ場合があるが、この点については、改正前§561〔1〕を参照。

　　(a)　財産権の全部または一部が他人に属する場合(§§560～564〔改注〕、ただし、改正前§562はとくに売主の立場を保護した規定で、担保責任に関するものではない)(いずれも改正前)

　　(b)　財産権の一部が全然存在しないものである場合(§565〔改注〕)

　　(c)　財産権が他人の権利によって制限を受ける場合(改正前§§566・567)

　(イ)　物の瑕疵に対する担保責任

　売買の目的物に隠れた瑕疵があって、その交換価値または使用価値が十分でない場合に、売主が負うべき担保責任である(改正前§570)。

　「住宅の品質確保の促進等に関する法律」(平成11年法律81号)の95条～97条が「新築住宅の売買契約」における売主の担保責任について特例を定めている。「構造耐力上重要な部分又は雨水の浸入を防止する部分」で政令が定めるものの瑕疵についての担保責任を規定する。これらの瑕疵は、民法の以下の規定によっても瑕疵とされる可能性があるが、学説判例上それが確認されるまでは時日を要すると考えられるので、法律により明確にするという意味をもつものと理解される。なお、「特定住宅瑕疵担保責任の履行の確保等に関する法律」(平成19年法律66号)にも注意を要する。新築住宅に関する瑕疵担保責任について、建設業者に保証金の供託を義務づけ、また保険制度を設けるものである(これらについては、施行日は2009年10月1日)。

　(ウ)　強制競売における担保責任(§§568〔改注〕・改正前570ただし書)

　(エ)　担保責任に関する特約の効力

　　(a)　債権の売買において、債務者の資力を担保する特約の効力(§569)

　　(b)　担保責任を負わない旨の特約の効力(§572〔改注〕)。

(3)　以上のような各種の担保責任に共通の性格として、つぎの諸点が問題となる。

　　(a)　売主の担保責任は、無過失責任である。このことは、代金減額請求、および契約の解除については疑いがないが、損害賠償についても、同様に解するべきである。判例も、改正前567条3項の解釈として、このことを明言する(大判大正10・6・9民録27輯1122頁)。

　　(b)　担保責任の内容の一つである損害賠償の請求において、その損害額の算定方法について、民法に特別の規定がない。しかし、契約の通則としての解除の場合と同様に考えるとすれば、買主は完全なものの給付を受けたと同様の利益を収めるために、原則として、そのこうむった全損害の賠償を請求することができるというのが、判例である(改正前§545〔5〕参照)。

　　もっとも、この問題については、担保責任の理論上の性質をめぐる議論((d)、改正前§570〔1〕参照)とからんで、問題のあるところである。学説としては、(i)とくに法

1216

定責任説による場合に、信頼利益(瑕疵がないと信頼したことによる利益)の賠償に限られ、履行利益(完全な給付がなされたら得たであろう利益)の賠償ではないとする見解、(ii)売主が悪意・有過失のときは、履行利益の請求ができるとする見解、(iii)担保責任が双方の給付の均衡を考慮して認められた無過失責任であることを根拠として、損害賠償は買主の負担する対価(すなわち代金)の範囲に限られるとする見解、などがある(なお、瑕疵担保責任の内容については、改正前§570〔3〕参照)。

(c) 担保責任と錯誤との関係については、担保責任が認められる範囲で錯誤の規定は排除されるという説もあるが、両者の競合を認める傾向が強い。問題は、物の瑕疵について生じることが多いので、そこで論じる(改正前§570〔6〕参照)。

(d) 最後に、売主の担保責任の規定は、不特定物の売買についても適用があるかは、上述のように、学説・判例の分かれる重要な問題である。理論上はすべての担保責任に共通して起こる問題であるが、実際には、主として物の瑕疵についての担保責任に関連して生じる問題であるから、改正前570条において述べる(改正前§570〔1〕参照)。権利の瑕疵に対する担保責任については、改正前561条〔1〕(2)・(3)を参照。

③ 売主の財産権移転債務と買主の代金支払債務

この両債務は、売買の効力の中心をなすものであるが、いずれも契約の内容によって定められるものである。民法は、補充的に二、三の解釈規定をおくにとどまる。

(1) 売主の財産権移転債務

(a) 売主は、売買の目的である財産権を買主に帰属させなければならないことはもちろんであるが、さらに、その財産権が占有を伴うものであれば、その占有を移転し、その財産権の移転について対抗要件(登記・登録・通知など)を必要とするものであれば、これを履践しなければならない(§177〔6〕(ウ)参照)。また、財産権の存在・内容などに関する証拠書類があれば、それをも交付するべきである。また、従物および従たる権利があれば、これを移転するべきことも当然である。契約でこれらの点につき具体的に約定しなくても、これらの義務は、売買契約の性質から当然生じるものと解釈されている。

(b) 目的物を引渡す以前の果実の帰属および目的物の保管費用などの負担は、困難な問題であるが、民法は、特則を設けている(§575 I)。実際上、適用の多い規定である。

(2) 買主の代金支払義務

民法は、これについて数個の規定を設けている。

(a) 代金の支払時期に関する推定(§573)

(b) 支払場所に関する規定(§574)

(c) 代金の利息を支払うべき時期(§575 II)

(d) 代金支払を拒絶できる場合(§§576〔改注〕~578)

(3) 買主は、目的物を受領する義務があるか。これを規定する立法例もあるが、わが民法は、このような規定を設けていない。しかし、債権者の受領義務の問題として

第3編 第2章 契約 第3節 売買

これを肯定しようとする学説もある（§413前注参照）。

　(4)　売買契約から生じる本体的債務は(1)と(2)であるが、これに付随して種々の債務が合意されることが多い（第1節第2款解説④(1)参照）。(3)の受領義務の問題も、そのような付随債務の一つとしての引取り債務として処理することも考えられる。

　また、いわゆる付随的義務の問題にも注意する必要がある（同上(2)参照）。

［第2款の改正条文に関する前注的解説］

　売主の対抗要件具備義務（新560条）、目的物の滅失等についての危険の移転（新567条）、買主の代金支払に関連する規定（新567条・新577条）を設け、他人の権利の売買における売主の義務（新561条）を改正した。売主の担保責任、特に瑕疵担保責任に関しては、法定責任説と契約責任説の対立があったが、次第に、契約上の義務に違反した場合には、債務不履行責任が発生するとする考え方が有力になっていた（「国際物品売買契約に関する国連条約」参照）。改正法は、この流れの中で理解すべきであろう。その結果、改正法では、従来の権利の瑕疵に関する担保責任と瑕疵担保責任は、債務不履行責任として一元化され、そのうえで、具体的には、買主の追完請求権（新562条）、買主の代金減額請求権（新563条）を規定した。その結果、従来は、何が「瑕疵」であるかが重要であったが、新法下では、何が「契約内容」であるかが重要になるといわれている。なお、損害賠償や解除については、売買に関する特則を置かず、債務不履行の一般規定に任せられた（新564条で準用）。

（権利移転の対抗要件に係る売主の義務）
第五百六十条

　　売主は、買主に対し、登記、登録その他の売買の目的である権利の移転についての対抗要件を備えさせる義務を負う[1]。

〈改正〉　2017年に新設された。

［本条の趣旨］　**[1]**　売主には、契約上の財産権移転義務の具体的な内容として、目的物につき対抗要件制度がある場合には、買主に対抗要件を具備させる義務があるとするのが通説である。本書第2款③(1)参照。そこで、新法は、売主の、買主への対抗要件具備の義務を明文化した。

［改正前条文］　改正前560条については、新561条を参照。

（他人の権利の売買における売主の義務）
第五百六十一条

　　他人の権利（権利の一部が他人に属する場合におけるその権利の一部を含む。）[1]を売買の目的としたときは、売主は、その権利を取得して買主に移転する義務を負う。

〈改正〉　2017年に改正された。改正前560条、561条、563条を参照。

［改正の趣旨］　**[1]**　売買契約は債権契約であるから、売買の目的物が売主の所有物ではなく他人の所有物であった場合でも、有効であるから、売主は、その他人から権利を取得して買主に移転する義務を負う。解説[1]を参照。新法は、売主の財産権移転義務の具体的な内容の一つとして、改正前条文に、権利の一部が他人に属する場合も含む旨を付加した。

［改正前条文］
第五百六十条

　　他人の権利を売買の目的としたときは、売主は、その権利を取得して買主に移転する義

1218

§§ 560・561・561（旧）〔1〕

務を負う[1]。

[原条文]

　　他人ノ権利ヲ以テ売買ノ目的ト為シタルトキハ売主ハ其権利ヲ取得シテ之ヲ買主ニ移転スル義務ヲ負フ

[改正前 560 条の解説]

〔1〕　売主は、売買の目的である財産権を買主に移転する債務を負うものである。そして、この債務は、その財産権が売主に帰属していない場合にも有効に成立する（第 1 款解説②(1)参照）。かりに、その財産権を有する他人がこれを他に譲渡する意思がない場合でも、他人の物の売買契約としては有効に成立する（最判昭和 25・10・26 民集 4 巻 497 頁）。本条は、この当然の事理を明言したものである。

なお、他人の権利の売主 A が死亡し、その権利の権利者 B が A を相続した場合について、B はその権利を移転するかどうかについて諾否の自由を有し、特別の事情のない限り、売主としての債務の履行を拒否できるとする判決がある（最大判昭和 49・9・4 民集 28 巻 1169 頁。かつて反対に解した最判昭和 38・12・27 民集 17 巻 1854 頁を変更したものである）。

第五百六十一条（旧）　改正に伴い削除

[削除前条文]

（他人の権利の売買における売主の担保責任）

第五百六十一条

　　前条の場合において、売主がその売却した権利を取得して買主に移転することができないとき[1]は、買主は、契約の解除をすることができる[2]。この場合において、契約の時においてその権利が売主に属しないことを知っていたときは、損害賠償の請求をすることができない[3]。

〈改正〉　2017 年に改正に伴い削除された。

[削除の趣旨]　形式上は削除ではなく、「改正」であるが、415 条の改正の趣旨等から、損害賠償および解除については、債務不履行の一般原則と新法 561 条～ 565 条によることになるので、本条の本文は不要になる。また、売主が被担保債権の消滅により抵当権を消滅させることもあること等から、買主の善意を前提とする規定は妥当ではないので、改正前 561 条後段は、削除された。

[原条文]

　　前条ノ場合ニ於テ売主カ其売却シタル権利ヲ取得シテ之ヲ買主ニ移転スルコト能ハサルトキハ買主ハ契約ノ解除ヲ為スコトヲ得但契約ノ当時其権利ノ売主ニ属セサルコトヲ知リタルトキハ損害賠償ノ請求ヲ為スコトヲ得ス

[削除前条文の解説]

〔1〕　売主が売買の目的である権利を買主に移転できないことが本条の要件である。

(1)　経済取引界の通念に従って、売主が権利を取得し、これを移転することが不能であると認められるときは、この要件をみたすものといわなければならない。たとえば、売買の目的である土地の一部分が国有地であって、他の部分については移転登記

1219

第3編　第2章　契約　第3節　売買

を済ませたが、その部分についてはその後3年間も履行ができない場合は、ここにいう不能に該当するとされる(大判昭和10・4・27民集14巻790頁)。

(2)　本条の担保責任は、また、売主から買主に引渡された物が、じつは第三者の物であり、その真正な権利者である第三者からの請求によりその物が奪回された場合に売主が負うべき責任という形で現れる場合もありうる。この態様に着眼して、かつては「追奪担保責任」と呼ばれたことがある。

(ア)　しかし、民法が定める担保責任は、追奪の場合に限られるものではないので、これをひろく「権利の瑕疵に対する担保責任」としてとらえて、567条[改注]までの規定を総合的に考慮することが妥当であり、追奪担保責任という言葉の使用は、現在では避けるのが適切である。

(イ)　もっとも、追奪担保責任という歴史上の概念は、前述した担保責任の性質の問題(本款解説[2](1)参照)と密接な係わりをもっている。

すなわち、この概念は、特定物の売買において、売主が買主に目的物を引渡せば、それによって売主の果たすべき義務は終了し、あとは買主の代金支払債務のみが残るという観念(一種の要物契約的観念である)を前提とし、その後、真正の権利者から追奪を受けたときは、一種の法定責任として追奪担保責任を負わせるという趣旨のものであったのである。現在では、売主は目的物に関する完全な権利を買主に移転する債務を負うものと考えられ、直前の条文である改正前560条もこれを明言しているので、問題を法定責任として考える必要性は、——物の瑕疵に対する担保責任と違って——なくなっているといってよい。

(3)　以上に述べたことは、権利の瑕疵に対する担保責任全体(§§561~567[改注])に妥当する。すなわち、今日では、売主は目的物に関する完全な権利を買主に移転する債務を負うということは当然の前提とされ、その権利に瑕疵がある場合に売主が負うべき債務不履行責任に関する特則が担保責任の規定であると解されることになる。ただし、その規定の内容上、主として問題になるのは特定物についてであることも否定できない。

〔2〕　〔1〕で述べた不能の要件が備われば、買主は、それが「売主の責めに帰すべき事由」によったかどうかを問うことなく、解除することができる。この点が、通常の履行不能による解除(§543[改注]参照)の場合と異なる。ただし、この不能が買主の責めに帰すべき場合——たとえば、BからA所有の権利を買受けたCが、自分で直接にAからその権利を買受けてしまって、BがAからその権利を取得することを不能にしたような場合——には、買主Cは本条による契約解除権を有しない(大判昭和17・10・2民集21巻939頁)。もっとも、このような場合にも、Cがそのようなことをした事情——たとえば、Bが履行を遅滞し、Aが他に売る危険があったとか、Bが中間に介入して、転売利益を得るのをきらって直接Aから安く買ったとか——によって、一般原則に従い、BまたはCの責任を生じることがあるのは、別問題である。

なお、本条は、損害賠償について規定していないが(改正前§563Ⅲ参照)、売主の担保責任の一般原則に従って、この場合にも、売主は、その責めに帰すべき事由によらなくても損害賠償の責任があると解される(改正前§562参照)。ただし、本条後段の例

§§561（旧）〔2〕〔3〕・562（旧）

外がある（〔3〕参照）。

通常は、買主は支払った代金の返還を請求することになるが、この場合に、買主が目的物を使用したことによる利益は——目的物が売主の所有でなくても——返還しなければならないとする判決がある（最判昭和51・2・13民集30巻1頁）。

〔3〕　売買の目的物が他人に属することを知っている買主は、移転不能になることもあろうと予期したはずだからである。

本条の解釈としては、とくにつぎのような事例が問題となる。すなわち、Aからその所有の不動産を買受けたBが、登記名義を取得する前にこれをCに転売した場合に、Aがのちにその不動産をDに二重に譲渡し、移転登記をしたとすれば、Bは登記名義を取得してCに移転することは不能になる。この場合、民法の解釈では、Bはいちおう目的不動産の所有権を取得するのだから（§176〔4〕・§177〔9〕参照）、本条の文字には当たらない。しかし、Cが売買契約の当時に、目的不動産が売主Bの登記名義となっていないことを知っているときは、その移転登記が不能となることがあるかも知れないと予期するであろうことは、あたかも目的不動産が売主Bの所有に属しないことを知っている場合と同様である。したがって、この場合にも、本条を準用するべきものと解されている（大判昭和12・9・17民集16巻1423頁）。

もっとも、Bが登記名義を取得して、Cに移転することができなくなったことがBの責めに帰すべき事由に基づくときは、悪意のCであっても、一般原則によって解除をし、損害賠償の請求をすることができることは、別問題である（最判昭和41・9・8民集20巻1325頁。改正前§§543・545参照）。

第五百六十二条（旧）　改正に伴い削除

［削除前条文］
（他人の権利の売買における善意の売主の解除権）
第五百六十二条
1　売主が契約の時においてその売却した権利[2]が自己に属しないことを知らなかった[3]場合において、その権利を取得して買主に移転することができないとき[4]は、売主は、損害を賠償して、契約の解除をすることができる[1]。
2　前項の場合において、買主が契約の時においてその買い受けた権利が売主に属しないことを知っていたときは、売主は、買主に対し、単にその売却した権利を移転することができない旨を通知して、契約の解除をすることができる[5]。

〈改正〉　2017年に改正に伴い削除された。

［削除の趣旨］　改正前562条は、他人物売買における善意の売主の解除権を定めているが、新法では、売主は他人の権利を取得して買主に移転する義務を負うと定められること（新561条）、さらに売主が善意であるというだけで契約解除権を認めることへの疑問などから（解説〔1〕参照）、削除された。

［原条文］
売主カ契約ノ当時其売却シタル権利ノ自己ニ属セサルコトヲ知ラサリシ場合ニ於テ其権利ヲ取得シテ之ヲ買主ニ移転スルコト能ハサルトキハ売主ハ損害ヲ賠償シテ契約ノ解除ヲ為スコトヲ得

1221

第3編　第2章　契約　第3節　売買

　　前項ノ場合ニ於テ買主カ契約ノ当時其買受ケタル権利ノ売主ニ属セサルコトヲ知リタル
トキハ売主ハ買主ニ対シ単ニ其売却シタル権利ヲ移転スルコト能ハサル旨ヲ通知シテ契約
ノ解除ヲ為スコトヲ得

［削除前条文の解説］
〔1〕　元来は、自己の債務を履行できない売主が解除するということはおかしいの
であるが、本項は、売主に無過失の損害賠償責任を負わせた上で、とくに、売主にも
解除権を認めたものである。この場合の損害賠償の範囲については、判例はないが、
一般に、売主の不履行によって買主のこうむる全損害だと解釈されている(改正前§
545(5)参照)。なお、売主は、目的物が自分の所有に属するものであると誤信し、その
錯誤が95条［改注］の要件をみたす場合に、売買契約の無効を主張して責任を免れる
ことができるかについては、これを否定する説もあるが、多数説は、これを肯定する。
　なお、本条は、この場所に置かれているが、売主の担保責任に関する規定ではない。
〔2〕　売買の目的である権利の全部が他人に属する場合に、本条の適用がある。権
利の一部が他人に属する場合には、その部分についても売主に解除権はないと解する
べきであろう(改正前§563参照)。
〔3〕　「知らなかった」ことにつき、売主の過失の有無を問わない。
〔4〕　改正前561条〔1〕参照。
〔5〕　この場合には、買主を保護する必要はないので、「単に……通知して」、解除
することができる。すなわち、売主は、損害賠償の責任を負わないのである。

　第五百六十三条（旧）　改正に伴い削除

［削除前条文］
（権利の一部が他人に属する場合における売主の担保責任）
第五百六十三条
　1　売買の目的である権利の一部[1]が他人に属することにより、売主がこれを買主に移転
　　することができないとき[2]は、買主は、その不足する部分の割合に応じて代金の減額を
　　請求することができる[3]。
　2　前項の場合において、残存する部分のみであれば買主がこれを買い受けなかったとき
　　は、善意の買主は、契約の解除をすることができる[4]。
　3　代金減額の請求又は契約の解除は、善意の買主が損害賠償の請求をすることを妨げな
　　い[5]。
〈改正〉　2017年に削除された。
［削除の趣旨］　形式上は削除ではなく、「改正」であるが、改正前法は移転すべき権利の一部
が他人に属する場合について代金減額請求権を定めている（1項）が、代金減額請求により
売買契約の対価的均衡を図る趣旨は、他の権利の瑕疵または物の瑕疵（不適合）においても
妥当することから、新法は、権利の瑕疵または物の瑕疵一般に代金減額請求権を認める規定
を設けた（新563条）。
　また、新法は、契約責任説の立場から、損害賠償および解除については債務不履行の一般
原則により規律される旨を明らかにする規定（415条等）を設けたので、買主が権利の瑕疵
等について悪意であっても、売主による瑕疵の解消（不適合の解消）を前提に売買契約を締

§§562（旧）〔1〕～〔5〕・563（旧）・564（旧）

結する場合を想定しなければならない。そこで、善意の買主のみに解除・損害賠償を認める
規定（563条2項および3項）は改正された。

［原条文］
　　売買ノ目的タル権利ノ一部カ他人ニ属スルニ因リ売主カ之ヲ買主ニ移転スルコト能ハサ
ルトキハ買主ハ其足ラサル部分ノ割合ニ応シテ代金ノ減額ヲ請求スルコトヲ得
　　前項ノ場合ニ於テ残存スル部分ノミナレハ買主カ之ヲ買受ケサルヘカリシトキハ善意ノ
買主ハ契約ノ解除ヲ為スコトヲ得
　　代金減額ノ請求又ハ契約ノ解除ハ善意ノ買主カ損害賠償ノ請求ヲ為スコトヲ妨ケス

［削除前条文の解説］
〔1〕　権利の全部が他人に属する場合については、改正前561条参照。
〔2〕　改正前561条〔1〕参照。
〔3〕　たとえば、500平方メートルの宅地を3000万円で売買したところ、そのう
ち100平方メートルが他人に属していたとすれば、買主は、代金を2400万円に減額
することを請求できるのである。この「請求」は、契約の一部解除であると解されて
いる。したがって、売主の代金債権は、その部分については消滅し、買主がすでに代
金を支払った場合には、その返還を請求することができる（§545［改注］参照）。なお、
この場合には、買主の善意・悪意を問わない（〔4〕参照）。
　上のように、本条が適用されるのは、特定物の売買の事例であり、それに限られる
と考えられる。特定物の売買において、その特定物の分量が不足である場合、目的物
の権利全部を完全に移転する債務の不履行とも考えられないではないが、民法は本条
および改正前564条で解決することとしたのである。
〔4〕　たとえば、〔3〕の例で、残りの400平方メートルでは予定された建物が建て
られないような場合である。善意の買主に限ってこの権利を与えたのは、悪意の買主
は、その一部分について履行の不能が生じるかも知れないことを予期するべきだから
である。なお、改正前564条参照。
〔5〕　この損害賠償責任も、無過失責任である（本款解説②(3)(a)参照）。ただし、本項
が善意の買主にだけ損害賠償の請求権を認めたのは、〔4〕に述べたのと同じ理由であ
る。

第五百六十四条（旧）　改正に伴い削除

［削除前条文］
〔前条の担保責任に対する権利の除斥期間〕
第五百六十四条
　　前条の規定による権利[1]は、買主が善意であったときは事実を知った時[2]から、悪意であ
　　ったときは契約の時から、それぞれ一年以内に行使しなければならない[3]。
〈改正〉　2017年に改正に伴い削除された。
［削除の趣旨］　形式上は削除ではなく、「改正」であるが、特に権利の瑕疵（数量不足等を含
む）については、売主の引き渡しにより履行が終了したとの期待が生じるとは想定しにくい
し、引き渡し後に契約不適合の判断が困難になるとは言い難いと言われている。このような

1223

第3編　第2章　契約　第3節　売買

考え方から、新法は、権利の一部が他人に属する場合の担保責任（改正前563条）等に関連して、担保責任の期間制限を定める現行民法564条（565条において準用する場合を含む）を削除した。

［原条文］

　　前条ニ定メタル権利ハ買主カ善意ナリシトキハ事実ヲ知リタル時ヨリ悪意ナリシトキハ契約ノ時ヨリ一年内ニ之ヲ行使スルコトヲ要ス

［削除前条文の解説］

〔1〕　本条は、改正前563条に定められた代金減額請求権・契約解除権および損害賠償請求権のすべてに適用される。権利の一部が他人に属するために売主が履行できないという態様については、早期の解決が必要と考えて、通常の債務不履行とは異なる本条を設けたものである。

〔2〕　事実を知ったというためには、買い主が売り主に対して担保責任を追及しうる程度に確実な事実関係を認識したことを必要とする（最判平成13・2・22判時1745号85頁）。

〔3〕　この期間は、時効期間ではなく、いわゆる除斥期間——権利の存続期間——と一般的には解されている（第1編第7章解説3、§126(3)参照）。そして、代金減額請求権と契約解除権は形成権であり、損害賠償請求権はこれらの権利の行使によって生じるものであるから、裁判外で相手方に対してこれらの権利を行使する旨を表示しておけば、1年以内に裁判所に訴える必要はないとするのが一般の見解である（期間内に裁判所に訴えを提起するべき厳密な意味の出訴期間とする見解や短期消滅時効期間と解する見解も主張されている）。たとえば、買主が1年以内に代金減額の請求をすれば、売主に対してすでに支払った代金のうち一定額の返還を請求する権利を取得するに至り、この請求権は、普通の債権として、この時から一般の消滅時効にかかるとするのが判例である（大判昭和10・11・9民集14巻1899頁）。なお、この判例の見解に従っても、形成権の行使によって生じる請求権の消滅時効期間は契約の時から10年と解するべきであるから、買主が事実を知らないで10年以上を経過したような場合には、この形成権もこれによって消滅すると解さなければならないであろう。167条の改正に注意。

第五百六十五条（旧）　改正に伴い削除

［削除前条文］

（数量の不足又は物の一部滅失の場合における売主の担保責任）

第五百六十五条

　　前二条の規定は、数量を指示して売買[1]をした物に不足がある場合[2]又は物の一部が契約の時に既に滅失していた場合[3]において、買主がその不足又は滅失を知らなかったとき[4]について準用する[5][6]。

〈改正〉　2017年に改正に伴い削除された。

［削除の趣旨］　本条が準用する改正前563条・564条は改正され、損害賠償請求・解除については債務不履行の一般的規律に委ねられることになるので、買主の善意・過失（瑕疵が「隠れた」ものであること）は要件とならない。従来、数量の不足または物の一部滅失（565

§§564（旧）〔1〕〜〔3〕・565（旧）〔1〕〜〔5〕

条）は、権利が一部存在しない場合に当たり、権利の瑕疵に属するものと位置付けられてきたが、近時、当事者の合意や契約の趣旨・性質に照らして備えるべき状態を実現していない場合であり、物の瑕疵と捉えるべきであり、これらも「瑕疵」（改正前570条）に該当するという指摘がされており、これを踏まえて、改正の審議においても、改正前565条の規定を削除すべきであるという考え方が示された。また、権利の瑕疵か物の瑕疵かの区別は、強制競売における担保責任の適用の有無に影響する（改正前570条ただし書）ため、強制競売における担保責任（新568条）に関する議論との整合性にも留意された。

［原条文］
　　数量ヲ指示シテ売買シタル物カ不足ナル場合及ヒ物ノ一部カ契約ノ当時既ニ滅失シタル場合ニ於テ買主カ其不足又ハ滅失ヲ知ラサリシトキハ前二条ノ規定ヲ準用ス

［削除前条文の解説］

〔1〕　「数量を指示して売買をした」とは、売買の目的である土地の面積を指示し、この面積を標準として代金が定められたような場合である（大判大正13・4・7新聞2253号15頁）。しかし、注意するべきは、単に土地の同一性を示すために番地と登記簿上の面積（「地積」という。不登§34 I ④。旧§78 ④）とを挙げたような場合には、むしろ原則として「数量を指示」したことにはならないことである。けだし、わが国の登記簿の土地の広さの表示は必ずしも実際の広さと一致しないことが少なくないので、買主は、その表示をいちおうの参考とし、実際にその土地を検査して購入するのが普通だからである（大判昭和14・8・12民集18巻817頁、最判昭和25・2・14民集4巻61頁、最判昭和43・8・20民集22巻1692頁、最判昭和57・1・21民集36巻71頁）。これに対して、たとえば不動産会社が土地を分譲するに当たり、各区画の土地の面積を指示して、1平方メートル当たりの単価を標準として各区画の値段を定めるような場合には、本条の適用があるといってよいであろう。

　なお、本条も、特定物の売買に関してのみ適用があるのであって、不特定物の売買、すなわち種類売買において給付された物が不足していたとしても、それは単純な債務不履行の問題であり、本条の問題は生じない（本款解説②(1)参照）。

〔2〕　特定の宅地が1平方メートル当たり6万円、500平方メートルあるものとして3000万円で売買したところ、400平方メートルしかなかったような場合である。

〔3〕　たとえば、軽井沢の別荘を売買したところ、その契約締結の前日に物置1棟が焼失していた場合などである。

〔4〕　〔2〕および〔3〕の例で分かるように、このような不足または一部滅失は、契約の原始的一部不能（本款解説②(1)参照）であって、その履行は絶対に不可能である。したがって、買主が悪意の場合にはこれを保護する必要はまったくなく、ただ善意の場合に限り、売主に担保責任を負わせたのである。

〔5〕　すなわち、善意の買主は、代金減額請求権・解除権および損害賠償請求権を取得する。そして、その権利には、改正前564条の除斥期間が適用される。買主が数量不足であることを知っていても、その責めに帰すべき事由によらずに売主がだれであるかを知らなかったという事例について、除斥期間は買主が売主を知った時から起算するとした判決がある（最判昭和48・7・12民集27巻785頁）。

1225

第3編　第2章　契約　第3節　売買

土地の売買で面積が表示された場合でも、数量指示売買ではないとされた事例においては、表示された面積を基準とした損害賠償は請求できないのは当然であろう（最判昭和 57・1・21 民集 36 巻 71 頁）。

〔6〕　数量指示売買において、本条とは逆に数量が超過する場合に、売主がその超過部分の代金を追加して請求できるかという問題がある。面積および単価を示した土地売買の事例について、判例は、数量超過の場合に追加代金を支払う合意があれば別だが、そうでなければ、本条の類推適用によって代金増額請求権を認めるということはできないとした（最判平成 13・11・27 民集 55 巻 1380 頁）。増額請求を認める余地もあるとする見解もある。

第五百六十六条（旧）　改正に伴い削除

[削除前条文]
（地上権等がある場合等における売主の担保責任）
第五百六十六条
1　売買の目的物が地上権、永小作権、地役権、留置権又は質権[1]の目的である場合において、買主がこれを知らず[2]、かつ、そのために契約をした目的を達することができないとき[3]は、買主は、契約の解除をすることができる。この場合において、契約の解除をすることができないときは、損害賠償の請求のみをすることができる[4]。
2　前項の規定は、売買の目的である不動産のために存すると称した地役権が存しなかった場合[5]及びその不動産について登記をした賃貸借[6]があった場合について準用する。
3　前二項の場合において、契約の解除又は損害賠償の請求は、買主が事実を知った時から一年以内にしなければならない[7]。

〈改正〉　2017 年に改正に伴い削除された。

[削除の趣旨]　形式上は削除ではなく、「改正」であるが、1 年という短期の期間制限が設けられた趣旨は、目的物の引渡し後は履行が終了したとの期待が売主に生ずること、短期の期間制限を設けることにより法律関係を早期に安定させる必要があること等と説明されていた。また、特別に法が売主に負わせた無過失責任と解する立場からは、その法定責任から売主を早期に（1 年で）解放するためであったとする考え方もある。しかしながら、特に権利の瑕疵（数量不足等を含む）については、売主の引渡しにより履行が終了したとの期待が生じるとは想定しにくいし、引渡し後に契約不適合の判断が困難になるとは言い難いとの指摘がなされていた。このような考え方から、新法は、地上権等が存在する場合の担保責任（566 条）についても、担保責任の期間制限を定める 3 項を削除した。代替措置については、新 566 条の解説を参照。

[原条文]
　売買ノ目的物カ地上権、永小作権、地役権、留置権又ハ質権ノ目的タル場合ニ於テ買主カ之ヲ知ラサリシトキハ之カ為メニ契約ヲ為シタル目的ヲ達スルコト能ハサル場合ニ限リ買主ハ契約ノ解除ヲ為スコトヲ得其他ノ場合ニ於テハ損害賠償ノ請求ノミヲ為スコトヲ得
　前項ノ規定ハ売買ノ目的タル不動産ノ為メニ存セリト称セシ地役権カ存セサリシトキ及ヒ其不動産ニ付キ登記シタル賃貸借アリタル場合ニ之ヲ準用ス
　前二項ノ場合ニ於テ契約ノ解除又ハ損害賠償ノ請求ハ買主カ事実ヲ知リタル時ヨリ一年内ニ之ヲ為スコトヲ要ス

§§ 565 (旧) [6] · 566 (旧) [1]〜[7]

[削除前条文の解説]

〔1〕 これらの物権は、いずれも目的物を占有する権利であるから、買主は、目的物を十分に使用・収益できないことになる(§206参照)。そこで、占有を伴わない担保物権が存した場合(改正前§567参照)と区別して、売主にそれぞれ内容の異なる担保責任を負わせたのである。しかし、これらの権利が存在することは、必ずしも売買契約の履行としての所有権の移転を不可能にするものではない。いわば、その質的な瑕疵が問題である。この点において、量的な瑕疵に関する改正前565条の場合とその性格を異にする。これが、本条の場合に代金減額請求権を認めないゆえんである。

〔2〕 本条所定の権利の存在を知っている買主は、目的物を直ちに十分に使用・収益できないことを予期するべきであるから、買主の善意の場合にだけ、売主の担保責任を認めたのである。したがって、悪意の買主は、解除権はもちろん損害賠償請求権もない。ただし、質権・留置権の場合について、改正前567条〔1〕参照。

〔3〕 たとえば、みずから建物を建築する目的で土地を買ったところ、その上に他人が長期の地上権を有し、しかも登記などの対抗力を有しているような場合である。なお、他人が売買の目的物である不動産上に用益権または質権を有していても、登記その他の対抗要件を備えていないために、その権利が買主に対抗できない場合には、本条の問題は生じない。このことは、本条2項の規定からも推論される(〔6〕参照)。

〔4〕 この部分の原条文の文章に注意されたい。「其他ノ場合」とは、「契約ヲ為シタル目的ヲ達スルコト能ハサル場合」以外の場合、すなわち契約の目的は達するが、若干の損害をこうむった場合を指し、買主がこれらの権利の存在を「知ラサリシトキ」以外の場合、すなわち、買主が悪意の場合は含まれないと解されていた。すなわち、悪意の買主は、この後段による損害賠償の請求もできないのである。新条文においても同様に解するべきであろう。

〔5〕 たとえば、Aがある土地を、その土地のために隣地から引水する地役権が存在するものとして買ったのに、それが存在しなかったような場合である。Aが十分に目的の土地を使用・収益できないことは、あたかも他人の用益権によって制限される場合(前項)に似ている。

〔6〕 605条［改注］参照。賃借権に登記がなければ、買主はその賃借権を無視することができるから、売主に担保責任を認める必要はないのである。しかし、民法施行後、多くの特別法によって賃借権が登記なくして買主に対抗できる場合が認められてきた(改正前§605〔1〕〔2〕参照)。このような特別法は、いずれも、賃借権が買主に対して効力を生じる場合には、本条を準用する旨を規定している(借地借家§§10Ⅲ・31Ⅱ、農地§16Ⅱ、旧罹災都市§10など)。

なお、土地の買主が旧罹災都市借地借家臨時処理法10条(被災地借地借家§4参照)による対抗力を知らないということがありうるが、売買当時焼失建物の土台や水道設備などが地上に残存していることを知っていたときは、「知ラサリシトキ」に当たらないとした判決がある(最判昭和32・12・12民集11巻2131頁)。

〔7〕 この1年間の期間も、除斥期間である。改正前564条〔2〕参照。判例は、同条におけると同様に、裁判外で担保責任を問う旨を期間内に――「明確に」と判例は

1227

第3編　第2章　契約　第3節　売買

要求している――告げれば足り、裁判上の権利行使を要しないとする（最判平成4・10・20民集46巻1129頁）。

なお、瑕疵担保による損害賠償請求権（改正前§570による本条の準用）についてであるが、これには、本条のほか、改正前167条1項の消滅時効の適用もあるとした判例がある（最判平成13・11・27民集55巻1311頁。10年の消滅時効期間経過後にはじめて瑕疵の存在を知ったとしてそれから1年経過前に訴えを起こしたが、消滅時効を理由に認められなかった事例である）。

第五百六十七条（旧）　改正に伴い削除

［削除前条文］

（抵当権等がある場合における売主の担保責任）

第五百六十七条

　1　売買の目的である不動産について存した先取特権又は抵当権[1]の行使により買主がその所有権を失ったとき[2]は、買主は、契約の解除をすることができる[3]。

　2　買主は、費用を支出してその所有権を保存したとき[4]は、売主に対し、その費用の償還を請求することができる。

　3　前二項の場合において、買主は、損害を受けたときは、その賠償を請求することができる[5]。

〈改正〉　2017年に改正に伴い削除された。

［削除の趣旨］　形式上は削除ではなく、「改正」であるが、1項および3項については、契約解除権に関する規定（新565条、新564条、541条、542条）によることになり、2項については、新570条によることになる。

［原条文］

　売買ノ目的タル不動産ノ上ニ存シタル先取特権又ハ抵当権ノ行使ニ因リ買主カ其所有権ヲ失ヒタルトキハ其買主ハ契約ノ解除ヲ為スコトヲ得

　買主カ出捐ヲ為シテ其所有権ヲ保存シタルトキハ売主ニ対シテ其出捐ノ償還ヲ請求スルコトヲ得

　右孰レノ場合ニ於テモ買主カ損害ヲ受ケタルトキハ其賠償ヲ請求スルコトヲ得

［削除前条文の解説］

〔1〕　これらの権利は、改正前566条所掲の権利と異なって、目的物を占有する権利を伴わないから、買主は、これらの権利が存在するだけでは痛痒を感じない。これが、改正前566条と異なって、これらの権利の行使によって買主が目的物の所有権を喪失した場合、および買主が自分の出捐によってその所有権を保存した場合にだけ、売主の担保責任を認めた理由である。

　本条は、質権や留置権を挙げていない。これらの占有を伴う権利については改正前566条で規定するというのがその理由であろう。しかし、不動産質権については、特別の規定がない限り、これを抵当権と同様に取扱うべきである（§361）。のみならず、動産質権や留置権についても本条を適用するべきであろうと思う。けだし、改正前566条と本条とはその要件を異にして両立するだけでなく、これらの場合に本条の適

§§567（旧）・562

用を否定すると、たとえば50万円の債権のために質権が設定された時価100万円の動産を、事情を知っていて50万円で買受けた買主は、質権の実行によって所有権を失った場合になんの救済も与えられないことになって、不都合だからである（改正前566条の救済は、買主が質権の存在を知らなかった場合にだけ認められる。改正前§566(2)参照）。

〔2〕　買主が移転登記を取得した後の競売が通常想定されるが、移転登記取得前に競売された場合にも、もちろん適用がある。それについて、判例は、登記以前に所有権を取得したことを理由とする（大判大正10・6・9民録27輯1122頁）。事案の判断としては正当であろう。しかし、さらに買主が所有権を取得していない場合にも——いいかえれば抵当権行使によって買主が目的物を取得することができなくなった場合にも——、本条を適用するべきものと思われる。

〔3〕　改正前566条と異なり、買主の善意・悪意を問わない。

〔4〕　買主は、第三者として弁済をし（§§474［改注］・377）、また、抵当権消滅請求をすることができる（§379）。このような費用の支出（出捐という）によって先取特権者または抵当権者の競売を阻止したときは、その出捐した金額の償還を請求することができるのである。買主の善意・悪意を問わないことは、前項と同じである。

〔5〕　この損害賠償請求の要件としても、売主の過失を必要としない（本款解説[2](3)(a)参照）。

（買主の追完請求権）
第五百六十二条
　　1　引き渡された目的物が種類、品質又は数量に関して契約の内容に適合しないものであるときは、買主は、売主に対し、目的物の修補、代替物の引渡し又は不足分の引渡しによる履行の追完を請求することができる。ただし、売主は、買主に不相当な負担を課するものでないときは、買主が請求した方法と異なる方法による履行の追完をすることができる[1]。
　　2　前項の不適合が買主の責めに帰すべき事由によるものであるときは、買主は、同項の規定による履行の追完の請求をすることができない[2]。

〈改正〉　2017年に新設された。

[本条の趣旨]　[1]　「移転した権利が契約不適合である場合」等においても、売主は、契約の内容に適合した権利をなお移転する義務（追完義務）がある。例えば、契約の内容に適合しない抵当権の負担があった場合には、その抵当権を売主は消滅させる（追完）義務を負う。新法は、売主にこのような追完義務があることを明文化した。売主の帰責事由は要件ではない。なお、本条も、その対象に特定物、不特定物を含み、請負契約等の有償契約に準用される（559条）。また、特定物について「追完」ということは可能か、という問題があり、中古車の売買などにおいては、類似の中古車でよいか、などについては従来からも議論されてきた。本条の下では、「修補、代替物の引き渡し又は不足分の引き渡し」の柔軟な解釈によるべきである。ただし、土地の売買において面積が不足している場合には、通常不足分の引渡しは困難であるから、本条の適用は困難であろう。なお、買主が追完を催告しても、売主がこれに応じない場合には、新541条の「催告による解除」が可能である。また、同条ただし書の「軽微」の具体例としては、目的物の代替物請求に対して適切な修理や部品交換で対応する場合などが考えられる。なお、ただし書で、売主に一定の配慮がなされているが、「不相当

1229

第3編　第2章　契約　第3節　売買

な負担」の意味は明らかではない。相当な修補が可能である場合に、買主が代替物請求をしてきたような場合が想定される。

[2]　契約内容不適合の理由につき、買主に帰責事由がある場合は、除外される。同趣旨の規定は、543条、563条3項にもある。

[改正前条文]　改正前562条は1221頁参照。

（買主の代金減額請求権）

第五百六十三条

1　前条第一項本文に規定する場合において、買主が相当の期間を定めて履行の追完の催告をし、その期間内に履行の追完がないときは、買主は、その不適合の程度に応じて代金の減額を請求することができる[1]。

2　前項の規定にかかわらず、次に掲げる場合には、買主は、同項の催告をすることなく、直ちに代金の減額を請求することができる[2]。

一　履行の追完が不能であるとき。

二　売主が履行の追完を拒絶する意思を明確に表示したとき。

三　契約の性質又は当事者の意思表示により、特定の日時又は一定の期間内に履行をしなければ契約をした目的を達することができない場合において、売主が履行の追完をしないでその時期を経過したとき。

四　前三号に掲げる場合のほか、買主が前項の催告をしても履行の追完を受ける見込みがないことが明らかであるとき。

3　第一項の不適合が買主の責めに帰すべき事由によるものであるときは、買主は、前二項の規定による代金の減額の請求をすることができない[3]。

〈**改正**〉　2017年に新設された。

[改正の趣旨]　**[1]**　新法は、売買契約における対価的均衡を維持するための代金減額請求権は、目的物の性状に不適合（瑕疵）がある場合にも認めるのが相当であるとの立場から、目的物の「数量」の不足のみならず、「種類」「品質」など性状について不適合（瑕疵）がある場合にも、買主は、その不適合の程度に応じて代金の減額を請求することができる旨の規定を設けた。代金減額請求権（形成権）を行使する際には、まずは相当の期間を定めて履行の追完を催告することが原則とされた。代金減額請求権は、売主に帰責事由がない場合の買主の救済手段として意義を持つといわれている。減額の方法については、瑕疵のない目的物の価格と現実の価格との差額と解するか、目的物の減価割合（瑕疵のない目的物の価格に対する減価の割合）で計算するか、の対立があるが、後者が多数説である。計算の時期についても、契約時と、引き渡し時で対立がある。なお、代金減額請求をしてもなお損害があれば、新415条に基づく損害賠償の請求が可能である。なお、目的物が契約内容に適合するかについて争いがある場合において、代金減額請求権を行使すれば、この請求と両立しない追完請求権、損害賠償請求権または解除権を喪失してしまうのではないか、との問題も提起されているが、代金減額の請求は、追完請求が可能であれば、それが前提であるし、解除も履行利益の損害賠償とは排他的な関係ではない（545条4項）。したがって、交渉過程で、代金減額の申し出をしても原則として、後の損害賠償請求権の行使を放棄したと評価すべきではないとの見解が妥当であろう。

[2]　上記の原則にもかかわらず、履行の追完が不能であるとき（1号）、売主が履行の追完を拒絶する意思を明確に表示したとき（2号）、契約の性質または当事者の意思表示により、

§§563・564・565・566

特定の日時または一定の期間内に履行をしなければ契約をした目的を達することができない場合において、売主が履行をせずにその時期を経過したとき（3号）のほか、買主が催告をしても履行の追完を受ける見込みがないことが明らかであるとき（4号）等においても、追完の催告を要せずに代金減額請求権を行使することができる。

[3]　不適合が買主の責めに帰すべき事由によるものであるときは、代金の減額を請求することはできない。

[改正前条文]　改正前563条は1222頁参照。新561条・563条〜565条も参照。

（買主の損害賠償請求及び解除権の行使）
第五百六十四条
前二条の規定は、第四百十五条の規定による損害賠償の請求並びに第五百四十一条及び第五百四十二条の規定による解除権の行使を妨げない[1]。

〈改正〉　2017年に改正された。

[改正の趣旨]　[1]　新法は、担保責任に関する契約責任説の立場から、損害賠償請求・解除については、債務不履行一般の規定に委ねている。その結果、損害賠償請求の範囲は「信頼利益」に制限されないことになるが、契約責任であるから、売主の責めに帰すべき事由がない場合には、賠償請求はできない（追完請求・代金減額請求は可能）。他方、契約の解除については、履行不能の場合を含めて、売主の帰責事由は問われない。

[改正前条文]　改正前564条は1223頁参照。新566条も参照。

（移転した権利が契約の内容に適合しない場合における売主の担保責任）
第五百六十五条
前三条の規定は、売主が買主に移転した権利が契約の内容に適合しないものである場合（権利の一部が他人に属する場合においてその権利の一部を移転しないときを含む。）について準用する[1]。

〈改正〉　2017年に改正された。改正前563条、改正前570条を参照。

[改正の趣旨]　[1]　権利についての契約内容不適合の場合にも、売主がそのような物を引き渡した場合と同様の救済方法を買主に認めた。権利の全部が他人に属する場合は、不完全履行ではなく、債務不履行の一般原則に従うものと解されている。

[改正前条文]　改正前565条は1224頁参照。

（目的物の種類又は品質に関する担保責任の期間の制限）
第五百六十六条
売主が種類又は品質に関して契約の内容に適合しない目的物を買主に引き渡した場合において、買主がその不適合を知った時から一年以内にその旨を売主に通知しないときは、買主は、その不適合を理由として、履行の追完の請求、代金の減額の請求、損害賠償の請求及び契約の解除をすることができない[1]。ただし、売主が引渡しの時にその不適合を知り、又は重大な過失によって知らなかったときは、この限りでない[2]。

〈改正〉　2017年に改正された。改正前564条、566条3項を参照。なお、旧566条を引用していた借地借家法10条と31条については、関連した改正（項の削除）がある。以下のような経過措置が定められている。

1231

第3編　第2章　契約　第3節　売買

整備法第26条

1　施行日前に前条の規定による改正前の借地借家法（次項において「旧借地借家法」という。）第十条第一項又は第二項の規定により第三者に対抗することができる借地権の目的である土地の売買契約が締結された場合におけるその契約に係る契約の解除及び損害賠償の請求については、なお従前の例による。

2　施行日前に旧借地借家法第三十一条第一項の規定により効力を有する賃貸借の目的である建物の売買契約が締結された場合におけるその契約に係る契約の解除及び損害賠償の請求については、なお従前の例による。

[改正の趣旨]　[1]　新法は、物の瑕疵担保責任（「種類」、「品質」に関する契約の内容の不適合―目的物の数量不足や権利移転は含まれない）に関する期間制限については、基本的に改正前の規範を維持した。その理由として、①売主の地位を長期間不安定にする、②制限をしないと、契約の趣旨に適合した目的物を引き渡したと考えている売主の保護に欠ける、③早期に契約不適合の事実を知っていれば、費用をかけずに履行の追完を行うことができたにもかかわらず長期間経過後に知らされると多大な費用をかけて履行の追完をすることを余儀なくされてしまうこと等が挙げられている。改正前法では1年の期間制限を定めているが、これを債権に関する消滅時効の一般原則に委ねると急激な現状変更となることも指摘されていた。また、契約責任説を採用することと、権利の瑕疵についての担保責任について期間制限を廃止することとが整合的であるのかという疑問が出されていた。同時に本来、瑕疵担保責任について1年という改正前の期間制限が買主にとって酷であったので、これを維持することが妥当であるかについても疑問が出されていた。

　そこで、新法は、買主が採るべき対応としては、「その不適合の事実を知った時から1年以内に当該事実を売主に通知」すればよいこととした。この点について、買主の権利行使は裁判上の権利行使を要するのか、については改正前法上明らかではないが、判例（改正前566条の解説(7)を参照）は、改正前法につき、この1年の期間制限は、裁判上の権利行使までの必要はないと判示しており、しかも権利行使に際しては「具体的に瑕疵の内容」と「請求する損害額の算定根拠を示す」ことなどが要求されており、買主にとって決して当該権利の行使は容易ではなかった。この点につき、新法は、権利行使の要件を「その不適合の事実を知った時から1年以内に当該事実を売主に通知」すればよいとしており、上記最判よりは要件が緩和されたと言える。また、「買主がその不適合を知った時」の意味については、最判平成13・2・22（前掲）が参考になるが、もっと緩やかでもよいとの意見もある。なお、本条の期間制限は契約不適合責任に基づく効果であるから、債務不履行一般の場合に適用されるわけではない。商人間の売買については商法526条に、宅建業者が自ら売主となる宅地または建物の売買契約については、宅建業法40条に特則がある。なお、農地法16条2項・3項も削除された。

　[2]　売主において引渡しの時に目的物が契約の内容に適合しないものであることについて悪意・重過失である場合には、1年間の期間制限が適用されない（ただし書）。これらの点では、改正前570条に比して買主に一定の配慮がなされている。

[改正前条文]　改正前566条は1226頁参照。

（目的物の滅失等についての危険の移転）

第五百六十七条

1　売主が買主に目的物（売買の目的として特定したものに限る。以下この条において同じ。）を引き渡した場合において、その引渡しがあった時以後にその目的物が当事者双方の責めに帰することができない事由によって滅失し、

又は損傷したときは、買主は、その滅失又は損傷を理由として、履行の追完の請求、代金の減額の請求、損害賠償の請求及び契約の解除をすることができない。この場合において、買主は、代金の支払を拒むことができない[1]。

2　売主が契約の内容に適合する目的物をもって、その引渡しの債務の履行を提供したにもかかわらず、買主がその履行を受けることを拒み、又は受けることができない場合において、その履行の提供があった時以後に当事者双方の責めに帰することができない事由によってその目的物が滅失し、又は損傷したときも、前項と同様とする[2]。

〈改正〉　2017年に改正された。

[改正の趣旨]　**[1]**　削除前534条の債権者主義について、目的物の引渡がなされた場合においては、目的物の実質的支配が買主に移転しているから、この場合には買主に危険が移転すると解する考え方が有力であった。同534条の解説**[4]**(4)(f)参照。新法は、このような考え方を危険負担が主として問題となる売買契約における規範（新567条）として明文化した。特定された目的物（本来的特定物に限らない）の引渡を基準に危険が買主に移転するとした上で、売主の責めに帰することができない事由によって滅失・損傷した場合には、買主は、追完請求・代金減額請求・損害賠償請求・解除ができず、代金の支払も拒絶できないことになる。契約不適合のある特定物を買主に引き渡した後に、それが滅失した場合には、危険は買主が負担するが、契約不適合の事実はあったのであるから、損害賠償、代金減額等の請求が可能である。

　[2]　これまでも受領遅滞（改正前413条）の効果として、危険が買主に移転をすると理解されてきたが、同413条からは、危険の移転という効果は読み取ることが困難であった。新法では、改正前413条を改正し受領遅滞の効果を明文化したが、売買契約の規定においても、受領遅滞後は、特定物の引渡と同様に、買主に危険が移転し、売主の責めに帰することができない事由（受領遅滞後は、売主の責任は、軽減された保存義務となる）により目的物が滅失損傷した場合でも、買主は追完請求等ができず、代金の支払を拒絶できない旨が明文化された。なお、これらの危険負担に関する規定は任意規定であり、特約により当事者間において別段の合意をすることは、従来と同様に可能である。

[改正前条文]　改正前567条は1228頁参照。改正前の2項については、新570条を参照。

（競売における担保責任等）
第五百六十八条

1　民事執行法その他の法律の規定に基づく競売（以下この条において単に「競売」という。）における買受人は、第五百四十一条及び第五百四十二条の規定並びに第五百六十三条（第五百六十五条において準用する場合を含む。）の規定により、債務者に対し、契約の解除をし、又は代金の減額を請求することができる[1]。

2　前項の場合において、債務者が無資力であるときは、買受人は、代金の配当を受けた債権者[5]に対し、その代金の全部又は一部の返還を請求することができる。

3　前二項の場合において、債務者が物若しくは権利の不存在を知りながら申し出なかったとき、又は債権者がこれを知りながら競売を請求したときは、

第3編　第2章　契約　第3節　売買

買受人は、これらの者に対し、損害賠償の請求をすることができる[6]。

　4　前三項の規定は、競売の目的物の種類又は品質に関する不適合については、適用しない[2]。

〈改正〉　2017年に改正された。見出しを改め、1項中「強制競売」を「民事執行法その他の法律の規定に基づく競売（以下この条において単に「競売」という。）」に、「第五百六十一条から前条まで」を「第五百四十一条及び第五百四十二条の規定並びに第五百六十三条（第五百六十五条において準用する場合を含む。）」に改め、4項を加えた。

[改正の趣旨]　[1]　新法は、買主の代金減額請求権（新563条）が不適合（瑕疵）担保責任全般に適用されるから、本条1項においても「債務者に対し、契約の解除をし、又は代金の減額を請求することができる」と改めた。なお、改正前568条2項および3項は、維持された。

　[2]　改正前の物の瑕疵と権利の瑕疵との間における差異は、立法的解決には至らなかった。改正前570条も参照。

[改正前条文]

（強制競売における担保責任）

　1　強制競売[1]における買受人は、第五百六十一条から前条までの規定[2]により、債務者[3]に対し、契約の解除をし、又は代金の減額を請求することができる[4]。

　2、3　同上

[原条文]

　強制競売ノ場合ニ於テハ競落人ハ前七条ノ規定ニ依リ債務者ニ対シテ契約ノ解除ヲ為シ又ハ代金ノ減額ヲ請求スルコトヲ得

　前項ノ場合ニ於テ債務者カ無資力ナルトキハ競落人ハ代金ノ配当ヲ受ケタル債権者ニ対シテ其代金ノ全部又ハ一部ノ返還ヲ請求スルコトヲ得

　前二項ノ場合ニ於テ債務者カ物又ハ権利ノ欠缺ヲ知リテ之ヲ申出テス又ハ債権者カ之ヲ知リテ競売ヲ請求シタルトキハ競落人ハ其過失者ニ対シテ損害賠償ノ請求ヲ為スコトヲ得

〈改正〉　1979年の民事執行法の施行に伴う改正により、1項・2項および3項にあった「競落人」がそれぞれ「買受人」に改められた。

[改正前条文の解説]

〔1〕　「強制競売」とは、債権者が民事執行法45条以下の規定によって行う債務者の財産の競売であり、抵当権などの担保権の実行としての競売（民執§§181〜）にもその規定が準用されるので、本条にいう「強制競売」は両者を含む意味に解される。

　民法は、強制競売には少なくとも一種の売買としての性質が包含されていることに着眼して、本条においてその担保責任を定めたものである。

〔2〕　強制競売の場合に適用があるのは、改正前561条〜567条だけであって、物の瑕疵についての改正前570条の適用はないことを注意するべきである（同§570[5]参照）。

　なお、競売された建物に借地権が付随しているものとされていたところ、その借地権が存在しなかった場合について、本条1項・2項、改正前566条1項・2項が類推適用されるとした判決がある（最判平成8・1・26民集50巻155頁）。

〔3〕　強制競売において、だれを売主とみるべきかは問題である。しかし、民法は、強制競売の代金によって終極的に利益をうける（原則としては、目的物の所有者である）債

§§568〔1〕～〔6〕・569〔1〕

務者を第一次の責任者としたのである。問題は、物上保証人が提供した担保物が競売
されたときは、だれが第一次の責任者とされるかである。学説は、一般に物上保証人
を第一次の責任者とする。さらに、この理をひろげて、抵当不動産の第三取得者に本
条の担保責任を認める見解がある。前者はともかくとして、後者にこの責任を負わせ
るのはむしろ否定するべきであろう。

　なお、解除の意思表示は、第2項の請求をする場合にも、第一次の責任者に対して
するべきである。

　〔4〕　損害賠償の請求については、第3項の要件を必要とする（〔6〕参照）。

　〔5〕　公平の観念から、債権者に第二次の責任を認めたのである（前掲最判平成8・
1・26は、債権者に対する請求を認めた例である）。ただし、責任の範囲は、受けた配当額
を限度とする。買受人は、まず債務者に対して、あるいは、解除の意思表示をして原
状回復の請求をし、あるいは代金減額の請求をして一部代金の返還を求め、債務者が
無資力であれば、それを証明して債権者に代金の返還を求めるべきである。代金の返
還をした債権者は、債務者に対してその支払を請求できることはいうまでもない。

　〔6〕　強制競売は、国家機関が中間に立っての売買であり、債務者は、その意思に
基づかずにその所有物を競売されるものであり、債権者はその財産状態を知悉しない
のが常であるから、損害賠償責任については、とくに悪意者にだけ責任を負わせ、そ
の他の者については、これを負わないでよいものとしたのである。債務者・債権者が
ともに条件を備えたときは、債務者を第一次の責任者とするべきであろう。

（債権の売主の担保責任）
第五百六十九条
　1　債権の売主が債務者の資力を担保したとき[1]は、契約の時における資力を
　　担保したものと推定する[2]。
　2　弁済期に至らない債権の売主が債務者の将来の資力を担保したときは、弁
　　済期における資力を担保したものと推定する[3]。
［原条文］
　債権ノ売主カ債務者ノ資力ヲ担保シタルトキハ契約ノ当時ニ於ケル資力ヲ担保シタルモ
　ノト推定ス
　弁済期ニ至ラサル債権ノ売主カ債務者ノ将来ノ資力ヲ担保シタルトキハ弁済ノ期日ニ於
　ケル資力ヲ担保シタルモノト推定ス

　〔1〕　債権の売主が買主に対して債務者には債務弁済の資力がある旨を担保（「担保
責任」の意味における担保）したときである。そもそも、債権の売買についても、改正前
560条から改正前566条までの適用がある。すなわち、売買の目的である債権が他人
に帰属するとき、あるいは質権の目的であるときなどには、それぞれの条文によって
売主の担保責任が認められる。しかし、これらの条文が定めるのは、いずれも債権の
存在自体についての担保責任であって、債権が存在しさえすれば、債務者が全然無資
力であるために買主が債権の実効を収められなかった場合でも、売主には担保責任は

1235

第3編　第2章　契約　第3節　売買

ないことになる。したがって、買主が債務者の無資力の場合についても売主に担保責任を負わせようと欲するならば、資力担保の特約をしなければならないのである。

〔2〕　債務者の資力は、終始変動するものであるから、いつの資力を担保したのかについて、争いが生じるおそれがある。そこで、本項は、それを「契約の時」——いうまでもなく債権の売買契約の当時——の資力を担保したものと推定したのである。そうでない意思であれば、もちろんそれによるが、それを主張する者はそのことを立証しなければならない。

〔3〕　「弁済期」の資力とは、現実に弁済する時でなく、契約によって定まった「弁済するべき期日」の資力であることは、もちろんである。返還の時期を定めない消費貸借（§591〔改注〕参照）は、本条との関連においては、弁済期の到来した債権と解するべきであろう。

（抵当権等がある場合の買主による費用の償還請求）
第五百七十条
　　　買い受けた不動産について契約の内容に適合しない先取特権、質権又は抵当権が存していた場合において、買主が費用を支出してその不動産の所有権を保存したときは、買主は、売主に対し、その費用の償還を請求することができる[1]。

〈改正〉　2017 年に改正された。改正前 567 条 2 項も参照。

〔改正の趣旨〕　〔1〕　いわゆる「権利の瑕疵」等に関する売主の責任を新しい表現で規定した。契約の趣旨に適合しない先取特権または抵当権の負担がある場合には、これらの権利が実行される前後を問わず、債務不履行の一般原則により、契約の解除および損害賠償を請求することができるとするのが妥当であり、かつそれで足りるから、新法は、改正前 567 条 1 項および 3 項を削除した。

〔改正前条文〕　改正前 570 条本文については新 561 条〜566 条を、改正前 570 条ただし書については、新 568 条 4 項も参照。

（売主の瑕疵担保責任）
　　　売買の目的物[1]に隠れた瑕疵[2]があったときは、第五百六十六条の規定を準用する[3]。ただし、強制競売の場合[4]は、この限りでない[5][6]。

〔原条文〕
　　　売買ノ目的物ニ隠レタル瑕疵アリタルトキハ第五百六十六条ノ規定ヲ準用ス但強制競売ノ場合ハ此限ニ在ラス

〔改正前条文の解説〕
　本条は、いわゆる「瑕疵担保責任」、すなわち物の瑕疵に対する担保責任について規定する。担保責任に関する規定のなかでも、最もしばしば適用されるものである。

〔1〕　「売買の目的物」に瑕疵があるとは、売買契約において目的物と定められた物がその契約締結の当時にすでに瑕疵を有するという意味か、あるいは、売買の目的物として売主の給付した物が瑕疵を有するという意味か、争いのあるところである。これを別の側面からいえば、本条の適用範囲は、不特定物の売買にも及ぶか、ということについての見解の相違と密接に関連するものである（本款解説[2](1)参照）。

§§ 569〔2〕〔3〕・570〔1〕

(1)　特定物の売買に限り本条の適用があると解する説は、つぎのように説く。

　不特定物、たとえばＡ会社の販売する１馬力タービンポンプの１台の売買において、売主Ａが給付した目的物に瑕疵があれば、Ａはなお債務の本旨に従った履行をしていないのであるから、買主Ｂは完全なものの給付を請求できることは当然であって、単にＡの担保責任として、契約の解除、損害賠償の請求しかできないと解するべきではない。もちろん、買主Ｂは、完全なポンプの履行を催告して契約の解除をし、損害賠償の請求をすることができる。それは、改正前541条・545条によるのであって、本条によるのではない。したがって、その請求には１年の除斥期間(改正前§566Ⅲ)の制限はない。こうして、本条の適用があるのは特定物、たとえば売主Ａが使用していた特定の揚水ポンプ１台の売買というような場合に限る。この種の売買においては、その特定の物を給付すれば売主Ａの債務は本旨に従って履行されたものであり、たとえそれに瑕疵があっても、買主Ｂは瑕疵のない同種類のポンプを給付せよと請求することはできない。しかし、その結果は、はなはだ不公平であるから、本条によってＡの担保責任を認めたのである。

　この見解は、特定物についてはその給付が終われば、債務は消滅し、瑕疵については、両給付の等価性を守り、公平を貫くためにとくに法により認められた責任であると考えるところから、法定責任説と呼ばれる。

　この見解は、確かに民法の理論構成に適切なものと思われ、かつては、多数の学説はこれに従っていた。しかし、この説には一つの欠点がある。それは、不特定物の売買における買主の瑕疵のない完全な物を給付せよという請求権が、普通の債権として10年の間存続するとすると(改正前§167)、おそらくは買主は、目的物を相当に使用した後においても、なお請求権を失わないであろうから、担保責任が１年の除斥期間にかかることと、あまりにも権衡を失するということである。上の見解をとる学説は、この欠点を信義則で緩和しようとする。すなわち、買主が他の瑕疵のない完全な物の給付を請求しようとすれば、その瑕疵を発見するとともに遅滞なくその旨の通知をするべく、そうでない限り、売主は給付した物を修理することによって他の物を給付する義務を免れることができると解する(改正前§415〔2〕(2)(イ)参照)。

(2)　これに対して、判例は、つぎのような見解を示してきた。

(ア)　まず、不特定物の売買についても、いやしくもいちおうの履行があれば、本条の適用があるとして、つぎのように説いた。不特定物の売買であっても、契約の目的物と全然種類を異にする物の給付ならば格別、そうでなく、買主が目的物を受領した場合には、不完全ながら契約の履行があったとみるべく、そして、買主が善意であれば、瑕疵担保による権利を行うことができると解するべきである。けだし、第１に、改正前570条にはその適用を特定物の売買に制限したと解するべき文字はない。第２に、不特定物の売買においても、後から当事者の契約で給付するべき物を特定することは有効であり、これは特定物の売買に類似する。そして、このような契約はなくても、物の授受があれば、給付するべき物は、売主が買主の同意を得てこれを指定し、またはその給付をするのに必要な行為を完了した時に特定したということができる。この時期を標準として考えれば、瑕疵担保の問題に関して、特定物の売買契約とその

1237

第3編　第2章　契約　第3節　売買

取扱いを異にするべきではない。そうでないと、不特定物の売買については、本条により準用される改正前566条3項の適用がないことになり、取引関係がいつまでも不安定な状態におかれることになるであろう（大判大正14・3・13民集4巻217頁［タービンポンプ売買事件］、大判昭和3・12・12民集7巻1071頁）。

　この見解は、債務不履行説または契約責任説と呼ばれる。しかし、この命名では、不特定物の売買に適用がある場合に民法の規定が債務不履行責任の特則という意味をもつというのか、特定物の瑕疵の問題を含めて債務不履行責任と考えるのか、は必ずしも明確でない。学説は、この点の論議を含みながら、この見解の方向に向かっている。

　(イ)　しかし、判例は、その後、買主が瑕疵の存在を認識したうえでこれを履行として認容し、売主に対し瑕疵担保責任を問うなどの事情が存すれば別であるが、そうでない限り、買主は受領後も取替えないし追完の方法による完全な給付を請求する権利を有するとし、この場合には、債務不履行として、それが売主の責めに帰すべき事由に基づくときは、損害賠償と解除の権利があるとする判決がなされ（最判昭和36・12・15民集15巻2852頁［塩釜声の新聞社事件判決］）、(ア)の立場を修正している。

　(3)　民法の解釈に関する以上のような見解のうち、理論的には、(1)が優っていると考えられる。けだし、判例理論、とくにその(2)(ア)によるときは、買主は、いやしくも目的物を受領してしまった以上は、他の瑕疵のない物の給付を請求できないものとなり、取引の実際に反し、公平に合しないうらみがあるからである。判例理論の(2)(イ)は、この点を是正するものである。

　(4)　商法526条［改注］が不特定物の売買についても適用あることについては、ほとんど争いがない（大判昭和2・4・15民集6巻249頁）。商人間の売買については、このようにして問題をすみやかに解決することが望ましいからである。

　(5)　以上の点は、ドイツ民法制定以前から争われた顕著な問題の一つであって、ドイツ系の民法典は、立法上これを解決している。すなわち、ドイツ民法（旧§480、新§§437・439）、スイス債務法（§206）は、ともに買主は瑕疵のない他の物の給付を請求する権利と、担保責任を問う権利との両者を有するものとし、ドイツ民法は、さらにその瑕疵のない他の物の給付を請求する権利に対し、その存続期間などについて、担保責任を問う権利と同様の制限を加えている（同新§438）。

　〔2〕　「隠れた瑕疵」があるとは、売買の目的物の所有権は買主に帰属するに至ったが、その物に買主が気の付かない物質的または法律的な障害があって、その交換価値または使用価値が減少していることである。つぎの諸点が問題となる。

　(ア)　瑕疵が隠れたものであるとは、買主が取引上必要な普通の注意をしても発見できないことをいう。丸鉄の売買で目的物にねじれがあり、長さも足りないような外部から容易に見える瑕疵でも、目的物が税関内に収容処分となって点検ができなかった場合には、なお隠れた瑕疵である（大判大正13・6・23民集3巻339頁。その他、大判昭和3・12・12民集7巻1071頁、大判昭和5・4・16民集9巻376頁）。

　(イ)　「瑕疵」とは、売買の目的物に物質的な欠点がある場合が最も普通である。そして、欠点と認めるべきかどうかは、一般にはその種類の物として通常有するべき品

§570〔2〕〔3〕

質・性能を標準として判断するべきであるが、売主が目的物につき見本その他のものによって特殊の品質・性能を有することを保証したときは、その特殊の標準によってこれを定めるべきである（見本売買につき、大判大正15・5・24民集5巻433頁、広告売買につき、大判昭和8・1・14民集12巻71頁参照）。

　売買契約の目的物である土地の土壌に当該契約締結後に法令に基づく規制の対象となったフッ素が基準値を超えて含まれていたことは、契約締結当時の取引観念上、フッ素が土壌に含まれることに起因して人の健康にかかる被害を生ずるおそれがあるとは認識されておらず、契約の当事者間において、当該土地が備えるべき属性として、その土壌にフッ素が含まれていないことや、当該契約の締結時に有害性が認識されていたか否かに関わらず人の健康に係る被害を生ずるおそれのある一切の物質が含まれていないことが、特に予定されていたとみるべき事情がない場合には、本条の瑕疵には当たらないとした判例がある（最判平成22・6・1民集64巻953頁）。

　㈡　瑕疵は、法律的欠陥でもよい。たとえば、工場敷地用として買った土地が河川法準用区域であって工場を建てられない場合（大判大正4・12・21民録21輯2144頁）、居住目的であることを明示して購入した土地に都市計画のために居宅を建築できない場合（最判昭和41・4・14民集20巻649頁）、宅地造成のため買受けた土地が保安林であった場合（最判昭和56・9・8判時1019号73頁）などである（これらの瑕疵については、改正前§566を類推適用すべきであるとする見解もある。強制競売の場合について差異を生じる）。また、「無期限」と登記されている地上権を「永久」の地上権と思って買ったところ、それは期限の定めのないものと解釈されて土地の競落人（現在では、買受人）から引渡しを請求されたような場合にも、本条の適用がある。なお、耕地整理組合員からその取得した換地（土地区画整理事業などにおいて従来の所有地に換えて交付される土地のことをいう）を買ったところ、組合に対する滞納金が当事者の調査した額より多額であったような場合にも、本条を類推適用するべきであるとする判決がある（大判昭和17・12・1民集21巻1142頁）。換地所有権に一種の瑕疵が伴った場合と見たことになるであろう。ただし、土地区画整理事業の施行地区内の土地を購入した買主が売買後に土地区画整理組合から賦課金を課された場合において、当該売買の当時、買主が賦課金を課される可能性が存在していたとしても、これをもって当該土地につき民法改正前570条にいう瑕疵があるとはいえないとされた事例（最判平成25・3・22判時2184号33頁）がある。

　建物とその敷地の賃借権の売買において、敷地にその賃貸人が修繕義務を負う欠陥がある場合について、賃貸人に対して修繕を請求すべきで、本条の瑕疵とはいえないとされた（最判平成3・4・2民集45巻349頁）。

　㈣　隠れた瑕疵であるかどうかは、一般普通人の観察を標準として決めるが、買主が瑕疵を知っていれば、もちろん、本条の責任を問うことはできない。しかし、買主が知っていたということは売主において主張・立証しなければならない（大判昭和5・4・16民集9巻376頁）。

　〔3〕　瑕疵担保責任の効果は、改正前566条による。すなわち、

　(a)　買主は、つねに損害賠償の請求をすることができ、その瑕疵のために売買の目的を達することができない場合には、契約を解除して、損害賠償の請求をするこ

第3編　第2章　契約　第3節　売買

とができる。

　修繕や代替物給付が可能であれば、原則として解除はできないと解されるが、修繕に過分の費用を要するときは、解除を認めてもよいとされた例（大判昭和4・3・30民集8巻226頁）、瑕疵が契約の目的を達しえないほど重大な場合でも、解除しないで損害賠償の請求だけをしてもよいとされた例（大判大正10・2・10民録27輯255頁）がある。

　(b)　この場合の売主の損害賠償の義務の範囲について、信頼利益の賠償と解した下級審判決はあるが（大阪高判昭和35・8・9高裁民集13巻513頁）、この点については、本款解説[2](3)(b)参照。

　(c)　目的物の瑕疵に相応する代金減額請求はできないと解されている（最判昭和29・1・22民集8巻198頁）。

　(d)　なお、これらの権利には1年の除斥期間がある（改正前§566Ⅲ。同条(7)参照）。

〔4〕　改正前568条(1)参照。

〔5〕　強制競売における担保責任については、本款の規定を適用する場合にも、損害賠償の請求権を制限している（改正前§568）。瑕疵担保責任についても、同様の趣旨から、また、隠れた瑕疵による買主の損害はそれほど大きくないのが普通であることから、本条の適用を排斥して、強制競売の結果の確実性を維持しようとしたのである（改正前§568(6)参照）。

〔6〕　本条と錯誤の規定（改正前§95）との関係は、はなはだ問題である。

　(ア)　論理的には、つぎの4とおりの可能性がある。

　(a)　場合を分けて、ある場合には錯誤の規定が適用され、他の場合には本条の規定が適用されるとする。

　(b)　錯誤の規定の適用がある限り、本条の適用は排斥されるとする。

　(c)　本条の適用がある限り、錯誤の規定の適用は排斥されるとする。

　(d)　買主は、いずれの要件を立証して、いずれの規定を適用するのも自由とする。

　(イ)　かつては、(a)の立場に立つように思われた判決が見られた。すなわち、当事者がとくに一定の品質を具有することをもって「重要なるものとして」意思を表示した場合に、それを欠くときは錯誤になり、そのような意思の表示がなかった場合には、本条による、とするものである（大判大正10・12・15民録27輯2160頁［中古発動機売買事件]）。しかし、この「重要なるものとして」意思を表示するという標準が不明確であり、改正前95条の要件として必要とされる根拠もないと批判されていた。

　これに対して、最判昭和33・6・14（民集12巻1492頁［苺ジャム事件]）は、錯誤が認められる場合には本条の規定は排除されるとして、(b)の見解を示した。もっとも、これは買主が錯誤を主張した事例であって、買主が瑕疵担保責任を主張した場合にはこれを認めており（前掲最判昭和41・4・14）、錯誤でなければ認めないとした例はないという指摘もされている。

　(ウ)　学説としては、むしろ、担保責任の規定は売買関係を一律に迅速に解決しようとする長所をもっていることを考慮して、(c)の立場、あるいは、買主保護の観点から、(d)の立場が有力である。

§§570 〔4〕～〔6〕・571 (旧)・572

（エ）　同様のことは、権利の瑕疵に関する担保責任（改正前§§561・563・565～567）につ
いても問題になるが、おおむね、担保責任の規定の方が優先すると解されている。

第五百七十一条　削除

[削除前条文]
（売主の担保責任と同時履行）
第五百七十一条
　　第五百三十三条の規定は、第五百六十三条から第五百六十六条まで及び前条の場合²⁾に
ついて準用する¹⁾。

〈改正〉　2017年に削除された。

[削除の趣旨]　新533条カッコ書を参照。

[原条文]
　　第五百三十三条ノ規定ハ第五百六十三条乃至第五百六十六条及ヒ前条ノ場合ニ之ヲ準用
ス

[削除前条文の解説]
　〔1〕　買主がこれらの条文によって代金の減額請求または解除をした場合に、買主
の方にも目的物の一部または全部を返還する債務を生じることがある。その場合に、
両当事者の債務を同時履行の関係に立つものとして、公平を保とうとしたものである。
改正前546条と同じ趣旨である。
　〔2〕　改正前561条について準用されていないが、買主が目的物を占有したままで
解除する場合もあるので、疑問である。改正前567条について準用されていないのは、
同条においては、解除によって目的物を売主に返還するという関係を生じないからで
ある。568条［改注］について準用されていないのは、同条による準用によってすで
に533条［改注］の準用が含まれているからである。

（担保責任を負わない旨の特約）
第五百七十二条
　　売主は、第五百六十二条第一項本文又は第五百六十五条に規定する場合にお
ける担保の責任を負わない旨の特約をしたときであっても、知りながら告げな
かった事実及び自ら第三者のために設定し又は第三者に譲り渡した権利につい
ては、その責任を免れることができない。

〈改正〉　2017年に改正された。「第五百六十条から前条までの規定による」を「第五百六十
二条第一項本文又は第五百六十五条に規定する場合における」に改めた。

[改正の趣旨]　他の条文の改正に対応した。当事者間の特約によって信義に反する行為を正
当化することは許されないから、そのような2つの場合に付き、担保責任を排除・軽減する
特約の効力を認めない趣旨である。

[改正前条文]
　　売主は、第五百六十条から前条までの規定による担保の責任を負わない旨の特約¹⁾をし
たときであっても、知りながら告げなかった事実²⁾及び自ら第三者のために設定し又は第

1241

第3編　第2章　契約　第3節　売買

三者に譲り渡した権利[3]については、その責任を免れることができない。

［原条文］

売主ハ前十二条ニ定メタル担保ノ責任ヲ負ハサル旨ヲ特約シタルトキト雖モ其知リテ告ケサリシ事実及ヒ自ラ第三者ノ為メニ設定シ又ハ之ニ譲渡シタル権利ニ付テハ其責ヲ免ルルコトヲ得ス

〔1〕　担保責任に関する諸規定も、強行法規ではない。したがって、民法の定める内容と異なる担保責任を定める（実際上、「保証書」と呼ばれるものがこれに当たる）ことは、自由であるし、売主がこの責任を負わない旨の特約も有効である。しかし、その場合にも、信義則上つぎの〔2〕・〔3〕の場合には責任を免れることができないものとされるのである。担保責任を重くする特約も、もちろん有効である。

なお、宅地建物取引業法40条が、宅地・建物の売買契約における瑕疵担保責任に関して、民法の規定よりも買主に不利になる特約を無効としていることが注目される（改正前§566Ⅲの、買主が知った時から1年を、不動産の引渡しの日から2年以上とする特約だけ認められる）。

〔2〕　〔1〕に述べるような特約があっても、売主が知っていて相手方に告げなかった瑕疵についての責任は免れないのである。

〔3〕　たとえば、売買の目的である権利の全部または一部が売主みずから他人に譲渡したものであった場合、または売買の目的である土地の上に売主みずから他人のために設定した地上権または抵当権が存した場合には、たとえ売主がこれを忘却していたときでも、なお、担保責任を免れることができない。信義則の要求するところだからである。買主がこれを知っている場合には、本条の適用はない。

（代金の支払期限）
第五百七十三条

売買の目的物の引渡しについて期限があるときは、代金の支払についても同一の期限を付したものと推定する[1]。

［原条文］

売買ノ目的物ノ引渡ニ付キ期限アルトキハ代金ノ支払ニ付テモ亦同一ノ期限ヲ附シタルモノト推定ス

〔1〕　売買は双務契約であって、両当事者は、同時履行の抗弁権を有するのを常とする（§533［改注］）。したがって、売主の目的物引渡しの債務につき期限の定めがある場合には、買主の代金支払債務についても、同一の期限の定めのあるのが普通であろう。そこで、本条の推定規定を設けたのである。特別の約束または別段の慣習があれば、それによるべきはもちろんである。小売商と消費者との間の日常生活品の供給を目的とする売買には、かつて月末払の慣習が広く行われていたことなどが想起される。

§§572〔1〕〜〔3〕・573・574・575〔1〕

（代金の支払場所）
第五百七十四条
　　売買の目的物の引渡しと同時に代金を支払うべきときは、その引渡しの場所[1]。において支払わなければならない[2]。
［原条文］
　　売買ノ目的物ノ引渡ト同時ニ代金ヲ払フヘキトキハ其引渡ノ場所ニ於テ之ヲ払フコトヲ要ス

〔1〕　売買の目的物の引渡場所は、特約によって定まるのを通常とするが、特約がなければ、特定物の売買においては契約締結の当時その物が存在した場所であり、不特定物の売買においては売主が給付する時の買主の住所である（§484［改注］）。
〔2〕　本条も強行規定ではないから、特約で変更することはできる。また、本来「目的物の引渡しと同時に代金を支払うべき」契約であっても、売主の引渡しの時に買主が代金を支払わなかった場合には、本条の適用はなく、買主は、その後は一般原則に従って売主の住所において支払うことを要する（大判昭和2・12・27民集6巻743頁）。

（果実の帰属及び代金の利息の支払）
第五百七十五条
　1　まだ引き渡されていない売買の目的物が果実[2]を生じたときは、その果実は、売主に帰属する[1]。
　2　買主は、引渡しの日から、代金の利息を支払う義務を負う[3]。ただし、代金の支払について期限があるときは、その期限が到来するまでは、利息を支払うことを要しない[4]。
［原条文］
　　未タ引渡ササル売買ノ目的物カ果実ヲ生シタルトキハ其果実ハ売主ニ属ス
　　買主ハ引渡ノ日ヨリ代金ノ利息ヲ払フ義務ヲ負フ但代金ノ支払ニ付キ期限アルトキハ其期限ノ到来スルマテハ利息ヲ払フコトヲ要セス

〔1〕　本条は、売主と買主との間に、売買の目的物の保管費用の償還請求権、代金の利息請求権、買主の果実償還請求権などの複雑な関係が生じることを避けようとする趣旨である（後掲大連判大正13・9・24）。
　したがって、「まだ引き渡されていない」というのは、売主または買主の責めに帰すべき事由によって引渡しが遅れている場合をも含む。たとえば、宅地の売買において、買主が受領を拒むので、売主が一切の提供をして買主を遅滞におちいらせ、その後、遅滞による遅延利息と自分の支払った地租（当時の土地税）の償還を求めても、売主はまだ目的物を引渡していない以上は、——売主はその間その宅地の果実を収取するのだから——そのような請求は認められない（大判大正4・12・21民録21輯2135頁）。同様に、農地の売買において売主が履行を拒んだために2年余も引渡しが遅れ、その2年間の小作料を売主が取得していたとしても、買主は、——その間、代金を自分で利用しているのだから——その小作料の返還を求め、自分の代金債務と相殺すること

1243

第3編　第2章　契約　第3節　売買

はできないとされた（大連判大正 13・9・24 民集 3 巻 440 頁）。

　しかし、買主がすでに代金を支払ったにもかかわらず、売主が目的物の引渡しを怠っている場合には、もちろん、本条の適用はない（大判昭和 7・3・3 民集 11 巻 274 頁）。

　〔2〕　ここにいう「果実」には、天然果実・法定果実の両方を含む（§88）。そもそも、果実の収取権は、通常は元物の所有者に属するはずであるが（§206 参照）、本条は、たとえ所有権の移転があっても、引渡しがない限り売主に収取権を認めたのである（§89 参照）。

　〔3〕　たとえ買主の代金支払時期に関して期限の定めがあっても、なお、本項本文を適用するべきである。すなわち、代金支払時期が過ぎても、引渡しがあるまでは、買主は利息支払義務を負わず、引渡しの日以後、「代金の利息」を買主は支払う義務を負う。けだし、こう解してこそ、第 1 項において売主はたとえ遅滞にあってもなお果実を収取する権利を有するものとされることとも、権衡を保つからである。この場合の利息は、遅延利息（§419 Ⅰ［改注］）ではなくて、法定利息であるとする判例があるが（大判昭和 6・5・13 民集 10 巻 252 頁）、その利率は、法定利率によることはいうまでもない（改正前 §404 参照）。

　〔4〕　代金支払時期が引渡しよりも後に設定されていた場合のことである。この場合、買主は果実を取得し、利息を支払わないでよいことになる。もちろん、特約があれば別である。

（権利を取得することができない等のおそれがある場合の買主による代金の支払の拒絶）
第五百七十六条
　　　売買の目的について権利を主張する者があることその他の事由により、買主がその買い受けた権利の全部若しくは一部を取得することができず、又は失うおそれがあるときは、買主は、その危険の程度に応じて、代金の全部又は一部の支払を拒むことができる[1]。ただし、売主が相当の担保を供したときは、この限りでない[2]。

〈改正〉　2017 年に改正された。見出しを改め、「ために」を「ことその他の事由により、」に、「又は一部を」を「若しくは一部を取得することができず、又は」に、「限度」を「程度」に改めた。

［改正の趣旨］　〔1〕　本条に関する通説を明文化した。「権利を主張する者がある」ことを例示として位置づけ、「その他の事由」がある場合にも代金支払拒絶権があること、および既に取得した権利を失うおそれだけでなく、権利を取得できないおそれがある場合にも代金支払拒絶権があることを明文化した。本条の拒絶権は、不安の抗弁（同時履行の抗弁権［§533 の前注］の③(イ)）と趣旨において類似するが、後者は主として相手方に信用不安等がある場合に用いられる点で異なる。

　〔2〕　改正前ただし書は維持された。

［改正前条文］
（権利を失うおそれがある場合の買主による代金の支払の拒絶）
　　　売買の目的について権利を主張する者があるために買主がその買い受けた権利の全部又は一部を失うおそれがあるとき[1)]は、買主は、その危険の限度に応じて、代金の全部又は一部の支払を拒むことができる[2)]。ただし、売主が相当の担保[3)]を供したときは、この限り

§§575〔2〕～〔4〕・576・577

でない。
　［原条文］
　　売買ノ目的ニ付キ権利ヲ主張スル者アリテ買主カ其買受ケタル権利ノ全部又ハ一部ヲ失
　フ虞アルトキハ買主ハ其危険ノ限度ニ応シ代金ノ全部又ハ一部ノ支払ヲ拒ムコトヲ得但売
　主カ相当ノ担保ヲ供シタルトキハ此限ニ在ラス

　［改正前条文の解説］
〔1〕　たとえば、土地を買受けたが、その全部または一部につき、それは自分の所
有であると主張する第三者が現れたような場合である。土地の上に用益権を主張する
者が現れたとしても、本条の適用はないと解される。けだし、本条の文字からもそう
読めるばかりでなく、この場合に代金の全部の支払を拒むことは行きすぎであり、ま
た、代金の一部の支払を拒むことを認めるのは、改正前566条が代金の減額請求を認
めていないことと矛盾するからである。しかし、この場合にも本条が適用されると解
することも可能ではあろう。また、債権の売買の場合において、債務者が債権の存在
を否認するようなときには、本条を類推適用するべきであろう。
　なお、不動産の売買において担保権が存在する場合については、577条［改注］参照。
〔2〕　買主が第三者から売買の目的物を追奪されたときは、売主に対して担保責任
を問うことができるのであるが（改正前§§561～563）、本条は、さらに代金支払拒絶権
を認めて、買主の損失を未然に防ごうとしたのである。ただし、本条は、担保責任の
規定を排斥するものではない。したがって、代金の支払を拒絶した買主が、なお契約
を解除し、損害賠償を請求することもできる。
〔3〕　担保の種類には制限がない。相当であるかどうかは、客観的に定められる。

（抵当権等の登記がある場合の買主による代金の支払の拒絶）
第五百七十七条
　　1　買い受けた不動産について契約の内容に適合しない抵当権の登記があると
　　　きは、買主は、抵当権消滅請求の手続が終わるまで、その代金の支払を拒む
　　　ことができる。この場合において、売主は、買主に対し、遅滞なく抵当権消
　　　滅請求をすべき旨を請求することができる。
　　2　前項の規定は、買い受けた不動産について契約の内容に適合しない先取特
　　　権又は質権の登記がある場合について準用する。
〈改正〉　2017年に改正された。「不動産について」の下に「契約の内容に適合しない」を加
えた。
　［改正の趣旨］　念のための修正であろう。
　［改正前条文］
　　1　買い受けた不動産について抵当権の登記があるときは、買主は、抵当権消滅請求[1]の
　　　手続が終わるまで、その代金の支払を拒むことができる。この場合において、売主は、
　　　買主に対し、遅滞なく抵当権消滅請求をすべき旨を請求する[2]ことができる。
　　2　前項の規定は、買い受けた不動産について先取特権又は質権の登記がある場合につい
　　　て準用する[1]。
　［原条文］

1245

第3編　第2章　契約　第3節　売買

　　　買受ケタル不動産ニ付キ先取特権、質権又ハ抵当権ノ登記アルトキハ買主ハ滌除ノ手続
　　　ヲ終ハルマテ其代金ノ支払ヲ拒ムコトヲ得但売主ハ買主ニ対シテ遅滞ナク滌除ヲ為スヘキ
　　　旨ヲ請求スルコトヲ得
　　〈改正〉　2003年の改正により、1項の「先取特権、質権又ハ」が削られ、「滌除」が「抵当権
　消滅請求」に改められ、また、つぎの2項が追加された。
　　　前項ノ規定ハ買受ケタル不動産ニ付キ先取特権又ハ質権ノ登記アル場合ニ之ヲ準用ス

　　〔1〕　「抵当権消滅請求」についての379条以下を参照。
　買主の買受けた不動産に抵当権または先取特権・質権が存在するときは、買主は抵
当権(または、先取特権・質権の)消滅請求をすることができ(§§379・341・361)、これが
成功すれば、買主がこれらの担保物権者に支払った金額は売主の債務の弁済となるも
のであるから、買主は、それだけ代金の支払を免れることになる。これが、本条を設
けたゆえんである。しかし、この規定も売主の担保責任に関する規定(改正前§§566・
567)を排斥するものではない。
　　〔2〕　買主に抵当権消滅請求をする義務が生じるのではない。遅滞なくこれをしな
いと、代金支払拒絶権を失うというだけである。

　　(売主による代金の供託の請求)
　　第五百七十八条
　　　　前二条の場合においては、売主は、買主に対して代金の供託を請求すること
　　ができる[1]。
　　[原条文]
　　　前二条ノ場合ニ於テ売主ハ買主ニ対シテ代金ノ供託ヲ請求スルコトヲ得

　　〔1〕　供託の手続については、495条以下参照。買主が供託をしないときは、前二
条、すなわち576条〜577条［改注］の権利を失う(大判昭和14・4・15民集18巻429頁)。

第3款　買戻し

〈改正〉　2017年に買戻しの特約に関する579条と買戻しの特約の対抗力に関する581条が改正
された。

① 本款の内容
　本款は、「買戻し」と題して、買戻しの定義と内容(改正前§579)、買戻しの期間(§
580)、第三者に対する効力(改正前§581)、買戻権の実行に関する諸規定(§§582〜585)か
ら成っている。

§§577〔1〕〔2〕・578・第3款 [解説]・§579

② 買戻し約款付売買の意義

(1)　買戻し約款付売買とは、売主が将来目的物をふたたび自分の手に取戻すという権能を留保した売買である。したがって、目的物を一定の期間だけ買主に譲渡することになるので、古く土地の永代売買が禁止されていた時代においても許されたものであって、広く行われ、不動産担保の作用を営んだものである（第2編解説②(3)参照）。しかし、民法は、物的担保制度としては質権と抵当権だけを取り上げて、これを整備するとともに、所有権移転の形式による担保制度はこれを規定せず、買戻しを一種特別の売買──解除権の留保された売買──として売買の項目の中の1款とした。しかも、民法が買戻しを規定するに当たっては、これに厳重な要件を加えた。すなわち、一方において、所有権が期間によって売主と買主に分属することがその円満性を破り、不動産取引を妨害すると考えて、買戻しの期間を制限し（§580）、買戻権をもって第三者に対抗するためには売買契約と同時に買戻権の登記をするべきものとする（§581）。また他方において、売主のために買戻しの実行を容易にするために、買戻しの代金を売買代金と同一であるべきものとした（§579 [改注]）のである。

(2)　しかし、所有権移転の形式による担保は、民法の質権・抵当権の規定が不十分であるために、今日かえってますます利用される傾向にある（第2編第10章後注参照）。そして、買戻しに対して民法が加えた厳重な制限は、実際の取引界をして、再売買の予約付売買という方式を利用させることとなった。そして、判例もまた、この傾向に順応して、この形式のもとになされる売買には、買戻しの規定の適用はないと解している（§556〔1〕(4)・〔2〕(イ)参照）。こうして、この形式によって買戻しという制度に伴う制限が実質的に撤廃されてゆくことは注目するべき現象である。

(3)　なお、上のような担保目的でないものを「真正の買戻し約款付売買」と呼ぶ。原審が真正の買戻特約付き売買と認定したのに、目的不動産の占有の移転を伴わない契約は、特段の事情のない限り、債権担保目的のものと推認され、譲渡担保契約であるとした判決が現れた（最判平成18・2・7民集60巻480頁）。やはり慎重な判断が必要ではなかろうか（第2編第10章後注④参照）。

(4)　新住宅市街地開発法（昭和38年法律134号）において、公的な費用で造成された土地の譲渡につき、買戻しの特約を付するものとし、一定の条件を守らなかった譲受人に対する買戻権を留保することとしており（同法§33）、買戻し制度の注目するべき利用形態である。

（買戻しの特約）
第五百七十九条

　　　不動産の売主は、売買契約と同時にした買戻しの特約により、買主が支払った代金（別段の合意をした場合にあっては、その合意により定めた金額。第五百八十三条第一項において同じ。）及び契約の費用を返還して、売買の解除をすることができる[1]。この場合において、当事者が別段の意思を表示しなかったときは、不動産の果実と代金の利息とは相殺したものとみなす[2]。

〈改正〉　2017年に改正された。「支払った代金」の下に「（別段の合意をした場合にあっては、

1247

第3編　第2章　契約　第3節　売買

その合意により定めた金額。第五百八十三条第一項において同じ。)」を加えた。

[改正の趣旨]　[1]　改正前579条は強行規定と解されているが、再売買の予約では、売主が返還を要する金銭の範囲は代金・契約費用に制限されることなく合意によることが可能である。これを前提とすれば、買戻しについてだけ、売主が返還する金銭の範囲を強行法的に制限する実益は乏しい。そこで、新法は、返還する金銭の範囲は「代金」、「契約費用」としつつ、当事者間においてこれと異なる合意をすることができるとして、前段の任意規定化を行った。

[2]　利息と果実は相殺処理をするという後段についても、これを維持しつつ、これと異なる別段の合意が可能である旨を明文化した。

なお、買戻しの制度が暴利的に利用されないように留意することは今後も必要である、との指摘がなされている。

[改正前条文]

不動産²⁾の売主は、売買契約と同時にした³⁾買戻し¹⁾の特約により、買主が支払った代金及び契約の費用⁴⁾を返還して、売買の解除をする⁵⁾ことができる。この場合において、当事者が別段の意思を表示しなかったときは、不動産の果実と代金の利息とは相殺したものとみなす⁶⁾。

[原条文]

不動産ノ売主ハ売買契約ト同時ニ為シタル買戻ノ特約ニ依リ買主カ払ヒタル代金及ヒ契約ノ費用ヲ返還シテ其売買ノ解除ヲ為スコトヲ得但当事者カ別段ノ意思ヲ表示セサリシトキハ不動産ノ果実ト代金ノ利息トハ之ヲ相殺シタルモノト看做ス

[改正前条文の解説]

〔1〕　「買戻し」という文字は、一般取引界においては、きわめて広い意味に使われている。本款に定める買戻しのほかに、「再売買の予約」を指すこともあり（§556〔1〕(4)参照）、また、「譲渡担保」を意味する場合もある（第2編第10章後注参照）。契約の文字にこだわらずに、その意味を判断するべきである。

なお、買戻しは、買主の立場からは「売戻し」と表現されることになる。

〔2〕　本款の適用は、不動産に限られる。動産についても、買戻しの特約付きの売買がされる例も少なくないが、その場合には、本款の適用はなく、再売買の予約として556条の規定に従う。

〔3〕　売買契約の成立の後に、この特約をすることはできない。しかし、買戻しの特約と売買とを一体不可分の契約と見ているわけではないから、後になって、約款の内容を多少変更しても差しつかえない（大判大正11・5・5民集1巻240頁）。なお、改正前581条〔1〕末尾参照。

〔4〕　558条〔1〕・583条参照。売主は、代金・契約の費用（大判大正7・11・1民集24巻2103頁は、登録税〔現在の登録免許税〕を契約の費用に入るとした例である。§558〔1〕参照）——および特約ある場合には代金の利息（後述〔6〕参照）——を償還して買戻しをすることができる。買主の支出した特別の費用を償還しなければ買戻しをすることができないという特約は、有効であろうか。判例は否定する（大判大正15・1・28民集5巻30頁）。

〔5〕　買戻しをもって、一つの解除としていることは、民法の特色ということができよう。すなわち、買戻権を行使しようとするものは、先にした売買を解除するとい

う意思を相手方に対して表示するのである（§540 I 参照）。それによって、買主は目的物を返還し、売主は代金を返還するべき債務を負担するに至るのである（§§545 [改注]・546 参照）。

〔6〕 〔5〕に述べたように、買戻しを解除とする結果、目的物は、売買の時に遡って売主の所有だったことになり、買戻しの時までの果実も売主に帰属するべきことになる（§545 I）。また、売主が返還するべき金銭には利息を付するべきであることになる（§545 II）。しかし、それでは計算がめんどうでもあるし、かえって公平にも合致しないので、売主の果実返還請求権と買主の代金の利息請求権とは、いずれも全部消滅するものとして清算することとしたのである。505 条 [改注] 以下の相殺とは意味を異にすることに注意を要する。したがって、一方が他方より多額であっても、差額を請求することはできない。ただし、別段の特約をすることができることは、法文に示すとおりである。

（買戻しの期間）
第五百八十条

1 買戻しの期間は、十年を超えることができない[1]。特約でこれより長い期間を定めたときは、その期間は、十年とする[2]。

2 買戻しについて期間を定めたときは、その後にこれを伸長することができない。

3 買戻しについて期間を定めなかったときは、五年以内に買戻しをしなければならない[3]。

［原条文］

買戻ノ期間ハ十年ヲ超ユルコトヲ得ス若シ之ヨリ長キ期間ヲ定メタルトキハ之ヲ十年ニ短縮ス

買戻ニ付キ期間ヲ定メタルトキハ後日之ヲ伸長スルコトヲ得ス

買戻ニ付キ期間ヲ定メサリシトキハ五年内ニ之ヲ為スコトヲ要ス

〔1〕 この 10 年という制限は、買戻しをすることができる期間が売買契約より 10 年以内であることを要するという意味である。したがって、大正 4 年に買戻しの約款付きで売買をして、大正 18 年 12 月から向う 10 年間買戻しができると約束した事例について、買戻しそのものが無効とされた（大判昭和 3・11・30 民集 7 巻 1036 頁）。

買戻し期間が経過すると、買戻権は消滅する（大判昭和 9・8・3 民集 13 巻 1536 頁）。しかし、買主が売主の弁済を拒絶したりするなど拒否的態度をとった場合に、期間経過による買戻権消滅の主張を信義則に反し許されないとした例がある（最判昭和 45・4・21 判時 594 号 62 頁）。

〔2〕 民法施行以前には、永久に買戻しできるという特約も行われ、期間の定めのない買戻しも相当に長期にわたり存続するものと解されていた。民法は、この点にどのような変更を加えたものであろうか。判例は、はじめは民法施行前の慣行を尊重したが、1920 年（大正 9 年）に連合部の判決でこれを改めた。すなわち、本条の 10 年と

第3編　第2章　契約　第3節　売買

いうのは民法施行法 34 条の「法定期間」であり、したがって、同法 31・32 条の適用
がある結果、民法施行前の 10 年より期間の長い、または期間の定めのない買戻権は、
民法施行後 10 年で消滅すると説き、そうでなければ、売主は長い間買戻権を行使で
きることとなり、売買物件の経済的利用に障害をきたし、立法の趣旨を没却すると論
じた(大連判大正 9・5・8 民録 26 輯 588 頁)。

　ちなみに、民法施行前の再売買の予約については、民法施行後も長期のものを認め
ていることを注意するべきである(§556〔6〕、本款解説②参照)。

　〔3〕　民法施行前の期間の定めのない買戻権は、本項により民法施行後 5 年になる
のではなく、第 1 項により 10 年になるとされた(前掲大連判大正 9・5・8 参照)。

（買戻しの特約の対抗力）
第五百八十一条

　　1　売買契約と同時に買戻しの特約を登記したときは、買戻しは、第三者に対
　　　抗することができる[1]。
　　2　前項の登記がされた後に第六百五条の二第一項に規定する対抗要件を備え
　　　た賃借人の権利は、その残存期間中一年を超えない期間に限り、売主に対抗
　　　することができる。ただし、売主を害する目的で賃貸借をしたときは、この
　　　限りでない[2]。

〈改正〉　2017 年に改正された。1 項中「対しても、その効力を生ずる」を「対抗することが
できる」に改め、2 項中「登記をした」を「前項の登記がされた後に第六百五条の二第一項
に規定する対抗要件を備えた」に改めた。

[改正の趣旨]　**[1]**　1 項を改正して、売買契約と同時でなくとも買戻しの特約を登記した
ときは第三者に対して対抗力を有するとする案もあったが、最終的に採用されなかった。不
採用の理由は以下のとおりである。この案は、買戻し制度を使いやすくする観点から、売買
契約に基づく所有権移転登記の後であっても、買戻しの特約を登記することを可能とするも
のであった。しかし、関連規定の整備等を含めた検討を進めたところ、この改正に伴って不
動産登記法および登録免許税法について前例に乏しい特例を設ける必要があることが明らか
となる一方で、買戻しの特約を売買契約と同時にしなければならないとする規定（579 条）
を維持した上で買戻しの登記の時期のみ遅らせるという点に限った改正のニーズは実際上そ
れほど大きくないと考えられたため、改正は行わないこととした。

　　[2]　他の改正条文との関連で、規定の整理がなされた。

[改正前条文]

　　1　売買契約と同時に買戻しの特約を登記[1)]したときは、買戻しは、第三者に対しても、
　　　その効力を生ずる[2)3)]。
　　2　登記をした賃借人の権利は、その残存期間中一年を超えない期間に限り、売主に対抗
　　　することができる[4)]。ただし、売主を害する目的で賃貸借をしたときは、この限りでな
　　　い[5)]。

[原条文]

　　売買契約ト同時ニ買戻ノ特約ヲ登記シタルトキハ買戻ハ第三者ニ対シテモ其効力ヲ生ス
　　登記ヲ為シタル賃借人ノ権利ハ其残期一年間ニ限リ之ヲ以テ売主ニ対抗スルコトヲ得但
　　売主ヲ害スル目的ヲ以テ賃貸借ヲ為シタルトキハ此限ニ在ラス

§§580〔3〕・581〔1〕〜〔4〕

[改正前条文の解説]

〔1〕 この登記は、不動産登記法59条5号(旧§§38・51Ⅱ)の「登記の目的である権利の消滅に関する定めがあるとき」に該当し、売買の目的である不動産の移転登記自体が制限に服する旨の登記である。したがって、登記技術の上からも、買戻しの特約の登記は、売買による不動産の移転登記と同時でなければ、することができない。もし、登記官吏が誤って売買契約の登記の後に買戻しの登記の申請を受付けて登記をしても、それは無効な登記として抹消されるべきである(大判大正15・10・19民集5巻738頁)。

なお、いったん有効に成立した買戻権は、のちにその条件の一部を変更することができる(改正前§579〔3〕)。また、のちに買戻権を放棄することも、もとより差しつかえない。しかし、いずれの場合にも、登記をしなければ第三者に対抗できないことはもちろんである(§177〔3〕(ォ)参照)。

〔2〕 買主から売買の目的物を譲り受けた第三者が現れた場合にも、これに対して買戻権を行使できる。つまり、第三者は、買主の地位を承継するということである。したがって、買戻権を行使しようとする売主は、譲受人に対して代金を提供して解除の意思を表示するべきであって、譲渡してしまった元の買主に対して表示しても無効である(大判明治39・7・4民録12輯1066頁)。

〔3〕 買戻権は、登記することによって第三者に対抗できる(〔2〕)。

(ァ) 第三者がその不動産の取得登記をしている場合には、買戻権はその第三者に対して行使される(最判昭和36・5・30民集15巻1459頁)。

(ィ) のみならず、判例は、買戻権自体が相手方の承諾がなくても譲渡できるものであり、その対抗要件は登記(付記登記)であるとしている。このことは、買戻権に一種の物権取得権としての性質を与え、買戻権を取引の客体となりうるものとしたものである(§177〔2〕(ァ)参照)。

なお、買戻し特約が登記されなかった場合に、売主が買戻権を譲渡したときは、その旨を買主に通知しまたはその承諾を得ればよいとされる(最判昭和35・4・26民集14巻1071頁)。買主がその不動産を第三者に譲渡すれば、もちろん、これには対抗できなくなる。

〔4〕 売主が買戻権を行使すれば、目的不動産は、売買契約の時に遡って売主の所有だったことになる。したがって、買主からその不動産を賃借した者の賃借権も、その基礎を失って消滅する。かりにその賃借権が登記してあっても(§605[改注])、その順位からいって、登記ある買戻権には優先できない。しかし、それでは買主の目的不動産の利用がいちじるしく制約されることになるので、売主が買戻権を行使しても、登記した賃借権(特別法による対抗要件を備えた場合でもよい)は、残期があれば、そのうちの1年を限りとして売主に対抗できることとしたのである。抵当権を設定した後の賃借権に関する旧395条(いわゆる短期賃貸借の保護を規定していたが、2003年改正で変更された。§395の前注参照)と同じ趣旨のものであるが、その内容は、賃貸借の期間に制限がないことと、期間のいかんにかかわらず、残期1年だけの対抗力を認めた点で異なっていた。両者を区別した理由は不明である。

1251

第3編　第2章　契約　第3節　売買

〔5〕　この場合、売主は、解除の裁判を求める必要はなく（§395の〔原条文〕参照）、買戻権を行使した売主は、直ちにその存在を否定して目的物の明渡しを求めることができる。

（買戻権の代位行使）
第五百八十二条
　　売主の債権者が第四百二十三条の規定により売主に代わって買戻しをしようとするときは、買主は、裁判所において選任した[1]鑑定人の評価に従い、不動産の現在の価額から売主が返還すべき金額を控除した残額に達するまで売主の債務を弁済し、なお残余があるときはこれを売主に返還して、買戻権を消滅させることができる[2]。
〔原条文〕
　　売主ノ債権者カ第四百二十三条ノ規定ニ依リ売主ニ代ハリテ買戻ヲ為サント欲スルトキハ買主ハ裁判所ニ於テ選定シタル鑑定人ノ評価ニ従ヒ不動産ノ現時ノ価額ヨリ売主カ返還スヘキ金額ヲ控除シタル残額ニ達スルマテ売主ノ債務ヲ弁済シ尚ホ余剰アルトキハ之ヲ売主ニ返還シテ買戻権ヲ消滅セシムルコトヲ得

〔1〕　非訟事件手続法96条参照。
〔2〕　Ａが買戻し約款付きで甲不動産を500万円でＢに売ったが、その不動産の現在の時価が800万円だと仮定しよう。Ａの債権者Ｃは423条によってＡに代位して買戻権を行使できることはいうまでもない。しかし、Ｃがこれをしようとするのは、売買代金500万円をＢに返して、時価800万円の不動産をＡの所有とし、これを競売して自己の債権の弁済に充当しようとするためである。したがって、Ｃの欲するのは、その不動産自体ではなく、その時価と売買代金との差額300万円である。これが、本条が設けられたゆえんである。すなわち、Ｂは300万円の限度でＣの債権を弁済し——もしＣの債権が200万円であれば残り100万円をＡに返し、400万円であれば300万円を弁済しただけで——、Ａの買戻権を消滅させることができる。ＡのＣに対する債務がその弁済の範囲で消滅することは、もちろんである。

（買戻しの実行）
第五百八十三条
　1　売主は、第五百八十条に規定する期間[1]内に代金及び契約の費用[2]を提供[3]しなければ、買戻しをすることができない。
　2　買主又は転得者が不動産について費用を支出したときは、売主は、第百九十六条の規定に従い、その償還をしなければならない。ただし、有益費については、裁判所は、売主の請求により、その償還について相当の期限を許与することができる[4]。
〔原条文〕
　　売主ハ期間内ニ代金及ヒ契約ノ費用ヲ提供スルニ非サレハ買戻ヲ為スコトヲ得ス
　　買主又ハ転得者カ不動産ニ付キ費用ヲ出タシタルトキハ売主ハ第百九十六条ノ規定ニ従

§§581〔5〕・582・583・584

ヒ之ヲ償還スルコトヲ要ス但有益費ニ付テハ裁判所ハ売主ノ請求ニ因リ之ニ相当ノ期限ヲ許与スルコトヲ得

〔1〕 580条参照。

〔2〕 改正前579条〔4〕参照。買主が支出した特別の費用をも提供しなければ、買戻すことはできないという特約は、無効であるが(改正前§579〔4〕引用の判例参照)、反対に、売買代金だけ提供すれば、契約費用は提供しなくともよいという特約は、有効である(大判大正10・9・21民録27輯1539頁)。

〔3〕 493条参照。買主が売戻しを拒絶した場合、買戻しの意思表示をするには、代金および費用を提供しなければ、買戻しの効力を生じない(大判大正10・9・22民録27輯1590頁)。

〔4〕 原則として196条の規定によるのであるが、本条の場合は、善意の占有者・悪意の占有者の区別はなく、必要費・有益費の区別に従って期限の許与の能否を区別している点が異なる。期限を許与されれば、買主は、この費用の償還について同時履行の抗弁権(§546参照)または留置権(§295Ⅰただし書参照)を有しないことになる。

（共有持分の買戻特約付売買）
第五百八十四条
　　不動産の共有者の一人が買戻しの特約を付してその持分を売却した後に、その不動産の分割又は競売¹⁾があったときは、売主は、買主が受け、若しくは受けるべき部分²⁾又は代金³⁾について、買戻しをすることができる。ただし、売主に通知をしないでした分割及び競売は、売主に対抗することができない⁴⁾。

［原条文］
　　不動産ノ共有者ノ一人カ買戻ノ特約ヲ以テ其持分ヲ売却シタル後其不動産ノ分割又ハ競売アリタルトキハ売主ハ買主カ受ケタル若クハ受クヘキ部分又ハ代金ニ付キ買戻ヲ為スコトヲ得但売主ニ通知セスシテ為シタル分割及ヒ競売ハ之ヲ以テ売主ニ対抗スルコトヲ得ス

〔1〕 裁判所のする共有物分割のための競売を指す(§258Ⅱ参照)。

〔2〕 買主が現物で分割を受けた物、または、分割の方法および内容が決まって買主が請求する権利を取得した場合の権利、という意味である。

〔3〕 買主が現物の代わりに金銭で分与された代金、または分与を請求する権利という意味である。

〔4〕 ただし書により、分割または競売が買戻権者に対抗できないときは、買戻権者は、分割または競売がないものとして、なお共有持分を買戻すことができる。分割または競売は、これによってその効力を失うのである。なお、買戻権者に対抗できない場合でも、買戻権者の方から分割または競売を認め、買主の受けた、もしくは受けるべき部分または代金を買戻すことはもとより可能である(前掲大判大正10・9・21)。

1253

第3編　第2章　契約　第4節　交換

〔共有持分の買戻特約付売買——つづき〕〔第8版凡例4a)を見よ〕
第五百八十五条

　　1　前条の場合において、買主が不動産の競売における買受人となったときは、売主は、競売の代金及び第五百八十三条に規定する費用を支払って買戻しをすることができる。この場合において、売主は、その不動産の全部の所有権を取得する[1]。

　　2　他の共有者が分割を請求したことにより買主が競売における買受人となったときは、売主は、その持分のみについて買戻しをすることはできない[2]。

［原条文］

　　前条ノ場合ニ於テ買主カ不動産ノ競落人ト為リタルトキハ売主ハ競売ノ代金及ヒ第五百八十三条ニ掲ケタル費用ヲ払ヒテ買戻ヲ為スコトヲ得此場合ニ於テハ売主ハ其不動産ノ全部ノ所有権ヲ取得ス

　　他ノ共有者ヨリ分割ヲ請求シタルニ因リ買主カ競落人ト為リタルトキハ売主ハ其持分ノミニ付キ買戻ヲ為スコトヲ得ス

〈改正〉　1979年の民事執行法の施行に伴う改正により、1項と2項にあった「競落人」がそれぞれ「競売ノ買受人」に改められた。

〔1〕　買戻権者が共有持分だけの買戻しをすることができる場合には、持分の売買の時の代金と費用を提供するべきであるが、本項によって、競売の代金と費用とを支払えば、不動産全部の所有権を取得する。売主は、いずれでもその欲するほうを選択することができる。

〔2〕　この場合には、売主は、買戻しをしようとすれば、持分だけを買戻すことはできず、必ず全部について買戻さなければならない。このように、買主を保護し、売主の買戻しによってまた共有状態におちいることを避けさせようというのが、その立法理由である。

第4節 交 換

本節は、586条1か条だけから成る。

貨幣経済の発達とともに、交換の営む作用はきわめて狭いものになった。ただし、土地改良法における農地の交換分合(同法§§97〜)、土地収用法における替地の提供(同法§82)は、民法上は交換に当たるものであり、注目される。

交換については、有償契約の一種として、売買の規定を準用して処理するべきである(§559参照)。交換は、また、諾成契約、有償契約、双務契約、不要式契約、一回的契約である。

〔交換〕〔第8版凡例4 a)を見よ〕

第五百八十六条

1　交換は、当事者が互いに金銭の所有権以外の財産権[1]を移転することを約することによって、その効力を生ずる[2]。

2　当事者の一方が他の権利とともに金銭の所有権を移転することを約した場合[3]におけるその金銭については、売買の代金に関する規定[4]を準用する。

〔原条文〕

交換ハ当事者カ互ニ金銭ノ所有権ニ非サル財産権ヲ移転スルコトヲ約スルニ因リテ其効力ヲ生ス

当事者ノ一方カ他ノ権利ト共ニ金銭ノ所有権ヲ移転スルコトヲ約シタルトキハ其金銭ニ付テハ売買ノ代金ニ関スル規定ヲ準用ス

〔1〕　555条〔1〕参照。

〔2〕　一方が金銭の所有権を移転する場合には、売買になる。両当事者が金銭の所有権を移転するとき、すなわち、「両替」は交換であるかどうか。学説は分かれているが、売買でも交換でもない一種の無名契約とするのが通説である。しかし、いずれにしても、交換の規定と売買の規定とを準用して問題を解決するべきである。

特定物の交換においては、契約の成立と同時に目的物の所有権は移転し、解除によって復帰すると解される(大判大正6・6・16民録23輯1147頁)。

〔3〕　たとえば、Aの5万円のスキー道具とBの4万円のオーバーとを交換するに当たって、Bが不足分1万円の金銭を交付することを約したような場合である。この金銭を「補足金」という。

〔4〕　「代金に関する規定」とは、第3節「売買」[改注]に規定されるもの(たとえば、§§575〜578)に限らず、民法の他の場所に規定されるもの、たとえば、代金についての先取特権の規定(§§321・328)なども準用されるのである。

第3編　第2章　契約　第5節　消費貸借

第5節　消費貸借

〈改正〉　本節は、2017年に改正された。具体的には、588条～591条が改正され、587条の2
　　　　が新設され、589条が削除された。前掲(549条)附則(贈与、消費貸借等に関する経過措
　　　　置)第三十四条1参照。(以下本節の各条文では引用省略)
　[諾成的消費貸借の明文化]　改正前においては587条のみであったため、消費貸借契約は要物
　　　　契約と解されていたが、学説・判例においても、要物性を緩和し、諾成的消費貸借も実
　　　　際上認められていた(587条(6)(2)参照)。新法においては、書面性を要求し、かつ解除権
　　　　の付与により借主に配慮することによって、諾成的消費貸借を明文で認めた(新587条
　　　　の2)。

①　本節の内容

　本節は、「消費貸借」と題して、消費貸借成立の要件(§§587・新587の2・588)、消
費貸借の予約(§589[改注])、貸主の担保責任(§590[改注])、借主の返還義務(§§591
[改注]・592)について規定する。
　通常は消費貸借に付随して問題になる利息に関しては、民法は、本編第1章総則の
中に一般的に規定しているし(改正前§§404・405)、また、担保に関しては、人的担保
すなわち保証と連帯債務とについては、多数当事者の債権関係として、これまた第1
章総則中に規定し(改正前§§432～465)、物的担保すなわち質権と抵当権とについては、
これを第2編物権の中に規定している(§§342～398の22)。

②　消費貸借の意義

　消費貸借は、第6節の使用貸借および第7節の賃貸借とともに、広義の貸借契約、
すなわち他人の物の使用・収益をする契約を構成する。消費貸借が、理論上、他の二
種の貸借と異なる特色は、他の二種の貸借においては、借主は、目的物の使用・収益
権能だけを収得し――目的物の所有権は貸主のもとに保留され――、使用・収益の後
に借りた物自体を返還するべきであるのに反し、消費貸借においては、借主は、目的
物の処分権能を取得し――目的物の所有権は借主に移転し――、これを処分した後に
借りた物と同種・同等・同量の物を返還するべき点にある。したがって、実際上は、
前二者が主として農地の貸借契約、借地・借家契約などの不動産用益関係の基本法を
構成するのに対して、消費貸借は、金融関係の基本法を構成しているのである。

③　消費貸借の機能

　消費貸借、ことに金銭の消費貸借は、日常の消費信用においても、企業経済上の生
産信用においても、きわめて重要な作用を営む。そして、その利用できる資金の多寡、
利率の高低など(いわゆる金融市場の状態)は、国家経済にとって重大な影響を及ぼすも
のである。したがって、国家は、この種の取引が円滑・合理的に行われるように諸方
面から対策をほどこしている。その全体を金融政策という。しかも、それらの対策は、

多かれ少なかれ消費貸借の私法的関係に触れるものであって、本節の規定は、直接・間接にこれによって補充、変更されている。つぎにその大要を述べておこう。

(1) 資金の提供の面から

(a) 融資機関の取締り・監督

わが国の社会において小口金融の機関として従来重要な作用を営んできたものは高利貸、質屋その他の貸金業である。これらの小口金融においては、借主が貸主に対してきわめて弱い立場にあり、したがって、貸金の条件が合理的に決定されないおそれが多い。そこで、業者に対する規制が問題となる。

(i)まず、高利貸については、以前には種々の警察的取締りが行われてきたが、終戦後に一時これがかなりはびこった時代があり、「貸金業等の取締に関する法律」(昭和24年法律170号)制定の原因をなした。同法は、その後「貸金業者の自主規制の助長に関する法律」(昭和47年法律102号)となった。

(ii)つぎに、質屋については、1895年に質屋取締法(明治28年法律14号)が制定され、その取締りが行われてきたが、1950年に質屋営業法(昭和25年法律158号)に切りかえられた。

(iii)第二次大戦後に、消費者信用のいちじるしい伸長が見られ、とりわけ、サラリーマンに対する野放図な無担保金融から、いわゆるサラ金(サラリーマン金融)問題を生じた。これが大きな社会問題となり、1983年にサラ金二法が制定された。その1は、「貸金業の規制等に関する法律」(昭和58年法律32号。平成18年法律115号により全面改正され、「貸金業法」と改称された)の制定、その2は、「出資の受入、預り金及び金利等の取締等に関する法律」(昭和29年法律195号)の一部改正(表題も「受入」が「受入れ」、「取締等」が「取締り」に改められた)である。

(b) 特別な資金の供与

まず、小口金融について、不合理な高利貸借を取締る一方、合理的な貸金を提供する必要から、国家は種々の金融機関をみずから設立し、地方公共団体に設立せしめ、またはその設立を助成するほか、さまざまな資金供与の道を講じてきた。公益質屋法(昭和2年法律35号)、商工組合中央金庫法(昭和11年法律14号)、国民金融公庫法(昭和24年法律49号)、住宅金融公庫法(昭和25年法律156号)、中小企業金融公庫法(昭和28年法律138号)、中小企業近代化促進法(昭和38年法律64号)、各種の信用保険制度の整備などがその例であった(廃止ないし改編されている例が多い)。社会福祉の意義を有する母子福祉資金の貸付けを定める母子及び寡婦福祉法(昭和39年法律129号)もある。

他方、産業経営上の資金を合理的に提供しようとする制度についても、国家は古くから努力してきた。戦前期においては、各府県を中心とする商工銀行・日本勧業銀行・日本興業銀行などの特殊銀行をして農工商の各部門における資金の提供をさせるというのが基本的対策であった。戦時中には、とくに戦争目的のこの種の特殊な金融機関が多く設立されたが(たとえば、北支開発会社・南方開発金庫など)、終戦後は、戦時中に設立されたものは全部解体され、古い歴史を有する勧業銀行や興業銀行も普通銀行へ転換された。しかし、一時は、戦後の産業復興と世界貿易への参加

第3編　第2章　契約　第5節　消費貸借

のためにふたたび特殊な金融機関設立の機運に向かった。日本輸出入銀行法(昭和27年法律66号)、日本開発銀行法(昭和26法律108号)などがその例である。

現在では、むしろ、世界的な金融自由化の巨浪に見舞われ、諸種の規制や優遇策が取り払われ、金融機関は自由競争の場にさらされ、「ビッグ・バン」とも呼ばれる変動期を迎えている。上記の金融公庫、特殊銀行も、また多くの一般の普通銀行も、多くがその名称を変え、組織を変えて、変容のるつぼのなかに置かれている。

(c)　資金獲得のための制度

この面からは、物的担保制度の進展に注目するべきである。すなわち、民法が規定する質権・抵当権は、そのままでは、合理的な融資のためには不十分であって、判例法上の譲渡担保制度もこれを補うに足りない。そこで、各種の企業については、1905年(明治38年)以来、財団抵当制度がしだいに諸方面の企業について創設され、大企業設備への融資が容易にされてきた。また、同年の担保附社債信託法が1933年(昭和8年)の改正でオープン・エンド・モーゲージ(open-end mortgage あらかじめ発行予定額を定めて担保を設定し、その枠内で数回に分けて社債を発行することをいう)の制度を導入したことも、これと密接に関連する。また、1931年(昭和6年)に抵当証券法によって抵当権の証券化が試みられ、農業金融に関連しては、1933年(同8年)には農業動産信用法が制定されて、農業用動産の担保化による中小農業への融資の途が講じられた(第2編第10章解説参照)。

(2)　金利の規制の面から

高利の制限に関しては、1877年(明治10年)太政官布告66号の利息制限法が1954年(昭和29年)に全面的に改正された(同法は、「消費貸借上の利息」に限って適用される)。しかし、暴利の取締りは、このような私法的制限では十分にその目的を達することはできないので、前述の貸金業に対する規制を定める法律の制定を見たわけである。また、企業金融の利率は産業の隆替にきわめて密接かつ微妙に関係があるので、種々の方法によってその調整が講じられたが、現在では臨時金利調整法(昭和22年法律181号)が存在している(以上につき、改正前§404〔3〕参照)。20世紀末葉のいわゆるバブル崩壊後は金利が低下し、超低金利時代という未知の領域に突入している。

(3)　金銭債務の整理と調整の面から

すでに生じた金銭債務を整理して債務者を金銭債務の重圧から救済することも不況・恐慌の時代には、重要な課題となる。過去の例を参考までに挙げれば、1932年(昭和7年)には、金銭債務臨時調停法が制定されて、誠実な債務者、ことに農山漁村民および中小商工業者を負担の重圧から救済するために調停制度の活用が試みられた。また、1933年(昭和8年)には、農村負債整理組合法が制定され、負債を整理しようと欲する農民に、地域的組合を組織させ、これに国家の低利資金を融通し、協同的に各自の負債を整理させようとする方策がとられた。

現在においては、一方で、消費者信用の網にからめとられた消費者のいわゆる多重多額債務が問題となることが多いが、破産法による破産(とくに自己破産)の運用のほか、とくに積極的な法的対応はなされていない。他方で、企業においても、倒産が相次ぎ、企業の買収による弱肉強食という現象が進行している。

第5節［解説］4

4 消費貸借に関連する契約類型

　消費貸借は、今日の経済社会においてきわめて大きい作用を有するものであるから、これに関連する契約類型も多種多様にわたる。ここには、めぼしいと思われる数例を取り上げるにとどめざるをえない。

　(1)　銀行の資金貸付に関するもの

　銀行などの金融機関が取引先との間で締結する資金の貸付契約が最も重要なものであることは、いうをまたない。「融資契約」などとも呼ばれるが、民法的には、金銭消費貸借契約にほかならない。これについては、つぎのような点が留意される。

　(ア)　貸付契約にも、さまざまな形態があるが、基本的には、資金貸付契約(これに、実務上、証書貸付・手形貸付などと呼ばれるものがある)、手形割引契約、当座貸越契約などが重要である。これらの種類は、銀行法2条2項1号・10条1項1号および利息に関する行政的規制である臨時金利調整法に基づく大蔵省告示にも示されているものである(改正前§404(3)参照)。

　(イ)　その他、貸付の態様・目的によって、全部貸付・分割貸付、長期貸付・短期貸付、企業資金貸付・消費者貸付などが区別されよう。

　(ウ)　貸付の種類によっては、たとえば、継続的手形貸付契約や継続的手形割引契約、当座貸越契約のように、継続的契約の性質を有する契約が締結される場合が少なくない。この場合には、その継続的契約に基づいて個別の貸付契約が行われ、したがって、そこに、総括契約・個別契約の関係が認められることになる(本章解説4(7)参照)。

　(エ)　さらには、銀行取引においては、銀行と取引先の間で「基本約定書」などと称する基本的合意が交わされることが多い。これは、その両者の間で行われる取引全般についての基本的な諸条件をあらかじめ取り決めるものであって、約款としての性質を有する(第1節第2款解説5参照)。またそれに基づいてたとえば継続的手形貸付契約が結ばれ、さらに、それに基づいて個別の手形貸付が行われると、総括契約・個別契約の関係が二重に存在することになる。第1節新5款も参照。

　(2)　消費者信用に関するもの

　とくに、第二次大戦後、消費需要の増大と資金供給の豊富化が背景となって、消費者信用の飛躍的な発展が見られる。それに応じて、消費者に対する消費者信用の供与が増加するとともに、多様化していることに、特段の注意を要する。

　(ア)　消費者に対して、銀行や貸金業者が消費生活のための資金を供与する場合(自動車ローン・住宅ローン・学資ローンなど)は、その契約は、金銭消費貸借そのものである。

　(イ)　そうではなくて、たとえば、販売業者Aと消費者Bの間に売買契約が結ばれたときに(代金を50万円とする)、第三者Cが信用供与者として現れ、その売買の代金について信用供与をする(Aに50万円を交付し、50万円プラスたとえば5万円をBから分割弁済を受ける)という取引が多く行われるようになっている。

　これを、単純に、たとえば、A・B間の売買契約、A・C間の代位弁済とそれによる債権の移転、B・C間の代位に基づく立替金の弁済請求というようにとらえることでは、問題の核心をつかまえることができないことはいうまでもない。この種の取引

1259

第3編　第2章　契約　第5節　消費貸借

については、その実態の深い分析に基づく考究が必要である。

　(a)　クレジット契約(割賦購入あっせん契約、現在では信用購入あっせん契約)

　この種の取引の代表的なものが、信販会社であるCによって行われるもので、俗に、「クレジット契約」と呼ばれるものである。「立替払契約」と呼ばれることもあるが、正確な把握とはいえない。

　(i)従来は、割賦販売法は、この種の取引を「割賦購入あっせん」という概念でとらえていた(同法第3章)。

　割賦購入あっせんが、一面において、売買契約のなかの割賦販売(第3節解説②(4)参照)の側面をもっていることは確かである。したがって、割賦販売法は、C(割賦購入あっせん業者)についても、通常の割賦販売におけると同様の表示義務(同法§30)、書面交付義務(同法§§30の2・30の2の2)、クーリング・オフの権利(同法§30の2の3)、解除の制限(同法§30の2の4)、損害賠償額の制限(同法§30の3)、などを定めているが、当然である。

　(ii)問題は、それにとどまらず、売買契約上たとえば、商品に瑕疵があった場合に、購入者Bは、それによる抗弁を、Cからの弁済請求に対して主張できるかという形で生じる。初期のクレジット契約約款においては、このような抗弁は販売者Aに対して主張するべきで、Cに対しては主張できないとしたが(これを「抗弁権の切断」と呼んだ)、それに対する批判が強く、1984年に割賦販売法30条の4・30条の5が追加され、一定の要件のもとにBはCに対しても抗弁を主張できる旨が定められた(これを、「抗弁権の接続」規定と呼ぶ)。

　(iii)しかし、これで問題が片づいたわけではない。最判平成2・2・20判時1354号76頁が、同法30条の4第1項との関連で参考になる。

　クレジット契約の法律関係は、三面契約、複合契約の性質をもっており(本章解説④(5)・(6)参照)、これを適正に法律構成するためには、慎重な考察を必要とする。また、この問題は、約款の問題(第1節第2款解説⑤・新第5款参照)をも含んでいる。すなわち、事業者であるA・C、とくにCは、自己に有利なように法律関係を構成し、その内容を約款の形であらかじめ定めており、購入者であるBは、これに対して、これをそのまま容認するほかなく、自己に有利な法律関係とその内容を主張し、これを契約の内容とさせる自由をもたない。その約款に定められた法律関係そのものが不公正なものであるときは、その是正が必要になると考えられる。

　クレジット契約の法律関係を構成する三者の関係を観察すると、最も深い関係は、AとCの間に存在することが分かる。すなわち、両者は通常「加盟店契約」というものを結び、詳細な契約内容を定め、また、Bに対して適用する約款についても、合意している。AとBの関係は、単なる商品を売買する販売者と顧客の関係である。金銭消費貸借であれば、最も密接であるべきBとCの関係が最も希薄である。Bは、通常、Cと交渉することはもちろん、顔を合わせることもなく、Aとの間で行為するにすぎない。以上のことからすると、その実態は、むしろ、AとCが一体となって、Bに相対しており、Bに対する関係では、AとCの関係はいわば内部的関係に近いものとなっていることを指摘できる。通常の割賦販売(第3節解説②(4))にお

第5節［解説］④

いても、一種の消費者信用の供与が行われているのであり、いわば、一つの会社の
なかに販売の部門と融資の部門があるような関係といってよいのであるが（「自社割
賦」と呼ばれる）、販売会社と融資会社が別会社であるクレジット契約においても、
Ｂから見れば、それとなんら変わらない状況におかれているのが通常なのである。
具体的にいえば、たとえば、購入者Ｂが販売者Ａの倒産のために商品を受領でき
なかったり、受け取った商品に瑕疵があるようなときに、なぜ代金を支払わなけれ
ばならないかというのが、消費者の立場に立った場合の根本的疑問である。

　以上の考察からすると、Ａ・Ｂ・Ｃ三者の関係は、むしろ、Ａ・Ｂ間の商品売買
契約とその代金債権を担保とするＣのＡに対する金銭消費貸借契約、およびＣに
よるＢからの代金の代理徴収の関係が一体となったものと構成した方が適正な法
律関係を構成できるのではないかと考えられる。Ａ・Ｂ・Ｃ三者の立場を代表する
各法律家が折衝して、そのような法律関係に基づく適正な約款を作成することが望
ましい。

　もちろん、実態において、ＡとＢの関係が密接であって、Ａ・Ｂ間で売買の合意
が成立したあとに、ＢがＡとは関係のないＣのところにおもむいて信用供与を依
頼したような場合には、事情はまったく違うことになる。

　(iv)Ｃによる信用供与は、金銭消費貸借ではないから、利息制限法の適用はない
とされている（金銭消費貸借とされていれば、別であるが）。通常の割賦販売（自社割賦）に
おいても同様である。自社割賦の場合に販売者が、また、クレジット契約の場合に
信販会社が、代金((イ)冒頭で述べた例の50万円)に加えて取る金銭(上例の5万円)は、手
数料・費用などと称される。しかし、実質からすれば、利息に相当するので、この
点は改めて検討を要するところであろう。

　また、このクレジット契約において、売買目的物が関係債権の物的担保(非典型担
保の一種)に供される場合がある。これについては、場合を分けて考える必要がある。
①目的物の所有権が販売会社Ａから信用供与者Ｃに移転し、さらにそれが、買主
Ｂに移転されたが、Ｂが立替金をＣに返済するまで所有権はＣに留保されるとい
うのであれば、それは所有権留保である(第2編第10章後注⑨)。そうではなくて、
②所有権はＢに移転し、ＢからＣに担保のために移転したというのであれば、譲
渡担保の関係になる。③所有権はＣに移転され、Ｂによる立替金返済債務が完済
されればＢに移転し、もしこの債務が不履行になれば、Ｃの所有権は完全なもの
になるというのであれば、Ｃの地位は非典型担保としての所有権者であって、譲渡
担保権者類似のものといえよう(第2編第10章後注⑦・⑨参照)。

　以上のように、この種の信用供与については、その実質に即した検討を要するの
であり、その観点からすると、消費貸借と通じる問題を含んでいることは疑いない。
本書がこれを、消費貸借に関連する契約類型として取り扱ったのは、このゆえであ
る。

　(v)このクレジット契約関係について、2008年6月18日の割賦販売法の改正(平
成20年法律74号)によるかなり大幅な手直しが行われた。この改正については、
すでに本章第3節解説②(4)において詳述したが、ここでも要点を述べることにする。

1261

第3編　第2章　契約　第5節　消費貸借

　　従来は、この種の契約を「割賦購入あっせん」契約と呼び、それにはいわゆる「包括割賦購入あっせん」（当初はこれのみ）といわゆる「個別割賦購入あっせん」（平成11年法律34号により、これも含められるとされた）とがあるとされてきたが、2008年の改正により「信用販売あっせん」と呼ばれ（第3章。分割返済の要件が外され、1回払も含まれるようになった）、これに「包括信用購入あっせん」（同章第1節）と「個別信用購入あっせん」（同章第2節）があると明記された。従来は、前者にのみ登録制が定められていたが、改正により後者にも登録制が採用された。両者について、過剰与信防止のための規定（割賦§§30の2・30の2の2・35の3の3・35の3の4・35の3の5・35の3の12・53④）、クレジット会社（上記のC）による加盟店（上記のB）に対するものも含む調査義務の規定（割賦§§35の3の3〜35の3の6）などが補充された。上記(iv)で述べた観点からすると、一応の前進ではあるが、消費者信用に関してさらに体系的に整備され、充実された立法が望まれる。

　(b)　クレジット・カード契約

　　クレジット契約に伴って、クレジット・カード契約が結ばれる例が増えている。そのカードが、クレジット契約による商品の購入のための手段としてのみ用いられている限りは、さして問題はないが、最近は、これにさらに他の機能が付加される例が多い。たとえば、そのカードにより金銭を借り入れることができ（消費貸借機能）、ある会員権契約と結合して、その会員証として用いられたり（会員証機能）、銀行預金からの引落しによる金銭支払の手段として用いられたり（支払手段機能）、などである。こうなると、カードに関与する当事者は多数にのぼり、多面契約としての特色、および複合契約としての特色を含むことになる（第2章解説④(6)・(10)参照）。それが蔵する問題は、今後の研究課題である。

　(3)　ファイナンス・リース契約

　　いわゆるリース契約のなかにも、(2)(イ)と同様な、第三者による信用供与という問題が含まれており、とくにそれを強調したものが、いわゆる「ファイナンス・リース契約」である。これは、主として事業者によって利用されるものであるが、消費者によって利用される場合もある。これについては、第7節解説⑤(2)のリース契約の項で述べることにする。

　（消費貸借）

第五百八十七条

　　消費貸借は、当事者の一方が種類、品質及び数量の同じ物をもって返還をする[5]ことを約して相手方から金銭その他の物[2]を受け取る[3]ことによって、その効力を生ずる[1)4)6]。

　[原条文]

　　消費貸借ハ当事者ノ一方カ種類、品等及ヒ数量ノ同シキ物ヲ以テ返還ヲ為スコトヲ約シテ相手方ヨリ金銭其他ノ物ヲ受取ルニ因リテ其効力ヲ生ス

〔1〕　消費貸借は、後に述べるように、代替物についてだけ成立する要物契約であ

1262

§587〔1〕~〔3〕

り(〔2〕〔3〕参照)、契約成立後には、借主だけが債務を負担する片務契約である。また、借主が利息を支払うべきときは有償契約であり、無利息のときは無償契約である(改正前§533〔1〕参照)。そして、有償・無償によって貸主の担保責任に差異がある(改正前§590)。消費貸借は、また、継続的契約である。また、不要式契約であるが、事柄の性質上、書面(消費貸借契約書、借用証など。公正証書によることも多い。その意味については、本編第1章第2節解説②(2)(イ)(b)参照)が作成される場合がほとんどである(銀行実務において「手形貸付」と呼ばれるものにおいては、借主が約束手形を差入れるだけで、証書が作成されない例が多い)。

〔2〕 消費貸借の対象となりうる物は、金銭その他の代替物、たとえば米・麦・酒などである。問題となるのは、無記名の有価証券の貸借が賃貸借であるか、消費貸借であるかである。判例は、結局、当事者の意思によって決するべきものとするが、原則として、賃貸借と見ようとする傾向を示している(大判明治34・3・13民録7輯3巻33頁、大判昭和4・2・21民集8巻69頁)。

〔3〕 消費貸借は、借主が貸主から目的物を「受取る」ことによってその効力を生ずる。すなわち、要物契約である。この点に関して、つぎの諸点が問題となる。

(1) 「受取る」というのは、単に占有を取得するだけでなく、目的物の所有権をも取得することである。

(ア) 借主は、目的物の所有権を取得しなければならない。けだし、消費貸借の借主は目的物を消費(処分)する権能を取得するものだからである。したがって、貸主が目的物を処分する権能を有しないときは(たとえば、他人の酒)、これについて消費貸借を成立させることはできないのが原則である。しかし借主が貸主から目的物を受取り、いわゆる善意取得(§192。即時取得)によって所有権を取得すれば、消費貸借は有効に成立する(大判昭和9・4・6民集13巻492頁)。金銭の場合は、通貨の占有の移転によって価値は移転するとされるので、他人の通貨であっても、消費貸借は当然成立する(§192〔2〕(エ)参照)。

(イ) 目的物の占有の移転は、現実の引渡しでなくてもよい。占有改定、簡易な引渡しなどでも差しつかえない。金銭についても、これに準じて考えることは可能であろう。たとえば、BのAに対して負担する債務を第三者Cが弁済することとし、C・A間の金銭の授受を省略して、その金銭をCがAから借りたことにする消費貸借を有効に成立するとした例がある(大判明治44・6・8民録17輯379頁)。占有改定に準じた例としては、貸主が借主に金銭を引渡さず、借主のために使用するという形でも、消費貸借は成立するといってよいであろう(要物性の緩和の意味をもつ)。

(2) 消費貸借を要物契約とすること、すなわち、目的物の授受がなければ消費貸借は成立しないとすることが、どのような必要によるものであるかは、争われた問題である。一方の学説は、これが借主保護の作用を有すると説く。すなわち、これを要物契約としないと、貸主は実際には10万円交付して20万円の消費貸借の成立を強いることも可能であって、借主の地位は不当におびやかされるという。しかし、この種の制限は現実に20万円の現金を授受して直ちに10万円を取戻すという方法で容易に潜脱することができる。したがって、借主の保護は、返済請求権は現実に授受された金

1263

第3編　第2章　契約　第5節　消費貸借

額に限るとする解釈、あるいは 90 条〔改注〕または利息制限によるのが正道であろう。これを要物契約とすることによってこの目的を達しようとしても無意味に近く、かえってそのために種々の不都合を生じるのである。立法論としては、消費貸借を要物契約とすることは今日の法律状態に適しないものというべきである。

(3)　判例も、このような考え方を認め、しだいにその要物性を緩和しようとする。

(ア)　すなわち、まずその成立要件である「金銭その他の物を受取る」というのは、経済的に見て金銭その他の物の授受に等しい価値の移転が行われた場合には、それについて直ちに金銭の消費貸借の成立を認める趣旨であるとみる。たとえば、貸主が銀行の預金通帳と印章とを借主に交付すれば、その時に金銭の消費貸借は成立し、借主が現実に銀行から金銭の払い出しを受けることをまたない(大判大正 11・10・25 民集 1 巻 621 頁)。また、貸主が約束手形を振出して借主に交付し、借主がこれにつき銀行で割引を受けた場合にも、消費貸借は有効に成立する(大判大正 14・9・24 民集 4 巻 470 頁、最判昭和 39・7・7 民集 18 巻 1049 頁。ただし、手形割引の法律関係については、別途の検討を必要とする)。しかし、実際に経済的価値の授受がない場合、たとえば、A 銀行が支払停止になる数日前にこれから 15 万円の金を借り、金銭を授受することなく、これをそのまま定期預金として預け、同額の定期預金証書の発行を受けた場合には、必ずしも金銭の授受があったのと同視することはできないとした(大判昭和 6・6・22 新聞 3302 号 11 頁)。

なお、消費貸借において、貸借期間分の利息総額を最初に元金から控除して、残余額だけを交付する「天引」に関する判例理論も、これらの判決と同じ思想に立脚するものであるが、それについては改正前 404 条〔3〕(イ)(b)(v)参照。

(イ)　判例が要物性を緩和する第 2 の点は、金銭その他の物を「受取る」時と、消費貸借成立の時との間のギャップに関連してである。すなわち、わが国の実際取引においては、まず、公正証書を作成し、または抵当権を設定した後で金銭を交付する場合がきわめて多い。銀行の貸金は、ほとんど例外なしにこのような手続をとるといわれる。その場合、要物性を厳格に適用すると、それらの公正証書または抵当権は、消費貸借の成立前、すなわち借主の返還債務が発生する前に作成され、または設定されたことになり、その効力に疑義を生じる。これを救済するために、学説のなかには、わが民法のもとにおいても、スイス債務法 312 条のように、いわゆる諾成的消費貸借の成立を認めてもよいとするものがある((2)参照)。しかし、判例は、この理論を認めず、具体的事案ごとに特別の理論を構成して、妥当な結果を得ようと努めている。すなわち、

(a)　抵当権の効力に関しては、抵当権の理論を拡張して、将来の債権についても現実に抵当権を設定して、その順位を保全することができるとし、上の場合の銀行の抵当権の効力を認めている(§369〔4〕(ウ)参照)。

(b)　公正証書の執行力については、最初これを否定したが(大判明治 40・5・27 民録 13 輯 585 頁)、後にこれを肯定するに至っている(大判昭和 11・6・16 民集 15 巻 1125 頁)。

〔4〕　利息の支払は、消費貸借の要件ではない。したがって、とくに利息について

1264

§587〔4〕～〔6〕

合意をしなければ、借主は利息を支払う義務を負わないのである。ただし、商人間の消費貸借においては、特約がなくても、貸主は法定利息を請求することができる(商改正前§513参照)。また、無利息で借りても期限に弁済しないときは、その後は、法定利率による損害賠償(遅延利息)を支払わなければならないことはいうまでもない(§419Ⅰ〔改注〕)。通常の消費貸借における利息の支払義務は、借主が元本を受領してこれを利用できる状態になった時、すなわち消費貸借成立の日から生じる(最判昭和33・6・6民集12巻1373頁)。なお、利息については、改正前404条以下参照。

〔5〕 消費貸借の効果は、借主が貸主に対して、その受取った物と同種・同等(原条文は「品質」ではなく、「品等」としていたのでこの表現がされた)・同量の物を返還する義務を負うことである。このことに関連して、改正前590条・592条の規定がある。

重要なのは金銭の消費貸借であり、これについては、改正前590条・592条の適用は問題にならず、むしろ、402条・403条の問題になる。すなわち、一般的には、強制通用力のある貨幣で弁済すればよく(§402〔2〕〔3〕、その他金銭債務の弁済方法について、§493〔2〕(ｱ)参照)、同一の金種によって返還する必要はない(大判大正7・9・5民録24輯1607頁)。

〔6〕 (1) 消費貸借は、本条により要物契約とされるので、そのことから、つぎのことが生じる。

(a) 契約は、目的物を借主が受取ることにより成立するので、契約の効力として生じるのは、借主の返還義務だけである。したがって、この契約の性質は片務契約である。

(b) 利息が支払われる場合(「利息付消費貸借」という)は、その消費貸借契約は有償契約であり、無利息の場合(「無利息消費貸借」という)は、無償契約である(本章解説④(1)参照)。

(c) 以上の結果、利息付消費貸借は、有償契約であるが、片務契約である。

(2) 本条の規定にもかかわらず、当事者の合意のみによって生じる(要物性のない)「諾成的消費貸借」が認められるか、が問題とされる。契約自由の原則からみて、——いわば、非典型契約として——これを有効とする見解が有力である(利息付消費貸借についてのみこれを認め、無利息の場合には認めない見解もある)。判例もこれを否定しない(最判昭和48・3・16金法683号25頁は、借主が担保を提供して貸付を請求した時から、貸主は履行遅滞に陥るとした)。

(a) これを認めると、当事者の合意(たとえば、1000万円を貸借するという)のみによって、(諾成的)消費貸借が成立し、一方において貸主は目的物(1000万円)を貸す義務(目的物が金銭である場合、これを「与信義務」と呼ぶ)、他方において借主は借りた物(1000万円)を返還する義務を負う。

(b) すなわち、その消費貸借が利息付きの場合は、有償・双務契約となり、無利息の場合は、無償・片務契約ということになる(貸す義務と返す義務は対価関係に立つものではない)。

(c) 借主の返還義務は、もちろん貸主からの目的物を受取ることによって生じる。借主が上例で1000万円を返還する義務は契約と同時に発生するのであるが、それ

1265

第3編　第2章　契約　第5節　消費貸借

が現実化するのは、貸主から1000万円を受取った後である。このことは、目的物の授受を停止条件として発生するとも、借主は授受があるまでは、目的物不受領の抗弁権があるとも、構成することができよう。

（書面でする消費貸借等）
第五百八十七条の二

1　前条の規定にかかわらず、書面でする消費貸借は、当事者の一方が金銭その他の物を引き渡すことを約し、相手方がその受け取った物と種類、品質及び数量の同じ物をもって返還をすることを約することによって、その効力を生ずる[1]。

2　書面でする消費貸借の借主は、貸主から金銭その他の物を受け取るまで、契約の解除をすることができる。この場合において、貸主は、その契約の解除によって損害を受けたときは、借主に対し、その賠償を請求することができる[2]。

3　書面でする消費貸借は、借主が貸主から金銭その他の物を受け取る前に当事者の一方が破産手続開始の決定を受けたときは、その効力を失う[2]。

4　消費貸借がその内容を記録した電磁的記録によってされたときは[3]、その消費貸借は、書面によってされたものとみなして、前三項の規定を適用する。

〈改正〉　2017年に新設された。

［本条の趣旨］　**[1]**　改正前でも、解釈論によって、諾成的消費貸借は認められているが（587条の解説(3)参照）、新法は、この点につき明文の規定を設けた。軽率な消費貸借の締結を防止する趣旨もあるとされている。なお、諾成かつ有償の消費貸借の予約を行う場合には、予約または本契約のいずれかについて「書面性」が満たされればよいとの見解が有力である。

　[2]　2項および3項（改正前589条）は、諾成的消費貸借の弊害を防止するための規定である。

　[3]　電磁的記録に関する規定は、保証契約（新446条3項）等にも見られる。

（準消費貸借）
第五百八十八条

金銭その他の物を給付する義務を負う者がある場合において、当事者がその物を消費貸借の目的とすることを約したときは、消費貸借は、これによって成立したものとみなす[1]。

〈改正〉　2017年に改正された。「消費貸借によらないで」を削る。

［改正の趣旨］　**[1]**　改正前588条では「消費貸借によらないで」との文言があり、旧債務が消費貸借によるものである場合は、準消費貸借はできないと読めなくはないが、判例は古くから消費貸借によるものでもよいとしてきた。解説(2)参照。新法は「消費貸借によらないで」という文言を削除した。なお、準消費貸借の場合には、目的物の引渡しなどが予定されていないので、書面性は必要ではないとの見解が有力である。

［改正前条文］

消費貸借によらないで[2]金銭その他の物を給付する義務を負う者がある場合において、当事者がその物を消費貸借の目的とすることを約したとき[1]は、消費貸借は、これによっ

て成立したものとみなす[3]。

[原条文]

消費貸借ニ因ラスシテ金銭其他ノ物ヲ給付スル義務ヲ負フ者アル場合ニ於テ当事者カ其物ヲ以テ消費貸借ノ目的ト為スコトヲ約シタルトキハ消費貸借ハ之ニ因リテ成立シタルモノト看做ス

[改正前条文の解説]

〔1〕 たとえば、AがBに対して負担する売買代金債務または賃料債務を、A・B間の契約によって、直ちに消費貸借上の債務に改めることを認めたのである。587条の規定の趣旨から厳密にいえば、このような場合にも、債務者は債務額をいったん弁済したのちに、改めてその金額を受け取らなければ消費貸借は成立しないわけであるが、本条は、このような迂遠な手続を要求しないで、消費貸借契約は成立するものと定めたのである。不特定物についての簡易な引渡しを認めたようなことになるが(§587〔3〕(1)(イ)参照)、結局、その限りにおいて、消費貸借の要物性を緩和する結果になっている。なお、実際には、消費貸借に改めると同時に、利息に関する特約をしたり、担保を設定したりする場合が多いであろう。

〔2〕 本条は、「消費貸借によらないで」負担した債務を消費貸借に改める場合を規定しているが、過去の消費貸借上の債務をもって新たな消費貸借の目的とすることももとより肯定するべきである(大判大正2・1・24民録19輯11頁)。

元の消費貸借が諾成的消費貸借であり、まだ金員が貸与されていないときに、その借主の債務につき準消費貸借ができるかは若干問題だが、準消費貸借としては成立し、金員が貸与されたときに、効力を生じると解すればよいであろう(同旨、最判昭和40・10・7民集19巻1723頁)。

〔3〕 このようにして成立する準消費貸借の効力は、純粋の消費貸借と異なるところが多い。最も問題となるのは、この契約の基礎となった債務と、この契約によって生じた消費貸借上の債務との関係である。

(a) 既存の債務の消滅は、準消費貸借契約が有効に成立したことを前提とするから、新債務が無効であるか、または取消された場合には、既存の債務は消滅しなかったことになる。また、準消費貸借は、既存債務の存在を前提とするから、旧債務が無効(公序良俗違反や利息制限法違反など)であれば新債務は成立せず、また、取消し、もしくは解除された場合は、新債務は、遡及的に効力を失う(最判昭和43・2・16民集22巻217頁は、準消費貸借の効力を争う者が旧債務不存在の立証責任を負うとする)。以上の限りにおいては、更改と同様である(改正前§513〔3〕参照)。

(b) 新旧両債務は、同一性を失うであろうか。最もしばしば問題となる点である。判例は、古くは準消費貸借契約によって生じる債務は、旧債務とまったく別個の債務であると見て、旧債務に付着する抗弁権は消滅するとした(大判大正5・5・30民録22輯1074頁)が、その後、新旧債務の同一性の有無はまったく当事者の意思にかかるとし(大判大正7・3・25民録24輯531頁)、さらに、特別の意思表示がない限り、両債務は同一性を維持するべきものとの理論をとり(たとえば、大判昭和8・2・24民集

第3編　第2章　契約　第5節　消費貸借

12巻265頁、最判昭和62・2・13判時1228号84頁は、売買代金債務について存在する同時履
行の抗弁権は準消費貸借があっても失われないとし、最判昭和50・7・17民集29巻1119頁は、
旧債務について認められる債権者取消権は、準消費貸借締結後も認められるとした)、学説の
支持を得ている。もっとも、新しい契約が結ばれるわけであるから、準消費貸借契
約そのものが商行為である場合には、たとえ旧債務が商行為によって生じた債務で
ない場合にも、新債務には、商行為によって生じた債務に関する規定はすべて適用
され、したがって、時効についても5年の商事時効にかかるとする(大判昭和8・6・
13民集12巻1484頁)。

(利息)
第五百八十九条
　1　貸主は、特約がなければ、借主に対して利息を請求することができない[1]。
　2　前項の特約があるときは、貸主は、借主が金銭その他の物を受け取った日
　　以後の利息を請求することができる[2]。
〈改正〉　2017年に新設された。

[本条の趣旨]　[1]　改正前の消費貸借関連規定には「利息」についての定めはない。しか
し、金銭消費貸借においては利息の有無や利率は重要であるため、金銭消費貸借における高
利を制限して借主を保護するための強行法規として利息制限法がある。改正前においては、
利息の合意が無い限りは無利息消費貸借となると考えられていた（改正前587条の解説[4]参
照）。新法は、この無利息消費貸借の原則を明文化した（1項）。

　[2]　有利息の場合でも、利息は元本利用の対価であるから、元本となる金銭等の目的物
が現実に授受されて、借主が現実にこれを利用できる状態になって初めて利息は発生する。
この点につき、判例（最判昭和33・6・6）は「消費貸借における利息は、元本利用の対価で
あり、借主は元本を受け取った日からこれを利用しうるのであるから、特約のないかぎり、
消費貸借成立の日から利息を支払うべき義務がある」と判示している（改正前584条[4]参
照）。新法は、この規範を明文化した。

　新法は、さらに借主が金銭その他の物を受け取った「日以後」の利息を請求することがで
きるとされ、利息は金銭等の授受がなされたその当日を含めて発生するとした。前述の最判
も「消費貸借成立の日から利息を支払うべき義務がある」としている（初日算入）。すなわち、
貸付がなされたその日に返済をしても1日分の利息がつく。しかし、実務では、初日不算入
とする約定が交わされる場合も多く見られるようである。新法では、利息の終期についての
定めがないが、仮に貸付日を含める（初日算入とする）場合には、返済日の前日が利息の終
期となる（弁済日の利息は不発生）と考えるべきであると解されている。

第五百八十九条（旧）　改正に伴い削除
[削除前条文]
(消費貸借の予約と破産手続の開始)
　消費貸借の予約[1]は、その後に当事者の一方が破産手続開始の決定を受けたときは、そ
の効力を失う[2]。
〈改正〉　2017年に改正に伴い削除された。
[削除の趣旨]　改正前589条については、新587条の2第3項を参照。
[原条文]
　消費貸借ノ予約ハ爾後当事者ノ一方カ破産ノ宣告ヲ受ケタルトキハ其効力ヲ失フ

1268

§§ 589・589 (旧)・590

〈改正〉 2004年法律76号改正により、「破産ノ宣告」が「破産手続開始ノ決定」に改められた。

[削除前条文の解説]
〔1〕 「消費貸借の予約」は、のちに本契約である消費貸借契約を締結するべき旨の契約である。一方の意思表示だけで契約を成立させる「一方の予約」と異なり（§556〔1〕参照）、また、具体的に貸主・借主の権利を生じさせる諾成的消費貸借とも異なる。本条が想定する予約は、「本来の予約」といわれるものに相当する（本章解説④(8)、§556〔1〕参照）。

消費貸借の予約の効果としては、予約上の権利者（借主となるべき者）は、（要物契約としての）消費貸借契約の締結を請求する権利、すなわち消費貸借締結の意思表示ならびに目的物の交付を請求する権利をもつ。そして、この請求権の二つの内容は、不可分の関係に立つから、予約義務者（貸主となるべき者）が予約上の権利者に対して反対債権を取得しても、これで相殺することはできない（大判大正2・6・19民録19輯458頁。逆に、予約権利者も相殺できない。大判明治45・3・16民録18輯258頁）。また、両者を分離して譲渡することもできない。

なお、上例のように一方のみが契約締結請求権を有するものを「片務予約」、双方が有するものを「双務予約」というが、実際には、借主のみがこれを有する片務予約が多いと思われる（§556〔1〕参照）。

〔2〕 借主の破産は、予約当事者の信用関係を破壊するから、予約の失効を認めたのである。貸主の破産の場合には、信用関係を破壊するとは考えられないが、借主は、破産債権者として配当を受ける権利を有するにとどまり、所期の目的を達することはできないから、予約を失効させるのである。判例は、予約上の借主が二人いて、連帯して借受ける予約であった場合に、一方が破産した場合に、他方も予約上の権利を失うとした（大判昭和12・5・26民集16巻730頁）。

（貸主の引渡義務等）
第五百九十条
　1　第五百五十一条の規定は、前条第一項の特約のない消費貸借について準用する[1]。
　2　前条第一項の特約の有無にかかわらず、貸主から引き渡された物が種類又は品質に関して契約の内容に適合しないものであるときは、借主は、その物の価額を返還することができる[2]。

〈改正〉 2017年に改正された。
[改正の趣旨]　[1] 無利息の消費貸借については、贈与における贈与者の担保責任の規定を準用する旨の規定が設けられた。金銭を目的とする消費貸借がほとんどである金融実務では、消費貸借における貸主の担保責任が問題となる場面は少ないと思われるが、売買や贈与における担保責任の規定の見直しに伴い、消費貸借についても規定が整備された。

　[2] 改正前590条2項前段は、無利息消費貸借において瑕疵ある物の価額を返還することができると定めている。これは、瑕疵ある物が引き渡された場合に、これと同程度に瑕

1269

第3編　第2章　契約　第5節　消費貸借

疵ある物を調達して返還するというのは通常困難であると考えられるからである。解説〔5〕参照。改正前法では利息付きの消費貸借について、この価額による返還ができるかについての規定は設けられていないが、瑕疵ある物と同程度の瑕疵ある物を返還することは困難であるというのは利息付きの消費貸借でも変わらない。そこで、新法は、利息の有無を問わず、契約の内容に不適合な場合（表現に注意）には、借主はその物の価額を返還することができる旨を明文化した。

［改正前条文］

（貸主の担保責任）

1　利息付きの消費貸借[1]において、物に隠れた瑕疵[2]があったときは、貸主は、瑕疵がない物をもってこれに代えなければならない[3]。この場合においては、損害賠償の請求を妨げない[4]。

2　無利息の消費貸借においては、借主は、瑕疵がある物の価額を返還することができる[5]。この場合において、貸主がその瑕疵を知りながら借主に告げなかったときは、前項の規定を準用する。

［原条文］

利息附ノ消費貸借ニ於テ物ニ隠レタル瑕疵アリタルトキハ貸主ハ瑕疵ナキ物ヲ以テ之ニ代フルコトヲ要ス但損害賠償ノ請求ヲ妨ケス

無利息ノ消費貸借ニ於テハ借主ハ瑕疵アル物ノ価額ヲ返還スルコトヲ得但貸主カ其瑕疵ヲ知リテ之ヲ借主ニ告ケサリシトキハ前項ノ規定ヲ準用ス

［改正前条文の解説］

〔1〕　消費貸借が利息付きになるかどうかは、当事者の約束で定まる。特約がなければ、無利息である（§587〔4〕参照。ただし、改正前商§513Ⅰ参照）。利息の支払義務は、原則として、元本を受取った日から生じる（最判昭和33・6・6民集12巻1373頁）。

〔2〕　改正前570条〔2〕参照。金銭の消費貸借における「隠れた瑕疵」ということは、通常起こりえないことであろう。貸与された金銭のなかに偽造紙幣が混じっていたときなどは、有効に授受された金額についてだけ、消費貸借が成立する。

〔3〕　元来、消費貸借は要物契約とされ、貸主が目的物を引渡した時に契約は成立するのであるから、貸主が借主に一定の物を引渡すという債務は成立する余地がない理屈である。消費貸借の効果としては、借主は、引渡しを受けた目的物と同種・同等・同量の物の返還をするという債務を負うということだけである。したがって、本条1項が利息付消費貸借につき、借主に瑕疵のない物の引渡請求権を認めたのは、とくに有償契約である利息付消費貸借の借主の立場を保護したものと解することになる。なお、借主は、代物を請求しなかった場合には、瑕疵ある物を返還し、または価額で返還してもよい（後述〔5〕参照）。

〔4〕　この担保責任も、売主の担保責任と同様に、無過失責任と解するべきである（本章第3節第2款解説[2]〔3〕参照）。なお、売主の担保責任のうち、瑕疵担保責任（改正前§570）は本条で排斥されるが、その他のものは準用されると解するべきである（§559）。もっとも、実際上の必要は稀であろうが、たとえば、数量の不足の場合の損害賠償責任（改正前§565）などは準用されることもありうるであろう。

〔5〕　無利息の消費貸借においては、借主は、原則として瑕疵のない物の引渡しを

1270

§§ 590〔1〕〜〔5〕・591

請求することはできない。したがって、瑕疵ある物を返還するということになるわけであるが、引渡しを受けた目的物と同程度の瑕疵のある物を調達して返還することは通常は困難だから、価額の返還を認めたのである。

（返還の時期）
第五百九十一条

1　当事者が返還の時期を定めなかったときは、貸主は、相当の期間を定めて返還の催告をすることができる[1][2]。

2　借主は、返還の時期の定めの有無にかかわらず、いつでも返還をすることができる[1]。

3　当事者が返還の時期を定めた場合において、貸主は、借主がその時期の前に返還をしたことによって損害を受けたときは、借主に対し、その賠償を請求することができる[2]。

〈改正〉　2017年に改正された。2項中「借主は」の下に「、返還の時期の定めの有無にかかわらず」を加え、3項を加えた。

[改正の趣旨]　[1]　借主にとっては、期限前に既に返還が可能である場合にもそれが制限され、期限まで返還義務と利息を負担し続けなければならないとするのは不合理である。また、貸主としても早期に返還を受ければ、返還を受けた資本を他に利用できることになるし、不返還のリスクを少なくすることができる。

利息付きの場合には、貸主は期限まで利息を得る利益を失うという面もあるが、利息は元本利用の対価であるから元本が返還される以上は、利息は発生しないと考えるべきである。利息付きの消費貸借について借主が期限前に早期の償還をしても貸主には実際には不利益は生じない場合が多いといわれている。改正前2項は、借主は期限前償還ができる旨だけを定めており、その際の損害賠償の要否や範囲については規定を設けていないが、これは原則としては期限前弁済によって貸主に損害は生じないので、借主に早期に返還義務を免れる機会を保障していたものと考えられている。なお、本項は、借主からの返還に関する規定であるが、貸主は相当の期間経過後でなければ返還請求できないから、消滅時効の起算点はそれを知った時になると解されている。

[2]　この期限前弁済時の損害賠償責任について、新3項が追加された。このような規定の発想は、諾成的消費貸借における解除と損害賠償責任についての規定と類似している。

しかし、このような規定の明文化により、借主の期限前弁済を制限し高利の負債を押し付け続ける結果となる弊害が生じないかが危惧されるとの意見もある。2項の趣旨から考えて、期限前弁済のみによっては、通常、損害は発生しないと解すべきであるから、実際に損害が発生したことを貸主は立証しなければならないと解すべきであろう。

[改正前条文]
1　同上
2　借主は、いつでも返還をすることができる[3][4]。

[原条文]
　　当事者カ返還ノ時期ヲ定メサリシトキハ貸主ハ相当ノ期間ヲ定メテ返還ノ催告ヲ為スコトヲ得
　　借主ハ何時ニテモ返還ヲ為スコトヲ得

1271

第3編　第2章　契約　第5節　消費貸借

[改正前条文の解説]

　消費貸借は継続的契約であるから、その終了（貸主の借主に対する貸す義務の終了。それにより、借主の返還義務が生じる）は、存続期間（条文では「返還の時期」）の終了、または告知による。民法は、本条において、返還の時期の定めがない場合における告知（解約に相当する告知である）についてのみ規定している。

　〔1〕　貸主に「相当の期間」を定めて返還を催告（理論的にいえば、解約告知である）することを要求したのは、一般に、履行期の定めのない債務については、単純な催告によって履行期がくることとした412条3項の例外を認めたものである（改正前§412〔5〕参照）。借主に準備期間を与える趣旨であることは、いうまでもない。

　貸主が相当な期間を定めないで、または、不相当に短い期間を定めて返還を催告した場合に、その催告はなんらの効力も生じないであろうか。判例は、このような催告ののち相当な期間が経過することによって、借主は遅滞の責めに任じるべきものとする（大判昭和5・1・29民集9巻97頁）。判例は、さらに、本項の規定は借主に抗弁権を与えたものであって、たとえ貸主が相当な期間を定めないで催告しても、債務者が事実審の過程において抗弁を提出しないで上告審まできてしまったような場合には、催告の時（訴状送達の翌日）から遅滞の責めに任じるべきものとしている（大判昭和5・6・4民集9巻595頁）。

　〔2〕　借主に利息の支払を遅滞するなどの不履行が生じたときには、貸主は直ちに告知（解除に相当する告知である）することは可能であると解される。

　〔3〕　本項は、とくに返還時期の定めがない場合ということを明言していないが、返還の時期について定めがあるときは、それに従うべきであるから、借主が随時返還ができるのは返還時期の定めがない場合に限ると解するべきである。

　〔4〕　返還時期の定めがある場合については、本条にはとくに規定がない。つぎのように考えられる。

　㋐　何年何月何日までというように、確定期限の定めがあるときには、その期限の到来によって終了する（§412Ⅰ）。それまでは、貸主は返還を請求することはできないし、借主は返還しないでよい。ただし、借主は期限の利益を放棄して期限到来前に返還することができ、また、一定の事由が生じたときには、期限の利益を喪失することがありうる（§§136・137）。

　㋑　不確定期限または条件が定められている場合がある（たとえば、借主が他の債権者から執行を受けた時）。この場合は、その期限が到来し、条件が成就し、債務者がそれを知った時に終了する（不確定期限について、§412Ⅱ［改注］、条件については、規定はないが、同じように解してよかろう）。

　㋒　いずれの場合にも、借主に利息を遅滞するなどの不履行が生じたときには、たとえ期間の終了前であっても、貸主は告知（解除に相当する告知）することができると解される。

§§591〔1〕～〔4〕・592

（価額の償還）
第五百九十二条
　　　借主が貸主から受け取った物と種類、品質及び数量の同じ物をもって返還を
　することができなくなったときは、その時における物の価額を償還しなければ
　ならない[1]。ただし、第四百二条第二項に規定する場合は、この限りでない[2]。
〔原条文〕
　　借主カ第五百八十七条ノ規定ニ依リテ返還ヲ為スコト能ハサルニ至リタルトキハ其時ニ
　於ケル物ノ価額ヲ償還スルコトヲ要ス但第四百二条第二項ノ場合ハ此限ニ在ラス

〔1〕　「返還をすることができなくなった」とは、もちろん、客観的に履行が不能
になった場合を意味する。たとえば、ある銘柄の酒を借りた場合に、返還期にその酒
の製造元が倒産したような場合である。このように、借りたものと同種・同等・同量
の物を返すべき債務が履行不能になったときは、その履行不能となった時における物
の価額を返還することを要するのである。普通の履行不能の場合のように借主の債務
を免れさせるのは、消費貸借の性質に反するから、このような規定を設けたのである。
なお、借主が遅滞におちいった後に履行不能が生じた場合には、通常の損害賠償の責
任を負うのである（改正前§415〔4〕㈡参照）。
〔2〕　たとえば、返還するべきものが特殊の通貨であって、返還期にその通貨が強
制通用力を失ったときは、他の通貨で返すべきこととなるのである（§402〔4〕参照）。

1273

第3編　第2章　契約　第6節　使用貸借

第6節　使用貸借

〈改正〉　本節は、2017年に改正された。条文の移動や見出しの変更を含めると、594条、595条以外の条文が改正され593条の2が新設された。前掲(549条)附則(贈与、使用貸借等に関する経過措置)第三十四条1参照(以下本節の各条文では引用省略)。

[使用貸借の諾成契約への転換]　改正前593条は使用貸借を要物契約としていたが、契約上の義務の発生を合意の時点で認める必要があるとの判断から、諾成契約に変更した。なお、借用物受取り前の貸主による使用貸借の解除に関する規定(新593条の2)によって、配慮した。なお、新587条の2も参照。

① 本節の内容

本節は、「使用貸借」と題して、その成立(§593 [改注])、借主の権利義務(§§594・595)、貸主の担保責任(§596 [見出しの変更に注意])、使用貸借の終了(§§597 [改注] ～ 599 [改注]、新§593の2)および特別の除斥期間(§600 [改注])について規定する。

② 使用貸借の意義

使用貸借と消費貸借との差異については、第5節解説②参照。賃貸借との差は、賃借人は、使用・収益の対価(賃料)を支払うべきものであるのに、使用貸借の借主(「使用借主」という)は、無償で使用・収益ができる点にある。なお、使用貸借は、要物契約とされている点でも、賃貸借と異なる。

使用貸借は、実際上行われることが稀であり、したがって、その作用は賃貸借に比してはるかに少ない。

使用貸借の事例としては、親族間においてその関係の存在が認定される場合が多い(夫婦間の土地貸与関係についての最判昭和47・7・18判時678号37頁など)。その意味において、被相続人と共同相続人の一人が被相続人の建物に同居していた場合について、両者の間の使用貸借の存在を認定し、その関係は、被相続人が死亡した場合、少なくとも遺産分割終了まで存続するとされた事例が興味深い(最判平成8・12・17民集50巻2778頁)。

なお、農地については、使用貸借上の権利の設定・移転についても、賃貸借のそれと同じく、農業委員会ないし都道府県知事の許可を要するものとされている(農地§3参照)。

(使用貸借)
第五百九十三条
　　使用貸借は、当事者の一方がある物を引き渡すことを約し、相手方がその受け取った物について無償で使用及び収益をして契約が終了したときに返還をすることを約することによって、その効力を生ずる[1]。

〈改正〉　2017年に改正された。「一方が」の下に「ある物を引き渡すことを約し、相手方がその受け取った物について」を加え、「した後に返還をすることを約して相手方からある物を

第 6 節［解説］・§593〔1〕〜〔4〕

受け取る」を「して契約が終了したときに返還をすることを約する」に改めた。

[改正の趣旨]〔1〕 新法は、使用貸借を要物契約とする改正前の規定を改め、諾成契約とした。使用貸借は、経済的な取引の一環として行われることも多いため、目的物が引き渡されるまで契約上の義務が生じないのでは取引の安定を害するおそれがあり得ることを理由としている。なお、使用貸借の諾成契約化に伴う問題点、すなわち使用貸借に基づく目的物の引渡し前に当事者の一方が破産手続開始、再生手続開始または更生手続開始の決定を受けた場合の処理に関しては、特段の規定を設けずに破産法53条、民事再生法49条、会社更生法61条の解釈に委ねることとした。

[改正前条文]
　使用貸借は、当事者の一方が無償で使用及び収益¹⁾をした後に返還をすることを約して相手方からある物を受け取る²⁾ことによって、その効力を生ずる³⁾⁴⁾。

[原条文]
　使用貸借ハ当事者ノ一方カ無償ニテ使用及ヒ収益ヲ為シタル後返還ヲ為スコトヲ約シテ相手方ヨリ或物ヲ受取ルニ因リテ其効力ヲ生ス

[改正前条文の解説]

〔1〕 借主（「使用借主」ともいう）は、目的物を使用・収益できる（使用および収益とあるが、使用だけ、または収益だけでもよい）。目的物を処分することはできないのである（§206参照）。

〔2〕 使用貸借においては、借主は、目的物の処分権を取得するものではないから（〔1〕参照）、目的物を「受け取る」とは、消費貸借と異なり、単に目的物の占有を取得することである。借主の占有の取得は、現実の引渡しによることを要せず、占有改定または簡易な引渡しなどでもよいことは、消費貸借におけると同様である（§587〔3〕(1)(イ)参照）。

〔3〕 すなわち、使用貸借は、いわゆる要物契約である。その成立ののちには、借主だけが債務を負担するから、片務契約である。また、いうまでもなく、継続的契約である。

なお、使用貸借を要物契約とすることは、今日の法律理論としてはとくに理由のないことである。しかし、消費貸借におけると異なり（§587〔3〕参照）、実際上の不都合は少ない。けだし、この契約は社会の実際においてそれほど大きな作用を営んでいないからである。

〔4〕 使用貸借は、賃貸借と異なり（§601［改注］参照）、借主は使用の対価を支払わないものであるから、無償契約である。

とくに不動産の貸借の場合、それが有償の賃貸借であれば、特別法により借主（賃借人）が保護されている（第7節解説④参照）のに対して、無償であるとこれらの特別法の適用はなく、その違いは大きい。したがって、借主から貸主に対して使用の対価が支払われているかどうかの認定が問題となることが多い。

その例としては、家主とその妻の伯父との間の部屋の貸借において、1畳分の金員が支払われているが、それは使用の対価というよりは、単なる謝礼であるとした判決（最判昭和35・4・12民集14巻817頁）、建物の借主が建物を含む貸主所有の不動産の固

1275

第 3 編　第 2 章　契約　第 6 節　使用貸借

定資産税を負担していても、特段の事情がない限り、建物使用の対価とはいえないとした判決（最判昭和 41・10・27 民集 20 巻 1649 頁）などがある。なお、会社が所有する社宅の従業員による利用関係については、判例も判断が分かれている（賃貸借としたものに、最判昭和 28・4・23 民集 7 巻 408 頁、最判昭和 31・11・16 民集 10 巻 1453 頁、有償性を否定したものに、最判昭和 29・11・16 民集 8 巻 2047 頁、最判昭和 30・5・13 民集 9 巻 711 頁がある）。

（借用物受取り前の貸主による使用貸借の解除）
第五百九十三条の二
　　　貸主は、借主が借用物を受け取るまで、契約の解除をすることができる。ただし、書面による使用貸借については、この限りでない[1]。
〈改正〉　2017 年に新設された。
[本条の趣旨]　**[1]**　使用貸借であっても貸主の貸す義務、借主の借りる権利を保護すべき場合もあると解されており、例として、社宅の無償貸与の例が挙げられていた。また、改正前においても諾成的使用貸借契約は認められるとするのが通説であった。そこで、新法は、使用貸借を諾成契約に転換し、その上で、軽率な合意や貸す義務を負わされる負担などから貸主を保護するために、解除権を付与することにした。贈与に関する新 550 条と平仄を合わせた規定である。

（借主による使用及び収益）
第五百九十四条
　　1　借主は、契約又はその目的物の性質によって定まった用法に従い[1]、その物の使用及び収益をしなければならない。
　　2　借主は、貸主の承諾を得なければ、第三者[2]に借用物の使用又は収益をさせることができない。
　　3　借主が前二項の規定に違反して使用又は収益をしたときは、貸主は、契約の解除をすることができる[3]。
[原条文]
　　借主ハ契約又ハ其目的物ノ性質ニ因リテ定マリタル用方ニ従ヒ其物ノ使用及ヒ収益ヲ為スコトヲ要ス
　　借主ハ貸主ノ承諾アルニ非サレハ第三者ヲシテ借用物ノ使用又ハ収益ヲ為サシムルコトヲ得ス
　　借主カ前二項ノ規定ニ反スル使用又ハ収益ヲ為シタルトキハ貸主ハ契約ノ解除ヲ為スコトヲ得

〔1〕　契約によって「用法」（広く目的物を使用する方法・態様・条件などのことをいう）を定めることは、自由である。たとえば、建物を集会場として貸した場合には、それが住宅であっても集会場として使用することができる。「目的物の性質によって定まった用法に従い」用益することを要するとは、住宅の貸借であるならば、特約がない限り、住居に供するべきであって、工場・店舗・集会場などに使用することを許さないという意味である。この制限の違反については、〔3〕参照。
　なお、以上の借主の権利（「使用借権」ともいう）に対応する貸主（「使用貸主」ともいう）

1276

§§593の2・594・595・596〔1〕

の義務は、賃貸借の場合（§595 I、改正前§601〔2〕(1)参照）と異なり、借主が上記のように目的物を使用・収益することを忍容するという消極的なものである。

〔2〕　ここに「第三者」とは、使用借主およびその家族・被用者以外の者を指す（§612〔6〕参照）。

〔3〕　使用借主が前二項に違反すれば、貸主は、違反行為の差止めをすることなく、直ちに契約を解除することができる。この解除については、賃貸借その他のように遡及効がないことを規定していないが（§§620［改注］・630・652・684参照）、使用貸借もこれらの契約と同じく継続的契約関係だから、同様に解するべきである（したがって、これは解除に相当する告知である）。貸主は、解除したときは目的物の返還を請求できるのみならず、損害の賠償の請求をもなしうる。ただし、この損害賠償請求権については、1年の除斥期間の定めがある（改正前§600参照）。なお、借主が貸主の承諾を得ないで転貸をした場合の法律関係については、612条が参考になる。同条〔9〕参照。

（借用物の費用の負担）
第五百九十五条
1　借主は、借用物の通常の必要費¹⁾を負担する。
2　第五百八十三条第二項の規定は、前項の通常の必要費以外の費用²⁾について準用する³⁾。

［原条文］
　借主ハ借用物ノ通常ノ必要費ヲ負担ス
　此他ノ費用ニ付テハ第五百八十三条第二項ノ規定ヲ準用ス

〔1〕　「通常の必要費」というのは、「必要費」とその範囲を異にする。その意味については、196条〔3〕参照。

〔2〕　「通常の必要費」以外の費用、すなわち、主として有益費であるが、特別の必要費も含まれる。

〔3〕　借主が本項によって自分の支出した費用の償還を請求する場合には、除斥期間に関する改正前600条の適用を受ける。

（貸主の引渡義務等）
第五百九十六条
　第五百五十一条の規定は、使用貸借について準用する¹⁾。

〈改正〉　2017年に改正された。見出しを改めた。条文の文言に変更はない。
［改正前条文］
（貸主の担保責任）
　同上
［原条文］
　第五百五十一条ノ規定ハ使用貸借ニ之ヲ準用ス

〔1〕　使用貸借の無償契約としての性質に基づき、典型的な無償契約である贈与契

1277

第3編　第2章　契約　第6節　使用貸借

約における贈与者の担保責任に関する規定を準用したのである。551条の改正に注意。

（期間満了等による使用貸借の終了）
第五百九十七条[1]
　1　当事者が使用貸借の期間を定めたときは、使用貸借は、その期間が満了することによって終了する[2]。
　2　当事者が使用貸借の期間を定めなかった場合において、使用及び収益の目的を定めたときは、使用貸借は、借主がその目的に従い使用及び収益を終えることによって終了する[3]。
　3　使用貸借は、借主の死亡によって終了する[4]。
〈改正〉　2017年に改正された。3項については、改正前599条参照。
[改正の趣旨]　[1]　改正前597条には、使用貸借契約の終了時期と使用貸借契約終了に伴う借主の借用物の返還義務の履行期を定める規定（1項・2項本文）と、使用貸借契約の継続中ではあるが貸主が使用貸借契約を解除し、借用物の返還を請求できる場合を定める規定（2項ただし書・3項）が混在していた。なお、借主は契約期間を定めた場合などを含めて、いつでも借用物を貸主に返還することができる（その前提として使用貸借契約を解除することができる）と解釈されているが、改正前にはその旨の規定はない。新法は、改正前597条の規定を整理し、使用貸借の終了についての規定と使用貸借の解除の規定とに分けた。
　[2]　使用貸借の終了については、期間の定めがある場合はその期間が満了した時（1項）とされた。
　[3]　期間の定めがない場合において使用・収益の目的を定めた場合は、使用・収益を終わった時（2項）とされた。実質的には改正前597条1項・2項本文が維持されている。解説[5]も参照。
　[4]　改正前599条を参照。
[改正前条文]　改正前597条2項ただし書については新598条1項を、改正前597条3項については新598条2項を参照。
（借用物の返還の時期）
　1　借主は、契約に定めた時期に、借用物の返還をしなければならない[1]。
　2　当事者が返還の時期を定めなかったときは、借主は、契約に定めた目的に従い使用及び収益を終わった時に、返還をしなければならない[2]。ただし、その使用及び収益を終わる前であっても、使用及び収益をするのに足りる期間を経過したとき[3]は、貸主は、直ちに返還を請求することができる[4]。
　3　当事者が返還の時期並びに使用及び収益の目的を定めなかったときは、貸主は、いつでも返還を請求することができる[5]。
[原条文]
　　借主ハ契約ニ定メタル時期ニ於テ借用物ノ返還ヲ為スコトヲ要ス
　　当事者カ返還ノ時期ヲ定メサリシトキハ借主ハ契約ニ定メタル目的ニ従ヒ使用及ヒ収益ヲ終ハリタル時ニ於テ返還ヲ為スコトヲ要ス但其以前ト雖モ使用及ヒ収益ヲ為スニ足ルヘキ期間ヲ経過シタルトキハ貸主ハ直チニ返還ヲ請求スルコトヲ得
　　当事者カ返還ノ時期又ハ使用及ヒ収益ノ目的ヲ定メサリシトキハ貸主ハ何時ニテモ返還ヲ請求スルコトヲ得

§§597・598

[改正前条文の解説]

本条は、借主の目的物返還の時期に関する規定であるが、594条3項および599条[改注]と並んで、使用貸借の終了原因を定めたものということができる。

〔1〕 「契約に定めた時期」といっているが、2009年4月1日に返すという約束ならば、その日に、2008年4月1日から向う1年間貸すという約束ならば、その期間が経過した日に返還するべきである。当然の規定であるが、賃貸借にも準用されていること（改正前§616、新§622）を注意するべきである。

〔2〕 たとえば、夏期講習会のために建物を貸したような場合には、夏期講習会が終わった時に返還するべきである。

〔3〕 父母が貸主、子が借主の事例において、子がその建物の使用による収益により父母を扶養するなどを目的としていたところ、借主が扶養をやめるなど相互の信頼関係がまったくなくなった場合について、このただし書を類推適用できるとした判決がある（最判昭和42・11・24民集21巻2460頁）。また、使用貸借の期間が38年余続いていた事案について、使用収益をするに足るべき期間の経過を肯定し、建物がいまだ朽廃に至っていないこと、使用借主にとり本件建物以外に居住すべきところがないことなどの事情は、これを否定する事情としては不十分であるとした判例がある（最判平成11・2・25判時1670号18頁）。

〔4〕 理論的にいえば、契約を告知（解約に相当する告知）して返還を請求することができるという意味である。第3項も同様である。賃貸借に関する620条［改注］を準用していないが、告知が遡及効をもたないのは当然である。

〔5〕 賃貸借においては、期間の定めがない場合においても、貸主は、一定の予告期間なしには目的物の返還を請求することができない（§617）。しかも、この点については特別法により重大な修正が加えられ、賃貸借契約の存続が図られている（同条(3)参照）。しかし、無償契約である使用貸借については、このような必要を認めないのである。なお、この「返還を請求する」とは、理論的には告知（解約に相当する告知）である。

（使用貸借の解除）
第五百九十八条
1　貸主は、前条第二項に規定する場合において、同項の目的に従い借主が使用及び収益をするのに足りる期間を経過したときは、契約の解除をすることができる[1]。
2　当事者が使用貸借の期間並びに使用及び収益の目的を定めなかったときは、貸主は、いつでも契約の解除をすることができる[2]。
3　借主は、いつでも契約の解除をすることができる[3]。

〈改正〉 2017年に改正された。改正前597条2項ただし書、および3項も参照。

[改正の趣旨] [1] 使用貸借の解除は、期間の経過の場合にも認められる（改正前597条1項参照）。本項の解釈には、改正前597条2項ただし書に関する判例・学説が参照されるべきであろう。

1279

第3編　第2章　契約　第6節　使用貸借

　〔2〕　改正前597条3項を参照。

　〔3〕　借主は借用物の授受より前であっても、いつでも使用貸借契約を解除することができる（3項）。なお、新593条の2も参照。

[改正前条文]　改正前598条については、新599条を参照。

（借主による収去）

　　　借主は、借用物を原状に復して、これに附属させた物を収去することができる[1]。

[原条文]

　　　借主ハ借用物ヲ原状ニ復シテ之ニ附属セシメタル物ヲ収去スルコトヲ得

[改正前条文の解説]

　〔1〕　本条は、使用貸借終了のさいに、借主に目的物に附属させた物を収去する権限を認めたものであるが、貸主もその引渡した物自体の返還を請求することができる理であるから、借主は、貸主の請求に応じてこれを収去する義務をも負担すると解されている。すなわち、付属物収去は、借主の権利であると同時に、義務でもある。地上権消滅の場合のような、所有者による買取請求権は認められていない（§269 Iただし書参照）。

　なお、本条(新§599参照)は、改正前616条(新§622参照)によって賃貸借にも準用されているが、そこでは、特別法による重要な修正が行われていることを注意するべきである。

（借主による収去等）

第五百九十九条

　1　借主は、借用物を受け取った後にこれに附属させた物がある場合において、使用貸借が終了したときは、その附属させた物を収去する義務を負う。ただし、借用物から分離することができない物又は分離するのに過分の費用を要する物については、この限りでない[1]。

　2　借主は、借用物を受け取った後にこれに附属させた物を収去することができる[2]。

　3　借主は、借用物を受け取った後にこれに生じた損傷がある場合において、使用貸借が終了したときは、その損傷を原状に復する義務を負う。ただし、その損傷が借主の責めに帰することができない事由によるものであるときは、この限りでない[1]。

〈改正〉　2017年に改正された。改正前598条を参照。

[改正の趣旨]　〔1〕　改正前598条は、借主の収去権だけを規定しているが、借主は、借用物に附属させた物を収去して原状に回復して返還する義務を負うことについては、異論はない。そこで、新法では、借主に収去権があるだけでなく、収去義務（1項）および原状回復義務（3項）があることを明文化した。使用貸借の原状回復義務については、自然損耗・経年劣化による損傷が回復の対象とならない旨の規定は設けられていないが、これは賃貸借においては、自然損耗・経年劣化の対価は賃料に含まれていると解されるのに対し、無償契約である使用貸借では、自然損耗・経年劣化による損傷の負担を貸主に課すことが契約当事者の意思や公平の観念に沿うとは限らないから、これは、個々の使用貸借における解釈に委ね

1280

§§598〔1〕・599・600〔1〕～〔3〕

たと解されている。

〔2〕 改正前 598 条と解説を参照。

[改正前条文] 改正前 599 条については、新 597 条 3 項を参照。

(借主の死亡による使用貸借の終了)

　　使用貸借は、借主の死亡によって、その効力を失う[1]。

[原条文]

　　使用貸借ハ借主ノ死亡ニ因リテ其効力ヲ失フ

[改正前条文の解説]

〔1〕 使用貸借は、無償であって、貸主・借主相互間の対人関係——ことに貸主の借主に対する贈与の意味をもつものであり、それを裏付ける信頼関係——を基礎として貸与が行われるから、借主の死亡によって終了するべきものとしたのである。すなわち、定期贈与に関する 552 条にやや類似する規定である。

(損害賠償及び費用の償還の請求権についての期間の制限)

第六百条

　　契約の本旨に反する使用又は収益によって生じた損害の賠償[1]及び借主が支出した費用の償還[2)11)]は、貸主が返還を受けた時から一年以内に請求しなければならない[3]。

　2　前項の損害賠償の請求権については、貸主が返還を受けた時から一年を経過するまでの間は、時効は、完成しない[2]。

〈改正〉 2017 年に改正された。2 項を加えた。

[改正の趣旨] 〔1〕 借主の費用償還請求権の期間制限（1 項）の撤廃は、見送られた。

　〔2〕 改正前 600 条は、貸主は損害賠償請求権を、借主は費用償還請求権を使用貸借終了後 1 年以内に行使しなければならない旨を定めているが、長期間に及ぶ、使用貸借継続中に損害賠償請求権が発生した場合に使用貸借終了までに消滅時効期間が経過する場合もあり得る。使用貸借では目的物が借主の占有下にあるので、貸主が損害賠償請求を行使することは実際上困難であるから、新法は使用貸借終了後 1 年間は、消滅時効は完成しないとする旨の規定を設けた。

[改正前条文]

　　第 1 項と同じ。

[原条文]

　　契約ノ本旨ニ反スル使用又ハ収益ニ因リテ生シタル損害ノ賠償及ヒ借主カ出タシタル費用ノ償還ハ貸主カ返還ヲ受ケタル時ヨリ一年内ニ之ヲ請求スルコトヲ要ス

[改正前条文の解説]

〔1〕 594 条〔3〕参照。

〔2〕 595 条〔2〕参照。

〔3〕 この 1 年の期間は、いわゆる除斥期間（短期消滅時効期間であるとする見解もある）である。改正前 564 条〔3〕参照。

なお、損害の賠償については、その発生の時から通常の消滅時効も進行すると解される。しかし、費用の償還請求権は、使用貸借が終了した時にはじめて行使できるも

1281

第 3 編　第 2 章　契約　第 7 節　賃貸借

のと解されるから（§§595 Ⅱ・583 Ⅱ・608 Ⅱ参照）、本条の除斥期間だけが適用される。

第7節［解説］1～3

第7節　賃　貸　借

〈改正〉　本節は、2017年に改正された。具体的には、各款で述べる。前掲(549条)附則(贈与、賃貸借等に関する経過措置)第三十四条1参照(以下本節の各条文では引用省略)。

[賃貸借の主要改正点]　賃貸借の存続期間(604条)が20年から50年に延長された。不動産賃借権につき対抗要件が具備されている場合において当該不動産が譲渡されたときは、その賃貸人たる地位は、一定の例外を除き、譲受人に移転することが明文化された(新605条の2)。敷金に関する規定が、おおむね判例法理に従って、明文化された(新622条の2)。

1　本節の内容

本節は、「総則」、「賃貸借の効力」、「賃貸借の終了」、「敷金」の4款から成っている。各款の概観については、それぞれの解説を参照。

2　賃貸借の意義

賃貸借は、消費貸借および使用貸借とともに、他人の物の使用・収益をする契約関係を構成するが、借主が使用・収益をした目的物自体を返還するものである点で消費貸借と異なり(第5節解説2参照)、また、使用・収益の対価を支払う点で使用貸借とも異なり(第6節解説2参照)、有償契約・双務契約である。なお、民法は、消費貸借および改正前使用貸借を要物契約としているが、賃貸借については、これを諾成契約としている(改正前§601(2)参照)。また、いうまでもなく、継続的契約の代表的なものである。

3　賃貸借の機能

賃貸借は、他人の特定物の使用・収益をする代表的な契約として、社会生活上きわめて重要な作用を営む。なかんずく、不動産の賃貸借が最も重要なものである。すなわち、宅地と建物の賃貸借は、衣食の問題とともに生活にきわめて密接な関係にある住宅問題の法律面を代表するものであり、農地の賃貸借は、雇用と並んで、生産手段と労働力との結合による生産関係であるところの農業問題の法律面の一半を代表する。ところが、本節の規定には、動産・不動産の両者に共通のものが多く、不動産の賃貸借について特別の考慮を払う点が少ない。のみならず、不動産について特別の規定を設ける場合にも、むしろ賃貸人の利益を考慮することが多く、賃借人の保護に薄いものがある。

わが民法のこのような態度は、封建的拘束から解放された所有者の地位を尊重するという沿革に基づくものであるが、社会の進展に伴って、社会的弱者であり、不動産の現実の利用者である賃借人の居住と生活の安定をおびやかし、ひいては生産の進展の障害となるに至った。民法制定以来、多くの困難な問題を生じ、しばしば特別法を制定して、民法の規定を修正しなければならなかったのも理由がないわけではない。

1283

第3編　第2章　契約　第7節　賃貸借

民法のなかで、特別の法律によって最も多くの修正を受けたものは、本節の規定であるといっても過言ではない。これらの特別法の詳細については、それぞれの解説書に譲るほかはないが、ここでは、本節の規定を理解するのに必要な範囲において、その骨組みを略説し、なお、関係各条の注釈において、解説をほどこすこととしたい。

なお、不動産賃借権が特別法によって強化されてきたことを、「不動産賃借権の物権化」の傾向という。

④　不動産賃貸借に関する特別法

(1)　沿　革

(a)　建物保護に関する法律(明治42年法律40号)

日露戦争後、1909年(明治42年)にいわゆる地震売買(債権である賃借権に対抗力がないため、土地が売買され、譲受人から建物収去を求められると、建物を崩すほかなかったので、そう呼ばれた)を契機として制定された法律である。

賃借地上の建物を登記すれば、土地賃借権に対抗力があるとするもので、借地借家法10条に引き継がれた。

(b)　借地法(大正10年法律49号)

第一次大戦後の1921年(大正10年)に、商工業の発達に伴い、大都市の住宅問題がやかましくなったさいに制定された法律である。当初は、六大都市およびその周辺に限り施行されていたが、1941年(昭和16年)に全国に施行された。その内容は、後述の借地借家法に盛りこまれている。

(c)　借家法(大正10年法律50号)

借地法と同時に制定された。1941年に借家権の内容がさらに強化され、全国に施行された。現在では借地借家法の内容となっていることも、借地法と同様である。

(d)　借地借家調停法(大正11年法律41号)

借地・借家紛争を調停によって解決処理しようとするもので、1922年(大正11年)に制定され、その後、民事調停法(昭和26年法律222号)に吸収された。

(e)　借地借家臨時処理法(大正13年法律16号)

1923年(大正12年)の関東大震災の翌年、罹災地の借地人・借家人を保護し、あわせて罹災地の復興に資する目的で制定された法律である。第二次大戦後、だいたいこれにならって罹災都市の借地・借家関係を処理するために、(2)(ウ)で述べる(旧)罹災都市借地借家臨時処理法が制定された。

(f)　小作調停法(大正13年法律18号)

1921年(大正10年)頃の小作争議の頻発を契機として1924年(大正13年)に制定され、調停によって農地賃貸借の紛争を解決処理しようとしたものである。やはり、民事調停法に吸収された。

(g)　農地調整法(昭和13年法律67号)

数次の小作法制定の企てが失敗したのちに、1938年(昭和13年)に食糧政策の見地からする推進もあって、ようやく成立した法律である。その内容は、第二次大戦後、農地法に盛りこまれた。

第 7 節［解説］④

(2)　現在の特別法

(ア)　借地(建物所有を目的とする土地の賃貸借)関係

「借地権」(「建物の所有を目的とする地上権又は土地の賃借権」と定義されている。借地借家§2①)については、1991年(平成3年)に制定され、翌年8月1日から施行された借地借家法(平成3年法律90号)が、建物保護に関する法律と借地法、借家法の大要をほぼ盛りこんで、制定され、同法第2章(§§3〜25)・第4章(§§41〜54)が、借地権の保護と強化を規定している(同法施行前に設定された借地権については、旧法が適用される)。主な内容は、つぎのとおりである。

第1に、借地権の対抗力の強化　改正前605条〔1〕(2)(ア)参照

第2に、借地権の存続期間とその更新の保障　改正前604条〔1〕(2)、617条〔3〕、619条〔3〕参照

第3に、賃借権の譲渡・転貸に承諾が得られない場合の裁判所による許可　612条〔3〕(2)(ア)(b)参照

第4に、譲渡・転貸に承諾が得られない場合と契約終了の場合の建物買取請求権の保障　612条〔3〕(2)(a)、改正前616条〔3〕(2)参照

第5に、地代増減請求権の承認　改正前609条〔5〕参照

第6に、借地条件の変更など　同法17条、18条参照

その他、片面的強行法規性(同法§9)、借地権保護の見返りとしての地主の先取特権(同法§12)、定期借地権(同法§§22・23。改正前§604〔1〕(2)(ア)(e)参照)などが規定されている。

(イ)　借家(建物賃貸借)関係

「建物の賃貸借」(これについては、とくに、居住を目的とするなどの制限は加えられていない。通常、賃借人の権利を「借家権」と呼ぶ)については、やはり借地借家法が、借家法の大要をほぼ盛りこんで制定され、同法第3章(§§26〜40)が、借家権の保護と強化を規定している(旧法適用について、(ア)と同じ)。主な内容は、つぎのとおりである。

第1に、借家権の対抗力の強化　改正前605条〔1〕(2)(イ)参照

第2に、借家契約の更新の保障、解約の制限、期間の制限　改正前604条〔1〕(2)、617条〔3〕、改正前619条〔3〕参照

第3に、契約終了の場合の造作買取請求権の保障　改正前616条〔3〕(2)(b)参照

第4に、借賃増減請求権の承認　改正前609条〔5〕参照

その他、借地上の建物の賃借人の保護(同法§35)、居住用建物の借家権の相続人不在の場合の内縁の夫・妻・養子による承継(§36)、定期建物賃貸借(「定期借家権」とよばれる。1999年の改正で新設された。なお、同年改正附則3条に注意。)(§38)、などが規定されている。

公営住宅法(昭和26年法律193号)や地方自治体の条例による公営住宅に借地借家法が適用されるかについては、判例も学説も分れている(一般論として適用を認める最判昭和59・12・13民集38巻1411頁など参照)。高齢者用の「終身建物賃貸借」についての特則にも注意を要する(高齢居住安定§§56〜参照)。

(ウ)　罹災都市借地借家関係等

1285

第3編　第2章　契約　第7節　賃貸借

(1)(e)の借地借家臨時処理法にならって(終戦直前の戦時罹災土地物件令〔昭和20年勅411号〕を経て)、第二次大戦後の戦災の処理のために、罹災都市借地借家臨時処理法(昭和21年法律13号)が制定されたが、そのうちのほとんどの規定が、同法25条の2によって、政令で定める「火災、震災、風水害その他の災害」に準用されるものとされていた。政令によって適用された最近の例は、1995年(平成7年)の兵庫県南部地震(阪神・淡路大震災)、2004年(平成16年)の新潟県中越地震である。

同法では、建物の減失によって対抗力を失った借地権に臨時に5年間の対抗力を与え(同法§10)、最短10年の存続期間を保障し(同法§11)、また、建物復興の意欲と能力のある借家人に借地権取得の機会を与え(同法§§2~5)、罹災した借家人に新築された建物の優先賃借権を認め(同法§14)ていた。本法に代わって、大規模な災害により借地上の建物が減失した場合には、「大規模な災害の被災地における借地借家に関する特別措置法」(大規模被災地借地借家法。平成25年6月26日法律61号)が、2013年9月25日から、施行されている。

　㈡　大規模な災害の被災地における借地借家に関する特別措置法

　(a)　本法は、大規模な災害の被災地において、当該災害により借地上の建物が減失した場合における借地権者の保護等を図るための借地借家に関する特別措置法である(§1)。

　(b)　上記の被災地において借地権者の保護その他の借地借家に関する配慮をすることが特に必要と認められる場合には、当該災害を特定大規模災害として政令(以下、前記政令)で指定する。前記政令においては、当該特定大規模災害に対し適用すべき措置並びにこれを適用する地区を指定しなければならない。当該指定の後、新たに同措置を適用する必要が生じたときは、適用すべき措置等を政令で追加して指定する(§2)。

　(c)　特定大規模災害により借地権の目的である土地上の建物が減失した場合(借地借家法8条1項の場合を除く)においては、前記政令の施行日から起算して1年を経過する日までの間は、借地権者は、地上権の放棄または土地の賃貸借の解約の申入れをすることができる。この場合においては、借地権は、地上権の放棄または土地の賃貸借の解約の申入れがあった日から3か月の経過によって消滅する(§3)。

　(d)　借地借家法10条1項の場合において、建物の減失があっても、その減失が特定大規模災害によるものであるときは、前記政令の施行日から起算して6か月を経過する日までの間は、借地権は、なお同法10条1項の効力を有する。この場合において、借地権者が、その建物を特定するために必要な事項および建物を新たに築造する旨を同土地上の見やすい場所に掲示するときも、借地権は、なお同法10条1項の効力を有する。ただし、前記政令の施行日から起算して3年を経過した後にあっては、その前に建物を新たに築造し、かつ、その建物につき登記した場合に限る。民法改正前566条1項及び3項の規定は、本法の規定により第三者に対抗することができる借地権の目的である土地が売買の目的物である場合に準用する。民法533条の規定は、この場合に準用されている(§4)。

　(e)　特定大規模災害により借地権の目的である土地上の建物が減失した場合におい

1286

第7節［解説］4

て、借地権者がその土地の賃借権を第三者に譲渡し、またはその土地を第三者に転貸しようとする場合であって、その第三者が賃借権を取得し、または転借をしても借地権設定者（借地借家§2③の借地権設定者）に不利となるおそれがないにもかかわらず、借地権設定者がその賃借権の譲渡または転貸を承諾しないときは、裁判所は、借地権者の申立てにより、借地権設定者の承諾に代わる許可を与えることができる。この場合において、当事者間の利益の衡平を図るため必要があるときは、賃借権の譲渡もしくは転貸を条件とする借地条件の変更を命じ、またはその許可を財産上の給付に係らしめることができる。

借地借家法19条2項から6項までの規定は、前記の申立てがあった場合について、借地借家法4章の規定は本法5条1項に規定する事件および同項において準用する同条3項に規定する事件の裁判手続について、それぞれ準用されている。この場合において、借地借家法19条3項中「建物の譲渡及び賃借権」とあるのは「賃借権」と、同59条中「建物の譲渡」とあるのは「賃借権の譲渡又は転貸」と読み替える。前記の申立ては、前記政令の施行日から起算して1年以内に限り、することができる。この規定は、転借地権（借地借家§2Ⅳの転借地権）が設定されている場合における転借地権者（借地借家§2Ⅴの転借地権者）と借地権設定者との間について準用する。ただし、借地権設定者が本法第2項において準用する借地借家法19条3項の申立てをするには、借地権者の承諾を得なければならない（§5）。

　(f)　本法3条ないし5条の規定に反する特約で借地権者または転借地権者に不利なものは、無効である（§6）。

　(g)　前記政令の施行日から起算して2年を経過する日までの間に、同政令により指定された地区に所在する土地について借地権を設定する場合においては、借地借家法9条の規定にかかわらず、存続期間を5年以下とし、かつ、契約の更新（土地の使用の継続等を含む）および建物の築造による存続期間の延長がないこととすることができる（被災地短期借地権）。この場合において、当該借地権を設定するときは、借地借家法13条、第17条および第25条の規定は、適用しない。当該借地権の定めがある借地契約は、公正証書による等書面によってしなければならない（§7）。

　(f)　特定大規模災害により賃借権の目的である建物（旧建物）が滅失した場合において、旧建物の滅失の当時における旧建物の賃貸人（従前の賃貸人）が旧建物の敷地であった土地上に当該滅失の直前の用途と同一の用途に供される建物を新たに築造し、または築造しようとする場合であって、前記政令の施行日から起算して3年を経過する日までの間にその建物について賃貸借契約の締結の勧誘をしようとするときは、従前の賃貸人は、当該滅失の当時旧建物を自ら使用していた賃借人（転借人を含み、一時使用の者を除く）のうち知れている者に対し、遅滞なくその旨を通知しなければならない（§8）。

　(g)　この法律は、平成25年9月25日から施行され、罹災都市借地借家臨時処理法および関連法は廃止された。

　(h)　内閣は、大規模な災害の被災地における借地借家に関する特別措置法第2条第1項および第2項前段の規定に基づき、以下の政令を制定した。

第3編　第2章　契約　第7節　賃貸借

特定大規模災害	適用すべき措置	適用する地区
東日本大震災	法第七条に規定する措置	福島県双葉郡大熊町
備考　上欄の東日本大震災とは、平成二十三年三月十一日に発生した東北地方太平洋沖地震およびこれに伴う原子力発電所の事故による災害をいう。		

　(ｵ)　農地賃貸借関係

　農用地(農地と採草放牧地の両者を合わせて「農用地」と呼ぶが、本書では単に農地と呼ぶことが多い)の賃貸借(賃借人の権利を「小作権」と呼ぶ)については、第二次大戦後の自作農創設特別措置法(昭和21年法律43号)による農地改革が一段落した後に制定された農地法(昭和27年法律229号)が、小作権の保護と強化を規定していた。その主な内容は、つぎのとおりである。

　第1に、契約の解除・解約・不更新に農業委員会(一定の場合、都道府県知事)の許可を要するものとした。　　改正前604条〔1〕(2)(ｳ)、617条〔3〕(c)、改正前619条〔3〕(2)参照

　第2に、契約書面の必要　　改正前601条〔4〕参照

　第3に、小作料についての標準額の定め　　改正前601条〔3〕参照

　第4に、小作権の対抗力の強化　　改正前605条〔1〕(2)(ｳ)

　第5に、小作料増減請求権の承認　　改正前609条〔5〕参照

　なお、農地法については、2009年6月24日に全面改正の形ではないが、理念的には抜本的な変更を目指していると思われる改正が行われた(平成21年法律57号、施行日は2009年12月15日)。従来の農地法は、第二次大戦の敗戦を契機として行われた1945年、1946年における農地改革(民法[総説]7参照)の成果を受け、それを維持することを目的とするものであった。すなわち、従来の農地法は、農地の耕作者を重視する耕作者主義、耕作者自身が農地を所有することを原則とする自作農主義、農地をそれ以外の目的に転用することを制限する転用制限主義などを理念とし、原則としていた。ところが、今回の改正は、それに対する新しい「農地改革プラン」とも、また「農地政策見直し」とも称され、かつての農地改革の目標を著しく変更し、農地の賃貸借または使用貸借契約により、村外村内の誰でも(法人でも)自由に農業に参入できるものとするという変容を農地制度に持ち込むものである。自作農・小作農、自作地・小作地、小作料といった言葉そのものが農地法から姿を消した。かつての農地改革は、言葉のうえからだけでなく、舞台から退場したという感を深くする。

　今回の改正の要点を一言でいえば、農地の貸借(主に賃借権の設定)にかかる許可法制の大幅な緩和・自由化である。新しい内容の要点は、つぎの通りである。

　(a)　法の目的規定は従来の2倍を超える長いものとなっている(農地§1)。

　(b)　農地法2条の2に、農地について権利を有する者の責務の規定が設けられた(農地の農業上の適正かつ効率的な利用の確保が要請されている)。

　(c)　第2章「権利移動及び転用の制限等」(農地§§3〜15)は従来の第2章第1節の規定を詳細にしている。農地法3条3項は3要件(①権利取得者が適正に利用しない場合は貸借を解除できるとする条件が契約中に定められていること、②地域の他の農業者との適切な役

第7節［解説］⑤

割分担が見込まれること、③農地所有適格法人（農業生産法人の呼称変更）の業務執行役員の一人
以上が農業の事業に常時従事すること）が存すれば許可ができると規定するが、同条2項
との関係で、その趣旨はよく分からない（農地§3Ⅱが規定する不許可事由のうち、2号お
よび4号が存在しても、裁量により許可できるという意味か）。第2節「小作地等の所有の
制限」は削られた。

(d) 第3章「利用関係の調整等」（農地§§16〜29）は、従来の第3章を詳細にした。

従来の農地法は、農地賃貸借の存続期間の上限も下限も規定していなかった。上限
については、民法改正前604条の定める賃貸借の存続期間および更新期間の制限20
年に従っていたが、農地法19条は農地・採草放牧地については50年に延長した。企
業としての存続性を確保させる趣旨と理解される（改正前§604を参照）。

(e) 第4章「遊休農地に関する措置」（農地§§30〜44）が新設された。

以上のような改正によって、わが国の農地制度および農業経済がはたして正しい方
向に向かうことになるのか、それとも自壊への歩みをたどるのか、憂慮される。

1980年（昭和55年）には農用地利用増進法（後の農業経営基盤強化促進法〔平成5年法律
70号〕）が制定され、賃借人による企業経営的な賃借地の利用という観点に立って、許
可制の不適用・法定更新の不適用など、農地法の原則に対する例外が定められた。

さらに2014年の農地法改正では、農地中間管理機構を活用しつつ、耕作放棄地対
策をより確実に進めるため、遊休農地に関する措置の対象を遊休農地化が見込まれる
農地（遊休農地予備軍）にまで拡大するとともに、都道府県知事による農地中間管理機構
に対する利用権の設定の裁定に至る手続きを簡略化するため、関係規定を整備した。

⑤ **賃貸借に関連する契約類型**

上述した不動産以外の賃貸借に関する契約の態様にも、さまざまなものがある。そ
のうち、つぎの3例を取り上げることにする。

(1) レンタル契約

日常生活になじみのあるものとしては、貸衣裳、貸自転車、貸ビデオ・CDなどの
動産の賃貸借契約がある。最近では自動車や福祉・介護器具などのようにかなりの価
値を有する動産についても、その賃貸借を業とするものが増加しており、これらをレ
ンタル契約と総称することができる。自動車などのような財貨の賃貸借（いわゆるレン
タカー）となると、賃料の算定方法その他の賃貸条件、目的物の性能についての表示
や保障、目的物の使用方法、目的物に欠陥があった場合の責任、目的物の誤使用や破
損の場合（交通事故など）の処理などについてかなり詳細な約款が作られて、それによ
り営業が行われることになる。その約款が十分に相手方に表示され、公正かつ妥当な
内容を有することがとくに重要な要請になってくる。

(2) リース契約

リース（lease）は、英米法では不動産や動産の賃貸借を意味する言葉であったが、と
くにアメリカにおいてこれにさまざまな機能が付与され、これにならってわが国でも
リース業ともいうべき業種が発達して、広範な役割を果たしている。

民法上の賃貸借は、目的物の使用収益を相手方に許容することを中心的効力とする

1289

第3編　第2章　契約　第7節　賃貸借

ものであるが、リースにおいては、さらにつぎのような機能が加えられている。当事者としては、目的物件の供給者を S(supplier)、その使用者を U(user)、物件の所有者で貸主を L(lessor) とする。S と L は同一人であることもありうるが、通常のリース取引では、L は S とは別人のリース業者である。

(a)　U は S の供給する物件を利用したいが、通常の賃貸借のように修繕だけではなく、その物件の維持管理をすべて L がやってくれれば、好都合である。それに対してリース料を払うだけで、管理のための手間費用を省略できる。このようなものは、メンテナンス・リースと呼ばれる。

(b)　U は S からその物件を購入するつもりであるが、すぐに代金を払うのでなく、一定期間リース料を支払った後に所有権を取得することにする。この場合には、割賦販売とほとんど同じ機能を営むことになる。

(c)　U としては、物件の所有権を取得する必要はなく、一定期間使用収益すれば目的を達しうるという場合には、リース料を支払って使用し、期間が終了すれば、それを L に返還すれば足りる。L としては、使用による減価(ときには代金に相当する全額)に収益を上乗せしたリース料を受領すれば、十分に利益を上げうる。

この方法によって、U としては、経理上ないし財産管理上の便益(所有権を取得することによる面倒さを避けられる)、陳腐化しやすい物件(コンピューターなどを考えればよい)を更新するについての好都合、税法上の有利さ(いわゆる節税効果)などを享受できる。

契約の目的がこのようになると、(a)で述べた維持管理はむしろ U の負担(費用負担を含む)になり、L はほとんど民法上の賃貸人としての責任を負わないようになる。

(d)　さらに、U が S から物件を調達しようとするときに、その購入資金の融資を受けるのと同じ目的で、その物件を L に購入してもらい、L からリースする形で実質的に資金の融資を受け、その元利をリース料として支払うということが生まれてくる。こうなると、リースはまったく融資の意味をもち、L は目的物件の所有権を保持することにより、その債権を担保することになる。このようなものはファイナンス・リースと呼ばれる。

ファイナンス・リースについては、その特色から各種の問題を生じると考えられる。つぎの判例が参考になるであろう。

ファイナンス・リース契約において、リース期間中にリース物件が返還されたら、清算義務を生じ、借主の債務不履行責任は、リース物件が返還時に有した価値とリース満了時に有すべき残存価値との差額について生じるとされた(最判昭和57・10・19民集36巻2130頁)。とくに、リース代全額が支払われたときはリース物件の A にとっての残価はゼロとして所有権が A から B に移転するといういわゆる「フルペイアウト方式」のファイナンス・リース契約においては、借主の更生手続の関係で問題を生ずる。B につき会社更生手続が開始されたときは、未払のリース料債権はその全額が更生債権となるとされた(最判平成7・4・14民集49巻1063頁)。また、同じくフルペイアウト方式リース契約において B について民事再生手続開始申立てがあれば契約を解除するという特約があり、その特約に基づいて A が契約を解除

1290

して、Bに対して残りのリース代全額を支払えという請求をした事案で、この特約は民事再生手続の趣旨に反するとして賠償額を低減した原審判決が支持された（最判平成20・12・16民集62巻2561頁）。

リース契約は、以上のように複合契約・三面契約の要素を備え（本章解説④(6)・(10)参照）、また、場合により多様で複雑な性格と内容を有しているので、その法律問題の検討は容易ではない。賃貸借の性格の濃い場合もあるが、むしろ消費貸借契約の系列においてとらえた方が適切ではないかと思われる場合もある。

リースをめぐるトラブルに関する判例もかなり蓄積されてきているが、本書ではこれ以上立ち入らない。実態を踏まえての今後の研究が期待される。

なお、消費者を相手とするリース契約もときにみられるが、上にみてきた利点はほとんど企業にとってのものであり、とくに購入資金の借入れのために利用する場合に、消費者がこの取引形態を選ぶ特段の理由は存在しないと思われる。

(3) サブリース契約

いつの頃からか、サブリースと俗称される契約が登場した。英語のSubleaseは転貸借と訳されるが、ここで取り上げるのは、賃貸人A、賃借人B、転借人Cというような単純な関係ではない。土地所有者Aと不動産事業者Bとの間で、多くの場合はBの主導により協議が進行して、Aの土地上に（多くは大規模な）建物が建築される。その建築資金はBから提供されることもあり、Aの自己資金、あるいは他から調達した資金のこともある。Bはその建物をAから賃借し、それを他者Cにさらに賃貸する。Cは、多くの場合多数の企業あるいは居住者である。BはAに約束した一定額の、あるいは一定の方法により定められる額の賃料の支払を約す。以上のことがAとBとの間で一括して合意されるのである。AとBの間には、なんらかの共同事業的な関係が認められる。

いわゆるバブル期に結ばれたこの関係においては、地価の上昇に伴う賃料の増額が予定されていることが多く、Aはその利益に惹かれて、Bとの関係を結んだと考えられるが、バブルの崩壊した後には、BはAへの賃料支払に困難を感じるようになり、種々のトラブルを生じることになった。

A・B間の契約が不更新とされた場合の、AのCに対する明渡し請求については、この関係の特殊性にかんがみて、信義則上これを認めない判例が見られるが（最判平成14・3・28民集56巻662頁）、BからAに対する賃料減額請求については、借地借家法32条の適用を認める判決が現れている（最判平成15・10・21民集57巻1213頁、最判平成15・10・21判時1844号50頁、最判平成15・10・23判時1844号54頁、最判平成16・11・8判時1883号52頁、最判平成17・3・10判時1894号14頁。もっとも、これらの判決は、賃料増減について、借地借家法が法定している事情のほかに、賃貸借契約の当事者が賃料額決定の要素とした事情その他諸般の事情を総合的に考慮すべきだとし、とくに、賃料額が決定されるに至った経緯、賃料自動増額特約が付されるに至った事情、当該約定賃料額と当時の近傍同種の建物の賃料相場との関係、Bの転貸事業にかかわる事情、Aの敷金・銀行借入金の返還の予定にかかわる事情などを挙げている。これは、借地借家法の規定からすれば、きわめて異質な要素といわざるをえない。なお、改正前§609(5)で引用する最判平成15・6・12民集57巻595頁も、サブリー

第3編　第2章　契約　第7節　賃貸借

スの例と呼んでよいであろう。最判平成 16・6・29 判時 1868 号 53 頁も類似の判決である）。

　なお、平成 20 年に入り、つぎのような最高裁の新判例が現れた。A・B 間において、平成 4 年 12 月 1 日にサブリース契約が締結され、賃料については、15 年間について①平成 4 年 12 月〜7 年 11 月、②平成 7 年 12 月〜9 年 11 月、③平成 9 年 12 月〜14 年 11 月、④平成 14 年 12 月〜19 年 11 月、と 4 期に分けて漸次増額する額が定められていたという事例において、B が平成 9 年 6 月 27 日に同年 7 月 1 日からの減額の意思表示をし、その後減額の確認を請求した。原審は、減額の根拠とされる事情の変更は、増減の対象となる賃料額の授受が開始された時から減額の請求の意思表示をした時までに発生した事情に限るとし、そうすると、上記②および③の期間の賃料は不相当に高額であるとはいえないとして、X の請求を棄却した。最判平成 20・2・29（判時 2003 号 51 頁）は、賃料が当初合意された日以降の借地借家法 32 条 1 項所定の経済事情の変動等のほか、諸般の事情を総合的に判断すべきであるとして、原判決を破棄し差し戻した。

第1款　総　　則

〈改正〉　2017 年に、賃貸借に関する 601 条、短期賃貸借に関する 602 条、賃貸借の存続期間にする 604 条が改正された。

　本款は、賃貸借の定義（§601）、処分の能力または権限のない者のする賃貸借の期間（§§602・603）および賃貸借の最長期とその更新（改正前§604）に関する規定を収めている。同 604 条は、各種の特別法によって重大な修正を受けていた。

（賃貸借）
第六百一条
　　　賃貸借は、当事者の一方がある物の使用及び収益を相手方にさせることを約し、相手方がこれに対してその賃料を支払うこと及び引渡しを受けた物を契約が終了したときに返還[1]することを約することによって、その効力を生ずる。
〈改正〉　2017 年に改正された。「支払うこと」の下に「及び引渡しを受けた物を契約が終了したときに返還すること」を加えた。
[改正の趣旨]　[1]　賃貸借契約が終了した際には、当然に賃借人は賃貸人に対して賃貸借の目的物を返還する義務を負うが、改正前 601 条にはその旨の明文の規定はない。これに対して、593 条は使用貸借につき、この義務を定めている。そこで、新法は、賃貸借においても賃貸人に賃料支払義務だけでなく目的物返還義務があることを明記した。
[改正前条文]
　　　賃貸借は、当事者の一方がある物[1]の使用及び収益を相手方にさせること[2]を約し、相手方がこれに対してその賃料を支払うこと[3]によって、その効力を生ずる[4]。
[原条文]
　　　賃貸借ハ当事者ノ一方カ相手方ニ或物ノ使用及ヒ収益ヲ為サシムルコトヲ約シ相手方カ

第1款［解説］・§601〔1〕〔2〕

■　　之ニ其賃金ヲ払フコトヲ約スルニ因リテ其効力ヲ生ス

[改正前条文の解説]
〔1〕　賃貸借の目的物は、使用・収益によって消滅しないものであれば、なんでも
よい。動産でも不動産でも、区別はない。ただし、動産と不動産とでは、その社会的
作用には重大な差異がある。民法施行以来多くの特別法で賃借権の強化が図られてき
たのは、不動産の賃貸借に限られる（本節解説③以下参照）。なお、船舶の賃貸借につい
ては、商法に特則がある（商§§701〜703）。権利や企業の賃貸借についても、原則とし
て賃貸借の規定が類推適用されると解してよかろう。
　消費を目的とする代替物は、原則として、消費貸借の目的となり、賃貸借の目的と
はならない。しかし、金銭のようなものであっても、特定の金貨を展示用として貸す
というような場合には、これについて賃貸借が成立する。問題になるのは、無記名の
有価証券であるが、これについては587条〔2〕参照。
　なお、他人の物についても、賃貸借契約は有効に成立し、賃貸人は〔2〕に述べる義
務を負担する（〔2〕(4)参照）。
〔2〕　賃貸人が「使用及び収益をさせること」（使用だけ、収益だけでもよい。改正前
§593〔1〕参照）を約する点に賃貸借の特質がある。なお、賃貸借の成立にはこの「させ
る債務」を負えば足り、使用貸借のように目的物を引渡す必要はない。すなわち、賃
貸借契約は、合意のみによって成立する諾成契約であり、目的物の引渡しは、その契
約から生じる債務の履行として行われる。
　(1)　賃貸人は、賃借人に対して使用・収益をさせる積極的な債務を負担する。換言
すれば、目的物を使用・収益に適する状態に置くべき義務がある。地上権や永小作権
を設定した場合には、土地所有者は、地上権者や永小作権者のする土地の使用・収益
を妨げないという、単なる消極的な義務を負担するのに対し、賃貸借においては、賃
貸人は上のような積極的な債務を負担する。これが、賃貸借契約が双務契約であると
いわれるゆえんである。そして、賃貸人が目的物の修繕義務を負担するのは（§606
［改注]）、じつにこの積極的な債務の一つの現れである。
　(2)　賃貸人のこのような債務に対応して、賃借人は、目的物を使用・収益する権能
を取得する。耕作地としてか、宅地としてか、住宅としてか、工場としてかなどの具
体的内容は、契約の趣旨によって定まる。いずれにしろ、この権能は、物を直接に占
有し、これを使用・収益する内容を有するものであるから、物権に類似する。しかし、
賃借人のこの権能は、排他性のないものであり（改正前§605〔1〕参照）、債権であるとみ
るのが妥当である。しかし、近時多くの特別法によって、不動産の賃借権につきその
効力を強化し、ことにこれに排他性を認めようとする（同上参照）。そこで、このよう
な不動産賃借権は、しだいに物権化するといわれるのである。
　(3)　これに関連して問題となるのは、賃借権を侵害する者に対して、賃借人は、賃
借権を理由としてその妨害の排除を請求できるかということである。所有権その他の
物権を有する者は、その物権に基づいて侵害の排除を請求できることは、民法に明文
はないが、判例上確立した原則である（第2編解説③(2)(イ)参照）。では、債権である賃借

1293

第3編　第2章　契約　第7節　賃貸借

権について、このような効力を認めることができるであろうか。

　　(a)　この問題については、本編第1章第2節解説[5]でとりあげるが、略説すれば、判例は、専用漁業権の賃借権などについてこれを肯定したことがあるが(大判大正10・10・15民録27輯1788頁など)、他方でこれを否定している(大判大正10・2・17民録27輯321頁など)。思うに、すべての債権についてその侵害の排除を請求する効力を認めることは妥当でないが、排他性を取得した賃借権についてだけは、これを認めても差しつかえないであろう。

　　(b)　賃借人は、みずから占有している場合には、占有権に基づいて侵害排除の訴えを起こしうる(§§197〜参照)。

　　(c)　また、賃貸人に代位して、侵害者に対し所有権に基づく妨害排除請求権を行使することができる(改正前§423〔1〕(エ)(b)・〔2〕参照)ことも、関連して注意を要する。

　(4)　賃貸人は、目的物を使用・収益させる債務を負うものであり、この債務が他人の物についても成立しうることは、あたかも他人の物について売買契約が成立しうるのと同様である。賃借人は、目的物が賃貸人の所有でないからといって、錯誤による無効を主張しえない(大判昭和3・7・11民集7巻559頁)。そして、この場合には、賃貸人は、必ずしもその目的物の所有権を取得しなくとも、これを使用・収益する権能を賃借人に与えればよい(大判明治39・5・17民録12輯773頁)。他人の物を代理人と称して賃貸したような場合は、もちろん無権代理の問題となる(§113〔6〕参照)。

　ただし、目的物の所有者から返還を求められ、これに応じなければならないときは、賃貸人の債務不履行の問題を生じることはいうまでもない。そのような場合、賃借人は559条・576条［改注］の規定によって賃料支払拒絶権を有する(最判昭和50・4・25民集29巻556頁)。

　(5)　目的物を使用・収益する権能を有するのは賃借人本人であることはいうまでもないが、たとえば建物の賃貸借において、賃借人の親族、内縁の夫婦、事実上の養子、被用者などが付随的にその権限を行使できるのは当然である。この点、なお、612条〔6〕参照。

　なお、賃借人が死亡した場合に、これと同居していた事実上の養子(最判昭和37・12・25民集16巻2455頁)、内縁の夫婦(最判昭和42・2・21民集21巻155頁、最判昭和42・4・28民集21巻780頁)がその賃借権を援用できるとした判決がみられることが注目される。

〔3〕　(1)　賃料(原条文は「賃金」。2004年改正は「賃料」で統一した。改正前§609〔2〕参照)を支払うことは、賃借人の最も重要な義務である(その遅滞と解除については、改正前§541〔7〕(1)参照)。

　(2)　賃料は、原則としては金銭に限らない(小作料についての制限については、後述)。民法は、賃料の決定を当事者の自由にまかせ、なんらの規制も行わず、ただ、天災その他の不可抗力によって収益が少なかった場合の減額請求権を認めたにとどまる(§609［改注］)。第二次大戦の戦中・戦後に見られた地代・家賃・小作料の統制もその後撤廃された。

　農地の賃貸借における賃料(旧農地法は、これを永小作権の小作料と一緒にして「小作料」

§§601〔3〕〔4〕・602

と呼んでいた)に関して、旧農地法は増減額請求権や小作料の標準額などを規定していた(農地旧§§21〜24)。

　なお、2009年に改正された農地法により、上記の農地法旧21条は20条となり、旧22条〜旧24条は削られた。本節解説④(2)(エ)を参照。

　(3)　なお、賃料と関連して、賃貸借の成立時に授受されることのある権利金と敷金の問題が存する。

　(ア)　実際上、「権利金」の名目で授受される金銭の性質は、その時の事情によってさまざまである。(i)賃借権設定に対する謝礼、(とくに賃借権譲渡の場合の)承諾料の意味をもつことが多い。(ii)とくに営業上の利益(ときに「営業権」と呼ばれる)の移転に対する対価の意味をもつ場合、(iii)賃料の一部の一括前払という意味をもつ場合、などがある。その効力は、それぞれの趣旨によって判断するほかないが(地代家賃統制令によって権利金の授受が禁止されていたこともある)、判例は、おおむね、賃貸借契約終了後における賃借人からの権利金の返還請求を認めない傾向にある(最判昭和29・3・11民集8巻672頁、最判昭和43・6・27民集22巻1427頁)。

　(イ)　不動産の賃貸借に当たって、たとえば賃料の何か月分かを「敷金」として賃借人が賃貸人に差し入れるという例が多くみられる。敷金については、316条と619条2項に規定がある。改正前619条〔7〕参照。新第4款も参照。

　〔4〕　賃貸借契約は、諾成契約であり(本節解説②参照)、同時に不要式契約である。

　特別法により書面の作成が義務づけられている例としては、まず、定期借地権・定期借家権などの特約は公正証書などの書面によってなされることがその有効要件とされている(借地借家§§22・24Ⅱ・38。この書面は契約書とは別個の書面であることを要する(最判平成24・9・13民集66巻3263頁))。つぎに、農地法旧25条1項があったが、契約の有効要件ではないと解されていた。さらに、当事者は一定の事項を農業委員会に通知するよう義務づけられていた(農地旧§25Ⅱ)。

　2009年に改正された農地法により、上記の農地法旧25条は21条となった。本節解説④(2)(エ)を参照。

(短期賃貸借)
第六百二条
　　処分の権限を有しない者[1]が賃貸借をする場合には、次の各号に掲げる賃貸借は、それぞれ当該各号に定める期間を超えることができない。契約でこれより長い期間を定めたときであっても[2]、その期間は、当該各号に定める期間とする。
　一　樹木の栽植又は伐採を目的とする山林の賃貸借　十年
　二　前号に掲げる賃貸借以外の土地の賃貸借　五年
　三　建物の賃貸借　三年
　四　動産の賃貸借　六箇月
〈改正〉　2017年に改正された。「処分につき行為能力の制限を受けた者又は」を削り、後段として、第2文を加えた。

1295

第3編　第2章　契約　第7節　賃貸借

[改正の趣旨]　**[1]**　「処分につき行為能力の制限を受けた者」とは、未成年者・成年被後見人・被保佐・被補助人が該当するが、未成年者または成年被後見人が行った短期賃貸借は取り消すことができる行為であり、被補助人は、家庭裁判所の審判がない限りは補助人の同意がなくても自ら単独で短期を超える期間の賃貸借を行うことができる。しかも、被保佐人については13条1項9号が適用される。このように、制限行為能力者が行う賃貸借については各類型に応じて制限が異なるが、改正前602条の規定があることにより、短期賃貸借だけは自ら単独で有効に行うことができるのではないかという誤解が生じかねない。そこで、新法は改正前602条柱書のうち「処分につき行為能力の制限を受けた者」との文言を削除した。

　[2]　制限期間を超えた賃貸借契約がなされた場合には、通説は、制限期間を超える部分が無効となり、制限期間内の範囲で、短期賃貸借として契約は有効となると解している。解説[4](2)参照。新法は、このような通説的な見解を明文化した。

[改正前条文]

　　処分につき行為能力の制限を受けた者[1]又は処分の権限を有しない者[2]が賃貸借をする[3]場合には、次の各号に掲げる賃貸借は、それぞれ当該各号に定める期間を超えることができない[4]。

　一〜四　同上

[原条文]

　　処分ノ能力又ハ権限ヲ有セサル者カ賃貸借ヲ為ス場合ニ於テハ其賃貸借ハ左ノ期間ヲ超ユルコトヲ得ス

　一　樹木ノ栽植又ハ伐採ヲ目的トスル山林ノ賃貸借ハ十年

　二　其他ノ土地ノ賃貸借ハ五年

　三　建物ノ賃貸借ハ三年

　四　動産ノ賃貸借ハ六个月

[改正前条文の解説]

〔1〕　財産管理の能力はあるが、処分の能力を有しない者をいう。したがって、制限行為能力者のうち、管理能力をも有しない未成年者および成年被後見人は、これに該当しない。結局、被保佐人と被補助人の一部(以下、被保佐人等という)だけがこれに該当する(§§13 I ⑨[改注]・17 I 参照)。賃貸借は、その性質上管理行為であるが、とくに長期のものは、賃貸人の利害に関係するところが大きいから、本条の制限を設けたのである。

〔2〕　「処分の……権限」を有しない者とは、他人の財産に対して管理権限だけを有し、処分権限を有しない者である。権限の定めのない代理人(§103)、不在者の財産管理人(§28)、相続財産の管理人(§953)、後見人(§864が適用される場合)などがこれに属する。

〔3〕　本条は、行為能力または権限のない者が賃貸をする場合に、多く問題になるが、賃借をする場合をも包含する。

〔4〕　本条に違反する行為の効力については、つぎの点が注意されなければならない。

⑴　本条違反の行為の効力は、能力および権限に関する各個の規定に従って決せられる。すなわち、被保佐人等が本条に違反した場合には、その行為は取消すことができ(§13 IV・17 IV)、代理人が本条に関連してその権限を越えた場合には無権代理行為

1296

§§602〔1〕～〔4〕・603

（§§113～）として取扱われる。後者の場合には、表見代理の規定、ことに110条〔改注〕を適用するべき場合も起こりうるであろう。

（2）　本条の制限を超過した期間の賃貸借をした場合には、その取消しまたは無権代理の問題は、その超過した部分についてだけ生じるか、それとも契約全部について生じるか。契約の趣旨が短縮された期間では契約を締結しなかったであろうという場合を除き、一般には、短縮された範囲内で完全に有効と解するべきものと考える。

（3）　以上のように解した場合に、とくに宅地の賃貸借については、借地借家法(旧借地法・借家法以来の問題である)が借地権の最短期間を 30 年に限って、それより短期の借地権の成立を認めていないこと(同法§§3・9)との関係が問題となる。

宅地の賃借権が、借地権としてこのような規制を受けたことによって、本条所定期間(5年)を越える賃貸借も宅地所有権についての「管理行為」となったものとみるならば、答は簡単であり、その範囲で本条2号は修正されたこととなる。また、借地人の地位がこのように強化された以上は、借地権の設定はもはや「管理行為」ではありえないとみるならば、本条の制限に違反する契約は、全然無効であるか、少なくとも本条の範囲を越える部分は無効であるということになる。

思うに、借地権者の保護も制限行為能力または無権限を理由とする取消しまたは無効の主張の前には敗れざるをえないのであるから、借地借家法 3 条・9 条の規定にかかわらず、本条の制限を超える期間については、賃貸人は取消しまたは無効の主張をすることができるものといわなければならない。しかし、本条の制限内での賃貸借をすることは許されているのであるから、これを全然無効とする必要はあるまい。したがって、いちおう期間 5 年の借地権が成立し、それが消滅した後は更新請求・法定更新などの問題となり、賃貸人がこれを拒絶しようとするときは、「正当の事由」があるかどうかの問題となるとみるのが妥当であろう。そして、「正当の事由」の有無は、賃貸人が被保佐人等であるか、成年被後見人であるか、不在者の財産管理人であるか、当該の土地が元来の宅地、ことにもともと貸地用として取得したものであるかどうか、などの諸般の事情をも考慮して判定するべきであろう。

この最後の点は、借家契約や農地賃貸借契約においても、解約申入れや更新拒絶の制限があるので(借地借家§28、農地§18)、同様の問題が起こる。ここでも、「正当の事由」の有無や都道府県知事による解約の許否(農地の場合)を決めるのには、上のような事情をも考慮するべきものであろう。

（短期賃貸借の更新）
第六百三条
　　　前条に定める期間は、更新することができる。ただし、その期間満了前、土地については一年以内、建物については三箇月以内、動産については一箇月以内に、その更新をしなければならない[1]。

［原条文］
　　　前条ノ期間ハ之ヲ更新スルコトヲ得但其期間満了前土地ニ付テハ一年内建物ニ付テハ三个月内動産ニ付テハ一个月内ニ其更新ヲ為スコトヲ要ス

1297

第3編　第2章　契約　第7節　賃貸借

〔1〕　本条は、期間の満了が近くなってはじめて更新を認めるものであるが、この制度がないと、当初の賃貸借ののち間もなく更新することによって、事実上 602 条〔改注〕の制限が無意味にされるおそれがあるからである。

なお、「期間満了前、……しなければならない」といっているが、期間満了後に、遡及的に更新することを制限する趣旨でないことはもちろんである。もっとも、この場合には 619 条〔改注〕（黙示の更新）の適用があることが多いであろう。

（賃貸借の存続期間）
第六百四条
1　賃貸借の存続期間は、五十年を超えることができない。契約でこれより長い期間を定めたときであっても、その期間は、五十年とする[1]。
2　賃貸借の存続期間は、更新することができる。ただし、その期間は、更新の時から五十年を超えることができない[2]。

〈改正〉　2017 年に改正された。1 項および 2 項中「二十年」を「五十年」に改めた。本条に関する附則三十四条2　前項の規定にかかわらず、新法第六百四条第二項の規定は、施行日前に賃貸借契約が締結された場合において施行日以後にその契約の更新に係る合意がされるときにも適用する。

〔改正の趣旨〕　〔1〕　改正前の本条は、賃借権が賃貸人に過度の負担となる場合があることに配慮した規定とされている。解説〔1〕参照。ただし、例えば借地人保護の観点から借地借家法では建物所有を目的とする借地権については 30 年以上とする旨の特別の規定が存在する（借地借家法 3 条）。借地借家法等の特別法の適用がない賃貸借においても、20 年を超える長期間の賃貸借を認めるべき場合がある。現代的な例としては、ゴルフ場や太陽光発電施設等の設置のための敷地の賃貸借などである。そこで、審議過程の当初においては、改正前 604 条を削除し、賃貸借の期間の上限規制を撤廃することが検討されたが、あまりにも長期にわたる賃貸借は過度の負担となり、公序良俗による規制だけでは対応が不十分であると考えられるため、結局、上限を 50 年とするとの改正となったようである。永小作権の存続期間の上限である 50 年が参照されたという（改正前 278 条）。なお、農地法では、特別規定の制定が時期的に先行していた（同法 19 条）。本書第 7 節解説④(オ)(d)および本条〔1〕(2)(ウ)参照。
〔2〕　賃貸借契約を更新することは改正前と同様に可能となるが、その際の上限についても 50 年とされている。

〔改正前条文〕
1　賃貸借の存続期間は、二十年を超えることができない。契約でこれより長い期間を定めたときであっても、その期間は、二十年とする[1]。
2　賃貸借の存続期間は、更新することができる。ただし、その期間は、更新の時から二十年を超えることができない[2]。

〔原条文〕
賃貸借ノ存続期間ハ二十年ヲ超ユルコトヲ得ス若シ之ヨリ長キ期間ヲ以テ賃貸借ヲ為シタルトキハ其期間ハ之ヲ二十年ニ短縮ス
前項ノ期間ハ之ヲ更新スルコトヲ得但更新ノ時ヨリ二十年ヲ超ユルコトヲ得ス

〔改正前条文の解説〕
〔1〕　(1)　賃貸借の期間について、本条のような制限を加えたのは、あまりに長い

間、目的物の利用権を所有者以外の賃借人の手に移すと、その利用が不適当となり、社会経済上の不利益を生じると考えたからである。その趣旨から、契約書に「永久貸与」の文言が用いられていても、存続期間の定めのない賃貸借と解釈されている（最判昭和27・12・11民集6巻1139頁）。

(2) しかし、これは、少なくとも現代の不動産の利用状態に適しない思想である。近時の社会においては、不動産の利用は、賃借人によってなされることがきわめて多く、社会経済の発達は、主として賃借人の努力によって達成されている。したがって、不動産の賃借権を短期にすると、賃借人の立場を脆弱ならしめ、かえって社会経済上の不利を導く。不動産の賃貸借を20年以内でなければならないとすることは、まったく無意味だといわなければならない。のみならず、実際には、賃借人の経済的・社会的地位は一般に劣弱なので、賃貸人は、長期の契約を結ばず、きわめて短期とするか、または期間の定めのない約定とするのが常である。そこで、賃貸借の存続期間に最短期の制限をおかなかったことがかえって不都合に感じられるようになった。こうして、不動産の賃貸借契約について最短期の制限をし、最長期を延長するべきであるとする思想を生じ、判例および特別法によって、しだいにその実現をみることになった。すなわち、つぎのとおりである。

(ア) 建物所有を目的とする土地の賃貸借

借地借家法第2章は、建物所有を目的とする土地の賃貸借（地上権についても同じ。両者を合わせて借地権という）について規定し、そのなかで、その存続期間およびその更新をつぎのように強行的に保障している（同法§9）。

(a) 普通の借地権については、30年以上の存続期間が保障される（同法§3）。それより短い存続期間を定めたときは、その定めはないことになり（同法§9）、30年となる。より長期の存続期間の定めをすることについては、制限はされていない。

(b) 存続期間の更新も保障されている（同法§§5・6。これを「法定更新」と呼ぶ）。更新拒絶は、一定の「正当の事由」が存する場合でないとできない（同法§6）。

更新後の期間としては、1回目の更新では20年以上、それ以後の更新では10年以上が保障されている（同法§4）。

(c) 建物の滅失・再築に関して、とくに規定がなされている（同法§§7・8）。

(d) 借地人に地代の不払などがあった場合の解除（解除に相当する告知）については、借地借家法はとくに制約を定めていない。

(e) 以上の一般原則に対して、「定期借地権」（同法§22。存続期間を50年以上とし、更新などの保障がないもの。借地借家法で認められたこの種類の借地権がどのような機能を発揮するかが注目されている）、「建物譲渡特約付借地権」（同法旧§23。後述の改正により§24となる）、「事業用借地権」（同法旧§24。新§23に組み込まれた）、「一時使用のための借地権」（同法§25）について、特例が認められた。

2007年の改正（平成19年12月21日法律132号。2008年1月1日施行）により、存続期間30年以上50年未満の「事業用定期借地権」の規定が盛り込まれた（新§23。§22の定期借地権は一般定期借地権と呼ばれることとなった）。

(イ) 建物の賃貸借

第3編　第2章　契約　第7節　賃貸借

　借地借家法は、その第3章で、建物の賃貸借（居住用であると、事業用であるとを問わ
ない）について規定し、そのなかで、存続期間の保障は定めていないが、約定の存続
期間の更新の保障と存続期間の定めがない場合の解約申入れ（解約に相当する告知）の制
限を強行的に（同法§30）保障し、借家権を強化している。

　　(a)　1年未満の期間の定めがされた場合は、期間の定めがないものとする（同法§
29Ⅰ）。
　民法改正前604条による長期の制限は建物の賃貸借には適用されない（同法§29Ⅱ）。
　　(b)　1年以上の存続期間の定めがある場合に、期間の満了の1年前から6月前ま
での間の更新拒絶がないと、契約は更新されたものとみなされ（法定更新と呼ばれる）、
更新後は、期間の定めがないものとなる（同法§26Ⅰ）。
　　(c)　期間の定めがある場合の更新の拒絶、および定めがない場合の解約の申入れ
（6か月の解約申入れ期間を要する。同法§27）をするには、一定の「正当の事由」が必
要とされる（同法§28）。
　　(d)　賃借人に賃料の不払などがあった場合における解除（解除に相当する告知）につ
いては、借地借家法はとくに制約を定めていない。
　　(e)　以上の一般原則に対して、特例が認められている。定期建物賃貸借（同法§38。
「定期借家権」とよばれる。本節解説④(2)(イ)参照）、取壊し予定の建物の賃貸借（同法§39）
の場合である。一時使用のための賃貸借には、同法の規定はまったく適用されず、
民法による（同法§40）。その他、2001年の高齢者居住安定確保法56条を参照。
　(ウ)　農地の賃貸借
　農地法17条・18条は、農地または採草放牧地の賃貸借について、期間の更新（法定
更新）、更新拒絶・解約申入れ（解約に相当する告知）・解除（解除に相当する告知）に対する
制約（一定の条件に制約された都道府県知事の許可を要する）を定めて、その保護を図ってい
る。2009年に改正された農地法19条は、農地または採草放牧地の賃貸借については、
存続期間および更新期間の上限を50年とすることを規定した（本節解説④(2)(エ)参照。な
お、同条は、民法604条［改注］の規定が20年から50年に変更されたことにより、削除され
た）。
　〔2〕　賃貸借の存続期間を最長20年と制限したのであるから、更新の時からも20
年と制限することは当然である。この点についても、特別法は修正をしている。〔1〕
(2)参照。

第2款　賃貸借の効力

〈改正〉　2017年に、不動産賃貸借の対抗力に関する605条、賃貸人による修繕等に関する606
　　条、減収による賃料の減額請求に関する609条、賃借物の一部滅失等による賃料の減額
　　等に関する611条、転貸の効果に関する613条、賃借人による使用及び収益に関する
　　616条が改正され、不動産の賃貸人たる地位の移転に関する605条の2、合意による不
　　動産の賃貸人たる地位の移転に関する同条の3、不動産の賃貸人による妨害の停止の請
　　求等に関する同条の4、賃借人による修繕に関する607条の2が新設された。

§604〔2〕・第2款［解説］・§605〔1〕

　本款は、「賃貸借の効力」と題して、賃貸借の対抗力(§§605〜新605の4)、賃貸人の義務(§§606〜608)、賃借人の権利義務(§§609〜616)について規定する(上記改正に注意)。しかし、この款の規定は、特別法によってかなり重大な修正を受けていることを注意すべきである(本節解説③④参照)。

（不動産賃貸借の対抗力）
第六百五条
　　　不動産の賃貸借は、これを登記したときは[1]、その不動産について物権を取得した者その他の第三者に対抗することができる[2]。

〈改正〉　2017年に改正された。「その後」を削り、「に対しても、その効力を生ずる」を「その他の第三者に対抗することができる」に改め、本条の次に関連する3条を新たに加えた。

［改正の趣旨］　〔1〕　改正前本条は「その後…その効力を生ずる」と定めているが、対抗力は対抗要件を具備した先後により優劣が決せられるのであり(最判昭和42・5・2判時491号53頁)、登記をした「その後」にその不動産について物権を取得した者に対しても、その効力を生ずる、との規定は正しくないとの批判があった。そこで、新法は「その後」の文言を削除した。

　〔2〕　賃借権は、物権を取得した者のほか、他の賃借権者や差押債権者にも対抗できるから、新法は、「物権を取得した者」に「その他の第三者」という文言を付加した。「物権を取得した者」の中にはその不動産の譲受人も含まれるので、その限りでは、「その効力を生ずる」と読みかえるべきであるとの主張がある。

［改正前条文］
　不動産の賃貸借は、これを登記したとき[1]は、その後その不動産について物権を取得した者[2]に対しても、その効力を生ずる[3][4]。

［原条文］
　不動産ノ賃貸借ハ之ヲ登記シタルトキハ爾後其不動産ニ付キ物権ヲ取得シタル者ニ対シテモ其効力ヲ生ス

［改正前条文の解説］
　本条は、不動産の賃貸借につき登記をすれば、賃借権は、排他性を取得し、以後、その目的物について物権の変動を生じても、賃借人の地位はくつがえされないことを定めるものである。なお、商法(§701)は、船舶の賃貸借について、同様の規定を設けている。

〔1〕　(1)　賃借権の登記手続については、不動産登記法3条8号・81条、旧132条参照。

　問題は、不動産の賃借人は、賃貸人に対して登記を請求する権利があるかどうかである。これを否定すれば、本条は、ほとんど賃借人を保護する力をもたないものといわなければならない。けだし、賃貸人が任意に登記に同意するということは、実際上まったく期待できないところだからである。ところで、賃貸借を債権契約とするわが民法のもとにおいては、特約がない限り、賃借人の登記請求権はこれを否定するほかはないというのが、判例および通説の一致する見解である(大判大正10・7・11民録27輯1378頁)。したがって、本条があっても、わが民法のもとでは「売買は賃貸借を破

1301

第3編　第2章　契約　第7節　賃貸借

る」Kauf bricht Miete の原則が採られているものといわなければならない。

(2)　しかし、このように不動産賃借人の地位を弱いものにしておくことは、社会経済上の不利益がはなはだしい。そこで、借地権・借家権および農地賃借権については、特別法により、賃借権の登記がなくても、他の手段により第三者に対抗できることとされている。

(ア)　建物所有を目的とする土地の賃貸借

借地借家法 10 条 1 項は、借地権は、その登記がなくても、土地の上に借地権者が登記されている建物を所有するときは、これをもって第三者に対抗できると規定する。対抗力は対抗要件を具備した前後により優劣が決せられる(最判昭和 42・5・2 判時 491 号 53 頁)。

建物の滅失の関係については、同条 2 項(一種の明認方法を明文化した。§177〔10〕(イ)参照)、旧罹災都市借地借家臨時処理法 10 条(被災地借地借家§4 参照)を参照。

建物の登記は、借地人名義の表示の登記があればよいと解されており(最判昭和 50・2・13 民集 29 巻 83 頁)、これを備えるのに借地人としての困難はなく、借地権は原則的に対抗力を備えうるものとなった(もっとも、長男名義の登記では対抗力はないとした最大判昭和 41・4・27 民集 20 巻 870 頁などに注意する必要がある。最大判昭和 40・3・17 民集 19 巻 453 頁は、地番が 79 番地であるべきものを 80 番地と登記されていた場合でも、対抗力はあるとしている)。他方、土地の譲受人などからすると、賃貸借の登記と違い、賃貸借の内容を知りえないなどの問題が指摘される。

(イ)　建物の賃貸借

建物の賃貸借について、借地借家法 31 条は、その登記がなくても、その建物の引渡しがあったときは、その後その建物について物権を取得した者に対して、その効力を生じると規定する。

(ウ)　農地の賃貸借

農地法 16 条は、農地または採草放牧地の賃貸借について、(イ)と同旨を規定している。2009 年に改正された農地法により、農地法旧 18 条が 16 条となった。本節解説④(2)(エ)を参照。

〔2〕　賃貸借の登記後にその目的不動産を買受けた者、これを強制競売で買受けた者、その目的不動産の上に地上権または永小作権を取得した者、その不動産の上に設定された質権または抵当権に基づいて買受けた者などを指す。

〔3〕　これらの者「に対しても、その効力を生ずる」ということの意味は、つぎのとおりである。

(ア)　目的不動産の所有権を取得した者に対しては、従来の賃貸人との間の賃貸借関係がこれらの者と賃借人との間に移転し、従来の賃貸人は賃貸借関係から脱落することだと解釈され、これは、前記の建物保護法 1 条(現在の借地借家§10)によって「対抗する」場合にも同様であるとされる(大判大正 10・5・30 民録 27 輯 1013 頁)。なお、地上権や抵当権を取得した者に対しては、これらの者は賃借権を容認したうえでのそれらの権利を取得するにすぎないと解される。

このように解すると、賃借人は、前賃貸人との間における賃貸借の期間、賃料額、

その前払をしたことなどを、ことごとくその承継人に対して主張できることになる。賃借権の対抗力が本条に準拠して登記によるのであれば（不登§81、旧§132参照）、承継人が不測の損害をこうむることは比較的少ないであろう。しかし、特別法により対抗を受ける場合は、承継人は借地権などの存在は知りうるが、その契約の内容を確実に知ることは困難である。したがって、契約内容が賃貸人に不利のものであれば、不測の損害を受ける（ただし、改正前§566〔6〕参照）。しかし、これらの立法は、賃貸人のこのような不利益を犠牲にしても、賃借人を保護しようとしたものなのである。

(イ)　この賃借目的物の移転に伴う賃貸人の地位の承継については、つぎのようなことが問題となる。

(a)　この場合の賃貸人の地位の移転は当然に生じ、賃借人への承継の通知を要しないし（最判昭和33・9・18民集12巻2040頁）、これについて、賃借人の承諾を要しない（最判昭和46・4・23民集25巻388頁）。

(b)　不動産の譲受人がその賃貸人の地位の承継を主張するためには、当然その所有権取得について対抗要件（登記）を備える必要がある（最判昭和49・3・19民集28巻325頁）。しかし、譲受人が対抗要件を備えない場合でも、賃借人がその者を賃貸人と認めて賃料を支払ったときは、有効な弁済となると解してよい（最判昭和46・12・3判時655号28頁）。

(c)　賃貸人の地位が譲受人に移転した以上は、旧賃貸人は契約解除権も失う（最判昭和39・8・28民集18巻1354頁）。

(d)　旧賃貸人と賃借人との間に存した合意は原則として新賃貸人に承継される。転貸許容の特約（最判昭和38・9・26民集17巻1025頁）、賃料を取立債務とする約定（最判昭和39・6・26民集18巻968頁）などである。

(e)　なお、建物の賃借人が従前の賃貸人に差し入れた敷金を承継人に対しても主張できるかということが問題となる。判例は、借家法1条（現在の借地借家§31Ⅰ）によって賃貸借を承継人に対抗できる関係にある借家人が従前の賃貸人に差し入れた敷金は、建物の承継人に当然に引きつがれるものとし（大判昭和11・11・27民集15巻2110頁、最判昭和48・2・2民集27巻80頁）、また、旧賃貸人との間において未払賃料債務があれば敷金はこれに充当され、残額についての権利義務が新賃貸人に承継されるものとする（最判昭和44・7・17民集23巻1610頁）。なお、敷金に関しては、619条〔7〕参照。新第4款も参照。

(ウ)　判例によって、対抗力を備えた賃借権には、第三者に対する妨害排除の効力があるとされることについては、本編第1章第2節解説⑤(2)(エ)(b)、601条⑵(3)参照。

〔4〕　本条の適用を受けることのできない賃貸借についても、これを保護する意味をもつ規定として、387条・395条がある。

■（不動産の賃貸人たる地位の移転）
第六百五条の二

1　前条、借地借家法（平成三年法律第九十号）第十条又は第三十一条その他の法令の規定による賃貸借の対抗要件を備えた場合において、その不動産が

第3編　第2章　契約　第7節　賃貸借

譲渡されたときは、その不動産の賃貸人たる地位は、その譲受人に移転する[1]。

2　前項の規定にかかわらず、不動産の譲渡人及び譲受人が、賃貸人たる地位を譲渡人に留保する旨及びその不動産を譲受人が譲渡人に賃貸する旨の合意をしたときは、賃貸人たる地位は、譲受人に移転しない。この場合において、譲渡人と譲受人又はその承継人との間の賃貸借が終了したときは、譲渡人に留保されていた賃貸人たる地位は、譲受人又はその承継人に移転する[2]。

3　第一項又は前項後段の規定による賃貸人たる地位の移転は、賃貸物である不動産について所有権の移転の登記をしなければ、賃借人に対抗することができない[3]。

4　第一項又は第二項後段の規定により賃貸人たる地位が譲受人又はその承継人に移転したときは、第六百八条の規定による費用の償還に係る債務及び第六百二十二条の二第一項の規定による同項に規定する敷金の返還に係る債務は、譲受人又はその承継人が承継する[4]。

〈改正〉　2017年に新設された。

[本条の趣旨]　[1]　不動産の賃借権が対抗力を有する場合には、その譲受人に賃貸人の地位が当然に承継されるとするのが確立された判例であり、通説でもある。改正前605条の解説(3)参照。改正前605条には、このような規範も含まれていると解されている。新法は、このような法理を明文化した。なお、上記判例のいう「特段の事情」は今後問題になりうる。

　　[2]　このような特約の有効性についての規定である。譲渡人が譲受人から設定を受ける利用権限の内容が明確にされている。なお、賃貸人の地位の留保については、改正前法時代の判例（最判平成11・3・25判時1674号61頁）が参考になる。

　　[3]　不動産の譲受人が賃貸人たる地位の移転を賃借人に主張するためには、当該不動産につき登記を具備する必要があり、その旨の規範も明文化された。

　　[4]　不動産について賃貸人の地位が移転した場合に、敷金返還債務が旧賃貸人に残存するのか、新賃貸人に帰属するのかという点も問題であった。この点につき、判例（最判昭和44・7・17）は、賃貸借契約終了の際には、敷金返還債務は残額につき新賃貸人に承継されるとしている。改正前605条の解説(3)(イ)(e)参照。新法は、この考え方を明文化した。なお、上記最判は未払の賃料債務が存する場合には、まず敷金により当然充当がなされた上で敷金の残額について新賃貸人に承継されるとしているが、新法は、この点については明示していない。

（合意による不動産の賃貸人たる地位の移転）

第六百五条の三

　　　　不動産の譲渡人が賃貸人であるときは、その賃貸人たる地位は、賃借人の承諾を要しないで、譲渡人と譲受人との合意により、譲受人に移転させることができる。この場合においては、前条第三項及び第四項の規定を準用する[1]。

〈改正〉　2017年に新設された。

[本条の趣旨]　[1]　契約に関する一般論としては、契約上の地位の移転が有効になされるためには、これにより影響を受ける当該契約の相手方の承諾が必要とされている（539条の2）。しかし、賃借人が対抗力を備えている場合には、不動産の所有権の移転に伴って、賃貸人の地位が移転するので、賃借人の承諾は必要ではない（学説では、状態債務関係という表

§§605の3・605の4・606

現が用いられていた）。賃借人が対抗力を備えていない場合であっても、不動産の新所有者が賃貸借契約の継続を希望し、合意により旧所有者から賃貸人の地位を譲り受ける場合もあり得る。この場合にも、賃借人の承諾を要するかという問題がある。これについては、特段の事情がある場合を除き賃借人の承諾を要しないとするのが判例（最判昭和46・4・23）である。605条[3](イ)(a)参照。新法は、不動産の譲渡人が賃貸人である場合には、賃借人の承諾を要せずに、譲渡人と譲受人の合意により賃貸人の地位を移転することができるという規範を明文化した。

（不動産の賃借人による妨害の停止の請求等）

第六百五条の四

不動産の賃借人は、第六百五条の二第一項に規定する対抗要件を備えた場合において、次の各号に掲げるときは、それぞれ当該各号に定める請求をすることができる[1]。

一　その不動産の占有を第三者が妨害しているとき　その第三者に対する妨害の停止の請求[2]

二　その不動産を第三者が占有しているとき　その第三者に対する返還の請求[2]

〈改正〉　2017年に新設された。本条に関する附則・第34条3　第一項の規定にかかわらず、新法第605条の4の規定は、施行日前に不動産の賃貸借契約が締結された場合において施行日以後にその不動産の占有を第三者が妨害し、又はその不動産を第三者が占有しているときにも適用する。

[本条の趣旨]　[1]　判例法理（最判昭和28・12・18、545条[5](2)参照）を明文化した。判例は、賃借権が対抗力を備えた場合には、その「物権化」を認めていると解されている。

[2]　改正前には、不動産賃借権に基づいて妨害排除請求権等を行使できるのかにつき明文の規定はない。そこで、新法は、不動産の賃借人が対抗力を備えた場合には、妨害排除請求権（1号）、返還請求権（2号）を行使できることを明文化した。

なお、妨害予防請求権については、これを肯定した判例が存しないこと、債権である賃借権に物権的請求権を認めるのはあくまで例外であることを理由として、明文化は見送られたようである。なお、債権者代位権の転用についても、可能であると解されている。

（賃貸人による修繕等）

第六百六条

1　賃貸人は、賃貸物の使用及び収益に必要な修繕をする義務を負う。ただし、賃借人の責めに帰すべき事由によってその修繕が必要となったときは、この限りでない[1]。

2　賃貸人が賃貸物の保存に必要な行為をしようとするときは、賃借人は、これを拒むことができない[2]。

〈改正〉　2017年に改正された。見出しを改め、1項にただし書を加えた。

[改正の趣旨]　[1]　修繕を必要とすべき事由が賃借人の責に帰すべき事由で生じた場合についてまで、賃貸人に修繕義務を課すことは公平の観点から妥当ではないと考えられるので、この場合には、賃貸人の修繕義務を肯定しつつ賃借人の損害賠償義務で調整する考え方もあったが（解説[1]参照）、新法は、賃借人に帰責事由がある場合には賃貸人は修繕義務を負わ

1305

第3編　第2章　契約　第7節　賃貸借

ないとする規定を新設した。

[改正前条文]

（賃貸物の修繕等）

　1　賃貸人は、賃貸物の使用及び収益に必要な修繕をする義務を負う[1]。

　2　同上

[原条文]

　賃貸人ハ賃貸物ノ使用及ヒ収益ニ必要ナル修繕ヲ為ス義務ヲ負フ

　賃貸人カ賃貸物ノ保存ニ必要ナル行為ヲ為サント欲スルトキハ賃借人ハ之ヲ拒ムコトヲ得ス

[改正前条文の解説]

〔1〕　この義務は、賃貸人が契約の存続期間中賃借人のために目的物を使用・収益に適する状態におくべき積極的な義務から派生するものである（改正前§601〔2〕参照）。これに対応し、賃借人は修繕を要する旨の通知義務を負担する（§615）。

　(a)　修繕を要する状態は、賃貸人の責めに帰すべき事由によって生じたことを必要としない。不可抗力で生じた場合にも、賃貸人はその修繕義務を負う。問題となるのは、賃借人の責めに帰すべき事由によって生じた場合であるが、賃借人が損害賠償義務を負うのは格別、修繕義務は、あくまで賃貸人側にあると解されている（ただし、損害賠償義務が修繕義務よりも先履行と解してよかろう）。

　なお、事例により、賃貸人がその修繕義務違反により賃借人に対して債務不履行による損害賠償義務を負う場合もある（最判平成21・1・19民集63巻97頁。カラオケ営業のための店舗賃貸借の事例である。浸水による営業不能につき原審は全損害の賠償を認めたが、本判決は、事情を考慮して、賃借人が損害を回避できる措置をとりうる時期以後については認めるべきでないとして、破棄し差戻した）。

　(b)　賃貸人が本条による修繕義務を履行しないときは、賃借人は、その間だけ賃料の支払を拒絶する権利を有する。ただし、賃借目的物の破損の程度がはなはだしくないときは、賃料全部の支払を拒絶することはできず、相当な部分の支払を拒絶できるにとどまる（大判大正5・5・22民録22輯1011頁）。この賃料支払拒絶権は、同時履行の抗弁権（§533 [改注]）ではないと解される。けだし、貸主は賃料の支払がないからといって修繕を拒むことはできないからである（§533前注[2]〔2〕(ｱ)(c)参照）。

　(c)　本条は、強行規定ではない。したがって、特約によって賃借人が修繕義務を負担することは差しつかえない（最判昭和29・6・25民集8巻1224頁は、営業上必要な修繕を賃借人の義務とした特約の例である）。

　なお、修繕義務の内容・程度については、民法は定めていないが、契約の趣旨その他諸般の事情を考慮して決するべきである。第二次大戦の戦中・戦後、住宅難の時に経験されたように、家賃に対する強い統制が行われている場合には、本条の修繕義務もそれに比例して軽減されると解されたことがある（最判昭和38・11・28民集17巻1477頁）。

〔2〕　たとえば、建物の場合ならば、雨漏りの修理などである。なお、607条参照。

§§606〔1〕〔2〕・607・607の2・608

（賃借人の意思に反する保存行為）
第六百七条
　　賃貸人が賃借人の意思に反して保存行為をしようとする場合において、その
　ために賃借人が賃借をした目的を達することができなくなるときは、賃借人は、
　契約の解除[1]をすることができる。

［原条文］
　　賃貸人カ賃借人ノ意思ニ反シテ保存行為ヲ為サント欲スル場合ニ於テ之カ為メ賃借人カ
　賃借ヲ為シタル目的ヲ達スルコト能ハサルトキハ賃借人ハ契約ノ解除ヲ為スコトヲ得

〔1〕　本条に基づく解除権による告知であり、解除に相当する告知である。遡及効
を有しないことについては、620条［改注］参照。

（賃借人による修繕）
第六百七条の二
　　賃借物の修繕が必要である場合において、次に掲げるときは、賃借人は、そ
　の修繕をすることができる。
　一　賃借人が賃貸人に修繕が必要である旨を通知し、又は賃貸人がその旨を知
　　ったにもかかわらず、賃貸人が相当の期間内に必要な修繕をしないとき。
　二　急迫の事情があるとき。

〈改正〉　2017年に新設された。
［本条の趣旨］　改正前法には、賃貸人が修繕義務を履行しない場合に、賃借人が自ら修繕を
する権限があるかについての規定は存在しない。改正前608条1項は、その文言からは賃貸
人が賃貸目的物の修繕義務を負っていることを前提としているように読める。また、これを
認めるのが通説であった。賃貸借は有償契約であるから、その目的物の修繕は物理的な変更
なども伴うので賃貸人が行うのが原則である（新606条1項）。そこで、新法は1号、2号の
場合には、賃借人は自ら修繕をすることができる旨の規定を新設した。

（賃借人による費用の償還請求）
第六百八条
　1　賃借人は、賃借物について賃貸人の負担に属する必要費[1]を支出したとき
　　は、賃貸人に対し、直ちに[2]その償還を請求することができる[5]。
　2　賃借人が賃借物について有益費[3]を支出したときは、賃貸人は、賃貸借の
　　終了の時[4]に、第百九十六条第二項の規定に従い、その償還をしなければな
　　らない[5]。ただし、裁判所は、賃貸人の請求により、その償還について相当
　　の期限を許与することができる[6][7]。

［原条文］
　　賃借人カ賃借物ニ付キ賃貸人ノ負担ニ属スル必要費ヲ出シタルトキハ賃貸人ニ対シテ
　直チニ其償還ヲ請求スルコトヲ得
　　賃借人カ有益費ヲ出シタルトキハ賃貸人ハ賃貸借終了ノ時ニ於テ第百九十六条第二項
　ノ規定ニ従ヒ其償還ヲ為スコトヲ要ス但裁判所ハ賃貸人ノ請求ニ因リ之ニ相当ノ期限ヲ許
　与スルコトヲ得

第3編　第2章　契約　第7節　賃貸借

〔1〕　「必要費」は、原則として賃貸人の負担に属する（§606〔改注〕参照）。特約によって賃借人が負担することとされた必要費は本条に含まれないことはいうまでもない。なお、本条の必要費に関連しては、判例が多い。それは、「目的物自体ノ原状ヲ維持シ又ハ目的物自体ノ原状ヲ回復スル費用ノミニ限定スヘキモノニアラスシテ通常ノ用法ニ適スル状態ニ於テ物ヲ保存スル為メニ支出セラレタル費用ヲモ包含」し、したがって、建物の賃借人が屋根の葺き替え・土台の入替えなどのために支出した費用（大判大正14・10・5新聞2521号9頁）などばかりでなく、借地人が、道路の改修工事のために宅地が道路より低くなり雨水が停滞するので、それを防ぐために地盛をした場合の費用なども含まれる（大判昭和12・11・16民集16巻1615頁）。

〔2〕　「直ちに」とは、賃貸借の終了を待たないで請求できるという趣旨である。すなわち、第2項の有益費と異なるのである。賃貸借終了後においては、賃借人は、必要費の償還請求権について留置権を有することもちろんである（§295〔3〕〔4〕参照）。なお、この償還請求権については、除斥期間の定めがある（改正前§§622・600）。

〔3〕　家屋の賃借人が家屋の直前の道路に花電灯（飾りのある街灯）を設備し、コンクリート工事をする費用を支出した場合にも、それが家屋の価値を増加させた限りにおいて、「有益費」となりうるとする判例がある（大判昭和5・4・26新聞3158号9頁）。これに対して、賃借地に繁茂する雑草を除去する費用は、使用・収益のための費用で、有益費ではないとした判例がある（大判大正9・10・16民録26輯1530頁）。

〔4〕　賃貸借が終了するまでは、賃借人は、償還請求をすることはできない。賃貸借が継続する限り、有益費支出の効果を享受するのは、むしろ賃借人自身だからである。なお、終了すれば当然に償還請求ができる（ただし、有益費が加えられた部分が減失していたときは請求できないとする最判昭和48・7・17民集27巻798頁がある）。終了原因がなんであるかを問わない。すなわち、賃借人の賃料不払のために契約が解除された場合にも、なお、賃借人は本条の請求権を有する。建物が譲渡され、賃貸人が交替したときは、償還義務も新しい賃貸人に移転し、旧賃貸人には請求できない（最判昭和46・2・19民集25巻135頁）。

〔5〕　賃借人は、これらの費用償還請求権に基づいて、賃借物の上に留置権を有する（§295〔3〕〔7〕参照）。また、それが保存行為に該当する限りにおいて、先取特権を認められる（§§321・326・307など参照）。

〔6〕　この「期限」の許与は、上に述べた留置権を消滅させる効果をもつのである（§295〔5〕・§196〔7〕参照）。なお、有益費の償還請求権についても、除斥期間が定められている（改正前§§622・600）。しかし、裁判所が期限を許与したときは、その除斥期間は、許与された期限が到来した時からこれを起算するべきものであろう。

〔7〕　賃借人がその費用をもって賃借目的物に付加したものが独立の存在を有するとき、たとえば、土地の賃借人が建物を建てたり、住宅の賃借人が畳・障子を入れ、店舗の賃借人が商品の陳列棚を作ったような場合には、賃借人はそれらの物の所有権を保留する（§242〔5〕参照）。したがって、このような物を賃借物に付属させたままで、これを賃貸人に返還してその費用を請求することは、もちろんできない。賃借人は、その付加した物を収去する権利（そして、同時に義務）を有するにとどまる（改正前§§

§§608〔1〕～〔7〕・609〔1〕～〔3〕

616・598、新§599)。しかし、このような解決方法は、今日の社会状態に適しない。これが、借地借家法が賃借人の上記のような物を賃貸人に買取らせる権利を賃借人に与えているゆえんである。その詳細は、改正前616条〔3〕、新622条参照。

（減収による賃料の減額請求）
第六百九条
　　耕作又は牧畜を目的とする土地の賃借人は、不可抗力によって賃料より少ない収益を得たときは、その収益の額に至るまで、賃料の減額を請求することができる[1]。
〈改正〉　2017年に改正された。「収益を目的」を「耕作又は牧畜を目的」に改め、ただし書を削除した。
[改正の趣旨]　[1]　減収による賃料の減額請求について定める609条と減収による解除について定める610条の両規定は、削除が検討された。これらの規定は戦後の農地改革以前の小作関係を想定したものであるが、現在では農地法20条（借賃等の増額または減額の請求権）があるため、上記両規定は実質的にはその機能を失っていると指摘されていた。また、上記規定は、不可抗力によって賃料より少ない収益を得たことのみを要件として賃料の減額請求や解除を認めているが、農地法20条や借地借家法11条のように賃料の額が経済事情の変動により不相当となったことや近傍類似の土地の賃料に比較して不相当となったこと等を考慮することなく、収益が少なかったことのみをもって賃料の減額請求や解除を認めている点で妥当性を欠くとの指摘もあった。そこで、本条は、耕作または牧畜を目的とする土地に限定した規定として残すこととし、ただし書は削除された。
[改正前条文]
　　収益を目的とする土地の賃借人は、不可抗力によって[1]賃料[2]より少ない収益を得たときは、その収益の額に至るまで、賃料の減額を請求することができる[3]。ただし、宅地の賃貸借については、この限りでない[4][5]。
[原条文]
　　収益ヲ目的トスル土地ノ賃借人カ不可抗力ニ因リ借賃ヨリ少キ収益ヲ得タルトキハ其収益ノ額ニ至ルマテ借賃ノ減額ヲ請求スルコトヲ得但宅地ノ賃貸借ニ付テハ此限ニ在ラス

[改正前条文の解説]
　〔1〕　「不可抗力によって」とは、一般には、賃借人の責めに帰すべき事由に基づかないで、というほどの意味に理解してよい。しかし、厳格にいうと、その原因が賃借人の外部に由来することを必要とすると解されている。したがって、日照り・水害・一般的な病虫害などは不可抗力であるが、賃借人の病気は、それがその地方をおそった伝染病ででもない限り、不可抗力にはならないと解される。
　〔2〕　「賃料」(2004年改正は原条文の「借賃」を改めた)については、改正前601条〔3〕参照。
　〔3〕　〔1〕に述べたところから知られるように、本条は、主に農地賃貸借（小作）に関して、凶作の場合に小作料の減額を認める趣旨で設けられた規定であり（本条ただし書参照）、永小作権につき凶作による減免を全然認めない（§274参照）のに比べれば、小作人の地位を考慮したものである。しかし、小作人は、凶作の場合にもその収益を

1309

第3編　第2章　契約　第7節　賃貸借

挙げて小作料として納入するべき結果となり、苛酷な規定として、改正を要望されていた。そこで、かつての農地調整法は、小作料の額および減免条件に統制を加え、かつ、主務大臣または都道府県知事にいちじるしく不当なものの変更権を与えていたが（同法§§9の2・9の8。農地旧§24も同旨）、現在はこの規定はない。

なお、わが国の農村には、凶作の場合に一定の手続によって小作料の減額を行う慣習が存したことにも注意するべきである。

本条による減額請求権は、賃借人の一方的意思表示によって減額の効果を生じるから、一種の形成権である。あくまでも賃借人の意思表示を待って減額の効果を生じるものであって、凶作によって当然に減額の効果を生じるものではないと解される（大判大正4・3・10民録21輯269頁）。

〔4〕　ここに「宅地」とは、契約上建物の敷地として使用され、または使用されるべき土地をいう。必ずしもいわゆる地目（不登§34 I ③）が宅地であることを要しない。なお、ベビー・ゴルフ場などは、ここにいう「宅地」に包含されると解するべきであろうか。これらの土地については、不可抗力による減収ということを考えることは妥当でないからである。ただし、宅地の一部が流失したような場合には、611条〔改注〕の適用があることはいうまでもない。

〔5〕　借地借家法11条は、借地権における地代または土地の借賃（賃料のこと。同法はなおこの用語を用いる）について、同法32条は、建物の借賃について、それぞれ、経済事情の変動などによって近傍の例に比較して不相当になった場合の増減請求権を規定している。事情変更の原則の一適用として注目に値する（最判平成15・6・12民集57巻595頁は、借地借家§11 I は強行規定としての実質をもつとしたうえで、当事者間の地代自動増減改定特約につき、いちおう有効だが、その内容が同条の趣旨に照らして不相当となったときは、同特約に拘束されずに、同条同項による地代減額請求権を行使できるとした）。

農地法旧21条も、同様の趣旨で、小作料増減請求権を規定していた（農地旧§24も参照）。なお、同条に関して、農地についての宅地並み課税を理由として地主が小作料増額を請求できるかが問題となったが、最大判平成13・3・28（民集55巻611頁）は、これを否定した（借地借家法の規定では、「土地に対する租税その他の公課の増減により」の語句があるが、農地旧§23 I にはこの語句を欠くことなどを理由とする。判事6名の反対意見があり、賃借人が宅地並み課税を避けるための生産緑地地区指定に同意しなかったことの評価など、多様な論議が交わされている）。2009年に改正された農地法により、上記の農地法旧21条は20条となり、旧24条は削られた。本節解説 **4** (2)(エ)を参照。

（減収による解除）

第六百十条

　前条の場合において、同条の賃借人は、不可抗力によって引き続き二年以上[1]賃料より少ない収益を得たときは、契約の解除をすることができる[2]。

〔原条文〕

　前条ノ場合ニ於テ賃借人カ不可抗力ニ因リ引続キ二年以上借賃ヨリ少キ収益ヲ得タルトキハ契約ノ解除ヲ為スコトヲ得

〔1〕　「引続き2年以上」とは、継続した2年以上にわたる期間という意味である。
　　〔2〕　本条は、凶作が続いた場合または土地の生産力が落ちてしまった場合に、賃借人に契約解除権を与え、それによって小作料の支払を免れさせようとするものである。しかし、これは、農耕によって生活を立てている小作人に対して、実質的な保護にはなっていない。永小作権に関する275条は、本条と同趣旨であり、本条よりさらに苛酷な規定である（§275〔1〕参照）。

（賃借物の一部滅失等による賃料の減額等）
第六百十一条
　　1　賃借物の一部が滅失その他の事由により使用及び収益をすることができなくなった場合において、それが賃借人の責めに帰することができない事由によるものであるときは、賃料は、その使用及び収益をすることができなくなった部分の割合に応じて、**減額される**[1]。
　　2　賃借物の一部が滅失その他の事由により使用及び収益をすることができなくなった場合において、残存する部分のみでは賃借人が賃借をした目的を達することができないときは、賃借人は、**契約の解除をすることができる**[2]。
〈改正〉　2017年に改正された。見出しを改め、1項を上記のように改めた。また、2項中「前項の」を「賃借物の一部が滅失その他の事由により使用及び収益をすることができなくなった」に改めた。
[改正の趣旨]　[1]　本条につき、通説的な考え方は一部滅失時から当然に賃料債務が減額されると解していた。解説(1)参照。新法は、改正前の考え方は維持しつつ、賃借物の「滅失」に限定せず、一部につき使用・収益することができない場合（一部不能の場合）を含めて、賃料減額の対象とし、通説的な考え方等に従って、賃料債務は一部滅失時から当然に減額されることを明文上明らかにした。賃借人が目的物の一部を使用収益できないときは、その部分につき賃料債権は発生しないと考えることができるからである。そのうえで、公平の観点から、賃借人に帰責事由がある場合には、賃借人は賃料減額を主張できないとしている（「過失」から「帰責事由」に文言も改められた）。賃借人が自らの責に帰すべき事由により目的物の一部滅失を招きながら、減額を主張することは公平に反すると考えられるからである。一部滅失が賃借人の帰責事由によらないことの立証責任は、目的物を占有している賃借人にあると解されている。なお、原因不明の場合に賃料が減額されないのは相当でないとして、賃借人の帰責事由につき賃借人に説明責任があるとする見解もある。
　　なお、不動産を賃借して飲食業などを営んでいる者が、新型コロナウイルスの関係で一時的に営業ができなくなった場合に、これを「天災」の一種と考えることができれば、以下の裁判例が参考になる。「賃貸借契約は、賃料の支払と賃借物の使用収益を対価関係とすることからみて、賃借物が滅失したときには賃貸借契約は終了し、賃借物が滅失するに至らなくても、客観的にみてその使用収益ができなくなったときには、賃借人は当然に賃料の支払義務を免れると解すべきであるが、更に、建物や居室の賃貸借契約において、建物や居室が天災によって損壊されて使用収益が全部制限され、客観的にみて賃貸借契約を締結した目的を達成できない状態になったため、賃貸人による修繕が行われないままに賃貸借契約が解約されたときにも、公平の原則により、双務契約上の危険負担に関する一般原則である改正前民法536条1項を類推適用して、解約の時期を問わず、天災による損壊状態が発生したときから、賃料の支払義務を免れると解するのが相当である」とした裁判例（大阪高判平成9・12・4判

第3編　第2章　契約　第7節　賃貸借

タ 992 号 129 頁）がある。事案は、最終的に契約の解除をしているので、改正前 536 条 1 項を類推適用しているが、一部営業（テイクアウト等）の場合には、本条の適用ないし、類推適用の問題になると思われる。

　〔2〕　残部では賃貸借の目的を達することができない場合の解除権については、改正前 2 項を改正し、賃貸人に帰責事由がある場合でも解除ができるように変更された。目的を達成することができないのに解除権行使を否定して賃貸借契約を継続させることは妥当ではないし、賃貸人に帰責事由がある場合には、賃借人の損害賠償責任によって清算を図る方法が合理的だからである。

[改正前条文]

（賃借物の一部滅失による賃料の減額請求等）

　　1　賃借物の一部が賃借人の過失によらないで滅失したときは、賃借人は、その滅失した部分の割合に応じて、賃料の減額を請求することができる[1][2]。

　　2　前項の場合において、残存する部分のみでは賃借人が賃借をした目的を達することができないときは、賃借人は、契約の解除をすることができる[3]。

[原条文]

　　賃借物ノ一部カ賃借人ノ過失ニ因ラスシテ滅失シタルトキハ賃借人ハ其減失シタル部分ノ割合ニ応シテ借賃ノ減額ヲ請求スルコトヲ得

　　前項ノ場合ニ於テ残存スル部分ノミニテハ賃借人カ賃借ヲ為シタル目的ヲ達スルコト能ハサルトキハ賃借人ハ契約ノ解除ヲ為スコトヲ得

[改正前条文の解説]

　〔1〕　賃借人の責めに帰することのできない事由により賃借物の一部が滅失すれば、元来、改正前 536 条 1 項によってその部分に対応する賃料(借賃)が当然に減額されるはずである。しかし、本条は、賃借人の請求を待って賃料の減額を生じさせるものとしている。したがって、危険負担に関する 536 条の原則の例外をなすものである(改正前§536〔2〕参照)。民法がこのような例外を定めたのは、本条 2 項で賃借人に解除権を与えたことと調和させるつもりであろう。しかし、その当否は疑問である。なお、賃貸人の責めによる一部滅失の場合にも、本条を適用してもよいとされている。

　減額請求があった場合に、その時以後の賃料だけが減額されるか、あるいは、遡って目的物が滅失した当時から減額されるかについては、遡及効を認めるべきであるというのが通説である。本条が改正前 536 条の例外をなすのは、ただ、当事者の意思表示を待って同条所定の効果を生じさせるという点にあると解されるからである。

　〔2〕　その一部滅失が修繕可能な場合には、賃借人は、本条の減額請求権と解除権のほか、修繕請求権(§606〔改注〕参照)を有するのであろうか。減額請求権と修繕請求権とが両立しうることは疑いない。修繕請求をし、修繕ができ上るまでの間は賃料が減額されるのである。しかし、解除権と両立できるかは疑問である。けだし、修繕が可能である限り、「賃借をした目的を達すること」は、まだ可能だからである。

　〔3〕　賃貸借の目的物全部が賃借人の過失によらないで滅失した場合、たとえば、賃貸家屋が不可抗力で焼失した場合には、賃貸借契約は消滅する(改正前§536)。賃貸人は、別に家屋を建てて賃貸する義務はない。のみならず、その敷地に新たに家屋を建てても、賃借人に貸す義務(賃借人の側からいえば優先賃借権)はない。

§§611〔1〕～〔3〕・612〔1〕〔2〕

（賃借権の譲渡及び転貸の制限）
第六百十二条
  1 賃借人は、賃貸人の承諾[4]を得なければ、その賃借権を譲り渡し[1]、又は賃借物を転貸[2]することができない[3]。
  2 賃借人が前項の規定に違反して[5]第三者[6]に賃借物[7]の使用又は収益をさせたとき[8][9]は、賃貸人は、契約の解除をすることができる[10]。

［原条文］
  賃借人ハ賃貸人ノ承諾アルニ非サレハ其権利ヲ譲渡シ又ハ賃借物ヲ転貸スルコトヲ得ス
  賃借人カ前項ノ規定ニ反シ第三者ヲシテ賃借物ノ使用又ハ収益ヲ為サシメタルトキハ賃貸人ハ契約ノ解除ヲ為スコトヲ得

〔1〕 賃借人がその賃借権を「譲渡」すると、賃借人は、賃借人たる地位から脱退し、譲受人がその地位に代わる。したがって、賃借人と賃貸人との間には契約関係は存在しないことになり、譲受人と賃貸人との間に従前の賃貸借関係と同一の関係を生じる。賃借人がその地位を退かないで、単なる使用収益権だけを譲渡する場合は、つぎの〔2〕に述べる転貸の一種とみるべきである。
  なお、建物所有を目的とする借地において、借地人がその建物を第三者に賃貸する事例については、やや考察を必要とする。Ａの土地をＢが賃借して、建物を所有し、土地・建物を使用しているかぎり、問題はない。Ｂがその建物をＣに貸し、Ｃが建物に付随して土地を使用しているかぎりにおいても、問題はないと考えられる（後述〔2〕参照）。ＢがＤに建物を譲渡したときに、はじめて土地賃借権の譲渡の問題を生じる。
  この例で、Ｂが建物をＥに譲渡担保に供した場合はどうであろうか。その後もＢが建物を使用しているかぎりは、問題ないと考えてよい（最判昭和40・12・17民集19巻2159頁）。しかし、Ｅが引渡しを受け、使用収益していれば、譲渡担保権がまだ実行されていなくても、本条2項により解除できるとした判決がある（最判平成9・7・17民集51巻2882頁）。譲渡担保の法律関係に関連して、建物の実質的な所有権はＢにあり、建物をＥに貸してあるだけだという構成が可能かという問題があるところであろう。
〔2〕 賃借人がその賃借物を「転貸」すると、賃貸人と賃借人との間の賃貸借関係は依然として存続し、賃借人と転借人との間に賃借権を基礎とする新たな賃貸借関係を生じる。この転貸借の内容、ことにその賃料（借賃）その他の条件は、賃借人と転借人との間で自由に定めることができるが、賃借人の賃借権が消滅すれば、転借人の転借権も賃借人との関係においてはその基礎を失うことになる。そして、賃貸人と転借人との間には直接なんらの契約関係をも生じない。ただし、この点に関しては、改正前613条に特則が設けられていることを注意するべきである。
  なお、Ａの土地を賃借して建物を建てたＢがこれを第三者Ｃに賃貸し、建物の敷地として土地を使用させる場合は、転貸ではない（大判昭和8・12・11裁判例(7)民277頁）。けだし、この場合のＢはなお建物所有のためにみずから土地を使用しているとみるべきだからである。

1313

第3編　第2章　契約　第7節　賃貸借

また、最近登場した「サブリース」と呼ばれる契約は、単純に通常の転貸と同じものと理解するのは適当でない。本節解説⑤(3)参照。

〔3〕　(1)　本条が、賃貸人の承諾なしに賃借権を譲渡し、または賃借物を転貸すること(これを「無断譲渡・無断転貸」と呼ぶ)を禁じたのは、賃貸借契約が一般に当事者の個人的要素を重視して行われることに着眼した結果である。動産の賃貸借については、今日でも理由のないことではない。

(2)　しかし、不動産については、その結果、借地上に建物を建て、または借家に造作をほどこすなど、賃借物に資金を投じた賃借人が、これを第三者に譲渡し、または担保に入れてその投資を回収するのにはなはだ不便を感じる。したがって、この規定を修正するべきであるという主張も強い。しかし、特別法もまだこの点を十分に修正するに至っていない。

(ア)　建物所有を目的とする土地の賃借権

土地を賃借した者がその借地権の登記をし、またはその土地に建物を建ててその登記をすれば、その後賃貸人がその宅地を第三者に譲渡しても、借地人はその借地権をもって譲受人に対抗することはできるが(改正前§605〔1〕参照)、その賃借権を譲渡・転貸することはできない。したがって、その建物を第三者に譲渡しても(その譲渡は可能だが)、賃貸人が承諾しなければ、譲受人は結局その建物を取り壊すほかはないので(大判昭和7・11・11民集11巻2089頁)、材木値段でしか売ることができない。これに対して、借地借家法は、(a)・(b)二つのことを定めている。

(a)　借地借家法14条は、賃貸人が譲渡・転貸を承諾しないときは、これに対し地上建物およびその付属物を時価で買取るよう請求できるものとした。これを借地権譲受人または転借人の「建物買取請求権」という(なお、同じ趣旨・性質(形成権)を有するものにつき、改正前§616〔3〕(2)(a)参照)。一方において建物の存続を図ることを目的とするものであるが、承諾を間接的に強制する効果も期待されている(同§16も参照)。

(b)　借地借家法19条および20条(とくに建物競売の場合について定める)は、譲渡・転貸が賃貸人に不利となるおそれがないにもかかわらず、賃貸人が承諾しないときは、裁判所は、借地権者の申立てにより賃貸人の承諾に代わる許可を与えることができるものとした。そのさい、裁判所は、借地条件の変更や財産上の給付(承諾料など。最判平成13・11・21民集55巻1014頁は、借地借家§20の事例であるが、敷金交付も命じることができるとした)を命じることができる(賃貸人は、借地権者の申立てを受けて、自分から譲渡・転貸を受け入れて、これらの給付を請求することもできる)。その許可を求める手続は、借地非訟事件と呼ばれ、非訟事件手続法による。

上述の両条には、賃借人によるこの許可の申立てに対して、賃貸人(地主)自身が建物と賃借権を優先的に譲受ける旨の申立てができ、裁判所はそれを命ずることができるという内容も含まれている(借地借家§§19Ⅲ・20Ⅱ)。

この規定に関し、Aからの借地(α地)とBからの借地(β地)の上にC所有の建物が存在したというケースで、建物が競売され、Dが競落したという事例において、Dが両地についての賃借権移転の許可を求めたのに対し、Bが建物およびα地とβ地の両

§ 612〔3〕〜〔6〕

地に対する賃借権の優先譲受けを申立てた。これについて、最決平成 19・12・4（民集 61 巻 3245 頁）は、B は β 地について優先譲受権は認められるが、α 地については認められないことを理由として、D の申立てを認めた。

(c) また、旧罹災都市借地借家臨時処理法 3 条・4 条は、一定の場合に賃貸人の承諾があったものとみなすものとしていた。

(イ) 建物の賃貸借

建物の賃貸借については、借地借家法もその承諾を得ない譲渡・転貸を保護する規定をおいていない。

(ウ) 農地の賃貸借

農地については、農地法は、むしろその賃借権の移転に農業委員会・都道府県知事の許可を要するものとしている（農地§ 3）。

(3) なお、他面において賃貸人がその地位を譲渡できるかに関しては、規定がない。賃貸人が目的物の所有権の譲渡に伴って賃貸人としての地位を譲渡することについては、賃借人の承諾を要しない。ただ、賃借人はそれを拒絶できる（ただし、目的物譲受人に対する関係では不法占拠となるが）と解するのが、今日では有力な見解である（§ 605〔3〕の問題と関連する）。

〔4〕 賃貸人は、「承諾」を求められた場合には、これに応じる義務がないことはいうまでもない（ただし、〔3〕(ア)(a)参照）。賃貸人が承諾を与えた場合には、改正前 613 条の問題となる。

承諾は、賃借権の譲渡人に対してだけでなく、譲受人に対してなされてもよい（最判昭和 31・10・5 民集 10 巻 1239 頁）。また、あらかじめの合意で承諾をする義務を負うこともありうるし（最判昭和 42・1・17 民集 21 巻 1 頁）、そのあらかじめの承諾を実際に譲渡・転貸がなされる前でも撤回することはできないとされる（最判昭和 30・5・13 民集 9 巻 698 頁）。

〔5〕 「前項の規定に違反して」とは、つまり、賃貸人の承諾なくして、ということである。承諾は、別に形式を要求されていないから、明示でも黙示でもよい。問題となるのは、賃貸人が無断転貸を知っていながら、なにも異議を述べないでいることが黙示の承諾になるかという点である。なにか積極的な行為（たとえば、転貸を黙認しながら賃料の値上げを要求する）がなければ、単に見すごしてきたというだけでは、承諾があるとはいえないであろう。しかし、状況によっては、とくに積極的な行為がなくとも、黙示の承諾が認定される場合も起こるであろう。とくに貸間（後述〔7〕参照）が転貸に該当するという立場をとった場合に、この認定によって妥当な結果をもたらすことができる場合は少なくないと考えられる。

〔6〕 なにがここにいう「第三者」かについては、とくに借家に関連して問題が多い（借地については、〔1〕を参照）。なお、改正前 601 条〔2〕(5)参照。

(a) 賃借人の妻子、住込みの使用人などを住まわせた場合には、たとえ賃借人自身は別に住んでいても、これらの者が第三者に該当しないことはいうまでもない。同様に、親族・知人に使用させた場合にも、これを同一の世帯の一員として収容している場合には、建物そのものは賃借人が使用していると解して差しつかえない

1315

第3編　第2章　契約　第7節　賃貸借

（建物の一部使用の場合については、〔7〕参照）。

　(b)　ある事業を営んでいる者が、被用者に独立に建物を使用させた場合には、どうであろうか。それがいわゆる「独身寮」などの場合には住込みに準じて考えればよいが、「給与住宅」として被用者およびその家族が独立して使用するような場合には、いちおう「第三者」に使用させたことになるであろう。ただし、この種の場合には、賃貸借契約締結のさいに給与住宅とするという了解があれば、その範囲であらかじめ承諾が与えられていると解してよいであろう。

　(c)　賃借人が主宰する法人に自分の賃借している家屋の一部または全部を使用させる事例は、かなり多くみられる現象である。このような「法人」を「第三者」とみるべきかにつき、賃借人と法人とが事実上は「一身同体」的関係にある場合には、第三者使用に該当しないとする判断も可能であろうか。

　(d)　小規模の有限会社が賃借人である場合に、その持分の譲渡があって実質上の経営者が交代した場合にも、賃借権の譲渡にはならないとした例がある（最判平成8・10・14民集50巻2431頁）。

　〔7〕　賃借物の一部を他人に使用させることも本条に該当するか。これは、主として、貸間に関連して問題となる。判例は、かつて比較的容易にこれを肯定した（大判大正8・11・24民録25輯2096頁）。しかし、借間人が賃借人の近親であり、賃借人の世帯に包含されているような場合（その認定には間代の有無などを考慮するべきである）には、「第三者」に使用させたことにはならない（〔6〕(a)参照）。さらに、独立の「第三者」に使用させた場合についても、なお、その一部の転貸が賃貸借契約全体にそれを継続することができないような影響を与えるかが考慮されなければならない。すなわち、(a)それが賃借物の比較的小部分にすぎない場合（〔2〕に引用した大判昭和8・12・11参照）、(b)転貸が短期間の臨時のものである場合などには、「賃借物」の第三者による使用ではないとみるべきである。

　〔8〕　いやしくも、いったん「使用又は収益をさせたとき」は、現に使用・収益させていなくても、本項の解除権を認めるべきか。かつて、大審院は、これを肯定し、そのような解釈は権利の濫用であるという賃借人の主張を排斥した（大判昭和10・4・22民集14巻571頁）。本項が私的制裁の意味をもつという考え方に立っている。しかし、多くの学者がこれを批判している。同じような問題は、本条に違反して転貸借契約を締結したが、まだ賃借物を引渡さない場合に起こる。「……させたとき」という本項の文字から、契約をしただけではまだ解除の原因にならない、と解するべきであろう。

　〔9〕　無断譲渡・転貸が行われた場合にはどうなるか。

　(1)　まず、本項により、賃貸人は賃貸借契約を解除（解除告知）することができる。

　(ア)　しかし、判例は、無断譲渡・転貸があったという事実だけで直ちに解除告知をすることができるとはしないで、その事実が賃貸人に対する「背信的行為」と認めるに足りない特段の事情があるときは、解除はできないとする理論を採り（最判昭和28・9・25民集7巻979頁。旧罹災都市§3による借地権譲渡の事案で、借地人が敷地の部分を誤って借地権の譲渡をした例）、その後これを展開した（譲渡・転貸の関係を簡略に示せば、最判

1316

§§612〔7〕～〔10〕

昭和 29・10・7 民集 8 巻 1816 頁は、共同相続人から他の共同相続人へ、最判昭和 36・4・28 民集 15 巻 1211 頁は、共同経営者の一人から他の一人へ、最判昭和 38・10・15 民集 17 巻 1202 頁は、住職である僧侶個人から法人である寺院へ、最判昭和 39・6・30 民集 18 巻 991 頁は、内縁の夫の相続人から妻へ、最判昭和 44・4・24 民集 23 巻 855 頁は、離婚した夫から妻へ、最判昭和 45・12・11 民集 24 巻 2015 頁は、父から共同経営をしている実子へ、などという事案についてこの理論を認めた)。正当な事情が存する場合の譲渡・転貸の権利を承認する方向につながることになり、学説も支持している(「背信的行為」における「信頼関係」をどう理解するかについては、経済的利害のみを考慮に入れるか、人的な要素をも含めてよいかをめぐって論議されている。改正前§541〔7〕(1)、とくに(f)参照)。賃借人たる地位が、吸収分割(会社§759 I)により承継会社に承継された場合について、最決平成 29・12・19(民集 71 巻 2592 頁)が参考になる。

最判平成 21・11・27(判時 2066 号 45 頁)は、「背信行為と認めるに足りない特段の事情」があると認めた例である(借地人 Y_1 が借地上の建物を建て替えし、新建物を妻 Y_2、その子 C の共有とした事情——賃貸人 X は Y_1 も 10 分の 1 の持分があるものとして承諾した——、さらに C がその妻 Y_3 との離婚に当たりその持分を Y_3 に譲渡した事情、土地利用状況にとくに変化は生じていない事情などを考慮して、X の本条による解除を認めなかった)。

これらの場合には、譲渡・転貸は適法のものになると解してよい(譲渡の場合、譲渡人は契約上の債務を負わなくなる。前掲最判昭和 45・12・11)。

(イ) 他方で、無断転貸の事実が終了したからといって、信頼関係が破壊されたという事情は解消するものではないとして、解除権の行使はできるとしている判例もある(最判昭和 32・12・10 民集 11 巻 2103 頁)。

(2) 本項による契約解除権が行使されない場合に、賃貸人の承諾を得ない賃借権の譲渡または転貸借は、どのような効力を有するか。

判例は、それは無効ではなく、単に賃借権の譲受人または転借人がその賃借権を賃貸人に対抗できないだけであるとする。その結果、賃借権の譲渡または転貸をした者は、譲受人または転借人に対する関係で賃貸人の承諾を求める義務を負担する(大判明治 43・12・9 民録 16 輯 918 頁)。それと同時に、これらの者に対して賃借権譲渡の対価または転貸の賃料を請求する権利を有する(大判明治 40・5・27 民録 13 輯 588 頁)。賃貸人は、従前の賃借人に対し、その賃借権の譲渡または転貸の行われたことに関係なく——これを理由として解除をすれば別問題であるが——、賃料の請求をすることができる(大判明治 37・9・29 民録 10 輯 1196 頁)。また、賃借権の譲受人または転借人に対して、その地位を認めることをしないで、目的物の明渡しを請求することができ、そのために、従前の賃借人との間の関係を解除することを必要としない(大判昭和 15・2・23 民集 19 巻 433 頁、最判昭和 26・5・31 民集 5 巻 359 頁)。また、無断転借人に対して、賃料相当の損害賠償を求めることもできる(最判昭和 41・10・21 民集 20 巻 1640 頁)。

なお、無断転貸人は、転借人が土地に不法投棄した産業廃棄物を撤去する義務を負うとされた(最判平成 17・3・10 判時 1895 号 60 頁)。

〔10〕 賃借物が可分の場合に、一部の転貸があれば、一部についてだけ解除をすることができるものであろうか。判例は、187 坪(1 坪は 3.3 平方メートル)のうち 55 坪の

1317

第3編　第2章　契約　第7節　賃貸借

無断転貸があった場合に、全部の解除を認めている(上の〔8〕引用の大判昭和10・4・22参照)。また、1個の契約で2棟の建物を賃貸した場合に、1棟についての無断転貸を理由として賃貸借全部を解除しうるとした例もある(最判昭和32・11・12民集11巻1928頁)。本条を私的制裁とみる考え方からすれば、当然の解釈であるが、事情によっては、一部解除のみを認めるべき場合もあるであろう。

　（転貸の効果）
第六百十三条
　1　賃借人が適法に賃借物を転貸したときは、転借人は、賃貸人と賃借人との間の賃貸借に基づく賃借人の債務の範囲を限度として、賃貸人に対して転貸借に基づく債務を直接履行する義務を負う[1]。この場合においては、賃料の前払をもって賃貸人に対抗することができない[2]。
　2　前項の規定は、賃貸人が賃借人に対してその権利を行使することを妨げない[4][3]。
　3　賃借人が適法に賃借物を転貸した場合には、賃貸人は、賃借人との間の賃貸借を合意により解除したことをもって転借人に対抗することができない。ただし、その解除の当時、賃貸人が賃借人の債務不履行による解除権を有していたときは、この限りでない[4]。

〈改正〉　2017年に改正された。1項中「に対して直接に」を「と賃借人との間の賃貸借に基づく賃借人の債務の範囲を限度として、賃貸人に対して転貸借に基づく債務を直接履行する」に改め、3項を加えた。

[改正の趣旨]　[1]　転貸借は、賃貸人と賃借人（転貸人）との間の賃貸借契約を基礎として行われるので、転借人は、基礎となる賃貸借契約に基づく賃借人（転貸人）の債務の範囲において、賃貸人に対して直接に義務を負う旨を明らかにした（前段）。

　[2]　転借人が予め賃借人（転貸人）に賃料を前払していた場合には、賃貸人の賃料不払の危険が全て賃貸人に転嫁されることとなり、賃貸人にとって酷となる。改正前1項後段は賃貸人の利益に配慮し、転借人の前払は賃貸人に対抗できないと定めている。この前払の基準時について判例・学説は、転貸借契約における弁済期としている。解説〔3〕参照。新法は「賃料の前払をもって賃貸人に対抗することができない」として従前の規定を維持している（後段）。

　[3]　これらの規定は、賃貸人が賃借人に対してその権利を行使することを妨げるものでない旨の2項は、維持された。

　[4]　転貸借契約の基礎となっている賃貸借契約が解除されると、論理的には転借人は転借権を賃貸人に対抗できなくなるようにも思える。しかし、債務不履行解除と異なり、賃借人と賃貸人（転貸人）が適法に認められた転借人の地位を奪うような合意をすることを認めることは転借人（第三者性あり）の利益を害する。この点については、最判昭和62・3・24判時1258号61頁によれば、賃貸借が合意解除されたとしても、賃借人に債務不履行などがあり法定解除ができる場合でない限りは、転借人に対抗できない。これが通説でもある。解説〔2〕(イ)参照。新法は、この規範を明文化した（3項）。なお、賃貸借が賃借人の債務不履行を理由とする解除により終了した場合には、賃貸人の承諾のある転貸借は、原則として、賃貸人が転借人に対して目的物の返還を請求した時に、転貸人の転借人に対する債務の履行不能により終了すると解されている。解説〔2〕(ア)も参照。

§613〔1〕〔2〕

[改正前条文]
　1　賃借人が適法に[1]賃借物を転貸したときは、転借人は、賃貸人に対して直接に義務を負う[2]。この場合においては、賃料の前払[3]をもって賃貸人に対抗することができない。
　2　同上
[原条文]
　賃借人カ適法ニ賃借物ヲ転貸シタルトキハ転借人ハ賃貸人ニ対シテ直接ニ義務ヲ負フ此場合ニ於テハ借賃ノ前払ヲ以テ賃貸人ニ対抗スルコトヲ得ス
　前項ノ規定ハ賃貸人カ賃借人ニ対シテ其権利ヲ行使スルコトヲ妨ケス

[改正前条文の解説]
〔1〕　「適法に」転貸するとは、賃貸人の承諾を得て、これをすることである。これを「適法転貸」、あるいは「承諾転貸」という。
　承諾は、もちろん、明示であっても黙示であってもよく、また、具体的な個々の転貸借についての承諾であっても、一般的な承諾であってもよい。さらに、転貸の当時の賃貸人の承諾を得れば、その賃貸借が第三者に対する対抗要件を備えている限り、その転貸借につき対抗要件を備えなくても、賃借物の譲受人に対して転貸借の適法を主張できる（大判昭和8・7・7民集12巻1835頁）。
　なお、借地の適法転貸について、借地借家法は、各所に転借人について借地人に準じた扱いをするための規定をおいている。また、建物の適法転貸の場合について、同法34条は、賃貸借が期間の満了または解約告知によって終了するときは、賃貸人は転借人にその旨を通知しなければ、終了を転借人に対抗できず、また、通知後6か月経過することによって転貸借は終了するとしている。
〔2〕　すなわち、賃貸人は、転借人に対して賃借人に支払うべき賃料（借賃）の支払（転借人が支払えば、その範囲で賃貸人および転借人の債務が消滅する）、賃貸借終了の場合の目的物返還などを求めることができる。
　(ア)　しかし、本条は、転借人が逆に転貸借上の権利ないし地位を賃貸人に向かって主張できることを規定したわけではない。したがって、賃借人が賃料を支払わない場合に、賃貸人は、さらに転借人に対して催告しなければ、賃貸借を解除できないわけではないし（大判昭和6・3・18新聞3258号16頁、最判平成6・7・18判時1540号38頁）、また、賃貸借が解除された場合に、転貸借だけ残ることはなく（大判昭和10・9・30新聞3898号7頁、最判昭和36・12・21民集15巻3243頁、最判平成9・2・25民集51巻398頁。後の二者は、賃貸借が賃料不払により解除されたときは、承諾転貸借も履行不能により終了すると説く）、賃貸人からの賃料請求に対して、転貸人に差し入れた敷金から控除せよと主張することはできない（大判大正9・9・28民録26輯1402頁）。
　(イ)　ただし、賃貸人と賃借人との間の合意解除（解約契約と解される）の場合は別であり、これにより転貸借を終了させることは妥当でない（類似の趣旨の§398および本編第2章第1節第3款解説[2](2)参照）。この合意による賃貸借の終了の効果を転借人に対抗することは、賃借人の賃料不払などにより賃貸人が法定解除権（解除告知権）の行使ができるという事情がない限り、できないと解される（最判昭和62・3・24判時1258号61頁）。
　(ウ)　賃貸人の地位と転借人の地位が同一人に帰した場合にどうなるかという問題が

1319

第3編　第2章　契約　第7節　賃貸借

あるが、合意があれば格別、転貸借は当然には消滅しないとする判決がある（最判昭和35・6・23民集14巻1507頁）。

　(エ)　承諾転貸の場合の敷金の扱いについては、改正前§619〔7〕(f)参照。

　〔3〕　賃料(借賃)の「前払」とは、学説に争いはあるが、賃貸借における賃料支払期(たとえば、毎月分につきその月の20日)以前の支払という意味ではなく、転貸借契約で定められた賃料を、その支払期(たとえば、毎月10日)より前に支払うことである（大判昭和7・10・8民集11巻1901頁）。

　〔4〕　本条1項の規定は、とくに賃貸人保護のために、賃貸人が直接に転借人にかかって行くことを認めたものであるから、賃貸人がこれによって賃借人に対する本来の権利を失わないのは、当然である。そして、転借人の責めに帰すべき事由によって賃借物が滅失・損傷したときは、賃借人もまた、賃貸人に対して賠償責任を負うのである（改正前§415〔4〕(イ)参照）。

　　（賃料の支払時期）
　　第六百十四条
　　　　賃料[1]は、動産、建物及び宅地[2]については毎月末に、その他の土地については毎年末に、支払わなければならない。ただし、収穫の季節がある[3]ものについては、その季節の後に遅滞なく支払わなければならない[4]。
　　［原条文］
　　　　借賃ハ動産、建物及ヒ宅地ニ付テハ毎月末ニ其他ノ土地ニ付テハ毎年末ニ之ヲ払フコトヲ要ス但収穫季節アルモノニ付テハ其季節後遅滞ナク之ヲ払フコトヲ要ス

　〔1〕　改正前601条〔3〕参照。
　〔2〕　改正前609条〔4〕参照。
　〔3〕　農地の主な収穫、すなわち、田地ならば米、畑地ならばその主な作物の収穫季節をもって「収穫の季節」とするべきであろう。
　〔4〕　本条は、「賃料後払の原則」を定めるものであるが、もとより任意規定であって、特約によって支払期につき別段の定めをすることは自由である。実際にも、前払とされる場合が多い。

　　（賃借人の通知義務）
　　第六百十五条
　　　　賃借物が修繕を要し、又は賃借物について権利を主張する者があるときは、賃借人は、遅滞なくその旨を賃貸人に通知しなければならない[1]。ただし、賃貸人が既にこれを知っているときは、この限りでない。
　　［原条文］
　　　　賃借物カ修繕ヲ要シ又ハ賃借物ニ付キ権利ヲ主張スル者アルトキハ賃借人ハ遅滞ナク之ヲ賃貸人ニ通知スルコトヲ要ス但賃貸人カ既ニ之ヲ知レルトキハ此限ニ在ラス

　〔1〕　賃借人は、契約が終了したら、目的物を返還するべき義務を負担するから

§§613〔3〕〔4〕・614・615・616〔1〕〜〔3〕

（改正前§§616・597Ⅰ）、400条〔改注〕によって善良なる管理者の注意をもって目的物を保存する債務を負担する。本条の定めるところは、いわば賃借人のこの一般的債務の一内容ともみることができる。賃借人がこの義務に違反すると、損害賠償の義務を生じるが、これについても、1年の除斥期間の適用があると解するべきである（改正前§§622・600）。

（賃借人による使用及び収益）
第六百十六条
　　　　第五百九十四条第一項の規定は、賃貸借について準用する[1]。
〈改正〉　2017年に改正された。見出しを改め、「、第五百九十七条第一項及び第五百九十八条」を削除した。
[改正の趣旨]　〔1〕　新法では、新規定（新622条）の創設と新599条の準用により「借主による使用及び収益」に関する594条のみの準用に変更された。新622条も参照。
[改正前条文]
（使用貸借の規定の準用）
　　　　第五百九十四条第一項[1]、第五百九十七条第一項[2]及び第五百九十八条[3]の規定は、賃貸借について準用する。
[原条文]
　　　　第五百九十四条第一項、第五百九十七条第一項及ヒ第五百九十八条ノ規定ハ賃貸借ニ之ヲ準用ス

[改正前条文の解説]
　〔1〕　594条〔1〕参照。594条の第2項および第3項に該当する事項については、612条・613条〔改注〕に特別の規定があるから、準用していないのである。本条による損害賠償請求権についても除斥期間があった（2004年改正旧§§622・600）。
　〔2〕　改正前597条〔1〕参照。597条の第2項および第3項に該当する事項については、617条に特別の規定があるから、準用していないのである。2017年の改正に注意。
　〔3〕　(1)　賃借人は、賃貸借の目的物に有益費用を加えて、目的物の客観的価値を増加させたときは、その償還を請求することができる（§608Ⅱ）。しかし、それが、借地に建てられた建物、借家に加えられた畳・障子のように独立の存在を有する場合には、賃借人は、その付加した物を収去する権利ならびに義務を有し（改正前§598・§608〔7〕参照）、したがって、有益費の償還請求は認められないのである。
　(2)　しかし、借地人の建築した建物や借家人の付加した造作を収去させることは、ただ賃借人個人にとって不利益であるばかりでなく、社会経済的にみても、好ましいことではない。そこで、借地借家法では、このような物を賃貸人に買取らせる権利を賃借人に与えた。
　(a)　建物所有を目的とする土地の賃貸借
　借地借家法13条1項は、借地権の存続期間が満了し、契約の更新がないときは、借地権者は賃貸人に対して、建物その他借地権者が権原によって土地に付属させた

第3編　第2章　契約　第7節　賃貸借

物を時価で買取るよう請求できるものとする（なお、Ⅱ・Ⅲ、§16も参照）。これを、借地権者の「建物買取請求権」という。同法14条が定める建物買取請求権（§612〔3〕⑵⑦⒜参照）と同じ趣旨・性質（形成権）をもつものである。

　契約が賃料不払などの債務不履行により解除告知された場合には、この権利は認められない。

　この買取請求権に基づく代金債権により、その支払があるまでは、当該建物だけでなく、敷地の引渡しを拒絶できるものとされている（§295〔3〕⑷⒝・改正前§533前注②⑵⑦⒜参照）。

　(b)　建物の賃貸借

　借地借家法33条1項前段は、建物の賃貸借が期間の満了または解約の申入れ（解約告知）によって終了したときは、賃借人が賃貸人の同意を得て建物に付加した、建具その他の造作を時価で買取るよう賃貸人に対して請求できるものとする（なお、Ⅰ後段・Ⅱ、および§37も参照）。これを借家権者の「造作買取請求権」という。

　造作買取請求権の趣旨・性格（形成権）については、それが債務不履行によって借家契約が解除告知された場合には適用がないことなどは、借地権に関して(a)に述べたところと同様である。

　ただ、この買取請求権が行使された場合に、借家人はその代金の支払があるまで建物につき留置権または同時履行の抗弁権を行使できるかにつき、判例はこれを否定する。造作代金は造作の対価であって、建物全部の対価ではないというのがその理由であるが、学説の多くは、造作を建物から取りはずして留置するということは、造作買取請求権を認めた立法の趣旨に反するとして反対し、この場合には一方借家人に留置権・同時履行の抗弁権を認めながら、他方、借家人に家賃相当額の不当利得の償還をさせるべきであるとする（§295〔3〕⑷⒝・改正前§533前注②⑵⑦⒜参照）。

　造作の時価とは、賃貸借終了当時の価格である。それは、一方、建物から取りはずした状態における価格でなく、付加したままの状態における価格であることはもちろんである。他方、建物所在地の状況やその構造の状態などにより生じる特別の価格を包含させるべきでないというのが判例である（大判大正15・1・29民集5巻38頁）。店舗の賃貸借などについて生じ、物そのものの価格にプラスされるいわゆる「造作代」ないし「権利金」を否定するものであるが、学説には、本条により買取りを請求できる造作は賃貸人の同意を得て付加したものか、または賃貸人から買受けた物に限られるから、これを肯定しても、賃貸人にとってとくに不利益にはならないという理由で肯定するものもある。

第3款　賃貸借の終了

〈改正〉　本款は、2017年に改正された。具体的には、賃貸物の全部滅失等による賃貸借の終了に関する616条の2、が新設され、賃貸借の更新の推定等に関する619条、賃貸借の解除の効力に関する620条、賃借人の原状回復義務に関する621条が改正された。

第3款［解説］・§616の2

1 本款の内容

本款は、賃借物の全部滅失等による賃貸借の終了（新§616の2）、解約の場合の解約申入れ期間（§§617・618）、黙示の更新（§619）、解除の非遡及性（§620）、賃貸人の破産（2004年改正旧§621）、賃貸借から生じる損害賠償および費用償還の請求権についての除斥期間（同旧§622）について規定する。本書においては、「告知」の用語を用い、解約の申入れを「解約告知」、解除を「解除告知」と呼び、この両者を区別する必要がないときは、単に告知と呼ぶことにする（本章第1節第3款3(2)参照）。

このうち、解約申入れ期間および黙示の更新については、特別法によって重大な修正が加えられていることを注意するべきである。

2 賃貸借の終了

(1)　1に挙げたほかに、目的物が滅失するなどにより使用・収益が全部不能となったときには、通常、賃貸借は終了すると考えられ（大判昭和10・4・13民集14巻556頁、最判昭和32・12・3集11巻2018頁、最判昭和42・6・22民集21巻1468頁）、貸主の債務不履行責任の有無が問題となる。新616条の2参照。例外的には、貸主の債務として目的物の修繕や改めて別の物を貸与するなどの義務が認められる場合があろう（最判昭和43・12・20民集22巻3033頁）。また、混同による消滅もありうる（§520[1]参照）。

(2)　賃借人が死亡しても、賃借権は財産権の一つとして相続人により相続されるので（大判大正13・3・13新聞2247号21頁）、賃貸借は終了しない（使用貸借とは異なる。§599参照）。借家権について、相続人が不存在の場合には、被相続人の内縁の夫・妻・養子がこれを承継するとされる（借地借家§36）。問題は、相続人がいる場合の内縁の夫・妻・養子の立場である。判例は、家主からの明渡請求に対しては、これらの者は相続人が相続した借家権を援用できるとする（最判昭和37・12・25民集16巻2455頁、最判昭和42・2・21民集21巻155頁、最判昭和42・4・28民集21巻780頁）。これらの者が相続人から明渡しを請求された場合には、権利濫用の問題になると考えられる（最判昭和39・10・13民集18巻1578頁）。

（賃借物の全部滅失等による賃貸借の終了）
第六百十六条の二
　　　　賃借物の全部が滅失その他の事由により使用及び収益をすることができなくなった場合には、賃貸借は、これによって終了する[1]。

〈改正〉　2017年に新設された。

[本条の趣旨]　[1]　賃貸借の目的物が全部滅失するなどにより賃借物の目的物の全部の使用収益をすることができなくなった場合には、契約の目的を達することができないから、賃貸借契約は当然に終了するとするのが判例・通説である。第3款の解説2(1)を参照。しかし、改正前には賃貸借の目的物の全部滅失等の場合の賃貸借契約の終了についての規定はなかった。そこで、新法は、上記のような判例・通説の考え方を明文化した。なお、賃貸借の目的物の滅失等について契約当事者の一方に帰責事由がある場合でも、賃貸借契約自体は当然に終了し、その後に、債務不履行等による損害賠償により処理されることになる。

1323

第3編　第2章　契約　第7節　賃貸借

（期間の定めのない賃貸借の解約の申入れ）
第六百十七条
　　1　当事者が賃貸借の期間を定めなかったときは、各当事者は、いつでも解約
　　　の申入れ[1]をすることができる。この場合においては、次の各号に掲げる賃
　　　貸借は、解約の申入れの日からそれぞれ当該各号に定める期間[2]を経過する
　　　ことによって終了する[3]。
　　　一　土地の賃貸借　一年[3]
　　　二　建物の賃貸借　三箇月[3]
　　　三　動産及び貸席の賃貸借　一日[4]
　　2　収穫の季節[5]がある土地の賃貸借については、その季節の後次の耕作に着
　　　手する前に、解約の申入れをしなければならない[6]。

[原条文]
　当事者カ賃貸借ノ期間ヲ定メサリシトキハ各当事者ハ何時ニテモ解約ノ申入ヲ為スコト
ヲ得此場合ニ於テハ賃貸借ハ解約申入ノ後左ノ期間ヲ経過シタルニ因リテ終了ス
　　一　土地ニ付テハ一年
　　二　建物ニ付テハ三个月
　　三　貸席及ヒ動産ニ付テハ一日
　収穫季節アル土地ノ賃貸借ニ付テハ其季節後次ノ耕作ニ著手スル前ニ解約ノ申入ヲ為ス
コトヲ要ス

　本条は、期間の定めのない賃貸借について、一方において、当事者がいつでも解約
を申入れて（解約告知をして）契約を終了させることができる旨を定めると同時に、他方
において、その場合賃貸借は直ちに終了するのではなく、一定の期間が経過した後に
終了する——いいかえれば解約しようとする者は一定の予告期間をおかなければなら
ない——ことを規定したものである（§627［改注］参照）。
　〔1〕　「解約」とは、契約関係を将来に向かって終了させることである。本条は、
一方的な「解約の申入れ」（解約告知）によって、その後一定の期間が経過すれば契約
が終了する旨を定める。すなわち、当事者に一種の（解約）告知権を認めたものである。
　〔2〕　一種の予告期間の性質をもつもので、「解約申入れ期間」、「（解約）告知期
間」と呼ばれる。
　解約の申入れ（解約告知）には、本条の定める解約申入れ期間を明示する必要はもち
ろんない（大判大正4・4・14民録21輯497頁）。なお、本条は、任意規定であって、これ
と異なる特約をすることは差しつかえないと解されているが、特別法によって重大な
修正を受けていることを注意すべきである。その内容については、つぎの〔3〕を参
照。
　〔3〕　解約申入れ（解約告知）の到達後、それぞれ所定の期間が経過したときに、賃
貸借は終了する。
　ただし、特別法により、この点は大きく修正を受けている。
　（a）　建物所有を目的とする土地の賃貸借
　一定の存続期間（通常は30年）が保障されているので（借地借家§§3・9）、本条を適用

§§617・618〔1〕

する余地はない。

(b) 建物の賃貸借

本条によらずに、6か月の解約申入れ期間を必要とする(借地借家§27)。これは借家人保護のために強行規定とされ(同法§30)、1年未満の賃貸借期間を定めることによってこれを潜脱することも禁じられている(同法§29)。さらに、賃貸人は、一定の正当の事由が存しなければ、期間の更新拒絶や解約の申入れをすることはできないとされる(同法§§28)。

(c) 農地の賃貸借

本条がいちおう適用されるが、賃貸人(および賃借人)の解約申入れには、書面による合意解約の場合などを除き、都道府県知事のあらかじめの許可を要するという重大な制限が加えられている(農地§18)。

〔4〕 貸席・動産については、解約申入れ期間は1日とされる。すなわち、解約申入れの意思表示が到達した日を初日とし、初日は算入せずに(§140)、翌日の終了によって賃貸借は終了する。

〔5〕 614条〔3〕参照。

〔6〕 本項の趣旨は、告知後1年の猶予期間内に、もう一度賃借人に収穫を得させようというのである。したがって、たとえば、水田の賃貸人が、賃借人の耕作中(8月頃)に解約告知(解約の申入れ)した場合には、その告知の意思表示は、全然無効なのではなく、「次の耕作に着手する前」の解約告知として、その年の収穫を終わった時期(晩秋)になされたものとしての効力を有し、翌年のその時期に賃貸借は終了するものとされている(大判昭和2・5・4新聞2719号9頁)。ただし、本項が適用されるのは農地と考えられるので、〔3〕(c)参照。

(期間の定めのある賃貸借の解約をする権利の留保)
第六百十八条
　　当事者が賃貸借の期間を定めた場合であっても、その一方又は双方がその期間内に解約をする権利を留保したときは、前条の規定を準用する[1]。

[原条文]
　　当事者カ賃貸借ノ期間ヲ定メタルモ其一方又ハ各自カ其期間内ニ解約ヲ為ス権利ヲ留保シタルトキハ前条ノ規定ヲ準用ス

〔1〕 賃貸借の期間をいちおう定めていても、当事者の一方または双方が解約をする権利、すなわち解約告知権を留保して、「いつでも解約することができる」と約定することは、契約自由の観点からすれば、なんら差しつかえないはずである。本条は、そのような場合でも、617条の規定に従って一定の予告期間、つまり解約申入れ期間をおくべきものとしたのである。ただし、本条も任意規定であるから、「……直ちに返還するべきものとする」というような特約によって、617条の準用を排除することはできる。しかし、特別法による制限を排除することができないことはいうまでもない(§617〔3〕参照)。

第3編　第2章　契約　第7節　賃貸借

（賃貸借の更新の推定等）
第六百十九条
1　賃貸借の期間が満了した後賃借人が賃借物の使用又は収益を継続する場合において、賃貸人がこれを知りながら¹⁾異議を述べないとき²⁾は、従前の賃貸借と同一の条件で更に賃貸借をしたものと推定する³⁾。この場合において、各当事者は、第六百十七条の規定により解約の申入れをすることができる⁴⁾。
2　従前の賃貸借について当事者が担保を供していたときは、その担保は、期間の満了によって消滅する。ただし、第六百二十二条の二第一項に規定する敷金については、この限りでない¹⁾。

〈改正〉　2017年に改正された。2項ただし書中「ただし、」の下に「第六百二十二条の二第一項に規定する」を加えた。
[改正の趣旨]　[1]　敷金返還債務と担保の意義について、明文化した。
[改正前条文]
1　同上
2　従前の賃貸借について当事者が担保を供して⁵⁾いたときは、その担保は、期間の満了によって消滅する⁶⁾。ただし、敷金⁷⁾については、この限りでない。
[原条文]
賃貸借ノ期間満了ノ後賃借人カ賃借物ノ使用又ハ収益ヲ継続スル場合ニ於テ賃貸人カ之ヲ知リテ異議ヲ述ヘサルトキハ前賃貸借ト同一ノ条件ヲ以テ更ニ賃貸借ヲ為シタルモノト推定ス但各当事者ハ第六百十七条ノ規定ニ依リテ解約ノ申入ヲ為スコトヲ得
前賃貸借ニ付キ当事者カ担保ヲ供シタルトキハ其担保ハ期間ノ満了ニ因リテ消滅ス但敷金ハ此限ニ在ラス

[改正前条文の解説]
賃貸借のような継続的債権関係において、本条所定のような事情があるときは、
(a)多くの場合に、従前の賃貸借契約と同一の条件でさらに賃貸借を締結しようとしているとみるのが、当事者の意思に最も適するであろう。

契約期間が満了し、賃貸借契約を更新する際に、賃借人と賃貸人との間で更新料として一定額の金員が支払われることがあるが、これを約束する契約の効力が争われた事例がある。判例は、賃貸借契約書に一義的かつ具体的に記載された更新料の支払条項は、更新料の額が、賃料の額、賃貸借契約が更新される期間等に照らし高額に過ぎるなどの特段の事情がない限り、消費者契約法10条にいう「民法第1条第2項に規定する基本原則に反して消費者の利益を一方的に害するもの」には当たらないとした（最判平成23・7・15民集65巻2269頁）。

(b)のみならず、本条所定のような場合には、賃借人は、その使用・収益行為が適法なものであると考えて、その生活を築いていくのを常とするから、後から期間満了の時に遡ってこれを不適法なものとするときは、はなはだしくその利益を害し、社会の法律関係を紛糾させる。そこで、民法は、賃貸借（本条）および同様に継続的債権関係である雇用（§629）について「黙示の更新」という制度を認めたものである。

[1]　「知って」異議を述べなかったことを要件とするから、賃貸人は、知らなかったことを証明すれば、本条の適用を免れる。しかし、通常の場合には、知らなかっ

1326

§619〔1〕〜〔6〕

たということを立証することは困難であろう。

〔2〕　「異議」は、賃借人の使用・収益を許さないということでも、賃料を上げなければ許さないということでもよい。また、その表示は、明示でも黙示でもよい。賃貸借の終了後、賃料相当額を受領するさいに、賃料としてではなく、損害金として受領する旨を保留するなども、異議を述べたことになると解されている。さらに、賃貸借終了前から明渡しの訴訟を起こしているような場合にも、異議を述べたことになり、その明渡しの訴訟の原因が賃料不払などを理由とするものであっても差しつかえない。

なお、借地借家法が適用される場合の異議については、〔3〕(2)参照。

〔3〕　(1)　この「推定」は、当事者が反対の意思を有したことを立証して、これを破ることができる。すなわち、一時使用の目的で賃貸借がなされたことが明らかな場合、たとえば、鮭漁に使用する目的でなされた船の賃貸借には、鮭漁期がすぎた場合に賃借人が使用を継続していても、本条の適用はない(大判明治42・2・15民録15輯102頁)。なお、本条の推定を破る意思は、単に当事者の一方が暗黙のうちに有しただけでは足りず、相手方もこれを知っているのでなければならない。

(2)　不動産の賃貸借においては、本条注釈の冒頭で述べた(b)の点がとくに強調されて、賃借人保護および法律関係の安定の見地から本条に重要な修正がほどこされている。

(ア)　借地についての借地借家法5条(借地人が更新を請求した場合について1項が、満了後使用を継続した場合について2項が、それぞれ、契約が更新されたものとみなしている。その他、§§4〜9の関連規定参照)、借家についての同法26条(期間満了の1年〜6月前までに更新拒絶がなされない場合、契約が更新されたものとみなしている)、農地法17条などがそれである。

これらを本条と比較すると、そこでは当事者の意思の推定という見地を離れ、一定の事実があれば契約は更新されたものと「みなされる」のであり、個人の主観を無視して、いわば一種の客観的な制度としての更新を認めているのである。これを「法定更新」と呼ぶ。本条の規定は、これらの規定の適用がある範囲では排除されることになる。

(イ)　上にみた更新に対する異議や更新拒絶については、一定の正当の事由が必要とされ(借地借家§§6・28)、あるいは都道府県知事の許可が必要とされている(農地§18)。

〔4〕　本条によって更新された賃貸借契約は、賃料額、その支払時期その他の契約条件などすべてが従前のものと同様である。ただ、期間の点だけは、従前の契約によって定められた期間が更新されるのではなく、期間の定めのないものとなり、各当事者は、617条によって解約できることになると解されている。

ただし、借地借家法4条はこれと異なる規定をしていることを注意するべきである。

〔5〕　29条〔1〕参照。

〔6〕　賃借人がその債務について、敷金以外の担保、たとえば抵当権・質権などを設定した場合に、この担保の効力を更新後の契約にも及ぼすときは、その担保の目的物について利害関係を有する第三者(たとえば、後順位抵当権者または抵当不動産の第三取得者)に不当な損害を及ぼすおそれがあるからである。しかし、実際上は、敷金以外

1327

第3編　第2章　契約　第7節　賃貸借

の物的担保を供する例はきわめて稀であろう。

　賃借人が保証人を立てる例は、かなり多い。そして、保証人の責任が更新された契約に及ばないのは当然であると解釈されている。けだし、本条の更新は、賃貸借の当事者の意思を推定して認められる関係だから、保証人の意思を問わないでその責任を加重するべきではないからである。しかし、借地借家法におけるように、更新を客観的な制度とする場合において、保証人の責任が更新後の賃貸借に及ばないとすることには疑問があり、当初の保証の効力は更新後の契約についても継続すると解するべきである。

　〔7〕「敷金」とは、賃借人がその債務を担保する目的で金銭を賃貸人に交付し、賃貸借終了のさいに賃借人に債務不履行がないときはその全額を返還するべく、もし不履行があるときは、その金額中から当然にその債務不履行による債務の弁済に充当されることを約して授受する金銭である（大判大正15・7・12民集5巻616頁）。家屋の賃貸借においては、多くの場合に差し入れられるが、土地の賃貸借でも差し入れられる場合がある。民法は、その性質について規定していなかったが（新§622の2参照）、判例法によってその性質が明らかにされている。これを概説する。

　(a)　賃貸借終了のさい、延滞賃料その他賃借人が当該の賃貸借契約に基づき負担する債務があれば、敷金は、当然に（当事者の意思表示を待たないで）この弁済に充当される。その範囲で延滞賃料その他の債権は消滅する。したがって、賃貸人は、敷金の存在を無視して、延滞賃料その他の全額について賃借人または保証人に対して請求することはできない（前掲大判大正15・7・12、大判昭和7・11・15民集11巻2105頁）。

　(b)　しかし、賃貸借が継続している間は、当然の充当が生じることはなく、賃貸人において敷金を延滞賃料に充当することは自由であるが、賃借人またはその保証人において充当を主張することはできない（大判昭和5・3・10民集9巻253頁）。したがって、賃貸人は解除（§541［改注］）の前提としての催告においても、敷金を控除して請求することを要しない（大判昭和10・5・15民集14巻891頁）。

　(c)　賃貸借終了後に賃借人がなお占有を継続する場合に、明渡し終了までの賃料相当額の支払にも敷金は充当される（最判昭和48・2・2民集27巻80頁。もっとも、この判決は、その結果敷金返還請求権は、金額が不確定であるから、転付命令の対象とならないとするものである）。

　(d)　賃貸借の継続中は、特約がない限り、敷金には利息を生じない。民法の建前がそうであるし（改正前§404〔1〕参照）、慣行もまたそうなっている。しかし、賃貸借が終了した場合には、その時から法定利率による利息を付するべきである。契約が解除告知によって終了した場合にも同様であり、敷金受領の時に遡って利息を生じると解するべきではない（§§620［改注］・545Ⅱ参照。大判明治35・4・17民録8輯4巻63頁）。

　(e)　建物の賃貸借契約の存続中に、目的建物の所有権が移転されると、賃貸借関係は建物譲受人と賃借人との間に移転するが（借家権が対抗力を備えていれば）、そのさい、敷金返還債務もまた移転する（改正前§605〔3〕(イ)(e)参照。なお、大判昭和2・12・22民集6巻716頁）。もっとも、旧所有者に差し入れた敷金は、延滞賃料に充当され、

その限度において消滅する（大判昭和18・5・17民集22巻373頁、最判昭和44・7・17民集23巻1610頁）。この所有権の移転が普通の売買によるか競売によるかによって異ならない（前掲大判昭和18・5・17）。

（f）　逆に、借地権が賃貸人の承諾を得て譲渡された場合には、敷金返還請求権が譲渡されるなどの特段の事情がない限り、新賃借人には承継されないとされる（最判昭和53・12・22民集32巻1768頁）。

（g）　賃貸借終了後の目的物返還義務と敷金返還義務は同時履行の関係にはなく、前者が先履行とされる（最判昭和49・9・2民集28巻1152頁）。

（h）　賃料債権が第三者に譲渡された場合にも、賃借人が異議をとどめずに承諾をしたのでない限り（§468 I〔改注〕参照）、賃貸借が終了すると、延滞賃料債権は当然に敷金額だけ減少する（大判昭和10・2・12民集14巻204頁）。

（i）　いつの頃からか不明であるが、「敷引特約」と呼ばれる特約が実務上行われるようになった。これは、——たとえば、予定よりも早く賃貸借が終了する場合等に——敷金のうちの一定割合を返還しないと約するものである。地震などの災害によって賃貸家屋が滅失し、賃貸借が終了した場合に、この敷引特約（事案では2割を返還しないとしていた）が適用されるかが争われた事例について、判例は、特約は適用されず、全額返還されるべきものとした（最判平成10・9・3民集52巻1467頁）。

敷引特約の効力につき、消費者契約法との関連で、最高裁の見解が示された。敷引特約は、信義則に反して賃借人の利益を一方的に害するものであると直ちにいうことはできないが、賃借人が社会通念上通常の使用をした場合に生ずる損耗や経年により自然に生ずる損耗の補修費用として通常想定される額、賃料の額、礼金等他の一時金の授受およびその額に照らし、敷引金の額が高額に過ぎると評価すべきものであるときは、当該賃料が近傍同種の建物の賃料相場に比して大幅に低額であるなど特段の事情のない限り、信義則に反して消費者である賃借人の利益を一方的に害するものであって、消費者契約法10条により無効であるとしたうえで、敷引金の額が賃料月額の2倍弱ないし3.5倍強にとどまっている等の事情がある場合には、同法10条により無効とはいえないとした（最判平成23・3・24民集65巻903頁、最判平成23・7・12判時2128号43頁）。

（j）　なお、敷金と先取特権との関係については、316条〔改注〕参照。

（k）　実際上、敷金に関連して問題となることが多いのは、賃貸借終了後に目的物に要した修補費用はだれの負担に帰するかである。これを従来の賃借人の負担とする特約もなされて、その効力という問題にもなる。最近になって、最高裁は、通常の修補費用は原則として賃貸人の負担であり、これを敷金から控除することはできないとする判断を示した（最判平成17・12・16判時1921号61頁）。

▌（賃貸借の解除の効力）
第六百二十条
　　　賃貸借の解除をした場合には、その解除は、将来に向かってのみその効力を生ずる。この場合においては、損害賠償の請求を妨げない[1]。

第3編　第2章　契約　第7節　賃貸借

〈改正〉　2017年に改正された。「おいて、当事者の一方に過失があったときは、その者に対する」を「おいては、」に改めた。

[改正の趣旨]　〔1〕　解除と損害賠償の関連規定（新545条等）との関連で、過失の要件を削除した。

[改正前条文]

　　賃貸借の解除をした場合²⁾には、その解除は、将来に向かってのみその効力を生ずる¹⁾。この場合において、当事者の一方に過失があったときは、その者に対する損害賠償の請求を妨げない³⁾。

[原条文]

　　賃貸借ヲ解除シタル場合ニ於テハ其解除ハ将来ニ向テノミ其効力ヲ生ス但当事者ノ一方ニ過失アリタルトキハ之ニ対スル損害賠償ノ請求ヲ妨ケス

[改正前条文の解説]

　〔1〕　この規定は、賃貸借の解除がいわゆる「告知（解除告知）」としての性質を有し、遡及効がないことを宣明したものである。事柄の性質上、解除告知だけでなく、解約告知にも適用があるといってよい。本条の規定は、雇用（§630）、委任（§652）および組合（§684）に準用されている。これらの継続的契約関係について遡及効のある解除を認めると、すでに経過した期間についても原状回復の義務を生じることになり、いたずらに法律関係を複雑にするだけであるから、契約関係は、ただ将来に向かってのみ終了させ（これを「非遡及効」または「不遡及効」という）、その意味における契約関係終了後の原状回復義務と有責者の損害賠償の義務とを認めたのである。

　〔2〕　賃貸借に特有な解除権（やはり、正確には告知権というべきである）は、607条・610条・611条2項［改注]・612条2項などに規定されている。このほかに、賃貸借契約の当事者の一方に債務不履行があるとき、たとえば、賃借人が賃料債務を延滞するときは、541条の規定によって解除（解除告知）することができるが、これに対してかなりの制約を加えるのが通説・判例である（改正前§541〔7〕(1)参照）。この場合にも、その解除（告知）の効果は、545条［改注］によるのではなく、本条によって将来に向かってだけその効力を生じるものと解される。

　なお、民法は、継続的契約関係を終了させる行為を示すのに、「解約の申入れ」という言葉を使う場合があり（§§617～619［改注]・改正前621・627など）、本書でいう解約告知に当たる。この場合には、それによる「解約」が将来に向かってだけ効力を生じることは、規定の文字からも明らかである。

　〔3〕　解除（解除告知）が、遡及効をもたないのだから、過失のある当事者が負担するべき損害賠償義務に影響がないことは、当然である（§545〔5〕参照）。

（賃借人の原状回復義務）

第六百二十一条

　　賃借人は、賃借物を受け取った後にこれに生じた損傷（通常の使用及び収益によって生じた賃借物の損耗並びに賃借物の経年変化を除く。以下この条において同じ。）がある場合において、賃貸借が終了したときは、その損傷を原状

に復する義務を負う[1]。ただし、その損傷が賃借人の責めに帰することができない事由によるものであるときは、この限りでない[2]。

〈改正〉 2017年に改正された。

[改正の趣旨] [1] 契約の終了時に賃貸借の目的物に損傷がある場合には、賃借人がこれを原状に回復して返還する義務（原状回復義務）を負うことに異論はないが、改正前法では使用貸借に関する598条を616条で準用しているだけである。賃貸借契約終了時における賃借人の原状回復義務の原則を明らかにするために、新法はその旨を明文化した。原状回復義務の対象となる「損傷」からは、通常の使用および収益によって生じた賃借物の損耗並びに賃借物の経年変化は除かれるとするのが判例・通説である。最判平成17・12・16（619条の解説[7](k)参照）。新法では、このような判例・通説の考え方に従い、原状回復義務の対象となる損傷から、通常の使用および収益によって生じた賃借物の損耗並びに賃借物の経年変化は除かれる旨を明らかにした。新法では、賃借人は通常損耗等について原状回復義務は負わないから、賃貸人は通常損耗・経年劣化等に相応する補修費用を敷金から控除することはできない。なお、通常損耗等について賃借人の負担とする旨の特約が、不当条項として消費者契約法10条に違反するかという問題は依然として生じうる。最判平成23・3・24民集65巻903頁が参考になる。

[2] 損傷が賃借人の帰責事由によらない場合には、賃借人は原状回復義務を負わないと解されているので、新法では、賃借人が当該損傷につき賃借人の帰責事由によらないものであることを主張・立証した場合には、原状回復義務を負わない旨を明文化した。

[改正前条文] 改正前621条については、新622条を参照。

（使用貸借の規定の準用）

第六百二十二条

　　　第五百九十七条第一項、第五百九十九条第一項及び第二項並びに第六百条の規定は、賃貸借について準用する[1]。

〈改正〉 2017年に改正された。

[改正の趣旨] [1] 終了に関する規定をまとめて準用している。

[改正前条文]

（損害賠償及び費用の償還の請求権についての期間の制限）

第六百二十　条

　　　第六百条の規定は、賃貸借について準用する。

[原条文]

第六百二十二条

　　　第六百条ノ規定ハ賃貸借ニ之ヲ準用ス

〈改正〉 2004年改正により、原条文の§622が§621となった。

第六百二十二条（旧）　削除[1]

[原条文]

第六百二十一条

　　　賃借人カ破産ノ宣告ヲ受ケタルトキハ賃貸借ニ期間ノ定アルトキト雖モ賃貸人又ハ破産管財人ハ第六百十七条ノ規定ニ依リテ解約ノ申入ヲ為スコトヲ得此場合ニ於テハ各当事者ハ相手方ニ対シ解約ニ因リテ生シタル損害ノ賠償ヲ請求スルコトヲ得ス

第3編　第2章　契約　第7節　賃貸借

〈改正〉　2004年の改正により、本条は削除された。2004年改正により、削除された原条文の§621が§622になり、§622削除ということとなった。

［原条文の解説］

〔1〕　2004年の破産法の改正（平成16年法律76号）により、賃貸人が破産した場合の解除は認められないことになったが（破§56Ⅰ）、賃借人が破産した場合にも、その保護のために本条（旧§621）の規定は削除された。2004年改正は、この削除された条文を「第六百二十二条　削除」と表示していた。

第4款　敷　　金

〈改正〉　本款は、2017年に新設された。

第六百二十二条の二

1　賃貸人は、敷金（いかなる名目によるかを問わず、賃料債務その他の賃貸借に基づいて生ずる賃借人の賃貸人に対する金銭の給付を目的とする債務を担保する目的で、賃借人が賃貸人に交付する金銭をいう。以下この条において同じ。）を受け取っている場合において、次に掲げるときは、賃借人に対し、その受け取った敷金の額から賃貸借に基づいて生じた賃借人の賃貸人に対する金銭の給付を目的とする債務の額を控除した残額を返還しなければならない[1]。

一　賃貸借が終了し、かつ、賃貸物の返還を受けたとき[2]。

二　賃借人が適法に賃借権を譲り渡したとき[3]。

2　賃貸人は、賃借人が賃貸借に基づいて生じた金銭の給付を目的とする債務を履行しないときは、敷金をその債務の弁済に充てることができる。この場合において、賃借人は、賃貸人に対し、敷金をその債務の弁済に充てることを請求することができない[4]。

〈改正〉　2017年に新設された。

［本条の趣旨］　〔1〕　敷金や保証金（解約返戻金）は、不動産賃貸借において広く授受されているが、改正前にはその定義規定などはなかった。そこで、新法は、敷金についての一般的な理解を明文化した。保証金等と称するものであっても、賃料債務等の金銭債務を担保する目的で交付された金員については、本条の「敷金」に該当する。敷金については、619条の解説〔7〕参照。

〔2〕　敷金の返還時期については、賃貸借契約の終了時か、賃借物の返還時かについて学説上争いがあった。前者であれば、敷金返還債務と賃借物の返還債務が同時履行の関係に立つか、または留置権が成立することになり、敷金返還請求権を確保する手段が賃借人に与えられることになる。後者であれば、賃借人は賃借物を返還した後に敷金返還請求権を行使することになり、敷金の不返還などのリスクが生じる。この点につき、最判昭和48・2・2民集27巻80頁参照。最判昭和49・9・2民集28巻1152頁も、敷金返還債務と家屋明渡債務との

§622 (旧) 〔1〕・第4款［解説］・§622の2

同時履行の抗弁権あるいは留置権の成立を否定している。新法は、「賃貸借が終了し、かつ、賃貸物の返還を受けたとき」と定めており、判例の立場（返還時説）を採用した。敷金が賃貸借終了後、賃借物の返還終了までの債務を担保するものであること、賃借物の返還後に原状回復義務の履行の点検・評価がなされていることに鑑みれば、返還時説を採用する新法は、現在の賃貸借における取引慣行を追認したものと言えるが、敷金の実際上の返還の確保に対する配慮が弱いように思われる。

　〔3〕　賃借権の譲渡があった場合の敷金返還請求権については、判例（最判昭和53・12・22民集32巻1768頁参照）は、特段の事情がない限り、敷金返還請求権は新賃借人に承継されないとしている。この場合には、賃借権の譲渡により旧賃借人と賃貸人との賃貸借は終了し、敷金返還請求権が発生する。新法では、このような規範を明文化した。

　〔4〕　賃貸人は、賃借人が賃料を支払わないなど金銭債務を履行しないときは、敷金から弁済に充てることができるが、他方、債務不履行をしている賃借人から、敷金により充当をするように求めることはできない。新法では、この規範を明文化した。

第3編　第2章　契約　第8節　雇用

第8節　雇　　用

〈改正〉　本節では、2017年に、期間の定めのある雇用の解除に関する626条、期間の定めのない雇用の解約の申し入れに関する627条が改正され、履行の割合に応じた報酬に関する624条の2が新設された。前掲(549条)附則(贈与、雇用等に関する経過措置)第三十四条1参照。(以下本節の各条文では引用省略)。

① 本節の内容

本節は、「雇用」と題して、雇用契約の成立(§623)、報酬支払の時期等(§624・新624条の2)、当事者の地位の非譲渡性(§625)、期間および告知(§§626〜631)から成っている。

② 雇用の意義

雇用は、他人の労務を利用すること自体を目的とする契約である。請負(第9節)、委任(第10節)と類似し、これらとともに、いわゆる労務供給型の契約関係を分担するものであるが(この点については、本章解説②(1)(ウ)、§623[1](1)参照)、他人の労務の利用自体とそれに対する報酬(賃金)の支払とをもって契約の内容とする点に特色を有する(§623[2](1)参照)。そして、今日の産業のほとんどすべての部分が賃労働によって行われているのであるから、雇用契約は絶大な作用を営むはずのものである。

ところが、本節の規定は、きわめて簡単であって、雇用契約の内容を当事者の自由に委ねる立場に立っている。しかし、近代社会における賃労働関係を単純に契約自由の原則の支配に委ねておくと、資本家と労働者との間の社会的・経済的実力のいちじるしい不均衡と、不当に労働者の地位をおびやかす失業者群(いわゆる産業予備軍)の存在とにより、労働者は雇用契約の内容をその意思によって決定する自由を事実上奪い去られ、使用者が一方的にこれを決定することになり、その当然の結果として、雇用契約の内容は、労働者にとってはなはだしく不利なものになっていく。ここにおいて、労働者は、団結の力によってその地位の向上を図り、国家は、社会政策立法によってその地位の保護に努めるに至る。そこでは、雇用契約は、「労働契約」としてとらえられ、一面において、労働者の自主的な労働組合運動を保障し、同時にこれを規制する諸立法の影響のもとにおかれ、他面において、国家的・社会的見地に立って、労働力の浪費を規制し、労働契約を合理化しようとする諸立法からの影響のもとにおかれるに至った。これは、世界各国に共通の現象であるが、わが国においては、第二次大戦後の労働諸立法によって急速に実現したものであって、そこに新しく労働法の領域がひらけた。

こうして、民法の雇用の改正前規定は、今日では、新しい市民法的規範を盛り込む努力が怠られてきたこともあって、その適用の余地はきわめて僅かなものにとどまり(労基旧§8ただし書参照)、実質的には他人の労務を利用する関係を規律する主要な法規という地位を失ったといっても、過言ではない。

1334

第8節［解説］①～③

③ 労働契約と労働関係立法

(1) 労働契約

(ア) わが民法の雇用に関する規定は、上述のようにきわめて簡単であるだけでなく、使用者と被用者との関係を自由かつ対等な市民法的関係としてとらえるという考慮をいちじるしく欠いているといわざるをえない。これに対して、たとえば、ドイツ民法の「勤務契約」(Dienstvertrag)に関する規定(§§611〜630)を参照すると、男女差別禁止は611a・611b条に、権利行使に対する不利益処分の禁止は612a条に、企業譲渡の場合の被用者保護は613a条に、安全保護義務は618条に明定されている。このように、第二次大戦後の改正によっても条文が追加され、わが国では労働立法によっている内容もかなりの部分が民法の内容になっている。そこでは市民法的関係と呼ぶにふさわしい内容が規定されているといってよい。

上に述べたようなわが民法の雇用規定の特徴は、一つには、制定当時の関係者のなかに内在していた封建的・身分制的な観念によるものといえるが、また、その後の軍国主義のもとにおいて軍事機構的な階層秩序が経済組織や企業のなかで支配していたという要因も指摘できよう。後者については、第二次大戦直後もそれがとくに大企業に持ちこまれ、温存されたという側面も無視できないと考えられる。

戦後の新しい憲法のもとにおいて(とくに、憲§§27・28)、労働者の権利を強化することがわが社会を民主化するためにも重要な課題となり、数多くの労働立法が行われた。そして、それらの適用を受ける契約という意味において、今日では、民法上の雇用契約の観念から独立したものとしての「労働契約」の観念が成立しているのである(なお、「労働者」という概念は、この労働契約の一方の当事者について用いられてきたものであるが、2004年改正は、雇用契約の当事者についても「労働者」の用語を用いた。§623〔1〕参照。事柄は単に言葉の言い替えでは片づかない、(イ)で述べる重要な問題を含んでいる)。

(イ) 民法上の雇用契約と労働立法上の労働契約との関係については、重要で困難な問題が存することに注意を要する。

第1に、労働契約の基礎には、民法が定める市民法的な関係としての雇用契約の観念が存すると考えられる。

第2に、ところが、わが民法の雇用規定は、上記の二つの要因のために市民法的な基本関係を定めたものとはとてもいいえないものであったので、とくに戦後の民主的変革においては、民法の雇用規定とは無関係に労働契約観念を形成する必要が生じたといえる。

第3に、それだけではなく、労働関係には、資本主義経済に内在する根本的な問題が密接に関連している。経済学の説くところによれば、資本主義は、基本的には資本家が労働者からその労働力を買って、それを用いて商品生産を行い、利潤を上げるという仕組みであり、労働者は自己の労働力を売るしか生存の道はない。そこから生じる構造的矛盾とそれとの取組みが、そこでは避けられない問題なのである。そして、その中心問題である賃労働の関係をどう法律的に構成するか、がここでの課題なのであり(今日では、資本に対する労働の「従属性」、すなわち「従属労働関係」をその関係の特徴ととらえ、これを是正しようとするものが労働法であるとするとらえ方が一般的である)、その意

1335

第 3 編　第 2 章　契約　第 8 節　雇用

味では、それは市民法そのものの根本矛盾(形式的平等と現実の不平等)に関わっている。

以上のような事情から、民法上の雇用契約と労働法上の労働契約との関係に関する理論の深化と規定の整序が重要な課題となっている。

(2)　労働立法

労働立法には、当初、労働三法と呼ばれて成立したつぎの(a)～(c)の三つの法律をはじめとする多数のものが存在した。2004 年には(d)労働審判法が加わり、さらにこれに加えて、2007 年 11 月 28 日には(e)労働契約法(2008 年 3 月 1 日施行)が制定された。これらを抜きにして今日の賃労働関係、すなわち、他人の労務を利用する契約、逆にいえば、自分の労務を提供して賃金を得る契約を論じることはできない。しかし、学問上は労働法学の分野に属するので、本書では詳細には触れない。

(a)　労働組合法(昭和 20 年法律 51 号)

1945 年に制定されたが、その後、1949 年に昭和 24 年法律 174 号により全面改正され、その後も多くの改正を経ている。労働者の団結権、団体交渉権、争議権について規定し、それにより使用者と対等の立場に立った労働者により労働契約が締結されることを保障している。そのさい、労働組合と使用者またはその団体との間で締結される「労働協約」(同法第 3 章)が重要な役割を果たしている(§623〔2〕(3)・〔3〕(3)、第 2 章解説⑥(3)参照)。

(b)　労働基準法(昭和 22 年法律 49 号)

1947 年に制定され、その後も数多くの改正がなされている。「労働条件は、労働者が人たるに値する生活を営むための必要を充たすべきものでなければならない」(同法§1 I)と規定し、労働条件の最低基準を定めているので、同法の規定の多くは当然に労働契約の内容となるものである。本書においても、民法の規定と直接関連する内容については、言及することとした。

なお、労働基準法および労働協約を補うものとして、使用者が定める「就業規則」(同法第 9 章)がある。常時 10 人以上を使用する使用者は、同法 89 条が定める事項について、就業規則を作成し、労働基準監督署に届け出る義務がある(同法§89)。その作成には、労働者の過半数の意見を聴かなければならない(同法§90)、その内容は法令、労働協約に反してはならない(同法§92)。就業規則の定める基準に達しない労働契約は無効となる(同法§93。労契§12)。

(c)　労働関係調整法(昭和 21 年法律 25 号)

1946 年に制定され、労働関係の調整を図り、労働委員会(労組§§19～)による労働争議の斡旋・調停・仲裁などを行うことを規定している。

(d)　労働審判法(平成 16 年法律 45 号)

2004 年に成立した労働審判法により、労働契約の存否その他の労働関係に関する事項について個々の労働者と事業主との間に生じた民事に関する紛争に関して、労働審判官(裁判官)と労働審判員(専門的な知識経験を有する者から選ばれる)とによって構成される労働審判委員会による労働審判手続が新設されることになった。

これらをはじめとする多くの労働立法については、そのときどきにおける労働政策の変動による変化があることに注意する必要がある。

第 8 節 ［解説］ ③

(e)　労働契約法(平成 19 年法律 128 号)

　2007 年 11 月 28 日に成立した労働契約法は、注目すべき法律である。19 カ条の法律であったが、そのなかには、労働者と使用者の対等性(同法§3)、両者の合意の重要性(以上、同法§§3・6)、労働者の安全への配慮(同法§5)、契約の変更における労働者の合意の重視(同法§9)、出向命令の濫用の禁止(同法§14)、使用者の懲戒権の濫用の禁止(同法§15)、解雇権の濫用の禁止と制約(同法§§16・17)などの規定が盛られ、市民法の理念をさらに充実発展させる内容をもつものとして高く評価できる。本法は、2012 年に改正された(法 56 号)。そのポイントは以下の 3 点である。

　(a)有期労働契約が反復更新されて通算 5 年を超えたときは、労働者の申込みにより、期間の定めのない労働契約(無期労働契約)に転換できるルールを定めた(無期労働契約への転換、同法§18)。(b)最高裁判例(昭和 49・7・22 民集 28 巻 927 頁、昭和 61・12・4 判時 1221 号 134 頁)で確立した「雇止め法理」が、ほぼそのままの内容で法律に規定された。一定の場合には、使用者による雇止めが認められないことになるルールを定めた(「雇止め法理」の法定化、同法§19)。(c)有期契約労働者と無期契約労働者との間で、期間の定めがあることによる不合理な労働条件の相違を設けることを禁止するルールも定めた(不合理な労働条件の禁止、同法§20)。

　この立法を迎えて、理論的には民法と労働法の関係、さらにいえば、民法の規定する人(市民ということもできる)と労働者との両概念の違い、およびその両者の関係などを検討する課題がいっそう重要になっている。

　とくに、最近においては、従来以上に就職、解雇、さらには失業に関する法制のあり方が大きな問題となっている。関連する主な法律を挙げれば、①職業安定法(昭和 22 年法律 141 号)、②障害者の雇用の促進等に関する法律(昭和 35 年法律 123 号)、③雇用対策法(昭和 42 年法律 132 号)、④職業能力開発促進法(昭和 44 年法律 64 号)、⑤高年齢者等の雇用の安定等に関する法律(昭和 46 年法律 68 号)、⑥雇用の分野における男女の均等な機会及び待遇の確保等に関する法律(雇用機会均等法。昭和 47 年法律 113 号)、⑦雇用保険法(昭和 49 年法律 116 号)、⑧労働者派遣事業の適正な運営の確保及び派遣労働者の保護等に関する法律(昭和 60 年法律 88 号、2015 年に改称)などがある。

(3)　以上述べたことを要約してみると、こういうことになる。今日、大部分の雇用契約は、じつは労働契約である。そして、労働契約については労働諸立法に詳細な規定があって、雇用に関する本節の規定は、ただ補充的に適用されるにすぎず、それさえもきわめてわずかな部分についてである。そこで、およそ雇用関係について知ろうとする者は、労働諸立法、なかんずく労働基準法についてみるほかはない。以下、本節の注釈においてそれを解説することはとうていできないから、本節の各条と密接な関係がある事項について、そのことを指摘するにとどめる。われわれは、それによって民法の雇用の規定が労働契約に推移する必然性を具体的に知ることができるであろう。

(4)　労働問題については、以上のような基本的理解が正しいと考えられるが、最近においては、このような市民法的および労働法的ルールの基本を崩すような事態が登

1337

第3編 第2章 契約 第8節 雇用

場していることに注意を要する。それは、①「非正規社員」（正規の社員資格と区別された、雇用に関する保護・保障の薄弱な条件で被用者を雇用するもの）、②「派遣労働」（労働者派遣事業法によるもの。従来いわれた「人入れ稼業」に相当するもので、これに対してはかねてより否定的な評価が一般的であった）、③偽装請負（本章第9節②(3)を参照）などと称されるものである。これらに関する社会の実情に対しては、市民法の基本理念に基づく公正の貫徹という視点からの厳正な批判と是正が必要である。

請負人と雇用契約を締結した労働者が注文者の工場に派遣され、注文者から直接具体的な指揮命令を受けて作業に従事していたために、請負人と注文者の関係がいわゆる偽装請負に当たり、当該派遣が違法な労働者派遣と解されるべき場合ではあるが、注文者と当該労働者との間の具体的な就業状態等に鑑みて、両者の間に黙示の雇用契約が成立していたとはいえないとされた判例がある（最判平成21・12・18民集63巻2754頁）。

④ 代理権との関係

雇用契約に付随して被用者に代理権が与えられる場合があるが、それは、雇用契約とは別個の代理権授与契約とみるべきである（第1編第5章第3節解説参照）。もっとも、1個の契約が雇用契約の内容と代理権授与契約の内容との両方をもつことは、もちろん妨げない。

（雇用）
第六百二十三条
　　雇用は、当事者の一方が相手方に対して労働に従事することを約し[2]、相手方がこれに対してその報酬を与えることを約する[3]ことによって、その効力を生ずる[1]。
　［原条文］
　　　雇傭ハ当事者ノ一方カ相手方ニ対シテ労務ニ服スルコトヲ約シ相手方カ之ニ其報酬ヲ与フルコトヲ約スルニ因リテ其効力ヲ生ス

〔1〕　本条は、雇用契約の定義をし、それが、当事者の一方（民法上の用語は原条文では「労務者」であったが、新規定では、「労働者」とされた。以下、民法上の雇用契約に関しては、「被用者」という言葉を用いる。ドイツ民法では、労働者〔Arbeiter〕と職員〔Angestellte〕を合わせて Arbeitnehmer〔仕事を受け取る者の意で、ドイツ語独特の表現〕という言葉を用いる。同法§622）の、労働に従事するという約束と、他方（「使用者」という。（ドイツ民法では、Arbeitgeber〔仕事を与える者の意〕と呼ぶ）の、これに対して報酬を与えるという約束によって効力を生じる旨を定めたものである。このことは、いわゆる労働契約（本節解説②参照）においても、原則としては、同様である。その性質および内容に関しては、つぎの諸点を注意するべきである。

(1)　雇用契約は、双務かつ有償契約であり、継続的契約である。また、その締結になんらの方式も要しない諾成契約・不要式契約である。のみならず、本条は、相手方の選択および契約の具体的内容の決定を当事者の自由な協定に放任している。したが

第8節［解説］④・§623〔1〕

って、雇用契約は、その内容が強行規定あるいは公序良俗に反しない限り、有効である。しかし、民法の採用する雇用契約自由の原則は、いわゆる労働契約については重大な制限を受けていることは、本節解説③で述べたとおりである。なお、以下の各条においても、関連する限りで、これに言及する。

(2) 本条は、雇用契約の骨子をなす労働への従事と報酬の支払とに言及するだけである。しかし、これ以外にも補充的な約定がなされるのが普通である。違約金に関する特約、退職金に関する特約、競業禁止の特約、身元保証契約などがその重要なものである。これ以外に、前借金との相殺や強制貯金の契約をすることは、労働基準法によって禁止されている(労基§§17・18)。

(a) 「違約金」の特約、すなわち被用者が雇用契約の不履行、またはなにかの失策をした場合の損害賠償を予定することは、民法の禁じるところではない(§420)。しかし、その約款が賃金の最低限を破る結果になるとき——たとえば、ある製造工が粗悪品を出したときは、一定額の違約金を支払うべき約束をし、それと賃金とを相殺される結果1日働いてもなんらの賃金も受けられないような場合——は、無効であり(§510参照)、その程度に至らなくても、被用者に苛酷な責任を課するものであるときは、公序良俗に反して無効と解するべきであると主張されてきた。

労働契約については、労働基準法は、違約金を定め、または損害賠償額を予定する契約を全面的に禁止しているだけでなく(同法§16)、就業規則で労働者に対して減給の制裁を定める場合においては、その減給は、1回の額が平均賃金の1日分の半額を超え、総額が一賃金支払期における賃金の総額の10分の1を超えてはならないことになっている(同法§91)。

(b) 退職金の特約　長年勤続した被用者に対して、雇用契約終了のさいに一定の金品の給付をするべき特約をする場合がある。これを、「退職金」または「退職手当」という。これをも賃金の一種として賃金の保護に関する規定が適用される(たとえば差押えの禁止、民執§152参照)。なお、就業規則を作成するべき義務ある使用者は退職手当に関する特約がある場合には、これを就業規則に明示することを要する(労基§89③の2参照)。

なお、家事使用人の雇入れにさいして、「結婚するときは仕度をしてあげよう」というような約束がなされる場合がある。法律問題として裁判所に現われることはほとんどないであろうが、理論上はもちろん有効であって、雇い主は、社会通念上、相当な結婚のための資金を贈与してやる義務を負担すると解される。

(c) 競業禁止の特約　雇用関係終了後に被用者が使用者と同種の営業を営むことを禁じることを合意することがある。「競業避止義務」と呼ばれる。被用者が雇用期間中に習得した技術・秘訣などを利用して従前の使用者と競争することを妨げようとするものである。職業選択の自由(憲§22 I)の関係もあり、その禁止によほど合理性があり、禁止の範囲も相当でなければ、公序良俗に反して無効とされるべき場合を生じるであろう(改正前§90〔1〕(3)(イ)(a)参照)。

(d) 身元保証契約　被用者が雇用契約中に雇い主に加えるかもしれない損害を担保させるために、使用者と被用者の保証人との間に「身元保証契約」が締結され

1339

ることがある。いわゆる損害担保契約の一種である（改正前§446〔1〕(イ)参照）。世上行われる身元保証契約書には、保証人に一切の損害を担保させる苛酷な条項を含み（この種のものをとくに「身元引受契約」という場合がある）、また、その保証期間を限定しないものが多かったので、たとえば、現金等の処理に関与しない給仕の身元保証人になったのに十数年後に彼が会計係になって使い込みをした責任を負わされるとか、父の身元保証人としての責任をなにも知らない相続人である子が負わされるなど、ややもすれば身元保証人の責任が過大に失する傾向があった。

　そこで、判例は、身元保証人の責任を限局することに意を用いてきたが（大刑判大正4・10・28刑録21輯1667頁、大判昭和8・5・24民集12巻1293頁など）、結局、1933年に「身元保証ニ関スル法律」（昭和8年法律42号）が制定されて、立法的解決が図られた。すなわち、保証期間を通常3年（商工業見習者の身元保証は5年）、長い期間の特約があっても5年に限定し（§§1・2）、事情によって身元保証人が保証契約の解除をすることができる場合を認め（§§3・4）、使用者側の監督上の過失その他の事情を斟酌して損害額を決定する（§5）など、身元保証人の責任がいちじるしく軽減された。

　思うに、使用者は、その使用する被用者の人物・才能などをみずから判断し、自分の危険においてこれを適所に配置するべきものであって、身元保証人の保証をあてにしてこれを使用するべきものではあるまい。したがって、使用者が被用者の人物・才能などを知悉（ちしつ）するまでの間、身元保証人にその責任を負わせればよいというのが同法の趣旨であって、妥当であると考えられる。なお、本法は、身元保証人の責任が相続人に承継されるかについては触れていないが、この点は承継されないとする判例があり（大判昭和2・7・4民集6巻436頁、大判昭和18・9・10民集22巻948頁）、今日においても支持されるべきである。ただし、保証人の損害賠償請求権が現実に発生した後は、その具体化した請求権について相続性を生じることはいうまでもない（大判昭和10・11・29民集14巻1934頁）。

〔2〕　「労働に従事すること」は、雇用契約の要素をなし、かつ被用者の中心的義務である。

(1)　民法の各種の契約のなかで、およそ労務の供給を伴うもの（労務供給契約）には、雇用のほかに、請負と委任とがある。

　雇用は、労務の供給ないし利用自体が目的であり、使用者の指揮によってその効果を発揮させるものである。契約に従って一定時間の労務を提供すれば、それによって対価である報酬を請求する権利を生じる。

　これに対し、請負は、他人の労務それ自体を目的とするものではなく、これによる仕事の完成を目的とするものである。仕事が完成しなければ、報酬請求権は生じないのが原則である。

　また、委任は一定の事務の処理という統一的な労務を目的とし、労務供給者の識見・才能によって労務が行われる。事務処理を行うことによって、労務供給者の給付は行われたことになる。ここに、三者の区別がある。

(2)　民法上、雇用による労働への従事については、つぎの諸点を注意するべきであ

§623〔2〕〔3〕

る。

(ア)　労働の種類には制限がない。肉体労働であるか、精神労働であるかを問わない。ただ、医師・教師などの労働については、しばしば、それが雇用であるか、請負であるか、委任であるか、の区別が困難な場合が生じることを注意するべきである。

(イ)　労働への従事の方法については、被用者は使用者の指揮に服するのを本則とする。これが、請負・委任との重要な差異であるが、なお、被用者は信義を重んじ、労働への従事にあたって善良なる管理者の注意を用いる義務を負うと考えられる。これに違反して、たとえば、営業上の秘密をもらし、また、過失によって物をこわし、使用者に損害を加えた場合には賠償の責任を負う。

(ウ)　被用者は自分で労働に従事することが必要であり、第三者をして自分に代わって労務に服させることはできない（§625）。

(3)　労働契約にあっては、「労働」の内容は、第1に、労働協約によって（たとえば労働時間は7時間）、第2に、協約の範囲内において定められた就業規則によって（たとえば、2交替制で7時間）、第3に、協約に特約のない場合は、最低の基準として労働基準法によって（たとえば、労働時間は8時間、同法§32）、その基準が定められる（以上の例は日単位だが、これ以外に週単位の40時間という基準もある）。個々の労働契約でこの基準を超えて労働に従事することを約束しても無効である（労組§16、労基§§13・93）。なお、労働条件は明示されることを要する（労基§15）。

(4)　民法上、未成年者の雇用契約については、親権者または後見人が本人の同意を得た上で本人を代理して締結し、賃金を受領することが認められている（§§824・859）。しかし、労働基準法58条・59条はこれを禁じているので、未成年者が親権者・後見人の同意を得て労働契約を締結し、みずから賃金を受領できるものと解される（§§823・857）。なお、満15歳未満（15歳に達した日の後の最初の3月31日まで）の年少者の使用は原則として禁止されている（労基§56）。

〔3〕　「報酬」（雇用契約においても、「賃金」という言葉を用いることができよう。(3)参照）の支払は、労働への従事とともに雇用契約の要素をなし、使用者の中心的な義務である。

(1)　報酬の支払が契約の要素をなす点が委任との差異である（§643〔1〕(イ)参照）。

(2)　民法上、報酬支払について、つぎの諸点を注意するべきである。

(ア)　報酬の種類、報酬決定の標準などについては民法上制限がない。したがって、すべて当事者の合意によって決まる。報酬の種類は金銭に限らず、金銭以外の物、物の使用、技術の伝授などをも含むことができる。また、報酬決定の標準は時間払でも出来高払でもよい。出来高払は「請負給」とも呼ばれる。

(イ)　報酬支払の時期も当事者の特約で決まり、特約がなければ、624条の規定による。

(ウ)　使用者の責めに帰すべき事由によって休業となり、労働への従事が不能となった場合には、危険負担の問題となり、536条2項［改注］により、被用者は全額の報酬請求権を失わないことになる。

ただし、この点については、労働基準法26条がその労働者の平均賃金の60パーセ

1341

第3編　第2章　契約　第8節　雇用

ント以上の休業手当を支払うべきものとしている。これは休業中の労働者の最低生活維持を保障するもので、民法上の請求権を制限したものと解するべきではあるまい。

(3)　労働契約にあっては、報酬(労働基準法では「賃金」という)の決定は、第1に労働協約によって、第2に協約の範囲内で就業規則によって定まる。労働基準法は、賃金の種類、支払の方法、その時期などについては基準を定めている(同法§§24〜27)。歩合給の計算に当たり売上高等の一定割合に相当する金額から残業手当等に相当する金額を控除する旨の賃金規則上の定めが公序良俗に反し無効であるとして未払賃金の請求を認容した原審の判断に違法(労基§37等との関係)があるとされた事例がある(最判平成29・2・28判時2335号90頁)。なお、労基法37条の定める割増賃金の支払に関しては、前記平成29年判決［差戻］の差戻上告審である最判令和2・3・30(民集74巻549頁)がある。また、賃金の不払につき使用者に罰金を科している(同法§120参照)。最低賃金については、労働基準法28条、最低賃金法(昭和34年法律137号)が定めているが、必ずしも労働者のための十分な保障ではないという批判がある。

(4)　なお、報酬の支払は被用者の生活の維持に必要欠くべからざるものであるから、主として賃金債権に関して、その差押え(民執§152参照)ならびに相殺(§510)が禁止され、また、その取立てを確保するために先取特権が与えられている(§§306・308・311・324)。これらの保護は、労働契約上の賃金にも適用がある。

(5)　最後に、使用者は、報酬支払義務のほかにも、被用者に対してこれを扶助し看護する義務を負うと解される。これは、被用者が使用者の指揮に服従し、かつ信義を守るべき義務を負うことに対応するものである。判例にも、病気の被用者を突然解雇して強制的に使用者方を立ち去らせた事件について、遺棄罪(刑§§218・219)の成立を認めたものがある(大刑判大正8・8・30刑録25輯963頁)。

(6)　近時において、この概念はさらに使用者の安全保護義務の問題として発展させられている(本章第1節第2款解説④(2)参照)。なお、立法としても、労働安全衛生法(昭和47年法律57号)などがある。判例によって認められた例としては、宿直勤務中に労働者が盗賊に殺害された例(最判昭和59・4・10民集38巻557頁)や、直接に雇用関係にない下請労働者についても、一定の事情がある場合に元請企業の安全配慮義務を認めた例(最判平成3・4・11判時1391号3頁)などがある。

(7)　労働基準法上、労働者が業務上負傷し、または疾病にかかった場合は、使用者は無過失責任を負う(同法第8章)。これを労働災害補償責任と呼び、これと労働者災害補償保険法(昭和22年法律50号)とは連動している。

（報酬の支払時期）

第六百二十四条

1　労働者は、その約した労働を終わった後でなければ、報酬を請求することができない[1]。

2　期間によって定めた報酬[2]は、その期間を経過した後に、請求することができる[3]。

[原条文]

§§624・624の2

労務者ハ其約シタル労務ヲ終ハリタル後ニ非サレハ報酬ヲ請求スルコトヲ得ス
期間ヲ以テ定メタル報酬ハ其期間ノ経過シタル後之ヲ請求スルコトヲ得

〔1〕　本項は、雇用契約における「報酬後払の原則」を定めたものである。すなわち、期間をもって報酬を定めないとき、たとえば、漁船に乗り組んで1回出漁すれば30万円支払うというような雇用契約においては（本条2項参照）、被用者は、まず労務を給付したのちに、報酬を請求でき、双務契約につき一般に認められる同時履行の抗弁権（§533［改注］）を有しない。

〔2〕　たとえば、報酬が日給1万円、週給8万円、または月給30万円というように定めたときは、それぞれ、1日の労働を終わった後に、週末に、または月末に請求することができる。

〔3〕　本条は、特約がない場合の報酬の支払の時期を定めたものである。したがって、特約があれば、それに従うのである。ただし、労働契約においては、賃金は毎月1回以上、一定の期日（たとえば毎月9日と23日の2回）を定めて支払わなければならないし（労基§24Ⅱ本文）、また、労働者が出産・疾病・災害その他命令で定める非常の場合の費用にあてるために請求する場合においては、支払期日前でも既往の労働に対する賃金を支払わなければならない（「非常時払」という。労基§25）。

（履行の割合に応じた報酬）
第六百二十四条の二
　　　労働者は、次に掲げる場合には、既にした履行の割合に応じて報酬を請求することができる[1]。
　　一　使用者の責めに帰することができない事由によって労働に従事することができなくなったとき[2]。
　　二　雇用が履行の中途で終了したとき[3]。
〈改正〉　2017年に新設された。
［本条の趣旨］　〔1〕　雇用は、労働の履行に対し、その割合に応じて報酬が支払われる契約類型であり、労働の履行が中途で終了した場合であっても既に履行された部分については、その割合に応じて算出される金額を報酬として請求することができると考えられている。新法は、このような規範を明文化した。

〔2〕　「使用者の責めに帰することができない事由によって労働に従事することができなくなったとき」とは、当事者双方の責めに帰することができない事由によって履行不能となった場合および労働者の責めに帰すべき事由によって履行不能となった場合を指す。

〔3〕　「雇用が履行の中途で終了したとき」とは、契約期間の満了および契約で定められた労働が終了した場合以外の原因によって雇用が終了した場合を指す。具体的には、雇用契約が解除された場合や、労働者の死亡によって雇用が中途で終了した場合などが該当すると考えられる。

使用者の責めに帰すべき事由による場合については、特別の規定は設けられなかった。なお、この点につき労働基準法26条も参照。

1343

第3編　第2章　契約　第8節　雇用

（使用者の権利の譲渡の制限等）
第六百二十五条
　1　使用者は、労働者の承諾を得なければ、その権利を第三者に譲り渡すことができない[1]。
　2　労働者は、使用者の承諾を得なければ、自己に代わって第三者を労働に従事させることができない[2]。
　3　労働者が前項の規定に違反して第三者を労働に従事させたときは、使用者は、契約の解除をすることができる[3]。

［原条文］
　　使用者ハ労務者ノ承諾アルニ非サレハ其権利ヲ第三者ニ譲渡スコトヲ得ス
　　労務者ハ使用者ノ承諾アルニ非サレハ第三者ヲシテ自己ニ代ハリテ労務ニ服セシムルコトヲ得ス
　　労務者カ前項ノ規定ニ反シ第三者ヲシテ労務ニ服セシメタルトキハ使用者ハ契約ノ解除ヲ為スコトヲ得

〔1〕　雇用契約は、「労働に従事する」ことを目的とするから、被用者は、使用者の指揮命令のもとに立たされ、その給付は、使用者がだれであるかということと密接な関係に立つ。そこで、使用者がみだりにその権利を譲渡することを禁じたのである。債権は、一般に譲渡が可能である、という大原則に対する重大な例外である。すなわち、

　(a)　被用者の承諾なしに行われた譲渡は、まったく無効であり、当初の雇用関係は、これによってなんらの影響も受けない。したがって、被用者は、当初の使用者のもとで労働に従事するべきことを主張することができる。その反面、本条2項と異なり、被用者は、契約を解除することはできない。

　(b)　被用者の承諾を得てした権利の譲渡は、有効である。この承諾は、被用者から使用者に対する意思表示によってなされる。

　(c)　企業または営業の譲渡があれば、譲渡人と譲受人との間では、そのなかに包含される雇用関係は一体として移転すると解さなければならない。けだし、近代の企業または営業は、客観的な組織となり、被用者は使用者個人に使用されるというよりも、むしろ、企業または営業自体に使用されるともいうべきものであり、使用者の変更は、その労働の内容にそれほど変更を及ぼさない。のみならず、被用者は、通常の場合、使用者が変更しても職場を失わないことを欲する実情だからである。ただし、被用者の意思を強制するべきではないから、本条1項・3項を修正的に解釈して、被用者は、解除（告知）権を取得すると解するのも一案であろう。船員法43条1項は、「相続その他の包括承継の場合を除いて、船舶所有者の変更があったときは、雇入契約は、終了」するとし、第2項で、「前項の場合には、雇入契約終了の時から、船員と新所有者との間に従前と同一条件の雇入契約が存するものとみなす」こととし、ただ、船員は、24時間以上の期間を定めて解除の申入れをすることが認められている（同法§42参照）。上記の解釈と共通の趣旨を含むものといいうるであろう。

§§625・626

〔2〕　本項もまた、第1項の場合と同様に、雇用関係の人的関係としての特質に基づくものである。

被用者が、自分に代えて、第三者をして労働に従事させるには、つねに使用者の承諾を必要とする。しかし、労働の性質に個性がなく、だれがやっても給付の内容に差異を生じない場合には、使用者がその承諾を拒否することが権利の濫用となることも少なくないであろう。

〔3〕　使用者の承諾がないのに、第三者をして自分に代わって労働に従事させることは、それ自体が被用者の重大な信義違反であるとみて、一般の解除（§541）と異なり、催告を要しないで、解除（告知）できることとしたのである。なお、この解除告知に遡及効がないことにつき、630条参照。

（期間の定めのある雇用の解除）
第六百二十六条
　　1　雇用の期間が五年を超え、又はその終期が不確定であるときは、当事者の一方は、五年を経過した後、いつでも契約の解除をすることができる¹⁾。

　　2　前項の規定により契約の解除をしようとする者は、それが使用者であるときは三箇月前、労働者であるときは二週間前に、その予告をしなければならない²⁾。

〈改正〉　2017年に改正された。1項中「雇用が当事者の一方若しくは第三者の終身の間継続すべき」を「その終期が不確定である」に改め、ただし書を削り、2項中「ときは、三箇月前に」を「者は、それが使用者であるときは三箇月前、労働者であるときは二週間前に、」に改めた。

[改正の趣旨]　[1]　終身の間継続すべき雇用契約は、長期かつ不確定的に労働者を拘束することになるときは、公序良俗に反する場合もありうる。新法は、このような場合に当事者は5年の経過後いつでも契約を解除することができるとした。なお、改正前本条1項ただし書の「商工業の見習を目的とする雇用」は、そのほとんど全てが労働基準法の適用を受けており、このような雇用だけ特別に扱う合理性がないので、削除された。

　[2]　解除の予告期間については、使用者については改正前と同様に3ヶ月とされたが、長期間の拘束から労働者を保護するという本条の趣旨に鑑み、労働者からの解除についてまで3ヶ月もの長期の予告期間を要求することは合理的ではないので、新法はこれを2週間に短縮した。

　なお、ほとんど全ての雇用契約については労働基準法14条が優先的に適用されるので、この場合には、3年（一定の場合には5年）の期間を超える部分は無効（同法13条）となり、その後も労働関係が継続されたときは、黙示の更新（629条1項）により期間の定めのない労働契約となると解されている。解説(1)も参照。

[改正前条文]
　　1　雇用の期間が五年を超え、又は雇用が当事者の一方若しくは第三者の終身の間継続すべきときは、当事者の一方は、五年を経過した後、いつでも契約の解除²⁾をすることができる¹⁾。ただし、この期間は、商工業の見習³⁾を目的とする雇用については、十年とする。

　　2　前項の規定により契約の解除をしようとするときは、三箇月前にその予告をしなければならない⁴⁾。

1345

第3編　第2章　契約　第8節　雇用

[原条文]

　雇傭ノ期間カ五年ヲ超過シ又ハ当事者ノ一方若クハ第三者ノ終身間継続スヘキトキハ当事者ノ一方ハ五年ヲ経過シタル後何時ニテモ契約ノ解除ヲ為スコトヲ得但此期間ハ商工業見習者ノ雇傭ニ付テハ之ヲ十年トス

　前項ノ規定ニ依リテ契約ノ解除ヲ為サント欲スルトキハ三个月前ニ其予告ヲ為スコトヲ要ス

[改正前条文の解説]

〔1〕　期間を定めて雇用契約を結んだときは、その期間の経過によってだけ、雇用関係は終了するのが原則であって、期間内には解約告知できないはずである。しかし、雇用期間があまり長くなると、被用者の自由を長期間拘束することになり、身分的な制約に近いものになる。のみならず、報酬などの雇用条件まで約定していると、貨幣価値の下落によって多くの場合に被用者にとって酷なものになる。そこで、本条は、例外的に告知権を認めた。使用者側にも認めたのは、もっぱら公平の思想に基づく。

　なお、労働基準法14条は、原則として、3年(例外的に5年)を超える労働契約の締結を禁じ、これに違反すると罰金を科している(同法§120)ことを注意するべきである。

〔2〕　「いつでも契約の解除」ができるというのは、5年が経過した後であれば、いつでも解除告知(性質としては、解約告知と解した方がよい)ができるということである。5年経過後は当事者の意思に任せる意味を含んでいる。ただし、3か月の予告期間を必要とする(本条Ⅱ)。なお、630条参照。

　なお、労働基準法20条は、30日の解雇予告期間を規定している。

〔3〕　「商工業の見習」とは、かつて徒弟などと呼ばれたものに当たる。この場合に期間が延長されているのは、この種の雇用は長期にわたるのを常とし、長期であってはじめて見習いの目的を達することができるからである。

　なお、労働基準法では3年を超える期間を定める労働契約を禁じているが(〔1〕参照)、職業能力開発促進法24条1項の認定を受けて行う職業訓練を受ける労働者について、必要があるときは、雇用期間などについて命令で特別の定めをすることを認めている(労基§70)。ちなみに、労働基準法は、徒弟・見習いなどの酷使を禁じ、なかんずく家事その他技能の習得に関係のない作業をさせてはならないと規定する(同法§69)。

〔4〕　この予告期間は、相手方の地位を顧慮して設けられたものである。3か月の経過によって、雇用関係は当然に終了する。予告期間経過後に、改めて告知の意思表示をする必要はない。のみならず、予告期間を定めないで解除告知をした場合にも、その後3か月の経過によって雇用契約は終了するものと解されている。

（期間の定めのない雇用の解約の申入れ）

第六百二十七条

　1　当事者が雇用の期間を定めなかったときは、各当事者は、いつでも解約の申入れをすることができる[1]。この場合において、雇用は、解約の申入れの日から二週間[2]を経過することによって終了する[3][7]。

　2　期間によって報酬を定めた場合には、使用者からの解約の申入れは、次期

§§626〔1〕~〔4〕・627〔1〕

以後についてすることができる。ただし、その解約の申入れは、当期の前半にしなければならない[1]。

3　六箇月以上の期間によって報酬を定めた場合には、前項の解約の申入れは、三箇月前にしなければならない[6)7)1]。

〈改正〉　2017年に改正された。2項中「には、」の下に「使用者からの」を加えた。

[改正の趣旨]　[1]　本条は、労働基準法の適用がない例外的な雇用契約（同居の親族のみを使用する事業および家事使用人（同法116条2項））の解除について適用されるが、労働者からの雇用契約の解除については、2項または3項のように長い待機期間を設けて雇用の継続を保障する必要はない。むしろ労働者の自由を拘束してしまうことになるから、新法は、改正前627条を基本的に維持しつつ、2項および3項については使用者からの解除の場合のみを規律する規定に改め、労働者からの解除は1項の適用に委ねることとした。

[改正前条文]

1　同上

2　期間によって報酬を定めた場合[4)]には、解約の申入れは、次期以後についてすることができる。ただし、その解約の申入れは、当期の前半にしなければならない[5)7)]。

3　同上

[原条文]

　　当事者カ雇傭ノ期間ヲ定メサリシトキハ各当事者ハ何時ニテモ解約ノ申入ヲ為スコトヲ得此場合ニ於テハ雇傭ハ解約申入ノ後二週間ヲ経過シタルニ因リテ終了ス

　　期間ヲ以テ報酬ヲ定メタル場合ニ於テハ解約ノ申入ハ次期以後ニ対シテ之ヲ為スコトヲ得但其申入ハ当期ノ前半ニ於テ之ヲ為スコトヲ要ス

　　六个月以上ノ期間ヲ以テ報酬ヲ定メタル場合ニ於テハ前項ノ申入ハ三个月前ニ之ヲ為スコトヲ要ス

[改正前条文の解説]

本条は、期間の定めのない雇用契約が解約申入れ（解約告知）によって終了するべきこと、およびそれが一定期間（告知期間）ののちにはじめて終了することを定めるもので、賃貸借に関する617条と同趣旨の規定である。

〔1〕　(1)　「いつでも解約の申入れをすることができる」とは、解約の申入れをする時期を問わないばかりでなく、解約を申し入れるについて、なんら特別の理由を要しないということである。

(2)　この点に関しては、労働法上、重大な制限があることを注意しなければならない。すなわち、

(a)　解雇の時期の点については、使用者は、労働者が業務上負傷し、または疾病にかかり、療養のため休業する期間、およびその後30日間、ならびに産前産後の女子が一定の期間休業する期間およびその後30日間は解雇できない（労基§19）。

(b)　解雇の理由については、「労働者が労働組合の組合員であること、労働組合に加入し、若しくはこれを結成しようとしたこと若しくは労働組合の正当な行為をしたこと」を理由にして解雇することができない（いわゆる「不当労働行為」に当たる。労組§7①）。また、事業主は、労働者が育児休業・介護休業を申し出たこと、その休業をしたことを理由として解雇することはできない（育児休業、介護休業等育児又は

1347

第3編　第2章　契約　第8節　雇用

家族介護を行う労働者の福祉に関する法律§§10・16)。

　　(c)　なお、労働協約または就業規則などに解雇の理由やその手続(たとえば労働組合と協議し、あるいはその同意を得たのちでなければ解雇しないというような)について特別の定めがあれば、それによらなければならない。これに違反する解雇は無効と解される。

　　(d)　このほか、解雇が労働者の基本的人権に反したり、権利濫用になるとされる場合には無効とされ、いわゆる「解雇の自由」は広範に制約されている。

　(3)　なお、関連して定年制という大きな問題がある。通常は労働協約や就業規則に定められている。その定めの変更の問題などがある(最判平成9・2・28民集51巻705頁は、定年を55歳から60歳に延長する就業規則の変更に関し、従来の55歳から58歳までの優遇措置が消滅することになっても、労働組合との労働協約締結のうえで行われているのであれば、有効とした)。

　〔2〕　この「2週間」は、労働契約に関しては「30日」とされている(労基§20Ⅰ)。

　〔3〕　雇用契約は、期間の経過によって当然に終了し、経過後に特別の意思表示を必要としない。また、本条の解釈としては、2週間の予告期間を明示する必要はない、というのがこれまでの通説である。

　使用者は、2週間の予告期間をおく代わりに、2週間分の賃金を支払って、即時に雇用関係を終了させることができるであろうか。労働基準法20条1項のような規定がないので、疑問であるが、これを肯定するべきであろう。けだし、本条1項がこれについて言及していないのは、被用者の側からする解約の申入れをも同時に規定したからであり、使用者からのこのような解約申入れを否定する趣旨ではないと解されるからである。

　〔4〕　624条〔2〕および新624条の2も参照。

　〔5〕　たとえば、報酬を月いくらと定めた場合(慣行上、暦の上の月と一致するのが通常である)には、解約申入れは来月以降に対してのみすることができ、しかも、今月の15日以前にするべく、16日以降に解約を申し入れる場合には、来々月以降に対してのみ許されるのである。

　〔6〕　たとえば、報酬を年いくらと定めた場合には、解約申入れは来年度以降に対し、遅くとも当年度の終期から3か月前(雇用契約が1月1日からはじまる場合は、前年の9月末まで、4月1日からはじまる場合には、前年の12月末まで)にすることを要する。すなわち、必ずしも今年度の前半中にすることを要しない。

　本項は、労働契約についても適用があり、現在でも実質的意義を有する点を注意するべきである。

　〔7〕　本条に定める予告期間を、当事者の特約によって排除できるか——本条は任意規定か——につき、有力な学説はこれを否定し、これを強行規定であると解する。けだし、本条が告知期間を設けたのは、主として被用者が突如として解雇されることによって受けるであろう損害を防止しようとする社会政策的考慮によるものだからである。かつての判例は反対であって、直ちに解雇できるという特約を有効であると解していた(大判大正7・12・14民録24輯2322頁)。

1348

本条に対応する労働基準法 20 条は、疑いもなく強行規定である。

（やむを得ない事由による雇用の解除）
第六百二十八条
　　当事者が雇用の期間を定めた場合[2]であっても、やむを得ない事由[1]があるときは、各当事者は、直ちに[3]契約の解除をすることができる。この場合において、その事由が当事者の一方の過失によって生じたものであるとき[4]は、相手方に対して損害賠償の責任を負う。

［原条文］
　　当事者カ雇傭ノ期間ヲ定メタルトキト雖モ已ムコトヲ得サル事由アルトキハ各当事者ハ直チニ契約ノ解除ヲ為スコトヲ得但其事由カ当事者ノ一方ノ過失ニ因リテ生シタルトキハ相手方ニ対シテ損害賠償ノ責ニ任ス

〔1〕　(1)「やむを得ない事由」とは、天災地変その他の事由で事業の継続が困難になった場合が、その典型的な例である。そのほか、なお、使用者側の解除事由としては、被用者の義務不履行・不誠実・身元保証契約の失効などを、また、被用者側の解除事由としては、自分の疾病、使用者の事業の破綻などを包含する。このような場合に、なお、当事者を拘束するのは妥当でないから、たとえ雇用期間の定めがある場合にも、本条によって解除（告知）をすることができるのである。

　(2)　なにが「やむを得ない事由」に該当するかにつき、かつて、団体的怠業（サボタージュ）をこれに該当すると認めた判決が下され（大判大正 11・5・29 民集 1 巻 259 頁）、有力な学説がこれに反対した。憲法 28 条は、労働者の団体行動権を保障し、労働組合法は、さらにこれを具体化しているので、今日では、労働者の争議行為は、それが「正当」な範囲にとどまる限り、本条の「やむを得ない事由」に該当しないことは、多言を要しない。

　なお、民法の考え方は、やむことを得ない事由が使用者の過失によって生じた場合にも、使用者は、なお解除告知をすることができ、ただ、損害賠償の責任を負うとするのであるが、労働基準法上は、このような場合にも「直ちに」解除することは許されない建前である（同法§20Ⅰただし書参照）。したがって、被用者は、少なくとも 30 日分の賃金（損害賠償ではない）を請求でき、賃金債権に対する各種の保護（§623〔3〕〔4〕参照）を受けることができるのである。

　ちなみに、労働基準法には、期間の定め——3 年を超えることはできないが（同法§14 参照）——のある労働契約をやむことを得ない事由で解除する場合について規定されていないから、その部分には、本条の適用があると解される。

〔2〕　626 条〔改注〕参照。

〔3〕　「直ちに」解除することができるとは、約定の期間があっても、また、期間の定めのない場合に予告期間（改正前§627 参照）の経過を待たないでも（ただし、〔1〕(2)参照）、解除告知ができ、告知と同時に契約を終了させることができるという意味である。

第3編　第2章　契約　第8節　雇用

〔4〕　「過失によって」とは、たとえば、被用者の不誠実の場合、あるいは使用者の放恣な営業により事業が破綻した場合、のように「やむを得ない事由」が生じたことについて、当事者の責めに帰すべき理由があることである。

（雇用の更新の推定等）
第六百二十九条
　　1　雇用の期間が満了した後労働者が引き続きその労働に従事する場合において、使用者がこれを知りながら異議を述べないときは、従前の雇用と同一の条件で更に雇用をしたものと推定する。この場合において、各当事者は、第六百二十七条の規定により解約の申入れをすることができる[1]。
　　2　従前の雇用について当事者が担保を供していたときは、その担保は、期間の満了によって消滅する。ただし、身元保証金[2]については、この限りでない[1]。
［原条文］
　雇傭ノ期間満了ノ後労務者カ引続キ其労務ニ服スル場合ニ於テ使用者カ之ヲ知リテ異議ヲ述ヘサルトキハ前雇傭ト同一ノ条件ヲ以テ更ニ雇傭ヲ為シタルモノト推定ス但各当事者ハ第六百二十七条ノ規定ニ依リテ解約ノ申入ヲ為スコトヲ得
　前雇傭ニ付キ当事者カ担保ヲ供シタルトキハ其担保ハ期間ノ満了ニ因リテ消滅ス但身元保証金ハ此限ニ在ラス

〔1〕　本条は、雇用契約についていわゆる黙示の更新を認めたものであるが、賃貸借に関する619条［改注］の規定とまったく同じ趣旨であり、また、形式を同じくする。同条の注釈参照。
〔2〕　「身元保証金」とは、被用者が使用者に加えるかも知れない損害を塡補するため、雇用契約の締結に当たって差し入れる担保としての性質を有する金銭であり、雇用契約終了のさい使用者に加えた損害を控除して返還されるものである。賃貸借における敷金とその性質を同じくする（改正前§316〔1〕・改正前§619〔7〕参照）。新622条の2も参照。

（雇用の解除の効力）
第六百三十条
　　第六百二十条の規定は、雇用について準用する[1]。
［原条文］
　第六百二十条ノ規定ハ雇傭ニ之ヲ準用ス

〔1〕　本条は、雇用契約が、賃貸借契約と同様に、継続的債権関係としての性質を有するため、解除告知の遡及効を認めない趣旨を定めたものである。620条［改注］の注釈参照。
　なお、労働基準法22条が、退職した労働者が請求した場合には、使用証明書を発行する義務を規定しているのは、労働契約にとどまらず、雇用契約一般の付随債務

§§ 628〔4〕・629・630・631

(本章第1節第2款解説4(1)(イ)参照)と考えられ、興味深い(契約の予後効として理解する者もいる)。

(使用者についての破産手続の開始による解約の申入れ)
第六百三十一条
　　　使用者が破産手続開始の決定を受けた場合には、雇用に期間の定めがあるときであっても、労働者又は破産管財人は、第六百二十七条の規定により解約の申入れをすることができる。この場合において、各当事者は、相手方に対し、解約によって生じた損害の賠償を請求することができない[1]。
［原条文］
　　　使用者カ破産ノ宣告ヲ受ケタルトキハ雇傭ニ期間ノ定アルトキト雖モ労務者又ハ破産管財人ハ第六百二十七条ノ規定ニ依リテ解約ノ申入ヲ為スコトヲ得此場合ニ於テハ各当事者ハ相手方ニ対シ解約ニ因リテ生シタル損害ノ賠償ヲ請求スルコトヲ得ス
〈改正〉　2004年の改正により、「破産ノ宣告」が「破産手続開始ノ決定」に改められた。

〔1〕　本条は、賃貸借に関する旧621条の規定とまったく同趣旨であるが、同条は2004年の改正により削除された(2004年改正によりこの削除条文が§622となったので、同条の注釈参照)。雇用契約については、使用者の破産は使用者、被用者の双方にとって解約告知の事由になるとする本条は、同年の改正においても残された。

第3編　第2章　契約　第9節　請負

第9節　請　　負

〈改正〉　本節では、2017年に、請負人の担保責任の制限に関する636条、目的物の種類又は品質に関する担保責任の期間の制限に関する637条、注文者についての破産手続の開始による解除に関する642条が改正され、請負人の担保責任に関する634条、同635条、同638条、担保責任の存続期間に関する639条、担保責任を負わない旨の特約に関する640条が削除された。前掲(549条)附則(贈与、請負等に関する経過措置)第三十四条1参照。(以下本節の各条文では引用省略)。

[本節の改正の趣旨——検討されたが、改正されなかった点等]　改正の過程では、請負を含めて「役務提供契約」概念との関連が議論されたが、採用されなかった。したがって、これは、請負、委任、雇用、寄託を総称する理論的概念にとどまることになった。また、請負もいわゆる「有形請負」を中心とした契約類型に限定する案も検討されたが、採用されなかったので、準委任との関係でいずれに該当するかという解釈上の問題が残った。さらに、雇用契約の実態を有する「偽装請負」の問題も議論されたが、規定の改正としては実現しなかった。

1　本節の内容

本節は、請負契約の成立(§632)、報酬の支払時期(§633)、請負人の担保責任(改正前§§634〜640——上記の削除条文に注意)、仕事完成前における注文者の解除権(§641)、注文者の破産(§642)から成っている。

なお、請負は労務供給型の契約の一つであるが、この点については、本章解説2(1)(ウ)、§623[2](1)参照。

2　請負の意義

(1)　請負は、仕事の完成を目的とする契約である。土木工事、家屋の建築、船舶の建造などはもっぱらこの契約によってなされ、日常生活上きわめて作用の多いものである。民法の規定は、比較的簡単であるが、大資本を有する請負人は、あらかじめ約款を作成し、これを利用しつつ詳細な契約書を作成する場合が多い。その約款の内容も概して合理的であり、その限りでは、国家的統制の必要は少ないと考えられてきた。しかし、建設業においては、もし請負人の技術的無能や怠慢があれば、それはひとり注文者だけでなく、一般公衆の安全にも関係が深く(たとえば、校舎の倒壊事件を想起せよ)、また、請負工事の遅延、請負人の無資力などによって注文者が不測の損害をこうむり、裁判上の救済では十分な補償が得られない場合が多い。そのようなことから、1949年(昭和24年)に建設業法(昭和24年法律100号)が制定されるに至った。同法は、第1に、建設業者の許可制(当初は、登録制であった)を実施して、一定の経験・技能と資力の水準を確保することにつとめ、第2に、建設工事の請負契約の方式と内容とにある程度の規制を加え、第3に、技術者を置くことを強制している。

(2)　運送契約も、その性質上請負契約に属する。しかし、運送業は、経済生活の進展に伴い、きわめて集団的・組織的に行われるようになった。そこで、商法には、運

第9節 ［解説］ ①〜③

送取扱営業について特別の規定が設けられている（商§§559〜594）。なお、鉄道関係の諸法、道路運送法、海上運送法なども、直接・間接に運送契約を規制している。

（3）なお、民法の請負に関する規定は、いわば理念型としての請負を想定しているものである。実際上は、当事者間の契約や特約、さらには商慣行によって民法とは異なる権利義務や効果が定められていることが多いことに注意を要する。

また、実質は雇用であるのに、雇用に関する規制を逃れるために請負の形をとることがあるが、これには労働条件を悪くしたり、解雇を容易にするなど、種々の問題がある。とくに、最近では、企業Ａが他の企業Ｂから仕事を請負うという形にして被用者を送り込むことが社会問題化している。被用者がＢの指揮命令によって働くのであれば、これはまさにＢによる雇用であって、「偽装請負」として批判されてもやむをえない。本章第8節③(4)も参照。

③ 建設請負契約

さまざまある請負契約のなかでも、今日とくに重要なのは「建設請負契約」である。とくに大規模な土木建設工事や建物建築工事は、多くの場合、請負契約によって行われ、その国民経済における比重ははなはだ大きいものになっており、その契約関係が適正に形成されることは国民的な関心事であるといってよい。

そこで、上述のように、1949年（昭和24年）に建設業法（昭和24年法律100号）が制定され、その後も改正を重ねて現在に至っている。

同法は、一定の土木建築に関する工事の完成を請負う営業である建設業について、建設大臣（現在は、国土交通大臣）または都道府県知事の許可を要するとしたうえで（同法§3。政令で定める軽微な建設工事のみを請負う業者は除外される）、さまざまな規制を設けている。とりわけ第3章は、「建設工事の請負契約」と題され、18条から24条の7までの詳細な規定を設けており、民法の規定に対する特則となるものが多いことに注意を要する。

また、工事の規模に比例して、詳細な契約書、さらにそれを補充する約款が作成されるのが通例であるが、それらの内容がこれらの契約について判断するうえに不可欠な材料となる。また、それらの内容が適正かつ妥当なものであることがとりわけ要請されるのである。この点、建設業法34条2項は、中央建設業審議会が建設工事の標準請負契約約款などを作成し、その実施を勧告することができるものと定めている（本章第1節第2款解説⑤(4)(イ)(b)参照。日本建築学会、日本建築家協会、日本建築協会、全国建設業協会の四会が合同で作成した「四会連合協定工事請負契約約款」〔2000年以降さらに3団体が加わって改正されている。最終改正は2020年4月〕のようなものがその例である）。

公共団体や大企業などが注文者となる場合において、建設請負契約の締結が競争によってなされる場合が多い（本章第1節第1款解説⑤参照）。その場合の競売または入札が公正に行われることは、やはり重要な事柄である。とくに、公の競売または入札においてその妨害や談合が行われれば、刑法上の犯罪になるし（刑§96の3）、一般的にも不当な取引制限として独占禁止法に違反することになる（同法§§3・8Ⅰ①・89・90）。関係者がこの種の経済犯罪について明確な違法意識をもたない傾きがあることが、契

1353

第3編　第2章　契約　第9節　請負

約内容等の妥当性の維持という観点からも憂慮されるところである。

（請負）
第六百三十二条
　　請負は、当事者の一方がある仕事を完成すること[2)]を約し、相手方がその仕事の結果に対してその報酬を支払うこと[3)]を約することによって、その効力を生ずる[1)]。
［原条文］
　　請負ハ当事者ノ一方カ或仕事ヲ完成スルコトヲ約シ相手方カ其仕事ノ結果ニ対シテ之ニ報酬ヲ与フルコトヲ約スルニ因リテ其効力ヲ生ス

〔1〕　本条は、請負の定義を定めたものであるが、これによって、請負が諾成・有償・双務契約であることが知られる。なお、建設業法 19 条は書面の作成を要求しているが、それを有効要件としたものではない（要式契約ではない。本編第 2 章解説④(4)参照）と解される。

　請負は、仕事の完成（と通常は引渡し）と報酬の支払とが対価関係に立ち、類型としては、一回的契約に属すると考えられる（第 2 章解説④(5)参照）。民法もその理解に立って規定していると考えられる（たとえば、§§633・641）。しかし、請負人が仕事の完成のために行う労務そのものは継続的なものであるので、継続的な給付ないし債務という側面をも有することには注意を要する。実際に行われる請負契約においては、契約締結にはじまり、仕事完成に至るまでの相互の権利義務を定め、継続的な契約関係といってよい内容が盛りこまれていることが多いことも指摘される。

〔2〕　「仕事の完成」は、請負契約における請負人の中心的義務であって、これに対する注文者の「報酬の支払」とともに請負契約の要素をなす。

　(1)　「仕事」とは、労務によって結果を生じさせることである。その内容は、家屋の建築、物品運送（商§570）のように、有形的結果を目的とする場合と、訴訟の遂行、病気の治療のように無形の結果を目的とする場合とがあるが、それによる区別はない。ただ、実際上は訴訟の遂行や病気の治療などは請負としては行われず、(準)委任契約として行われる場合が多い。すなわち、仕事の完成についてだけ報酬が支払われるのではなく、事務の処理または治療行為自体に対して報酬が支払われるのである。

　(2)　「仕事を完成すること」を目的とするとは、請負人の労務によって完成されるべき一定の仕事そのものが契約の目的であるということである（雇用および委任との区別については、§623〔2〕(1)参照）。この性質から、つぎのような結果を生じる。

　(ア)　仕事が完成しなければ、労務を供給しただけでは、報酬の一部をも請求することはできないのを原則とする（§633 参照）。

　したがって、仕事の完成前の災害は請負人の損失に帰する。災害によってそれまでの仕事が駄目になれば、請負人は、改めて仕事を完成しなければならず、報酬の増額を請求することはできない。もっとも、災害によって仕事の完成が不能になれば、履行不能によってその債務は消滅する。しかし、この場合には請負人は報酬請求権（§

§632〔1〕〔2〕

536)、ないし出費の償還請求権を有しない(大判明治35・12・18民録8輯11巻100頁)。なお、従来から、一応完成していた仕事が滅失した場合に、履行の段階を問わず、再度履行をするべきであるか、が問題とされ、「仕事の一応の完成」という概念を認め、その時点でいわゆる「給付危険の移転」を認めようとする主張があった。新法(§412の2Ⅰ等)の下でも、「社会的不能」と構成することは可能であるが、「修補」の限度であれば、請負人の履行義務を認めるべきであるとの主張も可能である。今後の解釈上の課題である。

　請負人がその責めに帰すべき事由で工事を中途で終了し、注文者が残工事を完了したときは、請負人の債務不履行となるが、注文者が請求できる損害賠償は、残工事に要した費用のなかで、請負代金のうち未施行部分に相当する金額を超える額に限られるとされた(最判昭和60・5・17判時1168号58頁)。

　ただし、履行不能が注文者の責めによるときは、請負人は報酬を受ける権利を失わない(大判大正元・12・20民録18輯1066頁、最判昭和52・2・22民集31巻79頁。もっとも、自己の債務を免れたことによる利益は注文者に償還しなければならない。新旧§536Ⅱ参照)。

　(イ)　約定の通りに仕事を完成すれば、請負人は、責任を果たしたことになる。したがって、請負人は、自分で労務をする必要はなく、自由に補助者・下請負人などに仕事をさせることができる(§625参照)。たとえ、下請負禁止の特約があっても、請負人と第三者との間に成立した下請負契約の効力には影響を及ぼさない(大判明治45・2・16民録18輯255頁)。わが国の実際においても、大きな土木工事の請負では、各部分を「下請負人」にやらせる例がきわめて多い。ただし、下請負人は、いわゆる履行補助者であって、下請負人の責めに帰すべき事由については、すべて請負人(「元請負人」という)において責任を負わなければならないことはいうまでもない(§415〔4〕(イ)参照)。また、元請企業は下請企業の労働者に対しても安全配慮義務(本章第1節第2款解説〔4〕(2)(c)参照)があるとされる場合もある(最判平成3・4・11判時1391号3頁)。

　なお、建設業法は一括下請負を禁止し(同法§22)、また、工事の施工につきいちじるしく不適当と認められる下請負人があるときは、その変更を請求する権利を注文者に認めている(同法§23)。また、下請負人を保護する下請代金支払遅延等防止法(昭和31年法律120号)がある。

　(3)　請負契約が一定の材料に対する加工を目的とする場合には、完成した物の所有権の帰属が問題になる。請負人が材料を供給する場合が問題である。

　(ア)　注文者が全部の材料を供したときは、完成した物の所有権は、当然に注文者に帰する(大判昭和7・5・9民集11巻824頁)。この場合には、加工の規定の適用はない(§246〔1〕〔3〕〔4〕参照)。ただし、請負人が完成はしたが、注文者に引渡す前に、または完成途上において、目的物が不可抗力によって滅失した場合には、請負人は、注文者から新たに材料の供給を受けてふたたび製作する義務を負う。

　(イ)　両当事者が一部ずつ材料を供した場合には、加工の規定に従う(§246Ⅱ)。

　(ウ)　ただし、建物建築請負については、原則として加工の規定の適用はないと解すべきである。また、家具の修理請負などについても同様である。請負人が全部の材料を供したときは、完成した物もいちおう請負人の所有に帰する。たとえば、注文者の

1355

第3編　第2章　契約　第9節　請負

土地の上に請負人が自分の供した材料によって家屋を築造しても、不動産上の付合（ふごう）に関する規定（§242）の適用はないと解されている。したがって、いったん請負人に帰した完成物の所有権が、いつ注文者に移転するかが問題となるわけである。判例は、原則として、引渡しによって所有権が移転するものと解している（§176〔4〕(ｷ)(d)参照）。もっとも、注文者が家屋建築工事の完成前に請負代金を完済したときは、その家屋の所有権は、工事完成と同時に注文者に帰属するべき旨の暗黙の合意があったものと推定されるとした例（大判昭和18・7・20民集22巻660頁）や、引渡し前でも建物完成時に移転するという特例や特約を認めた例（最判昭和44・9・12判時572号25頁、最判昭和46・3・5判時628号48頁）もある。実際上は、完成建物は最初から注文者の所有とする約定が認められる場合が多いと思われる。

　(エ)　下請負が行われた場合には、この関係はかなり複雑となる。元請契約において注文者の所有とする特約の効力は下請負人に及ぶとして、材料を提供して所有権を主張する下請負人の主張をしりぞけた例がある（最判平成5・10・19民集47巻5061頁）。

　(4)　注文に応じて自分の材料により製作した物を供給する契約（ドイツの民法学者のいう「製作物供給契約」〔Werklieferungsvertrag〕）は、製作の点では請負契約の性質を有するが、供給の点では売買契約の性質を帯びる。したがって、売買と請負との混合契約と解し、製作に関しては、もっぱら請負に関する規定（改正前§§634〜、641など）を適用し、完成した物の供給については、もっぱら売買に関する規定（§534［削除］を含む）を適用するべきである。

〔3〕　「報酬を支払うこと」は、「仕事」の完成とともに請負契約の要素である。

　(a)　報酬の種類を問わない。すなわち、金銭または物の給付、物の使用、労務の供給など、なんでもよい。しかし、実際上は、金銭をもって報酬とするのが普通である。

　(b)　報酬の額は、仕事の完成に対して一定の金額を定める（「定額請負」という）のが、民法の定める請負の典型であろうが、実際には、概算の金額や計算の基準、金額変更の可能性と方法などを定めるにとどめる（「概算請負」という）ことが多い。

　(c)　報酬は、仕事の結果に対して支払われるものであるから、仕事が完成しない以上は、これを支払う必要はない。また、請負が仕事の結果の引渡しをも包含するときは、さらに完成した物の引渡しと同時に支払えばよい（§633参照）。なお、引渡し前の目的物の滅失については、〔2〕(2)(ア)参照。

（報酬の支払時期）
第六百三十三条
　　報酬は、仕事の目的物の引渡しと同時に、支払わなければならない[1]。ただし、物の引渡しを要しないときは、第六百二十四条第一項の規定を準用する[2][3]。
　［原条文］
　　報酬ハ仕事ノ目的物ノ引渡ト同時ニ之ヲ与フルコトヲ要ス但物ノ引渡ヲ要セサルトキハ第六百二十四条第一項ノ規定ヲ準用ス

§§632〔3〕・633・請負人の担保責任［前注］

　本条は、報酬の後払の原則を定めたものであるが、報酬が仕事の完成に対して支払われるという請負の性質上、当然のことである。本条は改正されなかったが、同本文が報酬債権の履行期を定めたものか、債権の発生自体を定めたものか、については、改正審議において議論があったようであるが、具体的報酬債権の発生自体を定めたもの（ノーワーク・ノーペイの原則）との解釈が前提とされた。

　〔1〕　請負が、完成された物を引渡す債務をもってその内容としている場合には、その引渡しと報酬の支払とは同時履行の関係に立つ（大判大正5・11・27民録22輯2120頁）。ただし、請負人が目的物引渡しの約定の期日に遅延した場合には、その期日に報酬の提供がなくても請負人は遅滞の責めを免れない（大判大正13・6・6民集3巻265頁）。

　なお、目的物の所有権が注文者に属する場合には、この報酬請求権は、目的物の引渡し前においては留置権（§295）、引渡した後においても一定の場合には先取特権（§§321・326・327）によって担保されている。

　〔2〕　この場合には、物の引渡しを内容とする場合と異なって、請負人は、同時履行の抗弁権によって保護される余地がない。

　〔3〕　本条は、任意規定である。したがって、報酬前払ないし中間払の特約は有効である。わが国の実際においては、土木工事の請負の場合には、仕事に着手した時と基本的な工事がすんだ時と、完成後引渡しの時、の3回に分割して支払う例が多い。ただし、この場合にも、結局、仕事が完成されなかったときには、請負人は、原則として、注文者に対して前払を受けた報酬を返還しなければならない。事情によっては、出来高による調整を行うことがありうる。この点も、2017年の改正において、「役務提供契約」一般の問題として、議論されたが、改正には至らなかった。

　なお、建設工事の請負にあっては、注文者は前払に当たって、その前に請負人に対して保証人を立てるよう要求することができる。もし、請負人が保証人を立てなければ、注文者は、契約の定めにかかわらず、前金払を拒むことができる（建設§21）。

請負人の担保責任 ［§§634～640の前注］

〈改正〉　2017年の各条文の改正については、本節冒頭の〈改正〉を参照。

[請負人の担保責任の主要改正点]　請負契約では仕事の完成（632条）が前提であるから、仕事の完成により報酬請求権が発生するのが原則であるが、既履行部分に係る一部報酬請求を認めるのが判例・学説であった。新法は、これを明文化した（新634条）。また、売主の担保責任が契約責任とされ、売買の規定は他の有償契約に準用されるため（559条）、従来の「請負の担保責任」についての規定は不要になった（改正前634条～635条、637条～640条）。

　元来、有償契約については、売買における担保責任の規定が準用されるのであるが（§559参照）、請負においては、物の完成そのものが主眼であるために、改正前634

第3編　第2章　契約　第9節　請負

条以下の特則が定められている。その内容を略述すれば、つぎのとおりである。

(a)　原則として、修補請求権が認められる(改正前§634 I)。

(b)　損害賠償請求権は、例外なく認められる(改正前§634 II)。

(c)　契約解除権は、瑕疵のため契約を結んだ目的を達することができない場合に限り、認められる。ただし、土地の工作物については、解除権はない(改正前§635)。

(d)　以上の三つの担保責任は、注文者の供給した材料などによって、瑕疵を生じたものである場合には、制限を受ける(改正前§636)。

(e)　担保責任には、存続期間の制限がある(§§637〜削除前639)。

(f)　担保責任を負わない旨の特約にも、制限がある(削除前§640)。

「住宅の品質確保の促進等に関する法律」(平成11年法律81号)94条・96条・97条[改注]が「住宅新築請負契約」における請負人の担保責任について特例を定めている。「構造耐力上重要な部分又は雨水の浸入を防止する部分」で政令が定めるものの瑕疵(§2⑤に定義規定が設けられた)についての担保責任を規定する。これらの瑕疵は、民法の以下の規定によっても瑕疵とされる可能性があるが、学説判例上それが確認されるまでは時日を要すると考えられるので、法律により明確にするという意味をもつものと理解される。なお、「特定住宅瑕疵担保責任の履行の確保等に関する法律」(平成19年法律66号)にも注意を要する。新築住宅に関する瑕疵担保責任について、建設業者に保証金の供託を義務づけ、また保険制度を設けるものである。

第六百三十四条　（旧）　改正に伴い削除

[削除前条文]

(請負人の担保責任)

第六百三十四条

1　仕事の目的物に瑕疵[1]があるときは、注文者は、請負人に対し、相当の期間を定めて、その瑕疵の修補を請求することができる[2]。ただし、瑕疵が重要でない場合において、その修補に過分の費用を要するときは、この限りでない[3]。

2　注文者は、瑕疵の修補に代えて[4]、又はその修補とともに[5]、損害賠償[6]の請求をすることができる。この場合においては、第五百三十三条の規定を準用する[7]。

〈改正〉　2017年に改正に伴い削除された。

[削除の趣旨]　売買の規定に関する改正により、売主の担保責任が契約責任とされ、かつ売買に関する規定は他の有償契約にも準用されるので、改正前634条本文は削除された。請負の瑕疵修補請求についても、この債権一般の履行請求権の限界（不能）の規定（412条の2第1項）により判断がなされるべきであるとして、改正前634条1項ただし書も削除された。改正前2項後段については、新533条カッコ書き参照。

[原条文]

　　　仕事ノ目的物ニ瑕疵アルトキハ注文者ハ請負人ニ対シ相当ノ期限ヲ定メテ其瑕疵ノ修補ヲ請求スルコトヲ得但瑕疵カ重要ナラサル場合ニ於テ其修補カ過分ノ費用ヲ要スルトキハ此限ニ在ラス

　　　注文者ハ瑕疵ノ修補ニ代へ又ハ其修補ト共ニ損害賠償ノ請求ヲ為スコトヲ得此場合ニ於テハ第五百三十三条ノ規定ヲ準用ス

§634（旧）〔1〕～〔5〕

[削除前条文の解説]

〔1〕 「瑕疵」の意義は、売主の担保責任の場合と同じである（改正前§570〔2〕(イ)(ウ)参照）。ただし、瑕疵の存否の標準として、設計図などに示された品質・性能に関する約定が重視されるべき程度は、売買に比してはるかに大きいであろう（最判平成15・10・10判時1840号18頁は、建物建築請負において、契約で取り決めた太さの主柱を請負人が用いなかった事例について、使われた柱でも構造計算上建物の安全性に問題はないから瑕疵とはいえないとした原判決を破棄し、瑕疵と認めてその修補に代わる損害の賠償額を審理するように差戻したもので、注目される判断である）。なお、請負にあっては、「隠れた」瑕疵であることを必要としない。売買の場合と異なって、瑕疵が報酬額の決定に影響を及ぼすことがなく、もっぱら修補または損害賠償の問題となるものだからである。

なお、瑕疵が請負人の責めに帰すべき事由によって生じたことを必要としない。いやしくも、目的物に瑕疵があれば、担保責任の問題を生じるのである。

〔2〕 「相当の期間を定めて」修補を請求するべきものと定めたのは、一度「相当の期間」を定めた催告をすれば、請負人は、修補のための準備をはじめるであろうから、注文者は、その「期間」内は、本条2項により「修補とともに」損害賠償を請求すること、または改正前635条によって契約を解除することはできないという趣旨である（「修補に代えて」の場合は期間は必要ない）。すなわち、請負人保護のためであって、その期間が経過しても、注文者は修補請求権を失うわけではない。新法の下では、修補請求は、売買に関する新562条が請負にも準用される（§559）ので、認められる。

〔3〕 この場合には、注文者は2項による損害賠償の請求で満足するほかはない。もっとも、その損害賠償額として過分の費用に相当する額の請求が認められたのでは、この規定の意義がなくなるので、それは否定するべきである（最判昭和58・1・20判時1076号56頁は、船舶の軽微な瑕疵についての過大な改造工事や滞船料相当額の請求を認めなかった）。この問題は、新法下では、新412条の2第1項の適用問題になろう。

〔4〕 「瑕疵の修補に代えて」の損害賠償と修補請求との選択権は、注文者に属する。注文者は、修補が可能であっても、修補を請求しないで、直ちに損害賠償を請求することもできる（最判昭和54・3・20判時927号184頁）。新法下では、このような場合の損害賠償につき、新415条2項ではなく1項が適用される。選択債務に関する407条以下の規定を準用するべきであろう。なお、この損害賠償については、請負人は、無過失責任を負担すると解される。

なお、建物建築請負の事例で、瑕疵が重大で建物を建て替えざるをえない場合について、建替えに要する費用相当額の損害賠償の請求を認めた判決がある（最判平成14・9・24判時1801号77頁）。削除前635条ただし書が解除を認めないこととの関連が問題になる興味ある判決である。同条〔2〕参照。

なお、新法の下でも、本条のような「選択権」が認められるか、については、明らかでないが、積極的見解もある。

〔5〕 瑕疵の修補とともに、損害賠償を請求しうるためには、修補をしても、遅延その他の理由でなお損害のあることを要するのはもちろんであるが、請負人の責めに帰すべき事由によることは必要でない。けだし、担保責任の一種だからである。

1359

第3編　第2章　契約　第9節　請負

〔6〕　建物建築請負契約における瑕疵の修補に代わる損害賠償請求権は、建物の引渡しを受けた時に生じる（最判昭和54・3・20判時927号186頁）。また、損害の額の算定の基準時は、修補請求の時であるとされている（最判昭和36・7・7民集15巻1800頁）。なお、この問題は、新法下においては、559条、564条を経由して、415条が適用される。

〔7〕　(1)　目的物に瑕疵がある場合に、注文者が修補請求権または損害賠償請求権を行使すれば、注文者は、修補が行われ、または損害賠償が提供されるまで、報酬の支払を拒むことができる。本項は、損害賠償の場合についてだけこれを規定しているが、それは、本項の損害賠償は、債務不履行に基づくものではないからである。修補を請求した場合には、請負人の債務は、なお完全に履行されていないのであるから、注文者が修補の終了するまで報酬の全部の支払を拒絶できることは当然である。

　結局、本条により、瑕疵の大小にかかわりなく、注文者は、請負人からの報酬請求に対して、瑕疵の修補との引換え給付を、請負人は、注文者に対して未払の報酬代金支払との引換え給付を主張することができる（最判平成9・2・14民集51巻337頁）。しかし、瑕疵が報酬代金にくらべていちじるしく小さいような場合に、注文者の同時履行の抗弁が不当な場合もありうる。そこで、「瑕疵の程度や各契約当事者の交渉態度等にかんがみ」、報酬代金全額の支払を拒むことが信義則に反すると認められる場合には、同時履行の抗弁が許されないこともありうるとされている（前掲最判平成9・2・14）。同抗弁権の割合的行使の可否も問題となりうるとの見解もある。

　(2)　なお、瑕疵修補に代わる損害賠償請求権が行使されて、金銭債権となったときは（その履行期は、目的物引渡しの時と解されている。最判昭和54・3・20判時927号186頁）、両当事者は相殺することが可能とされる（同一の双務契約から生じた両債権がともに金銭債権になった場合には、同時履行の抗弁権の存在は相殺の障害とはならない。ただし、上記の最判平成9・2・14では、当事者が相殺の意思表示をしていないと認められた）ことに注意を要する（対当額で消滅し、かつ同時履行関係はなくなる。したがって、残余の報酬債権については、相殺の意思表示の翌日から、履行遅滞ということになる。最判平成9・7・15民集51巻2581頁）。

　問題は、瑕疵のある場合に、注文者が修補の請求をしないで、瑕疵があることだけを理由に533条〔改注〕によって報酬の支払を拒絶できるかどうかである。判例は、否定する（大判大正8・10・1民録25輯1726頁）が、肯定する見解もある。新法の下では、新533条括弧書を参照。

（注文者が受ける利益の割合に応じた報酬）
第六百三十四条
　　　次に掲げる場合において、請負人が既にした仕事の結果のうち可分な部分の給付によって注文者が利益を受けるときは、その部分を仕事の完成とみなす。この場合において、請負人は、注文者が受ける利益の割合に応じて報酬を請求することができる[1]。
　　　一　注文者の責めに帰することができない事由によって仕事を完成することができなくなったとき[2]。

§§634（旧）〔6〕〔7〕・634・635（旧）

二　請負が仕事の完成前に解除されたとき[2]。

〈改正〉　2017 年に新設された。

[本条の趣旨]　〔1〕　注文者に生じた事由または注文者の義務違反以外の原因で仕事の完成が不可能になった場合についても、判例は、工事請負契約について、工事内容が可分であり、しかも当事者が既施工部分の給付を受けることに利益を有するときは、特段の事情のない限り、既施工部分については契約を解除することができず、未施工部分について契約の一部解除をすることができるにすぎないとしており（大判昭 7・4・30、最判昭和 56・2・17 判時 996 号 61 頁（注文者が請負人の債務不履行を理由に契約を解除した事案））、学説も一般にこれを支持している。641 条の解説〔1〕(b)参照。判例は、この場合には、解除が制限される既履行部分についての報酬請求権を失わないことを前提にしていると考えられる。なお、「報酬」の中に、それとは別立てに合意され支出された費用を含めることができるかは、問題として残されている。さらに、請負人が支出する必要のなくなった費用の控除の問題は、新 536 条 2 項後段の適用ないし類推適用の問題となる。

　　〔2〕　新法は、判例の趣旨を踏まえ、さらにその範囲を拡大して、仕事の完成不能や仕事の完成前に解除された場合にも、注文者が受ける利益の割合に応じて、一部完成とみなして、報酬請求権を認めた。このような考え方を、改正前法の「成果完成型」（改正前法 632 条、なお、新 648 条の 2 も参照）に対して、「履行割合型」（なお、新 648 条 3 項も参照）と呼ぶ。

第六百三十五条　削除

[削除前条文]
第六百三十五条
　　仕事の目的物に瑕疵があり、そのために契約をした目的を達することができないときは、注文者は、契約の解除をすることができる[1)]。ただし、建物その他の土地の工作物については、この限りでない[2)]。

〈改正〉　2017 年に削除された。

[削除の趣旨]　2017 年の改正により、売買の規定（新 564 条）が準用されるので、本文は不要となった。ただし書は、昨今の社会・経済状況に合わなくなったため、削除された。なお、削除前 634 条〔4〕も参照。

[原条文]
　　仕事ノ目的物ニ瑕疵アリテ之カ為メニ契約ヲ為シタル目的ヲ達スルコト能ハサルトキハ注文者ハ契約ノ解除ヲ為スコトヲ得但建物其他土地ノ工作物ニ付テハ此限ニ在ラス

[削除前条文の解説]
　〔1〕　瑕疵のために契約の目的を達することができないときにだけ解除を許すのは、売買における担保責任の規定と同趣旨である（改正前§§570・566〔3〕参照）。この問題は、新法下においては、売買に関する新 564 条を経由して、541 条および 542 条が適用される。

　〔2〕　建物その他土地の工作物につき、解除を認めないのは、このような請負について解除を許すと、請負人に莫大な損害をこうむらせるおそれがあるばかりでなく、ひいては、社会経済上の損失を招くこととなるからである。その意味において強行規定と解される。この場合、注文者は、改正前 634 条の権利を有するにすぎない。同 634 条〔4〕参照。

1361

第3編　第2章　契約　第9節　請負

（請負人の担保責任の制限）
第六百三十六条
　　　請負人が種類又は品質に関して契約の内容に適合しない仕事の目的物を注文者に引き渡したとき（その引渡しを要しない場合にあっては、仕事が終了した時に仕事の目的物が種類又は品質に関して契約の内容に適合しないとき）は、注文者は、注文者の供した材料の性質又は注文者の与えた指図によって生じた不適合を理由として、履行の追完の請求、報酬の減額の請求、損害賠償の請求及び契約の解除をすることができない。ただし、請負人がその材料又は指図が不適当であることを知りながら告げなかったときは、この限りでない。

〈改正〉　2017 年に改正された。

[改正の趣旨]　今回の改正により「瑕疵」という概念に代えて「契約内容不適合」が用いられるようになったことに対応する改正である。本条は、注文主の報酬減額請求権に関する規定ではないが、新 563 条が準用される（559 条）。

[改正前条文]
（請負人の担保責任に関する規定の不適用）
　　　前二条の規定は、仕事の目的物の瑕疵が注文者の供した材料の性質又は注文者の与えた指図によって生じたときは、適用しない。ただし、請負人がその材料又は指図が不適当であることを知りながら告げなかったときは、この限りでない[1]。

[原条文]
　　　前二条ノ規定ハ仕事ノ目的物ノ瑕疵カ注文者ヨリ供シタル材料ノ性質又ハ注文者ノ与ヘタル指図ニ因リテ生シタルトキハ之ヲ適用セス但請負人カ其材料又ハ指図ノ不適当ナルコトヲ知リテ之ヲ告ケサリシトキハ此限ニ在ラス

[改正前条文の解説]
　〔1〕　本条は、瑕疵の原因がもっぱら注文者側の事情に基づく場合に、請負人の担保責任を否定するものである。なお、ただし書が置かれたのは、請負人の注文者に対する通知によって瑕疵が生じることを防ぐことができたのに、このような措置を講じなかった場合には、請負人の責任を認めるのが相当だからである。

（目的物の種類又は品質に関する担保責任の期間の制限）
第六百三十七条
　1　前条本文に規定する場合において、注文者がその不適合を知った時から一年以内にその旨を請負人に通知しないときは[1]、注文者は、その不適合を理由として、履行の追完の請求、報酬の減額の請求、損害賠償の請求及び契約の解除をすることができない[2]。
　2　前項の規定は、仕事の目的物を注文者に引き渡した時（その引渡しを要しない場合にあっては、仕事が終了した時）において、請負人が同項の不適合を知り、又は重大な過失によって知らなかったときは、適用しない[3]。

〈改正〉　2017 年に改正された。

[改正の趣旨]　[1]　売買と請負は、担保責任の期間制限の趣旨も類似しているので、双方の責任期間の起算点を異にする合理的理由はない。そこで、本条も新 566 条と同様の内容に

§§636・637・638（旧）

改められた。「知った時」の意味についても同条参照。なお、注文者は1年以内に裁判外において不適合の事実を請負人に通知すれば足り、その後は一般の債権の消滅時効期間が適用される。

　〔2〕　請負人が瑕疵の存在を知っていた場合や知らなかったことについて重過失がある場合にまで期間制限により請負人を保護することは公平とは言えないので、新法は、注文者が瑕疵（種類または品質に関する契約不適合）の存在を知った時から1年を制限期間とした。

　〔3〕　請負人に悪意・重過失がある場合には期間制限による保護は必要ないからである。

［改正前条文］
（請負人の担保責任の存続期間）

　1　前三条の規定による瑕疵の修補又は損害賠償の請求及び契約の解除は、仕事の目的物を引き渡した時から一年以内にしなければならない[1]。

　2　仕事の目的物の引渡しを要しない場合には、前項の期間は、仕事が終了した時から起算する[1]。

［原条文］

　　前三条ニ定メタル瑕疵修補又ハ損害賠償ノ請求及ヒ契約ノ解除ハ仕事ノ目的物ヲ引渡シタル時ヨリ一年内ニ之ヲ為スコトヲ要ス

　　仕事ノ目的物ノ引渡ヲ要セサル場合ニ於テハ前項ノ期間ハ仕事終了ノ時ヨリ之ヲ起算ス

［改正前条文の解説］

〔1〕　(1)　請負人の担保責任の存続期間を限定するものであり、売買における改正前566条3項と同趣旨の規定である。その性質は、除斥期間であると解してよかろう（第1編第7章解説③、改正前§564〔2〕参照）。

　ただ、つぎの諸点において、売買の場合と差異がある。

　(a)　売買にあっては、買主が瑕疵を知った時から1年の期間を起算するが、本条は、目的物引渡しの時(1項)、引渡しを要しないときは仕事完成の時(2項)を起算点とする。

　(b)　土地の工作物につき、とくに期間が延長される（削除前§638参照）。

　(c)　特約による期間の伸長が認められる。ただし、伸長は、普通の時効期間（改正前§§166・167など参照）を限度とする（削除前§639）。

(2)　なお、注文者の瑕疵修補に代わる損害賠償請求権について、本条の期間が経過しても、それ以前に請負人の報酬請求権との間で相殺適状が生じていれば、注文者は相殺することができるとされる（最判昭和51・3・4民集30巻48頁。改正前§505〔4〕(ア)(h)、改正前§634〔7〕(2)参照）。

第六百三十八条　削除

［削除前条文］
第六百三十八条

　1　建物その他の土地の工作物の請負人は、その工作物又は地盤の瑕疵について、引渡しの後五年間その担保の責任を負う。ただし、この期間は、石造、土造、れんが造、コンクリート造、金属造その他これらに類する構造の工作物については、十年とする[1]。

　2　工作物が前項の瑕疵によって滅失し、又は損傷したときは、注文者は、その滅失又は

1363

第3編　第2章　契約　第9節　請負

損傷の時から一年以内に、第六百三十四条の規定による権利を行使しなければならない[2]。

〈改正〉　2017年に削除された。

[削除の趣旨]　638条が規定する担保責任の存続期間を性質保証期間と解する立場から、土地工作物について性質保証期間としての担保責任の存続期間を任意規定として残しておくことには意義があるとの考え方もあったが、結局削除された。新法は、637条の改正を前提に、建物等工作物についても、期間制限の始期を引渡時ではなく瑕疵の存在を知った時からと改めたことに対応して、注文者において請負人に瑕疵の存在を通知することは特に困難ではないとして、638条を削除した。しかし、特にコンクリート造等の建物等については10年間の責任の存続期間が定められていたが、この期間制限が著しく短期化されること、建物等の瑕疵は裁判外の通知で足りるとはいえ、瑕疵の存否の調査などが困難で権利行使は決して容易ではないことに鑑みると、瑕疵の存在を知った時から1年に短期化して一律に制限することには反対の意見もあった。なお「住宅の品質確保の促進等に関する法律」では、住宅新築請負契約においては、住宅のうち「住宅の構造耐力上主要な部分等」の瑕疵について、「引渡時」から「十年間」、瑕疵担保責任を負うと定めている（同法94条1項）。

[原条文]

　　土地ノ工作物ノ請負人ハ其工作物又ハ地盤ノ瑕疵ニ付テハ引渡ノ後五年間其担保ノ責ニ任ス但此期間ハ石造、土造、煉瓦造又ハ金属造ノ工作物ニ付テハ之ヲ十年トス

　　工作物カ前項ノ瑕疵ニ因リテ滅失又ハ毀損シタルトキハ注文者ハ其滅失又ハ毀損ノ時ヨリ一年内ニ第六百三十四条ノ権利ヲ行使スルコトヲ要ス

[削除前条文の解説]

〔1〕　本項が「土地の工作物」（2004年改正は、ただし書に「コンクリート造」を追加した）についてとくに担保責任の期間を伸長した理由は、瑕疵が重大な結果を生じるためと、瑕疵の発見が容易でないためである。なお、本項の期間は、特約によって伸長することが認められる（削除前§639参照）。「住宅の品質確保の促進に関する法律」（平成11年法律81号）が参照されてよい。

〔2〕　このような場合には、瑕疵があることが明瞭になったわけだからである。なお、この場合には、期間の伸長は認められない（削除前§639）。

第六百三十九条　削除

[削除前条文]

（担保責任の存続期間の伸長）

第六百三十九条

　　第六百三十七条及び前条第一項の期間は、第百六十七条の規定による消滅時効の期間[2]内に限り、契約で伸長することができる[1]。

〈改正〉　2017年に削除された。

[削除の趣旨]　本条は、瑕疵担保責任の存続期間を伸長することができることとしているが、この期間は短縮することも可能であると解されていた。そこで、この点を条文上明らかにするとともに、請負人の故意または重大な義務違反によって生じた瑕疵については期間短縮の効果が及ばないとする考え方［検討委員会試案］も示されたが、結局、634条および635条が削除されたことに伴い、本条も削除された。

[原条文]

第六百三十七条及ヒ前条第一項ノ期間ハ普通ノ時効期間内ニ限リ契約ヲ以テ之ヲ伸長スルコトヲ得

[削除前条文の解説]

〔1〕 改正前637条〔1〕(1)・削除前638条〔2〕参照。わが国の実際においては、土木工事・建築工事の請負人は10年ないし20年に及ぶ担保責任を特約する例が少なくない。

〔2〕 修補請求権・損害賠償請求権の場合は、債権であるから10年、解除権の場合は「その他の財産権」として20年、というのが民法の考えたところであろう(改正前§167参照)。しかし、解除権も原則として10年の消滅時効にかかるという考え方をとれば、本条による伸長はつねに10年までということになる(改正前§167〔3〕(イ)参照)。

第六百四十条 削除

[削除前条文]
(担保責任を負わない旨の特約)
第六百四十条

請負人は、第六百三十四条又は第六百三十五条の規定による担保の責任を負わない旨の特約をしたときであっても、知りながら告げなかった事実については、その責任を免れることができない[1]。

〈改正〉 2017年に削除された。634条および635条が削除されたことに伴い、640条も削除された。

[削除の趣旨] 本条は、請負人が瑕疵の存することを知っていた場合において、これを告げないまま瑕疵担保責任の免責特約を結んだときは当該瑕疵についての担保責任を免れないことを規定したものと解されている(改正前572条の解説〔1〕〔2〕参照)。この点について、瑕疵が請負人の故意または重大な義務違反によって生じたものであるときも同様に免責特約の効力を制限すべきであるとの考え方[検討委員会試案]もあったが、結局、634条および635条が削除されたことに伴い、本条も削除された。

[原条文]
請負人ハ第六百三十四条及ヒ第六百三十五条ニ定メタル担保ノ責任ヲ負ハサル旨ヲ特約シタルトキト雖モ其知リテ告ケサリシ事実ニ付テハ其責ヲ免ルルコトヲ得ス

[削除前条文の解説]

〔1〕 売主の担保責任に関する572条[改注]と同趣旨である(同条〔1〕〔2〕参照)。なお、担保責任の期間を短縮する特約についても、本条を適用するべきである。

(注文者による契約の解除)
第六百四十一条

請負人が仕事を完成しない間[1]は、注文者は、いつでも[2]損害を賠償して[3]契約の解除をすることができる[4]。

[原条文]
請負人カ仕事ヲ完成セサル間ハ注文者ハ何時ニテモ損害ヲ賠償シテ契約ノ解除ヲ為スコ

第3編　第2章　契約　第9節　請負

■　　トヲ得

〔1〕　「仕事を完成しない間」とは、仕事に着手した場合と、そうでない場合とを問わない。

　(a)　請負人が目的物を作成したが、まだ引渡しを終わらない場合に、仕事を完成したとみるべきかは問題であるが、仕事を完成したものとみて、本条による解除を許さないと解するのが通説である。けだし、すでに製作が完成した以上は、たとえ引渡しがなくても、解除を認める実益がないからである。

　(b)　目的物に関する仕事の完成が可分の場合は、完成した部分については、解除を許さないと解するべきである。2棟の建物の建設を一括して請負い、1棟を完成した事案について、判例もこれを認めている（大判昭和7・4・30民集11巻780頁）。

〔2〕　「いつでも」とは、理由を示すことなく解除できるという意味である（§627〔1〕参照）。

〔3〕　「損害を賠償して」契約の解除ができるのが、本条の特色である。

　(a)　「損害を賠償して」とは、本条による解除の結果、注文者が賠償義務を負うという意味か、それとも損害賠償の提供をしてはじめて解除することができる意味かが問題となる。判例は、損害賠償の提供を要しないと解している（大判明治37・10・1民録10輯1201頁）。

　(b)　損害賠償の範囲は、契約の解除があっても、請負人に契約が履行されたのと同様の利益を収めさせるものでなければならない。したがって、請負人の支出した費用ばかりでなく、「得べかりし利益」である報酬をも含む。ただし、請負人が仕事完成の義務を免れたために費用の支出を節約できた場合には、損益相殺の原理によって、これを控除するべきである。

〔4〕　このような特殊な解除を認めたのは、注文者がすでに必要としないことになった仕事を完成させることは個人的にも社会的にも無意義であるから、請負人に損害をこうむらせない処置を講じた上、自由に仕事をやめさせるのを至当としたのである（なお、請負契約の内容が物品運送である場合については、商法に特則がある。同法§580）。

　このように、本条の解除は、請負契約に特有なものであり、債務不履行を原因としないものであるから、541条［改注］による解除とは異なる。したがって、注文者が541条に従ってした解除の意思表示が、同条の要件をみたさないために無効であるとき、それは、本条による解除としても有効とはならない。判例も、同じ趣旨を述べている（大判明治44・1・25民録17輯5頁）。けだし、本条は、仕事の完成が不必要になったというまったく特殊な理由に基づく解除権に関するものであり、541条に基づく解除の意思表示には、必ずしもそのような意思が明示されていないからである（改正前§651〔1〕(1)と対比せよ）。

■ （注文者についての破産手続の開始による解除）
■ 第六百四十二条
■　　1　注文者が破産手続開始の決定を受けたときは、請負人又は破産管財人は、

§§641〔1〕～〔4〕・642

契約の解除をすることができる。ただし、請負人による契約の解除については、仕事を完成した後は、この限りでない[1]。

2　前項に規定する場合において、請負人は、既にした仕事の報酬及びその中に含まれていない費用について、破産財団の配当に加入することができる[2]。

3　第一項の場合には、契約の解除によって生じた損害の賠償は、破産管財人が契約の解除をした場合における請負人に限り、請求することができる。この場合において、請負人は、その損害賠償について、破産財団の配当に加入する[3]。

〈改正〉　2017年に改正された。1項後段を削り、ただし書を加えた。さらに、2項中「前項」を「第一項」に改め、同項を3項とし、1項の次に2項を加えた。

[改正の趣旨]　[1]　仕事が既に完成し、引渡が未了という段階においては、もはや請負人は仕事を継続する義務を負わないので、売買契約において目的物の引渡が未了の場合とその利益状況において相違はない。このような場合には、あえて請負人に解除権を与えなくとも請負人の利益は害されない。新法は、1項前段を改正し、注文者の破産による請負人の解除権を仕事完成前に限定し、仕事完成後においては注文者の破産管財人のみが解除権を行使できる旨の規定に改めた。なお、注文者の破産管財人からの解除権については改正前の規範が維持されたので、642条は引き続き破産法53条の特則として位置づけられている。

[2]　1項後段も維持されており、解除がなされた場合には、請負人は、既に終了した仕事の報酬およびその中に含まれていない費用について、破産財団の配当に加入することができる。この場合につき、最判昭和53・6・23集民124号141頁は「請負契約が民法642条1項の規定により解除された場合には、請負人は、すでに履行した仕事の報酬およびこれに包含されない費用につき、破産財団の配当に加入することができるが、その反面として、すでにされた仕事の結果は破産財団に帰属するものと解するのが、相当である」と判示していた。「既にした仕事」については、634条柱書との違いに関連して、整合性が問題視されている。

[3]　改正前2項も維持された。

[改正前条文]
1　注文者が破産手続開始の決定を受けたときは、請負人又は破産管財人は、契約の解除をすることができる。この場合において、請負人は、既にした仕事の報酬及びその中に含まれていない費用について、破産財団の配当に加入することができる[1]。
2　前項の場合には、契約の解除によって生じた損害の賠償は、破産管財人が契約の解除をした場合における請負人に限り、請求することができる。この場合において、請負人は、その損害賠償について、破産財団の配当に加入する[1]。

[原条文]
　　注文者カ破産ノ宣告ヲ受ケタルトキハ請負人又ハ破産管財人ハ契約ノ解除ヲ為スコトヲ得此場合ニ於テハ請負人ハ其既ニ為シタル仕事ノ報酬及ヒ其報酬中ニ包含セサル費用ニ付キ財団ノ配当ニ加入スルコトヲ得
　　前項ノ場合ニ於テハ各当事者ハ相手方ニ対シ解約ニ因リテ生シタル損害ノ賠償ヲ請求スルコトヲ得ス

〈改正〉　2004年の改正により、1項の「破産ノ宣告」が「破産手続開始ノ決定」に改められ、2項の「前項ノ場合ニ於テハ」のあとが、「契約ノ解除ニ因リテ生ジタル損害ノ賠償ハ破産管財人ガ契約ノ解除ヲ為シタル場合ニ於ケル請負人ニ限リ之ヲ請求スルコトヲ得此場合ニ於テ請負人ハ其損害賠償ニ付キ財団ノ配当ニ加入ス」と改められた。

1367

第3編　第2章　契約　第10節　委任

[改正前条文の解説]

〔1〕　本条は、雇用に関する631条と同趣旨の規定である（§631および§622〔2004年削除〕の注釈参照）。ただし、第1項後段は、すでにした仕事の割合に応じて報酬請求権を認め、かつ、報酬のなかに包含されない費用の償還請求権を認めている。請負人保護のために設けられた特則である。

なお、請負人が破産宣告（現在は破産手続開始の決定）を受けた場合には、破産法旧59条（現在の§53）の規定（契約の解除または履行請求の選択）が適用されると解されている（最判昭和62・11・26民集41巻1585頁）。

§642〔1〕・第10節［解説］①②

第10節 委 任

〈改正〉 本節では、2017年に、受任者の報酬に関する648条、委任の解除に関する651条が改正され、復受任者の選任等に関する644条の2と成果等に対する報酬に関する648条の2が新設された。前掲(549条)附則(贈与、委任等に関する経過措置)第三十四条1参照(以下本節の各条文では引用省略)。

[委任の主要改正点]　複受任者の選任等に関するルールを明文化した(新644条の2)。また、委任事務の履行ができなくなった一定の場合について、受任者の報酬請求権を明文化し(新648条3項)、成果報酬の約定がある委任は、請負に類似するので、請負の規定(634条)を準用した(新648条の2)。さらに、委任の解除に関する規定も、判例法理に従って改正した(新651条)。

① 本節の内容
本節は、委任契約の成立(§643)、受任者の義務(§§644~647)、受任者の権利(§§648~650)、委任の終了(§§651~655)、準委任(§656)から成っている。

なお、委任は労務提供型の契約の一つであるが、この点については、本章解説〔2〕(1)(ウ)、§623〔2〕(1)参照。

② 委任の意義
(1)　委任は、事務の処理を委託する契約である(§643〔2〕参照)。財産の売却・購入、会社その他の団体の事業の執行、株主総会その他の会議における表決権の行使、財産の管理、刑事弁護の依頼や民事訴訟の依頼、登記手続の依頼その他の事項について、きわめて作用の多い制度である。

(2)　民法は、規定上は、委託するべき対象を「法律行為」である場合(§643)と「法律行為でない事務」である場合(§656)とに区別し、後者は通常「準委任」と呼ばれている。しかし、前者の規定はすべて後者に準用されるし、上に挙げた例からも分かるように、委託の趣旨のなかには、両者の要素が混然と含まれている場合が多い。さらには、最近問題となることの多い、診察・医療行為を委託する契約、専門的な助言・企画を委託する契約など、むしろ、法律行為の委託とはいえない重要な委任契約の類型が増大している。

これらの契約類型については、民法の規定の枠にとらわれずに突っこんだ研究が必要であるとともに、民法が委任の本質としている当事者間の、有償・無償にかかわりなく認められる信任関係とそれに基づく善管注意義務ということ(これらの点は、§§644・645・648[改注]・651[改注]・653・654などに表現されている)を基本に据えて、今日の社会における委任契約のあり方について深い考察を加える必要がある。

(3)　なお、委任類似の関係は、委任契約以外の事由によっても生じる。たとえば、組合契約によって、組合員のなかのある者が組合の業務の執行を委託されるときは、組合とこの者との間に委任類似の関係が生じる。しかし、このような場合には、その

1369

第3編　第2章　契約　第10節　委任

関係は、組合契約の一部として発生するのであるから、組合契約のほかに委任契約が併存するものと考える必要はない。すなわち、組合の業務執行員について委任の規定のなかの一定のものが準用されることになっているのである（§671［改注］参照）。同様に、法律上当然に後見人となった者なども、本人に対して委任類似の法律関係に立つ。民法は、この種の場合にも、委任の規定のなかの一定のものを準用する（§874）。なお、取締役や問屋についても、同様の規定がある（商旧§254Ⅲ→会社§330、商§552Ⅱ）。このように、委任の規定は、他人の事務を処理する関係一般について、ある程度まで共通的な内容を有するものであることを注意すべきである。

(4)　委任関係は、同時に代理関係を伴う場合が多い。しかし、委任は、当事者間に事務を処理するべき債務関係を成立させることだけを内容とするものであって、この事務処理の手段として与えられる代理権授与契約とは区別するべきものである（第1編第5章第3節解説3、§643(2)(エ)・本章第8節解説4参照）。

（委任）

第六百四十三条

委任は、当事者の一方が法律行為をする[2]ことを相手方に委託し、相手方がこれを承諾することによって、その効力を生ずる[1)3)]。

［原条文］

委任ハ当事者ノ一方カ法律行為ヲ為スコトヲ相手方ニ委託シ相手方カ之ヲ承諾スルニ因リテ其効力ヲ生ス

〔1〕　本条は、委任の定義を定めたものであるが、委任契約の性質に関しては、つぎの諸点を注意するべきである。

(ア)　諾成契約であり、方式を必要としない。しかし、わが国の実務では、「委任状」を交付する例が多い。もっとも、この委任状は、単に一定の事務の処理を委任することを内容とするだけでなく、この事務の処理のために必要な代理権の授与を伴うのを常とする（第1編第5章第3節解説4参照）。

(イ)　委任は、無償契約であるのが原則である（§648［改注］。ただし、商§512参照）。しかし、委任は、当事者間の信任関係に基づくものであるから、受任者は、報酬を受けなくてもなお善良な管理者の注意をもってその債務を履行することを要する（§644）。もっとも、受任者は、事務の処理について損失をこうむらないように、委任者に対して費用の償還、損害の賠償を請求することができる（§§649・651［改注］）。なお、当事者の特約によって、報酬を定めることはもちろん有効であり、この場合には、有償・双務契約となる。実際上は、有償の委任の方が多いと思われる（改正前§648〔1〕参照）。

(ウ)　委任は、もちろん継続的契約である。

〔2〕　委任は、「法律行為」をすることを委託するのが基本的とされる。たとえば、不動産の売却、商品の買付けの委任などがそれである。しかし、「法律行為でない事務の委託」、たとえば、財産目録の作成、学校の経営などを目的とする場合には、こ

れを委任に準じるべきもの(準委任)とし、準委任については、委任の規定をすべて準用している(§656)。したがって、委任の目的は、広く事務の処理の委託であるということができよう(本節解説②(2)参照)。

(ア) この場合、事務の「処理」とは、一定の事務をその目的に従って最も合理的に経理・処置することである。したがって、受任者の給付するべき労務は、事務の処理という目的のもとに統一され、そのさい、受任者は、ある程度の自由裁量の権限を与えられるものである(雇用・請負との差につき、§623(2)・§632(2)参照。最判昭和36・5・25民集15巻1322頁は、証券業者とその外務員との関連につき、雇用ではなく、委任もしくは委任類似の契約とした例である)。委任において、委任者・受任者間に一種の信任関係を生じるといわれるのはこれに基づく(§644(1)・改正前§648(1)(ア)、新§648の2参照)。

(イ) 「事務」の種類は、なんでもよい。法律行為であると、それ以外の行為であるとを問わない。のみならず、必ずしも高い技能を要する労務である必要もない。ただ、(ア)に述べたような委任の性質から、多くの場合に頭脳的な事務を内容とすることは否定できない。

(ウ) 事務の処理の「委託」は、多くの場合に委任者の利益のためになされる。しかし、主として受任者の利益のためになされることも少なくない。たとえば、不動産または株式の譲渡人が登記または株式名義の変更手続を譲受人に委任する場合や、債務者がその第三者に対して有する債権の取立てを債権者に委任し、取り立てたものをもって債務の弁済に充当する場合などである。このような場合にも、その契約が委任であることにはいちおう変わりはない。ただ、651条の適用に関して、多少問題を含んでいる(改正前§651(1)(2)参照)。

(エ) 委任が法律行為の委託を目的とする場合には、委任が同時に受任者に対する代理権の授与を含むことが多い。しかし、このような場合にも、委任契約と代理権の授与とは、別個の行為としてそれぞれ独立に取り扱うべきであるとするのが通説である(第1編第5章第3節解説③、改正前§102(2)参照)。

(オ) 委任は、委任者と受任者との間の信任関係に基づくものであるから、——まったく受任者の手足となって働く者を使用する場合は別として——事務の処理そのものは、一部分といえども、受任者がみずからこれをするべきことを原則とする。この意味において、請負人が下請負人を使用できるのとは異なる(§632(2)(2)(イ)参照)。ただし、法律行為を目的とする委任契約に伴う代理権については、民法は、一定の要件のもとに復代理人の選任を認めているから(改正前§§104・105)、委任についても、これを準用するのを正当とする。新644条の2を参照。

これと同一の趣旨により、委任契約から生じる委任者または受任者である地位は、相手方の同意がなければ譲渡できない、と解されている(委任者の地位の譲渡につき、大判大正6・9・22民録23輯1488頁)。ただし、委任が受任者の利益のために行われている場合、たとえば、債務者Bが第三者Cに対して有する債権の取立てを債務弁済の便宜のために債権者Aに委任するような場合には(本編第1章第4節解説⑤参照)、受任者の地位の譲渡についてあらかじめ承諾していると解される場合が多いであろう。委任が白紙委任状の交付によって行われる場合には、一般的にそのような承諾があるもの

第3編　第2章　契約　第10節　委任

とされる。

〔3〕　委任における事務の処理および信任関係は、他の契約または法律関係に付随
して発生する場合が多いことについては、本節解説[2](3)参照。

■ **（受任者の注意義務）**
第六百四十四条
　　受任者は、委任の本旨に従い[1]、善良な管理者の注意[2]をもって、委任事務を
　処理する義務を負う。
■ ［原条文］
　　受任者ハ委任ノ本旨ニ従ヒ善良ナル管理者ノ注意ヲ以テ委任事務ヲ処理スル義務ヲ負フ

〔1〕　「委任の本旨に従い」とは、「債務の本旨に従い」と同義であって（改正前§
415〔1〕・§493〔1〕参照）、委任契約の目的に適するように事務を処理することである。
　受任者の債務について、とくにこのような規定を設けたのは、一面において、受任
者は無償でも同一の義務を負うことを注意するとともに（§659［改注］参照）、他面に
おいて、委任者の委託事項を形式的に処理せず、自由裁量をもって委任者の信頼に応
えるべきことを強調するためである。
　したがって、たとえば、事務処理の方法については、委任者が指図すれば、原則と
してこれに従うべきではあるが、この指図が不当であるときには、これを委任者に対
して注意するべきであり、事情の変化によって、その方法が委任者に不利になった場
合には、その指図に拘束されずに委任者に指図の変更を求め、または臨機の処置を採
るべきである。このことを、商法505条は、「商行為の受任者は、委任の本旨に反し
ない範囲において委任を受けていない行為をすることができる」と規定しているが、
規定のない民法においても、必ずしも別異の結果を生じるものではない。要するに、
受任者は、委任の目的から見て必要な場合には、具体的に委任を受けていない行為を
もする権限を有し、また、義務を負うのである。
〔2〕　「善良な管理者の注意」の意義については、§298〔1〕・改正前§400〔3〕参照。
無償であるにもかかわらず、受任者がこのような重い注意義務を負担するのは、委任
が当事者間の信頼を中核とすることに基づくのである（より軽い注意義務について、§659
参照）。ただし、無償の場合には、注意義務や損害賠償義務も軽減されてよいとする
見解もある（改正前§651〔1〕の問題とも関連する）。
　かつて、生命保険会社の診査医（保険医ともいう）が、加入申込者の肺疾患を容易に診
断できたのに健康体と報告し、会社をして保険契約を締結させ、多額の保険金を支払
わせたので、会社から医師に対して損害賠償を請求した事件につき、判例は、報酬が
少ない（当時の金額で被保険者一人につき1円）という理由では善良なる管理者の注意を免
れることはできないことを説いて、会社の請求を認めた（大判大正10・4・23民録27輯
757頁）。判旨は、委任の性質を説く抽象論としては正当であるが、会社と医師との事
実上の関係、保険契約から生じる利益の帰属などを考えるときは、妥当ではないとす
る意見もあり、論議された。土地所有者でないのに、そう称する者の言を信じて、そ

§§643〔3〕・644・644の2

の土地の賃借を仲介した不動産仲介業者について、その注意義務違反を認めた例（最判昭和36・5・26民集15巻1440頁）、登記権利者と登記義務者の双方から登記を委任された司法書士の注意義務（改正前§651(1)(2)(d)参照）など、この点に関する判例は多い。

その他、とくに医師、弁護士、司法書士、宅地建物取引業者など専門的職業の受任者の注意義務については、知識・技能の専門性も含めて、慎重な判断が必要とされる場合が多い。

債務整理に係る法律事務を受任した弁護士が、当該債務整理について、特定の債権者に対する残元本債務をそのまま放置して当該債務に係る債権の消滅時効の完成を待つ方針を採る場合において、当該方針は、債務整理の最終的な解決が遅延するという不利益があるほか、当該債権者から提訴される可能性を残し、いったん提訴されると法定利率を超える高い利率による遅延損害金をも含めた敗訴判決を受ける公算が高いというリスクを伴うものであるうえ、回収した過払金を用いて当該債権者に対する残債務を弁済する方法によって最終的な解決を図ることも現実的な選択肢として十分に考えられたなどの事情の下では、弁護士は、委任契約に基づく善管注意義務の一環として、委任者に対し、当該方針に伴う不利益やリスクを説明するとともに、前記選択肢があることも説明する義務を負う（最判平成25・4・16民集67巻1049頁）。

特殊な公務員である公証人と執行官についても、その行う職務の実質は委任関係にきわめて近いので、その注意義務については注目する必要がある（注意義務違反の責任は国賠§1によるが、前者の法令調査義務について責任を否定したものに最判平成9・9・4判時1617号77頁、後者による不動産の現況調査上の注意義務について肯定したものに最判平成9・7・15判時1617号86頁がある）。

（復受任者の選任等）
第六百四十四条の二
1　受任者は、委任者の許諾を得たとき、又はやむを得ない事由があるときでなければ、復受任者を選任することができない[1]。
2　代理権を付与する委任において、受任者が代理権を有する復受任者を選任したときは、復受任者は、委任者に対して、その権限の範囲内において、受任者と同一の権利を有し、義務を負う[2]。

〈改正〉　2017年に新設された。

[本条の趣旨]　**[1]**　改正前には、委任契約における受任者が復受任者を選任することができるか、等についての明文の規定がなかった。委任契約は、当事者の信頼関係を基礎としており、信頼された受任者自身により事務処理がなされることが前提となっているから、受任者は、事務処理を他の者に行わせることはできず、原則として自ら事務処理をすべき義務（自己執行義務）を負うものと解されている。しかし、委任者が了解している場合や、他の者に事務処理を任せなければ事務処理が停滞しかえって委任者に不利益が生じてしまう場合等にまで、受任者が他者に事務処理を委ねることができないとすることは硬直的にすぎる。643条解説(2)(ヰ)参照。委任による代理人の復代理選任については、新法104条は「本人の許諾を得たとき」または「やむを得ない事由があるとき」に復代理を認めている。そこで、新法は、委任についても104条と同様の規定を新設し、受任者は原則として自己執行義務を負うが、例外として「本人の許諾を得たとき」または「やむを得ない事由があるとき」には復委任が

1373

第 3 編　第 2 章　契約　第 10 節　委任

許される旨を定めた。

　〔2〕　改正前は、委任者と復受任者との関係についても明文の規定を置いていなかったが、復代理に関する新法 106 条 2 項は、本人と復代理人との内部関係についての規定を置いている。新法は、「代理権を付与する委任において、受任者が代理権を有する復受任者を選任したとき」につき、復受任者が、委任者に対し、その権限の範囲内において受任者と同一の権利義務を有する旨の規定を設けた。その結果、復受任者は委任者に対して善管注意義務（644 条）や目的物引渡義務などを直接に負い、他方、委任者に対して報酬請求権（648 条）を有することになった。なお、これに関しては、改正前 107 条の解説〔3〕の判例を参照。

■ （受任者による報告）
第六百四十五条
　　受任者は、委任者の請求があるときは、いつでも委任事務の処理の状況を報告し、委任が終了[1]した後は、遅滞なくその経過及び結果を報告しなければならない[2]。
[原条文]
　　受任者ハ委任者ノ請求アルトキハ何時ニテモ委任事務処理ノ状況ヲ報告シ又委任終了ノ後ハ遅滞ナク其顚末ヲ報告スルコトヲ要ス

　〔1〕　事務の処理が終わった場合であると、その他の事由により終了した（§§561［改注］・563［改注］）場合であるとを問わない。
　〔2〕　商法上、代理商および問屋（といや）については、特則がある（商旧§47→会社§16、商§§27・557）。

■ （受任者による受取物の引渡し等）
第六百四十六条
　1　受任者は、委任事務を処理するに当たって受け取った[1]金銭[2]その他の物を委任者に引き渡さなければならない[3]。その収取した果実[4]についても、同様とする。
　2　受任者は、委任者のために自己の名で取得した権利を委任者に移転しなければならない[5]。
[原条文]
　　受任者ハ委任事務ヲ処理スルニ当リテ受取リタル金銭其他ノ物ヲ委任者ニ引渡スコトヲ要ス其収取シタル果実亦同シ
　　受任者カ委任者ノ為メニ自己ノ名ヲ以テ取得シタル権利ハ之ヲ委任者ニ移転スルコトヲ要ス

　〔1〕　「委任事務を処理するに当たって受け取った」ものであるから、通常は、第三者から受け取ったものを指す。しかし、事務処理のために委任者から受け取ったもの、たとえば証書類などをも包含する（大判昭和 11・5・27 民集 15 巻 922 頁）。
　〔2〕　「受け取った金銭」については、問題がある。かつての判例は、たとえば、

受任者が第三者から受け取った金銭を盗まれた場合には、損害賠償の請求をするのは格別、本条の請求は不能になったといい（大判明治34・3・5民録7輯3巻13頁）、また、受任者Ｂが第三者Ｃから受け取った金銭の所有権は委任者Ａの所有に帰属するから、Ｂがさらにかの代理人と称して第三者Ｄと取引をし、これにその金銭を支払った場合には、表見代理にならない限り、ＡはＤに対して不当利得の返還請求ができるとした（大判明治45・1・25民録18輯31頁）。

　しかし、現在では、金銭について、このように考えることは適切ではなくなっている（§192⑵(ユ)・§703⑷⑵⑷・⑸⑶参照）。ただ、本条は、委任者との関係で、受任者は、第三者から受取った金銭を自分の一般財産のなかへ取入れることなく、直ちに委任者に引渡すことができない場合には、委任者名義で預金するなどの措置を講じるべきことを規定したものとして、意義を有するとみるべきであろう。

　〔3〕　「委任者に引き渡さなければならない」とあるが、財産管理の委託を受けた者が正当に辞任して、後任者にその事務を引継いだ場合には、本条の返還義務も後任者において承継したものと解される（大判大正9・10・15民録26輯1512頁）。

　〔4〕　「果実」は、天然果実と法定果実とを含む。ただし、収取を怠った場合については、受任者は、果実に相当する金額を返還する義務を負わない（§190Ⅰ参照）。しかし、果実の収取が「事務」の範囲に属するときは、委任者は債務不履行を理由として、損害賠償の請求をすることができる。

　〔5〕　たとえば、委任者Ａから株式の購入を委任された受任者Ｂがその購入の代理権をも授与され、Ａの名において購入した場合には、株式は、直接にＡの所有に帰属するから、Ｂはただ株券を引渡す債務を負うにとどまる。これに反し、Ｂがこの代理権を有しないか、または特約によって自分の名で購入した場合には、株式はＢの所有に帰属するので、この株式をＡに移転することを要する。

　判例に現われた事案としては、受任者が管理中の金銭を自分の名で第三者に貸付けた場合には、委任者は、貸金債権自体の移転（譲渡およびその債務者への通知。§467〔改注〕参照）を請求できるとされ（大判大正7・10・21民録24輯2018頁）、また、受任者が委任者のために自分の名義で国有地の払下げを受けたような場合には、受任者の取得と同時に、その所有権が委任者に移る旨の物権的意思表示が当事者間であらかじめされていれば、本条1項により登記の移転をするべく、そうでなければ、本項によって所有権を移転するべきであるとされた（大判大正4・10・16民録21輯1705頁）。

（受任者の金銭の消費についての責任）
第六百四十七条

　　　受任者は、委任者に引き渡すべき金額又はその利益のために用いるべき金額を自己のために消費したときは、その消費した日以後の利息を支払わなければならない[1]。この場合において、なお損害があるときは、その賠償の責任を負う[2]。

［原条文］

　受任者カ委任者ニ引渡スヘキ金額又ハ其利益ノ為メニ用ユヘキ金額ヲ自己ノ為メニ消費

第3編　第2章　契約　第10節　委任

シタルトキハ其消費シタル日以後ノ利息ヲ払フコトヲ要ス尚ホ損害アリタルトキハ其賠償
ノ責ニ任ス

〔1〕　受任者は、損害の有無にかかわらず、利息を支払うことを要し、その利率は、
民法上の委任にあっては年5パーセント、商行為の委任にあっては年6パーセントで
ある（改正前§404、削除前商§514）。

〔2〕　利息以外に損害賠償義務を認めるのは、一般の金銭債務不履行における原則
（§419［改注］参照）の例外をなすものである。この場合には、委任者は、法定利率以
上の損害が生じたことを証明しなければならない。

（受任者の報酬）
第六百四十八条

1　受任者は、特約がなければ、委任者に対して報酬を請求することができな
い[1]。

2　受任者は、報酬を受けるべき場合には、委任事務を履行した後でなければ、
これを請求することができない。ただし、期間によって報酬を定めたときは、
第六百二十四条第二項の規定を準用する[2]。

3　受任者は、次に掲げる場合には、既にした履行の割合に応じて報酬を請求
することができる[1]。

一　委任者の責めに帰することができない事由によって委任事務の履行をす
ることができなくなったとき。

二　委任が履行の中途で終了したとき。

〈改正〉　2017年に改正された。3項を上記のように改めた。

［改正の趣旨］　雇用においては、労働者の責めに帰すべき事由により契約が終了しても、労
働者には既に提供した労働に応じた賃金請求が認められるが、委任においても契約が中途で
解除等により終了した場合には同様とすべきである。新法は、3項を改正し、受任者に帰責
事由があるか否かにかかわらず事務処理が不能となった場合、または、委任契約が中途で終
了した場合には、既に済ませた履行の割合に応じて報酬請求ができる旨を明文化した。

なお、この規定は委任者に帰責事由がない場合に関するものであるが、委任者に帰責事由
がある場合についても議論がなされたが、新法では明文化は見送られ、事案ごとに解釈に委
ねられることとなったようである。なお、危険負担の債権者主義に関する536条2項が適用
され、未履行部分も含めて全額報酬請求ができると解することは可能であろう。

［改正前条文］

1、2　同上

3　委任が受任者の責めに帰することができない事由によって履行の中途で終了したと
き[3]は、受任者は、既にした履行の割合に応じて報酬を請求することができる[4]。

［原条文］

受任者ハ特約アルニ非サレハ委任者ニ対シテ報酬ヲ請求スルコトヲ得ス

受任者カ報酬ヲ受クヘキ場合ニ於テハ委任履行ノ後ニ非サレハ之ヲ請求スルコトヲ得ス
但期間ヲ以テ報酬ヲ定メタルトキハ第六百二十四条第二項ノ規定ヲ準用ス

委任カ受任者ノ責ニ帰スヘカラサル事由ニ因リ其履行ノ半途ニ於テ終了シタルトキハ受
任者ハ其既ニ為シタル履行ノ割合ニ応シテ報酬ヲ請求スルコトヲ得

§§647〔1〕〔2〕・648・648の2

[改正前条文の解説]

〔1〕 本項は、委任が原則として無償であり、特約によってはじめて有償とすることができる旨を定めたものである。

(ア) 委任が原則として無償とされるのは、委任には、委任者の受任者に対する信任を中核とする精神的要素が含まれているからである（§643〔1〕(イ)参照）。ただし、商法は、商人がその営業の範囲内において他人のためにある行為をしたときは、相当の報酬を請求することができるとする（同法§512）。本条に対する例外を含んでいる。

(イ) 委任は、特約によって有償とすることができるが、特約がなくても、慣習ないし黙示の意思表示によって有償であると認められる場合がある。弁護士に対する訴訟の依頼は、特約がなくても、報酬支払義務を認めるべきであろう。判例も、「弁護士の報酬額につき当事者間に別段の定めがなかった場合において裁判所がその額を認定するには、事件の難易、訴額及び労力の程度だけからこれに応ずる額を定むべきではなく、当事者間の諸般の状況を審査し、当事者の意思を推定して相当報酬額を定むべき」ものとしている（最判昭和37・2・1民集16巻157頁）。

〔2〕 雇用に関する624条と同趣旨である。ただし、〔4〕参照。なお、この報酬は、雇用契約の場合（賃金ともいう）と異なり、先取特権（§308参照）、差押え禁止（民執§152）などの保護を与えられないことを注意するべきである。

〔3〕 たとえば、委任者からの解除（§651[改注]）、当事者の死亡（§653）などである。

〔4〕 本項は、委任が請負のように結果の発生を目的とせず、事務の処理そのものを目的とするから、すでにした履行の割合に応じて報酬を請求できる旨を定めたのである。判例は、弁護士を訴訟事件の判決前に解任した場合につき、この原則によって、約定報酬金の一部についてだけ報酬請求権があるとしている（大判明治31・12・24民録4輯11巻64頁）。

（成果等に対する報酬）

第六百四十八条の二

　1　委任事務の履行により得られる成果に対して報酬を支払うことを約した場合において、その成果が引渡しを要するときは、報酬は、その成果の引渡しと同時に、支払わなければならない。

　2　第六百三十四条の規定は、委任事務の履行により得られる成果に対して報酬を支払うことを約した場合について準用する。

〈改正〉 2017年に新設された。

[本条の趣旨] 委任には事務処理に対して報酬を支払う類型と、事務処理による成果に対して報酬を支払う類型があるとされている。例えば、弁護士の成功報酬や不動産仲介業者の報酬などが後者にあたる。648条2項は前者の類型（事務処理の労務に対して報酬を支払う類型）が念頭に置かれており、後者の類型（成果に対して報酬を支払う類型）についての報酬の時期に関する規定が欠けていると言われてきた。新法は、633条と同様に、事務処理の成果が物の引渡しを要するときは引渡しと同時に、物の引渡しを要しないときは成果が完成した後に、その報酬を請求することができる旨の規定を設けた。これらの規定は任意規定であり、当事者間でこれと異なる合意をすることは可能である。

1377

第3編　第2章　契約　第10節　委任

（受任者による費用の前払請求）
第六百四十九条
　　委任事務を処理するについて費用を要するときは、委任者は、受任者の請求により、その前払をしなければならない[1]。
　［原条文］
　　委任事務ヲ処理スルニ付キ費用ヲ要スルトキハ委任者ハ受任者ノ請求ニ因リ其前払ヲ為スコトヲ要ス

〔1〕　受任者は、本条により費用前払の請求権を有し、これは訴えによって強制することもできる。また、その支払があるまでは、委任事務を処理しなくても履行遅滞の責めを負わない。なお、本条は、支出した費用の償還請求権を認める650条に対応するものである。

交付された前払費用は、委任終了後には委任者から受任者に対し返還請求できるが、その返還請求権は委任終了前は転付命令の対象としての適格はないとされた（最判平成18・4・14民集60巻1535頁）。

（受任者による費用等の償還請求等）
第六百五十条
　1　受任者は、委任事務を処理するのに必要と認められる費用[1]を支出したときは、委任者に対し、その費用及び支出の日以後におけるその利息の償還[2]を請求することができる。
　2　受任者は、委任事務を処理するのに必要と認められる債務を負担[3]したときは、委任者に対し、自己に代わってその弁済をすることを請求することができる[4]。この場合において、その債務が弁済期にないときは、委任者に対し、相当の担保を供させることができる[5]。
　3　受任者は、委任事務を処理するため自己に過失なく損害を受けたときは、委任者に対し、その賠償を請求[6]することができる。
　［原条文］
　　受任者カ委任事務ヲ処理スルニ必要ト認ムヘキ費用ヲ出タシタルトキハ委任者ニ対シテ其費用及ヒ支出ノ日以後ニ於ケル其利息ノ償還ヲ請求スルコトヲ得
　　受任者カ委任事務ヲ処理スルニ必要ト認ムヘキ債務ヲ負担シタルトキハ委任者ヲシテ自己ニ代ハリテ其弁済ヲ為サシメ又其債務カ弁済期ニ在ラサルトキハ相当ノ担保ヲ供セシムルコトヲ得
　　受任者カ委任事務ヲ処理スル為メ自己ニ過失ナクシテ損害ヲ受ケタルトキハ委任者ニ対シテ其賠償ヲ請求スルコトヲ得

〔1〕　受任者の費用支出の当時、客観的に見て必要であると認められるものであればよい。結果において事実上不必要に帰したものであっても差しつかえない。この点は、本人の意思に反しない事務管理者の費用償還請求権と同様である（§702(2)参照）。
〔2〕　委任が有償であると無償であるとを問わず、法定利率による利息を請求する

§§649・650・651

ことができる。

〔3〕　債務負担の当時、客観的にみて必要であると認められるものであればよい（〔1〕参照）。

〔4〕　これを「代弁済請求権」という。この債権は、受任者の委任者に対する通常の金銭債権とは異なるものであって、委任者はこれを受働債権として、受任者に対して有する債権を自働債権として相殺することはできないと解されている（大判大正14・9・8民集4巻458頁、最判昭和47・12・22民集26巻1991頁）。

〔5〕　類似の関係が29条、576条にも規定されている。とくに改正前576条〔3〕を参照。

〔6〕　受任者の損害賠償請求権は、その損害が委任事務を処理するために生じたことおよび受任者に過失がないことを条件として認められるものであって、委任者に指図その他についての過失があることを必要としない。一種の結果責任を認めたものである。その理由は、委任は委任者の事務を処理するものであり、そこから生じた損害を、受任者に負担させるのは妥当でないからである。受任者にこの損害賠償請求権があることは、事務管理と異なる点である（本編第3章解説④(2)(イ)参照）。

（委任の解除）
第六百五十一条
　　1　委任は、各当事者がいつでもその解除をすることができる[1]。
　　2　前項の規定により委任の解除をした者は、次に掲げる場合には、相手方の損害を賠償しなければならない。ただし、やむを得ない事由があったときは、この限りでない[1]。
　　一　相手方に不利な時期に委任を解除したとき。
　　二　委任者が受任者の利益（専ら報酬を得ることによるものを除く。）をも目的とする委任を解除したとき。

〈改正〉　2017年に改正された。2項を上記のように改めた。

[改正の趣旨]　〔1〕　委任契約は有償である場合も含めて委任者の利益のために受任者が事務処理を行う契約であるのが通常であるが、受任者の利益をも目的とする委任がなされる場合もある。改正前には受任者の利益をも目的とした委任契約が可能である旨の明文規定はなかった。そのため、受任者の委任者に対する債権回収目的や担保目的のための取立委任や代理受領等のような場合に、委任者が本条の任意解除権を行使できるかについては議論があり、判例には、委任者は任意解除権を行使することはできないとしたものもあったが、その後、判例の変遷もあった。この点につき、解説〔1〕(2)参照。新法は、上記最判等を踏まえて、委任者が受任者の利益（専ら報酬を得ることによるものを除く）をも目的とする委任を解除したときについても、委任者が任意に解除できることを前提に、相手方の損害を賠償しなければならないこととしたが、やむを得ない事由があったときは、損害賠償責任を負わない旨を明文化した。

[改正前条文]
　　1　同上
　　2　当事者の一方が相手方に不利な時期[2]に委任の解除をしたときは、その当事者の一方は、相手方の損害を賠償しなければならない。ただし、やむを得ない事由があったとき

1379

第3編　第2章　契約　第10節　委任

は、この限りでない³⁾。

[原条文]

　委任ハ各当事者ニ於テ何時ニテモ之ヲ解除スルコトヲ得

　当事者ノ一方カ相手方ノ為メニ不利ナル時期ニ於テ委任ヲ解除シタルトキハ其損害ヲ賠
償スルコトヲ要ス但已ムコトヲ得サル事由アリタルトキハ此限ニ在ラス

[改正前条文の解説]

〔1〕　委任は、信任関係を基礎とするものであるから、事務の処理がどのような段
階にあるかに関係なく、また、なんら特別の事由がなくても(「いつでも」はその意味)、
委任の解除、正確には解約告知をすることができるものとしたのである(この解除の特
別の性質に着眼して、「無理由解除」、「任意解除」、「自由解除」などと呼ばれることもある。い
ずれも告知と呼ぶのが正しいことはいうまでもない)。また、その解約告知の効果は、それ
以後における委任関係を終了させるものである(§652条参照)。なお、本条の告知も、
相手方に対する意思表示によってするべきことはいうまでもない(§540 I)。

(1)　本条による解約告知は、541条[改注]以下による債務不履行を理由とする解
除とは異なる。そこで、541条に基づき債務不履行による解除告知の意思表示がされ
たが、事実上債務不履行がない場合に、これを本条による解約告知として有効と認め
ることができるかが問題となる。判例は、これを肯定した(大判大正3・6・4民録20輯
551頁)。けだし、委任はいつでも理由を示さないで解約告知できる以上、当事者が債
務不履行ありと誤信した場合でも、いやしくも解除の意思表示をした以上は、その効
力を認めるべきだからであり、相手方はこれに対して割合的な報酬(§648 III [改注]
参照)または損害賠償の請求(本条II参照)をすれば足りるであろう。判例が請負の場合
の注文者の解除権とその結論を異にするのは(§641〔4〕参照)、委任の解除ないし解約
告知が、将来に向かってだけ効力を有する点が考慮されたものと考えられる。

(2)　この委任契約における解約告知の自由は、以上のように委任の本質に基づく重
要なものである。したがって、これを強行規定と解して、当事者が解約告知権を否定
したり、放棄したりする特約は無効であるとする見解も有力である。

しかし、一定の場合にはこの種の特約の効力を認めたり、たとえ特約がなくても解
約告知が認められない場合があるとする見解も有力である。とりわけ、有償委任の場
合には本条を適用するべきでないとする見解が主張されている(結局、請負に関する§
641、雇用に関する§§627[改注]・628などが援用されるので、契約類型としてもこれらのもの
に近い事例が問題とされることが多いと考えられる)。

判例の見解も、かならずしも明確ではない。

(a)　判例は、一般的には、委任が委任者のためのみのものでなく、受任者も事務
の処理につき正当な利害関係を有する場合には(§643〔2〕(ウ)参照)、委任者からの本条
による解除を認めないでもよいという判断を示す(大判大正4・5・12民録21輯687頁。
その他、以下に掲げる判決)。

(b)　しかし、受任者が委任者から恩給を担保にとって金を貸し、委任者にその委
任の解除権を放棄させるような行為については、脱法行為としてその放棄を無効と

§§651〔1〕～〔3〕・652

する(前掲大判大正4・5・12、大判昭和7・3・25民集11巻464頁。なお、§91〔1〕(ウ)参照)。

(c) これに対し、受任者が委任者から弁済を受けたり、担保とするなどの目的のために委任者の有する債権の取立ての委任を受けたような場合については、特約がなくても、受任者から(大判大正6・1・20民録23輯68頁)、また委任者から(大判大正9・4・24民録26輯562頁)の解除を認めないという判断を示している。これらについては、普通の委任とは質を異にする契約とみるべきではないかという有力な指摘もある。

(d) 司法書士が登記権利者と登記義務者の双方から登記手続の委任を受けた場合、登記義務者が一方的に本条に基づき委任を解除することは認められず、したがって司法書士は登記義務者からの書類返還請求に応じてはならないとされた(最判昭和53・7・10民集32巻868頁)。

(e) 私立学校の経営者が校長を、一定の事由以外には職を免じないと約したにもかかわらず、雇用に関する628条の「やむを得ない事由」によって解除したのを原審が認めたのに対して、契約を雇用契約としたのは誤りで、準委任契約であるが、解除は認められるとした判例がある(大判昭和14・4・12民集18巻397頁。最判昭和36・5・25民集15巻1322頁も、証券業の外務員について、ほぼ同旨)。

(f) さらに、判例は、委任事務の処理が受任者の利益である場合でも、受任者がいちじるしく不誠実な行動に出たなどのやむを得ない事由があるときは、なおかつ本条により委任者は解除できるとし(最判昭和43・9・20判時536号51頁。複数の債権者が債務者をして再建させてやる目的で経営一切を債権者の一人であるAに委任したが、Aが不誠実であったという事例)、さらに、やむを得ない事由がなくても、委任者が解除権を放棄したとはいえない事情があれば、本条により解除できるとした(最判昭和56・1・19民集35巻1頁)。

以上のように眺めると、本条の定める委任における解約告知の自由は委任の本質に基づく基本的なものとして存在し、判例上告知が認められなかった場合は、その本質的な点において本来の委任とは性質を異にする特殊な契約ともいえるのではないかと考えられる。

〔2〕 「不利な時期」に解約告知するとは、受任者のそれについていえば、委任者が直ちに自分で事務の処理を開始することもできず、また、他人に事務を処理させることもできない時期に解約告知することであり(大判大正6・1・20民録23輯68頁)、委任者のそれについていえば、受任者が事務処理の準備をやりかけた時期に解約告知をするなどである。

〔3〕 取締役の解任については、会社法309条2項7号・339条・854条・856条(商旧§257)に規定がある。

（委任の解除の効力）
第六百五十二条
　　第六百二十条の規定は、委任について準用する[1]。

〔原条文〕

1381

第3編　第2章　契約　第10節　委任

■　　第六百二十条ノ規定ハ委任ニ之ヲ準用ス

〔1〕　賃貸借（§620〔改注〕）、雇用（§630)とともに、継続的契約関係である委任の告知にその遡及効を否定したものである。この規定は、債務不履行を理由として委任が解除告知された場合にも適用される。したがって、たとえば、米の売買の委託を受けた受任者が債務不履行のために委任契約を解除され、受取った証拠金を返還する場合にも、その金銭につける利息は（§545Ⅱ参照）、その受領の日からではなく、解除の日からでよい（大判大正3・5・21民録20輯398頁）。

（委任の終了事由）
第六百五十三条
　　委任は、次に掲げる事由によって終了する。
　　一　委任者又は受任者の死亡[1]
　　二　委任者又は受任者が破産手続開始の決定を受けたこと[2]。
　　三　受任者が後見開始の審判を受けたこと[3]。
［原条文］
　　委任ハ委任者又ハ受任者ノ死亡又ハ破産ニ因リテ終了ス受任者カ禁治産ノ宣告ヲ受ケタルトキ亦同シ
〈改正〉　1999年改正により、「禁治産ノ宣告」が「後見開始ノ審判」に改められ、2004年の改正により、「又ハ破産」が削られ、「終了ス」のあとに「委任者若クハ受任者ガ破産手続開始ノ決定ヲ受ケタルトキ又ハ」が加えられた。

〔1〕　「死亡」には、失踪宣告を含む（§31参照）。当事者の「死亡」によって委任を終了させるのは、委任が信任関係に基づくからであるが、特約によって、死亡による委任の終了を排除することは可能であると解されている。たとえば、判例は、Aがその幼児の中学卒業までの養育をBに委任した場合に、その委任契約は、Aの死亡によって当然には終了せず、受任者としてのBはその後の養育費の償還をAの相続人Cに対して請求することができるとした（大判昭和5・5・15新聞3127号13頁）。
　なお、商行為の委任による代理権は、本人すなわち委任者の死亡によって消滅しないとされる（商§506)。
〔2〕　受任者の破産の場合には、委任は終了させないという特約は有効であると解されている。なお、委任者が破産手続開始の決定を受けた場合については、そのような特約の効力は認められない。ただ、受任者が破産手続開始の決定の通知を受けず、その事実も知らないで委任事務を処理した場合には、これによって生じた債権は決定後に生じたものではあるが、破産債権として取扱われる（破§§57・97⑨)。
〔3〕　この場合にも、反対の特約は有効と解されている（§102〔改注〕参照）。なお、委任者についての後見開始の審判（かつての禁治産宣告）は、受任者になんらの損失も加えないから、委任終了の原因とされていない。なお、2019年の会社法改正（同法新331条の2)との関連については、第1編第2章第3節「行為能力」の「成年後見」（§7～§19の前注）4の(2)(ウ)を参照。

§§652〔1〕・653・654・655

（委任の終了後の処分）
第六百五十四条
　　委任が終了した場合において、急迫の事情があるときは、受任者又はその相続人若しくは法定代理人は、委任者又はその相続人若しくは法定代理人が委任事務を処理することができるに至るまで、必要な処分をしなければならない[1]。
[原条文]
　　委任終了ノ場合ニ於テ急迫ノ事情アルトキハ受任者、其相続人又ハ法定代理人ハ委任者、其相続人又ハ法定代理人カ委任事務ヲ処理スルコトヲ得ルニ至ルマテ必要ナル処分ヲ為スコトヲ要ス

〔1〕　事務の処理が中絶することによって、委任者に損害を及ぼさないために、このような応急措置を認めたのであり、信任を受けた受任者の当然の責任ともいうべきものである。なお、有償委任にあっては、受任者はこのような措置につき、報酬請求権を有するものと解されている。
　　相続人と法定代理人が挙げられているのは、653条の死亡と後見開始の審判（かつての禁治産宣告）による終了を想定したものである。親族のいない制限行為能力者である委任者が死亡した場合に、その法定代理人の「必要処分」の範囲については、葬儀費用の支出などをめぐって検討を要する問題を含んでいる（後見人については§873の2参照）。相続人が制限行為能力者である場合にも、その法定代理人について本条が適用されると解してよかろう。なお、取締役（商旧§258→会社§346）や破産管財人（破§90）などの解任の場合については、同趣旨の規定がある。

（委任の終了の対抗要件）
第六百五十五条
　　委任の終了事由[2]は、これを相手方に通知したとき、又は相手方がこれを知っていたときでなければ、これをもってその相手方に対抗することができない[1]。
[原条文]
　　委任終了ノ事由ハ其委任者ニ出テタルト受任者ニ出テタルトヲ問ハス之ヲ相手方ニ通知シ又ハ相手方カ之ヲ知リタルトキニ非サレハ之ヲ以テ其相手方ニ対抗スルコトヲ得ス

〔1〕　委任の終了を知らないために、相手方が損失を受けないようにする趣旨である。たとえば、受任者が委任の終了を知らないで事務の処理を継続すると、他人の事務に干渉したことになり、また、委任者が委任の終了を知らないのに受任者が事務の処理を中止すれば、委任者の不利益となるであろう。本条は、これを防止するための規定である。すなわち、受任者は委任者に対して費用償還の請求その他受任者としての権利を行使し、委任者は事務の処理をしない受任者の責任を問うことができる。破産法57条も、同じ趣旨の規定である。
〔2〕　651条〔改注〕・653条参照。

1383

第3編　第2章　契約　第11節　寄託

（準委任）
第六百五十六条
　　この節の規定は、法律行為でない事務の委託について準用する[1]。
［原条文］
　　本節ノ規定ハ法律行為ニ非サル事務ノ委託ニ之ヲ準用ス

〔1〕　本節解説②(2)、643条〔2〕参照。

第11節　寄　　託

〈改正〉　本節は、2017 年に改正された。具体的には、寄託に関する 657 条、寄託物の使用及び第三者による保管に関する 658 条、無報酬の受寄者の注意義務に関する 659 条、受寄者の注意義務等に関する 660 条、寄託者による返還請求等に関する 662 条、委任の規定の準用に関する 665 条、消費寄託に関する 666 条が改正され、寄託物受取り前の寄託者による寄託の解除等に関する 657 条の 2、損害賠償及び費用の償還の請求権についての期間の制限に関する 664 条の 2、混合寄託に関する 665 条の 2 が新設された。前掲(549 条)附則(贈与、寄託等に関する経過措置)第三十四条 1 参照。(以下本節の各条文では引用省略)。

[寄託の主要改正点]　寄託契約を要物契約から、諾成契約に変更した(新 657 条)。これに伴って、寄託物受取り前の受寄者による寄託の解除等に関する規定を新設した(657 条の 2)。さらに、受寄者の通知義務の規定を詳しくし(新 660 条)、第三者が寄託物について権利を主張する場合についての規定を設けた(同条 2 項・3 項)。

① 本節の内容

本節は、寄託契約の成立(§§657・新 657 の 2)、受寄者の保管義務(§§658〜660、§665 によって準用される§§646・647)、受寄者の権利(§661、§665 によって準用される§§648・649・650 Ⅰ・Ⅱ)、寄託の終了(§§662〜664・新 664 の 2)、混合寄託(§665 の 2)、消費寄託(§666)の規定から成っている。

② 寄託の意義

寄託は、物の保管を委託する契約であるが、生産した大量の商品や運送中の貨物を倉庫に寄託することは、今日の商品取引上、必須の事柄である。しかし、この種の寄託は、これを業とする者、すなわち倉庫業者の発達をうながし、その契約関係はきわめて進歩した組織のもとに行われるようになっているので、法律関係においても、これを商法の領域に入れ、商法上の倉庫営業に関する詳細な規定に従わせ(商§§599〜617)、かつ、特別法によってその営業を監督する(倉庫業法。昭和 10 年法律 41 号として制定され、昭和 31 年法律 121 号によって新法となった)。のみならず、倉庫営業者以外の者の行う寄託にあっても、商行為である寄託については、商法の特則(同法§§595〜598)に従う。したがって、もっぱら民法の規定に従う寄託は、日常生活において生活用品の保管を知人に託するような場合に限ることになり、その作用は、さほど大きくない。

③ 消費寄託

(1)　消費寄託の意義

一般の寄託に類するものに、消費寄託と呼ばれるものがある。保管者が目的物を消費して、同種・同等・同量の物を返還する場合であって、銀行の預金は、これに属する。民法は、これを寄託の一種と見ている(§666 [改注] 参照)。しかし、これについては、消費貸借の規定を準用して、その法律関係は、ほとんど消費貸借と異ならない

第3編　第2章　契約　第11節　寄託

ものとされている。また、銀行取引については、特別の商慣習が発達しており、銀行取引基本約定書などの多くの約款が定められ、判例もこれを是認する傾向にあることを注意するべきである。

(2)　銀行預金契約

消費寄託契約のなかで、重要なのはもちろん銀行預金契約である。

銀行は、一方において預金や定期預金(法律では定期積金(つみきん)の形で資金を預り、この集めた資金を基として資金の貸付けや手形の割引を行うこと、および為替取引を行うことを主とするものであり(銀行§2Ⅱ)、資本主義経済の営みにおいて不可欠な重要な役割を果たすものであることはいうまでもない。

銀行が営む業務のうち「預金又は定期積金等の受入れ」(銀行§10Ⅰ①)に当たる契約類型がまさに消費寄託契約であるから、この契約類型の重要性もまたいうをまたない。しかし、民法はこれにわずか1か条、666条[改注]を割くのみであり、しかも、その内容は全面的に消費貸借の規定を準用し、ただし書に特色がみられるにすぎない。

ところで、不特定・多数の者から「預り金」をすることは、「出資の受入れ、預り金及び金利等の取締りに関する法律」(昭和29年法律195号)により、銀行その他の一定の金融機関以外の者には禁じられている。そして、銀行その他の金融機関は、普通預金、定期預金をはじめとしてさまざまな特色を有するいわゆる金融商品を開発して、預金の獲得に努めているのであるが、そのためにいわゆる導入預金などの不当な手段を講じることのないように、「預金等に係る不当契約の取締に関する法律」(昭和32年法律136号)が定められている。また、預金保険法(昭和46年法律34号、2011年と2013年に改正)も重要な機能を営んでいる。

なお、銀行預金契約をめぐっては、以前からさまざまな問題が存在した。

(ア)　その一つとして、預金契約の債権者は、つねに預金口座の名義人であるのか、それとも預金の原資の提供者であることもあるか、ということが長く問題となっていた。定期預金などにおいて、預入行為をした者とその金銭を出捐した者とが異なる場合について、学説は、(a)実際に出捐した者を預金者とする(客観説とよばれた)、(b)預入行為をした者を預金者とする(主観説とよばれた)、(c)客観説を原則としつつ、預入行為者が自己の預金である旨を表明したときは、その者を預金者とする(折衷説とよばれた)、などの意見に分かれたが、判例は、客観説を採るとされた(最判昭和32・12・19民集11巻2278頁、最判昭和52・8・9民集31巻742頁)。この論議の背景には、当時は、無記名定期預金(その法律上の性質は指名債権である)なども認められ、金融機関自身が預金者すなわち債権者を必ずしも明確にしていなかったという事情もあったと考えられる。

この点についての判例の傾向は、原則として、口座名義人が債権者であるという方向へ向いつつあるといってよかろう(保険代理店が特定の保険会社のために収受した保険料を預金するために設けた専用口座について、保険会社のものだとする主張をしりぞけた最判平成15・2・21民集57巻95頁、弁護士が特定の依頼人から受取った預り金のために設けた専用口座についても同旨の最判平成15・6・12民集57巻563頁がある)。

(イ)　また、最近においては、銀行預金口座への振込みという方法による金銭価値の移転方法が一般化しており(§493(2)(ア)(h)および新§477参照)、それに関連する問題も重

1386

第 11 節［解説］④・§657

要である(たとえば、最判平成 8・4・26 民集 50 巻 1267 頁は、A が B の銀行口座に誤って振込んだ場合に、この預金を差押えた C に対する A の異議をしりぞけた例である)。その後、最判平成 20・10・10(民集 62 巻 2361 頁)は、Y 銀行に預金した夫婦の通帳を盗んだ A が夫の預金を妻 X の口座に振り込んだうえで預金の払戻しを受けてしまった事例で、このように振り込みの原因となる法律関係が存在しない場合にもその預金は X の権利となり、X の Y 銀行に対する払戻し請求は認められ、ただ、Y 銀行による A (その受託者ら)への払戻しが善意弁済として同行が免責されるかどうかの問題になるとした(原審が、X は不当利得者の立場にも立つが、その請求は権利濫用になるとしたのを破棄し差戻した)。

　(ウ)　その他、預金払戻しにおける改正前 478 条(債権の準占有者への弁済)の適用に関して、免責条項との関係、機械による誤弁済など(改正前§478〔3〕(ア)(b)参照)、問題の種は尽きない。これらの消費寄託契約のあり方を研究することは、666 条［改注］を超えた、はるかに大きな課題となっているということができる。たとえば、金融機関は、預金口座の取引経過について預金者に対して開示する義務があるとする判決がある(最判平成 21・1・22 民集 63 巻 228 頁)。また、特定の種類の商品先物取引について差玉向かいを行っている商品取引員は、専門的な知識を有しない委託者との間で締結した商品先物取引委託契約においては、委託者に対して説明義務及び結果通知義務を負うとする判例(最判平成 21・7・16 民集 63 巻 1280 頁)がある。

　④　混合寄託

　混合寄託とは、従来から混蔵寄託もしくは不規則寄託と呼ばれていた寄託の類型であり、必ずしも受寄者による消費を目的としないで、不特定物を預かり、同種・同等・同量の物を返還する契約である。改正前 666 条の解説〔1〕および新 665 条の 2 参照。

（寄託）

第六百五十七条
　　寄託は、当事者の一方がある物を保管することを相手方に委託し、相手方がこれを承諾することによって[1]、その効力を生ずる。

〈改正〉　2017 年に改正された。「相手方のために保管をすることを約してある物を受け取る」を「ある物を保管することを相手方に委託し、相手方がこれを承諾する」に改めた。

［改正の趣旨］　[1]　改正前 657 条は、寄託を要物契約としている。しかし、学説上は、諾成的な寄託契約の有効性が認められており、実務上も、倉庫契約（商 599 条参照）などにおいて諾成的な寄託契約が広く用いられている。民法上特に問題にされていたわけではないが、新法は、寄託契約を諾成契約とした。なお、寄託者は受寄者に対して寄託目的物の引取請求権を持つが、受寄者が寄託者に対して目的物の引き渡し請求権を有するかは明確でない。この点は、当事者の合意次第と解されている（ただし、657 条の 2 第 3 項の催告はできる）。

［改正前条文］
　　寄託は、当事者の一方が相手方のために保管をする[3]ことを約してある物を受け取ることによって[2]、その効力を生ずる[1]。

1387

第3編　第2章　契約　第11節　寄託

[原条文]
　寄託ハ当事者ノ一方カ相手方ノ為メニ保管ヲ為スコトヲ約シテ或物ヲ受取ルニ因リテ其効力ヲ生ス

[改正前条文の解説]
〔1〕　改正前法では、寄託は、要物契約である（後述〔2〕参照）。保管料を支払う場合（「有償寄託」という）と支払わない場合（「無償寄託」という）とが区別される。前者は有償・双務契約であり、後者は無償・片務契約である。受寄者の保管義務に差異を生じる（§659［改注］参照）。また、寄託は継続的契約である。

なお、受寄者は、目的物の所有権を取得しないで、その目的物自体を返還するのが普通であるが、受寄者が目的物（たとえば金銭）の所有権を取得し、これを消費することができ、同種・同等・同量の物を返還する場合がある。これを消費寄託という（§666［改注］参照）。

〔2〕　改正前法による寄託は、消費貸借（§587）および使用貸借（改正前§593）とともに要物契約とされていた（本章解説４(3)参照）。倉庫営業者との寄託関係を要物契約とすることは、その倉庫証券の効力に関連して問題とされていたが、民法上は、あまり問題にならない。寄託の目的である物の種類は、これを問わない。寄託者の所有に属しない物についても、寄託関係が成立する（大判大正7・5・24民録24輯1008頁）。銀行窓口において、差し出された現金に行員が手を触れることなく、窃取された事案について、消費寄託を不成立とした例があった（大判大正12・11・20新聞2226号4頁）。

〔3〕　「保管をする」とは、目的物を保持してその滅失・損傷を防止する処置を講じることである。受寄者は、目的物の所有権を取得しないのを原則とする（〔1〕参照）。占有を取得するかについては、「自己のためにする意思」に関連して、かつては問題とされた。しかし、有償寄託においては受寄者が占有者であることに争いはなく、さらに無償寄託においてもこれを肯定するのが近時の大勢である（§180〔1〕(c)参照）。保管義務の内容については、658条［改注］以下参照。

（寄託物受取り前の寄託者による寄託の解除等）
第六百五十七条の二

　1　寄託者は、受寄者が寄託物を受け取るまで、契約の解除をすることができる。この場合において、受寄者は、その契約の解除によって損害を受けたときは、寄託者に対し、その賠償を請求することができる[1]。

　2　無報酬の受寄者は、寄託物を受け取るまで、契約の解除をすることができる。ただし、書面による寄託については、この限りでない[2]。

　3　受寄者（無報酬で寄託を受けた場合にあっては、書面による寄託の受寄者に限る。）は、寄託物を受け取るべき時期を経過したにもかかわらず、寄託者が寄託物を引き渡さない場合において、相当の期間を定めてその引渡しの催告をし、その期間内に引渡しがないときは、契約の解除をすることができる[3]。

〈改正〉　2017年に新設された。

[本条の趣旨]　[1]　寄託契約を諾成契約化すると、寄託物を受け取るまでの間の解除権について規定する必要が生じる（消費貸借の諾成契約の許容と解除権についての新587条の2参照）。寄託については、寄託者の利益のための制度であるから、寄託者が望まないにも関わらず、寄託物の引き渡しを強制して法律関係を継続させることは合理的ではないからである。新法は、諾成契約化を前提として、寄託者は、その寄託物を受け取るまで、契約の解除をすることができる旨の規定を設けた。受寄者が寄託物の保管のための準備をしていた場合などに損害が生じる可能性があるので、新法は、寄託者の解除権は認めつつ、契約の解除によって受寄者に損害が生じたときは、受寄者はその損害の賠償を請求することができる旨の規定を設けて、利害の調整を図った。

[2]　改正前の諾成的寄託契約においては、受寄者には、寄託物の受取・保管義務があり、任意に解除をすることができないと考えられてきた。しかし、無償寄託においては、受寄者の好意と情誼で行われる場合もあり、軽率に契約がなされたときにまで、これに拘束されることは受寄者にとって酷であるといわれていた。そこで、書面によらない贈与の撤回や使用貸借の諾成契約化と書面によらない場合の解除権に関する規定と同様に、書面によらない無償寄託については寄託物の受取前であれば受寄者にも解除権を認める規定を設けた。

[3]　書面による無償寄託や有償寄託の場合については、受寄者の任意解除権は認められていないが、受け取るべき時期を経過した場合にまで契約に拘束されることは受寄者に酷であるから、受寄者は寄託者に相当の期間を定めて引き渡しを催告し、引き渡しがない場合には解除ができる旨の規定を設けた。

（寄託物の使用及び第三者による保管）

第六百五十八条

1　受寄者は、寄託者の承諾を得なければ、寄託物を使用することができない[1]。

2　受寄者は、寄託者の承諾を得たとき、又はやむを得ない事由があるときでなければ、寄託物を第三者に保管させることができない[2]。

3　再受寄者は、寄託者に対して、その権限の範囲内において、受寄者と同一の権利を有し、義務を負う[3]。

〈改正〉　2017年に改正された。1項中「使用し、又は第三者にこれを保管させる」を「使用する」に改め、2項を上記のように改めた。さらに、3項を新たに加えた。

[改正の趣旨]　[1]　第三者に関する規定を2項に移した。

[2]　寄託についても、受寄者の自己執行義務を原則としつつ、寄託者の承諾がある場合および「やむを得ない事由があるとき」には、寄託物を第三者に保管させることができる旨の規定を設けた。

[3]　改正前2項は、復代理に関する改正前105条を準用しているが、再受寄者は受寄者の履行を補助するための第三者にすぎないので、債務不履行に関する規範により規律されるべきであるから、特に受寄者の責任を緩和する必要はないと解されていた。新法は、復代理人を選任した代理人の責任に関する105条の削除を前提として、再受寄者の責任についても、改正前105条の準用規定を削除し、再受寄者は、寄託者に対し、その権限の範囲内において、受寄者と同一の権利を有し、義務を負う旨の規定を設けた。これは、復受任者の本人に対する権利義務についての改正（新644条の2第2項）と同趣旨である。

[改正前条文]

1　受寄者は、寄託者の承諾を得なければ、寄託物を使用し、又は第三者にこれを保管さ

第3編　第2章　契約　第11節　寄託

せることができない[1]。

2　第百五条及び第百七条第二項の規定は、受寄者が第三者に寄託物を保管させることができる場合について準用する[2]。

[原条文]

受寄者ハ寄託者ノ承諾アルニ非サレハ受寄物ヲ使用シ又ハ第三者ヲシテ之ヲ保管セシムルコトヲ得ス

受寄者カ第三者ヲシテ受寄物ヲ保管セシムルコトヲ得ル場合ニ於テハ第百五条及ヒ第百七条第二項ノ規定ヲ準用ス

[改正前条文の解説]

〔1〕　本項がある結果、受寄者は、自分で保管をすることができない事情があるときは、寄託者の承諾を得て第三者に保管させるか、663条に基づいて寄託物（原条文では受寄物という。原条文は、寄託者からみるときに「寄託物」、受託者からみるときに「受寄物」と使い分けていた。2004年改正は「寄託物」で統一した）を返還するか、のいずれかの手段を採るほかはない。なお、本項違反の行為から生じる損害については、受寄者は、すべての損害に対して賠償責任を負うものと解されている。

〔2〕　本項の結果、寄託者の承諾を得て第三者に保管させた場合には、任意代理人が正当に復代理人を選任した場合と同じように考える。すなわち、原則として、保管者の選任監督についてだけ責任を負い、保管者は、直接に寄託者に対して受寄者と同一の権利義務を負うことになる。

（無報酬の受寄者の注意義務）

第六百五十九条

無報酬の受寄者は、自己の財産に対するのと同一の注意をもって、寄託物を保管する義務を負う。

〈改正〉　2017年に改正された。見出しを改め、「で寄託を受けた者」を「の受寄者」に改めた。

[改正前条文]

（無償受寄者の注意義務）

無報酬で寄託を受けた者は、自己の財産に対するのと同一の注意をもって、寄託物を保管する義務を負う[1]。

[原条文]

無報酬ニテ寄託ヲ受ケタル者ハ受寄物ノ保管ニ付キ自己ノ財産ニ於ケルト同一ノ注意ヲ為ス責ニ任ス

〔1〕　「自己の財産に対するのと同一の注意」とは、その人の注意能力を標準として、その人が普通に用いる注意の程度を示す。「善良な管理者の注意」（§298〔1〕・改正前§400〔3〕参照）に対する観念である。無償の受寄者も、特定物の引渡しを目的とする債務を負うものであるから、400条［改注］によって「善良な管理者の注意」をもって保管するべきであるが、無償である点に着眼し、とくに一般の注意義務を軽減したものである。有償寄託については、本節に規定はないが、当然に400条の原則によ

§§658〔1〕〔2〕・659・660

る。

なお、商事寄託においては、無償の場合にも本条を排除して、一般の原則に戻り、場合によってはさらに責任を加重していることを注意するべきである（商§§595〜参照）。

（受寄者の通知義務等）
第六百六十条
1　寄託物について権利を主張する第三者が受寄者に対して訴えを提起し、又は差押え、仮差押え若しくは仮処分をしたときは、受寄者は、遅滞なくその事実を寄託者に通知しなければならない。ただし、寄託者が既にこれを知っているときは、この限りでない[1]。
2　第三者が寄託物について権利を主張する場合であっても、受寄者は、寄託者の指図がない限り、寄託者に対しその寄託物を返還しなければならない。ただし、受寄者が前項の通知をした場合又は同項ただし書の規定によりその通知を要しない場合において、その寄託物をその第三者に引き渡すべき旨を命ずる確定判決（確定判決と同一の効力を有するものを含む。）があったときであって、その第三者にその寄託物を引き渡したときは、この限りでない[2]。
3　受寄者は、前項の規定により寄託者に対して寄託物を返還しなければならない場合には、寄託者にその寄託物を引き渡したことによって第三者に損害が生じたときであっても、その賠償の責任を負わない[3]。

〈改正〉　2017年に改正された。見出しを改め、ただし書を加えた。さらに、2項、3項を加えた。

[改正の趣旨]　**[1]**　寄託者が第三者の権利主張等の事実を知っている場合にまで、受寄者に通知義務を課すことは合理的ではない（615条参照）。新法は、同条と同趣旨のただし書を設けた。

[2]　第三者が寄託物について権利を主張する場合であっても、受寄者は、寄託者に対しその寄託物を返還しなければならないと解されている。この点につき、最判昭和42・11・17判時509号63頁参照。受寄者が寄託者への通知義務を果たし、または寄託者が第三者による権利主張を知っていた場合には、寄託者は防御権行使の機会を保障される。その上で、寄託物を第三者に引き渡すべきことを命ずる確定判決（確定判決と同一の効力を有するものを含む）があった場合において、受寄者が、その第三者に寄託物を引き渡したときには、受寄者は寄託者に対する返還義務を免れると解されていた。新法は、このような内容の規定を設けた。

[3]　受寄者が寄託者に対する返還義務に従い寄託物を返還したことにより、第三者に損害が発生した場合に、受寄者に損害賠償責任を負わせることは酷であると考えられる。第三者は寄託者に対して直接損害賠償請求等をすれば足りるからである。そこで、新法は、受寄者が寄託者に対する返還義務に従って寄託物を返還した場合には、受寄者は、これによって第三者に生じる損害賠償責任を負わない旨の規定を設けた。

[改正前条文]
（受寄者の通知義務）
　　寄託物について権利を主張する第三者が受寄者に対して訴えを提起し、又は差押え、仮差押え若しくは仮処分をしたとき[1]は、受寄者は、遅滞なくその事実を寄託者に通知しな

第3編　第2章　契約　第11節　寄託

ければならない[2]。

［原条文］

　寄託物ニ付キ権利ヲ主張スル第三者カ受寄者ニ対シテ訴ヲ提起シ又ハ差押ヲ為シタルトキハ受寄者ハ遅滞ナク其事実ヲ寄託者ニ通知スルコトヲ要ス

　［改正前条文の解説］

　〔1〕　ここに「差押え」とは、第三者が寄託物につき所有権その他の権利を有することを主張して、その引渡しを受けるために強制執行をした場合だけでなく、第三者が寄託者に対する金銭債権の強制執行として差押えをした場合、および寄託物に対して仮差押えまたは仮処分をした場合（最判昭和40・10・19民集19巻1876頁。仮処分後の経過まで報告する義務はないとした）をも包含するものと解され、2004年改正はこれを明示した。

　〔2〕　本条は、寄託者をして訴訟に参加させ、差押えに対して異議を述べる機会を失わせないためであり、したがって、受寄者が通知を怠って寄託者に損害をこうむらせたときは、損害賠償の責任を負う。

　（寄託者による損害賠償）

　第六百六十一条

　　寄託者は、寄託物の性質又は瑕疵によって生じた損害[1]を受寄者に賠償しなければならない[2]。ただし、寄託者が過失なくその性質若しくは瑕疵を知らなかったとき、又は受寄者がこれを知っていたときは、この限りでない[3]。

　［原条文］

　寄託者ハ寄託物ノ性質又ハ瑕疵ヨリ生シタル損害ヲ受寄者ニ賠償スルコトヲ要ス但寄託者カ過失ナクシテ其性質若クハ瑕疵ヲ知ラサリシトキ又ハ受寄者カ之ヲ知リタルトキハ此限ニ在ラス

　本条は、寄託物を保管するうえで受寄者が思わぬ損害をこうむった場合に、寄託者をしてその賠償をさせようとするものである。

　〔1〕　「寄託物の性質……によって生じた損害」とは、寄託物が当然に有する性質からする出費、たとえば家畜を寄託した場合の飼料などを意味するのではなく、当該の寄託物に特有の性質、たとえば牛を預かったところ、その牛の狂暴性から損害が生じたような場合を指すのである。

　また、「寄託物の……瑕疵によって生じた損害」とは、たとえば寄託された家畜が病気にかかっていたため、受寄者所有の家畜に伝染したような場合の損害を意味する。

　なお、受寄者の費用償還請求権については、新664条の2第1項参照。

　〔2〕　このような損害について、受寄者は、寄託者に過失があることを証明することなくして、その賠償を請求することができる。

　〔3〕　もっとも、寄託者がその性質または瑕疵を知らず、かつ知らないことについて過失がないとき、あるいは受寄者がこれを知っているときは、賠償責任を負わない。したがって、この寄託者の責任は、委任の場合とは違って（§650Ⅲ参照）、純然たる結

§§660〔1〕〔2〕・661・662〔1〕

果責任でもない。

なお、寄託者および受寄者がその性質または瑕疵を「知らなかった」または「知っていた」とは、いつを標準として決定するか。寄託契約のさいに限らず、損害発生前に「知った」場合には、本条の適用があると解されている。

（寄託者による返還請求等）
第六百六十二条
1　当事者が寄託物の返還の時期を定めたときであっても[2]、寄託者[3]は、いつでもその返還を請求することができる[1]。
2　前項に規定する場合において、受寄者は、寄託者がその時期の前に返還を請求したことによって損害を受けたときは、寄託者に対し、その賠償を請求することができる[1]。

〈改正〉　2017年に改正された。見出しを改め、2項を加えた。

[改正の趣旨]　〔1〕　返還の時期を定めていた場合には、その返還時期よりも前に寄託物を返還しなければならなくなったことにより受寄者に損害が生じる場合がありうる。新法は、損害が生じた場合には、寄託者はその賠償をしなければならないとの規定を追加した。新651条2項も参照。ただし、消費貸借などと同様に返還の時期までに得られたであろう報酬相当額の全額が損害となるわけではない。受寄者も以後、保管義務という負担から免れるからである。

[改正前条文]
（寄託者による返還請求）
上記1項と同じ。

[原条文]
当事者カ寄託物返還ノ時期ヲ定メタルトキト雖モ寄託者ハ何時ニテモ其返還ヲ請求スルコトヲ得

[改正前条文の解説]
〔1〕　「返還を請求する」とは、解約（解約告知）するということである。たとえば、1年間保管する約束をしていた場合でも、3か月でこれをやめて、返還を請求してもよい。保管を委託しておく必要のなくなった物を強いて寄託させておくべき理由はないからである。

これを返還義務の履行という観点から見れば、寄託契約においては期限の利益は債権者のために存するのであり（§136〔1〕参照）、期限前の返還請求は、期限の利益を放棄したことになる。しかし、本条は、とくにこの返還請求の可能なことを定め、委任契約の解除告知の場合のように、相手方のために不利な時期に解除した者の損害賠償義務（改正前§651Ⅱ）について規定していないから、136条2項ただし書の適用は排斥されるものと解するを正当とするであろう。

有償寄託の場合にも、受寄者はその時までの割合的な報酬を請求しうることにとどまり、全期間にわたる報酬は請求できない（§665［改注］の準用する§648Ⅲ［改注］）。ただし、保管のために支出した必要費は、たとえその時期以後を想定して支出された

1393

第3編　第2章　契約　第11節　寄託

ものでも、全額を請求できる（§665が準用する§650）。

　なお、特約によって本条を排斥し、一定の猶予期間を定めて告知するべきものとすることは、有効であると解されている。

　〔2〕　「返還の時期を定め」なかったときに、いつでも返還を請求（解約告知）できることは、いうまでもない（§663 I 参照）。このことは、消費寄託の場合にも同様である（改正前§§666 II・591参照）。666条〔改注〕の改正に注意。

　〔3〕　受寄者については、663条2項参照。

（寄託物の返還の時期）
第六百六十三条

　　1　当事者が寄託物の返還の時期を定めなかったときは、受寄者は、いつでもその返還をすることができる。

　　2　返還の時期の定めがあるときは、受寄者は、やむを得ない事由がなければ、その期限前に返還をすることができない[1]。

　[原条文]

　　当事者カ寄託物返還ノ時期ヲ定メサリシトキハ受寄者ハ何時ニテモ其返還ヲ為スコトヲ得

　　返還時期ノ定アルトキハ受寄者ハ已ムコトヲ得サル事由アルニ非サレハ其期限前ニ返還ヲ為スコトヲ得ス

　〔1〕　662条〔改注〕に認められる寄託者の解約告知権に対応して、受寄者にも解約告知権を認めたものであるが、期間の定めがある寄託につき、受寄者にやむことを得ない事由がある場合にだけ解約することができる点が、662条と異なる。寄託がもっぱら寄託者のための制度であることから、この相違が出てくるのである。なお、倉庫営業者の告知権については、特則がある（商§619〔削除→612〕）。本条も任意規定である。

（寄託物の返還の場所）
第六百六十四条

　　寄託物の返還[2]は、その保管をすべき場所でしなければならない。ただし、受寄者が正当な事由によってその物を保管する場所を変更したときは、その現在の場所で返還をすることができる[1]。

　[原条文]

　　寄託物ノ返還ハ其保管ヲ為スヘキ場所ニ於テ之ヲ為スコトヲ要ス但受寄者カ正当ノ事由ニ因リテ其物ヲ転置シタルトキハ其現在ノ場所ニ於テ之ヲ返還スルコトヲ得

　〔1〕　本条は、保管をするべき場所についてだけ特約があり、返還をするべき場所について特約のない場合の規定である。返還をするべき場所について特約があれば、もちろんそれに従う。なお、保管をするべき場所は、契約の趣旨によって定まる場合が多いが、それでも定まらない場合は、その返還の場所は一般の原則に従ってこれを

§§662〔2〕〔3〕・663・664・664の2・665

定めるべきである（§484〔改注〕）。

　〔2〕　寄託物の返還義務に関連しては、つぎの諸点が問題となる。

　㋐　返還請求権は、寄託契約から生じる債権であるが、寄託契約終了のさい寄託者が目的物につき所有権を有する場合には、所有権に基づく物上請求権（物権的請求権）を行使することもできる。そして、判例・通説は、寄託契約に基づく債権である返還請求権が時効にかかるときにも、物権的請求権としての返還請求権は時効にかからないと説いている（大判大正11・8・21民集1巻493頁、改正前§167〔4〕参照）。

　㋑　有償寄託において、受寄者の返還義務と寄託者の報酬支払義務とは、同時履行の関係に立つとするのが判例である（大判明治36・10・31民録9輯1204頁）。

　㋒　返還の目的物は、受寄者が受取った物自体である。この点は、消費寄託と寄託とを区別する基準である。なお、受寄者は使用収益権を有しないから（§658Ⅰ〔改注〕参照）、寄託物から生じた果実もあわせて返還することを要する（§§665〔改注〕・646参照）。

（損害賠償及び費用の償還の請求権についての期間の制限）
第六百六十四条の二
　　1　寄託物の一部滅失又は損傷によって生じた損害の賠償及び受寄者が支出した費用の償還は、寄託者が返還を受けた時から一年以内に請求しなければならない[1]。
　　2　前項の損害賠償の請求権については、寄託者が返還を受けた時から一年を経過するまでの間は、時効は、完成しない[2]。

〈改正〉　2017年に新設された。

［本条の趣旨］　［1］　新法は受寄者の寄託者に対する損害賠償と費用償還請求権についても、使用貸借・賃貸借における期間制限の規定（新600条1項参照）と同様に、目的物を返還してから1年間という期間制限を設けた。

　　［2］　損害賠償請求権の時効についてのみ同様の規定を設けた（新600条2項参照）。

（委任の規定の準用）
第六百六十五条
　　　　第六百四十六条から第六百四十八条まで、第六百四十九条並びに第六百五十条第一項及び第二項の規定は、寄託について準用する。

〈改正〉　2017年に改正された。「第六百五十条まで（同条第三項を除く。）」を「第六百四十八条まで、第六百四十九条並びに第六百五十条第一項及び第二項」に改めた。

［改正の趣旨］　他の条文の改正に対する対応である。

［改正前条文］
　　　　第六百四十六条から第六百五十条まで（同条第三項を除く。）の規定は、寄託について準用する[1]。

［原条文］
　　　　第六百四十六条乃至第六百四十九条及ヒ第六百五十条第一項、第二項ノ規定ハ寄託ニ之ヲ準用ス

1395

第3編　第2章　契約　第11節　寄託

〔1〕　この準用によって、受寄者は、寄託に関して受取った物または収取した果実の返還義務（§646の準用。§664⑵(ウ)参照）および返還するべき金銭を自分のために消費した場合の損害賠償義務（§647の準用）を負い、特約がある場合にだけ、報酬を請求する権利を有し（§648［改注］の準用。§664⑵(イ)参照）、また、つねに費用前払請求権（§649の準用）、および費用償還請求権（§650Ⅰ・Ⅱの準用）を有する。

（混合寄託）
第六百六十五条の二
　　1　複数の者が寄託した物の種類及び品質が同一である場合には、受寄者は、各寄託者の承諾を得たときに限り、これらを混合して保管することができる。
　　2　前項の規定に基づき受寄者が複数の寄託者からの寄託物を混合して保管したときは、寄託者は、その寄託した物と同じ数量の物の返還を請求することができる[1]。
　　3　前項に規定する場合において、寄託物の一部が滅失したときは、寄託者は、混合して保管されている総寄託物に対するその寄託した物の割合に応じた数量の物の返還を請求することができる。この場合においては、損害賠償の請求を妨げない[2]。
〈改正〉　2017年に新設された。
[本条の趣旨]　〔1〕　多数の寄託者から、代替物の寄託を受けて、受寄者が他の同種類・同品質の寄託物と混合して保管し、寄託された物と同数量のものを返還する契約を「混合寄託」、「不規則寄託」または「混蔵寄託」という。混合や混蔵は245条の「混和」を意味すると解されている。混合寄託では、寄託物の所有権や処分権が受寄者に移転しない点で消費寄託（666条）と異なる。混合寄託は、同一の種類・品質のものを混和させて保管することで倉庫の容量を節約し、管理コスト・保管料の低減につながるものとして、実務上利用されていると言われている。改正前には混合寄託についての規定はない。本節解説④参照。混合寄託をするためには、寄託者全ての明示の承諾があることを要すると解されており、寄託者は混合して一体となった物の中から、寄託したのと同数量の物の返還を請求することができると解されていた。新法では、このような考え方を明文化した。
　　〔2〕　寄託物の一部が滅失した場合には、寄託者は残存する寄託物に対して、寄託した物の数量の割合に応じて返還を請求することとなると解されており、新法はこのような考え方を明文化した。

（消費寄託）
第六百六十六条
　　1　受寄者が契約により寄託物を消費することができる場合には、受寄者は、寄託された物と種類、品質及び数量の同じ物をもって返還しなければならない[1]。
　　2　第五百九十条及び第五百九十二条の規定は、前項に規定する場合について準用する[2]。
　　3　第五百九十一条第二項及び第三項の規定は、預金又は貯金に係る契約により金銭を寄託した場合について準用する[3]。

§§665〔1〕・665の2・666〔1〕〔2〕

〈改正〉 2017年に改正された。

[改正の趣旨] 〔1〕 消費寄託に関する独自の規定を設けた。

〔2〕 新法は、消費寄託も寄託であることを前提に消費貸借の規定を包括的に準用するのではなく、寄託の規定が適用されることを前提としつつ、寄託物の所有権・処分権が受寄者に移転する点では消費貸借と共通しているので、消費貸借契約の規定のうち、貸主の引き渡し義務についての規定（新590条）および価額の償還の規定（新592条）を準用する旨を定めた。

〔3〕 消費寄託について寄託の規定を適用することを原則とすると、受寄者は返還期限の定めがある場合にはやむを得ない事由がない限り寄託物を寄託者に返還できないこととなる（663条2項）。しかし、預貯金契約においては返還期限の合意がある場合に受寄者である金融機関が期限まで寄託者に返還をすることができないとするのは金融取引上支障がある（金融機関側から定期預金を受働債権として相殺ができないなど）ため、預貯金契約については、さらに消費貸借における新591条2項および3項を準用し、受寄者はいつでも返還をすることができるとした。これにより金融機関側は早期償還が可能となり、後は損害賠償で調整することとなると思われるが、多くの場合に、別途当事者間の合意（特約）がなされるであろうと言われている。

[改正前条文]

1 第五節（消費貸借）の規定は、受寄者が契約により寄託物を消費することができる場合について準用する[1]。

2 前項において準用する第五百九十一条第一項の規定にかかわらず、前項の契約に返還の時期を定めなかったときは、寄託者は、いつでも返還を請求することができる[2]。

[原条文]

受寄者カ契約ニ依リ受寄物ヲ消費スルコトヲ得ル場合ニ於テハ消費貸借ニ関スル規定ヲ準用ス但契約ニ返還ノ時期ヲ定メサリシトキハ寄託者ハ何時ニテモ返還ヲ請求スルコトヲ得

[改正前条文の解説]

〔1〕 この種の寄託を「消費寄託」という。たとえば、銀行預金のように、受寄者が受取った物と同種・同等・同量の物を返還する義務を負う寄託である（本節解説③参照）。交付された物自体の保管を目的としない点で通常の寄託と異なるが、保管を目的とする点で寄託と性質を同じくする。消費寄託と呼ばれるゆえんである（改正前§657〔1〕の後段参照）。

なお、類似の用語として、必ずしも受寄者による消費を目的としないで、不特定物を預り、同種・同等・同量の物を返還する寄託を「不規則寄託」あるいは「混蔵寄託」という。新665条の2も参照。

〔2〕 消費寄託には、原則として、消費貸借に関する規定がすべて準用される。ただし、返還の時期を定めない消費貸借においては、貸主は、まず相当の期間を定めて返還の催告をすることを要する（§591Ⅰ）のに反し、消費寄託においては「いつでも返還を請求する」ことができるのである。消費貸借においては、借主の地位を顧慮する必要があるのに反し、消費寄託においては、受寄者の地位を顧慮する必要がないばかりでなく、保管を託した寄託者においては、必要に応じてその返還を求めることができるものとすることが妥当だからである。ただし、この規定も任意規定であるから、

第3編　第2章　契約　第12節　組合

特約によって、一定の時期以前には返還を請求できないものとし、または一定の猶予期間をおいて催告しなければ請求できないとすることは、もちろん差しつかえない。銀行預金契約には、そのような例が多い(本節解説③(2)参照)。

　なお、受寄者は、消費貸借に関する591条2項［改注］の準用により、やはりいつでも返還できると解される。

　消費貸借の規定のなかで、改正前588条の準用、すなわち「準消費寄託」が成立するかが問題となる。判例は、AがBから金員を借受ける約束をし、借用証書をBに差し入れたところが、Bがその金員の一部の引渡しの猶予を求め、Aにその額の金員の預り証を交付した事案において、準消費寄託の成立を認め、Aの寄託金返還の請求を是認している(大判明治36・5・5民録9輯547頁)。

第 12 節 ［解説］ ①〜③

第 12 節　組　　合

〈改正〉　本節では、2017 年に、670 条、671 条、672 条、673 条、675 条、676 条、677 条、682
　　　条、685 条、686 条、687 条が改正され、667 条の 2、667 条の 3、670 条の 2、677 条の 2、
　　　680 条の 2 が新設された。前掲(549 条)附則(贈与、組合等に関する経過措置)第三十四
　　　条 1 参照(以下本節の各条文では引用省略)。
　［組合契約の主要改正点］　組合契約への契約総則の規定の適用関係(667 条の 2)や民法総則の
　　　規定の適用関係(667 条の 3)について明文化した。組合の業務の決定及び執行の方法に
　　　関する規定を分かりやすくし(新 670 条)、組合代理に関する通説的見解を明文化した
　　　(670 条の 2)。組合財産は共有とされているが、物権編の共有とは異なる点を、通説的
　　　見解に従って明文化した(新 676 条、新 677 条)。組合員の加入(新 677 条の 2)と脱退(新
　　　680 条の 2)に関して明文を設けた。さらに、従来解釈上認められてきた組合の解散事由
　　　を具体的に明文化した(新 682 条)。

①　本節の内容

　本節は、組合の成立(§§667・新 667 の 2・667 の 3)、組合の業務執行(§§670〜673)、組
合の財産関係(§§668・669・674〜677)、組合員の加入(§677 の 2)および脱退・除名(§§
678〜681)、組合の解散および清算(§§682〜688)から成っている。

②　組合の意義

　組合は、当事者間に一定の権利義務を生じる関係においては契約的性質を有する。
しかし、組合そのものは 1 個の独立性のある団体として存在し、第三者と種々の法律
関係を生じ、組合員は一致してこれに対するものであって、この点では社団法人に類
似する。もっとも、組合には法人格がないから、組合の財産は、結局、組合員の財産
であり、組合の法律行為は、結局、組合員の行為である。しかし、この点においても、
その財産または行為は、組合員の純然たる個人的財産または個人的行為と異なり、あ
る程度の団体性を認めなければならない。つまり、組合についてどのような程度の団
体性を認めるべきかということが、組合に関する立法と解釈の中心問題である。民法
のこの点に関する規定は、必ずしも十分なものではない。しかし、判例・学説は、こ
れらの規定に基づいて組合の団体性を伸長することに努めている。

③　組合についての注意点

　組合については、なお、つぎのことを注意するべきである。
　(1)　第 1 に、組合という語は、法令において二様に用いられていることである。す
なわち、一つは、民法の本節にいう組合であり、この意味をとくに示す必要があると
きは、「民法上の組合」と呼ぶ。二つは、労働組合法・農業協同組合法・水産業協同
組合法その他の特別法にいう組合である。前者は、法人格を有しないものであるのに
反し、後者は、ほとんど例外なく当然に法人格を有し、または有することができるも
のである。したがって、本節の規定は、前者にのみ適用され、後者には、準用されて

1399

第3編　第2章　契約　第12節　組合

いる場合を除き、一切適用されない。

(2)　第2に、とくに組合という語を用いない場合にも、じつは組合である場合があることである。本節の組合は、必ず組合という名称を用いなければならないわけではないので(商旧§§17・18→会社§§6・7・978参照)、たとえば、無尽講・頼母子講などと呼ばれるものは、組合と称していないが、その本質は組合であり、本節の規定と慣習法とによって規律されるものである。また、鉱業法44条5項は、共同鉱業権者は組合契約をしたものとみなしている。したがって、これらの者の間には、その名称のいかんにかかわらず、当然に民法の組合の規定が適用されるのである。

(3)　第3に、法人格をもたない団体を、すべて組合だと考えてはならない。すなわち、団体の団体性が強度であって、その設立行為および設立後の団体と構成員との関係が個人相互の契約関係ではなく、団体と個人との団体的法律関係を構成するものを社団というが、そのなかには社団としての実質を備えていながら、法人格を有しない、いわゆる「法人格のない社団」であるものも多い(第1編第3章解説③(2)参照)。

(4)　第4に、実質的に組合に近いものに、合名会社(法人格を認められる。商旧§§62〜→会社§§575〜参照)がある。合名会社に関する規定には、民法上の組合を考えるうえに、参考にするべきものが多い。

(5)　第5に、実際に存在する組合としては、複数の個人の集りを想定しがちであるが、大きな企業体同士でも一定の目的のために協同し合うために共同事業体(最大判昭和45・11・11民集24巻1854頁はその例である。改正前§670〔7〕参照)を形成することがある。その性質は、民法上の組合と考えられる場合が多い。

④　有限責任事業組合契約に関する法律について

2005年に制定された「有限責任事業組合契約に関する法律」(平成17年5月6日法律40号。施行は同年8月1日)は民法の組合の規定に関する特別規定(ただし、その点については後記)である。組合の名を冠した団体の数は多く、それらに関する法律も多数存在するが、それらの団体のほとんどは、その名称にもかかわらず、法的には法人であって、組合ではない(第1編第3章④(1)参照)。したがって、それらの法律は民法の組合の規定に関する特別法ではない。

同法は、「共同で営利を目的とする事業を営むための組合契約であって、組合員の責任の限度を出資の価額とするもの」に関する制度を確立することを目的とする(同法§1)。さらに、「有限責任事業組合」が定義されるが、それは、「個人又は法人が出資して、それぞれの出資の価額を出資の限度として、共同で営利を目的とする事業を営むことを約し、各当事者がそれぞれの出資に係る払込み又は給付の全部を履行することによって効力を生ずる契約」(同法§3Ⅰ)によって成立する組合である(同法§2)。この契約は、民法上の組合と異なり、要物契約であり、また、一定の形式・内容を備えた契約書の作成が必要とされるので(同法§4)、要式契約である。また、組合の設立・解散・清算その他一定の事項は登記をしないと善意の第三者に対抗できないとされる(同法§8)。これらのことは、民法上の組合とはいちじるしくその性質を異にするものであり、これをなお、民法の組合規定の特別法と見てよいかについては、躊躇を

第 12 節［解説］④・組合契約［前注］・§667〔1〕

感じる。とりわけ、同法56条は民法の組合に関する多くの条文を「準用」すると規定しているが、一般法と特別法の関係であれば、一般法の規定は特別法に規定がない限り当然適用があるはずであるから、「準用」というのはおかしい。同法は、民法とは関係のない独立の個別法ととらえるのが適切であるかもしれない。

　内容として問題なのは、民法上の組合は、以下に述べるように、法人との対比において本質的に構成員のいわゆる無限責任を前提とするものであるが、同法の定める組合は有限責任を建前としていることである。にもかかわらず、同法21条は、組合に対する債務名義、仮差押命令、仮処分命令に基づいて、その組合の組合員に対して執行できるとしている。

　以上の諸点において、この制度は民法の体系上きわめて説明および理解の困難な制度といってよかろう。

組合契約 ［§§667・667の2・667の3の前注］

　2017年の改正で、組合契約の特殊性に鑑みて、契約総則や民法総則の規定との関連を整備した。

> **（組合契約）**
> **第六百六十七条**
> 　1　組合契約は、各当事者が出資[2]をして共同の事業を営む[3]ことを約することによって、その効力を生ずる[1]。
> 　2　出資は、労務をその目的とすることができる[4]。
> **［原条文］**
> 　　組合契約ハ各当事者カ出資ヲ為シテ共同ノ事業ヲ営ムコトヲ約スルニ因リテ其効力ヲ生ス
> 　　出資ハ労務ヲ以テ其目的ト為スコトヲ得

〔1〕　組合契約は、契約とはいっても、売買や貸借などの典型契約と大いにその趣を異にする。けだし、組合契約は、契約当事者間の債権関係を創設するだけでなく、これによって組合という1個の団体的な関係を創造するものだからである。組合契約のこの点を強調して、組合契約は契約ではなく、合同行為であると説く者もある。しかし、判例および多くの学者は、民法がこれを契約の一種としていることにかんがみ、なお、これを一種の契約とし、その団体性に基づき、多少特殊な理論が適用されるものとしている。

　㈠　組合契約は、双務契約である。各組合員は、それぞれ出資をする債務を負い、かつ、その債務は相互に対価をなすものだからである。しかし、双務契約に関する規定を組合契約に適用するにあたっては、適当な修正をほどこす必要がある。すなわち、

　　(a)　第1に問題となるのは、同時履行の抗弁権（§533［改注］）である。自分で出

1401

第3編　第2章　契約　第12節　組合

資をしない組合員Ａが出資の請求をしてきた場合には、請求を受けた者Ｂは、同時履行の抗弁をすることができる。しかし、出資をすませたＣが請求したときには、ＢはＡがまだ出資をしていないことを理由として同時履行の抗弁を出すことはできないと解されている。組合の業務執行者Ｄが出資を請求してきた場合も、抗弁できない。そうでないと、出資を履行しない者に対する強制執行がいちじるしく困難になるばかりでなく、不履行者に利息支払義務および損害賠償義務を負わせる 669 条は、ただ、最後の不履行者についてだけ適用されるという結果になるからである。このような結果は、組合が双務契約であると同時に、1 個の団体を創造する性質を有することに適しない。

　(b)　第2に問題となるのは、危険負担(削除・改正前§§534～)である。一組合員の出資義務が不能になった場合には、同 534 条～536 条の規定［改注］を適用してよい。しかし、その適用の結果には、一定の制限を加えなければならない。たとえば、一組合員Ａの労務出資義務がＡの責めに帰することのできない事由によって履行不能になったときは、536 条 1 項［改注］の適用によって、他の組合員は、Ａに対する関係で債務を免れ、したがって、Ａが組合から脱退するということになるが、他の組合員相互においてはその債権関係は影響を受けず、組合は依然存続すると解するべきである。けだし、一組合員の出資不能によって組合を終了させるのは、組合の団体的な性質に反し、また、組合契約当事者の意思に反することは明らかだからである。

　(イ)　組合契約は、有償契約である。したがって、559 条によって売買に関する規定の準用がある。たとえば、出資に瑕疵があるときは、売主の担保責任に関する規定を準用することを要する。しかし、売買に関する規定で、組合の性質上これに準用できないものもある。たとえば、一組合員の出資に期限の定めがあるとき、573 条を準用して他の組合員の出資について同一の期限があるものと推定することは、組合の性質に適しない。

　(ウ)　組合契約は、諾成契約・不要式契約である。また、当然に継続的契約である。

　〔2〕　各組合員が「出資」をすることを要する。

　(ア)　出資の種類には、なんの制限もないから、もちろん金銭に限られることはない。金銭以外の物の所有権・地上権・永小作権・無体財産権・債権など、みな可である。労務を出資の目的とすることができることは、本条 2 項が明定するところである。しかし、信用または単純な不作為(たとえば、競業停止)が出資の目的となるかについては、説が分かれている。前者については肯定説が多く、後者については否定説が多い。

　(イ)　出資は、各組合員がしなければならない。しかし、各組合員のするべき出資の種類および内容は、同一である必要はない。Ａ組合員は労務出資、Ｂ組合員は金銭出資、Ｃ組合員は現物出資などであってもよい。

　〔3〕　組合は、「共同の事業を営む」ことを要する。

　(ア)　事業について、

　(a)　事業」は、継続的であることを必ずしも要しない。ただ 1 回だけ共同に商品を仕入れることを約するような、いわゆる「当座組合」もまた組合である。その場

§§667〔2〕~〔4〕・667の2

合でも、組合の法律関係は継続性を有するのである。

(b) 事業の種類には、制限はない。営利を目的としても、公益を目的としても、その他、親睦などを目的としてもかまわない。

㈣ 事業は、「共同」であることを要する。すなわち、各組合員が事業の成功に対して利害関係を有することを必要とする。組合員の一人または一部の者だけが利益の分配を受けるもの、ローマ法でいう獅子組合(societas leonis)は組合ではない。しかし、各組合員の有する利害関係に差等があっても差しつかえない。ある組合員だけが損失を負担するべきことを定めても、利益は全組合員に分配するべきときは、なお組合である(大判明治44・12・26民録17輯916頁)。

㈢ 事業を共同に「営む」ものであることを要する。したがって、当事者の一方が相手方の営業のために出資をし、その営業から生じる利益の分配を受ける契約——いわゆる「匿名組合」(商§§535~)がそうである——は、本節にいう組合ではなく、もっぱら商法の適用を受けるものである。

〔4〕 労務を出資した場合に、最も問題となるのは、それをどれだけに評価するかということである。たとえば、A は 3000 万円の建物を、B は 1000 万円の資金を、C は毎日 8 時間の割で組合の存続期間である 1 年間の労務の出資を約したとしよう。このような場合には、C の 1 年間の労務を金銭に評価しなければ、損益の分配(§674)も残余財産の分割(§688)もできないから、通常、組合契約において、その評価を(たとえば、2000 万円と)行うであろう。そうすれば、組合に対する A・B・C の出資の割合は、3：1：2 であり、損益の分配は、いちおうこの割合で行われ(§674)、したがって、組合債務に対する分担もこの割合による。のみならず、組合財産(そのなかには C に対する出資請求権も含まれる)に対する A・B・C の持分もまた、この割合である。ただし、この組合が、たとえば 6 か月で解散した場合には、C はまだ彼の出資するべきものの 2 分の 1 しか現実に出資していないのであるから、残余財産分配の割合は、3：1：1 となる(§688)。

なお、労務出資をする C が毎月一定額の手当を支給されている場合には、組合と C との間の雇用契約ないし有償の委任契約と労務出資とが混合していることが多いであろう。このような場合の出資の価額については、特約がなければ、損益分担の割合から推算することになろう。

（他の組合員の債務不履行）
第六百六十七条の二
　1　第五百三十三条及び第五百三十六条の規定は、組合契約については、適用しない[1]。
　2　組合員は、他の組合員が組合契約に基づく債務の履行をしないことを理由として、組合契約を解除することができない[2]。

〈改正〉 2017 年に新設された。

[本条の趣旨] 〔1〕 改正前には契約総則の規定の組合契約への適用の有無についての規定はなかった。新法は、組合契約について、同時履行・危険負担・解除の規定の適用がないこ

第3編　第2章　契約　第12節　組合

とを明文化した。

　　〔2〕　ある組合員が出資を履行していない場合の解除権についてのみ規定を置いた。改正
前においても、他の組合員が業務執行者等からの請求に対し同時履行の抗弁権を主張して出
資を拒むことはできないと解されていた。同様に、ある組合員の出資が不可抗力により履行
ができない場合には、危険負担の規定により他の組合員の出資債務も消滅（あるいは履行拒
絶）することはないと解されていた。667条の解説〔1〕(ア)(a)参照。また、ある組合員が出資を
履行しない場合であっても、組合の脱退（678条・679条）・除名（680条）・解散（683条）
の各事由は法定されているので、債務不履行解除もできないのが原則と考えられているが、
680条の「正当な事由」には出資義務の不履行も含まれると解されている。同条の解説〔1〕参
照。

（組合員の一人についての意思表示の無効等）
第六百六十七条の三
　　　組合員の一人について意思表示の無効又は取消しの原因があっても、他の組
　　合員の間においては、組合契約は、その効力を妨げられない。
〈改正〉　2017年に新設された。
[本条の趣旨]　新法は、組合契約の団体法的性質から、組合員の一人に意思表示の無効また
は取消しの原因があっても、他の組合員にはその効果が及ばないものとした。他の組合員の
意思を尊重して組合契約の有効性を認める必要性があるためである。ただし、組合も契約の
一種には違いがないので、意思表示が無効ないし取消しとなった当該組合員と組合との間で
は、無効ないし取消しにより、出資金等の返還請求ができる。

組合財産 [§§668・669・674・675・676・677の前注]

　2017年の改正では、組合財産の共有が物権編の共有とは異なることを前提として、
組合財産の独立性、組合財残に属する債権・債務に関する通説的見解を明文化した。
具体的には、組合財産について、668条で共有と定め、669条で金銭出資の不履行責
任を定め、674条で、組合員の損益分配の割合を定め、675条では、組合員の債権者
の権利行使を定め、676条では、組合員の持ち分の処分及び組合財産の分割を定め、
677条では、組合財産に対する組合員の債権者の権利の行使の禁止について定めてい
る。

（組合財産の共有）
第六百六十八条
　　　各組合員の出資[1]その他の組合財産[2]は、総組合員の共有に属する[3]。
　　[原条文]
　　　各組合員ノ出資其他ノ組合財産ハ総組合員ノ共有ニ属ス

組合財産の性質を定める基本的な規定である。
〔1〕　「組合財産」は、多くの場合、組合員の「出資」した財産が主要な部分を占

§667の3・組合財産［前注］・§668〔1〕～〔3〕

めるであろう。多少問題となるのは、単に出資の義務を負い、まだ出資していない組合員に対する出資請求権そのものが、組合財産を構成するかどうかである。少数説は、出資請求権は出資義務者以外の組合員が有する不可分債権であって、総組合員の共有するものではないから組合財産になりえないと説く。しかし、多数の学者は、これを組合財産と認める。組合員が数回または定期に出資をするべき場合に、将来における出資請求権を組合の財産に属しないとしたのでは、組合の財産関係を明らかにできないばかりでなく、組合の団体性を認めるゆえんでないからである。労務出資についても、同様に解してよい。

〔2〕 「その他の組合財産」とは、つぎのようなものである。

(a) 業務執行によって生じた財産は、所有権であるか債権であるか、その他の権利であるかを問わず、すべて組合財産に属することは、疑いない。

(b) 組合財産に基づいて生じた財産、たとえば果実（§88〔1〕〔3〕参照）は、組合財産に属する。組合財産の滅失・損傷により第三者に対して生じた損害賠償請求権なども、同様である。

〔3〕 組合は法人でないから、組合自体が組合財産の主体となることができないので、組合財産は、総組合員の共有としているのである。しかし、組合は、共同事業を営むことを目的とする一種の団体であり（§§670［改注］・新670の2・673［改注］・新677の2・679～681・685［改注］～参照）、組合財産は、この団体の目的を達するために存する一種の団体財産であり（大判昭和7・12・10民集11巻2313頁）、各組合員の私有財産と混同を生じることはない（大判昭和11・2・25民集15巻281頁）。したがって、組合財産のいわゆる共有は、普通の共有（§§249～参照）と異なった、つぎのような特色を示している。

(a) 組合員は、清算前に組合財産の分割を請求することはできない（§676Ⅱ［改注］）。

(b) 組合員が組合財産の持分について行った処分は、これをもって組合および組合と取引をした第三者に対抗することができない（§676Ⅰ）。

(c) 組合の債務者は、その債務と組合員に対する債権とを相殺することができない（改正前§677）。組合債権には、264条の規定が適用されず、また、427条の規定により、当然に組合員間に分割されるものでもない。組合と組合員との間に成立した債権・債務についても、その組合員の持分などと関係なく、全額につき請求され、かつ弁済される（大判昭和11・2・25民集15巻281頁）。したがって、各組合員は、組合債権の一部でもこれを自分個人の権利として単独に取立てることはできない。また、一組合員が脱退しても、組合債権につきその持分が彼に帰属するのではなく、組合債権は、そのままそっくり残存組合員に帰属し、この場合に脱退組合員から残存組合員へ債権が移転するというように解するべきではない（改正前§677〔1〕参照）。

(d) 第三者が組合財産を侵害した場合に、これに対して損害賠償を請求できるのは組合であって、組合員が自己個人の権利として請求することはできない（大判昭和13・2・12民集17巻132頁）。

このように、総組合員の共有は、普通の共有と異なって各組合員の持分にはいちじ

1405

第3編　第2章　契約　第12節　組合

るしく制約がある。そこで、むしろ、これは「合有」（物以外の組合財産については「準合有」）という普通の共有とは別な共同所有形態に属するとみるべきである、という説が有力に主張されている（第2編第3章第3節解説[2][3]参照）。

　組合財産は、上に述べたように、理論上合有であるとしても、民法の規定そのものは、これをいちおう共有とする建前で書かれている。また、組合所有の不動産なども共有の登記をするほかはない。したがって、解釈論としては、民法の組合財産は総組合員の共有に属し、ただ、共有持分について民法の定めるような制限を伴うものとみることが妥当であろうか（最判昭和33・7・22民集12巻1805頁は、§252ただし書の適用を肯定するに当たって、同旨を説いている。改正前§§676〔1〕・677〔1〕参照）。

（金銭出資の不履行の責任）
第六百六十九条
　　金銭を出資[1]の目的とした場合において、組合員がその出資をすることを怠ったときは、その利息を支払うほか、損害の賠償をしなければならない[2]。

[原条文]
　　金銭ヲ以テ出資ノ目的ト為シタル場合ニ於テ組合員カ其出資ヲ為スコトヲ怠リタルトキハ其利息ヲ払フ外尚ホ損害ノ賠償ヲ為スコトヲ要ス

〔1〕　667条〔2〕参照。
〔2〕　組合員がその出資義務を怠った場合には、一般の債務におけると同様に、履行遅滞の責めに任じるべきであるが、金銭出資の場合については、とくに419条に対し本条の特則を設けて、法定利息以上の損害があれば、その賠償をさせることとしたのである。これによって組合財産の充実を図ったものである。

組合の業務の執行 [§§670・670の2・671・672・673の前注]

　組合の意思決定及びその実現（新§670）と、対外的に法律行為を行うこと（新§670の2）とを区別し、規定の整備を行った。組合は法人格を有しないので、第三者と法律行為を行うためには代理形式を必要とするため、関連規定の整備は必要であった。

（業務の決定及び執行の方法）
第六百七十条
　1　組合の業務は、組合員の過半数をもって決定し、各組合員がこれを執行する[1]。
　2　組合の業務の決定及び執行は、組合契約の定めるところにより、一人又は数人の組合員又は第三者に委任することができる[2]。
　3　前項の委任を受けた者（以下「業務執行者」という。）は、組合の業務を決定し、これを執行する。この場合において、業務執行者が数人あるときは、

組合の業務は、業務執行者の過半数をもって決定し、各業務執行者がこれを執行する[3]。

4　前項の規定にかかわらず、組合の業務については、総組合員の同意によって決定し、又は総組合員が執行することを妨げない[4]。

5　組合の常務は、前各項の規定にかかわらず、各組合員又は各業務執行者が単独で行うことができる。ただし、その完了前に他の組合員又は業務執行者が異議を述べたときは、この限りでない[5]。

〈改正〉　2017年に改正された。見出し中「業務の」の下に「決定及び」を加え、1項中「の執行」を削り、「で決する」を「をもって決定し、各組合員がこれを執行する」に改め、2項を上記のように改めた。さらに、3項中「前二項」を「前各項」に改め、同項を5項とし、2項の次に上記の3項、4項を加えた。

[改正の趣旨]　[1]　改正前は、業務執行者を複数置く場合には、業務の執行はその過半数で決する旨を定めているが、その前提となる、業務執行者の選任（委任）、業務執行者の権限についての規定は置かれていない。新法は、執行者に関する規定を設けた。なお、通説は、組合の対内関係（狭義の業務執行）と組合代理を区別して説いてきた。解説[1]参照。

　[2]　新法は、組合契約により、業務の決定・執行を組合員または第三者に委任をすることができる旨を定めた。

　[3]　新法は、選任された「業務執行者」が業務を決定・執行することを明文化した上で、「業務執行者」が複数いる場合は業務執行者の過半数で決定し、各業務執行者が決定に基づいて執行をすることを明文化した。

　[4]　業務執行者が置かれた場合でも、総組合員の同意によって業務を決定し、執行をすることは妨げられない旨の規定も設けた。

　[5]　組合の「常務」について、各組合員・各業務執行者が単独で行うことができるとする改正前3項は、維持された。

[改正前条文]
(業務の執行の方法)
　1　組合の業務の執行[1]は、組合員の過半数で決する[2]。
　2　前項の業務の執行は、組合契約でこれを委任した[3]者（次項において「業務執行者」という。）が数人あるときは、その過半数で決する[4]。
　3　組合の常務[5]は、前二項の規定にかかわらず、各組合員又は各業務執行者が単独で行うことができる。ただし、その完了前に他の組合員又は業務執行者が異議を述べたときは、この限りでない[6][7]。

[原条文]
　組合ノ業務執行ハ組合員ノ過半数ヲ以テ之ヲ決ス
　組合契約ヲ以テ業務ノ執行ヲ委任シタル者数人アルトキハ其過半数ヲ以テ之ヲ決ス
　組合ノ常務ハ前二項ノ規定ニ拘ハラス各組合員又ハ各業務執行者之ヲ専行スルコトヲ得但其結了前ニ他ノ組合員又ハ業務執行者カ異議ヲ述ヘタルトキハ此限ニ在ラス

[改正前条文の解説]
　〔1〕　組合の業務の執行については、対内関係と対外関係とを区別することができる。

(1)　対内関係とは、組合員相互の関係であって、組合員が他の組合員に対する関係において、組合の目的である共同の事業を営むために法律行為または事実行為をする

第3編　第2章　契約　第12節　組合

権利義務を有するかどうかの関係である。

　⑵　対外関係とは、第三者に対する関係であって、業務執行組合員が組合を代理する権限があるかどうかの関係である。ところが、民法は、業務執行について本条をおくだけであって、対外関係（組合代理）については、本節のなかに特別の規定をおいていない。そこで、本条が対外関係をも規定するものであるかどうかについて、判例・学説の対立をまねいている。

　㈠　通説は、つぎのように主張する。

　対内関係、すなわち狭義の業務執行と組合代理とは、その法律関係を異にするから、その権限の発生原因を異にする。すなわち、業務執行の権限は、組合契約または委任契約に基づいて発生するが、代理権は、代理権の授与を目的とする法律行為によって生じる（第1編第5章第3節解説③参照）。したがって、業務執行権と代理権とは、その範囲を異にすることもありうるわけである。これを本条についていえば、それは、もっぱら組合業務の執行に関する規定であって、組合代理には適用のない規定である。多数の組合員または業務執行組合員がある場合には、その過半数をもって組合代理をするべきではなく、むしろ、各組合員または各業務執行組合員が単独で組合代理をすることができると解するべきである、と。

　㈡　判例は、組合の業務執行権と代理権とを厳格に区別することをせず、組合代理権は、むしろ業務執行権の一内容として、これに伴うものとみているようである。したがって、組合代理にも本条の適用があり、執行権に関する特約がない限り、組合員の多数決ないし多数代理でないと、組合の行為として効力を生じないことになる（大判明治40・6・13民録13輯648頁）。また、組合契約その他により業務執行組合員が定められていないときは、組合員の過半数が組合を代理する権限を有するとされる（最判昭和35・12・9民集14巻2994頁、組合員7名中4名が行った売買取引の例）。また、業務執行権のない組合員は代表権もないことになる（大判大正7・10・2民録24輯1848頁）。もっとも、業務を専行する権限のある組合員は、判例の理論によっても、原則として単独で組合代理をする権限を有する（大判明治44・3・8民録17輯104頁）。

　さらには、組合規約などで業務執行者の代理権限を制限しても、その制限は善意・無過失の第三者には対抗できないとされる（最判昭和38・5・31民集17巻600頁）。

　〔2〕　組合は、社団（社団法人および法人格のない社団）と異なり、各組合員の個性が重要視され、各組合員が業務執行の権限を有することをその本質とするから、組合契約で、すなわち組合員全員の合意によって、組合員のなかの一人または数人を業務執行組合員と定めた場合および第三者に業務執行を委任するべき旨を定めた場合（本条2項参照）を除き、業務執行は、組合員の過半数によって決するのである。過半数というのは、組合員の頭数による過半数であり、出資額によるのではない。

　しかし、「組合の常務」は、本条3項により各組合員が専行できる。

　〔3〕　「組合契約で……委任した」とは、組合員に委任した場合のほか、第三者に委任した場合（次項で、「業務執行者」と呼ばれる。この言葉は業務執行組合員を含む）をも包含すると解するのが普通である。形式的な理屈をいえば、この後の場合の委任は、直接には組合と第三者との間の委任契約によるのであるが、組合が第三者に業務執行を

1408

§670 〔2〕～〔7〕

委任するについては、組合契約において第三者に委任するべきことを定めることを要するから、この場合をも、「組合契約で……委任した」といってよいであろう。この第三者が業務執行者である場合については、672条［改注］は適用されないと解されている。

なお、組合が個々の取引を第三者に委任することは、ここにいう組合の業務執行の委任ではない。この場合は、組合の業務として委任をするべきことが決定され、組合代理行為によって、その者と委任契約が結ばれることになる。

〔4〕 組合契約をもって業務の執行を委任された組合員または第三者が数人あるときは、その委任された事項については、その業務執行者だけが業務執行の権利義務を有するから、それらの者の過半数で決するのである。

しかし、「組合の常務」は、本条3項により各業務執行者が専行できる。そして、この場合には、業務執行者でない他の組合員は、「組合の常務」についても、これを執行する権利を有しない（§673［改注］参照）。

業務執行者が一人だけ選ばれたときについては、規定がない。この場合には、第3項の解釈としては、他の組合員が常務を執行できると解するのが妥当であろう。

〔5〕 「組合の常務」とは、組合の事業を営むにあたって、日々行うべきことである。たとえば、漁業を目的とする組合が日々漁船を出し、漁獲した魚を売却するなどである。

〔6〕 異議があれば単独で行う（専行するともいう）ことはできない、という意味であるが、異議があっても、第三者に対する関係においては、その専行した行為が当然に効力を失うのではない。したがって、異議があったにもかかわらず、その業務をした者は、組合に対して、それによって生じた損害の賠償義務を負わなければならない。

〔7〕 組合の業務執行者、その他組合を代表する権限のある者が、組合を代表して法律行為をするには、どのような形式によるべきであろうか。民法に特別の規定はない。しかし、組合代理も代理の性質を有するものであるから、もっぱら、代理の規定（§§99～）に従うべきである。そのさい問題となるのは、代理される「本人」をどう表示するべきかである（§99〔3〕参照）。厳格にいうと、組合員全員の氏名を示す必要があるようであるが、組合はある程度の団体性を有するのであるから、組合の名を示しただけで足りると解されている。すなわち、何々組合組合長または何々組合業務執行者などの肩書をつければよいとされている。最判昭和36・7・31（民集15巻1982頁）は、組合代表者名義で約束手形が振り出された場合は、全組合員が共同振出人としての責任を負うとする。

なお、組合の訴訟当事者能力について、判例は、組合に対して当時の民事訴訟法46条（現在の§29）を適用し、代表者の定めがあれば、組合の名において訴え、または訴えられることができるとしている一方で（大判昭和10・5・28民集14巻1191頁、最判昭和37・12・18民集16巻2422頁。学説には、社団としての実質があることを要するとする意見が強い）、特定の業務執行組合員が組合員から任意的訴訟信託を受けたときは、当時の民事訴訟法47条（現在の§30）によるまでもなく、自己の名で訴訟を遂行できるともしている（最大判昭和45・11・11民集24巻1854頁。最判昭和37・7・13民集16巻1516頁を

1409

第3編　第2章　契約　第12節　組合

変更した）。

（組合の代理）
第六百七十条の二
　1　各組合員は、組合の業務を執行する場合において、組合員の過半数の同意を得たときは、他の組合員を代理することができる[1]。
　2　前項の規定にかかわらず、業務執行者があるときは、業務執行者のみが組合員を代理することができる。この場合において、業務執行者が数人あるときは、各業務執行者は、業務執行者の過半数の同意を得たときに限り、組合員を代理することができる[3]。
　3　前二項の規定にかかわらず、各組合員又は各業務執行者は、組合の常務を行うときは、単独で組合員を代理することができる[2]。
〈改正〉　2017年に新設された。
［本条の趣旨］　［1］　改正前には「組合代理」についての独自の規定はなく、業務執行についての規定が存在するだけであるが、新法は、組合内部の意思決定・執行とは別に、第三者との法律行為（対外的関係）について、新たに規定を設けた。まず、業務執行者が置かれていない場合は、業務については組合員の過半数の決定に基づいて、各組合員が執行をする（670条1項）。その上で第三者との関係では、業務についての決定の際には、組合代理は組合員の過半数の同意に基づくとの原則規定を置いた。
　　［2］　670条5項は「常務」については各組合員が執行できるとしているから、組合代理についても「常務」については各組合員が単独で行うことができるとした。
　　［3］　業務執行者が置かれている場合は、業務執行者に代理権も委ねる趣旨であると考えるのが通常であるから、この場合は業務執行者だけが代理権を持つとの規定を設けた。なお、業務執行者が複数置かれている場合には、組合の業務の決定は業務執行者の過半数でなされるが、組合代理についてもその意思決定の際にどの業務執行者に代理権を委ねるかが決められるであろうから、組合代理も業務執行者の過半数の同意によるものとされた。ただし、この場合も「常務」については各業務執行者が単独で行うことができる（670条5項）から、「常務」の組合代理については各業務執行者が単独で行うことができるものとした。

（委任の規定の準用）
第六百七十一条
　　第六百四十四条から第六百五十条までの規定は、組合の業務を決定し、又は執行する組合員について準用する。
〈改正〉　2017年に改正された。「業務を」の下に「決定し、又は」を加えた。
［改正前条文］
　　第六百四十四条から第六百五十条までの規定は、組合の業務を執行する組合員について準用する[1]。
［原条文］
　　組合ノ業務ヲ執行スル組合員ニハ第六百四十四条乃至第六百五十条ノ規定ヲ準用ス

〔1〕　「組合の業務を執行する組合員」とは、法律上当然に業務を執行するべき組合員（§670Ⅰ［改注]）とのみ解する必要はなく、組合契約によって定められた業務執

§§670の2・671・672〔1〕～〔4〕

行組合員の場合（同Ⅱ）をも意味する。前の場合はいうまでもないが、後の場合でも組合契約の効果として当然に業務執行者となるので、組合契約のほかに委任契約があるのではない。しかし、このような業務執行者が他の組合員に対して有するべき権利義務については、受任者の委任者に対する権利義務と差異を認める必要がないので、民法は、それに関する委任の規定を業務を執行する組合員に準用するべきものとしたのである（本章第10節解説②参照）。

■（業務執行組合員の辞任及び解任）
第六百七十二条
　　　1　組合契約の定めるところにより一人又は数人の組合員に業務の決定及び執行を委任したときは、その組合員は、正当な事由がなければ、辞任することができない。
　　　2　前項の組合員は、正当な事由[3]がある場合に限り、他の組合員の一致によって解任することができる[2][4]。

〈改正〉　2017年に改正された。1項中「組合契約で」を「組合契約の定めるところにより」に改め、「業務の」の下に「決定及び」を加えた。
[改正前条文]
　　　1　組合契約で一人又は数人の組合員に業務の執行を委任したとき[1]は、その組合員は、正当な事由[3]がなければ、辞任することができない[2][4]。
　　　2　同上
[原条文]
　　　組合契約ヲ以テ一人又ハ数人ノ組合員ニ業務ノ執行ヲ委任シタルトキハ其組合員ハ正当ノ事由アルニ非サレハ辞任ヲ為スコトヲ得ス又解任セラルルコトナシ
　　　正当ノ事由ニ因リテ解任ヲ為スニハ他ノ組合員ノ一致アルコトヲ要ス

　〔1〕　改正前670条〔3〕参照。
　〔2〕　組合契約をもって業務の執行を委任された組合員にも、受任者に関する規定が多く準用されるが（§671 [改注] 参照）、本条は、このように「一人又は数人の組合員」に限って業務の執行を委任した場合について委任に関する651条 [改注] の準用を排斥して、厳格な制約を設けたのである。
　〔3〕　「正当な事由」の存否は、各個の場合について定めるべき問題であって、裁判官が認定するべき事項である。業務執行者と他の組合員の意見がいちじるしく衝突する場合とか、業務執行者が疾病・公務などのために業務を執行できないことになったような場合にも、「正当な事由」があるということができる。
　〔4〕　元来、組合契約をもって組合員の一人または数人を業務執行者（業務執行組合員）と定めた場合には、この委任類似の関係はつねに組合契約の一条項をなすものであるから、本来ならば、全組合員、すなわち業務執行者をも含めて全組合員のすべてが同意しなければ、業務執行者は辞任することができないし、また、他の組合員の側から解任することもできないというべきである。しかし、それでは業務執行者の自由をはなはだしく束縛する。組合の業務執行などは、任意にするのでなければ、とうて

第3編　第2章　契約　第12節　組合

い組合の事業を満足にやりとげることはできない。また、他の組合員は、業務執行者が承知しなければどのような事由があってもやめさせることができないとすると、他の組合員の利益を害することがはなはだしく、組合契約を結んだ目的を達することはできない。これが、本条が置かれたゆえんである。

なお、第三者が業務執行者とされた場合には、本条は適用されないと解されている（改正前§670〔3〕参照）。

（組合員の組合の業務及び財産状況に関する検査）
第六百七十三条
　　　各組合員は、組合の業務の決定及び執行をする権利を有しないときであっても、その業務及び組合財産の状況を検査することができる。
〈改正〉　2017年に改正された。「を執行する」を「の決定及び執行をする」に改めた。
［改正前条文］
　　　各組合員は、組合の業務を執行する権利を有しないとき[1]であっても、その業務及び組合財産の状況を検査することができる[2]。
［原条文］
　　　各組合員ハ組合ノ業務ヲ執行スル権利ヲ有セサルトキト雖モ其業務及ヒ組合財産ノ状況ヲ検査スルコトヲ得

〔1〕　業務の執行を一部の者に委任した場合の、他の組合員である（改正前§670〔4〕参照）。
〔2〕　組合の業務は、総組合員の共同の業務であり、組合の財産は、総組合員の共有財産であるから、業務執行権を有しない組合員も業務を監督し、財産の状況を検査する権利を有するのである。民法は、すでに671条［改注］で645条を準用し、業務執行権のない組合員に業務執行の報告を請求する権利を認めているのであるが、本条は、進んで自分から帳簿を検査し、財産の有無を調査するなどの権利を認めたものである。この組合員の検査権を特約によって排除できるかは問題である。否定するのが妥当であろう。

（組合員の損益分配の割合）
第六百七十四条
　1　当事者が損益分配の割合を定めなかったとき[1]は、その割合は、各組合員の出資の価額[2]に応じて定める[3]。
　2　利益又は損失についてのみ分配の割合を定めたときは、その割合は、利益及び損失に共通であるものと推定する。
［原条文］
　　　当事者カ損益分配ノ割合ヲ定メサリシトキハ其割合ハ各組合員ノ出資ノ価額ニ応シテ之ヲ定ム
　　　利益又ハ損失ニ付テノミ分配ノ割合ヲ定メタルトキハ其割合ハ利益及ヒ損失ニ共通ナルモノト推定ス

§§673・674・675

〔1〕　決算の時期および損益分配の割合は、当事者の特約で、どのようにでも定めることができる。ある組合員は他の組合員と比較して利益の分配は率を低くし、損失の分担は率を高くするということも可能である。また、各組合員の出資の割合と異なる割合によるとすることもできる。本条は、このような定めがないときの基準を規定したものである。

なお、その組合の事業の性質上（たとえば、営利を目的とする場合）、各組合員が当然に有するべき権利（たとえば利益の分配を受ける権利）を特定の組合員についてまったく否定するような定めが許されるべきであろうか。一般には、このような一部の組合員のみが利益を取得するようなものは、いわゆる獅子組合として否定されている（§667〔3〕(イ)参照。フランス民法§1844 Ⅱは、獅子組合の禁止規定である）。

これに対して、損失を分担しない組合員がいることはかまわない（大判明治44・12・26民録17輯916頁。§667〔3〕(イ)参照）。

〔2〕　「出資」は、労務・信用などでもよいわけであるから、これらのものの価額をどれだけに評価するかを、組合契約で明らかにしておくことが必要なわけである。

〔3〕　別段の定めのない場合の損益分配の割合については、頭数割にするもの（ドイツ民法§722 Ⅰ）と出資額によるもの（フランス民法§1844-1 Ⅰ。「組合資本における各自の持分に応じて」と表現されている）とがある。わが民法は、出資額の高低により組合に与える利益に差等があり、また、近代社会ではしだいに人に重きをおく程度を減じ、出資額に重きをおくに至ったことを考慮して、後の主義をより妥当と考えたのである。

（組合の債権者の権利の行使）
第六百七十五条

　　1　組合の債権者は、組合財産についてその権利を行使することができる[1]。

　　2　組合の債権者は、その選択に従い、各組合員に対して損失分担の割合又は等しい割合でその権利を行使することができる。ただし、組合の債権者がその債権の発生の時に各組合員の損失分担の割合を知っていたときは、その割合による[2]。

〈改正〉　2017年に改正された。見出しを改め、「その債権の発生の時に組合員の損失分担の割合を知らなかったときは、各組合員に対して等しい割合で」を「組合財産について」に改め、2項を加えた。

[改正の趣旨]　[1]　組合の債権者は、組合の財産に対して権利行使ができる。組合財産は理論的には総組合員の「合有」ないし「制限された共有」と解されているので、組合の債務も各組合員に分割して帰属するのではなく、総組合員に帰属し、組合の財産がその引当となる。676条の解説〔1〕参照。しかし、改正前にはこのような規定は明文化されていない。そこで、新法は、組合の債権者は組合の財産に対して権利行使ができる旨の規定を設けた。

　　[2]　組合の債権者は組合員の固有財産に対しても権利行使をすることができる。新法は、原則として均等割合で請求できること、ただし、組合員間で損失分担の割合が定められている場合において債務者（組合員）が債権者のそれに関する悪意を立証したときは、請求は損失分担の割合によるとの規定を設けた。組合名義での不動産登記が認められていない関係で、そのような組合財産に対する強制執行の可否が問題として残されている。

[改正前条文]

1413

第3編　第2章　契約　第12節　組合

（組合員に対する組合の債権者の権利の行使）
　　組合の債権者は、その債権の発生の時に組合員の損失分担の割合[1]を知らなかったときは、各組合員に対して等しい割合でその権利を行使することができる[2]。
［原条文］
　　組合ノ債権者ハ其債権発生ノ当時組合員ノ損失分担ノ割合ヲ知ラサリシトキハ各組合員ニ対シ均一部分ニ付キ其権利ヲ行フコトヲ得

［改正前条文の解説］
〔1〕　674条〔1〕参照。
〔2〕　本条は、組合の債務に関する基本原則を規定する。そもそも、組合そのものは、権利主体でないから、当然に債務の主体となることはできない。したがって、組合の債務は、つまるところ組合員の債務であり、各組合員において、その出資または出資義務に制限されることなく、その全財産で弁済するべきものである。しかし、組合は、ある程度の団体性を有し、組合の財産は、ある程度の独立性を有するのであるから（§668〔3〕参照）、組合の債務もまた、これに応じた独立性があるものといわなければならない。そこで、結局、組合に対する債権者は、その債権について二様の権利を主張することができる。
　(a)　その1は、組合そのものに対して弁済を請求することである。この場合には、組合に対する債務名義によって組合財産（§668〔1〕〔2〕参照）に対してだけ執行することができる。その債権者が組合員の一人に対して債務を負担する場合、債権者も、組合も、両者をもって相殺することは許されない（改正前§677〔1〕参照）。
　(b)　その2は、各組合員に対して弁済を請求することである。この場合には、各組合員に対する債務名義により、各組合員の固有財産について執行することができる。そして、この責任は、その組合員の脱退後にも、また、組合の解散後にも存続する。また、債権者が組合員のなかの一人に対して債務を負担するときは、その債権者も、その組合員も、互いに相殺することができる。ただし、この場合、注意するべきは、各組合員に対して弁済を請求するに当たっては、その割合について本条の適用を受けることである。すなわち、各組合員に対して債権の全額の請求ができるのではなく、その債権者が債権の発生した当時に組合員の損失分担の割合を知っていた場合には、その割合に応じて、これを知らなかった場合には、各組合員に対し平等の割合で分割した額について、請求できるにすぎない。各組合員が連帯して責任を負うのではない。もっとも、本条は、組合債権者を保護する趣旨であるから、債権者は、損失分担の割合を知らなかったときであっても、本条によらずに、自己に有利な損失分担の割合に応じて請求することもできると解されている。
　(c)　この二様の権利の間には、主従の関係はない。したがって、組合債権者は、まず組合財産について執行しなければならないのではなく（持分会社の社員の責任に関する会社§580Ⅰ参照）、どちらを先に行使してもよい。
　なお、以上の理は、組合員のなかのある者が組合に対する債権を取得した場合にも、同様である。すなわち、その者は、組合に対する債権としては、全額についてこれを

§§675〔1〕〔2〕・676〔1〕

取得し、混同を生じない(大判昭和11・2・25民集15巻281頁〔盛徳丸事件〕。上述の第2の
個人債務については、自己の負担する割合額において、混同を生じると解してよい)。

■ (組合員の持分の処分及び組合財産の分割)
第六百七十六条
　　1　組合員は、組合財産についてその持分[1]を処分したとき[2]は、その処分をも
　　って組合[3]及び組合と取引をした第三者[4]に対抗することができない[5]。
　　2　組合員は、組合財産である債権について、その持分についての権利を単独
　　で行使することができない[1]。
　　3　組合員は、清算前に組合財産の分割を求めることができない[6]。
〈改正〉　2017年に改正された。2項を3項とし、1項の次に上記の第2項を加えた。
[改正の趣旨]　[1]　本条は、組合財産について、持分の処分や清算前の分割請求を禁じて
いる。組合財産は、総組合員に「合有」的にまたは「制限された共有」的に帰属すると解さ
れている。解説[1]参照。これに関する改正前の規範は維持される。しかし、組合員の債権者
が組合財産について権利行使ができるとすると、個々の組合員が組合財産を処分したのと同
様の状態となるし、各組合員が、組合の財産である債権を、自己の持分相当であっても行使
できるとすると、やはり組合員が組合財産を処分したことに等しい状態となる。そこで、新
法は、組合員が組合財産である債権に対して単独で権利行使することを禁止する旨の明文規
定を設けた（2項）。
[改正前条文]
　　1　同上
　　2　上記の第3項と同じ。
[原条文]
　　組合員カ組合財産ニ付キ其持分ヲ処分シタルトキハ其処分ハ之ヲ以テ組合及ヒ組合ト取
　引ヲ為シタル第三者ニ対抗スルコトヲ得ス
　　組合員ハ清算前ニ組合財産ノ分割ヲ求ムルコトヲ得ス

[改正前条文の解説]
　〔1〕　ここにいう組合財産についての「持分」とは、組合財産を構成する個々の物
や権利についての持分(たとえば、組合所有の建物に対する一人の組合員の持分)であって、
組合員として有する財産的地位の意味における持分ではない、と解するのが判例およ
び多数説である。これに対し、少数説は、組合の個々の財産は組合員の合有であるか
ら、組合員はこれを処分できないはずであり、したがって、本条にいわゆる持分とは、
全組合財産に対する財産的地位の意味に解するべきであると主張する。合有の性質か
らみると、少数説を正当とするべきであるが、民法の規定そのものは、判例・多数説
の説くような趣旨でできている。いいかえれば、民法は、「合有」という観念を明瞭
に理解しておらず、組合財産を「共有」としながら、ただ、その持分について必要な
制限を加えようとする立場をとっているのである。したがって、解釈論としては、
個々の財産についての持分についてこのような制限があることが、すなわち、民法の
組合財産関係における合有の特色を示しているとみなければならないであろう(§668
〔3〕参照)。

1415

第3編 第2章 契約 第12節 組合

〔2〕 普通の共有にあっては、各共有者は、任意にその持分を処分することができる（第2編第3章第3節解説4参照）。本条は、処分は認めるが、その効力に対して強い制限を設け、組合および組合と取引をした第三者に対抗できないものとしている。立法例としては、組合員の持分についても、処分はまったく自由とするもの（ローマ法およびドイツ普通法）と、全然禁止するもの（ドイツ民法§719 I）とがある。

〔3〕 組合に対抗できないものとしたのは、組合財産の共有者に変更を生じると、共同事業の経営に障害を生じるおそれがあるからである。したがって、総組合員が持分の処分に同意したときは、組合に対する関係ではその処分は有効となる。しかし、個々の組合財産のすべてについての持分が譲渡され、他の組合員全部がこれに同意しても、その譲受人が以後組合員としての権利義務を取得するのではないから、その者が組合員となるわけではない。組合員の交替は、必ず脱退・加入と同様の手続によるべきである（§§678〜681の前注3参照）。判例は、脱退・加入が総組合員の同意を要することを理由として、組合財産の全部の持分を譲り受けた者も組合員となるのではないと判示する（大判大正8・12・1民録25輯2217頁）。しかし、理由としては、持分の譲渡と脱退・加入とは、性質を異にするからというべきである。

〔4〕 組合と取引をした第三者に対抗できないとしたのは、第三者が組合財産に対して執行するのに困難となるからである。したがって、持分の譲渡につき総組合員の同意がある場合にも、第三者は、なおこれを否認することができる。

〔5〕 個々の財産の持分処分について対抗要件（たとえば、不動産のうえの持分の移転登記）を備えなければもちろん、これを備えても、対抗できないのである。

〔6〕 256条の原則に対してこの例外を設けたのは、分割請求権を認めると、組合の事業を阻害し、その目的に反する結果を生じるからである。ただし、総組合員の合意があれば、清算前に個々の組合財産の分割をすることは差しつかえないと解されている（大判大正2・6・28民録19輯573頁）。けだし、これによって債権者を害することはないからである（改正前§675〔2〕参照）。

（組合財産に対する組合員の債権者の権利の行使の禁止）
第六百七十七条

　　　　組合員の債権者は、組合財産についてその権利を行使することができない[2]。
〈改正〉 2017年に改正された。
[改正の趣旨] 【1】 組合員が組合財産上の持分を処分することを制限している676条1項の趣旨から、一般に、組合員の債権者が当該組合員の組合財産上の持分を差し押さえることはできないと解されていることを前提とした改正（改正前条文の削除）である。
　　【2】 組合財産の独立性や組合財産に属する債権・債務に関する通説・判例の見解を明文化したものである。668条の解説〔3〕も参照。
[改正前条文]
（組合の債務者による相殺の禁止）
　　　　組合の債務者は、その債務と組合員に対する債権とを相殺することができない[1][1]。
[原条文]
　　　　組合ノ債務者ハ其債務ト組合員ニ対スル債権トヲ相殺スルコトヲ得ス

§§676〔2〕～〔6〕・677・組合員の脱退・加入・交替［前注］①

［改正前条文の解説］

〔1〕　たとえば、A組合から物を買って100万円の代金債務を負担するBは、その債務と彼が組合員中の一人Cに対して有する100万円の債権とを相殺することができないというのである（逆の、組合の債務と組合員の債権の関係について、改正前§675〔2〕参照）。

元来、A組合の債権は組合員の共有に属し、Cもその持分を有するはずであるから（§668）、Bは、少なくともCの持分の範囲内（たとえば30万円）では、相殺ができる理屈である。しかし、このように組合員固有の債務のために組合財産である債権が消滅し、組合財産が減少するのは望ましくないから、これを防ぐために、例外として本条を設ける必要がある。これが民法の立法理由であろう。組合財産を共有とし、その持分の処分に制限を加えたのと同様の立場である（§676Ⅰ参照）。しかし、組合財産の共有は、いわゆる合有であって、各組合員はその持分について独立の権利を有するものではないという見地からは、組合債権について各組合員が有する持分は、つねに組合の共同目的のために拘束を受けるものであり、したがって、また、組合債務者が本条のような制限を受けることは、むしろ当然といわなければならないことになる。

判例は、以上の趣旨に基づいて、各組合員は、組合債権の持分について単独にその請求をすることはできず、必ず業務執行の方法によるべきものとする（大判昭和13・2・12民集17巻132頁）。同様に、一人の組合員が脱退するときは、組合債権が残存組合員の共有となるのは当然であって、脱退組合員から残存組合員に対し債権持分の譲渡をする必要はないばかりでなく、このような譲渡をする余地そのものがないものとする（大判昭和7・12・10民集11巻2313頁）。なお、組合の債務に関する改正前675条〔2〕を参照。

組合員の脱退・加入・交替 ［§§678～681の前注］

〈改正〉　2017年に組合員の加入に関する新677条の2および脱退した組合員の責任等に関する新680条の2が新設された。

① 組合員の脱退

民法は、組合員の加入を新677条の2に、組合員の脱退の事由を678条～680条に、脱退の効果を新680条の2と681条に、規定している。諸外国においては、別段の定めがない限り、組合員の脱退を認めていないが、わが民法は、組合が一つの団体であることにかんがみ、組合員は組合の同一性を害することなく脱退できるものと認め、脱退者の意思に基づく場合（「任意脱退」という。§678）とそうでない場合（「非任意脱退」という。§§679・680）とを定めている。類似の規定としては、持分会社に関する会社法606条・607条・611条・859条（商旧§§84～89）参照。

1417

第3編　第2章　契約　第12節　組合

② 組合員の加入

わが民法は、組合員の脱退について規定するが、新組合員の加入については、なんら規定をしていない。しかし、すでに脱退を認めて、組合員の減少は組合の同一性を害しないとするのだから、これを類推して、従来の組合員の全員の同意があれば加入することができ、これによって組合員が増加しても、組合の同一性を害しないものと解するべきであろう。加入の効果として、加入者が当然組合財産の共有者となり組合財産につき持分を取得すること、および加入後の組合債務につき普通の組合員としての責任を負うことは疑いない。問題となるのは、既存の組合債務につきどのような責任を負うかである。通説は、その責任は取得した組合財産の持分を限度とし、それ以上の個人的責任(改正前§675〔2〕(b)参照)を負わないものと解している。新677条の2参照。

③ 組合員の交替

すでに組合員の脱退と加入とが認められる以上は、その交替(組合員である地位の譲渡)もまた是認されるといってもよい。しかし、この場合にも、第三者との関係においては、譲渡人は脱退者と同じ責任を負い、また、譲受人は加入者と同じ責任を負うと解するべきであって、譲渡人の個人的責任(§681〔1〕(b)参照)が譲受人に移転すると解するべきではないから、理論的には、脱退と加入が同時に行われるものと見ても差しつかえない。

（組合員の加入）
第六百七十七条の二
　　1　組合員は、その全員の同意によって、又は組合契約の定めるところにより、新たに組合員を加入させることができる[1]。
　　2　前項の規定により組合の成立後に加入した組合員は、その加入前に生じた組合の債務については、これを弁済する責任を負わない[1]。
〈改正〉　2017年に新設された。
[本条の趣旨]　[1]　通説の条文化であると言われている。[§§678～681の前注②]参照。

（組合員の脱退）
第六百七十八条
　　1　組合契約で組合の存続期間を定めなかったとき、又はある組合員の終身の間組合が存続すべきことを定めたときは、各組合員は、いつでも[2]脱退することができる[1]。ただし、やむを得ない事由[3]がある場合を除き、組合に不利な時期に脱退することができない[4]。
　　2　組合の存続期間を定めた場合であっても、各組合員は、やむを得ない事由[3]があるときは、脱退することができる[1]。
[原条文]
　　組合契約ヲ以テ組合ノ存続期間ヲ定メサリシトキ又ハ或組合員ノ終身間組合ノ存続スヘキコトヲ定メタルトキハ各組合員ハ何時ニテモ脱退ヲ為スコトヲ得但已ムコトヲ得サル事

組合員の脱退・加入・交替［前注］②③・§§677の2・678・679

由アル場合ヲ除ク外組合ノ為メ不利ナル時期ニ於テ之ヲ為スコトヲ得ス
　組合ノ存続期間ヲ定メタルトキト雖モ各組合員ハ已ムコトヲ得サル事由アルトキハ脱退
ヲ為スコトヲ得

〔1〕　本条は、任意脱退が可能なこと（本条前注①参照）とその要件を規定する。それは、組合員の拘束が重すぎることのないようにとの配慮から出ている。脱退の効果については、新680条の2および681条〔1〕参照。

〔2〕　「いつでも」理由を示すことなく、脱退できるのである。判例は、存続期間を定めない組合においては、たとえ「正当な理由なき脱退はできず、脱退には組合の承認を要する」という特約がされても、これは組合員に対する拘束が重すぎ、無効であって、なお、本項の適用があるとする（大判昭和18・7・6民集22巻607頁）。また、1隻のボートを数人で購入し、保有する組合契約において、やむをえない事由があっても任意の脱退を許さない趣旨と解される約定は、公の秩序に反し、無効とされた（最判平成11・2・23民集53巻193頁）。

なお、本項ただし書の制限があることを注意するべきである。

〔3〕　たとえば、労務出資をしている組合員が病気になったような場合であるが、結局、各個の場合について決するほかはない。判例は、組合の業務の執行が組合員の過半数によって決せられ（§670［改注］）、その結果共同経営をするにたえないほどに自分の利益が犠牲にされた場合には、本条にいう「やむを得ない事由」として脱退することができるとしている（大判昭和18・7・20民集22巻681頁）。なお、この要件が充たされて、ある組合員が脱退したために組合が損害をこうむった場合にも、脱退組合員は、賠償の責めに任じないと解される。

〔4〕　たとえ、脱退の意思表示をしても、無効である。委任の場合のように、損害賠償義務だけを生じるのではない（§651Ⅱ［改注］参照）。

〔組合員の脱退──つづき〕〔第8版凡例4a)を見よ〕

第六百七十九条
　前条の場合のほか、組合員は、次に掲げる事由によって脱退する[1]。
　一　死亡[2]
　二　破産手続開始の決定を受けたこと[3]。
　三　後見開始の審判を受けたこと。
　四　除名[4]

［原条文］
前条ニ掲ケタル場合ノ外組合員ハ左ノ事由ニ因リテ脱退ス
　一　死亡
　二　破産
　三　禁治産
　四　除名

〈改正〉　1999年改正により、3号が「後見開始ノ審判ヲ受ケタルコト」、2004年の改正により、2号が「破産手続開始ノ決定ヲ受ケタルコト」と改められた。

1419

第3編　第2章　契約　第12節　組合

〔1〕　678条〜681条の前注\[1\]参照。

〔2〕　組合員が死亡すると、その組合員は当然に組合員ではなくなる。すなわち、脱退する。組合員に相続人がいても、その相続人が組合員の地位を承継するものではない。すなわち、組合契約を成立させている個人的信頼関係を考えると、組合員の地位には相続性はないのである。死亡した組合員の相続人が組合員になりたければ、他の組合員全員の合意を得て（多分、相続した持分払戻し請求権を出資して）、組合に加入するという方法をとるほかない（大判昭和13・2・15新聞4246号11頁）。もっとも、組合員が死亡したときは、相続人がその地位を承継する旨を組合契約において定めていれば、有効と解されている。ただし、業務執行者の地位までは相続されない（最判昭和44・10・21家月22巻3号59頁）。

死亡した組合員と組合との間の財産関係が組合員の相続人との間で清算されることはいうをまたない（§681）。すでに解散した組合の組合員が死亡した場合は本条の問題ではなく、死亡した組合員の相続人はその組合員の有した残余財産分配請求権を相続するのは当然のことである（最判昭和33・2・13民集12巻211頁）。

〔3〕　破産法30条〜32条参照。

〔4〕　680条参照。

（組合員の除名）
第六百八十条

組合員の除名は、正当な事由[1]がある場合に限り、他の組合員の一致[2]によってすることができる。ただし、除名した組合員にその旨を通知しなければ、これをもってその組合員に対抗することができない[3]。

［原条文］

組合員ノ除名ハ正当ノ事由アル場合ニ限リ他ノ組合員ノ一致ヲ以テ之ヲ為スコトヲ得但除名シタル組合員ニ其旨ヲ通知スルニ非サレハ之ヲ以テ其組合員ニ対抗スルコトヲ得ス

〔1〕　「正当な事由」は、各個の場合について決するほかはないが、出資義務の怠り、背信的行為、他の組合員とのいちじるしい不和などがその例である。

〔2〕　他の組合員全部の「一致」を要するから、一時に2名以上を除名することはできない。問題の2名が結託して業務執行を妨害する場合においても、同様である。このような場合には、他の組合員たちが脱退して別に組合を組織するほかはない。ただし、この点は強行規定ではなく、組合契約において別段の定め（たとえば、3分の2以上の同意で決する）をすることは差しつかえないと解される。

〔3〕　除名は、決議をもってその効力を生じる。被除名者に対する通知は、その対抗要件にすぎず、被除名者を保護する趣旨である。

（脱退した組合員の責任等）
第六百八十条の二

1　脱退した組合員[1]は、その脱退前に生じた組合の債務について、従前の責

§§679〔1〕〜〔4〕・680・680の2・681〔1〕〜〔3〕

任の範囲内でこれを弁済する責任を負う。この場合において、債権者が全部
の弁済を受けない間は、脱退した組合員は、組合に担保を供させ、又は組合
に対して自己に免責を得させることを請求することができる。
　2　脱退した組合員は、前項に規定する組合の債務を弁済したときは、組合に
対して求償権を有する。
〈改正〉　2017年に新設された。
[本条の趣旨]　[1]　本条は、新設規定であるが、解釈に疑義があった点を明文化したもの
である。681条の解説〔1〕参照。

（脱退した組合員の持分の払戻し）
第六百八十一条
　1　脱退した組合員と他の組合員との間の計算[1]は、脱退の時における組合財
産の状況[2]に従ってしなければならない。
　2　脱退した組合員の持分は、その出資の種類を問わず、金銭で払い戻すこと
ができる[3]。
　3　脱退の時にまだ完了していない事項については、その完了後に計算をする
ことができる[4]。
[原条文]
　脱退シタル組合員ト他ノ組合員トノ間ノ計算ハ脱退ノ当時ニ於ケル組合財産ノ状況ニ従
ヒ之ヲ為スコトヲ要ス
　脱退シタル組合員ノ持分ハ其出資ノ種類如何ヲ問ハス金銭ヲ以テ之ヲ払戻スコトヲ得
　脱退ノ当時ニ於テ未タ結了セサル事項ニ付テハ其結了後ニ計算ヲ為スコトヲ得

〔1〕　本条は、脱退した組合員と他の組合員との関係だけを規定する。脱退した組
合員と第三者との関係については、特別の規定がなかった（新§680の2参照）。脱退の
性質上、
　(a)　脱退以後に生じた組合債務については、脱退者は、なんらの責任も負わない。
合名会社の脱退社員の責任に関する商法旧93条1項（→会社§612 I）のような規定
もない。しかし、組合が脱退者の氏名を使用するなど、第三者に対して脱退者がな
お組合員であると信じさせるような行為をした場合に、事情を知りながら放任した
ようなときには、表見代理の規定（§§112・109 [改注] 参照）を類推適用するべきであ
ろう。
　(b)　脱退以前に生じた組合債務については、脱退者は、なお個人的責任を負う。
組合債務は、結局において各組合員の負担する債務であって（改正前§675〔2〕参照）、
脱退は遡及効を生じるものではないからである。この場合、合名会社の脱退社員の
責任のように、脱退後2年の除斥期間という制度もない（商旧§93 II→会社§612 II）。
〔2〕　組合の清算は、組合終了の時に行われるのが普通であるから、疑いをさける
ために、この規定を設けたのである。
〔3〕　本項は、現物をもって払戻しをするときは、組合事業を継続するのに不便を
生じることがあるから、残存組合員の利益を図ろうとしたのである。この規定の結果

1421

第3編　第2章　契約　第12節　組合

として、脱退者が組合財産に対して有していた持分は、残存組合員に帰属し、これら
の者の持分は、当然に増加するものと解さなければならない（§668〔3〕(c)参照）。この持
分の増加は、当然に生じ、債権については債権譲渡の手続は不要とした判例（大判昭和
7・12・10民集11巻2313頁）があるが、不動産については対抗要件としての登記を必要
とすると解するべきであろう。

　もっとも、金銭をもって払戻しをすることができることは、出資その他の原因によ
り組合財産となったものについて、持分の価額を算定して払戻しをすることができる
というにすぎないから、たとえば、脱退者がその所有物の使用権だけを出資した場合
には、残存組合員はその使用権に代えて金銭弁済をすることはできるが、所有権を取
得することはできない。また、金銭弁済をすることは組合の権利であり、組合は、任
意にどちらでも自由に選択できる（「任意債務」である。§406の前注〔2〕参照）。

　〔4〕　絶対に脱退の時を標準として計算しなければならないとすると、まだ損益勘
定が明瞭でない取引について不都合を生じるので、この特則を設けたのである。この
特則は、当該の「事項」に関する計算だけを延期できるとしたのであって、これを理
由に全部の計算を延期することはできない。また、この計算の終了するまで脱退者の
組合員としての資格が存続するものと解するべきではない。

組合の解散 [§§682～688の前注]

〈改正〉　2017年に、組合の解散事由に関する新682条、組合の清算及び清算人の選任に関する
　　　　新685条、清算人の業務の決定及び執行の方法に関する686条、組合員である清算人の
　　　　辞任及び解任に関する687条が改正された。

　組合も一種の団体であるので、その終了に関しても、民法は法人に準じて、「解
散」という用語を用いるとともに、組合財産の整理が終了するまでの清算人による手
続を規定している。

　しかし、その規定はごく簡略であり、解散事由についても、682条［改注］と683
条の2か条をおくのみである。しかし、これ以外にも、組合員が死亡して、残り1名
となった場合や、全組合員が合意した場合など、組合契約が終了する他の態様もあり
えよう。

　契約の解除（継続的契約であるから告知であるが）の理論を適用してよいかについても、
格別の配慮が必要になるところである（§683〔2〕参照）。

▌（組合の解散事由）
第六百八十二条
　　組合は、次に掲げる事由によって解散する。
　一　組合の目的である事業の成功又はその成功の不能

§ 681〔4〕・組合の解散［前注］・§§ 682・683〔1〕〔2〕

　　二　組合契約で定めた存続期間の満了[1]
　　三　組合契約で定めた解散の事由の発生[1]
　　四　総組合員の同意[1]
〈改正〉　2017 年に改正された。「その目的である事業の成功又はその成功の不能」を「次に
掲げる事由」に改め、各号を加えた。
［改正の趣旨］　[1]　改正前は、組合の解散事由として、「事業の成功」、事業の「成功の不
能」を掲げているが、組合契約において存続期間や独自の解散事由を定めること、総組合員
の同意により組合を解散することは、当然認められると解されてきた。そこで、新法は、こ
れらの解散事由についても明文化した。組合員が一人になった場合については、議論はなさ
れたが、解釈問題として残された。
［改正前条文］
　　組合は、その目的である事業の成功[1]又はその成功の不能[2]によって解散する[3]。
［原条文］
　　組合ハ其目的タル事業ノ成功又ハ其成功ノ不能ニ因リテ解散ス

［改正前条文の解説］
　〔1〕　「目的である事業の成功」とは、組合契約に定められた目的が完了して、な
すべき仕事がなくなることである。
　〔2〕　「成功の不能」とは、法律上・事実上目的を達成することの不可能なことが
客観的に確定的となることである。
　〔3〕　条文の表現からは、〔1〕または〔2〕の事実が客観的に発生すれば、そこで当然
に組合は解散することになるようであるが、実際上は、清算手続を始める必要もある
ので、全組合員が事業の成功または不能を確認して解散を決議するという形が踏まれ
るであろう。
　もし、組合員のなかに、事業の成功または不能という事実そのものについて意見が
分かれるときは、解散を主張する組合員は 683 条の権利を行使することになる。

（組合の解散の請求）
第六百八十三条
　　やむを得ない事由[1]があるときは、各組合員は、組合の解散を請求すること
　ができる[2]。
［原条文］
　　已ムコトヲ得サル事由アルトキハ各組合員ハ組合ノ解散ヲ請求スルコトヲ得

　〔1〕　「やむを得ない事由」の存否は、具体的場合につき決定するほかはないが、
ここでは、組合関係の全部を終了させることにつきやむを得ない事由であり、一人の
組合員についての事由でないことを注意するべきである（§ 678〔3〕参照）。たとえば、
事業の成功不能は確定しないが、諸般の事情から成功がいちじるしく困難になった場
合、事業の成功不能は明瞭であるが、一部の組合員がこれを認めようとしない場合な
どである。
　〔2〕　組合の解散の請求は、理論上は、解約の申入れすなわち解約告知である。し

1423

第3編　第2章　契約　第12節　組合

たがって、ある組合員が他の組合員全部に対して解散請求の意思表示をしたときは（§540参照）、これらの者の同意を要しないで解散の効果を生じるのである。

　なお、組合員は、この規定による解散請求とは別に、解除に関する一般の規定である541条［改注］以下により、または売買の瑕疵担保の規定などに従って、すなわち一人の組合員の履行遅滞や、出資の瑕疵を理由に、解除告知をすることができるかということが多少問題とされるが、判例通説は、これを否定する。けだし、一人の組合員についてだけ存する事由によって組合契約を解除し、組合を解散させるのは、組合の団体性に反するものであり、脱退および除名を認めた趣旨に反するからである（§544参照、大判明治44・12・26民録17輯916頁、大判昭和14・6・20民集18巻666頁）。もちろん、それが本条のやむを得ない事由に該当する場合は、別論である。

▌**（組合契約の解除の効力）**
第六百八十四条
　　　第六百二十条の規定は、組合契約について準用する[1]。
　［原条文］
　　第六百二十条ノ規定ハ組合契約ニ之ヲ準用ス

　〔1〕　683条の規定する解散請求（告知）が認められた場合にも、それまでに生じた組合の法律関係には影響なく、それ以後組合が消滅し、清算が行われるだけである。682条［改注］の解散事由による場合も、組合員全員が解散に合意した場合も同様である。たとえば、解散前に組合に対して損害賠償義務を負担した組合員などは、解散によってその義務を免れることはできない。

　要するに、これらのことは組合が継続的契約関係であることからいって、当然である（改正前§620〔1〕参照）ばかりでなく、その団体性からいっても、当然のことなのである。民法が解散という用語を用いているのもその趣旨によるといってよい。

▌**（組合の清算及び清算人の選任）**
第六百八十五条
　　1　組合が解散したときは、清算は、総組合員が共同して、又はその選任した
　　　清算人がこれをする[1]。
　　2　清算人の選任は、組合員の過半数で決する。
　〈改正〉　2017年に改正された。2項中「総組合員」を「組合員」に改めた。
　［改正前条文］
　　2　清算人の選任は、総組合員の過半数で決する。
　［原条文］
　　組合カ解散シタルトキハ清算ハ総組合員共同ニテ又ハ其選任シタル者ニ於テ之ヲ為ス
　　清算人ノ選任ハ総組合員ノ過半数ヲ以テ之ヲ決ス

　〔1〕　業務執行者が存在した場合にも、その者が当然に清算人になるのではない（旧§74参照）。ただし、組合契約であらかじめ清算人を決めておくことは差しつかえ

§§684・685・686・687・688

ない。

（清算人の業務の決定及び執行の方法）
第六百八十六条
　　第六百七十条第三項から第五項まで並びに第六百七十条の二第二項及び第三
　項の規定は、清算人について準用する。
〈改正〉　2017 年に改正された。引用条文の整理である。
［改正前条文］
（清算人の業務の執行の方法）
　　第六百七十条の規定は、清算人が数人ある場合について準用する[1]。
　［原条文］
　　清算人数人アルトキハ第六百七十条ノ規定ヲ準用ス

〔1〕　670 条［改注］は、内部的な業務執行の規定であって、清算人の代表権に関
するものでないとされていることにとくに注意するべきである（改正前§670〔1〕参照）。

（組合員である清算人の辞任及び解任）
第六百八十七条
　　第六百七十二条の規定は、組合契約の定めるところにより組合員の中から清
　算人を選任した場合について準用する。
〈改正〉　2017 年に改正された。「組合契約で」を「組合契約の定めるところにより」に改め
た。
［改正前条文］
　　第六百七十二条の規定は、組合契約[1]で組合員の中から清算人を選任した場合について
　準用する。
　［原条文］
　　組合契約ヲ以テ組合員中ヨリ清算人ヲ選任シタルトキハ第六百七十二条ノ規定ヲ準用ス

〔1〕　組合成立のさいの契約だけを意味するのではなく、組合員全部の同意があれ
ば、解散後になされるものでもよい趣旨である。

（清算人の職務及び権限並びに残余財産の分割方法）
第六百八十八条
　1　清算人の職務は、次のとおりとする。
　一　現務の結了[1]
　二　債権の取立て[2]及び債務の弁済[3]
　三　残余財産[4]の引渡し
　2　清算人は、前項各号に掲げる職務を行うために必要な一切の行為をするこ
　とができる。
　3　残余財産は、各組合員の出資の価額に応じて分割する[5]。
　［原条文］

1425

第3編　第2章　契約　第13節　終身定期金

清算人ノ職務及ヒ権限ニ付テハ第七十八条ノ規定ヲ準用ス

残余財産ハ各組合員ノ出資ノ価額ニ応シテ之ヲ分割ス

〈改正〉　2004年改正により、つぎのように現代用語化された。

1　第七十八条の規定は、清算人の職務及び権限について準用する。

2　残余財産は、各組合員の出資の価額に応じて分割する。

2006年改正により、§78が削除されたので、同条の文章がそのまま本条の1項、2項となり、従来の2項が3項とされた。

〔1〕　すでに着手した仕事を片づけることをいう。新規の仕事を始めることはできない。ただし、「現務の結了」のために新たな法律行為を行うことはもとより妨げない。債務の弁済のために必要なら、財産の譲渡などの処分もできる。

〔2〕　組合の他人に対する債権だけではなく、組合員の会合費用の徴収なども含むことはいうまでもない(社団法人に関する判決であるが、大判大正14・5・2民集4巻238頁がある)。

〔3〕　2006年改正以前に準用されていた旧78条に該当する法人法233条以下が参考になる。

〔4〕　「残余財産」とは、組合債務を弁済した後に残存する積極財産の全部である。各組合員への出資の価額に応じた分割は、この残余財産について行われるのであるから、出資をも返還したうえの残余という意味ではない。

〔5〕　残余財産は、原則として各組合員の出資の価額に応じて分割する。組合契約の中に、解散の場合における残余財産の処分につき別段の規定があれば、それに従うことはいうまでもない。なお、ここに「出資の価額」とは、出資すべき価額ではなく、現実に出資した価額をいう。

§688〔1〕～〔5〕・第13節［解説］・§689〔1〕

第13節　終身定期金

① 本節の内容

　本節は、終身定期金契約につき、その定義(§689)、計算方法(§690)を規定するほか、その消滅に関する特則(§§691～693)をおき、最後に、遺贈による終身定期金に本節の規定を準用している(§694)。

② 終身定期金の意義

　(1)　終身定期金契約は、贈与・売買などの他の典型契約と結合してなされる場合が多く(§689〔1〕参照)、また第三者のためにする契約としてなされることもある。

　(2)　終身定期金契約は、保険的作用を有するものであるが、わが国の実際において、私人の間でこの制度が利用されることは、きわめて稀である。厚生年金保険法(昭和29年法律115号)、国民年金法(昭和34年法律141号)などのように公の制度として認められているもの(公的年金制度)はあるが、これらについては、詳細な特別の規定がおかれていて、本節の規定を適用する余地はほとんどない。

(終身定期金契約)

第六百八十九条

　　終身定期金契約は、当事者の一方が、自己、相手方又は第三者の死亡に至るまで、定期に金銭その他の物を相手方又は第三者に給付することを約することによって、その効力を生ずる[1]。

［原条文］

　　終身定期金契約ハ当事者ノ一方カ自己、相手方又ハ第三者ノ死亡ニ至ルマテ定期ニ金銭其他ノ物ヲ相手方又ハ第三者ニ給付スルコトヲ約スルニ因リテ其効力ヲ生ス

〔1〕　本条の規定に即しながら、終身定期金契約の性質を検討すれば、

　(a)　終身定期金契約は、有償のことも、無償のこともある。無償のときは、定期の給付を目的とする贈与(§552)の一種であるから、本節のほか、贈与に関する規定をも適用しなければならない。有償の場合において、もし他の典型契約にも該当するとき、たとえば、売買の代金債権を終身定期金債権にしたような場合にも、これらの典型契約の規定を併せて適用するべきである。

　(b)　終身定期金は、第三者のためにも締結することができる。この場合には、第三者のためにする契約として、537条［改注］～539条の適用を受ける。

　(c)　終身定期金契約は、諾成かつ不要式契約である。ただ、贈与のときは、550条［改注］の規定に服する。

　(d)　終身定期金契約は、また継続的契約である。

　(e)　終身定期金契約は、一種の射幸契約という性質も有する。という意味は、特

1427

第3編　第2章　契約　第13節　終身定期金

定人の死亡という偶然の事情によってその給付の分量が増減するからである。しかし、この程度の射幸性は公序良俗に反しないことはもちろんである（改正前§90〔1〕(5)参照）。

（終身定期金の計算）
第六百九十条
　　終身定期金は、日割りで計算する[1]。
［原条文］
　　終身定期金ハ日割ヲ以テ之ヲ計算ス

〔1〕　定期金債権がある期の中途において消滅した場合に関する規定である。たとえば、毎月10万円という定期金債権が6月15日に（死亡によって）消滅すれば、6月分は15日分を日割で計算して5万円を給付するべきである。

（終身定期金契約の解除）
第六百九十一条
　1　終身定期金債務者が終身定期金の元本を受領した場合において、その終身定期金の給付を怠り、又はその他の義務[1]を履行しないときは、相手方は、元本の返還を請求することができる[2]。この場合において、相手方は、既に受け取った終身定期金の中からその元本の利息を控除した残額を終身定期金債務者に返還しなければならない[3]。
　2　前項の規定は、損害賠償の請求を妨げない[4]。
［原条文］
　　定期金債務者カ定期金ノ元本ヲ受ケタル場合ニ於テ其定期金ノ給付ヲ怠リ又ハ其他ノ義務ヲ履行セサルトキハ相手方ハ元本ノ返還ヲ請求スルコトヲ得但既ニ受取リタル定期金ノ中ヨリ其元本ノ利息ヲ控除シタル残額ヲ債務者ニ返還スルコトヲ要ス
　　前項ノ規定ハ損害賠償ノ請求ヲ妨ケス

〔1〕　たとえば、担保を供することを約束したのに、それを履行しないなどである。
〔2〕　「元本の返還を請求すること」ができるとは、結局、解除権（正確にいえば、解除告知権）を認めるということである。けだし、理論上、契約を解除（告知）しないで、元本の返還請求権だけを認めるのはおだやかでないし、また沿革上も、諸外国の立法例が終身定期金についてとくに告知権を認めないものが多いのに、わが民法が元本の返還請求を認めているのは、告知を認める趣旨であるとみるのが自然だからである。ただ、本条の解除告知には、一般の解除告知と異なる点が二つある。その1は、要件についてであって、催告を要しないで解除（告知）できることである（§541［改注］参照）。その2は、効果についてであって、本条後段に規定している（〔3〕参照）。
〔3〕　解除に関する通則に従い、債務者は、元本に利息を付して返還することを要し、債権者は、すでに受取った定期金に利息を付して返還することを要するものとすると（§545Ⅱ参照）、終身定期金契約においては非常に複雑な関係を生じる。そこで、

§§690・691・692・693〔1〕〔2〕

これを簡単に決済しようとする趣旨である。元本の利息は、法定利率（改正前§404）による。元本が金銭でないときは、これを金銭に見積り、その法定利息に該当する金額を計算するべきである。

〔4〕　本項は、注意的規定である。解除に関する改正前545条3項と同じ趣旨である。

（終身定期金契約の解除と同時履行）
第六百九十二条
　　　第五百三十三条の規定は、前条の場合について準用する[1]。
　　　〔原条文〕
　　　　第五百三十三条ノ規定ハ前条ノ場合ニ之ヲ準用ス

〔1〕　691条の定める元本の返還請求の性質は解除告知であり、また、解除の規定が解除告知にも適用されると解すれば、本条は、ただの注意的規定ということになる。けだし、解除の通則に従っても、同様の結果になるからである（§546）。

（終身定期金債権の存続の宣告）
第六百九十三条
　　1　終身定期金債務者の責めに帰すべき事由によって第六百八十九条に規定する死亡が生じたとき[1]は、裁判所は、終身定期金債権者又はその相続人の請求により、終身定期金債権が相当の期間存続することを宣告することができる[2]。
　　2　前項の規定は、第六百九十一条の権利の行使を妨げない[3]。
　　　〔原条文〕
　　　　死亡カ定期金債務者ノ責ニ帰スヘキ事由ニ因リテ生シタルトキハ裁判所ハ債権者又ハ其相続人ノ請求ニ因リ相当ノ期間債権ノ存続スルコトヲ宣告スルコトヲ得
　　　　前項ノ規定ハ第六百九十一条ニ定メタル権利ノ行使ヲ妨ケス

〔1〕　たとえば、債務者がその者の死亡に至るまで定期金債務が継続する者（多くの場合に債権者）を殺害し、または過失によって死に至らしめたときなどである。債権者の死亡の場合には、その相続人が本項の請求をすることができる。第三者が死亡するまでという定期金債務において、その第三者の死亡が本項に該当するときは、債権者が本項の請求をすることができる。債務者の死亡まで定期金が継続する場合に、債務者が自殺した場合にも、本条の適用があるであろうか。これも肯定してよいと考える。

〔2〕　本項の要件が備わる場合は、債務不履行の一場合であるから、債権者は、691条によって、元本の返還、および損害賠償を請求することができる。しかし、それでは債権者の救済として十分でない場合が生じる（たとえば、無償の定期金の場合を考えよ。〔3〕参照）。そこで、本条を設け、定期金債権者の請求があると、自然の死亡に至るまでの期間を測定し（実際問題としては当該の年齢の人の平均生存年齢とその人の健康状

1429

第3編　第2章　契約　第14節　和解

況とを考慮して決めることになろう）、その間、その人がなお死亡しないものとみなして、その後についても定期金の支払を宣告できることとしたのである。なお、裁判所は「宣告することができる」とあるが、法定の要件があり、かつ、請求がなされれば、宣告することを要すると解するべきである（§7〔14〕参照）。

〔3〕　691条の権利があるときは、前項の権利といずれか一つを選択して行使できることとなる。もっとも、前項の規定は、無償でした契約にも適用があるが、その場合には、691条の元本返還請求権はないから、債権者は、単に前項の規定によってだけ保護を受けることになる。

（終身定期金の遺贈）
第六百九十四条
　　この節の規定は、終身定期金の遺贈について準用する[1]。
［原条文］
　　本節ノ規定ハ終身定期金ノ遺贈ニ之ヲ準用ス

〔1〕　遺贈による終身定期金は、その形式においては、普通の遺言と同じ要件を備えなければならないが（§§985〜1003、§998と§1000の改正に注意）、その効力については、契約によって生じたものと別異に扱う必要はないので、本節の規定をこれに準用したのである。

§§693〔3〕・694・第14節［解説］①②

第14節　和　　解

①　本節の内容

本節は、和解契約の成立(§695)とその効果(§696)の2か条だけから成っているが、和解に関する問題は、これでほぼ解決されている。

②　和解の意義

(1)　和解は、法律関係について争いをする当事者が、互いに譲歩して(互譲という)争いをやめることを目的とする契約であって、民事紛争の自主的解決の方法であり、実際上、きわめて多く利用されている契約である。

和解は、他の典型契約とは、その性格をかなり異にしている。争いをやめることを目的としているが、その内容にはどのような事項が盛り込まれるかについては、まったく限定がない。したがって、契約の性質としては、いちおう有償・双務・諾成(ただし、裁判上の和解については、③を参照)・不要式契約(同前)ということができるが、そのもつ意味はかなり異なるものがある(§695〔1〕参照)。一回的契約か継続的契約かの判断は、やや難しいものがある。和解の内容が一回的給付のみを含むものであれば、和解も一回的契約といってよいと思うが、継続的給付を含む場合には、和解にも継続的契約の要素が認められることもありうるように思われる。

(2)　ひろく和解といえば、③で述べる「裁判上の和解」も含まれるが、これは民事訴訟手続において特別の要件のもとに成立し(民訴§§89・267・275)、特別の効力を有するものをいい、本節に定める和解と区別することを要する。そこで、裁判上の和解とそうでないものとを区別するために、後者を「裁判外の和解」と総称する。「民法上の和解」、「私法上の和解」と呼ぶこともある。ただし、裁判上の和解と本条の和解とに共通する性質があると考えられることについては、③(3)参照。

なお、債務整理を依頼された認定司法書士（司書§3Ⅱ）は、当該債務整理の対象となる個別の債権の価額が司法書士法3条1項7号に規定する額を超える場合には、その債権に係る裁判外の和解についても代理することができないと解するのが相当である、とした判例（最判平成28・6・27民集70巻1306頁）がある。

(3)　和解と類似するが、区別されるものに、つぎのものがある。これらの手続は、いわゆる裁判外紛争解決手続(ADR : Alternative Dispute Resolution)として、最近重要性が強調されている。

(ア)　調停

当事者間の紛争について第三者が仲介し、その提示する案に当事者が同意することによって解決が図られる手続のことを「調停」という。法律に定められていて、調停調書が作成されると、裁判上の和解と同一の効力が認められる場合(民調§§16・24の3Ⅱ、家事§268Ⅰなど。なお、労調§§17〜も参照)が重要である。なお、調停に関しても和解と同じように考えられる場合が多いことに注意を要する(最判昭和36・5・26民集15

1431

第3編　第2章　契約　第14節　和解

巻1336頁は、借地調停に関し、借地法の規定について誤解があったとしても、§696に照らし、錯誤の主張は認められないとした例である)。さらに、民事調停法の特例として特定調停の手続を定めることにより、特定の債務者が負っている金銭債務に係る利害関係の調整を促進することを目的として、特定債務等の調整の促進のための特定調停に関する法律(平成11年法律158号、以下、特定調停法)が制定されている。「特定調停」とは、特定債務者が民事調停法2条の規定により申し立てる特定債務等の調整に係る調停であって、当該調停の申立ての際に特定調停法3条1項の規定により特定調停手続により調停を行うことを求める旨の申述があったものをいう。「特定債務者」とは、金銭債務を負っている者であって、支払不能に陥るおそれのある者もしくは事業の継続に支障を来すことなく弁済期にある債務を弁済することが困難である者または債務超過に陥るおそれのある法人をいい、「特定債務等の調整」とは、特定債務者およびこれに対して金銭債権を有する者その他の利害関係人の間における金銭債務の内容の変更、担保関係の変更その他の金銭債務に係る利害関係の調整であって、当該特定債務者の経済的再生に資するためのものをいう。なお、特定調停法に関する判例として、過払金が発生している継続的な金銭消費貸借取引の当事者間で特定調停手続において成立した調停であって、借主の貸金業者に対する残債務の存在を認める旨の確認条項およびいわゆる清算条項を含むものが公序良俗に反するものとはいえないとされた事例(最判平成27・9・15判時2281号98頁)がある。

　(イ)　仲裁

　当事者間の紛争について、第三者である仲裁人に解決の内容を委ね、その仲裁案によって紛争を解決することを「仲裁」という。調停と異なり、仲裁人の判断が当事者を拘束する。

　裁判所が関与する仲裁については、仲裁法(平成15年法律138号)があり、その手続に乗せるための当事者の「仲裁合意」、それに基づく「仲裁判断」、その手続を行う「仲裁廷」などについて定めている。この手続による仲裁判断は、確定判決と同一の効力を有する(同法§45)。

　仲裁法によらずに、当事者が一定の仲裁人を定め、その仲裁判断に従うことを約する「仲裁契約」も結ぶこともでき、当事者はその判断に拘束されるが、仲裁判断には確定判決と同一の効力は認められない。

　(ウ)　示談

　日常生活において、和解と非常に類似した意味において、「示談」という言葉がしばしば用いられるが、厳格な法律用語ではない。民事上の紛争を法律上の手段をとることなく、当事者の話し合いや第三者の仲介により解決して、互いに争いのない状態にしたことを確認する行為をひろく呼ぶ言葉として用いられている。したがって、民法の規定する和解と異なって、一方のみがその主張を放棄または減縮して、裁判によらずに解決をすることも示談と呼ばれる(§695〔3〕(ア)参照。大判明治41・1・20民録14輯9頁)。

　この示談は、交通事故などのさいに、保険金請求手続のためや、刑事責任上の情状を有利にするためなどの目的で行われることが多く、その効力の判定については慎重

第 14 節 ［解説］ ③

を要するところである。とくに、示談にはそれ以上の請求をしないという条項が盛られることが通常であるが、示談後に生じた後遺症などとの関連で問題を生じる（最判昭和 43・3・15 民集 22 巻 587 頁は、示談は当時予想されていた損害のみについてのもので、当事者の合理的意思としては、その後予想を超えて発生した損害についてまで請求権を放棄したものではないと判断した。調停に関する最判昭和 43・4・11 民集 22 巻 862 頁も参照）。

③　裁判上の和解

　和解は、ことに訴訟に関連して問題になることが多い。そこで、民事訴訟法も和解に関する規定を設けて、その手続・形式について定め、とくにその効力に関して一定の訴訟法上・執行法上の効果を認めている。そこで、これらの規定に基づいて成立した和解のことを「裁判上の和解」と呼ぶ。これに、つぎの 2 種のものがある。

　(1)　起訴前の和解（即決和解）

　簡易裁判所の管轄に属する民事上の争いについて、当事者は、訴えを提起する前に相手方の普通裁判籍の所在地を管轄する簡易裁判所に和解の申立てをすることができる（民訴§275Ⅰ）。和解が成立しなければ、普通の訴訟手続に移行するが（民訴§275Ⅱ・Ⅲ）、和解が成立すれば、裁判所書記官はこれを調書に記載し（民訴規§169）、この和解調書の記載は、確定判決と同一の効力、すなわち執行力を有するのである（民訴§267。最大判昭和 33・3・5 民集 12 巻 381 頁。既判力についても、同判決は肯定するが、学説上争いのあるところであり、否定する見解が有力である）。

　この手続を「即決和解」と呼ぶこともある。訴訟を省略して執行力を備える手段としては、他に公正証書があるが（民執§22⑤）、これは金銭の支払などの場合に限られているので、即決和解は、それ以外の債権（たとえば、不動産の明渡し請求など）について、簡易に執行力を備える手段として利用されている。

　(2)　訴訟上の和解

　(ア)　訴訟手続中においても、当事者は和解をすることができる（その場合の費用負担について、民訴§72）。また、裁判所も和解を試みるものとされている（民訴§89）。和解が成立し、それが調書に記載されると（民訴規§67Ⅰ①）、その記載は、(1)と同様に、確定判決と同一の効力を有するものとなる。

　この訴訟上の和解については、裁判に要する日時・労力を避け、効率的な処理を図るという側面（この点では、効率性のみを追求することへの疑問もある）が指摘されるが、また、公害事件や消費者関係事件など大規模訴訟において、長期の主張・立証過程を踏まえたうえで、内容としては原告の勝訴といってもよい有利な内容での和解に到達するなどの例もみられるなど、さまざまな目的と機能を営むものと考えられる。

　(イ)　1996 年制定の平成 8 年法律 109 号による新しい民事訴訟法では、これらの動向をふまえて、あらかじめの和解条項の書面による受諾を認める規定（民訴§264）、当事者の共同の申立てがあるときに、裁判所または受命裁判官もしくは受託裁判官が和解条項を定めることができる旨の規定（民訴§265）が新設されている。概念的には、前者は調停的な、後者は仲裁的な要素が感じられる。

　(3)　裁判上の和解の性質

第3編　第2章　契約　第14節　和解

(ア)　裁判上の和解は、一方において訴訟法上の行為としての側面を有する。訴訟上の和解が成立すると、訴訟は、訴えの取下げを要せずに、当然終了する。和解調書の特別の効力もその側面を示している。裁判上の和解であれば、174条の2（新§169参照）が適用されて、その内容となっている権利がたとえ短期消滅時効に服するものであったとしても、和解後の時効期間は10年となる。

(イ)　しかし、同時に、裁判上の和解も、その本質は当事者の合意に求められるべきであって、私法上の行為であるという側面をも有すると認められる（大判大正9・7・15民録26輯983頁、最判昭和31・3・30民集10巻242頁）。したがって、民法上の無効（大判大正6・9・18民録23輯1342頁、最判昭和33・6・14民集12巻1492頁［毒ジャム事件］は、錯誤［改注］による無効の例。最判昭和28・5・7民集7巻510頁は、錯誤［改注］による無効を認めなかった例）・取消し、不履行による解除（前掲大判大正9・7・15、大判大正11・7・8民集1巻376頁。なお、最判昭和51・12・17民集30巻1036頁は、借家関係の訴訟上の和解において、1回の賃料不払で当然解除となるという条項の効力を認めなかった）などは、これにも適用されると解されている。

> **（和解）**
> **第六百九十五条**
> 　和解は、当事者が互いに譲歩をして[3]その間に存する争い[2]をやめる[4]ことを約することによって、その効力を生ずる[1]。
> **［原条文］**
> 　和解ハ当事者カ互ニ譲歩ヲ為シテ其間ニ存スル争ヲ止ムルコトヲ約スルニ因リテ其効力ヲ生ス

〔1〕　本条は、和解の定義を下している。その性質は、諾成・不要式の契約である。また、当事者双方がともに譲歩をする(出捐をする)ことを約するのであるから、有償契約であり、かつ双務契約である。なお、本節解説[2](1)を参照。

〔2〕　「争い」とは、当事者が法律関係の存否、その範囲または態様に関して相互に反対の主張をすることをいう。

(ア)　争いのない場合に、単に法律関係を明瞭にするために、当事者間に一定の法律関係の存在することを契約しても、それは和解ではない。たとえば、AがBを欺いてAに対して債務があるように思い込ませ、「他日苦情又は請求致す間敷為其念書如件」という証書を取り交わしたとしても和解契約ではない（大判大正5・7・5民録22輯1325頁）。

(イ)　しかし、争いのある法律関係の種類については、とくに制限がない。債権であるか、物権であるか、無体財産権であるかを問わず、また、必ずしも財産関係に限らない。ただ、当事者が処分できる法律関係であることを要する（大判昭和7・10・6民集11巻2023頁［阪神電鉄事件］は、母が胎児を代理した和解を無効とした）。したがって、親族関係の存否に関する争いなどは、この理由によって和解の目的とならない（大判昭和6・11・13民集10巻1022頁。なお、離婚・離縁の訴えについて、人訴§37・44参照）。

§§695・696

(ウ) なお、確定判決によって確定した法律関係について、これをさらに和解の目的とすることができるかどうか、については多少議論がある。これは和解の目的とはならず、単に確定した事実を互譲契約によって左右できるにすぎないと解する学説もあるが、実質上争いがある場合には、これを和解と称して悪い理由はない。通説はそのように論じる。

(エ) 訴訟上の和解に関してであるが、訴訟の目的となっている事項に関するものであれば、現に当事者間の争いがない事柄についても、和解の対象になりうるとした判例がある(大判大正6・10・5民録23輯1531頁)。

一般的にも、争いの存在という要件を厳密に解する必要はないとする意見が有力になっている。

〔3〕 和解であるためには、反対の主張をする当事者が「互いに譲歩」(「互譲」という)をすることを要する。

(ア) 当事者がともに譲歩するのでなければ、和解は成立しない。だから、普通に「示談」と称するもののなかで、当事者が互いに譲歩をしたものは和解であるが、当事者の一方だけがその主張を放棄し、またはこれを減縮するのは和解ではない。同様の理由によって、第三者の判断によって争いをやめることを目的とする契約、すなわち「仲裁契約」も、また和解でない(本節解説2(3)(イ)参照)。

(イ) 互いに譲歩するとは、互いに損失をこうむることを承認することをいう。その損失について、法律はなにも制限を設けていないから、主張した権利の一部を放棄して、一部の承認を受けること、全部を承認させ、その代わりに一定の報酬を与えること、あるいはまた、全部の権利を承認させて、期間の猶予を与え、もしくは利率を低下させることなど、いずれでもよい。係争物に関係のない物の給付を約するものでも、もちろんかまわない(最判昭和27・2・8民集6巻63頁)。

(ウ) 起訴前の和解(本節解説3(1)参照)に関してであるが、当事者の一方が相手方の請求を全部容認してその履行をすることのみを定め、互譲が存しない場合にも和解は有効に成立するとされている(大判昭和15・6・8民集19巻975頁)。起訴前の和解が、安直に債務名義を得る手段として用いられ、「即決和解」と呼ばれる理由も、このあたりにあると思われる。

〔4〕 「争いをやめる」とは、和解契約の定めるところによって法律関係を確定することである。したがって、当事者は、その後、従前の法律関係を主張することはできないのである。なお、抗告人と相手方との間において、抗告後に、抗告事件を終了させることを合意内容に含む裁判外の和解が成立した場合には、当該抗告は、抗告の利益を欠く(最判平成23・3・9民集65巻723頁)。

（和解の効力）
第六百九十六条
　　当事者の一方が和解によって争いの目的である権利を有するものと認められ、又は相手方がこれを有しないものと認められた場合において、その当事者の一方が従来その権利を有していなかった旨の確証又は相手方がこれを有していた

第3編　第2章　契約　第14節　和解

旨の確証が得られたときは、その権利は、和解によってその当事者の一方に移転し、又は消滅したものとする[1]。

［原条文］

　　当事者ノ一方カ和解ニ依リテ争ノ目的タル権利ヲ有スルモノト認メラレ又ハ相手方カ之ヲ有セサルモノト認メラレタル場合ニ於テ其者カ従来此権利ヲ有セサリシ確証又ハ相手方カ之ヲ有セシ確証出テタルトキハ其権利ハ和解ニ因リテ其者ニ移転シ又ハ消滅シタルモノトス

〔1〕　本条は、和解が通常有すると考えられる効力について規定する。

(ｱ)　本条は、つぎの二つのことを規定している。すなわち、

　(a)　当事者の一方Aが和解によって争いの目的である権利（たとえば、Aがその全部について権利があると主張していたB名義の土地のうちの半分）を有するものと認められた場合に、後からAがその権利をまったく有しなかった確証が出たときは、その（和解によって認められた半分の）権利は、和解によって相手方BからAに移転したものとする。

　(b)　これと反対に、相手方Bが、ある権利（たとえば、100万円の証書はあるが、そのうちの30万円）を有しないと認めた（したがって、70万円の債権とした）場合に、Bがこれを有したという確証が出たときは、その権利（30万円の債権）は、和解によって消滅したものとする。

本条が定めるこの効力のことを、それぞれ、「移転的効力」、「消滅的効力」、さらに両者を合わせて、「付与的効力」あるいは「創設的効力」などと呼ぶ（これに対して、その合意が、その合意した内容を真実と認定したという趣旨であり、もし真実がこれと異なるときは、その合意はないものとする趣旨であれば、これを「認定的効力」と呼ぶが、この区別は概念としてあいまいであることが指摘されている）。

(ｲ)　本条は、和解の当然の効力を規定したものといってよい。けだし、このような効力を認めないで、当事者が和解によって譲歩したことを後から争うことができるとしたのでは、和解の効果はなにもないことになるからである。したがって、また、本条は、

　(a)　当事者が権利の存否やその範囲について確信を持たないで、よく分からないままに和解したら、後に和解の結果と異なる確証が出たという場合ばかりでなく、

　(b)　当事者が権利の存否や範囲について確信を持ちながら、あえて争うことを止めようと考えて譲歩したら、後からその確信を裏付ける証拠またはこれに反する証拠が出た場合、

とを含む。

これらの場合に、錯誤に関する改正前95条の適用はないのである（(ﾛ)参照）。

ただし、和解がつねに創設的効力を有するとは限らず、当事者の約旨によっては認定的であることもありうることが認められている（大判大正5・5・13民録22輯948頁、大判昭和2・10・27新聞2775号14頁。後者は、和解契約前の不動産処分行為が和解で定められた債権に対する詐害行為になるかが争われた例。その債権が和解で創設されたか、以前から存するかが問題となった）。そのどちらであるかについては、慎重に判断することを要する。

§696〔1〕

(ウ) 土地の境界をめぐる争いと和解については、注意を要するところである。例として、東側の甲土地を所有するAはa線を境界であると主張し、西側の乙土地を所有するBは、ほぼ1メートル東に寄ったb線を境界であると主張し、争いがあったとする。真実の境界は、a線とb線のほぼ中間のc線であるとする。

(a) AとBとの間で、c線の確定を求めて起こす訴えは、「境界確定の訴え」と呼ばれる（筆界特定制度については、§224(2)参照）。わが国では、地籍制度が不完全で、じつは客観的にも境界が明確でない場合が少なくないので、この訴訟には、わが国独特な問題性が認められ、その訴訟の性質についても諸説が分かれている。

(b) AとBとの間で、a線を境界とするが、AがBに一定の金銭を支払うという互譲による和解が成立すれば、それにより、A・Bの所有権は互いにa線までということになる。その後、c線が判明して、それがa線より約50センチメートル東にずれていることが明らかになったとしても、それにもかかわらず、a線を両者の所有地の境界とする趣旨の和解であるということもありうる（登記簿上の分筆・合筆などが必要になるであろう）。

(c) 和解の趣旨が、もし真実の境界がa線と異なることが判明すれば、それによるという趣旨であれば、c線が確定されたときには、和解の趣旨によってその内容のしかるべき変更が行われることになる（すべてを白紙にするとか、Aが支払う金額を減額するなど）。

(d) とくに和解というまでもなく、AとBとの間で交渉の結果境界に関する合意に達した場合についても、上記の(b)・(c)のようにその合意の趣旨を考慮して解決することになろう。真実の境界が確定不能の場合に、合意による境界がそれであるとされる結果になる場合も少なくないと思われる。

(エ) 和解と錯誤の関係について、錯誤はどのような場合にも和解の効力に影響しないとすることはできない。場合を分けて考える必要がある。なお、95条の改正に注意。

(a) 第1は、争いの対象とされ、互譲によって決定した事項自体について、当事者に錯誤があっても、和解は、これによってその効力を左右されない。これは、むしろ和解契約の基本的効力なのである（大判明治37・10・1民録10輯1223頁、大判昭和5・3・13新聞3153号11頁、最判昭和36・12・27民集15巻3092頁、最判昭和43・7・9判時529号54頁など）。

(b) 第2に、争いの対象となった事項ではなく、この争いの対象である事項の前提ないし基礎として当事者が予定し、したがって和解においても互譲の内容とされず、争いも疑いもない事実として予定された事項に錯誤のある場合がある。たとえば、CがAのBに対する100万円の債権を譲り受け、Bに弁済を請求したところ、Bがそのうち50万円は弁済したと争った場合に、残額は80万円であるということで和解したとしよう。この場合に、AからCへの債権の譲渡そのものがなにかの理由で無効であれば、和解契約もその基礎がないことになり、無効である。けだし、債権がCに帰属するという事実は少しも争われていないのであって、債権の帰属自体については、当該和解契約は和解契約として何事も決定したものではないからである（大判大正6・9・18民録23輯1342頁は、転付命令によりAからCに債権が移転した

1437

第3編　第3章　事務管理

が、転付命令が無効だった例)。

(c)　第3は、上に述べた二つの事項以外の点に錯誤があった場合である。

(i)たとえば、A・B間に数個の債務があり、そのうち一つについて和解がなされた場合に、どの債務であるかについて当事者の一方に錯誤が存したような場合は、その錯誤は、一般の法律行為の場合と同様に、当該和解契約に影響を及ぼすことはいうまでもない。

(ii)和解の内容として、争いになった金銭の支払に代えて、一定銘柄の一定量の苺ジャム缶を引渡すことになった場合に、そのジャムが粗悪品であったときは、和解は錯誤により無効とされた(最判昭和33・6・14民集12巻1492頁［苺ジャム事件])。

(オ)　和解の内容が違法であったり、公序良俗に反することができないことはいうまでもない。

かつて、賭博のために給付するべき債権について和解契約を結んだ事例について、和解の創設的効力を理由にして有効とした判例があったが(大判昭和13・10・6民集17巻1969頁)、現在では、この種の和解を無効とするのが判例となっている(最判昭和46・4・9民集25巻264頁。賭博による債務の履行のために振出された小切手の支払についての和解の例)。借地借家法の定める強行法規に違反する和解がままみられることに注意を要する。

(カ)　和解によって債権の額が決められた場合については、つぎの二つのことが問題となる。

(a)　たとえば、和解によって100万円の抵当権付債権の残額が50万円であると決めたところ、後からすでに完済していたという確証が出た場合に、その抵当権は、和解で決められた50万円の債権を担保するであろうか。当事者間では肯定するべきことは疑いない。けだし、この場合50万円の債権は100万円の債権の一部であるという性質を有するからである。しかし、この効果が第三者にも及ぶかどうかは、疑問である。否定するべきものと思う。けだし、そうでないと当事者が通謀して抵当権の復活を図るおそれがあるからである。

(b)　短期時効にかかる債務(改正前§§169〜・724など参照)について和解をしたら、その消滅時効は従前の債務の消滅時効によるべきか。判例は、不法行為に基づく債権について和解がなされた場合に、これを肯定する(大判昭和7・9・30民集11巻1868頁)。もっとも、和解が特別の効力を有し、174条の2(新§169)の適用を受ける場合(本節解説③(3)(ア)参照)は、もちろん別問題である(改正前§174の2(2)参照)。

(キ)　和解も一つの契約であるから、それによって一方が負った債務に不履行があれば、他方は和解契約を解除できる(§540)ことは当然である(大判大正10・6・13民録27輯1155頁は、契約により解除権が留保されたときはという限定を付しているが、その必要はないと考えてよかろう。最判昭和43・2・15民集22巻184頁は、私法上の契約としての和解が解除されても、和解による訴訟の終了の効果には影響ないとする)。

なお、和解契約を両当事者の合意によってなかったものとする(判決は「廃罷」といっている)ことは、当事者の自由である(大判大正7・7・16民録24輯1378頁)。

1438

第3章　事務管理

① 本章の規定

本章の規定は、事務管理成立の要件(§697)、管理人の義務——管理の方法(§697)・注意義務(§698)・管理開始の通知義務(§699)・管理継続義務(§700)・状況報告計算の義務(§701)——管理人の費用償還請求権(§702)から成っている。

② 事務管理の意義と性質

(1)　事務管理とは、たとえば隣人の留守中に暴風雨で破損した屋根を修繕してやるように、義務がないのに他人のためにその事務を処理する行為である。民法は、社会生活における相互扶助の理想に基づいて、これを適法な行為とし、一面において、管理者のためにその管理に費やした費用の十分な償還請求権を認めるとともに、他面において、管理者にその管理を適当に遂行するべき義務を課して、本人と管理者との関係を妥当に規律しようとしている。そして、事務管理からは、このように、費用償還請求権や、管理の継続その他の債務を生じるので、事務管理は、契約・不当利得および不法行為と並んで、債権発生の原因の一つとされるのである。

(2)　事務管理は、私人の意思の自治を認める制度ではないから、意思表示または法律行為ではない。他人の利益を図る意思をもってなされた行為につき、法律がその価値を認めて、事務管理という特殊な効果を生じさせたものである。したがって、その性質は、事実行為ないしいわゆる準法律行為(法律的行為)である(第1編第5章解説②参照。ただし、そのうちの非表現行為である)。

フランス民法は、事務管理を非債弁済(不当利得の一場合)と合せて「準契約」(quasi-contrats)→「その他の債務発生原因」の章(§§1371~→§§1301~)に収めている。また、ドイツ民法(§§677~)およびスイス債務法(§§419~)は、ともに契約の章のなかで委任(Auftrag)のつぎに「委任なき事務の管理」(Geschäftsführung ohne Auftrag)として、事務管理を規定する。しかし、事務管理の性質が上述のようなものだとすると、契約のつぎに配置し、不当利得および不法行為と並べて規定したわが民法が最も学理的だといえるであろう。

③ 事務管理の問題点

事務管理については、三つの方面から考慮するべきことがある。

(1)　社会共同生活の理想からみれば、第1に、事務管理をもって適法な行為とし、これを是認するべきである。民法は、このことを明言していないが、これを債権発生の一つの原因として特殊な制度としたことは、当然、これを適法な行為とみたことを意味する。第2に、事務管理を奨励するべきかどうかが問題となる。管理者に報酬請求権を認めるべきかどうかが、これに関連する問題である。民法は、これを認めない。特別法は、特殊な事務管理についてこれを認める。遺失物を拾得して届け出た者(遺

第3編　第3章　事務管理

失物§4)、漂流物または沈没品を拾得して届け出た者(水難救護法§24Ⅱ)、海難に遭遇した船舶または積荷を救助した者(商§792)などがその例である。第3に、事務管理をするべき義務を認めて、これを強制するべきかが問題となる。民法は、事務の管理を始めた者はこれを適当な時期まで継続するべき義務があるものとするが(§700参照)、事務管理を始めるべき義務は課していない。この義務は、きわめて緊急な場合に特別法によって認められているだけである。水難救護法が、遭難船舶を発見した者は遅滞なく最近地の市町村長または警察職員にこれを報告するべき義務を負うものと定め(同法§2)、船員法が、船長は航海中に救援を求める船舶を認めたときは人命救助の義務を負うものと定めた(同法§14)のがその例である。

　事務管理は、本来、利他的な制度であるから、みだりに報酬を請求することを認めるべきではあるまい。いわんや、これを強制することにはきわめて慎重であることを要する。しかし、社会共同生活における相互扶助の理想からみるときは、現行法制の態度には、なお考慮の余地が少なくないように思われる(現行法のもとでも、報酬請求権や事務管理義務を認めようとする見解もあるが、少数説である)。

　(2)　本人の立場からみれば、事務管理の方法について、その意思が尊重されなければならない。もとより、違法な意思または公序良俗に違反する意思は顧慮するべきではないが(§697〔6〕参照)、そうでない限り、本人がその事務を個人的な趣味や性格に従って処理しようと望むことは、十分に尊重されなければならない。これが、民法が管理者に対してできる限り本人の意思を推測して、これに適するように管理するべきことを命じているゆえんである(§§697Ⅱ・700ただし書参照)。

　(3)　管理者の立場から見れば、第1に、費用の償還請求権が認められなければならない。民法のこの点に関する規定は十分である(§702参照)。第2に、事務の管理に当たってこうむった損害の賠償を請求できるものとするべきかどうかが問題となる。民法はこれを認めていないが、避けることができない損害については、その賠償を請求できるものとするのが適当であろうと思われる(§702〔3〕参照)。

④　事務管理の法律関係

(1)　事務管理の成立要件は、つぎの通りである。

　(a)　第1に、義務なくして(権限なくして、といってもよい)それをすることである。697条〔2〕参照。

　(b)　第2に、他人のために他人の事務の管理を始めること、すなわち他人の利益を図る意思をもって他人の事務を管理することである。697条〔1〕・〔3〕参照。

　(c)　第3に、本人のために不利であること、または本人の意思に反することが最初から明らかである場合でないことである。700条〔2〕参照。

　(d)　とくに要件という必要はないが、事務管理者が事務管理を開始したときに、事務管理は成立する。事務管理者がその意思によって事務管理を開始しないことには、事務管理を論じる必要はない。いいかえれば、事務管理者に事務管理を開始する義務はない。③(1)、697条〔4〕参照。

(2)　事務管理が成立した場合に、そこから生じる効果は、つぎの通りである。

第3章［解説］④⑤

(ア)　事務管理が成立すれば、事務管理者の行為の違法性は阻却されると解される。
697条〔5〕参照。

(イ)　本人と事務管理者との間で、つぎのような委任類似の関係を生じる。(a)～(d)は
事務管理者の義務であり、(e)～(g)は本人の義務である。これらの効果を対内的効果と
呼ぶこともある（対外的効果については、§697〔1〕(ウ)参照）。

　(a)　事務管理者は、事務管理を始めたことを、本人に通知する義務がある。699
条〔1〕参照。

　(b)　事務管理者は、その開始した事務管理を、継続する義務がある。700条〔1〕・
〔2〕参照。

　(c)　事務管理者は、本人に対して計算義務を負う。701条〔1〕参照。

　(d)　事務管理者の注意義務については、原則として、善良なる管理者の注意義務
と考えられる。698条〔1〕参照。

　(e)　本人は、事務管理者に対して、費用償還義務がある。702条〔2〕参照。

　(f)　本人の事務管理者に対する損害賠償義務については、規定はなく、論議され
ている。702条〔3〕(1)参照。

　(g)　本人の事務管理者に対する報酬支払義務についても、同様である。702条〔3〕
(2)参照。

(3)　本章が定める以上の通則のほかに、特則が定められている場合が多い。

(ア)　民法の規定のなかに、その性質上、事務管理に属し、本章の規定に対する特則
と解されるものが存在する。委託を受けない保証人・物上保証人による弁済と求償権
がその例である（改正前§§462・351、改正前§462〔2〕〔3〕参照）。

(イ)　特別法によって、事務管理を開始する義務が定められている場合がある。それ
と関連して、事務管理者に報酬請求権が認められることが多い。本章解説③(1)参照。

⑤　いわゆる事務管理の追認

　本人の意思に基づかないで行われた事務の管理について、本人がこれを知って追認
をしたときには、どういう効果を生じるであろうか。場合を分けて考える必要がある。
本人をAとし、事務管理者をBとする。

(1)　委任としての追認

　AがBの行為を承認し、遡ってBに委任する旨の意思表示をし、Bがこれを承諾
すれば、両者の間に委任契約が成立し、すでに生じた事柄についてもその契約によっ
て処理すればよいことについて、別段の疑問はないであろう（遡及効と第三者の問題は
残るとしても。(3)参照）。

(2)　事務管理としての追認

　事務管理の要件（とくにBのAのためにする事務管理意思）が備わっている場合に、本
人AがBの行為を事務管理として追認するということも、とくに否定する必要はあ
るまい。

(ア)　追認があれば、事務管理の要件の立証は不要になり、Bの管理が本人の意思に
反するかどうかの争いを避けることができるという意味が認められる。

第3編　第3章　事務管理

(イ)　この追認は、本人Aの単独行為であって(意思表示の相手方はB)、Bの承諾があるわけでないから、それによって、事務管理者の負担を民法が定めるよりも重くすることはできない。

(ウ)　効果として、民法の定める効果が生じるのは当然であるが、さらに、本人の意思表示が事務管理者に民法の規定より有利な効果を定めていれば、それを認めても妨げない。事務管理者の損害を賠償する、事務管理者の賠償義務を制限する、さらには、事務管理者に報酬を与えるという効果を生じさせることもできるといってよいであろう。

(3)　事務管理としてなされた無権代理行為の追認

Bが事務管理の内容としてAに直接に効果が及ぶ処分的行為を無権代理行為として行った場合における、その無権代理行為の追認は、(2)の追認と区別することを要する。この追認は、原則として相手方に対する意思表示により、その遡及効は第三者の権利を害することはできない(§116)。

もちろん、(2)の追認と(3)の追認が合体してなされることは十分にありうる。

(4)　判例には、事務管理の追認を認めたとされるものがあるが、(2)と(3)の区別は明瞭にされていないと思われる(大判昭和17・8・6民集21巻850頁。無権代理行為の追認の事例と思われるが、事務管理の追認として、§§701・647を適用した)。

6　準事務管理論

(1)　準事務管理論とは、他人の事務を管理する者が、他人の利益を図るためではなく、自己の利益を図るために、その事務管理行為を行った場合をめぐる議論のことをいう(§697(3)(ヰ)参照)。例としては、BがAの所有する時価50万円の物をAに無断で、自分の収入にするために、時価よりも30万円高くCに売り、Cが善意取得した場合とか、BがAの特許権を無断で使用して製作・販売した物が成功して多額の収益を得た場合、さらには、Aの金銭500万円をBが自己のために投機などで運用して、これを1年で1000万円にした場合、などが挙げられる。非真正事務管理あるいは僭称事務管理と呼ばれることもある。

これらの場合には、事務管理の成立要件の一つである、本人のためにする意思、すなわち「事務管理意思」を欠くので、もちろん、事務管理そのものは成立しない。通常は、その行為は不当利得か不法行為に該当するので、その行為者Bに対して本人Aが不当利得返還請求権か損害賠償請求権を行使して、解決することになる。ところが、Bがその行為によって巨利を博し、Aはそれに対してなんの労もとっていないような場合において、AがBの利益の全額を自分の失なった損失または損害として請求することが可能かについて、疑問を生じることがありうる。このような場合には、不当利得や不法行為による解決は十分でないことがありうる(商旧§§41Ⅱ・48Ⅱ・264Ⅲ→会社§§12Ⅱ・17Ⅱ参照)。そこで、Aとしては、

(a)　Bの行為を追認して、Bとの間に改めて委任契約を締結して、その効果を遡及させるという方法が考えられる。そうすれば、Bの行為は違法性(場合によっては、刑事責任を問われる)がなくなるし、Aも利益を収受でき、Bも報酬を得ることがで

きる。しかし、これには、Ｂの承諾が必要である。

　(b)　ＡがＢの事務管理を追認するという道もありうる（やはり、Ｂの違法性はなくなる）。しかし、その要件および効果は、事務管理の規定よりもＢに不利なものとすることはできない。ＢにＡのためにする意思（事務管理意思）がなかった場合、Ｂに報酬を与えるが、利益はＡに引渡せということにＢが同意すればよいが、Ｂが応じない限り、問題の解決にはならない（⑤(2)参照）。

　(c)　そこで、ドイツ民法687条２項にならって、この場合にも事務管理の規定の多くを準用して解決しようという意見が登場し、これが準事務管理論と呼ばれるものである（§697〔3〕(ｲ)参照）。

(2)　かつて、わが国においても、この準事務管理の理論を認めるべきであるという主張がなされたことがあるが、その後、その必要なしとする意見が一般的になっていた。その論拠は、つぎの通りである。

　(ｱ)　この種の行為は、不法行為または（悪意の）不当利得として処理するべきであり、事務管理という本来は利他的な行為として事務管理者を保護することを目的としている制度を準用するというのは、民法の体系として筋が違う。

　(ｲ)　不法行為または不当利得における損害・損失については、Ｂの得た利得（要した費用などは控除した、いわば純益の意味である）は、多くの場合、本人にとって普通に生じた損害・損失と認めて、その返還ないし賠償を請求できると解してよい。もしＢの行為がなければ、Ａはその利得を得ることができたかどうかということについての個別的立証は必要ないと考えるべきである。

　(ｳ)　他方、もし、Ｂの特殊な才能や機会に恵まれて、一般的に合理的なものと予期される以上の利得を得たというのであれば、それはむしろ返還させない方が公平に適する。また、Ｂにおいて要した通常の労力や費用はもちろん控除されて、そのうえでの利得がＡに支払われるのであるから（ただし、この計算は、必ずしも容易ではない。たとえば、Ａの特許権のほかＢの有する４種の特許権が用いられ、それらの寄与度が等しいとすると、利得の５分の１がＡの損害・損失ということになろう）、Ｂがとくに不利益をこうむるということも避けられる（上の例で、Ａの特許権を用いた以上、利得の全部をＡに引渡すべきであると考えるのは、妥当ではないであろう）。

(3)　判例としては、船舶の共有者の一人（２分の１の持分権者）が勝手に船舶全部を売却した行為を他の共有者が後に承認したときは、後者は事務管理の規定により代金の半額を請求できるとしたものがあるが（大判大正７・12・19民録24輯2367頁）、準事務管理を認める趣旨かどうかは不明である。

(4)　その後、問題とされることが多かった特許権などの事例について、特許法などが特別に規定を設けて解決をはかるということが行われた（特許§§102・105、実用新案§§29・30、意匠§§39・41、商標§§38・39、著作§§114・114の2、半導体§§25・26、不正競争§§5・6）。その内容を特許法についてみると、

　(a)　特許法102条は、侵害者がその侵害の行為により利益を受けているときは、その利益の額は特許権者が受けた損害の額と推定し（特許§102Ⅰ。これは推定規定であるが、この推定を破るのは通常は困難であるというべきである）、また、通常の特許権料

1443

第3編　第3章　事務管理

を損害の額としている(特許§102Ⅱ)。

　(b)　特許法105条は、裁判所は、当事者の申立てにより、当事者に対し、当該侵害の行為による損害の計算をするため必要な書類の提出を命じることができるとする。

　これらの特別法は、第1に、問題を不法行為の類型としてとらえている、第2に、損害の算定に当たっては、Bにおける収支の検討を必要としている、といってよい。すなわち、(2)に述べた通説の立場に立っているということができる。

　(5)　これに対して、近時においても、準事務管理の概念を用いるべきであるとする見解が主張されている。主な論拠は、ドイツ民法687条2項と同様に、悪意の僣称事務管理者に利得の保有を認めるべきではないという点にある。また、権利の侵害者に対する制裁の意味を強調する考えも根拠になっている(もっとも、刑事責任との関係についていえば、準事務管理により解決すれば、民事上、僣称事務管理者の行為の違法性はなくなる。準事務管理を認めない見解によれば、不当利得返還か不法行為による損害賠償をするほかないが、それによっては、行為の違法性は解消されないことが刑事上の判断にも影響するであろうから、制裁的意味は後者の方がより強いことになろう)。

　(6)　なお、AとBとの間に存する関係(たとえば、会社が締結する従業員の生命保険など)によっては、Bが自己のためにする意思を主張することは許されず、本人Aのための事務管理意思を有するものとみなすのが妥当とされる場合もありうると考えられる(上掲会社§12Ⅱ〔商旧§41Ⅱ〕などの趣旨とも通じる考え方である)。

(事務管理)
第六百九十七条

　1　義務なく[2]他人のために[3]事務[1]の管理を始めた者[4](以下この章において「管理者」という。)は、その事務の性質に従い、最も本人の利益に適合する方法によって、その事務の管理(以下「事務管理」という。)をしなければならない[5]。

　2　管理者は、本人の意思を知っているとき、又はこれを推知することができるときは、その意思に従って事務管理をしなければならない[6]。

[原条文]

　義務ナクシテ他人ノ為メニ事務ノ管理ヲ始メタル者ハ其事務ノ性質ニ従ヒ最モ本人ノ利益ニ適スヘキ方法ニ依リテ其管理ヲ為スコトヲ要ス

　管理者カ本人ノ意思ヲ知リタルトキ又ハ之ヲ推知スルコトヲ得ヘキトキハ其意思ニ従ヒテ管理ヲ為スコトヲ要ス

---

〔1〕　事務管理が成立しうる「事務」とは、生活に必要な一切の「仕事」であって、事実的な行為であるか法律的な行為であるか、継続的であるか一時的であるか、精神的であるか機械的であるか、財産的であるかないかを問わず、いずれであってもよい。いやしくも、法律がこれについて債権債務関係の成立を認めることのできるものであればよい。したがって、法律問題とするのに適さない場合(早く帰宅した隣人の子供を隣人の帰宅まで預るなど)は、事務とは解さないでよいし(ただし、§399参照)、また、事務

444

§697〔1〕

は違法なもの（友人のためにその仇敵に危害を加える、弁護士でない者が弁護士法§72により禁じられた行為をするなど）であってはならない。

　(ア)　たとえば、共有者の一人が他の共有者の負担するべき費用を立替えるような、「単一行為をもって直ちに完結する」事務であってもよい（大判大正 8・6・26 民録 25 輯 1154 頁）。この場合、継続義務（§700）は生じないが、費用償還請求権（§702）は生じると解してよい。

　(イ)　事務は「他人の事務」であることを要し、自分の事務、たとえば自己の所有家屋の修繕などは、いかなる意思でやろうとも（たとえ、他人の事務と誤信しても）、事務管理の目的とはならない。

　他人の事務には、2 種類ある。その 1 は、たとえば、他人の所有家屋の修繕をする行為のように、事務の性質上当然に他人の事務となるものであり、これを「客観的他人の事務」と呼ぶ。これに対して、自分の家屋の修繕行為などは、「客観的自己の事務」と呼ばれ、事務管理の対象とはならない。たとえ、その家屋を他人の家屋と誤信しても、事務管理は成立しえない。なお、共有者の一人が共有不動産から生ずる賃料を全額自己の収入として不動産所得の金額を計算し、納付すべき所得税の額を過大に申告し、納付したとしても、それにより当該他人が過大に申告された分の所得税の納付義務を負うことになるわけではないから、他人のために事務を管理したということはできないとした判例がある（最判平成 22・1・19 判時 2070 号 51 頁）。その 2 は、たとえば、他人のために家屋修繕の材料を購入するような行為であるが、この種の行為を「中性の行為」または「主観的他人の事務」と呼ぶ。事務自体としては、自分の事務とも他人の事務とも定まらないからである。この場合には、行為者が他人の利益のためにする意思をもっていることによって、はじめて他人の事務となるというのが通説である。

　(ウ)　事務を「管理する」とは、仕事を処理することである。単なる保存行為だけでなく、処分行為をも包含する（大判明治 32・12・25 民録 5 輯 11 巻 118 頁）。

　たとえば、他人の所有する腐敗しやすい物の売却、他人の締結した不利益な契約の解除なども事務管理となりうる。ただし、このような場合に、この処分行為が当然に本人を拘束する法律効果を生じるかどうかなどは、別問題であって、これらの行為が事務管理となるというのは、これらの行為をする者もまた本章の規定の適用を受け、一方、その行為について通知その他の善後処置を講じるべき義務を負うとともに、他方、これに要した費用の償還を受ける権利を取得するということである。

　その処分行為が、相手方との関係で、本人を拘束する法律効果を生じるか。これは事務管理の対外的効果とも呼ばれる問題であり、別の規定によって定まる。すなわち、他人の物を売却したときは、相手方が善意取得（§192）の保護を受けるか、または本人がこの売却行為を追認しなければ、所有権の移転を生じない（§116〔2〕〔3〕参照）。また、解除は、本人が追認しない限り無権代理行為となる（§113参照。単独行為であるので、さらに、§118の問題があることに注意）。もっとも、この点に関しては、多少の反対説があり、事務管理が成立する場合には、その処分行為は本人についても当然に効力を生じるという。

1445

第3編　第3章　事務管理

　従来、判例の態度は一貫しなかった。代金を支払い、目的物の引渡しを受けるだけ
の権限を与えられた買主の代理人が、売主の要求に応じて代金の増額を承知しないと、
売主から売買を破棄されるおそれがあり、破棄されれば、売主から4万円の違約金を
取得することができるが、買主が転売利益を失うのみならず、その方がかえって多額
の違約金を請求されて、結局、損失を受けることを考えて、買主のために代金の増額
を承諾した事案については、代金増額の法律効果は本人を拘束すると判示した(大判
大正6・3・31民録23輯619頁)。ところが、三人共同して買主となった売買を、一人だ
けが解除したが、他の二人にとっては事務管理となるという事案については、他の二
人がこれを追認しない以上、解除は効力を生じない(§544Ⅰ参照)と判示した(大判大正
7・7・10民録24輯1432頁)。
　しかし、その後、判例は、一方において、無権代理行為を本人が追認した場合に、
当初から無権代理人が権限ある代理人ということになるわけでなく(相手方との関係は
別)、本人と無権代理人との間は、事情によって事務管理になるとし(大判昭和17・8・6
民集21巻850頁。本人AがBに保管させていた金員をCがAの代理人と称して受領し、Aが
これを追認したうえで返還を求めた事例で、利息については§§701・647によるとした)、他方
において、事務管理者が本人の名でした法律行為の効果は、当然に本人に及ぶもので
はないとした(最判昭和36・11・30民集15巻2629頁。A所有の建物を無権限のBがCに贈与
したという事案で、かりに事務管理が成立するとしても、その贈与という法律行為が当然にAを
拘束するものでないとした)。
　判例は、事務管理と無権代理行為とは概念上別個の法律関係であり、それぞれ別に
判断するべきであるという見方をとったものといってよいであろう。これに対して、
学説には、一定の場合には、事務管理の効果として代理権が生じるものとするべきで
あるとする意見もある。
　〔2〕「義務なく」とは、事務管理によって利益を受ける本人のために、その事務
を管理するべき義務を負担していないことである。事務管理の成立の第1の要件であ
る。この「義務なくして」を「権限なくして」と読みかえると、理解しやすい場合が
多いことも指摘されている。
　(ア)　義務を負担するときは、その根拠が法律の規定であっても(たとえば、法定代理
人)、契約(たとえば、委任契約)であっても、事務管理は成立しない。ただし、その義
務ないし権限を超えたときは、その超えた部分についての管理行為については、事務
管理が成立しうる(大判大正6・3・31民録23輯619頁は、買主の代理人が代理権を越えて代
金増額に応じた例)。
　(イ)　本人に対して直接に義務を負うのではなく、第三者に対して義務を負う場合で
も、その義務の内容が本人の事務を処理することであれば、事務管理は成立しない。
たとえば、CがBに報酬を与えてAの財産を整理することを委託したときは、Bの
行為はAに対する事務管理とはならない。もし、CがAに対してその財産を整理す
るべき義務を負っていないときは、A・C間に事務管理の関係を生じる。
　これに反し、BがAの委託を受けずにAのCに対する債務の保証人となり、その
後にその債務を弁済したような場合には、Bはみずからの保証債務を弁済したのでは

1446

§697 〔2〕

あるが、なお、Aに対する事務管理となる。けだし、この場合のBのCに対する債務は、Aの事務を管理することを内容とするのではなく、Aの事務を管理する一つの手段に過ぎないものだからである。改正前462条は、この場合のBのAに対する求償権を規定するが、それは結局、事務管理者の費用償還請求権についての特則を設けたものである（§702、同§462〔2〕〔3〕参照）。

　(ウ)　事務管理者が他に公法上の義務を負っていて、それに基づいて管理する場合については、問題は難しい。場合を分けて考える必要がある。

　(a)　まず、たとえば警察官・消防署員・消防団員などの、市民の安全・福祉を図ることを目的とする公の施設の職員が、その職務権限に基づいて人を救助したり、建物の消火に当たったりしたような場合である。

　その職員個人の行為は、所属している施設の行為に吸収されるので、被救助者との間に事務管理は成立する余地はない（その職員には義務があることを理由とする説もあるが、それを理由とするのは適切でない）。

　公の施設としての行為について被救助者のための事務管理は成立するか。それぞれの施設についての法律があるので、その規定によって解決すればよく（被救助者に費用償還を求める場合もある）、私法的な事務管理を認める必要はないと考えられる。

　消防署員が意識不明な患者を病院に搬送（はんそう）したような場合は、それ以後医者の患者本人のための事務管理になると解される（報酬請求権については、§702〔3〕(2)参照）。

　(b)　とくに市民の安全・福祉のためではない公の施設が、その職務の遂行のために必要な関連事務を処理した場合に、事務管理になるとされた例がある（大判大正8・4・18民録25輯574頁は、鉱業権の公売処分をした官庁が鉱業権の移転登録税を立替えた例である）。

　(c)　山岳地帯の村落が登山遭難者のために救護隊を組織する場合などは、——家族からの依頼や「事務管理の追認」があれば別論であるが——事務管理になると考えてよい。

　(d)　本章前注③(1)に挙げた特別法に定められた例、すなわち、船長や遺失物拾得者などについて定められた義務は公法上の義務である。しかし、これらは、いわば職務上その行為をするべき義務であるから、これらの公法上の義務があることは事務管理の成立を妨げない。

　(e)　問題となるのは、診療義務を負う医師の場合である（医師§19 I）。この義務は、診察・治療の求めがあれば、受諾するべきであるとする公法上の義務であり、通常の場合は契約が成立しているであろう。しかし、意識不明になった者をこれとなんら直接に法律関係にない者（近親者や宿泊している施設の経営者などは、なんらかの関係のある者と考えてよい）が好意で医者に診療を求めた場合などはどうなるか。その者と医師との間で契約が成立し、その者の患者のための事務管理になると解するべきであろうか。

　病院の前に置き去られた重症または重病の者が意識を失っていて、親族との連絡もとれない状態で、医師が応急措置をせざるを得ないような場合については、医師の本人に対する事務管理が成立するといってよい（§698〔1〕参照）。

1447

第3編　第3章　事務管理

〔3〕　「他人のために事務の管理」をするとは、他人（「本人」とも呼ばれる）の利益を図る意思（これを「事務管理意思」という）をもって事務を管理することである。事務管理の第2の要件である。この要件に関しては、本文に述べるようないくつもの問題点が存し、それぞれ考察を要する。それらと異なり、最判平成22・1・19（判時2070号51頁）は、ごく単純に「自己のための」事務の管理だから「他人のための意思」の要件を欠くとして事務管理の成立を否定した判決である。事例は、不動産を共有する二人の兄弟の一人Ｙがその不動産の賃借人から賃料を単独で受領し、もう一人のＸが自分の持分相当額を不当利得として返還請求したものである。Ｙはその収入によって所得税を納付したので、その額を事務管理費用として請求できるとし、相殺を主張したが、上記の理由で否定された。これは、ＹのＸに対する不当利得として、Ｙの返還義務の内容が、703条・704条等によって判断されるという問題であり、実体法上の事務管理の成否の問題とするのは適切ではないのではなかろうか。

(ア)　この意思は表示される必要はない。また、その「他人」は何某と確定している必要もない。他人は、法人であっても、公法人であってもよい（大判明治36・10・22民録9輯1117頁）。また、その他人について行為能力があることは必要ない（前掲大判明治36・10・22）。自分の利益を図る意思が併存していてもかまわない（隣家の倒壊を防ぎ、同時にその倒壊による自分の家の損傷を防ぐというように）。

(イ)　他人の利益を図る意思のことを「利他的意思」と表現することが多いが、決して、必ず本人に利益を得させようとする意思である必要はない。事務の処理が本人のためになると考えて行為したのであれば足り、結果において本人に損失を与えることとなってもかまわない。

(ウ)　他人の利益を図る意思がきわめて強く、必要な費用はことごとく自分が負担し、もっぱら他人の利益のみを図るという程度であるときは、どうであろうか。いわば「贈与の意思」（無償で行為する意思のことをいう）が認められる場合であって、この場合には事務管理の成立を認めて、他の効果が生じることはよいが、費用償還請求権は認めるべきではあるまい。

もっとも、親族編の改正前の事案であるが、判例が、離婚した母（第2順位の扶養義務者）が子を膝下において愛育し、後に先夫（第1順位の扶養義務者）に対して事務管理を理由として費用の償還請求をした場合に、上記のような理由をあげて請求を拒否した（大判大正5・2・29民録22輯172頁）のは、はなはだ疑問である。子に対する愛情は、必ずしも第1順位の扶養義務者に対する事務管理の成立を妨げるものではあるまい。判例も、後にはこの点を必ずしも問題としないようである（大判昭和3・1・30民集7巻12頁参照）。

なお、扶養義務の順位の下位の者が先順位者に代わって扶養することが事務管理となるかどうかは、扶養義務の順位を形式的に定めた改正前の民法ではしばしば問題となったが、改正後においては、扶養義務者中の一部の者の支出した費用についても、家庭裁判所において、しかるべく他の者にも分担させるべきであって（§§877・878参照）、事務管理の規定を形式的に適用して問題を解決するべきではない。

(エ)　この事務管理意思については、その意思に法律効果を認めるものではない（法

§ 697〔3〕〔4〕

律行為ではない)ので、理論上検討するべき点が多い。

　(a)　事務管理は準法律行為のなかの非表現行為とされ(本章解説②(1)参照)、意思と表示の関係が問題とされる法律行為に関する通則(虚偽表示・錯誤、詐欺・強迫など)は類推適用されない。事務管理者による意思の表明は必要ではなく、客観的な関係ないし状況によって判定できるものであればよい。

　(b)　しかし、この意思は、事務管理者と本人との関係からみて合理的なものであり、かつ、ある程度まで外部から判断しうるものであることを要すると解されている。隣人の家屋の修繕のために材料を購入する行為(いわゆる中性の行為)などについては、この基準によって判定すればよいであろう。

　(c)　事務管理の効果を生じるために、事務管理者に意思能力ないし行為能力があることを要するかは問題である。

　事務管理意思について決定するだけの意思能力を備えている必要があることは当然である。しかし、それ以上に、事務管理の効果を生じることについての(法律知識ではなく、事柄の重要性についての)判断ができるだけの意思能力、したがって行為能力を要するとするのが妥当ではなかろうか(事務管理を始めた制限行為能力者が受ける不利な効果、たとえば管理継続義務の債務不履行責任など、を回避できるような、取消権に準じる権利を認めることになる)。もっとも、事務管理者が行為能力を有しないためにその義務を免れる場合にも、なんらかの利得を得ていた場合には、不当利得の適用をみることはありえよう。

　(エ)　自分の利益を図る意思をもって他人の事務を管理した場合、たとえば、他人の特許権を勝手に実施して商品を製造・販売して利益を挙げたような場合に、どう考えたらいいだろうか。これについて、事務管理の規定の一部を適用して管理者の義務を定めるというのも一案である。ドイツ民法は、これを肯定し(同法§687Ⅱ)、学者はこれを「非真正事務管理」(unechte Geschäftsführung)または「準事務管理」と呼ぶ。その主な目的は、このような管理者についても、事務管理者としての義務を認め、受任者と同様に、計算をさせて、得た利得を返還させようとすることである。なぜそのように考えるかといえば、この場合の管理者は、不当利得者でもあり、不法行為者でもあるから、本人はこれに対して、利得の償還(§704)または損害の賠償(§709)を請求できることはもちろんであるが、いずれの場合にも、管理者の得た利得が本人の損失であることを必要とする。いいかえれば、不法行為の損害賠償請求はもちろんのこと、不当利得の返還請求も本人の損失ないし損害を限度とするので、その証明を必要とする(§703〔4〕・§704〔2〕参照)。しかし、自己の権利を漫然と放置した本人にとって、この証明は必ずしも容易ではない。そこで、むしろこれに事務管理の規定を適用して、本人の損失の有無を問わず、管理者が得た利得を返還させることが本人のために利益だとされるのである。この問題については、本章解説⑥で述べたので、参照。

　〔4〕　要件とするまでもないが、事務管理者が事務管理を開始したときに、はじめて事務管理は成立する。事務管理を要する事態を認識しても、放置してやりすごせば、事務管理の問題は生じない。特別法により事務管理をする義務が定められている場合は、別問題である(〔2〕(ウ)(d)参照)。

1449

第3編　第3章　事務管理

〔5〕　事務管理の一般的効果を表現するのが、この「その事務の性質に従い、最も本人の利益に適合する方法によって、その事務の管理をしなければならない」という規定である。ただし、本条2項は、本人の意思を知り、または知ることができるときは、その意思に従って管理するべきであるとする。事務管理者のこの義務は、法律上当然に生じる一種の債務である。したがって、その不履行については、債務不履行の責任を生じる（§415〔改注〕）。

本条は、「管理しなければならない」と規定するが、この文意のなかには、事務管理の要件を充たした事務管理者の行為は、他人の事務に対する権限のない介入であるが、それにもかかわらず、違法性は阻却されるという意味を含んでいると解してよいであろう。この条項だけではなく、事務管理に関する規定の全体からそのことが読み取れるといってもよい。

〔6〕　ただし、本人の意思が違法であるとき、または公序良俗に反するときは、これに従うべきではなく、また、従わなくても債務不履行とはならない。たとえば、事務管理者が滞納の意思ある本人のために納税義務を代わって履行する場合（大判大正8・4・18民録25輯574頁、最判平成18・7・14判時1946号45頁）、または、身投げをしようとする者を本人の抵抗を排して救助する場合などがその例である（本章解説③(2)参照）。

（緊急事務管理）
第六百九十八条
　　　管理者は、本人の身体、名誉又は財産に対する急迫の危害を免れさせるために事務管理をしたときは、悪意又は重大な過失があるのでなければ、これによって生じた損害を賠償する責任を負わない[1]。

［原条文］
　　　管理者カ本人ノ身体、名誉又ハ財産ニ対スル急迫ノ危害ヲ免レシムル為メニ其事務ノ管理ヲ為シタルトキハ悪意又ハ重大ナル過失アルニ非サレハ之ニ因リテ生シタル損害ヲ賠償スル責ニ任セス

〔1〕　管理者は、善良な管理者の注意をもって（明文はないが、本条がむしろその根拠となる）その事務の管理を継続するべきであり、もしこの注意を欠くときは債務不履行の責めに任じるべきであるが（§700・§697〔5〕参照）、本条のような場合には、管理者にそのような重い責任を負わせるべきではないから、その責任を軽減したのである。

医師の応急措置が事務管理になる場合について（§697(2)(ウ)(e)参照）、本条の要件を充たしていても、医師は善管注意義務を負うべきであるという見解も有力である。その場合には、単に費用のみでなく、報酬の請求もできると解すべきであろう（§702〔3〕参照）。

（管理者の通知義務）
第六百九十九条
　　　管理者は、事務管理を始めたことを遅滞なく本人に通知しなければならな

§§ 697〔5〕〔6〕・698・699・700

い[1]。ただし、本人が既にこれを知っているときは、この限りでない。

［原条文］

　　管理者ハ其管理ヲ始メタルコトヲ遅滞ナク本人ニ通知スルコトヲ要ス但本人カ既ニ之ヲ知レルトキハ此限ニ在ラス

〔1〕　この義務も、また法律上当然に生じる一種の債務である（§697〔5〕参照）。事務管理が一時的な行為である場合には、直ちに管理終了の通知をするべきである（§701による§645の準用。§697〔1〕(ｱ)参照）。

　本人は、この通知を受けて、みずから事務を管理することにしたり、自分の意思を事務管理者に伝える機会を与えられることになる。

　本条の通知を怠ると、事務管理者は事務管理から生じる債務の債務不履行責任を負う（本条ただし書の場合を除く）。

（管理者による事務管理の継続）

第七百条

　　管理者は、本人又はその相続人若しくは法定代理人が管理をすることができるに至るまで、事務管理を継続しなければならない[1]。ただし、事務管理の継続が本人の意思に反し[2]、又は本人に不利であることが明らかであるときは、この限りでない。

［原条文］

　　管理者ハ本人、其相続人又ハ法定代理人カ管理ヲ為スコトヲ得ルニ至ルマテ其管理ヲ継続スルコトヲ要ス但其管理ノ継続カ本人ノ意思ニ反シ又ハ本人ノ為メニ不利ナルコト明カナルトキハ此限ニ在ラス

〔1〕　この義務も、また法律上当然に生じる債務の一種である（§697〔5〕参照）。一時的事務の管理（§697〔1〕(ｱ)参照）など、管理の継続を要しない事務の場合には、この義務は生じない。本条が援用された例としては、病人を引取り、自宅に同居させた者は、引取る義務がなかった場合でも、保護の必要がなくなるまで保護する義務があるとされた（大刑判大正15・9・28刑集5巻387頁）。

〔2〕　本人の意思が違法であったり、公序良俗に反したりするときは、これを無視するべきである（§697〔6〕参照）。ただし、本条のこの制限があることから、事務を管理することがはじめから本人の意思に反することが明らかなときは、事務管理は成立しないものと解されている。もっとも、意思に反しても、そのことが明らかでないときは、事務管理はいちおう成立する（§702Ⅲ参照）。

　以上のことから、「本人のために不利であることまたは本人の意思に反することが最初から明らかである場合ではないこと」が、事務管理成立の第3の要件ということができる（本章解説[4](1)(c)参照）。この「明らかである」かないかは、事務管理をした当時の事情によって決められる（大判昭和8・4・24民集12巻1008頁）。

1451

第3編　第3章　事務管理

（委任の規定の準用）
第七百一条
　　第六百四十五条から第六百四十七条までの規定は、事務管理について準用する[1]。
［原条文］
　　第六百四十五条乃至第六百四十七条ノ規定ハ事務管理ニ之ヲ準用ス

〔1〕　事務管理者の地位は委託のない受任者ともいうべきものであるから（本章解説②(2)参照）、受任者のいわゆる計算義務の規定を準用したのである。いわゆる計算義務には、つぎのものが含まれる。
　　(a)　報告義務　645条〔1〕参照
　　(b)　受取った金銭その他の物・権利の本人への引渡し・移転義務　　646条〔1〕～〔5〕参照
　　(c)　自己のために消費した金銭についての利息支払・損害賠償の義務　　647条〔1〕・〔2〕参照

（管理者による費用の償還請求等）
第七百二条
　　1　管理者は、本人のために有益な費用[1]を支出したときは、本人に対し、その償還を請求することができる[2][3]。
　　2　第六百五十条第二項の規定は、管理者が本人のために有益な債務を負担した場合について準用する[4]。
　　3　管理者が本人の意思[5]に反して事務管理をしたときは、本人が現に利益を受けている限度においてのみ、前二項の規定を適用する[6]。
［原条文］
　　管理者カ本人ノ為メニ有益ナル費用ヲ出タシタルトキハ本人ニ対シテ其償還ヲ請求スルコトヲ得
　　管理者カ本人ノ為メニ有益ナル債務ヲ負担シタルトキハ第六百五十条第二項ノ規定ヲ準用ス
　　管理者カ本人ノ意思ニ反シテ管理ヲ為シタルトキハ本人カ現ニ利益ヲ受クル限度ニ於テノミ前二項ノ規定ヲ適用ス

〔1〕　「有益な費用」であるかどうかは、管理の当時を標準として定める。その当時において一般に有益な費用と認められるものは、後に至って、じつは有益でなかったという事情が生じても、なお有益な費用であることを妨げない。なお、事柄からいって、これは有益費のみに限るという意味ではなく、保存費、必要費を当然含むといってよい。
〔2〕　事務管理者は、本人に対して、〔1〕に述べた標準による有益な費用の全額の償還を請求することができる。ここに事務管理と不当利得との差異がある。不当利得においては、償還請求をする時を標準として、相手方がなお利益を得ているときにだ

§§701・702〔1〕〜〔4〕

け、その償還を請求することができるにすぎないのである（§703〔5〕参照）。事務管理をもって、とくに法律の是認する行為だというのも、主としてこの点において実益を示す（本章解説③(1)参照）。

たとえば、隣人の留守中に暴風で破損した家屋を事務管理者が10万円支出して修繕したが、後に材料が7万円に値下りして、その時になってから修繕しても差し支えがなかったという事情である場合には、不当利得としては、7万円の償還請求をすることができるだけだが、事務管理としては、10万円の償還を請求することができるのである。

なお、この償還請求権の範囲は、受任者のそれと比較すれば、利息の償還を請求することができない点だけ、事務管理者は不利益である（§650Ⅰ参照。ただし、利息を請求できるとする見解もある。〔4〕参照）。

この費用償還請求権の消滅時効期間は10年であり（改正前§167Ⅰ）、その権利が発生した時から、すなわち費用を支出した時から、進行を開始する（最判昭和43・7・9判時530号34頁）。

なお、この費用償還請求権に限らず、事務管理によって生じた債権が破産財団に対するものであるときは、財団債権として扱われることに注意を要する（破§148Ⅰ⑤）。

〔3〕（1）事務管理者が事務の管理に当たって自分に過失なくして損失を受けたときに、本人に対して賠償を請求することができるか。委任の場合（§650Ⅲ）と違い、事務管理については規定がないので、否定せざるをえないであろう（事例によっては、公的補償制度によって補完する必要がある。例として、「警察官の職務に協力援助した者の災害給付に関する法律」〔昭和27年法律245号〕、「海上保安官に協力援助した者等の災害給付に関する法律」〔昭和28年法律33号〕）。

ただ、本条の「費用」の観念を広く解することによって妥当な解決を得ればよいというのが一般的な見解である。たとえば、本人を救助するために水に飛びこんだ場合の洋服の修繕費、怪我の治療費などは、費用とみることができると考えるのである。

（2）事務管理者は、本人に対して報酬請求権を有するか。これは、事務管理の本質にかかわる論点であるが（本章解説③(1)）、一般的には否定するのが支配的見解である（特別法に規定があれば、別である）。ただし、医師・弁護士・職人など専門的技能を要する事務に従事する者が、その営業上の行為を事務管理として行った場合については、定型化された報酬を請求できるとしてよいとする有力な見解がある。

〔4〕650条2項が準用される結果、事務管理者が事務処理の必要上債務を負ったときは、本人に弁済させ、また、その債務の弁済期が未到来のときは、本人をして相当な担保を供させることができる。

650条1項が準用されないので、費用についての利息を請求することはできないことになるが、この点については、本条1項があれば、650条1項の準用は必要ないと考えたので、とくに利息を含めない趣旨を示したわけではないとも解することができよう（(2)参照）。すなわち、事務管理者は利息請求権があるといってよい。逆に、事務管理者の消費した金銭について647条が準用されている（§701）こと（大判昭和17・8・6民集21巻850頁は、事務管理者に利息の支払を命じた）との均衡上も、そういえるのではな

1453

第3編　第4章　不当利得

いだろうか。

〔5〕　違法または公序良俗に反する意思は、無視するべきである（§697〔6〕参照）。

〔6〕　「現に利益を受けている」とは、償還請求をする時を標準とする。本人の意思に反してなされた事務管理においては、管理者の費用償還請求権は、あたかも不当利得の償還請求権と同じ範囲に縮限されるのである（〔2〕参照）。

§702〔5〕〔6〕・第4章〔解説〕① ②

第4章 不当利得

① 本章の規定

　本章は、まず、(ア)不当利得一般について基本規定を設け(§703)、(a)その基本的な成立要件、(b)その効力としての利得返還の範囲について、善意の受益者の場合(§703)と悪意の受益者の場合(§704)とに分けて定める。この規定の体裁は、一種の一般条項(§1〔3〕参照)の性質を有し、各種の態様の不当利得について個別的な規定を置く立法例と異なる。

　本章は、つぎに、(イ)特定の種類の不当利得に関する規定として、(a)非債弁済(§§705～707)、(b)不法原因給付(§708)について定めている。

② 不当利得の意義と性質

(1) 不当利得の意義

　(ア)　不当利得とは、法律上の原因がないのに利得が生じた場合に、利得を得た者、すなわち受益者(「利得者」ともいうが、本書では、条文の用いる「受益者」という言葉を用いる)に対して、その利得によって損失をこうむった者、すなわち損失者にその利得を返還する義務を負わせ、両者の間に財産上の均衡を図り、公平を回復しようとする制度である。

　(イ)　不当利得が問題になる例を、結論的には不当利得の成立が否定されるものも含めて、ざっと挙げれば、つぎの通りである。

①Aが、Bに対する債務が存在しない(契約が無効であったり、すでに弁済が行われたために)のにかかわらず、存在すると思って、100万円をBに支払った。

②買主Aが、売買代金が100万円であるにもかかわらず、誤って130万円を売主Bに支払った。

③A・B間の売買契約が取消されたが(制限行為能力・詐欺・強迫など。§§4～17・96〔改注〕)、買主Aはすでに売主Bに代金100万円を支払った。

④上の③と同様の例において、売主Aはすでに目的物を買主Bに移転した。

⑤A・B間の売買契約が解除されたが(§§540～〔改注〕)、買主Aはすでに代金10万円を売主Bに支払った。

⑥上の⑤と同様の例において、売主Aはすでに目的物を買主Bに移転した。

⑦Bに雇用されていないAが、誤ってBのために労働を行い、Bにその結果として10万円の利益を享受させた。

⑧A・B間の金銭消費貸借が成立しなかったのにかかわらず、AはBに借用証書を交付した。

⑨A・B間の消費貸借は有効に成立したが、債務が消滅(弁済や免除により)したのにかかわらず、Bは借用証書を返還しない。

1455

第3編　第4章　不当利得

⑩ AはBに対する借金50万円を来年7月1日に返す債務を負っていたのに、思い違いをして、今年の7月1日に返済した（§706により返還請求は認められない）。

⑪ Aは、CのBに対する債務を自分の債務と間違えて、100万円をBに支払った（§707により返還請求が制限される場合がある）。

⑫ Aは、自分が損害を与えた相手がCであるのに、Bであると間違って、Bに損害賠償として100万円を支払った。

⑬ Aの500万円の土地をBは10年間善意占有して、時効により所有権を取得し、Aは所有権を失った（これは、不当利得にならないとするのが、支配的見解である）。

⑭ Bの所有物を占有していたAがその物に10万円の費用を費やしたが、その物をBに返還することになった。

⑮ Aの10万円の価値を有する所有物が添付により（付合・混和・加工のいずれによっても生じうる。§§242～248）Bの所有に帰した。

⑯ Aの60万円の価値のある動産を保管していたCが、その物を自分の物として善意のBに譲渡し、Bが善意取得し（§192）、Aは所有権を失った（⑬と同様にBの不当利得は認められない）。

⑰ Cの善意取得によりAは動産所有権を失い、無断で譲渡したBはCから対価50万円を受け取った。

⑱ AがCに対して有する100万円の債権について、Bが準占有者として弁済を受けてしまった。

⑲ AがBの土地を自分の土地と間違えて半年間耕作し、Bに50万円相当の利益を与えた。

⑳ BがAの土地を無権限で（まったく権限がない場合や賃貸借が終了した後など）占有・使用し、30万円相当の使用利益を得た。

㉑ Bと婚約したAがBに結納金として100万円を交付したが、その後、婚約が解消された。

㉒ BがCの無効な遺言に基づいて、Cが所有していた相続人Aが相続するべき甲土地を取得した。

　以上の諸例において、AはBに対して、その利得（物または金銭）の返還を求めることができるか、が問題である。民法は、これについて、703条以下に一般的な規定を設け、そこに定められた一定の要件が充たされた場合に、A（損失者）は、B（受益者）に対して利得返還請求権を取得し、BはAに対してその利得を返還するべきものと定めたのである。

　こうして、不当利得は、契約・事務管理および不法行為と並んで、債権発生の原因の一つとされるのである。

　㈮　上記の例をみると、それぞれの問題が関連する箇所において、AとBとの間のいわば後始末の関係を律する一定の規定が置かれている場合も少なくない（たとえば、⑤・⑥の例について§545［改注］、⑨の例について§487、⑭の例について§196というように）。その場合は、それらの規定は、おおむね不当利得の規定に対する特則という意味をも

つと考えられる。したがって、まずそれらの規定によるとともに、それらの規定では明確でない点については、不当利得の一般規定によって解決すると考えてよい。

このことは、不当利得の「補充性」(あるいは「補助性」)といわれる議論に関連する。それが、上述のような、一般規定と特則の関係を意味するのであれば(正確にいえば、不当利得規定の補充性)、当然のことであって、問題はない。もし、それが不当利得は他の法律的手段(たとえば、所有権に基づく返還請求権、不法行為または債務不履行に基づく損害賠償請求権など)によって救済できない場合にだけ補充的に適用されるにすぎないという議論であれば、正しくない。当事者の利益を考えれば、そのように狭く解するべきではない。判例・通説は、これを補充的制度とはしないで、不当利得の要件が備われば、他に救済する法律的手段があるかないかを問わずに、不当利得の返還請求権を認める。

(2) 不当利得の法的性質

不当利得は、(1)(イ)の列挙からも明らかなように、受益者と損失者との間の法律的な行為によって生じる場合が少なくない。しかし、その場合にも、その法律的な行為自体が不当利得なのではなく、その行為によって、一方に法律上の原因のない利得を生じたという事態が不当利得である。のみならず、不当利得は、(1)(イ)の⑭や⑲の例のように受益者や損失者の事実的な行為によって生じることもあり、また、⑮の添付のうち付合のように人の行為に基づかない場合もある(混和・加工はむしろ人の行為によるが)。

要するに、不当利得の法律要件としての性質は、「事件」(出来事、事態)と呼ばれるものであって、人の行為そのものを原因とするものではない。その点では、契約が法律行為、事務管理が適法な法律的行為(法律行為ないし準法律行為)、不法行為が違法な行為であるのと、いちじるしく趣きを異にする。

③ 不当利得の多様性と類型をめぐる論議

(1) 不当利得の沿革

そもそも、不当利得という制度は、ローマ法以来、非債弁済(広い意味で、債務がないのに、なされた弁済)その他の場合に個々的に認められたものであるが、18世紀の自然法学説が隆盛になるに及び、統一的な制度とされるに至ったものである。すなわち、この学説は、「他人に損害を与えて自己の利益を図ることは、自然の正義(aequitas naturalis)に反する」という根本理論を確立し、これによって不当利得を生じるあらゆる場合を統一的に説こうとした。その後、一時はその反動として、ローマ法の法源に認められた個々的な不当利得について個別的規定を設けるにとどめるべきだとする主張を生じたが、ドイツ民法・スイス債務法がふたたび統一的制度としての存在を認め、前者は、「法律上の原因なくして」(ohne rechtlichen Grund)(同法§812)得た利得、後者は、「正当化されない仕方で」(in ungerechtfertigter Weise)(債務法§62)得た利得は、これを返還するべきものと定めた。わが民法は、旧民法が「正当ノ原因ナクシテ」得た利得と定めた(財産編§361)のを改めて、「法律上の原因がなく」得た利得と定めた。

このわが民法の「法律上の原因のない利得」という観念は、あまりに抽象的であって、具体的な標準をそこから演繹することは困難であるが、不当利得という制度は、

第3編　第4章　不当利得

法律の形式的運用において生じる当事者間の利得の変動を、公平の理念に基づいて調整しようとする制度であることを念頭において、そのもとにおける具体的標準を明らかにする努力が必要である。

　(2)　不当利得の多様性とその理由

　上述②(1)(イ)の諸例からも分かるように、不当利得として問題になる例はじつに多種多様なものを含む。そして、それを考察してみると、民法が総則・物権・債権・親族・相続の全般において取り上げ、規定している法律関係の多くに関係していることが判明する。そして、その全般を貫いている基調は、法的人格の意思によって形成され、実現される契約を主たるものとする法的関係である。もちろん、人の意思と関係のない場における問題もそこには登場している。

　このように観察すると、不当利得制度は、民法全般にわたって形成されている市民同士の、いわば積極的な、表側の法的関係について、これを裏側から検討する場合に、表側の解決だけでは利益の帰属と損失の負担が公平を欠き、これを是正しないと市民法として堪えられない不公平・不公正が認められるときに、これを除去するという働きをしていることに気づくのである。不当利得は、そのような、表側の法的関係の形成によって生じる歪（ゆが）みを消極的に裏側から是正する（いわば、「後始末」の）制度ということができる。その意味で、また、市民法関係が円滑に機能するための潤滑油としての機能を果たしているとも表現することができよう。そのようなものとして、それが機能する（§703が妥当し、適用される）場がほとんど無限定に近く、広域にわたり、したがって、その事例も多種多様であることは当然といってよいのである。

　問題は、さらに、民法領域に限らず、幅広い諸法の領域において類似の事例が生じる場合にも拡大され、一般規定としての不当利得規定の適用が論じられることにもなる。公法の領域で、公法独自の論理と制度により解決を図り、民法によらないという論調がみられるが、基本は、民法の不当利得制度に存すると考えるのが正しいと思う（課税処分が誤っていることが判明した場合、課税庁による是正措置がなくても、誤って徴収した金額は返還しなければならないとしたものに、最判昭和49・3・8民集28巻186頁がある。ただし、改正前の所得税法における問題である）。

　(3)　不当利得の類型をめぐる論議

　不当利得の事例が多様性を有することから、当然にこれを類型化して考察する必要が生じてくる。そのこと自体は、90条［改注］などの一般条項を考えれば当然のことといってよい（§1(3)(ウ)・改正前§90(1)参照）。このことと、後述する厳格な意味における類型論とは区別する必要がある。

　(ア)　類型化による考察としては、一般的には、ドイツ民法812条が「他人の給付により」（durch die Leistung eines anderen）といったあとで、「その他の方法により」（in sonstiger Weise）と規定していることにならって、つぎのような分類による整理、検討が行われている。

　まず、第1は、財産的価値の移動が損失者の意思に基づく出捐（しゅつえん）行為（給付行為）による場合であり、その出捐の原因ないし目的（これをcausaという）が欠けているときに、不当利得になると考えられる。この給付を債務の弁済と同義にとらえれば、この類型

1458

の不当利得は、ほとんど、広い意味の非債弁済と同じことになる。②(1)(イ)の例でいえ
ば、①から⑫までは、すべてこの類型と考えられる（⑧・⑨の例で借用証書の交付・返還
義務を金銭消費貸借の付随債務と考えれば、そうなるし、㉑・㉒の例も一種の非債弁済と考える
ことは可能である）。

　第2は、その他の、損失者の意思に基づく出捐行為によらない場合であり、ここに
さまざまの形態が考えられることになる。②(1)(イ)の例でいえば、⑬から⑳までの例が
これに当たる。この類型が雑然としており、異種のものが混在しているというのが、
後述の厳格な類型論からの批判であるが、「損失者の意思によらない」ということが
すでに重要な規定要素であるので、この第2の類型のもとに各種のものを位置づける
というのも、ひとつの理論的立場ということができる。その詳細は、703条〔1〕に述
べる。

　なお、簡略のために、第1のものを「給付不当利得」、第2のものを「非給付不当
利得」と呼ぶこともある。

　(イ)　厳格な意味における類型論

　　上の(ア)で述べた見解と、厳格な意味における類型論とは、区別しなければならない。
厳密な意味における類型論とは、単に不当利得の種々の態様をタイプとして分類して
並べるだけの方法を非とし、類型としては、それぞれが一定の本質に規定された、い
わばカテゴリー（範疇）としてとらえられなければならないとするものである。その
ような類型論が登場する根拠は、上述のように、不当利得が、表側の市民法関係に照
応して、そこに生じる歪みを是正するという意味をもつものであることから十分にう
なずける。しかし、その類型論を確立することは、市民法の原理的把握と同じように、
というよりは、それとの照応が必要であるだけにきわめて困難なことである。いいか
えれば、市民法の原理的把握と関連づけられない類型論は、理論的に無価値である。
最近においてみられる類型論の提唱の例としては、つぎのようなものがある。

　(a)　基本的に、所有対非所有の対抗関係の場で生じる all or nothing の財産の移動
　　における不当利得とそれから生じる給付利得返還請求権、契約＝債権関係の場で
　　生じる give and take の財産の移動における不当利得とそれから生じる他人の財
　　産からの利得の返還請求権とに分ける。

　(b)　「財貨帰属秩序」に反するものとしての他人の財貨からの利得と「財産移転秩
　　序」に反するものとしての給付利得とに分ける。

　(c)　「矯正法的不当利得」、「帰属法的不当利得」を分け、また「両性的不当利得事
　　案」、「多当事者間の不当利得」についても論じる。（ママ）

　(d)　「運動法型不当利得」、「財貨帰属法型不当利得」、「負担帰属法型不当利得」の
　　三つに分け、さらに三者以上の関係者が問題になる場合を別個に考察する。

　このような理論的提起がなされており、それらから得られる示唆は多い。しかし、
いまだに各類型の名称、およびそれぞれの範疇的内容において、諸説の帰一するとこ
ろをみていない状況である。

　(ウ)　統一的理解の試み

　これに対して、不当利得の制度全体を統一的に理解しようとする提案にも、耳を傾

第3編　第4章　不当利得

ける必要がある。そのひとつとしては、不当利得制度の基本を近代法における個人意思自治の原則に求めようとするものがある。それは、権利者の意思に基づかない財貨変動（利得と損失）を認めざるをえないときに、そこに生じた状態と個人意思自治の原則からみて、あるべき状態との矛盾を除去して、権利者の保護を目的とする制度であると説くものである。給付意思はあるが、債権関係を生じさせる意思はない場合（(ｱ)で述べた「給付不当利得」の場合）と意思に基づかない変動を是正する場合（(ｲ)で述べた「非給付不当利得」の場合）とで、内容に違いはあるが、個人意思自治の原則に基づく点においては変わりはないと論じるこの論旨にも、説得力がある。もちろん、この理解からしても、(ｱ)に述べた類型化による考察の必要性は当然のことであって、否定されない。

　本書では、以上のような論議の状況にかんがみ、まずは理解しやすい(ｱ)の類型化に従って考察することにする。

④　不当利得の法律関係

(1)　不当利得の一般的な成立要件は、つぎの通りである。

(a)　まず、第1に、利得に法律上の原因がないことである。703条〔1〕参照。

(b)　第2に、ある事実（事件）によって、ある者（受益者）が利得を受けることである。703条〔2〕参照。

(c)　第3に、受益者が利得を受けたために、他の者（損失者）が損失をこうむることである。703条〔3〕参照。

(d)　第4に、受益者の利得と損失者の損失との間に因果関係が存することである。703条〔4〕参照。

(2)　不当利得の効果は、損失者が受益者に対して不当利得の返還請求権を取得することである。その返還請求権の内容は、受益者が善意である場合と悪意である場合とで違いを生じる。

(a)　善意で不当利得を得た受益者は、「その利益が存する限度において」損失者に対して利益を返還する義務を負う。703条〔5〕参照。

(b)　悪意で不当利得を得た受益者は、その利益に利息を付して損失者に返還し、また、損失者に損害があるときは、それを賠償する義務を負う。704条注釈参照。

(3)　非債弁済と不法原因給付については、要件および効果についての特則が設けられている。705条～708条参照。

(4)　法律上の性質は不当利得であるが、それについて、特則が定められていると考えられる場合が少なくない。

　その例は、失踪宣告の取消しの効果に関する32条2項、取消しの効果に関する改正前121条、占有者と回復者の関係に関する189条～191条・196条、盗品占有者と被害者の関係に関する193条・194条、相隣関係に関する212条など、添付に関する248条（不当利得の規定の準用を定める）、留置権・質権に関する299条・350条、抵当不動産の第三取得者に関する391条、債権譲渡に関する改正前468条1項、債務の弁済に関する改正前477条・481条2項・503条、契約解除に関する545条［改注］、など

第 4 章［解説］④・§703〔1〕

である。

　これらの場合、不当利得の規定が補充的に適用ないし準用されることが少なくない（②(1)(ウ)参照）。

（不当利得の返還義務）
第七百三条
　　法律上ノ原因なく[1]他人の財産又は労務によって利益を受け[2]、そのために[4]他人に損失を及ぼした者[3]（以下この章において「受益者」という。）は、その利益の存する限度[5]において、これを返還する義務を負う[6]。
　[原条文]
　　法律上ノ原因ナクシテ他人ノ財産又ハ労務ニ因リ利益ヲ受ケ之カ為メニ他人ニ損失ヲ及ホシタル者ハ其利益ノ存スル限度ニ於テ之ヲ返還スル義務ヲ負フ

　〔1〕　「法律上の原因」がない利得ということが、不当利得の第1の、最も重要な成立要件である。すなわち、この概念は不当利得制度の中心をなすものであるが、その意味の決定は、相当に困難な問題である。

　不当利得制度は、法律の形式的適用において生じる当事者間の利得の変動を公平の理念に基づいて調整しようとする制度である。いいかえれば、不当利得は、形式的・一般的には正当視される財産的価値の移動が、実質的・相対的には（具体的な法的人格のAとBの間では）正当ではなく、また、公平に反すると認められる場合に、公平の理念に従ってその矛盾の調節を試みる制度である（本章解説②参照）。元来、法律で財産的価値の移動を規律するに当たっては、社会の一般取引の安定を主として考慮する必要があるから、一般的・形式的立場に立ってこれをしなければならない。そのために、この財産的価値の移動の結果は、一般的・形式的立場からは、いかにも正当なことと考えられるにもかかわらず、その価値の移動の当事者、すなわちこれを喪失する者とこれを取得する者との関係としてみるときは、公平に反し、正当視することができないという場合が生じることを免れない。具体的な例を挙げてみると（以下、それに該当する本章解説②(1)(イ)の番号を示す）、債務がないのに債務があると誤解して支払われた金銭は、ともかく受領者に帰属するものとして認めるほかはない（①・②・③）。無効な請負契約によって造営された庭園も、注文者の所有とするほかはあるまい（⑦）。誤って他人の所有する糸を用いて着物を縫った者は、その糸の所有権を取得することも、物権法の理論として当然であろう（⑮。§§243・246）。また、銀行が預金証書と印を所持する者に善意で弁済したときは、たとえその者がじつはそれらの物を盗んだ盗人であっても、その弁済が有効とされること（改正前§478参照）も、債務の弁済を容易にしようとする民法の立場として是認しなければならない（⑱）。しかし、これらのいずれの場合にも、その利得をいちおう取得する者をして、これを終極的に保留させては、その者と損失者との間にいかにも不公平な結果を生じる。すなわち、これらの者の間には、そのような利得の変動を是認すべき相互間の実質的な原因がない。これが、これらの当事者間に不当利得としての返還債務関係を認める理由である。したがって、

第3編　第4章　不当利得

不当利得の成立要件である「法律上の原因がなく」とは、財産的価値の移動をその当事者間において正当なものとするだけの公平の理念からみた実質的・相対的な理由がないという意味である。

　しかし、民法の解釈については、この抽象的な標準について、できるだけ具体的な内容を与えることが必要である。そして、それには不当利得を二つの類型に分けることが便宜である。

　以下の叙述は項目が多いので、理解しやすいように、これを目次の形で掲げておく。

(1)　第1の類型——給付不当利得　1463
　(ア)　第三者が関与せず、受益者と損失者の間で直接に給付が行われた場合　1463
　　(a)　出捐をする時に、すでに原因ないし目的を欠く場合　1463
　　(b)　予期された出捐の原因ないし目的が不到達に終った場合　1464
　　(c)　出捐の当時に存在した原因ないし目的が後に消滅した場合　1465
　(イ)　第三者が関与した場合　1465
　　(a)　第三者を介して給付した場合　1466
　　(b)　第三者を介して受領した場合　1466
　　(c)　第三者を介してする給付を、第三者を介して受領した場合　1467
(2)　第2の類型——非給付不当利得　1467
　(ア)　利得が人の行為によって生じた場合　1467
　　(a)　受益者の行為によって生じた場合　1467
　　　(i)　利得が受益者の行為の事実的効果として生じた場合　1467
　　　(ii)　利得が受益者の行為の法律的効果として生じた場合　1468
　　　(iii)　騙取した金銭による弁済の受領の場合　1468
　　　(iv)　利得が受益者の強制執行による場合　1469
　　　(v)　抵当権実行などに関連する場合　1470
　　　(vi)　土地収用による場合　1470
　　　(vii)　行政庁による行政上の処分による場合　1470
　　(b)　損失者の行為によって生じた場合　1470
　　　(i)　損失者の行為の事実的効果として生じた場合　1471
　　　(ii)　損失者の行為の法律的効果として生じた場合　1471
　　(c)　第三者の行為によって生じた場合　1471
　　　(i)　第三者の行為の事実的効果として生じた場合　1471
　　　(ii)　第三者の行為の法律的効果として生じた場合　1471
　(イ)　利得が人の行為によらずに生じた場合　1472
　　(a)　利得が直接に法律の規定から生じた場合　1472
　　　(i)　添付　1472
　　　(ii)　遺失物拾得　1472
　　　(iii)　善意占有者の果実取得　1472
　　　(iv)　善意取得　1472
　　　(v)　債権の準占有者に対する弁済　1472
　　　(vi)　時効取得　1473
　　(b)　利得が事件の事実的結果として生じた場合　1473

§703〔1〕

(1)　第1の類型——給付不当利得

　不当利得の第1の類型は、利得が損失者の意思に基づく出捐によって生じる場合である(「給付不当利得」)。損失者がその意思に基づいて出捐行為(給付行為)をする場合には、必ずなんらかの原因ないし目的(これを causa という)がある。そして、この原因ないし目的が法律上効力を持たないときに、その出捐は法律上の原因を欠くことになる。これを、第三者が関与しない場合と関与する場合とに分けるのが適切である。

　(ア)　第三者が関与せず、受益者と損失者の間で直接に給付が行われた場合。

　これを、さらに、三つの場合に分けることができる。

　(a)　出捐をする時に、すでに原因ないし目的を欠く場合

　たとえば、債務の弁済という目的で金銭を交付したが、その債務はすでに弁済されて消滅してしまっていたとき、請負契約による債務の履行を目的として仕事を完成したが、その契約は無効であるか、または取消されたときなどが、その例である(本章解説②(1)(イ)に掲げた①・②・③・④。以下この注においては、同じ個所の数字を示す)。

　これに関連して、問題となるのは、特定物についての売買契約などが無効であったり、または取消し、または解除された場合(③・④・⑤・⑥)である。このような契約によって、原則として目的物の所有権も移転するのであるが、それがはじめから無効であれば、所有権は買主に移転せず、また、取消し、または解除されれば、所有権は遡及的に売主に復帰する(§176〔4〕(カ)参照)。したがって、売主は、すでに引渡した物の返還を請求し、すでにした移転登記の抹消を請求できることはもちろんだが、それらは、いずれも自己の所有権に基づいてすれば足り、不当利得の返還請求としてこれをする必要はないとも考えられる。のみならず、このような場合には、売主は所有権を失わないのだからなんらの損失もなく、また、買主は目的物の上になんらの実質的な権利を取得しないのだから、利得はなく、したがって、不当利得の関係を生じないとも考えられる。学説のうちには、このような考えをとり、損失者の意思に基づく出捐によって不当利得を生じるのは、原因を欠くにもかかわらず、所有権の移転を生じる場合に限ると説くものもある。物権の移転について特別の方式を必要とするドイツ糸の民法(特定物の売買契約でも、その契約によって売主は単に目的物の所有権を移転するべき債務を負うにとどまり、所有権の移転は、つねに、その債務の履行としてなされる別個の物権契約によってはじめてその効力を生じるものとし、したがって売買契約が無効でも所有権の移転だけは原則として効力を生じ、また、売買契約が取消されても、所有権は復帰しないとする)のもとでは、この説は、おそらくは正当であろう。

　しかし、わが民法のように、特定物の売買によって原則として所有権の移転をも生じるとする法制のもとにおいては(§176〔4〕参照)、原因が欠けても所有権だけは相手方に移転するという例外的な場合にだけ不当利得を生じると解することは正当な解釈ではあるまい。所有権は損失者に帰属し、受益者が占有または登記だけを返還するべき場合と、所有権も受益者に帰属し、受益者が所有権と占有または登記とを併せて返還するべき場合とを、ともに不当利得の観念に総合して取扱うのを至当と考える(後述〔5〕(1)参照)。

　一般的に、判例の事例を挙げれば、

1463

第3編　第4章　不当利得

　（ i ）　存在しない債権を譲渡した無効な契約に基づいて交付された対価（大判大正 3・11・27 民録 20 輯 991 頁）、無権代理行為により発生した債権の弁済（大判大正 8・12・12 民録 25 輯 2286 頁）、錯誤により無効な売買契約の代金として交付した約束手形（大判大正 9・12・9 民録 26 輯 1895 頁）、を不当利得とする。

　なお、公序良俗違反など不法性による無効の場合には、708 条が密接な関連を有する。708 条〔1〕・〔2〕を参照。

　（ ii ）　債権を発生させる法律行為が取消されたときについて、判例は最初、不当利得の適用はないとしたが（§ 121 ただし書の規定があることを理由とする）、その後、詐欺により取消された保険契約により受領した保険金（大刑判大正 3・5・16 刑録 20 輯 903 頁）、詐欺によって取消された売買契約による代金（大判昭和 3・8・1 民集 7 巻 687 頁）について不当利得と認めた。最高裁も同じ考えとみてよい（最判昭和 28・6・16 民集 7 巻 629 頁、未成年者の親権者である母が親族会の同意を得ないでした不動産売却行為を取消した例）。

　（ iii ）　契約の解除の場合についても（⑤・⑥）、判例は、かつては不当利得とは別のものとしたことがあるが（大判大正 6・10・4 民録 23 輯 1391 頁）、その後、解除に基づく原状回復の性質は不当利得であるとしている（大判大正 6・10・27 民録 23 輯 1867 頁、大判大正 8・9・15 民録 25 輯 1633 頁。合意解除の事例について、最判昭和 32・12・24 民集 11 巻 2322 頁）。

　（ iv ）　支払義務のない相手に対する火災保険金の誤払の場合も、もちろん不当利得になる（最判昭和 46・4・9 民集 25 巻 241 頁は、特約を根拠とするが、その必要はなかろう）。

　（ v ）　いったん成立した債務を重ねて弁済する例も、この種の不当利得といえる（債務者の交替による更改があった後に旧債務者が弁済した例につき、大判大正 6・5・14 民録 23 輯 786 頁）。

　（ vi ）　約束手形の取立てを委任された銀行が、その手形が不渡りになったにもかかわらず、委任者に対して支払（具体的には預金払戻し）をした金額は不当利得になる（最判平成 3・11・19 民集 45 巻 1209 頁）。

　（ vii ）　やや特殊な判断をした例もある。恩給受給者 B に対する恩給裁定が取消された場合、国 A はすでに払渡した恩給の返還を B に対して請求できるのは当然であるが、B が「国民金融公庫が行う恩給担保金融に関する法律」（昭和 29 年法律 91 号）により国民金融公庫（その後、国民生活金融公庫）C から金融を受け、それに基づいて C が国から B に対する恩給の払渡しを受けていたという場合はどうであろうか。判例は、C には恩給担保貸付をする義務があること、C としては A による恩給裁定を有効のものと信頼して扱わざるをえないこと、取消しが A から C への最初の払渡しから 12 年 8 か月、最後の払渡しから 7 年 2 か月後に行われ、C として、もはや B からの恩給金による弁済の効果がくつがえされることはないと考えても無理でないことなどを理由として、A の C に対する返還請求を認めなかった（最判平成 6・2・8 民集 48 巻 123 頁）。

(b)　予期された出捐の原因ないし目的が不到達に終った場合

§ 703〔1〕

たとえば、結納を交付した後に婚姻が不成立に終ったようなときは結納は不当利得になる（大判大正6・2・28民録23輯292頁。事案は、純然たる婚約不履行で、事実上の婚姻も行われなかった場合である。内縁関係後別れた場合や、婚姻後離婚した場合の結納の取扱いは、第4編親族で検討される問題である）。

　この場合には、たとえ特定物が給付されたのであっても、所有権は当然に復帰するものではないと解するべきである。けだし、はじめの給付行為が法律上効力を失うのではないからである。

　(c)　出捐の当時に存在した原因ないし目的が後に消滅した場合

　たとえば、債務の存在を証する目的で証書を交付しておいたが、後にその債務が消滅した場合である（⑧・⑨）。弁済によって消滅した場合については民法に規定があるので（§487）、免除によって債務が消滅した場合について、判例はその規定を準用したが（大判大正4・2・24民録21輯180頁）、この規定は不当利得の理論に立つものにほかならない（§487〔3〕参照）。

　半年分の月給の前払を受けた者が中途で退職した場合の、勤務しなかった期間の相当分は不当利得になる（大判大正11・6・14民集1巻310頁）。

　無所有などの理想社会の思想による団体に参画し、全財産を出捐した者が、一定の事情により脱会した場合、出捐した財産のほぼ半額について不当利得返還請求権を認めた例（最判平成16・11・5民集58巻1997頁）もこの種類に入れてよいであろうか。

　大学入学試験合格者が入学を取り止めた場合に、納付済みの入学金、授業料等の返済を請求した事例もこの種に属すると考えられる。この問題について、最高裁（第2小法廷）の判決が同日に三つ示された（最判平成18・11・27民集60巻3437頁は、入学金については返還しないでよいとし、授業料等については、消費契約§9①を適用し、3月31日までに解除したときは不返還特約は無効とし、4月1日以降の解除では、大学の損害は「平均的な損害」の範囲内だから有効とした。最判平成18・11・27民集60巻3597頁は、入学式に無断で欠席したら入学辞退とみなすという条項があった例で、入学式までに解除されれば授業料等の返還請求はできるが、そうでなければ損害は予想される「平均的な損害」の範囲内だから不返還特約は有効だとした。最判平成18・11・27民集60巻3732頁は、医科大学の事例で、諸事情からみて授業料等の不返還特約は著しく合理性を欠くとはいえず、公序良俗に反しないとした）。

以上の給付不当利得の「給付」を債務の弁済としての給付の意味に解すると、上に挙げた例は、そのほとんどが広い意味の非債弁済（そのような弁済を必要とする事情が存しない場合においてなされた弁済。§705前注①参照）に属するということができる。(b)に挙げた結納の例（㉑）も、婚姻に伴う付随債務として結納交付義務を認め、その不存在にもかかわらず結納を交付したと考えれば、「目的の不到達」といわないでもすむと考えられる。(c)に挙げた債権証書の例（⑧）も、金銭消費貸借が成立すれば付随義務として証書交付義務があるとし、その不存在にもかかわらず証書を交付したと考えれば、「目的の消滅」といわないでもすむと考えられる。

　しかし、実際には給付（出捐）が債務の弁済より広い意味で認められる必要もあると考えられ、以上のように説明するのが一般となっている。

　(イ)　第三者が関与した場合

1465

第3編　第4章　不当利得

以上に考察したのは、いずれも損失者Ａと受益者Ｂとの間で直接に給付が行われた場合であるが、これに第三者Ｃが関与した場合が問題になる。といっても、その第三者がＡまたはＢの代理人または使者である場合はとくに問題ないＡまたはＢ自身の問題と考えればよい。また、その第三者がまったく独立の間接代理人(問屋など)である場合(第1編第5章第3節解説[7](イ))も問題ないＡとその第三者、あるいはＢとその第三者の問題になる。問題は、第三者が一定の独立性をもってＡ・Ｂ間の給付に介入した場合である。これを給付不当利得関係における「三角関係」の問題という。つぎのように分けて考察する。

(a)　第三者を介して給付した場合

(i)　ＣがＡのためにＢに対して行った給付が法律上の原因を欠く場合、原則としてＢの不当利得となり、Ａの不当利得返還請求権が生じる。たとえば、㋐債務者ＡがＢに対する100万円の債務を弁済することを取引銀行Ｃに委託し、ＣがＢに支払ったが、ＢのＡに対する債権が存在しないときは、ＢのＡに対する不当利得となる(ＣはＡの預金から補償され、損得はない。これを「補償関係」という。第三者のための契約における補償関係と同じ意味で、Ｃの出捐を埋め合わす関係という意味である。改正前§537前注(3)参照)。㋑Ａ・Ｂ間の不動産売買契約が取消された場合、Ｃが売主Ｂに支払った代金の返還を買主Ａは求めることができる(最判昭和28・6・16民集7巻629頁。ＡとＣの間には「何らかの補償関係」があるのが普通だから、ということを理由とする)。㋒売主Ａが買主Ｃをして代金100万円をＢに対するＡの債務の弁済としてＢに対して支払わせたときに(第三者のための契約に当たる)、Ｂの債権が存在しなければ、ＡはＢに対して100万円の返還を請求しうる。㋓ＣからＡが購入してＢに転売された商品につき、ＣからＢに直接交付された場合、Ａ・Ｂ間の売買が無効なら、ＡからＢに対する商品の返還請求が認められる。

(ii)　上掲の例と関連する事柄を論じておく。

第1に、ＣのＢに対する債務を保証する保証人ＡがＢに弁済するのは、第三者による給付のようにも見えるが、Ａの自己の債務の弁済であるから、もし保証債務が無効であれば、ＡのＢに対する不当利得返還請求権が生じるから、㋐(a)に属する。

第2に、㋐の例で、ＢのＡに対する債権は存在するが、ＡのＣ銀行における預金(補償関係)が存在しない場合、ＣによるＢへの弁済は有効なので、ＣからＡに対する不当利得返還請求の問題になる。

第3に、同じ例で、Ａ・Ｂ間の債権も、Ａ・Ｃ間の関係(補償関係)も存在しない場合には、いわゆる「二重の原因欠如関係」が生じる。この場合、Ｃの損失がＢの利得に帰したと社会観念上とくに認められるときは、ＣからＢへの返還請求を認めてもよかろう。そうでなければ、ＣからＡに対するものと、ＡからＢに対するものとの2個の返還請求権を認めるほかはない。

(b)　第三者を介して受領した場合

(i)　債権者Ｂが、債務者Ａに対して自分に給付するべき100万円を自分に対する150万円の債権を有するＤに支払うことを委託し、ＡはＤに100万円を交

付したが、BのAに対する債権は存在しなかったとする。原則として、AはB
に対して不当利得返還請求権を有すると解してよい。Dは100万円を受領し、同
額だけ債権額が減少し、損得はない。

(ⅱ) もしB・D間の補償関係も有効に存在しないとすると、二重の原因欠如を
生じることになり、(a)(ⅱ)の第3に述べたと同様に考えることになる。

(c) 第三者を介してする給付を、第三者を介して受領した場合

債務者Aが第三者であるC銀行に委託して、債務額を債権者Bに対する債権者
であるDに支払ったが、AのBに対する債務が存在しない場合、上述の(a)(ⅰ)と(b)
(ⅰ)との両方の趣旨から、AはBに対して直接返還請求できると解してよい。

(2) 第2の類型——非給付不当利得

不当利得の第2の類型は、第1の類型以外のもの、すなわち、利得が一定のcausa
に基づく損失者の意思による出捐によって生じたものでない場合である(「非給付不当
利得」)。この場合は、第1の類型のように統一的な説明をすることができないから、
当該の場合に受益者をして、損失者の負担においてその利得を保有させることが実質
的・相対的に公平に適するかどうかを判断するほかはない。とはいえ、これをまず、
つぎの二つの態様に分けることが適切であろう。

(ア) 利得が人の行為によって生じた場合

不当利得が人の行為によって生じた場合には、なんらかの意味においてその行為に
ついての価値判断を加えることができると考えられる点に、つぎの(イ)と区別する理由
がある。

これを、さらにつぎのように細分することができよう。

(a) 受益者の行為によって生じた場合

(ⅰ) 利得が受益者の行為の事実的効果として生じた場合

(ⅰ)-1 他人の土地で権限なしに雑草木を刈り取ったり(大判大正4・5・20民録21
輯730頁)、土地を使用したりした場合(大判大正14・1・20民集4巻1頁)、不当利得
となる。なお、河川管理者である国と県がその義務を怠り、私人の堤防を利用し
てきたことを不当利得とした主張は、国・県にそれだけの義務違反はないとして
しりぞけられた(最判昭和53・3・30民集32巻379頁)。

(ⅰ)-2 建物について同時履行の抗弁権や留置権を有する者は、その敷地につい
ても引渡しを拒絶できるとされている(§295〔3〕(イ)(b)・改正前§533前注[2](2)(ア)(a)参
照)。しかし、この引渡しの拒絶が認められるのは、建物の引渡し拒絶権能に付
随した外形的支配の許容に過ぎず、土地を用益する実質的価値の保有を正当化す
るものではない。したがって、地代相当額は不当利得となる(大判昭和11・5・26
民集15巻998頁、最判昭和35・9・20民集14巻2227頁)。

(ⅰ)-3 建物の賃借人が賃貸借終了後に有益費償還請求権について留置権を行使
する場合(§§295・608)の建物使用も同様であって、家賃相当額が不当利得となる
(大判昭和10・5・13民集14巻876頁)。

(ⅰ)-4 BがAから金銭(たとえば100万円の紙幣)を騙取(窃取、詐取、横領、強奪そ
の他)した場合において、AがBに対してその金銭(100万円の金銭価値)を不当利得

第3編　第4章　不当利得

として返還請求できることに問題はない。

　ただし、その理由づけに関して、第二次大戦前の判例は、金銭を一種の動産とみて、その所有権を問題にするという思考から脱しきれていなかった（大判昭和13・11・12民集17巻2205頁など、多数）。しかし、そのような金銭に対する理解は、完全に時代遅れのものであり、戦後の判例によって改められつつある（最判昭和29・11・5刑集8巻1675頁、最判昭和39・1・24判時365号26頁。なお、§192⑵(ェ)・§402前注②参照）。すなわち、今日の金銭は、完全に個性を失い、抽象的金銭価値とみるべきであって、ときに（日常生活その他において）章標（しようひよう）としての通貨（紙幣・硬貨）が手段として用いられるものであると考えるべきである。したがって、上の例で、100万円という通貨の同一性を問題とするのは正しくなく、その通貨がBの一般財産に混入しても（たとえば、預金になっても）、AはBに対して100万円の金銭価値の不当利得の返還を請求できると考えるべきである（関連して、(iii)参照）。

(ii)　利得が受益者の行為の法律的効果として生じた場合

　(ii)-1　たとえば、Aの動産をBが無権限で善意のCに譲渡しCはその動産を善意取得する、Cから対価を得たときは（⑯の例で、AのCに対する不当利得返還請求は認められない）、AはBに対してその対価を不当利得として返還するよう請求できる（大判明治38・11・30民録11輯1730頁）。Aがその所有不動産の管理をBに委託し、その所有名義を便宜上Bに移転していたところ、Bがこれを自己の不動産として善意の第三者Cに売却した場合（§94Ⅱ）も、同様である（大判大正4・3・13民録21輯371頁）。これらの場合、Cによる所有権の取得は、権利の外形を信じた者を保護し、取引の安全を図るものであるから、法律上の原因があるということになり、処分によって対価を得たBが不当利得をすることになる。Aが対価だけで満足できないときは、Bの不法行為責任を追及することになる。

　(ii)-2　Bが権利を二重に譲渡し、第2の譲受人Cに対抗要件を備えさせて、第1の譲受人Aの権利を失わせた場合も同様に考えられるAはBがCから得た対価を不当利得として請求できる。もちろん、Bの債務不履行責任を問うことができるのは別問題である。

　(ii)-3　いわゆる善意弁済、すなわちAのCに対する債権につき債権の準占有者（改正前§478）として弁済を受けた者、あるいは受領権限のない受取証書の持参人（削除前§480）として弁済を受けた者Bは、Aに対する不当利得者となる。

　(ii)-4　他人の物を権限なしに賃貸して賃料を取得するのも、この類型に属する。たとえば、AからBが不動産を買って、Cに賃貸したが、売買が取消されたときは、Bが収取した賃料はAに対する不当利得となる（前掲大判大正14・1・20）。CからBへの賃料が未払の場合には、AからCに対して未払賃料を不当利得として請求できるとしてよいとされる（大判昭和13・8・17民集17巻1627頁）。

(iii)　騙取した金銭による弁済の受領の場合

　上述の(i)-4の例において、Aから100万円の金銭を騙取（へんしゆ）したBが、その金銭によりCに対する債務を弁済したときに、AはCに対して100万円の不当利得を主張できるか。これは、金銭の法的性質とも関連して、古くから大いに議論さ

1468

§703〔1〕

れてきた論題である。

　判例は、かつて、これを因果関係の問題としてとらえ、金銭の所有権がなお
AにあるときはCが善意なら、Cは金銭を善意取得するというのが、当時の理
論であった。したがって、Cが悪意の場合、Aの損失とCの利益との間に因果
関係があるとしたことがあるが（たとえば、大判大正9・5・12民録26輯652頁。〔4〕(2)、
とくに(ア)参照）、学説の強い反対を受けた。

　現在の判例は、それなりの金銭に対する理解を前提として（§402前注参照）、
「社会通念上Aの金銭でCの利益をはかったと認められだけの連結がある場合に
は、なお不当利得の成立に必要な因果関係があり、……また、CがBから右の
金銭を受領するにつき悪意又は重大なる過失がある場合には、Cの右金銭の取得
は、……Aに対する関係においては、法律上の原因がなく、不当利得となるも
のと解する」というものである（最判昭和49・9・26民集28巻1243頁。この前に最判
昭和42・3・31民集21巻475頁は、Cが善意であれば、有効な弁済になるとした）。これ
と同意見の学説も多い。

　これに対して、一方において、Aになんらかの物権的請求権や追及効を認め
ようとする見解、他方において、B・C間の金銭価値移転が正当なものである限
り（たとえば、Aから盗んだ100万円をそのまま渡したとしても、それが通貨としての授受
であるかぎり）、Cの不当利得は問題にならないCとBが結託してAから騙取し
た場合は別論となるという見解、などが主張されている。

(iv)　利得が受益者の強制執行による場合

　問題は、債権者が確定判決によって強制執行をした後に、じつはその債権が存
在しなかったことが判明した場合である。このような場合にも、執行者は、債権
がないのに執行したのだから、不当な利得を得たわけである。しかし、確定判決
によって決定されたことは、再審の訴えによってこの確定判決をくつがえさない
限りは、これと異なる法律的主張をさせないということは、当事者間の公平の原
則と並んだ法の重大な理想であるから、この場合には、不当利得の成立を認める
べきではない。判例・学説ともに、この結果を認める（大判明治38・2・2民録11輯
102頁）。ただし、確定判決後に生じた事由については、もちろんその限りでない。
たとえば、確定判決を債務名義として転付命令を得た場合にも、その債務名義の
内容である債権が確定判決後転付命令までに時効によって消滅した場合（§174の
2追加前の事例）には、債権者は不当利得の返還義務を負うとされる（大判大正13・
2・15民集3巻10頁の傍論）。この判断は、消滅時効は、その債権についての確定
判決に基づく強制執行後もなお援用することができるという理論に立ったもので
ある（§145〔3〕参照）。確定判決後に期限が猶予された場合も同様である（大判昭和
13・7・1民集17巻1339頁。猶予期間に支払った中間利息が不当利得となる）。YがXに
対する仮処分命令を得て間接強制決定により取り立てた金銭は、YのXに対す
る本案訴訟でYが敗訴し、事情変更を理由として仮処分命令が取消された場合
には、Xに対する不当利得になるとする判決（最判平成21・4・24民集63巻765頁）
も、この類型に属するといえる。

1469

第3編　第4章　不当利得

(v)　抵当権実行などに関連する場合

不動産競売に関連して、誤った配当がなされ、不当利得の問題となることが多い。

(v)-1　債権者Bが第三者A所有の不動産の上に有する抵当権がじつは不存在であるのに、この抵当権を実行して配当を受けたときは、AはBに対して不当利得返還請求権を有するとされる（最判昭和63・7・1民集42巻477頁。最判昭和43・6・27民集22巻1415頁も参照）。

(v)-2　一般債権者Bによる債権差押えと物上代位による抵当権者Cの差押えとが競合し、債務者Aが前者に弁済した後に、後者が優先することが判明し、これにも弁済した場合、債務者Aは前者の弁済を不当利得としてBに対し返還を求めることができるとされた（最判平成9・2・25判時1606号44頁）。

(v)-3　先順位の抵当権者Bが実際に存在する債権額以上の配当を受けたときは、後順位抵当権者AはBに対して不当利得返還請求権を有する（最判昭和32・4・16民集11巻638頁）。

(v)-4　抵当権者Aを無視して行われた配当において、債権または優先権を有しないのに配当を受けた者Bに対して、Aは返還を請求できる（最判平成3・3・22民集45巻322頁）。

(v)-5　抵当不動産の第三取得者Aが有する391条に基づく優先費用償還請求権が無視された場合には、競売代金の交付を受けた抵当権者Bに対して不当利得を主張できる（最判昭和48・7・12民集27巻763頁）。

(v)-6　破産廃止決定確定後に行われた強制執行は適法であり、配当後に破産免責決定が確定しても、配当による弁済は不当利得にならない（最判平成2・3・20民集44巻416頁）。

(vi)　土地収用による場合

土地収用が無効な場合には、起業者は土地所有者に土地を返還しなければならないが、土地がすでに公の営造物に変っているときは、価格による返還が行われることになる（大判大正5・2・16民録22輯134頁）。

(vii)　行政庁による行政上の処分による場合

誤って賦課された税についても、その処分が取消されない限り、不当利得とはならないとした判例があるが（大判昭和5・7・8民集9巻719頁、大判昭和13・11・29民集17巻2243頁。最判昭和43・10・31民集22巻2312頁は、税法の解釈を誤った違法があっても、重大かつ明白なものではないという理由で、不当利得を否定した）、疑問とする意見も強い。

なお、第二次大戦後に行われた重要な改革である自作農創設事業に関連して、農地を買収された者が、農地の売渡しを受けた者に対し、その農地を農地以外の目的に転用するべく転売した場合の利得を不当利得として請求したケースがあったが、判例はこれを否定した（最判昭和43・4・2民集22巻733頁。原審は因果関係の不存在を理由としたが、法律上の原因の存在を理由とするべきであろう）。

(b)　損失者の行為によって生じた場合

以下に挙げるのは、第1類型の給付不当利得に類似するが、これと違い、損失者の

§703 〔1〕

意思が給付の原因ないし目的(causa)以外のなんらかの内容を有する場合である。二つに分けて論じる。

(i) 損失者の行為の事実的効果として生じた場合

(i)-1 AがB誤ってBの家畜を自分の家畜と思いこんで飼育したような場合が代表例である。

(i)-2 賃借人が自分の義務以上の費用を投じて目的物を改良した場合もこれに入る。借家人の造作買取請求権(借地借家§33)もこの類型に属する。

(i)-3 法律上の扶養義務のない者が扶養を要する者を事実上扶養する行為も、不当利得になりうる(最判昭和26・2・13民集5巻47頁。事務管理との関連もあることにつき、§697〔3〕(ウ)参照)。なお、内縁生活中の妻の家事のための労務は双方の利益のためのもので、不当利得にはならないとされた(大判大正10・5・17民録27輯934頁)。

(ii) 損失者の行為の法律的効果として生じた場合

BのCに対する債務をAが第三者として弁済した場合に、AがBに対して不当利得返還請求権を有する場合は少なくない(大判大正9・11・18民録26輯1714頁はその例だが、営業上の債務について、名義上の営業者でなく、実質上の営業者を不当利得者とした。また、最判昭和47・1・25民集26巻1頁は、他人所有の不動産の名義上の所有者となっていた者が固定資産税などを納付した例)。AがBの委託を受けない保証人であった場合も同様である。

(c) 第三者の行為によって生じた場合

(i) 第三者の行為の事実的効果として生じた場合

たとえば、CがAの所有に属する飼料を用いてBの家畜を飼育したような場合である。BのAに対する不当利得となる。

(ii) 第三者の行為の法律的効果として生じた場合

(ii)-1 BのCに対する債権がAに譲渡されたが、Aが対抗要件を備える前にCがBに弁済したときは、AはBに対して不当利得の返還を請求することとなる。

(ii)-2 B所有の機械を賃借しているCがAに修繕に出し、Aが修繕したが、Cが修繕代金を払わずに倒産したときはどうなるか(第三者Cの行為による場合として整理したが、損失者Aの行為によるともいえる)。これは、「転用物訴権」と呼ばれるケースであるが、判例は、かつて、AのBに対する請求を認めた(最判昭和45・7・16民集24巻909頁)。修繕という事実が一面においてAの損失、他面においてBの利得を生じたということが強調されている。もしそれだけであれば、因果関係の問題として処理すればよいともいえるが(〔4〕(3)参照)、本判決は、直接の因果関係を肯定したうえで、AのCに対する修繕代金債権がCの倒産により無価値である限度で、Bの不当利得になるという判断を示した。この判旨を疑問とする意見が多い。

考えるに、A・C間の修理請負契約は有効に存在するので、問題はB・C間の関係になる。上例でいえば、B・Cの賃貸借関係においてBが修理の結果を当然に享受できる場合には(いわばCの原状による返還義務の範囲内であれば)、不当利得

第3編　第4章　不当利得

とはいえず、それが当然ではなくて、Bがその修繕によって利益を受ける限りにおいて（ほぼ有益費に当たる）、法律上の原因のないものとしてBの不当利得になり、BはこれをCに償還せずに、Aに返還するべきであると解してはどうであろうか（いずれにしろ、Cからの弁済が期待できない場合に限られる）。

その後の転用物訴権に関する判決は、AがB所有建物の賃借人Cとの請負契約で建物の改修・改装をしたところ、Cが所在不明になった事例について、BのAに対する不当利得の成立は、「BとCとの間の賃貸借契約を全体としてみて、Bが対価関係なしに右利益を受けたときに（この語句の意味は不明瞭であるが、改修・改装をCの負担とし、その代わりCはBに権利金を払わないでよいとしたような場合は、BはCに対価を支払ったことになり、Aの請求を認めると、Bは二重負担になるという趣旨である）限られる」とした（最判平成7・9・19民集49巻2805頁。因果関係は問題としていない）。

しかし、転用物訴権に関する学説は、消極的意見が増しているように思われる。これを否定すると、AはCに対する債権に基づいてCのBに対する債権に代位していくという方法しかなくなる。そして、Cが破産した場合には、Aの債権は破産債権となり、CのBに対する債権は破産財団に帰属することになろう。

(ｲ)　利得が人の行為によらずに生じた場合

これは、さらにつぎの二つに分けることができよう。

(a)　利得が直接に法律の規定から生じた場合

以下に挙げる法律事実も、人の行為による場合が多いので、既述と重複することが多いが、いずれも法律の特別の規定が作用しているので、ここでまとめて概観する。

(ⅰ)　添付（付合・混和・加工。§§242〜247）

添付(⑮)は、人の行為によることも多いが、純粋な事件によって生じることもある（たとえば、川の流れにより、ある土地が他の土地に付着して寄洲を生じた場合、穀物の二つの山が崩れて混同した場合など）。添付により受益者が所有権を取得するのは、物権的秩序と物の経済的価値を維持するためであって、価値の終極的移転を認める趣旨ではないから、不当利得となる。

(ⅱ)　遺失物拾得（§240、遺失物法）

拾得者が法定の手続によって拾得物の所有権を取得するのは、終極的に拾得者の所有とする趣旨であるから、不当利得とはならない。

(ⅲ)　善意占有者の果実取得（§189）

これは善意の占有者を実質的に保護しようとする趣旨であるから、不当利得にならない。

(ⅳ)　善意取得（§192）

取引の安全のために善意の取得者を保護しようとする趣旨であるから、取得者はその価値を実質的・終極的に保有でき、不当利得とならない(⑯)。ただし、無権限譲渡者が得た対価については、2(ｱ)(a)(ⅱ)-1参照。

(ⅴ)　債権の準占有者に対する弁済（改正前§478）

弁済者を保護する趣旨であるから、弁済をした債務者は債務を免れ、そのことは

§ 703〔2〕

不当利得とはならない(⑱)。なお、(ア)(a)(ii)-3 参照。

(vi) 時効取得(§§162・163)

時効制度は、社会の客観的秩序の維持を目的とし、財産的価値の移動についてまで永続した状態を肯定しようとするものであるから、不当利得の問題を生じない(⑬)。

(b) 利得が事件の事実的結果として生じた場合

川の流れにより寄洲を生じた例、隣地の樹木から果実が落ちてきた例、養魚池の魚が他人の池に入った例などが、これに当たり、不当利得となる。

これらは、人の行為に関係のない純然たる事件の例であるが、これまでに挙げてきた人の行為が関与した多くの事例においても、それらの行為の効果として不当利得を生じるのではなく、じつはそれらの行為を含む事実が1個の事件として不当利得の要件に該当するから、不当利得としての効果を生じるのである。

〔2〕 一方において、ある法的人格(自然人または法人。これを「受益者」という。不当利得者ともいう)が、「他人の財産又は労務により利益を受け」る(これを「受益」といい、その利益を「利得」という。「不当利得」という言葉は、通常は不当利得の法律関係を意味するが、その「利得」を指すためにも用いられる)ことが、不当利得の第2の成立要件である。

(1) ある事実によって「利益を受ける」とは、その事実がなかったと仮定した場合に予想される財産の総額よりも、その事実が生じた後における現実の財産の総額が増加していることである。したがって、その事実によって財産が積極的に増加する場合(積極的増加という)と、財産が減少するはずであったのを免れた場合(消極的増加という)とを含む。所有権・借地権・債権その他の財産権の取得、占有・登記などの財産的利益の取得、所有権の内容の増加、所有物の価値の増加などは前者の例であり、他人が自分の財産を保存してくれて、失われずにすんだ場合、他人の金銭を生活費にあてて消費した場合などが後者の例である。

(2) 「他人の財産又は労務」によって利益を受けるとは、すでに他人に属する財産または労務を利用する場合のみならず、本来、他人に帰属するべき財産または労務を利用した場合を含む。たとえば、旧競売法(現在の民事執行法第3章に当たる)によって競売代金を配当するに当たって、債権者Aに配当するべきものを誤って債権者Bに配当したときは、BはAの財産によって利益を受けたことになる(大判大正3・7・1民録20輯570頁。同様の趣旨のものに、大判昭和16・12・5民集20巻1449頁、最判昭和32・4・16民集11巻638頁がある。後者は、本条の「他人の財産」とは、すでに現実に他人の財産に帰属しているものだけでなく、当然他人の財産としてその者に帰属するべきものを含むという抽象論を述べる)。鉱業権者Bが鉱業者Aの鉱区に侵入して採掘した場合につき、判例は、未採掘の鉱物が国の所有に属し(旧鉱業§3参照)、Aの所有に属さないことを理由として、BはAの財産によって利益を受けたものではないと判示したが(大判大正5・3・7民録22輯516頁)、これは不当であろう。ちなみに現在の鉱業法では、この鉱物はAの所有とされるから、BのAに対する不当利得となることは疑いない(同法§8Ⅰ参照)。

(3) 稀な例と思われるが、給付による利益がないとされた例がある。BがAから

第3編　第4章　不当利得

金を借りる約束をし、その額をＣに交付するように指示し、ＡがＣに交付したとき
は、原則としてＢがその額の利益を得たと考えられ、その金銭消費貸借契約が取消
されれば、その利益はＢの不当利得となる（〔1〕(1)(イ)(b)参照）。特段の事情がないかぎり、
ＢとＣの間にはなんらかの法律上または事実上の関係が存在すると考えられるから
である。しかし、ＢがＤに強迫を受けて、指示されるままにＡから金を借りる金銭
消費貸借契約を結ばされ、同じくＤの指示によりその金をＣに支払うようＡに指示
し、ＡはＣに支払ったという場合は、特段の事情があり、Ｂはなんの利益も受けて
いないと考えられるとされた（最判平成10・5・26民集52巻985頁）。

　〔3〕　受益者が利益を受けることによって、「他人（自然人または法人。これを「損失
者」という）に損失を及ぼ」すこと（これを「損失」という）が、不当利得の第3の成立要
件である。

　(1)　「他人に損失を及ぼす」とは、利益を受けることの反対概念であるから、〔2〕(1)
で述べたことの裏返しで、財産の積極的減少と消極的減少を含む。

　民事執行法上の問題を含むが、金銭執行の配当期日において配当異議の申出をしな
かった一般債権者は、そのために他の債権者が配当を受け、自己が配当をうけること
ができなかったからといって、そのために損失が生じたとはいえないとした判例があ
る（最判平成10・3・26民集52巻513頁。これに対して、配当を受けなかった抵当権者などによ
る不当利得の請求は認められている。損失の問題なのか、法律上の原因の問題なのかには若干疑
問がある）。

　(2)　法律上の原因のない利得があっても、他方にこれに対応する損失がなければ、
不当利得とはならない。不当利得は、個人間の利得と損失の均衡を図る制度だからで
ある。たとえば、鉄道敷設の工事によって沿線の住民が利益を受けても、また、ある
人が庭園を築造し、または排水工事をしたために隣人が眺望を楽しみ、浸水を免れて
も、それらの工事をした人は、他人が利益を受けることによって、格別損失をこうむ
らないのであるから、不当利得とはならない。

　(3)　不当利得の運用利益も、社会観念上受益者の介入がなくても損失者が当然取得
したであろうと考えられるときは、損失者の損失といえるとされた（最判昭和38・12・
24民集17巻1720頁）。

　(4)　第三者がからむ場合において、だれを損失者とするかの認定には注意をする必
要がある。たとえば、債権の準占有者への弁済の事例（本章解説2(2)(イ)の⑱）においては、
それによって債権を失った債権者Ａが損失者であり、善意で弁済をした債務者Ｃは
損失者ではない（大判大正7・11・7民録24輯2310頁）。なお、削除前478条〔4〕参照。

　(5)　銀行がＡの預金をＢに支払ったが、債権の占有者への善意弁済とは認められ
なかった場合について、Ａから払戻しを請求されていて、その請求にまだ応じてい
ないときでも、銀行がＢに支払った金額を損失として返還請求できるとした事例が
あるが（最判平成17・7・11判時1911号97頁）、当然であろう（最判平成16・10・26判時
1881号64頁も参照）。

　(6)　損失の立証責任は、請求者（損失者）にある（大判明治32・6・14民録5輯6巻53頁）。

　〔4〕　受益者が利益を受け、「そのために」損失者に損失を及ぼすこと、すなわち、

損失者の損失と受益者の利得との間に因果関係が存することが、不当利得の第4の成立要件である。

(1) 不当利得は、具体的な場合に利得を受けた者と損失をこうむった者との間を調整するものであるから、この因果関係は、不法行為や債務不履行における損害賠償のように、相当因果関係に限る必要はない（改正前§416[5]・§709[7]参照）。社会観念上その損害と利得との間に因果関係があると認められる場合であれば、十分とするべきである。

判例は、最初そのような見解を示した。その事案は、こうである。BがCから白米を質にとってDに保管させておいたところ、Aがその白米の所有権を主張して仮処分をし、保管の必要上、執達吏（現在の執行官）がこの白米を換価して売得金を供託した。後にその仮処分が取消された結果、Dが供託金を受取ってBに払渡した。Aは、なお白米が自分の所有であったことを主張して、Bに対して不当利得の返還を請求した。判例は、供託金の所有権は国庫に帰属し、したがって、Bの受領したものは国庫の金であり、Aの所有物ではないが、社会観念上Aの白米と供託金とその受領との間にはなお因果関係を認めることができるから、不当利得になると判示した（大判明治44・5・24民録17輯330頁）。また、債務者Cが債権の準占有者Bに対して善意で弁済したときは、それにより、一面において準占有者Bに利得を与え、他面において債権者Aに損失を与えるから、因果関係があるとした（大判大正7・12・7民録24輯2310頁）。

他方、因果関係を否定した例としては、B村の村長CとAが連帯して借受けた金をCがB村の工事費のために用いたという事案で、その債務はCの私債であるとされ、Aが弁済として支払った金額と村が得た利益との間には因果関係はないとされた（大判大正6・11・3民録23輯1945頁。現在では、このような事例は考えられないであろう）。

(2) ところが、判例は、その後、利得と損失の間に「直接の因果関係」が存することが必要であるとした。しかし、この「直接」の意味は必ずしも明確でない。その原因は、この直接因果関係必要論を述べた最初の判例である大判大正8・10・20（民録25輯1890頁）が、Aから金銭を騙取したCがBに弁済した場合にBのAに対する不当利得が成立するかという事例に関し、また、その後の判例もこのような金銭をめぐる例がほとんどであったことによると思われる。しかし、今日における金銭についての理解は大きく変っており、この種の事例は法律上の原因の有無の要件の問題として考えられるようになっているので（(1)(2)(ｱ)(a)(ⅲ)参照）、因果関係に関するかつての判決の多くは、現在では妥当しないといってよい。とはいえ、いちおう過去の判例を振り返っておこう。

(ｱ) まず、CがAから騙取した金銭をBに交付した事例について因果関係を論じたものを考察する。当時の判例は、騙取された後も金銭所有権はAに存し、CもBも所有権を取得できないが、Bが善意取得（§192）した場合は、Bの所有になるという基本的な考えに立っていたことに注意しながら、検討する必要がある。

(a) まず、Aの損失とBの利得の間には第三者Cの独立の行為が介在しており、直接の因果関係はないから、BのAに対する不当利得にはならないとした上述の

第3編　第4章　不当利得

判例がある(大判大正8・10・20民録25輯1890頁)。

　(b)　つぎに、Cに騙取されても、金銭はAの所有と考えられ、Aの金銭を用いたCのBへの債務の弁済がなされれば、Aの損失とBの利得の間に直接の因果関係があるとした判例がある(大判大正9・5・12民録26輯652頁、大判昭和2・7・4新聞2734号15頁。いずれもが、その金銭がCの金銭と混同したら別であると述べる。なお、大判大正10・6・27民録27輯1282頁は、原審が、Cの介在をもって不当利得なしとしたのに対して、金銭所有権がAの所有か、Cに帰属しているかを判断しなければならないとして破棄・差戻したものである)。

　(c)　このように、当時の判例は、金銭の所有権の帰属を問題とした。そこで、騙取者Cがその金銭を用いてBのDに対する債務を弁済した事例について、Dが善意であれば善意取得によって弁済は有効となり、Aの損失とBの利得が直接の因果関係があり、Bが不当利得者になるとされた(大判大正9・11・24民録26輯1862頁。なお、大判大正13・7・18新聞2309号18頁、その再上告審の大判昭和2・4・21民集6巻166頁は、Dの不当利得を否定したものである)。

　(イ)　以上のような金銭騙取にからむ事例以外においては、一方において、因果関係の直接性を否定して不当利得の成立を認めなかった例もある(大判昭和8・3・2民集12巻295頁。Bが担保として有する株券がBの税金滞納により差押えられ、Aがその滞納金を代って支払い、税務署が差押えを解除した場合について、税務署の行為が介在するので、因果関係は間接であるとした)。しかし、他方において、直接因果関係はないと認めながら、不当利得を肯定した判決も見られた。それは、借地法10条(現在の借地借家§14)により建物買取請求権を有するBが、地主Aの買取代金の不払を理由として建物の引渡しを拒絶し、これを賃貸して家賃を収受した場合に、敷地の地代相当額が不当利得になるかが争われた事例について((1)(2)(ア)(a)(i)-2参照)、法律上の原因の有無を判断する前提として、因果関係を肯定したものである(大判昭和11・5・26民集15巻998頁)。その論旨には、直接因果関係説は採らず、いわゆる事実単一性説、すなわち、1個の単一な事実が受益者の利得と損失者の損失を生じさせたといえる場合に、因果関係を肯定する見解を採っているようにも思える節がある(「利得ト損失トノ間ニ直接因果ノ関係ナク此点ニ於テ民法703条所定ノ要件ヲ具備サセルガ如シ然レドモ一方Bハ正当権限ナクシテAノ土地ヲ利用シテ利得ヲ為シ、他方AハBノ占有ニヨリ自己所有ノ土地ノ利用ヲ妨ゲラレ損害ヲ蒙リタルモノナルガ故ニ、右法条(§703)ハ斯ル場合ヲモ包含スル律意ナリト解スル」という)。

　(3)　その後、いわゆる転用物訴権の事例((1)(2)(ア)(c)(ii)-2参照)、すなわち、Bの物の賃借人CがこれをAに修繕に出し、Aが修繕をしたが、Cが倒産したためにCから修繕代の支払を受けることが不能になった場合について、Aの損失とBの利得の間に直接の因果関係があるとした(最判昭和45・7・16民集24巻909頁。修繕という事実が一面Aの損失、他面Bの利得を生じさせたことを理由とする)。このような場合にまで、無理に因果関係の直接性に固執することには疑問が感じられ、つぎに述べるように、因果関係については緩やかに解し、むしろ法律上の原因の有無に重点をおいて考察してはどうかとする見解が有力である。

　(4)　思うに、不当利得というもっぱら具体的な場合の公平の理想による調節作用を

1476

§703〔5〕

担当する制度について、「直接の因果関係」という硬直した標準を用いることは、適当ではない。のみならず、金銭について、かつての判例のように所有権の帰属を問題とすることは、そのこと自体としても妥当ではない。そのような標準をとれば、騙取者が騙取した金を一度銀行に預けてそれから上掲の諸事例と同一のことをした場合などには、社会観念上騙取した「金銭によって」という因果関係を明瞭にたどることができるにもかかわらず、因果関係はつねに間接なものとなるといわざるをえないであろう。むしろ、因果関係は社会観念上たどることのできるものであれば足りるというべきである。騙取者が騙取した金銭で自己または第三者の債務の弁済をした場合については、もちろん受領した債権者が不当利得者となるというべきではない。しかし、それは因果関係が間接だからではなく、債権者は法律上の原因（弁済の受領）を有するからだという点にその理由を求めるべきである。要するに、因果関係については緩やかに解し、法律上の原因の有無によって問題を解決するほうが——その結果は判例の結論と必ずしも大差ないかもしれないが——はるかに理論の一貫性を維持できると思う（〔1〕(2)(ア)(a)(iii)参照）。

〔5〕 「利益の存する限度」とは、利得が原物のまま、または形を変えて、なお残存する限り（これを「現存利益」という）という意味である。このような本条が定める返還義務の範囲の限定は、善意、すなわち法律の原因のないことを知らない不当利得者に関する（§704と対比せよ）。すなわち、現存利益に限っての返還義務を認めるのは、善意の不当利得者を保護するためということができる。この点に関しては、受益者の責めに帰すべき事由により利得を減損した場合や「法律上の原因」を欠くに至った理由がいずれの側に存するかという事情など、要するに双方の過責の大小を考慮に入れるべきであるという有力な主張がみられる。

このような基本的論点を別にしても、「利益の存する限度」の意味については、解釈上種々の問題がある。

(1) 原物が残存する場合

この場合には、その原物を返還するべきであるが、

(a) その物が損傷していれば、損傷した状態で返還すればよい。受益者の故意または過失で損傷した場合でも同様である。もっとも、受益者が注意を怠ったことによる損傷については、その負担とするべきであるとする見解もある。

(b) その物から生じた果実または収益も、現存する場合はもとより、消費されて他の利得に形を変えた場合（その果実または収益を利用して他の物を取得し、または他の出費を免れた場合など）には、これを返還するべきである（(2)も参照）。

(c) 受益者がその物の保存または改良のために費用をかけたときは、その保存または改良の結果が現存する限りは、その物の返還請求権者をして費用を償還させることができる。けだし、そうしないと返還請求権者が不当利得をすることになるからである。

以上は通説の考えであるが、これについては疑問を生じる。不当利得の第1の類型、すなわち、利得が損失者の意思に基づく出捐によって生じたが、その出捐の原因（目的）が欠けている、という場合には、所有権は原則として受益者には移転しな

1477

いのだから（〔1〕(1)(ア)(a)参照）、受益者はあたかも占有者が本権に基づく返還請求を受けた立場に立つ。そのときは、目的物の滅失・損傷、果実、費用については、それぞれ191条・189条・196条の規定が適用されるはずである（第2編第2章第2節解説、§191〔4〕・§189〔1〕・§196〔4〕参照）。そして、これらの規定に従うときは、上の(a)は同一の結果となるが、(b)は、果実を収取することができるから、いちじるしく異なる。(c)についても、その結果は必ずしも同一ではない。要するに、占有の規定による方が、通説として上述したところよりも損失者にとって有利である。通説は、このような場合には、損失者は所有権に基づいて返還請求をするのだからその返還の範囲はこれらの条項によるべきであって、所有権が受益者に帰属し、受益者が所有権をも返還するべき場合にだけ、上に述べた範囲の返還をなすべきであるとするようである。しかし、受益者が所有権を取得した場合の返還義務の方が、所有権を取得しなかった場合の返還義務よりも範囲が広いというのは、権衡を失する。むしろ、観念的な所有権の帰属を問題とせずに、原物返還の場合には、つねに189条ないし191条および196条を適用するほうが、原因行為によって所有権も移転することを原則としたわが民法の趣旨に適するものではあるまいかと考えられる。

　以上とは違い、給付利得の場合にはすべて703条に従って返還するべきであるとする見解も存在する。

　(d)　利得が第三者に対する債権である場合

　受益者Bは損失者Aに対してその第三者Cに対する債権を返還（譲渡）しなければならない。Bが応じないときは、Aは債権譲渡の意思表示を求め、第三債務者に対する通知を求めることができる（大判昭和15・12・20民集19巻2215頁）。BがCからすでに弁済を受けたときは、もちろんAにその金額を返還しなければならない（大判大正6・2・7民録23輯128頁）。

　(2)　原物返還が不能の場合

この場合には、価格で返還するべきであるが、利得が現存するかどうかが問題となる。

　(a)　原物が他人の手に移っている場合には、それを取戻すことができない場合に、価格による返還が行われることになる（大判昭和16・2・19新聞4690号6頁、大判昭和16・10・25民集20巻1313頁）。

　(b)　たとえば、受益者が法律上の原因なくして取得した物を売却して代金を保有する場合、物を消費して（たとえば、ビールを飲んで）それ相当の利益を得た場合、物が消滅してその代わりに保険金を保有する場合、他人の労務によって利得し、労務の結果が残存する場合、金銭を利得してこれを他人に貸付け、銀行に預け入れ、もしくは生活費に充てた場合などには、いずれも利得は現存し、価格により返還するべきである。これに反し、他人の労務の結果が滅失した場合、銀行の破産によって預金が無価値になった場合などには、利得は残存しない。

　(c)　受益者が利得をするに当たって費用を支出したときは、現実に支出した費用の額を控除するべきことは疑いがない（大判昭和11・7・8民集15巻1350頁）。

　(d)　原物が残存しない場合に、その物が金銭以外の代替物であるときも、原則と

しては価格による返還を認めるのが妥当であろう（最判平成19・3・8民集61巻479頁
は、代替性のある物を不当利得したうえで、これを第三者に売却した場合、原則として、その
売買代金相当額の返還義務があるとした）。もっとも、株式取引に当たっての証拠金代
用として差し入れた株式については、同種同量の他の株式でもって返還するべきで
あるとする判例がある（大判昭和18・12・22新聞4890号3頁）。株式の性質による判断
といえよう。

(e)　第三者の行為による不当利得の事例で、受益者が目的物を取得するに当たっ
て第三者に対価を支払った場合、利得からその対価を控除するべきかは問題である
Aの物をCが盗み、CがBに売り、Bが転売した場合のAからBに対する不当利
得返還請求について、大判昭和12・7・3（民集16巻1089頁）は、BがCに支払った
対価の控除を否定した。一律には決められず、関係者の過失の有無・度合いなどを
斟酌して決定するべきものと思われる。

(3)　金銭による不当利得の場合

金銭による不当利得において（原物返還が不能で、価格による返還が問題になる場合につ
いても）、現存利益についてどう考えるか、は問題である。

(a)　取得した金銭（通貨）の個性を前提として、原物返還を問題とすることは、今
日の金銭の観念（抽象的な金銭価値支配）からみると、原則として正しくない。紙幣で
10万円を詐取された場合、その紙幣を返還するということにこだわることなく、
10万円の金銭価値を返還せよ、というのが不当利得返還請求権の本体であると考
えるべきである（その紙幣が滅失・費消されても、請求権には影響ない）。

(b)　金銭による利得は、現存するものと推定される（大判明治35・10・14民録8輯9
巻73頁、大判明治39・10・11民録12輯1236頁、大判大正8・5・12民録25輯855頁、大判
昭和8・11・21民集12巻2666頁、大判昭和16・12・5民集20巻1449頁、最判平成3・11・
19民集45巻1209頁）。受益者が利得は現存しないと主張するためには、その金銭の
消費・喪失によって他の財産がその分だけセーブされたという事実がないことを立
証しなければならない。

(c)　判例は、浪費癖による準禁治産者（1999年改正前）の借金について、金銭は浪
費されて現存しないとしたが（大判昭和14・10・26民集18巻1157頁。§121の適用とし
ての判断）、反対が強い。賭博癖のある準禁治産者（1999年改正前）についても、その
金が手に入らなければ賭博をしなかったかどうかの事実上の蓋然性は必ずしも判然
としないからである（原審は、利益は現存するとして返還を命じたが、判決は、賭博の習癖
が推定されるとして、破棄・差戻した）。この判決の判断は、少なくとも未成年者に拡
張するべきではないとされている。

(d)　利得した金銭を預金にしたり、他人に貸した場合にも、利益が現存すること
はいうまでもないが（運用利益については、〔3〕(3)参照）、その債務者が無資力になった
場合（銀行倒産など）はどうであろうか。利得者に重大な過失のない限り、返還義務
は軽減されると解されている（大判昭和7・10・26民集11巻1920頁）。

(e)　金銭を生活費に充てた場合にも、利得は現存するとするのが判例である（大
判大正5・6・10民録22輯1149頁、大判昭和7・10・26民集11巻1920頁）。しかし、困窮

第3編 第4章 不当利得

の度合いや金銭授受の事情などを斟酌する必要があるとする意見が強い（大判昭和
8・2・23新聞3531号8頁は、遺族扶助料過払の事例で、過払分も全部生活費に充て、残る資
産も僅かであるという事例について、返還請求を認めなかった）。

　(f)　1700万円の約束手形について、Cから取立委任裏書を受けたBから取立委
任を受けた銀行Aが、その手形が不渡りになったにもかかわらず、委任者Bに対
して預金払戻しの形で1700万円を交付し、BはそれをCに交付し、Cは倒産した
という事例について、原審は、1700万円がBの不当利得になるが、Aの過失を考
慮して700万円の返還を命じたのに対して、最高裁は、1700万円の利得が現存す
るとして全額の返還を命じた（最判平成3・11・19民集45巻1209頁。受益者が不当利得
を認識した後の利益の消滅は、返還義務の範囲を減少させる理由とはならないという趣旨を述
べている。§704〔1〕(ウ)参照）。Cへの交付によって利得は減少していないとする判断（立
証責任につき、(8)参照）は正しいが、Aの落度をどのように考慮に入れるべきかとい
う問題を残している事例といえよう。

(4)　利得が損失者に対する債権である場合

　この場合には、損失者Aは受益者Bに対してその債権の不存在の確認を求めるこ
とができるほか、Bからの債務履行請求に対してはこれを拒絶することができる（大
判大正7・7・16民録24輯1488頁。謝礼金債権につき、謝礼の理由がなくなった事例。単に債
権不成立といえば足りるとも思われる）。

(5)　売買のような双務契約において、双方の債務の履行が済んだ後に、契約が無効
とされ、または取消され、または解除された場合には（本章解説2(1)(ア)の例でいえば、③
と④、⑤と⑥の組み合わせ）、双方に不当利得返還請求権が生じ、両者は同時履行の関係
に立つ（最判昭和28・6・16民集7巻629頁、最判昭和47・9・7民集26巻1327頁。§533前注
2(2)(ア)(b)参照）。

　買主による原物返還が不能になり、価格による返還となった場合、双方の利得を比
較して、差額を一方から他方に返還するべきであるとする見解もあるが、この場合に
も両請求権の対立を認めたうえで調整をはかる（多くの場合、相殺されることになろうが）
のが妥当であると考えられる。

(6)　なお、利得が現存することを判断する時点であるが、現存利益という限定が善
意受益者の保護のためであることからすれば、(i)受益者が悪意になる時点があれば、
その時点、(ii)損失者が受益者に対して請求したときは、受益者は原則として悪意にな
ると考えてよいから、その時点、(iii)遅くとも、損失者が訴えを提起したときは、その
時点（§704〔1〕(ウ)参照）、と考えられる。

　受益者が悪意になった後に、かりに利益が消滅したとしても、それによって返還義
務の範囲が減少させられることはない（前掲最判平成3・11・19）。

(7)　受益者のもとに現に存する利益が損失者のこうむった損失額より大きいときは、
損失額を限度とする。いいかえれば、不当利得は、現存利益を無条件に返還するべき
ものではなく、損失者の損失を最大限として現存利益を返還するべきである。たとえ
ば、A4分の1、B4分の3の割合の共有山林をBがAを欺いて、20万円で売却する
ことに同意させて、Aに5万円を支払い、これを37万5000円で売却して着服した

1480

§703〔6〕

場合には、A は承諾を取消し、B に対して不当利得の返還を請求することができるが、その額は無条件に、37万5000円(売買費用などを差引くことはもちろんとして)の4分の1と5万円の差額とすることはできない。A のこうむった損失は、当該代金額によらずに、その山林の客観的価額を標準とするべきである(大判昭和11・7・8民集15巻1350頁)。

(8)　なお、利得が消滅して現存しないことの立証責任は、それを主張する側にある(大判昭和8・11・21民集12巻2666頁、最判平成3・11・19民集45巻1209頁。(3)(b)参照)。

〔6〕　本条は、つぎの704条とともに、不当利得が成立した場合の効果、すなわち損失者が受益者に対して不当利得返還請求権を取得する旨を定める。

(1)　善意の受益者の返還義務

受益者が善意である場合には、受益者は利益の存する限度において((5)参照)返還義務を負う。善意とは、法律上の原因がないことを知らなかったということである。法人についての善意・悪意は、法人の機関について判断される(最判昭和30・5・13民集9巻679頁)。事情によっては、使用人の悪意も考慮されるべきであるとする見解もある。

なお、善意の不当利得者の利得返還義務は、期限の定めのないものとして、損失者から履行の請求を受けた時から遅滞となる(遅延利息が生じる。大判昭和2・12・26新聞2806号15頁)。

(2)　悪意の受益者については、つぎの704条が適用される。

(3)　破産財団に対して不当利得によって生じた債権は、破産手続上、財団債権として扱われることに注意を要する(破§148 I ⑤)。

(4)　不当利得返還請求権の消滅時効

不当利得の発生原因となった給付の根拠とされた債権が、たとえば商事債権であったりして、時効期間を異にしても、不当利得返還請求権は、法律の規定によって生じる普通の債権として、改正前167条1項による10年の消滅時効にかかる(最判昭和55・1・24民集34巻61頁、最判平成3・4・26判時1389号145頁)。時効の起算点は、その不当利得返還請求権の要件が充たされて、それが成立した時である(大判昭和12・9・17民集16巻1435頁)。新166条1項参照。

(5)　不法行為による損害賠償請求権との関係

不当利得でいえば、受益者に当たる B の行為が、損失者 A に対する不法行為にも該当する場合は少なくない。〔1〕で挙げた分類でいえば、(2)の第2類型の(ア)(a)の(i)(ii)に属する事例などにおいて、そういうことが生じやすい。

この場合に問題となるのは、不法行為の損害賠償請求権が加害者の責任能力の不存在によって成立しなかったり、加害者に故意・過失の責めを問えない事由があった場合、あるいは不法行為の損害賠償請求権が時効により消滅した場合に、不当利得返還請求権は影響を受けるかである。影響を受けないとするのが妥当であろう。けだし、受益者に違法な行為による利得を保有させることは不当利得制度の趣旨に反するからである。

上述〔1〕の第2類型の(ア)(c)の第三者 C の行為により生じた B の A に対する不当利得のケースにおいて、その C の行為が損失者 A に対する不法行為になることもあり

1481

第3編　第4章　不当利得

うる。この場合には、AはBに対して不当利得の返還を請求することも、Cに対して損害賠償を請求することもできると解される。

(6)　不当利得と信義誠実の原則

不当利得の法律関係の判断において、信義誠実の原則が重要な役割を果たすことはいうをまたない（最判平成16・10・26時1881号64頁。この事案は、共同相続人X・Y間で、Yが遺産である預金の全額の払戻しを受け、Xが自分の相続分の金額を不当利得として返還を求めた事例で、Yが、自分が受けた弁済は無効だから、Xには損害がないと主張したものである。Xのその主張が信義則に反するとしたが、信義則をもちだす必要があった事例か、疑問がある）。

> **（悪意の受益者の返還義務等）**
> **第七百四条**
> 　　悪意の受益者[1)]は、その受けた利益[2)]に利息を付して[3)]返還しなければならない。この場合において、なお損害があるときは、その賠償の責任を負う[4)]。
> [原条文]
> 　　悪意ノ受益者ハ其受ケタル利益ニ利息ヲ附シテ之ヲ返還スルコトヲ要ス尚ホ損害アリタルトキハ其賠償ノ責ニ任ス

〔1〕　悪意の受益者とは、法律上の原因のないことを知りながら利得した者である。

(ア)　本条は、悪意の受益者に対しては、703条の場合と区別して、ここに定められているような重い責任を負わせている。不当利得が公平に基づく制度であるから至当なことであるが、その結果、悪意の不当利得者の責任は、単なる取得した利得の返還ということから、相手方のこうむった損害の賠償ということに質的に変化している。

(イ)　受益者に過失があっても、善意であれば、703条による。その過失が不法行為の要件となって不法行為による損害賠償責任を生じることがありうるのは、別問題である。

(ウ)　なお、受益の当時善意であっても、後に悪意になった者は、その時から本条の責任を負うべきものと解されている。敗訴したときは、訴えを提起された時から悪意とされるという189条2項の趣旨は、この場合にも妥当するといってよい。

(エ)　いわゆる「みなし弁済」（改正前§404〔3〕(イ)(b)(iv)参照）の要件を欠いて、これに該当しないとされた場合は、過払利息は不当利得となるが、その貸金業者は、みなし弁済の要件を満たした貸付であると信じる特段の事情がなければ、悪意の受益者として、本条が適用されるとされた（最判平成19・2・13民集61巻182頁、最判平成19・7・13民集61巻1980頁）。

(オ)　悪意の立証責任は、不当利得の返還を請求する損失者にある。

〔2〕　悪意の受益者は、まず、その「受けた利益」を返還する義務がある。

(ア)　受けた利得が原物で存在するするときは、その物を返還し、原物で存在しないときは、価額で返還するべきことは善意の不当利得者の場合と同様であるが、利得がいかなる形においても現存しないときでも、なお受けたものの全額を返還しなければならない点が異なる。

1482

§704〔1〕～〔3〕

　問題となるのは、原物が受益者の責めに帰すべからざる事由によって滅失または損傷した場合である。本条によれば、その場合にも、価額の全額を返還するべきもののように解される。しかし、受益者が目的物の所有権を取得せず、単に占有だけを取得した場合には、191条によって責任を免れるはずである。ところが、所有権をも取得した場合には、本条の解釈から生じる上の標準によってこれより重い責任を負うのは権衡を失する。したがって、ここでも、原物を返還する場合には、所有権の帰属に関係なく191条を標準とするのが至当であろうと考えられる（§703〔5〕(1)参照）。そして、このような解釈をとるとすれば、果実の返還については190条、費用の償還請求については196条を標準とするべきことになる。もっとも、果実については、190条によっても、本条によっても、ほとんど差はないであろう。しかし、費用については、もし本条によるときは、支出した費用によって保存され、または増加された価値が現存する限りにおいて返還するべきことになるのであるから、その範囲は、196条とやや異なることになるであろう。

　(イ)　金銭を利得したときは、これを消費したかどうかにかかわらず、また、その使途のいかんを問わず、その金額の全額を返還するべきことはいうまでもない。

　(ウ)　受けた利益が損失よりも大きいときは、損失を限度とする。不当利得の本質からいってもそうであり（§703〔3〕(2)・〔5〕(7)参照）、本条が、なお損害があれば賠償せよといっていることからも、そうである。

　〔3〕　悪意の受益者は、価額を返還するべき場合には、その価額に利息（遅延利息）をつける義務がある。利率は年5パーセントである（改正前§404）。金銭受領が悪意の不当利得になる場合は、受領時から遅延利息を支払うべきものとされる（大判昭和2・12・26新聞2806号15頁）。善意であった場合は、悪意になった時から、遅延利息は生じると解される。

　なお、利息制限法の制限を超過して受領した超過利息について債権者が悪意の受益者になるのは当然だが、貸金業者がいわゆる「みなし弁済」（改正前§404〔3〕(イ)(b)(iv)参照）として有効だと主張した場合に、それが法律上の要件を欠くとして否定されたときは、当初から悪意であったと推定されるとされた判決がある（最判平成19・7・13民集61巻1980頁。ここで推定の論理を用いることには疑問がある）。この場合における利率としては、商事利率年6パーセント（商§514——2017年の改正で削除）を適用するのが妥当と考えられるが、前掲最判平成19・2・13は民事利率の年5パーセントでよいとした（上記の最判平成19・7・13では、原告が年5パーセントを請求しており、商事利率のことは争点にはなっていない）。

　原物を返還する場合には、利息はいらない。ただし、原物を利用して得た利得は、果実として返還するべきことになる。また、原物返還が価額による返還になった時に、悪意であれば遅延利息を生じる。

　なお、上記の「みなし弁済」について、それが否定された場合に、不当利得者である貸金業者がいつから悪意になるかに関する最判平成21・7・10（民集63巻1170頁）が現われた（前掲最判平成19・7・13は、「特段の事情」がない限り、貸金業者は悪意の受益者と推定されるとしたものであるが、本判決は、最判平成18・1・13民集60巻1頁が行った、期限

第 3 編　第 4 章　不当利得

の利益喪失特約に基づいて超過利得を受領した場合には「みなし弁済」と認めないとした判決の言渡しの日以前は、貸金業者が「みなし弁済」が認められたと認識していたとすれば、「特段の事情」に当たるとして、「悪意の受益者」との推定はできないとしたものである。最高裁判決の言渡し日を境として悪意の推定が変わるという珍しい判断が生まれた。最判平成 21・7・14 判時 2069 号 22 頁も同旨)。

　なお、リボルビング方式の貸付けの場合において、貸金業者は、貸金業法 17 条書面に確定的な返済期間、返済の金額等の記載に準ずる記載をしないときは、最判平成 17・12・15(民集 59 巻 2899 頁)の言渡し日以前であっても、過払金の取得につき本条の「悪意の受益者」であると推定されるとした判例がある(最判平成 23・12・1 判時 2139 号 7 頁)。

　〔4〕　利得の全額と利息を返還しても、損失者になお損害が残るときは、悪意の受益者は、これを賠償する義務がある。この点で、不当利得の返還という観念から、損害の賠償という不法行為の責任に近づくのである(前述〔1〕参照)。この責任を不法行為とは別の特別の賠償責任であるとする見解もあるが、最判平成 21・11・9(民集 63 巻 1987 頁)は、不法行為の要件を充足する限り不法行為責任を負うことを注意的に規定しているものにすぎないとした。

非債弁済 [§§705〜707 の前注]

　民法は、不当利得の一つの類型である「非債弁済」について、とくに 705 条〜707 条という特則を設けている。

① 非債弁済の意義と用語

　非債弁済は、最も広義においては、債務者 A が債権者 B に対して、必ずしも必要とされていない弁済に関する行為を行うことをいう。その最も一般的な形態としては、A・B 間には債務が存在しないのに(したがって、A は債務者ともいえないのであるが)、A が B に対して存在しない債務につき弁済としての給付を行った場合(これを「狭義の非債弁済」という場合が多い。これについては、§705 が規定する)が挙げられるが、そのほかにも、債務者 A が債権者 B に対して弁済期前に弁済としての給付を行った場合(§706 がこれについて定める)や、他人の債務を自分の債務として弁済をした場合(§707 がこれについて定める)も、広義の非債弁済に含めて考えてよい。

　非債弁済という用語の用い方については、必ずしも統一していないように思われる。上述の狭義の非債弁済(存在しない債務の弁済)のことを単に非債弁済と呼ぶことが多いが、これは妥当であろう(非債弁済として問題になるもののほとんどはこれである)。これに対して、705 条が定める要件、すなわち、債務者 A が「(弁済の)当時債務が存在しなかったことを知っていたとき」には当たらないこと、すなわち、債務の不存在を知らなかったことという条件を充足して A が弁済受領者 B に対して不当利得返還請求権を有する場合のみを指して、「狭義の非債弁済」と呼ぶ用語法が見られる。しかし、

1484

§704〔4〕・非債弁済［前注］・§705〔1〕〜〔3〕

本書ではこの用語法は採らない。すなわち、本書では、狭義の非債弁済のうちに、債務者が債務の不存在を知っていた場合と知らなかった場合とがあり、705条により、不当利得返還請求権は、前者の場合には認められず、後者の場合にのみ認められる、というように表現する。

② 非債弁済の重要性

非債弁済を不当利得の特殊な形態として説明する例がみられるが、じつは、本章解説において述べたように、非債弁済は、不当利得の類型のなかでも、いわゆる第1の類型としての給付不当利得（§703〔1〕(1)(ア)参照）とほぼ範囲を同じくするといってよく、したがって、最も一般的な、そして重要な類型である。これが重要な類型であるだけに、これについて、705条〜707条の特則が設けられているというように理解する必要がある。

（債務の不存在を知ってした弁済）
第七百五条
　　債務の弁済として給付をした者[2]は、その時において債務の存在しないこと[3]を知っていたとき[4]は、その給付したものの返還を請求することができない[1]。
［原条文］
　　債務ノ弁済トシテ給付ヲ為シタル者カ其当時債務ノ存在セサルコトヲ知リタルトキハ其給付シタルモノノ返還ヲ請求スルコトヲ得ス

---

〔1〕　本条は、AがBに対してある特定の債務の弁済として給付をしたが、じつはその債務が存在しなかったという場合（こういう場合を一般的に「非債弁済」という。なお、広義で§§706・707に該当する場合をも含めて非債弁済と呼ぶこともある。前注①参照）についての規定である。このような場合には、つねに不当利得となるはずである（§703〔1〕で述べた第1の類型の給付不当利得がほぼこれに該当する）。本条は、このことを当然の前提としたうえで、もしその場合にAがその債務が存在しないことを知っていれば、例外として、不当利得返還請求権がないとしたものである。したがって、本条は、非債弁済という不当利得の一類型について特則を定めたものといえる。

〔2〕　ある特定の債務の弁済として給付がなされることを要するのであるが、果たしてある特定の債務の弁済としてなされたものであるかどうかは、弁済者の表明のみによって定まるのではない。給付がなされた当該事情の判断によって定まる。贈与として給付した場合に、相手方がその贈与を受諾しないときは、成立しなかった贈与契約による債務の弁済として、本条が適用される。いったん成立したと思われた贈与契約がなにかの理由で効力を失った場合も同様である。

〔3〕　(1)　AがBに特定の債務、たとえば100万円の借金債務の弁済として100万円の給付をしたが、A・B間にその債務が存在しなかったという場合には、当事者に関連して、三つの場合がある。

　(ア)　第1は、Aは100万円の債務を負担しているが、債権者はCであってBでは

1485

第3編　第4章　不当利得

ない、というときである。このような場合には、AはBを債権者と誤信したのだから、真実の債権者以外の者にした弁済が有効とされる例外的な場合（§§478・480参照）があることを注意するべきである。このような例外に該当する場合には本条の適用はないCのBに対する不当利得返還の問題を生じる。§703〔1〕(2)(ア)(a)(ii)-3参照。本条は、その他の場合にだけ適用される。

　(イ)　第2は、Bはその100万円の債権を有するが、債務者はCであってAではないというときである。このような場合には、さらに、Aが自分の債務として弁済した場合と、Cの債務として弁済した場合とがありうる。そして、前の場合にはつねに本条の適用があるが、さらに、707条の適用がある。後の場合には、第三者の弁済として有効なとき（§474〔改注〕参照）には、本条の適用がないことはいうまでもない（CがAに対して不当利得をすることになりうる）。第三者の弁済として効力を生じないときにだけ本条の適用がある。707条の制限があることは、前の場合と同様である（§707〔1〕参照）。

　(ウ)　第3は、Aはその債務を負担せず、Bもまたその債権を有しないときであって、その場合には、つねに本条の適用がある。

　(2)　そのほか、つぎのようなことが問題になる。

　(ア)　解除条件付きの債務について、条件の成否未定の間に弁済がなされ、その後条件が成就したら、債務が存在しなかったものとして、本条が適用されると考えてよい。

　停止条件付きの債務について、条件がまだ成就していないのに弁済がなされるということがありうるが、その後条件が成就したときについては、706条を類推適用するのが妥当である。

　(イ)　本条が適用されるのは、弁済として任意に給付された場合に限る（〔4〕(ア)参照）。債権者でない者が強制執行をしたようなときは、不当利得となるであろうが（§703〔1〕(2)(ア)(a)(iv)参照）、それはもっぱら703条・704条によるのである。

　〔4〕　債務のないことを知りながら、なお弁済として給付するような者には、その給付した目的がなんであるかを問うまでもなく、返還請求権を認める必要がないというのが、本条の立法理由である。

　(ア)　したがって、たとえば、債権者から公正証書によって強制執行を受けようとする債務者が、すでに弁済したことを知りつつも、強制執行を受ける不名誉を免れるためいちおう弁済しておいて、その後にこれを争うつもりで弁済する場合などには、本条を適用するべきではない。判例は、このような場合に、その給付は、「給付者ニ於テ止ムヲ得ズシテ為シタルモノ」で「任意ニ為シタル」ものでないことを理由とする（大判大正6・12・11民録23輯2075頁。統制違反の過大家賃の請求に対する弁済について、最判昭和35・5・6民集14巻1127頁、家屋明渡訴訟を起こされた者の賃料支払について、最判昭和40・12・21民集19巻2221頁は同旨）。

　(イ)　過失によって知らなかった場合でも、本条の適用はなく、不当利得返還請求は認められる（大判昭和16・4・19新聞4707号11頁）。本条には、過失を責める趣旨は含まれていないからである。

　(ウ)　判例は、問題の債務が統制法規に反して無効であることを熟知して弁済した事

§§705〔4〕・706・707

例について、本条を適用して返還請求できないとする（最判昭和32・11・15民集11巻1962頁、最判昭和35・4・14民集14巻849頁。最判昭和35・5・6民集14巻1127頁は、支払が任意でないとして、本条適用を否定した）。しかし、これは708条の不法原因給付の問題にも関連し、議論のあるところである（§708(2)(3)(イ)(d)参照）。

　(エ)　なお、債務不存在の事実については、弁済として給付をした者が立証するべきであるが（大判昭和7・4・23集11巻689頁）、弁済給付者が債務の存在しないことを知っていたことの立証責任は相手方が負担する（大判大正7・9・23民録24輯1722頁）。

（期限前の弁済）
第七百六条
　　債務者は、弁済期にない債務の弁済として給付をしたときは、その給付したものの返還を請求することができない[1]。ただし、債務者が錯誤によってその給付をしたときは、債権者は、これによって得た利益を返還しなければならない[2]。

［原条文］
　　債務者カ弁済期ニ在ラサル債務ノ弁済トシテ給付ヲ為シタルトキハ其給付シタルモノノ返還ヲ請求スルコトヲ得ス但債務者カ錯誤ニ因リテ其給付ヲ為シタルトキハ債権者ハ之ニ因リテ得タル利益ヲ返還スルコトヲ要ス

　〔1〕　弁済期前に弁済した場合、いったん不当利得として返還させて、弁済期に改めて弁済させる途もないではないが、将来、弁済期がくればどうせ弁済しなければならないものであるから、返還請求権を認めずに、ただ、早く給付したことによる利得を償還させることで問題を処理しようとしたのである。

　(ア)　本条が適用されるのは、期限前の弁済が期限の利益の放棄（§136Ⅱ）の趣旨を含まない場合に限ることはいうまでもない。

　(イ)　停止条件付きの債務を条件成就前に弁済し、その後条件が成就した場合も、本条の場合に類似するので、これに本条を類推適用してよいと考えられる（§705〔3〕(2)(ア)参照）。

　(ウ)　強制執行を避けるための弁済にも、705条〔4〕(ア)と異なり、本条は適用されると解してよい。すなわち、確定判決後に期限の猶予の特約がなされたのに、転付命令が発せられたときには、債務者は猶予された弁済期までの中間利益（(2)参照）の返還を請求できるとされた（大判昭和13・7・1民集17巻1339頁）。

　〔2〕　たとえば、債権者がその金銭を預金すれば、その得た利息を返還するべきである。この利益のことを「中間利益」と呼ぶ。

（他人の債務の弁済）
第七百七条
　1　債務者でない者が錯誤によって債務の弁済をした場合において[1]、債権者が善意で証書[2]を滅失させ若しくは損傷し[3]、担保を放棄し、又は時効によって[4]その債権を失ったときは、その弁済をした者は、返還の請求をすること

1487

第3編　第4章　不当利得

ができない[5]。

　2　前項の規定は、弁済をした者から債務者に対する求償権の行使を妨げない[6]。

［原条文］

　債務者ニ非サル者カ錯誤ニ因リテ債務ノ弁済ヲ為シタル場合ニ於テ債権者カ善意ニテ証書ヲ毀滅シ、担保ヲ抛棄シ又ハ時効ニ因リテ其債権ヲ失ヒタルトキハ弁済者ハ返還ノ請求ヲ為スコトヲ得ス

　前項ノ規定ハ弁済者ヨリ債務者ニ対スル求償権ノ行使ヲ妨ケス

　〔1〕　たとえば、BがCに対して100万円の貸金債権を有する場合に、Aが錯誤で自分が債務者だと考えて弁済したときである。このような場合には、弁済は無効であり、したがってBの債権は消滅しないから、つねにBのAに対する不当利得となり、AはBに対して弁済として給付したものの返還を請求できるはずである。しかし、Bも有効な弁済を受けたと誤信して本条所定のような行為をしたときは、Bを保護する必要があるので、本条1項の特則が設けられたのである。

　㋐　自分が保証人でないのに保証人であると誤信して弁済した場合についても、本条を適用してよいと考えられる（大判昭和6・4・22民集10巻217頁）。

　㋑　AがCの債務であることは知っていて「第三者の弁済」をした場合に、それが第三者の弁済としては、たとえば、Cの意思に反するために無効であるのに（改正前§474参照）、Aがこれを有効と誤信し、Bもそう思った場合には本条の適用がないであろうか。文理上は否定されるが（大判昭和17・11・20新聞4815号17頁）、類推適用を肯定してもよいものと思われる（§705〔3〕㋑参照）。

　㋒　Aが錯誤によりCの債務を弁済した場合に本条の適用があるのであって、Aが事理弁識能力を欠く者（§7〔1〕参照）である場合には、本条の適用はない（大判昭和11・11・21新聞4080号10頁）。

　㋓　供託官が誤って無効な転付命令取得者に供託金の払渡しをした場合には、他人の債務を自己の債務と誤信して弁済した者には該当しないので、本条1項は類推適用されないとされた（最判昭和62・4・16判時1242号43頁）。

　〔2〕　債権の存在を証明する書面の意であるが、判例は、「債権ヲ証明スル目的ヲ以テ債務者自ラ又ハ第三者ガ債務者ノ為メニ発行シタル証書」をいうものと判示する。その事案は、こうであった。船主Cの所有する運送船の全部傭船者AがBの貨物を運送するさいに、船員の過失で貨物が滅失した。この場合には、Bに賠償するべき責任者はCであるのに（削除前商§759参照）、Aは自分が責任者であると誤信してBに対して賠償をし、Bから貨物引換証その他の関係書類の引渡しを受けて、これを毀滅した（条文はBによる毀滅を考えているが、この場合も同様としてよい。〔3〕参照）。そして、Aは、本条の適用があるとして、Cに対して求償権を行使した（本条Ⅱ）。しかし、判例は、以上の書類は、BがCに対して有する債権を「証明スルニ付テノ一資料トヲシ得ベシト雖、此債権ヲ証明スル目的ヲ以テB自ラ又ハ第三者カBノ為メニ発行シタル」ものでないとして、Aの本条2項による「求償権」を認めなかったのである（大

1488

判昭和 8・10・24 民集 12 巻 2580 頁)。B は A から受領した賠償金を不当利得として A に返還し、改めて C に対して損害賠償を請求しなければならないことになろうか。

〔3〕　原条文は「証書ノ毀滅」としていたが、これは、証書の物理的破棄には限らないとされた。「独リ有形的ニ証書ヲ破棄シテ全然其証拠力ヲ失却セシメタル場合ニ止マラズ、債権者ニ於テ其証書ニ横線ヲ施シ或ハ債務者名下ノ印影ヲ塗抹シタル如キ場合ハ勿論、其他証書ヲ債務者又ハ弁済者ニ返還スル等債権者ノ支配ヲ離レ債権者ガ自由ニ之ヲ立証方法ニ供スルコト能ハザルニ至リタル場合」をも含む(大判明治 37・9・27 民録 10 輯 1181 頁)。手形上の債務者 A が誤って B に手形金を支払い、B は手形を A に引渡したという場合、A から B に対する不当利得返還請求について、A は手形を返還すると申し出ており、他に手形による権利行使が不能になったような事情がなければ、証書の毀滅には当たらないとされた(最判昭和 53・11・2 判時 913 号 87 頁)。

新条文は「滅失」若しくは「損傷」としたが、後者は、単に紙を破損したような場合をいうのではなく、証書としての効力を失わせたような行為をいうと解するべきである。

〔4〕　この時効に関しては、複数の請求権について消滅時効期間〔改注〕が異なるという問題がある。

身元保証人でない者が、身元保証人であると誤信して、本人が使用者に与えた損害を賠償した事例において、使用者の本人に対する損害賠償請求権が短期消滅時効にかかった。判例は、使用者は他に本人に対する不当利得返還請求権をも有しており、これは時効にかかっていないから、本条の要件は充たされないとして、賠償者から使用者に対する不当利得返還請求を認めた(前掲大判昭和 6・4・22)。妥当であろう。

〔5〕　このような場合にもなお弁済者に給付した物の(不当利得としての)返還請求を認めるときは、債権者は——真実の債務者に対して改めて請求することが不可能または事実上はなはだ困難になっているから——苦境に陥る。これを救済するために、弁済者の返還請求権を消滅させたのである。この場合には、結果として、弁済は有効となり、給付をした者は、真実の債務者のために、第三者の弁済をしたことになる。

〔6〕　真実の債務者(〔1〕の例で C)は、弁済者 A の出捐によって債務を免れ(〔5〕参照)、不当利得をすることになるからである。ここに、「求償権の行使」というのは、不当利得返還請求にほかならない。

不法原因給付 [§708 の前注]

[1]　不法原因給付の意義

民法は、非債弁済につづいて、不当利得の一つの類型である「不法原因給付」について、とくに 708 条という特則を設けている。

不法原因給付とは、不当利得を生じさせるべき法律上の原因を欠く給付が行われたが、その原因を欠く理由に不法性がある場合の給付をいう。民法は、このような場合において、損失者と受益者の両者に不法性が存するときには、損失者の受益者に対す

第3編　第4章　不当利得

る不当利得返還請求権を認めない。その理由については、次項のほか、708条〔1〕を
参照。

② 不法原因給付に対する特則の重要性

不法原因給付が問題になるのは、本章解説②(1)(イ)に挙げた例のうちの①において、
債権が無効とされる理由が公序良俗違反などの不法な原因による場合、すなわち、法
律上の原因を欠く類型のなかの、第1の類型である給付不当利得のうちの、給付の原
因が当初から効力を有しない場合(§703〔1〕(1)(ア)(a))のうちの、その無効の理由が不法性
にある場合である。

したがって、直前に規定された非債弁済がごく一般的な不当利得の類型であって、
実際に問題になる数も多いのに対して、不法原因給付は、ごく例外的な不当利得の類
型であり、実例もさほど多くはないと考えられる。

しかし、708条の規定は、法律上の原因を欠く給付をした損失者Aに対しても、
受益者Bに対する返還請求を認めないという例外を定めるものである(その結果、受益
者がその利得を保持する)。その趣旨は、もし返還請求を認めると、不法原因給付者に
助力して、かえって正義に反するという判断を基礎としている。その意味において、
この規定は、法理的にもきわめて深い意味合いと重要性をもっているといえる(§708
〔1〕参照)。

解釈における基本的な問題としても、703条における原因の無効を生じさせる不法
性と708条において返還請求が否定される原因の不法性とがまったく同一のものであ
るかどうか(§708〔2〕参照)、708条ただし書は、元に戻って、不法の原因の存しない損
失者に返還請求を認めるのであるが、どのような場合に不法な原因が受益者にのみ存
して、損失者には存しないと認められるか、などについて、容易ではない問題を多く
含んでいる。

③ 不法原因給付の法律関係

(1) 不法原因給付の成立要件は、つぎの通りである。

(a) まず、第1に、給付が「不法な原因」のためになされたことであり、最も重
要な要件である。708条〔2〕参照。

(b) 第2に、不法な「原因のために」給付がなされたことである。708条〔3〕参照。

(c) 第3に、不法な原因のために「給付」がなされたことである。708条〔4〕参照。

(2) 不法原因給付の効果は、703条の要件を充たしている場合であっても、損失者
は受益者に対して不当利得の返還を請求することができないことである。708条〔5〕
参照。

(3) 不法原因給付に該当する場合であっても、708条ただし書は、例外として、不
法の原因が「受益者についてのみ」存したときは、元へ戻って、損失者は受益者に対
して不当利得の返還を請求できるものと定めている。708条〔6〕参照。

1490

不法原因給付［前注］②③・§708〔1〕〔2〕

（不法原因給付）
第七百八条

不法な原因[2]のために[3]給付をした者[4]は、その給付したものの返還を請求することができない[5]。ただし、不法な原因が受益者についてのみ存したとき[6]は、この限りでない[1]。

［原条文］
不法ノ原因ノ為メ給付ヲ為シタル者ハ其給付シタルモノノ返還ヲ請求スルコトヲ得ス但不法ノ原因カ受益者ニ付テノミ存シタルトキハ此限ニ在ラス

〔1〕　典型的な例を挙げて、本条の立法理由を説明しよう。

たとえば、賭博に負けて金を払った者があるとしよう。元来、賭博契約は、公序良俗に反して無効であるから（§90〔改注〕）、負けた者は債務がないのに弁済したことになり、受取った者に対して不当利得としてその返還を請求できるはずである。しかし、これを認めることは、みずから不正な行為をした者が、その不正を理由として法の保護を受けようとするのを是認する結果となり、法律の目的に反する。これが、本条によって上のような不当利得の返還請求を禁じたゆえんである。ドイツ民法817条は、同一趣旨の規定を設けている。また、英米法でクリーン・ハンズ clean hands の原則──エクイティ・コート Equity Court（衡平法裁判所と訳される。コモン・ローによる普通裁判所と区別される）の救済を求めようとする者は、自分の手もきれいな者でなければならないという原則──として、広く認められているものと理想を同じくするものである。

本条の立法理由がこのようなものだとすると、90条と表裏の関係にあって、不当利得という制度の中に閉じこめておくことのできないほど重要な意義をもつことになる。判例・学説がこの理を不法行為にも拡張しようとする理由は、ここに存する（後述〔5〕(2)参照）。90条の改正に注意。

〔2〕　この「不法」な原因という意味の確定は、非常に困難である。それは、一つには、この言葉そのものが広くて弾力的なものであるからであり、もう一つには、この規定も一種の一般条項であり（§1〔3〕参照）、その具体的な適用のためには類型化による考察(本章解説③参照)を必要とするからである。

(1)　まず、この不法を広狭さまざまに解釈する可能性について考えてみよう。

(ア)　最も広く解するときは、90条〔改注〕の定める公序良俗に反する原因のみならず、強行法規（効力規定）に反する場合をすべて含む（「違法」というのに近い）ことになる。しかし、この見解を採る学説は存しないようである。

(イ)　公序良俗に反する場合は当然含むとして、強行法規違反により無効とされる場合については、具体的に、かつ類型化して一定の場合にのみ不法な原因とする見解がある。

(ウ)　論理的には、この不法と90条の公序良俗違反とをまったく同一のものととらえる考え方もありうる。この考えに立てば、90条〔改注〕に違反した場合には、その無効な債権に基づく給付請求も、それに対して行った給付の返還請求もいずれも認め

1491

第3編　第4章　不当利得

られないということになる。

　(エ)　最も狭い見解としては、公序良俗に反する場合についても、その度合いを検討して、とくに強い社会的非難の対象となる場合に限るという考え方もある。

　(オ)　このほかに、問題となる範囲は限定せずに、公序良俗違反および強行法規違反を広く対象としたうえで、各種の基準を設けて具体的に708条の不法に当たるかどうかを判定するべきであるとする見解も、有力に主張されている。考慮するべき基準としては、①受益者・損失者間に代理・委任・寄託などの信頼・信任関係が存するときは、これを考慮するべきであるとか、②目的が未実現の場合には原則として返還請求を認めてよいとか、③不法性の性質の吟味や、④双方の不法性の大小の比較が必要であるとか、⑤返還請求の否定が不当に苛酷であるときは、返還請求を認めてよい、などが挙げられている。また、場合によっては返還請求の一部認容・一部棄却が認められてもよいのではないかという提案もされている。

　(2)　このように、議論は多彩に行われているが、ほぼ(1)(イ)の線に添って、つぎのように考えるのが妥当ではないかと思われる。

　(ア)　基本的には、「不法」とは、その時代の一般的な倫理思想からみて、公の秩序、善良の風俗に反することをいう。

　(イ)　単に強行法規に違反するというだけでは足りず、その法規が一般に周知され、公の秩序と認められる程度のものになっていることを要する。

　ある行為が強行法規に違反する場合には、その効果の実現に国家は助力しない。しかし、それを当事者が任意に実現したときは、その復旧にも国家は助力せず、復旧するかどうかも当事者間の任意にまかせて、法の保護の外におこうというのが708条の趣旨である。そこで、この点においては、国家の政策上望ましくない状態(不法原因による受益者が利得を保持すること)をどこまで黙認してよいかという配慮が必要になると考えられるのである。

　この考え方からは、不法原因による不当利得者が利得を任意に返還したときは、その結果は是認されるという自然債務的な性質(本編第1章第2節解説③参照)が認められることになる。

　(ウ)　不法原因給付の返還拒否には、給付者に対する制裁的な意味が認められる。したがって、ⓐ行為者(給付者)の主観的状態(社会的非難性についての認識)が重視されなければならない。ⓑしたがって、また、行為者には責任能力が必要であると考えられる。ⓒ給付者と受領者のそれぞれにおける不法性の大小を考慮することが、708条の本文の解釈においても、また、ただし書の解釈においても、必要であると考えられる。

　(3)　判例の態度は、それぞれの事案についての具体的判断を前提としているので、必ずしも一貫しないようにみえるし、要約するのは困難である。

　(ア)　判例理論の大要

　つぎに、まずその大要を紹介し、ついで(イ)以下で各種の事例についての判例を考察する。

　　(a)　初期の判例には、一方において、不法原因給付といえるのは、賭博に負けた金銭を支払うような「行為ガ性質トシテ当然醜悪(醜汚とした判決もある)ナ場合」を

§ 708〔2〕

指すとしたものがあり（大判明治 32・2・28 民録 5 輯 2 巻 124 頁、大判明治 33・5・24 民輯 6 輯 5 巻 74 頁）、他方において、醜悪とは「畢竟 公ノ秩序又ハ善良ノ風俗ニ反スルノ意義ニ外ナラズ」という判決もあった。また、公序良俗に違反するかどうかだけを判断して結論を出しているものも多い。

問題は、強行法規に反する場合についてである。そのすべての場合が不法に当たるとはいえないことは、判例がくりかえし明言するところである（上記のほか、大判明治 41・5・9 民録 14 輯 546 頁など）。しかし、国の政策的禁止規定に反する場合について、時期によっては、不法原因給付としたり、しなかったりする例が見られる。

そして、最高裁においては、経済統制法規違反の行為について不法原因給付でないと判断するに当たって、不法とは、「その行為の実質が当時の国民生活並びに国民感情に照らし反道徳的な醜悪な行為としてひんしゅくすべき程度の反社会性を有する違反行為」をいうといい（最判昭和 35・9・16 民集 14 巻 2209 頁）、また、「その原因となる行為が、強行法規に違反した不適法なものであるのみならず、更にそれが、その社会において要求せられる倫理、道徳を無視した醜悪なものであることを必要とし、そして、その行為が不法原因給付に当たるかどうかは、その行為の実質に即し、当時の社会生活および社会感情に照らし、真に倫理、道徳に反する醜悪なものと認められるか否かによって決せられるべきもの」としている（最判昭和 37・3・8 民集 16 巻 500 頁）。

(b)　給付者の主観的要件については、不法についての悪意を必要としないとした判決もあったが（大判大正 8・9・15 民録 25 輯 1633 頁）、多くの事例において、判決は、少なくとも無意識的には、行為者の心情の非難性を問題にしていることは否定できないように思われる（最判昭和 37・6・12 民集 16 巻 1305 頁など）。

(c)　以上のように眺めると、判例の考えは、(1)(イ)に述べた見解にほぼ近いということがいえる。また、全体として、不法原因給付に当たる場合をしだいに狭く解する方向に向かっているといえるように思われる。

(イ)　各種の事例

　(a)　主として善良の風俗に違反するもの

　　(i)　不倫な関係を維持するための給付は、原則として、互いに返還を主張することができない。しかし、不倫な関係を絶つための贈与(手切金)契約について、不法原因給付であるが、本条ただし書が適用されるとした判例がある（大判大正 12・12・12 民集 2 巻 668 頁。しかし、手切金契約はそもそも有効と解するべきであるとする見解も有力である）。

　　(ii)　売春ないし酌婦稼業に関する契約に基づく給付は、原則として、不法原因給付に当たる（大判昭和 12・5・26 民集 16 巻 881 頁）。問題は、酌婦稼業に伴う前借金であるが、最高裁は、前借金部分だけを有効とした大審院の判例を変更して、前借金についても不法原因給付で返還不要とした（最判昭和 30・10・7 民集 9 巻 1616 頁。改正前 § 90〔1〕(3)(ア)参照）。

　　(iii)　賭博契約に基づく給付は、当然に不法原因給付になる（大判大正 11・12・28 新聞 2084 号 21 頁は、賭博に負けた C が賭金の支払に代えて A が振出した手形を勝者の B

に譲渡した例について、手形はBに移転しないとして、AがBに支払った手形金の返還請求を認めた。手形の性質上、問題のある判例とされている)。

(iv) 問題は、賭博の資金と知ってBに貸与したAとその資金を賭金として勝者Cに支払ってしまったBとの関係である。A・B間の消費貸借契約は無効で、同契約に基づく資金の返還請求はできないとする判例があり(大判昭和13・3・30民集17巻578頁)、不当利得返還請求も不法原因給付として認めないように思われるが、不法性はAよりもBがはるかに強いことからすれば、とくにAがBに賭博を勧誘したような事実がなければ、不当利得としての返還請求は認めてもよいとする意見もある。

(b) 主として公の秩序に反するもの

(i) 犯罪をすることに対価を与える契約による給付は、不法原因給付となる。

(ii) 犯罪の資金を貸与して加担する行為は、問題である。判例は、加担の態様、犯罪による利得の分配関係、両者の積極性の大小などを考慮して、受領者の不法性がとくに大きいときには、返還請求を認めている。①AがCの米国への密航を勧誘周旋して、Cの父Bに資金を貸与した例については、不法原因給付とした(大判大正5・6・1民録22輯1121頁)。②輸出禁制品の密輸資金の貸与の例で、AはBから勧誘され、いったん資金の貸与を約束したが、後悔して中止を申し入れ、Bからすでに準備した一回分だけと懇請されて貸与した場合について、Aの不法性を微弱として、90条[改注]も708条も適用しないとした(最判昭和29・8・31民集8巻1557頁。§90の適用もないとせずに、本条ただし書によるとするのがよかったのではないかと思われる)。③候補者Bの依頼によって、法定額を超える選挙費用を立替えて支払ったAの返還請求について、不法原因給付となるほどの反社会性はないとして、これを認めた(最判昭和40・3・25民集19巻497頁)。

(iii) 債権者からの強制執行を免れるための財産隠匿行為については、やや複雑である。

かつての判例は、それがとくに犯罪にならないときは、債権者取消権(§424)の問題になっても、不法原因給付にはならないとしていた(最も新しいものとして、最判昭和27・3・18民集6巻325頁。事例は、刑法改正前のもの)。しかし、1941年(昭和16年)の刑法改正により、強制執行妨害罪(刑§96の2)の規定が新設されてからは、この種の行為はつねに不法原因給付になるはずである。しかし、その後も、仮装譲受人が積極的に働きかけた事情がある場合について、返還請求を認める判断も行われている(前掲最判昭和37・6・12。そのほか、最判昭和41・7・28民集20巻1265頁)。

(iv) 不動産の買主Aが、裏金を用いるため税務署の追求をおそれ、登記名義をBに移転し、かつBに貸したという事例において、AがBに対して不当利得として登記移転と引渡しを請求したのにつき、この程度では公序良俗に反するとはいえず、不法原因給付に当たらないとした(最判昭和52・8・30金法840号38頁)。

(c) 主として政策的禁止規定に違反するもの

(i) 1950年(昭和25年)の商法改正によって制限が緩和される以前において、

いわゆる権利株売買(会社設立前の株式引受による権利の売買)が禁止されていたが、これに反して行われた売買の代金は不法原因給付になるかについて、判例はこれを否定した(大判明治32・2・28民録5輯2巻124頁)。

(ii) かつての外国人による土地所有が絶対に禁止された時代に(§3〔7〕(イ)(b)参照)、外国人が土地を購入して交付した手付金を不法原因給付とした判例があるが(大判大正15・4・20民集5巻262頁)、疑問とされている。

(iii) いわゆる斤先掘契約(かつての鉱業法で禁止されていた鉱業権の貸借。§91〔1〕(イ)(b)参照)について、判例はこれを無効とし、そのために支払った金銭も不法原因給付になるとしていたが(大判大正8・9・15民録25輯1633頁。斤先掘人Aが鉱業権者Bのために支払った税金額をBに請求した例である。Aの、斤先掘が不法とは知らなかったという抗弁もしりぞけた)、それほどの不法性はないとする批判が強かった。

新鉱業法(昭和25年法律289号)は、鉱業権の貸借を租鉱権という合法的な制度としたので、問題は解消したが、同法の制度を潜る斤先掘契約については、はっきりと不法原因給付と認めてよいことになろう。

(iv) 恩給債権など担保化を禁止されている債権を担保に入れた場合(§91〔1〕(ウ)・改正前§466〔1〕(a)・改正前§651〔1〕(2)(b))についての問題がある。

恩給受領権者が、恩給担保が無効なことを理由として、恩給証書の返還を請求することができるか。判例としては、恩給証書の所有権に基づく返還請求を認めたり(大判大正5・2・3民録22輯35頁)、恩給受領委任の解約を理由にしたりして(大判大正7・2・21民録24輯266頁。改正前§651〔1〕(2)(b)参照)、返還請求を認めた。不法原因給付に該当しないことも明言している(大判昭和4・10・26民集8巻799頁)。

(d) 経済統制法規に違反するもの

これについては、すこぶる困難な問題がある。それぞれの時期において、経済統制がもつ意味も大きく変わり、契約の無効そのものについても、どう判断するべきかという問題と、不法原因給付となるかという問題とを絡めて考慮する必要があるからである。

(i) 価格統制法規違反の契約については、統制価格の範囲内で契約を認めるのが、かつての判例の傾向であった(大判昭和20・11・12民集24巻115頁、最判昭和29・8・24民集8巻1534頁、最判昭和31・5・18民集10巻532頁)。それを超過して支払った代金については、不法原因給付として返還請求は認めるべきではないであろう。

なお、この問題は、統制法規の存在を知っていながら弁済したということで、705条の問題にもなりうる(§705〔4〕(ウ)参照)。判例は、705条を適用する傾向にあるが、より高次の規範ともいうべき本条の適用によって同じ結論に達するのが正しいと考えられる。

(ii) 物資統制法規違反の契約については、その商品の種類にもよるが、不法原因に当たらないとする判決がみられる(いずれも、買主が代金を払わないので、売主が目的物またはその価格を不当利得として買主に請求して認められた例である。最判昭和35・9・16民集14巻2209頁は薬工品、最判昭和37・3・8民集16巻500頁は揮発油の売買

第3編　第4章　不当利得

の例）。

〔3〕　不法な「原因のために」給付が行われたこと、すなわち、その給付によって企図された目的が不法であることが第2の要件である。

　ⓐ給付の内容自体が不法である場合（たとえば、賭博の負け金、不倫なサービスなど）、ⓑ給付の内容自体に不法性はないが、不法な行為（たとえば、犯罪を行うこと）の対価である場合は、もちろん、ⓒ給付の動機に不法性があっても、当事者がこれを知悉していれば、なお、ここにいう原因となる。それは、あたかも動機が公序良俗に反する場合についても、90条の適用があることと表裏をなすものである（改正前§90⑵参照）。判例もまた、この見解をとる（大判大正5・6・1民録22輯1121頁）。

〔4〕　第3の要件である「給付」をするとは、返還請求者（損失者）の意思に基づいて出捐をすることである。

　(1)　出捐者の意思に基づかない給付、たとえば裁判所の配当によって受領した利益などについては、ここにいう「給付」に含まれないとされる（大判大正4・6・12民集21輯924頁）。しかし、犯罪のための資金につき公正証書を作り、それによって強制執行がなされて、配当が行われたような場合については、適用があるというべきであろう。

　(2)　事実上の利益を与えること（たとえば、不倫なサービスをするような）であるか、財産権や財産的利益を与える場合であるかを問わない。

　しかし、相手方に終極的な利益を与えない場合、たとえば、公序良俗に反する契約による相手方の債権について担保権を設定したにとどまる場合などには、まだ給付をしたとはいえない。けだし、相手方がこの利得を終極的に収受するためには、その担保権を実行しなければならないのであるが、その債権が無効なために相手方はそれをすることができないのだから、まだ給付がないものとして、担保権設定者のために登記の抹消（抵当権の場合）または担保物の取戻し（質権の場合）を認めなければならない。給付者のそのような請求を認めることは、みずから不法な行為をしたことを理由として——契約の無効を主張し——国家の保護を求めることを許すきらいはある。しかし、これを認めないと、法律関係はきわめて不確定なものとなって、法律関係の安定という法律の理想からとうてい許せない状態となる。

　したがって、このような場合には、なお給付（終極的な利得）なしとして本条の適用を排斥し、不当利得の本則に帰ることが正当とされるのである。判例は、この種の事案について、同趣旨の判示をした（大判昭和8・3・29民集12巻518頁、最判昭和40・12・17民集19巻2178頁）。

　(3)　不動産の贈与については、登記が移転され、引渡しはされていない場合、引渡しはあったが、移転登記はされていない場合（最判昭和46・10・28民集25巻1069頁は、この場合について給付があったとはいえないとしているが、本文のように解するのが正しいと思われる）のいずれにおいても、給付はあったものとしてよいと考えられる（後出の最大判昭和45・10・21民集24巻1560頁は、未登記の建物の場合に引渡しが給付になるといっているが、未登記・既登記を問わないでよいという意見が学説では強い。なお、本判決については、〔5〕(3)を参照）。

〔5〕　給付した物自体の返還を請求することも、これに相当する価額の返還を請求

1496

§ 708〔3〕～〔5〕

することも、ともにできない。

(1) 問題となるのは、まず、第1に、所有権に基づく返還請求権との関係である。たとえば、賭博に負けて特定の物、たとえば自動車を給付したような場合に、その契約が改正前90条で無効なときは、自動車の所有権も移転しないと解するのが通説であるから、給付者は所有権に基づいて返還請求をすることができるはずだが、それについても本条の適用があるか。出捐の原因が欠けているときは、処分行為の効力が生じたかどうかに関係なくその返還を請求する関係を不当利得とみるときは、問題を肯定するべきことに問題はない（§703〔1〕(1)(ア)(a)参照）。しかし、通説はそう考えないのだから、所有権に基づく返還請求権に本条を類推適用するべきかという問題となる。そして、肯定する説もあるが、否定説も少なくない。

判例は、否定説のようにみえた（大判大正5・2・3民録22輯35頁、大判大正7・8・6民録24輯1494頁）。しかし、その事例は、いずれも公序良俗に反する場合ではなかった（最判昭和35・9・16民集14巻2209頁、最判昭和37・6・12民集16巻1305頁も、単なる強行法規違反に本条の適用を否定して、所有権に基づく返還請求を認めた）。その後、最高裁は、所有権に基づく返還請求権にも本条が適用されるとして、男性Aが妾関係にあった女性Bに贈与した家屋の返還を請求したのをしりぞけた（前掲最大判昭和45・10・21。本条本文が適用される場合、家屋の所有権はBにあると判断している。(3)参照）。

(2) 第2に、これに対して、判例は、当初から、不法行為に基づく損害賠償請求権には本条を類推適用する。

すなわち、紙幣偽造の秘法を知っているから共同して偽造しようと欺かれて資金を詐取された者は、みずから不正な行為をしたのだから、——その契約の無効なことを理由として不当利得の返還請求をすることができないと同様に——不法行為を理由として損害賠償の請求をすることもできないと判示した（大刑連判明治36・12・22刑録9輯1843頁、大刑判明治39・6・1刑録12輯655頁）。そして同様の趣旨は、鉱業権者でない者と、情を知って共同経営をした者の損害賠償の請求権（大判昭和19・9・30民集23巻571頁）などにも拡張された（最判昭和45・4・21判時593号32頁は、YのXに対する不当応訴が認められたケースで、虚偽の証言をしていたNに真実の証言をするための対価としてXがNに支払った金員につき、XのYに対する（不法行為に基づく）損害賠償請求を認めなかった）。

なお、この類推適用については、本条のただし書の趣旨も含められ、被害者にも不法性がある場合でも、加害者の不法性が大であれば、不法行為に基づく賠償請求が可能であり、そう解しても、本条の趣旨に反しないとされた（不倫の関係にある女性Aが男性Bに対して慰謝料を請求した事案で、不法の程度でBの方が大きいとして、請求を認めた例に、最判昭和44・9・26民集23巻1727頁がある。また、最判平成9・4・24判時1618号48頁も、証券会社の従業員が違法な利回り保証をして取引させた例について、証券会社側の不法の程度がきわめて強いとして、不法行為に基づく損害賠償を認めても、本条の趣旨に反しないとした）。

学者は以上の判例を支持する。

そうだとすれば、前項の所有権を理由として返還請求をする場合にも——これを不当利得の一態様とすれば当然、またそうしない立場においても——本条を類推適用す

第3編　第4章　不当利得

るべきは当然であろうと思う。

(3)　さらに問題となるのは、給付者が所有権に基づいても返還請求できないとした場合、所有権はいずれの側にあると考えられるか、である。

最高裁大法廷判決は、女性Ｂと妾関係を結んだ男性ＡがＢのために建物を新築し、贈与して住まわせていたという事実関係において、ＡがＢに対して建物明渡しを求め、Ｂが反訴して移転登記を請求したのに対して、Ａの請求は本条を理由としてしりぞけ、Ｂの反訴請求について、贈与者が給付した物の返還を請求できなくなったときは、その反射的効果として、目的物の所有権は贈与者の手を離れて受贈者に帰属するとして、これを認めた(最大判昭和45・10・21民集24巻1560頁)。

これは、わが民法における物権変動の理論と関連して難しい問題である。わが国では、いわゆる原因行為(本件の贈与)と物権行為(所有権の譲渡)は結合しており、前者の無効は後者の効力の発生を止めると考えられ(いわゆる物権行為の有因性)、不法原因給付の場合には、前者が無効でも、返還請求できないということになり、それは前者と一体となっている効果(所有権の移転)が発生することであると考えて、判例の立場を肯定することができるのではなかろうか。

(4)　受領者が任意に不法原因に基づき受領した給付を返還することはさしつかえない。それが本条により法律上請求できないものであったことを理由として、返還者がさらに返還を請求することは認められない。一種の自然債務的な関係が認められる(本編第1章第2節解説③(2)参照)。

当事者(受益者と損失者)が不法原因給付について、これを返還することを内容とする契約を結んだ場合はどうであろうか。制度の趣旨からみて、その効力を否定する理由はなく(その契約に不法性があれば、別論である)、判例もその結論を認め、その契約に基づく訴えを認めている(最判昭和28・1・22民集7巻56頁は、不法原因給付返還の特約がなされ、そのために振出した手形による請求を認めた例。最判昭和37・5・25民集16巻1195頁は、官庁への運動費を一方が他方に交付した例で、その後、両者が返還を約した)。

これに対して、不法な原因である契約において、これから行う給付につき、問題を生じたときは返還することを約しても、これは認められない。制度そのものの適用を否定することになるからである。

(5)　その後、本条の問題がいわゆる損益相殺(§709〔7〕(4)(イ)参照)の問題と絡む事例が現れ、ＡのＢに対する給付が本条の不法原因給付に該当するとされる場合に、Ｂから不法行為による損害賠償を請求されたＡが損益相殺を主張することも、本条の趣旨に反し、許されないとされたことは注目される(最判平成20・6・10民集62巻1488頁、最判平成20・6・24判時2014号68頁)。

〔6〕　給付の原因が不法だと認められる事情が受益者側にだけ存在する場合である。この場合には、元に戻って、損失者は受益者に対して不当利得の返還を請求することができる。

(1)　たとえば、犯罪を断念させるために金銭を贈与したときは、不法の原因は受益者側にだけ存在し、暴利行為においては、暴利をむさぼる方にだけ存在する。いわゆる芸娼妓契約で芸娼妓が年期中に廃業し、特約に従って一か月30円の割合による指

§708〔6〕

南料と別に 300 円の違約金を支払った後に、契約全部の無効を主張して(改正前§90〔1〕(3)(ア)参照)、支払ったものの返還を請求する事案については、不法な原因は雇い主側にのみ存するとして、請求を認めた(大判大正 13・4・1 評論 13 巻民 414 頁)。

(2) しかし、実際には、給付者に不法な目的についての認識が皆無であるという場合は少ないであろう。「受益者についてのみ」を厳格に解すると、このただし書が適用される場合は、ごく限られることになる。そこで、受益者と給付者の不法性を比較して、受益者のそれの方が圧倒的に多いときは、給付者にも多少の不法性があるときにも、ただし書を適用してよいと考えるべきである。判例も、強制執行を免れるための仮装譲渡がもっぱら仮装譲受人の提唱にかかる場合(最判昭和 37・6・12 民集 16 巻 1305 頁)、密輸資金の供与が受領者の威圧による場合(最判昭和 29・8・31 民集 8 巻 1557 頁)について、そのような判断をしている。暴利行為や犯罪を思い止まらせるための金銭供与についても、おおむね同じように考えてよいであろう。

破産会社が会員に無限連鎖講取引に基づいて配当した配当金を、破産管財人が、公序良俗に反して無効であるとして返還を求めた場合において、破産管財人が破産手続の中で損失を受けた他の多数の会員らを含む破産債権者への配当を行うなど適正かつ公平な清算を図ろうとすることは衡平にかない、本件配当金の返還を拒むことができるとすれば、他の会員の損失の下で不当な利益を保持し続けることを是認することになるから、不法原因給付に当たることを理由に返還を拒むことはできないとした判例(最判平成 26・10・28 民集 68 巻 1325 頁)があるが、同様の価値判断に基づくものと思われる。

不倫な関係を終了させるための手切金の交付については、意見が分かれるところである。本条ただし書によって返還請求を認めた判例があるが(大判大正 12・12・12 民集 2 巻 668 頁。ただし、事例は男性が手切金要求を常習としていたもので、犯罪行為に近い)、手切金供与は、原則としてそもそも不法原因給付にならない(不当利得にならない)と解するべきだとする見解も有力である。

第3編　第5章　不法行為

第5章　不法行為

[不法行為の改正点]　損害賠償の方法、中間利息の控除及び過失相殺に関する722条、不法行
為による損害賠償請求権の消滅時効に関する724条が改正され、人の生命又は身体を害
する不法行為による損害賠償請求権の消滅時効に関する724条の2が新設された。

① 本章の内容

　本章は、まず、不法行為一般について基本規定をおく（§709）。この規定に該当す
るものをすべて不法行為とするもので、この規定は一種の一般条項（§1〔3〕(ウ)参照）の
性質を有する（「一般的構成要件主義」とも呼ばれる。フランス民法に近いとされる）。
defamation（名誉毀損）、trespass（不法侵害）、nuisance（生活侵害）、negligence（過失侵害）、
fraud（詐欺）などの個々の種類のtort（不法行為）に関する個別的なルールを総括して
law of torts（不法行為法）と呼ぶ英米法とは対照的である（後者は、「個別的構成要件主義」
といえる。もっとも、英米法は判例法であるから当然かもしれない）。このあと、基本規定を
補足するものとして、非財産的損害（§710）、生命侵害に対する慰謝（藉）料（§711）、責
任能力（§§712・713）、正当防衛・緊急避難（§720）、胎児についての例外（§721）、損害
賠償の方法（§§722Ⅰ［改注］・723）、過失相殺（§722Ⅱ）、損害賠償請求権の消滅時効
（§§724［改注］・新724の2）に関する規定がつづく。

　本章は、このほか、(a)責任無能力者の監督者の責任（§714）、(b)使用者の責任（§
715）、(c)注文者の責任（§716）、(d)土地工作物の占有者・所有者の責任（§717）、(e)動物
占有者の責任（§718）、(f)共同不法行為者の責任（§719）について規定する。これらを
「特別な不法行為」と呼ぶのが通例である。基本規定においては、人は自己の行為に
ついてのみ責任を負うのが原則であるのに対して（これを、「自己責任の原則」という）、
上の(a)・(b)・(c)・(f)には、それに対する例外、すなわち、他人の行為について不法行
為責任を負う場合が含まれていることにとくに注意を要する。

② 不法行為の意義と性質

　(1)　不法行為とは、他人の権利を侵害して損害を加える行為、たとえばＢが他人
Ａの家屋を滅失または損傷し、またはＡの身体を傷害して、損害を加える行為であ
る。民法は、このような場合には、行為者Ｂは、その行為によって生じた損害を被
害者Ａに対して賠償するべきものと定めているので、不法行為は、損害賠償請求権
という債権を発生させ、債権の発生原因の一つとされるのである。

　(2)　不法行為は、契約や事務管理と同じく人の行為である。しかし、契約や事務管
理のように法の是認する適法な行為ではなく、法の許さない違法な行為である。契約
には、種々の種類があるのに対し、不法行為には、法律的な範疇としては、種類は少
ない。したがって、民法の規定も、契約に比してはるかに簡単である。しかし、他人

1500

に損害を加える行為の態様はといえば、社会のあり方によって千態万様なので、それが適用される場合はきわめて多く、債権発生の原因としての重要性は契約に劣らない。

(3) 不法行為による損害賠償は、また、いわゆる適法行為による損失補償と性質を異にする。

法によって許された適法な行為（§709【4】(3)(エ)参照）が他人に損害を与えるということは、往々にしてありうることである（土地収用法による強制処分など）。その適法な行為にさいして、たまたま生じた加害行為が、もし不法行為の要件を充たすということがあれば、損害賠償義務を生じるのは当然である。そうではなくて、適法な行為自体が他人に損害を与えた場合に、違法性を欠くからとして、これを放置してよいであろうか。行為が適法だからといっても、他人に与えた損害については、これをその人に対して塡補しなければいけないと考える余地は十分にあることである。これを、不法行為による損害の賠償と区別して、「適法行為による損失の補償」と呼ぶ。土地収用に対して補償がなされなければならないのは代表例であり、憲法上の要請でもある（憲§29Ⅲ）。

しかし、この「損失の補償」という用語は、必ずしも上の意味において厳格に、すなわち「損害の賠償」と区別されて、用いられていない場合が多い。また、土地収用のような例は明確であるが、国が国の事業として行った予防接種によって生じた損害のような場合は、違法な行為による損害賠償なのか、適法行為による損失補償なのか、の判断が微妙で、難しいことが多い（最判平成3・4・19民集45巻367頁は、被害者を予防接種の禁忌該当者と推定して、国賠§1による損害賠償責任を肯定した）。

③ 不法行為と債務不履行

債務不履行もまた違法な行為であるが、債務不履行は、すでに債権債務の関係で結びつけられた者の間の違法行為であるのに対して、不法行為は、なんら特別な関係のない者の加害行為である。債務不履行においては、債務者がみずからその責めに帰することのできない事由に基づくことを立証しない限り、責任を免れないのに対し（改正前§415【1】(1)(イ)(c)・(2)(ウ)・【4】(オ)参照）、不法行為においては、原則として被害者が加害者の故意・過失その他の要件を立証しなければならないことを原則とするのは、この差異による。

もっとも、債務不履行が、同時に債権者に対する不法行為の要件をも備えることがある。たとえば、金銭債務を負担する債務者の不履行は、債務不履行に尽きるが、賃借人が失火して借家を焼失させた場合には、賃借人としての返還債務の不履行（履行不能）のほかに、他人の家屋を焼損した者として不法行為の要件をも充たす。そのような場合に、事をもっぱら債務不履行として処理するべきか、不法行為の責任をも生じるものとして処理するべきかは争われる問題である。これについては、債務不履行に関連して論じたので（§415前注③）、ここでは、読者の理解の便宜のために、民法の債務不履行に関する規定と不法行為に関する規定とを対比して示しておくにとどめる（次頁参照）。

なお、債務不履行責任と不法行為責任とを合わせて「民事責任」ということもある

第3編　第5章　不法行為

が、この言葉は、とくに不法行為責任を指して用いられることが多い（④(1)(ア)参照）。

④　**不法行為に関する基本的問題**

　不法行為は、以上のような意味における民法上の重要な制度の一つとして、多くの根本的な問題を含んでいる。

《不法行為と債務不履行に関する民法規定の比較》

		不法行為	債務不履行
要　件			
(1)	行為者の主観的な態様	§709（故意・過失）	§415（責めに帰すべき事由）
	その例外	失火責任に関する法律（重過失）	——
		§714〜§718（特別な不法行為）	——
(2)	責任能力	§712・§713	——
(3)	違法な行為の態様	§709〜§711（権利の侵害）	§415（本旨に従った履行がないこと）
(4)	損害の発生	§709	§415
(5)	胎児の特則	§721	——
(6)	正当防衛・緊急避難	§720	——
効　果			
(1)	精神的損害	§710・§711	——
(2)	賠償の範囲	——	§416（相当因果関係）
(3)	賠償の方法	§722Ⅰ（§417・§417の2の準用）	§417・§417の2（金銭賠償の原則）
	名誉毀損の特例	§723	——
(4)	過失相殺	§722Ⅱ	§418
(5)	賠償額の予定	——	§420・§421
(6)	賠償者の代位	——	§422
(7)	共同行為者の連帯	§719	——
(8)	消滅時効	§724（新§724の2に特則がある）	§166（新§167に特則がある）

（1）　刑事責任との関係

　BのAに対する不法行為は、同時に行為者Bの犯罪となる場合も少なくない。しかし、犯罪においては、行為者Bはその行為の社会に対する責任を問われるのに反し、不法行為においては、行為者Bは被害者Aに対する責任を問われるものである。もちろん、犯罪においても、個人の法益を侵害する場合には、法律はその個人の感情などをも顧慮して刑罰を定めているのであるから、被害者個人に対する責任という色彩

第 5 章［解説］④

も絶無ではない。同様に、不法行為においても、被害者の損害を賠償させることによって、個人の利益を社会的に保護する目的をも達するのであるから、その限りにおいて、社会に対する責任を問うことにもなる。しかし、両制度のそれぞれの中心を見れば、犯罪においては、法律が社会的価値あるものとした法益を侵害して、社会の秩序を乱したことによる社会的責任が問われるのに対し、不法行為においては、法が保護する個人の利益を侵害したことによる個人に対する責任が問われるのである。これが、犯罪およびこれに対する刑罰が公法的制度とされるのに反し、不法行為およびこれに対する損害賠償が私法的制度とされる理由である。

　刑事責任と民事責任のこのような分化は、さらにつぎのような具体的な問題を導く。

　(ア)　刑事責任は、行為者(犯人)の主観(犯意)に重きを置き、故意と過失とを区別し、行為者に対する社会的復讐を制度の中心的目的とする。これに対し、民事責任(不法行為責任を指して、「民事責任」という場合が多い。③の末尾参照)は、行為の結果(損害)に重きを置き、故意と過失とを区別せず、損害を冷静に算定してその塡補を命じることを制度の中心的目的とする。しかし、刑事責任において果たして復讐をもって終極的な目的とするべきかどうかが争われるのと同様に、民事責任においても、故意・過失を絶対に同一視してひたすら損害の賠償のみを目的とするべきかどうかが問題とされる(後述(3)(c)参照)。

　(イ)　いわゆる精神的損害に対する賠償(「慰謝料」という。「慰藉料」とも書く)は、復讐の色彩をとどめるものとして、民事責任から除いていくべきものかどうかもまた、上述に関連して問題とされる(後述(3)(c)、§710〔6〕参照)。

　(ウ)　旧刑事訴訟法(大正 11 法律 75 号)567 条以下には、犯罪によって被害を受けた者Ａが、その犯行者Ｂに対する公訴提起に付帯して、Ｂに対する民事上の請求をする「附帯私訴」が認められていた(本書で引用する大審院判決に刑事判決があるのは、おおむねこの附帯私訴の例である)。第二次大戦後に廃止されたが、犯罪被害者保護法(平成 12 年法律 75 号)の改正(平成 19 年法律 95 号。法律名も改称)により、かつての附帯私訴に類似した損害賠償命令申立て制度が設けられた(施行は 2008 年 12 月 1 日)。

　(2)　不法行為の指導原理

　不法行為の指導原理をどこに求めるべきかについては、重要な変遷が見られる(とはいえ、基本には、1789 年 8 月 26 日のフランス「人と市民の権利の宣言」における、「自由は、他者を害しない限り、すべてのことをなしうることに存する」〔同 4 条〕という精神があることを忘れてはいけない)。

　個人の自由を指導原理とする近代の法思想のもとにおいては、不法行為は、個人の自由活動の最少限度の限界を画し、その反面において個人の権利を他人の侵害から守る制度と考えられた。すなわち、各個人はその社会生活における自由活動によって他人に損害を加えることがあっても、それは、自由競争の必然の結果であって、法はみだりにその責任を問い、これを抑圧するべきではない。ただ、その競争活動が他の個人にも保障されている自由活動とその権利を侵害する場合には、許されない不法行為として、その責任が問われる。このような法思想のもとにおいては、不法行為は、行為者の主観に責めるべきもの、すなわち故意・過失があること、および、他人の権利

1503

第3編　第5章　不法行為

を侵害するか、少なくとも明瞭に法規に違反するものであることを要件とすることになる。

　ところが、法律の指導原理が個人の自由と権利を保障することのみをもって最高の理想とせず、社会共同生活の全体的な向上発展をもって理想とするようになるに及び、不法行為は、社会に生じる損害の負担を公平かつ妥当に分配する制度と考えられるようになった。人類の社会共同生活は、相互に利益を与える共同関係であると同時に、相互に必然的に損害を加え合う共同関係でもある。のみならず、天変地異は、不断にわれわれに損害を加える。われわれは、この損害に屈せず、これと戦い、これを塡補して、よりよい社会の建設に努めなければ、社会の文化を向上させることができない。そうであれば、この損害は、なにびとに負担させることが、最もよくこの目的に適するであろうか。被害者自身にか、故意・過失ある加害者にか、損害の原因である事実によって利益を受ける者にか、その原因を与えた者にか、はたまた、社会全体にか。これを決定すること、すなわち損害の公平かつ妥当な分担をはかることが、不法行為制度の使命である。もちろん、不法行為制度が、それだけでこの問題を解決できるというのではない。しかし、不法行為制度の新しい指導原理は、この制度をもってこの目的のための一つの制度と考える傾向を示しているということができるのである。そして、このような新しい指導原理からみるときは、従来、不法行為の絶対的要件と考えられてきた故意・過失と権利侵害についても、多くの反省を必要とするのである。

　(3)　故意・過失について

　不法行為の要件として故意または過失を必要とすることを「過失責任の原則」(Prinzip der Culpahaftun; théorie de faute)という。近代法のこの原則は、資本主義の発達に伴う大企業の発達により、はなはだしく不公平な結果を導くことを露呈した。けだし、これらの企業は、一方では、経営者がいかに注意をし、万全の施設をしてもとうてい防止できない危険を包蔵すると同時に、他方では、その企業の利益の帰するところとその危険の害をこうむるところを分離させてしまったからである。そこで、過失責任は、その絶対性を疑われることになり、いわゆる無過失責任(Prinzip der Kausal -oder Erfolgungshaftung; Haftung ohne Verschulden; responsabilité sans faute ou objective; liability without fault)の理論が、立法および学説のうえでしだいに認められるようになった。そして、学説は、これに理論的根拠を与えようと努力し、一方では、危険な施設の所有者はこれから生じる損害については絶対的責任を負うべきであるとする「危険責任」(Gefährdungshaftung; responsabilité de risque)、他方では、大きな利益の帰するところには損失をも帰せしめるべきであるとする「報償責任」(Equivalenzprinzip)、その他、種々の説を唱えた。また、立法は、諸国において、およそ二つの方向に進んだ。その1は、企業の内部(労働者その他企業に従事する者)に対する無過失責任であり、その2は、企業の外部(一般社会の人々)に対する無過失責任である。前者は、労働立法ないし社会保障制度と密接な関連を有し、後者は、運輸交通事業・工業・鉱業などにおいて問題とされたものである。

　思うに、不法行為制度の新しい指導原理によるときは、損害賠償の根拠は、これをただ一つの原理によって説くことを適当としないのみならず、無過失責任をもって原

則とすることも妥当ではあるまい。むしろ、損害の公平かつ妥当な分担という理想に向かって、各場合における具体的判断をなすべきであろう。そうであるとすれば、

(a) 第1に、過失責任にも、各個人をしてその行動について十分な注意を払い、責任を持たせるうえにおいて、重要な効果があることは否定できない。また、故意・過失のある者に対して賠償を要求する正義の観念が、公平の一つの要素として強く作用する現実も無視することはできない。したがって、普通の生活関係においては、過失責任にも十分に存在意義があることを認めなければならない。

(b) 第2に、大企業その他が関連して、とくに危険と利益とを伴う生活関係においては、利益と損失とを一致させ、危険な施設に対して責任を負わせることが公平に適する。したがって、あるいは過失責任の要件を緩和し（⑥、§709⑵⑷参照）、あるいは、それぞれの事例に応じて報償責任と危険責任の理論を援用するべきである。そして、そのための解釈論としては、民法の特則と特別法をその解釈の拠点とすることができる。すなわち、民法の規定として注目すべきものとしては、715条が報償責任を定めたものであり、717条が危険責任を定めたものと解される。われわれは、これらの規定について、適当な拡張を加えることに努めなければならない（§715⑴⑷⑻・§717⑴⑵⑶など参照）。また、特別法として無過失責任を定める立法がその数を増し、それにつれて無過失責任論の重要性が増しているが、これについては、⑥において改めて論じる。

(c) 第3に、「過失なければ責任なし」とすることが、公平に反する場合があると同時に、過失があれば、その大小その他の事情を問わずつねに全損害を賠償する責任があるとすることも、公平に反する場合があることを認めなければならないであろう。失火の責任に関する特別法は、このことを実証するものであるが（§709⑵⑶(イ)(b)参照）、そのほかにも、たとえば、危険な企業に従事する者が軽微な過失についても全責任を負わなければならないとされることなどが、問題となるであろう（§715⑿参照）。そして、ここでは、過失相殺の規定が強く作用するべきである（§722Ⅱ、同条⑵参照）。また、慰謝料(慰藉料)の算定に当たっては、過失の大小はとくに考慮されるべきであろう。けだし、被害者の激情の要素を除去し、また復讐感情を清算したことが、刑事責任からの分化による民事責任の本質であることは否定できないとしても（前述(1)参照）、この感情が公平の理想を実現する一要素としてふたたび取り上げられることは、決して民事責任の本質に反するものではないはずだからである（§709⑺⑵(ウ)・§710前注・改正前§722⑵⑶参照）。

(4) 権利侵害について

不法行為の要件として権利侵害を挙げることは、個人の自由を最高の理想とする法思想のもとにおいては、いちおう理由のあることであるが、必ずしも当然のことではない。不法行為制度の新しい理想のもとにおいては、権利侵害という結果よりも、むしろ加害行為の態様、すなわち、行為のやり方の違法ということが、より重要な標準とならなければならないと考えられる。そして、それが違法な行為であるかどうかを判断する標準は、明瞭な法規違反であることから進んで、公序良俗違反ということに移らなければならない。1934年(昭和9年)の「不正競争防止法」は、まさにこの理論

第3編　第5章　不法行為

を示したものとして注目される（§709〔4〕(3)(ウ)）。

　さらに、また、不法行為をもって社会に生じる損害の公平かつ妥当な分担を定める
ための制度と解するときは、違法な行為ないし許されない行為という点に重きを置く
ことについても、再検討されなければならないであろう。けだし、適法な行為ないし
許される行為であるために、被害者からその行為の差止めを請求することはできない
ものであっても、せめてその損害の塡補を要求することは許されるという種類の行為
があってもよいと考えられるからである。さらに考えれば、ある行為が違法であるか
どうかは、相対的に判断されるべきものであって、「それによって生じた損害を賠償
してのみ許されるが、もしそうでなければ違法である」という場合も存在するはずで
ある（〔2〕(3)参照）。このことは、企業者の責任を考えるうえに重要な意義を有すること
である（§709〔2〕(4)参照）。事柄は、権利侵害論という大きな問題にも関連するので、や
はり項を改めて論じる（〔5〕参照）。

5　権利侵害論について

　不法行為制度には、〔4〕(2)で述べたように、社会生活における市民の権利を侵害から
防御し、保障するという側面があるとすると、問題は、さらに大きく権利侵害の一般
論という視野においてもとらえる必要が生じる（もちろん、§709の定める「権利の侵害」
の要件の問題とも関連する。とくに§709〔4〕参照）。

　(ア)　まず、見逃してはならないのは、わが国における権利侵害論が、つぎのような
枠組みにおいて構成されていることである。このことは、民法その他に明記されてい
るわけではないが、民法その他の全体の仕組みから、従来、あたかも自明の理のよう
に理解されてきた事柄である。

　市民の権利の侵害に対する私法的救済手段としては、その権利侵害によって生じた
損害を、それにつき責任を負うべき市民をして賠償させるという方法と、その権利侵
害の行為ないし状態の停止（以下、差止めと呼ぶ）を請求する方法とがある。

　わが国におけるこの両手段についての考え方として、損害賠償は不法行為の効果の
問題として、差止めは侵害された権利の効力の問題として、それぞれ別に考えるとい
う枠組みが基本的に支配しているのである。

　(イ)　まず、本章が規定する不法行為は、効果として、もっぱら損害賠償請求権（原
則として金銭支払の方法による。なお、§723参照）を生じさせる。いわゆる一回的な不法
行為の場合には、それにより過去に生じた損害の塡補しか方法はないので、それでも
ことは足りるかもしれない。しかし、継続的な不法行為において、たとえばBのある
る行為が裁判所によってAに対する不法行為であると認定されたにもかかわらず、B
による権利侵害状態が消滅せず、持続しているときに、これを差止める権利保護手段
がなく、Aはこれを将来にわたってただ受忍しなければならないとするのは、いち
じるしく道理に反する。この場合、将来発生が予想される損害についての賠償につい
て、不法行為の効果としてどのように理論構成がされるかは、議論の存するところで
あるが（§709〔7〕(2)(エ)参照）、不法行為が認定された以上、その将来における継続を差止
めることもできるというのが、自然の理であるように思われる。また、権利侵害の可

1506

第5章 ［解説］ [5] [6]

能性がいちじるしく高まっているときに、これを防ぐ手段がないということも疑問である。しかし、学説においては、不法行為の効果として、差止請求権も生じうるとする主張もあるが、まだ、ごく少数の説にとどまっている。

　(ウ)　これに対して、権利侵害の差止めを請求できるかどうかは、原則として、その侵害された、あるいは、侵害されるおそれのある権利の効力の問題として考察される。たとえば、所有権に基づいては、どのような請求ができるか、抵当権に基づいては、どのような請求ができるか、債権に基づいてはどうか、人格権に基づいてはどうか、というように。この場合には、不法行為の場合と異なり、被害者の利益という程度では足りず、それが権利といえる状態になっていることを要するというのが、大方の理解であるが、最近では利益という程度でも肯定する判例も現われている（§709〔8〕(2)・§710〔3〕(8)参照。なお、2004年改正について、§709〔5〕を参照）。

　なお、立法によって、差止請求権が認められている場合がある。商号に関する商法12条2項、会社法8条2項がその例であるが、不正競争防止法3条がその後の最初の例（1934年制定され、1993年に全面改正されたが、条文はほぼ同じ）であり、保護されるのは「営業上の利益」とされている。さらに、その後、特許法100条、実用新案法27条、意匠法37条、商標法36条、著作権法112条などが定められた。これらの規定は、これらの法律により認められた特許権その他の権利について、それらが妨害排除力をもつということを明文で規定したという意味をもっている。

　(エ)　本章も、以上のような権利侵害論の枠組みを前提としているのであるが、この枠組み自体についての根本的な再検討も必要であろう。しかし、その作業は容易ではない。

[6]　無過失責任論について

　いわゆる無過失責任を定める法律は、現在ではかなりの多数にのぼっている。それにつれて、無過失責任の観念についても、考究を要する事柄が生じていると思われる。

　(1)　(ア)　まず、無過失責任の語義について、分析をしておきたい。つぎの二つの意義を区別する必要があると思われる。

　第1は、実質上の無過失責任である。実質的にみて、いかなる意味においても加害者に過失が存在しないのに、不法行為責任が認められる場合をいう。純粋無過失責任ということもできるし、伝統的に絶対責任、結果責任と呼ばれてきたものにほぼ相当する。この意味における無過失責任の例は、今日では非常に考えにくい。今日みられる加害行為のほとんどにおいて、過失がないとはいえない場合が多いからである（たとえば、大規模な食品会社が用いた原料について十分な検査を怠り、混入していた毒物を感知できなかったような場合には、過失があるというべきである。これは、個人営業で和菓子を製造販売しているような場合に、変質した材料を用いて客に損害を与えた場合と同じ過失であり、なんら異なるところはない）。他人の行為が介入したり、不可抗力（天変地異など）が関与した場合に、純粋無過失ということがありうるかもしれないが、この場合は、むしろ因果関係の問題として判断されることが多いであろう。いずれにしろ、以上の意味における純粋無過失責任が問われている事例は、実際には意外に少なく、むしろ稀といって

第3編　第5章　不法行為

よいであろう。

第2に、これに対して、形式上の無過失責任ともいうべきものが存する。立証上の無過失責任といってもよい。これは、実質的にみると、加害者に過失があるといってよいと思われる場合についても、第1に、被害者にとってその立証がきわめて困難である（関連する事情は、ほとんど加害者の領域に存するので）ことにかんがみ、第2に、その立証のために無用な時間と手間を要することを考慮して、第3には、過失の有無をめぐっての当事者間の対立を回避し、むしろ紛争のあっせん的・調停的解決を図るために、過失の立証を不要とするという意味における無過失責任のことである。この場合には、上述の純粋無過失責任の場合を除くと、形式的には無過失責任であるが、実質的には過失責任であるということになる。無過失責任という名における過失責任、あるいは、「無過失の衣を着た過失責任」といってもよい。実際には、ほとんどの事例がこれに当たり、純粋無過失責任である場合は少ないと考えられる。このことを明確にせずに、無過失責任が問われるすべての場合を、あたかも純粋無過失責任と同じものであるかのように考えることは正しくない。その加害者には、被害者による過失立証の必要もないほどに重い過失責任を負わせているのだと考える必要がある。

(イ)　以上のことと関連して、無過失責任を負うとされた者が責任弁識能力を欠く場合（§§712・713）についてどう考えるかという難しい問題がある。

　(a)　無過失責任の趣旨について、①責任能力のある者であれば、その者が注意義務・結果回避義務を怠ったかどうかに係わりなく責任を負うというものと考えると、責任無能力者は無過失責任を負わないということになる。これに対して、②過失要件が不要ということは注意義務およびその怠りの有無を問わずに責任を負わされるという趣旨と考えると、責任能力を欠く者も無過失賠償責任を負わなければならないことになる。

　このいずれであるかについて、①は(1)で述べた「無過失の衣を着た過失責任」に対応し、②は純粋無過失責任に対応するようにも思える。しかし、この判断はそう簡単ではない。無過失責任概念の基礎とされている「危険責任」や「報償責任」（[4](3)参照）の考えを考慮しつつ慎重に検討する必要がある。また、かりに責任無能力者に無過失責任が認められる場合にも、賠償範囲の限定などにより責任無能力者の負担の軽減を認める必要のある場合がありえよう。

　(b)　この問題は、責任無能力者の監督義務者の責任（§714）の問題と密接に関連する。そもそも、監督義務者の責任は責任無能力者が不法行為責任を負わない場合に認められるのであるが（§714〔1〕参照）、(a)で述べた②、すなわち責任無能力者が無過失責任を負わされる場合に監督義務者の責任は生じないといってよいか、いいかえれば、(a)で述べた①、すなわち責任無能力者が無過失責任を負わない場合にのみ監督義務者の責任が認められるのでよいか、は問題である。責任無能力者本人の無過失責任の成否に関係なく、監督義務者の監督責任は生じると考えるのが妥当かもしれない。

この種の問題からも、無過失責任の概念をさらに一層深化する必要が感じられる（(5)参照）。

第5章［解説］6

(2)　加害者の過失を立証することは不要であるという場合に、それに類するいくつかの法技術がある。

(ｱ)　過失をそもそも不法行為の成立要件とはしない、というのが通常の方法である。

(ｲ)　過失の立証責任を転換し、加害者をして無過失を立証させるという方法もある。法律上その旨を明記する場合（特許§103、意匠§40、商標§39にその例がみられる）と、両者の立証状況に則して事実上転換する場合（§709【2】(5)参照）とがある。

(ｳ)　立証の対象を加害者自身の過失から他の事柄に転位させるという方法もある。たとえば、他人に対する監督・選任などの注意義務の順守または怠りということに、あるいは、物に関して瑕疵ないし欠陥の有無に、あるいは、不可抗力の存在・不存在に、立証対象を変えることである（立証責任の転換を伴うことが多い。その場合は、加害者が選任監督上の十分な注意を払ったこと、物に関して瑕疵ないし欠陥がなかったこと、不可抗力が原因であることを立証すれば、責任を免れる。そこで、これらを、「免責事由」と呼ぶ）。

通常は、(ｱ)のみを無過失責任と呼ぶが、広い意味においては、(ｲ)・(ｳ)も含めて考察することが適切なのではないかと思われる（この種のものを、「中間的責任」と呼ぶ用語例もみられる）。

(3)　民法の規定で無過失（不法行為）責任を定めるものとしては（中間的責任を含む）、つぎのものがある。

　　(a)　工作物（または竹木）所有者の責任（§717Ⅰただし書・Ⅱ）
　　　　前項の(ｱ)に当たる。(ｳ)の要素もある（瑕疵の不存在が免責事由）。

　　(b)　工作物（または竹木）占有者の責任（§717Ⅰ本文・Ⅱ）
　　　　前項の(ｲ)に当たる（瑕疵の不存在、損害発生防止の注意などにつき占有者が立証する）。

　　(c)　動物の占有者・代理保管者の責任（§718Ⅰ・Ⅱ）
　　　　前項の(ｲ)に当たる（相当な注意につき占有者が立証）。

　　(d)　責任無能力者の監督者・代理監督者の責任（§714Ⅰ・Ⅱ）、使用者・代理監督者の責任（§715Ⅰ・Ⅱ）
　　　　前項の(ｳ)に当たる（被用者の選任・事業の監督などの注意、損害の不可避性の立証が免責事由）。

(4)　民法以外の特別法による無過失責任立法としては、つぎのものがある。

　　(a)　旧鉱業法の1939年の改正は、第5章「鉱害ノ賠償」を追加し、鉱害について無過失責任を定めた。この立法については、背景として1936年に起こった秋田県尾去沢鉱山における鉱滓ダム決壊による大事故があったことが注目される。それは明らかに鉱山会社側の過失によるものであったが、このときの無過失責任立法は、戦時下において過失うんぬんの争いを避け、すなわち責任を論じることなしに、金銭の支払で事態を処理しようとする意味をもつものであった。

　　現鉱業法（昭和25年法律289号）109条は、この規定を引継ぎ、「鉱物の掘採のための土地の掘さく、坑水若しくは廃水の放流、捨石若しくは鉱さいのたい積又は鉱煙の排出によって他人に損害を与えたとき」は、損害の発生の時における鉱業権者、鉱業権が消滅しているときは、消滅時の鉱業権者が損害賠償責任を負うものとしている（以下、同法§116まで関連規定）。

1509

第3編　第5章　不法行為

(b)　労働基準法(昭和22法律49号)第8章(§§75〜88)は、労働者が業務上負傷し、疾病にかかった場合や死亡した場合の、いわゆる労働災害について、無過失の災害補償責任を規定している。船員法10章も同じ趣旨の規定である。

(c)　独占禁止法(昭和22年法律54号)の25条1項は、「私的独占若しくは不当な取引制限をし、又は不公正な取引方法を用いた事業者は、被害者に対し、損害賠償の責に任ずる」とし、2項は、「事業者は、故意又は過失がなかったことを証明して、前項に規定する責任を免れることができない」と規定する。これは、公正取引委員会による一定の審決があったときのみ訴えることができるものであって、この手段を採る道は限られている(なお、最判平成元・12・8民集43巻1259頁［鶴岡灯油訴訟］は、審決があったが、民法§709によった請求の例である。灯油を購入した消費者から提起された違法な価格カルテルによる損害の賠償請求について、消費者に対してカルテルがなければ小売価格が上昇しなかったであろうことの証明を求め、請求を棄却して、批判を受けている。§709(7)(3)参照)。なお、同法の規定によらずに、民法709条によるときは、審決を経なくてもよいと解されている(最判昭和47・11・16民集26巻1573頁)。

(d)　自動車損害賠償保障法(昭和30年法律97号)の3条は、「自己のために自動車を運行の用に供する者」(運行供用者という。普通は、自動車の所有者・借主などであるが、実際には多様なケースがあり、その意味については、かなり問題が存する。Aが所有する自動車を子Bが運転していたが、Bが酒に酔い、友人Cが運転して事故を起こした事例で、最判平成20・9・12判時2021号38頁はAを運行供用者とした。なお、最判平成30・12・17民集72巻1112頁も参照)は、「その運行によって他人の生命又は身体を害したときは、これによって生じた損害を賠償する責に任ずる」と規定する。ただし、①自己および運転者が自動車の運行に関し注意を怠らなかったこと、②被害者または運転者以外の第三者に故意または過失があったこと、③自動車に構造上の欠陥または機能の障害がなかったこと、の3点をすべて証明したときは、責任を負わない。①だけが立証されても、それだけでは免責されないことからすれば、一種の無過失責任を定めたものと理解してよいであろう(これについても、無過失責任とはいいきれないとして、「中間的責任」とする見解もある)。なお、自動車損害賠償保障法に関する判例でも、民法の解釈に役立つものは引用することにする。ちなみに、損害の元本に対する遅延損害金を支払う旨の定めがない自動車保険契約の無保険車傷害条項に基づき支払われるべき保険金の額の算定方法については、同条項に基づく保険金の支払債務に係る遅延損害金の利率に関する最判平成24・4・27(判時2151号112頁)が参考になる。

(e)　原子力損害の賠償に関する法律(昭和36年法律147号)の3条は、原子力事業者は、「原子炉の運転等の際、当該原子炉の運転等により原子力損害を与えたときは」、その原子炉を運転する原子力事業者は、損害賠償の責めに任ずる。ただし、その損害が「異常に巨大な天災地変又は社会的動乱によって生じたものであるときは」、免責されるものとしている。なお、「損害賠償措置」という制度が定められており、1工場、1事業所、1原子力船当たり600億円(2009年12月31日現在)の賠償を保障する方法が講じられている。

この法律が適用されたのは、東日本大震災の際の福島原発の事故までは、1999

第5章［解説］⑦

年の東海村 JCO 臨界事故の際の一度だけであった。このとき、文部科学省に、原子力損害賠償に関する紛争の和解の仲介、紛争当事者による自主的解決に資する一般的な指針の策定等を任務として、原子力損害賠償紛争審査会が設置されることになった。その後、東日本大震災の際に、はじめて「指針」が策定された（第一次、第二次、中間指針）。さらに今回の賠償が巨額になったため、東京電力側から政府に対して同法 16 条に基づく国の支援要請が行われ、「原子力損害賠償・廃炉等支援機構法」（平成 23 年法律 94 号。名称変更、平成 26 年法律 40 号）が制定され、同支援機構が設立された。また、被害者に対する損害賠償の仮払が迅速に進まないため、「平成二十三年原子力事故による被害に係る緊急措置に関する法律」（平成 23 年法律 91 号）が制定された。

　(f)　公害の関係で、つぎの法律が無過失責任を定めている。

　それは、1972 年に、昭和 47 年法律 84 号によって改正された大気汚染防止法（昭和 43 年法律 97 号）の 25 条、水質汚濁防止法（昭和 45 年法律 138 号）の 19 条であるが、いずれも、原因物質については、それぞれ「健康被害物質」「有害物質」を政令で指定するすでに周知の特定の物質に限定していたり、賠償する対象を人身被害に限っているなど、無過失責任立法の名に値しないとも評されている（そのほか、油濁損害賠償保障法〔昭和 50 年法律 95 号〕がある）。

　(g)　1994 年の製造物責任法（平成 6 年法律 85 号）は、「製造物の欠陥により人の生命、身体又は財産に係る被害が生じた場合」について、過失を立証要件としない賠償責任を認めた。製造物責任の問題は、債務不履行責任にも不法行為責任にも関わるものであるので（改正前 §415 前注②(2)(ウ)参照）、ここに掲げる必要があるのである。この責任などは、明らかに、加害者（製造者）になんの落ち度もないのに負わせる責任ではなく、重要な落ち度（欠陥商品を流通に置くという）を問責する責任（アメリカ法の厳格責任）と解するべきである。同法 5 条（消滅時効）の改正に注意。

　(5)　以上のように考察すると、無過失責任については、理論的に深めなければならない点が多々あると考えれられる。たとえば、故意不法行為と過失不法行為の類型的な違いは、重要な論点であるが（⑨(2)(a)参照）、これと並べて無過失不法行為のような観念を考えるとすると、語義としても矛盾を含んでおり、理論的な使用には耐えないであろう。不法行為理論の根本にも関わってくる事柄であると考えられる。

⑦　法人の不法行為

　不法行為の両当事者（被害者・加害者）には、もちろん、自然人も法人もなりうる（法人の不法行為については旧 §44 があったが、2006 年改正で削られた。第 1 編第 3 後後注参照）。しかし、その要件・効果において、自然人か法人のいずれかにおいてのみ問題になることも少なくはない（たとえば、生命・身体・健康は自然人についてのみ問題になる）。通常は自然人を念頭において論じられるが、その論議が法人においても通用するかが問題になることもある（たとえば、法人の名誉毀損。あるいは、従業員の生命侵害について、使用者である法人がどういう請求ができるか、など）。

　とりわけ、近時においては、法人である大規模な企業が加害者として不法行為責任

第3編　第5章　不法行為

を問われる事例が増加し、重要になっている。民法としては、これに対処するべく、法人代表者の行為についての法人の不法行為責任について旧44条(上記参照)と、被用者の行為についての使用者としての責任について715条(§715〔1〕参照)を設けているのであるが、今日の複雑化し、大量化した法人不法行為に対処するためには、とても十分とはいえない。これからの重要な研究課題である。

少なくとも、つぎの二つの側面の問題は、今後とも重視する必要があろう。

(ア)　法人格を有する団体(公益法人・株式会社など)については、原則として、いわゆる有限責任の法理が支配している。すなわち、法人の債務については法人の財産のみがその実現の引当てとされ、出資者(社員や株主)などの個人財産には及ばないとされる。しかし、この法理は、取引上の債務については一定の合理性があるが、不法行為責任については必ずしも同様な合理性があるとは認められず、ときにはそれが悪用されていることがあるように思われる。たとえば、他人に損害を与える可能性の高い部門を切り離して別個の法人にしたり、すでに高額の損害賠償債務が生じている場合に、他の部門を独立させて別法人にしたりするなどという法人格の濫用は厳に戒められなければならない(第1編第3章解説[2](2)(イ)(a)参照)。

解釈論としても、上記のような場合は別法人であっても責任を認める、その法人への出資者(法人である場合が多い)や資本関係において密接な関連を有する別法人などにも不法行為責任を認める、などの工夫がなされることが望まれる。

(イ)　法人が他人に損害を与える加害行為の態様についても、新たな角度からの考察が必要になっている。上述のように、民法が設けていた旧44条と715条は特定の役員(理事、取締役など)や特定の被用者が違法に他人の権利を侵害する行為をした場合に、法人が不法行為責任を負うという形態を前提としている(旧§44については、第1編第3章後注参照)。これに対して、最近の企業活動においては、法人としての企業そのものが全体として違法に他人の権利を侵害しているという事例が増加しているのである。

公害被害や消費者被害、食品や薬品による被害などの例を考えれば明らかであるが、その他人への加害は、企業全体の、経営計画や立地計画に始まり、生産過程、商品化、販売活動などの全般が複合し、総合された結果として生み出されている。その場合、個々の役員や従業員の行為を問題にし、それが不法行為の要件を充たす必要があると考えるのは、まったく無意味である。そこでは、法人が一つの企業体、組織体として行動していて、その総体が不法行為を形成しているという観点が必要なのである。解釈論としては、法人そのものの不法行為として直接709条を適用し(いわば擬人化の論理であるが)、これと旧44条、715条などを総合して、法人の不法行為責任を認定するべきであると考えることになろうか(§709〔2〕(3)(ウ)(e)・§715〔6〕(2)参照)。

同じ観点は、国家賠償責任について考える場合にも重要であることを指摘したい。被害発生を防止できなかった国の責任(⑩(2)(ア)・(3)(イ)参照)が問題とされる場合、関係する公務員ないし省庁ごとに義務違反の有無を判断して、そのすべてが否定されれば、国家賠償責任はないという判断がされることが多いが、これは正しくない。それらを全体的に考慮して、国家賠償責任が成立するかどうかを総合的に判断するということが必要である。

第5章［解説］⑧

⑧ 不法行為責任と保険制度・社会保障制度など

不法行為制度と関連するものとして、つぎのような諸制度がある。これらとの関係を考察し、明らかにすることは、重要な課題となっている。

(1) 損害保険

ＡがＢによって滅失または損傷された物についてＣ保険会社との間で損害保険契約を結んでいたとする。ＡはＣから保険金を受領でき、ＡがＢに対して有する不法行為に基づく損害賠償請求権にＣは代位する（商§662［削除→保険§25]）。もし、Ａに保険金ではカバーされない損害が残れば、それは、Ｂに請求できる。

(2) 生命保険

ＡがＢから受けた生命健康上の損害について、それをカバーするためのＡとＣ保険会社との間の保険契約が存在すれば、Ａはその保険金を受領し、そのことはＡのＢに対する損害賠償請求には、理論的には影響しない（§709〔7〕(4)(イ)(c)(ⅱ)参照）。

なお、破産手続開始前に成立した第三者のためにする生命保険契約に基づき破産者である死亡保険金受取人が有する死亡保険金請求権は、破産財団に属するとした判例（最判平成28・4・28民集70巻1099頁）がある。

(3) 責任保険

Ｂが、他人に与える可能性のある加害について、それによって生じうる損害賠償責任をカバーするための責任保険（損害保険の一種である）をかけておく例も多くなっている。自動車損害賠償保障法第3章が定める制度が法律によって設けられた例であり（強制的に締結させられるので、強制保険と呼ばれる。法律により必要とされるほかに保険にかけることも多く、これは、任意保険と呼ばれる）、他の立法例も多い。立法による以外の場合にも、原則的に、このような責任保険は有効と考えられ、保険会社ＣがＢのＡに対する賠償金額を支払い、あるいは、保険会社がＡに仮渡金を支払った場合（自賠§17に規定がある）、あるいは、ＡがＢに代位してＣから保険金を受領した場合（§423）には、Ｂが賠償義務を果たしたことになる（ＣはＡのＢに対する損害賠償請求権に代位する。保険§25）。

自動車保険契約の人身傷害条項の被保険者である被害者に過失がある場合において同条項に基づき保険金を支払った保険会社は、保険金請求権者に裁判基準損害額に相当する額が確保されるように、保険金の額と被害者の加害者に対する過失相殺後の損害賠償請求権の額との合計額が裁判基準損害額を上回る場合に限り、その上回る部分に相当する額の範囲で保険金請求権者の加害者に対する損害賠償請求権を代位取得すると解するのが相当である（最判平成24・2・20民集66巻742頁、最判平成24・5・29判時2155号109頁）。

当該事故に安全配慮義務違反が介在するとしても、それにより直ちに自動車保険契約の搭乗者傷害特約にいう運行起因性が否定されるわけではないとした判例（最判平成28・3・4判タ1424号115頁）がある。

なお、自動車損害賠償保障法16条が、被害者は保険会社に対して、保険金額の限度において、直接損害賠償額の支払を請求できると規定していることは注目に値する。

被害者Ｘがこの規定により保険会社Ｙに対して保険金額である120万円の支払を

請求した(損害額は合計337万円余とされる)のについて、老人保健法(現在は「高齢者の医療の確保に関する法律」と改称されている)により大阪府が206万円余の支払をし、その求償として120万円の支払をYに求めており、この両者の請求の関係が問題となった。最判平成20・2・19(民集62巻534頁)は、被害者の請求の方が優先するとした。労災保険の事案についても同様である(最判平成30・9・27民集72巻432頁)。

(4) 社会保険制度

労働者災害補償保険法、雇用保険法、健康保険法、などの種々の社会保険制度によって、Aの受けた損害がカバーされたときの、AのBに対する損害賠償請求権との関係については、基本的には、社会保険制度は、その存在意義や法的性質からみて、不法行為責任とは別個の損害救済制度であり、社会保障給付により損害賠償請求権は影響を受けないと解するのが正しいであろう。ただ、労働者災害補償保険制度には、責任保険の要素も含まれているので、不法行為責任との関係をめぐって、議論の存するところである(両給付の重複とか、その調整を要するか、併給を認めるか、という問題になるが、§709(7)(4)(イ)(c)参照)。

(5) 被害補償制度

Aが受けた人身損害(死亡または重障害)がBの犯罪による場合(犯人が分からない場合も含む)、国から一定の給付金を支給されるという制度が設けられている(犯罪被害者等給付金の支給等に関する法律)。この制度では、AがBから損害賠償を受領した限度で、給付金は受けられず、また、給付金が支払われた限度で、国はAの有するBに対する損害賠償請求権を取得することが定められている(同法§8)。

そのほかにも、この種の公的・私的制度が存在するが(予防接種法第3章§§11〜18、結核予防法§21の2、独立行政法人医薬品医療機器総合機構法§§15〜など)、その場合の損害賠償請求権との関係は各制度について判断されることになる。

(6) 弁護士法に基づく照会制度

弁護士法23条の2第2項に基づく照会制度が、被害者の権利の実現に役立つことがあるが、これに対する報告を拒絶する行為が、同照会をした弁護士会の法律上保護される利益を侵害するものとして当該弁護士会に対する不法行為を構成することはないとした判例がある(最判平成28・10・18民集70巻1725頁、補足意見がある)。

(7) 生活扶助制度

Aが生活保護法などによる各種の扶助給付を受けた場合については、その給付は最低生活の保障を目的とし、不法行為責任は生じた損害の塡補を目的とすることから、給付の重複・調整の問題を生じる余地はない。

⑨ 不法行為法に関する最近の諸問題

以上にも述べてきたことのほかに、不法行為に関連して最近問題になっている事柄は多岐にわたる。

(1) 交通事故や公害被害の事例が多発していることが注目される。労働災害、医療事故、薬品被害、消費者被害なども、債務不履行の要素を兼ね備えている場合が多いが、これと合わせ考える必要があろう。人々の社会的交流活動の活発化とそれによる

接触の場面・機会の質的・量的増加、企業の巨大化に伴う前述の法人不法行為の増加、科学技術・医療技術の発達に伴う新しい形態の被害の登場、企業活動の大規模化・流動化・国際化に伴う被害者の大量・集団化、在日米軍基地に起因する事件の続発など、数え上げると多くの新しい要因と問題点が指摘できる。これらの現象をまとめて、「現代的不法行為」の問題と呼ぶこともあるが、これらの事象からインパクトを受けて、民法上の不法行為理論においても、さかんな論議が行われている。

(2) なかでも、不法行為理論の体系そのものの再検討を提案する議論が注目される。そういうものとしては、たとえば、

(a) 故意不法行為と過失不法行為とは範疇的に異なるものとして把握するべきであるという議論がある。従来、両者の違いを程度の差と理解する考えが強かったので、検討を要するところである。そして、そのためには、無過失責任の検討を避けて通るわけにはいかないであろう。

(b) 第二次大戦後において、市民の権利を重んじる法感覚が強まり、さまざまな権利概念が学説や一般市民から提唱されるようになったことに伴い、709条の定める権利侵害の要件を市民の権利重視の立場から見なおして、これに重点をおく思考が有力になっている。重要な動向といってよい。

(c) 過失の要素を重視して、その内容を分析するとともに、独立に違法性の要件を考える必要はないと論じる見解がある。

(d) 逆に、違法性を重視して、過失の要件は必要ないとする見解もある。

しかし、これらの新しい体系論については、個々の論点において傾聴に値するところはあるが、いずれも、全体として現代の複雑多様な不法行為の態様に対応するべきものとして学界・判例・実務の十分な納得をえられていない。

そこで、本書では、いまでも説得力において最も優れていると考えられる従来の体系に基本的に基づきながら考察することとする(⑪参照)。

(3) さらに、以上のものとは角度の異なるものであるが、被害救済システム論とも呼ばれる提案がある。それは、ニュージーランドにおいて試みられた立法にならって、不法行為の問題を、社会保障や保険などの制度と統合し、そのシステムのなかに解消し、そうすることによって、被害者が社会全体の機構のなかでその損害の塡補を能率的にまた確実に得られるようにしようとする工夫である。

しかし、この提案に対しては、その当該の社会において、社会保障が充実し、その基盤である社会的連帯感が強固であり、また、その構成員全体に、他の市民を決して害さないという規範意識が確実に根を降ろしているということが前提となっているということを指摘しなければならない。もしそういう前提がないところでこれが実施され、他人にいくら損害を与えても、救済は社会がしてくれるということになった場合に、現実に予想される事態は相当に悲惨なものになると考えられる。わが国のとくに企業における倫理感の現状を考えると、この種の発想にはにわかに賛成しかねるものがある。

第3編　第5章　不法行為

10　国・公共団体の賠償責任

　つぎに、国・公共団体が私人の不法行為に当たる行為を行った場合における賠償責任（「国家賠償責任」という）についてみておく。

　(1)　戦前の状況

　国または公共団体の公務員が公権力の行使によって他人に損害を加えた場合、あるいは道路・河川その他の公の営造物の設置または管理に瑕疵があったために他人に損害を加えた場合に、国または公共団体が損害賠償の責任を負うかどうかは、第二次大戦前において、大いに争われた問題である。最初は、いやしくも公の性質を有するものについては民法の不法行為に関する規定の適用はなく、特別の規定がある場合でなければ、責任を負わないものとされたが、学説・判例は、しだいに民法の適用を認める範囲を拡大してきた。すなわち、当初は、国・公共団体の行為でも、公共的色彩が弱く、一般市民の場合と同様に考えられる場合について、民法を適用していたが（大判大正5・6・1民録22輯1088頁［遊動円棒腐朽事件］は、公立小学校の設備の欠陥について§717を適用した例。なお、権利濫用の法理を用いた大判大正8・3・3民録25輯356頁［信玄公旗掛松事件］も参照）、戦前、公共的色彩のきわめて強いものとされた水利組合についても、その使用人の不当な職務行為による加害（大判大正6・1・19民録23輯62頁、大判大正12・6・2民集2巻361頁）、または排水灌漑施設の瑕疵による加害（大判大正14・12・11民集4巻706頁）などについては、水利組合自身の損害賠償責任が認められた。しかし、このような解釈の最後の段階においても、国・地方団体の公権力の行使そのものによる加害行為については、国・地方団体に責任を認めることはできないとされていた（これを「国家無答責」の法理という。戦前の事例であっても、その安易な適用は疑問である）。

　(2)　国家賠償法の制定

　ところが、新憲法は「何人も、公務員の不法行為により、損害を受けたときは、法律の定めるところにより、国または公共団体に、その賠償を求めることができる」と規定し（憲§17）、これに基づき翌1947年に国家賠償法（昭和22年法律125号）が制定されたので、従来の解釈論は一掃され、国民は、国家による権利侵害に対して厚い保護を受けることになった。この法律が施行された以上、従来、公法的性質なしという強引な解釈によって民法の適用を受けた事案も、公権力の行使ないし公の営造物として国家賠償法が適用されることとなった。この国家賠償法による方が、一般的には民法の規定によるよりも、被害者を厚く保護するものと考えられる。なお、国家賠償法と民法の規定を比較検討すると、つぎのような相違が認められる。この違いもあって、同法は行政法の領域において取扱われるが、市民法的にみれば、民法の不法行為法の特則と考えるのが、理論的には正しい（(3)参照）。

　(ア)　国または公共団体の公権力の行使に当たる公務員が、その職務を行うについて故意または過失によって違法に他人に損害を加えた場合（同法§1）

　(i)　この場合の国または公共団体の賠償責任は、民法715条の使用者の賠償責任に該当する。しかし、

　　(a)　国または公共団体については、民法の使用者の免責事由（§715Iただし書）が認められない（§715[8]参照）。

(b)　直接の加害者である公務員は、民法と異なり、故意または重大な過失があった場合にだけ、求償権を行使される（§715(12)参照）。

(c)　公務員の選任監督に当たる者と公務員の俸給・給与その他の費用を負担する者とが異なるときは、費用を負担する者もまたその損害賠償の責めに任じる（同法§3）。この関係は、民法の使用者と代理監督者の責任とが併立することに（§715Ⅱ参照）似ているようであるが、実質は同一ではない。民法においては、選任・監督に過失ある者を同一に取扱うものであるが、国家賠償法においては、被害者が責任者を判別できない不利益を救うことを目的とするものである。

(ⅱ)　なお、最近において、国・公共団体がその権限を適切に行使せず、規制をしなかったために損害が惹起されたとして、不作為による賠償責任が問われる例が増加している（スモン事件や血液製剤によるエイズ感染事件などの薬事行政、カネミ油症事件などの食品行政、水俣病事件、大気汚染事件などの公害に関する環境行政、豊田商事事件などの消費者事件などの消費者行政などの怠慢が問われた事件が想起される）。

この問題については、国民の生命・身体・財産などに差し迫った危険があり、法律で与えられた権限を公務員が行使することが容易であり、それが危険を避けるために適切な方法である場合には、その権限不行使を違法とする考えが有力になりつつある（この論旨を、国の裁量権の範囲が縮小されるという意味において、裁量権収縮論などと呼ぶ。県条例をしっかり実施していれば、野犬被害を防げたであろうとされた事案である東京高判昭和52・11・17判時875号17頁［千葉県野犬事件］、東京地判昭和53・8・3判時899号48頁［東京スモン地裁判決］など参照）。以上の点については、(3)(イ)参照。

以上は、主として、薬事行政に関するものであるが、労働行政・公害行政に関して、権限不行使を直接的に国家賠償法1条の適用上違法という論理でとらえる判決が登場している。最判平成16・4・27（民集58巻1032頁［筑豊じん肺訴訟国賠請求事件]）は、1960年のじん肺法の成立前も石炭鉱山保安規則の見直しを要する状況があったのに、じん肺法の成立後もその権限を行使しなかったことを違法とした（原審の福岡高判平成13・7・19判時1785号89頁を維持した）。また、最判平成16・10・15（民集58巻1802頁［水俣病国賠請求事件]）は、国が水質二法に基づく規制権限、県が漁業調整規則に基づく規制権限を行使しなかったのは、著しく合理性を欠き、違法とした（原審の大阪高判平成13・4・27判時1761号3頁を維持した）。なお、建設アスベスト訴訟に関する最判令和3・5・17（判時2502号16頁［神奈川事件]）も参照。

(イ)　公の営造物の設置または管理の瑕疵によって、他人に損害を加えた場合（同法§2）

この場合の国または公共団体の責任は、民法717条の土地の工作物の設置または瑕疵によって他人に損害を加えた場合の占有者または所有者の責任に該当する。しかし、

(a)　民法は、所有者には絶対責任を負わせるが、占有者には免責事由を認める（§717ただし書・同条(7)(8)参照）。これに反し、国または公共団体は、営造物の管理に当たる場合について、免責事由は認められない。

(b)　営造物の設置または管理の費用を負担するだけの者も、また賠償責任を認められるが（同法§3）、その関係は、民法の工作物の占有者と所有者の責任の関係とはまったく異なる。

第3編　第5章　不法行為

　(c)　公の営造物の設置または管理の瑕疵から損害を生じた場合に、他に損害の原因について責任を負うべき者があるときには、国または公共団体がこれに対して求償権を有する関係(同法§2Ⅱ)は、民法におけると同一である(§717(9)参照)。

　(ｳ)　国家賠償法は、民法の本章の規定に対する特別法であって、民法の規定は、全面的に補充的効力を有する(同法§4参照。消滅時効についての改正前§724など)。なお、国家賠償法に関する判例であっても、民法の解釈に役立つものについては、引用する。

　(3)　国家賠償責任と民事責任の関係

　(ｱ)　国家賠償法による責任が認められる場合は、その損害については国または公共団体は同法による責任を負うのであって、民法の規定による不法行為責任は負わない。たとえば、児童福祉法による社会福祉法人が運営・設置する児童養護施設の職員の養護監督行為による加害行為があった場合、それは公権力の行使に当たる公務員の職務行為であるので、国賠法1条が適用されるのであって、施設も民法709条による責任を負わず、職員についても民法715条の適用はない(最判平成19・1・25判時1957号60頁)のは当然である。このことと次項で述べることとは異なる。

　(ｲ)　Aが受けた損害について、国の賠償責任と一般人であるBの不法行為責任が重複して成立した場合はどうなるか。つぎの二つの場合を分ける必要がある。

　(a)　その1は、国自体について国家賠償法1条または2条の要件が充足され、Aに対して独立しても国家賠償責任を負い、これとBの不法行為責任が同時に成立した場合である。国家賠償責任といえどもその本質は不法行為責任と解するべきであるから、両者が719条の要件を充たす場合には共同不法行為責任を負うと考えてよい。

　(b)　その2は、Aに対する直接の加害行為はBが行ったが、国がその権限を適切に行使していたら、Bによるその加害を防げたであろうとして国家賠償責任が認められた場合である((2)(ｱ)参照)。この場合に、Bの不法行為責任と国の国家賠償責任はどういう関係に立つであろうか。この点につき、まだ論議は熟していないが、試見を述べれば、被害者Aに対する関係では、Bと国は共同不法行為責任(§719)を負うが、Bと国の間では、Bが第一次的な意味において、国は第二次的な意味において責任を負うと考えてはどうであろうか。そうすると、かりに国がAに対して賠償した場合には、その全額をBに対して求償するべきであることになる(求償権の誠実な行使も、国民に対する国の義務と考えるべきである)。

　(4)　刑事補償責任との関係

　誤逮捕や誤判により抑留・拘禁・刑の執行・拘置を受けた者は刑事補償法(昭和25年法律1号)により国に対して刑事補償を請求できる。司法機関の行為を直ちに違法とするわけにはいかないので、適法行為による損失の補償の法理によったものである。国家賠償法などに該当すれば、別に損害賠償を請求することも可能である(同法§5)。

　なお、直接的には、刑事施設ニ於ケル刑事被告人ノ収容等ニ関スル法律(平成18年法律58号廃止前)40条、刑事収容施設及び被収容者等の処遇に関する法律62条1項2号に関する事例ではあるが、「国は、拘置所に収容された被勾留者に対して、その不履行が損害賠償責任を生じさせることとなる信義則上の安全配慮義務を負わない」とした判例がある(最判平成28・4・21民集70巻1029頁。事実関係次第では、国が当該被勾留

第5章［解説］11

者に対して国家賠償法1条1項に基づく損害賠償責任を負う場合があり得ることは別論である
——本件では時効消滅）。また、刑事収容施設法79条1項2号に該当するとして保護室
に収容されている未決拘禁者との面会の申出が弁護士等からあった場合に、その申出
があった事実を未決拘禁者に告げないまま、保護室に収容中であることを理由として
面会を許さない刑事施設の長の措置は、接見交通権を侵害するものとして国家賠償法
1条1項の適用上違法となるとした判例がある（最判平成30・10・25民集72巻940頁）。

11　不法行為の法律関係
本章が定める不法行為の法律関係について、概観しておこう。
(1)　不法行為の一般的な成立要件は、つぎの通りである。
(ア)　主観的要件
　(a)　行為者に故意または過失があることを要する（第1の主要な要件）。709条〔2〕・
　〔3〕参照。
　(b)　行為者に責任能力があることを要する。712条〔3〕・713条〔1〕参照。
(イ)　客観的要件
　(a)　違法な権利侵害行為が存することを要する（第2の主要な要件）。
　　(i)他人の権利（2004年改正により「法律上保護される利益」が付加された）の侵害
　　　709条〔4〕・〔5〕参照。
　　(ii)身体・自由・名誉の侵害を含む　　710条〔1〕〜〔3〕参照。
　　(iii)とくに近親者の生命侵害について　　711条〔1〕〜〔5〕参照。胎児の場合につ
　　　いて　　721条〔1〕参照。
　　(iv)正当防衛・緊急避難（違法性阻却事由）　　720条〔1〕〜〔5〕参照。
　(b)　損害が生じたことを要する（第3の主要な要件）。
　　(i)損害の意義　　709条〔7〕参照。
　　(ii)精神的な損害を含む　　710条〔6〕参照。
　　(iii)とくに近親者の生命侵害について　　711条〔5〕参照。
　(c)　不法行為者の不法行為と損害との間に因果関係が存することを要する（第4
　　の主要な要件）　　709条〔7〕参照。
(2)　不法行為の効果は、被害者が不法行為者に対して損害の賠償を請求する権利を
取得することである。
(ア)　一般的原則　　709条〔8〕参照。
(イ)　精神的な損害に対する慰謝料　　710条〔7〕・711条〔5〕参照。
(ウ)　金銭賠償の原則と名誉毀損の場合の特例　　改正前722条〔1〕・723条〔2〕参照。
(エ)　過失相殺　　改正前722条〔2〕参照。
(オ)　賠償請求権の消滅時効　　改正前724条〔1〕・〔3〕・724条の2〔本条の趣旨〕
参照。
(3)　特別な場合における不法行為（これらを「特別な不法行為」、あるいは「特殊な不法行
為」と呼ぶ）について、つぎのような特則が定められている。
(ア)　責任無能力者の監督者・代理監督者責任　　714条〔1〕参照。

1519

第3編　第5章　不法行為

(イ)　被用者の行為についての使用者責任　　715条〔1〕参照。

(ウ)　請負人の行為についての注文者の責任　　716条〔3〕参照。

(エ)　土地の工作物についての占有者・所有者責任　　717条〔1〕参照。

(オ)　動物占有者責任　　718条〔1〕参照。

(カ)　共同不法行為者の責任　　719条〔1〕参照。

(4)　本章の規定以外に、不法行為ないし損害賠償に関連する条文・法規の数は多い。略述にとどめる。

(ア)　民法の規定

法人の不法行為に関する旧44条があったが、2006年改正で削られた。占有者の損害賠償義務に関する191条、占有訴権に関する198〜200条、相隣関係に関する209条・212条・222条・232条・234条、留置権に関する295条2項、相殺に関する509条〔改注〕、などがある。

(イ)　特別法の規定

(a)　失火による不法行為について、「失火ノ責任ニ関スル法律」（明治32年法律40号）がある。709条〔2〕(3)(イ)参照。

(b)　無過失責任に関連する立法は数多いが、これについては、⑥を参照。

(c)　特許権などの侵害については、⑥(2)(イ)、709条〔4〕(2)(ア)(d)参照。

(d)　そのほか、日米安保条約に基づき日本国内にあるアメリカの軍隊の構成員・被用者の不法行為による損害の賠償についての民事特別法（昭和27年法律121号。その請求手続について、「合衆国軍隊等の行為等による被害者等に対する賠償金の支払等に関する総理府令」〔昭和37年総理府令42号〕が定める）がある（「損失の補償」については、「日本国に駐留するアメリカ合衆国軍隊等の行為による特別損失の補償に関する法律」〔昭和28年法律246号〕が別にある）。

(5)　不法行為に関する規定は、特別の法的関係にない市民同士の関係に関し、原則として強行規定と解される。不法行為責任をあらかじめ免除する合意（消費契約§8 I ③・④参照）、賠償額をあらかじめ定める合意（改正前§722〔1〕参照）などは認められない。

（不法行為による損害賠償）
第七百九条[1)]
　　　　故意又は過失[2)]によって[3)]他人の権利又は法律上保護される利益[5)]を侵害[4)]した者[6)]は、これによって生じた損害[7)]を賠償する責任を負う[8)]。
[原条文]
　　　故意又ハ過失ニ因リテ他人ノ権利ヲ侵害シタル者ハ之ニ因リテ生シタル損害ヲ賠償スル責ニ任ス

〔1〕　本条の注釈はきわめて多岐にわたるから、検索の便のために、項目をつぎに示しておこう。

〔2〕「故意・過失」——主観的要件　1522
(1)　故意・過失の意義　1522

(2)　故意と過失の区別　1522
(3)　過失　1523

§709〔1〕

　(ア)　過失概念の分析　1523
　(イ)　過失の程度　1523
　　(a)　注意能力と注意義務　1523
　　(b)　軽過失と重過失（失火責任について）　1524
　(ウ)　具体的事例　1524
　　(a)　危険行為　1524
　　(b)　公共交通　1525
　　(c)　医療行為　1525
　　(d)　学校事故　1528
　　(e)　法人の不法行為　1528
　　(f)　その他　1529
(4)　近代産業と過失・無過失責任──とくに公害発生責任について　1530
(5)　立証責任　1531
〔3〕　故意又は過失「によって」　1532
(1)　因果関係認定の基本原則　1532
(2)　公害事件における因果関係　1533
(3)　不作為による不法行為　1533
(4)　第三者の行為の介在　1534
(5)　その他の例　1535
(6)　立証責任　1535
〔4〕　「他人の権利又は法律上保護される利益の侵害」──客観的要件　1535
(1)　権利侵害についての従来の論議　1536
(2)　被侵害利益　1538
　(ア)　財産権の侵害　1538
　　(a)　物権　1538
　　　(i)　所有権　1538
　　　(ii)　その他の物権　1538
　　(b)　債権　1538
　　　(i)　債務不履行との関係　1538
　　　(ii)　第三者による侵害　1539
　　　(iii)　その他　1540
　　(c)　商号　1541
　　(d)　工業所有権・知的財産権　1541
　　(e)　営業・営業上の利益・営業の自由　1541
　　(f)　その他　1542
　(イ)　人格権の侵害　1543
　　(a)　身体・自由・名誉　1543
　　(b)　その他　1543
　　　(i)　生命　1543
　　　(ii)　貞操　1543
　　　(iii)　内縁関係　1543
　　　(iv)　氏名・肖像・信用・プライバシーなど　1544
　　　(v)　個人情報の保護　1545

　　　(vi)　生活上の利益　1545
　　　　-1　日照の利益（日照権）　1545
　　　　-2　生活上・精神上の静穏　1545
　　　　-3　信仰上の静謐　1546
　　　　-4　景観享受の利益　1546
　　　　-5　居住の安全性　1546
　　　　-6　期待権・信頼　1546
　　(ウ)　親族関係に関する侵害　1547
(3)　侵害行為の態様　1547
　(ア)　刑罰法規違反行為　1548
　(イ)　取締法規違反行為　1548
　(ウ)　公序良俗違反行為　1548
　(エ)　適法行為による被害　1549
　(オ)　権利濫用行為　1549
　(カ)　行政法上許された行為　1549
　(キ)　裁判や執行に関する行為　1550
　(ク)　自力救済行為　1551
　(ケ)　契約締結上の違法行為　1551
　(コ)　共同暴行行為　1552
　(サ)　賃金業者の貸付行為　1552
(4)　違法性阻却事由　1552
　(ア)　正当防衛・緊急避難　1552
　(イ)　事務管理　1552
　(ウ)　被害者の承諾　1552
　(エ)　正当な業務行為　1553
　　(a)　医療行為　1553
　　(b)　国会議員の行為　1554
　　(c)　刑事司法関係者の行為　1554
　(オ)　条理上許される行為　1555
(5)　本要件と違法性との関係　1555
〔5〕　「法律上保護される利益」の侵害　1555
〔6〕　「侵害した者」　1556
〔7〕　「これによって生じた損害」──損害との因果関係　1556
(1)　416条の準用　1556
(2)　具体的適用　1556
　(ア)　財産損害の例　1557
　(イ)　人身損害の例　1558
　　(a)　生命侵害の場合　1558
　　(b)　身体侵害の場合　1561
　　(c)　生命・身体以外の人格的利益　1562
　(ウ)　逸失利益と定期金による賠償　1562
　(エ)　精神的損害──慰謝料　1563
　(オ)　将来の損害　1563
　(カ)　被害者が費やした費用──とくに弁護士費用　1563
(3)　立証責任　1564

第3編　第5章　不法行為

(4) その他の諸問題　1564	(ウ) 一部請求　1568
(ア) 過失相殺　1564	(エ) 一時金賠償と定期金賠償　1568
(イ) 損益相殺　1564	(オ) 請求権の発生時——遅滞はいつから
(ウ) 賠償者の代位　1567	か　1568
〔8〕 不法行為の効果　1567	(カ) 損害賠償請求権の相続　1569
(1) 損害賠償請求権　1567	(キ) 損害賠償請求権による相殺　1569
(ア) 金銭賠償の原則　1567	(ク) 損害賠償請求権の消滅時効　1569
(イ) 賠償するべき損害の範囲と損害額の	(2) 差止請求　1569
評価　1568	

〔2〕　**故意・過失**　　A(被害者)に損害を与えたB(不法行為者・加害者)に故意または過失があることが、不法行為の第1の主要な成立要件であり、主観的要件と呼ばれる。

(1)　故意・過失の意義

「故意」とは、自己の行為が他人の権利を侵害し、その他違法と評価される事実(後述(4)参照)を生じるであろうということを認識しながら、あえてこれをする心理状態(大判昭和5・9・19新聞3191号7頁。害する意思までは不要とする)であり、「過失」とは、その事実が生じるであろうということを不注意のために認識しない心理状態(大判大正2・4・26民録19輯281頁)である。もっとも、心理状態といっても、内心の心理、心理学的意味における心理を意味するものでないことはもちろんであって、立証可能な客観的な事実関係とそれに基づく法的評価によって判断されるものである(第1編第5章解説3(ア)参照)。

　民法が普通の不法行為の主観的要件として故意・過失を掲げたことは、近代民法の特色を示すものである。しかし、近時の法律思想からは問題とされる。けだし、不法行為制度の指導原理を個人の自由活動に対する最少限度の制限を画するものと考えるときは、故意も過失もない純粋に無過失な行為について賠償責任を負わせることは、個人の自由活動を不当に制限するものであって、とうてい是認できない。しかし、近代における科学・技術の進歩は多くの危険な施設を産み出し、ことにこれを利用する大企業は、いわば不可避の危険を包蔵するに至った。したがって、このような施設ないし事業を運営する者の責任を従来のままの観念による故意・過失がある場合に限ることは、決して公平な結果を導くものではない。ここにおいて、不法行為制度は、しだいに、社会に生じる損害を公平に分担させることをもって指導原理とするようになった。そこから、無過失責任の問題が重要な課題として登場してくる(本章解説4(3)、6参照)。もっとも、このような新しい指導原理のもとにおいても、普通の社会生活にあっては、自己の行為について十分な注意を怠らなかった者は、たとえこれによって他人に損害を加えることがあっても、責任を負わないものとする過失責任には、なお十分の存在意義がある。本条は、この普通の場合をとくに念頭に置いて規定したものといえる。

　さて、故意・過失の観念については、なお、多くの問題がある。

(2)　故意と過失の区別

故意と過失とを区別することは、実際上相当に困難である。たとえば、群集のなかに自動車を乗り入れるさいに、「あるいは人を怪我させるかもしれない」という認識

§709〔2〕

がある場合に、これを故意とするべきかどうかは、学説が分かれるところである。一般には、そのような認識のもとに、「やむをえない」として、あえてやれば故意（未必の故意という）があり、「この場合は損害を防ぐことができる」と考えてやれば、故意はない（多くは過失となる）とされる。しかし、この区別は、故意と過失の責任を全然異にする刑法では重要な問題となるが、両者の責任を区別しない民法では、それほど重要ではない。もっとも、民法でも、損害賠償額の算定に当たっては、公平の原則から、加害者の故意・過失が問題とされることは否定できない（§710〔7〕(2)(ア)・改正前§722〔2〕参照）。しかし、その場合にも、加害者の心理状態の非難するべき程度を測れば足り、強いて故意か過失かを区別する必要はない。したがって、被害者が損害賠償を請求するにも、加害者が故意か過失かを区別して主張する必要はない。裁判官は、故意の主張について過失を認定しても妨げない（大判明治40・6・19民録13輯685頁）。また、故意の主張を理由なしと認めた場合にも、過失のないことをも認定しなければ、原告の請求を棄却することはできない（前掲大判昭和5・9・19）。

通常は、以上のように理解されているが、故意不法行為と過失不法行為は類型的に区別されるべきであるという指摘もなされている。もし、それが正しいとすれば、上に述べたことにもかなりの変更を要することになる。

(3) 過 失

「過失」については、さらに、多くの問題がある。

(ア) 過失概念の分析

過失の概念を分析すると、第1に、加害行為を行った者が、損害発生の危険を予見したこと、ないし予見すべきであったのに（予見義務）予見しなかったこと（予見ないし予見可能性）と、第2に、損害発生を予見したにもかかわらず、その結果を回避するべき義務（結果回避義務）に違反して、結果を回避する適切な措置を講じなかったという、二つの要素が認められると考えるのが、一般的になっている。必ずしもこの二つの基準がつねに有効であるとは限らないが（たとえば、思いがけないことでとっさに生じた事故や最新の科学・技術上の進歩の過程で生じた事故など）、この両者が判断のための有力な要素となることは疑いない。

なお、だれかに損害を与えることを予見すれば、特定の人に損害を与えることにつき、予見ないし予見可能性を有することは必要ない（大判昭和7・5・3民集11巻812頁、最判昭和32・3・5民集11巻395頁）。

(イ) 過失の程度

(a) 過失の本体を構成する「不注意」は、注意をすれば認識できたことを前提とするが、どの程度の注意をすればよいかという標準は、加害者自身の注意能力ではなく（個人の注意能力を標準とする過失を「具体的軽過失」という）、その職業・地位・階級などに属する一般普通の人の注意能力（大判明治44・11・1民録17輯617頁。一般人を標準とする過失を「抽象的軽過失」という）である。「善良な管理者の注意」といわれるのは、その意味である。したがって、生来はなはだしく不注意な人は、その人としては最善の注意を払った場合にも、過失と認定されることがある。もちろん、その者に責任能力がないとき、すなわち自己の行為の責任を弁識するだけの判断力を

1523

第3編　第5章　不法行為

備えないとき（§712参照）は、過失があるとはいえない。けだし、判断力のない者に責任を負わせることは過失責任の本質に反するからである。しかし、責任能力があるとされる以上、年少の者でも、その注意義務の程度は、大人のそれと同一である（大判大正4・5・12民録21輯692頁）。

　(b)　軽過失と重過失（失火責任について）

　また、過失には、「軽過失」と「重過失」とが区別される。上記の客観的標準による注意義務を少しでも欠くときは（抽象的）軽過失であり、いちじるしく欠くときは重過失となる（最判昭和32・7・9民集11巻1203頁は、「わずかな注意さえすれば、たやすく違法有害な結果を予見することができた場合であるのに、漫然これを見すごしたような、ほとんど故意に近い著しい注意欠如の状態を指す」と述べている）。不法行為の成立要件としては、軽過失で足りるが、失火によって損害を加えたときは、1899年（明治32年）の「失火ノ責任ニ関スル法律」（明治32年法律40号）により、重過失のあるときにのみ責任を負うべきものとされる。

　この法律の適用に関して注意するべきことは、

　　(i)　第1に、この法律は不法行為の責任を制限するだけで、債務不履行の責任を制限するものではない。たとえば、借家人が軽過失で火事を出し、借家と隣家を焼いたときは、隣人に対する不法行為の責任は免れるが、家主に対する債務不履行の責任を免れることはできない。判例は、最初反対だったが、まもなく連合部判決で改めた（大連判明治45・3・23民録18輯315頁。なお、両責任の関係については、〔4〕(2)(ｱ)(b)(ⅰ)参照）。

　　(ii)　第2に、失火による加害とは、誤って火事を出し、火力の単純な燃焼作用で財物を損傷・滅燼させることで、発火薬の爆発作用による損害などを含まないが、延焼中に火薬が爆発して損害を拡大しても、それは含まれる（大判大正2・2・5民録19輯57頁）。また、高圧電線の架設設備が不十分なために、電線と樹木とが接触して火花を散らして火災を起こすことも含まれる（大判昭和7・4・11民集11巻609頁）。ただし、この判決は、717条との関係上、当否は疑問とされる（§717〔3〕(ｴ)参照）。

　　(iii)　失火者の使用者の責任を認めるためには、被用者の重過失は必要であるが、使用者の重過失を必要とするものではない（§715〔6〕参照）。責任無能力者の監督者の責任については、監督者の方の重過失が要求されている（§714〔1〕(3)(ｳ)参照）。

　　(iv)　故意の放火は失火ではないので、同法は適用されず、709条による。

(ｳ)　具体的事例

どのような場合に過失があるかは、一様には定めることはできない。それぞれの場合について決するべきであるが、注意するべき事項を挙げれば、

　(a)　危険行為

　まず、とくに危険を伴う特殊な技術を要する事項については、危険防止のために法令上種々の処置が命じられていることがある。交通法規が自動車などの運転についてそのスピードを制限するなど、遵守するべき義務を定め、電車の運行に当たって諸規制の遵守が命じられていたり、などである。このような場合に、これに従わ

§ 709〔2〕

ないことは、原則として過失となるが、しかし、これに従ったからといって過失がないということはできない(この類型に関する判決は、大判大正 5・1・22 民録 22 輯 113 頁、大判大正 5・9・16 民録 22 輯 1796 頁、大判大正 8・2・7 民録 25 輯 179 頁、大判大正 15・5・7 民集 5 巻 366 頁、大判昭和 4・7・26 民集 8 巻 822 頁、最判昭和 45・1・27 民集 24 巻 56 頁など多数)。

なお、自動車損害賠償保障法の施行(1955 年)後は、自動車運行供用者および運転者の過失は、主として、同法 3 条ただし書の免責事由においてのみ問題となることに注意を要する(本章解説⑥(4)(d)参照)。自動車運転者は、他の車も交通法規通り運転するものと信頼して走行することができるとして、徐行義務を否定した判決が注目される(最判昭和 43・9・24 判時 539 号 40 頁は、左側を並進する二輪車が交通法規に反して進路を右に変えて接触した事故について、直進している自動車はそういうことを予想して徐行する義務はないとした。原告の請求は、民法の不法行為に基づいて行われている。他車も交通法規通り運転するものと信頼してよいという、いわゆる「信頼の原則」を認めたものとされている。優先通行権のある者に徐行義務はないとした最判昭和 45・1・27 民集 24 巻 56 頁、交差点で青色で直進する自動車に対向車が右折して衝突した事件についての最判平成 3・11・19 判時 1407 号 64 頁も同旨。同趣旨の刑事判決、最判昭和 41・12・20 刑集 20 巻 1212 頁、最判昭和 43・12・17 刑集 22 巻 1525 頁も参考になる)。

(b) 公共交通

つぎに、航空機・電車・自動車のようないわゆる文明の利器は、危険を伴うとともに社会公共の福祉を向上させる不可欠の施設であるから、一般人もまた、その危険を回避するために相当の注意(ときには協力行為)を要求される。これらの施設の従業員の過失は、これと相関的に判断されるべきである。かつては、汽車の踏切事故についての運転手の過失が問題になることが多かった。判例は、最初は、運転手に対して厳格な標準で過失を認めたが、後には、上記のような理論を明らかにした(大判大正 15・12・11 民集 5 巻 833 頁、大刑判昭和 5・9・22 新聞 3172 号 5 頁など)。もちろん、このような場合の企業者の責任は、別個の問題である(§717〔3〕(ウ)参照)。また、最近においては、とくに高度の科学的・技術的判断(したがって、装置の利用)が求められることが多くなっているといえる。

(c) 医療行為

医師による医療行為それ自体はもちろん正当な業務行為であるが、その過程において、医師の故意・過失によって患者に損害を与えた場合は、不法行為となる。このいわゆる医療事故における過失の有無(医療過誤の問題)は、しばしば争われ、難しい問題を含んでいる(なお、通常は医師と患者の間に診療契約が存在し、その不完全履行というとらえ方もできる。しかし、実際には不法行為の問題として論じられることが多いので、ここで取り上げる。最近では診療契約の効力として取り上げられる場合も増えているが、便宜上ここで取り上げる)。めぼしい判例のみを紹介する。

(i) 輸血のさいに給血者が梅毒に感染していたため患者が梅毒にかかった事例において、医師が採血にさいして給血者に対する問診を十分に行わなかったとして、医師に過失があるとされた(最判昭和 36・2・16 民集 15 巻 244 頁〔輸血梅毒事件〕)。

(ii) 無痛分娩のための麻酔注射のさい消毒が不十分だったために障害を与えた

1525

第3編　第5章　不法行為

例で、医師に過失があるとされたが、消毒不完全がどの器具、どの注射部位に存したと確定する必要はないとされた(最判昭和39・7・28民集18巻1241頁。同趣旨に最判昭和32・5・10民集11巻715頁がある)。最判平成21・3・27(判時2039号12頁)は、手術における麻酔による心停止で、死亡との因果関係があるとした例である。

(iii)　血管腫治療のためのラジウム照射の結果、顔面に醜状痕を生じたのは、医師の過失とされた(最判昭和43・6・18判時521号50頁)。

(iv)　水虫治療のためのレントゲン照射が不適切で、皮膚ガンを生じたのは、医師の過失とされた(最判昭和44・2・6民集23巻195頁)。

(v)　一時期において、筋肉注射によって新生児や幼児が筋拘縮症にかかるケースが各地で起こり、問題になった。各地の訴訟で医師、製薬会社の責任が問題になり、下級審で肯定・否定例がみられたが、最高裁は、「当時の医療水準からみて、必要かつ相当な治療行為として是認される」として、過失を否定した(最判昭和61・10・16判時1217号60頁[大阪筋拘縮症事件]。各地の訴訟は和解などで終結した)。

(vi)　戦後1952年から1974年までの間に、インフルエンザなどの予防接種を受け、その結果生命・身体に障害を受けた被害児と親が国に対して訴訟を起こした。東京高判平成4・12・18(高民45巻212頁[東京予防接種禍集団訴訟控訴審判決])は、適法行為による損失補償の考え方の適用については否定し、被害児はすべて禁忌（きんき）者に該当するものと推定し、禁忌識別の十分な体制を怠った国に過失ありとし、国家賠償責任を認めた(各地で提起された訴訟も、高裁段階で和解または判決で終結し、被告は上告しなかった。ただし、敗訴原告の上告による上告審について、改正前§724〔3〕(2)参照)。

なお、インフルエンザの予防接種にさいして、その禁忌者を識別するための適切な問診を尽くさなかったことで医師に過失ありとした判例(最判昭和51・9・30民集30巻816頁)も注目される。

なお、集団予防接種については、因果関係も問題になりうるので、〔7〕(2)(イ)(b)を見よ。

(vii)　極小未熟児がかかる網膜症に関しては、医療水準の判断をめぐって、最高裁の判例にも曲折があった。戦後に未熟児に酸素を投与することが多くなり、これが引き金となって網膜症が発症することが明らかになり、1970年前後から光凝固法による治療法が開発され、確立するに至った。そこで、医師の過失を判断するための医療水準ということが問題となった。医療水準の基準としては、「診療当時のいわゆる臨床医学の実践における医療水準」とされた(最判昭和57・3・30判時1039号66頁)。

しかし、医師の過失を認めるかの具体的判断について、最高裁判所の判例は肯定例と否定例に分かれた(肯定するものは、最判昭和60・3・26民集39巻124頁、否定するものは、最判昭和54・11・13判時952号49頁、最判昭和57・3・30判時1039号66頁、最判昭和63・3・31判時1296号46頁、最判平成4・6・8判時1450号70頁。とりわけ、最後の判決は、1972年の事例について、「治療についての特別な合意をしたとの主張立証もな

1526

§709〔2〕

いのであるから、医師には、本症に対する有効な治療法の存在を前提とするち密でかつ誠実な医療を尽くすべき注意義務はなかった」というものであった)。ところが、最判平成7・6・9(民集49巻1499頁)は、医療水準についてのより具体的な判断基準を示して、1974年の事例について、医師の過失を肯定して、これを否定した原審判決を破棄・差戻した(要求される医療水準について、「当該医療機関の性格・所在地域の医療環境の特性等の諸般の事情を考慮すべき」とし、さらに、「新規の治療法に関する知見が当該医療機関と類似の特性を備えた医療機関に相当程度普及しており、当該医療機関において右知見を有することを期待することが相当と認められる場合には、特段の事情が存しない限り、右知見は右医療機関にとっての医療水準であるというべきである」と述べている。なお、この判決は、問題を明確に診療契約の問題としてとらえている。差戻審の大阪高判平成9・12・4判時1637号34頁は、損害賠償を命じる判決をした)。

患者が適切な医療行為を受けることができなかった場合に、医師が患者に対して適切な医療行為を受ける期待権の侵害のみを理由とする不法行為責任を負うことがあるか否かは、当該医療行為が著しく不適切なものである事案について検討しうるにとどまる、とした判例がある(最判平成23・2・25判時2108号45頁)。

(ⅷ) クロロキン製剤の副作用のために網膜症に罹患した患者による薬害訴訟において、国を被告とする国家賠償責任を問う部分につき、最高裁の判決があるが、国家賠償責任を否定した(最判平成7・6・23民集49巻1600頁[クロロキン薬害国家賠償請求事件]。製薬会社、医師、医療機関の責任については、第一審、第二審で肯定され、和解などで解決した)。

医療行為と密接に関連する薬害事件、とくにスモン訴訟(東京地判昭和53・8・3判時899号48頁[東京スモン訴訟第一審判決]、京都地判昭和54・7・2判時950号87頁、東京高判平成2・12・7判時1373号3頁など)を契機に薬事法(現:薬機法)が改正されたにもかかわらず、その後も、非加熱血液製剤によるHIV感染(薬害エイズ)事件など、薬禍が跡を絶たないことからすると、この種の事件における不法行為責任(あるいは債務不履行責任)に関する理論の役割は大きいといわざるをえない。

(ⅸ) 医師が医薬品の添付文書に記載された使用上の注意事項に従わなかった場合に、その過失が推定された(最判平成8・1・23民集50巻1頁)。なお、最判平成25・4・12(民集67巻899頁)が参考になる。

(ⅹ) 薬剤の副作用による顆粒球減少症について、医師の注意義務違反なしとした原審判決を破棄・差戻した例がある(最判平成9・2・25民集51巻502頁)。

(ⅺ) なお、医師の過失に関連して、医師の説明義務が問題になることがある。しかし、説明義務違反と医療過誤における過失とは必ずしも直結しないし、患者の同意の問題とも関連するので、〔4〕(4)(エ)(a)を参照。

(ⅻ) 食道がんの手術のさいに、患者の気管内に挿入された管が手術後に抜かれた後に、患者の気管狭さくから気管閉そくを起して、呼吸停止・心停止に至った場合に、担当医師の過失を否定した原審に対し、医者が再挿管などの気管確保処置を採るべき注意義務を怠ったために患者が死亡したとされた例がある(最判平成15・11・14判時1847号30頁)。

第3編　第5章　不法行為

(xiii)　開業医が患者を適時に適切な医療機関に転送させることを怠った過失を認め、もしそうしていれば、重大な後遺症が残らなかった相当程度の可能性があったとした例がある(最判平成15・11・11民集57巻1466頁)。

(xiv)　胃の内視鏡検査においてスキルス胃がんを見落とし、適切な再検査をしていれば発見できたはずで、化学療法により延命の相当程度の可能性があったとして、医療契約上の債務不履行責任を肯定した例がある(最判平成16・1・15判時1853号85頁)。

(xv)　患者にアレルギー体質があることを知りながら、薬物の点滴について、看護師に適切な指示・連絡を怠った医師の過失を認めた例がある(最判平成16・9・7判時1880号64頁)。

(xvi)　上行結腸のポリープ切除の手術において、術後出血ショックで死亡したケースで、担当医が追加輸血を行わなかったものが原審で過失および因果関係がないとしたのを破棄し、差戻した判例がある(最判平成18・11・14判時1956号77頁)。

(d)　学校事故

学校事故の事例も数多い。判例は、一般論としては、教師は学校における教育活動によって生じるおそれのある危険から生徒を保護するべき義務を負っているとして、事案ごとに判断している(最判昭和62・2・13民集41巻95頁、その他)。生徒同士の事故の場合には、714条の代理監督者責任の問題(§714(6)参照)と重複してくるとも考えられる(最近の事案として、最判平成9・9・4判時1619号60頁は、市立中学校の柔道部で回し乱取り練習中に上級生のBが下級生のAを負傷させた事案につき、顧問教官Cに指導上の過失なしとしたが、CにはBに対する代理監督義務者としての側面もあると考えられる)。小学校3年の児童Aがほこりを払おうとしてベストを頭上で振り回し、これが児童Bの右眼に当たり、負傷させた事件について、原審は、担任教諭に児童の安全確保および指導監督の義務を尽くしていない過失があるとしたが、最判平成20・4・18(判時2006号74頁)は、過失なしと判断し、破棄自判した。

(e)　法人の不法行為

法人の不法行為における故意・過失の問題については、公害事件、消費者被害事件、食品公害事件、薬害事件などを通して、認識が深められてきたが、まだ未解明の多くの問題が残されていると考えられる(本章解説(7)(イ)参照、§715(6)(2)参照)。

すなわち、法人の代表・執行機関のあり方や従業員の使用関係などを含めて、その法人の組織体としての全体を総合して判断する必要があり、単に個々人の故意・過失(それが別個に問題になりうることはありうるが)を論じるだけでは、正しく問題をとらえられない場合が少なくない。そのような場合の法人の不法行為における主観的要件のとらえ方には、多くの工夫を要すると考えられるのである。そのための作業としては、どうしても法人をいわば擬人化して(自然人になぞらえて)考察することが必要になろう。たとえば、企業の頭脳にも当たるトップの責任に重きが置かれなければならない(企業のトップが自分の企業から発する危険を知らなかったということは、それだけで法人の過失になりうる)。また、研究・調査・企画・開発の諸段階、したがってそれらの部門も重視されることになろう(これらの部門が弱体で、危険を予想しえ

§709〔2〕

なかったという場合には、そのこと自体が法人の過失になりうる）。事故に近接していた現場部門に責任を押しつけるような態度は許されないとする規範観念が、今後さらに強化されなければならない。

(f)　その他

(i)　司法書士が登記義務者の代理人から登記済証に代わる保証書(旧不登§44・75)の作成を依頼されたのに対し、代理権の有無を十分調査せずに保証書を作成したのは、過失に当たるとされた(大判昭和20・12・22民集24巻137頁)。司法書士が、依頼人である不動産の売主の所有権取得に疑義があるとして手続の直前に突然嘱託を受けることをできないとしたために売買契約が解除された事例について、嘱託を拒絶する正当な理由がないとして不法行為を認めた例があるが(最判平成16・6・8判時1867号50頁)、嘱託拒絶を理由とするのではなく、登記申請に関する法的判断の適否に関する過失を理由とするべきではなかろうか。また、中間省略登記の方法による不動産の所有権移転登記の申請の委任を受けた司法書士につき、当該登記の中間者との関係において、当該司法書士に正当に期待されていた役割の内容等について十分に審理することなく、直ちに注意義務違反があるとした原審の判断に違法があるとされた判例(最判令和2・3・6民集74巻149頁)がある。

また、一級建築士が実際には工事管理者にはならないのに、工事管理者としての名義を提供し、そのために重大な欠陥のある建物が作られた場合に、建物購入者に対する建築士を代表者とする有限会社の不法行為責任を認めた例がある(最判平成15・11・14民集57巻1561頁)。

最判平成19・7・6(民集61巻1769頁)は、違法性の判断に重きをおいているようであるが、建物設計者などの注意義務および過失をも判断している(〔4〕⑵⟨イ⟩⟨b⟩(vi)-5参照)。

(ii)　189条2項による悪意の擬制は、その趣旨が異なるので、これによって、本条の故意・過失が擬制されるわけではない(大判昭和18・6・19民集22巻491頁)。

(iii)　債権者の強制執行に対し、債務者または第三者が、それは第三者の所有だと主張しても、そのための証拠資料を提出しなかったときには、債権者の過失はないとされた(最判昭和30・2・11民集9巻164頁)。これに対し、債権者の調査不十分として、その過失を認めた例もある(最判昭和30・11・25民集9巻1852頁)。

(iv)　物を自己の物と信じて占有していた者が本権の訴えで敗訴したからといって、直ちに故意・過失があるとはいえないとされた(最判昭和32・1・31民集11巻170頁。§189〔5〕参照)。

(v)　仲介業者が山林の売買に当たって保安林指定の有無を調査しなかったために、買主が分譲地の造成の回復を命じられたり、分譲地売却ができなくなったのは、仲介業者の過失とされた(最判昭和55・6・5判時978号43頁。債務不履行にもなると思われるが、不法行為の成立を認めた)。

(vi)　危険な闘犬の飼い主に場所を提供した者Bが、保管方法が不十分で、その使用人が闘犬を連れ出してAに対して起こした事故について、Bの果たすべき高度の注意義務を根拠として、Bの本条による責任を認めた例がある(最判昭和

第3編　第5章　不法行為

57・9・7民集36巻1572頁)。

　　(vii)　就労中の過労の結果起きた自殺については、雇用に伴う安全保護義務の債務不履行責任として論じられるのが普通であるが、直接の上司の注意義務違反による使用会社の使用者責任(§715)を認めた例もある(最判平成12・3・24民集54巻1155頁。§722Ⅱによる過失相殺を否定した論旨が重要である)。

　(4)　近代産業と過失・無過失責任——とくに公害発生責任について

　近代的な産業経営に当たり、いかに注意を尽しても予見することができず、また、いかに現代の科学の枠を尽して予防設備をしても他人に損害を加えることを防止することができないように思われる損害については、どう考えたらよいであろうか。これは、鉱山や、化学工業、ハイテク産業などの経営で問題となる。

　かつての判例は、アルカリ製造会社の硫煙によって農作物を害した事実につき「損害ヲ予防スルガ為メ該事業ノ性質ニ従ヒ相当ナル設備ヲ施シタル以上ハ」、故意も過失もないものといえると判決した(大判大正5・12・22民録22輯2474頁［大阪アルカリ事件]。ただし、差戻された大阪控訴院は、相当な設備がないとして、過失を認めた)。学説は、一般的に、このような場合には、会社は硫煙が流れることを知っていたはずだから故意があり、もし知らなかったとすれば、過失があるが、現在の法制のもとでは、このような企業活動は許された行為であり、違法性がないという理由で責任を免れるのも、原則的にはやむをえないと解していた。国民の権利を軽視し、産業優先に傾いた態度であったといわざるをえない。

　第二次大戦後に、住民や環境を無視した企業活動が進められた結果、1950年代後半から全国各地において公害事件が続発した。多くの公害訴訟の成果として、この種の企業活動における過失についての新しい認識が形成された。それを示す代表的な判決は、つぎのようなものである(熊本地判昭和48・3・20判時696号15頁［熊本水俣病第一次訴訟])。

　　「化学工場が廃水を工場外に放流するにあたっては、常に最高の知識と技術を尽してその安全を確認するとともに、万一有害であることが判明し、あるいは又その安全性に疑念を生じた場合には、直ちにその操業を中止するなどして必要最大限の防止措置を講じ、とくに地域住民の生命・健康に対する被害を未然に防止すべき高度の注意義務を有するものといわなければならない。……如何なる工場といえども、その生産活動を通じて環境を汚染破壊してはならず、況んや地域住民の生命・健康を侵害しこれを犠牲に供することは許されないからである。」

　この判文は、化学工場の廃水について述べ、また、最高裁の判断とまではなっていないが、今日では、他の種類の企業も遵守するべき確固とした準則となっているといってよいであろう。

　なお、当時、この種の判断について、実質は無過失な行為について、これを過失としているとして、「過失の衣を着た無過失」ではないかと評する意見があったが、これは戦前のような法的感覚で問題をとらえており、正しくない。

　以上のような経過を経て、近代産業の活動における、過失立証不要論としての無過失責任の理論および立法が登場してきたのである。無過失責任の問題については、本

§ 709 [2]

章解説 4(3)、6参照。

　なお、各種の公害事件(水質汚濁公害、大気汚染公害、基地などの空港騒音公害、道路公害など)に関して、過失要件にも触れる数多くの、主として下級審の判決があり、そのなかに重要なものが少なくないことを指摘しておきたい。水質汚濁公害と大気汚染公害に関しては、無過失責任立法がなされているが(本章解説6(4)(f))、公害の原因物質については、それぞれ特定の「健康被害物質」、「有害物質」に限定されているので、それ以外の物質については、依然として過失の立証が問題になるのである。

　また、一連のじん肺による被害事件についての訴訟も注目される。いわゆる長崎じん肺訴訟に関する最判平成6・2・22(民集48巻441頁。その差戻し審が福岡高判平成7・9・8判時1548号35頁 [長崎じん肺訴訟差戻し審判決])をはじめ、多くの下級審判決があり(福島地いわき支判平成2・2・28判時1344号53頁 [常磐炭鉱じん肺訴訟]、福岡高判平成8・7・31判時1585号3頁 [長崎伊王島じん肺訴訟]、長崎地判平成10・11・25判時1697号3頁 [長崎日鉄鉱業じん肺訴訟]、札幌地判平成11・5・28判時1703号3頁 [北海道炭鉱じん肺訴訟]、盛岡地判平成13・3・30判時1776号112頁 [岩手じん肺訴訟]、福岡高判平成13・7・19判時1785号89頁 [筑豊じん肺訴訟控訴審判決]、その上告審が最判平成16・4・27判時1860号152頁、国の上告によるものが最判平成16・4・27民集58巻1032頁 [筑豊じん肺訴訟国賠請求事件])、いずれも、企業の安全配慮義務を根拠として不法行為責任を認めている。

　なお、水俣病事件およびじん肺事件において、国の責任が問われていることについて、本章解説10(2)(ア)(ⅱ)参照。

　近時、建設アスベスト訴訟において、国家賠償請求につき、筑豊じん肺訴訟判決、水俣病関西訴訟判決(以上2判例について、前掲、本章解説10(2)(ア)(ⅱ)参照)、泉南アスベスト訴訟判決(最判平成26・10・9民集68巻799頁)に続き、国の規制権限の不行使の違法性(国賠§1Ⅰ違反)を肯定し、特に、予見可能性および保護範囲(一人親方問題)に関して重要な事例判断を示し、また、不法行為に基づく損害賠償請求については、719条1項後段の趣旨とその適用要件の一部を明らかにし、さらに、最高裁として初めて同項後段の類推適用を肯定し、建材メーカーらに寄与度に応じた範囲での連帯責任を肯定した判例(最判令和3・5・17、平成30年(受)1447号等、判時2502号16頁 [建設アスベスト訴訟神奈川事件])が出ており、理論上も、実務上も重要な意義を有する。なお、最判令和3・5・17(判時2500号49頁 [大阪事件])および同日付の他の最判においては、建材メーカーの危険表示義務を否定している。

(5)　立証責任

　加害者に故意または過失があることは、本条の原則によれば、被害者において立証するべきである(大判明治38・6・19民録11輯992頁)。けだし、一般的不法行為成立の積極的要件だからである。しかし、この立証は、実際上必ずしも容易ではなく、また、これを厳格に要求することは公平に反する場合もあるので、判例は、公平の見地から加害者に責任を負わせることを妥当とする場合には、この立証を比較的容易に認める。その結果、公平の概念に基づく立証責任の転換ともいうべき理論(厳密な意味での立証責任の転換ではないが)が形成されている。そのことは、かなり以前から運輸交通・可燃物の取扱い・伐木運搬など、公衆に対して危険の多い事業に従事する者についてし

1531

第3編　第5章　不法行為

ばしば示されてきたものであって、判決もはなはだ多い（大判大正7・2・25民録24輯282頁、大判大正4・3・24民録21輯412頁、大判大正7・10・21民録24輯2000頁、大判大正8・12・22民録25輯2348頁、大判大正9・4・8民録26輯483頁、大判昭和2・5・27新聞2709号12頁など。推定が否定されたものも含む）。また、特許権の侵害などについて、過失の推定が規定されていることもある（特許§103、意匠§40、商標§39参照）。

　なお、債務不履行による損害賠償請求においては、立証責任は逆になり、債務者が自己の「責めに帰すべき事由」によらないことを立証しなければならないこと（§415〔4〕㈠参照）に注意を要する。

　〔3〕　故意又は過失「によって」とは、故意または過失のある行為（「事実行為」）によって、という意味である。この「よって」とは、行為と権利侵害ないし違法な事実との間に「因果関係」（原因と結果の関係）があることを意味する。この意味の因果関係は、通常は、行為と行為者が賠償するべき損害との間の因果関係（第4の要件として〔7〕に取り上げる）に含めて論じられるが、文理上も分離できるし、分けて論じることが適切である場合も少なくない。この意味の因果関係についても「相当因果関係」という言葉を用いる判例も多いが（⑤参照）、ここではとくにこの言葉を使う必要はない。

　(1)　因果関係認定の基本原則

　この意味の因果関係は、Bの行為（これをbとする。行為ではなく、なんらかの意味でBに関連する事実である場合もある。§717参照）がなければ、Aにおける権利侵害（これをaとする）も生じなかったであろうと考えられる関係をいう。多くの場合、この因果関係は、経験則上、明瞭に看取されるといってよい。bのせいでaを生じ、bがなければaも生じなかったであろうことが、経験則上肯定されれば、因果関係があるといってよい（手に持っていたガソリンへの引火から発して、それを投げ出して燃え上って人を死亡させた事案について「相当因果関係」があるとした最判昭和38・9・26民集17巻1040頁がそのよい例である）。bからaへ至るメカニズム（機序という）について厳格な意味における科学的解明がなされていなくてもよい（たとえば、bという物質がaという疾患を生じることが判明していれば、bが体内においてどのようなメカニズムを通してaを生じさせているかが未解明でも妨げない）。その意味において、ここで立証を要求されるのは、「法的（意味における）因果関係」であって、因果関係の科学的証明ではないとされるのである。

　ただ、因果関係をそのようにとらえても、人々の従来の知見になかった事態を生じたようなときに、この因果関係の立証の程度に関して問題を生じることが多い。この点に関する標準的な判例は、「訴訟上の因果関係の立証は、一点の疑も許されない自然科学的証明ではなく、経験則に照らして全証拠を総合検討し、特定の事実が特定の結果発生を招来した関係を是認しうる高度の蓋然性を証明することであり、その判定は、通常人が疑を差し挟まない程度に真実性の確信を持ちうるものであることを必要とし、かつ、それで足りるものである。」という（最判昭和50・10・24民集29巻1417頁〔腰椎穿刺施術（ルンバール）による発作事件〕）。

　また、前掲最判昭和50・10・24の趣旨は、医師が注意義務に従って行うべき診療行為を行わなかった不作為と患者の死亡との間の因果関係についても妥当するとしたうえで、「医師が注意義務を尽くして診療行為を行っていたならば患者がその死亡の

§709 [3]

時点においてなお生存していたであろうことを是認し得る高度の蓋然性が証明されれば、医師の右不作為と患者の死亡との間の因果関係は肯定される」とし、患者が右時点の後いかほどの期間生存し得たかは、損害の額の算定に当たって考慮されるべき事由であって、因果関係の存否に関する判断を直ちに左右しない、とする判決が現れた（最判平成 11・2・25 民集 53 巻 235 頁）。

ついで、医師が過失により医療水準にかなった医療を行わなかった場合、「右医療行為と患者の死亡との間の因果関係の存在は証明されないけれども、医療水準にかなった医療が行われていたならば患者がその死亡の時点においてなお生存していた相当の程度の可能性の存在が証明されるときは、医師は、患者に対し、不法行為による損害を賠償する責任を負う」とした判決がある（最判平成 12・9・22 民集 54 巻 2574 頁）。

最判平成 18・6・16（民集 60 巻 1997 頁）は、幼児期に受けた集団予防接種と B 型肝炎ウイルス感染の間の因果関係を認めた。

また、上行結腸のポリープ切除の手術で、術後出血ショックで死亡したケースにつき、過失および因果関係がないとした原審を破棄し、差戻した判例がある（最判平成 18・11・14 判時 1956 号 77 頁。(2)(3)(ウ)(c)(xvi)参照）。

(2)　公害事件における因果関係

公害訴訟における、下級審によって採用された「疫学的因果関係」論（医学において、疫病についての大量観察によって原因・結果の関係を確かめる疫学的手法を参考にして、因果関係を認めるもの）も、同じ趣旨において、妥当といってよい（富山地判昭和 46・6・30 下民 22 巻 5・6 号冊別 1 頁［富山イタイイタイ病訴訟第一審判決］と津地四日市支判昭和 47・7・24 判時 672 号 30 頁［四日市公害訴訟］がその最初の例である）。

また、工場排水が水俣病の原因となった事件において、下級審であるが、①原因物質、②汚染経路が矛盾なく証明できれば、③工場内の物質の生成・排出過程については企業側が反証するべきであるとした判断（新潟地判昭和 46・9・29 下民 22 巻 9・10 号別冊 1 頁・判時 624 号 99 頁［新潟水俣病訴訟］）が注目される。

その後、大気汚染公害・騒音公害については、発生源である工場の排気との因果関係を認める判決がつづいている（千葉地判昭和 63・11・17 判時臨増平成 1・8・5 号 161 頁［千葉川鉄大気汚染公害訴訟］、横浜地川崎支判平成 6・1・25 判時 1481 号 19 頁［川崎大気汚染公害第一次訴訟］、岡山地判平成 6・3・23 判時 1494 号 3 頁［倉敷大気汚染公害訴訟］、最判平成 7・7・7 民集 49 巻 1870 頁［国道 43 号ほか道路公害訴訟］など）。

これに対して、自動車の排気を問題として、国や道路公団の道路管理責任を問う訴訟では否定例が多かったが（前掲横浜地川崎支判平成 6・1・25、最判平成 7・7・7）、最近では責任を認めた判決も現われている（大阪地判平成 7・7・5 判時 1538 号 17 頁［西淀川大気汚染公害第二〜四次訴訟第一審判決］、横浜地川崎支判平成 10・8・5 判時 1658 号 3 頁［川崎大気汚染公害第二次訴訟］）。

(3)　不作為による不法行為

故意または過失のある行為によってという、この行為の中には不作為も含まれる。「不作為による権利侵害」とは、たとえば、踏切番人が遮断機を下げなかったので通行人が電車に轢かれたとか、株式会社の支配人が同会社の取締役あての手形を振り出

1533

第3編　第5章　不法行為

すのに監査役の同意を得なかったので手形が無効となり、所持人に損害を与えた（商旧§265による例。現在は会社§356に当たる）というように、一定の行為をしないことが原因となって、権利侵害の「事実」を生じることである。

ところで、ある人の不作為がある事実の原因となるという「ある人」の範囲は、きわめて広範に及ぶことがありうる。上の第1の例で、たまたま踏切の近くにいた人も遮断機を下げたり、警報を発することができたとすれば、その人の不作為もまた結果に対する原因を成しているといえる。しかし、その行為をなすべき義務ある者の不作為でなければ、違法性がないために、不法行為は成立しない。もっとも、判例は、同一の結論を認めるが、その理由として、なすべき義務のない者の不作為は、結果に対する原因力がないためだという。上の第2の例については、取締役が会社と取引をするには監査役の同意を得なければならないのは、取締役の義務であって、支配人の義務ではないことを理由として、因果関係の成立を否定した（大判大正7・7・12民録24輯1448頁）。さらに、金融機関がアレンジャーよりシンジケートローンへの参加の招へいを受けてこれに応じ、当該ローンが組成・実行されたが、借受人の決算書に粉飾があり、ローンの継続ができず、再生手続の開始決定がされた場合において、アレンジャーから交付された資料の中に、そこに含まれる情報の正確性・真実性についてアレンジャーは一切の責任を負わず、招へい先金融機関で借受人の信用力等の審査を行う必要がある旨記載されていたとしても、借受人の代表者が、アレンジャーの担当者に、シンジケートローンの組成・実行に係る判断を委ねる趣旨で、別件シンジケートローンにつき借受人のメインバンクが借受人の決算書に不適切な処理がある旨を借受人に指摘して専門家による財務調査の必要を強く指示し、かつそのことを参加金融機関に周知させたという情報を告げたなどの事実関係の下では、当該シンジケートローンのアレンジャーは、当該ローンへの参加を招へいした金融機関に対し前記情報を提供すべき注意義務を負うとした判例（最判平成24・11・27判時2175号15頁）がある。また、グループ仲間が軌道に置いた置石を除かなかった行為について、不作為による不法行為を認めた例がある（最判昭和62・1・22民集41巻17頁）。集会決議違反の事案であるが、団地管理組合法人が一括して契約を締結するなどして団地建物所有者等が電力の供給を受ける方式への変更をするために、団地建物所有者等に対してその専有部分において使用する電力につき個別に締結されている供給契約の解約申入れを義務付ける旨の集会決議がされた場合において、団地建物所有者が上記解約申入れをしないことが他の団地建物所有者に対する不法行為を構成しないとされた判例（最判平成31・3・5判時2424号69頁）がある。

　(4)　第三者の行為の介在

　行為と権利侵害の事実との間に他人の行為が介在した場合にも、この意味における因果関係の問題を生じる。そのような場合は、二つに分けられる。

　(a)　第1は、違法な事実が生じること自体について、他人ではない本人に故意または過失がある場合である。たとえば、判断能力を失った人をけしかけて他人の物を破壊させる、執行官を欺いて不法な差押えをさせる、無頼漢をそそのかして他人を暗殺させるなどである。このような場合には、その本人の不法行為が成立するこ

§709〔4〕

とは、疑いない（大判大正7・7・10民録24輯1365頁。上記の執行官〔当時は執達吏〕の例に関する。後述〔4〕(3)(キ)(b)参照)。この場合は、直接の行為者の責任については、別個に考えなければならない。判断能力を失った人には責任能力がないから、責任を負わない（§713）。執行官も、職務規律に違反していない限り責任がない。第3の場合の無頼漢には責任がある。そして、民法は、無頼漢とそそのかした者の両方が責任を負う場合の効果について、特則を設けている（§719Ⅱ）。

(b)　第2は、権利侵害の事実を生じること自体には、本人に故意・過失がなく、ただ、その者の故意・過失が、ある行為によって他人の不法行為を誘起した場合である。たとえば、ホテルの主人が雇い人の選任監督を怠ったので、雇い人が忠実に仕事をせず、客の荷物を損傷したような場合には、主人の故意・過失によって権利侵害の事実を生じたとは、原則としていうことはできない。したがって、主人は、自己の行為による責任を負わない。ただし、民法は、主人は、他人を使用する者として、一定の条件のもとに他人の行為について責任を負うべき旨を定めているのである（§715。§714も同様）。

(5)　その他の例

(a)　Aが地上権を有する土地にCが無権限で家を建て、これをBが賃借占有している場合、Bの占有とAの土地使用不能による損害の間に相当因果関係はない（最判昭和31・10・23民集10巻1275頁）。

(b)　登記官の過失によって無効な登記がなされ、それを信じた第三者が受けた損害との間には相当因果関係があるとされた（最判昭和43・6・27民集22巻1339頁）。

(c)　中学3年生の少年が同1年生の友人を殺して金銭を奪った事例において、同人の不法行為責任とともに、その両親が監督義務者としての義務違反を認め、それが結果を招いた相当因果関係があるとして、本条に基づく直接の不法行為責任を認めた例がある（最判昭和49・3・22民集28巻347頁）。

(d)　戦後の農地改革において行われた農地買収が無効であったが、そのまま売渡しを受けた者について取得時効が完成した場合に、無効な農地買収と被買収者の所有権喪失との間に相当因果関係があるとされ、時効完成時の価格による国の賠償責任が認められた（最判昭和50・3・28民集29巻251頁）。

(e)　教師による懲戒と生徒の自殺の間の相当因果関係を否定した判例がある（最判昭和52・10・25判タ355号260頁）。成人が交通事故によりうつ病になり、自殺した場合につき事故と自殺の間の相当因果関係を肯定した例がある（最判平成5・9・9判時1477号42頁）。

(6)　立証責任

加害者の行為と被害者の損害との間の因果関係の立証責任は、請求をする被害者にあることは、当然である。しかし、判例・通説は、かなり多くの場合において、事実上の推定その他の法理を用いて立証責任を転換するなどの法技術を用いる（大判明治45・5・6民録18輯454頁、以後多数の判例がある）。〔7〕(3)参照。

〔4〕　この個所は、原条文では、「他人ノ権利ヲ侵害シ」となっていた。すなわち、原条文によれば、B(加害者・不法行為者という)がA(被害者という。条文では「他人」と規

1535

第3編　第5章　不法行為

定されている)の「権利を侵害した」こと、すなわち、違法な権利侵害行為が存在することが、不法行為の第2の主要な要件とされ、客観的要件と呼ばれる。

　2004年改正は、この個所に「又は法律上保護される利益」という語句を付加した。これには、非常に問題があると考えられる。この付加された語句については、(5)で触れるが、その前に、従来の権利侵害論を振り返っておく必要がある(本章解説④(4)・⑤参照)。

　(1)　権利侵害についての従来の論議

　従来の学説・判例は、原条文の文言を前提として、厖大な論議を展開してきた。そこには、さまざまな立場があったが、条文の「権利」を固定的、限定的に解せずに、弾力的に、また幅広く解しようとする点においては、ほぼ共通していたといってよいであろう。ここに、上記のような新しい語句が加わることは、これまでの学問的蓄積を無視することにもなり、無用の混乱にもつながりかねない。そこで、以下には、従来の論議を紹介し、(2)～(5)ではこれを前提としての解説を行うこととする。

　(ア)　「権利を侵害」するとは、他人の所有権・著作権その他の財産権、身体・自由・名誉などの人格的な権利などを毀損することである。そもそも、不法行為は、他人に損害を加えるもの、いいかえれば他人の利益を侵害する行為であるが、その利益の侵害が同時になんらかの意味において権利の侵害といえる場合にだけ不法行為となる。たとえば、ある村でAが魚屋をして繁昌しているところにBが入ってきて同じ魚屋をはじめ、競争の結果BがAの繁昌を奪ったとすれば、Bの故意の行為でAが損害をこうむったに相違ない。しかし、BはAの権利の侵害をしたとはいえないから、Bの行為は不法行為とはならない。ただ、BがAの商号を不当に真似たようなときは、商号権の侵害を伴うから(商旧§§20～22→商§12、会社§§8・978③参照)、不法行為となる。これが、本条が権利侵害をもって不法行為の要件とした元来の理由である(本章解説④(4)・⑤参照)。

　(イ)　民法が、権利侵害をもって不法行為成立の客観的要件とした理由は、この要件をもって個人の自由競争の限界を画することが適当だと考えたからである。個人は、その生存に必要な範囲において各種の権利を認められ、その基礎の上に立って自由に活動をするものであるから、他人の権利を侵害することは、もはや自由競争の範囲内とは認められない。しかし、他人の権利を侵害しない限り、その行為は自由であり、たとえそれによって他人に損害を加えても、それは、自由競争、すなわち優勝劣敗・弱肉強食の当然の結果として是認されなければならない。これが民法の立場である。

　このような民法の立場は、各個人の自由を最大限に確保することを指導原理とした近代民法としては、きわめて妥当なものである。しかし、民法の指導原理が個人の発展と公共の福祉の増進との調和をはかることにあるとされるようになると、この立場ははなはだしく狭隘に感じられる。けだし、私法上の権利は、物権・債権・株主権というように、積極的に財貨を利用することを内容とする場合には、その権利としての存在が明瞭に認められるのに反し、貞操・名誉・信用というような、単にその不当な侵害から守られるべきことのみを主たる内容とするものは、権利としての存在が明瞭でない。したがって、権利侵害の要件を厳格に解することは、積極的な内容を持つ権

1536

§709〔4〕

利の侵害のみを問題とし、消極的な権利の侵害を不問にする傾きがある。のみならず、個人間の自由競争も公共の福祉の増進と調和を保つ範囲においてのみ認められるとするときは、行為の態様が違法であるものを禁止しなければならないことになる。上に挙げた例で、Bが虚偽の風説を流布したり、偽計を用いてAの顧客を奪ったとすれば、その行為は刑法上の犯罪となる（刑§233参照）。したがって、民法の新しい指導原理からすれば、このような行為を不法行為とするのは当然と考えられるが、その場合でも、果たしてAのいかなる権利を侵害したかといえば、はなはだ疑問である。

このように考えれば、民法の今日の指導原理からいえば、不法行為の要件である権利侵害は、要するに違法に他人に損害を加える行為（違法行為）という意味に解さなければならないことになる。

(ウ)　判例も、当初は、民法の「権利の侵害」という言葉に忠実に、加害者の行為が被害者のなんらかの権利を侵害したことを必要とする立場をとった。「人ノ信用ニ関シ不当ニ虚無ノ事実ヲ社会ニ表白シ以テ其信用ヲ害スル」行為について、710条があるので「名誉」といえば足りるのにもかかわらず、「名誉権」を害するとして不法行為の成立を認めたり（大判明治39・2・19民録12輯227頁）、信用を傷つける行為は当然には財産権の損害を生じるとはいえないとしたり（大刑判明治44・4・13刑録17輯557頁。信用毀損の刑事事件における附帯私訴に関する）、湯屋営業は権利とはいえないとして、その侵害を否定し（大判明治44・9・29民録17輯519頁）、また、浪曲は演奏ごとに節まわしなど変化があるので、これに著作権があるとはいえない（大刑判大正3・7・4刑録20輯1360頁［桃中軒雲右衛門蝋盤無断複製事件］。著作権法違反事件の附帯私訴）、という見解を示した。

しかし、1925年（大正14年）の「大学湯事件」判決に至って、家主から大学湯という湯屋営業を買取り、かつその家を賃借して湯屋営業を営んできた者がある場合に、家屋の賃貸借の合意解除の後、なんらの補償も支払わずにその湯屋営業を第三者に賃貸した家主の行為を不法行為と判示するに当たり、何々権という具体的権利の侵害がなくても、法規違反の行為によって他人の法律上保護される利益を侵害したときは、不法行為は成立すると明言した（大判大正14・11・28民集4巻670頁［大学湯事件］）。逆にいえば、不法行為の成立が認められるときには、本条にいう「他人の権利を侵害した」ことになると考えてよいことになった。

(エ)　それでは、この要件の成否を判定する標準はなんであろうか。侵害される利益の性質と侵害する行為の態様の両面から相関的に判断し、公の秩序善良の風俗を標準として決定するべきものと思う。この考え方は、「相関関係説」と呼ばれることが多いが、正確ではない。より正確には、「相関的判断説」と呼ぶのが適切であろう。

さらにいえば、この両要素を中心としながらも、他の要素、すなわち、関連する他者の利益、たとえば名誉毀損の主張に対する表現の自由、営業侵害の主張に対する営業の自由など、あるいは一般社会の諸利益、たとえば、科学技術や医療技術の進歩により受ける利益（もっとも、それを一方的に強調することは正しくない）などをも考慮にいれて、いわば総合的に判断する必要があるともいえよう。

つぎに、上の両要素についての主要な事例を示そう。

1537

第3編　第5章　不法行為

(2)　被侵害利益

(ア)　財産権の侵害

(a)　物　権

まず、代表的な財産権である物権である。そのうち、

(i)　所有権は、すべての人に対する権利として最も強固なものであるから、その侵害は、一般的に違法性を帯びる。ただし、所有権の内容も社会的制限に服するものであるから、その制限の範囲内においては、外形上他人の所有権を侵害する行為も違法性を帯びないことがありうる。たとえば、普通の社会生活に伴う臭気・音響・煤煙・振動などを他人の所有地に侵入させることも、その意味で違法性がないのを原則とする（第2編第3章解説②(2)(c)参照。もちろん、その程度がいちじるしい場合は別である）。

ただ、注意するべきことは、所有権を侵害された者が、その侵害の排除を請求することが所有権の濫用となる場合についても、その侵害に基づいて損害賠償を請求することが是認される場合があることである。たとえば、土地所有者が利用価値のほとんどない傾斜面を通る引湯木管や地底深く通る用水路の除去を請求することは、所有権の濫用として否認される場合にも（第2編第3章第1節解説③参照）、不法行為を理由として物質的ならびに精神的損害の賠償を請求することは、必ずしも否定されない。けだし、そう解することが権利の社会性と個人性とを調和させるゆえんであり、したがってまた、権利の社会性ないし侵害行為の違法性は相対的な観念であるべきだからである。

(ii)　地上権・永小作権・入会権などの用益物権、留置権・先取特権・質権・抵当権（抵当権については抵当権特有の問題があるので、第2編第10章第2節解説③で詳述する）などの担保物権・漁業権や鉱業権などの準物権の侵害もそれぞれの権利の内容に応じながら、所有権の侵害に準じて取扱うべきである。占有権も物権の一種としてその侵害行為は違法性を帯びるが、これについては、民法に特則がある（§§197～201・§197前注④・§198(3)参照）。

(b)　債　権

債権も財産権の一種として、その侵害行為は違法な権利侵害行為となりうる。ただし、債権の侵害についてはまず、つぎの二つの場合を区別しなければならない。

(i)　まず、債務者が本旨に従った債務を履行しないことは、違法な債権侵害に相違ないが、それは、債務不履行として、不法行為と区別される（§415参照）。

もっとも、債務者の行為は、債務不履行の要件を充たすと同時に、不法行為の要件をも充たす場合が多い。たとえば、借家人が失火によって借家を焼失することは、借家人として負担する債務——賃貸借関係が終了するまで善良なる管理者の注意をもって保管し、その関係が終了したときにこれを返還する債務（§§400・616・597 I参照）——の履行不能であると同時に、他人の所有権を侵害する不法行為でもある。このような場合に、債権関係が特別な関係として優先的に考慮されるべきであることを理由として、不法行為の成立を否定するべきか（法条競合説）、両関係の競合的成立を認めるべきか（請求権競合説）の議論があり、請求権競合論

§709〔4〕

として別に論議されなければならない(改正前§415前注③⑵参照)。

　(ⅱ)　そこで、ここでもっぱら不法行為の問題として検討されなければならないのは、債権が第三者により侵害された場合である。

　民法施行の当初に、債権は物権と異なり、特定の人すなわち債務者に対して請求する相対的な権利であり、第三者に効力を及ぼすものではないという理由で、不法行為の成立を否定する見解が有力であったが、1915年(大正4年)に、あいついで刑事・民事両部の判決がこれを肯定し(大刑判大正4・3・10刑録21輯279頁〔波合村立木背任事件〕、大判大正4・3・20民録21輯395頁。前者は、「対世的権利不可侵ノ効力ハ実ニ権利ノ通有性ニシテ独リ債権ニ於テノミ之ガ除外例ヲ為スモノニアラ」ず、と論じ、債権に基づく妨害排除を認めた大判大正10・10・15民録27輯1788頁に通じる論旨を述べている。本編第1章第2節解説⑤参照。後者は、事案としては不法行為を否定したが、理論的可能性としては肯定した)、それ以来、これを支持する学説が多い。ただし、どういう場合に債権侵害が不法行為になるかは、相当に困難な問題である。場合を分けて考える必要がある。

　第1は、第三者のために債権者がその債権を喪失させられた場合である。債権も1個の財産であるから、これを債権者から奪うことは不法行為となる。これには、つぎの二つの態様がある。

　その1は、債権の帰属の侵害といわれるものである。たとえば、第三者が、無記名債権者から預った無記名証券を善意の第三者に譲渡してしまう行為(§192⑵(ｲ)参照)、債権者から取立て委任のために債権譲渡を受けたに過ぎない債権を善意の譲受人に譲渡し、債務者の異議をとどめない承諾を得てしまう行為(§468〔1〕～〔4〕参照)、債権の準占有者または受取証書の持参人として善意弁済を得てしまう行為(改正・削除前§§478・480参照)、などは、債権者をして債権を喪失させる行為であるから、不法行為になる(大判昭和8・3・14新聞3531号12頁は、傍論として述べる。事案は異なる)。

　この類型の変種といってよいものに、Aが担保の目的でCからBに対する債権の代理受領の委任を受け、Bがそれを承認しながら、Cに弁済してしまったためにAが損害をこうむった場合につき、BのAに対する不法行為になるとした例がある(最判昭和44・3・4民集23巻561頁、同旨、最判昭和61・11・20判時1219号63頁。担保権の侵害という要素も含まれている)。

　その2は、債権の目的である給付の侵害といわれるものである。たとえば、第三者が、債務者が債権者に移転するべき特定物を毀損(損傷)する行為(大刑判大正11・8・7刑集1巻410頁。AがCから贈与をしてもらった山林をBが伐採した事案で、原審は、所有権はCにあるから、AはCから損害賠償請求権を譲り受けなければならないとしたが、Aの債権侵害を理由とすれば足りるとした)、契約通りに劇場に出演しようとする債務者を拘束する行為(大判大正7・10・12民録24輯1954頁。ただし、芸妓稼業を内容とする債権の例であり、例としては適切でない)、債務者が債務額100万円を持参して債権者に弁済しようとしたのを妨害し、翌日債務者が破産して、債権者が弁済をうけられなくなるに至らせた行為、などである。これらの場合、債務者に

第3編　第5章　不法行為

対する債権が消滅し、もしくは無価値になれば、あたかも帰属の侵害と同様に、債権者は財産権を奪われたことになるので、その第三者の行為は不法行為となるといってよい。

　第2は、上の給付の侵害の場合において、第三者の行為だけでなく、これに債務者自身の責めに帰すべき事由も加わっている場合であり、これについては、問題がある。すなわち、上に挙げた例において、債務者も第三者の誘いに乗ったとか、第三者に協力したとか、さらには第三者と共謀した、という場合には、債務者の債務は、債務不履行による損害賠償債務として存続し、消滅はしない((i)参照)。この場合について、どう考えるかに関しては、見解が分かれている。

　一つの見解は、債務が存続する以上は、債権者は債務者を追及するべきであり、第三者に対して不法行為責任を問うことはできないとするものである。債権者はそのような債務者を債務者とした以上、その者だけを相手とするべきであると考える。

　もう一つの見解は、この場合においても、その第三者の行為の不当性(たとえば、背任教唆のような犯罪行為であるか、取引上許されない勧誘行為であるか、など)や積極性(第三者と債務者のどちらが働きかけたか、など)などを考慮して、第三者の不法行為が成立するかどうかを決するべきであるとするものである。これが肯定された場合には、債務者の債務不履行(あるいは不法行為)に基づく損害賠償債務と第三者の不法行為に基づく損害賠償債務の両者が認められ、(不真正)連帯債務の関係に立つことになる(本編第1章第3節第3款解説2参照)。

　判例は、後者の見解を採るといってよい。(前掲の、はじめて債権侵害の不法行為を認めた大刑判大正4・3・10が、じつは、第三者が債務者に対して背任行為を教唆し、債務者自身にも責任が認められる事例である。不法行為の成立を否定した例としては、Aに対する債務者Cの営業上の財産をBが財産隠匿の目的で無償で譲り受けた場合についての、大判昭和8・3・14新聞3531号12頁、Aに対する債務者が会社を退職して、転居するのにBが協力した場合についての、最判昭和40・1・28時報400号19頁、がある)。

　(iii)　以上の解釈によっては解決しきれない問題として、不動産の第一譲受人Aが対抗要件を備えないうちに第三者Bが第二譲受人として登記を得てしまう行為が、第一譲受人の譲渡人に対する債権を侵害する不法行為になるかという問題がある。

　AがBに対して対抗できなくなるのは、物権法における公示の原則に基づくものであるので、たとえBが悪意であっても不法行為にはならないというのが正しい答えであろう(最判昭和30・5・31民集9巻774頁、最判昭和43・8・2民集22巻1571頁。悪意の場合は不法行為になるとする見解もあるが、賛成できない。なお、譲渡人の債務不履行または不当利得になりうることは当然である。改正前§415(3)(ア)・§703(1)(2)(ア)(a)(ii)-2参照)。

　問題は、上のBが背信的悪意者である場合である(§177(8)(カ)(c)参照)。この場合は、Aはその譲受けた所有権をBに対して対抗できるのであるが、同時にAは債権侵害によるBの不法行為を選択的に主張することもできると解してよい

§709〔4〕

であろう。

(c) 商 号

商法が定める商号も、一定の条件のもとに、本要件における権利と認められる（商旧§§20〜22→商§12、会社§§8・978③。なお、侵害に対して差止めを請求することもできるとされていることにつき、本章解説⑤(ウ)参照）。その要件としては、「不正の目的をもって」することが要求されているので、侵害行為の態様が問題とされている。

(d) 工業所有権・知的財産権

特許権・実用新案権・意匠権・商標権・著作権・回路配置利用権などの権利（工業所有権ないし知的財産権と呼ばれる。所有権という言葉は誤解を生むので、工業財産権といった方がよい）については、それぞれの関連法律に規定があり、その侵害が不法行為になることが定められている（特許§§101・102、実用新案§§28・29、意匠§§38・39、商標§§37・38、著作§§113・114、半導体§§23・25。いずれも、これらの権利を侵害する不法行為による損害額についての推定規定である。特許法102条に関して、最判平成9・3・11民集51巻1055頁が参考になる。著作権侵害の一例として、カラオケ・スナックの事案につき、最判昭和63・3・15民集42巻199頁がある）。これらの条文は、いわゆる準事務管理論にも関連するので、第3章解説⑥を参照。なお、カラオケ業者の責任に加えて、カラオケ装置のリース業者の共同不法行為責任を認めた判例がある（最判平成13・3・2民集55巻185頁）。

旧著作権法による著作物の存続期間に関する判例として最判平成21・10・8（判時2064号120頁）、最判平成24・1・17（判時2144号115頁）がある。なお、§139〔1〕も参照。

また、著作権法6条各号所定の著作物に該当しない著作物の利用行為は、同法が規律の対象とする著作物の利用による利益とは異なる法的に保護された利益を侵害する等の特段の事情がない限り、不法行為を構成しない、とした判例がある（最判平成23・12・8民集65巻3275頁）。

(e) 営業・営業上の利益・営業の自由

いわゆる営業は、概念としても明確でなく、それ自体を権利ということができるかどうか問題であるが、法律上保護するべき正当の利益であることは疑いない。判例も、上記の大判大正14・11・28（民集4巻670頁［大学湯事件]）において、老舗によって得べかりし利益を法規違反の行為によって奪うのは不法行為になるとした（大学湯と称する湯屋建物の賃貸人が、契約によって、その老舗を賃借人が任意に売却できるとしていたにもかかわらず、建物と諸造作・諸道具を他に売却し、賃借人をして老舗を喪失させたという事例）。

1934年（昭和9年）の不正競争防止法は、明確に「営業上の利益」を保護されるべき利益として示し、不正競争（同法§2が定義する）によるその侵害を不法行為と認めた（同法§5）。侵害者が得た利益を被侵害者の損害と推定している。

さらに、1947年（昭和22年）の独占禁止法は、同法に違反した事業者の無過失責任を規定したが（同法§25）、そこで保護される利益のなかに、被害をうけた事業者の「営業の自由」が含まれることは、疑いのないところである（消費者の利益も含ま

第3編　第5章　不法行為

れると考えられることにつき、最判平成元・12・8民集43巻1259頁［鶴岡灯油訴訟］）。

　なお、営業の自由の侵害に関して、パチンコ店を営むYらがXによるパチンコ店の開店を妨害しようと意図して、その近くの土地を寄附して児童遊園を設置することの認可を受け、それにより風俗営業法上Xの開店を不可能にしたという事例について、原審はYの不法行為を否定したが、最高裁は営業の自由の侵害に当たるとして破棄・差戻した（最判平成19・3・20判時1968号124頁）。

　退職後に、退職前の会社と同種の事業を営み、その取引先から継続的に仕事を受注した行為が自由競争の範囲を逸脱していないとして不法行為に当たらないとされた事例がある（最判平成22・3・25民集64巻562頁）。

　(f)　その他

　(i)　代表者が受けた危害による企業の損害

　個人会社の代表者を負傷させた事件において、会社がそのためにこうむった逸失利益の賠償を請求できるとした例がある（最判昭和43・11・15民集22巻2614頁）。

　(ii)　財産上の利益の期待

　前村長の時代に工場誘致の約束があり、敷地提供についての村議会の決議もあったところ、新村長がこの約束を破り、補償の措置も講じないという事例について、原審は、不法行為と国家賠償責任の両方を否定したところ、最高裁は、財産上の利益の期待を侵害する違法な加害行為に当たるとして破棄・差戻した（最判昭和56・1・27民集35巻35頁［宜野座村工場誘致事件］。しかし、この判断は必ずしも一般化できないであろう）。

　(iii)　競走馬の名称を無断で利用したゲームソフトの製作販売について、現行法上、これに排他的な使用権を認めるのは適当でないとして、差止めも損害賠償も否定した判決がある（最判平成16・2・13民集58巻311頁）。

　なお、肖像等が、商品の販売等を促進する顧客吸引力を有する場合に、これを排他的に利用する権利(パブリシティ権)は、肖像等自体の商業的価値に基づくものであるから、人格権に由来する権利の一内容を構成するものといえるが、他方、このようなものは、社会の耳目を集めるなどして、その肖像等を時事報道、論説、創作物等に使用されることもあるのであって、その使用を正当な表現行為等として受忍すべき場合もあるから、肖像等を無断で使用する行為は、①肖像等それ自体を独立して鑑賞の対象となる商品等として使用し、②商品等の差別化を図る目的で肖像等を商品等に付し、③肖像等を商品等の広告として使用するなど、専ら肖像等の有する顧客吸引力の利用を目的とするといえる場合には、パブリシティ権を侵害するものとして不法行為法上違法となる(消極)（最判平成24・2・2民集66巻89頁）。

　(iv)　東京都がその管理する都道に権限に基づかずに自動販売機を設置して占有した者に対して損害賠償請求権または不当利得返還請求権を有するとされたが（最判平成16・4・23民集58巻892頁）、その行使をしない都に代って住民が占有者に対して行った代位請求について、諸事情から都の不行使は違法ではないとされた。

§709〔4〕

(ｲ)　人格権の侵害

　(a)　身体・自由・名誉

　「身体・自由・名誉」の侵害が不法行為となることは、710条が明言するところである。学説および判例は、これをもって一種の人格権を認めたものと解し、その範囲を拡張しようとする。すなわち、

　　(i)　身体の侵害は、健康を害することを含み（§710〔1〕参照）、財産的ならびに精神的損害が生じるのを普通とする（〔7〕(2)(ｲ)(b)・§711〔6〕(ｳ)参照）。2017年の改正で724条の2が追加された点は、重要である。

　　(ii)　自由は、肉体的自由と精神的（意思決定の）自由を含み（§710〔2〕参照）、後者からは財産的損害を生じることがむしろ多い。

　　(iii)　名誉の侵害は、ほとんどもっぱらその侵害行為の態様のいかんによって判断される性質のものであるが（§710〔3〕参照）、それから生じる損害にも精神的なものが多いであろう（〔7〕(2)(ｲ)(c)参照）。

　弁護士であるテレビ番組の出演者が、特定の刑事事件の弁護団の弁護活動が懲戒事由に当たるとして、当該弁護団の弁護士について懲戒請求するよう視聴者に呼びかけた行為が、その態様、発言の趣旨、弁護団弁護士の社会的立場および当該呼びかけ行為により負った負担の程度を考慮して、違法な行為とはいえないとした判例がある（最判平成23・7・15民集65巻2362頁）。

　なお、この種の人格権の侵害に対しては、侵害行為の差止請求が認められる場合があることについて、〔8〕(2)参照。

　公立図書館の職員が自分の思想により図書を基準によらずに廃棄したのに対して、その図書の著作者の人格権を侵害したとして、国家賠償法の適用を否定した原審を破棄し、差戻した例がある（最判平成17・7・14民集59巻1569頁。差戻された原審の東京高判平成17・11・24判時1915号29頁は、1人につき3000円の賠償を認めた）。

　(b)　その他

　さらに、判例・学説が拡張的に認めるものとしては、つぎのものが重要である。

　　(i)　生　命

　ただし、生命侵害それ自体が違法な行為とされるのは、生命を奪われた者自身に対する関係においてであるから、財産的ならびに精神的侵害を生じるには相違ないが、その相続性を問題とする必要がある（§710〔4〕(1)(ｳ)・〔7〕(2)(ｵ)参照）。なお、新724条の2も参照。

　　(ii)　貞　操

　妻に対する貞操侵害は、妻および夫に対する不法行為となり、配偶者の一方の不貞の行為の相手方は、他方の配偶者に対する不法行為者となる（§710〔4〕(2)参照）。それから生じる損害は、精神的なものを主とすることはいうまでもあるまい（§710〔7〕(2)参照）。

　　(iii)　内縁関係

　内縁関係の不当な破棄および婚約の不当な破棄については、ともに、契約不履行の理論により損害賠償請求権を認めるのが判例の態度であるが、不法行為とし

1543

第3編　第5章　不法行為

ても問題になりえよう。破棄の事由、いいかえれば侵害行為の態様が、とくに婚約の場合において、問題とされなければならないことはいうまでもあるまい。ただし、詳細は親族法に譲る。

　なお、関連して、内縁の夫の両親が内縁関係に不当に干渉して破綻させた場合に、妻に対する不法行為になることを認めた判例がある（最判昭和38・2・1民集17巻160頁）。

　(iv)　氏名・肖像・信用・プライバシーなど

　氏名・肖像・信用・プライバシー等なども一種の人格権として、法律の保護を受ける。ここでは、侵害行為の態様がとくに問題とされなければならない（(8)(2)(イ)(d)、§710(4)(3)参照）。

　最判平成18・1・20(民集60巻137頁)は、宗教法人の氏名権としての「名称を冒用されない権利」を問題にする。この権利を認めるが、具体例としては否定した（○○教に属していた「○○教××分教会」が分離して、「○○教××教会」と改名したのに対し、「○○教」がその使用の差止めを請求したが、認められなかった）。なお、SNSにおける他人の著作物である写真の画像（著作者名の表示が切除されたもの）を含む投稿をした者が、プロバイダ責任制限法4条1項の「侵害情報の発信者」に該当し、「侵害情報の流通によって」氏名表示権を侵害したものとされた事例（発信者情報開示請求事件）（最判令和2・7・21民集74巻1407頁）がある。

　最判平成17・11・10(民集59巻2428頁)は、肖像権という言葉は用いないが、ある刑事事件において手錠、腰縄をされた被告人を隠し撮りした写真や描いたイラスト画（それ以外のイラスト画については違法でないとした）を写真週刊誌に掲載した行為は被告人の人格的利益を違法に侵害するものとした。

　第二次大戦後になって、いわゆる「プライバシー」の利益ないし権利の承認と保護が問題となっている。この権利は、私的な生活に関してみだりに公開されない権利、さらには、自己に関する情報を自分でコントロールする権利などとして理解されているものであるが、このプライバシーが侵害に対して保護されるべきものであることについては、現在では異論はない。下級審判決でこれを認めた例がある（東京地判昭和39・9・28下民15巻2317頁［小説「宴のあと」事件］、最判平成6・2・8民集48巻149頁［ノンフィクション「逆転」事件］。参考になる最高裁判決としては、照会に対し前科などを知らせた区長の国家賠償責任を認めた最判昭和56・4・14民集35巻620頁、従業員のロッカーを無断で開ける行為などをプライバシー侵害とした最判平成7・9・5判時1546号115頁［関西電力思想差別事件］などがある。なお、後掲最大判昭和63・6・1［自衛隊員護国神社合祀事件］の反対意見を参照）。

　早稲田大学が主催した中国国家主席の講演会への参加を申し込んだ学生の名簿を、本人たちの承諾を得ないで警察に提供した行為は、本人たちのプライバシーを侵害する不法行為を構成するとされたのも注目される（最判平成15・9・12民集57巻973頁）。なお、少年保護事件を題材として家庭裁判所調査官が執筆した論文を雑誌及び書籍において公表した行為がプライバシーの侵害として不法行為法上違法とはいえないとされた判例（最判令和2・10・9民集74巻1807頁）がある。

通信教育等を行う会社の管理する未成年者の氏名、性別、生年月日……そ〔保〕
護者の氏名といった個人情報は、当該保護者のプライバシーに係る情報として法
的保護の対象になる（最判平成29・10・23判時2351号7頁）。なお、いわゆる「忘れ
られる権利」に関して、当該URL等を検索結果として提供する行為の違法性の
有無は、その提供する理由に関する諸事情とを比較考量して判断されるべきであ
り、当該事実を公表されない法的利益が優越することが明らかな場合には、その
個人は、事業者に対し、当該URL等を検索結果から削除することを求めること
ができるとした判例（最決平成29・1・31民集71巻63頁）がある。

(v)　個人情報の保護

2017年に、個人情報の有用性に配慮しつつ、個人の権利・利益を保護するこ
とを目的として、個人情報の保護に関する法律（平成5年法律57号）が制定された。
同法では、個人情報の定義がなされ、個人情報取扱事業者の義務などが法定され
ているほか、本人は個人情報取扱事業者に対して当該本人が識別される保有個人
データの開示を請求することができる（28条）とされている。最近、相続人から被
相続人に関する「個人情報」の開示請求を行った事例において、「相続財産につ
いての情報が被相続人に関するものとしてその生前に法2条1項にいう「個人に
関する情報」に当たるものであったとしても、そのことから直ちに、当該情報が
当該相続財産を取得した相続人等に関するものとして上記「個人に関する情報」
に当たるということはできない。」とした判例がある（最判平成31・3・18判時2422
号31頁）。

(vi)　生活上の利益

さらに、生活上の利益一般にまで、一定の場合には、人格権の内容としての被
保護利益が拡大されてきていることも注目に価する。

(vi)-1　日照の利益（日照権）

居宅の日照、通風のような生活利益は法的保護の対象となりえて、その侵害が
社会生活上一般的に忍容するのを相当とする程度を越えるときは、不法行為にな
りうるとされる（最判昭和47・6・27民集26巻1067頁。建築基準法違反などの事情が考
慮に入れられている。損害賠償請求を認めた）。

(vi)-2　生活上・精神上の静穏

生活上・精神上の静穏の利益も問題になることが多い。とりわけ、公害事件に
おいては、これを人格権の内容として認め、根拠として判断される例が多いこと
に注目するべきである。

空港から生じる騒音などによる被害については、おおむね人格権の侵害になる
とされる（最大判昭和56・12・16民集35巻1369頁［大阪空港公害訴訟上告審判決］。その
他、最判平成5・2・25民集47巻643頁［厚木基地騒音公害訴訟］、最判平成5・2・25判時
1456号53頁［横田基地騒音公害訴訟］など。前者は国家賠償法により、後者は米軍民事特
別法によっている）。

そのほか、工場・工事などの騒音・振動による侵害について、肯定例（最判昭和
42・10・31判時499号39頁は、市の騒音指導基準以下の工場騒音について不法行為の成立

第3編　第5章　不法行為

を認めた。東京高判昭和44・4・28判時554号25頁［地下鉄工事騒音事件］）と否定例（最判昭和43・12・17判時544号38頁、最判平成6・3・24判時1501号96頁）がある。

公害健康被害補償法に基づき公害病患者としての認定申請をしたが、長期間待たされた者の、焦燥、不安の気持を抱かされないという利益は、内心の静穏な感情を害されない利益として不法行為の保護の対象になるとした例もある（最判平成3・4・26民集45巻653頁。結論は、過失がないとして請求を認めない）。

(vi)-3　信仰上の静謐

夫を護国神社に合祀されたキリスト教信者の妻が、信仰上の静謐を害されたとして国を訴えたケースについては、信仰生活上の静謐という法的利益の侵害も宗教上の人格権の侵害も、社会的に許容できる限度を超えていないとして否定された（最大判昭和63・6・1民集42巻277頁［自衛隊員護国神社合祀事件］）。

関連して、信仰上の信念から輸血を拒否する意思決定をする権利についての(4)(エ)(a)をみよ。

(vi)-4　景観享受の利益

最判平成18・3・30（民集60巻948頁）は、良好な景観を享受する利益は法律上保護に値するとしたが、東京国立市の大学通りの南端に高層マンションを建てる計画については、その利益の保護を否定した。

(vi)-5　居住の安全性

建物の設計者、施行者、工事管理者の過失による建物の瑕疵のために、契約関係のない居住者を含む建物利用者、隣人、通行人の生命・身体・財産が侵害された場合について、原審は強度の違法性がないとしたが、最判平成19・7・6（民集61巻1769頁）は、これらの者には、建物の基本的な安全性を損うことのないようにする注意義務があり、不法行為主張者が瑕疵の存在を知りながらそれを前提として建物を買い受けたなどの特段の事情がない限り責任を負うとして、原判決を破棄し、差戻した。後に、前掲最判平成19・7・6が示した「建物としての基本的な安全性を損なう瑕疵」の意義が問われたが、最高裁は、居住者等の生命、身体または財産を危険にさらすような瑕疵をいい、これを放置するといずれは居住者などの生命、身体または財産に対する危険が現実化することになる場合には瑕疵に該当するとの基準を示した（最判平成23・7・21判時2129号36頁）。

(vi)-6　期待権・信頼

テレビ放送の取材を受けた者の期待が法律保護の対象になるかが争われた事案が登場した。最判平成20・6・12（民集62巻1656頁）は、一時社会の耳目を集めた、NHKのいわゆる従軍慰安婦問題に関する番組に関連する事案である。X（上告人。第一審・第二審では、他にも原告がいた）は「『戦争と女性への暴力』日本ネットワーク」という名称の権利能力のない社団であるが、NHKから、2002年に行われた「日本軍性奴隷を裁く女性国際戦犯法廷」についての番組への取材を申し入れられ、これに応じた。この番組は、結局、当初作成されたものが大幅に変更され、Xの代表のインタービューも削除されるなどした。Xは、この結果により信頼、期待を害されたことなどを理由として、NHKやその委託を受けた番組制作会社

§709〔4〕

を被告として不法行為および説明義務違反による損害賠償を求めた。第一審・第二審の判決は原告らの請求の一部を認めた。ⅩおよびⅩらは上告し、最高裁は、一般論として、そのような期待・信頼が法律上保護される利益となりうる場合を認め、その基準を示したが、本件の事実関係はそれに該当しないとした。

なお、学校による生徒募集の際に説明、宣伝された教育内容や指導方法の一部が変更され、これが実施されなくなったことが、親の期待、信頼を損なう違法なものといえるためには、当該変更が、学校設置者や教師に教育内容や指導方法の変更につき裁量が認められることを考慮してもなお、社会通念上是認することができない場合に限られるとした判例がある(最判平成21・12・10民集63巻2463頁)。

　(ウ)　親族関係に関する侵害

近親間の親族関係に関連した侵害が不法行為となることも(§710〔4〕(1)(ア)も参照)、711条に規定されている。学説および判例は、これを親族権の侵害と解し、その範囲を拡張しようとする。すなわち、

　(ⅰ)　ある人の生命を侵害した者は、その父母・配偶者および子に対しても、財産的ならびに精神的損害を賠償しなければならないことは、711条の明言するところである(§711〔1〕〔2〕〔3〕参照)。

　(ⅱ)　同条に掲げられない近親者、たとえば内縁の妻または内縁の妻との間の認知されていない子などを同一に取り扱うことができないかどうかは問題である(§711〔6〕(イ)参照)。

　(ⅲ)　同条は、近親者の生命侵害だけを規定しているが、近親者の身体障害について、いかに解するべきかも問題である。侵害を受けた近親者を法律上または事実上治療・看護するべき地位にある者の財産的損害については、判例も賠償請求を認めるが、精神的損害については制限的にのみ肯定するもののようである(§711〔6〕(ウ)参照)。

　(ⅳ)　近親者の生命侵害については、さらに、扶養請求権を問題にするべきである。すなわち、711条は「財産権を害されなかった場合においても」と規定するが、財産権を害される場合とは、主として、扶養請求権の侵害による財産的損害の発生を意味するというべきである。そうであれば、同条所定以外の近親者でも、扶養請求権のある者は、その侵害を理由として、財産的損害の賠償を請求することができると解するべきであろう。判例は、社会的共同生活の事実に立脚して、これを内縁の夫に対する妻および二人の間の子に拡張する(§711〔6〕(ア)参照)。

いわゆる扶養利益の喪失による損害額の算定について、被害者の死亡による逸失利益を基礎とした原審判決を破棄して、「相続により取得すべき死亡者の逸失利益の額と当然に同じ額となるものではなく、個々の事実において、扶養者の生前の収入、そのうち被扶養者の生計の維持に充てるべき部分、被扶養者各人につき扶養利益として認められるべき比率割合、扶養を要する状況が存続する期間などの具体的事情を適正に算定すべき」とした判例がある(最判平成12・9・7判時1728号29頁)。

(3)　侵害行為の態様

第3編　第5章　不法行為

侵害行為の態様として、ほぼ違法性の強い順序で掲げると、つぎのとおりである。

　(ア)　刑罰法規違反行為

　刑罰法規に違反し、犯罪を構成する行為によって他人に損害をこうむらせた場合に、その刑罰法規が個人の法益を保護することを目的とするものであれば、その違反行為は、不法行為の要件としても違法性を帯びる。たとえば、官庁出入りの商人について不正な暴利をむさぼっている旨を告げて信用を失わせる行為は、刑法の信用毀損・業務妨害罪を構成する(刑§233)から、その行為は不法行為となる。そのさい、被侵害利益である信用ないし業務が権利として認められるかどうかを強いて問題とする必要はない(大刑判明治44・4・13刑録17輯557頁は、信用だけでは財産権といえないとして不法行為を否定したが、明らかに不当である)。

　(イ)　取締法規違反行為

　たとえば、医師や看護師が正当な理由なく患者の依頼に応じないで損害を与えた場合(本編第2章第1節第1款解説3(2)(ア)参照)、銀行の取締役が虚偽の営業報告および貸借対照表を新聞紙に公告したために、銀行を不当に信用してこれと取引をし損害をこうむった者を生じた場合(商旧§§281・283・498Ⅰ⑲→会社§§435~438・440・977②参照)、などのように広い意味の取締り的な規定に違反する行為によって他人に損害をこうむらせたときは、その行為は、不法行為としての違法性を帯びる。判例は、後の例について早くこれを認めた(大判明治45・5・6民録18輯454頁)。

　同業者間のカルテル協定によって、アウトサイダーに圧迫を加える行為については、従来から、他人の営業の自由を侵害するものとして問題とされてきたが、神戸市における台湾産バナナの独占的仲買人組合が、その組合に加入しない特定の青果卸小売商人に対して取引を拒絶する決議をした事案につき、不法行為の成立を認めた判例がある(大判昭和15・8・30民集19巻1521頁)。この種の行為が、現在では独占禁止法に違反するものとして、原則として違法性を帯びることに問題はない((2)(ア)(e)参照)。

　ただ、注意するべきは、取締り的な法規に違反する行為が違法性を帯びるのは、その法規が個人の利益を保護することをも目的とするものでなければならないことである。その判断は必ずしも容易ではないが、ドイツ民法823条2項が、「他人の保護を目的とする法規」(ein den Schutz eines Anderen bezweckendes Gesetz)に違反する加害行為は不法行為となる旨を定めており、ほぼ同趣旨であるから、参考となるであろう。

　(ウ)　公序良俗違反行為

　たとえば、裁判所に誤って虚偽の申立てをして破産手続開始決定をさせる行為、競売申立人が買受希望者と通謀して競売代金を不当に低廉にする行為は、個人の特定の権利を侵害するものでもなく、また、刑罰法規もしくは取締法規違反の行為ともいえない場合であっても、いちじるしく社会の倫理観念に背くものであって、その意味で違法性を帯びるものといわなければならない。判例も、このような場合には、古くから、「不当に」または「不正に」損害を加える行為として、不法行為の成立を認めてきた(破産申立ての例につき、大判明治32・12・21民録5輯11巻88頁、大判昭和14・3・7新聞4397号11頁、競売の例につき、大判昭和11・6・24民集15巻1184頁)。なお、1934年(昭和9年)の不正競争防止法は、他人の商品と誤認・混同を生じさせるような容器もし

1548

§709〔4〕

くは包装を使用し、または原産地を誤認させるような記載をして他人に損害を加えた者に対して、損害賠償の義務を課したが(現在の同法§§2・4)、まさに、以上の趣旨に立脚したものにほかならない。

(エ) 適法行為による被害

Bの行為がそもそも法律に基づく適法な行為である場合には、それにより、他者たとえばAに損害を与えても不法行為にはならない。しかし、そのことと、Aの損害をそのまま放置してよいかは別問題である。たとえば、土地収用により他人の権利を収用したときに、これに対して補償金を支払うことは、憲法上の要請でもある(憲§29Ⅲ)。そこで、原則として、BはAに与えた損失を補償するべきものと考えるのが正しい。これを「適法行為による損失の補償」といい、不法行為による損害の賠償と区別される(本章解説②(3)参照)。

医師が医療行為を行うのも、もちろん、適法行為である。しかし、そのことと、医師Bが医療行為を行うに当たって故意・過失により患者Aの生命・身体・健康に損害を与えたときには、その行為が違法な権利侵害行為と評価されて、不法行為責任を負うことは、別のことである。いわゆる医療過誤の問題であるが、医師の過失の有無が問題になることが多い((2)(3)(ウ)(c)参照)。

刑事上の処分を受けた後に無罪判決を得た者が刑事補償法による刑事補償を受けることができるのも、適法行為による損失補償の例といってよい(本章解説⑩(4)参照)。

(オ) 権利濫用行為

個人本位に終始した法思想のもとにおいては、「権利を行使する者は悪をなさず」とされ、権利の行使はつねに違法性を欠くと考えられたが、現在の法思想においては、権利も公共の福祉に従うべきものであり、したがって、その濫用行為は違法性を帯びる(§1〔5〕参照)。

判例は、土地所有者が、不法占拠者に対する家屋除去土地明渡請求権について代替執行(改正前§414Ⅱ、民執§171参照)をするに当たり、乱暴に取り毀した行為について、家屋所有者は損害賠償請求権を取得し、抵当権者はこれに物上代位できるとした(大判大正6・1・22民録23輯14頁)。その後、この趣旨の判決は少なくない(鉄道を敷設し、蒸気機関車を運行して、沿線の松を枯死させた行為を権利濫用とした、大判大正8・3・3民録25輯356頁〔信玄公旗掛松事件〕など)。教師の懲戒権の濫用を認めた例もある(最判昭和52・10・25判タ355号260頁。懲戒を受けた生徒の自殺との因果関係は否定した)。教員の行為が教育的指導の範囲を逸脱したものではないとして、違法性を認めなかった事例もある(最判平成21・4・28民集63巻904頁。公立小学校の教員が、悪ふざけをした2年生の男子を追いかけて捕まえ、胸元をつかんで壁に押し当て大声で叱った行為について、原審は慰謝料、治療費などの賠償を認めたが、破棄自判して、請求を棄却した)。

弁護士に対して根拠なく弁護士法58条1項に基づく懲戒請求をした行為が違法な懲戒請求として不法行為を構成するとした例がある(最判平成19・4・24民集61巻1102頁)。

(カ) 行政法上許された行為

企業者がその企業を営むについて行政上の許可ないし認可を受けても、その企業の

1549

第3編　第5章　不法行為

遂行のために行われる個々の行為がすべて当然に違法性を欠くに至るものでなく、当該企業の運営に必要な十分の施設をなさずに他人に損害を加えることは不法行為である。

　一般的にいえば、行政庁の許可ないし認可も、行政上の責任を免れさせるだけで、私法上の責任を免れさせるものではない。たとえば、鉱業権者は、通産局長の認可を受けた施業案によって採掘したこと(鉱業§63参照)を理由として、鉱害賠償の責任を免れることができないことはいうまでもあるまい。判例も、電気事業会社が建築物の上6尺(約2メートル)を隔てずに電線を架設し、これに接触して死亡した者があるときは、たとえ会社がその架設について監督官庁の特別の許可を受けた場合でも、責任を免れることはできないと判示した(大判明治39・10・16民録12輯1282頁)。しかし、軌道会社が路線部分に流れる河に架橋して魚の溯上を妨げて漁業権者に損害を加えた事案では、「行政官庁ヨリ軌道ヲ布設スルコトヲ特許セラレ、其命令ヲモツテ指定セラレタル線路ニ認可ヲ経テ」架橋したものである以上、不法行為上の責任を生じないと判示した(大判大正5・5・16民録22輯973頁)。

　いずれも、古い判例であるが、この種の問題については、その時期により行政権のもつ意義・役割に変化が認められるので、その時々において適正と思われる判断を下すべく努力する必要がある。今日では、行政上の許可があったことをもって、私法上の責任を免れることができるとする考え方は大きく後景に退いているといってよい。

　(キ)　裁判や執行に関する行為

　(a)　判例は、不当な訴訟の提起が不法行為になりうることを認めている(大民刑連判昭和18・11・2民集22巻1179頁。ただし、訴えられた者の要した弁護士費用が損害といえるかについて審理不尽ありとして差戻した)。ただし、それが認められるのは、「提訴者の主張した権利又は法律関係が事実的、法律的根拠を欠くものであるうえ、提訴者が、そのことを知りながら又は通常人であれば容易にそのことを知りえたといえるのにあえて訴えを提起したなど、訴えの提起が裁判制度の趣旨目的に照らして著しく相当性を欠くと認められるとき」に限られるとされている(最判昭和63・1・26民集42巻1頁。結論としては否定している。最判平成21・10・23判時2063号6頁も同旨。最判平成22・7・9判時2091号47頁は、不法行為を肯定している)。

　AとBが乗車していた自動二輪車の交通事故で死亡したAの相続人が、捜査機関の認定に反することを知りながら、Bが運転していたことを主張して起した損害賠償請求訴訟の提起について、違法ではないとされた事例がある(最判平成11・4・22判時1681号102頁)。

　なお、不当な告発が名誉毀損になるかについては、§710〔3〕(3)参照。

　弁護士に対する違法な懲戒請求について不法行為とした例がある(前掲最判平成19・4・24)。

　(b)　文書を偽造して裁判所を欺き、確定判決を得て、これに基づいて強制執行をして債務者に損害を加えるような場合は、どうであろうか。確定判決の効力を形式的に維持することは法律関係の安定を保つ上に必要なことではあるが(§703〔1〕(2)(ア)(a)(iv))、故意または過失によって確定判決を得た場合などには、そのこと自体が不

§709 〔4〕

法行為となるといわなければならない。判例は、最初反対に解したが、後に、連合部判決でそのような見解を示した(大刑連判大正2・3・31刑録19輯430頁。行政裁判所で偽造文書により国有林下戻しの勝訴判決を得た行為が国に対する不法行為になるとした例である。最判昭和44・7・8民集23巻1407頁は、不当に得た判決により、強制執行をした例)。

これと異なり、確定判決に基づいて強制執行をした場合に、その執行方法が不当なために債務者に損害を加えたときは、やや問題となる。けだし、執行の方法が不当だというのは、要するに執行官の職務の執行行為に遺漏があることに帰し、執行官は必ずしも債権者の指図に盲従するべきではないからである。しかし、元来、差押えは、債権者の利益のためにその委託に基づいてするものであり、それを継続するかどうか、などは債権者の意思に従うものであるから、債権者の故意・過失が執行行為の不当なことの一つの原因となるときは、債権者の違法な行為があると解するのを正当としよう。判例も、後に同様の見解を採るに至った(大判大正7・7・10民録24輯1365頁。差押えられた清酒が腐敗した例。前述〔3〕(4)(a)参照。今日では、執行官の行為についても、国家賠償責任が成立することになる)。

実際上権利がないのにかかわらず、仮差押えまたは仮処分をすることが違法な行為であることは疑いない。けだし、この場合には、裁判所は、確定的な判断をしないで、債権者の主張を容れるものだからである。判例は、この結論を是認するだけでなく、公平の立場から、立証責任を転換し、執行をした者が故意・過失のなかったことを立証しなければ責任を免れることはできないとする(大判大正10・4・4民録27輯682頁、最判昭和48・6・7民集27巻681頁。最判昭和43・12・24民集22巻3428頁は過失を否定した例)。

なお、以上のような事案については、執行手続における債権者の過失の有無が問題となることが多いことに注意を要する。

 (ク) 自力救済行為

権利が他人に侵害されている場合にも、権利者は、その侵害状態を除去するためには、国家、すなわち裁判所の助力を求めるべきであって、自分の力でこれを実現すること、いわゆる「自力救済」(Selbsthilfe)は許されない(§197前注②参照)。したがって、自力救済行為は、原則として——例外的に許される場合を除き——違法性を帯びる。

ただし、判例の態度は必ずしも一貫しない。個別的事情を考慮する必要の度合いが高い問題であるからであろう。たとえば、土地所有者が不法占拠者の有する家屋を自力で取除いた事案(大刑判明治36・5・15刑録9輯759頁)や、不法に建てられた板囲いを実力で撤去した事案(最判昭和40・12・7民集19巻2101頁)では、不法行為の成立を認めたが、土地の買主と称する者からその土地を借り受けて苗床を作っている者がある場合に、土地所有者が自力でその苗床を除去した事案については、不法行為の成立を否定している(大判昭和12・3・10民集16巻313頁)。

 (ケ) 契約締結上の違法行為

分譲住宅の譲渡契約にさいして、譲受人が契約締結の意思決定をするに当たり重要な事実につき、譲渡人が説明をしなかったことが、違法行為になるとした例がある(最判平成16・11・18民集58巻2225頁。最判平成17・9・16判時1912号8頁は、宅建業者の

1551

第3編　第5章　不法行為

防火戸操作の説明に関する。なお、最判平成 17・7・14 民集 59 巻 1323 頁は、旧証取§43 ①〔＝金融商取§40 ①〕の「適合性の原則」違反が問題になったが、結論として違法性が否定された例である）。最判平成 23・4・22（民集 65 巻 1405 頁）も参照。

　なお、いわゆる金利スワップ取引に係る契約の締結に際して銀行の説明義務違反が問題になった判例（最判平成 25・3・7、最判平成 25・3・26、いずれも判時 2185 号 64 頁）がある（消極）。

　顧客が証券会社の販売する仕組債を運用対象金融資産とする信託契約を含む一連の取引を行った場合において、証券会社による元本全部の毀損リスクに関する説明、顧客が公認会計士等に意見を求めていた、などの事情の下では、上記仕組債の仕組み全体が必ずしも単純なものではなく、上記取引の説明を受けた顧客の担当者が金融取引についての詳しい知識を有していなかったとしても、証券会社に説明義務違反があったということはできないとした判例が出ている（最判平成 28・3・15 判時 2302 号 43 頁）。

　㈡　共同暴行行為

　15〜17 歳の少年間の暴行事件につき、A が B、C の暴行を受け、死亡した。これを傍観し、救助措置もとらなかった D、E、F の不法行為責任が問われた事件において、これを否定した最判平成 20・2・28（判時 2005 号 10 頁。肯定する 2 名の裁判官の少数意見あり）がある。

　㈤　貸金業者の貸付行為

　貸金業者による継続的貸付において、業者が 11 年以上も超過利息を請求、受領し（その過払金返還請求権は時効になった）、過払金の総額が貸付額の 2 倍以上になったという事例について、直ちに不法行為にはならないとされた（最判平成 21・9・4 民集 63 巻 1445 頁。当該貸付行為が事実的・法律的根拠を欠くものであることを知りながら、または通常の貸金業者であれば容易にそのことを知り得たのにあえてその請求をしたなど、その行為の態様が著しく相当性を欠く場合には不法行為となるが、それに当たらないとした。そして、それは、§704 により悪意の受益者と推定される場合においても異ならないとした）。

(4)　違法性阻却事由

　以上に述べた権利およびこれと同視されるべき正当な法益を、犯罪行為ないし公序良俗に反する行為によって侵害することは、相応じてその加害行為を違法なものとする。しかし、最後に、とくに違法性を阻却する事由があれば、違法性を欠き、不法行為は成立しないことを注意するべきである。

　㈠　正当防衛・緊急避難

　正当防衛または緊急避難としてなされる行為は、違法性がない。民法 720 条がその要件を規定する。

　㈡　事務管理

　事務管理としてなされる行為は、違法性がない（第 3 章解説④(2)㈠、§697(5)参照）。

　㈢　被害者の承諾

　被害者の承諾があれば、原則として違法性はなくなり、不法行為は成立しない。ただし、被害者が承諾をするだけの精神能力を有し、かつ自由な判断によって承諾をしたことを要するのみならず、被害者がその法益を自由に処分する権能を有し、これを

しても、公序良俗に反しないものであることを要する。医療行為に対する承諾については、次項を参照。

なお、いわゆる被害者の「危険への接近」の法理が関連するが、これについては、改正前722条[2](6)参照。

(エ) 正当な業務行為

正当な業務行為は、その適正な実施によって相手に損害を与えることがあっても、違法性を有しない。

(a) 医療行為

たとえば、医師が手術のために患者の身体にメスを加えることは、不法行為とはならない。ただし、医療行為については、ときにより、複雑で難解な問題を生じる。主に医師の過失の有無をめぐって論じられているが([2](3)(ウ)(c)参照)、ここでは、いわゆる患者の同意の問題を挙げる必要がある。ある種の手術などを行うことが医師の専門的判断からすると必要であるとされる場合でも、それを受ける患者(ときには家族)による同意がなければ、その医療行為は違法とされる場合があるという考え方が確立しつつある。そして、その同意のためには、患者(ときには家族)に同意・不同意を決めるために十分な判断材料を与えるだけの説明をする義務が医師にはあると考えられる。これが、「説明を受けたうえの同意」(informed consent)といわれる問題である。十分な説明を欠き、あるいは同意を欠く医療行為は、不法行為になりうると考えられるのである(最判昭和56・6・19判時1011号54頁は、急患に開頭手術を行ったところ、出血多量により死亡したケースにおいて、遺族が説明義務違反を主張したのに対し、必要な説明はされていると判定した。最判平成17・9・8判時1912号16頁は、帝王切開分娩の危険性の説明に関する。なお、注目される判決として、東京高判平成10・2・9判時1629号34頁[エホバの証人信者輸血拒否事件]がある。輸血以外に救命手段がなくても輸血しないという宗教的信念をもつガン患者に、説明し、同意を得ることなしに輸血を要する手術をした例で、慰謝料請求が認められた。患者は余命あと1年のところ手術によりその後5年生存したとされる)。最判平成12・2・29(民集54巻582頁)は、前掲東京高判平成10・2・9を維持し、そのなかで、宗教上の信念から輸血を伴う医療行為を拒否するという意思決定をする権利は人格権の一内容であり、それが侵害されたとした。

さらに、最判平成13・11・27(民集55巻1154頁)は、医療水準として未確立である治療法(乳房保存手術)についての医師の説明義務の遵守が不十分であったとされた事例である。また、最判平成18・10・27(判時1951号59頁)は、脳動脈りゅうが確認された患者につき、コイルそく栓術を実施するについて行った医師の説明が十分だったとした原審を破棄し、差戻した事例である。

最判平成20・4・24(民集62巻1178頁)では、チームによる医療(大動脈置換手術)が行われ、患者が死亡した事例について、チーム医療の総責任者であり、中心的な執刀者であったYの損害賠償責任が問われた。第一審は、Yの過失をすべて否定したが、第二審は、Yの説明に不十分な点があったとして請求の一部を認めた。Yが上告受理を申立てた。同判決は、Y自身が説明しなくとも、主治医を指導監督するとともに、主治医が十分説明したのであれば、Yは責任を負わないこともあるとし

第3編　第5章　不法行為

て、原判決を破棄し差戻した。

　Yが開設する病院で、当直看護師が80歳の患者Aの両上肢を抑制具を用いて拘束した事例について、AがYに対して不法行為による損害賠償を請求したが、第一審ではAが敗訴し、第二審でAの訴訟を承継した相続人X₁、X₂に請求の一部（各35万円）が認容された。Yが上告し、最判平成22・1・26(民集64巻219頁)は、看護師の行為はAの危険を避けるためのやむをえない行為であった、また拘束時間も長くなかったとして、その違法性を否定し、X₁・X₂の請求をしりぞけた。

　統合失調症により精神科の医師の診療を受けていた患者が中国の実家に帰省中（この間も医師への情報提供はあった）に自殺した場合において、自殺の具体的な予見可能性を否定して医師の過失を否定した判例がある(最判平成31・3・12判時2427号11頁)。

(b)　国会議員の行為

　国会議員が国会の質疑などにおいて行う発言は、もちろん、正当な業務行為であるが、内容によっては問題とされたことがある(最判平成9・9・9民集51巻3850頁。議員が質問のなかで民間の病院のスキャンダルについて発言し、その院長が自殺し、その妻が国家賠償を請求した。この判決は、「個別の国民の名誉又は信用を低下させる発言」を、「違法又は不当な目的で」、「虚偽であることを知りながら」行い、それが「権限の趣旨に明らかに反する」ときに賠償責任を生じるという基準を示したうえで、請求を否定した)。

(c)　刑事司法関係者の行為

　捜査、逮捕、拘禁などに当たって、担当者が違法に相手の権利を侵害したときは、国家賠償責任を生じることは、いうまでもない(最判平成17・4・19民集59巻563頁は、弁護人による接見の違法な拒否だが、担当検事に過失なしとした)。

　そうではない場合の公訴の提起、裁判などの行為そのものは、もちろん正当な業務行為であって国家賠償責任が問われることはない。しかし、無実の者が未決の抑留または拘禁、刑の執行、拘置などを受けて、無罪判決がなされたときは、刑事補償法(昭和25年法律1号)による刑事補償がなされることになっている。

　最判平成20・4・15(民集62巻1005頁)は、広島弁護士会(X)が刑務所における人権救済事案の調査のために受刑者との接見を要請したが、刑務所長がこれを拒否したことに対し、Xはその業務に当たったX₁、X₂、X₃弁護士とともに国Yに対し国家賠償を請求した。原審は、調査活動が不当な妨害を受けたことによるXの非精神的損害の賠償を認めたが、本判決はこれを破棄し、自判して、Xの請求も否定した。その理由としては、旧監獄法の解釈として、接見を求める者の固有の利益に配慮すべき法的義務はないとした。また、人権救済を申立てた受刑者との接見は許したが、みずから申立てていない受刑者との接見は許さなかったことで、Xの社会的評価や信頼が低下することはないと論じている。旧監獄法に代わる「刑事収容施設及び被収容者等の処遇に関する法律」によって、これらの考えが変わるのかどうかは不明である。同法に関する判例として最判平成28・4・12(裁時1649号5頁)がある。

　なお、国は、拘置所に収容された被勾留者に対して、その不履行が損害賠償責任

を生じさせることとなる信義則上の安全配慮義務（医療行為）を負わないとした判例（最判平成28・4・21民集70巻1029頁）がある。

(オ)　条理上許される行為

社会の倫理概念ないし条理によって是認される行為、たとえば、親権のない母が事実上その子を養育する場合に、その母の子に対する適度な範囲の懲戒行為、あるいは、スポーツにおいて通常生じる加害行為などは、一般に違法性がない。たとえば、ラグビーでルールに反するタックルをすることは、スポーツのルールの上では違反でも、不法行為としての違法性を欠く場合が多いといってよかろう（「許された危険」あるいは「危険の引受け」という概念で説明されることもある）。ただし、違反行為がはなはだしく、また、被害が重大である場合は、別論である。また、スキー場での接触事故やゴルフ場での打球による事故などにおいては、不法行為の成立が認められる例が増している（最判平成7・3・10判時1526号99頁は、スキー事故の例）。

ストライキが雇い主に対する違法行為になるかどうかは、かつては論争されたことだが、今日では、正常なストライキは、私法関係の上でも違法性がないと一般に認められている（労組§§1Ⅱ・8参照）。

小学生の遊戯行為において、BがAに怪我をさせた事例についても、同様に考えてよかろう（最判昭和37・2・27民集16巻407頁は違法性なしとし、最判昭和43・2・9判時510号38頁は違法性ありとしたが、監督義務者は監督義務を果たしており、責任なしとした）。

(5)　本要件と違法性との関係

本要件と行為の違法性との関係については、近年の論議と関連して（本章解説⑨(2)参照）、整理を要するところである。すなわち、

(a)　本要件（客観的要件）と違法性とをまったく等しいものとみる見解が一般的であるように思われる。

(b)　違法性を本要件と別個に独立の要件とする見解も可能である（適法行為や違法性阻却事由の問題がまとめて扱われる）。

(c)　本要件のなかに違法性の問題も含まれているとする見解もある（本要件のなかで違法性阻却事由も扱われる）。

(d)　違法性要件を不要とし、したがって、本要件も不要として過失要件に一本化する見解もある、

などである。いずれにしても、多数意見によれば、違法性は不法行為の本質的要素であるので、これをどこにどのように位置づけるかが問題であると考えられる。本書は、(c)の見解によっているといってよい。なお、一般的に、一つの事実が違法性や過失などの複数の要件のいずれにも関わりをもつということは妨げないし、当然のことと考えられている。

〔5〕　2004年改正は、〔4〕で詳述したように論議されてきた「権利の侵害」のあとに「又は法律上保護される利益の侵害」を付加した。この修正には、疑問がある。

第1に、この語句により、従来の論議において、条文の「権利」を利益を含む広い意味に解すべきであるという意見が大勢を占めていたことを表現しようとしたのであれば、疑問とせざるをえない。それによって、「権利」はかつての厳格な狭い意味の

第3編　第5章　不法行為

ものに戻るというのであろうか。それはかえって混乱を生じさせるであろう(たとえば、〔4〕(2)(ア)(e)参照)。

第2に、「法律上」という言葉が付加されていることはどういう意味であろうか。法律上保護される旨の規定が明記されている利益に限るという趣旨であろうか。それとも、環境関係法や消費者関係法に数多くの保護規定が見受けられるが、それらにより保護される利益をすべて含むという趣旨であろうか。この表現は、意味不明であって、従来からの論議をまったく無視していると思われる。とりわけ危惧されるのは、被害者の主張するものが「法律上保護される利益」とはいえないという一言でしりぞけられるようになることである。もしそうなれば、かつての硬直した判断にふたたび逆戻りすることになりかねないであろう。

このように考えられるので、本書においては、この語句についてはほとんど意味のないものと考え、原条文を前提とした従来からの解釈を叙述することにした(〔4〕)。

〔6〕　本条は、原則として、直接に他人(被害者)に対して不法行為を行った者(加害者または不法行為者という)が損害賠償債務を負うことを規定する。自己責任の原則による不法行為といってもよい(他人の行為について不法行為責任を負う例外については、§§714～716・719参照)。

本条による加害者には、通常、自然人が想定され、法人には旧44条(第1編第3章後注参照)が適用されると考えられていたが、最近では、法人にも直接本条を適用する必要が生じている(本章解説⑦、本条(2)(3)(ウ)(e)・§715(6)(2)参照)。

〔7〕　「これによって生じた損害」とは、違法とされる行為を原因として、これから生じる損害の意味であり、すなわち、①損害が発生したこと、および②不法行為と賠償されるべき損害との間の因果関係が存在することが、不法行為の第3および第4の主要な成立要件である。

(1)　416条の準用

この因果関係については、違法な行為と因果関係のあるすべての損害、換言すれば、その行為がなかったならば生じなかったであろうと考えられる全損害の賠償をさせることは、公平の観念に反すると考えられるから、債務不履行と同様に(改正前§416(5)参照)、「相当因果関係」の範囲に限るべきである(〔3〕で述べる問題と区別する必要がある)。判例は、かつてこれと異なる解釈をしていたが、1926年(大正15年)の連合部判決(大民刑連判大正15・5・22民集5巻386頁[富喜丸事件]。最高裁でも同旨、最判昭和32・1・31民集11巻170頁、最判昭和48・6・7民集27巻681頁、最判平成31・3・7判時2423号20頁など)以来、その見解を改め、不法行為に基づく損害賠償の範囲についても、416条を類推するべきものと判示した。なお、損害は、財産的なものに限らず、精神的なものをも含むことは、710条に明言するところであるが、この点は、わが民法の特色である(§710(1)参照)。

(2)　具体的適用

不法行為に基づく損害賠償の範囲が、違法な行為と相当因果関係に立つ財産的ならびに精神的な損害であるという抽象的な標準は、具体的な適用において多くの困難を示す。公平の観念を最後の標準として各場合について判断するほかない。

1556

つぎに、財産損害と人身損害とに分けて考察する。そのいずれからも、財産的損害と精神的損害とが生じうることに注意を要する。そして、財産的損害については、以下に述べるようなさまざまな項目についての損害が主張・立証されて、そのうち証明がなされたものを合計して、損害賠償認容額が算定される。これを、「個別損害積み上げ」方式と呼ぶが、これを厳密に貫こうとすると、実際にはさまざまな疑いが生じる。しかし、いまのところは、この考え方に従っておくほかはない（ただし、民訴§248参照。(3)参照）。これに対して、精神的損害（慰謝料額）の認定については、裁判所の自由心証によるとされている。

なお、英米法には、一定の不法行為の場合に、実際に生じた損害額以上の賠償を命じる懲罰的損害賠償(punitive damages)、損害額の二倍の賠償を命じる二倍損害賠償(double damages)の観念および制度があるが、わが国では採用されるに至っていない（特許§102などに注意。第3章解説⑥(4)参照）。

(ア) 財産損害の例

財産損害については、416条の注釈において、債務不履行と不法行為について共通のものとして述べたので、416条［改注］注釈を参照。

ただし、不法行為に特有と思われる若干の判例などを挙げておく。

(a) 借家人が賃貸借終了後も家屋を占有する場合は、191条を適用するほか（§190⑶・§191⑸参照）、本条による不法行為ともなり、従来の家賃相当額を賠償するべきであるとされる（大連判大正7・5・18民集24輯976頁）。

(b) Aの自転車をBが違法に差押え、競売した例で、Aはその自転車をCに転売する契約を結んでいた。原審が、競売価額を損害額としたのに対し、それよりも高い転売代金額を損害額と認めた（大判大正9・10・18民録26輯1555頁）。

(c) Bが偽造したC名義の手形を取得したAがCを相手に手形金請求訴訟を提起している間に、手形遡求権が時効消滅した場合、Aが時効中断の処置をとる余裕があったとしても、Bの行為とAの損害の間には相当因果関係があるとされた（最判昭和36・12・26民集15巻3075頁）。

(d) Aが適正伐採期に伐採収穫するべく経営していた山林をBが不法に伐採した事例について、適正伐採期の価額を損害額とした（最判昭和39・6・23民集18巻842頁）。

(e) 豪雨による土石流と国道の設置保存の瑕疵が加わって生じたバス転落事故について、不可抗力である土石流の寄与が4割として、それを差引いた額を損害額とした下級審判決がある（名古屋地判昭和48・3・30判時700号3頁［飛騨川水害・バス転落事件第一審判決］。控訴審は全額の請求を認めた。名古屋高判昭和49・11・20高民27巻395頁［同第二審判決］）。

(f) 自動車が損傷した場合の損害額の算定について、当該自動車と同一の車種・年式・型・同程度の使用状態・走行距離などの自動車を中古車市場において取得するのに要する価格によるべきであり、課税または企業会計上の減価償却の方法である定率法または定額法によるべきでないとした判例がある（最判昭和49・4・15民集28巻385頁）。

第3編　第5章　不法行為

(g)　違法な仮差押命令の例において（〔4〕(3)(キ)参照）、差押え解放金を供託するために金銭を借入れた場合には、通常予測される利息が、自己資金によった場合には、約定利率による利息が通常損害とされた（最判平成8・5・28民集50巻1301頁）。なお、強制執行の申立てをした債権者が債務者に対する不法行為に基づく損害賠償請求において当該強制執行に要した費用のうち民事訴訟費用等に関する法律2条各号に掲げられた費目のものを損害として主張することは許されない（最判令和2・4・7民集74巻646頁）。

(h)　特許法102条、実用新案法29条、意匠法39条、商標法38条、著作権法114条、半導体集積回路の回路配置に関する法律25条、不正競争防止法5条は、侵害者が受けた利益を権利者が受けた損害と推定する規定をおいている。

(i)　運送契約（宅配便の例）に定められた責任限度額を超える損害賠償を、荷受人が所有権侵害の不法行為を理由として請求したのについて、荷受人も宅配便による運送を容認していたなどの事情を理由として信義則上許されないとした例がある（最判平成10・4・30判時1646号162頁）。

(j)　有価証券報告書等に虚偽の記載がなされている上場株式を取引所市場において取得した投資者が、当該虚偽記載がなければこれを取得しなかったとみるべき場合において、当該取得者の被る損害は、当該株式を虚偽記載の公表後、同取引市場において処分したときは、取得価額と処分価額との差であり、それを保有し続けているときは、事実審の口頭弁論終結時の市場価額を基礎として、経済情勢、市場動向、当該会社の業績等当該虚偽記載に起因しない市場価額の下落分を上記差額から控除して算定すべきであるとし、いわゆるろうばい売りによる損失も相当因果関係内の損害に含まれるとした判例がある（最判平成23・9・13民集65巻2511頁）。

(イ)　人身損害の例

(a)　生命侵害の場合

他人の生命を侵害した場合、すなわち、他人を故意または過失によって死に至らせた場合には、その人がその生命侵害を受けなければ生存したであろうと推定される年齢に達するまでのその人の推定収入から、その人のその間に要する生活費を控除した額が、その人の死亡による財産的損害（これを逸失利益という）であると考えるのが基本である（大判大正2・10・20民録19輯910頁。最判昭和56・10・8判時1023号47頁は、8歳の幼児について、賃金センサスによる平均給与により計算した額から、5割を生活費として控除した）。なお、死亡による財産的損害の賠償請求権は、相続人に相続されるとするのが判例である（大判大正15・2・16民集5巻150頁［重太郎即死事件］。§710〔4〕(1)(ウ)参照）。精神的損害については、710条〔4〕(1)(ウ)・〔7〕(2)・(3)を参照。

なお、死者の将来の推定収入といえるか（逸失利益といえるか）が問題になったものがある。死者が生存していたならば将来受給できたであろう厚生年金保険法による遺族厚生年金は、社会保障的性格が強いとして逸失利益には当たらないとされ（最判平成12・11・14民集54巻2683頁）、死者が受給権者であった国民年金法による障害基礎年金および厚生年金保険法による障害厚生年金は、逸失利益として相続人は請求でき、同年金の子や妻の加給分は、社会保障的性格が強く、逸失利益性はないと

された(最判平成 11・10・22 民集 53 巻 1211 頁)。

その他、つぎのようなことが問題になる。

(i) 死者に残されたであろう活動年齢期については、いわゆる生命表記載の平均余命の数値を参考にすることもできるが、それに限られるわけではなく、裁判所は、「死者の経歴、年齢、職業、健康状態その他の諸般の事情を考慮して、自由な心証によって」認定できるとされている(最判昭和 36・1・24 民集 15 巻 35 頁)。

(ii) とくに、幼児・年少者の生命が侵害された場合における逸失利益の損害の算出は、困難な場合が多い。判例は、「被害者側が提出するあらゆる証拠資料に基づき、経験則とその良識を十分に活用して、できうるかぎり蓋然性のある額を算出するよう努め、ことに右蓋然性に疑がもたれるときは、被害者側にとって控え目な算定方法(たとえば、収入額につき疑があるときはその額を少な目に、支出額につき疑があるときはその額を多めに計算し、また遠い将来の収支の額に懸念があるときは算出の基礎たる期間を短縮する等の方法)を採用することにすれば、慰藉料〔現在では、慰謝料と書く〕制度に依存する場合に比較してより客観性のある額を算出することができ、被害者側の救済に資する反面、不法行為者に過当な責任を負わせることともならず、損失の公平な分担を窮極の目的とする損害賠償制度の理念にも副う」としている(最判昭和 39・6・24 民集 18 巻 874 頁。最判昭和 49・7・19 民集 28 巻 872 頁は、年少女子については、将来予想される結婚後の家事労働による利益または平均的労働不能年齢に達するまでの女子雇用労働者の平均賃金を基準とした例。最判昭和 54・6・26 判時 933 号 59 頁は、幼女の逸失利益につき賃金センサスの 18 ないし 19 歳の女子労働者の平均給与額を基準とした例。最判昭和 53・10・20 民集 32 巻 1500 頁は、幼児の逸失利益については、稼働開始時までの養育費〔生活費・教育費〕の控除は必要ないとした例。最判昭和 58・2・18 判時 1073 号 65 頁は、2 歳の男子について、将来の物価上昇、賃金上昇を考慮に入れなくともよいとした例。最判昭和 62・1・19 民集 41 巻 1 頁は、年少女子の逸失利益について、賃金センサスでは、女子労働者の平均給与額が男子のそれより低いからといって、その女子の家事労働分を加算するべきであることにはならないとした例。最判平成 2・3・23 判時 1354 号 85 頁は、8 歳の男児の例)。

(iii) 成年の男子について、将来の昇給の見込みを斟酌することができるとされた(最判昭和 43・8・27 民集 22 巻 1704 頁)。

(iv) 家事労働に専念する主婦について、平均的労働不能年齢に達するまで、女子雇用労働者の平均的賃金に相当する財産上の収益をあげるものと推定するのが適当であるとされた(最判昭和 49・7・19 民集 28 巻 872 頁)。

(v) 自営の企業主についての損害は、特段の事情のないかぎり、企業収益中に占める企業主の労務その他企業に対する個人的寄与に基づく収益部分の割合によって算定するべきものとされた(最判昭和 43・8・2 民集 22 巻 1525 頁)。

(vi) 逸失利益については、将来の収入を現在受領することになり、そのことによる利息相当分が有利になるので、その部分を控除した額が賠償されるべき金額とされる。これを、中間利息の控除という(たとえば、10 年後に受領するべき 100 万円をそのまま現在受領すると、今後それが生むべき利息は、受領者の得になるので、100 万円からその利息分を控除した額を請求できる)。通常、その控除のための数式には、つ

第3編　第5章　不法行為

ぎのものがある（賠償されるべき額を X、就労可能期間 n 年間に受領するべき収入額を A、各年に受領するべき収入額を a、利率を r とする。r は通常［改正前］民事法定利率の5パーセントである。改正前§404。最判平成17・6・14民集59巻983頁は、3パーセントが妥当とした原審を破棄して、これを確認した）。なお、新法の下では、遅延損害金一般については、「債務者が遅滞の責任を負った最初の時点における法定利率」、すなわち3％（新§404Ⅱ）ということになる。裁判例では、ライプニッツ係数を用いて病状固定時の現在価値を計算していると言われているが、新417条の2が新設されたので（新§722Ⅰ）、損害賠償の請求権が生じた時点における法定利率によることになる。

単式ホフマン式計算法　　　　複式ホフマン式計算法

$$X = \frac{A}{1+nr}$$
$$X = a\left(\frac{1}{1+r} + \frac{1}{1+2r} + \cdots\cdots + \frac{1}{1+nr}\right)$$

単式ライプニッツ式計算法（複利）

$$X = A\,\frac{1}{(1+r)^{\wedge}n}$$

複式ライプニッツ式計算法（複利）

$$X = a\,\frac{1-(1+r)^{\wedge}(-n)}{r} \quad （年収が不変の場合）$$

$$X = \frac{a}{1+r} + \frac{b}{(1+r)^{\wedge}2} + \cdots\cdots + \frac{z}{(1+r)^{\wedge}n} \quad （年収が a、b…、z と変化する場合）$$

〔なお、上記の数式中、「^2」は「2乗」、「^n」は「n 乗」、「^（−n）」は「マイナス n 乗」を表す。〕

判例は、かつては、単式ホフマン式によったが、最近では、複式ホフマン式によった例（最判昭和37・12・14民集16巻2368頁）、複式ライプニッツ式によった例（前掲最判昭和53・10・20）がみられる。

裁判所の判断でいずれを採用してもよいと解されている。具体的事情を考慮したうえで、期間が短期のときはホフマン式、長期のときはライプニッツ式などと使い分けることも考えられる。最高裁も、中間利息の控除方法は、ホフマン式によらなければならないものではない旨を確認している（最判平成22・1・26判時2076号47頁）。

(vii)　以上のような、いわば命の値段の評価方法について、生命の価値に収入の大小による差異を認めるべきでなく、定額化するべきであるという意見が出されている。きわめて重要な問題であるが、判例・通説によって受け入れられるには至っていない。ただし、公害事件などにおいて、一定の場合に慰謝料の名目で各被害者に同額の損害が認められた例（いわゆる一律一括請求）が多いが（熊本地判昭和48・3・20判時696号15頁など。最大判昭和56・12・16民集35巻1369頁は、慰謝料だから一律額の損害認定が許されるとした）、その底には定額化論の考え方があるといってもよい。

§ 709 〔7〕

⒱　遺体の運搬費用、葬式費用などは、慣行上の喪主において、自己の損害として請求することができる(大判大正13・12・2民集3巻522頁)。なお、受領した香典、見舞金などは、弔問者からの贈与であって、損害額から控除するべきではない(最判昭和43・10・3判時540号38頁)。

　墓碑建設、仏壇購入について、その費用は、死者の祭祀を主宰するべき喪主にとっての通常損害であるとした判例がある(最判昭和44・2・28民集23巻525頁。墓碑などはその死者のためだけには限らないとして、賠償義務を否定した原審判決を破棄した)。

⒳　自己に対して扶養義務を負担する者(§877 I)が殺害されたときは、扶養請求権の侵害として、それによって生じる財産的損害の賠償を請求できる(〔4〕⑵(ウ)(iv)参照)。

⒳　労働基準法は、労働災害に対して使用者の補償責任を定めているが(本章解説⑹⑷(b)参照)、この責任は民法上の責任に代わるものではない。被害者側は、それ以上の損害があるときは、民法上の責任を主張して、その請求をすることができる(なお、この問題と後述⑷(イ)の問題とは、異なる)。

⒳　自賠法によって特別な損害賠償保障制度が設けられているが(本章解説⑻⑶参照)、同法§16 I により被害者は保険会社に対して同法§16の3が定める支払基準による生命・身体の被害に対する損害賠償額の支払を請求できるとされている。ただし、判例は、この基準は保険会社が訴訟外において迅速な支払をすることを確保する趣旨であって、訴訟による請求ではこの支払基準によらずにこれを超える損害賠償額を請求できるとした(最判平成18・3・30民集60巻1242頁)。

(b)　身体侵害の場合

(i)　他人の身体を侵害した場合、すなわち、他人を傷害した場合には、被害者は、医薬料(大刑判大正3・6・3刑録20輯1116頁)、治療費(大判昭和18・4・9民集22巻255頁、最判昭和32・6・20民集11巻1093頁。いずれも、親が支払った治療費でも、被害者である子が請求できるとする。なお、§711⑹(ウ)参照)、近親者の付添いによる看護料相当額(最判昭和46・6・29民集25巻650頁)、治療期間中業務を休んだことによる損害(大刑判明治41・10・22刑録14輯873頁)などはもちろん、身体障害が残った場合には、これによる一生涯の財産的損害、たとえば収入の減少(大判大正15・1・26民集5巻71頁)、義足の代価(大判大正5・1・22民録22輯113頁)などをも請求することができる。

　近親者が負傷したために外国から一時帰国した場合の親族の往復旅費は、被害者にとって通常の損害に含まれるとした例(最判昭和49・4・25民集28巻447頁)がある。

(ii)　最近、後遺障害については、これを労働能力の喪失ととらえて、それによる損害額を労働災害などに関して設けられている基準によって一律に認定することが行われている(津地四日市支判昭和47・7・24判時672号30頁［四日市公害訴訟］など参照)。ただし、後遺症が軽症であって、それによる収入の減少がなければ、治療費・休業による損害は別として、労働能力喪失を理由とする損害はないとした判決がある(最判昭和42・11・10民集21巻2352頁、最判昭和56・12・22民集35巻

第3編　第5章　不法行為

1350頁)。

　なお、交通事故で傷害を受けた者が、2度目の交通事故で死亡した場合について、第1の交通事故による損害について、就労可能期間については、死亡の事実を考慮しないでよく、死亡後の生活費は、第1の事故と死亡との間に相当因果関係がある場合に限り、控除するべきであるとされた(最判平成8・5・31民集50巻1323頁。最判平成8・4・25民集50巻1221頁も参照)。

　また、交通事故による傷害で障害を被った者が、その後別の原因(胃がん)で死亡した場合、逸失利益については、特別の事情がないかぎり、死亡の事実は就労可能期間の認定上考慮すべきではないが、介護費用の賠償については、死亡後に要したであろう介護費用は賠償されるべき損害には入らないとした判例がある(最判平成11・12・20民集53巻2038頁)。

　(iii)　不法行為後期間を経て発症するいわゆる後遺症については、直後に少額の示談で請求権を放棄したことがあっても、その当時予想できなかった後遺症が後日発生したときは、それによる損害賠償を請求できるとされた(最判昭和43・3・15民集22巻587頁)。

　(iv)　日本に一時的に滞在する外国人が労災事故にあって、雇用していた社長の不法行為責任が認められた場合に、日本における賃金水準による賠償は予想される出国予定までの期間につき認められ、それ以後は出国先の水準によるとした判例がある(最判平成9・1・28民集51巻78頁)。

　(v)　母の負傷に子が支出した治療費は子にとって相当因果関係にある損害とされた例(大判昭和12・2・12民集16巻46頁)がある。

　(vi)　労働基準法による業務上の負傷・疾病に対する補償との関係は、生命侵害の場合と同様である((a)(x)参照)。

　(vii)　自賠法に関して、(a)(xi)を参照。

(c)　生命・身体以外の人格的利益

生命・身体以外の人格的利益の侵害によっても、財産的損害を生じる場合は少なくない。精神的自由の侵害とされる詐欺・強迫はもとより、名誉・貞操・性的自由などの侵害においてもそうである。

　しかし、これらの場合には、精神的損害が問題になることが多く、判例にも、多く精神的損害の賠償として現われている((ウ)参照)。

　なお、未成年の子が父との間に不倫関係をもつ女性に対して慰謝料を請求したのに対し、不倫関係と子の精神的損害との間には相当因果関係がないとした事例がある(最判昭和54・3・30民集33巻303頁。§710〔4〕(2)参照)

(ウ)　逸失利益と定期金による賠償

逸失利益の賠償については、中間利息の控除を前提として、一時金による支払がなされてきたが、近時、判例により定期金によることも認められた。民法は、不法行為に基づく損害賠償の方法につき、一時金による賠償によらなければならないものとは規定しておらず(§§722 I・417)、また、損害賠償制度の目的及び理念に照らすと、交通事故に起因する後遺障害による逸失利益という損害につき、将来において取得すべ

§ 709 〔7〕

き利益の喪失が現実化する都度これに対応する時期にその利益に対応する定期金の支払をさせるとともに、損害額の算定の基礎となった事情に著しい変更が生ずる場合には民訴法117条によりその是正を図ることができるようにすることが相当と認められる場合があるというべきである。したがって、交通事故の被害者が事故に起因する後遺障害による逸失利益について定期金による賠償を求めている場合において、損害賠償の目的及び理念に照らして相当と認められるときは、同逸失利益は、定期金による賠償の対象となるものと解される。さらに、後遺障害による逸失利益につき定期金による賠償を命ずるに当たっては、交通事故の時点で、被害者が死亡する原因となる具体的事由が存在し、近い将来における死亡が客観的に予測されていたなどの特段の事情がない限り、就労可能期間の終期より前の被害者の死亡時を定期金による賠償の終期とすることを要しないと解するのが相当である（最判令和2・7・9民集74巻1204頁）。

　㈢　精神的損害——慰謝料

　精神的損害の賠償として支払われるべき金銭を慰謝料（かつては慰藉料と書いた）という。慰謝料については、710条で取り上げる。

　㈣　将来の損害

　判決時（口頭弁論終結時）以後に発生することが予想される損害について、賠償を命じることができるであろうか。

　上述の逸失利益（㈠㈎ⓐ⑯参照）は、見方によっては将来の損害の賠償であるが、それを現在の時点に引き直して損害額とみなしているものである。これに対して、継続的な公害のように、将来も発生して損害を与え続けると思われる損害については、その賠償をいかにして認めるかについて論議のあるところである。

　大阪空港公害訴訟において、控訴審判決（大阪高判昭和50・11・27判時797号36頁）は、この将来の損害の賠償を認めたが、最高裁（最大判昭和56・12・16民集35巻1369頁［大阪空港公害訴訟上告審判決]）は、被告の行為が「現在と同様に不法行為を構成するか否かおよび賠償すべき損害の範囲いかん等をあらかじめ一義的に明確に認定することができず、具体的に請求権が成立したとされる時点においてはじめてこれを認定することができ」るとして、請求そのものを不適法として否定した。

　その後、最判平成5・2・25民集47巻643頁（判時1456号32頁）、最判平成5・2・25（判時1456号53頁）も、米軍機の騒音等を理由とする損害賠償請求につき、将来の給付の訴えを提起することのできる請求権としての適格を有しないとした控訴審の判断を正当として是認した。さらに最判平成19・5・29（判タ1248号117頁［平成19年横田基地訴訟判決]）は、飛行場において離着陸する航空機の発する騒音等により周辺住民らが精神的または身体的被害等を被っていることを理由とする損害賠償請求権のうち事実審の口頭弁論終結の日の翌日以降の分は、判決言渡日までの分についても、将来の給付の訴えを提起することのできる請求権としての適格を有しない旨を判示した。さらに、最判平成28・12・8（判時2325号37頁）は、これらの判断を踏襲した。

　この問題は、定期金の形における賠償が認められるかという問題とも関連する（〔8〕(1)㈢参照)。

　㈤　被害者が費やした費用——とくに弁護士費用

第3編　第5章　不法行為

被害者に無用の出費をさせたときは、その出費のうち、そのような場合に普通の者が支出する普通の額だけは相当因果関係のある損害となる。

とくに、問題となるのは、訴訟のために依頼した弁護士に対する報酬である。

(a)　戦前の判例では、まず、不法行為による損害賠償請求権を譲受けた者がこれを訴求するために弁護士に支払った報酬について、これを否定したが（大判昭和18・8・16民集22巻870頁）、その後、訴えの提起が公序良俗に反し、不法行為を構成する場合に、応訴のために弁護士に依頼してこれに支払う相当の報酬額について、不法行為による損害とすることができると判示した（大民刑連判昭和18・11・2民集22巻1179頁）。

(b)　戦後の判例では、不法行為の被害者が訴訟を余儀なくされた場合の弁護士報酬その他の費用は、事案の難易、請求額、認容された額その他の諸般の事情を斟酌して相当と認められる額の範囲内であれば、不法行為と相当因果関係に立つ損害とされる（最判昭和44・2・27民集23巻441頁、最判昭和57・1・19民集36巻1頁、最判昭和58・9・6民集37巻901頁）。

この種の費用は、通常の損害賠償と性質を異にし、裁判制度利用のために負担する費用であると考えるべきであるとする指摘もある。

(c)　強制執行の申立てをした債権者が、当該強制執行における債務者に対する不法行為に基づく損害賠償請求において、当該強制執行に要した費用のうち費用法2条各号に掲げられた費目のものを損害として主張することは許されないと解するのが相当である（最判令和2・4・7民集74巻646頁）。

(d)　債務不履行につき債権者が債務者を訴える場合については、判断が異なることに注意を要する（改正前§416⑸(ア)(f)参照）。

(3)　立証責任

(ア)　不法行為と相当因果関係にある損害についての立証責任は、損害賠償を請求する被害者の側にある（最判昭和62・7・2民集41巻785頁［東京灯油訴訟］が一例）。しかし、因果関係の立証には、ときにより非常な困難が伴うので、判例では、因果関係の推定、立証責任の事実上の転換などの論理を用いて、その困難を緩和する努力がなされてきた（大判明治45・5・6民録18輯454頁、大判昭和11・4・21判決全集3輯5号16頁など）。

(イ)　なお、1996年の新民事訴訟法248条(新設)は、損害の性質上損害額の立証が「極めて困難なときには」、裁判所は、「口頭弁論の全趣旨及び証拠調べの結果に基づき相当な損害額を認定することができる」という規定を置いた。

(4)　その他の諸問題

損害賠償の額を算定するに当たっては、なお、つぎの諸問題が注意されなければならない。

(ア)　過失相殺

損害の発生または拡大に関して、被害者にも過失があるときは、賠償の額について斟酌される。722条2項参照。なお、2017年の改正で同条1項の準用条文が追加された。

(イ)　損益相殺

§ 709 〔7〕

　不法行為が、被害者に損害を与えると同時に、利益を与えることもある。その場合には、損害からその利益を控除した残額のみが賠償するべき損害とされるべきことは、とくに規定はないが、債務不履行におけると同様であると考えられる（改正前§416〔7〕）。そして、その控除するべき利益も相当因果関係の範囲内のものに限ると考えられる。
　損益相殺の理は、このように自明であるが、具体的適用には、いろいろと問題がある。

　(a)　ある人の死亡による損害の算定に当たって、その人の推定生存年齢までの推定収入総額から、その人の生活費を控除するのは、一種の損益相殺である（(2)(イ)(a)参照）。

　(b)　負傷により営業を廃止したことによる損害を算定する場合、営業上得べかりし利益から所得税その他の租税額を控除するべきではない（最判昭和45・7・24民集24巻1177頁）。

　また、売買の目的物である新築建物に重大な瑕疵があり、これを建て替えざるをえない場合には、買主からの工事施工者等に対する不法行為に基づく建替え費用相当額の損害賠償請求において、買主が当該建物に居住していた利益を、損益相殺等の対象として損害額から控除することはできない（最判平成22・6・17民集64巻1197頁）。

　(c)　本章解説⑧に挙げた不法行為に関連する諸制度、とくに労働災害補償制度や同保険制度、各種の共済制度との関係が問題である（法律そのものに、両者の関係についての規定があれば、それによる。下記のほかは、本章解説⑧参照）。

　(i)　第三者によって起こされた火災に対する保険金は、損害額からは控除しないが、保険金が支払われれば、保険会社が損害賠償請求権に代位するから、被害者は第三者に請求できなくなる（最判昭和50・1・31民集29巻68頁）。所得補償保険も損害保険の一種であり、傷害を受けて保険金を受領した限度で損害賠償請求権は失われる。

　(ii)　生命保険金について、判例は、保険料の対価であって、不法行為の原因と関係なく支払われるものであるという理由で、損害額から控除するべきでないとする（最判昭和39・9・25民集18巻1528頁。搭乗者傷害保険による死亡保険金について、最判平成7・1・30民集49巻211頁も同旨）。

　(iii)　自動車損害賠償保険の適用に関して、死亡者の内縁の妻が将来の扶養を受ける利益の喪失に相当する額を政府から受領したときは、死者の相続人が請求する死者の逸失利益から、死者が内縁の妻の扶養に要したであろう費用は控除されるとした判例がある（最判平成5・4・6民集47巻4505頁）。

　(iv)　労災補償とその保険制度について検討すると、まず、労災の直接の原因が使用者にあるときにつき、労災保険給付がなされた範囲で使用者の労災補償責任は消滅し、使用者が労災補償義務を履行した範囲で民法上の損害賠償義務は免れる（労基§84）。

　つぎに、第三者の行為によって災害を受けたときは、労災保険給付がされれば、給付した政府は第三者に対する損害賠償請求権を取得し、災害を受けた者が第三

1565

第3編　第5章　不法行為

者から損害賠償を受けたときは、政府はその限度で労災給付をしないことができるとされている(労災§12の4。同種の規定は、国家公務員等共済組合法§48、厚年§40などにも置かれている)。

その後、労災保険金の年金化が進み、それにつれて、過去分はよいとして、未給付の将来分について問題を生じた。最高裁は、保険給付の将来分については、第三者に対する損害賠償請求において控除する必要はないと判示した(最判昭和52・5・27民集31巻427頁。最判昭和52・10・25民集31巻836頁は、使用者の行為による使用者の責任についても、同旨)。そして、1980年(昭和55年)の改正により、両者の間の調整を図る規定が、当分の間ということで置かれて、現在に至っている(労災附則§64)。

学説は、保険給付と損害賠償の間の調整を要するという見解(調整必要説)と、労災保険給付は社会保障という異質の意味をもつものであるから、調整の必要はないという見解(両方を受領することができるとする。併存説といえようか)とが対立している。社会保障制度のあり方とも関連した検討を要する重要な問題である。

そのほか、関連する判例としては、労災保険からの休業補償給付・傷病補償年金を受けたときは、被害者の受けた損害のうち、消極損害(逸失利益)についてのみ控除され、積極損害(入院経費、付添看護婦料)、慰謝料については控除されないとする例(最判昭和62・7・10民集41巻1202頁)、労災補償保険特別支給金は控除されないとした例(最判平成8・2・23民集50巻249頁)がある。なお、慰謝料については、損害補償一時金・休業補償金を控除するべきでないとした例(最判昭和58・4・19民集37巻321頁)がある。

(v)　国家公務員や地方公務員の共済制度においても、死亡者が退職によって受ける、あるいはすでに受けている給付(退職手当、退職年金など)と遺族が受ける遺族年金との関係が同じように問題になり、判例は、1985年(昭和60年)の法律改正前の事案についてであるが、退職年金受給者が死亡した場合に、死者が得べかりし退職年金につき賠償を求めたのに対し、相続人が遺族年金債権につき、債権が現実に履行された場合、またはこれと同視しうる程度にその存続および履行が確定である場合に、これを控除するべきものとした(最大判平成5・3・24民集47巻3039頁。なお、国家公務員等共済組合法§48、地方公務員等共済組合法§50参照)。被害者が不法行為によって死亡した場合において、その損害賠償請求権を取得した相続人が労働者災害補償保険法に基づく遺族補償年金の支給を受け、または支給を受けることが確定したときは、損害賠償額を算定するにあたり、上記の遺族補償年金につき、その塡補の対象となる被扶養利益の喪失による損害と同性質であり、かつ、相互補完性を有するものについては、逸失利益等の消極損害の元本との間で、損益相殺的な調整を行うべきである(最大判平成27・3・4民集69巻178頁)。なお、死者の妻だけが遺族年金の受給者であれば、相続人である子の損害からは控除しないでよいとされる(最判昭和50・10・24民集29巻1379頁)。

(vi)　死亡によって普通恩給を受給する権利が失われた場合に、それを逸失利益として相続人が賠償を求める権利が認められるが(最判昭和59・10・9判時1140号

78頁、最判平成5・9・21判時1476号120頁)、相続人が遺族扶助料を取得したときは、その分が控除されるとされる(最判昭和41・4・7民集20巻499頁)。

　同じように、死者が得ていた国民年金法による障害基礎年金と厚生年金保険法による障害厚生年金は逸失利益となるが、その相続人が被害者の死亡を原因として遺族基礎年金と遺族厚生年金の受給権を取得したときは、その支給が確定した各遺族年金は逸失利益から控除される(最判平成11・10・22民集53巻1211頁)。

　(d)　ある人の死亡によって遺族が受ける香料・香典・見舞金は控除するべきでないとする判例があるが(大判昭和5・5・12新聞3127号9頁、最判昭和43・10・3判時540号38頁。最判昭和37・4・26民集16巻975頁は、労災保険から受取る葬祭料について、同旨)、当然である。

　(e)　なお、損益相殺における加害者の利益に不法原因給付が絡んだ事例が生じた。加害者が被害者に与えた利益について、その返還を請求する権利に基づいて損益相殺を主張した事案において、その利益が708条の不法原因給付に該当する場合には損益相殺も認められないとされた(最判平成20・6・10民集62巻1488頁は、加害者であるいわゆるヤミ金業者により違法に貸し付けられた金銭の例、最判平成20・6・24判時2014号68頁は、加害者である詐欺投資業者により支払われた架空配当金の例)。

(ウ)　賠償者の代位

　(a)　他人の所有物を滅失または損傷した者がその物の価額の全部を賠償した場合に、被害者がその滅失または損傷した物をなお所有することを認めるのは、被害者に過剰の利益を得させることになる。したがって、このような場合には、その滅失または損傷した物の所有権は賠償をした者に帰属すると解するべきである。民法は、このことを債務不履行については規定したが(§422)、不法行為については、規定していない。しかし、学説は、これを不法行為にも準用するべきであるとしている。

　(b)　(イ)で述べたことは、この代位の問題にも関連する。すなわち、使用者が不法行為責任に基づいて労働者に賠償した場合、使用者は労災保険給付請求権に代位(§422により)できるか。最高裁は、損害賠償と労災保険法に基づく保険給付は、制度の趣旨・目的を異にするという理由で代位を否定した(最判平成元・4・27民集43巻278頁)。

　これと異なり、第三者の不法行為により労働者が死亡し、使用者が労働基準法79条に基づき補償したときに、使用者は被害者の遺族が有する第三者に対する損害賠償請求権に代位できる(最判昭和36・1・24民集15巻35頁)。

〔8〕　「賠償する責任を負う」とは、加害者が被害者に対して損害を賠償する義務を負うということである。すなわち、不法行為の成立により、その効果としては、被害者の損害賠償請求権、加害者の損害賠償義務が発生する。なお、関連して、差止請求の問題についても、考察する必要がある。

(1)　損害賠償請求権

(ア)　金銭賠償の原則

　加害者の賠償義務の内容は、その被害者が受けた損害を金額に算定して、金銭により支払うこと(金銭賠償という)である(§722Ⅰ〔改注〕)。例外的に、名誉回復処分によ

第3編　第5章　不法行為

ることもありうる（§723参照）。

　　(イ)　賠償するべき損害の範囲と損害額の評価

　損害賠償額の決定については、賠償するべき損害の範囲の問題とその損害を金銭に見積もり、いくらに評価するか、という問題を区別するべきだという指摘がされている。この区別が有意義である場合もあるが、必ずしもつねに必要というものでもないと考えられる。とくに、前者は立証の問題になるが、後者は裁判所の自由裁量に属するという意見には賛成できない。やはり、損害額も、当事者が主張し、立証するべきものと考えるのが妥当であろう（最判昭和28・11・20民集2巻1229頁。なお、〔7〕(3)(イ)参照）。

　　(ウ)　一部請求

　被害者Aが不法行為者Bを訴えて、損害全体は500万円だが、その一部として200万円を請求すると主張したら、どうなるかは問題である。

　そういう請求が可能であることは、ほぼ問題ないが（最判昭和37・8・10民集16巻1720頁）、訴訟の途中で請求額を増額できるか（これは問題なかろう）、残りの300万円につき別訴を提起できるか（これはできないであろう）、裁判所が損害全体を400万円と認定したときは、認容するのは160万円なのか、200万円なのか、その判決が確定したときに、さらに残りの部分について訴えを起こすことができるか（勝訴の場合と敗訴の場合がある。前掲最判昭和37・8・10は、一部請求であることを明示して訴えれば、既判力は残額に及ばないとする）など、訴訟法とからんで問題のあるところである。また、過失相殺（§722Ⅱ）や消滅時効の中断（改正前§724〔2〕(2)参照）の問題にも関連する。

　　(エ)　一時金賠償と定期金賠償

　すでに述べてきたことから明らかなように、金銭による賠償の方法としては、判決（あるいは、相対の解決）の時点における一時金の支払(これを一時金賠償という)によるという考え方が支配的である。これに対して、とくに、将来における予想される収入の逸失利益や将来にわたって発生の予想される継続的損害の賠償においては、定期的に一定の額を支払う定期金賠償の方法の方が適切なのではないかとも考えられる。下級審において定期金賠償を命じた例も散見されるが、まだ例は少ない。最高裁の判例としては、請求権者が一時金による賠償を求める申立てをしているときに、定期金による支払を命じることはできないとした例がみられ（最判昭和62・2・6判時1232号100頁）、この論旨からすると、請求権者が申立てれば、定期金賠償も可能といっているようにとれる。

　さらに、1996年の新民事訴訟法117条(新設)は、過去の損害についてであるが、定期金賠償を認める前提のもとに、事情変更により判決の変更を行う道を開いている。将来の損害の賠償を認めることにもつながる可能性があるといってよい（〔7〕(2)(エ)参照）。

　　(オ)　請求権の発生時——遅滞はいつからか

　賠償債務は、被害者の請求をまたずに、不法行為時、すなわち損害発生時もしくは損害額を算定する基準となった時(物価騰貴額による賠償の場合)から、遅滞となり、当然に遅延利息を生じる。この点は、判例は最初別異に解したが（§412Ⅲを適用し、催告の時からとした）、後に、これを改めた（大判大正3・6・24民録20輯493頁。最判昭和37・9・4民集16巻1834頁、最判昭和58・9・6民集37巻901頁は、弁護士費用について同旨）。公

§ 709 〔8〕

平に適するから、この解釈を妥当とするであろう。ただし、催告の時からとする反対の見解もある。

　(カ)　損害賠償請求権の相続

　損害賠償請求権も、一種の財産として、相続の対象となる。ただし、生命侵害の場合については、そもそも相続の対象になるかにつき論議があり(§710〔4〕(1)(ウ))、また、慰謝料請求権については、行使上および帰属上の一身専属性の関係で議論がある(§710〔7〕(2)(オ)・(3)参照)。

　(キ)　損害賠償請求権による相殺

　加害者が被害者に対して債権を有していても、これをもって賠償義務と相殺することはできない(§509〔改注〕)。

　(ク)　損害賠償請求権の消滅時効

　不法行為による損害賠償請求権は、特別の消滅時効に服する(§§724〔改注〕・§724の2参照)。

　(2)　差止請求

　(ア)　不法行為の効果として、その不法行為が存在する状態の差止めを認めることは、古い判例にこれを認める論旨を述べたものはあるが(大判昭和7・8・10新聞3453号15頁)、現在でも、判例・通説の認めるところではない(本章解説5(イ)参照。権利の効力としての差止めや特別法で認められた差止めについては、同(ウ)参照)。

　(イ)　ただ、不法行為法の発展のなかで生まれてきた新しい権利概念を根拠として差止めを認められるかが問題になって、肯定した例もあることは興味深い。

　　(a)　村民の村道使用の自由の権利に基づき、通行妨害の排除が認められた(最判昭和39・1・16民集18巻1頁)。建築基準法42条1項5号による位置指定をされた道路について、これを通行するのが日常生活上不可欠の利益を有する人たちが、人格権的権利に基づいて所有者による通行妨害行為の排除と将来の禁止を求めて、認められた例もある(最判平成9・12・18民集51巻4241頁)。

　　(b)　大阪高判昭和50・11・27(判時797号36頁〔大阪空港公害訴訟第二審判決〕)は、平穏・自由で人間たる尊厳にふさわしい生活を営む人格権に基づいて、大阪空港(当時)を航空機の離発着のために午後9時から午前7時まで使用させてはならないという差止請求を認めた(環境権に基づく請求は認めなかった)。最高裁は、行政訴訟によるべきであるとし、また、空港の公共性を理由として、この部分の上記原審判決を破棄した(最大判昭和56・12・16民集35巻1369頁〔大阪空港公害訴訟上告審判決〕)。公害事件などにおいて、公共性を安易に私人の権利を制限する根拠にすることには、疑問が呈されている。

　　(c)　米軍基地(厚木基地の場合は自衛隊も含む)の発する騒音に対する航空機の離発着に対する差止請求については、最高裁はこれを認めない(最判平成5・2・25民集47巻643頁・判時1456号32頁〔厚木基地騒音公害訴訟〕は、自衛隊機については、民事上の請求としては不適法とした。同判決と最判平成5・2・25判時1456号53頁〔横田基地騒音公害訴訟〕は、米軍機の離発着については、第三者の行為の差止めを請求するものとして棄却した)。両判決とも、一定の条件のもとに損害賠償請求は認めており、後者は、これ

1569

第3編　第5章　不法行為

を認めなかった原審判決を破棄・差戻しし、差戻審(東京高判平成7・12・26判時1555号9頁[横田基地騒音公害訴訟差戻審判決])は、損害賠償を認めた((4)(2)(イ)(b)(vi)-2参照)。

　(d)　他人の名誉を毀損した雑誌に対して、人格権としての名誉権を理由としてその頒布などの差止めが認められた(最判昭和61・6・11民集40巻872頁[北方ジャーナル事件]は、その差止めを違憲として、発行者が損害賠償を請求したのをしりぞけたものである)。人格権としての名誉権等に基づく小説の出版差止めが認められた例もある(最判平成14・9・24判時1802号60頁[「石に泳ぐ魚」事件])。723条注釈参照。

　(ウ)　このほか、下級審においては、日照権侵害、眺望妨害、騒音、振動その他をめぐって、差止請求が問題になった事例は数多い。日照妨害を理由とする建築差止めなどの仮処分(民保§§23〜)については、比較的弾力的に運用されていることが注目される。仮処分をも含めて、差止請求の問題についての、総合的・理論的整理が望まれるところである。

　(エ)　なお、不法行為の事例ではないが、市Xと企業Yの間の公害防止協定により企業が市の産業廃棄物施設を利用していたが、その使用期限が過ぎて、市が企業による使用の差止めを請求した事例において、原審は、産業廃棄物処理法により規制権限は知事にあるとしてYを勝訴させたのに対し、公害防止協定は合意として拘束力があるとして、破棄し差戻した最判平成21・7・10(判時2058号53頁)があるので、参考までに紹介する。

精神的損害の賠償 [§§710・711の前注]

　710条と711条の両条は、直接的には、「財産以外の損害」、すなわち精神的損害に対する賠償(これを慰謝料という。元来は慰藉料と書いたが、最近では判例も前者を用いる)について定める。

　すなわち、710条は、人格権的権利として身体・自由・名誉を列挙して、他人のこれらの権利を害した場合だけでなく、他人の財産権を害した場合においても、すなわち、財産権侵害と人格権侵害のいずれの場合においても、財産的損害だけでなく、非財産的損害、すなわち精神的損害について賠償する責任があることを定める。711条は、他人の生命を害した場合について、その被害者の一定の親族、すなわち父母・配偶者・子を列挙したうえで、加害者は、これらの者に対して、財産権を侵害した場合にその損害を賠償するべきことは当然として、財産権を侵害しない場合においても、精神的損害を賠償する責任があることを定めている。

　このように、両条の眼目は、精神的損害の賠償、すなわち慰謝料について規定したことにあるが、この両条には、上述のように、侵害される権利としての生命・身体・自由・名誉に言及し、また、被害者の一定の親族の請求権に言及している部分があるので、わが民法における不法行為の概念を根底から理解するための重要な手掛りが含まれているということができる。そのような観点をもって、両条の内容を検討することが必要である。

精神的損害の賠償［前注］・§710〔1〕〔2〕

（財産以外の損害の賠償）
第七百十条
　　他人の身体[1)]、自由[2)]若しくは名誉[3)]を侵害した場合[4)]又は他人の財産権を侵害した場合[5)]のいずれであるかを問わず、前条の規定により損害賠償の責任を負う者は、財産以外の損害[6)]に対しても、その賠償をしなければならない[7)]。
［原条文］
　　他人ノ身体、自由又ハ名誉ヲ害シタル場合ト財産権ヲ害シタル場合トヲ問ハス前条ノ規定ニ依リテ損害賠償ノ責ニ任スル者ハ財産以外ノ損害ニ対シテモ其賠償ヲ為スコトヲ要ス

〔1〕　他人の身体の侵害が不法行為になりうることが示されている。
　「身体」の侵害とは、身体に対する傷害をいう。健康の毀損（損傷）を含むことはいうまでもない（大判昭和15・2・16新聞4536号10頁は、夫が妻に性病を罹患させた例）。これによる損害には、財産的なものと精神的なものとの両方がある。
　身体侵害の例は、いうまでもなく、きわめて多い。その損害額の算定については、709条〔7〕(2)(イ)(b)参照。
　なお、身体の侵害には、生命の侵害までも含むと解せないこともないが、711条との比較その他から、語義としては、生命侵害を含まないと解されている。
〔2〕　他人の自由の侵害が不法行為になりうることが示されている。
　(1)　「自由」には、肉体的なものと精神的なものを含む。すなわち、不法に拘禁する行為などが自由の侵害であることは疑いないが、詐欺または強迫によって意思決定の自由を奪うことも自由の侵害である（大刑判昭和8・6・8新聞3573号7頁）。
　(2)　村八分、組外しなどと呼ばれる共同絶交を行う行為は、相手方の「社交上活動し得べき自由」を妨げ、自由および名誉を害する不法行為になる。
　かつて、判例は、ある村の大字で郡費と村費の補助を受けて道路を開設することとなったさいに、ある者が道路敷地に当たる20間（約36メートル）ほどの所有地の提供を拒んだために道路工事に着手できず、郡費・村費の補助も取消されたので、大字の住民が憤慨して、その者を村八分にする決議――その者が先年祭礼に寄付した金を返し、在来の住民として取扱わないこと、今後地区の祭典には参加させないこと、地区の共有財産に関係させないことなど――をし、規約を破ってその者の米麦を搗いた水車営業者にその委託を拒絶するべき旨を通告したという事案につき、決議の主謀者7名に対し、名誉毀損を理由に300円の慰謝料の支払を命じた例がある（大判大正10・6・28民録27輯1260頁）。
　(3)　自由の侵害に関連して問題となるものに、公水（一般に利用できる水。洗濯用の流水や共同井戸など）を利用したり、公道を通行するような自由の侵害がある。判例は、かつて、特定の人の公道の通行を妨害した事案につき不法行為の成立を肯定したり（大判明治31・3・30民録4輯3巻85頁）、否定したりしたが（大判明治40・6・25新聞449号5頁）、近くは村道や私道の使用の自由に基づく妨害排除請求を認めた例などがある（§709〔8〕(2)(イ)(a)参照）。思うに、このような種類の自由は、私法上の立場からみるときは、個人の権利としては内容の弱いものというべきであり、したがって、主としてその侵

1571

第3編　第5章　不法行為

害行為の態様によって違法性を帯びるに至ると解するべきであろう（§709〔4〕(1)(3)参照）。

(4)　地下鉄内における商業放送に対して、「聞きたくない音を聞かない自由」を侵害されたとして訴えたケースがあるが、違法性がないとされた（最判昭和63・12・20判時1302号94頁。これは、プライバシーの問題だとする意見もある）。

(5)　政治的な信条の自由に関する事案として、会社が従業員である原告らに対して、その特定政党への所属またはその同調者であることのみを理由として、職制を通じてさまざまないやがらせ行為を行い、その職場における自由な人間関係を形成する自由を不当に侵害し、あるいは名誉・プライバシーを侵害したとされたケースがある（最判平成7・9・5判時1546号115頁［関西電力思想差別事件］。大企業による人権侵害を最高裁が認めた例として注目される）。

〔3〕　他人の名誉の侵害が不法行為になりうることが示されている。

(1)　「名誉」とは「各人ガ社会ニ於テ有スル位置即チ品格名声信用等ヲ指ス」ものであり、被害者の「性質行状信用等ニ付キ世人ヨリ相当受クベキ評価ヲ標準」として個別的に判断するべきものである。判例は、このような前提のもとに、債権者が誤って債務者でない神職にある者の住所でその所有物を差押さえた事件について、名誉侵害の成立を認めた（大判明治38・12・8民録11輯1665頁）。

(2)　名誉毀損の行為は、必ずしも虚偽の事実の流布に限らず、意見の発表でも（大判明治43・11・2民録16輯745頁）、特定の第三者に告げることでも（大判大正5・10・12民録22輯1879頁）、場合によっては名誉毀損の行為となりうる。

(3)　他人を告訴・告発する行為が名誉毀損になるかが争われる事例も多いが、重要な部分につき真実性の証明があるかどうかが主に問題となる（最判昭和58・10・20判時1112号44頁）。ほかに、告発者の過失も問題になろう。弁護士に対する違法な懲戒請求が弁護士に対する名誉毀損になるとした例がある（最判平成19・4・24民集61巻1102頁）。

(4)　とくに第二次大戦後に、言論の自由が保障されたことに伴い、名誉毀損に関する争いと判例が数多くみられる。

(ア)　表現・出版・報道の自由とも関連して、新聞などのマスコミその他の報道をめぐって、名誉毀損の成否が争われる場合が多い。

(a)　「いやしくも一般読者の普通の注意と読み方を基準として解釈した意味内容に従」い、記事が事実に反し、名誉を毀損するときは、不法行為になるとされた（最判昭和31・7・20民集10巻1059頁［東京新聞1951年事件］。以下、本項において何年事件と表示するときは、問題となった言説が発表された年を示す）。

(b)　記事を掲載した新聞の編集方針、読者構成、その新聞に対する社会の一般的評価は、その記事による名誉毀損の成否を左右しないとされる（最判平成9・5・27民集51巻2009頁［夕刊フジ1987年事件］）。

(c)　名誉毀損があったかどうかは、当該記事を掲載した新聞が発行され、読者が閲覧しうる状態になった時点において判定され、その後に、被害者が有罪判決を受けたような事情は考慮されないとされた（最判平成9・5・27民集51巻2024頁［スポーツニッポン1984年事件］。ただし、有罪判決が出されたという事情は、慰謝料の額について斟

酌されるとした)。

(d) 報道が、公共の利害に関する事実に係り、もっぱら公益を図ることに出た場合は、摘示された事実が真実であると証明されたときは、その行為に違法性がなく、不法行為は成立せず、真実の証明がなくても、それを真実と信じるについて相当の理由があるときは、故意・過失がなく、不法行為は成立しないとされる(最判昭和41・6・23民集20巻1118頁 [読売新聞1955年事件]、衆議院選挙立候補者の学歴詐称などを指摘したもの。なお、刑§230の2参照。同条に関する刑事判例である最判昭和56・4・16刑集35巻84頁 [月刊ペン1976年事件] が参考になる)。

上記の真実と信じる相当の事由があるかないかについては、肯定(前掲最判昭和41・6・23)、否定(最判昭和47・11・16民集26巻1633頁 [下野新聞1963年事件] は、嬰児の変死について殺害の印象を与える報道をした例、最判昭和55・10・30判時986号41頁 [Y新聞1971年事件] は、賭博幇助罪を犯したかのような報道の例、最判平成9・9・9民集51巻3804頁 [夕刊フジ1985年事件] および最判平成10・1・30判時1631号68頁 [朝日新聞1988年事件] は、その事件につき新聞などに繰り返し報道され、社会的に知れ渡っていたというだけでは、相当の理由なしとした)の例がみられる。

通信社から配信を受けた記事を新聞社がそのまま掲載した事例について、新聞社がその内容を真実と信じるについて相当の理由があるとはいえないとされた例がある(最判平成14・1・29民集56巻185頁 [日刊スポーツ1985年事件])。

これに対して、通信社から配信を受けて記事を掲載した新聞社が報道の主体として当該通信社と一体性を有すると評価できる場合には、通信社の取材を新聞社の取材と同視することが相当であって、当該通信社が当該配信記事に摘示された事実を真実と信ずるについて相当の理由があれば、特段の事情がない限り、当該新聞社が自己の発行する新聞に掲載した記事に摘示された事実を真実と信ずる相当の理由があるとし、このことは、新聞社が掲載した記事に通信社からの配信に基づく記事である旨の表示がない場合であっても異ならないとした判例(最判平成23・4・28民集65巻1499頁)がある。

(ｲ) 関連して、問題の表現が「公正な論評」(英米法でいうfair comment)の域にとどまれば、名誉毀損にはならないという法理も問題になる。この言葉は用いないが、「公共の利害に関する事項について自由に批判、論評を行うことは、もとより表現の自由として尊重されるべきであ」るとした例がある(最判平成元・12・21民集43巻2252頁。公立小学校の教員につき、各人を非難する表現付きの一覧表を配付した事件で、名誉毀損を理由とする謝罪広告請求は否定したが、私生活の平穏を侵害したとして、損害賠償のみを認めた。このほか、前掲最判平成9・9・9にも、論評の問題に触れている部分がある。また、前掲最判平成10・1・30は、殺人事件を犯したとしてその動機を推論する記事を、単なる意見の表明ではなく、事実の摘示であるとした)。

「公正な論評」という言葉を用いていないが、これに密接に関わる判決が出された。それは、ある記者の報道姿勢を論評した文章が名誉毀損に当たるか争われた事件であるが、そのさい論評者が記者の文章を自分に都合がよいように歪曲して紹介し、それに基づいて論評していると思われるケースである。他人の言説に対する公正な論評といえるためには、相手の言説の引用が正確になされることは根幹をなす要件であると

第3編　第5章　不法行為

考えられるので、名誉毀損を否定した最判平成 10・7・17(判時 1651 号 56 頁 [ベトナム報道論評事件])には、疑問が感じられる。また、事実の摘示と意見ないし論評の表明を区別し、法的な見解の表明は、意見ないし論評の表明の範疇に属するとした判例がある(最判平成 16・7・15 民集 58 巻 1615 頁。判旨に異論はないが、X と Y の間における批判の応酬において、Y が X の肖像の漫画を発表し、それを X が自著に収録し、Y がこれに対し「ドロボー」などと称したことが問題になった事案である)。その他、(ア)(d)と同様に相当の理由が問題になり、肯定した例がある(最判平成 17・6・16 判時 1904 号 74 頁 [薬害エイズ事件])。

(5)　名誉に関する権利の主体について、つぎの問題がある。

(ア)　法人に対しても名誉毀損は成立するとされる(最判昭和 39・1・28 民集 18 巻 136 頁。医療法人に対する名誉毀損の例で、法人には慰謝料は認められないとする原審判決を破棄して、金銭に評価しうる無形の損害もありうるとして差戻した。しかし、その判決理由には問題がある。法人にも名誉があり、自然人に準じて慰謝料請求ができるとすれば足りるものと思われる。(6)参照)。

(イ)　死者の名誉が毀損されたことに対して、その親族・子孫が不法行為の主張ができるかは問題である(刑§230 Ⅱ参照)。下級審に、これを被侵害法益と認め、これと侵害行為との両面から考察するべきであるとした判例がある(東京高判昭和 54・3・14 判時 918 号 21 頁 [小説「落日燃ゆ」事件]。実名小説で死者の私行が叙述されたのに対して、死者の親族またはその子孫、これと同一視すべき者の死者に対する敬愛追慕の情を侵害したら、人格権的法益を害することになるが、問題の個所が虚偽の事実に当たらないことと、死後 44 年経っており、年月を経るに従い歴史的事実探究の自由あるいは表現の自由への配慮の方が優位に立つとして、本件はこれに当たらないとした)。

(6)　名誉には、被害者の主観的評価・名誉感情を含まず、人がその品性、徳行、名声、信用などの人格的価値について社会から受ける客観的評価、すなわち社会的名誉を意味するとした判例がある(最判昭和 45・12・18 民集 24 巻 2151 頁。ある政党から市会議員に立候補する予定の者が、対立する政党より市長に立候補する者からその選挙対策委員になるよう委嘱状を送られた事案で、不法行為を否定した)。

(7)　その他の例として、つぎのようなものがある。

(a)　前科などにかかわる事実が著作物で実名を使用して公表された場合に、不法行為になるとされた例がある(最判平成 6・2・8 民集 48 巻 149 頁 [ノンフィクション「逆転」事件])。区役所が弁護士会からの照会に対し、漫然と前科などを報告するのは、公権力の違法な行使に当たるとして、国家賠償責任が認められた例もある(最判昭和 56・4・14 民集 35 巻 620 頁)。

(b)　NHK が政見放送において、ある候補者の用いた差別用語を削除したのに対し、その候補者が不法行為を主張したが、そのような利益は法的に保護される利益ではないとされた(最判平成 2・4・17 民集 44 巻 547 頁)。

(c)　行為者が、刑事第 1 審において罪となるべき事実として示された犯罪事実、その他の認定された事実を真実と信じて摘示した場合は、後に控訴審でこれと異なる認定判断がされたとしても、摘示した事実を真実と信じるについての相当の理由があるとした判決がある(最判平成 11・10・26 民集 53 巻 1313 頁)。

§710〔4〕

(d) テレビで放送された報道番組について、その内容が人の社会的評価を低下させたかどうかが争われた事件(農作物についてダイオキシン汚染があるという疑いに関する)について、真実の証明があるとして名誉毀損を否定した原審に対して、この種の報道番組についての判断基準を示して、報道によって摘示された事実の重要な部分について真実の証明があったとはいえないとして、破棄差戻した例がある(最判平成15・10・16民集57巻1075頁)。約100年前の日本の台湾統治時代に関するテレビ番組が指摘した事実により、一般の視聴者が、被害者の父親が動物園の動物と同じように扱われるべき者であり、その娘である被害者自身も同様に扱われる者であると受け止めるとは考えがたく、したがって当該番組の放送により被害者の社会的評価が低下するとはいえないとして、名誉毀損を否定した判例(最判平成28・1・21判タ1422号68頁)が出ている。

(8) 名誉毀損に対する損害賠償の方法としては、金銭賠償(§722 I——準用条文の追加に注意)のほか、一種の原状回復として名誉を回復するに適当な処分が認められている(§723)。

ある政党がある全国紙に、対立する政党の名を挙げて、「前略○○党殿　はっきりさせて下さい」という広告を出したのに対し、その名指された政党が、このままではその政策について読者に誤解を与えるとして、その新聞に対してこれに反論する文章の掲載を求めたが、反論権に関する明文はないとしてしりぞけた判例がある(最判昭和62・4・24民集41巻490頁〔サンケイ新聞反論権訴訟〕。もし§723の「適当な処分」として反論文の掲載を認めないと名誉毀損になるという主張を相手の政党に対してしていたら、どう判断されたか、興味あるところである)。なお、名誉毀損行為に対する差止請求については、709条〔8〕(2)(イ)(d)参照。

〔4〕 本条が身体・自由・名誉の侵害に対して賠償義務を認めたのは、これらの法益を権利とし、709条に含まれるものを注意的に掲げたのか、それとも、これらの法益は権利ではないが、とくにこれを保護する目的で709条の特則として規定したものか、かつて見解が分かれていた。しかし、709条の「権利侵害」を「違法な行為」と解するときは(§709〔4〕(1)参照)、この論争は重要な意味をもたない(2004年改正が「法律上保護される利益」を付加したことは、むしろ、この問題を混迷させることになる。§709〔5〕参照)。そして、現在の学説は、多く、これらを人格権的権利として例示したものと解し、さらにこれを拡張する。そして拡張されるもののうちには、生命と貞操とがとくに重要性をもつが、氏名・肖像なども含まれる。

(1) 生命の侵害が違法な権利侵害行為になること自体については、問題はない(§709〔4〕(2)(イ)(b)(i)参照)。ただし、生命の侵害については、場合を分けて考察することを要する。

(ア) ある人が殺害された場合に、その者と一定の範囲の親族関係にある者が、これによってこうむった損害の賠償を請求できることは、711条に規定されている。しかし、同条の場合には、生命の侵害そのものの違法性ではなく、請求者と被害者との間の親族関係の侵害の違法性が問題になっているものと解されている(§711〔1〕参照)。

(イ) 共同生活を営む親族協同体の「働き手」が殺害された場合には、その者の収入

で生活していた者は、これによってこうむる損害の賠償を請求することができる。しかし、この場合にも、生命侵害自体を理由とするのではなく、これによって扶養請求権が侵害されたことを理由とするべきである（大判大正3・10・29民録20輯834頁、大判大正5・9・16民録22輯1796頁）。その損害賠償の範囲は、民法が認める扶養請求権者（§§752・877参照）に限らず、共同生活の実状と社会概念とによって定めるべきである。判例は、このような立場から、電車に轢殺された男の内縁の妻の子（その男の未認知の子）からの財産的損害の賠償の請求を是認した（大判昭和7・10・6民集11巻2023頁）。

　(ウ)　殺害された者が生存すれば得たであろうと推定される財産的利益、および死亡することによってこうむる精神的損害を、殺害された本人はもはや請求できないことは明らかであるが、その相続人において請求することができるであろうか。これは純粋に生命の侵害による損害の賠償の問題である。かつての学説は、問題を否定した。けだし、被害者は死亡によって権利主体であることを止めるから、自己の死亡による損害賠償請求権の主体となることはできず、そして、相続は被相続人が有した権利のみを承継するものであるから（§896参照）、被相続人が取得しない請求権は相続人も承継するわけにはいかないものだ、と考えたのである。このような前提のもとに、被害者がまさに死亡する瞬間の直前までの損害賠償請求権はこれを取得し、かつ相続人に承継されるものであり、その額は、死亡自体による損害賠償請求の額と差異がない、と説いた。判例もまたこの見解をとるもののようであったが（大判大正15・2・16民集5巻150頁）、これに対し、被相続人と相続人は、法律上、同一人格の継続と考えるべきものであるとの前提のもとに、問題を肯定しようとするのが最近の傾向である（最判昭和59・10・9判時1140号78頁は、死者が得べかりし普通恩給は、死者の逸失利益として相続人が相続によりこれを取得するものとした）。ただし、実際上は、いずれの説をとっても、とくに差が生じないと考えられる。

　なお、生命侵害による財産的損害については、709条〔7〕(2)(イ)(a)参照、精神的損害については、〔7〕参照。

　(2)　貞操

　婚姻の意思がないのに欺いて同棲し、婚姻届をしないで離別するのは、不法行為になる（大判明治44・1・26民録17輯16頁。同種の事案について、最判昭和44・9・26民集23巻1727頁も同旨）。

　強姦は、女子自身に対する不法行為であるのみならず、夫に対する不法行為でもある。

　不貞行為の問題について、まず、戦前の判決をみる。当時は、夫が妻に対して貞操を要求する権利のあることは疑いないとされていた。そこで、妻の姦通の相手方は、夫に対する不法行為者であることは、問題はない（大刑判明治36・10・1刑録9輯1425頁）。内縁の妻と私通した男も、内縁の夫に対する——判例によれば、債権侵害を理由とする——不法行為者とされる（大刑判大正8・5・12民録25輯760頁）。これに反し、夫と姦通した女子を妻に対する不法行為者と認めるべきかどうかは、問題とされたが、判例は、傍論としてではあるが、夫婦相互間の誠実の義務を根拠として、問題を肯定し（大刑決大正15・7・20刑集5巻318頁）、学者の絶讃を博した。

§710〔5〕〔6〕

　第二次大戦後、妻の姦通も犯罪とされないことになった(刑§183の削除)。しかし、夫婦間の貞操義務は、刑法によって保護するかどうかは別問題として、婚姻関係の本質的要素であり、民法は、配偶者の不貞の行為をも離婚原因としているのであるから(§770Ⅰ①参照)、民法の関係では、その侵害は、なお違法性を帯びるものと解するべきである。したがって、戦前の判例理論は——ことに夫の貞操義務を認めた最後の判決も——今日の法律状態において、なお維持されるべきである(最判昭和54・3・30民集33巻303頁は、夫の不貞の相手方に対する妻の請求を認めたが、子の請求は認めなかった。最判昭和54・3・30判時922号8頁は、妻の不貞のケースで、同旨。最判平成8・3・26民集50巻993頁は、すでに破綻した夫妻の片方との不貞が不法行為にならないとした例である。なお、離婚に至った場合につき、夫婦の一方は、他方と不貞行為に及んだ第三者に対し、特段の事情がない限り、離婚に伴う慰謝料を請求することはできないとした判例(最判平成31・2・19裁時1718号3頁)が出ている)。

　純粋な貞操侵害の問題ではないが、それと関連して、正常な夫婦間において、一方が他方を虐待・侮辱し、離婚のやむなきに至らしめたときは、他方は離婚を請求するとともに、損害賠償を請求することもできるものと解されていた(大判明治41・3・26民録14輯340頁)。理論としては、今日なおこれを維持するべきであろう。しかし、戦後の改正規定は、離婚のさいに配偶者の一方から他方に対して財産の分与を請求することができるものとしたから(§§768・771)、実際上は、この制度によって問題を処理することを適当としよう。

　いわゆる内縁の不当破棄もこれと関連する重要な問題であるが、親族編の解説に譲る。

　なお、本項の問題を、貞操の問題としてよりも、「性的自由」の侵害の問題としてとらえたらどうかという提案もなされている。

　(3)　氏名(§§750・767・771・790・791・810・816、戸§§13①・107、商標§4Ⅰ⑧など参照)、肖像(商標同条)、信用(刑§233参照)などの人格的利益も、その侵害は一般的に違法性を帯びるが、これらの場合には、とくにその侵害行為の態様が考慮されなければならない(§709〔4〕(3)参照)。NHKが在日韓国人の氏名を日本語読みで放送したのについて、「氏名を正確に呼称される利益」の侵害を主張したのに対し、この利益は必ずしも強固な不法行為上の利益でなく、本人の明示的意思に反し、ことさらに不正確な呼称をしたなどの事情がないとして、違法性なしとした判決も氏名権に関連するものといえる(最判昭和63・2・16民集42巻27頁［NHK氏名呼称事件］。NHKはその後呼び方を改めた)。

　〔5〕　財産権を害するとは、財産的利益を違法に侵害するという意味に解するべきである(§709〔4〕(1)参照)。

　〔6〕　「財産以外の損害」すなわち、非財産的損害(immaterieller Schaden)とは、言葉を変えれば、精神的損害(ideeller Schaden; dommage moral)、すなわち、違法な行為によって生じる精神的な苦痛であり、その賠償は、普通、「慰謝料」と呼ばれる(最判昭和39・1・28民集18巻136頁は、法人に対する名誉毀損について、無形の損害があるという説明を用いたが、だからといって、財産的損害と精神的損害のほかに第3の損害があると考えるべきではない。また、損害を有形の損害と無形の損害に分けるのも無用の分類である。〔3〕(5)(ア)

1577

第3編　第5章　不法行為

参照）。

　精神的苦痛に対しても加害者に賠償責任を認めるべきかどうかは、ドイツ民法の制定当時には争われた問題である。けだし、精神的苦痛の賠償は、復讐観念を含むものであって、刑事責任より分化した民事責任からは排斥されるべきものだという主張が有力になされたからである。しかし、他方では、個人の人格的利益もまた、その財産的利益と同様に、法律の保護を受けるべきものであるとの主張がなされ、ドイツ民法は、両説を折衷し、精神的損害の賠償は法律に明文のある場合にのみこれを認めるべきものとし、身体・健康・自由および女性の貞操侵害に対してのみ、精神的損害の賠償をするべきものとした（同法§§253・847——削除）。

　わが民法は、本条によって、財産権の侵害であるか人格権の侵害であるかを問わず、加害者は、これによって生じた精神的損害を賠償するべきものと定めたのであって、わが民法の一つの特色をなすものである。思うに、民事責任と刑事責任とを分離するべしという上記の説は、もとより一面の真理を有する。しかし民事責任といえども、その加害行為の社会的影響と無関係にその内容を定めうるものではない。したがって、国民感情が加害行為より生じる精神的損害に対する賠償を要求するならば、その範囲においてその賠償責任を認めることが正当とされなければならない。その意味で、本条は、わが国の国情に適するものというべきであろう（本章解説④(1)・(3)(c)参照）。

　〔7〕　本条は、いかなる法益の侵害に対しても、精神的損害の賠償、すなわち、慰謝料を請求することができることを定める。

　ここに、慰謝料に関する問題点をまとめて考察しておこう。

　(1)　財産損害の場合

　財産損害、たとえば所有物の滅失損傷などによって、財産的損害だけでなく、精神的損害を生じる例も稀ではない。たとえば、祖先伝来の土地を詐取された場合に、その土地に対する愛着の念が強く、交換価値以外の精神的損害をこうむるような例である。判例は、かつて、この例につき50円の慰謝料請求を認めた（大刑判明治43・6・7刑録16輯1121頁）。ただし、このような請求を認めるためには、その土地に特別の愛着を感じるという特別の事情を加害者において知り、または知ることができるものであることを必要とすることを注意しなければならない（最判昭和35・3・10民集14巻389頁は、家屋の損壊についての慰謝料請求を認めた例）。その他、(2)において述べることが参考になろう。

　(2)　人身損害の場合

　人身損害、すなわち、生命・身体・自由・名誉・貞操の侵害などからは、精神的損害を生じるのを普通とする。

　(ア)　しかし、その賠償額の算定はきわめて困難であって、結局、被害者および加害者の社会的地位・職業・資産・加害者の故意もしくは過失の大小、加害行為に対する倫理的非難の程度など、諸般の事情を考量し、公平の観念に訴えて、これを判断するほかない（大判明治43・4・5民録16輯273頁、大刑判大正3・6・10刑録20輯1157頁、大刑判大正5・5・11刑録22輯728頁、大判大正9・5・20民録26輯710頁など）。

　(イ)　精神的損害の賠償も、その範囲は、いわゆる相当因果関係の範囲にとどまるべ

§710〔7〕

きであるから、被害者がとくに精神的苦痛に敏感な者であったという場合であっても、そのことは、特別の事情として考慮される以外には、賠償の範囲には含まれない。結局、社会の合理的な一般人がこうむるべき精神的苦痛を賠償させるということに帰着する（§709〔7〕(2)(ウ)参照）。

　なお、以前にストーカー等の被害を受けた被害者が医師の不適切な言動によりPTSD（心的外傷後ストレス障害）を被ったと主張する場合において、医師のやや不適切な言動が、生命身体に危害が及ぶことを想起させるような内容ではなく、以前の外傷体験と主張されるストーカー被害と類似またはこれを想起させるものでもないときは、PTSD発症との相当因果関係があるということはできないとされた判例（最判平成23・4・26判時2117号3頁）がある。

　(ウ)　被害者が幼少で、意思能力がなくても、精神的損害をこうむったものとして、慰謝料の請求をすることは妨げない（大判昭和11・5・13民集15巻861頁）。

　(エ)　慰謝料の額については、判例の積み重ねのなかから、おのずから一定の標準が看取されるということはあるが、裁判所の自由裁量に委ねられている（最判昭和52・3・15民集31巻289頁、最判昭和56・10・8判時1023号47頁。ただし、最判平成6・2・22判時1499号32頁［長崎じん肺訴訟上告審判決］は、裁判所の自由裁量ではあるが、認定額は低すぎるとして原審判決を破棄・差戻した注目するべき例である）。そこから、建前としては、まず、財産的損害について、厳密に立証され、認定され、合計された財産的損害の額（この損害額認定の仕方を「個別損害積み上げ方式」という）をみて、賠償額が過多あるいは過少であるときは、慰謝料の金額によって調整するということがみられ（さらに、最大判昭和56・12・16民集35巻1369頁［大阪空港公害訴訟上告審判決］は多数の被害者について、一定基準による一律額の慰謝料支払という方法を是認する）、これを慰謝料の調整的機能と呼ぶ（名誉毀損の成否が微妙な場合に、その成立を認めるが、少額の慰謝料にとどめるというのも、この種の機能といえよう）。

　(オ)　精神的損害の賠償請求権も、その内容が金銭の支払を目的とする債権である点では、財産的損害の賠償請求権と同様であるが（§709〔8〕(1)参照）、その相続性について、若干問題が存する。過去の判例は、慰謝料請求権については、行使上の一身専属性（被害者本人のみが請求するかしないかを決しうる）があると考え、被害者がこれを行使しようとする意思を表明した場合にだけ、相続されるとした（大判大正2・10・20民録19輯910頁）。ただし、その意思の表白は、訴えの提起（大判明治43・10・3民録16輯621頁）はもとより、書面に認めて加害者に送付することでもよい（大判大正8・6・5民録25輯962頁）。さらに、「残念、残念」と叫んで死亡することなども、原則としてその意思の表白とみられるとされた（大判昭和2・5・30新聞2702号5頁［「残念、残念」事件］）。

　最大判昭和42・11・1（民集21巻2249頁）は、これに対して、新しい見解を示した。すなわち、精神的損害については、被害者は、損害の発生と同時に慰謝料請求権を取得し、その請求権を放棄したものと解しうる特別の事情がないかぎり、これを行使でき、賠償を請求する意思を表明するなどの格別の行為を必要としないとした。そして、その被害者が死亡したときは、その相続人が当然に慰謝料請求権を相続するものとしたのである。

1579

第3編　第5章　不法行為

なお、この点については、死亡による損害(財産的・精神的)をすでに存在しない死者がいったん取得するとすることの矛盾が指摘され、学説上論議のあるところである(〔4〕(1)(ウ)参照)。

(3)　慰謝料請求権に帰属上、行使上の一身専属性があることは否定できない。相続に関しては、(2)(オ)に述べたように解決されているが、一般的には、被害者が行使して具体的な金銭債権にならなければ譲渡できないし、被害者がこれを請求しない意思表示をすれば消滅する。したがって、具体的な金銭債権になる以前の慰謝料請求権は債権者代位権や差押えの対象とはならない(最判昭和58・10・6民集37巻1041頁は、一定額の支払を内容とする合意、債務名義が成立したなどの事情があるときには、差押え、債権者代位権の目的になるとした)。

（近親者に対する損害の賠償）
第七百十一条

　　他人の生命を侵害した者[1)]は、被害者の父母[2)]、配偶者[3)]及び子[2)]に対しては、その財産権が侵害されなかった場合においても[4)]、損害の賠償をしなければならない[5)6)]。

［原条文］

　　他人ノ生命ヲ害シタル者ハ被害者ノ父母、配偶者及ヒ子ニ対シテハ其財産権ヲ害セラレサリシ場合ニ於テモ損害ノ賠償ヲ為スコトヲ要ス

---

〔1〕　生命侵害については、709条〔4〕(2)(イ)(b)(i)・〔7〕(2)(イ)(a)、710条〔4〕(1)参照。

本条は、ある人の生命が侵害されたときは、その人と一定の親族関係にある者は、自己とその者との間の親族関係を侵害されたことを理由として、損害賠償を請求することができる旨を定めるものである。したがって、一定の範囲の親族権の侵害が不法行為となりうることを認めたものだと解釈されている(§709〔4〕(2)(イ)(ウ)参照)。ただ、このような解釈から、本条を限定的に解すると、本条が定める場合に限って、慰謝料請求が可能であると解することになる。

これに対して、709条の「権利侵害」という要件を形式的に解さない判例・学説に従うときは(§709〔4〕(1))、上のような解釈は、必ずしも必要ではない。そして、この理論に立つときは、本条の範囲を拡張することも比較的容易となる。

〔2〕　この「父母」および「子」には、実親子および養親子関係における父母を含む。第二次大戦直後の民法改正前の解釈としても、家を同じくするかどうかは無関係とされたが、改正後においても、氏の異同は問題とならない。ただ、改正前に認められていた法定血族関係としての継父母・嫡母(旧§728。〔6〕(ア)参照)は、改正後は父母と認められないことを注意するべきである。ただし、後述〔6〕参照。

〔3〕　この配偶者には、内縁の配偶者を含まないとするのが判例である。すなわち、内縁の妻および認知されていないその子は、被害者と事実上共同生活をなし、その収入で生活しているときは、その財産的損害(被害者の生存によって得べかりし利益)については、賠償の請求をすることができるが、慰謝料の請求はできないという(大判昭和

§711〔1〕〜〔6〕

7・10・6民集11巻2023頁)。ただし、学説には、内縁関係にも適用するべきであるとして、反対するものが少なくない(後述〔6〕(イ)参照)。

〔4〕 「財産権を害されなかった場合においても」とは、財産的損害を生じない場合にも、という意味であり、財産的損害を生じた場合を排除するものではない。

被害者の父母、配偶者および子は、いずれも被害者に対して扶養請求権を有するから(§§752・877)、被害者の殺害は、扶養請求権の侵害として、財産的損害を生じることがありうる。それについては、もとより賠償の請求をすることができる(§709〔4〕(2)(ウ)(iv)参照)。しかし、本条は、そのような財産的損害のない場合にも(財産的損害がある場合には、それと合わせて)、精神的損害の賠償、すなわち慰謝料を請求することができるとする点にその意義がある。そして、本条に定められた者は、各自別々に慰謝料を請求することができると解されている(大判大正5・9・16民録22輯1796頁)。

たとえ幼児であっても、親の死亡によって将来感じるべき精神上の苦痛について慰謝料請求権を有するのは、当然であろう(大判昭和11・5・13民集15巻861頁)。

〔5〕 生命を奪われた者の父母・配偶者・子が、加害者に対して慰謝料を請求できることは、本条によって明確に定められている。

これとは別に、生命を奪われた者本人の慰謝料請求権が父母・配偶者・子によって相続されることがありうるかについては、最大判昭和42・11・1(民集21巻2249頁)が、これを明らかに肯定し、両請求権は被侵害法益を異にし、併存しうるとした(§710〔7〕(2)(オ)参照)。

なお、本条による慰謝料請求権と父母・配偶者・子により相続される被害者本人の財産的損害賠償請求権とが併存しうることも当然である(大判昭和16・12・27民集20巻1479頁、大判昭和17・7・31新聞4795号10頁)。

〔6〕 本条に掲げられていない近親者および生命侵害でない身体侵害を含めるべきかが、種々の関係で問題となる。

(ア) 本条所掲以外の者でも扶養義務のある者、たとえば、孫と祖父母間および兄弟姉妹間においても、一方が殺害されることによって、他方は扶養請求権を侵害される(§877 Ⅰ参照)。その場合には、――現にその者によって扶養されることを必要とする事情にあれば――賠償の請求をすることができることはいうまでもない。このほかの三親等内の親族――たとえば、配偶者の一方と他方の父母、今日では姻族一親等とされるかつての継親子や嫡母庶子(いずれも今日では言葉としても用いられないが、旧法が法定血族として定めていたもので、配偶者の一方と他方がもうけていた子との関係、および、夫が妻以外の女性との間にもうけて認知した子と夫の妻との関係をいう)、伯叔父母と甥姪など――も事情によっては、家庭裁判所は扶養義務を負わせることができる(§877 Ⅱ)。このような関係にある者は、家庭裁判所がすでに扶養義務を命じた後だけでなく、家庭裁判所がそのような義務を命じるべき至当な事情があれば、扶養請求権の侵害を理由として損害賠償請求できるであろう。内縁の夫婦およびその間の子についても、判例はこれを認める(前掲大判昭和7・10・6)。

(イ) 本条所定以外の近親者は、(ア)に述べた扶養請求権の侵害として財産の損害の賠償を請求できる場合にも、精神的損害に対する慰謝料は請求できないであろうか。判

第3編　第5章　不法行為

例は、内縁の妻とその子についてこれを否定するが(前掲大判昭和7・10・6)、はなはだ疑問である。内縁の夫婦関係は、今日の社会保障制度などにおいて、ほとんど法律上の夫婦と同視されているのであるから、本条を類推するのが適当と考えられるのみならず、それ以外の近親関係者についても、共同生活によっては、本条を類推するべきものと思う。

最高裁は、被害者の夫の妹が歩行の不自由な身体障害者であったため、長年にわたり被害者と同居し、その庇護のもとに生活を維持してきたという事案について、妹が被害者の死亡により甚大な精神的苦痛を受けたことを認め、本条を類推適用して、慰謝料請求を認めた(最判昭和49・12・17民集28巻2040頁)。

(ウ)　本条は、近親者の生命の侵害だけについて規定するが、近親者の身体傷害も問題となる。

戦前の判例は、老母が車掌の過失で負傷し、その家の戸主(旧法)である子が治療費を支出し、子からその財産的損害の賠償を請求した事件につき、わが国の家族共同生活の実情を理由として、これを是認した(大判昭和12・2・12民集16巻46頁)。家および戸主の制度が廃止された今日においても、家族共同生活の経済的支持者について、この理論が適用されてしかるべきものであろう。ただ、もちろん、このような場合に、被害者自身からその損害の賠償を請求することも、もとより妨げないというべきである(大判昭和18・4・9民集22巻255頁。§709(7)(2)(イ)(b)(i)参照)。

最高裁は、身体傷害を受けた娘の母が、その子の死亡にも比肩しうべき精神上の苦痛を受けたと認められる場合について、母が自己の権利として慰謝料を請求しうることを明言した(最判昭和33・8・5民集12巻1901頁。娘が顔面に傷害を受け、容貌にいちじるしい影響を受けた例。ただし、判文は、§§709・710に基づいてといっている。本条の拡張解釈と考えた方がよいのではないか。その後、類似の例で、肯定したものに、最判昭和39・1・24民集18巻121頁、最判昭和42・1・31民集21巻61頁、否定したものに、最判昭和42・6・13民集21巻1447頁、最判昭和43・9・19民集22巻1923頁、最判昭和44・4・22時558号57頁がある。いずれも交通事故の例であり、傷痕や機能障害の程度で判断が分かれていると思われる)。

責任能力と監督者責任 [§§712~714の前注]

不法行為の主観的要件としての故意・過失については、行為者が自分の行為の結果として不法行為責任を負うことについての十分な判断力を備えていることが前提とされている(過失の概念と密接に関連する。§709(2)(3)(イ)(a)参照)。これを責任能力または不法行為能力という(§712(3)参照)。

この責任能力については、行為能力、すなわち法律行為を有効に行う能力と違いがあると考えられるので、民法は、行為能力についての定め(自然人について§§4~21、法人について旧§43、現§34)とは別に、712条・713条の規定を置いたのである(いずれも自然人に関する。法人については、旧§44が定めていたが、2006年改正で変動を生じた。第1

責任能力と監督者責任［前注］・§712〔1〕〜〔3〕

編第3章解説③(1)(オ)、§§33〔7〕(viii)参照)。

　Aに損害を与えたCが責任能力を有しない場合に、Aの損害をそのまま放置するわけにはいかないので、714条は、責任無能力者Cに監督義務者Bまたはその代理者B′がいる場合に、これらの者に賠償責任を負わせることを定めている。これらの者がいない場合、またはこれらの者が同条1項ただし書の定める免責事由を立証したときは、Aは受けた損害の賠償を請求する相手がいないことになる。

　なお、責任無能力と無過失責任との関係については、本章解説⑥(1)(イ)を参照。

（責任能力）
第七百十二条
　　未成年者[1]は、他人に損害を加えた場合において[2]、自己の行為の責任を弁識するに足りる知能を備えていなかったとき[3]は、その行為について賠償の責任を負わない[4]。

［原条文］
　　未成年者カ他人ニ損害ヲ加ヘタル場合ニ於テ其行為ノ責任ヲ弁識スルニ足ルヘキ知能ヲ具ヘサリシトキハ其行為ニ付キ賠償ノ責ニ任セス

〔1〕　未成年者については、4条〔1〕・〔2〕参照。

　成年者については、713条の例外を除き、原則として責任能力があるものとされる。

〔2〕　本条は、加害者が未成年者である場合に、その未成年者に責任能力がない場合には、損害賠償の責任を負わないことを定めたものであって、709条を補充するものである(§709〔2〕(3)(イ)参照)。本条が問題になるのは、その行為につき、709条が定める不法行為の他の要件が備わっていることを前提とする(そうでなければ、本条を論じる必要もない。責任能力が否定されれば、故意・過失の要件が充たされず、不法行為は成立しないことになる)。

　未成年者の法律行為は、一律に取消すことができるものとされる(§5)のに対し、未成年者の不法行為の責任について本条のような個別的な取扱いにしたのは、責任能力は、法律行為能力よりも低い程度の判断力で足り、かつ、不法行為については法律行為と異なり、各場合について個別的に責任の有無を判定することを至当とするからである。

〔3〕　自己の行為の責任を弁識するに足るだけの知能を、「責任能力」(「不法行為能力」ということもある)という。それは、自己の行為から一定の結果を生じることを認識する能力、あるいは、道徳上不正の行為であることを認識する能力ではなく、その結果が違法なものとして法律上非難されるものであることを弁識する精神能力であるとされる(大判大正6・4・30民録23輯715頁［光清撃つぞ事件］。12歳2か月の子どもが空気銃で他の子どもの左眼を失明させた事件で、責任能力を否定した)。法律行為ないし意思表示に必要な判断能力に対応する観念である。過失責任は、その当然の帰結として責任能力を前提する(§709〔2〕(3)(イ)参照)。

　責任能力の有無は、それぞれの場合について決定するほかない。判例としては、12

1583

第3編　第5章　不法行為

歳7か月の少年が空気銃をもてあそんで被害者の左眼に命中失明させた事案では、少年の責任能力を否定した例(大判大正10・2・3民録27輯193頁。前掲大判大正6・4・30も参照)、11歳11か月の少年店員が自転車で商品を運搬中に他人に衝突して怪我させた事件については、少年の責任能力を肯定した例(大判大正4・5・12民録21輯692頁)がある。責任能力は、各自の知能発育の程度・環境・地位・身分などによって影響されるから、これらの判決の判断は是認されるべきであろう。ただ、注意するべきことは、前者は、被害者が714条によって少年の親権者に対して損害賠償を請求する事件について、これを肯定する前提として、少年に責任能力なしとしたものであり(§714〔1〕〔3〕〔イ〕参照)、後者は、被害者が715条によって少年の雇い主に対して損害賠償を請求する事件について、これを肯定する前提として、少年に責任能力ありとしたものであることである(§715〔6〕参照)。両判決ともに被害者の賠償請求を是認したものであるが、その結論に達するための前提として、一方においては、責任能力を否定し、他方においては、これを肯定する必要があったということが、これらの判決に影響を及ぼしているともみることができると思われる。

　〔4〕　未成年者が責任を負わないときには、一定の条件のもとに、その監督義務者などが責任を負う(§714)。

　〔責任弁識能力を欠く者の責任能力〕〔第8版凡例4a〕を見よ〕
　第七百十三条
　　　精神上の障害により自己の行為の責任を弁識する能力を欠く状態[1]にある間に他人に損害を加えた者は、その賠償の責任を負わない[2]。ただし、故意又は過失によって一時的にその状態を招いたときは、この限りでない[3]。
　〔原条文〕
　　心神喪失ノ間ニ他人ニ損害ヲ加ヘタル者ハ賠償ノ責ニ任セス但故意又ハ過失ニ因リテ一時ノ心神喪失ヲ招キタルトキハ此限ニ在ラス
　〈改正〉　1999年改正により、「心神喪失ノ間ニ」の文言が「精神上ノ障害ニ因リ自己ノ行為ノ責任ヲ弁識スル能力ヲ欠ク状態ニ在ル間ニ」に、「一時ノ心神喪失ヲ」が「一時其状態ヲ」に改められた。

　〔1〕　この状態は、712条に「自己の行為の責任を弁識するに足りる知能を備えていなかったとき」というのと同一であるから、後見開始の審判の要件(§7〔1〕参照)よりも、基準となる判断力の程度がやや低いというべきである。ただし、継続的にそのような精神状態にあるか、一時的にそのような精神状態に陥ったのであるかを問わない(後述〔3〕参照)

　〔2〕　加害者本人が責任を負わない場合には、その監督義務者などが、一定の条件のもとに、責任を負う(§714)。

　〔3〕　本文にいう状態に陥ることを知り、または知ることができたであろう場合、たとえば、酒乱となる癖のあることをみずから知り、または知ることができたにもかかわらず、過度に飲酒をするなどである。このような場合には、飲酒による責任弁識能力喪失中の加害行為についても、責任を免れない。刑法でいう「原因において自由

§§712〔4〕・713・714〔1〕

な行為」と同じ考え方である。ただし、本条も、712条と同じく、709条を補充する
ものであるから、709条が定める他の要件を備えた場合に、はじめて問題となる。

■（責任無能力者の監督義務者等の責任）
第七百十四条
　　1　前二条の規定により責任無能力者がその責任を負わない場合において[2]、
　　その責任無能力者を監督する法定の義務を負う者[3]は、その責任無能力者が
　　第三者に加えた損害を賠償する責任を負う。ただし、監督義務者がその義務
　　を怠らなかったとき[4]、又はその義務を怠らなくても損害が生ずべきであっ
　　たとき[5]は、この限りでない[1]。
　　2　監督義務者に代わって責任無能力者を監督する者[6]も、前項の責任を負う[1]。
　〔原条文〕
　　　前二条ノ規定ニ依リ無能力者ニ責任ナキ場合ニ於テ之ヲ監督スヘキ法定ノ義務アル者ハ
　　其無能力者カ第三者ニ加ヘタル損害ヲ賠償スル責ニ任ス但監督義務者カ其義務ヲ怠ラサリ
　　シトキハ此限ニ在ラス
　　　監督義務者ニ代ハリテ無能力者ヲ監督スル者モ亦前項ノ責ニ任ス

　本条は、特別な不法行為(本章解説⑪(3)参照)の第1の例であって、他人の行為につい
て責任を負う場合の第1である。
　〔1〕　本条は、責任無能力者が加害行為について責任を負わない場合に、親権者そ
の他の監督義務者(Ⅰ本文)および幼稚園主、精神病院長などのように監督義務者に代
わって監督する者(Ⅱ。代理監督義務者という)が責任を負うべき旨を定める。前者を監
督者責任または監督義務者責任といい、後者を代理監督者責任または代理監督義務者
責任という。
　(1)　元来、ゲルマン法などでは、親族共同生活団体は、社会生活の一単位をなすも
のであるから、この団体に属する責任無能力者が加害行為をした場合には、その団体
の代表者が絶対的責任を負うのが至当だと考えられた。ところが、近代法は、このよ
うな団体的な責任を不可とし、これを個人的責任とし、監督義務のある者がその義務
を怠った場合に、その怠り(懈怠)についての責任を負うものとした。その結果、一方
では、親権者や親族後見人のような家族共同生活の代表者たる地位にある者だけの責
任としないで、幼稚園主や病院長のように単に契約上の関係に立つ者にも拡張される
とともに、他方では、前者もまた、監督義務を怠らなかったことを立証すれば、責任
を免れることができるものとされるに至った(本条Ⅰただし書)。民法のこの態度は、大
体ドイツ民法にならうものであるが(同法§832参照)、スイス民法(§333)、フランス民
法(§1384→1240、2016年以降、内容に変更なし。)も、大体において同趣旨である。
　(2)　このような立法は、幼稚園長や精神病院長などについては、その責任がやや重
きに失し、親権者・後見人などについてはその責任が軽きに失する感がないでもない。
ことに民法が被監督者である加害者が責任を負わない場合にだけ、これらの者が責任
を負うことにしているのは、被害者に対して——加害者が責任能力がないということ

1585

第3編　第5章　不法行為

についての——無用の立証責任を課するものである。また、未成年者や責任弁識能力を有しない者に対して通常は賠償請求をしない、また、多くの場合にこれらの者には賠償能力がない、というわが国の実情をも考慮する必要がある。立法論としては、被監督者が責任を負う場合にも監督義務者は併存的に責任を負うものとするのが正当である（ドイツ民法では、そうなる）。判例がこのような場合に、未成年者の責任能力を否定するのに傾く（§712⑶参照）のは、そのためである。

　近時、責任を弁識する能力のない未成年者の蹴ったサッカー・ボールが校庭から道路に転がり出て、これを避けようとした自動二輪車の運転者が転倒して負傷し、その後死亡した場合において、①上記未成年者は、放課後、児童らのために開放されていた小学校の校庭において、使用可能な状態で設置されていたサッカーゴールに向けてフリーキックの練習をしていたのであり、殊更に道路に向けてボールを蹴ったなどの事情もうかがわれない。②上記サッカーゴールに向けてボールを蹴ったとしても、ボールが道路上に出ることが常態であったものとはみられない。③上記未成年者の親権者である父母は、危険な行為に及ばないよう日頃から通常のしつけをしており、上記未成年者の本件における行為について具体的に予見可能であったなどの特別の事情があったこともうかがわれないなどの事情の下では、当該未成年者の親権者は、民法714条1項の監督義務者としての義務を怠らなかったというべきである、とした判例（最判平成27・4・9民集69巻455頁）が出ている。

　また、線路に立ち入り列車と衝突して鉄道会社に損害を与えた認知症の高齢者（責任能力はないとされた）の妻と長男につき、民法714条1項に基づく損害賠償責任が否定された事例（最判平成28・3・1民集70巻681頁）は、結論は妥当であるが、今後の高齢社会のあり方（公的責任保険の創設等）を考えるに際して重要な課題を提示している。

　⑶　Aを被害者、Bを監督義務者、Cを責任無能力者として、BがAに対して直接に709条に基づいて不法行為責任を負う場合がありうる。そのことと本条による監督者責任との関係については、つぎのように整理する必要がある。

　㋐　本条が適用されるのは、Cが責任能力を有しないという理由のみによって不法行為責任を負わないという場合であって、他の要件を欠くために不法行為責任が成立しない場合には、本条の問題とはならない（⑵参照）。

　しかし、責任能力以外の理由でCの不法行為責任が不成立の場合にも、Bが直接に709条による不法行為責任を負うことはありうる。

　㋑　Cが責任能力を有し、不法行為責任を負う場合には、本条の監督者責任の問題にはならない（この場合にも、監督者責任が併存しうるとする見解もあるが、「責任無能力者がその責任を負わない場合において」という明文に照らして、無理であろう）。

　しかし、このことと、Cについて不法行為責任が成立した場合においても、事案によっては、Bが直接にAに対する不法行為責任を負うことがありうることとは別である（最判昭和49・3・22民集28巻347頁はその例である。15歳で責任能力のあるとされるCがAを殺害し、金銭を奪った事例で、それまでに至る諸事情からCの親であるBに§709による不法行為責任を認めた）。

　㋒　責任無能力者Cの重過失による失火によりAに損害を与えた事例について、

1586

§714〔2〕～〔6〕

監督者責任を肯定した原審に対し、失火責任法が定める重過失は、監督者Bの監督における重大な過失のことをいうと解釈し、Bにその点の重過失がなければ免責されるとした判例がある(最判平成7・1・24民集49巻25頁)。本条の適用とするよりは、BのAに対する直接の不法行為の問題としてとらえることも可能と思われる。

〔2〕 「前二条の規定により責任無能力者がその責任を負わない場合」とは、加害者が、責任能力がないという理由だけで責任を負わない場合、いいかえれば、不法行為のそれ以外の要件を備える場合である。責任能力のないことの立証責任は、被害者が負担するとされている。

〔3〕 法定の監督義務者は、親権者(§820)、親権代行者(§§833・867)、後見人(§§857・857の2・858)、児童福祉施設の長(児福§47)、精神障害者の旧保護者(保護者制度〈旧20条〉は廃止された)(精神障害者の保健及び精神障害者福祉に関する法律§33など参照)などである。

〔4〕 監督義務者は、監督義務を怠らなかったことを立証して(立証責任は監督義務者にある。大判昭和18・4・9民集22巻255頁)、その責任を免れることができる。

(ア) 当該加害行為をすることについて監督を怠らなかっただけでは足りず、責任無能力者の行動について一般的に日常の監督を怠らなかったことを立証しなければならない。したがって、この立証は、通常はきわめて困難であるとされている(大判昭和14・3・22新聞4402号3頁。その他、監督義務を尽したとされた珍しい例としては、最判昭和43・2・9判時510号38頁がある。8歳7か月の子どもCが手製の弓矢で6歳7か月の友達Aの左眼を失明させた事案であるが、Cの親Bが双方の子に弓矢を使わないと約束させたなどの事情がある)。

(イ) この監督義務者の責任は、監督義務を怠ったことについての責任であって、自己の行為についての責任ではない(§709〔3〕(4)(b)参照)。

(ウ) 37歳のCに、精神障害があり、心神喪失(§7の原条文の表現)の状態でAに暴行を加えた事案で、Cの父は76歳で視覚障害者、母は65歳で日雇労働に従事しており、Cの常軌を逸した行動について日頃警察や保健所に相談していたなどの状況がある場合に、その父母に監督義務者としての責任は問いえないとした判例がある(最判昭和58・2・24判時1076号58頁)。

〔5〕 監督を怠らなくても加害行為を防止することはできなかったであろうという事情が立証された場合には、監督義務者は、責任を免れることができる。原条文には、この語句はなかったが、2004年改正は715条1項ただし書(§715〔9〕参照)にならってこのように限定した。原条文においても、同様に解する説が有力であり、ことに、本条2項の責任については、そう解することが至当であろうとされていた。ただし、反対説もあった。

〔6〕 これらの者を代理監督義務者という。たとえば、幼稚園長・小学校長・精神病院長などである。これらの施設の職員が直接に監督行為に当たっていた場合は、その者の代理監督者責任と施設の使用者責任(§715)が併存すると解してよかろう。これらの者が法定監督義務者に代わって監督する理由は、契約によるか慣習その他の事情によるかを問わない。

1587

第3編　第5章　不法行為

これらの代理監督者の場合には、限定された時間・空間における監督であるので、免責事由の立証は、本条1項の場合に比べて容易であるといえよう。

使用者責任と注文者責任 [§§715・716の前注]

　民法は、他人の労務を利用する契約類型としては、雇用・請負・委任の三種を定めている。その他人に起因する不法行為について、雇用契約関係に相当する場合においては、使用者は、被用者の行為について、原則として使用者としての責任を負うことを715条が定め、請負契約関係に相当する場合においては、注文者は、請負人の行為について、原則として責任を負わないことを716条が定めている。委任契約関係においては、受任者は、委任者に対して独立性を有するので、委任者が受任者の行為について責任を負うことはない。

　使用者責任は、今日の経済社会においては、きわめて重要な意義を有すること、したがって、715条の解釈においては、その意義を生かすことに努めるべきことは、いうまでもない。

　つぎのことに注意を要する。

　㋐　不法行為は、事実ないし事実行為をめぐって問題になる法律要件であるので、ここでいう雇用関係も請負関係も、契約的関係におけるそれとは異なり、事実上の関係に着眼して考察されることになる。715条〔2〕・〔3〕・〔4〕参照。

　㋑　契約関係において問題になる債務不履行に関して、いわゆる履行補助者の問題が論じられる（改正前§415〔4〕㋑参照）。それとここでの問題は、類似および関連する点はあるが、まったく異なる観点から考察される必要がある。

　㋒　最近においては、法人（会社など）が巨大な組織体として、雇用関係や請負関係をも組み込みながら、法人として直接に他人に損害を与えるという現象が登場し、重要化している。これについても、別の観点からの考察が必要である（本章解説⑦参照）。

　㋓　さらに、国・公共団体の公務員が違法に他人に損害を与えた場合については、国家賠償責任が生じる旨の国家賠償法の規定（同法§1）がある。これは、本条に対する特則ともみることができる（本章解説⑩(2)㋐）。

> **（使用者等の責任）**
> **第七百十五条**
> 　1　ある事業のために他人を使用する者[2]は、被用者[3]がその事業の執行について[4]第三者[5]に加えた損害[6]を賠償する責任を負う[7]。ただし、使用者が被用者の選任及びその事業の監督について相当の注意をしたとき[8]、又は相当の注意をしても損害が生ずべきであったときは[9]、この限りでない[1]。
> 　2　使用者に代わって事業を監督する者[10]も、前項の責任を負う[11]。
> 　3　前二項の規定は、使用者又は監督者から被用者に対する求償権の行使を妨げない[12]。

使用者責任と注文者責任［前注］・§715〔1〕

［原条文］
　或事業ノ為メニ他人ヲ使用スル者ハ被用者カ其事業ノ執行ニ付キ第三者ニ加ヘタル損害ヲ賠償スル責ニ任ス但使用者カ被用者ノ選任及ヒ其事業ノ監督ニ付キ相当ノ注意ヲ為シタルトキ又ハ相当ノ注意ヲ為スモ損害カ生スヘカリシトキハ此限ニ在ラス
　使用者ニ代ハリテ事業ヲ監督スル者モ亦前項ノ責ニ任ス
　前二項ノ規定ハ使用者又ハ監督者ヨリ被用者ニ対スル求償権ノ行使ヲ妨ケス

　本条は、714条につづいて、特別な不法行為(本章解説[11](3)参照)の第2の例であって、他人の行為についての責任を負う場合の第2であるが、きわめて重要な意義を有する。
　〔1〕　本条は、他人を使用する者をして、とくにその被用者の加害行為について賠償責任を負わせた規定であって、現代社会の企業者の責任を認めたものとして、きわめて重要な作用を営むものである。
　(ア)　他人を使用して事業を営む者は、これによって自分の活動範囲を拡張し、それだけ多くの利益を受けるものであるから、被用者がその事業の執行について他人に損害を加えたときにこれを賠償することは、まさに公平の観念に適する。本条は、このような根拠に立って特別の責任を認めるものであって、報償責任の原理の現われといわれる(本章解説[4](3)参照)。
　この報償責任は、近代の大企業においては、きわめて強度に要求される。けだし、近代の大企業においては、多数の者を使用し、これを1個の有機的組織に構成し、各被用者をしてその組織内における自己の担当する職務を、その組織の内部的規律に従って執行させるものであるが、この多数の被用者の行為から、他人に対してなんらかの損害を及ぼすことは、ほとんど免れ難いところである。ことに、近代の大企業は、その人的・物的の施設において大きな危険を包蔵し、それを担当する各構成員の行動を通じてこの危険が外部に現われるものである。しかも、大企業は、巨大な収益をもたらすものであるが、その収益は、原則として企業の経営者ないしは指揮監督者に帰し、被用者は単に一定の賃金を受けるに過ぎない。したがって、この企業の運営からほとんど必然的に生じる危険に起因する第三者の損害を、直接の加害者である被用者のみの責任とすることは、はなはだしく公平に反する。他人を使用してその活動範囲を拡張し、これによる利益を収受する使用者をしてこれを負担させることが公平の理想の要請するところといわなければならない。このような賠償責任の原理を「報償責任」と呼ぶのであり、本条は、じつにこの原理に基づくものである。
　なお、最近は、企業活動が一定の危険をはらむ場合について、「危険責任」の原則も働いているとみるべきだとする見解が多い。
　(イ)　しかし、本条は、この原理からみるときは、なお、不十分な点を有する。
　第1に、本条は、使用者に対し、被用者の選任監督に過失がないことを立証して責任を免れる余地を与えている。これは、少なくとも近代の大企業の経営者の責任としては、適当なものではない。判例・学説が容易にこの立証を認めまいとする傾向を示すのは、そのためである(後述〔8〕参照)。
　第2に、直接の加害者である被用者はつねに責任を負うものとされること、換言す

1589

第3編　第5章　不法行為

れば、直接の加害者が責任を負う場合にのみ使用者も併存的に責任を負うものとする
ことも、企業より生じる損害をして企業利益の帰するところをして負担させようとす
る報償責任の原理から見て、不徹底のそしりを免れないであろう（後述〔6〕参照）。

　使用者の責任を認めることは、ドイツ民法（§831）、スイス債務法（§55）、フランス
民法（§1384→§1240）のすべてにおいて同様である。そして、前二者は、本条と同じ
く免責事由を認める。フランス民法は、その点を明言しないが、判例は、最初これを
過失責任と解した。しかし、これら三つの民法のもとにおいて、判例・学説は、しだ
いに使用者の責任を拡張する傾向を示している。なお、各国ともに、特別法を設けて、
交通運輸事業などの企業者の責任を加重するのに努めている。

　〔2〕　「事業」とは、「仕事」などと同じく、きわめて広い意味である。

　㋐　本条は、〔1〕で述べたように、企業者の責任として重要な作用を営むものでは
あるが、本条の適用は、それに限るのではない。したがって、事業は、継続的な仕事
であるか一時的な仕事であるかを問わず、また、営利的なものに限らない。また、他
人を「使用する」とは、事実上仕事をさせることであって、その根拠は、いかなる契
約でもよい（大刑判大正6・4・16刑録23輯321頁参照）、必ずしも、その契約が有効であ
ることを要しない（大判昭和2・6・15民集6巻403頁）。報酬の有無なども関係はない（大
判大正6・2・22民録23輯212頁、大判昭和3・6・13新聞2864号6頁）。

　㋑　ただし、被用者という以上、使用者の選任監督・指揮命令に服する関係にある
者でなければならない（最判昭和41・7・21民集20巻1235頁は、土木工事請負人 B_1 が他者C
から運転手助手である B_2 とともに自動車を借りた場合に、雇用関係は他者Cと助手 B_2 の間に存
しても、事実上 B_2 は B_1 の指揮に従い働いていた場合、B_1・B_2 間に本条の使用関係を認めた）。
たとえば、注文者に対する請負人（§716参照。ただし、元請負人が下請負人の被用者を使用
した場合については、指揮監督関係があったかどうかによって、肯定したものに、最判昭和45・
2・12判時591号61頁、否定したものに、最判昭和37・12・14民集16巻2368頁がある。また、
元請負人と下請負人の関係について、両者の関係が請負であるという一事で、直ちに使用者責任
がないとはいえないとしたものに、大判昭和9・5・22民集13巻784頁がある。大判昭和11・
2・12新聞3956号17頁も同旨）、乗客に対するタクシー運転手、船員付き船舶が賃借さ
れた場合の船舶所有者に対する船員（大判昭和2・3・10民集6巻94頁。賃借人が使用者責
任を負うとされた）、船主に対する沖仲仕業者に属する沖仲仕（大判昭和16・12・27民集
20巻1479頁。業者が使用者責任を負うとされた）、差押え事件を依頼した執行官（当時の執
達吏につき、大判大正2・6・26民録19輯488頁）、依頼者に対する司法書士（当時の司法代
書人について、大判昭和7・3・31民集11巻540頁）などは、含まれない。

　弁護士について、依頼者を使用者とした判決がかつて見られたが（大判昭和7・11・
22新聞3497号9頁、大判昭和10・3・15新聞3822号15頁。いずれも、強制執行を委任された
弁護士に過失があった事例である。判旨としては、被用者には強制執行につき代理権を有する者
を含むといっている）、一般的には、反対に解するべきであろう。

　判例は、かつて医師が同家の戸主である実父に雇われた女中に託して患者に薬瓶を
手交させた場合に、女中が誤って劇薬の瓶を渡し、患者が服用して死亡した事案につ
き、女中が医師の使用人でないことを理由として、医師の責任を否定した（大判昭和

§715〔2〕～〔4〕

2・6・15民集6巻403頁）。多数の学者は、これを批判する。この事件は、医師の債務不履行の責任と考えれば、少なくともその責めに帰すべき事由が存在することは否定できないであろう（改正前§415〔4〕参照）。

　（ウ）　営業上の名義を貸与する者が本条の責任を負うかどうかも、しばしば問題となる。判例は、運送業者が支店名義を貸与した場合について肯定し（大判昭和4・5・3民集8巻447頁）、自動車運送業者が業者の資格を貸与した場合については、肯定するもの（大判昭和8・7・31民集12巻2421頁、大判昭和11・11・13民集15巻2011頁、最判昭和41・6・10民集20巻1029頁は、名義貸与者が被貸与者が使用する運転手を事実上指揮監督していた例である）と否定するもの（大判昭和7・11・1民集11巻2076頁）の両者を示す。貸与された名義（その営業に特別の資格ないし特許・許可・登録などを要するかどうかなど）の種類、両者間の報酬その他の関係などの事情を考慮して決するべきであるが、学説は、否定に傾きがちな判決に対して批判的である。

　〔3〕　「被用者」とは、〔2〕に示した使用者に使用される者である。この使用関係は、〔2〕(イ)で述べたように、広く解されている（最判昭和56・11・27民集35巻1271頁は、兄がその所有する車を弟に運転させた例にも、本条を適用した）。

　なお、その被用者が使用者によって選任された者であることを要しないとされる（大判昭和12・9・18新聞4186号7頁）。

　特異な例であるが、暴力団の組長に対する下部組織の構成員を被用者と認めた例がある（最判平成16・11・12民集58巻2078頁）。

　〔4〕　「その事業の執行について」第三者に損害を与えたことが、本条適用の最も重要な要件である。

　(1)　「事業の執行について」とは、一方においては、事業の執行にさいして、すなわち、単に事業を執行する機会にその事業と無関係のことをする場合を含まず、他方において、事業の執行のために、すなわち使用者の利益を図る意図をもってなされるものに限らない。その中間の観念として、事業執行の過程中に加害行為をする場合である。換言すれば、使用者が被用者を使用することによってその社会的活動が拡張されたと客観的に認められる範囲内において、被用者のする行為である。したがって、使用関係が個人的な指揮命令によって動いている場合には、その範囲が比較的狭少であるのに反し、使用関係が企業という有機的組織を構成する場合には、その範囲は拡大されて、その組織内から生じるすべての行為に及ぶ（この論旨の延長上に、本章解説⑦で述べた法人の不法行為の問題も位置するといえよう）。

　(2)　この点に関する判例はきわめて多いが、主要なものをつぎに掲げる。なお、「事業の執行について」は、旧44条（第1編第3章後注参照）の「職務を行うについて」と同一に解されるから、同条の判例も参考となる。

　(ア)　まず、使用者の事業といえるかどうかに関する問題として、旅館に宿泊中の客の依頼により番頭が近所の郵便局におもむいて電報為替の取立てをすることは、旅館の主人の事業の執行であるとされた（大刑判大正12・7・10刑集2巻643頁）。また、耕地整理組合の被用者が整理区域外において工事をした例も、この種の事例に入る（大判昭和15・5・10民集19巻810頁）。しかし、セメント会社の被用者である木工部勤務の

第3編　第5章　不法行為

者が、会社から暗黙に使用を許容されていた会社専用の軌道により、発動機付大台車を運転して石灰山から帰る途中に他人を轢殺した事件では、本件のような大台車の運転は、特別な事情がない限り会社の事業ではないとされた(大刑判大正11・12・16刑集1巻787頁)。また、同一人が所有する個人会社 B_1 とＣがあり、そのうちのＣの被用者 B_2 が B_1 の所有する自動車を運転して事故を起こし、B_1 会社の使用者責任が認められた例(最判昭和42・11・9民集21巻2336頁)、銀行の支店長が不良貸付を回収するために靴下の売買を行った事例につき、靴下の売買だけをとらえて事業執行の範囲外とした原審判決を破棄し、本条の適用を認めた例(最判昭和32・3・5民集11巻395頁)などがある。

　(イ)　行為の外形上、使用者の事業に属するものは、たとえ被用者が自分の利益を図る目的でした行為の場合にも、事業の執行についてされた行為である。

　　(a)　たとえば、倉庫営業者の被用者である受寄物担当員が預り証券を回収せずに勝手に受寄物を出庫して、預り証券の真正な所持人に損害を与えた場合(大刑判大正7・3・27刑録24輯241頁)、他の会社の株式払込み取扱いをする銀行の支配人が株金の払込みがないにもかかわらず払込済証を作成して、会社の発起人に損害を与えた場合(大判大正7・6・22民録24輯1323頁)、株式会社の株券発行係員が自己の保管する株券用紙と取締役印とを使用して勝手に無効の株券を偽造し、これを担保として金融を得て債権者に損害を与えた場合(大民刑連判大正15・10・13民集5巻785頁)などには、被用者が不正な私利を図る目的をもってこれらの行為をした場合でも、使用者の事業の執行に該当する。最後の判例は、従来、増資のさいのように株券の発行をするべき場合でなく、単に株券用紙を保管するだけであるときは、なんらなすべき事業が存しないから、事業の執行につきということはできないと解したが、その見解を改めたものである。その後にも、文書作成などの雑務を担当する社員が取締役保管の印を盗用して株券を作成した場合についても、同様に解した(大判昭和19・6・17民集23巻473頁)。

　　その後も、手形振出事務を担当する経理課長が会社名義の手形を偽造した例(最判昭和32・7・16民集11巻1254頁。同旨、最判昭和36・6・9民集15巻1546頁、最判昭和43・4・12民集22巻889頁。ただし、預金課長が小切手を偽造した例で、外形上も職務の範囲に属するといえないとした例もある。最判昭和44・4・25判時560号51頁)、信用組合の職員が禁止に反して職員外の者に職員定期預金をさせた例(最判昭和50・1・30民集29巻1頁)などにつき、事務執行との関連性を認めている。

　　(b)　以上のような外形理論による判断は、主として取引行為的な不法行為において妥当するということが指摘されている(とくに、最判昭和40・11・30民集19巻2049頁)。

　　したがって、当該被用者の職務範囲とまったく関係のない行為について(最判昭和43・1・30民集22巻63頁)、あるいは、相手方が悪意である場合について(最判昭和42・4・20民集21巻697頁。最判昭和42・11・2民集21巻2278頁は、さらに相手方に重過失がある場合についても、外形理論の適用を否定した。同旨、最判昭和43・2・6判時514号48頁。最判昭和44・11・21民集23巻2097頁、最判平成6・11・22判時1540号42頁は、相手

に重大な過失があるといえないとした例)、外形理論が妥当しないことは当然ともいえよう(ただし、被用者が勝手に作成した偽造手形の受取人が悪意でも、その者から重大な過失なく取得した者は本条の適用を主張できるとした、最判昭和45・2・26民集24巻109頁がある)。

(ウ) 外形理論がつねに有効であると限らないことにも注意を要する。

行為の外形上、使用者の事業と認めることができないものでも、その事業の執行を助長するために、これと適当な牽連関係に立ち、使用者の拡張された活動範囲内の行為と認めることができるものも、その事業の執行についてなされた行為である。たとえば、材木商の被用者が材木所有者から材木を購入するに当たり、所有者の代理人と通謀して不当に廉価で購入することは、使用者の事業の執行についてなされた不法な行為と認めることができる(大判大正8・2・21民録25輯321頁)。もっとも、材木所有者も、自己の代理人の不実な行為が原因の一部となっていることについて、過失相殺の原理の適用を免れないであろう(改正前§722〔2〕〔4〕(ウ)参照)。

(エ) 被用者の行為は、その担当する職務についてなされたものであることを要する。すなわち、使用者が多数の者を使用し、被用者の間で職務を分掌させるときは、各被用者がその分担する職務の執行について加害行為をしたときにだけ、使用者の責任を生じる。たとえば、貸金業を営む株式会社の従業員が会社の貸金の原資に充てると欺罔して第三者から金員を詐取した行為が、会社の事業の執行についてなされたものであるというためには、貸金の原資の調達が使用者である会社の事業の範囲に属するというだけでなく、これが客観的、外形的にみて、使用者である当該従業員が担当する職務の範囲に属するものでなければならない(最判平成22・3・30判時2079号40頁)。ただし、この職務の分掌は、内部の規則を形式的に標準とせず、実際における職務執行の実情に即して判断されなければならない。

   (a) かつての判例は、自動車会社の見習い運転手が、他の有資格運転手の不在中に、会社の得意先から注文を受けて、単独で運転して他人を轢殺した事件については、会社が見習い運転手の単独運転を厳禁していた事情を理由として、使用者(会社)の責任を否定したが(大刑判大正8・1・21刑録25輯42頁)、同じく助手として運転手と同乗して貨物の積下ろしをするかたわら運転技術を修習中の者が、一時運転手に代わって運転している間に他人に負傷させた事件については、使用者の責任を肯定した(大判昭和7・9・12民集11巻1765頁)。

   (b) この種の問題は、交通事故やけんかなどの事実行為的な不法行為において多く生じることが指摘されている。そして、最近においては、被用者の担当する職務と問題の行為との間の関連の密接度が重要な観点となるとする意見が強い(最判昭和44・11・18民集23巻2079頁は、水道管工事中に被用者が他の作業員とけんかをして負傷させた事例について、「会社の事業の執行行為を契機とし、これと密接な関連を有すると認められる行為」であるとした)。

   判例において、「事業の執行について」と認めたものとしては、自動車運送業者の助手が命令に反して自動車を運転し、事故を起こした例(大判昭和7・9・12民集11巻1765頁)、辞表を提出した大臣秘書官が私用で乗った通産省公用車の運転手が事

第3編　第5章　不法行為

故を起こした例（最判昭和 30・12・22 民集 9 巻 2047 頁）、いわゆる社交喫茶店で営業中トラブルから被用者が客をなぐった例（最判昭和 31・11・1 民集 10 巻 1403 頁）、外交販売のため会社の自動車を自由に使用できる被用者が勤務時間外に私用で運転して事故を起こした例（最判昭和 37・11・8 民集 16 巻 2255 頁）、被用者が終電車に乗り遅れたために使用者である会社のジープを無断で使用し、帰宅途中事故を起こした例（最判昭和 39・2・4 民集 18 巻 252 頁）、自動車整備・修理業者の被用者が、使用者が他から預り保管中の車を、私用で運転して事故を起こした例（最判昭和 43・9・27 民集 22 巻 2020 頁）、すし屋の店員が自動車で出前中に他車の運転手と口論になり、相手を怪我させた例（最判昭和 46・6・22 民集 25 巻 566 頁）、私立大学の応援団員が下級生に暴行して死亡させた事案について、大学の執行部会議・教授会の構成員は、これを防止する職務があるとして本条を適用した例（最判平成 4・10・6 判時 1454 号 87 頁）がある。暴力団の下部組織の構成員が行った殺傷行為について暴力団の組長の使用者責任を認めるにさいして、その構成員の行為が暴力団の資金獲得活動の意味をもつとして、「事業の執行について」に当たるとされた例（最判平成 16・11・12 民集 58 巻 2078 頁）もある。

　　否定した例としては、出張先から自家用車で帰る途中に起こした事故について、「行為の外形から客観的にみても」業務の執行に当たるとはいえないとしたもの（最判昭和 52・9・22 民集 31 巻 767 頁）がある。

　〔5〕　この「第三者」とは、使用者と加害行為をした被用者を除き、その他の者である。したがって、同一の使用者に雇われる作業員の一人が他の作業員に損害を加えた場合にも、第三者に加えた損害である（大判大正 10・5・7 民録 27 輯 887 頁。同旨、最判昭和 32・4・30 民集 11 巻 646 頁）。

　〔6〕　(1)　本条により、使用者が被用者の加害行為について責任を負うのは、被用者の行為が不法行為としてのすべての要件を備える場合でなければならないと解されている。

　　最も問題となるのは被用者の故意・過失であるが、判例は、これを必要とする（大刑判大正 5・7・29 刑録 22 輯 1240 頁。大判昭和 8・4・18 民集 12 巻 807 頁は、故意の例）。そして、被用者の失火責任について使用者が責任を負うためには、被用者に故意または重大な過失があることを要し（大刑判大正 4・1・30 刑録 21 輯 58 頁、最判昭和 42・6・30 民集 21 巻 1526 頁、§709〔2〕(3)(イ)(b)参照。§714 の場合と違うことに注意。§714〔1〕(3)(ウ)参照）、使用者の故意または重過失は必要でないとされる（大判大正 2・2・5 民録 19 輯 57 頁）。

　　このように、直接の加害者に故意・過失を要することについては、反対説も少なくない。思うに、報償責任の原理からいえば、被用者の故意・過失は、必ずしも要件とするべきではない。しかし、民法は、賠償をした使用者は加害行為をした被用者に対して求償権を行使することができるものとするのであるから（本条Ⅲ）、解釈論としては、被用者の故意・過失を要するものとするのが妥当であろう（〔12〕(2)参照）。

　　(2)　これに対して、法人が 1 個の組織体として違法に第三者に損害を与えた場合には、まったく別個の観点からの考察を必要とする（本章解説⑦(イ)参照）。

第二次大戦後の公害事件、消費者被害事件、食品公害事件、薬害事件、職場災害事

§715 〔5〕～〔8〕

件などにおいて、会社の企業活動全体が他人に損害を及ぼし、いわば組織体としての法人の不法行為責任が問題となった例が多い(新潟地判昭和46・9・29下民22巻9・10号別冊1頁・判時642号99頁［新潟水俣病訴訟］、富山地判昭和46・6・30下民22巻5・6号別冊1頁［富山イタイイタイ病訴訟第一審判決］、名古屋高金沢支判昭和47・8・9判時674号25頁［同第二審判決］、津地四日市支判昭和47・7・24判時672号30頁［四日市公害訴訟］、熊本地判昭和48・3・20判時696号15頁［熊本水俣病訴訟］、福岡地判昭和52・10・5判時866号21頁［カネミ油症事件］、東京地判昭和53・8・3判時899号48頁［東京スモン訴訟第一審判決］、京都地判昭和54・7・2判時950号87頁、千葉地判昭和63・11・17判時臨増平成1・8・5号161頁［千葉川鉄大気汚染公害訴訟］、横浜地川崎支判平成6・1・25判時1481号19頁［川崎大気汚染公害訴訟］、最判平成6・2・22判時1499号32頁［長崎じん肺訴訟上告審判決］、岡山地判平成6・3・23判時1494号3頁［倉敷大気汚染公害訴訟］など多数)。

　これらの場合において、会社の役員や従業員の個々の行為は、組織体全体としての行為の単なる要素として問題となるのであって、個々の役員について旧44条(本章解説⑺参照)、個々の従業員の行為について715条を問題とすることは、必要でもないし、適切でもない。本条に関していえば、(1)で述べたように、被用者について不法行為の成立要件を充たして、はじめて使用者責任が生じるという論理をそのまま適用したら、上記のような法人の不法行為をとらえることはできないのである。

　そこで、旧44条・715条の趣旨も包含しながら、法人自身の709条による不法行為を把握するための理論を深化させることが今後の課題といえよう(法人の故意・過失ということも新しい観点から考えられる必要がある。§709⑵(3)(ウ)(e)参照)。

〔7〕　使用者の賠償責任の内容は、使用者自身が加害行為をした場合とまったく同一である(§709〔4〕〔7〕参照)。

〔8〕　この免責事由を緩やかに解するか、狭く解するかによって、使用者の責任にははなはだしい軽重を生じるわけであるが、判例・学説は、大企業関係における使用者については、この免責事由の存在を容易に認めず、使用者の責任を加重する傾向を示している。

　(ア)　選任または監督のいずれかのみに過失があるときについても、責任を免れることができないことはいうまでもない(大刑判大正3・6・10刑録20輯1157頁)。

　(イ)　被用者が電車・自動車などの運転免許・船舶の海技免状などのような公的な資格を有していることを確認して雇用したとしても、そのことによって、使用者の選任に過失なしといえるものではない。使用者は、とくに、自己の事業の難易、被用者の技術の巧拙などはもとより、その人物・性格などをも審査することを要する(大判明治40・10・29民録13輯1031頁、大判大正6・10・20民録23輯1821頁)。

　(ウ)　使用者が多数の者を使用する場合には、その選任・監督を一定の者、たとえば人事係・監督係などに任せるのを常とする。このような場合には、使用者は、その人事係・監督係などを選任・監督することに過失がなければ、たとえこれらの者が直接の加害者である被用者の選任・監督に過失があっても、責任を免れるものであろうか。判例は、大企業における使用者が多数の者をみずから直接に選任・監督することが事実上不能であるという事情は、使用者の責任を軽減するものではなく、使用者は、直

第3編　第5章　不法行為

接選任・監督に当たる者の過失を自己自身の過失と同視して責任を負うべきであると判示したが（前掲大判大正2・2・5）、至当といってよい。けだし、報償責任の原理に適するからである。

　㈢　使用者が被用者の選任・監督に過失がなかったことは、使用者が立証するべきものであることは、免責事由としてただし書の形式で定められていることから見ても、疑いがない。

〔9〕　このような場合には、使用者の選任・監督上の過失と損害との間に因果関係——その過失がなかったならば、損害は生じなかったであろうという関係——がないからである。しかし、その事情が認定されるのは、使用者が選任・監督について相当な注意をしても、「損害発生ノ到底避クベカラザリシコトノ明確ナル場合」でなければならない（大判大正4・4・29民録21輯606頁）。

〔10〕　使用者に代わって選任・監督の一方または両方をする者であるが、その者は、客観的に観察して、実際上現実に使用者に代わって事業を監督する者でなければならない（最判昭和35・4・14民集14巻863頁。最判昭和42・5・30民集21巻961頁は、会社の代表取締役について否定した例、最判昭和38・6・28判時344号36頁は、事業所長について肯定した例、最判昭和48・12・20民集27巻1611頁は、タクシー会社の警備員のいる塀に囲まれた駐車場にドアロックをせず、エンジンキーを差し込んだまま駐車していたところ、窃取され事故を起こした例である）。これを代理事業監督者（または代理監督者）という。代わって選任・監督する根拠は、委任その他の契約関係であるのを常とするであろうが、必ずしもそうでなくてもよい。

　なお、会社が使用者として責任を負う場合には、会社の事業を執行する取締役個人は、多くの場合、会社に代わって選任・監督をする者としての責任を負わせられることに注意を要する（大刑判大正10・6・7刑録27輯506頁、旧§44〔3〕参照）。

〔11〕　使用者と代理監督者とが、ともに加害者の行為について責任を負う場合には、両方の責任は、いわゆる不真正連帯債務となり、一方が消滅時効にかかっても、他方に影響を及ぼさない（大判昭和12・6・30民集16巻1285頁。最判昭和45・4・21判時595号54頁、最判昭和46・9・30判時646号47頁も同趣旨。本編第1章第3節第3款解説②参照）。

〔12〕　(1)　直接の加害者である被用者は、使用者または代理監督者の賠償によってその責任を免れたときは、これらの者に対して、その損失を補償しなければならない。けだし、その被用者は元来自己の行為としてみずから被害者に賠償するべきものであり、他人の出捐によって不当に利益を得ることになるからである。ことに、被用者がこれらの者との間に雇用その他の契約関係に立つときは、その契約関係の効果としても、その責任を免れない。

　ただし、つぎのような判例があることに注意する必要がある。

　(a)　タンクローリーの起こした事故において、使用者が十分に保険に入っていなかったとか、臨時乗務中の事故であったとか、被用者の通常の勤務成績がよい、などの事情があるときに、信義則上、使用者は被用者に対して損の4分の1に限り求償できるとした（最判昭和51・7・8民集30巻689頁）。

　(b)　被用者が使用者の事業の執行について第三者に損害を加え、その損害を賠償

§§715〔9〕～〔12〕・716〔1〕〔2〕

した場合(いわゆる逆求償の場合)には、被用者は、損害の公平な分担という見地から相当と認められる額について、使用者に対して求償することができる(最判令和2・2・28民集74巻106頁)。

(c) 被用者と第三者が共同不法行為により他者に損害を与えた場合、その第三者が自己の負担部分を超えて被害者に賠償したときは、その第三者は被用者の使用者にその超えた分だけ求償できるとした(最判昭和63・7・1民集42巻451頁)。

(d) 共同不法行為の加害者にそれぞれ別に使用者がいる場合、一人の使用者が自己の負担部分を超えて被害者に賠償したときは、他の使用者に対してその超える部分につき求償できるとした(最判平成3・10・25民集45巻1173頁)。

〔2〕 上述のように企業に従事する被用者をもって最終責任者とすることは、少なくとも近代の大企業の経営から生じる損害については、妥当なものではない。国家賠償法は、公務員に故意または重大な過失があった場合にのみ、国または公共団体からその公務員に対して求償権を有するものと定める(同法§1Ⅱ)。公権力の行使に当たる公務員をして、その者の軽過失によって生じたことに過ぎない場合に損害賠償の最終責任者とすることは、酷に失し、かつ、公権力の行使を渋滞させる結果となりかねないことを配慮したものである。この点につき、国または公共団体の公権力の行使に当たる複数の公務員が、その職務を行うについて、共同して故意によって違法に他人に加えた損害につき、国または公共団体がこれを賠償した場合においては、当該公務員らは、国又は公共団体に対し、連帯して国家賠償法1条2項による求償債務を負うとした判例(最判令和2・7・14民集74巻1305頁)がある。近代の大企業の被用者についても、同様の考えを採り入れることが適当であろう。

(注文者の責任)
第七百十六条
　　注文者は、請負人¹⁾がその仕事について第三者に加えた損害を賠償する責任を負わない²⁾。ただし、注文又は指図についてその注文者に過失があったときは、この限りでない³⁾。

[原条文]
　　注文者ハ請負人カ其仕事ニ付キ第三者ニ加ヘタル損害ヲ賠償スル責ニ任セス但注文又ハ指図ニ付キ注文者ニ過失アリタルトキハ此限ニ在ラス

本条は、請負人の行為についての注文者の責任に関する注意的規定である。

〔1〕 請負人と注文者との関係については、第2章第9節(§§632～642、2017年に§§638～640等が削除された)参照。

〔2〕 請負は、普通には、請負人をして一定の計画に従って、その裁量において仕事を完成させるものであって、仕事のやり方について注文者が具体的な指図または監督をするものではない(§632〔2〕参照)。したがって、注文者と請負人との関係は、715条にいう使用者と被用者の関係ではない(§715〔2〕(イ)参照)。これが、本条本文の規定を設けたゆえんである。

第3編　第5章　不法行為

〔3〕　注文者が具体的なプランを立て、仕事のやり方を指図したような場合に、このプランまたは指図が原因となって第三者に損害を加え、しかも、そのことが注文者の故意または過失に基づくときは、注文者は、自己の加害行為として、709条の責任を負わなければならないことはいうまでもない。本条ただし書は、この趣旨を注意的に規定したものである。

ただし、本条の適用に関しては、つぎのような判例に注意を要する。

(a)　本条ただし書の非適用例において、注文者が損害の発生のおそれのあることを予知していたとしても、注文者に過失があるとはいえないとした例がある(最判昭和45・7・16民集24巻982頁。請負人の道路開設工事において、落石によって人を負傷させた例)。

(b)　本条ただし書の適用例としては、請負人による建築建物の倒壊により隣人に損害を与えた場合で、注文者が土木出張所から建物補強の強い勧告を受けていたのに、請負人にそれをさせなかったという例がある(最判昭和43・12・24民集22巻3413頁。そのほか、注文主の注意義務違反を認めたものに、最判昭和54・2・20判時926号56頁)。

(c)　請負人がさらに下請負人を用いた場合については、注意を要する。元請負人が下請負人の被用者を指揮監督していたとして、これに対する使用者責任を認められた例(§715⑵(イ)参照)や、下請負契約が請負であるという一事で元請負人が下請負人に対しては注文者の立場に立ち、責任を負わないというものではないとして、差戻した例(大判昭和9・5・22民集13巻784頁。おそらく使用者責任を負うことになろう)、などがある。

土地工作物責任 ［§717の前注］

ある人(B)の支配のもとにある物が、他の人(A)に損害を与えたときには、BのAに対するどういう責任を生じるか。これについて、717条1項は、いわゆる土地工作物責任を定め、第一次的には土地工作物の占有者、もし占有者が必要な注意を払ったのに損害を防止できなかったときには、第二次的に所有者が、過失を要件とすることなしに、責任を負うものと定めている。そして、同条2項は、竹木についても、1項を準用している。また、動物を物と考えれば、718条も同種の問題についての規定ということになる。しかし、土地工作物責任の重要性が後二者の規定とは比べものにならないほど大きいことはいうまでもない。

つぎのことに注意を要する。

(ア)　社屋の瑕疵により、その占有者または所有者に雇用された従業員が怪我をしたような場合には、雇用契約に付随する安全保護義務に違反した債務不履行責任も生じる。そして、それと本条による責任との関係は、請求権競合の問題になると考えられる(改正前§415前注③(2))。

(イ)　今日においては、建設技術の発達や社会生活の変化に応じて、土地工作物が蔵する危険も大規模化し、多様化している(地下街火災・ガス爆発・原子力災害など)。また、

§716〔3〕・土地工作物責任〔前注〕・§717〔1〕

自動車・航空機などの動産にも、人に危険を及ぼす度合いの高いものも増加している。

自動車事故(本章解説⑥(4)(d)参照)・原子力損害(同(4)(e)参照)・工場公害(同(4)(f)参照)などに関する特別法も制定されているが、人類がこれから当面するであろうこれらの新しい人為的な災害にも、十分な注意を払っていく必要がある。

(ウ) 国家賠償法２条は、「道路、河川その他の公の営造物」について、その設置・管理の瑕疵のため他人に損害を与えたときは、国・公共団体に国家賠償責任が生じるとしている。これは、本条に対する特則ともみることができる(本章解説⑩(2)(イ)参照)。

(土地の工作物等の占有者及び所有者の責任)
第七百十七条
1　土地の工作物[2]の設置又は保存に瑕疵がある[3]ことによって他人に損害を生じたときは[4]、その工作物の占有者[5]は、被害者に対してその損害を賠償する責任を負う[6]。ただし、占有者が損害の発生を防止するのに必要な注意をしたときは[7]、所有者[8]がその損害を賠償しなければならない[1]。
2　前項の規定は、竹木の栽植又は支持に瑕疵がある場合について準用する。
3　前二項の場合において、損害の原因について他にその責任を負う者[9]があるときは、占有者又は所有者は、その者に対して求償権を行使することができる。

〔原条文〕
　土地ノ工作物ノ設置又ハ保存ニ瑕疵アルニ因リテ他人ニ損害ヲ生シタルトキハ其工作物ノ占有者ハ被害者ニ対シテ損害賠償ノ責ニ任ス但占有者カ損害ノ発生ヲ防止スルニ必要ナル注意ヲ為シタルトキハ其損害ハ所有者之ヲ賠償スルコトヲ要ス
　前項ノ規定ハ竹木ノ栽植又ハ支持ニ瑕疵アル場合ニ之ヲ準用ス
　前二項ノ場合ニ於テ他ニ損害ノ原因ニ付キ其責ニ任スヘキ者アルトキハ占有者又ハ所有者ハ之ニ対シテ求償権ヲ行使スルコトヲ得

本条は、特別な不法行為(本章解説⑪(3)参照)の第３の例であるが、とくに所有者の無過失責任が重要な作用を営む。

〔1〕　(1)　一定の物の所有者または占有者は、その物から生じる損害について特別の責任を負うべきであるという理論は、ゲルマン法では広く認められ、ローマ法でもある程度認められたことである。しかし、近代法は、個人的責任主義の立場からこれを修正した。すなわち、ドイツ民法は、この責任を、建物その他の工作物の占有者に限り、かつ損害の防止に相当な注意をしたことを立証してその責任を免れることができるものとした(同法§836。ほかに、§§837・838)。スイス債務法は、無過失責任を認めたけれども、その責任者は建物などの工作物所有者に限る(同法§58)。わが民法は、両者の中間にあり、責任者の範囲を建物その他土地の工作物および竹木の占有者および所有者とし、占有者については免責事由を認めたけれども、所有者についてはこれを認めていない。フランス民法については後述。

(2)　建物その他の所有者または占有者がとくに重い責任を負うべきものとされる根拠については、学説は分かれているが、わが国の通説は、これを一種の危険責任と解

1599

第3編　第5章　不法行為

している。すなわち、他人に対してとくに危険を及ぼす可能性の大きい物を占有ない
し所有する者が、その損害について特別の責任を負うことは、社会共同生活の理想に
適することであり、現代の損害賠償制度の理論は、まさにこのことを要請するのであ
る(本章解説④(3)参照)。

　(3)　本条の趣旨が、現代法の危険責任の原理に立つものとすれば、本条にいう「土
地の工作物」という観念も、この趣旨に従って広く解するべきである。けだし、現代
の社会において、とくに危険を包蔵するものは、けっして個々の工作物や竹木に限る
のではない。現代において最も大きな、そしてある程度まで不可避な危険を包蔵する
ものは、近代的企業の施設自体である。そして、この近代的大企業の施設は、たとえ
ば、これを鉄道企業に見れば、建物・軌道・鉄橋・トンネル・踏切施設などの土地の
工作物のみならず、車両その他の動産、踏切番人・運転手その他多数の物的ならびに
人的施設の総合から成っている。したがって、これらの物的ならびに人的施設に
瑕疵があり、それを原因として損害を生じたときは、企業者は、それについて危険責
任を負うものとしなければ、危険責任を定める本条の現代における理想は達すること
ができないことになる。

　この点参考になるのはフランス民法である。同法は、動産の占有者(「物の所為による
責任」、「無生物責任」と呼ばれる)および建造物の所有者について無過失責任を規定する
(同法§§1384 → 1240 I・1386 → 1244、2016 年以降、内容の変更なし)。学説・判例は、最
初これを強いて過失責任の理論から解釈していたが、のちしだいに態度を改め、これ
を活用して企業者の無過失責任を認める根拠とし、また、自動車事故についての自動
車占有者の無過失責任を認める根拠としていることは、すこぶる注目に値するもので
ある(§§1386-1～1386-18 は、さらに製造物責任について規定する)。わが国の判例は、なお
この理想には達していないが、学説にはこれを主張するものが多く、判例もしだいに
その方向に進んでいるということができるであろう。

　〔2〕　「土地の工作物」とは、「土地に接着して人工的作業をなしたるによりて成立
したるもの」とされ、建物・橋梁・堤防・穴蔵(§237 参照)などがその例である。

　炭坑の坑口に設置された捲上機、したがってそのワイヤーロープは、土地の工作物
になるとした例がある(最判昭和 37・4・26 民集 16 巻 975 頁)。一般的に、工場に設置さ
れた機械類は、土地の工作物に入れてよいであろう(〔3〕(ｲ)参照)。

　〔3〕　「設置又は保存に瑕疵」があるとは、その工作物の建造またはその後の修理
などに不完全な点が存することである。その種の工作物として通常備えているべき安
全性が欠けていれば、瑕疵があるのであって、建造し、または維持する者の過失の有
無を問わない。

　(ｱ)　判例に現われた主要な例を示せば、高地の所有者が崖地を支えるために建造し
たコンクリートの擁壁が不完全なために、その一部が崩壊して下方の家屋が潰れた場
合(大判昭和 3・6・7 民集 7 巻 443 頁)、水利組合が余水排泄のために作ったトンネル工事
が不完全なために、近所の寺院の本堂敷地の地盤を動揺・亀裂させて本堂および鐘楼
を傾けた場合(大判明治 39・7・9 民録 12 輯 1096 頁)、市が経営する水道の工事に当たり、
用水路トンネルの掘さくに十分な設備を施さなかったために、近隣の田地の潅漑用水

§717 〔2〕〔3〕

の水脈を絶ち、田地を畑地に変更するのやむなきに至らせた場合(大判大正7・6・29民録24輯1306頁)、肥料会社が汚水排泄のために堤防に土管を埋設した工事が不完全なため、堤防が決壊して付近の住民に損害を及ぼした場合(大判大正6・5・19民録23輯879頁)、市立小学校の遊動円棒が腐朽のためこれに乗った児童が負傷した場合(大判大正5・6・1民録22輯1088頁〔小学校遊動円棒腐朽事件〕。現在では、国家賠償法が適用される)、電力会社が所有する高圧線のゴム被覆の不完全によって感電した場合(最判昭和37・11・8民集16巻2216頁)などには、いずれも、これらの施設の所有者または占有者に責任があるものとされた。最近の判断では、土地への定着性は緩やかに解されるようになっているといってよかろう。

なお、マンション建設に伴うビル風による被害がいまだ現実に発生していないにもかかわらず、将来被害を生ずる恐れがあるとしてその予防のため工事を施したとしても、同工事を施さざるをえない特段の事情のない限り、その工事のために費用を出捐したことをもって損害が発生したということはできないものと解するのが相当であるとしている(最判昭和59・12・21判時1145号46頁)一方で、壁面に石綿が吹き付けられた建物に長期間勤務していた者(被害者)が悪性胸膜中皮腫に罹患して自殺した場合において、同建物の所有者が717条1項ただし書の規定に基づく土地工作物責任を負うか否かは、当該建物が通常有すべき安全性を欠くと評価されるようになったのはいつの時点からであるかを証拠に基づいて確定した上で、その時点以降に被害者が当該建物の壁面に吹き付けられた石綿の粉じんにばく露したことと被害者の悪性胸膜中皮腫の発症との間に相当因果関係を認めることができるか否かを審理して判断すべきであると解されている(最判平成25・7・12判時2200号63頁)。

(イ)　土地または工場に備え付けた機械の瑕疵については、判例は、農耕地の潅漑のために据えつけたポンプの音響・振動のために、付近の宿屋営業者の家屋を傾け、かつ、顧客を減らした場合には、ポンプの据え付けの不完全なことを工作物の設置の瑕疵としたが(大判大正13・6・19民集3巻295頁)、工場内に据え付けられた機械に瑕疵があって、工員が負傷した場合には、工場内に据え付けた機械は土地の工作物ではないと判示した(大判大正元・12・6民録18輯1022頁)。しかし、大きな機械は、工場の建物と一体をなして工作物と見られる場合が多いのではなかろうかと思われる。

(ウ)　最後に、企業施設全体として見て安全施設に遺憾な点がある場合に、これを土地の工作物といえるかどうかが問題になる。電車の運転手が踏切通過のさいに通行人を轢殺した事件について、運転手は警笛を鳴らして十分な注意をしたのであるから過失はないとしながら、「若シ夫レ斯ノ如キ踏切ニオイテ本件ノ如キ惨事ヲ生ゼシメタル場合、ソノ踏切ニ番人ヲ置カズ、自動警報機ヲ設置セザリシ等、危険防止ニ関スル保安設備ヲ為サザリシ電気鉄道事業経営者ニイカナル責任ヲ生ズベキカハ、自ラ別問題タルベキノミ」と判示して、本条を適用した判決(大刑判昭和5・9・22新聞3172号5頁)は、すこぶる注目に値する(最高裁にも同趣旨の判決がある。最判昭和46・4・23民集25巻351頁)。けだし、この判決の趣旨は、このような場合に運転手に対して損害賠償を請求しても、もとより否定されるのみならず、企業者に対して使用者としての責任を問うことも不能であることを示す(§715〔6〕(1)参照)とともに、企業者の工作物所有者と

1601

第3編　第5章　不法行為

しての責任を問う余地があることを示唆しており、その趣旨は、さらに組織体としての法人の不法行為を問題にするという観点にもつながるからである(本章解説[7]参照)。

なお、複雑な交差点に設置された信号機の位置に瑕疵があったとされた例もある(最判昭和48・2・16民集27巻99頁)。

(エ)　本条と失火責任との関係は、問題である(§709[2](3)(イ)(b)参照)。たとえば、電力会社が高圧電線の架設施設の不十分なために火災を起こしたような場合に、判例は、なお、これに失火責任の特則が適用され、故意または重大な過失なき限り責任を負わないものと判示する(ただし、大判昭和7・4・11民集11巻609頁、大判昭和8・5・16民集12巻1178頁は、いずれも重過失を認定する)。しかし、学説のなかには、本条の責任は、失火責任法による責任に優先し、同法は適用されないとする意見も多い(失火による損害の態様によって両者を使い分ける説もある)。

(オ)　なお、河川管理と台風が競合して起こる水害事件については、主として国家賠償法2条の問題になり、その関係の判例(たとえば、最判昭和59・1・26民集38巻53頁[大東水害訴訟]、最判平成6・10・27判時1514号28頁[長良川安八水害訴訟]は、国家の責任を否定し、最判平成2・12・13民集44巻1186頁[多摩川水害訴訟]においては肯定する)は、民法の解釈上も参考になる(ただし、水害防止の困難性は分かるが、国の責任について緩やかな判断に傾きがちのように感じられる)。

〔4〕　瑕疵が唯一の原因であることを必要としない。自然力の作用または被害者の過失が近因をなした場合にも本条が適用される(大判大正7・5・29民録24輯935頁)。ただし、被害者の過失が近因であるときは、過失相殺の理論が適用されることはいうまでもない(改正前§722[2](2)参照)。なお、明文として述べてはいないが、本条の適用にも、709条の定める他の要件、ことに権利侵害などの要件を必要とすることはいうまでもない。

〔5〕　占有者は、直接占有者であるか間接占有者であるかを問わない(最判昭和31・12・18民集10巻1559頁は、国が建物を賃借して連合国進駐軍の用に供した例で、国の占有者責任が肯定された)。利用者に貸与された液化石油ガス消費設備について、ガス供給業者が占有者とされた例もある(最判平成2・11・6判時1407号67頁)。

〔6〕　占有者または所有者の賠償責任の内容は、普通の不法行為の責任とまったく同一である。ただし、一定の者に対して求償権を取得する場合があることは、本条3項に規定されている。

〔7〕　損害の発生を現実に防止する処置を講じることである。たとえば、小学校の遊動円棒が腐朽している場合には、「三人以上同時に乗るべからず」という立札をするぐらいでは足りず、縄を張りまわすか、使用できないように固定するなどの現実的な措置をしなければならない(前掲大判大正5・6・1[小学校遊動円棒腐朽事件])。

なお、占有者がこの注意を怠らなかったことは、占有者の方で立証しなければならない。

〔8〕　所有者のこの責任は、過失の立証を要しない責任であって、免責事由は存在しない(もちろん、瑕疵ある工作物を、瑕疵を放置して所有していることに責任を認める根拠がある)。工作物の瑕疵が所有者の所有中に生じたものでない場合、すなわち、瑕疵の

§§717〔4〕～〔9〕・718〔1〕～〔3〕

ある工作物を譲り受けた者であっても、損害がその所有中に生じたものである限り、責任を免れることはできない(大判昭和3・6・7民集7巻443頁)。ただし、このような場合には、売主に対して瑕疵担保責任を問うことは可能であろう(改正前§570参照)。なお、次注参照。

なお、工作物所有者が責任無能力者であった場合(§§712～714参照)において本条の無過失責任がどうなるかについて、本章解説⑥(1)(イ)参照。

〔9〕 工作物を不完全に建造した請負人、不完全に保存した前所有者などに求償権を行使できる。

(動物の占有者等の責任)
第七百十八条
　1　動物[2]の占有者[3]は、その動物が他人に加えた損害[4]を賠償する責任を負う。ただし、動物の種類及び性質に従い相当の注意をもってその管理をしたときは[5]、この限りでない[1]。
　2　占有者に代わって動物を管理する者[6]も、前項の責任を負う。

[原条文]
　動物ノ占有者ハ其動物カ他人ニ加ヘタル損害ヲ賠償スル責ニ任ス但動物ノ種類及ヒ性質ニ従ヒ相当ノ注意ヲ以テ其保管ヲ為シタルトキハ此限ニ在ラス
　占有者ニ代ハリテ動物ヲ保管スル者モ亦前項ノ責ニ任ス

本条は、特別な不法行為(本章解説⑪(3)参照)の第4の例である。

〔1〕 動物の占有者がその動物が加えた損害について、とくに重い責任を負うべきものとすることは、ローマ法においても相当広く認められたことであって、近代法もこれを比較的広く認めている。すなわち、フランス民法は、無過失責任を認め(同法§1385→§1242)、ドイツ民法も制定のさいに第一草案を改めて無過失責任とした。ただし、後まもなく1908年にこれを修正して、職業・営業または生計のための家畜については、免責事由を認めることにした(同法§833。ほかに、§834)。スイス債務法だけは、一般的に免責事由を認める(同法§56)。わが民法は、スイスと同様である。

動物の占有者にとくに重い責任を負わせることは、一種の危険責任とみるべきである。しかし、今日の社会では、動物の占有者が危険責任を負うことは、必ずしも妥当ではない。娯楽のために、猛犬や乗馬用の馬を飼育する者に重い責任を負わせることは、公平の観念に適するであろうが、農民が農耕・牧畜用に飼育する牛馬について重い責任を負わせることが妥当であるかどうかは、相当に疑問である。本条を適用するに当たっては、これらの事情を考慮する必要がある(本章解説④(3)参照)。

〔2〕 家畜であるかないかを問わない。しかし、ただし書の免責事由としての「相当の注意」は、家畜とそうでないものとでは大いに異なるであろう。「動物」の範囲は社会通念によって定まる。細菌・ヴィールスは含まれない(含んでもよいという主張もみられる)。

〔3〕 「占有者」の意義については、180条〔1〕・〔2〕参照。他人を占有機関として

1603

占有する者（§180〔2〕(e)参照）、たとえば、荷馬車の挽夫（馬車を挽く人）を占有機関として馬を占有する運送会社は、運送中に馬の加えた損害について本条の責任を負わなければならない（大判大正10・12・15民録27輯2169頁。父所有の農馬を子が使用した場合について同旨、大判大正4・5・1民録21輯630頁）。

〔4〕　動物の独立の動作によって、他人に「損害」を与えることである。人が動物をけしかけたときは、けしかけた者は、709条によって責任を負うべきであって、本条の適用によるのではない。ただし、馬が狂奔し、馬につけた車が馬から離れて損害を加えた場合には、もちろん本条が適用される（前掲大判大正10・12・15）。7歳の児童が走り出た犬に驚いて転倒した場合にも、本条が適用されるとされた（最判昭和58・4・1判時1083号83頁）。

なお、本条が適用されるためには、709条が定める他の一般的要件を必要とする。

〔5〕　たとえば、性質の温順な犬は、たとえ鎖でつないでおかなくても保管に過失ありとはいえない（大判大正2・6・9民録19輯507頁。ただし、最判昭和37・2・1民集16巻143頁は、強い大型犬2頭を散歩させていた例で、過失ありとされた）。これに反し、警笛に驚きやすい性癖のある馬を市街地に連れこむときは、よほど周到な注意を必要とする（前掲大判大正10・12・15）。

なお、動物の保管に過失がなかったことは、占有者において立証しなければならない。

〔6〕　動物の占有者に代って事実上その動物を管理（原条文では保管）する者、たとえば、受寄者・運送人などである（代理管理者、代理保管者、あるいは単に保管者という）。これらの者も正確な意味においては占有者であるが、本項は注意的に規定したものとみるべきである（§180〔1〕参照）。

ただし、前項の占有者と本項の代理保管者の責任の関係については、若干問題がある。

　(a)　占有者と代理保管者が併存するときは、両者の責任は重複して発生し、被害者は、どちらを選択してもよい（前掲大判大正4・5・1）。

　(b)　動物の占有者が代理保管者を選任した場合、占有者が「動物の種類および性質に従い、相当の注意をもって」代理保管者を選任・監督したことを立証すれば、占有者は責任を免れ、代理保管者だけの責任となる（最判昭和40・9・24民集19巻1668頁）。

共同不法行為 [§719の前注]

719条は、いわゆる共同不法行為について規定する。同条の規定が簡略であるために、同条の解釈をめぐってさまざまな見解が唱えられている。そこで、同条の考察に入る前に、問題点を整理しておく必要がある。

(1)　複数者の不法行為責任・損害塡補責任

(ア)　Aが受けた特定の損害について、B_1、B_2、B_3がともに不法行為責任を負うと

§718〔4〕〜〔6〕・共同不法行為［前注］

いう例はきわめて多い（§719による以外については、(3)参照）。また、不法行為者以外に
も、同じ損害について塡補義務をもつＣがいるという例も少なくない（例については、
(4)参照）。

　この現象は、社会生活の複雑化（公害・医療事故・薬害・自動車事故などを考えればよい）
に伴ってますます増加し、この複数の損害塡補義務者の法律関係を正しく法律構成す
ることの重要性は、ますます増加するものと考えられる。

　(イ)　この種の複数義務者の問題については、本編第１章第３節の「多数当事者の債
権」の規定にならって、つぎの三種の問題群を検討する必要がある（本編第１章第３節
解説１(2)参照）。

　①Ａは、B_1・B_2・B_3それぞれに対してどういう請求ができるか。逆にいえば、
B_1・B_2・B_3はそれぞれＡに対してどういう給付をする義務があるか。

　②Ａとの関係において、B_1・B_2・B_3のいずれかについて生じた事由（免除・消滅時
効など）が、他の二者にどういう影響を与えるか。

　③B_1・B_2・B_3は、相互にどのような負担・求償関係に立つか。

　これらの問題について、判例・通説は、複数の不法行為者の問題は、連帯債務に類
似してはいるが（§719にも「連帯にて」という表現はあるが）、民法が規定する連帯債務
とは異なり、不真正連帯債務とも呼ぶべきものであるとしている。その理由は、連帯
債務は、各連帯債務者がその意思に基づいて連帯債務を負う（連帯債務を負うという意思
があるという点において相互の間に主観的共同関係が存するとみられる）のに対して、複数の
不法行為者の場合にはそうではない（B_1・B_2・B_3が共謀したとしても、それは連帯債務を負
うという意思とは異質のものである）ことに違いがあることによる（以上の点について、本編
第１章第３節第３款解説２、改正前§432〔1〕(ニ)参照）。

　具体的には、上記の①については、各人が損害の全額の支払義務を負い（この点は、
連帯債務と同じ）、②については、各自に生じた事由は互いになんの影響も生じない（弁
済による消滅およびこれに準じる事由を除く）、③については、民法の連帯債務における求
償関係の規定（§§442〜445〔改注〕）は適用されず、B_1・B_2・B_3相互間の実質的な関係に
よって判断される、という結論になる（§719〔3〕(2)(イ)参照）。

　(2)　共同不法行為

　民法は、複数者の不法行為責任に関する最も一般的な規定として、719条をおいて
いる。

　そのなかには、つぎの三種の態様が定められている。

　(a)　共同不法行為一般

　　数人が共同の不法行為によって他人に損害を加えたとき」である（1項前段）。

　(b)　加害者不明の共同不法行為

　　共同行為者のなかの「いずれの者がその損害を加えたかを知ることができない
とき」である（1項後段）。

　(c)　教唆・幇助

　　「教唆した者および幇助した者」は共同行為者とみなされる（2項）。

　この三者の関係、とくに(a)に対する(b)・(c)の関係について、すでに見解が分かれて

第3編　第5章　不法行為

いる。

しかし、(b)・(c)は、むしろ(a)の共同不法行為に属する重要な態様であるので、(a)の共同不法行為の概念を、(b)および(c)を除いたものとして理解することは困難であるといわなければならない。そこで、(b)・(c)は、(a)の共同不法行為の例示であると解するか、あるいは、(b)・(c)の場合には、共同不法行為であるかどうかに疑問を生じるおそれがあるので、これを共同不法行為に該当するとみなしたものであると解するのが正しいと思われる。

したがって、(a)を狭義の共同不法行為、(a)・(b)・(c)三者を合わせたものを広義の共同不法行為と呼ぶ用語法は、必ずしも適切でないと考えられる（以上の点については、諸見解がある）。

(3)　その他の複数の不法行為者

719条の一般的規定のほかにも、複数の不法行為責任者が生じる可能性をもった規定はいくつもある。それを例示すれば、

(a)　法人・理事・社員の責任（旧§44。第1編第3章後注参照）

(b)　責任無能力者の監督義務者・代理監督義務者の責任（§714）

(c)　被用者・使用者・代理監督者の責任（§715）

(d)　注文者・請負人の責任（§716ただし書）

(e)　土地工作物の占有者・所有者の責任（§717）

(f)　動物の占有者・代理保管者の責任（§718）

これらの規定は、719条に対する関係では、いわば一般規定である719条に対する特別規定という意味をもつと解してよかろう。すなわち、これらの規定が適用される場合には、それぞれの相互関係においては共同不法行為ともいえるような事例であっても、強いて719条の適用を論じる必要はない。また、求償関係についても、それぞれの法律関係に則して検討されるべきである。これに対して、さらに第三者が加わったときは別論であって、その第三者との間の共同不法行為の関係を生じる。719条【1】(1)(ウ)・【3】(2)(イ)参照。

なお、私人の不法行為と国家賠償責任とが競合する場合には、国家賠償責任もその性質は不法行為責任であるととらえて、719条による共同不法行為の成立を認めてよい（国賠§4参照）。

(4)　その他の損害塡補責任者

Aが受けた損害について、生命保険、損害保険、労働者災害補償（保険）、年金制度、共済制度などの関係で、その塡補の義務を負う者が他にも――ときには複数――存在することがありうる（本章解説⑧参照）。この場合の不法行為責任との関係は、それらの制度ごとに考察される必要がある（同上および§709【7】(4)(イ)参照）。

（共同不法行為者の責任）
第七百十九条

1　数人が共同の不法行為によって[1]他人に損害を加えたときは[2]、各自が連帯してその損害を賠償する責任を負う[3]。共同行為者のうちいずれの者がその

§719〔1〕

損害を加えたかを知ることができないとき[4]も、同様とする。

 2 行為者を教唆した者[5]及び幇助した者[6]は、共同行為者とみなして、前項の規定を適用する。

〔原条文〕

 数人カ共同ノ不法行為ニ因リテ他人ニ損害ヲ加ヘタルトキハ各自連帯ニテ其賠償ノ責ニ任ス共同行為者中ノ孰レカ其損害ヲ加ヘタルカヲ知ルコト能ハサルトキ亦同シ

 教唆者及ヒ幇助者ハ之ヲ共同行為者ト看做ス

　本条は、特別な不法行為(本章解説⑪(3)参照)の第5の例である。他人の行為について責任を負うという要素も含まれている。

　以下には、主として判例に従って、本条に注釈を加えることにする。

〔1〕　本条1項前段は、要件として、「数人が共同の不法行為によって」としか定めない。そこで、つぎのように分解して検討することが必要になる。

(1)　複数の不法行為者の存在

(ア)　不法行為者の複数性については、各人が法的に独立した存在であることを要する。たとえば、Aの土地を不法占有するBからその建物の部分を貸借しているC(最判昭和31・10・23民集10巻1275頁)、Aの建物を不法占拠するBの使用人としてその建物に居住するC(最判昭和35・4・7民集14巻751頁)などは、独立して共同不法行為責任を負うものではない(ただし、§715の被用者として不法行為責任を負うことはありうる。また、特別の事情により、妻が夫とは別に独立の不法占拠者、したがって共同不法行為者とされた例もある。大判昭和10・6・10民集14巻1077頁)。

(イ)　複数の不法行為者は、もちろん、自然人であっても、法人であってもよい。ただ、法人の場合には、本条の要件の適用において、自然人とはかなり異なる点があるであろう。

(ウ)　B_1と責任無能力者CがAに損害を与えた場合には、もちろん、B_1と、Cの監督義務者であるB_2(§714)とが共同不法行為者となる。これに対して、使用者責任が絡む場合についてどう考えるかは容易でない。たとえば、B_1とB_2が共同でAに損害を与えた場合に、B_1とB_2の間に共同不法関係が成立することは当然として、B_1の行為についてB_3が使用者責任を負うときは、B_2とB_3の間にも共同不法行為関係を認めるのが妥当である場合が多いのではないか。B_2の使用者B_4も使用者責任を負う場合には、B_3とB_4の間の共同不法行為責任を認めてもよいのではないだろうか(以上につき、〔3〕(2)(イ)、§715〔12〕(1)(b)・(c)参照)。

(エ)　判例のなかには、複数の不法行為者の「各自の行為がそれぞれ独立に不法行為の要件を備える」ことを要する旨を述べるものが多い(最判昭和43・4・23民集22巻964頁[山王川事件]その他)。

　その趣旨は、B_1・B_2・B_3がそれぞれ、故意・過失、責任能力、加害行為の違法性などの一般的な不法行為の要件を備えていることを要するというものであり、当然のことである。

　これを、B_1・B_2・B_3の各自がAの当該の特定の損害について賠償義務を負うこと

第3編　第5章　不法行為

を意味すると解するのは誤りである。けだし、もしそう解するなら、B_1・B_2・B_3の各人が、いずれも709条による損害賠償義務を負うことになり、719条の存在は無意味に化するからである。

この問題は、主として行為と損害の間の因果関係について論じられる。本条において要求されているのは、B_1・B_2・B_3の共同不法行為と損害の間の因果関係であって、各人との関係において要求されているのは、各自の行為が損害発生の一因となっていることであると解するのが正しい(§709の関連でいえば、同条[3]で取り上げた因果関係であるが、B_1・B_2の行為に、B_3の行為が加わったことが一因となりAの損害が生じたということが必要であり、B_3の行為がなければAの損害はなかったであろうということは必要でない。また、同条[7]の因果関係と混同しないことを要する)。

各自の行為と損害の間に因果関係があることを要すると述べている判例があるが、そのことは、共同不法行為者の一人と擬せられた者の行為がまったく損害とは関係がない場合に、その者を共同不法行為者から除外するためにいわれていることにすぎない(大判大正8・11・22民録25輯2068頁)。

(オ)　共同不法行為者のなかに、故意による不法行為者と過失による不法行為者とが加わっていることはかまわない(大判大正2・4・26民録19輯281頁は、誤って倉庫証券を発行した倉庫会社とこれを悪用した者の例で、大判昭和18・7・6民集22巻593頁は、株取引において、本人の代理人が故意で、相手方が有過失の取引で本人に損害を与えた例である)。

関連して、各種の立法による無過失責任を負う者について、これをも共同不法行為に含めてよいかどうか、が問題になるが、無過失責任を「無過失の衣を着た過失」と理解する立場に立てば(本章解説[6](1)参照)、とくに妨げにはならないと考えられる。

(2)　行為の関連共同性

本条は、数人が「共同の不法行為」によって他人に損害を加えたとき、とのみ定めているので、肝心な「共同の」の語義については、幅広い解釈の可能性がある。これに、主観的関連共同性と客観的関連共同性とがありうることについては、ほぼ異論はない。

判例の見解を述べれば、つぎのとおりである。

(ア)　主観的関連共同性

共同行為者の間に共通の意思(通謀するなど)、共通の了解(暗黙の了解も含めて)、共通の認識(知って知らぬふりをするなど)などの主観的なつながりがあることを、主観的関連共同性という。

主観的関連共同性には、上述のように、強いものから弱いものまで多様なものがありうる。そして、強弱いずれの意義においても、主観的関連共同性の存在は、必ずしも必要でないというのが判例の立場である((イ)参照)。しかし、それは、主観的関連共同性は存在しないでもよいという意味であって、主観的関連共同性は不必要な要素であるとか、これを考慮に入れてはならないということを決して意味しない。主観的関連共同性の存否および強弱は、客観的関連共同性の強弱とあいまって、共同不法行為の成立にとって重要な要素である。

判例が共同不法行為の成立を認めたなかで、主観的関連共同性があると考えられる

例は、つぎのとおりである。

(a) 水利組合間の紛擾で、闘争にも訴えるという決議をして、衝突の現場でB₁がAを死亡させた場合に、決議に参加したB₂や参加助勢したB₃も共同不法行為者になるとした例がある(大判昭和9・10・15民集13巻1874頁。判決は、むしろ、決議と死亡の間の因果関係を問題とし、肯定している)。

(b) B₁・B₂・B₃が酩酊して自動車に乗り、B₁が運転して事故を起こし、B₂・B₃がそれに至る過程で制止をしなかった場合に、三人が共同不法行為者とされた例がある(最判昭和43・4・26判時520号47頁)。

(c) B₁を含む五人の友人が電車軌道に物を置くことに話が及んだうえ、そのうちの一人のB₂が軌道内に入り置石をし、電車事故を起こさせた場合に、これを制止できなかったB₁にも不法行為責任が生じるとした判決がある(最判昭和62・1・22民集41巻17頁。B₁の不法行為の成立を認め、とくに§719を引用していないが、明らかに共同不法行為の事例と思われる)。

(イ) 客観的関連共同性

共同行為者の行為が客観的に関連し、共同し合って損害を生じさせることを客観的関連共同性という。

判例は、早くから、共同不法行為が成立するためには、この客観的関連共同性が必要であり、かつそれをもって足り、主観的関連共同性の存することは必ずしも必要でないという見解をとってきた。

この点に関する判決文をいくつか引用すると、共同不法行為とは、「数人ガ共ニ為シタル不法行為換言スレバ数人ノ客観的共同ノ不法行為ノ謂ニシテ其数人間ニ意思ノ共通アルコト即チ主観的共同ナルコトヲ必要トスル法意ニ非ズ」(大判大正2・6・28民録19輯560頁)、共同不法行為の成立には、「不法行為者間に意思の共通(共謀)もしくは『共同の認識』を要せず、単に客観的に権利侵害が共同になされるを以て足りると解するべきであるから、原審が特に所論のような『意思連絡』の有無を確定しなかったからといって、なんら違法はない」(最判昭和32・3・26民集11巻543頁)、「共同行為者各自の行為が客観的に関連し共同して違法に損害を加えた場合において、各自の行為がそれぞれ独立に不法行為の要件を備えるときは、各自が右違法な加害行為と相当因果関係にある損害についてその賠償の責に任ずべきである」(最判昭和43・4・23民集22巻964頁[山王川事件])。

この判旨にそって、共同不法行為の成立を認めた例には、つぎのようなものがある。

(a) 2隻の船が船長の過失で衝突して、他人(おそらく荷主。他にも水死者があった)に損害を与えたのを共同不法行為とした(前掲大判大正2・6・28)。

(b) Aが競落した建物を前所有者B₁がB₂に賃貸している事案について、B₁・B₂の共同不法行為とした(大判昭和10・12・20民集14巻2064頁)。

(c) 木材について、B₁が窃取し、B₂が悪意で買受け、B₃がこれに立会い、また、製材の上処分したという事案について、三者の共同不法行為とした(前掲最判昭和32・3・26)。

(d) 国のアルコール製造工場が排水を川に流し、そのため下流の稲作の減収を来

第3編　第5章　不法行為

たした事案について、国が汚染源は他にもあると主張したのに対し、国は共同不法行為者の一人として責任を負うとした（前掲最判昭和 43・4・23 ［山王川事件］。判旨のもう一つの重点は相当因果関係の認定にある）。

　なお、客観的関連共同性についても、強弱があることが認められる（津地四日市支判昭和 47・7・24 判時 672 号 30 頁 ［四日市公害訴訟］は、コンビナートのなかにおいて互いに一体性の高い工場のように強い関連共同性が認められる場合には、そのうちの一つの工場のばい煙排出量が少量でも共同不法行為責任を負うとした。大阪地判平成 3・3・29 判時 1383 号 22 頁 ［西淀川公害第一次訴訟第一審判決］、大阪地判平成 7・7・5 判時 1538 号 17 頁 ［西淀川公害第二～四次訴訟第一審判決］も参照）。

　主観的関連共同性と客観的関連共同性のそれぞれの強弱の組み合わせや、この問題が効果としての賠償額にどう影響するか（たとえば、損害の一部のみの賠償や各自の一定割合による賠償などがありうるか）などの問題は、残された課題である。

　〔2〕　共同不法行為による損害、すなわち、本条によって共同不法行為者が連帯して賠償する責任を負わされる損害は、共同不法行為と相当因果関係にある全損害である（前掲最判昭和 43・4・23 ［山王川事件］）。一例として、数人が共同謀議をして、そのうちの数人が現場に赴き、乱闘のすえ、さらにそのうちのある者が相手を殺傷したような場合には、共同謀議と殺傷の間に相当因果関係があり、すべての者の共同不法行為が成立するとした判例がある（前掲大判昭和 9・10・15）。

　〔3〕　本条は、共同不法行為の効果として、「各自が連帯してその損害を賠償する責任を負う」と規定する。この規定をめぐって、つぎのことが問題になる。

　⑴　共同不法行為者である B_1・B_2・B_3 は、〔2〕に述べた全損害について、各自が全部を賠償する義務がある。そのうちの一人が全部または一部を支払えば、その限りにおいて他の者の義務は消滅する。

　交通事故と医療事故が順次競合し、そのいずれもが患者の死亡という不可分の 1 個の結果を招来し、その間に相当因果関係があるときは、各不法行為者が被害者の被った全損害について連帯責任を負うべきものとし、結果発生に対する寄与の割合をもって損害額を案分すべきではないとする判例がある（最判平成 13・3・13 民集 55 巻 328 頁。なお、過失相殺については、改正前§722〔2〕(7)(イ)参照）。

　以上の点は、連帯債務（改正前§§432〜）と同一である。「連帯にて」という言葉は、以上の効果に関して意味をもつと考えてよい。

　⑵　それ以上に、「連帯にて」という字句があるからといって、この債務を連帯債務とまったく同一のものと考える必要はない。これは、むしろ不真正連帯債務と考えるべきである（本条前注(1)(イ)参照）。具体的には、つぎの二点において違いがある。

　(ア)　共同不法行為者の一人について生じた事由は、⑴に述べた弁済またはこれに準じる事由（これは当然に全員に効力を生じる）を除いて、他者に影響を及ぼさない（§§434〜439 は適用されない）。たとえば、B_1 に対する債務について A が訴訟を起こしても、B_2・B_3 に対する債権についての消滅時効の中断は生じないし（改正前§434 の不適用。最判昭和 57・3・4 判時 1042 号 87 頁）、B_1 に対して A が債務の免除をしても、B_2・B_3 の債務は減少しない（改正前§437 の不適用。最判平成 6・11・24 判時 1514 号 82 頁）。

§719〔2〕〜〔4〕

　ただし、被害者による免除の意思表示の趣旨については留意する必要がある。甲と乙の共同不法行為者があり、被害者が甲から請求額の一部の支払を受け、残額を免除した場合には、それによって紛争の全体を解決する意思である場合がありうる。そのような場合は、乙の責任についても残額の免除があったものとしてよいとした判例がある（最判平成10・9・10民集52巻1494頁）。

　(イ)　共同不法行為者間の負担・求償関係についても、連帯債務の規定（§§442〜445〔改注〕）は適用されない。

　負担・求償の割合は、それぞれの場合に応じて判断される。各共同不法行為者の過失の度合い（(a)〜(d)の判例参照）や損害発生への加功度（原因となっている度合い）などを考慮して、割合を決めるのが妥当であると思われる。もしそれらの事情によっても割合が定められないときは、平等の割合と推定することになろう（連帯債務の規定が適用されるとしていた時代の判決であるが、大判大正3・10・29民録20輯834頁。改正前§442〔2〕(ア)参照）。

　なお、共同不法行為と使用者責任とが重複した場合について、つぎの判例がある。

　(a)　B_1 と B_2 の共同過失で自動車事故を起こした場合に、B_2 の使用者 B_3 が使用者責任により被害者 A に賠償したときは、B_3 は B_1 に対して、B_1 と B_2 の過失の割合に応じて求償できるとした（最判昭和41・11・18民集20巻1886頁）。

　(b)　同じような事案において、B_1 が賠償したときは、B_1 は B_3 に対して、B_1 と B_2 の過失の割合に応じて求償できるとした（最判昭和63・7・1民集42巻451頁）。

　(c)　B_1 と B_2 が過失で A に損害を与え、B_1 には B_3、B_2 には B_4 という使用者がいる場合に、賠償を支払った B_3 は B_4 に対して、B_1 と B_2 の過失の割合に応じて求償できるとした（最判平成3・10・25民集45巻1173頁）。

　(d)　同じ事案において、B_1 に対して B_4 も同時に使用者であると認定されたので、B_1 の過失割合についての B_3 と B_4 の分担割合が問題になった。判例は、B_1・B_2 の加害行為の態様、各使用者の事業執行との関連性、各使用者の指揮監督の強弱を考慮して、B_3 と B_4 の割合を定めるべきであるとした（同前。原審は、求償問題を一挙に解決するとして、B_1 が1割、B_2・B_3・B_4 がそれぞれ3割という割合を認定したが、本判決は、まず(c)による、それから(d)による割合の計算をする必要があるとした）。

　(ウ)　A 車と B 車の衝突による交通事故で、A 車の運転者と保有者および B 車の運転者の共同不法行為とされた事案について、B 車に同乗していた運転者の親族の損害につき自賠責保険による支払がなされた場合に、その填補額について、A 車側の責任につき B 車側の過失による減額（過失相殺とする）が行われた額からこれを控除した原審を破棄して、過失相殺を行わない本来の損害額から控除すべきものとした判例がある（最判平成11・1・29判時1675号85頁）。

　〔4〕　たとえば、数人が共同して他人を殴打し、そのうちの一人がナイフで傷をつけたが、それがだれの仕業か不明なような場合である。このような場合に、他の者の一人が自分だけはナイフを所持しなかったことを証明しても、責任を免れないと解するべきであろう。このような事例も共同不法行為になりうることを確認した規定といえる。

1611

第3編　第5章　不法行為

〔5〕　他人をして不法行為の意思決定(故意・過失といえる態様における)をさせること
である。他人をそそのかして第三者を殴打させ、他人を欺いて第三者の所持物につい
て不注意な取扱いをさせ、滅失または損傷させる、などである。殴打・滅失または損
傷という違法行為自体を共同にするものでない点に特色があるが、これも共同不法行
為の一つの態様といえることを確認した規定である。過失により他人に不当な指図を
し、その他人も過失により第三者に損害を加える場合のように、過失による教唆も認
めることができるであろう。

〔6〕　違反行為の補助的行為をすることである。ある人が他人を殴打するさいに見
張りをし、窃盗の盗品を情を知って買受ける(大刑判大正8・12・9刑録25輯1255頁)な
どである。

（正当防衛及び緊急避難）
第七百二十条

1　他人の不法行為[1]に対し、自己又は第三者の権利又は法律上保護される利
益を防衛するため[2]、やむを得ず加害行為をした者[3]は、損害賠償の責任を負
わない。ただし、被害者から不法行為をした者に対する損害賠償の請求を妨
げない[4]。

2　前項の規定は、他人の物から生じた急迫の危難を避けるためその物を損傷
した場合[5]について準用する。

[原条文]

他人ノ不法行為ニ対シ自己又ハ第三者ノ権利ヲ防衛スル為メ已ムコトヲ得スシテ加害行
為ヲヲシタル者ハ損害賠償ノ責ニ任セス但被害者ヨリ不法行為ヲ為シタル者ニ対スル損害
賠償ノ請求ヲ妨ケス

前項ノ規定ハ他人ノ物ヨリ生シタル急迫ノ危難ヲ避クル為メ其物ヲ毀損シタル場合ニ之
ヲ準用ス

本条は、いわゆる正当防衛(1項)と緊急避難(2項)について規定する。元来、他人の
違法な行為があっても、私人は、自分の力でこれに制裁を加え、またはその排除をす
るべきものではなく、国家の力に訴えてこれをするべきことを原則とする。しかし、
急迫な事情が存在し、国家の助力をまつ余裕がないときは、私力によってこれをする
ことも許され、そのいわゆる自力救済行為は違法性がなくなるのである(§709〔4〕(3)(ク)
参照)。

〔1〕　正当防衛の対象となる他人の不法行為は、不法行為の客観的要件を備えれば
足りる。主観的要件、すなわち行為者の故意・過失および責任能力は必要でない。け
だし、正当防衛のように緊急な行為の要件は、外形的事情によって決することを至当
とするからである。ただし、幼児からの加害行為などに対しては、加害者は、多くの
場合に、みずから加害行為にまで及ばなくても、これを防ぐことができるであろう。
そのときは、「やむことを得ず」という事情がないことになり、結局、正当防衛の要
件を欠くことになる(後述〔3〕参照)。

〔2〕　(1)　ここにいう「権利」も、709条の「権利」と同様に、厳格な意味の権利

§§719 ⑸⑹・720 ⑴〜⑸

に限るべきではない。ただし、その権利が具体的にはっきりした内容のものか、それとも内容が比較的不明なものかは、防衛行為の態様と関連して正当防衛の成立に影響を及ぼす。けだし、正当防衛が違法性を阻却するというのは、結局は、不法行為が違法な行為であるということを裏からいったことに帰着するものだからである。

⑵ 「法律上保護される利益」は 2004 年改正で付加された語句である。これについては、709 条〔4〕⑵・〔5〕参照。

〔3〕 「やむを得ず……した」とは、

(a) 他人の違法行為が急迫であって、国家の救済を求める余裕がないだけでなく、

(b) その違法行為を防衛するために、みずから加害行為をするほかに適当な手段がないという事情が存することを必要とする。いいかえれば、容易に逃避することができるのにかかわらず、制裁を加える意図でなされた加害行為などは含まれない。のみならず、

(c) 防衛される利益と防衛のためになされる加害行為から生じる損害とを比較して、客観的にみていちじるしく権衡を失しないことを必要とする。僅かな財産を防衛するために生命に危害を加えるなどは、正当防衛とはならない(大判昭和 11・12・11 判決全集 4 輯 25 頁は、名誉を毀損する新聞広告に対する自衛のための広告が、論調が激越なため過剰防衛行為で、不法行為になるとされたが、相手方にも過失があり、過失相殺の対象にはなるとした)。

「加害行為」は、不法行為者に対する反撃、たとえば不法行為者を殴打するなどのほか、第三者に対する加害行為、たとえば暴行者を避けるために第三者の所有する塀を破壊して逃げるなどを含む(〔4〕参照)。この点は、反撃だけを正当防衛とする刑法(§36)と異なる。

〔4〕C が B の暴行を避けるために A の所有の塀を破壊して逃げたような場合に、——C の行為は、A に対する不法行為とならないが——A から B に対して損害賠償の請求をすることができるという意味である。ただし、B に故意または過失があり、かつ、責任能力を伴う場合でなければならない。けだし、このただし書は、B が C の責任を生じない行為を利用して、A に対して不法行為をしたのと同じ結果となることを理由とするものだからである。

〔5〕 緊急避難が成立する要件は、

(a) 他人の物から生じる急迫の危難、たとえば、隣家の犬が咬みつこうとするなどの事情の存することである。外形的にも違法な行為者が存在しないことが正当防衛と異なる点である。このほか、

(b) これを避けるためにその物を滅失または損傷すること、たとえば、その犬を殴打して傷つけるなど、

(c) さらに、その物を破壊する以外に適当な防衛手段がないこと、および、

(d) 防衛される利益とその物の破壊によって生じる損害との間にいちじるしく権衡を失しないこと、などである。

(c)と(d)の要件は正当防衛と同一である(〔3〕(b)・(c)参照)。

注意するべきは、(b)の要件である。正当防衛と異なり、第三者に損害を加えること

1613

第3編　第5章　不法行為

は緊急避難とはならない。外形的にも違法な行為が存在しない場合だから、第三者に対する加害を認めないのであろう。この点も刑法の緊急避難(刑§37)と異なるところである。

　判例は、洪水のため村落が危険に瀕したさいに、これを救うために堤防を決潰し、溢水罪(刑§119。現在は現住建造物等浸害罪ないし出水罪と呼ばれている)に問われた刑事事件につき、堤防管理者(鳥取県)から損害賠償の附帯私訴が提起されたさいに、刑法上は緊急避難となるが、民法上はならないとして、損害賠償義務を課した(大刑判大正3・10・2刑録20輯1764頁〔千代川堤防破壊事件〕)。この判決は、本条の解釈としてはいちおう正当であろう。しかし、堤防の占有者ないし所有者が717条の責任を負うべき場合(上述の犬の例では、飼い主が§718の責任を負うべき場合)には、正当防衛が成立することはいうまでもない。のみならず、危難の種類と緊急の事情いかんによっては、第三者に比較的少ない損害を与えても、民法上は違法性を阻却するものと認められる場合がありうるといわなければなるまい。けだし、本条も、結局は、不法行為の要件である違法性の範囲を定める具体的な一つの標準にすぎないものとみるべきだからである。

　なお、漁港管理者である町が、不法係留されたヨットを夜間航行する漁船などに危険な状況になったとして撤去した費用について、町の違法な支出であると訴えられた事案において、本条の法意に照らして違法でないとした例がある(最判平成3・3・8民集45巻164頁)。

（損害賠償請求権に関する胎児の権利能力）
第七百二十一条
　　　胎児は、損害賠償の請求権については、既に生まれたものとみなす[1]。
　［原条文］
　　　胎児ハ損害賠償ノ請求権ニ付テハ既ニ生マレタルモノト看做ス

　〔1〕　父が殺された場合に、子は、父に対する親族権を侵害されたことを理由として財産的ならびに精神的損害の賠償を請求することができる(§711〔1〕〔2〕参照)。もし、その子が父の殺害された当時に、母の胎内にいる胎児であったら、どうであろうか。胎児は権利能力がないから、親族権の主体となることはできない。したがって、生まれた後においても、親族権の侵害を主張することはできないことになるであろう。本条は、この不都合を避けるために、父が殺された当時、胎児であった者も親族権の主体となりうるものとしたのである。しかし、不法行為の要件である権利侵害を違法な行為という意味に弾力的に解する見解からすれば、生まれた後の子に損害賠償請求権を認めることも可能であろうから、本条の規定は、それほど必要がないともいえるであろう(§§709〔4〕・711〔1〕参照)。たとえば、内縁の妻の子で父から認知されていない子が胎児であるうちに父が死亡させられた場合には、711条による慰謝料は請求できないが、709条により、父の生存により得べきであった利益を請求できるとされる(大判昭和7・10・6民集11巻2023頁)。

§§721・722〔1〕

　本条の適用に関して、つぎのような興味ある判断が示された。母が無保険車による加害を受けた時に胎児であったXが、父が締結した自家用自動車総合保険契約における無保険車傷害条項に基いて保険会社に保険金を請求した事例である。その条項には被保険者の子が被る損害について保険金を支払うことが定められていたが、判決は、本条を根拠としてその請求を認めた（最判平成18・3・28民集60巻875頁）。

　なお、本条は、胎児について上記のように親族権の侵害を主張できる地位を認めたにとどまり、胎児中に損害賠償請求権を行使することまでを認めたのではないとするのが判例・通説である（§3〔4〕参照）。また、胎児が死体で生まれたときは、本条は適用ないと解されている（§886Ⅱ参照）。

　（損害賠償の方法、中間利息の控除及び過失相殺）
　第七百二十二条
　　1　第四百十七条及び第四百十七条の二の規定は、不法行為による損害賠償について準用する。
　　2　被害者に過失があったとき[2]は、裁判所は、これを考慮して、損害賠償の額を定めることができる[3][4]。

〈改正〉　2017年に改正された。見出しを変更し、1項中「第四百十七条」の下に「及び第四百十七条の二」を加えた。
［改正の趣旨］　他の条文の改正（417条の2）に対する対応である。
［改正前条文］
（損害賠償の方法及び過失相殺）
　　1　第四百十七条の規定は、不法行為による損害賠償について準用する[1]。
　　2　同上
［原条文］
　　第四百十七条ノ規定ハ不法行為ニ因ル損害ノ賠償ニ之ヲ準用ス
　　被害者ニ過失アリタルトキハ裁判所ハ損害賠償ノ額ヲ定ムルニ付キ之ヲ斟酌スルコトヲ得

　本条は、第1項において、不法行為の損害賠償も債務不履行のそれと同じく、金銭賠償を原則とすることを定め、2項において、いわゆる「過失相殺」を規定する。不法行為者の責任を定めるに当たって過失相殺の原理を適用するのは、公平の原則の一つの適用であることは、債務不履行におけるのと同一であるが（改正前§418参照）、規定の内容に差異があることを注意するべきである（同§418〔3〕参照）。
　〔1〕　不法行為による損害の賠償も、金銭賠償を原則とする意味である。精神的な損害の賠償（慰謝料。かつては慰藉料と記した）も金銭による。その算定ははなはだ困難であるが、結局、普通人がその慰謝料を受けることで精神的な苦痛を慰謝できる程度の額ということになる（§710〔7〕(2)参照）。
　金銭賠償の原則に対する例外として、原状回復の請求が認められる場合については、723条が定める名誉毀損の場合のほかに、鉱業法の鉱害賠償（同法§111Ⅱ・Ⅲ）、不正競争防止法（同法§14。信用回復の措置という）について規定がある。それ以外に、原状回

1615

第 3 編　第 5 章　不法行為

復の請求をすることはできない(大判大正 10・2・17 民録 27 輯 321 頁。不動産賃借権の侵害が認められ、それにより不動産の引渡しを請求したが、認められなかった)。

　なお、不法行為について賠償額の予定を認めるのは原則として疑問だが(本章解説⑪(5))、鉱業法は特別の規定を置いている(同法§114)。

　〔2〕　本項は、被害者に過失があるときは、裁判所は損害賠償の額を定めるについてこれを考慮(原条文では「斟酌」。〔3〕参照)することができる旨を規定している。これは、そのような場合には、加害者が賠償するべき損害額を全額とせず、減額するのが公平の観念に添うことが多いという趣旨に基づくものである。あたかも、両者の過失を相殺するという形になるので、「過失相殺」と名づけられるが、この言葉にあまり拘泥することは正しくない。本条の適用に当たっては、このような根本趣旨を基準とし、加害者・被害者の過失の大小・違法行為の発生および損害の拡大について与えた原因力の大小など諸般の事情を考慮して賠償額の範囲を定めなければならない。解釈上問題となる主要な点を、つぎに掲げよう。

　(1)　「被害者に過失があったとき」とは、被害者の過失が損害の発生について存する場合(たとえば、自動車の運転手に過失があって轢かれたが、被害者も交通規則を無視して道路を歩いていたときなど)、および、損害の拡大について過失のある場合(轢かれたのには過失はないが、その後の傷の手当てに過失があって、傷が悪化したときなど)を含む(大刑判明治 34・4・5 刑録 7 輯 4 巻 17 頁)。

　(2)　加害者の責任が無過失責任である場合にも、本条の適用があるといって差しつかえない(§717 の土地工作物所有者の責任について、大判大正 7・5・29 民録 24 輯 935 頁。その他のいわゆる中間的責任についても、同様である。加害者に過失がなく、被害者に過失があるというのであれば、たしかに奇異であるが、無過失責任を「無過失の衣を着た過失」責任と考えれば、問題はない。本章解説⑥(1)参照)。

　加害者が故意の不法行為により責任を負う場合にも、――被害者の過失の斟酌の程度は少なくなるだろうが――、本条を適用してかまわないと考えられる(斟酌するべきでないとする意見もあるが、たとえば、被害者の過失によって損害がいちじるしく拡大したようなときに、斟酌されてよい場合もあろう)。

　(3)　被害者自身の過失についてどう考えるかについて、判例は興味ある変遷を示す。

　(ア)　初期には、被害者に過失があるというためには、被害者に責任能力があることが必要であるとされた(大判大正 4・6・15 民録 21 輯 939 頁)。また、事例としては、出漁しようとする漁船の短艇に衝突してこれを破壊させた汽船会社が代わりの短艇を提供したのに、理由なくこれを拒絶して出漁しなかった漁船所有者が、出漁しないことによる全損害の賠償を請求した事件では、過失相殺を認めた(大判明治 44・12・20 民録 17 輯 861 頁)。これに反し、宿屋の営業者が営業用動産を不当に差押さえられ、2 年間休業のやむなきに至った事件では、他から営業用動産を調達して営業を継続しなかったことを相殺するべき過失とは認めなかった(大判明治 39・6・13 民録 12 輯 979 頁)。

　(イ)　最高裁の判例としては、この過失を不法行為の成立要件の過失と同一のものと解するものもあったが(最判昭和 31・7・20 民集 10 巻 1079 頁。8 歳 10 か月の子どもが道路を横断した例。子どもに過失なしとされた)、最高裁は、その後、見解を変えて、被害者に

1616

§722〔2〕

要求される能力としては、不法行為の要件とは異なり、事理を弁識するに足る知能が備わっていればよいとした（最大判昭和 39・6・24 民集 18 巻 854 頁。8 歳 2 か月の子どもと 8 歳 1 か月の子どもが自転車で相乗りして自動車にはねられ死亡した例につき、交通の危険について弁識する能力は十分あったとして、過失ありとした）。

　(4) 被害者本人が、たとえば年少であるために必要な事理弁識能力を備えない場合、あるいは成人の被害者であっても、その被害者本人には過失がない場合に、いわば「被害者の側」に立つ他の者に過失があることが斟酌されるかという問題がある。

　(ア) まず、事理弁識能力のない幼児の監督義務者（§714 参照）の過失はどうであろうか。

　かつての判例は、被害者自身の過失でないことを理由にこれを否定し（大判大正 4・10・13 民録 21 輯 1683 頁）、責任無能力である幼児が死亡して、監督義務者である父が損害賠償を請求する場合（§711 参照）にのみ、過失相殺を認めるとしていた（大判昭和 3・8・1 民集 7 巻 648 頁）。

　これに対して、近時の判例は、過失者の範囲を拡げ、「被害者の側」の過失を認める考え方を採用し、監督義務者の不注意を考慮に入れるべきであるとしている（最判昭和 34・11・26 民集 13 巻 1573 頁。8 歳 2 か月の子どもの飛び出しによる自動車事故につき、父母の不注意を考慮に入れないのはいけないとして破棄・差戻した）。

　(イ) この「被害者の側」の理論については、監督義務者以外への拡大について、種々の問題になりうるので、判例は、「被害者本人と身分上ないし生活関係上一体をなすとみられる関係に立つ者」という標準を掲げている（最判昭和 42・6・27 民集 21 巻 1507 頁は、保育園の被用者である保母がその日だけの幼児の引率を命じられ、引率中に幼児が被害にあった事例において、保母の過失は被害者側の過失といえないとし、最判昭和 51・3・25 民集 30 巻 160 頁は、自動車同士の衝突で、被害者側とされた車を夫が運転していて、助手席にいて負傷した妻が相手の運転手に損害賠償を請求した事例において、夫の過失も被害者側の過失として斟酌されるべきであるとした）。

　(ウ) この「被害者の側」の理論は、すでに、つぎのような場合について用いられていたということができる。

　すなわち、自分自身には普通の過失がなくても特別の責任を負うべきものとされている者、たとえば、監督義務者（§714）、使用者（§715）、土地の工作物の占有者ないし所有者（§717）が被害者側となった場合に、その責任を負うべき事情が被害の一つの原因となっているとき、土地の工作物の設置・保存に瑕疵があることが、他人の不法行為による損害を拡大する原因となったとき、または使用者が被用者である運転手の選任・監督を怠り、その過失もあって被用者が電車に轢かれたとき、などにも、加害者は過失相殺を主張することができる（同旨、大判大正 9・6・15 民録 26 輯 884 頁、大判昭和 12・11・30 民集 16 巻 1869 頁）。

　なお、B が運転し、C が同乗した自動二輪車を停止させようとして、警察官 A が、その前方にパトカーを停止させたが、自動二輪車がパトカーに衝突し、C が死亡した。パトカーは赤色の警告燈をつけず、サイレンも鳴らしていないという過失があるとして、C の遺族による国家賠償請求が肯定され、自動二輪車の運転者 B の過失が過失相殺の対象になるかが争われた事案につき、最判平成 20・7・4（判時 2018 号 16 頁）は、

第3編　第5章　不法行為

Bの運転行為は、BとCの共同暴走行為の一環を成すものであり、Bの過失は過失相殺の対象となるとした。

　(エ)　以上のことは、要するに、過失相殺といっても、「過失」ということに特別な意味があるのではなく、被害者の側にも責任原因が存在するときは、これを考慮して加害者の責任の範囲を公平に定めるべきであるということであり、それがいわば、いわゆる過失相殺の理念なのである。

　(5)　被害者が有していた身体的・精神的要素(これを「素因」という)が、損害の発生ないし拡大に寄与した場合に、これを過失相殺の対象とできるかどうかが争われている。

　判例は、いずれも本項の類推適用といっているが、肯定した例(最判昭和63・4・21民集42巻243頁は、交通事故によって外傷性頭頚部症候群〔いわゆる鞭打ち症〕を生じた被害者が、同人の心因的要素によって治療に10年も要した場合について、3年間のみに相当因果関係を認め、さらに本項を類推適用して4割の限度で損害賠償を命じた例、最判平成4・6・25民集46巻400頁は、交通事故後に被害者が死亡したのは、すでに罹患していた一酸化炭素中毒も原因になっているとして、本項を類推適用して5割を減額した例である)と、否定した例(最判平成8・10・29民集50巻2474頁は、頚椎不安定症のある被害者が交通事故にあった例で、特段の事情のない限り斟酌できないとした例)がある。

　思うに、被害者はその結果をみずから望んだわけでなく、いわば強制的に事故にあったのであるから、特別の事情(具体的にその素因が損害の発生・拡大に寄与したことに関して被害者に過失があるというような)がない限り、加害者は被害者のあるがままの状態を受け入れなければならないという否定論の見解に正当性が認められるのではないであろうか。被害者の喫煙癖、飲酒癖などをどう考慮するべきかなど、なお論議の存するところである。

　なお、最判平成12・3・24(民集54巻1155頁)は、ラジオ局における過労による自殺の事例について、原審が行った、性格などの心因的素因、被害者の両親が改善処置を採らなかったことなどを理由とする3割の過失相殺を否定した。最判平成20・3・27(判時2003号155頁)は、従業員の死亡につき、使用者による業務上の過重負荷と従業員の基礎疾患(冠状動脈の障害)がともに原因になったとされた事例について、過失相殺に関する本条2項を類推適用しなかった原審を違法として、破棄し差戻した。過重な業務が続くなかで、労働者が、体調不良を使用者に伝えて相当の日数の欠勤を繰り返し、業務の軽減の申出をするなどしていた事情においては、使用者としては、そのような状態が過重な業務によって生じていることを認識しうる状況にあり、その状態の悪化を防ぐために当該労働者の業務の軽減をするなどの措置をとることは可能であったというべきであるから、そのような措置をとらずに労働者のうつ病が発症し増悪したことにつき、労働者が使用者に対して自己の精神的健康(いわゆるメンタルヘルス)に関する情報を申告しなかったことを重視して過失相殺を認めることは相当ではないとされた事例がある(最判平成26・3・24判時2297号107頁)。

　(6)　いわゆる「危険への接近」の法理(被害者が危険に近づいたために、損害が発生し、または拡大した場合に、これを考慮に入れるとする考え方)は、この過失相殺の問題として

§722 〔3〕

位置づけ、裁判所がそれを斟酌するかどうかを判断するのが適切であろう。

「危険への接近」の法理の適用を明言した最高裁判決が、問題を、その接近者を被害者といえるかどうかという問題としてとらえているが（最大判昭和56・12・16民集35巻1369頁〔大阪空港公害訴訟上告審判決〕）、適切ではないように思われる（空港騒音が問題になっていることを知ってその地域に転居してきた者の損害賠償請求をしりぞけたが、そのように考えると、ある地域の環境を破壊してしまえば、それが是認されて、その地域内の他者の私権を制約してしまうことができるという論理になってしまうと考えられる。接近者がその問題を故意に悪用しようとする意図をもっていた場合を除き、不法行為責任そのものを否定するべきではない）。

(7) 共同不法行為に関連しての過失相殺には、検討されるべき問題が多い。

㈠ Ａ車とＢ車の衝突による一つの交通事故で、両者の共同不法行為とされた場合に、Ｂ車の運転者の親族である同乗者からのＡ車の運転者らに対する損害賠償請求について、Ｂ車の運転者の過失（制限速度超過）および同乗者本人の過失（シートベルトの不装着）が考慮されるとした判例がある（最判平成11・1・29判時1675号85頁。Ｂ車の運転者も共同不法行為者なので、通常の過失相殺とは若干異なるところがある）。

また、内縁の夫が運転する自動車が他車と衝突し、内縁の妻が他車の運転者に対して損害賠償を請求した事例につき、原審は、妻が、夫が飲酒運転や無謀運転をすることを知りながら同乗したという事情は認められないからとして、内縁の夫の過失は考慮されないとしたのに対し、最高裁は、内縁の夫の過失を被害者側の過失として考えうるとして、原判決を破棄し、差戻した（最判平成19・4・24判時1970号54頁）。

㈡ 交通事故と医療事故が順次競合して被害者の死亡という不可分の1個の結果を招来した場合について、過失相殺は各加害者と各被害者の間の過失の割合に応じてするべきであるとした判例がある（最判平成13・3・13民集55巻328頁）。

㈢ 複数の加害者の過失が競合するケースにおいて、「絶対的過失割合」の観念を用いて、全体的に過失相殺を行おうとする考え方がみられる。Ａ（正しくない駐車をしていた車）、Ｂ（それを避けて、中央線をはみだして走行した車）、Ｃ（制限時速を40キロ超過して走行してきた対向車）の3台による交通事故で、それぞれの関係者の過失の割合が1対4対1とされ、このように「交通事故の原因となったすべての過失の割合（以下「絶対的過失割合」という）を認定することができるときには、絶対的過失割合に基づく被害者の過失による過失相殺をした損害賠償額について、加害者らは連帯して共同不法行為に基づく賠償責任を負う」とした判例がある（最判平成15・7・11民集57巻815頁）。

〔3〕 (1) この語句は、原条文では「斟酌スルコトヲ得」と規定されていた。この斟酌について、判例は、裁判所の自由裁量によるとしていた（最判昭和34・11・26民集13巻1562頁。夫が妻の不貞の相手を訴え、認められたのに対して、夫にも責任の一端があるのに、それを考慮しなかったとする上告をしりぞけたもの。その他、最判昭和39・9・25民集18巻1528頁など）。

㈠ 賠償義務者の主張をまたずに、裁判所は、被害者の過失があると認めたときは、職権で斟酌できる（大判昭和3・8・1民集7巻648頁、最判昭和41・6・21民集20巻1078頁）。

㈡ 斟酌の結果、減額する割合についても、裁判所の自由裁量で決めることができ、

第3編　第5章　不法行為

その理由を述べる必要はない(前掲最判昭和39・9・25、最判昭和44・2・21判時553号44頁)。

　(ウ)　とはいえ、自由裁量にも一定の限界はあるとする判断もある。裁判所が、被害者にも一定の過失があると認定したにもかかわらず、これを過失相殺についてまったく斟酌しないときは、その理由を示さなければならない(大判昭和3・8・1民集7巻648頁)。また、過失割合の判断が裁量権の範囲を逸脱して違法になる場合があることを認めた判例もある(最判平成2・3・6判時1354号96頁。糖尿病患者が断食道場に入り、3日後に死亡した事案で、道場の不法行為責任を認めたが、被害者の過失が7割あるとした原審判決を破棄し、差戻した)。

　(2)　斟酌に当たっての減額の仕方について、つぎの判例がある。

　(a)　損害額の一部請求である場合には、損害全額から減額し、その残額が請求額を超えないときは残額、超えるときは請求額全額を認容するべきだとした(最判昭和48・4・5民集27巻419頁。一部請求についての考え方など、問題が残る判決である)。

　(b)　弁護士費用は減額の対象とならず、また、慰謝料も被害者の過失を斟酌したうえでの額だから対象にならないとした判例がある(最判昭和52・10・20判時871号29頁。慰謝料については、全額を認定したうえで、過失割合で減額するという方法も許されるのではないか)。

　(c)　損害について損益相殺(§709〔7〕(4)(イ)参照)によって控除される金額がある場合に、その控除と本条の過失相殺のどちらを先に行うかという問題がある。第三者の行為によって生じた労働災害に基づく第三者に対する損害賠償において、労災保険法による保険給付額の控除について、まず過失割合による相殺をしたうえで、保険給付を控除するとされ(最判平成元・4・11民集43巻209頁。反対の順序によるべきであるとする反対意見がある)、また、支給された葬祭費の控除についても、現実に生じた損害につき過失相殺をしたうえで、控除すべきであるとされた(最判平成17・6・2民集59巻901頁)。

　〔4〕　本条の表現によれば、裁判所は、被害者の過失がきわめて大きいときには、加害者の賠償義務を極度に減少することができるが、しかし、これをまったく免除することはできない。「額を定めるにつき」といって、改正前418条のように、「責任及び金額を定めるにつき」といっていないのは、その意味である(大判昭和12・5・14民集16巻618頁)。また、たとえ被害者に過失があると認定しても、諸般の事情から斟酌する必要はないと考えれば、賠償額を減じなくても妨げない。原条文において「斟酌スルコトヲ得」と規定し、改正前418条のように「……斟酌ス」といっていないのは、その意味であると判例により解されていた(大判大正9・11・26民録26輯1911頁)。これらのことは、2004年改正による表現でも同じように解されることになろう(〔3〕参照)。

　以上の判例の態度は、文理解釈としては正当であろう。しかし、実質的な合理性があるかどうかは、はなはだ疑わしい。学説には、実際上の取扱いに当たっては、この区別にこだわらずに判断するのが妥当であるとする意見が多い(改正前§418の場合にも、債務者の過失を考慮しないことが可能であり、本項の場合にも責任を否定することが可能である

§§722〔4〕・723〔1〕〔2〕

と考えることになる)。

(名誉毀損における原状回復)
第七百二十三条
他人の名誉を毀損した者¹⁾に対しては、裁判所は、被害者の請求により、損害賠償に代えて、又は損害賠償とともに、名誉を回復するのに適当な処分²⁾を命ずることができる。

[原条文]

他人ノ名誉ヲ毀損シタル者ニ対シテハ裁判所ハ被害者ノ請求ニ因リ損害賠償ニ代ヘ又ハ損害賠償ト共ニ名誉ヲ回復スルニ適当ナル処分ヲ命スルコトヲ得

〔1〕 710条〔3〕参照

〔2〕 (1) たとえば、新聞紙に謝罪広告を出させるなどである。原告は、謝罪広告の申立てをすれば足り、必ずしも、広告の活字の大きさその他の体裁を詳細に申し立てる必要はないとされている(大判明治43・11・2民録16輯745頁)。被告が判決で謝罪広告をするべき旨を命じられても、なおみずからこれを履行しないときは、原告は代替執行によって目的を達することができる(改正前§414〔5〕参照)。

(2) そのほかには、当該記事の取消し広告、謝罪文の交付・掲示、名誉毀損に当たる部分(看板・印刷物・碑文など)の除去などが考えられる。不法行為者自身が謝罪の表明や行為を行うことを命じるのは、適切ではないであろう(人身や思想に対する拘束になるので)。反論文の掲載請求が認められるかについては、710条〔3〕(8)参照。

(3) 謝罪広告を命じるという方法が、その被告の信念に反する表明を強制することにおいて、憲法19条に違反するのではないかが争われたことがある。最高裁は、「右放送及び記事は真相に相違しており、貴下の名誉を傷つけ御迷惑をかけました。ここに陳謝の意を表します」という内容の謝罪広告を命じることについて、憲法には違反しないとした(最大判昭和31・7・4民集10巻785頁。この程度なら、命じられた者の倫理的な意思、良心の自由の侵害にはならないとする。なお、強制執行方法についても、この程度なら代替執行〔§414Ⅱ本文〔改注〕、当時民訴§733、現在民執§171〕によることができるとし、ときには間接強制〔当時民訴§734、現在民執§172〕によることもありうることを示唆している。しかし、後者については、意思の強制になるので疑問がある)。

しかし、その後も違憲論は根強いものがあり、謝罪広告の方法そのものの再検討が望まれる(たとえば、これこれの判決によりBはAに対してつぎの謝罪広告をすることを命じられたと前置きして、主文の内容とされた謝罪文を掲載する、などの方法が工夫されてよい)。

(4) 新聞に謝罪広告の掲載を求める訴訟が提起された場合、その訴額は、その新聞広告掲載に要する通常の費用によって算定するという判例がある(最判昭和33・8・8民集12巻1921頁)。

(5) 自分の離婚に関し真実でない事項の放送がなされたとして、放送法4条1項に基づく訂正放送を求めたのに対して、同条は、放送者の公法上の義務を定めたもので、私法上の請求権を認めたものではないとして、認めなかった判決がある(最判平成16・11・25民集58巻2326頁。しかし、原審は、名誉毀損をみとめ、慰謝料の支払を命じたが、謝罪

1621

第3編　第5章　不法行為

放送については、放送法§4Ⅰの訂正放送を認めて、それがあれば必要ないと判断したものであった。上告審の論点が後者の問題に限られたという事情はあれ、訂正放送を否定するだけでよいか、疑問が残るところである）。

（不法行為による損害賠償請求権の消滅時効）
第七百二十四条

　　不法行為による損害賠償の請求権は、次に掲げる場合には、時効によって[2]消滅する。

　一　被害者又はその法定代理人が損害及び加害者を知った時から三年間行使しないとき[1]。

　二　不法行為の時から二十年間行使しないとき[2]。

〈改正〉　2017年に改正された。附則（不法行為等に関する経過措置）第三十五条1　旧法第七百二十四条後段（旧法第九百三十四条第三項（旧法第九百三十六条第三項、第九百四十七条第三項、第九百五十条第二項及び第九百五十七条第二項において準用する場合を含む。）において準用する場合を含む。）に規定する期間がこの法律の施行の際既に経過していた場合におけるその期間の制限については、なお従前の例による。

[改正の趣旨]　[1]　新法による時効期間も一般原則による債権の消滅時効期間よりも短いままである。これは加害者の不安定な立場を保護する趣旨であるとされている。

　　[2]　期間を除斥期間ではなく、時効期間に変更する趣旨である。これは被害者救済の観点からの改正である。その結果、時効の完成猶予や更新が可能となる。改正前724条後段の不法行為の時から20年という期間制限に関して、「中断」や「停止」の認められない除斥期間であるとした判例（最判平成元・12・21民集43巻2209頁、本条の解説[3](2)参照）とは異なり、同条後段も同条前段と同様に時効期間についての規定であることを明確にした。上記判例のような立場に対しては、被害者救済の観点から問題があるとの指摘があり、「停止」に関する規定の法意を援用して被害者の救済を図った判例（最判平成21・4・28民集63巻835頁、同上の解説参照）も現れていたこと等を考慮したものである。解説[3]も参照。なお、新法施行の際に改正前法同条の20年が経過していた場合には、「従前の例による」（附則35条）とされているが、前掲最判平成元・12・21のように、除斥期間であるから援用は不要と解するかについては、議論の余地がある（特に、援用が信義則違反・権利濫用の場合）。なお、「従前の例による」については、改正審議においても、除斥期間説を法的に確定させる性質のものではなく、解釈は色々ありうる、とされていた。

[改正前条文]
（不法行為による損害賠償請求権の期間の制限）

　　不法行為による損害賠償の請求権は、被害者又はその法定代理人が損害及び加害者を知った時から[1]三年間行使しないときは、時効によって消滅する[2]。不法行為の時から二十年を経過したときも、同様とする[3]。

[原条文]

　　不法行為ニ因ル損害賠償ノ請求権ハ被害者又ハ其法定代理人カ損害及ヒ加害者ヲ知リタル時ヨリ三年間之ヲ行ハサルトキハ時効ニ因リテ消滅ス不法行為ノ時ヨリ二十年ヲ経過シタルトキ亦同シ

[改正前条文の解説]
本条は、不法行為に基づく損害賠償請求権について、2種類の時効期間を規定する。

§724〔1〕

〔1〕 第1の種類の消滅時効の起算日は、「被害者又はその法定代理人が損害及び加害者を知った時」である。

(1) 「損害を知った時」とは、損害の程度・数額などを知る必要はないが、違法行為による損害の発生の事実を知ることを要する。たとえば、不法な仮処分によって損害をこうむった者は、その仮処分によって損害をこうむったことのみならず、その処分が違法であること、すなわちそれが不法行為であることを知ることを要する（大判大正7・3・15民録24輯498頁）。また、賠償請求しうる損害が発生したことを知ることを要する（大判大正9・3・10民録26輯280頁）。

なお、最判平成14・1・29（民集56巻218頁）は、損害を知った時とは、「被害者が損害の発生を現実に認識した時」であると強調している（原審が、拘置所にいる者が、その名誉を毀損した記事が新聞に掲載された可能性が高いことを知った日を起算日としたのを否定した）。

なお、交通事故の被害者の加害者に対する車両損傷を理由とする不法行為に基づく損害賠償請求権の短期消滅時効は、同一の交通事故により同一の被害者に身体傷害を理由とする損害が生じた場合であっても、被害者が、加害者および当該車両損傷を理由とする損害を知った時から進行するものと解するのが相当である。車両損傷を理由とする不法行為に基づく損害賠償請求権は、身体傷害を理由とする不法行為に基づく損害賠償請求権とは異なる請求権であると解されるからである（最判令和3・11・2判タ1496号89頁）。

(2) 「加害者を知った時」とは、損害賠償を請求するべき相手方を知るという意味である。したがって、たとえば使用者が715条の責任を負うべき場合には、被害者が、直接の加害者と使用者との間の使用関係の存在を知った時からである（大判昭和12・6・30民集16巻1285頁。したがって、使用者に対するのと、被用者に対するので、起算点は違うことになる）。さらにいえば、一般人が当該不法行為が使用者の事業の執行につきなされたものであると判断するに足りる事実を認識することをいう（最判昭和44・11・27民集23巻2265頁。被用者による詐欺行為の例である）。

この論旨は、とくに組織体としての法人が他人に損害を与えた場合、一般人には、その法人の不法行為責任があるとする認識に至るまでにはかなりの困難があるから、重要であるといわなければならない（§709〔2〕(3)(ウ)(e)参照）。

(3) 以上、要するに、本条の趣旨からみて、この消滅時効が進行を開始するのは、被害者Aが加害者Bに対して不法行為に基づく損害賠償請求権を有することを、その賠償請求が事実上可能な程度に、知った時からであると解するのが妥当である（最判昭和48・11・16民集27巻1374頁［樺太大泊警察署拷問事件］。戦時の警察官の暴行による損害について、戦後探索して暴行者本人を突きとめた時から開始するとした）。さらには、被害者が裁判上の請求をするための現実の可能性を有するに至った時とまで考える必要もあるのではなかろうか。

信用組合が自身の経営破綻の危険を説明すべき義務に違反して出資の勧誘をしたことを理由として、出資者が信用組合に対して不法行為に基づく損害賠償を請求する場合には、その消滅時効は遅くとも、同様の立場にある者による集団訴訟が提起された時点から進行する（最判平成23・4・22判時2116号61頁）。

1623

第3編　第5章　不法行為

(4)　不法行為が一回的ないし短期的なものでなく、長期間継続して行われ、あるいは、損害が行為後長期間を経て生じるような場合における起算点は、(3)の趣旨によりつつ、慎重に検討する必要がある。

(ア)　不法行為が継続して行われ、そのため損害も継続して発生する場合には、損害が継続発生するかぎり、日々新しい不法行為に基づく損害として各損害を知った時から別個に消滅時効が進行するというのが、判例である(大連判昭和15・12・14民集19巻2325頁。土地の不法占有の事例である)。

(イ)　いわゆる後遺症の問題、すなわち、受傷した被害者が、相当期間経過後に、受傷当時には医学的には予想しえなかった治療が必要となった場合について、後日その治療に要した費用については、その時までは消滅時効は進行を開始しないとした判例がある(最判昭和42・7・18民集21巻1559頁。硫酸にふれて負傷した幼児が8年後に後遺症として運動障害を生じ、手術した例)。

(ウ)　この問題は、戦後多発した公害や公害類似の事件(加害も損害も長期にわたることが多い)において、しばしば問題になった事柄である。おおむね、時効の完成を否定して、妥当な結論に至っている例が多いといってよかろう(代表例として、最判平成6・2・22判時1499号32頁[長崎じん肺訴訟上告審判決]は、炭鉱会社の不法行為責任について、病気の性質上、軽い程度の行政上の決定を受けた段階ではなく、20年以上経過した後に重い決定を受けた段階から進行を開始するとした)。なお、B型肝炎ウイルスに感染し、HBe抗原陽性慢性肝炎の発症、鎮静化の後にHBe抗原陰性慢性肝炎を発症したことによる損害につき、同趣旨の判例がある(最判令和3・4・26民集75巻1157頁)。

(5)　商法798条1項(判決文のまま、§812)は、共同海損・船舶の衝突によって生じた債権について1年の消滅時効期間を定めるものであるが、船舶衝突による損害賠償請求の事例について、時効の起算点は本条によるものとされた(最判平成17・11・21民集59巻2558頁)。

〔2〕　第1の種類の時効期間は3年である。

(1)　このように、3年間の短期消滅時効を規定したのは、不法行為の要件である責任条件や損害の額などを明確にするべき資料が比較的早く消滅するものであることと、損害賠償が可能なことを知ってから3年も経てば、被害者の感情も平静に帰したものと考えて、それまで請求しなかったことをさらに問題にして紛糾を生じないようにすることを至当と考えたことによる。

なお、この3年の時効は、不法行為に基づく損害賠償債務である金銭債務の不履行(不法行為の時から生じる)による損害賠償(遅延利息)(改正前§419〔1〕〔2〕参照)にも適用される(大連判昭和11・7・15民集15巻1445頁)。

(2)　時効中断に関して、損害の全部請求か一部請求かが問題になる(§709〔8〕(1)(ウ)参照)。一部請求の趣旨が明示されていなければ、訴えの提起により全部について時効中断の効力を生じるのは当然として(最判昭和45・7・24民集24巻1177頁)、一部請求である旨が明示されたときは、時効中断の効力はその一部の範囲においてのみ生じるとするのが判例(最判昭和34・2・20民集13巻209頁)であるが、残部についても認めてもよいのではなかろうか(一部承認についての削除前§156〔1〕〔2〕参照)。

§ 724〔2〕〔3〕

(3) 時効の起算日の判断（〔1〕参照）、時効の中断によって、この 3 年の時効が完成しないうちに、不法行為から 20 年が経過したときに、〔3〕の問題になる（20 年の「除斥期間」のみが主張されて、3 年の消滅時効が主張されない例もある）。

〔3〕 第 2 の消滅時効の期間は 20 年である。ただし、これについては、(2)で述べるように、消滅時効期間ではなく、除斥期間であるとする判例があり、いちじるしく問題であると考えられる。

(1) その起算日は、「不法行為の時」である。継続的な不法行為のときは、それが終了した時点と解してよい。また、行為から損害発生までに時間が経過したときは、後者の時点と解するべきであろう（〔1〕(4)(イ)参照）。

期間は、20 年である。第 1 の消滅時効期間の 3 年との関係を考えると、加害者が事件から 19 年経って判明した場合、あと 1 年の間に請求しなければならず、21 年目に判明したのでは、すでに 20 年が経過して請求できないことになる。事情によっては、かなり苛酷な損害賠償請求権に対する制限である（20 年が経過した後にも、その後に加害者・損害が判明したときは、それから 3 年間請求可能とする解釈ないし立法が望まれる）。

(2) 問題は、この 20 年が消滅時効期間であるか、除斥期間であるか、である。

この点につき、最高裁は、この期間は「被害者側の認識のいかんを問わず一定の時の経過によって法律関係を確定させるため請求権の存続期間を画一的に定めたもの」、すなわち除斥期間であるとした（最判平成元・12・21 民集 43 巻 2209 頁。戦時中の不発弾の処理に当たり、警察官の過失で消防団員が負傷した事件で、事件後 28 年余経過して、被害者が国家賠償法 1 条による国家賠償を請求したものである。被害者はその間何度となく救済を請求している。原審は、この期間を消滅時効期間とし、その時効の援用は信義則に反し、権利濫用になるとして、請求を認めたが、最高裁は、これを除斥期間とし、期間の経過により請求権は消滅し、被請求者による主張も援用も必要とせず、したがって権利濫用の問題も生じないとした。裁判所の長年の理解を変更することになるこの判決をするのに、大法廷も開かれていない）。

この 20 年の期間を除斥期間とする学説が多かったことは事実であるが、その議論は、同じ形の条文、すなわち、形成権である取消権に関する 126 条について主に論じられたもので（§126〔5〕参照）、本条については、なお論議を要するところであったと思われる。本条で問題になるのは、請求権であり、普通の債権の時効期間が 10 年（請求可能な時から起算する）であるのに対して、不法行為に基づく損害賠償請求権の時効が 20 年（加害者も分からない状態で、加害行為の時から起算する）であることは、決して不均衡なものではないし（改正前§167 Ⅰ・Ⅱ参照）、請求権者の事情によって、時効の中断や停止を認める必要、また、義務者の意思として援用するかしないかの選択を認める必要は、この場合にも決して否定されるものではない。家屋の評価の誤りに基づきある年度の固定資産税等の税額が過大に決定されたことによる損害賠償請求権に係る民法 724 条後段所定の除斥期間は、当該年度の固定資産税等に係る賦課決定がされ所有者に納税通知書が交付された時から進行するとした判例（最判令和 2・3・24 民集 74 巻 292 頁）がある。

その後も、これを除斥期間とすることの不都合が種々指摘されているが、最高裁にも、除斥期間による権利消滅の例外を認める判断が現われている（最判平成 10・6・12

第3編　第5章　不法行為

民集 52 巻 1087 頁［東京予防接種禍訴訟上告審判決］。1952 年の予防接種で被害を受けた男性が 22 年経過後の 1974 年に提訴した例で、被害者は 20 年の経過時に心神喪失の状態で訴訟を起こせる状態でなかったとして、時間の経過だけで権利を失うのはいちじるしく正義・公平の理念に反するとした。除斥期間であるとする考えは維持しているが、この判決の判断と除斥期間の概念とは論理的に矛盾しているといわざるをえない）。また、期間の起算点についても、不法行為の時よりも後にずらす判断が行われている（最判平成 16・4・27 民集 58 巻 1032 頁［筑豊じん肺国賠請求事件判決］は、国側の、じん肺法制定の 1960 年、遅くとも炭鉱離職時とする主張をしりぞけ、損害の全部または一部が発生した時とする。原審の福岡高判平成 13・7・19 判時 1785 号 89 頁［筑豊じん肺訴訟控訴審判決］とほぼ同旨。なお、最判平成 16・4・27 判時 1860 号 152 頁は、同じ事件における炭鉱会社の安全配慮義務違反が問われた部分に関するもので、炭鉱会社の上告に対して、じん肺による死亡に対する損害賠償請求権の 10 年の時効は死亡の時から起算されるとしたものである。最判平成 16・10・15 民集 58 巻 1802 頁［水俣病国賠請求事件判決］は、水俣から他へ転居した後、水俣病症状発生までの通常の潜伏期間とされる 4 年経過時とする。その基準で請求が認容された原告と棄却された原告がある。原審の大阪高判平成 13・4・27 判時 1761 号 3 頁と同旨）。集団予防接種による損害賠償請求権の除斥期間の起算点については、予防接種時ではなく、B 型肝炎の発症（損害の発生）時とされた（最判平成 18・6・16 民集 60 巻 1997 頁）。さらに、最高裁判例（最判平成 21・4・28 民集 63 巻 853 頁参照）は、相続財産に関する時効の停止［完成猶予］について定める 160 条の「法意に照らして」不法行為後 26 年を経過した訴えの提起について除斥期間の効果を生じないとした（A を殺害した Y が遺体を自宅の床下に隠匿し、A の相続人 X₁、X₂ が不法行為の事実を知り得ないまま殺害後 26 年経ってその事実が明らかになった事案である。X₁ らが相続の事実を知った時から 3 か月後に単独相続をしたとされ、その 6 か月以内に提起した本訴が認められた。第一審は、20 年がまだ経過していない Y の遺体遺棄行為によって X₁ らが受けた精神的損害の慰謝料だけを認めたが、原審は、最高裁と同じ理由によって殺害により A が受けた損害賠償請求権の相続を認めた。160 条は時効と相続の法理に基づくものであって、これと除斥期間の法理とは明らかに適合しない。下級審を困惑させる除斥期間説の最高裁判例は早く変更されるべきではなかろうか）。

　とくに継続的な不法行為ないし損害発生を念頭において、この問題が再検討されることが望ましい（⑴⑷参照）。なお、近時、幼児期に受けた集団予防接種等によって B 型肝炎ウイルスに感染し HBe 抗原陽性慢性肝炎の発症、鎮静化の後に HBe 抗原陰性慢性肝炎を発症したことによる損害につき、HBe 抗原陰性慢性肝炎の発症の時が民法（2017 年改正前）724 条後段所定の除斥期間の起算点となるとした判例（最判令和 3・4・26 前掲）がある。

> ## （人の生命又は身体を害する不法行為による損害賠償請求権の消滅時効）
> ### 第七百二十四条の二
> 　　人の生命又は身体を害する不法行為による損害賠償請求権の消滅時効についての前条第一号の規定の適用については、同号中「三年間」とあるのは、「五年間」とする。

〈改正〉　2017 年に新設された。附則（不法行為等に関する経過措置）第三十五条 2　新法第七百二十四条の二の規定は、不法行為による損害賠償請求権の旧法第七百二十四条前段に規

§724の2

定する時効がこの法律の施行の際既に完成していた場合については、適用しない。

[本条の趣旨]　生命身体の法益の重要性から、生命身体に向けられた不法行為による損害賠償請求権の消滅時効期間を長くしたものである。生命身体への被害であれば、債務不履行の場合のみならず（新166条を参照）、不法行為として構成できる場合（請求権の競合）にも、時効期間は5年になる。ただし、これによって債務不履行と不法行為の法構造上の基本的な差異がなくなったわけではない。製造物責任法においても、人の生命または身体を侵害した場合における損害賠償の請求権」の時効は、5年に改正された（5条2項）。

判 例 索 引

《 明 治 》

大判明 31・3・30 民録 4 輯 3 巻 85 頁　　1571
大判明 31・12・24 民録 4 輯 11 巻 64 頁
1377
大判明 32・2・9 民録 5 輯 2 巻 28 頁　　1140
大判明 32・2・28 民録 5 輯 2 巻 124 頁
1493, 1495
大判明 32・3・25 民録 5 輯 3 巻 37 頁　　186
大判明 32・6・14 民録 5 輯 6 巻 53 頁　　1474
大判明 32・10・14 民録 5 輯 9 巻 99 頁　　811
大判明 32・12・21 民録 5 輯 11 巻 88 頁
1548
大判明 32・12・25 民録 5 輯 11 巻 118 頁
1445
大判明 33・5・24 民輯 6 輯 5 巻 74 頁　　1493
大判明 34・2・1 民録 7 輯 2 巻 1 頁　　502
大判明 34・3・5 民録 7 輯 3 巻 13 頁　　1375
大判明 34・3・13 民録 7 輯 3 巻 33 頁　　1263
大刑判明 34・3・22 刑録 7 輯 3 巻 37 頁　　46
大判明 34・3・30 民録 7 輯 3 巻 93 頁　　811
大刑判明 34・4・5 刑録 7 輯 4 巻 17 頁　　1616
大判明 34・5・8 民録 7 輯 5 巻 52 頁　　1210
大判明 34・10・25 民録 7 輯 9 巻 137 頁　　675
大判明 34・11・16 民録 7 輯 10 巻 41 頁　　190
大判明 35・1・27 民録 8 輯 1 巻 77 頁　　174
大判明 35・4・17 民録 8 輯 4 巻 63 頁　　1328
大判明 35・10・14 民録 8 輯 9 巻 73 頁　　1479
大判明 35・12・18 民録 8 輯 11 巻 100 頁
1355
大判明 36・3・30 民録 9 輯 361 頁　　968
大判明 36・4・23 民録 9 輯 484 頁　　912
大判明 36・5・5 民輯 9 輯 531 頁　　287
大判明 36・5・5 民録 9 輯 547 頁　　1398
大刑判明 36・5・15 刑録 9 輯 759 頁　　1551
大判明 36・5・21 刑録 9 輯 874 頁　　172
大判明 36・7・7 民録 9 輯 888 頁　　244
大刑判明 36・10・1 刑録 9 輯 1425 頁　　1576
大判明 36・10・22 民録 9 輯 1117 頁　　1448
大判明 36・10・31 民録 9 輯 1204 頁　　1395
大判明 36・11・13 民録 9 輯 1221 頁　　619
大判明 36・11・16 民録 9 輯 1244 頁　　519

大刑連判明 36・12・22 刑録 9 輯 1843 頁
1497
大判明 37・3・25 民録 10 輯 330 頁　　71
大判明 37・4・5 民録 10 輯 431 頁　　592
大判明 37・9・27 民録 10 輯 1181 頁　　1489
大判明 37・9・29 民録 10 輯 1196 頁　　1317
大判明 37・10・1 民録 10 輯 1201 頁　　1366
大判明 37・10・1 民録 10 輯 1223 頁　　1437
大判明 37・10・14 民録 10 輯 1258 頁　　1137
大判明 37・10・22 民録 10 輯 1297 頁　　287
大判明 37・12・1 民録 10 輯 1535 頁　　991
大判明 37・12・9 民録 10 輯 1578 頁　　311
大連判明 37・12・13 民録 10 輯 1591 頁　　913
大判明 37・12・26 民録 10 輯 1696 頁　　204
大判明 38・2・2 民録 11 輯 102 頁　　1469
大判明 38・2・28 民録 11 輯 278 頁　　959
大判明 38・3・11 民録 11 輯 349 頁　　1024
大判明 38・4・24 民録 11 輯 564 頁　　384
大判明 38・5・11 民録 11 輯 706 頁　　38
大判明 38・6・7 民録 11 輯 898 頁　　999
大判明 38・6・19 民録 11 輯 992 頁　　1531
大判明 38・9・22 民録 11 輯 1197 頁　　658
大判明 38・9・30 民録 11 輯 1239 頁　　1008
大判明 38・9・30 民録 11 輯 1262 頁　　237
大判明 38・10・5 民録 11 輯 1287 頁　　234
大判明 38・10・11 民録 11 輯 1326 頁　　369
大判明 38・11・30 民録 11 輯 1730 頁　　1468
大判明 38・12・8 民録 11 輯 1665 頁　　1572
大判明 38・12・14 民録 11 輯 1742 頁　　1188
大判明 39・2・5 民録 12 輯 136 頁　　851
大判明 39・2・5 民録 12 輯 165 頁　　503
大判明 39・2・19 民録 12 輯 227 頁　　1537
大判明 39・3・31 民録 12 輯 492 頁　　227
大判明 39・5・17 民録 12 輯 758 頁　　241
大判明 39・5・17 民録 12 輯 773 頁　　1294
大判明 39・5・23 民録 12 輯 880 頁　　179
大判明 39・6・1 民録 12 輯 893 頁　　387
大刑判明 39・6・1 刑録 12 輯 655 頁　　1497
大判明 39・6・13 民録 12 輯 979 頁　　1616
大判明 39・7・4 民録 12 輯 1066 頁　　1251
大判明 39・7・9 民録 12 輯 1096 頁　　1600
大判明 39・10・11 民録 12 輯 1236 頁　　1479

大判明 39・10・16 民録 12 輯 1282 頁　　1550	大刑判明 43・6・7 刑録 16 輯 1121 頁　　1578
大判明 39・10・29 民録 12 輯 1358 頁　　817,	大判明 43・7・6 民録 16 輯 537 頁　　838
819	大判明 43・9・28 民録 16 輯 610 頁　　165
大判明 39・11・2 民録 12 輯 1413 頁　　1114	大判明 43・10・3 民録 16 輯 621 頁　　1579
大判明 39・11・21 民録 12 輯 1537 頁　　836	大刑判明 43・10・13 刑録 16 輯 1701 頁
大判明 39・12・15 民録 12 輯 1650 頁　　918	1014
大判明 40・2・1 民録 13 輯 33 頁　　203	大判明 43・10・18 民録 16 輯 699 頁　　569
大判明 40・2・2 民録 13 輯 36 頁　　829	大判明 43・10・31 民録 16 輯 739 頁　　273
大判明 40・3・16 民録 13 輯 282 頁　　347	大判明 43・11・2 民録 16 輯 745 頁　　1572,
大判明 40・5・20 民録 13 輯 576 頁　　1029	1621
大判明 40・5・27 民録 13 輯 585 頁　　1264	大連判明 43・11・26 民録 16 輯 764 頁　　1063
大判明 40・5・27 民録 13 輯 588 頁　　1317	大判明 43・11・26 民録 16 輯 817 頁　　907
大判明 40・6・13 民録 13 輯 643 頁　　343	大判明 43・12・9 民録 16 輯 910 頁　　1170
大判明 40・6・13 民録 13 輯 648 頁　　1408	大判明 43・12・9 民録 16 輯 918 頁　　1317
大判明 40・6・19 民録 13 輯 685 頁　　1523	大判明 44・1・25 民録 17 輯 5 頁　　1366
大判明 40・6・25 新聞 449 号 5 頁　　1571	大判明 44・1・26 民録 17 輯 16 頁　　1576
大判明 40・8・6 民録 13 輯 841 頁　　169	大判明 44・3・8 民録 17 輯 104 頁　　1408
大判明 40・10・29 民録 13 輯 1031 頁　　1595	大連判明 44・3・24 民録 17 輯 117 頁　　853
大判明 40・11・2 民録 13 輯 1067 頁　　810	大刑判明 44・4・13 刑録 17 輯 557 頁　　1537,
大判明 40・12・4 民録 13 輯 1161 頁　　1072	1548
大判明 40・12・13 民録 13 輯 1200 頁　　1019	大連判明 44・5・4 民録 17 輯 253 頁　　1006
大阪控判明 40・12・17 新聞 474 号 6 頁　　388	大判明 44・5・10 民録 17 輯 275 頁　　765
大判明 40・12・24 民録 13 輯 1229 頁　　985	大判明 44・5・24 民録 17 輯 330 頁　　1475
大判明 41・1・20 民録 14 輯 9 頁　　1432	大判明 44・6・8 民録 17 輯 371 頁　　814
大判明 41・1・23 新聞 479 号 8 頁　　1004	大判明 44・6・8 民録 17 輯 379 頁　　1263
大判明 41・3・20 民録 14 輯 313 頁　　617	大判明 44・9・29 民録 17 輯 519 頁　　1537
大判明 41・3・26 民録 14 輯 340 頁　　1577	大判明 44・10・3 民録 17 輯 538 頁　　851
大判明 41・4・23 民録 14 輯 477 頁　　1140	大判明 44・11・1 民録 17 輯 617 頁　　1523
大判明 41・5・7 民録 14 輯 542 頁　　71	大判明 44・12・11 民録 17 輯 772 頁　　1141
大判明 41・5・9 民録 14 輯 546 頁　　1493	大判明 44・12・16 民録 17 輯 808 頁　　1023
大判明 41・5・11 民録 14 輯 677 頁　　656	大判明 44・12・20 民録 17 輯 861 頁　　1616
大判明 41・6・10 民録 14 輯 665 頁　　228	大判明 44・12・26 民録 17 輯 916 頁　　1403,
大判明 41・7・8 民録 14 輯 859 頁　　372	1413, 1424
大判明 41・9・22 民録 14 輯 907 頁　　372	大判明 45・1・25 民録 18 輯 31 頁　　1375
大刑判明 41・10・22 刑録 14 輯 873 頁　　1561	大判明 45・2・9 民録 18 輯 83 頁　　1183
大判明 41・12・7 民録 14 輯 1268 頁　　954	大判明 45・2・9 民録 18 輯 88 頁　　966
大連判明 41・12・15 民録 14 輯 1276 頁	大判明 45・2・16 民録 18 輯 255 頁　　1355
380, 390	大判明 45・3・13 民録 18 輯 193 頁　　217
大連判明 41・12・15 民録 14 輯 1301 頁	大刑判明 45・3・14 刑録 18 輯 337 頁　　187
376, 378	大判明 45・3・16 民録 18 輯 258 頁　　1269
大判明 42・2・15 民録 15 輯 102 頁　　1327	大連判明 45・3・23 民録 18 輯 315 頁　　1524
大判明 42・4・22 民録 15 輯 371 頁　　1074	大判明 45・5・6 民録 18 輯 454 頁　　1535,
大判明 42・5・14 民録 15 輯 490 頁　　1180	1548, 1564
大判明 42・9・27 民録 15 輯 697 頁　　869, 895	大判明 45・5・9 民録 18 輯 475 頁　　190
大判明 42・10・4 民録 15 輯 707 頁　　1073	大判明 45・6・1 民録 18 輯 569 頁　　391
大判明 42・11・6 民録 15 輯 851 頁　　345	大判明 45・7・1 民録 18 輯 679 頁　　224
大判明 43・3・4 民録 16 輯 185 頁　　190	大判明 45・7・3 民録 18 輯 684 頁　　1029
大判明 43・4・5 民録 16 輯 273 頁　　1578	

《 大 正 》

大判大元・9・25 民録 18 輯 810 頁　　125
大判大元・10・16 民録 18 輯 870 頁　　143
大判大元・10・18 民録 18 輯 879 頁　　1049
大判大元・11・8 民録 18 輯 951 頁　　1051
大判大元・12・6 民録 18 輯 1022 頁　　1601
大判大元・12・19 民録 18 輯 1087 頁　　795
大判大元・12・20 民録 18 輯 1066 頁　　1152,
　1355
大判大元・12・27 民録 18 輯 1114 頁　　907
大刑判大 2・1・23 刑録 19 輯 23 頁　　1203
大判大 2・1・24 民録 19 輯 11 頁　　1267
大判大 2・2・5 民録 19 輯 57 頁　　1524, 1594,
　1596
大判大 2・3・8 評論 2 巻民 161 頁　　209
大判大 2・3・20 民録 19 輯 137 頁　　308
大判大 2・3・27 民録 19 輯 173 頁　　1058
大刑連判大 2・3・31 刑録 19 輯 430 頁　　1551
大判大 2・4・2 民録 19 輯 193 頁　　196
大判大 2・4・26 民録 19 輯 281 頁　　1522,
　1608
大判大 2・5・1 民録 19 輯 303 頁　　242
大判大 2・5・12 民録 19 輯 327 頁　　814
大判大 2・6・9 民録 19 輯 507 頁　　1604
大判大 2・6・19 民録 19 輯 458 頁　　1060,
　1269
大判大 2・6・19 民録 19 輯 463 頁　　782
大判大 2・6・21 民録 19 輯 481 頁　　621
大判大 2・6・26 民録 19 輯 488 頁　　1590
大判大 2・6・28 民録 19 輯 560 頁　　1609
大判大 2・6・28 民録 19 輯 573 頁　　1416
人判大 2・7・2 民録 19 輯 598 頁　　330
大判大 2・7・5 民録 19 輯 609 頁　　552
大判大 2・7・9 民録 19 輯 619 頁　　161
大判大 2・10・20 民録 19 輯 910 頁　　1558,
　1579
大判大 2・10・25 民録 19 輯 857 頁　　372
大判大 2・12・11 民録 19 輯 1010 頁　　629
大判大 2・12・22 民録 19 輯 1050 頁　　782
東京地判大 2（ワ）922 号新聞 986 号 25 頁
　744
大連判大 3・3・10 民録 20 輯 147 頁　　494
大判大 3・3・12 民録 20 輯 152 頁　　336
大判大 3・4・22 民録 20 輯 313 頁　　1158
大判大 3・4・25 民録 20 輯 342 頁　　298
大刑判大 3・5・16 刑録 20 輯 903 頁　　1464
大判大 3・5・21 民録 20 輯 398 頁　　1382

大刑判大 3・6・3 刑録 20 輯 1116 頁　　1561
大判大 3・6・4 民録 20 輯 551 頁　　1380
大刑判大 3・6・10 刑録 20 輯 1157 頁　　1578,
　1595
大判大 3・6・15 民録 20 輯 476 頁　　927
大判大 3・6・24 民録 20 輯 493 頁　　1568
大判大 3・7・1 民録 20 輯 570 頁　　1473
大判大 3・7・4 民録 20 輯 587 頁　　561
大刑判大 3・7・4 刑録 20 輯 1360 頁　　1537
大判大 3・8・10 新聞 967 号 31 頁　　456
大刑判大 3・10・2 刑録 20 輯 1764 頁　　1614
大判大 3・10・3 民録 20 輯 715 頁　　249
大判大 3・10・13 民録 20 輯 751 頁　　899
大判大 3・10・27 民録 20 輯 818 頁　　198
大判大 3・10・29 民録 20 輯 834 頁　　894,
　1576, 1611
大判大 3・10・29 民録 20 輯 846 頁　　244
大判大 3・11・2 民録 20 輯 865 頁　　720
大判大 3・11・20 民録 20 輯 959 頁　　71
大判大 3・11・27 民録 20 輯 991 頁　　1464
大判大 3・12・1 民録 20 輯 999 頁　　1141
大判大 3・12・8 民録 20 輯 1058 頁　　1211
大判大 3・12・11 民録 20 輯 1085 頁　　358
大判大 3・12・15 民録 20 輯 1101 頁　　207
大判大 3・12・18 民録 20 輯 1117 頁　　441
大連判大 3・12・22 民録 20 輯 1146 頁　　968
大判大 4・1・25 民録 21 輯 45 頁　　722
大連判大 4・1・26 民録 21 輯 49 頁　　186, 793
大刑判大 4・1・30 刑録 21 輯 58 頁　　1594
大判大 4・2・15 民録 21 輯 106 頁　　875
大決大 4・2・17 民録 21 輯 115 頁　　1020
大判大 4・2・24 民録 21 輯 180 頁　　1465
大判大 4・3・6 民録 21 輯 363 頁　　625
大判大 4・3・10 民録 21 輯 269 頁　　1310
大刑判大 4・3・10 刑録 21 輯 279 頁　　1539,
　1540
大判大 4・3・13 民録 21 輯 371 頁　　1468
大判大 4・3・16 民録 21 輯 328 頁　　504
大判大 4・3・20 民録 21 輯 395 頁　　777, 1539
大判大 4・3・24 民録 21 輯 412 頁　　1532
大判大 4・4・1 民録 21 輯 418 頁　　1063
大判大 4・4・1 民録 21 輯 422 頁　　959
大判大 4・4・1 民録 21 輯 449 頁　　307
大判大 4・4・5 民録 21 輯 426 頁　　1208
大判大 4・4・7 民録 21 輯 451 頁　　237
大判大 4・4・8 民録 21 輯 464 頁　　1072
大判大 4・4・14 民録 21 輯 497 頁　　1324
大判大 4・4・19 民録 21 輯 524 頁　　894

大判大 4・4・24 民録 21 輯 595 頁　906	大判大 5・3・24 民録 22 輯 657 頁　330
大判大 4・4・29 民録 21 輯 606 頁　1596	大判大 5・4・1 民録 22 輯 674 頁　342, 387
大判大 4・5・1 民録 21 輯 630 頁　404, 1604	大判大 5・4・26 民録 22 輯 805 頁　789, 1022
大判大 4・5・12 民録 21 輯 687 頁　1380	大判大 5・5・10 民録 22 輯 936 頁　1164
大判大 4・5・12 民録 21 輯 692 頁　1524,	大刑判大 5・5・11 刑録 22 輯 728 頁　1578
1584	大判大 5・5・13 民録 22 輯 948 頁　1436
大判大 4・5・20 民録 21 輯 730 頁　422, 1467	大判大 5・5・16 民録 22 輯 961 頁　423
大判大 4・5・24 民録 21 輯 803 頁　373	大判大 5・5・16 民録 22 輯 973 頁　1550
大判大 4・5・29 民録 21 輯 858 頁　785	大判大 5・5・20 民録 22 輯 999 頁　748
大判大 4・6・12 民録 21 輯 924 頁　1496	大判大 5・5・22 民録 22 輯 1011 頁　1136,
大判大 4・6・12 民録 21 輯 931 頁　811	1140, 1306
大判大 4・6・15 民録 21 輯 939 頁　1616	大判大 5・5・30 民録 22 輯 1074 頁　1073,
大判大 4・6・23 民録 21 輯 1005 頁　413	1267
大判大 4・7・1 民録 21 輯 1313 頁　656	大判大 5・5・31 民録 22 輯 1083 頁　619
大判大 4・7・13 民録 21 輯 1384 頁　1208	大判大 5・6・1 民録 22 輯 1088 頁　1516,
大判大 4・7・13 民録 21 輯 1387 頁　907	1601, 1602
大判大 4・7・16 民録 21 輯 1227 頁　985	大判大 5・6・1 民録 22 輯 1113 頁　94
大判大 4・7・26 民録 21 輯 1233 頁　895	大判大 5・6・1 民録 22 輯 1121 頁　1494,
大判大 4・7・31 民録 21 輯 1356 頁　1153	1496
大判大 4・9・15 民録 21 輯 1469 頁　634	大判大 5・6・7 民録 22 輯 1145 頁　883
大判大 4・9・21 民録 21 輯 1486 頁　884	大判大 5・6・10 民録 22 輯 1149 頁　1479
大判大 4・9・29 民録 21 輯 1532 頁　408	大判大 5・6・13 民録 22 輯 1200 頁　484
大判大 4・10・2 民録 21 輯 1560 頁　256	大判大 5・6・26 民録 22 輯 1268 頁　1078,
大判大 4・10・13 民録 21 輯 1683 頁　1617	1156
大判大 4・10・16 民録 21 輯 1705 頁　1375	大判大 5・6・28 民録 22 輯 1281 頁　624
大判大 4・10・19 民録 21 輯 1661 頁　187	大判大 5・7・5 民録 22 輯 1325 頁　1434
大刑判大 4・10・28 刑録 21 輯 1667 頁　1340	大判大 5・7・5 民録 22 輯 1336 頁　1157
大判大 4・10・29 民録 21 輯 1788 頁　384	大判大 5・7・18 民録 22 輯 1553 頁　1178
大判大 4・11・20 民録 21 輯 1886 頁　1079	大判大 5・7・22 民録 22 輯 1585 頁　431
大判大 4・12・1 民録 21 輯 1935 頁　274, 782	大刑判大 5・7・29 刑録 22 輯 1240 頁　1594
大判大 4・12・11 民録 21 輯 2051 頁　294	大判大 5・8・10 民録 22 輯 1425 頁　1141
大判大 4・12・11 民録 21 輯 2058 頁　1136	大判大 5・8・12 民録 22 輯 1646 頁　193
大判大 4・12・21 民録 21 輯 2135 頁　1243	大判大 5・8・18 民録 22 輯 1657 頁　972
大判大 4・12・21 民録 21 輯 2144 頁　1239	大判大 5・9・5 民録 22 輯 1670 頁　606
大判大 4・12・24 民録 21 輯 2182 頁　1133,	大判大 5・9・12 民録 22 輯 1702 頁　387
1185	大判大 5・9・16 民録 22 輯 1796 頁　1525,
大判大 4・12・24 民録 21 輯 2187 頁　46	1576, 1581
大判大 5・1・20 民録 22 輯 4 頁　818	大判大 5・9・20 民録 22 輯 1440 頁　177
大判大 5・1・22 民録 22 輯 113 頁　1561	大判大 5・9・20 民録 22 輯 1721 頁　268
大判大 5・1・26 民録 22 輯 125 頁　1017	大判大 5・9・20 民録 22 輯 1821 頁　659
大判大 5・2・2 民録 22 輯 74 頁　838	大判大 5・9・22 民録 22 輯 1732 頁　1189
大判大 5・2・3 民録 22 輯 35 頁　1495, 1497	大判大 5・10・12 民録 22 輯 1879 頁　1572
大判大 5・2・16 民録 22 輯 134 頁　1470	大判大 5・10・13 民録 22 輯 1886 頁　298,
大判大 5・2・24 民録 22 輯 329 頁　1072	319
大判大 5・2・29 民録 22 輯 172 頁　1448	大判大 5・10・21 民録 22 輯 2069 頁　851
大判大 5・3・7 民録 22 輯 516 頁　1473	大判大 5・11・4 民録 22 輯 2021 頁　917
大判大 5・3・11 民録 22 輯 739 頁　177	大判大 5・11・8 民録 22 輯 2078 頁　372
大判大 5・3・14 民録 22 輯 360 頁　740	大判大 5・11・21 民録 22 輯 2264 頁　891

大判大 5・11・22 民録 22 輯 2281 頁　850
大判大 5・11・27 民録 22 輯 2120 頁　1137, 1357
大判大 5・11・28 民録 22 輯 2320 頁　328, 412
大判大 5・11・29 民録 22 輯 2333 頁　476, 477
大判大 5・12・6 民録 22 輯 2358 頁　84
大判大 5・12・13 民録 22 輯 2417 頁　373
大判大 5・12・22 民録 22 輯 2474 頁　1530
大判大 5・12・25 民録 22 輯 2494 頁　299, 907
大判大 5・12・25 民録 22 輯 2509 頁　588
大判大 6・1・19 民録 23 輯 62 頁　1516
大判大 6・1・20 民録 23 輯 68 頁　1381
大判大 6・1・22 民録 23 輯 8 頁　849
大判大 6・1・22 民録 23 輯 14 頁　1549
大判大 6・1・25 民録 23 輯 24 頁　725
大判大 6・1・27 民録 23 輯 97 頁　621, 622
大判大 6・2・7 民録 23 輯 128 頁　1478
大判大 6・2・7 民録 23 輯 210 頁　224
大判大 6・2・9 民録 23 輯 244 頁　579
大判大 6・2・10 民録 23 輯 138 頁　368
大判大 6・2・13 新聞 1253 号 26 頁　224
大判大 6・2・14 民録 23 輯 152 頁　1157
大判大 6・2・19 民録 23 輯 311 頁　298
大判大 6・2・22 民録 23 輯 212 頁　1590
大判大 6・2・24 民録 23 輯 284 頁　209
大判大 6・2・27 新聞 1256 号 26 頁　307
大判大 6・2・28 民録 23 輯 292 頁　1465
大判大 6・3・7 民録 23 輯 421 頁　1212
大判大 6・3・17 民録 23 輯 553 頁　181
大判大 6・3・23 民録 23 輯 392 頁　425
大判大 6・3・31 民録 23 輯 596 頁　852
大判大 6・3・31 民録 23 輯 619 頁　1446
大判大 6・4・16 民録 23 輯 638 頁　1077
大刑判大 6・4・16 刑録 23 輯 321 頁　1590
大判大 6・4・28 民録 23 輯 812 頁　920
大判大 6・4・30 民録 23 輯 715 頁　1583
大判大 6・5・3 民録 23 輯 863 頁　894, 895
大判大 6・5・14 民録 23 輯 786 頁　1464
大判大 6・5・19 民録 23 輯 879 頁　1601
大判大 6・5・19 民録 23 輯 885 頁　1054
大判大 6・6・7 民録 23 輯 932 頁　851
大刑判大 6・6・13 刑録 23 輯 637 頁　480
大判大 6・6・16 民録 23 輯 1147 頁　372, 1255
大判大 6・6・27 民録 23 輯 1153 頁　1168

大判大 6・7・10 民録 23 輯 1128 頁　1167, 1170
大判大 6・7・21 民録 23 輯 1168 頁　225
大判大 6・7・26 民録 23 輯 1203 頁　564, 576
大判大 6・9・6 民録 23 輯 1319 頁　213
大判大 6・9・18 民録 23 輯 1342 頁　1434, 1437
大判大 6・9・20 民録 23 輯 1360 頁　215
大判大 6・9・22 民録 23 輯 1488 頁　958, 1371
大判大 6・9・25 民録 23 輯 1364 頁　909
大判大 6・10・2 民録 23 輯 1510 頁　966
大判大 6・10・3 民録 23 輯 1383 頁　856
大判大 6・10・3 民録 23 輯 1639 頁　585
大判大 6・10・4 民録 23 輯 1391 頁　1464
大判大 6・10・5 民録 23 輯 1531 頁　1435
大判大 6・10・18 民録 23 輯 1662 頁　995
大判大 6・10・20 民録 23 輯 1668 頁　1019
大判大 6・10・20 民録 23 輯 1821 頁　1595
大決大 6・10・22 民録 23 輯 1410 頁　665
大判大 6・10・27 民録 23 輯 1867 頁　912, 1178, 1464
大決大 6・10・29 民録 23 輯 1620 頁　319
大判大 6・11・1 民録 23 輯 1715 頁　982
大判大 6・11・3 民録 23 輯 1875 頁　383
大判大 6・11・3 民録 23 輯 1945 頁　1475
大判大 6・11・5 民録 23 輯 1737 頁　1193
大判大 6・11・8 民録 23 輯 1758 頁　211
大判大 6・11・8 民録 23 輯 1772 頁　414
大判大 6・11・14 民録 23 輯 1965 頁　336, 340, 1164
大判大 6・11・15 民録 23 輯 1780 頁　722
大判大 6・11・28 民録 23 輯 2018 頁　501
大判大 6・12・8 民録 23 輯 2066 頁　954
大判大 6・12・11 民録 23 輯 2075 頁　1486
大判大 6・12・22 民録 23 輯 2198 頁　794
大判大 7・1・28 民録 24 輯 67 頁　192
大判大 7・2・2 民録 24 輯 245 頁　1142
大判大 7・2・5 民録 24 輯 136 頁　919
大判大 7・2・21 民録 24 輯 266 頁　1495
大判大 7・2・25 民録 24 輯 282 頁　1532
大判大 7・3・2 民録 24 輯 423 頁　382
大判大 7・3・8 民録 24 輯 427 頁　150
大判大 7・3・13 民録 24 輯 523 頁　174
大判大 7・3・15 民録 24 輯 498 頁　1623
大判大 7・3・25 民録 24 輯 531 頁　1267
大刑判大 7・3・27 刑録 24 輯 241 頁　143, 1592

大判大 7・4・2 民録 24 輯 615 頁　811
大判大 7・4・13 民録 24 輯 669 頁　1164, 1179
大判大 7・4・13 民録 24 輯 681 頁　242
大判大 7・4・15 民録 24 輯 690 頁　389
大判大 7・4・19 民録 24 輯 731 頁　484, 489
大判大 7・5・10 民録 24 輯 830 頁　190
大連判大 7・5・18 民集 24 輯 976 頁　1557
大連判大 7・5・18 民録 24 輯 976 頁　418
大判大 7・5・18 民録 24 輯 993 頁　854
大判大 7・5・24 民録 24 輯 1008 頁　1388
大判大 7・5・29 民録 24 輯 935 頁　1602, 1616
大判大 7・6・8 民録 24 輯 1166 頁　1024
大判大 7・6・13 民録 24 輯 1263 頁　243, 248
大判大 7・6・22 民録 24 輯 1323 頁　1592
大判大 7・6・29 民録 24 輯 1306 頁　1601
大判大 7・7・6 民録 24 輯 1467 頁　296
大判大 7・7・10 民録 24 輯 1365 頁　1535, 1551
大判大 7・7・10 民録 24 輯 1432 頁　1446
大判大 7・7・12 民録 24 輯 1448 頁　1534
大判大 7・7・16 民録 24 輯 1378 頁　1438
大判大 7・7・16 民録 24 輯 1488 頁　1480
大判大 7・7・31 民録 24 輯 1555 頁　746
大判大 7・8・6 民録 24 輯 1494 頁　1497
大判大 7・8・9 民録 24 輯 1576 頁　1212
大判大 7・8・14 民録 24 輯 1650 頁　1025, 1140
大判大 7・8・27 民録 24 輯 1658 頁　821
大判大 7・9・5 民録 24 輯 1607 頁　1265
大判大 7・9・16 民録 24 輯 1699 頁　372, 1208
大判大 7・9・23 民録 24 輯 1722 頁　1487
大判大 7・9・26 民録 24 輯 1730 頁　851
大判大 7・10・2 民録 24 輯 1848 頁　1408
大判大 7・10・9 民録 24 輯 1886 頁　71, 319
大判大 7・10・12 民録 24 輯 1954 頁　1539
大阪控判大 7・10・14 新聞 1467 号 21 頁　214
大判大 7・10・19 民録 24 輯 1987 頁　1018
大判大 7・10・21 民録 24 輯 2000 頁　1532
大判大 7・10・21 民録 24 輯 2018 頁　1375
大民刑連判大 7・10・26 民録 24 輯 2036 頁　848
大判大 7・10・28 民録 24 輯 2195 頁　852
大判大 7・10・30 民録 24 輯 2087 頁　1117
大判大 7・11・1 民集 24 巻 2103 頁　1248
大判大 7・11・1 民録 24 輯 2103 頁　1213
大判大 7・11・5 民録 24 輯 2131 頁　1156
大判大 7・11・7 民録 24 輯 2310 頁　1474
大判大 7・11・14 民録 24 輯 2169 頁　1180
大判大 7・11・18 民録 24 輯 2216 頁　1189, 1190
大判大 7・11・27 民録 24 輯 2265 頁　1208
大判大 7・12・3 民録 24 輯 2284 頁　211
大判大 7・12・4 民録 24 輯 2288 頁　1026
大判大 7・12・7 民録 24 輯 2310 頁　999, 1002, 1475
大判大 7・12・11 民録 24 輯 2319 頁　1019
大判大 7・12・14 民録 24 輯 2322 頁　1348
大判大 7・12・19 民録 24 輯 2367 頁　1443
大判大 7・12・26 民録 24 輯 2445 頁　384
大刑判大 8・1・21 刑録 25 輯 42 頁　1593
大判大 8・2・7 民録 25 輯 179 頁　1525
大判大 8・2・21 民録 25 輯 321 頁　1593
大判大 8・2・24 民録 25 輯 336 頁　329
大判大 8・3・3 民録 25 輯 356 頁　25, 26, 1516, 1549
大判大 8・3・5 民録 25 輯 401 頁　347
大判大 8・3・7 民録 25 輯 405 頁　1073
大連判大 8・3・15 民録 25 輯 473 頁　179, 619
大連判大 8・3・28 民録 25 輯 441 頁　969
大判大 8・4・1 民録 25 輯 643 頁　71, 318
大判大 8・4・7 民録 25 輯 558 頁　372
大判大 8・4・11 民録 25 輯 808 頁　854
大判大 8・4・14 民録 25 輯 680 頁　830
大判大 8・4・18 民録 25 輯 574 頁　1447, 1450
大判大 8・5・3 民録 25 輯 827 頁　1205
大判大 8・5・5 民録 25 輯 839 頁　851
大判大 8・5・12 民録 25 輯 851 頁　71, 298
大判大 8・5・12 民録 25 輯 855 頁　1479
大刑判大 8・5・12 民録 25 輯 760 頁　1576
大判大 8・5・31 民録 25 輯 951 頁　196
大判大 8・6・3 民録 25 輯 955 頁　1190
大判大 8・6・5 民録 25 輯 962 頁　1579
大判大 8・6・24 民録 25 輯 1095 頁　297
大判大 8・6・26 民録 25 輯 1154 頁　1445
大判大 8・6・26 民録 25 輯 1178 頁　839
大判大 8・6・30 民録 25 輯 1200 頁　314
大判大 8・7・4 民録 25 輯 1215 頁　296, 298
大判大 8・7・8 民録 25 輯 1270 頁　1167
大判大 8・7・9 民録 25 輯 1373 頁　720
大判大 8・7・11 民録 25 輯 1305 頁　850

大判大 8・7・15 民録 25 輯 1331 頁　1024
大判大 8・8・1 民録 25 輯 1390 頁　390
大判大 8・8・28 民録 25 輯 1529 頁　1024
大決大 8・8・28 民録 25 輯 1524 頁　667
大刑判大 8・8・30 刑録 25 輯 963 頁　1342
大判大 8・9・15 民録 25 輯 1633 頁　196,
　1161, 1178, 1464, 1493, 1495
大判大 8・9・27 民録 25 輯 1664 頁　484
大判大 8・10・1 民録 25 輯 1726 頁　1360
大判大 8・10・2 民録 25 輯 1730 頁　440
大判大 8・10・8 民録 25 輯 1859 頁　629
大判大 8・10・9 民録 25 輯 1761 頁　1111
大判大 8・10・13 民録 25 輯 1863 頁　330
大判大 8・10・15 民録 25 輯 1871 頁　966
大判大 8・10・16 民録 25 輯 1824 頁　398
大判大 8・10・20 民録 25 輯 1890 頁　1475,
　1476
大判大 8・10・23 民録 25 輯 1835 頁　250
大判大 8・10・28 民録 25 輯 1921 頁　1192
大判大 8・10・29 民録 25 輯 1854 頁　336
大判大 8・11・3 民録 25 輯 1944 頁　484
大判大 8・11・3 民録 25 輯 1955 頁　244
大判大 8・11・6 民録 25 輯 1972 頁　969
大判大 8・11・13 民録 25 輯 2005 頁　920,
　933
大判大 8・11・19 刑録 25 輯 1133 頁　187
大判大 8・11・20 民録 25 輯 2049 頁　348
大判大 8・11・22 民録 25 輯 2068 頁　1608
大判大 8・11・24 民録 25 輯 2096 頁　1316
大判大 8・11・28 民録 25 輯 2189 頁　1008
大判大 8・12・1 民録 25 輯 2217 頁　1416
大刑判大 8・12・9 刑録 25 輯 1255 頁　1612
大判大 8・12・12 民録 25 輯 2286 頁　1464
大刑判大 8・12・13 刑録 25 輯 1367 頁　31
大判大 8・12・15 民録 25 輯 2303 頁　883,
　892
大判大 8・12・22 民録 25 輯 2348 頁　1532
大判大 8・12・25 民録 25 輯 2400 頁　748
大判大 8・12・26 民録 25 輯 2429 頁　318
大判大 9・1・26 民録 26 輯 19 頁　995
大判大 9・1・29 民録 26 輯 89 頁　616, 671
大判大 9・2・14 民録 26 輯 128 頁　757
大判大 9・2・28 民録 26 輯 158 頁　1024
大判大 9・3・10 民録 26 輯 280 頁　1623
大判大 9・3・13 民録 26 輯 312 頁　1011
大判大 9・3・29 民録 26 輯 411 頁　589, 1025
大判大 9・4・7 新聞 1696 号 22 頁　1178
大判大 9・4・8 民録 26 輯 483 頁　1532

大判大 9・4・24 民録 26 輯 562 頁　1381
大判大 9・4・27 民録 26 輯 606 頁　225
大判大 9・5・5 民録 26 輯 1005 頁　659
大連判大 9・5・8 民録 26 輯 588 頁　1250
大判大 9・5・12 民録 26 輯 652 頁　1469,
　1476
大判大 9・5・14 民録 26 輯 704 頁　444
大判大 9・5・20 民録 26 輯 710 頁　1578
大判大 9・5・27 民録 26 輯 768 頁　849
大判大 9・5・28 民録 26 輯 773 頁　186, 194
大判大 9・5・29 民録 26 輯 776 頁　856
大判大 9・6・3 民録 26 輯 808 頁　853
大判大 9・6・15 民録 26 輯 884 頁　1617
大判大 9・6・17 民録 26 輯 911 頁　1190
大判大 9・6・21 民録 26 輯 1028 頁　723
大判大 9・6・24 民録 26 輯 923 頁　741
大判大 9・6・24 民録 26 輯 1083 頁　142
大判大 9・7・3 民録 26 輯 1042 頁　151
大判大 9・7・15 民録 26 輯 983 頁　1172,
　1434
大判大 9・7・16 民録 26 輯 1108 頁　328,
　382, 538, 672
大判大 9・7・23 民録 26 輯 1171 頁　203, 390
大判大 9・8・9 民録 26 輯 1354 頁　389
大判大 9・9・24 民録 26 輯 1343 頁　1207,
　1209
大判大 9・9・25 民集 26 輯 1389 頁　723
大判大 9・9・28 民録 26 輯 1402 頁　1319
大判大 9・10・1 民録 26 輯 1437 頁　277
大判大 9・10・16 民録 26 輯 1512 頁　1375
大判大 9・10・18 民録 26 輯 1530 頁　1308
人判大 9・10・23 民録 26 輯 1582 頁　921
大判大 9・10・30 新聞 1808 号 11 頁　189
大判大 9・11・15 民録 26 輯 1779 頁　1173
大判大 9・11・18 民録 26 輯 1714 頁　1471
大判大 9・11・22 民録 26 輯 1856 頁　386
大判大 9・11・24 民録 26 輯 1862 頁　996,
　1476
大判大 9・11・24 民録 26 輯 1871 頁　917
大判大 9・11・25 民録 26 輯 1794 頁　393
大判大 9・11・26 民録 26 輯 1911 頁　1620
大判大 9・11・27 民録 26 輯 1797 頁　335
大判大 9・12・9 民録 26 輯 1895 頁　1464
大判大 9・12・17 新聞 1825 号 22 頁　1155
大判大 9・12・18 民録 26 輯 1947 頁　22,
　1022
大判大 9・12・24 民録 26 輯 2024 頁　854

大判大 9・12・27 民集 26 輯 2084 頁　407
大判大 10・1・21 民録 27 輯 100 頁　151
大判大 10・2・2 民録 27 輯 168 頁　313
大判大 10・2・3 民録 27 輯 193 頁　1584
大判大 10・2・7 民録 27 輯 233 頁　298
大判大 10・2・9 民録 27 輯 244 頁　966
大判大 10・2・10 民録 27 輯 255 頁　1167,
1240
大判大 10・2・14 民録 27 輯 285 頁　298
大判大 10・2・17 民録 27 輯 321 頁　778,
1294, 1616
大判大 10・2・19 民録 27 輯 340 頁　1211
大判大 10・2・21 民録 27 輯 445 頁　1017
大判大 10・3・2 民録 27 輯 389 頁　1173
大判大 10・3・4 民録 27 輯 404 頁　383
大判大 10・3・5 民録 27 輯 475 頁　722
大判大 10・3・5 民録 27 輯 493 頁　336, 340,
1208
大判大 10・3・11 民録 27 輯 514 頁　1207
大判大 10・3・18 民録 27 輯 547 頁　484
大判大 10・3・19 民録 27 輯 563 頁　1169
大判大 10・3・23 民録 27 輯 586 頁　533
大判大 10・3・24 民録 27 輯 657 頁　849
大判大 10・3・30 民録 27 輯 603 頁　820
大判大 10・4・4 民録 27 輯 682 頁　1551
大判大 10・4・12 民録 27 輯 703 頁　387, 390
大判大 10・4・23 民録 27 輯 757 頁　1372
大判大 10・4・30 民録 27 輯 832 頁　1028
大判大 10・5・7 民録 27 輯 887 頁　1594
大判大 10・5・17 民録 27 輯 929 頁　372,
1179
大判大 10・5・17 民録 27 輯 934 頁　1471
大判大 10・5・28 民録 27 輯 976 頁　959
大判大 10・5・30 民録 27 輯 983 頁　999
大判大 10・5・30 民録 27 輯 1013 頁　1302
大判大 10・6・1 民録 27 輯 1032 頁　477
大判大 10・6・2 民録 27 輯 1038 頁　198
大判大 10・6・2 民録 27 輯 1048 頁　1072
大判大 10・6・4 民録 27 輯 1062 頁　320, 345
大判大 10・6・7 民録 27 輯 1074 頁　211
大刑判大 10・6・7 刑録 27 輯 506 頁　1596
大判大 10・6・9 民録 27 輯 1122 頁　372,
1216, 1229
大判大 10・6・13 民録 27 輯 1155 頁　389,
489, 1438
大判大 10・6・18 民録 27 輯 1168 頁　852,
855
大判大 10・6・21 民録 27 輯 1173 頁　1211

大判大 10・6・25 民録 27 輯 1247 頁　1143
大判大 10・6・27 民録 27 輯 1282 頁　1476
大判大 10・6・28 民録 27 輯 1260 頁　1571
大判大 10・6・30 民録 27 輯 1287 頁　1025
大判大 10・7・8 民録 27 輯 1373 頁　425, 427
大判大 10・7・8 民録 27 輯 1449 頁　1023
大判大 10・7・11 民録 27 輯 1378 頁　1301
大判大 10・7・18 民録 27 輯 1392 頁　484
大判大 10・7・25 民録 27 輯 1354 頁　794
大判大 10・8・10 民録 27 輯 1480 頁　174
大判大 10・9・20 民録 27 輯 1583 頁　196
大判大 10・9・21 民録 27 輯 1539 頁　1253
大判大 10・9・22 民録 27 輯 1590 頁　1253
大判大 10・9・24 民録 27 輯 1548 頁　830
大判大 10・9・26 民録 27 輯 1627 頁　1136,
1140
大判大 10・9・29 民録 27 輯 1774 頁　189
大判大 10・10・15 民録 27 輯 1788 頁　777,
778, 779, 1294, 1539
大判大 10・11・3 新聞 1931 号 17 頁　406
大判大 10・11・3 民録 27 輯 1888 頁　1212
大判大 10・11・9 民録 27 輯 1907 頁　1169
大判大 10・11・15 民録 27 輯 1959 頁　179,
757
大判大 10・11・18 民録 27 輯 1966 頁　1038
大判大 10・11・22 民録 27 輯 1978 頁　810
大判大 10・11・28 民録 27 輯 2045 頁　376
大判大 10・12・6 民録 27 輯 2121 頁　234
大判大 10・12・9 民録 27 輯 2154 頁　330
大判大 10・12・10 民録 27 輯 2103 頁　391
大判大 10・12・15 民録 27 輯 2160 頁　1240
大判大 10・12・15 民録 27 輯 2169 頁　1604
大判大 11・2・13 新聞 1969 号 20 頁　665
大判大 11・2・25 民集 1 巻 69 頁　204
大判大 11・2・27 民集 1 巻 73 頁　1208
大判大 11・3・1 民集 1 巻 80 頁　983
大判大 11・3・22 民集 1 巻 115 頁　210
大判大 11・3・25 民集 1 巻 130 頁　387
大判大 11・4・8 民集 1 巻 179 頁　1008
大判大 11・4・14 民集 1 巻 187 頁　296, 306
大判大 11・5・4 民集 1 巻 235 頁　779
大判大 11・5・5 民集 1 巻 240 頁　1248
大判大 11・5・11 評論 11 巻民 308 頁　143
大判大 11・5・29 民集 1 巻 259 頁　1349
大判大 11・6・3 民集 1 巻 280 頁　559
大判大 11・6・6 民集 1 巻 295 頁　237
大判大 11・6・14 民集 1 巻 310 頁　1465
大判大 11・7・8 民集 1 巻 376 頁　1434

大判大 11・7・17 民集 1 巻 460 頁　　908
大判大 11・7・26 民集 1 巻 431 頁　　828
大判大 11・8・4 民集 1 巻 488 頁　　67
大刑判大 11・8・7 刑集 1 巻 410 頁　　1539
大判大 11・8・21 民集 1 巻 493 頁　　342, 1395
大判大 11・8・21 民集 1 巻 498 頁　　542
大判大 11・9・2 民集 1 巻 448 頁　　194
大連判大 11・9・23 民集 1 巻 525 頁　　966
大判大 11・9・29 民集 1 巻 557 頁　　1155
大判大 11・10・10 民集 1 巻 575 頁　　358
大判大 11・10・25 民集 1 巻 604 頁　　414
大判大 11・10・25 民集 1 巻 616 頁　　1028,
　1029
大判大 11・10・25 民集 1 巻 621 頁　　1264
大判大 11・10・27 民集 1 巻 725 頁　　1014
大判大 11・11・13 民集 1 巻 649 頁　　848
大判大 11・11・24 民集 1 巻 670 頁　　877
大判大 11・11・24 民集 1 巻 738 頁　　674
大判大 11・11・27 民集 1 巻 692 頁　　433
大刑判大 11・12・16 刑集 1 巻 787 頁　　1592
大判大 11・12・28 民集 1 巻 865 頁　　383
大判大 11・12・28 新聞 2084 号 21 頁　　1493
大判大 12・2・7 新聞 2102 号 21 頁　　1148
大判大 12・2・23 民集 2 巻 127 頁　　874
大判大 12・2・26 民集 2 巻 71 頁　　1011
大判大 12・3・26 民集 2 巻 182 頁　　296
大連判大 12・4・7 民集 2 巻 209 頁　　624, 625
大判大 12・4・14 民集 2 巻 237 頁　　779
大判大 12・5・28 民集 2 巻 338 頁　　849
大判大 12・5・28 民集 2 巻 413 頁　　1169
大判大 12・6・1 民集 2 巻 417 頁　　1176
大判大 12・6・2 民集 2 巻 361 頁　　1516
大判大 12・6・11 民集 2 巻 396 頁　　270
大連判大 12・7・7 民集 2 巻 438 頁　　262
大連判大 12・7・7 民集 2 巻 448 頁　　390
大判大 12・7・10 民集 2 巻 537 頁　　850
大刑判大 12・7・10 刑集 2 巻 643 頁　　1591
大判大 12・7・11 新聞 2171 号 17 頁　　725
大判大 12・7・23 民集 2 巻 545 頁　　394
大判大 12・8・2 民集 2 巻 577 頁　　84
大判大 12・8・2 彙報 34 巻（下）民 169 頁
　209
大判大 12・10・20 民集 2 巻 596 頁　　824
大判大 12・11・20 新聞 2226 号 4 頁　　1388
大判大 12・12・12 民集 2 巻 668 頁　　186,
　1493, 1499
大連判大 12・12・14 民集 2 巻 676 頁　　657
大決大 13・1・30 民集 3 巻 53 頁　　906

大判大 13・2・1 新聞 2238 号 18 頁　　502
大判大 13・2・15 民集 3 巻 10 頁　　1469
大判大 13・2・29 民集 3 巻 80 頁　　1208
大判大 13・3・13 新聞 2247 号 21 頁　　1323
大判大 13・3・17 民集 3 巻 169 頁　　532, 534
大判大 13・4・1 評論 13 巻民 414 頁　　1499
大判大 13・4・7 新聞 2253 号 15 頁　　1225
大判大 13・4・21 民集 3 巻 191 頁　　383
大判大 13・4・25 民集 3 巻 157 頁　　851
大判大 13・5・19 民集 3 巻 211 頁　　484
大判大 13・5・19 民集 3 巻 215 頁　　908
大判大 13・5・22 民集 3 巻 224 頁　　433
大判大 13・5・27 民集 3 巻 232 頁　　820
大判大 13・6・6 民集 3 巻 265 頁　　1143, 1357
大判大 13・6・12 民集 3 巻 272 頁　　606
大判大 13・6・19 民集 3 巻 295 頁　　1601
大判大 13・6・23 民集 3 巻 339 頁　　1238
大判大 13・7・15 民集 3 巻 362 頁　　1168
大判大 13・7・18 新聞 2309 号 18 頁　　1476
大連判大 13・9・24 民集 3 巻 440 頁　　418,
　1244
大連判大 13・10・7 民集 3 巻 476 頁　　358
大連判大 13・10・7 民集 3 巻 509 頁　　330,
　358
大判大 13・12・2 民集 3 巻 522 頁　　1561
大連判大 13・12・24 民集 3 巻 555 頁　　722,
　723
大判大 14・1・20 民集 4 巻 1 頁　　417, 1467,
　1468
大判大 14・2・3 民集 4 巻 51 頁　　196
大判大 14・2・19 民集 4 巻 64 頁　　1167
大判大 14・2・27 民集 4 巻 97 頁　　817
大判大 14・3・3 民集 4 巻 90 頁　　266, 1190
大判大 14・3・13 民集 4 巻 217 頁　　1238
大判大 14・4・4 新聞 2410 号 15 頁　　274
大判大 14・4・20 民集 4 巻 178 頁　　850
大判大 14・4・30 民集 4 巻 209 頁　　1030
大判大 14・5・2 民集 4 巻 238 頁　　164, 1426
大判大 14・5・30 新聞 2459 号 4 頁　　903
大刑判大 14・6・9 刑集 4 巻 378 頁　　404
大連判大 14・7・8 民集 4 巻 412 頁　　382
大判大 14・7・10 民集 4 巻 623 頁　　1159
大判大 14・7・18 新聞 2463 号 14 頁　　674
大判大 14・9・8 民集 4 巻 458 頁　　1379
大判大 14・9・24 民集 4 巻 470 頁　　1264
大判大 14・10・5 民集 4 巻 489 頁　　222, 224
大判大 14・10・5 新聞 2521 号 9 頁　　1308
大判大 14・10・15 民集 4 巻 500 頁　　966

大判大 14・10・28 民集 4 巻 656 頁　907
大判大 14・11・9 民集 4 巻 545 頁　215
大判大 14・11・28 民集 4 巻 670 頁　1537,
　1541
大判大 14・12・3 民集 4 巻 685 頁　22, 992,
　1026
大判大 14・12・11 民集 4 巻 706 頁　1516
大判大 14・12・14 民集 4 巻 590 頁　234
大判大 14・12・21 民集 4 巻 743 頁　244
大判大 14・12・24 民集 4 巻 765 頁　250
大判大 15・1・26 民集 5 巻 71 頁　1561
大判大 15・1・28 民集 5 巻 30 頁　1248
大判大 15・1・29 民集 5 巻 38 頁　1322
大連判大 15・2・1 民集 5 巻 44 頁　378, 390
大判大 15・2・16 民集 5 巻 150 頁　1558,
　1576
大判大 15・2・22 民集 5 巻 99 頁　176
大判大 15・2・23 民集 5 巻 104 頁　803
大判大 15・2・24 民集 5 巻 235 頁　775
大判大 15・3・25 民集 5 巻 214 頁　316
大判大 15・3・25 民集 5 巻 219 頁　982
大判大 15・3・27 新聞 2603 号 11 頁　242
大判大 15・4・7 民集 5 巻 251 頁　1189
大連判大 15・4・8 民集 5 巻 575 頁　665
大判大 15・4・19 民集 5 巻 259 頁　161
大判大 15・4・20 民集 5 巻 262 頁　1495
大判大 15・4・21 民集 5 巻 271 頁　196
大判大 15・4・30 民集 5 巻 344 頁　389
大判大 15・5・7 民集 5 巻 366 頁　1525
大民刑連判大 15・5・22 民集 5 巻 386 頁
　805, 820, 1556
大判大 15・5・24 民集 5 巻 433 頁　1239
大刑判大 15・5・28 刑集 5 巻 192 頁　425
大判大 15・6・3 民集 5 巻 444 頁　932
大判大 15・6・4 民集 5 巻 451 頁　346
大判大 15・7・12 民集 5 巻 616 頁　1328
大判大 15・7・20 民集 5 巻 636 頁　954
大刑決大 15・7・20 刑集 5 巻 318 頁　1576
大刑判大 15・9・8 新聞 2621 号 12 頁　1006
大刑判大 15・9・28 刑集 5 巻 387 頁　1451
大判大 15・9・30 民集 5 巻 698 頁　1024
大判大 15・10・11 民集 5 巻 703 頁　259
大民刑連判大 15・10・13 民集 5 巻 785 頁
　143, 1592
大判大 15・10・19 民集 5 巻 738 頁　1251
大判大 15・10・19 新聞 2635 号 15 頁　242
大判大 15・10・21 新聞 2636 号 9 頁　411
大判大 15・10・26 民集 5 巻 741 頁　667

大判大 15・11・13 民集 5 巻 798 頁　849
大判大 15・11・25 民集 5 巻 763 頁　1175
大判大 15・12・2 民集 5 巻 769 頁　903
大判大 15・12・11 民集 5 巻 833 頁　1525
大判大 15・12・25 民集 5 巻 897 頁　416

《 昭 和 》

大判昭 2・1・28 新聞 2666 号 16 頁　966
大判昭 2・2・2 民集 6 巻 133 頁　1168
大判昭 2・2・25 民集 6 巻 236 頁　1145, 1148
大判昭 2・3・8 評論 16 巻民 784 頁　368
大判昭 2・3・10 民集 6 巻 94 頁　1590
大判昭 2・3・16 民集 6 巻 187 頁　775
大判昭 2・3・17 新聞 3968 号 17 頁　921
大判昭 2・3・22 民集 6 巻 106 頁　251
大判昭 2・3・22 民集 6 巻 137 頁　1168
大判昭 2・4・5 民集 6 巻 193 頁　954
大判昭 2・4・15 民集 6 巻 249 頁　1238
大判昭 2・4・21 民集 6 巻 166 頁　1476
大判昭 2・4・22 民集 6 巻 198 頁　530
大判昭 2・4・22 民集 6 巻 260 頁　393
大判昭 2・4・25 民集 6 巻 182 頁　179
大判昭 2・5・4 新聞 2719 号 9 頁　1325
大決昭 2・5・4 民集 6 巻 219 頁　86
大刑判昭 2・5・19 刑集 6 巻 190 頁　150
大判昭 2・5・27 民集 6 巻 307 頁　172
大判昭 2・5・27 新聞 2709 号 12 頁　1532
大判昭 2・5・30 新聞 2702 号 5 頁　1579
大刑判昭 2・6・14 刑集 6 巻 304 頁　477
大判昭 2・6・15 民集 6 巻 403 頁　1590
大判昭 2・6・22 民集 6 巻 408 頁　1005
大判昭 2・7・4 民集 6 巻 436 頁　1340
大判昭 2・7・4 新聞 2734 号 15 頁　1476
大判昭 2・8・3 民集 6 巻 484 頁　298
大判昭 2・8・8 新聞 2907 号 9 頁　422
大刑判昭 2・8・23 評論 16 巻刑訴 204 頁
　178
大判昭 2・9・19 民集 6 巻 510 頁　534
大判昭 2・10・10 民集 6 巻 554 頁　635, 1038
大判昭 2・10・22 新聞 2767 号 16 頁　179
大判昭 2・10・27 新聞 2775 号 14 頁　1436
大判昭 2・10・31 民集 6 巻 581 頁　1189
大判昭 2・12・3 新聞 2809 号 13 頁　316
大判昭 2・12・10 民集 6 巻 748 頁　195
大判昭 2・12・17 新聞 2811 号 15 頁　407
大判昭 2・12・22 民集 6 巻 716 頁　1328
大判昭 2・12・24 民集 6 巻 754 頁　248
大判昭 2・12・26 新聞 2806 号 15 頁　1481,

1483

大判昭 2・12・27 民集 6 巻 743 頁　　1243
大判昭 3・1・30 民集 7 巻 12 頁　　1448
大刑判昭 3・2・6 刑集 7 巻 83 頁　　189
大判昭 3・2・15 新聞 2847 号 10 頁　　923
大判昭 3・3・10 新聞 2847 号 15 頁　　1076
大判昭 3・3・24 新聞 2873 号 13 頁　　318
大決昭 3・3・30 新聞 2854 号 15 頁　　1020
大判昭 3・4・23 民集 7 巻 225 頁　　1079
大判昭 3・4・25 民集 7 巻 295 頁　　346
大判昭 3・5・9 民集 7 巻 329 頁　　850
大判昭 3・5・30 新聞 2892 号 9 頁　　1000
大判昭 3・5・31 民集 7 巻 393 頁　　1169
大判昭 3・6・2 民集 7 巻 413 頁　　346, 349
大判昭 3・6・7 民集 7 巻 443 頁　　1600, 1603
大判昭 3・6・13 新聞 2864 号 6 頁　　1590
大判昭 3・7・11 民集 7 巻 559 頁　　1294
大判昭 3・8・1 民集 7 巻 648 頁　　1617, 1619,
1620
大判昭 3・8・1 民集 7 巻 671 頁　　631
大判昭 3・8・1 民集 7 巻 687 頁　　1464
大刑判昭 3・8・3 刑集 7 巻 533 頁　　191
大判昭 3・10・11 民集 7 巻 903 頁　　373
大判昭 3・10・13 民集 7 巻 780 頁　　1066
大判昭 3・11・8 民集 7 巻 980 頁　　295, 851
大判昭 3・11・30 民集 7 巻 1036 頁　　1249
大判昭 3・12・12 民集 7 巻 1071 頁　　1238
大判昭 3・12・17 民集 7 巻 1095 頁　　484
大決昭 3・12・19 民集 7 巻 1119 頁　　966
大決昭 4・1・15 民集 8 巻 1 頁　　966
大判昭 4・1・23 新聞 2945 号 14 頁　　214
大判昭 4・1・30 民集 8 巻 41 頁　　400
大判昭 4・1・30 新聞 2945 号 12 頁　　666,
1038
大判昭 4・2・9 新聞 2962 号 11 頁　　781
大判昭 4・2・20 民集 8 巻 59 頁　　216, 377
大判昭 4・2・21 民集 8 巻 69 頁　　1263
大刑判昭 4・3・7 刑集 8 巻 107 頁　　214
大判昭 4・3・16 評論 19 巻（民）29 頁　　907
大判昭 4・3・26 新聞 2976 号 11 頁　　1078
大判昭 4・3・30 民集 8 巻 226 頁　　1240
大判昭 4・3・30 民集 8 巻 363 頁　　815
大判昭 4・4・5 民集 8 巻 373 頁　　820
大判昭 4・5・3 民集 8 巻 447 頁　　240, 1591
大判昭 4・5・20 裁判例（3）民 86 頁　　318
大判昭 4・5・23 評論 18 巻諸法 504 頁　　150
大判昭 4・6・19 民集 8 巻 675 頁　　815
大判昭 4・6・21 新聞 3031 号 16 頁　　71

大判昭 4・6・22 民集 8 巻 597 頁　　310
大決昭 4・7・6 民集 8 巻 638 頁　　647
大判昭 4・7・26 民集 8 巻 822 頁　　1525
大判昭 4・10・19 新聞 3081 号 15 頁　　174
大判昭 4・10・26 民集 8 巻 799 頁　　1495
大判昭 4・11・22 新聞 3060 号 16 頁　　270
大判昭 4・11・28 新聞 3143 号 10 頁　　209
大判昭 4・12・11 民集 8 巻 923 頁　　424, 426
大判昭 4・12・16 民集 8 巻 944 頁　　839
大判昭 4・12・17 新聞 3090 号 11 頁　　910
大判昭 5・1・29 民集 9 巻 97 頁　　1272
大判昭 5・2・4 民集 9 巻 137 頁　　387
大判昭 5・2・15 新聞 3114 号 9 頁　　910
大判昭 5・3・4 民集 9 巻 299 頁　　254
大判昭 5・3・10 民集 9 巻 253 頁　　1328
大判昭 5・3・13 新聞 3153 号 11 頁　　1437
大判昭 5・4・7 民集 9 巻 327 頁　　1024
大判昭 5・4・16 民集 9 巻 376 頁　　1238, 1239
大判昭 5・4・23 新聞 3122 号 10 頁　　918
大判昭 5・4・26 新聞 3158 号 9 頁　　1308
大判昭 5・5・6 新聞 3126 号 14 頁　　240
大判昭 5・5・10 新聞 3145 号 12 頁　　423
大判昭 5・5・12 新聞 3127 号 9 頁　　1567
大判昭 5・5・15 新聞 3127 号 13 頁　　1382
大判昭 5・5・20 新聞 3153 号 14 頁　　423
大判昭 5・5・30 新聞 3134 号 9 頁　　1009
大判昭 5・6・4 民集 9 巻 595 頁　　1272
大判昭 5・6・12 民集 9 巻 532 頁　　1080
大判昭 5・6・16 民集 9 巻 550 頁　　383
大判昭 5・6・27 民集 9 巻 619 頁　　306, 607
大判昭 5・7・8 民集 9 巻 719 頁　　1470
大判昭 5・7・26 新聞 3167 号 10 頁　　778
大決昭 5・7・31 新聞 3152 号 6 頁　　795
大判昭 5・8・4 新聞 3169 号 16 頁　　242
大判昭 5・9・17 新聞 3184 号 9 頁　　921
大判昭 5・9・19 新聞 3191 号 7 頁　　1522,
1523
大刑判昭 5・9・22 新聞 3172 号 5 頁　　1525,
1601
大判昭 5・9・23 新聞 3193 号 13 頁　　667
大決昭 5・9・23 民集 9 巻 918 頁　　627
大判昭 5・9・30 新聞 3195 号 14 頁　　543
大決昭 5・9・30 民集 9 巻 926 頁　　795
大判昭 5・10・2 民集 9 巻 930 頁　　1156
大判昭 5・10・2 評論 19 輯民 1529 頁　　45
大判昭 5・10・10 民集 9 巻 948 頁　　843, 965
大判昭 5・10・15 評論 20 巻民 29 頁　　266
大決昭 5・10・23 民集 9 巻 982 頁　　792

1639

大判昭 5・10・27 評論 19 巻民 1498 頁　373
大判昭 5・10・30 民集 9 巻 999 頁　241
大判昭 5・10・30 新聞 3203 号 8 頁　208
大判昭 5・10・31 民集 9 巻 1009 頁　443
大判昭 5・11・5 新聞 3203 号 7 頁　794
大判昭 5・11・13 裁判例（4）民 107 頁　906, 915
大判昭 5・12・18 民集 9 巻 1147 頁　178
大判昭 5・12・24 民集 9 巻 1205 頁　907
大判昭 6・2・28 新聞 3243 号 11 頁　991
大判昭 6・3・16 民集 10 巻 157 頁　1049
大判昭 6・3・18 新聞 3258 号 16 頁　1319
大判昭 6・3・25 新聞 3261 号 8 頁　912
大判昭 6・3・31 民集 10 巻 150 頁　406
大判昭 6・4・2 評論 20 巻民 692 頁　209, 210
大決昭 6・4・7 民集 10 巻 535 頁　1045, 1046
大判昭 6・4・15 新聞 3265 号 12 頁　476, 477
大判昭 6・4・22 民集 10 巻 217 頁　1488, 1489
大判昭 6・5・2 民集 10 巻 232 頁　155
大判昭 6・5・7 新聞 3272 号 13 頁　1191
大判昭 6・5・13 民集 10 巻 252 頁　1244
大判昭 6・6・4 民集 10 巻 401 頁　299, 892, 907
大判昭 6・6・22 新聞 3302 号 11 頁　1264
大判昭 6・7・8 新聞 3306 号 12 頁　610
大判昭 6・7・20 民集 10 巻 561 頁　1155
大判昭 6・8・7 民集 10 巻 763 頁　411
大判昭 6・8・7 民集 10 巻 875 頁　616
大判昭 6・9・8 新聞 3313 号 15 頁　1141
大判昭 6・10・6 民集 10 巻 889 頁　1038, 1043
大判昭 6・10・21 民集 10 巻 913 頁　629
大判昭 6・10・24 新聞 3334 号 4 頁　203
大判昭 6・10・28 民集 10 巻 975 頁　909
大判昭 6・10・30 民集 10 巻 982 頁　477
大判昭 6・11・13 民集 10 巻 1022 頁　1434
大判昭 6・11・14 新聞 3344 号 10 頁　592
大決昭 6・11・21 民集 10 巻 1081 頁　974
大判昭 6・11・24 民集 10 巻 1096 頁　351
大判昭 6・11・24 裁判例（5）民 251 頁　240
大判昭 6・11・27 民集 10 巻 1113 頁　470
大判昭 6・12・9 民集 10 巻 1204 頁　966
大判昭 6・12・17 新聞 3364 号 17 頁　125
大判昭 6・12・22 裁判例（5）民 286 頁　71
大判昭 7・1・26 民集 11 巻 169 頁　372, 1136
大判昭 7・2・16 民集 11 巻 125 頁　921
大判昭 7・2・16 民集 11 巻 138 頁　427, 436

大判昭 7・3・3 民集 11 巻 274 頁　1244
大判昭 7・3・5 新聞 3387 号 14 頁　211, 228, 244
大判昭 7・3・17 民集 11 巻 434 頁　1166
大判昭 7・3・25 民集 11 巻 464 頁　196, 1381
大判昭 7・3・31 民集 11 巻 540 頁　1590
大判昭 7・4・11 民集 11 巻 609 頁　1524, 1602
大判昭 7・4・15 民集 11 巻 656 頁　895
大判昭 7・4・20 新聞 3407 号 15 頁　629
大判昭 7・4・23 民集 11 巻 689 頁　1487
大判昭 7・4・30 民集 11 巻 780 頁　1361, 1366
大判昭 7・5・3 民集 11 巻 812 頁　1523
大判昭 7・5・9 民集 11 巻 824 頁　1355
大判昭 7・5・10 民集 11 巻 920 頁　244, 245
大判昭 7・5・24 民集 11 巻 1021 頁　1000
大判昭 7・5・27 民集 11 巻 1069 頁　144
大判昭 7・5・27 民集 11 巻 1279 頁　390
大判昭 7・5・27 民集 11 巻 1289 頁　631
大判昭 7・6・2 新聞 3437 号 10 頁　775
大判昭 7・6・3 民集 11 巻 1163 頁　849
大決昭 7・6・3 民集 11 巻 1157 頁　841
大判昭 7・6・6 民集 11 巻 1115 頁　192, 238
大判昭 7・6・8 裁判例（6）民 179 頁　877
大判昭 7・6・9 民集 11 巻 1341 頁　176
大判昭 7・6・21 民集 11 巻 1186 頁　348, 923
大判昭 7・6・21 民集 11 巻 1198 頁　839, 842
大判昭 7・6・30 民集 11 巻 1464 頁　238
大判昭 7・7・7 民集 11 巻 1498 頁　839, 841
大判昭 7・7・7 民集 11 巻 1510 頁　1170
大判昭 7・7・19 民集 11 巻 1552 頁　1212
大決昭 7・7・19 新聞 3453 号 13 頁　794
大判昭 7・7・22 民集 11 巻 1629 頁　841
大判昭 7・8・10 新聞 3453 号 15 頁　1569
大判昭 7・8・17 新聞 3456 号 15 頁　1005
大判昭 7・8・29 民集 11 巻 2385 頁　888
大決昭 7・8・29 民集 11 巻 1729 頁　638
大判昭 7・9・12 民集 11 巻 1765 頁　1593
大判昭 7・9・15 民集 11 巻 1841 頁　856
大判昭 7・9・30 民集 11 巻 1868 頁　1438
大判昭 7・9・30 民集 11 巻 2008 頁　898
大判昭 7・10・6 民集 11 巻 2023 頁　32, 1434, 1576, 1580, 1581, 1614
大判昭 7・10・8 民集 11 巻 1901 頁　1320
大判昭 7・10・21 民集 11 巻 2177 頁　658
大判昭 7・10・26 民集 11 巻 1920 頁　264, 1479

大判昭 7・10・29 民集 11 巻 1947 頁　190
大判昭 7・10・29 新聞 3483 号 17 頁　1072
大判昭 7・11・1 民集 11 巻 2076 頁　1591
大判昭 7・11・9 民集 11 巻 2277 頁　444
大判昭 7・11・11 民集 11 巻 2089 頁　1314
大判昭 7・11・15 民集 11 巻 2105 頁　1328
大判昭 7・11・19 法学 2 巻 814 頁　1136
大判昭 7・11・22 新聞 3497 号 9 頁　1590
大判昭 7・11・25 新聞 3499 号 8 頁　242
大判昭 7・12・2 新聞 3499 号 14 頁　295
大判昭 7・12・6 民集 11 巻 2414 頁　970
大判昭 7・12・6 新聞 3504 号 8 頁　857
大判昭 7・12・10 民集 11 巻 2313 頁　1405,
1417, 1422
大判昭 7・12・17 民集 11 巻 2334 頁　903,
1128
大判昭 8・1・14 民集 12 巻 71 頁　1239
大判昭 8・1・28 民集 12 巻 10 頁　256
大判昭 8・1・31 民集 12 巻 24 頁　84
大判昭 8・1・31 民集 12 巻 83 頁　1064
大判昭 8・2・3 民集 12 巻 175 頁　854, 855
大判昭 8・2・23 新聞 3531 号 8 頁　1480
大判昭 8・2・24 民集 12 巻 265 頁　1073,
1267
大判昭 8・2・25 彙報 44 巻（上）民 529 頁
1195
大判昭 8・3・2 民集 12 巻 295 頁　1476
大判昭 8・3・14 新聞 3531 号 12 頁　1539,
1540
大判昭 8・3・18 民集 12 巻 987 頁　647
大判昭 8・3・24 民集 12 巻 490 頁　176
大判昭 8・3・29 民集 12 巻 518 頁　616, 1496
大決昭 8・3・31 民集 12 巻 533 頁　637
大判昭 8・4・6 民集 12 巻 791 頁　904, 1128
大判昭 8・4・10 民集 12 巻 574 頁　71
大判昭 8・4・12 民集 12 巻 1461 頁　1102
大判昭 8・4・18 民集 12 巻 689 頁　969
大判昭 8・4・18 民集 12 巻 807 頁　1594
大判昭 8・4・20 新聞 3553 号 17 頁　391
大判昭 8・4・24 民集 12 巻 1008 頁　1451
大判昭 8・4・26 民集 12 巻 767 頁　719
大判昭 8・4・28 民集 12 巻 1040 頁　270
大判昭 8・5・9 民集 12 巻 1123 頁　391
大判昭 8・5・16 民集 12 巻 1178 頁　1602
大判昭 8・5・24 民集 12 巻 1293 頁　1340
大判昭 8・5・24 新聞 3561 号 16 頁　990
大判昭 8・5・30 民集 12 巻 1381 頁　841,
1051

大刑判昭 8・6・8 新聞 3573 号 7 頁　1571
大判昭 8・6・13 民集 12 巻 1437 頁　811
大判昭 8・6・13 民集 12 巻 1472 頁　918
大判昭 8・6・13 民集 12 巻 1484 頁　1268
大判昭 8・6・16 民集 12 巻 1506 頁　203
大判昭 8・7・4 新報 339 号 11 頁　240
大判昭 8・7・5 民集 12 巻 2191 頁　1049
大判昭 8・7・5 裁判例（7）民 166 頁　1211
大判昭 8・7・7 民集 12 巻 1835 頁　1319
大判昭 8・7・19 民集 12 巻 2229 頁　125
大判昭 8・7・31 民集 12 巻 2421 頁　1591
大判昭 8・8・7 民集 12 巻 2279 頁　244
大決昭 8・8・18 民集 12 巻 2105 頁　637
大決昭 8・9・12 民集 12 巻 2151 頁　375
大判昭 8・9・20 新報 345 号 9 頁　722
大判昭 8・9・29 民集 12 巻 2401 頁　350
大判昭 8・9・29 民集 12 巻 2443 頁　1049
大判昭 8・10・13 民集 12 巻 2520 頁　907
大判昭 8・10・24 民集 12 巻 2580 頁　1488
大判昭 8・11・21 民集 12 巻 2666 頁　1479,
1481
大判昭 8・11・30 民集 12 巻 2781 頁　969
大判昭 8・12・5 民集 12 巻 2818 頁　994,
1057
大判昭 8・12・11 裁判例（7）民 277 頁
1313, 1316
大判昭 8・12・13 裁判例（7）民 282 頁
1014
大判昭 8・12・18 民集 12 巻 2854 頁　396
大判昭 9・1・30 民集 13 巻 93 頁　391
大判昭 9・1・30 民集 13 巻 103 頁　904
大判昭 9・2・2 民集 13 巻 115 頁　151
大判昭 9・2・3 法学 3 巻 670 頁　503
大判昭 9・2・17 新聞 3675 号 7 頁　629
大判昭 9・2・21 評論 23 巻民 392 頁　1024
大判昭 9・2・26 民集 13 巻 366 頁　1014
大判昭 9・2・26 判決全集第 3 号 19 頁　209
大判昭 9・2・27 民集 13 巻 215 頁　903
大判昭 9・3・6 民集 13 巻 230 頁　392
大判昭 9・3・28 民集 13 巻 318 頁　196
大判昭 9・3・29 民集 13 巻 328 頁　922
大判昭 9・4・6 民集 13 巻 492 頁　1263
大判昭 9・4・6 民集 13 巻 511 頁　91
大判昭 9・4・12 民集 13 巻 596 頁　191
大判昭 9・5・1 民集 13 巻 734 頁　390
大判昭 9・5・1 民集 13 巻 875 頁　191
大判昭 9・5・4 民集 13 巻 633 頁　209
大判昭 9・5・22 民集 13 巻 784 頁　1590,

1598
大判昭 9・5・28 民集 13 巻 857 頁　　328
大判昭 9・6・15 民集 13 巻 1164 頁　　629
大判昭 9・6・26 民集 13 巻 1176 頁　　969
大判昭 9・6・30 民集 13 巻 1247 頁　　542
大判昭 9・7・5 民集 13 巻 1264 頁　　896
大判昭 9・7・11 民集 13 巻 1516 頁　　966, 972
大判昭 9・8・3 民集 13 巻 1536 頁　　1249
大判昭 9・8・7 民集 13 巻 1588 頁　　955
大判昭 9・9・15 民集 13 巻 1839 頁　　282
大判昭 9・9・27 民集 13 巻 1803 頁　　838
大判昭 9・10・3 新聞 3757 号 10 頁　　296
大判昭 9・10・5 新聞 3757 号 7 頁　　143
大判昭 9・10・5 判決全集第 11 号 3 頁　　153
大判昭 9・10・15 民集 13 巻 1874 頁　　1609
大判昭 9・10・19 民集 13 巻 1940 頁　　431
大判昭 9・10・24 新聞 3773 号 17 頁　　218
大判昭 9・10・31 新聞 3771 号 11 頁　　1168
大判昭 9・11・1 民集 13 巻 1963 頁　　335
大判昭 9・11・6 民集 13 巻 2122 頁　　441
大判昭 9・11・24 民集 13 巻 2153 頁　　1038,
　1044
大判昭 9・11・26 新聞 3790 号 11 頁　　217
大判昭 9・11・30 民集 13 巻 2191 頁　　854
大判昭 9・12・26 判決全集 2 輯 663 頁　　209
大判昭 10・1・16 民集 14 巻 21 頁　　1058
大判昭 10・1・25 新聞 3802 号 12 頁　　396
大判昭 10・2・12 民集 14 巻 204 頁　　1329
大判昭 10・2・19 民集 14 巻 137 頁　　336
大判昭 10・2・19 新聞 3816 号 7 頁　　1142
大判昭 10・2・21 新聞 3814 号 17 頁　　345
大判昭 10・3・12 民集 14 巻 482 頁　　842
大判昭 10・3・15 新聞 3822 号 15 頁　　1590
大判昭 10・4・22 民集 14 巻 571 頁　　1316,
　1318
大判昭 10・4・23 民集 14 巻 601 頁　　664
大判昭 10・4・25 新聞 3835 号 5 頁　　775,
　1188
大判昭 10・4・27 民集 14 巻 790 頁　　1220
大判昭 10・5・13 民集 14 巻 876 頁　　543,
　1467
大判昭 10・5・14 判決全集 2 輯 930 頁　　189
大判昭 10・5・15 民集 14 巻 891 頁　　1328
大判昭 10・5・28 民集 14 巻 1191 頁　　1409
大判昭 10・6・10 民集 14 巻 1077 頁　　1607
大判昭 10・6・25 民集 14 巻 1261 頁　　1143
大判昭 10・7・10 判決全集 2 輯 1040 頁　　918
大判昭 10・7・11 民集 14 巻 1421 頁　　350

大決昭 10・7・31 民集 14 巻 1449 頁　　647
大判昭 10・8・8 民集 14 巻 1541 頁　　1000
大判昭 10・8・10 民集 14 巻 1549 頁　　656
大判昭 10・8・10 新聞 3882 号 13 頁　　233
大判昭 10・9・3 民集 14 巻 1640 頁　　404
大判昭 10・9・10 民集 14 巻 1717 頁　　249
大判昭 10・9・30 新聞 3898 号 7 頁　　1319
大判昭 10・10・1 民集 14 巻 1671 頁　　176
大判昭 10・10・5 民集 14 巻 1965 頁　　26, 446
大判昭 10・10・14 新聞 3920 号 5 頁　　1161
大判昭 10・10・23 民集 14 巻 1752 頁　　192
東京地判昭 10・10・28 新聞 3913 号 5 頁
446
大判昭 10・11・9 民集 14 巻 1899 頁　　1224
大判昭 10・11・26 新聞 3922 号 13 頁　　190
大判昭 10・11・29 民集 14 巻 1934 頁　　1340
大決昭 10・12・16 民集 14 巻 2044 頁　　793
大判昭 10・12・20 民集 14 巻 2064 頁　　1609
大判昭 10・12・24 民集 14 巻 2096 頁　　296
大判昭 10・12・24 民集 14 巻 2116 頁　　677
大判昭 11・1・14 民集 15 巻 89 頁　　616
大判昭 11・1・28 新聞 3956 号 11 頁　　985
大判昭 11・2・12 新聞 3956 号 17 頁　　1590
大判昭 11・2・14 民集 15 巻 158 頁　　218
大判昭 11・2・25 民集 15 巻 281 頁　　1080,
　1405, 1415
大判昭 11・2・25 新聞 3959 号 12 頁　　606,
　895, 1052
大判昭 11・3・11 民集 15 巻 320 頁　　958
大判昭 11・3・13 民集 15 巻 339 頁　　1049
大判昭 11・3・13 民集 15 巻 423 頁　　637
大判昭 11・3・17 新聞 3968 号 17 頁　　922
大判昭 11・3・23 民集 15 巻 551 頁　　841,
　1062
大判昭 11・4・2 新聞 3979 号 9 頁　　345
大判昭 11・4・13 民集 15 巻 630 頁　　629, 631
大判昭 11・4・15 民集 15 巻 781 頁　　982
大判昭 11・4・21 判決全集 3 輯 5 号 16 頁
1564
大判昭 11・5・11 民集 15 巻 808 頁　　1178
大判昭 11・5・13 民集 15 巻 861 頁　　1579,
　1581
大判昭 11・5・19 民集 15 巻 823 頁　　1043
大判昭 11・5・26 民集 15 巻 998 頁　　1467,
　1476
大判昭 11・5・27 民集 15 巻 922 頁　　1374
大判昭 11・6・2 民集 15 巻 1074 頁　　1038
大判昭 11・6・9 判決全集 3 輯 272 頁　　1049

大判昭 11・6・16 民集 15 巻 1125 頁　　1264
大判昭 11・6・24 民集 15 巻 1184 頁　　1548
大判昭 11・7・4 民集 15 巻 1304 頁　　1155
大判昭 11・7・8 民集 15 巻 1350 頁　　1478,
　1481
大判昭 11・7・10〔7・17 が正しいと思われ
　る〕民集 15 巻 1481 頁　　446
大判昭 11・7・11 民集 15 巻 1383 頁　　969
大判昭 11・7・14 民集 15 巻 1409 頁　　665
大連判昭 11・7・15 民集 15 巻 1445 頁　　1624
大判昭 11・8・4 民集 15 巻 1616 頁　　377
大判昭 11・8・7 民集 15 巻 1661 頁　　1038
大判昭 11・8・10 民集 15 巻 1673 頁　　1212
大判昭 11・11・8〔12・8 が正しいと思われ
　る〕民集 15 巻 2149 頁　　1011
大判昭 11・11・13 民集 15 巻 2011 頁　　1591
大判昭 11・11・21 民集 15 巻 2072 頁　　214
大判昭 11・11・21 新聞 4080 号 10 頁　　1488
大判昭 11・11・27 民集 15 巻 2110 頁　　1303
大判昭 11・12・9 民集 15 巻 2172 頁　　666
大判昭 11・12・11 判決全集 4 輯 25 頁　　1613
大判昭 12・2・9 民集 16 巻 33 頁　　1140
大判昭 12・2・12 民集 16 巻 46 頁　　1562,
　1582
大判昭 12・2・18 民集 16 巻 120 頁　　849
大判昭 12・3・10 民集 16 巻 313 頁　　1551
大判昭 12・4・17 判決全集 4 輯 371 頁　　208
大判昭 12・4・20 新聞 4133 号 12 頁　　186
大判昭 12・5・14 民集 16 巻 618 頁　　1620
大判昭 12・5・15 新聞 4133 号 16 頁　　1049
大判昭 12・5・20 法学 6 巻 1213 頁　　393
大判昭 12・5・26 民集 16 巻 730 頁　　1269
大判昭 12・5・26 民集 16 巻 881 頁　　1493
大判昭 12・6・15 民集 16 巻 931 頁　　904
大判昭 12・6・25 判決全集 4 輯 589 頁　　983
大判昭 12・6・29 民集 16 巻 1014 頁　　172,
　348, 1205
大判昭 12・6・30 民集 16 巻 1285 頁　　881,
　1596, 1623
大判昭 12・7・3 民集 16 巻 1089 頁　　1479
大判昭 12・7・7 民集 16 巻 1120 頁　　749
大判昭 12・9・17 民集 16 巻 1423 頁　　1221
大判昭 12・9・17 民集 16 巻 1435 頁　　1481
大判昭 12・9・18 新聞 4186 号 7 頁　　1591
大判昭 12・11・9 法学 7 巻 242 頁　　965
大判昭 12・11・16 民集 16 巻 1615 頁　　1308
大判昭 12・11・19 民集 16 巻 1881 頁　　444
大判昭 12・11・30 民集 16 巻 1869 頁　　1617

大判昭 12・12・11 民集 16 巻 1945 頁　　888
大判昭 12・12・14 民集 16 巻 1843 頁　　569
大判昭 13・1・31 民集 17 巻 27 頁　　912
大判昭 13・2・4 民集 17 巻 87 頁　　319, 922
大判昭 13・2・7 民集 17 巻 59 頁　　95
大判昭 13・2・12 民集 17 巻 132 頁　　1405,
　1417
大判昭 13・2・15 民集 17 巻 179 頁　　1038
大判昭 13・2・15 新聞 4246 号 11 頁　　1420
大判昭 13・2・23 民集 17 巻 307 頁　　687
大判昭 13・2・26 民集 17 巻 275 頁　　341
大判昭 13・3・1 民集 17 巻 318 頁　　1059
大判昭 13・3・8 民集 17 巻 367 頁　　204
大判昭 13・3・11 新聞 4259 号 13 頁　　851
大判昭 13・3・30 民集 17 巻 578 頁　　187,
　193, 1494
大判昭 13・4・8 民集 17 巻 664 頁　　906
大判昭 13・4・22 民集 17 巻 770 頁　　1207,
　1208
大判昭 13・5・14 民集 17 巻 932 頁　　959
大判昭 13・5・25 民集 17 輯 1100 頁　　657
大判昭 13・5・26 民集 17 巻 1118 頁　　1031
大判昭 13・6・7 民集 17 巻 1331 頁　　456
大判昭 13・6・28 新聞 4301 号 12 頁　　446
大判昭 13・7・1 民集 17 巻 1339 頁　　1469,
　1487
大判昭 13・8・17 民集 17 巻 1627 頁　　1468
大判昭 13・9・30 民集 17 巻 1775 頁　　1130
大判昭 13・10・6 民集 17 巻 1969 頁　　1438
大判昭 13・10・12 民集 17 巻 2115 頁　　724
大判昭 13・11・1 民集 17 巻 2165 頁　　687
大判昭 13・11・12 民集 17 巻 2205 頁　　1468
大判昭 13・11・29 民集 17 巻 2243 頁　　1470
大判昭 13・12・7 民集 17 巻 2285 頁　　1172
大判昭 13・12・8 民集 17 巻 2299 頁　　1190
大判昭 13・12・17 民集 17 巻 2651 頁　　960
大判昭 13・12・17 新聞 4377 号 14 頁　　543
大判昭 13・12・22 民集 17 巻 2522 頁　　883
大刑判昭 14・3・7 刑集 18 巻 93 頁　　173
大判昭 14・3・7 新聞 4397 号 11 頁　　1548
大連判昭 14・3・22 民集 18 巻 238 頁　　306
大判昭 14・3・22 新聞 4402 号 3 頁　　1587
大判昭 14・3・29 民集 18 巻 370 頁　　296
大判昭 14・4・12 民集 18 巻 397 頁　　1381
大判昭 14・4・15 民集 18 巻 429 頁　　1246
大判昭 14・5・16 民集 18 巻 557 頁　　842
大判昭 14・5・18 民集 18 巻 569 頁　　896
大判昭 14・6・20 民集 18 巻 666 頁　　1424

大判昭 14・7・19 民集 18 巻 856 頁　　382
大判昭 14・7・26 民集 18 巻 772 頁　　657
大判昭 14・8・12 民集 18 巻 817 頁　　1225
大判昭 14・8・30 新聞 4465 号 7 頁　　923
大判昭 14・9・9 新聞 4468 号 11 頁　　923
大判昭 14・10・13 民集 18 巻 1165 頁　　892,
　995
大判昭 14・10・26 民集 18 巻 1157 頁　　264,
　1479
大判昭 14・12・13 判決全集 7 輯 109 頁
　1166, 1170
大判昭 14・12・19 民集 18 巻 1583 頁　　656
大判昭 15・2・16 新聞 4536 号 10 頁　　1571
大判昭 15・2・23 民集 19 巻 433 頁　　1317
大連判昭 15・3・13 民集 19 巻 530 頁　　812
大連判昭 15・3・13 民集 19 巻 544 頁　　335
大判昭 15・3・15 民集 19 巻 586 頁　842, 845
大判昭 15・5・10 民集 19 巻 810 頁　　1591
大判昭 15・5・14 民集 19 巻 840 頁　　629
大判昭 15・5・29 民集 19 巻 903 頁　　1001
大判昭 15・6・8 民集 19 巻 975 頁　　1435
大判昭 15・7・29 民集 19 巻 1223 頁　　153
大判昭 15・7・31 評論 29 輯民 700 頁　　45
大判昭 15・8・12 民集 19 巻 1338 頁　　672
大判昭 15・8・30 民集 19 巻 1521 頁　　1548
大判昭 15・9・18 民集 19 巻 1611 頁　　369
大判昭 15・9・21 民集 19 巻 1701 頁　　889,
　920
大判昭 15・10・9 民集 19 巻 1966 頁　　907
大判昭 15・11・9 法学 10 巻 415 頁　　988
大判昭 15・11・26 民集 19 巻 2088 頁　　1060
大判昭 15・11・26 民集 19 巻 2100 頁　　671
大連判昭 15・12・14 民集 19 巻 2325 頁
　1624
大判昭 15・12・20 民集 19 巻 2215 頁　　1478
大判昭 16・2・3 民集 20 巻 70 頁　　204
大判昭 16・2・10 民集 20 巻 79 頁　　865
大判昭 16・2・19 新聞 4690 号 6 頁　　1478
大判昭 16・3・1 民集 20 巻 163 頁　　1013,
　1136
大判昭 16・3・11 民集 20 巻 176 頁　　1049
大判昭 16・4・19 新聞 4707 号 11 頁　　1486
大判昭 16・6・7 民集 20 巻 809 頁　　212
大判昭 16・9・30 民集 20 巻 1233 頁　　841
大判昭 16・10・25 民集 20 巻 1313 頁　　1478
大判昭 16・12・5 民集 20 巻 1449 頁　　1473,
　1479
大判昭 16・12・27 民集 20 巻 1479 頁　　1581,

1590
大判昭 17・1・28 民集 21 巻 37 頁　　306
大判昭 17・2・4 民集 21 巻 107 頁　　764
大判昭 17・2・20 民集 21 巻 118 頁　　330
大判昭 17・2・24 民集 21 巻 151 頁　　477
大判昭 17・3・23 法学 11 号 1288 頁　　625
大判昭 17・4・13 民集 21 巻 362 頁　　238
大判昭 17・4・24 民集 21 巻 447 頁　　497
大連判昭 17・5・20 民集 21 巻 571 頁　　245
大判昭 17・6・23 民集 21 巻 716 頁　　306, 316
大判昭 17・7・31 新聞 4795 号 10 頁　　1581
大判昭 17・8・6 民集 21 巻 850 頁　　250,
　1442, 1446, 1453
大判昭 17・9・18 民集 21 巻 894 頁　　384, 390
大判昭 17・9・30 民集 21 巻 911 頁　　215, 377
大判昭 17・10・2 民集 21 巻 939 頁　　1220
大判昭 17・11・13 民集 21 巻 995 頁　　826
大判昭 17・11・19 民集 21 巻 1075 頁　　1058
大判昭 17・11・20 民集 21 巻 1099 頁　　629
大判昭 17・11・20 新聞 4815 号 17 頁　　1488
大判昭 17・12・1 民集 21 巻 1142 頁　　1239
大判昭 17・12・18 民集 21 巻 1199 頁　　387,
　838, 840
大判昭 18・2・18 民集 22 巻 91 頁　　542
大判昭 18・3・6 民集 22 巻 147 頁　　562
大判昭 18・4・9 民集 22 巻 255 頁　　1561,
　1582, 1587
大判昭 18・4・16 民集 22 巻 271 頁　　1157
大判昭 18・5・17 民集 22 巻 373 頁　　1329
大判昭 18・6・19 民集 22 巻 491 頁　　1529
大判昭 18・6・29 民集 22 巻 557 頁　　307
大判昭 18・7・6 民集 22 巻 593 頁　　1608
大判昭 18・7・6 民集 22 巻 607 頁　　1419
大判昭 18・7・12 民集 22 巻 620 頁　　24
大判昭 18・7・20 民集 22 巻 660 頁　　1356
大判昭 18・7・20 民集 22 巻 681 頁　　1419
大判昭 18・8・16 民集 22 巻 870 頁　　1564
大判昭 18・8・24 民集 22 巻 811 頁　　148
大判昭 18・9・10 民集 22 巻 948 頁　　1340
大判昭 18・9・29 民集 22 巻 983 頁　　1029
大民刑連判昭 18・11・2 民集 22 巻 1179 頁
　1550, 1564
大判昭 18・11・13 民集 22 巻 1127 頁　　1004
大判昭 18・12・22 民集 22 巻 1263 頁　　203
大判昭 18・12・22 新聞 4890 号 3 頁　　1479
大判昭 19・2・4 民集 23 巻 42 頁　　237
大判昭 19・3・14 民集 23 巻 147 頁　　192, 829
大判昭 19・3・14 民集 23 巻 155 頁　　954

大判昭 19・4・28 民集 23 巻 251 頁　　967
大判昭 19・5・18 集 23 巻 308 頁　　192
大判昭 19・6・17 民集 23 巻 473 頁　　1592
大判昭 19・6・28 民集 23 巻 387 頁　　1102
大判昭 19・9・30 民集 23 巻 571 頁　　1497
大判昭 19・10・6 民集 23 巻 591 頁　　383
大判昭 19・10・24 民集 23 巻 608 頁　　196
大判昭 19・12・6 民集 23 巻 613 頁　　1165
大連判昭 19・12・22 民集 23 巻 626 頁　　243
大判昭 20・5・21 民集 24 巻 9 頁　　263, 908, 914, 920, 921
大判昭 20・8・30 民集 24 巻 60 頁　　849
大判昭 20・9・10 民集 24 巻 82 頁　　351
大判昭 20・11・12 民集 24 巻 115 頁　　260, 1495
大判昭 20・12・22 民集 24 巻 137 頁　　1529
最判昭 23・7・20 民集 2 巻 205 頁　　390
最判昭 23・9・18 民集 2 巻 231 頁　　191
最判昭 23・12・14 民集 2 巻 438 頁　　1024
最判昭 23・12・23 民集 2 巻 493 頁　　202
最判昭 24・5・31 民集 3 巻 226 頁　　1146
最判昭 24・9・27 民集 3 巻 424 頁　　393
最判昭 24・10・4 民集 3 巻 437 頁　　1212
最判昭 24・11・8 民集 3 巻 485 頁　　1205
最判昭 25・2・14 民集 4 巻 61 頁　　1225
最判昭 25・10・26 民集 4 巻 497 頁　　740, 1219
最判昭 25・12・1 民集 4 巻 625 頁　　21
最判昭 25・12・19 民集 4 巻 660 頁　　393
最判昭 26・2・13 民集 5 巻 47 頁　　1471
最判昭 26・5・31 民集 5 巻 359 頁　　1317
最判昭 26・6・1 民集 5 巻 367 頁　　238
最判昭 26・11・15 民集 5 巻 735 頁　　1211
最判昭 26・11・27 民集 5 巻 775 頁　　423, 426
最判昭 27・2・8 民集 6 巻 63 頁　　1435
最判昭 27・2・15 民集 6 巻 77 頁　　124
最判昭 27・2・19 民集 6 巻 95 頁　　404
最判昭 27・3・18 民集 6 巻 325 頁　　1494
最判昭 27・4・25 民集 6 巻 451 頁　　1171
最判昭 27・10・3 民集 6 巻 753 頁　　253
最判昭 27・11・27 民集 6 巻 1062 頁　　544
最判昭 27・12・11 民集 6 巻 1139 頁　　1299
最判昭 28・1・22 民集 7 巻 56 頁　　1498
最判昭 28・1・23 民集 7 巻 78 頁　　477
最大判昭 28・2・18 民集 7 巻 157 頁　　393
最判昭 28・4・23 民集 7 巻 408 頁　　1276
最判昭 28・4・24 民集 7 巻 414 頁　　404
最判昭 28・5・7 民集 7 巻 510 頁　　212, 1434

最判昭 28・5・29 民集 7 巻 608 頁　　959, 965
最判昭 28・6・16 民集 7 巻 629 頁　　1136, 1464, 1466, 1480
最判昭 28・9・18 民集 7 巻 954 頁　　391
最判昭 28・9・25 民集 7 巻 979 頁　　1316
最判昭 28・10・15 民集 7 巻 1093 頁　　820
最判昭 28・11・20 民集 2 巻 1229 頁　　1568
最判昭 28・12・3 民集 7 巻 1311 頁　　244
最判昭 28・12・14 民集 7 巻 1386 頁　　841
最判昭 28・12・14 民集 7 巻 1401 頁　　778
最判昭 28・12・18 民集 7 巻 1446 頁　　820, 1180
最判昭 28・12・18 民集 7 巻 1515 頁　　779, 1305
最判昭 29・1・14 民集 8 巻 16 頁　　542
最判昭 29・1・21 民集 8 巻 64 頁　　1210
最判昭 29・1・22 民集 8 巻 198 頁　　1240
最判昭 29・1・28 民集 8 巻 234 頁　　1165
最判昭 29・2・5 民集 8 巻 390 頁　　779
最判昭 29・2・11 民集 8 巻 401 頁　　1031
最判昭 29・2・12 民集 8 巻 448 頁　　23
最判昭 29・2・12 民集 8 巻 465 頁　　208
最判昭 29・3・11 民集 8 巻 672 頁　　1295
最判昭 29・3・12 民集 8 巻 696 頁　　489
最判昭 29・4・8 民集 8 巻 819 頁　　483
最判昭 29・4・30 民集 8 巻 867 頁　　1171
最判昭 29・6・17 民集 8 巻 1121 頁　　779
最判昭 29・6・25 民集 8 巻 1224 頁　　1306
最判昭 29・7・16 民集 8 巻 1350 頁　　1019, 1020
最判昭 29・7・22 民集 8 巻 1425 頁　　1136
最判昭 29・7・27 民集 8 巻 1455 頁　　1169
最判昭 29・8・20 民集 8 巻 1505 頁　　204
最判昭 29・8・24 民集 8 巻 1534 頁　　1495
最判昭 29・8・31 民集 8 巻 1557 頁　　1494, 1499
最判昭 29・8・31 民集 8 巻 1567 頁　　398
最判昭 29・9・24 民集 8 巻 1658 頁　　839, 842
最判昭 29・10・7 民集 8 巻 1816 頁　　1316
最大判昭 29・10・20 民集 8 巻 1907 頁　　86
最判昭 29・11・5 刑集 8 巻 1675 頁　　422, 1468
最判昭 29・11・16 民集 8 巻 2047 頁　　1276
最判昭 29・11・26 民集 8 巻 2087 頁　　207
最判昭 29・12・21 民集 8 巻 2211 頁　　1168
最判昭 29・12・23 民集 8 巻 2235 頁　　658
最判昭 30・1・21 民集 9 巻 22 頁　　812, 820
最判昭 30・2・11 民集 9 巻 164 頁　　1529

最判昭 30・2・18 民集 9 巻 195 頁　779
最判昭 30・3・4 民集 9 巻 229 頁　546
最判昭 30・3・8 民集 9 巻 245 頁　484
最判昭 30・3・25 民集 9 巻 385 頁　803
最判昭 30・4・5 民集 9 巻 431 頁　779
最判昭 30・4・19 民集 9 巻 556 頁　816
最判昭 30・5・13 民集 9 巻 679 頁　1481
最判昭 30・5・13 民集 9 巻 698 頁　1315
最判昭 30・5・13 民集 9 巻 711 頁　1276
最判昭 30・5・31 民集 9 巻 774 頁　1540
最判昭 30・5・31 民集 9 巻 793 頁　483
最判昭 30・7・15 民集 9 巻 1058 頁　616
最判昭 30・7・15 民集 9 巻 1069 頁　242
最判昭 30・9・27 民集 9 巻 1435 頁　1049
最判昭 30・9・30 民集 9 巻 1491 頁　207
最判昭 30・10・7 民集 9 巻 1616 頁　189,
　1493
最判昭 30・10・11 民集 9 巻 1626 頁　854
最判昭 30・10・18 民集 9 巻 1633 頁　779
最判昭 30・10・18 民集 9 巻 1642 頁　747
最判昭 30・10・28 民集 9 巻 1748 頁　125
最判昭 30・11・22 民集 9 巻 1781 頁　22
最判昭 30・11・25 民集 9 巻 1852 頁　1529
最判昭 30・11・29 民集 9 巻 1886 頁　124
最判昭 30・12・22 民集 9 巻 2047 頁　1594
最判昭 30・12・26 民集 9 巻 2097 頁　534
最判昭 30・12・26 民集 9 巻 2140 頁　1211
最判昭 31・1・27 民集 10 巻 1 頁　1191
最判昭 31・3・30 民集 10 巻 242 頁　1434
最判昭 31・4・6 民集 10 巻 342 頁　23, 280
最判昭 31・4・24 民集 10 巻 417 頁　393
最判昭 31・5・10 民集 10 巻 487 頁　484, 489
最判昭 31・5・18 民集 10 巻 532 頁　1495
最判昭 31・6・1 民集 10 巻 612 頁　246
最判昭 31・6・19 民集 10 巻 678 頁　477
最判昭 31・6・26 民集 10 巻 730 頁　1171
最大判昭 31・7・4 民集 10 巻 785 頁　793,
　1621
最判昭 31・7・20 民集 10 巻 1059 頁　1572
最判昭 31・7・20 民集 10 巻 1079 頁　1616
最判昭 31・10・5 民集 10 巻 1239 頁　1315
最判昭 31・10・23 民集 10 巻 1275 頁　1535,
　1607
最判昭 31・11・1 民集 10 巻 1403 頁　1594
最判昭 31・11・2 民集 10 巻 1413 頁　1059
最判昭 31・11・16 民集 10 巻 1453 頁　1276
最判昭 31・11・27 民集 10 巻 1480 頁　1024
最判昭 31・12・6 民集 10 巻 1527 頁　1171

最判昭 31・12・18 民集 10 巻 1559 頁　1602
最判昭 31・12・28 民集 10 巻 1613 頁　203
最判昭 32・1・22 民集 11 巻 34 頁　820
最判昭 32・1・31 民集 11 巻 170 頁　417,
　1529, 1556
最判昭 32・2・7 民集 11 巻 227 頁　240
最判昭 32・2・15 民集 11 巻 270 頁　404
最判昭 32・2・22 民集 11 巻 350 頁　1059
最判昭 32・2・22 判時 103 号 19 頁　431
最判昭 32・3・5 民集 11 巻 395 頁　1523,
　1592
最判昭 32・3・8 民集 11 巻 513 頁　1063,
　1178
最判昭 32・3・26 民集 11 巻 543 頁　1609
最判昭 32・3・28 民集 11 巻 610 頁　1168
最判昭 32・4・16 民集 11 巻 638 頁　1470,
　1473
最判昭 32・4・30 民集 11 巻 646 頁　1065,
　1594
最判昭 32・5・10 民集 11 巻 715 頁　1526
最判昭 32・5・21 民集 11 巻 732 頁　1189,
　1194
最大判昭 32・6・5 民集 11 巻 915 頁　1026,
　1171
最判昭 32・6・6 民集 11 巻 1177 頁　243
最判昭 32・6・7 民集 11 巻 999 頁　377
最判昭 32・6・20 民集 11 巻 1093 頁　1561
最判昭 32・6・27 民集 11 巻 1154 頁　1024,
　1169
最判昭 32・7・5 民集 11 巻 1193 頁　24
最判昭 32・7・9 民集 11 巻 1203 頁　1524
最判昭 32・7・16 民集 11 巻 1254 頁　1592
最判昭 32・7・19 民集 11 巻 1297 頁　974,
　1051, 1062, 1069
福岡高宮崎支判昭 32・8・30 下民 8 巻 1619
　頁　624
最判昭 32・9・12 民集 11 巻 1510 頁　1171
最判昭 32・9・12 法新 72 号 5 頁　1170
最判昭 32・9・19 民集 11 巻 1565 頁　814
最判昭 32・11・1 民集 11 巻 1832 頁　851
最判昭 32・11・12 民集 11 巻 1928 頁　1318
最判昭 32・11・14 民集 11 巻 1943 頁　133
最判昭 32・11・15 民集 11 巻 1962 頁　1487
最判昭 32・11・29 民集 11 巻 1994 頁　243
最判昭 32・12・6 民集 11 巻 2078 頁　1155
最判昭 32・12・10 民集 11 巻 2103 頁　1317
最判昭 32・12・12 民集 11 巻 2131 頁　1227
最判昭 32・12・19 民集 11 巻 2278 頁　1386

最判昭 32・12・19 民集 11 巻 2299 頁　　207
最判昭 32・12・24 民集 11 巻 2322 頁　　1161,
　1464
最判昭 32・12・27 民集 11 巻 2485 頁　　423
最判昭 33・1・17 民集 12 巻 55 頁　　545
最判昭 33・2・13 民集 12 巻 211 頁　　1420
最判昭 33・2・14 民集 12 巻 268 頁　　534
最判昭 33・2・21 民集 12 巻 341 頁　　849
最大判昭 33・3・5 民集 12 巻 381 頁　　1433
最判昭 33・3・13 民集 12 巻 524 頁　　544
最判昭 33・3・14 民集 12 巻 570 頁　　398
最判昭 33・3・28 民集 12 巻 648 頁　　125
最判昭 33・5・9 民集 12 巻 989 頁　　616
最判昭 33・5・23 民集 12 巻 1105 頁　　243
最判昭 33・6・3 民集 12 巻 1287 頁　　1136
最判昭 33・6・5 民集 12 巻 1296 頁　　249
最判昭 33・6・5 民集 12 巻 1359 頁　　277
最判昭 33・6・6 民集 12 巻 1373 頁　　1265,
　1270, 1268
最判昭 33・6・6 民集 12 巻 1384 頁　　542, 544
最判昭 33・6・14 民集 12 巻 1449 頁　　1161,
　1180
最判昭 33・6・14 民集 12 巻 1492 頁　　209,
　211, 1240, 1434, 1438
最判昭 33・6・17 民集 12 巻 1532 頁　　255
最判昭 33・6・19 民集 12 巻 1562 頁　　903
最判昭 33・6・20 民集 12 巻 1585 頁　　372
最判昭 33・7・1 民集 12 巻 1601 頁　　214
最判昭 33・7・22 民集 12 巻 1805 頁　　483,
　489, 1406
最判昭 33・8・5 民集 12 巻 1901 頁　　1582
最判昭 33・8・8 民集 12 巻 1921 頁　　1621
最判昭 33・8・28 民集 12 巻 1936 頁　　382
最判昭 33・9・18 民集 12 巻 2027 頁　　125
最判昭 33・9・18 民集 12 巻 2040 頁　　1303
最判昭 33・9・26 民集 12 巻 3022 頁　　850,
　859
最判昭 33・10・14 民集 12 巻 3111 頁　　378,
　390
最判昭 33・11・6 民集 12 巻 3284 頁　　336,
　340
最判昭 33・12・18 民集 12 巻 3323 頁　　1030
最判昭 34・1・8 民集 13 巻 1 頁　　416
最判昭 34・2・5 民集 13 巻 67 頁　　244
最判昭 34・2・12 民集 13 巻 91 頁　　388, 393
最判昭 34・2・20 民集 13 巻 209 頁　　307,
　1624
最判昭 34・4・15 訟月 5 巻 733 頁　　404

最判昭 34・5・14 民集 13 巻 609 頁　　1141
最判昭 34・6・2 民集 13 巻 631 頁　　1026
最判昭 34・6・18 民集 13 巻 737 頁　　250
最判昭 34・6・19 民集 13 巻 757 頁　　884
最判昭 34・6・25 民集 13 巻 810 頁　　708, 928
最判昭 34・6・25 判時 192 号 16 頁　　1140
最判昭 34・7・14 民集 13 巻 960 頁　　243
最判昭 34・8・28 民集 13 巻 1301 頁　　1170
最判昭 34・9・3 民集 13 巻 1357 頁　　543
最判昭 34・9・17 民集 13 巻 1412 頁　　817
最判昭 34・9・22 民集 13 巻 1451 頁　　1171,
　1178
最判昭 34・11・26 民集 13 巻 1550 頁　　491
最判昭 34・11・26 民集 13 巻 1562 頁　　1619
最判昭 34・11・26 民集 13 巻 1573 頁　　1617
最判昭 35・2・9 民集 14 巻 96 頁　　850
最判昭 35・2・11 民集 14 巻 168 頁　　423
最判昭 35・2・19 民集 14 巻 250 頁　　242
最判昭 35・3・1 民集 14 巻 307 頁　　477
最判昭 35・3・1 民集 14 巻 327 頁　　415
最判昭 35・3・10 民集 14 巻 389 頁　　1578
最判昭 35・3・18 民集 14 巻 483 頁　　195
最判昭 35・3・22 民集 14 巻 501 頁　　373
最判昭 35・3・31 民集 14 巻 663 頁　　393
最判昭 35・4・7 民集 14 巻 751 頁　　404, 1607
最判昭 35・4・12 民集 14 巻 817 頁　　1275
最判昭 35・4・14 民集 14 巻 849 頁　　1487
最判昭 35・4・14 民集 14 巻 863 頁　　1596
最大判昭 35・4・18 民集 14 巻 905 頁　　194
最判昭 35・4・21 民集 14 巻 930 頁　　814, 820
最判昭 35・4・21 民集 14 巻 946 頁　　387
最判昭 35・4・26 民集 14 巻 1046 頁　　851,
　855
最判昭 35・4・26 民集 14 巻 1071 頁　　375,
　1251
最判昭 35・5・6 民集 14 巻 1127 頁　　1486,
　1487
最判昭 35・5・19 民集 14 巻 1145 頁　　280
最判昭 35・5・24 民集 14 巻 1154 頁　　85,
　1107
最判昭 35・6・17 民集 14 巻 1396 頁　　394,
　443
最判昭 35・6・21 民集 14 巻 1487 頁　　816
最判昭 35・6・23 民集 14 巻 1507 頁　　1080,
　1320
最判昭 35・6・24 民集 14 巻 1528 頁　　372
最判昭 35・6・28 民集 14 巻 1547 頁　　1171
最判昭 35・7・8 民集 14 巻 1720 頁　　1136

最判昭 35・7・15 民集 14 巻 1771 頁　　348
最判昭 35・7・27 民集 14 巻 1871 頁　　125,
326, 382
大阪高判昭 35・8・9 高裁民集 13 巻 513 頁
1240
最判昭 35・9・2 民集 14 巻 2094 頁　　324
最判昭 35・9・16 民集 14 巻 2209 頁　　1493,
1495, 1497
最判昭 35・9・20 民集 14 巻 2227 頁　　1136,
1467
最判昭 35・10・18 民集 14 巻 2764 頁　　244
最判昭 35・10・21 民集 14 巻 2661 頁　　240
最判昭 35・10・27 民集 14 巻 2733 頁　　1169,
1171
最判昭 35・11・1 民集 14 巻 2781 頁　　336,
1164, 1179
最判昭 35・11・4 民集 14 巻 2853 頁　　1208
最判昭 35・11・22 民集 14 巻 2827 頁　　1025
最判昭 35・11・29 民集 14 巻 2869 頁　　378
最判昭 35・12・9 民集 14 巻 2994 頁　　1408
最判昭 35・12・15 民集 14 巻 3060 頁　　723,
1023, 1030
最判昭 35・12・23 民集 14 巻 3166 頁　　319
最判昭 35・12・27 民集 14 巻 3234 頁　　242
最判昭 35・12・27 民集 14 巻 3253 頁　　311
最判昭 36・1・24 民集 15 巻 35 頁　　831,
1559, 1567
最判昭 36・2・10 民集 15 巻 219 頁　　656
最判昭 36・2・16 民集 15 巻 244 頁　　815,
1525
最判昭 36・3・2 民集 15 巻 337 頁　　874, 880
最判昭 36・3・24 民集 15 巻 542 頁　　458
最判昭 36・4・14 民集 15 巻 765 頁　　1064
最判昭 36・4・20 民集 15 巻 774 頁　　217
最判昭 36・4・27 民集 15 巻 901 頁　　392
最判昭 36・4・28 民集 15 巻 1105 頁　　820
最判昭 36・4・28 民集 15 巻 1211 頁　　1317
最判昭 36・4・28 民集 15 巻 1230 頁　　388
最判昭 36・5・25 民集 15 巻 1322 頁　　1371,
1381
最判昭 36・5・26 民集 15 巻 1336 頁　　1431
最判昭 36・5・26 民集 15 巻 1440 頁　　1373
最判昭 36・5・30 民集 15 巻 1459 頁　　1251
最判昭 36・5・30 民集 15 巻 1471 頁　　348
最大判昭 36・5・31 民集 15 巻 1482 頁　　1059
最判昭 36・6・9 民集 15 巻 1546 頁　　1592
最判昭 36・6・20 民集 15 巻 1602 頁　　752
最判昭 36・7・7 民集 15 巻 1800 頁　　1360

最大判昭 36・7・19 民集 15 巻 1875 頁　　848,
855
最判昭 36・7・20 民集 15 巻 1903 頁　　382
最判昭 36・7・31 民集 15 巻 1982 頁　　1409
最判昭 36・8・31 民集 15 巻 2027 頁　　318
最判昭 36・9・15 民集 15 巻 2172 頁　　422
最判昭 36・11・21 民集 15 巻 2507 頁　　1130,
1166
最判昭 36・11・24 民集 15 巻 2554 頁　　394
最判昭 36・11・24 民集 15 巻 2573 頁　　388
最判昭 36・11・30 民集 15 巻 2629 頁　　1446
最判昭 36・12・8 民集 15 巻 2706 頁　　820
最判昭 36・12・12 民集 15 巻 2778 頁　　1190
最判昭 36・12・15 民集 15 巻 2852 頁　　798,
1238
最判昭 36・12・21 民集 15 巻 3243 頁　　1319
最判昭 36・12・26 民集 15 巻 3075 頁　　1557
最判昭 36・12・27 民集 15 巻 3092 頁　　1437
最判昭 37・2・1 民集 16 巻 143 頁　　1604
最判昭 37・2・1 民集 16 巻 157 頁　　1377
最判昭 37・2・6 民集 16 巻 195 頁　　143
最判昭 37・2・6 民集 16 巻 223 頁　　224
最判昭 37・2・27 民集 16 巻 407 頁　　1555
最判昭 37・3・6 民集 16 巻 436 頁　　851, 856
最判昭 37・3・8 民集 16 巻 500 頁　　1493,
1495
最判昭 37・3・9 民集 16 巻 514 頁　　1171
最判昭 37・3・15 民集 16 巻 556 頁　　457
最判昭 37・4・20 民集 16 巻 955 頁　　251
最判昭 37・4・26 民集 16 巻 975 頁　　1567,
1600
最判昭 37・4・26 民集 16 巻 1002 頁　　1189
最判昭 37・5・10 民集 16 巻 1066 頁　　348
最判昭 37・5・18 民集 16 巻 1073 頁　　326,
413
最判昭 37・5・25 民集 16 巻 1195 頁　　1498
最判昭 37・6・12 民集 16 巻 1305 頁　　1493,
1494, 1497, 1499
最大判昭 37・6・13 民集 16 巻 1340 頁　　759
最判昭 37・6・26 民集 16 巻 1397 頁　　1156
最判昭 37・7・6 民集 16 巻 1469 頁　　348
最判昭 37・7・13 民集 16 巻 1516 頁　　1409
最判昭 37・7・13 民集 16 巻 1556 頁　　1032
最判昭 37・7・20 民集 16 巻 1605 頁　　983
最判昭 37・8・10 民集 16 巻 1700 頁　　254
最判昭 37・8・10 民集 16 巻 1720 頁　　1568
最判昭 37・8・21 民集 16 巻 1809 頁　　999,
1000, 1001

最判昭 37・9・4 民集 16 巻 1834 頁　　782,
1568
最判昭 37・9・4 民集 16 巻 1854 頁　　658
最判昭 37・9・21 民集 16 巻 2041 頁　　1024
最判昭 37・10・9 民集 16 巻 2070 頁　　863
最判昭 37・10・12 民集 16 巻 2130 頁　　306,
855
最判昭 37・10・30 民集 16 巻 2182 頁　　458
最判昭 37・11・8 民集 16 巻 2216 頁　　1601
最判昭 37・11・8 民集 16 巻 2255 頁　　1594
最判昭 37・11・9 民集 16 巻 2270 頁　　903
最判昭 37・11・16 民集 16 巻 2280 頁　　820
最判昭 37・11・27 判時 321 号 17 頁　　209
最判昭 37・12・14 民集 16 巻 2368 頁　　1560,
1590
最判昭 37・12・18 民集 16 巻 2422 頁　　1409
最判昭 37・12・25 民集 16 巻 2455 頁　　1294,
1323
最判昭 38・1・18 民集 17 巻 25 頁　　192
最判昭 38・1・25 民集 17 巻 41 頁　　433
最大判昭 38・1・30 集 17 巻 99 頁　　313
最判昭 38・2・1 民集 17 巻 160 頁　　1544
最判昭 38・2・21 民集 17 巻 182 頁　　224
最判昭 38・2・21 民集 17 巻 219 頁　　1172
最判昭 38・2・22 民集 17 巻 235 頁　　378, 484
最判昭 38・3・1 民集 17 巻 269 頁　　639
最判昭 38・3・1 民集 17 巻 290 頁　　1137
最判昭 38・3・28 民集 17 巻 397 頁　　838
最判昭 38・4・23 民集 17 巻 536 頁　　839
最判昭 38・5・31 民集 17 巻 570 頁　　547
最判昭 38・5・31 民集 17 巻 588 頁　　372, 477
最判昭 38・5・31 民集 17 巻 600 頁　　1408
最判昭 38・6・13 民集 17 巻 744 貞　　187
最判昭 38・6・28 判時 344 号 36 頁　　1596
最判昭 38・9・5 民集 17 巻 909 頁　　151, 202
最判昭 38・9・17 民集 17 巻 968 頁　　795
最判昭 38・9・26 民集 17 巻 1025 頁　　1303
最判昭 38・9・26 民集 17 巻 1040 頁　　1532
最判昭 38・10・3 民集 17 巻 1133 頁　　196
最判昭 38・10・10 民集 17 巻 1313 頁　　849
最判昭 38・10・15 民集 17 巻 1202 頁　　1317
最判昭 38・10・15 民集 17 巻 1497 頁　　416
最大判昭 38・10・30 集 17 巻 1252 頁
306, 548
最判昭 38・11・5 民集 17 巻 1510 頁　　803
最判昭 38・11・28 民集 17 巻 1477 頁　　1136,
1306
最判昭 38・12・13 民集 17 巻 1696 頁　　329

最判昭 38・12・24 民集 17 巻 1720 頁　　417,
1474
最判昭 38・12・27 民集 17 巻 1854 頁　　1219
最判昭 39・1・16 民集 18 巻 1 頁　　1569
最判昭 39・1・23 民集 18 巻 37 頁　　188
最判昭 39・1・23 民集 18 巻 76 頁　　855, 862
最判昭 39・1・23 民集 18 巻 99 頁　　277
最判昭 39・1・24 民集 18 巻 121 頁　　1582
最判昭 39・1・24 判時 365 号 26 頁　　422,
1468
最判昭 39・1・28 民集 18 巻 136 頁　　1574,
1577
最判昭 39・2・4 民集 18 巻 252 頁　　1594
最判昭 39・2・25 民集 18 巻 329 頁　　489,
1176
最判昭 39・3・6 民集 18 巻 437 頁　　380
最判昭 39・4・2 民集 18 巻 497 頁　　243
最判昭 39・4・17 民集 18 巻 529 頁　　838
最判昭 39・4・17 判時 376 号 25 頁　　913
最判昭 39・4・21 民集 18 巻 566 頁　　995
最判昭 39・5・23 民集 18 巻 621 頁　　240
最判昭 39・5・26 民集 18 巻 667 頁　　1191
最判昭 39・6・12 民集 18 巻 764 頁　　852
最判昭 39・6・23 民集 18 巻 842 頁　　1557
最大判昭 39・6・24 民集 18 巻 854 頁　　1617
最判昭 39・6・24 民集 18 巻 874 頁　　1559
最判昭 39・6・26 民集 18 巻 968 頁　　1171,
1303
最判昭 39・6・30 民集 18 巻 991 頁　　1317
最判昭 39・7・7 民集 18 巻 1049 頁　　1264
最判昭 39・7・10 民集 18 巻 1078 頁　　855
最判昭 39・7・28 民集 18 巻 1220 頁　　1063,
1170, 1171
最判昭 39・7・28 民集 18 巻 1241 頁　　1526
最判昭 39・8・28 民集 18 巻 1354 頁　　1303
最判昭 39・9・8 民集 18 巻 1423 頁　　253
最判昭 39・9・15 民集 18 巻 1435 頁　　243
最判昭 39・9・25 民集 18 巻 1528 頁　　1565,
1619
東京地判昭 39・9・28 下民 15 巻 2317 頁
1544
最判昭 39・10・13 民集 18 巻 1578 頁　　1323
最判昭 39・10・15 民集 18 巻 1671 頁　　110,
132, 133
最判昭 39・10・23 民集 18 巻 1773 頁　　1024
最判昭 39・10・27 民集 18 巻 1801 頁　　1062,
1069
最判昭 39・10・29 民集 18 巻 1823 頁　　820

最判昭 39・10・30 民集 18 巻 1837 頁　276
最判昭 39・11・17 民集 18 巻 1851 頁　851
最大判昭 39・11・18 民集 18 巻 1868 頁　759
最判昭 39・11・19 民集 18 巻 1891 頁　384
最大判昭 39・12・23 民集 18 巻 2217 頁　1068
最判昭 40・1・28 判時 400 号 19 頁　1540
最判昭 40・2・19 判時 405 号 38 頁　240
最判昭 40・3・4 民集 19 巻 197 頁　435
最判昭 40・3・9 民集 19 巻 233 頁　26
最大判昭 40・3・17 民集 19 巻 453 頁　1302
最判昭 40・3・25 民集 19 巻 497 頁　1494
最判昭 40・3・26 民集 19 巻 526 頁　1191
最判昭 40・4・2 民集 19 巻 539 頁　1063
最判昭 40・5・4 民集 19 巻 811 頁　620
最判昭 40・5・20 民集 19 巻 859 頁　484
最判昭 40・5・27 判時 413 号 58 頁　212
最判昭 40・6・4 民集 19 巻 924 頁　211
最判昭 40・6・18 民集 19 巻 986 頁　250
最大判昭 40・6・30 民集 19 巻 1143 頁　912
最判昭 40・7・15 民集 19 巻 1275 頁　546
最判昭 40・8・2 民集 19 巻 1368 頁　1171
最判昭 40・8・24 民集 19 巻 1435 頁　1136
最判昭 40・9・10 民集 19 巻 1512 頁　206, 210
最判昭 40・9・21 民集 19 巻 1542 頁　908, 920
最判昭 40・9・21 民集 19 巻 1560 頁　387
最判昭 40・9・24 民集 19 巻 1668 頁　1604
最判昭 40・10・7 民集 19 巻 1705 頁　606
最判昭 40・10・7 民集 19 巻 1723 頁　1267
最判昭 40・10・8 民集 19 巻 1731 頁　209
最判昭 40・10・12 民集 19 巻 1777 頁　837, 839
最判昭 40・10・19 民集 19 巻 1876 頁　1392
最判昭 40・11・5 判時 431 号 24 頁　1066
最判昭 40・11・19 民集 19 巻 1986 頁　1000, 1006
最判昭 40・11・19 民集 19 巻 2003 頁　372
最大判昭 40・11・24 民集 19 巻 2019 頁　1211
最判昭 40・11・24 民集 19 巻 2019 頁　1209
最判昭 40・11・30 民集 19 巻 2049 頁　1592
最判昭 40・12・3 民集 19 巻 2090 頁　785, 786, 789
最判昭 40・12・7 民集 19 巻 2101 頁　1551
最判昭 40・12・17 民集 19 巻 2159 頁　726, 1313

最判昭 40・12・17 民集 19 巻 2178 頁　1496
最判昭 40・12・21 民集 19 巻 2221 頁　392, 1080, 1486
最判昭 40・12・23 民集 19 巻 2306 頁　196
東京地判 40・12・24 判時 433 号 18 頁　470
最判昭 41・1・21 民集 20 巻 65 頁　1211
最判昭 41・3・3 民集 20 巻 386 頁　545
最判昭 41・3・3 判時 443 号 32 頁　484, 871
最判昭 41・3・22 民集 20 巻 468 頁　1141
最判昭 41・4・7 民集 20 巻 499 頁　1567
最判昭 41・4・14 民集 20 巻 649 頁　1239, 1240
最判昭 41・4・15 民集 20 巻 676 頁　328
最大判昭 41・4・20 民集 20 巻 702 頁　299
最判昭 41・4・21 民集 20 巻 720 頁　1171
最判昭 41・4・22 民集 20 巻 752 頁　241
最判昭 41・4・26 民集 20 巻 826 頁　250
最判昭 41・4・26 民集 20 巻 849 頁　126
最大判昭 41・4・27 民集 20 巻 870 頁　394, 1302
最判昭 41・4・28 民集 20 巻 900 頁　724
最判昭 41・5・19 民集 20 巻 947 頁　485, 486, 488
最判昭 41・5・19 民集 20 巻 989 頁　1172
最判昭 41・5・27 民集 20 巻 1004 頁　851, 855
最判昭 41・6・7 金法 449 号 6 頁　195
最判昭 41・6・9 民集 20 巻 1011 頁　423
最判昭 41・6・10 民集 20 巻 1029 頁　1591
最判昭 41・6・21 民集 20 巻 1052 頁　143
最判昭 41・6・21 民集 20 巻 1078 頁　1619
最判昭 41・6・23 民集 20 巻 1118 頁　1573
最判昭 41・7・21 民集 20 巻 1235 頁　1590
最判昭 41・7・28 民集 20 巻 1265 頁　1494
最判昭 41・9・8 民集 20 巻 1325 頁　814, 1221
最判昭 41・9・16 判時 460 号 52 頁　1029
最判昭 41・10・4 民集 20 巻 1565 頁　282
最判昭 41・10・7 民集 20 巻 1597 頁　1191
最判昭 41・10・21 民集 20 巻 1640 頁　1317
最判昭 41・10・27 民集 20 巻 1649 頁　1276
最判昭 41・11・1 民集 20 巻 1665 頁　339
最判昭 41・11・18 民集 20 巻 1861 頁　1041, 1043
最判昭 41・11・18 民集 20 巻 1886 頁　882, 1611
最判昭 41・11・25 民集 20 巻 1921 頁　502

最判昭 41・12・20 民集 20 巻 2139 頁　982, 985

最判昭 41・12・20 刑集 20 巻 1212 頁　1525

最判昭 41・12・23 民集 20 巻 2211 頁　818, 832, 1149

最判昭 42・1・17 民集 21 巻 1 頁　1315

最判昭 42・1・20 民集 21 巻 16 頁　379

最判昭 42・1・31 民集 21 巻 43 頁　711

最判昭 42・1・31 民集 21 巻 61 頁　1582

最判昭 42・2・21 民集 21 巻 155 頁　1294, 1323

最判昭 42・2・23 民集 21 巻 189 頁　748, 767

最判昭 42・3・10 民集 21 巻 295 頁　348

最判昭 42・3・31 民集 21 巻 475 頁　1469

最判昭 42・4・6 民集 21 巻 533 頁　1130

最判昭 42・4・18 民集 21 巻 671 頁　236, 237

最判昭 42・4・20 民集 21 巻 697 頁　202, 235, 1592

最判昭 42・4・28 民集 21 巻 780 頁　1294, 1323

最判昭 42・5・2 判時 491 号 53 頁　1302

最判昭 42・5・30 民集 21 巻 961 頁　1596

最判昭 42・5・30 民集 21 巻 1011 頁　422

最判昭 42・6・9 訟月 13 号 1035 頁　329

最判昭 42・6・13 民集 21 巻 1447 頁　1582

最判昭 42・6・22 民集 21 巻 1468 頁　1323

最判昭 42・6・22 民集 21 巻 1479 頁　203

最判昭 42・6・23 民集 21 巻 1492 頁　335

最判昭 42・6・27 民集 21 巻 1507 頁　1617

最判昭 42・6・29 判時 491 号 52 頁　203

最判昭 42・6・30 民集 21 巻 1526 頁　1594

最判昭 42・7・13 判時 495 号 50 頁　241

最判昭 42・7・18 民集 21 巻 1559 頁　1624

最判昭 42・7・20 民集 21 巻 1601 頁　338, 340

最判昭 42・7・21 民集 21 巻 1643 頁　328

最判昭 42・8・24 民集 21 巻 1719 頁　1030

最判昭 42・8・25 民集 21 巻 1740 頁　874

最判昭 42・9・7 判時 500 号 25 頁　1213

最判昭 42・10・6 民集 21 巻 2051 頁　339

最判昭 42・10・27 民集 21 巻 2110 頁　295, 299

最判昭 42・10・27 民集 21 巻 2161 頁　956, 971, 973

最判昭 42・10・31 判時 499 号 39 頁　1545

最大判昭 42・11・1 民集 21 巻 2249 頁　843, 1579

最判昭 42・11・2 民集 21 巻 2278 頁　1592

最判昭 42・11・9 民集 21 巻 2323 頁　851

最判昭 42・11・9 民集 21 巻 2336 頁　1592

最判昭 42・11・10 民集 21 巻 2352 頁　1561

最判昭 42・11・16 民集 21 巻 2430 頁　727

最判昭 42・11・17 判時 509 号 63 頁　1391

最判昭 42・11・24 民集 21 巻 2460 頁　1279

最判昭 42・11・30 民集 21 巻 2477 頁　1066

最判昭 42・12・8 民集 21 巻 2561 頁　715

最判昭 42・12・21 民集 21 巻 2613 頁　1001

最判昭 43・1・30 民集 22 巻 63 頁　1592

最判昭 43・2・6 判時 514 号 48 頁　1592

最判昭 43・2・9 民集 22 巻 108 頁　212

最判昭 43・2・9 民集 22 巻 122 頁　313

最判昭 43・2・9 判時 510 号 38 頁　1555, 1587

最判昭 43・2・15 民集 22 巻 184 頁　1438

最判昭 43・2・16 民集 22 巻 217 頁　1267

最判昭 43・2・23 民集 22 巻 281 頁　1167

最判昭 43・3・1 民集 22 巻 491 頁　330

最判昭 43・3・8 民集 22 巻 540 頁　237

最判昭 43・3・15 民集 22 巻 587 頁　1433, 1562

最判昭 43・3・29 民集 22 巻 725 頁　316

最判昭 43・4・2 民集 22 巻 733 頁　1470

最判昭 43・4・11 民集 22 巻 862 頁　1433

最判昭 43・4・12 民集 22 巻 889 頁　1592

最判昭 43・4・23 民集 22 巻 964 頁　1607, 1609

最判昭 43・4・26 判時 520 号 47 頁　1609

最判昭 43・5・28 判時 519 号 89 頁　957

最判昭 43・6・18 判時 521 号 50 頁　1526

最判昭 43・6・21 民集 22 巻 1311 頁　1211

最判昭 43・6・27 民集 22 巻 1339 頁　1535

最判昭 43・6・27 民集 22 巻 1415 頁　1470

最判昭 43・6・27 民集 22 巻 1427 頁　1295

最判昭 43・7・9 判時 529 号 54 頁　212, 1437

最判昭 43・7・9 判時 530 号 34 頁　1453

最大判昭 43・7・17 民集 22 巻 1505 頁　826

最判昭 43・8・2 民集 22 巻 1525 頁　1559

最判昭 43・8・2 民集 22 巻 1558 頁　965

最判昭 43・8・2 民集 22 巻 1571 頁　392, 1540

最判昭 43・8・20 民集 22 巻 1692 頁　1225

最判昭 43・8・27 民集 22 巻 1704 頁　1559

最判昭 43・9・19 民集 22 巻 1923 頁　1582

最判昭 43・9・20 判時 536 号 51 頁　1381

最判昭 43・9・24 判時 539 号 40 頁　1525

最判昭 43・9・26 民集 22 巻 2002 頁　295,

840

最判昭 43・9・27 民集 22 巻 2020 頁　1594

最判昭 43・10・3 判時 540 号 38 頁　1561,
　1567

最判昭 43・10・8 民集 22 巻 2145 頁　331

最判昭 43・10・17 民集 22 巻 2188 頁　204

最判昭 43・10・17 判時 540 号 34 頁　351

最判昭 43・10・24 民集 22 巻 2245 頁　967

最判昭 43・10・29 民集 22 巻 2257 頁　894

最判昭 43・10・31 民集 22 巻 2312 頁　1470

最大判昭 43・11・13 民集 22 巻 2510 頁　306

最判昭 43・11・13 民集 22 巻 2526 頁　760

最判昭 43・11・15 民集 22 巻 2614 頁　1542

最判昭 43・11・15 民集 22 巻 2649 頁　920

最判昭 43・11・15 民集 22 巻 2671 頁　392

最判昭 43・11・19 民集 22 巻 2712 頁　1007

最判昭 43・11・19 判時 539 号 43 頁　72

最判昭 43・11・21 民集 22 巻 2741 頁　1171

最判昭 43・11・21 民集 22 巻 2765 頁　392,
　543

最判昭 43・11・28 民集 22 巻 2833 頁　1137

最判昭 43・12・5 民集 22 巻 2876 頁　1155

最判昭 43・12・17 刑集 22 巻 1525 頁　1525

最判昭 43・12・17 判時 544 号 38 頁　1546

最判昭 43・12・20 民集 22 巻 3033 頁　1323

最判昭 43・12・24 民集 22 巻 3336 頁　672

最判昭 43・12・24 民集 22 巻 3413 頁　1598

最判昭 43・12・24 民集 22 巻 3428 頁　1551

最判昭 43・12・24 民集 22 巻 3454 頁　824

最判昭 44・1・16 民集 23 巻 18 頁　392

最判昭 44・1・31 判時 552 号 50 頁　1188

最判昭 44・2・6 民集 23 巻 195 頁　1526

最判昭 44・2・13 民集 23 巻 291 頁　84

最判昭 44・2・14 民集 23 巻 357 頁　657

最判昭 44・2・21 判時 553 号 44 頁　1620

最判昭 44・2・27 民集 23 巻 441 頁　1564

最判昭 44・2・27 民集 23 巻 511 頁　103

最判昭 44・2・28 民集 23 巻 525 頁　1561

最判昭 44・3・4 民集 23 巻 561 頁　1539

最判昭 44・3・28 民集 23 巻 699 頁　620

最判昭 44・4・15 判時 560 号 49 頁　1166

最判昭 44・4・18 判時 556 号 43 頁　657

最判昭 44・4・22 判時 558 号 57 頁　1582

最判昭 44・4・24 民集 23 巻 855 頁　1317

最判昭 44・4・25 民集 23 巻 904 頁　392

最判昭 44・4・25 判時 560 号 51 頁　1592

東京高判昭 44・4・28 判時 554 号 25 頁
　1546

最判昭 44・5・1 民集 23 巻 935 頁　1026

最判昭 44・5・22 民集 23 巻 993 頁　329

最判昭 44・6・24 民集 23 巻 1079 頁　841,
　844

最判昭 44・6・24 民集 23 巻 1121 頁　143

最判昭 44・7・3 民集 23 巻 1297 頁　666

最判昭 44・7・4 民集 23 巻 1347 頁　126, 616

最判昭 44・7・8 民集 23 巻 1374 頁　331

最判昭 44・7・8 民集 23 巻 1407 頁　1551

最判昭 44・7・15 民集 23 巻 1520 頁　296

最判昭 44・7・17 民集 23 巻 1610 頁　1303,
　1304, 1329

最判昭 44・7・25 判時 574 号 26 頁　248

最判昭 44・9・2 民集 23 巻 1641 頁　350, 558

最判昭 44・9・12 判時 572 号 25 頁　1356

最判昭 44・9・26 民集 23 巻 1727 頁　1497,
　1576

最判昭 44・10・17 判時 575 号 71 頁　803

最判昭 44・10・21 家月 22 巻 3 号 59 頁
　1420

最判昭 44・11・4 民集 23 巻 1951 頁　133

最判昭 44・11・14 民集 23 巻 2023 頁　202

最判昭 44・11・18 民集 23 巻 2079 頁　1593

最判昭 44・11・21 民集 23 巻 2097 頁　1592

最判昭 44・11・25 民集 23 巻 2137 頁　760

最判昭 44・11・27 民集 23 巻 2251 頁　306

最判昭 44・11・27 民集 23 巻 2265 頁　1623

最判昭 44・12・18 民集 23 巻 2467 頁　329

最判昭 44・12・18 民集 23 巻 2476 頁　243

最判昭 44・12・18 民集 23 巻 2495 頁　1059

最判昭 44・12・19 民集 23 巻 2518 頁　851

最判昭 44・12・19 民集 23 巻 2539 頁　243

最判昭 45・1・27 民集 24 巻 56 頁　1525

最判昭 45・2・12 判時 591 号 61 頁　1590

最判昭 45・2・26 民集 24 巻 109 頁　1593

最判昭 45・3・26 民集 24 巻 151 頁　210, 843

最判昭 45・4・10 民集 24 巻 240 頁　960

最判昭 45・4・16 民集 24 巻 266 頁　204

最判昭 45・4・21 民集 24 巻 298 頁　765

最判昭 45・4・21 判時 593 号 32 頁　1497

最判昭 45・4・21 判時 594 号 62 頁　1249

最判昭 45・4・21 判時 595 号 54 頁　881,
　1596

最判昭 45・5・21 民集 24 巻 393 頁　299

最判昭 45・5・29 判時 598 号 55 頁　207

最判昭 45・6・2 民集 24 巻 447 頁　844

最判昭 45・6・2 民集 24 巻 465 頁　205

最判昭 45・6・18 民集 24 巻 527 頁　1060

最判昭 45・6・18 判時 600 号 83 頁　　327
最大判昭 45・6・24 民集 24 巻 587 頁　　1053,
1056, 1068
最判昭 45・6・24 民集 24 巻 587 頁　　1067
最大判昭 45・6・24 民集 24 巻 625 頁　　125
最判昭 45・7・2 民集 24 巻 731 頁　　126
最大判昭 45・7・15 民集 24 巻 771 頁　　336,
339, 1029, 1032
最判昭 45・7・16 民集 24 巻 909 頁　　1471,
1476
最判昭 45・7・16 民集 24 巻 965 頁　　624
最判昭 45・7・16 民集 24 巻 982 頁　　1598
最判昭 45・7・24 民集 24 巻 1116 頁　　205
最判昭 45・7・24 民集 24 巻 1177 頁　　301,
1565, 1624
最判昭 45・7・28 民集 24 巻 1203 頁　　239,
243
最判昭 45・8・20 民集 24 巻 1243 頁　　1025
最判昭 45・9・10 民集 24 巻 1389 頁　　303,
311
最判昭 45・9・22 民集 24 巻 1424 頁　　205
最判昭 45・10・13 判時 614 号 46 頁　　871
最大判昭 45・10・21 民集 24 巻 1560 頁
1496, 1497, 1498
最判昭 45・10・22 民集 24 巻 1599 頁　　277
最判昭 45・10・29 判時 612 号 52 頁　　327
最判昭 45・10・30 民集 24 巻 1693 頁　　1059
最判昭 45・11・6 民集 24 巻 1803 頁　　494
最大判昭 45・11・11 民集 24 巻 1854 頁
1400, 1409
最判昭 45・11・19 民集 24 巻 1916 頁　　205
最判昭 45・11・24 判時 614 号 49 頁　　779
最判昭 45・12・4 民集 24 巻 1987 頁　　421
最判昭 45・12・11 民集 24 巻 2015 頁　　1317
最判昭 45・12・15 民集 24 巻 2051 頁　　331
最判昭 45・12・15 民集 24 巻 2072 頁　　241
最判昭 45・12・15 民集 24 巻 2081 頁　　244
最判昭 45・12・18 民集 24 巻 2151 頁　　1574
最判昭 46・1・26 民集 25 巻 90 頁　　379, 380
最判昭 46・2・19 民集 25 巻 135 頁　　1308
最判昭 46・3・5 判時 628 号 48 頁　　1356
最判昭 46・3・16 民集 25 巻 173 頁　　925
最判昭 46・3・18 判時 623 号 71 頁　　983, 989
最判昭 46・3・25 民集 25 巻 208 頁　　722,
1136
最判昭 46・4・9 民集 25 巻 241 頁　　1464
最判昭 46・4・9 民集 25 巻 264 頁　　187, 1438
最判昭 46・4・20 民集 25 巻 290 頁　　187

最判昭 46・4・23 民集 25 巻 351 頁　　1601
最判昭 46・4・23 民集 25 巻 388 頁　　1303,
1305
最判昭 46・6・3 民集 25 巻 455 頁　　243
最判昭 46・6・10 判時 638 号 70 頁　　763
最判昭 46・6・18 民集 25 巻 550 頁　　391, 495
最判昭 46・6・22 民集 25 巻 566 頁　　1594
最判昭 46・6・29 民集 25 巻 650 頁　　1561
富山地判昭 46・6・30 下民 22 巻 5・6 号別冊 1
頁　　1533, 1595
最判昭 46・7・16 民集 25 巻 749 頁　　545
最判昭 46・7・23 民集 25 巻 805 頁　　336
最判昭 46・7・23 判時 641 号 62 頁　　351
最判昭 46・9・21 民集 25 巻 823 頁　　850
最判昭 46・9・21 民集 25 巻 857 頁　　1030
新潟地判昭 46・9・29 下民 22 巻 9・10 号別冊
1 頁・判時 642 号 99 頁　　1533, 1595
最判昭 46・9・30 判時 646 号 47 頁　　1596
最判昭 46・10・7 民集 25 巻 885 頁　　485
最判昭 46・10・14 民集 25 巻 933 頁　　400,
1080
最判昭 46・10・21 民集 25 巻 969 頁　　559
最判昭 46・10・26 民集 25 巻 1019 頁　　907
最判昭 46・10・28 民集 25 巻 1069 頁　　1496
最判昭 46・11・5 民集 25 巻 1087 頁　　328
最判昭 46・11・11 判時 654 号 52 頁　　412
最判昭 46・11・19 民集 25 巻 1321 頁　　864
最判昭 46・11・19 民集 25 巻 1331 頁　　350
最判昭 46・11・25 民集 25 巻 1343 頁　　1137
最判昭 46・11・25 判時 654 号 51 頁　　328
最判昭 46・11・26 判時 654 号 53 頁　　331
最判昭 46・11・30 民集 25 巻 1389 頁　　297
最判昭 46・11・30 民集 25 巻 1422 頁　　387
最判昭 46・11・30 民集 25 巻 1437 頁　　327,
411
最判昭 46・12・3 判時 655 号 28 頁　　1303
最判昭 46・12・16 民集 25 巻 1472 頁　　786,
790
最判昭 46・12・16 民集 25 巻 1516 頁　　814
最判昭 46・12・21 民集 25 巻 1610 頁　　658
最判昭 47・1・25 民集 26 巻 1 頁　　1471
最判昭 47・2・18 民集 26 巻 46 頁　　250
最判昭 47・2・18 民集 26 巻 63 頁　　1171
最判昭 47・3・23 民集 26 巻 274 頁　　912
最判昭 47・4・4 民集 26 巻 373 頁　　236
最判昭 47・4・13 判時 669 号 63 頁　　866
最判昭 47・4・13 判夕 278 号 129 頁　　867
最判昭 47・4・14 民集 26 巻 483 頁　　456

最判昭 47・4・20 民集 26 巻 520 頁　　820
最判昭 47・5・25 民集 26 巻 805 頁　　1195
最判昭 47・5・25 判時 671 号 45 頁　　748
最判昭 47・6・2 民集 26 巻 957 頁　　133
最判昭 47・6・27 民集 26 巻 1067 頁　　1545
最判昭 47・7・18 判時 678 号 37 頁　　1274
津地四日市支判昭 47・7・24 判時 672 号 30
　頁　　1533, 1561, 1595, 1610
名古屋高金沢支判昭 47・8・9 判時 674 号 25
　頁　　1595
最判昭 47・9・1 民集 26 巻 1289 頁　　92
最判昭 47・9・7 民集 26 巻 1314 頁　　557
最判昭 47・9・7 民集 26 巻 1327 頁　　1136,
　1480
最判昭 47・9・8 民集 26 巻 1348 頁　　327,
　328, 411
最判昭 47・10・12 民集 26 巻 1448 頁　　1111
最判昭 47・11・16 民集 26 巻 1573 頁　　1510
最判昭 47・11・16 民集 26 巻 1603 頁　　1171
最判昭 47・11・16 民集 26 巻 1619 頁　　543
最判昭 47・11・16 民集 26 巻 1633 頁　　1573
最判昭 47・12・7 民集 26 巻 1829 頁　　394,
　443
最判昭 47・12・22 民集 26 巻 1991 頁　　1060,
　1379
最判昭 48・1・19 民集 27 巻 27 頁　　1079
最判昭 48・1・30 判時 695 号 64 頁　　880, 890
最判昭 48・2・2 民集 27 巻 80 頁　　1303,
　1328, 1332
最判昭 48・2・16 民集 27 巻 99 頁　　1602
最判昭 48・2・16 民集 27 巻 149 頁　　306
最判昭 48・3・13 民集 27 巻 271 頁　　504
最判昭 48・3・16 金法 683 号 25 頁　　1265
熊本地判昭 48・3・20 判時 696 号 15 頁
　1530, 1560, 1595
最判昭 48・3・27 民集 27 巻 376 頁　　1001
最判昭 48・3・29 判時 705 号 103 頁　　422
名古屋地判昭 48・3・30 判時 700 号 3 頁
　1557
最判昭 48・4・5 民集 27 巻 419 頁　　1620
最判昭 48・4・12 金法 686 号 30 頁　　758
最判昭 48・6・7 民集 27 巻 681 頁　　805,
　1551, 1556
最判昭 48・7・3 民集 27 巻 751 頁　　251
最判昭 48・7・12 民集 27 巻 763 頁　　1470
最判昭 48・7・12 民集 27 巻 785 頁　　1225
最判昭 48・7・17 民集 27 巻 798 頁　　1308
最判昭 48・7・19 民集 27 巻 823 頁　　960

最判昭 48・7・20 民集 27 巻 890 頁　　24
最判昭 48・9・18 民集 27 巻 1066 頁　　658
最判昭 48・10・4 判時 723 号 42 頁　　708
最判昭 48・10・5 民集 27 巻 1110 頁　　391
最判昭 48・10・9 民集 27 巻 1129 頁　　133
最判昭 48・10・11 判時 723 号 44 頁　　821
最判昭 48・10・26 民集 27 巻 1240 頁　　103
最判昭 48・11・16 民集 27 巻 1374 頁　　334,
　1623
最判昭 48・11・22 民集 27 巻 1435 頁　　907
最判昭 48・11・29 金法 708 号 32 頁　　1180
最判昭 48・11・30 民集 27 巻 1491 頁　　850
最大判昭 48・12・12 民集 27 巻 1536 頁　　188
最判昭 48・12・14 民集 27 巻 1586 頁　　295
最判昭 48・12・20 民集 27 巻 1611 頁　　1596
最判昭 49・3・1 民集 28 巻 135 頁　　187
最判昭 49・3・7 民集 28 巻 174 頁　　968
最判昭 49・3・8 民集 28 巻 186 頁　　1458
最判昭 49・3・19 民集 28 巻 325 頁　　391,
　1303
最判昭 49・3・22 民集 28 巻 347 頁　　1535,
　1586
最判昭 49・3・22 民集 28 巻 368 頁　　248
最判昭 49・4・15 民集 28 巻 385 頁　　1557
最判昭 49・4・25 民集 28 巻 447 頁　　1561
最判昭 49・4・26 民集 28 巻 467 頁　　1171
最判昭 49・4・26 民集 28 巻 503 頁　　775
最判昭 49・4・26 民集 28 巻 540 頁　　966
最判昭 49・6・28 民集 28 巻 666 頁　　1066
最判昭 49・7・18 民集 28 巻 743 頁　　726
最判昭 49・7・19 民集 28 巻 872 頁　　1559
最判昭 49・7・22 民集 28 巻 927 頁　　1337
最判昭 49・9・2 民集 28 巻 1152 頁　　1137,
　1329, 1332
最大判昭 49・9・4 民集 28 巻 1169 頁　　1219
最判昭 49・9・20 民集 28 巻 1202 頁　　857
最判昭 49・9・26 民集 28 巻 1213 頁　　215
最判昭 49・9・26 民集 28 巻 1243 頁　　1469
最大判昭 49・10・23 民集 28 巻 1473 頁　　727
最判昭 49・10・24 民集 28 巻 1504 頁　　1006
名古屋高判昭 49・11・20 高民 27 巻 395 頁
　1557
最判昭 49・11・29 民集 28 巻 1670 頁　　837,
　839
最判昭 49・12・12 集民 113 号 523 頁　　856,
　860
最判昭 49・12・17 民集 28 巻 2040 頁　　1582
最判昭 49・12・17 民集 28 巻 2059 頁　　339

最判昭 49・12・20 民集 28 巻 2072 頁　　335
最判昭 49・12・24 民集 28 巻 2117 頁　　616
最判昭 50・1・30 民集 29 巻 1 頁　　1592
最判昭 50・1・31 民集 29 巻 68 頁　　821, 1565
最判昭 50・2・13 民集 29 巻 83 頁　　1302
最判昭 50・2・20 民集 29 巻 99 頁　　1171
最判昭 50・2・25 民集 29 巻 143 頁　　339,
　743, 1131
最判昭 50・2・28 民集 29 巻 193 頁　　726
最判昭 50・3・6 民集 29 巻 203 頁　　837
最判昭 50・3・6 民集 29 巻 220 頁　　196
最判昭 50・3・28 民集 29 巻 251 頁　　1535
最判昭 50・4・11 民集 29 巻 417 頁　　338
最判昭 50・4・22 民集 29 巻 433 頁　　331
最判昭 50・4・25 民集 29 巻 556 頁　　1294
最判昭 50・7・14 民集 29 巻 1012 頁　　144
最判昭 50・7・15 民集 29 巻 1029 頁　　754,
　766
最判昭 50・7・17 民集 29 巻 1119 頁　　849,
　1268
最判昭 50・7・25 民集 29 巻 1147 頁　　958,
　1137
最判昭 50・8・6 民集 29 巻 1187 頁　　709
最判昭 50・9・9 民集 29 巻 1249 頁　　1060
最判昭 50・9・25 民集 29 巻 1320 頁　　329
最判昭 50・10・24 民集 29 巻 1379 頁　　1566
最判昭 50・10・24 民集 29 巻 1417 頁　　1532
最判昭 50・11・7 民集 29 巻 1525 頁　　483
最判昭 50・11・21 民集 29 巻 1537 頁　　317
大阪高判昭 50・11・27 判時 797 号 36 頁
　1563, 1569
最判昭 50・11・28 民集 29 巻 1797 頁　　307
最判昭 50・12・1 民集 29 巻 1849 頁　　855
最判昭 50・12・8 民集 29 巻 1864 頁　　974,
　1053
最判昭 51・2・13 民集 30 巻 1 頁　　1178, 1221
最判昭 51・3・4 民集 30 巻 48 頁　　1059,
　1064, 1363
最判昭 51・3・25 民集 30 巻 160 頁　　1617
最判昭 51・4・9 民集 30 巻 208 頁　　234
最判昭 51・4・23 民集 30 巻 306 頁　　22
最判昭 51・5・25 民集 30 巻 554 頁　　297,
　339, 342
最判昭 51・6・17 民集 30 巻 616 頁　　543, 545
最判昭 51・6・25 民集 30 巻 665 頁　　244
最判昭 51・7・8 民集 30 巻 689 頁　　882, 1596
最判昭 51・9・21 判時 832 号 47 頁　　683
最判昭 51・9・30 民集 30 巻 816 頁　　1526

最判昭 51・11・5 判時 842 号 75 頁　　342
最判昭 51・11・25 民集 30 巻 939 頁　　1060,
　1068
最判昭 51・12・2 民集 30 巻 1021 頁　　410
最判昭 51・12・2 判時 852 号 64 頁　　1169
最判昭 51・12・17 民集 30 巻 1036 頁　　1170,
　1434
最判昭 51・12・20 民集 30 巻 1064 頁　　1130
最判昭 51・12・24 民集 30 巻 1104 頁　　329
最判昭 52・2・22 民集 31 巻 79 頁　　1152,
　1355
最判昭 52・3・3 民集 31 巻 157 頁　　329, 410
最判昭 52・3・15 民集 31 巻 289 頁　　1579
最判昭 52・3・17 民集 31 巻 308 頁　　959
最判昭 52・5・27 民集 31 巻 427 頁　　821,
　1566
最判昭 52・6・20 民集 31 巻 449 頁　　187, 763
最判昭 52・8・9 民集 31 巻 742 頁　　1386
最判昭 52・8・30 金法 840 号 38 頁　　1494
最判昭 52・9・22 民集 31 巻 767 頁　　1594
最判昭 52・9・29 判時 866 号 127 頁　　331
福岡地判昭 52・10・5 判時 866 号 21 頁
　1595
最判昭 52・10・11 民集 31 巻 785 頁　　657
最判昭 52・10・20 判時 871 号 29 頁　　1620
最判昭 52・10・25 民集 31 巻 836 頁　　822,
　1566
最判昭 52・10・25 判タ 355 号 260 頁　　1535,
　1549
東京高判昭 52・11・17 判時 875 号 17 頁
　1517
最判昭 52・12・8 判時 879 号 70 頁　　205
最判昭 52・12・12 判時 878 号 65 頁　　174,
　374
最判昭 52・12・23 判時 879 号 73 頁　　1167
最判昭 53・1・23 民集 32 巻 1 頁　　350
最判昭 53・2・17 判タ 360 号 143 頁　　1194
最判昭 53・3・6 民集 32 巻 135 頁　　331
最判昭 53・3・17 民集 32 巻 240 頁　　314
最判昭 53・3・30 民集 32 巻 379 頁　　1467
最判昭 53・6・23 集民 124 号 141 頁　　1367
最判昭 53・7・4 民集 32 巻 785 頁　　666
最判昭 53・7・10 民集 32 巻 868 頁　　1381
最判昭 53・7・18 判時 905 号 61 頁　　968
東京地判昭 53・8・3 判時 899 号 48 頁
　1517, 1527, 1595
最判昭 53・9・14 判時 906 号 88 頁　　103
最判昭 53・9・29 民集 32 巻 1210 頁　　657,

658

最判昭 53・10・5 民集 32 巻 1332 頁　855

最判昭 53・10・20 民集 32 巻 1500 頁　1559,
1560

最判昭 53・11・2 判時 913 号 87 頁　1489

最判昭 53・11・20 民集 32 巻 1551 頁　320

最判昭 53・11・30 民集 32 巻 1601 頁　1189

最判昭 53・12・14 民集 32 巻 1658 頁　331

最大判昭 53・12・20 民集 32 巻 1674 頁　484

最判昭 53・12・22 民集 32 巻 1768 頁　1329,
1333

最判昭 54・1・25 民集 33 巻 12 頁　854

最判昭 54・2・15 民集 33 巻 51 頁　172, 718

最判昭 54・2・20 判時 926 号 56 頁　1598

最判昭 54・3・8 民集 33 巻 187 頁　1080

東京高判昭 54・3・14 判時 918 号 21 頁
1574

最判昭 54・3・20 判時 927 号 184 頁　1359

最判昭 54・3・20 判時 927 号 186 頁　1061,
1360

最判昭 54・3・30 民集 33 巻 303 頁　1562,
1577

最判昭 54・3・30 判時 922 号 8 頁　1577

最判昭 54・4・19 判時 931 号 56 頁　286

最判昭 54・6・26 判時 933 号 59 頁　1559

京都地判昭 54・7・2 判時 950 号 87 頁
1527, 1595

最判昭 54・7・10 民集 33 巻 533 頁　1063

最判昭 54・9・6 民集 33 巻 630 頁　211

最判昭 54・9・21 判時 945 号 43 頁　338, 340

最判昭 54・11・13 判時 952 号 49 頁　1526

最判昭 54・12・14 判時 953 号 56 頁　249

最判昭 55・1・11 民集 34 巻 42 頁　968

最判昭 55・1・24 民集 34 巻 61 頁　339, 762,
1481

最判昭 55・1・24 民集 34 巻 110 頁　849

最判昭 55・3・25 判時 967 号 61 頁　803

最判昭 55・6・5 判時 978 号 43 頁　1529

最判昭 55・7・11 民集 34 巻 628 頁　840

最判昭 55・10・28 判時 986 号 36 頁　839

最判昭 55・10・30 判時 986 号 41 頁　1573

最判昭 55・12・18 民集 34 巻 888 頁　743,
783, 799, 806

最判昭 56・1・19 民集 35 巻 1 頁　1381

最判昭 56・1・27 民集 35 巻 35 頁　1542

最判昭 56・1・27 判時 1000 号 83 頁　327

最判昭 56・2・16 民集 35 巻 56 頁　743

最判昭 56・2・17 判時 996 号 61 頁　1361

最判昭 56・3・19 民集 35 巻 171 頁　433

最判昭 56・3・20 民集 35 巻 219 頁　1026

最判昭 56・3・24 民集 35 巻 300 頁　188

最判昭 56・4・9 判時 1003 号 89 頁　821

最判昭 56・4・14 民集 35 巻 620 頁　1544,
1574

最判昭 56・4・16 刑集 35 巻 84 頁　1573

最判昭 56・4・28 民集 35 巻 696 頁　203

最判昭 56・6・16 民集 35 巻 763 頁　336,
340, 1164

最判昭 56・6・19 判時 1011 号 54 頁　1553

最判昭 56・7・2 民集 35 巻 881 頁　1070

最判昭 56・9・8 判時 1019 号 73 頁　1239

最判昭 56・10・1 判時 1021 号 103 頁　338

最判昭 56・10・8 判時 1023 号 47 頁　1558,
1579

最判昭 56・10・8 判時 1029 号 72 頁　1191

最判昭 56・10・13 判時 1023 号 45 頁　966

最判昭 56・11・27 民集 35 巻 1271 頁　1591

最大判昭 56・12・16 民集 35 巻 1369 頁
1545, 1560, 1563, 1569, 1579, 1619

最判昭 56・12・22 民集 35 巻 1350 頁　1561

最判昭 57・1・19 民集 36 巻 1 頁　1564

最判昭 57・1・19 判時 1032 号 55 頁　1137

最判昭 57・1・21 民集 36 巻 71 頁　1225

最判昭 57・1・22 民集 36 巻 92 頁　721

最判昭 57・1・29 民集 36 巻 105 頁　311

最判昭 57・3・4 民集 36 巻 241 頁　340

最判昭 57・3・4 判時 1042 号 87 頁　881,
1610

最判昭 57・3・12 民集 36 巻 349 頁　619

最判昭 57・3・30 判時 1039 号 66 頁　1526

最判昭 57・4・30 民集 36 巻 763 頁　1195

最判昭 57・6・4 判時 1048 号 97 頁　1007

最判昭 57・9・7 民集 36 巻 1527 頁　422

最判昭 57・9・7 民集 36 巻 1572 頁　1529

最判昭 57・9・28 民集 36 巻 1652 頁　840

最判昭 57・10・14 判時 1060 号 78 頁　718

最判昭 57・10・15 判時 1060 号 76 頁　752

最判昭 57・10・19 民集 36 巻 2130 頁　1290

最判昭 57・12・17 民集 36 巻 2399 頁　898

最判昭 58・1・20 判時 1076 号 56 頁　1359

最判昭 58・1・24 民集 37 巻 21 頁　1195

最判昭 58・2・18 判時 1073 号 65 頁　1559

最判昭 58・2・24 判時 1076 号 58 頁　1587

最判昭 58・3・24 民集 37 巻 131 頁　327,
329, 412

最判昭 58・3・31 民集 37 巻 152 頁　542

最判昭 58・4・1 判時 1083 号 83 頁　　1604
最判昭 58・4・7 民集 37 卷 219 頁　　824
最判昭 58・4・7 民集 37 卷 256 頁　　153
最判昭 58・4・19 民集 37 卷 321 頁　　1566
最判昭 58・5・27 民集 37 卷 477 頁　　743
最判昭 58・6・30 民集 37 卷 835 頁　　606
最判昭 58・7・5 判時 1089 号 41 頁　　1161
最判昭 58・9・6 民集 37 卷 901　　782,
　1564, 1568
最判昭 58・10・4 判時 1095 号 95 頁　　968
最判昭 58・10・6 民集 37 卷 1041 頁　　843,
　1580
最判昭 58・10・20 判時 1112 号 44 頁　　1572
最判昭 58・12・19 民集 37 卷 1532 頁　　857
最判昭 59・1・26 民集 38 卷 53 頁　　1602
最判昭 59・2・2 民集 38 卷 431 頁　　552, 625
最判昭 59・2・23 民集 38 卷 445 頁　　1001,
　1058
最判昭 59・4・10 民集 38 卷 557 頁　　815,
　1342
最判昭 59・4・20 民集 38 卷 610 頁　　1172
最判昭 59・4・20 判時 1122 号 113 頁　　424
最判昭 59・4・24 民集 38 卷 687 頁　　315
最判昭 59・5・25 民集 38 卷 764 頁　　329
最判昭 59・5・29 民集 38 卷 885 頁　　1041,
　1044
最判昭 59・9・18 判時 1137 号 51 頁　　1106,
　1109
最判昭 59・10・9 判時 1140 号 78 頁　　1566,
　1576
最判昭 59・12・13 民集 38 卷 1411 頁　　1285
最判昭 59・12・21 判時 1145 号 46 頁　　1601
最判昭 60・1・22 判時 1148 号 111 頁　　1041
最判昭 60・2・12 民集 39 卷 89 頁　　336, 928
最判昭 60・3・26 民集 39 卷 124 頁　　1526
最判昭 60・3・28 判時 1168 号 56 頁　　327
最判昭 60・5・17 判時 1168 号 58 頁　　1355
最判昭 60・5・23 民集 39 卷 940 頁　　666,
　1046
最判昭 60・7・19 民集 39 卷 1326 頁　　553
最判昭 60・11・26 民集 39 卷 1701 頁　　295
最判昭 60・11・29 民集 39 卷 1719 頁　　1189
最判昭 60・11・29 民集 39 卷 1760 頁　　151,
　243
最判昭 61・2・20 民集 40 卷 43 頁　　1041
最判昭 61・3・17 民集 40 卷 420 頁　　294,
　338, 373
最判昭 61・4・11 民集 40 卷 558 頁　　1000

最判昭 61・4・11 金法 1134 号 42 頁　　1137
最判昭 61・5・29 判時 1196 号 102 頁　　187
最判昭 61・6・11 民集 40 卷 872 頁　　1570
最判昭 61・9・4 判時 1215 号 47 頁　　187, 193
最判昭 61・10・16 判時 1217 号 60 頁　　1526
最判昭 61・11・18 判時 1221 号 32 頁　　205
最判昭 61・11・20 民集 40 卷 1167 頁　　186
最判昭 61・11・20 判時 1219 号 63 頁　　1539
最判昭 61・11・20 判時 1220 号 61 頁　　191
最判昭 61・11・27 判時 1205 号　　1044
最判昭 61・12・4 判時 1221 号 134 頁　　1337
最判昭 61・12・16 民集 40 卷 1236 頁　　174,
　374
最判昭 62・1・19 民集 41 卷 1 頁　　1559
最判昭 62・1・22 民集 41 卷 17 頁　　1534,
　1609
最判昭 62・2・6 判時 1232 号 100 頁　　1568
最判昭 62・2・12 民集 41 卷 67 頁　　721
最判昭 62・2・13 民集 41 卷 95 頁　　1528
最判昭 62・2・13 判時 1228 号 84 頁　　1268
最判昭 62・3・24 判時 1258 号 61 頁　　1318,
　1319
最判昭 62・4・2 判時 1248 号 61 頁　　553
最判昭 62・4・16 判時 1242 号 43 頁　　1488
最大判昭 62・4・22 民集 41 卷 408 頁　　494
最判昭 62・4・24 民集 41 卷 490 頁　　1575
最判昭 62・6・5 判時 1260 号 7 頁　　331
最判昭 62・7・2 民集 41 卷 785 頁　　1564
最判昭 62・7・7 民集 41 卷 1133 頁　　255, 256
最判昭 62・7・10 民集 41 卷 1202 頁　　1566
最判昭 62・7・17 民集 41 卷 1283 頁　　1152
最判昭 62・7・17 民集 41 卷 1350 頁　　1152
最判昭 62・10・8 民集 41 卷 1445 頁　　336,
　340
最判昭 62・11・10 民集 41 卷 1559 頁　　172,
　566, 576, 718
最判昭 62・11・26 民集 41 卷 1585 頁　　1368
最判昭 62・12・18 民集 41 卷 1592 頁　　1015
最判昭 63・1・26 民集 42 卷 1 頁　　1550
最判昭 63・2・16 民集 42 卷 27 頁　　1577
最判昭 63・3・1 判時 1312 号 92 頁　　251
最判昭 63・3・15 民集 42 卷 170 頁　　1060
最判昭 63・3・15 民集 42 卷 199 頁　　1541
最判昭 63・3・31 判時 1296 号 46 頁　　1526
最判昭 63・4・8 判時 1277 号 119 頁　　1137
最判昭 63・4・21 民集 42 卷 243 頁　　1618
最判昭 63・5・20 判時 1277 号 116 頁　　486
最大判昭 63・6・1 民集 42 卷 277 頁　　1544,

1546

最判昭 63・7・1 民集 42 巻 451 頁　880, 1597, 1611

最判昭 63・7・1 民集 42 巻 477 頁　1470

最判昭 63・7・1 判時 1287 号 63 頁　995

最判昭 63・10・13 判時 1295 号 57 頁　1001

千葉地判昭 63・11・17 判時臨増平成 1・8・5 号 161 頁　1533, 1595

最判昭 63・12・20 判時 1302 号 94 頁　1572

《 平 成 》

最判平元・2・9 民集 43 巻 1 頁　1172

最判平元・4・11 民集 43 巻 209 頁　1620

最判平元・4・20 民集 43 巻 234 頁　1080

最判平元・4・27 民集 43 巻 278 頁　831, 1567

最判平元・6・20 民集 43 巻 385 頁　188

最判平元・9・14 判時 1336 号 93 頁　206, 207

最判平元・9・19 民集 43 巻 955 頁　470

最判平元・9・19 判時 1328 号 38 頁　328

最判平元・10・13 民集 43 巻 985 頁　303, 315

最判平元・10・27 民集 43 巻 1070 頁　622

最判平元・11・24 民集 43 巻 1220 頁　492

最判平元・12・8 民集 43 巻 1259 頁　1510, 1542

最判平元・12・14 民集 43 巻 1895 頁　188

最判平元・12・14 民集 43 巻 2051 頁　189

最判平元・12・21 民集 43 巻 2209 頁　272, 1622, 1625

最判平元・12・21 民集 43 巻 2252 頁　1573

最判平元・12・22 判時 1344 号 129 頁　326, 414

最判平 2・1・22 民集 44 巻 314 頁　658

最判平 2・1・22 民集 44 巻 332 頁　761

福島地いわき支判平 2・2・28 判時 1344 号 53 頁　1531

最判平 2・2・20 判時 1354 号 76 頁　1260

最判平 2・3・6 判時 1354 号 96 頁　1620

最判平 2・3・20 民集 44 巻 416 頁　1470

最判平 2・3・23 判時 1354 号 85 頁　1559

最判平 2・4・17 民集 44 巻 547 頁　1574

最判平 2・4・19 判時 1354 号 80 頁　620

最判平 2・6・5 民集 44 巻 599 頁　295

最判平 2・9・27 民集 44 巻 1007 頁　909

最判平 2・11・6 判時 1407 号 67 頁　1602

最判平 2・11・8 判時 1370 号 52 頁　815

最判平 2・11・20 民集 44 巻 1037 頁　458

東京高判平 2・12・7 判時 1373 号 3 頁　1527

最判平 2・12・13 民集 44 巻 1186 頁　1602

最判平 2・12・18 民集 44 巻 1686 頁　627, 928

東京地判平 2・12・20 判時 1389 号 79 頁　1138

最判平 3・3・8 民集 45 巻 164 頁　1614

最判平 3・3・22 民集 45 巻 268 頁　630, 840

最判平 3・3・22 民集 45 巻 322 頁　1470

大阪地判平 3・3・29 判時 1383 号 22 頁　1610

最判平 3・4・2 民集 45 巻 349 頁　1239

最判平 3・4・11 判時 1391 号 3 頁　815, 1342, 1355

最判平 3・4・19 民集 45 巻 367 頁　1501

最判平 3・4・26 民集 45 巻 653 頁　1546

最判平 3・4・26 判時 1389 号 145 頁　339, 1481

最判平 3・5・10 判時 1387 号 59 頁　892

最判平 3・7・16 民集 45 巻 1101 頁　545

最判平 3・9・3 民集 45 巻 1121 頁　1048

最判平 3・9・17 判時 1402 号 47 頁　1171

最判平 3・10・25 民集 45 巻 1173 頁　880, 1597, 1611

最判平 3・11・19 民集 45 巻 1209 頁　1464, 1479, 1480, 1481

最判平 3・11・19 判時 1407 号 64 頁　1525

最判平 3・11・26 判時 1392 号 149 頁　1059

最判平 3・12・17 民集 45 巻 1435 頁　1056, 1060

最判平 4・1・24 判時 1424 号 54 頁　494

最判平 4・2・27 民集 46 巻 112 頁　851, 855

最判平 4・3・19 民集 46 巻 222 頁　295

最判平 4・4・10 判時 1421 号 77 頁　484

最判平 4・6・8 判時 1450 号 70 頁　1526

最判平 4・6・25 民集 46 巻 400 頁　1618

最判平 4・10・6 判時 1454 号 87 頁　1594

最判平 4・10・20 民集 46 巻 1129 頁　1228

最判平 4・11・6 民集 46 巻 2625 頁　666

最判平 4・11・6 判時 1454 号 85 頁　973

最判平 4・12・10 民集 46 巻 2727 頁　202

東京高判平 4・12・18 高民 45 巻 212 頁　1526

最判平 5・1・19 民集 47 巻 41 頁　684, 709

最判平 5・1・21 民集 47 巻 265 頁　251

最判平 5・2・25 民集 47 巻 643 頁　1545, 1563, 1569

最判平 5・2・25 判時 1456 号 53 頁　　1545,
　1563, 1569
最判平 5・2・26 民集 47 巻 1653 頁　　725
最判平 5・3・16 民集 47 巻 3005 頁　　1211
最大判平 5・3・24 民集 47 巻 3039 頁　　1566
最判平 5・3・26 民集 47 巻 3201 頁　　310
最判平 5・3・30 民集 47 巻 3300 頁　　553
最判平 5・3・30 民集 47 巻 3334 頁　　968
最判平 5・4・6 民集 47 巻 4505 頁　　1565
最判平 5・7・19 判時 1489 号 111 頁　　1002
最判平 5・7・19 家月 46 巻 5 号 23 頁　　380
最判平 5・9・9 判時 1477 号 42 頁　　1535
最判平 5・9・21 判時 1476 号 120 頁　　1567
最判平 5・10・19 民集 47 巻 5061 頁　　1356
最判平 5・11・11 民集 47 巻 5255 頁　　775
最判平 5・12・16 判時 1489 号 114 頁　　208
最判平 5・12・17 判時 1480 号 69 頁　　458
横浜地川崎支判平 6・1・25 判時 1481 号 19
　頁　　1533, 1595
最判平 6・2・8 民集 48 巻 123 頁　　1464
最判平 6・2・8 民集 48 巻 149 頁　　1544, 1574
最判平 6・2・8 民集 48 巻 373 頁　　394, 443
最判平 6・2・22 民集 48 巻 414 頁　　721
最判平 6・2・22 民集 48 巻 441 頁　　336, 1531
最判平 6・2・22 判時 1499 号 32 頁　　1579,
　1595, 1624
最判平 6・3・22 民集 48 巻 859 頁　　1026,
　1211
岡山地判平 6・3・23 判時 1494 号 3 頁
　1533, 1595
最判平 6・3・24 判時 1501 号 96 頁　　1546
最判平 6・4・19 民集 48 巻 922 頁　　248
最判平 6・5・31 民集 48 巻 1029 頁　　277
最判平 6・6・21 民集 48 巻 1101 頁　　316, 320
最判平 6・7・18 民集 48 巻 1165 頁　　1029
最判平 6・7・18 判時 1540 号 38 頁　　1319
最判平 6・9・8 判時 1511 号 71 頁　　721, 1137
最判平 6・9・13 民集 48 巻 1263 頁　　250
最判平 6・9・13 判時 1513 号 99 頁　　410
最判平 6・10・27 判時 1514 号 28 頁　　1602
最判平 6・11・22 判時 1540 号 42 頁　　1592
最判平 6・11・24 判時 1514 号 82 頁　　881,
　1610
最判平 6・12・16 判時 1521 号 37 頁　　534
最判平 6・12・20 民集 48 巻 1470 頁　　658
最判平 7・1・20 判時 1520 号 87 頁　　958
最判平 7・1・24 民集 49 巻 25 頁　　1587
最判平 7・1・30 民集 49 巻 211 頁　　1565

最判平 7・2・23 民集 49 巻 393 頁　　161
最判平 7・3・10 判時 1525 号 59 頁　　304
最判平 7・3・10 判時 1526 号 99 頁　　1555
最判平 7・3・23 民集 49 巻 984 頁　　311, 351
最判平 7・4・14 民集 49 巻 1063 頁　　1290
最判平 7・4・25 民集 49 巻 1163 頁　　815
最判平 7・6・9 民集 49 巻 1499 頁　　815, 1527
最判平 7・6・23 民集 49 巻 1600 頁　　1527
最判平 7・6・23 民集 49 巻 1737 頁　　1048,
　1049
大阪地判平 7・7・5 判時 1538 号 17 頁
　1533, 1610
最判平 7・7・7 民集 49 巻 1870 頁　　1533
最判平 7・7・18 民集 49 巻 2684 頁　　489
最判平 7・9・5 民集 49 巻 2733 頁　　337
最判平 7・9・5 民集 49 巻 2784 頁　　317
最判平 7・9・5 判時 1546 号 115 頁　　1544,
　1572
福岡高判平 7・9・8 判時 1548 号 35 頁　　1531
最判平 7・9・19 民集 49 巻 2805 頁　　1472
最判平 7・11・10 民集 49 巻 2953 頁　　647
最判平 7・12・15 民集 49 巻 3088 頁　　327,
　412
東京高判平 7・12・26 判時 1555 号 9 頁
　1570
最判平 8・1・23 民集 50 巻 1 頁　　815, 1527
最判平 8・1・26 民集 50 巻 155 頁　　1234
最判平 8・2・23 民集 50 巻 249 頁　　1566
最判平 8・3・5 民集 50 巻 383 頁　　337
最判平 8・3・19 民集 50 巻 615 頁　　126
最判平 8・3・26 民集 50 巻 993 頁　　1577
最判平 8・3・28 民集 50 巻 1172 頁　　303, 315
最判平 8・4・25 民集 50 巻 1221 頁　　1562
最判平 8・4・26 民集 50 巻 1267 頁　　1387
最判平 8・5・28 民集 50 巻 1301 頁　　1558
最判平 8・5・31 民集 50 巻 1323 頁　　1562
最判平 8・6・18 集民 179 号 331 頁　　206
最判平 8・6・18 判時 1577 号 87 頁　　210,
　606, 972
最判平 8・7・12 民集 50 巻 1901 頁　　317
最判平 8・7・12 民集 50 巻 1918 頁　　950
福岡高判平 8・7・31 判時 1585 号 3 頁　　1531
最判平 8・9・27 民集 50 巻 2395 頁　　303, 315
最判平 8・10・14 民集 50 巻 2431 頁　　1316
最判平 8・10・29 民集 50 巻 2474 頁　　1618
最判平 8・10・29 民集 50 巻 2506 頁　　392
最判平 8・10・31 民集 50 巻 2563 頁　　494

最判平 8・10・31 判時 1592 号 55 頁　　495
最判平 8・10・31 判時 1592 号 59 頁　　495
最判平 8・11・12 民集 50 巻 2591 頁　　327,
　411
最判平 8・11・12 民集 50 巻 2673 頁　　1165
最判平 8・11・22 民集 50 巻 2702 頁　　722
最判平 8・12・17 民集 50 巻 2778 頁　　1274
最判平 9・1・20 民集 51 巻 1 頁　　682, 923
最判平 9・1・28 民集 51 巻 78 頁　　1562
最判平 9・2・14 民集 51 巻 337 頁　　1360
最判平 9・2・14 民集 51 巻 375 頁　　657, 658
最判平 9・2・25 民集 51 巻 398 頁　　1319
最判平 9・2・25 民集 51 巻 502 頁　　1527
最判平 9・2・25 判時 1599 号 66 頁　　1210
最判平 9・2・25 判時 1606 号 44 頁　　1470
最判平 9・2・28 民集 51 巻 705 頁　　1348
最判平 9・3・11 民集 51 巻 1055 頁　　1541
最判平 9・4・24 民集 51 巻 1991 頁　　1001
最判平 9・4・24 判時 1618 号 48 頁　　1497
最判平 9・5・27 民集 51 巻 2009 頁　　1572
最判平 9・5・27 民集 51 巻 2024 頁　　1572
最判平 9・6・5 民集 51 巻 2053 頁　　254, 960
最判平 9・6・5 民集 51 巻 2096 頁　　647
最判平 9・6・5 民集 51 巻 2116 頁　　658
最判平 9・7・1 民集 51 巻 2251 頁　　27, 394
最判平 9・7・1 民集 51 巻 2452 頁　　23, 1186
最判平 9・7・3 民集 51 巻 2500 頁　　546
最判平 9・7・15 民集 51 巻 2581 頁　　1360
最判平 9・7・15 判時 1617 号 86 頁　　1373
最判平 9・7・17 民集 51 巻 2714 頁　　331
最判平 9・7・17 民集 51 巻 2882 頁　　726,
　1313
最判平 9・8・25 判時 1616 号 52 頁　　87
最判平 9・9・4 民集 51 巻 3619 頁　　188
最判平 9・9・4 判時 1617 号 77 頁　　1373
最判平 9・9・4 判時 1619 号 60 頁　　1528
最判平 9・9・9 民集 51 巻 3804 頁　　1573
最判平 9・9・9 民集 51 巻 3850 頁　　1554
最判平 9・9・9 判時 1620 号 63 頁　　311, 351
最判平 9・11・11 民集 51 巻 4077 頁　　186
大阪高判平 9・12・4 判タ 992 号 129 頁
　1311
大阪高判平 9・12・4 判時 1637 号 34 頁
　1527
最判平 9・12・18 民集 51 巻 4241 頁　　1569
最判平 9・12・18 判時 1629 号 50 頁　　1044
最判平 10・1・30 民集 52 巻 1 頁　　623, 625
最判平 10・1・30 判時 1631 号 68 頁　　1573

東京高判平 10・2・9 判時 1629 号 34 頁
　1553
最判平 10・2・13 民集 52 巻 38 頁　　379
最判平 10・2・13 民集 52 巻 65 頁　　391
最判平 10・2・26 民集 52 巻 255 頁　　486
最判平 10・3・10 判時 1683 号 95 頁　　431
最判平 10・3・24 判時 1641 号 80 頁　　487
最判平 10・3・26 民集 52 巻 483 頁　　623, 625
最判平 10・3・26 民集 52 巻 513 頁　　1474
最判平 10・4・24 判時 1661 号 66 頁　　336
最判平 10・4・30 判時 1646 号 162 頁　　804,
　1558
最判平 10・5・26 民集 52 巻 985 頁　　215,
　1474
最判平 10・6・11 民集 52 巻 1034 頁　　184,
　216, 218
最判平 10・6・12 民集 52 巻 1087 頁　　272,
　322, 1625
最判平 10・6・12 民集 52 巻 1121 頁　　849
最判平 10・6・22 民集 52 巻 1195 頁　　295
最判平 10・7・3 判時 1652 号 68 頁　　658
最判平 10・7・17 民集 52 巻 1296 頁　　252
最判平 10・7・17 判時 1651 号 56 頁　　1574
横浜地川崎支判平 10・8・5 判時 1658 号 3 頁
　1533
最判平 10・9・3 民集 52 巻 1467 頁　　1329
最判平 10・9・10 民集 52 巻 1494 頁　　891,
　1611
最判平 10・11・24 民集 52 巻 1737 頁　　305,
　316
長崎地判平 10・11・25 判時 1697 号 3 頁
　1531
最判平 10・12・17 判時 1664 号 59 頁　　306
最判平 10・12・18 民集 52 巻 1975 頁　　530
最決平 10・12・18 民集 52 巻 2024 頁　　552
最判平 11・1・21 民集 53 巻 13 頁　　1109
最判平 11・1・21 民集 53 巻 98 頁　　761
最判平 11・1・29 民集 53 巻 151 頁　　718,
　950, 962
最判平 11・1・29 判時 1675 号 85 頁　　1611,
　1619
最判平 11・2・23 民集 53 巻 193 頁　　1419
最判平 11・2・25 民集 53 巻 235 頁　　1533
最判平 11・2・25 判時 1670 号 18 頁　　1279
最判平 11・2・26 判時 1671 号 67 頁　　296
最判平 11・3・9 民集 53 巻 420 頁　　1063
最判平 11・3・11 民集 53 巻 451 頁　　287, 761
最判平 11・3・25 判時 1674 号 61 頁　　1304

最決平 11・4・16 民集 53 巻 740 頁　　　606
最判平 11・4・22 民集 53 巻 759 頁　　　306
最判平 11・4・22 判時 1681 号 102 頁　　　1550
最判平 11・4・27 民集 53 巻 840 頁　　　315, 317
最判平 11・5・17 民集 53 巻 863 頁　　　724
札幌地判平 11・5・28 判時 1703 号 3 頁
　1531
最判平 11・6・11 民集 53 巻 898 頁　　　857
最判平 11・6・24 民集 53 巻 918 頁　　　330
最判平 11・7・13 判時 1687 号 75 頁　　　456
最判平 11・9・9 判時 1689 号 74 頁　　　302, 707
最判平 11・10・21 民集 53 巻 1190 頁　　　296
最判平 11・10・22 民集 53 巻 1211 頁　　　1559,
　1567
最判平 11・10・26 民集 53 巻 1313 頁　　　1574
最判平 11・11・9 民集 53 巻 1403 頁　　　351
最判平 11・11・9 民集 53 巻 1421 頁　　　485,
　503
最大判平 11・11・24 民集 53 巻 1899 頁
　630, 840
最判平 11・11・25 判時 1696 号 108 頁　　　306
最判平 11・11・30 民集 53 巻 1965 頁　　　622
最判平 11・12・20 民集 53 巻 2038 頁　　　1562
最判平 12・2・29 民集 54 巻 582 頁　　　1553
最判平 12・3・9 民集 54 巻 1013 頁　　　857
最判平 12・3・24 民集 54 巻 1126 頁　　　224
最判平 12・3・24 民集 54 巻 1155 頁　　　1530,
　1618
最判平 12・4・7 民集 54 巻 1355 頁　　　606
最判平 12・4・7 判時 1713 号 50 頁　　　486
最判平 12・4・14 民集 54 巻 1552 頁　　　623
最判平 12・4・21 民集 54 巻 1562 頁　　　718,
　965
最判平 12・6・27 民集 54 巻 1737 頁　　　426
最判平 12・9・7 判時 1728 号 29 頁　　　1547
最判平 12・9・22 民集 54 巻 2574 頁　　　1533
最判平 12・10・20 判時 1730 号 26 頁　　　133
最判平 12・11・14 民集 54 巻 2683 頁　　　1558
最判平 12・12・19 判時 1737 号 35 頁　　　205
最判平 13・2・22 判時 1745 号 85 頁　　　1224
最判平 13・3・2 民集 55 巻 185 頁　　　1541
最判平 13・3・13 民集 55 巻 328 頁　　　1610,
　1619
最判平 13・3・13 民集 55 巻 363 頁　　　623, 626
最判平 13・3・27 民集 55 巻 434 頁　　　23
最大判平 13・3・28 民集 55 巻 611 頁　　　1310
盛岡地判平 13・3・30 判時 1776 号 112 頁
　1531

大阪高判平 13・4・27 判時 1761 号 3 頁
　1517, 1626
最判平 13・7・10 判時 1766 号 42 頁　　　296
福岡高判平 13・7・19 判時 1785 号 89 頁
　1517, 1531, 1626
最判平 13・10・25 民集 55 巻 975 頁　　　623,
　625
最判平 13・10・26 民集 55 巻 1001 頁　　　327,
　329
最判平 13・11・21 民集 55 巻 1014 頁　　　1314
最判平 13・11・22 民集 55 巻 1033 頁　　　843
最判平 13・11・22 民集 55 巻 1056 頁　　　718,
　963
最判平 13・11・27 民集 55 巻 1090 頁　　　950,
　965
最判平 13・11・27 民集 55 巻 1154 頁　　　1553
最判平 13・11・27 民集 55 巻 1311 頁　　　338,
　1228
最判平 13・11・27 民集 55 巻 1334 頁　　　336
最判平 13・11・27 民集 55 巻 1380 頁　　　1226
最判平 14・1・22 判時 1776 号 54 頁　　　579
最判平 14・1・29 民集 56 巻 185 頁　　　1573
最判平 14・1・29 民集 56 巻 218 頁　　　1623
最判平 14・2・28 判時 1779 号 81 頁　　　485,
　505
最判平 14・3・12 民集 56 巻 555 頁　　　623, 626
最判平 14・3・25 民集 56 巻 574 頁　　　485, 505
最判平 14・3・28 民集 56 巻 662 頁　　　1291
最判平 14・3・28 民集 56 巻 689 頁　　　623
最判平 14・6・7 民集 56 巻 899 頁　　　134
最判平 14・6・10 判時 1791 号 59 頁　　　379
最判平 14・6・10 家月 55 巻 1 号 77 頁　　　380
最決平 14・6・13 民集 56 巻 1014 頁　　　623,
　626
最判平 14・7・11 判時 1805 号 56 頁　　　209
最判平 14・9・12 判時 1801 号 72 頁　　　721
最判平 14・9・24 判時 1801 号 77 頁　　　1359
最判平 14・9・24 判時 1802 号 60 頁　　　28,
　1570
最判平 14・9・24 判時 1803 号 28 頁　　　1065
最判平 14・10・10 民集 56 巻 1742 頁　　　953
最判平 14・10・15 民集 56 巻 1791 頁　　　464
最判平 14・10・22 判時 1804 号 34 頁　　　664
最判平 14・10・29 民集 56 巻 1964 頁　　　421
最判平 15・2・21 民集 57 巻 95 頁　　　1386
最判平 15・3・14 民集 57 巻 286 頁　　　295,
　617, 908
最判平 15・4・8 民集 57 巻 337 頁　　　1002

最判平 15・4・11 判時 1823 号 55 頁　502
最判平 15・4・18 民集 57 巻 366 頁　188
最判平 15・6・12 民集 57 巻 563 頁　1386
最判平 15・6・12 民集 57 巻 595 頁　1291,
1310
最判平 15・6・13 判時 1831 号 99 頁　205,
396
最判平 15・7・11 民集 57 巻 787 頁　485
最判平 15・7・11 民集 57 巻 815 頁　1619
最判平 15・7・18 民集 57 巻 895 頁　760, 763
最判平 15・9・12 民集 57 巻 973 頁　1544
最判平 15・10・10 判時 1840 号 18 頁　1359
最判平 15・10・16 民集 57 巻 1075 頁　1575
最判平 15・10・21 民集 57 巻 1213 頁　1291
最判平 15・10・21 判時 1844 号 50 頁　1291
最判平 15・10・23 判時 1844 号 54 頁　1291
最判平 15・10・31 判時 1846 号 7 頁　673
最判平 15・11・11 民集 57 巻 1466 頁　1528
最判平 15・11・14 民集 57 巻 1561 頁　1529
最判平 15・11・14 判時 1847 号 30 頁　1527
最判平 15・12・11 民集 57 巻 2196 頁　334,
335
最判平 15・12・19 民集 57 巻 2292 頁　196
最判平 16・1・15 判時 1853 号 85 頁　810,
1528
最判平 16・2・13 民集 58 巻 311 頁　1542
最判平 16・2・20 民集 58 巻 367 頁　984
最判平 16・2・20 民集 58 巻 475 頁　761
最判平 16・4・20 民集 58 巻 841 頁　134
最判平 16・4・20 判時 1859 号 61 頁　483
最判平 16・4・23 民集 58 巻 892 頁　1542
最判平 16・4・23 民集 58 巻 959 頁　345
最判平 16・4・27 民集 58 巻 1032 頁　336,
1517, 1531, 1626
最判平 16・4・27 判時 1860 号 152 頁　1531,
1626
最判平 16・6・8 判時 1867 号 50 頁　1529
最判平 16・6・29 判時 1868 号 53 頁　1292
最判平 16・7・9 判時 1870 号 12 頁　761
最判平 16・7・13 民集 58 巻 1368 頁　237
最判平 16・7・13 判時 1871 号 76 頁　331
最判平 16・7・15 民集 58 巻 1615 頁　1574
最判平 16・9・7 判時 1880 号 64 頁　1528
最判平 16・10・15 民集 58 巻 1802 頁　1517,
1626
最判平 16・10・26 判時 1881 号 64 頁　1474,
1482
最判平 16・11・5 民集 58 巻 1997 頁　1465

最判平 16・11・8 判時 1883 号 52 頁　1291
最判平 16・11・12 民集 58 巻 2078 頁　1591,
1594
最判平 16・11・18 民集 58 巻 2225 頁　1551
最判平 16・11・25 民集 58 巻 2326 頁　1621
最判平 17・1・27 民集 59 巻 200 頁　617
最判平 17・2・22 民集 59 巻 314 頁　553, 626
最判平 17・3・10 民集 59 巻 356 頁　631
最判平 17・3・10 判時 1894 号 14 頁　1291
最判平 17・3・10 判時 1895 号 60 頁　1317
最判平 17・3・29 判時 1895 号 56 頁　531
最判平 17・4・19 民集 59 巻 563 頁　1554
最判平 17・4・26 判時 1897 号 10 頁　133
最判平 17・6・2 民集 59 巻 901 頁　1620
最判平 17・6・14 民集 59 巻 983 頁　822,
1560
最判平 17・6・16 判時 1904 号 74 頁　1574
最判平 17・7・11 判時 1911 号 97 頁　1002,
1474
最判平 17・7・14 民集 59 巻 1323 頁　1552
最判平 17・7・14 民集 59 巻 1569 頁　1543
最判平 17・7・15 民集 59 巻 1742 頁　103
最判平 17・7・19 民集 59 巻 1783 頁　1131
最判平 17・9・8 民集 59 巻 1931 頁　484
最判平 17・9・8 判時 1912 号 16 頁　1553
最判平 17・9・16 判時 1912 号 8 頁　1551
最判平 17・11・10 民集 59 巻 2428 頁　1544
最判平 17・11・20 民集 59 巻 2611 頁　346
最判平 17・11・21 民集 59 巻 2558 頁　1624
東京高判平 17・11・24 判時 1915 号 29 頁
1543
最判平 17・12・15 民集 59 巻 2899 頁　761,
1484
最判平 17・12・16 民集 59 巻 2931 頁　174,
329
最判平 17・12・16 判時 1921 号 61 頁　1329,
1331
最判平 18・1・13 民集 60 巻 1 頁　761, 1483
最判平 18・1・17 民集 60 巻 27 頁　382, 392
最判平 18・1・20 民集 60 巻 137 頁　1544
最判平 18・1・24 民集 60 巻 319 頁　761
最判平 18・2・7 集 60 巻 480 頁　719, 1247
最判平 18・2・23 民集 60 巻 546 頁　205
最判平 18・3・16 民集 60 巻 735 頁　457
最判平 18・3・17 民集 60 巻 773 頁　188, 503
最判平 18・3・28 民集 60 巻 875 頁　1615
最判平 18・3・30 民集 60 巻 948 頁　1546
最判平 18・3・30 民集 60 巻 1242 頁　1561

最判平 18・4・11 民集 60 巻 1387 頁　　193
最判平 18・4・14 民集 60 巻 1497 頁　　1056
最判平 18・4・14 民集 60 巻 1535 頁　　1378
最判平 18・6・16 民集 60 巻 1997 頁　　1533,
　1626
最判平 18・7・14 判時 1946 号 45 頁　　1450
最判平 18・7・20 民集 60 巻 2475 頁　　1006
最判平 18・7・20 民集 60 巻 2499 頁　　718
最判平 18・10・20 民集 60 巻 3098 頁　　722,
　725
最判平 18・10・27 判時 1951 号 59 頁　　1553
最判平 18・11・14 民集 60 巻 3402 頁　　317
最判平 18・11・14 判時 1956 号 77 頁　　1528,
　1533
最判平 18・11・27 民集 60 巻 3437 頁　　1465
最判平 18・11・27 民集 60 巻 3597 頁　　1465
最判平 18・11・27 民集 60 巻 3732 頁　　193,
　1465
最判平 18・12・21 民集 60 巻 3964 頁　　607
最判平 19・1・25 判時 1957 号 60 頁　　1518
最判平 19・2・13 民集 61 巻 182 頁　　760,
　762, 1482, 1483
最判平 19・2・15 民集 61 巻 243 頁　　725
最判平 19・2・27 判時 1964 号 45 頁　　1106,
　1109
最判平 19・3・8 民集 61 巻 479 頁　　1479
最判平 19・3・20 判時 1968 号 124 頁　　1542
最判平 19・4・3 民集 61 巻 967 頁　　1201
最判平 19・4・24 民集 61 巻 1073 頁　　335
最判平 19・4・24 民集 61 巻 1102 頁　　1549,
　1550, 1572
最判平 19・4・24 判時 1970 号 54 頁　　1619
最判平 19・5・29 判タ 1248 号 117 頁　　1563
最判平 19・6・7 民集 61 巻 1537 頁　　760
最判平 19・7・5 判時 1985 号 58 頁　　709
最判平 19・7・6 民集 61 巻 1769 頁　　1529,
　1546
最判平 19・7・6 民集 61 巻 1940 頁　　658
最判平 19・7・13 民集 61 巻 1980 頁　　761,
　1482, 1483
最判平 19・7・19 民集 61 巻 2175 頁　　760
最決平 19・12・4 民集 61 巻 3245 頁　　1315
最判平 19・12・18 民集 61 巻 3460 頁　　285
最判平 20・1・18 民集 62 巻 28 頁　　760
最判平 20・1・24 民集 62 巻 63 頁　　783
最判平 20・1・28 民集 62 巻 128 頁　　339
最判平 20・2・19 民集 62 巻 534 頁　　1514
最判平 20・2・28 判時 2005 号 10 頁　　1552

最判平 20・2・29 判時 2003 号 51 頁　　1292
最判平 20・3・27 判時 2003 号 155 頁　　1618
最判平 20・4・14 民集 62 巻 909 頁　　504
最判平 20・4・15 民集 62 巻 1005 頁　　1554
最判平 20・4・18 判時 2006 号 74 頁　　1528
最判平 20・4・24 民集 62 巻 1178 頁　　1553
最判平 20・6・10 民集 62 巻 1488 頁　　1498,
　1567
最判平 20・6・12 民集 62 巻 1656 頁　　1546
最判平 20・6・24 判時 2014 号 68 頁　　1498,
　1567
最判平 20・7・4 判時 2018 号 16 頁　　1617
最判平 20・7・4 判時 2028 号 32 頁　　1203
最判平 20・7・17 民集 62 巻 1994 頁　　503
最判平 20・9・12 判時 2021 号 38 頁　　1510
最判平 20・10・10 民集 62 巻 2361 頁　　27,
　1387
最判平 20・12・16 民集 62 巻 2561 頁　　1291
最判平 21・1・19 民集 63 巻 97 頁　　1306
最判平 21・1・22 民集 63 巻 228 頁　　489,
　1387
最判平 21・1・22 民集 63 巻 247 頁　　762
最判平 21・3・3 判時 2048 号 9 頁　　762
最判平 21・3・6 判時 2048 号 9 頁　　762
最判平 21・3・10 民集 63 巻 385 頁　　443, 726
最判平 21・3・27 民集 63 巻 449 頁　　956, 959
最判平 21・3・27 判時 2039 号 12 頁　　1526
最判平 21・4・14 判時 2047 号 118 頁　　283
最判平 21・4・24 民集 63 巻 765 頁　　1469
最判平 21・4・28 民集 63 巻 835 頁　　1622
最判平 21・4・28 民集 63 巻 853 頁　　324,
　1626
最判平 21・4・28 民集 63 巻 904 頁　　1549
最判平 21・6・2 民集 63 巻 953 頁　　97
最判平 21・7・3 民集 63 巻 1047 頁　　1058
最判平 21・7・10 民集 63 巻 1170 頁　　1483
最判平 21・7・10 判時 2058 号 53 頁　　1570
最判平 21・7・14 判時 2069 号 22 頁　　1484
最判平 21・7・16 民集 63 巻 1280 頁　　1387
最判平 21・7・17 判時 2048 号 9 頁　　762
最決平 21・8・12 民集 63 巻 1406 頁　　958
最判平 21・9・4 民集 63 巻 1445 頁　　1552
最判平 21・9・11 判時 2059 号 55 頁　　24, 283
最判平 21・10・8 判時 2064 号 120 頁　　1541
最判平 21・10・23 判時 2063 号 6 頁　　1550
最判平 21・11・9 判時 1987 号　　1484
最判平 21・11・17 判タ 1313 号 108 頁　　283
最判平 21・11・27 判時 2066 号 45 頁　　1317

最判平 21・12・4 判時 2077 号 40 頁　　24
最判平 21・12・10 民集 63 巻 2463 頁　　1547
最判平 21・12・18 民集 63 巻 2754 頁　　1338
最判平 21・12・18 判時 2072 号 14 頁　　24
最判平 22・1・19 判時 2070 号 51 頁　　1445,
　1448
最判平 22・1・26 民集 64 巻 219 頁　　1554
最判平 22・1・26 判時 2076 号 47 頁　　1560
最判平 22・1・29 判時 2071 号 38 頁　　27
最判平 22・3・16 判時 2078 号 18 頁　　1017
最判平 22・3・25 民集 64 巻 562 頁　　1542
最判平 22・3・30 判時 2079 号 40 頁　　1593
最判平 22・6・1 民集 64 巻 953 頁　　1239
最判平 22・6・4 民集 64 巻 1107 頁　　727
最判平 22・6・4 判時 2088 号 24 頁　　24
最判平 22・6・17 民集 64 巻 1197 頁　　1565
最判平 22・6・29 民集 64 巻 1235 頁　　110
最判平 22・6・29 判時 2089 号 74 頁　　28
最判平 22・7・9 判時 2091 号 47 頁　　1550
最判平 22・9・9 判時 2096 号 66 頁　　24
最判平 22・9・13 民集 64 巻 1626 頁　　783
最判平 22・10・8 民集 64 巻 1719 頁　　873
最判平 22・10・14 判時 2097 号 34 頁　　274
最判平 22・10・19 金判 1355 号 16 頁　　302
最決平 22・12・2 民集 64 巻 1990 頁　　725
最判平 22・12・16 民集 64 巻 2050 頁　　387
最判平 23・1・21 判時 2105 号 9 頁　　331
最決平 23・2・9 民集 65 巻 665 頁　　110
最判平 23・2・18 判時 2109 号 50 頁　　22
最判平 23・2・18 判時 2111 号 3 頁　　87
最判平 23・2・25 判時 2108 号 45 頁　　1527
最判平 23・3・9 民集 65 巻 723 頁　　1435
最判平 23・3・18 家月 63 巻 9 号 58 頁　　26
最判平 23・3・22 判時 2118 号 34 頁　　984
最判平 23・3・24 民集 65 巻 903 頁　　1329,
　1331
最判平 23・4・22 民集 65 巻 1405 頁　　1106,
　1552
最判平 23・4・22 判時 2116 号 61 頁　　1623
最判平 23・4・26 判時 2117 号 3 頁　　1579
最判平 23・4・28 民集 65 巻 1499 頁　　1573
最判平 23・6・3 判時 2123 号 41 頁　　474
最判平 23・7・7 判時 2137 号 43 頁　　984
最判平 23・7・8 判時 2137 号 46 頁　　984
最判平 23・7・12 判時 2128 号 43 頁　　1329
最判平 23・7・14 判時 2135 号 46 頁　　760
最判平 23・7・15 民集 65 巻 2269 頁　　1326
最判平 23・7・15 民集 65 巻 2362 頁　　1543

最判平 23・7・21 判時 2129 号 36 頁　　1546
最判平 23・9・13 民集 65 巻 2511 頁　　1558
最判平 23・9・30 判時 2131 号 57 頁　　984
最判平 23・10・18 民集 65 巻 2899 頁　　254
最判平 23・10・25 民集 65 巻 3114 頁　　187
最判平 23・11・22 民集 65 巻 3165 頁　　1041
最判平 23・11・24 民集 65 巻 3213 頁　　1041
最判平 23・12・1 判時 2139 号 7 頁　　1484
最判平 23・12・8 民集 65 巻 3275 頁　　1541
最判平 23・12・15 民集 65 巻 3511 頁　　197
最判平 23・12・16 判時 2139 号 3 頁　　188
最判平 24・1・17 判時 2144 号 115 頁　　1541
最判平 24・2・2 民集 66 巻 89 頁　　1542
最決平 24・2・7 判時 2163 号 3 頁　　495
最判平 24・2・20 民集 66 巻 742 頁　　1513
最判平 24・2・24 判時 2144 号 89 頁　　821,
　1131
最判平 24・3・13 民集 66 巻 1957 頁　　783
最判平 24・3・16 民集 66 巻 2216 頁　　1170
最判平 24・3・16 民集 66 巻 2321 頁　　382,
　673
最判平 24・4・27 判時 2151 号 112 頁　　1510
最判平 24・5・28 民集 66 巻 3123 頁　　930
最判平 24・5・29 判時 2155 号 109 頁　　1513
最判平 24・6・29 判時 2160 号 20 頁　　984
最判平 24・9・4 判時 2171 号 42 頁　　962
最判平 24・9・13 民集 66 巻 3263 頁　　1295
最判平 24・10・12 民集 66 巻 3311 頁　　854
最判平 24・11・27 判時 2175 号 15 頁　　1534
最判平 24・12・14 民集 66 巻 3559 頁　　903
最判平 25・2・26 民集 67 巻 297 頁　　391
最判平 25・2・28 民集 67 巻 343 頁　　1058,
　1064
最判平 25・3・7 判時 2185 号 64 頁　　1552
東京地判平 25・3・14 判時 2178 号 3 頁　　56
最判平 25・3・22 判時 2184 号 33 頁　　1239
最判平 25・3・26 判時 2185 号 64 頁　　1552
最判平 25・4・9 判時 2187 号 26 頁　　26
最判平 25・4・11 判時 2195 号 16 頁　　760
最判平 25・4・12 民集 67 巻 899 頁　　1527
最判平 25・4・16 民集 67 巻 1049 頁　　1373
最判平 25・6・6 民集 67 巻 1208 頁　　301,
　307, 313
最判平 25・7・12 判時 2200 号 63 頁　　1601
最判平 25・9・13 民集 67 巻 1356 頁　　302
最判平 25・11・29 民集 67 巻 1736 頁　　495
最判平 26・2・25 民集 68 巻 173 頁　　873
最判平 26・2・27 民集 68 巻 192 頁　　134

最判平 26・3・14 民集 68 巻 229 頁　322
最判平 26・3・24 判時 2297 号 107 頁　1131,
　1618
最判平 26・6・5 民集 68 巻 403 頁　275
最判平 26・6・5 民集 68 巻 462 頁　1060
最判平 26・7・18 訟月 61 巻 2 号 356 頁　34
最判平 26・7・24 判時 2241 号 63 頁　1017
最判平 26・7・29 判時 2241 号 63 頁　761
最判平 26・7・29 判時 2241 号 65 頁　1017
最判平 26・10・9 民集 68 巻 799 頁　1531
最判平 26・10・28 民集 68 巻 1325 頁　1499
最判平 26・12・12 判時 2251 号 35 頁　873
最判平 26・12・19 判時 2247 号 27 頁　1134
最決平 27・1・22 判時 2252 号 33 頁　794
最判平 27・2・17 民集 69 巻 1 頁　928
最判平 27・2・19 民集 69 巻 25 頁　489
最大判平 27・3・4 民集 69 巻 178 頁　783,
　1566
最判平 27・4・9 民集 69 巻 455 頁　1586
最判平 27・6・1 民集 69 巻 672 頁　971, 973
最判平 27・9・15 判時 2281 号 98 頁　1432
最判平 27・10・27 民集 69 巻 1763 頁　682
最判平 27・11・19 民集 69 巻 1988 頁　933
最判平 27・12・8 民集 69 巻 2211 頁　123
最判平 27・12・14 民集 69 巻 2295 頁　1056
最大判平 27・12・16 民集 69 巻 2427 頁　14
最判平 28・1・12 民集 70 巻 1 頁　207, 910,
　947
最判平 28・1・21 判夕 1422 号 68 頁　1575
最判平 28・1・22 民集 70 巻 84 頁　123
最判平 28・2・26 民集 70 巻 195 頁　783
最判平 28・3・1 民集 70 巻 681 頁　1586
最判平 28・3・4 判夕 1424 号 115 頁　1513
最判平 28・3・15 判時 2302 号 43 頁　1552
最判平 28・3・31 民集 70 巻 969 頁　335
最判平 28・4・12 裁時 1649 号 5 頁　1554
最判平 28・4・21 民集 70 巻 1029 頁　1518,
　1555
最判平 28・4・28 民集 70 巻 1099 頁　1513
最判平 28・6・27 民集 70 巻 1306 頁　1431
最判平 28・7・8 民集 70 巻 1611 頁　1060
最判平 28・10・18 民集 70 巻 1725 頁　1514
最判平 28・12・1 民集 70 巻 1793 頁　658
最判平 28・12・8 判時 2325 号 37 頁　1563
最大決平 28・12・19 民集 70 巻 2121 頁　873
最判平 28・12・19 判時 2327 号 21 頁　208
最判平 29・1・24 民集 71 巻 1 頁　1098
最決平 29・1・31 民集 71 巻 63 頁　28, 1545

最判平 29・2・21 民集 71 巻 99 頁　1200
最判平 29・2・28 判時 2335 号 90 頁　1342
最判平 29・3・13 判時 2340 号 68 頁　302
最判平 29・4・6 判時 2337 号 34 頁　873
最決平 29・5・10 民集 71 巻 789 頁　721
最判平 29・7・24 民集 71 巻 969 頁　187
最判平 29・10・5 民集 71 巻 1441 頁　187,
　236
最決平 29・10・10 民集 71 巻 1482 頁　1015
最判平 29・10・17 民集 71 巻 1501 頁　337
最判平 29・10・23 判時 2351 号 7 頁　1545
最判平 29・12・5 判時 2365 号 67 頁　26
最大判平 29・12・6 民集 71 巻 1817 頁　343,
　1109
最判平 29・12・7 民集 71 巻 1925 頁　727
最判平 29・12・14 民集 71 巻 2184 頁　542
最判平 29・12・19 民集 71 巻 2592 頁　1317
最判平 30・2・15 判時 2383 号 15 頁　1131
最判平 30・2・23 民集 72 巻 1 頁　672
最決平 30・4・17 民集 72 巻 59 頁　670
最判平 30・7・17 民集 72 巻 297 頁　343
最判平 30・9・27 民集 72 巻 432 頁　1514
最判平 30・10・25 民集 72 巻 940 頁　1519
最判平 30・12・7 民集 72 巻 1044 頁　727
最判平 30・12・14 民集 72 巻 1101 頁　783,
　864
最判平 30・12・17 民集 72 巻 1112 頁　1510
最決平 31・1・23 判時 2421 号 4 頁　29
最判平 31・2・19 裁時 1718 号 3 頁　1577
最判平 31・3・5 判時 2424 号 69 頁　1534
最判平 31・3・7 判時 2423 号 20 頁　1556
最判平 31・3・12 判時 2427 号 11 頁　815,
　1554
最判平 31・3・18 判時 2422 号 31 頁　1545
最決平 31・4・26 判時 2425 号 10 頁　26, 795

《 令　和 》

最判令元・7・5 判時 2437 号 21 頁　24
最判令元・9・6 民集 73 巻 419 頁　783
最判令元・9・19 民集 73 巻 438 頁　317
最判令 2・2・28 民集 74 巻 106 頁　1597
最判令 2・3・6 民集 74 巻 149 頁　1529
最判令 2・3・24 民集 74 巻 292 頁　1625
最判令 2・3・30 民集 74 巻 549 頁　1342
最判令 2・4・7 民集 74 巻 646 頁　1564
最判令 2・7・9 民集 74 巻 1204 頁　1563
最判令 2・7・14 民集 74 巻 1305 頁　1597
最判令 2・7・21 民集 74 巻 1407 頁　1544

最判令 2・9・8 民集 74 巻 1643 頁　　1052
最判令 2・9・11 民集 74 巻 1693 頁　　1056
最判令 2・9・18 民集 74 巻 1762 頁　　315
最判令 2・10・9 民集 74 巻 1807 頁　　1544
最判令 2・12・15 民集 74 巻 2259 頁　　319
最判令 3・1・22 判時 2496 号 3 頁　　821
最判令 3・1・26 民集 75 巻 1 頁　　758
最判令 3・4・14 民集 75 巻 1001 頁　　236

最判令 3・4・26 民集 75 巻 1157 頁　　1624,
　1626
最判令 3・5・17 判時 2500 号 49 頁　　1531
最判令 3・5・17 判時 2502 号 16 頁　　1517,
　1531
最判令 3・6・29 民集 75 巻 3340 頁　　188
最判令 3・11・2 判夕 1496 号 89 頁　　1623
最判令 4・1・18 民集 76 巻 1 頁　　765

事項・人名索引

2017 年の改正以降に新たに加えた用語については、頁数に＊を付した。

《 アルファベット 》

ADR 1431
animus（心素） 86, 401, 403
ATM 1002
causa 1458, 1463, 1471
CD 1002
corpus（体素） 86, 401, 403
Genossenschaft 101
informed consent 1553
personne morale 102
Stiftung 106
tort 1500
Verein 101

《 あ 》

空家問題 447＊
悪意による不法行為 1065
悪意の第三者 391
悪徳商法 1202
明渡しの猶予 668
アド・オン（add-on）方式 756, 1198
安全配慮義務 743, 1130, 1355
安全保護義務 1130
案分（按分） 575, 663, 682, 702, 851, 923, 968

《 い 》

イェーリング 102, 1108
委棄 537
異議をとどめない（留めない）承諾 636, 972
遺言による権利変動（登記） 380＊
遺言による債権譲渡（債務者対抗要件） 963＊
意思主義 200, 363, 370
遺失物 422, 424, 474
意思と表示の不一致 199, 207
意思能力 35, 35＊, 58, 217＊, 220＊, 1115＊
意思の欠缺 199, 207
意思の実現 1102, 1117
意思の通知 183, 782
意思の不存在 199
異時配当（共同抵当） 664

意思表示 199
　　——の解釈 183
　　——の受領能力 220
　　——の到達 217
　　瑕疵ある—— 199
　　公示による—— 219
　　受益の—— 1157
　　不完全な—— 199
慰謝（藉）料 744, 806, 843, 1503, 1559, 1563, 1570, 1577, 1578, 1615, 1620
慰謝料請求権の相続性 1579
囲障 466
遺贈 748, 812, 957, 966, 1194
磯部四郎 4
委託者指図型投資信託に係る受益権 873
一部請求 1568
一物一権主義 357
一部弁済による代位 1045＊
一部保証 913
一括競売権（抵当地上の建物） 660
一級建築士 1529
逸失利益 806, 1558
　　——と定期金による賠償 1562＊
　　幼児の—— 1559
逸出財産 835, 852
一身専属権
　　帰属上の—— 843
　　行使上の—— 842
一身専属性
　　帰属上の—— 1569
　　行使上の—— 1579, 1580
一身専属的給付 981
　　絶対的な—— 995
　　相対的な—— 995
一般債権者 667
一般財産 361, 555, 586, 618, 620, 732, 773, 774, 832, 863
一般条項 21, 22, 25, 186, 1455, 1458, 1491, 1500
一般担保 554, 572, 774, 850

1667

一般抵当権　376
一般的構成要件主義　1500
一般取引条項　1132
一般取引約款　184
一般法（請求権非競合説）　802
移転的効力（和解）　1436
伊藤博文　5
稲立毛　422, 477
囲繞地　456
委任　50, 1369
　　──の解除　1379*
　　準──　1369, 1384
委任状　222, 1370
　　白紙──　222, 238, 1117, 1371
委任命令　449
井上馨　4
井上正一　4
違法性（違法行為）　1538, 1555
違法性（違法行為）阻却事由　1552
違約金　588, 634, 829, 1073, 1339
入会権　354, 500
　　共有の性質を有しない──　540
　　共有の性質を有する──　501
遺留分減殺請求権　330, 340, 783, 843
医療　1525
　　──過誤　1525, 1549
　　──事故　1525, 1605, 1610
　　──水準　1526, 1553
医療行為　1525, 1549, 1553
印（はんこ）　242
員外貸付・預金　125, 616
因果関係　805, 1532, 1556, 1608
　　疫学的──　1533
　　事実的──　805
　　自然的──　805
　　相当──　→相当因果関係
　　法的──　1532
印鑑登録証明書　222, 243
隠居　378
インスチチチオネス（Institutiones）式の編別
　　5
隠匿　328, 417
隠秘（隠微）　328, 417

《 う 》
請負　829, 912, 1352
　　──給　1341
　　──人　569, 824, 1352, 1590, 1597

　　──の担保責任　1362*
　　──の注文者が受ける利益の割合に応じた報
　　　酬　1360*
　　概算──　1356
　　偽装──　1352
　　定額──　1356
　　建設──　1353
　　下──　1355, 1598
　　一括──　1355
受取証書　1004
　　──の交付請求　1012*
受戻権　721
内金　1209
得べかりし利益　818
梅謙次郎　5
裏書　608, 976
売主　1213
　　──の義務
　　権利移転の対抗要件に係る──　1218*
　　他人の権利の売買における──　1218*
　　──の財産権移転債務　1217
　　──の対抗要件具備義務　1218*
　　──の担保責任　1217, 1231*, 1270
　　移転した権利が契約の内容に適合しない場
　　　合における──　1231*
　　競売における──　1234*
　　──の追完請求権　1214*
売戻し　1248
売渡担保（売渡抵当）　716
閏年　757
上土権　356, 368
運送契約　1353

《 え 》
営業　46, 697, 1541
　　──権　720
　　──上の利益　1541
　　──の自由　1541
　　──を営む許可　46
永小作権　524
英米法（イギリス法・アメリカ法）　1147,
　　1153, 1180, 1191, 1210, 1500, 1511, 1557
営利（法人）　135
役務　739, 798
江藤新平　3
延滞金利　828

《 お 》

押印　222

大木喬任　3

オープン・エンド・モーゲージ（open-end mortgage）　1258

公の秩序（善良の風俗）　185, 739, 1493

恩給（担保）　196, 246, 957, 1380, 1495

温泉権　369

オンライン申請（登記）　386

《 か 》

害意（詐害行為）　851

会員権（販売）契約　1165, 1203

買受人　661

概括条項　21

外国人　33

外国通貨債権　753

解雇の自由　1348

介護保険制度　55

解釈規定　194, 739

会社の合併・分割　693, 696

解除　1158, 1161

　——契約　1160

　——権　1159

　　——の行使　1164

　　——の消滅　1164, 1182

　　——の不可分性　1176

　　一般的法定——　1164

　　法定——　1164

　　無条件——　1164

　　約定——　1164

　　黙示的な——の放棄　1182*

　——の効果　1177

　合意——　1161

　自由——　1380

　任意——　1380

　法定——　1164

　無理由——　1380

　約定——　1164

買主　1216

　——の損害賠償請求及び解除権の行使　1231*

　——の代金減額請求権　1230*

　——の代金支払債務　1217

　——の追完請求権　1229*

　——による代金の支払の拒絶　1244*

　——は危険を買う　1146

海面　174, 374

買戻し　375, 622, 717, 840, 1207, 1246

解約

　——契約　1163

　——申入れ　1163, 1323

　——申入れ期間　1323

　委任契約における——告知の自由　1381

　合意——　1163

改良行為　230

替地（土地収用法等）　624, 1255

書入（抵当権）　356

「学説集成」　5

隔地者　217, 1105

確定日付のある証書　967

摑取力　774, 853

隠れた瑕疵　1238

加工　479

瑕疵　1358

　——担保責任　798, 1236

貸金業　1258

貸金業者

　——間における債権・債務の譲渡　984

　——の貸付行為　1552

貸金等債務　936

貸金等根保証　10

　——契約　934

家事審判所　8

過失　814, 1522, 1523

　——責任（主義）の原則　810, 1504

　——相殺　823, 1564, 1615, 1618

　「——なければ責任なし」　1505

　「——の衣を着た無過失」　1530

　客観的軽——　746

　具体的軽——　746, 1523

　軽——　1524

　重——　746, 1524

　重大な——　211, 746, 1593, 1597

　主観的軽——　746

　絶対的——割合　1619

　抽象的軽——　746, 1523

果実　179, 561, 620, 1375, 1405

　——の帰属及び代金の利息の支払　1243*

　天然——　179, 417, 450, 545, 561, 1244

　法定——　180, 417, 450, 545, 1244, 1375

貸間　1315

化体（化現）　366, 603, 612, 781, 952, 964, 978

価値

　愛情——　808

　換価——　582, 593, 623

客観的―― 808
交換―― 582, 593, 623, 628, 807, 819
収益―― 582, 623, 628, 653
主観的―― 808
使用―― 582, 807
担保―― 596, 714
学校事故 1528
割賦購入あっせん 1199, 1260, 1262
割賦販売 1089, 1197, 1261
合併（抵当債権者） 695
過払金充当合意 760
過払利息 761
貨幣制度 750
加盟店契約 1260
貨物引換証 366, 373, 396, 976
仮登記担保 727
――契約 1009
科料・過料 136, 166
カルテル協定 1548
簡易決済の機能 1050
簡易な引渡し 397, 406
換価価値 →価値
患者の同意 1553
慣習 197
――法 197, 368
事実である―― 197
感情の表示 183
間接強制 794*
間接効果説 1179
換地 1239
監督義務者責任 1585
代理―― 1585
監督者
――責任 1585
代理―― 1596
代理――責任 1585
観念の通知 965
観念の表示 182, 972
元本 179, 588, 756
――確定期日 689, 937
――債権 741, 756
――の確定 706
――の確定事由 939
――、利息及び費用を支払うべき場合の充
当 1017*
客観的――確定事由 712
管理通貨制度 750
管理不全建物管理命令 514*

管理不全土地 512*
――管理人の解任及び辞任 513*
――管理人の義務 513*
――管理人の権限 512*
――管理人の報酬等 514*
――管理命令 512*
関連共同性 1608
客観的―― 1608
主観的―― 1608

《 き 》
ギールケ 102
期間 284
――の自然的計算方法 284
――の暦法的計算方法 284, 288
期間の定めのある雇用の解除 1345*
期間の定めのない雇用の解約の申入れ 1346*
企業担保権 615
企業の譲渡 983
危険 1524
――行為 1524
――責任 1504, 1589, 1600, 1603
――の引受け 1555
――の分散 662, 703
――負担 748, 1143
――への接近 1553, 1618
期限 273, 280
――の到来 280
――の利益 24, 281
確定―― 280
不確定―― 280
帰責事由 809, 814
機序（メカニズム）（因果関係） 1532
帰属清算型 721
期待権（希望権） 275
寄託 1385
――者による損害賠償 1392*
――者による返還請求等 1393*
――の諾成契約化 1387*
――物の受取前の寄託者による寄託の解除 1388*
――物の第三者による保管 1389*
――物の返還の時期 1394*
――物の返還の場所 1394*
――物の滅失・損傷等による損害賠償等の請
求権についての期間の制限 1395*
混合―― 1396*
混蔵―― 1397

商事—— 1391
消費—— 1385, 1397
諾成的—— 1093
不規則—— 1397
無償—— 1388
有償—— 1388
要物的—— 1093
寄付行為（寄附行為） 140
基本契約 676
基本権 343, 757
基本約定書 12, 1132, 1259
記名債券 604
記名式所持人払債権 603, 978
休業手当 1342
休日 286
求償（権） 893
給付 732, 736, 738
——行為 733
——の種類 741
——の目的 738
——の要件 739
——不能 1143
一回的—— 741
回帰的—— 741
可分—— 741
継続的—— 741
作為—— 739
代替的—— 791
不可分—— 741
不作為—— 739
不代替的—— 791
旧法（戦前の親族相続編） 9
旧民法 3, 566, 655, 734, 792, 869, 882, 902, 1457
給与住宅 1316
教育的指導 1549
競業避止・禁止 189, 194, 1339
強行規定 187, 194
強行法規 1491
強制競売における担保責任 1234
強制執行力 773
行政法上許された行為 1549
強制履行 791
競争入札 1107
供託 1027
——原因 1027
——所 1029
——制度 1027

——に適しない物等 1032*
——の方法 1030
——物交付請求権 1030
——物取戻請求権 1032
——物の還付請求等 1033*
弁済—— 1027
共同所有関係 482
共同絶交 191
共同相続財産 483
共同担保 774, 850
共同根抵当 704
広義の—— 704
共同の事業 1402
共同の免責 893
共同不法行為 1604
——者 1605
共同保証 919
——人 932
——人間の求償権の消滅時効 933
——人の分別の利益 919
連帯—— 933
競売における担保責任等 1233*
強迫 212, 327, 412, 417
強暴 327, 412, 417
業務執行組合員 1408
業務執行者 1406
協約 1099
共有 482
——関係と訴訟 485
——者の死亡 492
——者の担保責任 497
——に関する債権 496
——物に関する証書 498
——物に関する負担 490
——物の管理 487
——者 490*
——者の選任および解任 490*
——物の使用 485
——物の全部又はその持分が相続財産に属する場合 495*
——物の分割 492, 496
——請求 492
裁判による—— 493*, 495*
——物の変更 487
——持分 483, 1255
——の放棄 492
——の割合 486
合手的—— 483

準—— 505
　総手的—— 483
虚偽表示 202, 719
　単独—— 202
　通謀—— 202
極度額 677, 683, 686, 935
　——の変更 689
　元本—— 677, 687
　債権—— 677, 679, 687
居所 86
虚有権 450
金額債権 751
金貨債権約款 752
金貨約款 752
緊急事務管理 1450*
緊急避難 1552, 1612
銀行預金契約 1386
斥先掘契約 196, 1495
金種債権
　絶対的—— 751, 753
　相対的—— 753
近親者
　——に対する損害の賠償 1580*
　——の身体傷害 1582
　——の生命侵害 1582
金銭 750, 1374, 1465, 1476
　騙取した—— 1468, 1475
金銭債権 750, 751, 825
　——の特色 750
　——の独立財産化 778, 948
　特定—— 751
金銭債務
　——の提供 1023
　——の特則 825*
　——の弁済 1023
金銭賠償の原則 822, 830, 1567, 1615
近代産業 1530
禁治産者 48, 54, 57, 60
禁反言の法理 241
金本位制度 750
勤務契約（Dienstvertrag） 1335
金約款 752
金融商品取引契約 1203

《 く 》

空間権・空中権 521
クーリング・オフの権利 1114, 1164, 1199, 1260

区分建物所有権 451
熊野敏三 4
組合 1399
　——財産 483
　——財産に対する組合員の債権者の権利の行使の禁止 1416*
　——代理 1407
　——の意思決定 1406*
　——の解散 1422
　——の解散事由 1422*
　——の業務 1407
　——の業務の決定及び執行の方法 1406*
　——の債務 1414
　——の債権者の権利の行使 1413*
　——の常務 1407
　——の清算 1424
　——の代理 1409*
　民法上の—— 1399
組合員 1416
　——の加入 1417, 1417*
　——の交替 1417
　——の除名 1420
　——の脱退 1417
　——の一人についての意思表示の無効等 1404*
　——の持分 1421
　——の持分の処分及び組合財産の分割 1415*
　脱退した——の責任等 1420*
　他の——の債務不履行 1403*
　脱退した——の持分の払戻し 1421*
組合契約 1401
　——の解除 1424
　——への契約総則の規定の適用関係 1399*
組合財産 483, 1404, 1413
　——に対する組合員の債権者の権利の行使の禁止 1416*
　——の共有 1404
クリーン・ハンズ（clean hands） 1076, 1491
クレジット 952, 1260, 1261, 1262

《 け 》

境界（けいかい）確定の訴え 465, 485, 1437
軽過失 1524
　具体的—— 746, 789, 1523
　抽象的—— 746, 789, 1523
景観 1546
経済統制法規 1495

形式主義　363, 371
刑事司法関係者　1554
刑事責任　1502
　——と民事責任　1503
刑事補償責任　1518
芸娼妓契約　189
形成権　21, 26, 270, 547, 711, 714, 764, 834,
　　842, 1157, 1207, 1224
形成権説（詐害行為取消）　852
継続的給付を受けるための設備の設置権等（相
　　隣関係）　458*
　　生活に必須なインフラ設備設置権等の場合
　　　459*
　　他人所有の設備使用者による設備使用開始の
　　　ために生じた損害に対する償金支払義務
　　　460*
　　他の土地の所有者等への通知　460*
継続的供給契約　1094, 1196
競買人　661
刑罰法規違反行為　1548
契約　1088
　——自由の原則　734, 739, 740, 1055, 1090,
　　1093, 1096, 1100, 1103
　——準備段階　1106
　——上の地位の移転　984, 1160*
　——書　1107
　——責任説　1238
　——締結時の情報の提供義務　902*
　——締結上の違法行為　1551
　——締結上の過失　740, 742, 1107
　——締結の自由　1101, 1103, 1205
　——締結前段階　1106
　——と方式　1109*
　——内容（決定）の自由　1101, 1127
　——内容不適合　1196*
　——に関する基本的なルール　1100*
　——の解除　1158
　——の競争締結　1108
　——の効力　1127
　——の終了　1162
　——の種類　1091
　——の成立　1102
　——の締結及び内容の自由　1109*
　——の方式の自由　1093, 1101, 1104
　——の有効要件　1102
　一回的——　1093, 1162
　移転型の——　1088
　回帰的——　1093

各個——　1094
基本——　1095
継続的——　1093, 1163, 1170
結合——　1094
原因——　676
個別——　1094, 1259
混合——　1090
債権——　1098
三面——　1096, 1260, 1291
準——　1439
準物権——　1098
承諾の通知を必要としない場合における——
　　時期　1119*
消費者——　1096
随意——　1107
践成——　1009, 1092
総括——　1094, 1259
双務——　1092, 1139, 1144
貸借型の——　1088
諾成——　617, 1092
多面——　1096, 1262
団体型の——　1088
単独——　1094
典型——　1089
電子消費者——　1096
二面——　1096
反対——　1161
非消費者——　1096
非典型——　1090
複合——　1094, 1165, 1260, 1262, 1291
物権——　1098
不方式——　1093
不要式——　1093
片務——　1092, 1139
方式——　1093
本——　1095
身分的——　1098
無因——　1096
無償——　1091, 1213
無名——　1090
命令——　1104
有因——　1096
有償——　1091, 1213
有名——　1088
要式——　909, 1093
要物——　1009, 1092, 1263
預託型の——　1089
労務供給型の——　1088

枠—— 1095
懈怠 1047
結果回避義務 1523
欠格条項 56*
結果責任 1507
ゲヴェーレ（Gewere） 401, 419
ゲルマン法 401, 419, 421
原因において自由な行為 1584
現金自動支払機 1002
権原 410, 477
検索の抗弁権 918
原始取得 329, 382, 383, 397, 402, 422, 473, 538
減収による賃料の減額請求 1309*
原状回復義務 1163, 1177, 1180
原状回復の原則 822
懸賞広告 1121
　期間の定めのある—— 1123*
　期間の定めのない—— 1123*
懸賞広告の撤回の方法 1123*
原状に復させる義務 1177
原子力損害 1510
現存利益 1477
現代用語化 10
元物 180, 292, 373
顕名主義 225
権利 19
　——金 1295, 1322
　——行使の期間　→不適合の通知期間 1206*, 1232*　→不適合の通知期間
　——失効の原則 22, 291
　——証 389
　——侵害 1505, 1535, 1548
　——論 1506
　「——の上に眠った者」 289
　——（の）濫用 24, 26, 444
　「——を行使する者は悪をなさず」 25, 1549
権利能力 30
　——の始期 30
　——の終期 32
　——のない社団 132, 135
牽連関係 1128
　成立上の—— 1128
　存続上の—— 1128, 1144
　履行上の—— 1128, 1135

《 こ 》
故意 814, 1522
　未必の—— 1523
合意による不動産の賃貸人たる地位の移転 1304*
合意による弁済の充当 1019*
後遺症 1433, 1561, 1624
行為能力 37, 1582
　制限——者 996
　制限——者の相手方の催告権 82
　制限——者の詐術 84
　訴訟—— 45
行為の関連共同性　→関連共同性
公益信託 106
更改 693, 956, 981, 1070
公害 1511, 1530, 1533, 1560, 1605, 1624
　——防止協定 1570
効果意思 199
交換 1255*
交換価値　→価値
公共交通 1525
工業財産権（所有権） 1541
後見 49, 58
　——開始の審判 58
　成年——人 59
　成年被——人 59, 62
　——等の権利の制限にかかる措置の適正化 16*
公権 20
交叉申込み（交差申込み） 1102, 1118
公示制度 365
公示の原則 358, 364, 395, 612, 949
公示方法 364
公序良俗 185, 1491
　——違反行為 1548
公信の原則 364, 395, 398, 420, 949
公信力説（債権譲渡） 971
公正証書 243, 773, 1263, 1264, 1295, 1433, 1486, 1496
公正な論評 1573
公然 328, 412
拘束預金 187, 763
交通事故 1610
公定歩合 764
公道 455
合同行為 138, 183, 633, 1099
公物 375
公平の機能 1051

抗弁権
　　——の永久性　340
　　——の接続　1260
　　——の切断　1260
　　——の放棄（債権譲渡）　971*
合有　483, 870, 1406, 1415, 1417
　　——理論　483
　　準——　1406
高利貸　1257
効力規定　195
告知　1161, 1163, 1181, 1272, 1277, 1279, 1307,
　　　1323, 1330, 1423
　　——権　1163, 1330
　　——の非遡及効　1330, 1350
　　解除——　1163, 1323, 1428
　　解約——　1163, 1323, 1324, 1380, 1393
国民の祝日　286
小作権　8, 524, 1288
小作問題　524
小作料　1288, 1294, 1309
互譲　1435
個人貸金等根保証契約　937*
　　——の元本確定期日　937*
個人情報の保護　1545*
個人根保証契約　934*
　　——の元本の確定事由　939*
　　——の保証人の責任等　934*
　　賃借人の債務の——　935*
個人の尊厳　27
国会議員　1554
国家賠償責任　1516
　　——と民事責任　1518
国家無答責の法理　1516
国庫　160
誤認の三類型　214, 1097
子の引渡しの強制執行　→幼児引き渡しの債務
　　　795
個別損害積み上げ方式　1557, 1579
個別的構成要件主義　1500
固有権　156
雇用　1334
　　——契約　1338
　　——の更新の推定等　1350*
ゴルフ　133, 337, 958, 965, 984, 1137
混合契約　1090
混同
　　物権の——　399
　　債権の——　1079

混和　478
困惑の二類型　216, 1097

《　さ　》
債権　608, 730, 771
　　——証書　1013, 1046
　　——特定基準　683, 688
　　　具体的——　683, 688
　　　抽象的——　684, 688
　　——に関する証書　1013, 1047
　　——の一般的効力　774, 869
　　——の売主の担保責任　1235*
　　——の帰属の侵害　1539
　　——の給付受領力　772
　　——の給付保持力　772
　　——の強制的実現力　773
　　——の効力　772
　　——の財産化　948
　　——の準占有者　999
　　——の譲渡性　955
　　——の譲渡における債務者の抗弁　970*
　　——の譲渡の対抗要件　963*
　　——の消滅　990
　　——の侵害　777
　　——の請求力　772
　　——の対外的効力　777, 833
　　——（の）担保　737, 869
　　　——の機能　1051
　　——の任意的実現力　772
　　——の弁済請求力　772
　　——の本質　732
　　——の本来的効力　772
　　——の目的　738
　　——の目的である給付の侵害　1539
　　——の目的物　738
　　——の履行請求力　772
　　——放棄　1079
　　——保全の必要　837
　　一回的——　741
　　回帰的——　741
　　可分——　871
　　元本——　741, 756
　　継続的——　741
　　行為——　739, 740
　　指名——　177, 603, 606, 964
　　種類——　→種類債権
　　任意——　738
　　引渡——　739

不可分―― 873
不作為―― 741, 785
不特定物―― 747
分割―― 871
無記名―― 603
利息―― 741
債権者
　――確知不能　1030
　――主義（危険負担）　1144, 1146
　――遅滞　733, 785
　――取消権　736, 833, 847
　――による債権証書の交付等　1046*
　――による担保の喪失等　1047*
　――の受領遅滞　785*
　――の責めに帰すべき事由による解除
　　1174*
　――の代理人　1000
　――平等の原則　549, 734
　一般――　361, 774
　担保――　361
　特別――　361
　無担保――　361
債権者代位権　736, 833
　――の転用・借用　630, 838, 839
　――の要件　835*
　相手方の抗弁権（代位権）　844*
　債権者への支払又は引渡し（代位権）　844*
　債務者の取立てその他の処分の権限等（代位
　　権）　844*
　代位行使の範囲（代位権）　843*
　登記又は登録の請求権を保全するための――
　　845*
　被代位権利の行使に係る訴えを提起した場合
　　の訴訟告知（代位権）　845*
債権譲渡　736, 948, 959
　――禁止の特約　959
　――登記　366, 953
　――登記ファイル　366, 953
　――における相殺権　974*
　――の制限の意思表示　955*
　　――がされた債権に係る債務者の供託
　　　960*
　　――がされた債権の差押え　961*
　預金債権又は貯金債権に係る――の効力
　　961*
　――の通知　964
　――の予約　964
　――への承諾　965

債権取立てのための――　954
　集合――　950
　将来債権の――性　962*
催告　165, 302, 781, 1168, 1182
　――によらない解除　1172*
　――による解除　1165*
　――の抗弁権　917
　裁判上の――　313
　通常の――　313
財産権　20
財産処分自由の原則　833
財産損害　1557
再生債務者と別除権者　275
財団　135
財団抵当　366, 614, 1258
裁判外紛争解決手続（ADR）　1431
裁判基準損害額　1513
債務　775
　――の担保　615
　――の引受け　692, 955, 981, 983*
　――の履行を拒絶する意思　808*
　与える――　738, 741, 791
　可分――　871
　持参――　748
　商事――　872, 883
　送付――　749
　取立て――　748, 1025
　なす（為す）――　738, 740, 791
　不可分――　873
　不完全――　732, 774
　不作為――　795
　分割――　871
　無因――　1009
債務者
　――遅滞　809
　――の危険負担等　1150*, 1403*
　――の責めに帰すべき事由　814
　――の取立てその他の処分の権限等　844*
　――の変更権　749
　――の免責事由　780*
債務者主義（危険負担）　1144, 1146, 1151
債務承認説（468条）　972
債務の引受け（債務引受け）　693, 737, 985*
　――の機能　983
　重畳的――　693, 982
　併存的――　982, 985*
　　――の要件及び効果　985*
　　――における引受人の抗弁等　986*

免脱的—— 983
免責的—— 692*, 693, 983
　　——における引受人の求償権　988*
　　——における引受人の抗弁等　987*
　　——による担保の移転　988*
　　——の要件及び効果　987*
債務の本旨　1021
債務不履行　795
　　——責任　796
　　——責任と不法行為責任　800
　　——説（570条）　1238
　　——と不法行為　1501
　　——による損害賠償　808, 808*
　　——の効果　804
　　——の責任等　780*
　　——の類型論　799
債務名義　773, 791, 835, 1414, 1435, 1469, 1580
裁量権収縮論（権限不行使の違法）　1517
サヴィニー　102
詐害行為　848
　　——取消権　833, 846
　　——の期間の制限　866*
　　——の行使の効果　862*
　　——の取消しの範囲　861*
　　特殊な——の類型　857*
　　過大な代物弁済等の特則（詐害行為）　859*
　　債権者への支払又は引渡し（詐害行為）　862*
　　財産の返還又は価格の償還の請求（詐害行為）　860*
　　債務者の受けた反対給付に関する受益者の権利（詐害行為）　864*
　　受益者の債権の回復（詐害行為）　864*
　　相当の対価を得てした財産の処分行為の特則（詐害行為）　858*
　　転得者に対する——　860*
　　特定の債権者に対する担保の供与等の特則（詐害行為）　858*
　　認容判決の効力が及ぶ者の範囲（詐害行為）　862*
　　被告及び訴訟告知（詐害行為）　861*
詐害行為取消請求　847*
　　——を受けた転得者の権利　865*
詐害の意思　851
詐欺　212
　　第三者の——　215
先取特権　549
　　——制度の評価　549

——の効力　576
——の種類　554
——の順位　571
——の不可分性　553
一般の——　375, 555
債権の——　554, 565
同一順位の——　575
動産の——　559
特別の——　551, 572, 577, 578
不動産の——　568
先物取引　1202
錯誤　207, 1217, 1240
　　——の効果（取消）　205*, 261*, 1488*
　　相手方が表意者に——があることを知り、または重大な過失により知らなかったとき　206*
　　相手方が表意者と同一の——に陥っていたとき　206*
　　意思表示に対応する意思を欠く——　206*
　　縁由の——　207
　　動機の——　207
　　内容の——　207
　　表意者が法律行為の基礎とした事情についてのその認識が真実に反する——　206*
　　表示上の——　207
　　要素の——　207
差押えを受けた債権の第三債務者の弁済　1005*
指図債権　604, 608, 976
指図証券　1081*
差止請求　1569
詐術　84
サラ金（サラリーマン金融）　758, 1257
更地　176, 656
サレイユ　102
戯言（ざれごと）　201

《 し 》
死因処分　140
シカーネ（Schikane）　25
始期　280
敷金　563, 563*, 1137, 1295, 1304, 1332*
敷引特約　1329
事業　1590
　　——監督者
　　代理——監督者　1596
　　——の執行について　1591
　　——用借地権　1299

1677

——用定期借地権　1299
事業に係る債務についての保証契約の特則
　942*
　契約締結時の情報の提供義務　946*
　公正証書の作成と求償権についての保証の効
　　力　945*
　公正証書の作成と保証の効力　942*
　公正証書の作成と保証の効力に関する規定の
　　適用除外　945*
　保証に係る公正証書の方式の特則　944*
私権　20, 30
試験（試味）売買　1204
時効　289
　——により消滅した債権を自働債権とする相
　　殺　1064*
　——の援用　292
　——の援用権者　294
　——の援用権の喪失　299
　——の完成猶予　299*, 300, 303*, 305*,
　　307*, 308*, 312*, 314*, 320*, 322*, 323*,
　　534*, 539*
　——の更新　299*, 300, 303*, 310*, 312*,
　　314*, 534*, 539*
　——の自然中断　332
　——の中断　301
　——の停止　320
　——の利益　294
　取得——　290, 326
　消滅——　290, 333
　所有権の取得——　326
自己契約　235
自己責任の原則　1500
仕事（請負）　1352, 1590
　——の完成　1352
自己の財産に対するのと同一の注意　786*,
　1390
自己のためにする意思　402
自己のために物を所持する意思　403
持参債務の原則　1012
獅子組合（societas leonis）　1403, 1413
事実行為　182, 230
自社割賦　1261
事情変更の原則　23, 518, 752, 1128, 1138, 1165
地震売買　7
事前求償権を被保全債権とする仮差押えと事後
　求償権の消滅時効　928
自然債務　732, 774, 1492, 1498
自然人　30

自然中断　332
示談　1432, 1435
質
　——入れ裏書　604, 608
　——入れ債権　606
　——物　585
　権利——　601
　動産——　594
　登録——　607, 720
　根——　584
　不動産——　597
　用益——　597
質権　582
　——者の直接取立権　609
　——の拘束力　606
　——の被担保債権の範囲　588
　——の付従性　584
　——の要物性　587, 601
　——の留置的効力　585, 589
　債権——者の直接取立権　609
　債権——の拘束力　606
　根不動産——　600
　不動産——の用益的効力　597
質屋　1257
実印　244
失火責任　1520, 1524, 1602
失権約款　1161
執行官（執達吏）　773, 791, 1535, 1551
執行命令　449
実在的総合人　502, 870
実質年率　1199
失踪　89
　——宣告　89
　危難——期間　93
　普通——期間　93
私的自治の原則　1101
児童虐待の防止　14
自働債権　1050, 1057
自動車損害賠償　1510, 1513, 1525
老舗権　717, 720
支配権　20, 734
支配者の意思　403
支払手段　1007
支払の差止め　1005
支分権　757
死亡　32, 1193, 1281, 1382, 1419, 1422, 1428
　同時——の推定　96
　認定——　92

1678

司法書士　　50, 386, 1024, 1025, 1373, 1381,
　　1529, 1590
支分権　　343
事務管理　　1439, 1552
　　——意思　　1442, 1448
　　——義務　　1440
　　——の対外的効果　　1445
　　——の追認　　1441, 1447
　　委任なき——　　1439
　　準——　　1442, 1449
　　僭称——　　1442
　　非真正——　　1442, 1449
　　管理者の通知義務（事務管理）　　1450*
氏名　　1544, 1577
指名債権　　177, 604, 606, 964
　　——の譲渡　　964
社員　　139
　　——権　　20
社会的妥当性　　185, 739
社会保障制度　　1513
射幸契約　　1427
借地権　　515, 1285, 1298, 1302, 1314, 1321
　　一時使用のための——　　1299
　　事業用——　　1299
　　事業用定期——　　1299
　　建物譲渡特約付——　　1299
　　定期——　→定期借地権
借地非訟事件　　1314
借賃　　525
借家権　　1285, 1302
　　定期——　→定期借家権
借用物の費用の負担　　1277*
社債　　604
謝罪広告　　793, 1621
奢侈費　　428
社団　　134
自由　　1543, 1570
醜悪な行為　　1493
収益価値　→価値
重過失　　211
終期　　280
就業規則　　11, 1336
集合債権　　717, 950
集合住宅（マンション）　　451, 1106, 1165
集合動産　　717
集合物譲渡担保権　　725
住所　　86
終身定期金　　1427

——の遺贈　　1430
従属労働関係　　1335
従たる権利　　179, 620
充当
　　——指定権　　1015
　　元本、利息及び費用を支払うべき場合の——
　　　1017*
　　合意——　　1015
　　合意による弁済の——　　1019*
　　指定——　　1015
　　数個の給付をすべき場合の——　　1019*
　　相殺——　　1069
　　同種の給付を目的とする数個の債務がある場
　　　合の——　　1015*
　　弁済の——　　1014
　　法定——　　1015, 1018
重複訴訟　　885
従物　　178, 619
重利　　764
　　法定——　　764
　　約定——　　765
受益者　　1153, 1455, 1460, 1472
　　悪意の——　　1481
　　善意の——　　1481
受益の意思表示　　1157
主観的共同関係　　884, 893, 894
受寄者の通知義務等　　1391*
受寄者の費用償還請求権　　1392*
熟慮期間制度　　1199
授権行為　　222
酒税債権　　684, 712
主たる債務（主債務）　　902, 921
　　——者が保証人に対して償還をする場合
　　　928*
　　——者について生じた事由の効力　　920*
出資　　1403, 1413
出生　　30
出訴期間　　290, 341, 867
出捐　　894, 1091, 1139, 1154, 1156, 1188, 1213,
　　1434, 1458, 1463, 1465, 1496
受働債権　　1050, 1057
取得時効　　290, 382, 534
受任者による受取物の引渡し等　　1374*
受任者による費用等の償還請求等　　1378*
受任者による費用の前払請求　　1378*
受任者による報告　　1374*
受任者の金銭の消費についての責任　　1375*
受任者の注意義務　　1372*

受任者の報酬（委任）　1376*
　——請求権　1369*
主物　178
受領
　——義務　785
　——拒絶　787, 1028
　——行為　733, 1021
　——遅滞　733, 736, 785
　——不能　787, 1028
受領権者以外の者に対する弁済　1003*
種類債権　747, 747
　——の特定・集中　748
　限定——　747
　制限——　747
準
　——共有　→共有
　——禁治産者　48, 54, 57, 67, 84
　——合有　→合有
　——法律行為　→法律行為
　——用　13, 564, 1194, 1196, 1213
順位確定の原則　612
順位上昇の原則　631, 681
順位保全の効力　385
準消費貸借　1266
醇風美俗　7
承役地　529, 530
　——の時効取得　537
障害者権利条約（批准）　55
償還（現実の提供）　1209*
使用借主　1274
使用者の安全配慮義務違反による損害賠償請求
　と弁護士費用　1131
承継（人）
　包括——　262, 304, 413
　特定——　262, 304, 413
承継取得　329, 473
条件　273
　——付法律行為　274
　解除——　275
　既成——　278
　純粋随意——　279
　随意——　279
　停止——　274
　不能——　279
　不法——　278
　法定——　276
条件・期限　273
　——に親しまない行為　273

証券
　——化された債権　603
　——的債権　603, 952, 976
　記名式所持人払——　1084*
　指図——　1081*
　その他の記名——　1086*
　無記名——　1086*
商号　1541
商事会社　136, 137
商事保証　908
使用価値　→価値
使用借権　1276
使用者責任　1587
消除主義　617
商事連帯　872, 884
肖像　1544
使用者についての破産手続の開始による解約の
　申入れ　1351*
使用者の権利の譲渡の制限等　1344*
使用貸借　1274
　——の解除　1279*
　借用物受取り前の貸主による——の解除
　　1276*
　——の貸主の引渡義務等　1277*
　——の借主による使用及び収益　1276*
　——の終了　1278*
　——の諾成契約への転換　1274*
承諾　1111
　——適格　1111, 1113, 1117
　——義務　1104, 1118
　——の通知の延着　1112
　——の期間の定めのある申込み　1110*
　——の期間の定めのない申込み　1113*
　——の通知を必要としない場合における契約
　　の成立時期　1119*
譲渡禁止・制限の意思表示　955, 957
譲渡担保　715
　——債権者　721
　——債務者　721
　——に基づく物上代位　724
　——の対外的効力　723
　——の対内的効力　723
　——の必要性　717
　——の有効性　719
　——の類型　718
譲渡担保権　726
　——者　725
　——設定者　726

1680

承認（時効中断事由としての）　299, 304, 318,
　566
消費寄託　1385, 1397
　準——　1398
消費者　1097
　——契約　1096
　——信用　1258, 1259
　——団体訴訟制度　1098, 1135
　——保護・問題　191, 1196
消費貸借　1256
　——の貸主の引渡義務等　1269*
　——の機能　1256
　——の予約　1268
　——の利息　1268*
　準——　1266
　書面でする——等　1266*
　諾成的——　1092, 1256*, 1265
　無利息——　1265
　要物的——　1093
　利息付——　1092, 1265
商品供給契約　676
情報提供義務　1106
消滅時効
　債権等の——　333*
　生命・身体の侵害による損害賠償請求権の
　　——　337*, 1626*
　賃金、災害補償その他の請求権の ——
　　333*
　定期金債権の——　342*
　判決で確定した権利の——　344*
消滅的効力（和解）　1436
将来の損害　1563
条理　184
職務を行うについて　143
所在等不明共有者の持分の取得　499*
所在等不明共有者の持分の譲渡　500*
所持　401, 403
　——機関　404
除斥　165
　——期間　165, 271, 272, 290, 322, 341, 696,
　　1064, 1215, 1224, 1227, 1237, 1240, 1281,
　　1363, 1622
初日不参入の原則　285
所有権　441
　——と抵当権の関係　613
　——に基づく物権的請求権　441
　——に基づく返還請求権　1497
　——の虚有権化　450

　——の限界　445
　——の恒久性　341, 444
　——の取得　473
　——の絶対性　341
　——の弾力性　357, 450
　——の登記名義人　381*
　——の内容　449
　——の濫用　445
　——は危険を負担する　1147
　近代的——　356
　土地——　450
　分割的——　524
所有権留保　372, 726, 1148
　——の法的構成　727*
所有者主義　1147
所有者等探索委員制度　447*
所有者（の）意思　403, 410
「所有者は危険を負担する」　1147
所有者不明建物管理命令　510*
所有者不明土地　446*, 507*
　——管理人の解任及び辞任　509*
　——管理人の義務　509*
　——管理人の権限　508*
　——管理人の報酬等　509*
　——管理命令　507*
　——等に関する訴えの取扱い　508*
所有物　441
　——返還請求権　341, 441
　——妨害排除請求権　342, 442
　——妨害予防請求権　444
白地規定　21
自力救済　429
　　　　行為　1551, 1612
事理弁識能力　37, 58
資力不足（要件）　834, 837, 848, 899
人役権　529
侵害行為の態様　1547
人格権　20
　——の侵害　1543
信義（誠実の原）則　21, 24, 733, 788, 814,
　903, 990, 1022, 1025, 1482
　——上の安全配慮義務（医療行為）　1555
斟酌　824, 1616, 1619
身上配慮の義務　62, 68, 77
心神耗弱　66
心神喪失　58
人身損害　1558
申請情報　386

1681

新設分割株式会社の債権者と詐害行為取消権の
　　行使　853
心素　86, 401, 403, 541
親族関係の侵害　1547
身体　1543, 1570
　　――障害　1561
信託　52, 106
心的外傷後ストレス障害（PTSD）　1579
信用　1544, 1577
　　――金庫（取引）　684, 709
　　――販売あっせん　1262
信頼の原則　1525
心裡留保　201
心裡留保と第三者効　200*

《　す　》
スイス債務法（OR：Obligationsrecht）　6, 186,
　　293, 299, 826, 829, 873, 981, 1012, 1035,
　　1078, 1138, 1146, 1153, 1187, 1191, 1204,
　　1210, 1238, 1264, 1457, 1590, 1599, 1603
スイス民法（ZGB：Zivilgesetzbuch）　6, 25, 30,
　　37, 88, 94, 365, 366, 370, 402, 403, 451, 470,
　　549, 588, 622, 995, 1585
推定　82, 96, 281, 415, 1327
水利権　369
数個の給付をすべき場合の充当　1019*
数人の保証人がある場合（427条準用）　919*
数量指示売買　1225

《　せ　》
静穏　1545
生活上の利益　1546
生活扶助制度　1514
成果等に対する報酬（委任）　1377*
請求権　20, 734
　　――競合説　802, 1538
　　――競合論　802, 1538
　　――説（424条）　852
　　――非競合説（不法行為との）　802
請求力　773
制限（行為）能力者　38, 82, 85, 262, 997
制限説（相殺と第三者）　390, 1068
精神的損害　806, 1570, 1578
　　――の賠償　1570
生前処分　140
製造物（製作物）供給契約　1196, 1356
製造物責任　798, 1511
制定法　676, 680

正当な業務行為　1553
正当な（の）事由（賃貸借）　1299, 1325,
　　1327, 1411, 1420
正当防衛　1552, 1612
成年　42
　　――宣告　43
　　婚姻による――　43
成年後見　→後見　47
　　――制度　47
　　――制度と障害者権利条約　55
　　――登記制度　53
　　――報酬　56*
成年年齢　38*, 39*
生命　1543, 1575
　　――保険　1513
責任　733, 774, 775
　　――財産　732, 773, 775
　　――なき債務　776
　　――を弁識する能力のない未成年者と親権者
　　　の監督義務　1586
　　債務なき――　776
責任財産　732, 773, 775
　　――の保全　834
責任能力　37, 1582
　　――と監督者責任　1582*
　　責任弁識能力を欠く者の――　1584
責任保険　1513
責任無能力者　38, 1585
積極的債権侵害論　799
絶対権　734
絶対的過失割合　1619
絶対的効力（請求）　885
絶対（的）責任　810, 826, 1507
説明義務　1553
「説明を受けたうえの同意」informed consent
　　1553
ゼネラル・モーゲージ　554
「せり」　1108
善意取得　330, 419, 949, 972
善意弁済の保護　950, 999, 1004
選択債権　765
　　――における選択権の帰属　766*
船舶　396, 421, 489
全面的価格賠償　494
占有　401
　　――回収の訴え　430
　　――改定　408, 422
　　――機関　404

1682

──の訴え　430
──の訴えの提起期間　434
──の公信力　420
──の承継　413
──の推定力　416
──の性質　409
──の態様　411
──保持の訴え　430
──補助者　404
──保全の訴え　430
瑕疵のある──　414
瑕疵のない──　414
間接──　405
共同──　405
指図による──移転　409
自己──　405
自主──　327, 410
準──　439
代理──　405
他主──　327, 410
単独──　405
直接──　405
占有権　401
──の効力　415
──の取得　401
──の譲渡　407
──の消滅　437
占有者　415
──による損害賠償　418
──による費用の償還請求　428
善意の──　417
占有訴権　429
先履行　1142
善良な管理者の注意（善管注意）　485*, 546,
　746, 1372, 1390, 1523
善良の風俗　185, 739, 1493

《　そ　》
素因　1618
　心因的──　1618
相関関係説　1537
相関的判断説　1537
総合預金口座　1001
倉庫証券　366, 396, 409, 976
相互保証　869
相殺　1050
──禁止　1059
──契約　1055, 1062

──充当　1069
──障害　1059
──適状　1058
──の意思表示　1061
──の禁止　1056*
──の担保的機能　1068
──の方法及び効力　1061*
──の要件等　1056*
──の予約　1055, 1068
悪意による不法行為に基づく損害賠償の債務
　の──　1065*
逆──　1069
数個の給付をすべき場合の──　1070*
停止条件付──契約　1055
人の生命又は身体の侵害による損害賠償の債
　務の──　1065*
法定──　1054
総財産　732
造作買取請求権　1322
造作代　1322
創設的効力（和解）　1436
相続　72, 251, 323, 378, 413, 694
相対権　734, 777
相対的効力（新 441 条）　891
増担保　282
相当因果関係　805, 819, 1556
──論　805
相当な期間（旧 524 条）　1114
相当の期間　252, 1167, 1206, 1272, 1358
相当の対価を得てした財産の処分行為　858*
双方行為　183
双方代理　235
双務契約上の地位の移転　984
双務契約における危険負担　1143*
総有　133, 483, 870
贈与　1187
──者の引き渡し義務等　1191*
現実──　1188
死因──　1194
書面によらない──　1189
定期──　1193
負担付──　72, 1192, 1193
相隣関係　452, 518
訴求力　732, 773, 774
遡及効　263, 292
即時取得　330, 419, 1263
訴権　429, 835
──の濫用　26

1683

訴訟当事者能力　1409
即決和解　1433, 1435
損益相殺　821, 1366, 1498, 1565, 1620
損益分配　1412
損害　806
　　拡大——　797, 806
　　財産——　806
　　財産的——　806
　　消極的——　806
　　人身——　806
　　精神的——　806, 1570, 1577
　　積極——　797, 806, 819
　　積極——の賠償　813
　　積極的——　806
　　相当の因果関係に立つ——　819
　　通常——　806, 819
　　特別——　806, 819
　　特別の事情によって生じた——　819
　　非財産的——　1577
　　無形の——　1574, 1577
損害担保契約　906, 914, 1340
損害の拡大　823*
損害賠償　804, 1501
　　——による代位　831
　　——の範囲　818, 1556
　　——の方法　822, 1615
　　——命令申立て制度　1503
　　懲罰的——　1557
　　二倍——（英米法）　1557
損害賠償及び費用の償還の請求権についての期
　　間の制限　1395*
損害賠償額の予定　827*
損害賠償請求権　1567
　　——に関する胎児の権利能力　1614*
　　——による相殺　1569
　　——の時効　1569, 1622
　　——の相続　1569
損失者　1460, 1474
損失の補償　1501
損失保証契約　188

《　た　》
代位
　　——訴権（債権者代位）　836
　　——物　622
　　——弁済　1034
　　——権　1037
　　——弁済者への財団債権性・共益債権性の承

　　　継　1041
　　任意——　1034, 1036
　　弁済による——　1034
　　法定——　1035, 1037
対価関係　1154, 1156
代価弁済　642
大規模な災害による借地上建物の滅失　1286
　　——借地契約の解除　1286
　　——借地権の対抗要件　1286
　　——借地権の譲渡　1287
　　——借地上の旧建物の賃貸人による旧借家人
　　　等に対する通知　1287
　　——適用地区の指定　1286
大規模な災害の被災地における特別措置　516
代金決定の自由　1206
代金の支払期限　1242*
代金の支払場所　1243*
対抗することができない　145, 393, 398
第三者　390, 398
　　悪意の——　391
第三者のためにする契約　1153
第三者弁済　994
第三取得者　576, 642, 661, 671, 682, 715
第三地　749
胎児　31
　　——の権利能力　1614
代償請求権　817, 832*, 1149, 1153
退職金　1339
対人権　734, 777
大深度地下　451
対世権　734
体素　86, 401, 402
代替執行　791
対当額　1061
代表（代表権・代表機関）　149, 151
対物権　734
代物弁済　1006
　　——の予約　727, 1009
　　停止条件付——契約　727, 1009
代弁済請求権　1379
対面者　1105
代理　149, 151, 221
　　——権　221, 224
　　——権授与契約　1338, 1370
　　——行為　224
　　——行為の瑕疵　226
　　委任による——　221
　　間接——　225

1684

狭義の無権—— 248
広義の無権—— 223
受動—— 226
単独行為の無権—— 256
任意—— 221
表見—— 223, 238, 241, 247
復——人 231
法定—— 221
無権—— 223
無権——人の責任 255
代理権の濫用 221*, 235*
大陸法（ヨーロッパ法） 872, 882
対話者 217, 1105
兌換紙幣制度 750
宅地 1310, 1320
宅地建物取引業者 1197
——が買主となる売買契約 388
諾約者 1153
多重多額債務 1258
太政官布告 355, 758
多数当事者の債権及び債務 868
ただし（変更の意味） 13
立木（たちき） 176, 368, 394, 477, 619
脱法行為 196, 719, 758, 1380
立替払契約 726, 1260
建物 174, 374
——の区分所有 451
建物買取請求権 1314, 1322
建物登記簿 384
他人の権利の売買 1218
他人の行為についての責任 1585, 1589, 1607
他人の事務 1445
客観的—— 1445
主観的—— 1445
他人の物 328, 996, 1293
頼母子講 240, 1400
他物権 399
短期賃貸借 1295
——の保護 668
濫用—— 668
団体協約 1099
団体訴訟制度 1098, 1135
団体定期保険 193
単独行為 183, 256, 1099
担保 360, 1049
——不動産収益執行 670, 713, 1057
——不動産収益執行手続 362, 621, 623,
625, 634

——保存義務 1049
権利移転型の—— 716
人的—— 361, 732, 869, 882, 902
占有—— 360, 582, 583, 585
特別—— 577, 1049
非占有—— 360, 549, 611
非定型—— 716
非典型—— 716
物的—— 361, 611, 716, 732, 869
変則—— 716
担保責任 1231*, 1233*, 1235*, 1362*
——と錯誤 1217
——を負わない旨の特約 1241*
請負人の—— 1357
売主の—— 1213
貸主の—— 1270
権利の瑕疵に対する—— 1215
物の瑕疵に対する—— 1215
担保物権 360
——の物上代位性 552
約定—— 715
担保保存義務 1047

《 ち 》
地役権 529
——の時効取得 533
——の消滅時効 539
——の随伴性 532
——の内容 530
——の不可分性 529, 532, 539
——の付従性 531
継続・不継続—— 533
作為・不作為—— 531
表現・不表現—— 533
法定—— 529
用水—— 535
遅延利息 635, 756, 763, 826, 828
地下権 521
竹木の枝の切除及び根の切取り 468*
地券制度 175, 355
地上権 515
——の存続期間 519
——の内容 516
空間—— 521
空中—— 521
区分—— 521
地下—— 521
部分—— 521

1685

「地上物は土地に属する」 175
地積 385, 1225
地代 518, 1310
地代据置き期間 519
知的財産権 20, 72, 601, 1541
地目 385, 1310
中間最高価格 807, 819
中間省略登記 387
中間的責任（不法行為） 1509
中間利益 1487
中間利息の控除 822*, 1559
仲裁 1432
——契約 1432, 1435
——合意 72, 1432
——廷 1432
——判断 1432
中性の行為（事務管理） 1449
注文者が受ける利益の割合に応じた報酬 1360*
注文者責任 1588, 1597
注文者についての破産手続の開始による解除 1366*
注文者による契約の解除 1365*
超過利息 760
長期賃貸借 668
調停 1431
著作権 1541
直接強制 773, 791, 793
直接効果説 1178, 1180
直接の因果関係 1475, 1477
賃金 1342
賃借権 1284
——その他の使用及び収益を目的とする権利 488*
——の時効取得 331
——の譲渡・転貸 1313
——の相続 1323
——の物権化 516, 733, 779, 1284, 1293
賃借人
——による使用及び収益 1321*
——の意思に反する保存行為 1307*
——の原状回復義務 1330*
——の通知義務 1320*
賃借物
——の一部滅失等による賃料の減額等 1311*
——の全部滅失等による賃貸借の終了 1323*

——の賃借人による修繕 1305*
——の一部滅失等による賃料の減額等 1311*
賃貸借 1283, 1283*, 1322
——の機能 1283
——の更新の推定等 1326*
——の効力 1300
——の存続期間 1298*
土地の—— 516
新型コロナウイルスの関係で一時的に営業ができなくなった場合（賃貸借） 1311*
賃貸人による修繕等 1305*
賃貸不動産
——の賃借人たる地位の移転 1303*, 1304*
——の賃借人による妨害の停止の請求等 1305*
賃料 525
——後払の原則 1320
——の前払 1320

《 つ 》
追完 810, 813, 819
追奪担保責任 1216, 1220
追認 249, 253, 259, 1441
債権的—— 261
法定—— 262, 270
通貨 751
通常総会 154
通常人 208
通常の必要量を超える商品の販売 1199
通信販売 1202
通知を怠った保証人の求償の制限等 930*
妻の無能力 74

《 て 》
定款 138
定期給付債権 344
定期金債権 343
定期行為 1173
絶対的—— 1173
相対的—— 1174
定期借地権 1285, 1295, 1299
定期借家権 1285, 1295, 1300
提供 1022
言語上の—— 1023
現実の—— 1023
口頭の—— 1023
事実上の—— 1023

1686

定期預金　1386
　無記名——　1386
定型約款　1183*, 1185*
呈示証券　979
貞操　744, 1543, 1576
抵当
　——直流　617
　共同——　662
　流——　617
抵当権　611
　——者　617
　——者の同意による賃貸借の対抗力　653
　——譲渡　638
　——消滅請求　642, 715
　——設定契約　617
　——設定者　617
　——付債権の質入れ　636
　——付債権の譲渡　637
　——等がある場合の買主による費用の償還請求　1236*
　——等の登記がある場合の買主による代金の支払の拒絶　1245*
　——と所有権の関係　613
　——の効力　628
　——の効力の及ぶ範囲　618
　——の順位　631
　——の順位譲渡　639
　——の順位の変更　632
　——の順位放棄　639
　——の消滅　671
　——の消滅時効　671
　——の処分　635, 637
　——の侵害　628
　——の随伴性　636
　——の相対的処分　639
　——の追及力　619, 622
　——の被担保債権の範囲　633
　——の不可分性　622
　——の付従性　615, 636, 671
　——の物上代位性　622
　——の優先弁済的効力　617
　——放棄　638
　一般——　612
　永小作権——　618
　近代——　611
　原——　638
　後順位——者の代位権　665
　債権と切り離した——の処分　635

債権とともにする——の処分　636
　最高額——　616
　所有者——　612, 632
　地上権——　618
　転——　638
　投資——　611
　根——　→根抵当権
　普通——　675
抵当証券　612, 637, 1258
定年制　1348
手形割引契約　676, 686, 1259
適合性の原則　1552
滌除　642
適法行為による損失の補償　1501, 1549
手金　1209
手付　830, 1209
　違約——　1210
　解約——　1210
　証約——　1210
　成約——　1210
撤回　44, 47, 767, 1111, 1119, 1165, 1189, 1189*
手は手を守らなければならない　419
テレビ番組と名誉毀損　1575
テレビ放送　1546
典型契約　1088
天災・事変　324
電子記録債権　734, 954
電子消費者契約　1096
転質　590
　承諾——　591
　責任——　591
転貸　1315
　承諾——　1319
　適法——　1319
天引　762, 1264
添付　476
転用物訴権　1471, 1476
電話勧誘販売　1202

《　と　》
ドイツ民法（BGB：Bürgerliches Gesetzbuch）
　5, 6, 25, 30, 37, 106, 170, 182, 186, 199, 200,
　211, 225, 259, 293, 299, 337, 363, 365, 366,
　370, 382, 402, 405, 409, 422, 423, 529, 595,
　612, 616, 622, 632, 663, 738, 744, 785, 788,
　805, 812, 818, 826, 829, 873, 909, 921, 981,
　995, 1012, 1014, 1027, 1029, 1035, 1046,
　1071, 1078, 1098, 1108, 1131, 1138, 1147,

1153, 1157, 1180, 1187, 1191, 1204, 1238, 1335, 1338, 1413, 1416, 1439, 1443, 1444, 1449, 1457, 1458, 1463, 1491, 1578, 1590, 1599, 1603

問屋（といや）　222, 348, 1370, 1374, 1466

当為　732

登記　384
　——記録　385
　——原因証明情報　386
　——識別情報　389
　——事項　385
　　——概要ファイル　953
　——情報　386
　——申請義務　381*
　——申請情報　386
　——済証　389
　——請求権　386
　——の欠缺を主張するについて正当の利益を有する第三者　390
　——の公信力　205, 395, 636
　——のコンピューター化　385
　——の推定力　416
　——の対抗力　394
　——簿　385
　　——と台帳の一元化　385
　仮——　385
　中間省略——　387
　予告——　378

当座貸越契約　584, 676, 683, 1259

当座組合　1402

動産　177, 395
　——譲渡登記　367
　——抵当制度　366, 384, 615

同死　32

同時死亡の推定　96, 97

同時配当　664

同時履行　1135, 1181, 1241
　——の抗弁権　1135

同種の給付を目的とする数個の債務がある場合の充当　1015*

頭数（割）　1042, 1408, 1413

到達主義　218, 1116

導入預金　1386

盗品　424, 425

動物　1603
　——の占有者　1603
　——の占有者等の責任　1603
　家畜以外の——　427

登録質制度　366

登録免許税　390

特定原因基準（根抵当）　684

特定債権保全の必要　834, 839

特定債務者　1432

特定債務等の調整　1432

特定担保　→担保

特定調停　1432

特定の原則　612

特定の債権者に対する担保の供与等　858*

特定物権　745

特定物の現状による引渡し　1010*

特定物の引渡の場合の注意義務　744*

匿名組合　1403

独立行政法人　105, 117, 132, 135

独立の原則（抵当権）　612

土地　173, 374
　——の定着物　174

土地工作物責任　1598, 1601

土地登記簿　384

富井政章　5, 37

取り入れ（Einbeziehung）（約款）　1134

取消し　258
　——の相対的効力　259
　相対的——　259

取消権　262, 270

取り消すことができる債務の保証　913*

取締規定　195

取締法規違反行為　1548

取立て債務　478, 1025

取引契約　676
　——の既存在　678
　将来の——　678

取引上の社会通念　205*, 744*, 784*, 796*, 808*, 998*, 1010*, 1047*, 1165*, 1184*

取引約定書　11

《　な　》

内縁（関係）　1543, 1580

名板貸契約　196

内容証明郵便　218, 313

捺印　225

《　に　》

荷為替　373, 1025, 1143

二重訴訟　885

入札　195, 1108

任意規定　197

任意後見（制度）→後見　50
任意債権（務）　765, 1422
認知症高齢者の親族の監督責任　1185
認定的効力（和解）　1436

《　ね　》
ネガティブ・オプション（押しつけ販売）　1118
根質　→質
根抵当　616, 675
　──債務者　679
　──負担者　679
　旧──　677, 690, 691, 706
　狭義の共同──　703
　純粋共同──　703
　転──　699
　包括──　678, 684
　累積式共同──　703
根抵当権　616, 675
　──の一部譲渡　698, 701
　──の確定　680, 706
　──の元本確定事由　711, 712
　──の共有　701
　──の実行　708
　──の譲渡　698
　──の消滅　709
　──の消滅請求　714
　──の処分　698
　──の全部譲渡　698, 700
　──の独立的性格　681, 683, 688, 699, 707
　──の分割譲渡　698, 700
　──の変更　687
　旧──　677, 678, 693
　共同──　680, 703
　共有──　702
　共用──　682, 688, 923
　純粋共同──　704
　転──　699, 701
　累積式共同──　706
根保証　903
　包括──　904
根保証契約　903, 934
　──の被保証債権を譲り受けた者　903
　貸金等──　902, 904
年齢計算　285, 288

《　の　》
脳死　32
農地　524, 1197, 1288, 1295, 1300

農地改革　524, 1288

《　は　》
配偶者の居住の権利の保護　15*
賠償
　一時金──　1568
　遅延──　797, 811, 819, 826
　定期金──　1568
　塡補──　797, 811, 819
賠償額の予定　763, 827
　──の自由　829
賠償者の代位　1567
背信的悪意者　392
背信的行為　1316
売買　1196
　──の効力　1214
　現実──　1204, 1206
　商事──　1214
売買契約　1197
　──に関する費用　1212
　不動産──　1197
「売買は賃貸借を破る」　1301
廃罷　1438
　──訴権　847
倍戻し　1210, 1211
白紙委任状　222, 240
発信主義　218, 1116
パブリシティ権　1542
反社会的勢力を主債務者とする融資　910
反対債権　1057
パンデクテン（Pandekten, Pandektae）式編別
　5, 360, 742, 869
判例法　356, 677, 678, 680, 719, 909, 1500
反論権　1575

《　ひ　》
被害救済システム論　1515
被害者
　──の過失　1616
　──の側の過失　1617
　──の承諾　1552
被害補償制度　1514
引受主義（抵当権）　617
引換給付判決　544, 1141
引取り義務（債権者）　786
引渡し　397
　──の欠缺を主張するについて正当な利益を
　　有する第三者　398

簡易な―― 407
現実の―― 407
被災地短期借地権 1287
非債弁済 1484
狭義の―― 1484
広義の―― 1465, 1484
被侵害利益 1538
非占有担保 →担保
被代位権利 840
被担保債権 588, 634
――資格の限定 683
――特定基準 684
――の不特定性 679
必要費 428, 547, 662, 1277, 1308, 1393, 1452
非典型担保 716, 1261
人 30
非表現行為 1439, 1449
日歩 192, 757, 828
被保全債権 836, 848
表決権 157
表見代理 →代理 238
権限踰越の―― 242
代理権授与の―― 239
代理権消滅後の―― 247
表示意思 199
表示行為 199
表示主義 200
被用者（Arbeitnehmer） 1339, 1588, 1591

《 ふ 》
ファイナンス・リース 1262, 1290
ファクシミリ（意思の伝達） 1105
不安の抗弁権 1138
不意打ち条項 1134
付加一体物 619
不可抗力 809, 827, 1144, 1309
不可分債権及び不可分債務 873*
付款 273, 1155
不完全債務 732, 774
不完全履行 799, 811, 812, 1170
付記登記 667
複合契約 1094, 1165, 1260, 1262, 1291
福島原発事故 1510
復受任者の選任等 1373*
復任権 231
複利 764
袋地 456
準―― 456

人為的―― 457
付合 476
――契約 11, 184, 1132
動産の―― 478
不動産の―― 476
不在者 50, 89
付従契約 1132
付随債務 1089, 1129, 1166
付随（的）義務 741, 1089, 1130
――論 799
ブスケ 3
附帯私訴 1503, 1537, 1614
負担部分 869, 878, 887, 890, 894, 899, 923
付遅滞 781
普通契約条件 11, 1132
普通契約条項 184
普通契約約款 1132
普通取引約款 11, 1132
物権 354
――行為 363, 370
――行為の独自性 364
――行為の無因性 363
――行為の有因性 1498
――取得権 375, 1251
――的請求権 359
――の移転 370
――の設定 370
――の排他性 357
――の本質 356
――の優先的効力 359
――の歴史 355
――法定主義 363, 367, 734
制限―― 354
他―― 354
担保―― 354, 360, 361
動産―― 366
不動産―― 364, 374
法定担保―― 354, 360
約定担保―― 354, 360, 611
用益―― 354, 360
物権変動 363, 370, 377
動産―― 366
物上代位 552, 624, 724, 728
被――債権 626
物上根保証人 682, 715
物上保証人 585, 593, 617, 627
――の求償権 593
物的編成主義 384

物と債権の牽連性　542
歩積み・両建て預金　763
物理的変形物（物上代位）　624
不適合の通知期間　→権利行使の期間　1232*
不動産　173, 374
　　用方による――（従物）　620
不動産所有権の放棄　446*
不動産の賃借人による妨害の停止の請求等
　　1305*
不当利得　1455, 1473, 1479
　　――と不法行為　1481
　　――の因果関係　1475
　　――の沿革　1457
　　――の返還義務　1461*
　　――の補充性　1457
　　――の補助性　1457
　　――の類型　1458
　　――返還請求権の消滅時効　1481
　　給付――　1459, 1463
　　金銭による――　1479
　　非給付――　1459, 1467
　　悪意の受益者（不当利得）　1482*
不特定の債権　682, 706
船荷証券　366, 396, 976
不能
　　――による選択債権の特定　768*
　　原始的――　740, 769, 814, 1150, 1225
　　　　――の契約　784*
　　後発的――　740, 769, 813
不分割の契約　493
不文法主義　25
不法原因給付　1489
不法行為　279, 1500
　　――者　393
　　――と債務不履行　1501
　　　　――に関する民法規定の比較　1502*
　　――による損害賠償　1497, 1520*
　　――能力　1582
　　――の客観的要件　1536
　　――の指導原理　1503
　　――の主観的要件　1522
　　悪意の――　1050*
　　過失――　1515
　　共同――　1604
　　現代的――　1515
　　故意――　1515
　　抵当権侵害と――　631
　　特別な――　1519, 1589, 1599, 1603, 1607

　　不作為による――　1533
　　法人の――　1511, 1528, 1591, 1595, 1602,
　　　1623
不法な原因　1491
扶養請求権の侵害　1581
付与的効力（和解）　1436
プライバシー　1544, 1572
フランス「人と市民の権利の宣言」　1503
フランス法　738
フランス民法（CC：Code Civil）　5, 86, 102,
　　186, 363, 371, 549, 792, 826, 829, 836, 847,
　　873, 995, 1035, 1046, 1062, 1071, 1078, 1146,
　　1153, 1180, 1187, 1204, 1210, 1413, 1439,
　　1590, 1599, 1603
フランチャイズ契約　1203
分割債権及び分割債務　871*
分別の利益　919, 933

《　へ　》
平穏　327, 412
併存的債務引受け　→債務引受け
弁護士　50, 187, 224, 347, 1373, 1377, 1386,
　　1445, 1453, 1590
　　――の委任契約上の善管注意義務　1373
　　――費用　821, 1012, 1550, 1563, 1568, 1620
弁済　990, 992*
　　――拒絶権　1137
　　――受領権者　1003
　　――として引き渡した物の消費又は譲渡がさ
　　　れた場合の弁済の効力等　997*
　　――として引き渡した物の取戻し　995*
　　「――に代えて」　1007
　　――による代位　665, 1034
　　――の充当　708, 1014
　　――の準備　1025
　　「――のために」　1007
　　――の提供　1021, 1141
　　――の場所　1011
　　　　――及び時間　1011*
　　――の費用　1012
　　――の目的物の供託　1027*
　　期限前の――　1487
　　受領権者としての外観を有する者に対する
　　　――　998*
　　第三者の――　993, 994
　　本来の――　994
　　預金又は貯金の口座に対する払い込みによる
　　　――　998*

1691

弁済者の代位　1034
変則担保　716

《　ほ　》

ボアソナード　3, 4, 175, 360, 655
法貨　751
「法学提要」　5
放棄　492, 519, 524, 537
報酬　1342, 1356, 1377
　——後払の原則　1343, 1357
法条競合説　802, 1538
報償責任　1504, 1589, 1594, 1596
法人　98
　——学説　101
　——擬制説　101
　——実在説　101
　——成り　102
　——の解散　158
　——の管理　149
　——の権利能力　142
　——の行為能力　142
　——の財産目録・社員名簿　148
　——の残余財産の帰属　160
　——の住所　148
　——の設立　130
　——の設立についての許可主義　106, 135
　——の設立についての準則主義　106, 135
　——の設立についての登記・登録主義　135
　——の設立についての認可主義　105, 135
　——の設立についての認証主義　106, 135
　——の設立についての法律成立主義　105, 135
　——の代表　150
　——の不法行為　1511, 1528, 1591, 1595, 1602, 1623
　——の不法行為能力　142
　——否認説　101
　——本質論　101
　——理論　101
　営利——　105, 136
　外国——　137
　共益——　106
　行政——　105, 107, 109, 121
　公——　103
　公益——　105
　——の設立　134
　財団——　106
　社団——　106

地方独立行政——　118
中間——　135
中間的——　106, 135
特定独立行政——　105
独立行政——　117
私——　103
清算——　161
法人格　142
　——のない社団・財団　132, 1400
　——の濫用　102
　——否認論　102
法制審議会　13, 48, 678
法定解除　377, 1164
法定更新　1299, 1327
法定借地権　656, 659, 728
法定責任（説）　1216, 1237
法定代理人　44, 233
法定地上権　655
法定利率（3％）　754*
　——の基準割合　754*
法的人格　142
法典調査会　5, 655
訪問購入　1201
訪問販売　1201
暴利行為　191, 592, 717, 720, 758
法律　449
法律行為　43, 182, 852
　——の解釈　183
　——の要素　207
　準——　793, 965, 994
法律上の原因　481, 1461
法律上保護される利益　1536, 1575
　——の侵害　1555
保険金（請求権）　552, 624, 1513, 1565
保険契約者貸付制度　1001
保険制度　1513
保佐　→後見　65
　——開始の審判　65
　——人　67
　被——人　67
　被——人の行為能力　70
補充規定　194, 739
補助　→後見　75
補助開始の審判　75
補助人　76
　被——人　76
　被——の行為能力　78
補償関係　1154, 1466

保証 →事業に係る保証契約
　　——委託契約　909
　　——連帯　919, 933
　　一部——　913
　　共同——　→共同保証
　　共同連帯——　920, 933
　　根——　→根保証
　　副——　912, 942
　　有限——　910, 913
　　連帯——　918, 922
　　連帯共同——　920
保証意思宣明公正証書　944*, 946*
保証契約　902
　　——における書面要件　910
　　電磁的記録による——　911
保証債権者の義務
　　——主たる債務者が期限の利益を喪失した場
　　　合における情報の提供義務（保証）　924*
　　——主たる債務の履行状況に関する情報の提
　　　供義務（保証）　923*
保証債務　902
　　——の随伴性　908
　　——の範囲　911*
　　——の付従性　908, 913, 921
　　——の補充性　908, 918
保証書　1215, 1242
保証人　908, 915
　　——が法人である根保証契約の求償権
　　　940*
　　——の求償権　924
　　——の事前求償権　927
　　——の責任等　905*
　　——の動機　207
　　——の負担と主たる債務の目的又は態様
　　　912*
　　——の要件　915*
　　委託を受けた——　925
　　——が弁済期前に弁済をした場合（保証人
　　　の求償権）　926*
　　委託を受けない——　929
　　受託——　924
ポセッシオ（possessio）　401, 429
補足金（交換）　1255
保存行為　230
保存費　565
ポツダム勅令　8
穂積陳重　5
ホフマン式計算法

単式——　1560
複式——　1560
本権　355, 401, 429, 434, 595
　　——の訴え　417, 429, 435
本体的債務　1129
本人のためにする（意思）　225, 406, 438

《　ま　》
埋蔵物　475
前払式特定取引　1199
増担保　→ぞうたんぽ
麻酔　1525
回り手形　685
　　——・小切手基準　685

《　み　》
未成年者　38
　　——の雇用契約　1341
　　——の責任能力　1583
箕作麟祥　3
みなし弁済　761, 1482, 1483
みなし利息　763
みなす　82, 88, 93, 97, 178, 416, 1327
未必の故意　1523
「身分から契約へ」　1127
身分権　20
身分行為　253
身分（上の）行為　38, 200, 202, 204, 223
見本売買　1204, 1239
身元引受　906
　　——契約　1340
身元保証　906
　　——契約　1339
　　——金　1350
民事会社　136
民事責任　1501, 1503
民法（債権法）改正（2017年）　14*, 735*
民法（相続法）改正（2018年）　15*, 379*,
　　963*
民法の指導原理　19
民法典論争　4

《　む　》
無過失責任　255, 1216, 1223, 1270, 1342, 1359,
　　1504, 1507, 1522, 1599, 1616
　　——論　1507
　　形式上の——　1508
　　実質上の——　1507

純粋―― 1507
立証上の―― 1508
「無過失の衣を着た過失」 1508, 1608, 1616
無記名債権 177, 396, 605, 978
無記名預金 1001
無限責任 774, 776
無権代理行為の追認 1442
無権代理と相続 250
無権利者 392, 398
無効 258
――行為の追認 259
――行為の転換 259
――の主張者 36*
一部―― 259
絶対的―― 258
相対的―― 258
無効行為と原状回復義務 264*
無資力（要件） 834, 837, 848, 899, 900
無尽講 1400
無制限説 390, 1068
無生物責任（フランス民法） 1600
無体財産権 →知的財産権
無断譲渡 1314
無断転貸 1314
無店舗販売 1201
無能力者 38, 48
無報酬の受寄者の注意義務 1390*
村八分・町省・組外し 191, 1571

《 め 》
名義貸し 241
明認方法 177, 394, 1302
名誉 1543, 1572
――毀損 1621
メーン（ヘンリー） 1127
免除 1078
――契約 1078
連帯の―― 889, 1079
免責事由 1509
免責証券 978
免責的債務引受け →債務引受け
メンテナンス・リース 1290

《 も 》
申込み 1110
――の拘束力 1111
――の撤回 1119
――の誘引（invitation to offer） 1111

申込者の死亡・意思能力の喪失等 1116*
モーゲージ証書 637
黙示の更新 1326, 1350
目的物の種類又は品質に関する担保責任の期間の制限 1231*
目的物の滅失等についての危険の移転（売買） 1232*
持分 483, 486
――権 483
――の放棄 492
物（以下の合成語では「ぶつ」と読む） 170
有体―― 170
可分―― 171
公有―― 170
公用―― 171
消費―― 171
代替―― 171
特定―― 171
非消費―― 171
不可分―― 171
不代替―― 171
不特定―― 171
不融通―― 170
融通―― 170

《 や 》
薬害 1605
約款 11, 184, 1090, 1132, 1248, 1260
――の契約への「取り入れ」 1133
――の拘束力 1133
定型―― →定型約款
標準―― 1134
山田顕義 4
やむを得ない事由による雇用の解除 1349*

《 ゆ 》
有益費 428, 547, 662, 1277, 1308, 1452
有価証券 1081*
有限責任 776, 1512
数量的―― 776
物的―― 586, 776
優等懸賞広告 1125
湯口権 369
ユスティニアヌス法典 5
許された危険 1555

《 よ 》
用益質 597

要役地　530, 531
要式行為　649, 910
幼児引渡しの債務　793, 795
要素的債務　1129
用法（用方）　620, 1276
要約者　1153
預金小切手　1024
預金取引経過の開示　489
予見可能性　1523
予後的効力・責任　742, 1131
与信義務　1265
予約　1095
　　──完結権　1207
　　──予約完結請求権　1095
　　一方の──　1095
　　再売買の──　1208
　　消費貸借の──　1269
　　双方の──　1095
　　双務──　1095, 1207
　　売買の一方の──　1206
　　片務──　1095, 1207
　　本来の──　1095, 1207, 1269

《　ら　》
ライプニッツ式計算法
　　単式──　1560
　　複式──　1560

《　り　》
リース　821, 952, 1289
　　サブ──　1291, 1314
　　ファイナンス・──　→ファイナンス・リー
　　ス
利益
　　──の存する限度　1477
　　現に──を受けている限度　263
　　信頼──　256, 798, 806, 812, 1108, 1217
　　履行──　806, 812, 1108, 1217
利益償還請求権　1149, 1153
利益相反行為　152
「利益の帰するところ、損失もまた帰する」
　　1147
履行　994
　　──の強制　790*
　　──の着手　1210
　　──の提供　877, 1141
　　──の割合に応じた報酬（雇用）　1343*
履行期と履行遅滞　780*

履行拒絶権　1151*
履行代行者　816
履行代用者　816
履行遅滞　781, 797, 809, 1166
　　──中又は受領遅滞中の履行不能と帰責事
　　由　789*
履行の引受け（履行引受け）　985
履行不能　784*, 797, 817, 1143
　　受領遅滞中の──　789*
　　履行遅滞中の──　790*
履行不能による解除権　1175
履行地の異なる債務の相殺　1063*
履行補助者　815
　　──の故意・過失　815
利息　755, 1268*
　　──債権　741, 756
　　──自由の原則　756
　　──の元本への組入れ　764
　　──の天引　762
　　制限超過──　1020
　　遅延──　→遅延利息
　　超過──　758
　　法定──　757
　　みなし──　763
　　約定──　756
利息債権　756, 757
　　基本権としての──　757
　　支分権としての──　757
流質型　722
流質契約　585, 591, 720
　　──の禁止　591, 1009
流水
　　──利用権　369
　　自然的──　461
留置権　541, 1138
　　──の効力　541
　　──の不可分性　545
流通性の確保の原則　612
流抵当　617
立木　7, 177, 369, 374, 394, 597, 615
両替　1255
利用行為　230
両性の本質的平等　28
利率　756
　　商事──　757
　　制限──　758
　　法定──　757
　　民事──　757

約定—— 757
臨時総会 154
隣地使用者 453*
隣地の使用 453*
隣地を現に使用している者 453*, 454*

《 る 》
類型論（不当利得） 1459

《 れ 》
礼金 756, 763
連帯債権 878〜879*, 882
連帯債務 880〜901*
　——者の求償権 893
　——の相対的効力 891*
　——の絶対効 880*
　—— 又は不可分債務の保証人の求償権
　　932*
　不真正—— 881, 884, 890, 1596, 1605, 1610
連帯抵当 663
連帯の特約 884
連帯（の）免除 900
　絶対的—— 901
　相対的—— 901
連帯保証人について生じた事由の効力 922*
レンタル契約 1289

《 ろ 》
労働 1341
　——の従属性 1335

労災保険法による遺族補償年金と損益相殺
　783, 1566
労働協約 1099, 1134, 1336
労働契約 1334, 1337
労働者（Arbeiter） 1335, 1339
労働立法 1335
浪費者 57, 66, 67, 75, 84
労務供給契約 1088, 1340
労務者 1338
ローマ法 401, 429, 430, 549, 827, 872, 882, 956,
　1146, 1416, 1457, 1599, 1603
　——大全 5
ローン提携販売 1199

《 わ 》
和解 1431
　——契約 1063, 1435
　——契約の解除 1438
　——と錯誤 1437
　——の効力 1435
　起訴前の—— 1433, 1435
　裁判外の—— 1431
　裁判上の—— 1431, 1433
　私法上の—— 1431
　訴訟上の—— 1433
　即決—— 1435
　民法上の—— 1431
枠契約（Rahmenvertrag） 1095
枠支配権 683, 689, 698

●著者紹介●

我 妻　榮（わがつま・さかえ）
　　1897年（明治30年）山形県米沢市に生まれる。1920年（大正9年）東京帝国大学卒業、東京大学教授、同大学名誉教授、法務省特別顧問。1973年（昭和48年）10月逝去。

有 泉　亨（ありいずみ・とおる）
　　1906年（明治39年）山梨県に生まれる。1932年（昭和7年）東京帝国大学卒業、京城大学法学部を経て、東京大学教授、同大学名誉教授。1999年（平成11年）12月逝去。

清 水　誠（しみず・まこと）
　　1930年（昭和5年）東京都に生まれる。1953年（昭和28年）東京大学法学部卒業、東京都立大学助教授、同大学教授、神奈川大学教授を経る。東京都立大学名誉教授。2011年（平成23年）1月逝去。

田 山 輝 明（たやま・てるあき）
　　1944年（昭和19年）群馬県に生まれる。1966年（昭和41年）早稲田大学法学部卒業、同大学同学部専任講師、助教授、教授を経る。早稲田大学名誉教授。

第8版
我妻・有泉コンメンタール民法──総則・物権・債権──

2005年 8 月31日	第1版第1刷発行
2008年 6 月30日	第2版第1刷発行
2013年 8 月20日	第3版第1刷発行
2016年 9 月25日	第4版第1刷発行
2018年 4 月 1 日	第5版第1刷発行
2019年 8 月10日	第6版第1刷発行
2021年 4 月 1 日	第7版第1刷発行
2022年 9 月20日	第8版第1刷発行
2023年10月 1 日	第8版第2刷発行

著　者──我妻　榮・有泉　亨・清水　誠・田山輝明

発行所──株式会社　日本評論社
　　　　〒170-8474　東京都豊島区南大塚 3-12-4
　　　　電話 03-3987-8621（販売）-8590（同FAX）-8631（編集）
　　　　振替 00100-3-16

印刷所──株式会社平文社

製本所──牧製本印刷株式会社

装　幀──銀山宏子

© Manabu Wagatsuma, Tomoko Ariizumi, Akiko Shimizu, Teruaki Tayama 2022

JCOPY ＜（社）出版者著作権管理機構　委託出版物＞
本書の無断複写は著作権法上での例外を除き禁じられています。複写される場合は、そのつど事前に、㈳出版者著作権管理機構（電話 03-5244-5088、FAX 03-5244-5089、e-mail: info@jcopy.or.jp）の許諾を得てください。
また、本書を代行業者等の第三者に依頼してスキャニング等の行為によりデジタル化することは、個人の家庭内の利用であっても、一切認められておりません。

ISBN 978-4-535-52647-1　　　　　　　　　　Printed in Japan